DEUTSCHES LITERATUR-LEXIKON

BIOGRAPHISCH-BIBLIOGRAPHISCHES HANDBUCH

BEGRÜNDET VON WILHELM KOSCH

DRITTE, VÖLLIG NEU BEARBEITETE AUFLAGE

SIEBENTER BAND: HAAB–HOGREBE

HERAUSGEGEBEN VON HEINZ RUPP (ÄLTERE ABTEILUNG)
UND CARL LUDWIG LANG (NEUERE ABTEILUNG)

FRANCKE VERLAG BERN

UND MÜNCHEN

DIE MITARBEITER DIESES BANDES

Dr. Helmut Bender, Freiburg/Br.
Dr. Ingrid Bigler, Bern
Prof. Dr. Martin Bircher, Wolfenbüttel
Prof. Dr. Horst Daemmrich, Detroit/Mich.
Dr. Hans-Georg Dewitz, Frankfurt/M.
Prof. Dr. Uwe Faulhaber, Detroit/Mich.
Prof. Dr. Penrith Goff, Detroit/Mich.
Professor Dr. Karl S. Guthke, Harvard University
Dr. Gerhard Hay, München
Dr. Franz Heiduk, Würzburg
Hans W. Hertz, Notar a. D., Hamburg
Harro Kieser, Oberbibliotheksrat, Frankfurt/M.
Wulf Kirsten, Weimar
Reinhard Müller, lic. phil., Bern
Prof. Dr. Maria Roth, Detroit/Mich.
Robert Ruprecht, Gymnasiallehrer, Burgdorf/Bern
Dr. Hartwig Schultz, Frankfurt/M.
Erika Schumacher, lic. phil., Basel
Klaus Seehafer, Diepholz
Prof. Dr. Gerhard Spellerberg, Berlin
Dr. Anna Stüssi, Bern

HERAUSGEBER

Ältere Abteilung (bis ca. 1500): Prof. Dr. Heinz Rupp, Basel
Neuere Abteilung (ca. 1500 bis zur Gegenwart): Dr. Carl Ludwig Lang, Bern

REDAKTION

Dr. Carl Ludwig Lang, Bern

VORWORT

Die Fülle des Stoffes hatte zur Folge, daß dieser Band rund 340 Spalten mehr umfaßt als der sechste. Es schien uns besser, diesen Mehrumfang in Kauf zu nehmen, als einen Teil auf den nächsten Band zu verschieben, was möglicherweise eine Vermehrung der festgesetzten Bandzahl zur Folge gehabt hätte.

Die im Vorwort zu Band 6 erläuterten Grundsätze wurden beibehalten, lediglich das Abkürzungsverzeichnis wurde noch etwas präzisiert und erweitert.

Wiederum ist vielen Persönlichkeiten für ihre freiwillige Mitarbeit zu danken. An erster Stelle stehen jene Germanisten der Wayne State University, Detroit, Michigan, welche die meisten der Groß-Artikel der neueren Abteilung verfaßten: Es sind dies der Initiator dieser Gruppe, Herr Professor Dr. Horst S. Daemmrich, und mit ihm Frau Professor Dr. Maria Roth sowie die Herren Professor Dr. Uwe Faulhaber und Professor Dr. Penrith Goff. Darüber hinaus bewilligte die Wayne State University Mittel für Sekretariatsarbeiten und für Reisen von Mitarbeitern zu Forschungszentren. Diesen Mitarbeitern und ihren Universitätsbehörden gilt unser besonderer Dank.

Ferner stellten einzelne oder mehrere Artikel zur Verfügung: Die Herren Professor Dr. Martin Bircher (Wolfenbüttel), Dr. Hans-Georg Dewitz (Frankfurt a. M.), Professor Dr. Karl S. Guthke (Harvard University), Dr. Gerhard Hay (München), Dr. Franz Heiduk (Würzburg), Notar a. D. Hans W. Hertz (Hamburg), Oberbibliotheksrat Harro Kieser (Frankfurt a. M.), Wulf Kirsten (Weimar), Dr. Hartwig Schultz (Frankfurt a. M.), Klaus Seehafer (Diepholz), Professor Dr. Gerhard Spellerberg (Berlin). Herr Bibliotheksdirektor Dr. Tilo Brandis, Leiter der Handschriftenabteilung der Staatsbibliothek Preußischer Kulturbesitz Berlin, ergänzte zahlreiche Hinweise auf Nachlässe auf Grund seiner in Vorbereitung befindlichen Neubearbeitung des Werkes von Denecke (vgl. Abkürzungsverzeichnis). Weitere Ergänzungen erhielten wir von Frau Petra Goder-Stark MA vom Deutschen Literaturarchiv/Schiller-Nationalmuseum Marbach am Neckar. Frau Elisabeth Friedrichs, dipl. Bibliothekarin in Tübingen, ergänzte und berichtigte Lebensdaten aus ihrem in Vorbereitung befindlichen Lexikon der deutschsprachigen Schriftstellerinnen der beiden vorigen Jahrhunderte. Frau Gertrud Schwab-Steuri (Bern) besorgte in entgegenkommender Weise die Reinschrift zahlreicher Artikel.

Ihnen allen sei auch an dieser Stelle herzlich gedankt.

Den Hauptteil der Artikel verfaßten wiederum feste Mitarbeiter des Verlags. Zu denjenigen von Band 6, Herrn lic. phil. Reinhard Müller und Fräulein Dr. phil. Anna Stüssi, kam Frau Dr. phil. Ingrid Bigler. Auch diesmal wurden ihnen Arbeitsplätze in der Schweizerischen Landesbibliothek und der Stadt- und Universitätsbibliothek zur Verfügung gestellt, wofür deren Direktoren, Herrn Professor Dr. Franz G. Maier und Herrn Professor Dr. Hans A. Michel, unser Dank ausgesprochen sei.

Als verantwortliche Herausgeber des Bandes zeichnen wieder die Herren Professor Dr. Heinz Rupp, Basel (für die Autoren und anonymen Werke bis etwa 1500), unter Mitarbeit von Frau lic. phil. Erika Schumacher, Assistentin am Deutschen Seminar der Universität Basel, und Dr. Carl Ludwig Lang, Bern (von 1500 bis zur Gegenwart). Sie tragen die Verantwortung für die Nomenklatur und für die Aufstellung der Grundsätze zur Gestaltung der einzelnen Beiträge, jedoch nicht für jede Einzelheit der Durchführung, die bei den Verfassern liegt.

Redaktionsschluß war der 1. Dezember 1978. Verschiedene Daten und Titel konnten noch während des Korrekturengangs eingefügt werden.

Die Finanzierung des «Deutschen Literatur-Lexikons» bereitet dem Verlag nach wie vor große Sorgen. Verschiedene Institutionen leisteten finanzielle Beiträge an die Herausgabe dieses Bandes: Der Schweizerische Nationalfonds zur Förderung des wissenschaftlichen Faches bewilligte wie bei früheren Bänden einen Zuschuß, der zur Honorierung der Mitarbeiter der Älteren Abteilung diente. Ferner gewährten Zuschüsse die Stiftung Pro Helvetia, Zürich, und die Migros-Genossenschaft, Zürich. Diesen Institutionen gilt der große Dank des Verlags.

Oktober 1979   Herausgeber und Verlag

AAB	Abh. d. Dt. (ab 1946; bis dahin Preuß.) Akad. d. Wiss. zu Berlin. Phil.-hist. Kl., 1804 ff.	Ann.	Annalen, Annales, Annals, Annali
		anon.	anonym
AAG	Abh. d. Königl. Gesellsch. d. Wiss., Göttingen	Anthol.	Anthologie(n)
		Anz.	Anzeiger, Anzeigen
AAH	Abh. d. Heidelberger Akad. d. Wiss. Phil.-hist. Kl., 1913 ff.	a. o. Prof.	außerordentl. Professor
		Arch.	Archiv
		Archiv	Arch. f. d. Studium d. neueren Sprachen u. Lit., 1846 ff.
AAM	Abh. d. Bayer. Akad. d. Wiss. Phil.-hist. Kl., 1833 ff., 1910 ff.		
		ARG	Arch. f. Reformations- gesch., 1903 ff.
ABäG	Amsterdamer Beiträge z. älteren Germanistik, Am- sterdam 1972 ff.	AT	Altes Testament
		Auff.	Aufführung(en)
		Aufl.	Auflage(n)
Abh.	Abhandlung(en)	Aufriß	Dt. Philol. im Aufriß, hg. W. Stammler, 3 Bde. u. Reg., 1952–59
ABnG	Amsterdamer Beiträge z. neueren Germanistik, Am- sterdam 1972 ff.		
		Aufs.	Aufsatz, Aufsätze
Abt.	Abteilung(en)	Aufz.	Aufzeichnung(en)
ADB	Allg. Dt. Biogr., 55 Bde., Reg.-Bd., 1875–1912	AUMLA	AUMLA. Journal of the Australasien Universities Language and Literature As- sociation, Christchurch 1953 ff.
Adelung	Allg. Gelehrten-Lex. v. C. G. Jöcher, Fortsetzung von J. C. Adelung u. H. W. Ro- termund, 7 Bde., 1784– 1897		
		Ausg.	Ausgabe(n)
		ausgew., Ausw.	ausgewählt, Auswahl
AfdA	Anzeiger für dt. Alt., 1876 ff.		
AfK	Arch. für Kulturgesch., 1903 ff.	Ball.	Ballade(n)
		Bd., Bde.	Band, Bände
AFrH	Archivum Franciscanum Hi- storicum, 1908 ff.	bearb., Bearb.	bearbeitet, Bearbeiter(in), Bearbeitung
AG	Acta Germanica, Kapstadt 1966 ff.	begr.	begründet
		Beitr.	Beitrag, Beiträge
ahd.	althochdeutsch	Ber.	Bericht(e)
AION(T)	Istituto Universitario Orientale. Annali. Sezione Germanica. Studi Tedeschi. Neapel 1968 ff.	bes.	besonders
		Bez.	Bezirk
		Bibl.	Bibliothek(en), Bibliot(h)eca, Bibliothèque
Akad.	Akademie(n)	Bibliogr.	Bibliographie(n)
Albrecht-Dahlke	Internationale Bibliogr. z. Gesch. d. dt. Lit. v. d. Anfängen bis z. Ggw. ... unter Leitung u. Gesamt- red. v. G. Albrecht u. G. Dahlke, 2 Tle., 1969–72	biogr., Biogr.	biographisch, Biographie(n)
		Biogr. Jb.	Biogr. Jb. u. Dt. Nekrolog, hg. A. Bettelheim, 1897 ff.
		Bl.	Blatt, Blätter
		Börsenbl. (Leipzig)	Börsenbl. f. d. Dt. Buch- handel, hg. v. Börsenverein d. Dt. Buchhändler zu Leip- zig (ab 1945: Zusatz «Leip- zig»)
allg.	allgemein		
Alt.	Altertum		
Anh.	Anhang		

VI

Börsenbl. Frankfurt	Börsenbl. f. d. Dt. Buchhandel, Frankfurter Ausg. 1945 ff.
de Boor-Newald	Gesch. d. dt. Lit. v. d. Anfängen bis z. Ggw., hg. H. de Boor u. R. Newald, 1949 ff.
Braune-Ebbinghaus	Ahd. Lesebuch v. W. Braune, fortgeführt v. K. Helm, bearb. v. A. Ebbinghaus, 15. Aufl. 1969
Briefw.	Briefwechsel
Burl.	Burleske(n)
BWG	Biogr. Wb. z. dt. Gesch., 2. Aufl., hg. K. Bosl, G. Franz u. H. H. Hofmann, 3 Bde. 1973–75
Chron.	Chronik(en)
CL	Comparative Literatur, Eugene / Oregon, 1949 ff.
Cod.	Codex, Codices
CollGerm	Colloquia Germanica, 1967 ff.
d.	der, die, das (in allen Casus)
d. Ä.	d. Ältere
Daphnis	Daphnis. Zs. f. Mittlere Dt. Lit., 1972 ff.
Darst.	Darstellung(en)
dass.	dasselbe
Denecke	L. Denecke, D. Nachlässe in d. Bibl. d. Bundesrepublik Dtl. Bearb. in d. Murhardschen Bibl. d. Stadt Kassel u. Landesbibl., 1969 (Wo die in Vorbereitung befindliche 2. Aufl. Informationen bietet, die über die in der 1. enthaltenen hinausgehen, wird auf sie verwiesen ohne Seitenzahl; vgl. Vorwort.)
ders.	derselbe
Dg.	Dichtung(en)
Dial.	Dialog(e)
dies.	dieselbe(n)
Dir.	Direktor
Diss.	Dissertation
d. J.	d. Jüngere
DL	D. dt. Lit. Texte u. Zeugnisse, hg. W. Killy, 1963 ff.

DLE	Dt. Lit. Slg. lit. Kunst- u. Kulturdenkmäler in Entwicklungsreihen, hg. H. Kindermann, 1928 ff.
DLZ	Dt. Lit.-Ztg., 1880 ff.
DNL	Dt. National-Lit., hg. J. Kürschner, 1882–1899
Doz.	Dozent
DR	Dt. Rundschau, 1874 ff.
Dr.	Drama, Dramen
DSL	D. Schöne Lit., 1924 ff.
dt., Dtl.	deutsch, Deutschland
DU	D. Deutschunterricht, 1949 ff.
DVjs	Dt. Vjs. f. Lit.wiss. u. Geistesgesch., 1923–44, 1949 ff.
e.	einer, eine, eines (in allen Casus)
ebd.	ebenda
ed.	editio, edidit, ediert v., edited by
EG	Etudes germaniques, Paris 1946 ff.
ehem.	ehemalig(er), ehemals
Ehrismann	G. Ehrismann, Gesch. der dt. Lit. bis zum Ausgang des MA, 1918 ff.
Einf.	Einführung(en)
eingel., Einl.	eingeleitet, Einleitung(en)
enth.	enthält, enthalten(d)
Ep.	Epos, Epen
Epigr.	Epigramm(e)
ErgBd., ErgBde.	Ergänzungsband, Ergänzungsbände
ErgH.	Ergänzungsheft(e)
Erinn.	Erinnerung(en)
Ersch-Gruber	Allg. Encyclopädie d. Wiss. u. Künste, begr. v. J. S. Ersch u. J. G. Gruber, 167 Bde., 1818–89
erw.	erweitert
Erz.	Erzählung(en)
Ess.	Essay(s)
f.	für
f., ff. (nach Zahlen)	(u.) folgend(e)
F.	Folge
Fabula	Fabula. Zs. f. Erzählforsch., 1960 ff.

Facs.	Facsimile, Faksimile	H.	Heft(e)
Fass.	Fassung	Habil.	Habilitation
FdF	C. Faber du Faur, German Baroque Literature, New Haven, Bd. 1, 1958, Bd. 2, 1969	HBLS	Hist.-Biogr. Lex. d. Schweiz, 7 Bde., 1921–34
Feuill.	Feuilleton(s)	hd.	hochdeutsch
FH	Frankfurter H., Zs. f. Kultur u. Politik, 1946 ff.	Hdb.	Handbuch, Handbücher
		HdG	Hdb. der dt. Ggw.-Lit., 3 Bde., hg. H. Kunisch u. a., 2. Aufl., 1969/70
Forsch.	Forschung(en)		
Forts.	Fortsetzung(en)	hg., Hg.	herausgegeben (von), Herausgeber(in)
fragm., Fragm.	fragmentarisch, Fragment(e)	hist.	historisch
Frels	W. Frels, Dt. Dichterhss. 1400–1900, 1934	hl.	heilig
FS	Festschr., Festgabe	HMS	Minnesinger. Ges. u. hg. F. H. v. d. Hagen, 7 Tle. in 3 Bdn., 1838–56 (Neudr. 1963)
FU	Freie Univ.		
GA	Gesamtabenteuer ..., hg. F. v. d. Hagen, 3 Bde., 1850 (Neudr. 1961, Neuaufl. d. 1. Bd. 1968)	hs., Hs., Hss.	handschriftlich, Handschrift, Handschriften
		HZ	Hist. Zs., 1859 ff.
geb.	geborene	IASL	Internationales Arch. f. Sozialgesch. d. dt. Lit., 1976 ff.
Geb.tag	Geburtstag		
Ged.	Gedicht(e)	illustr., Illustr.	illustriert, Illustration(en)
gedr.	gedruckt	insbes.	insbesondere
gen.	genannt	Inscape	Inscape, Ottawa/Canada, 1959 ff.
GermWrat	Germanica Wratislaviensia, Breslau 1957 ff.		
		Inst.	Institut(e)
ges., Ges.	gesammelt(e), Gesammelte	Jb.	Jahrbuch, Jahrbücher
Ges.-	Gesamt-	Jb. Darmstadt	Dt. Akad. f. Sprache u. Dg., Darmstadt, Jb., 1953 ff.
Gesch.	Geschichte		
Gesellsch.	Gesellschaft	JbFDtHochst	Jb. d. Freien Dt. Hochstifts, 1902 ff.
gg.	gegen		
GGA	Göttingische Gelehrte Anzeigen, 1739 ff.	Jber.	Jahresbericht(e)
		JEGP	The Journal of English and Germanic Philology, Urbana (Ill.) 1897 ff.
Ggw.	Gegenwart		
GLL	German Life and Letters, Oxford 1936 ff.	Jg.	Jahrgang, Jahrgänge
Goedeke	K. Goedeke, Grdr. z. Gesch. d. dt. Dichtung, 2. Aufl. 1884 ff., IV/1–5 3. Aufl. 1910 ff., NF 1955 ff.	Jgdb.	Jugendbuch
		Jh.	Jahrhundert(e)
		Jöcher	C. G. Jöcher, Allg. Gelehrten-Lex., 4 Bde., 1750–87
		Jördens	K. H. Jördens, Lex. dt. Dichter u. Prosaisten, 6 Bde., 1806–11
GQ	The German Quarterly, Menasha (Wisc.) 1928 ff. Appleton (Wisc.) 1949 ff.		
GR	The Germanic Review, New York 1926 ff.	Kap.	Kapitel
		Kl.	Klasse
Grdr.	Grundriß	KLG	Krit. Lex. z. dt.sprach. Ggw.lit., hg. H. L. Arnold, 1978
GRM	Germanisch-Romanische Mschr., 1909–1943, NF 1950/51 ff.		

Kom.	Komödie(n)	MG	Monumenta Germaniae historica inde ab a. C. 500 usque ad a. 1500, 1826 ff.
Kr.	Kreis		
Kt.	Kanton		
		MGG	D. Musik in Gesch. u. Ggw. hg. F. Blume 1949 ff.
lat.	lateinisch		
Lb., Lbb.	Lebensbild, Lebensbilder	MGS	Michigan Germanic Studies, Ann Arbor/Mich., 1975 ff.
Leg.	Legende(n)		
Lessing Yb.	Lessing Yearbook, 1969 ff.	mhd.	mittelhochdeutsch
LeuvBijdr	Leuvense Bijdragen, Löwen 1910 ff.	MignePL	Patrologiae cursus completus, series latina, hg. J. P. Migne, Paris 1844 ff.
Lex.	Lexikon, Lexika		
LexKJugLit	Lex. d. Kinder- u. Jugendlit., hg. K. Doderer, 3 Bde., 1975 ff.	MIÖG	Mitt. d. Inst. f. öst. Gesch.-forsch., 1880 ff.
Libr.	Libretto, Libretti	Mitarb.	Mitarbeit(er, -erin)
LiLi	LiLi, Zs. f. Lit.wiss. u. Linguistik, 1971 ff.	Mitgl.	Mitglied(er)
		Mitt.	Mitteilung(en)
		mlat.	mittellat.
Liliencron	R. v. Liliencron, D. hist. Volkslieder d. Dt., 4 Bde. u. Nachtrag, 1865–69 (Neudr. 1966)	MLN	Modern Language Notes, Baltimore (Maryland) 1886 ff.
		MLQ	Modern Language Quarterly, Seattle (Wash.) 1940 ff.
lit., Lit.	literarisch, Literatur(en)	MLR	The Modern Language Review, Cambridge 1905 ff.
LitJB	Lit.-wiss. Jb. d. Görresgesellschaft, NF 1961 ff.		
LitZentrBl.	Lit. Zentralbl. f. Dtl., 1850–1944	mnd.	mittelniederdeutsch
		m.n.e.	mehr nicht erschienen
		mnl.	mittelniederländisch
LK	Lit. u. Kritik, Öst. Monatsschr., 1966 ff.	Mommsen	W. A. Mommsen, D. Nachlässe in d. dt. Arch. (mit Ergänzungen aus anderen Beständen). Bearb. im Bundesarch. in Koblenz, 1971 (wird nach Nrn. zitiert)
Lsp.	Lustspiel		
LThK	Lex. f. Theol. u. Kirche, 2. Aufl., 10 Bde. u. Reg., 1957–67		
		Monatshefte	Monatshefte (f. d. dt. Unterricht, dt. Sprache u. Lit.), Madison (Wisc.) 1899 ff.
MA, ma.	Mittelalter, mittelalterlich		
Manitius	M. Manitius, Gesch. d. lat. Lit. d. MA, 3 Tle., 1911–31		
		Monogr.	Monographie(n)
Mbl.	Monatsblatt, Monatsblätter	Ms., Mss.	Manuskript, Manuskripte
Meusel	J. G. Meusel, Lex. d. v. Jahre 1750 bis 1800 verstorbenen teutschen Schriftst., 15 Bde., 1802–16	Mschr.	Monatsschrift
		Msp.	Märchenspiel
		Mus.	Museum
Meusel-Hamberger	G. C. Hamberger, J. G. Meusel, D. gelehrte Teutschland oder Lex. d. jetzt lebenden teutschen Schriftst., 5. Aufl., 23 Bde. 1796–1834 (Neudr. 1965 f.)	n.	nach
		Nachdr.	Nachdruck(e)
		Nachlässe DDR	Gelehrten- u. Schriftst.nachlässe in d. Bibl. d. Dt. Demokrat. Republik, 3 Tle., 1959–71 (wird n. Tln. u. Nrn. zit.)
MF	D. Minnesangs Frühling. 36., neugestaltete u. erw. Aufl., bearb. v. H. Moser u. H. Tervooren, 2 Bde., 1977	Nat.mus.	Nationalmuseum
		NDB	Neue Dt. Biogr., 1953 ff.
		NDH	Neue dt. Hefte, 1954 ff.
		NDL	Neue Dt. Lit., 1953 ff.

ndt.	niederdt.
Neoph.	Neophilologus, Groningen 1915 ff.
Neudr.	Neudruck(e)
Neudrucke	Neudr. dt. Lit.werke d. XVI. u. XVII. Jh., begr. v. W. Braune, fortgeführt u. hg. v. E. Beutler, 1876 ff.
Neumeister-Heiduk	E. Neumeister, De Poetis Germanicis, hg. F. Heiduk in Zus.arbeit mit G. Merwald, 1978
NF	Neue Folge
NGS	New German Studies, Hull 1973 ff.
nhd.	neuhochdeutsch
NLit	Die Neue Literatur, 1931 ff.
NM	Neuphilol. Mitt., Helsinki 1899 ff.
Nov.	Novelle(n)
NR	(Die) Neue Rundschau, 1904 ff., 1910 ff.
Nr.	Nummer
NS	Neue Serie, Nova Series, New Series, Nouvelle Série, Nuova Seria
NSR	Neue Schweizer Rundschau, 1922 ff.
ÖBL	Öst. biogr. Lex. 1815–1950, 1957 ff.
ÖGL	Öst. in Gesch. u. Lit., 1957 ff.
öst., Öst.	österreichisch, Österreich
o. J.	ohne Jahr
OL	Orbis litterarum, Kopenhagen 1943 ff.
o. Prof.	ordentlicher Professor
Orat.	Oratorium, Oratorien
Par.	Parodie(n)
PBB(Halle)	Beitr. zur Gesch. der dt. Sprache u. Lit. Begr. v. H. Paul u. W. Braune, Halle 1874 ff. (ab 1955: Zusatz «Halle»)
PBB Tüb.	Beitr. zur Gesch. der dt. Sprache u. Lit., Tübingen 1955 ff.
Philol.	Philologie
Philos.	Philosophie
Plaud.	Plauderei(en)
PMLA	Publications of the Modern Language Association of America, Menasha (Wisc.) 1884 ff.
Poetica	Poetica. Zs. f. Sprach- u. Lit.wiss. Amsterdam 1969 ff.
PP	Philologica Pragensia, Prag 1958 ff.
PQ	Philological Quarterly, Iowa City 1922 ff.
Präs.	Präsident
Progr.	Programm(e)
Prov.	Provinz
Ps.	Pseudonym(e)
Publ.	Publikation(en), Publication(s)
Qschr.	Quartalsschrift(en)
RE	Realencyklopadie f. protestant. Theol. u. Kirche, hg. A. Hauck 3. Aufl., 24 Bde. 1896–1913
red., Red.	redigiert, Redaktion, Redakteur(in)
Reg.	Register
Rel., rel.	Religion, religiös
Rev.	Revue, Review
RF	Roman. Forschungen, 1947 ff.
RG	Recherches Germaniques. Straßburg 1971 ff.
RGG	Die Religion in Gesch. u. Ggw., 1. Aufl. 1909–13; 2. Aufl., 5 Bde. u. Reg., 1927–32; 3. Aufl. 6 Bde., 1957–62
RL	Reallexikon d. dt. Lit.-Gesch., hg. P. Merker u. W. Stammler, 1. Aufl., 4 Bde., 1925–31; 2. Aufl. hg. W. Kohlschmidt u. W. Mohr, 1955 ff.
RLC	Revue de littérature comparée, Paris 1921 ff.
Rom.	Roman(e)
S.	Seite(n)
SAB	Sb. d. Dt. (ab 1946; bis dahin Preuß.) Akad. d. Wiss. zu Berlin. Phil.-hist. Kl., 1882 ff.

SAM	Sb. d. Bayer. Akad. d. Wiss. Phil.-hist. Abt., 1860 ff.	Allg. Lex. der bildenden Künstler v. der Antike bis zur Ggw. 37 Bde., 1907–1950
Sb.	Sitzungsbericht(e)	
SchillerJb.	Jb. d. Dt. Schillergesellsch., 1957 ff.	Tl., Tle. Teil, Teile
		Tr. Tragödie(n), Trauerspiel(e)
Schmutz-Pfister	A. Schmutz-Pfister, Repertorium d. hs. Nachlässe in d. Bibl. u. Arch. d. Schweiz, 1967 (wird nach Nrn. zitiert)	Tril. Trilogie
		TuK Text u. Kritik, 1963 ff.
		u. und
Schottenloher	K. Schottenloher, Bibliogr. z. dt. Gesch. im Zeitalter der Glaubensspaltung 1517–1585, 7 Bde., 1952–66	u. a. und andere, unter anderem
		u. ä. und ähnliche(s)
		u. d. T. unter dem Titel
		überl., Überl. überliefert, Überlieferung
Schr.	Schrift(en)	übers., Übers. übersetzt, Übersetzer(in), Übersetzung(en)
Schriftst.	Schriftsteller(in)	
Schw.	Schwank, Schwänke	übertr. Übertr. übertragen, Übertragung(en)
schweiz.	schweizerisch	Univ. Universität(en), Université, University
SdZ	Stimmen d. Zeit, 1914 ff. (Stimmen aus Maria Laach, 1869–1914)	
		Unters. Untersuchung(en)
		urspr. ursprünglich
Seminar	Seminar. A Journal of Germanic Studies, Toronto 1965 ff.	usw. und so weiter
		v. von, vom
sep.	separat	v. a. vor allem
Slg.	Sammlung(en)	VASILO Adalbert Stifter-Inst. d. Landes Oberöst. Vjs., 1952 ff.
SN	Studia neophilologica, Uppsala 1928 ff.	
		Ver. Verein(e), Vereinigung(en)
sog.	sogenannt	verb. verbessert
Sommervogel	C. Sommervogel, Bibliothèque de la Compagnie de Jésus, 12 Bde., Brüssel 1890–1932	Verf. Verfasser(in)
		verh. verheiratet
		verm. vermehrt
Son.	Sonett(e)	veröff., Veröff. veröffentlicht, Veröffentlichung(en)
Sp.	Spiel(e)	
SR	Schweizer Rundschau, 1900 ff.	versch. verschieden(e, es)
		Verz. Verzeichnis(se)
St.	Stück(e)	vgl. vergleiche
Stud.	Studie(n)	Vjs. Vierteljahrsschrift
StudiGerm	Studi Germanici, Rom 1963 ff.	VL D. dt. Lit. d. MA. Verfasserlex., hg. W. Stammler u. K. Langosch, 5 Bde. 1933–1955
SuF	Sinn u. Form, 1949 ff.	
Suppl.	Supplement(e)	
Sz.	Szene(n)	Volksk. Volkskunde
		Vollmer H. Vollmer, Allg. Lex. d. bildenden Künstler d. 20. Jh., 5 Bde., 1953–61
TH	Techn. Hochschule	
Theater-Lex.	W. Kosch, Dt. Theater-Lex. Biogr. u. bibliogr. Hdb., 1953 ff.	
		Vorw. Vorwort
Theol.	Theologie	wahrsch. wahrscheinlich
Thieme-Becker	U. Thieme u. F. Becker,	Wb. Wörterbuch

WB	Weimarer Beitr., 1955 ff.	zahlr.	zahlreiche
WirkWort	Wirkendes Wort, 1950/ 1951 ff.	z. B.	zum Beispiel
		ZDU	Zs. f. dt. Unterricht, 1887– 1919
wiss., Wiss.	wissenschaftlich, Wissenschaft(en)		
		ZfdA	Zs. f. dt. Alt. u. dt. Lit., 1876 ff. (Zs. f. dt. Alt., 1841–76)
Ws.	Wochenschrift		
Wurzbach	C. v. Wurzbach, Biogr. Lex. des Kaisertums Öst., 60 Bde., 1856–91		
		ZfdPh	Zs. f. dt. Philol., 1869 ff.
		Zs.	Zeitschrift(en)
WW	Welt u. Wort, 1946 ff.	z. T.	zum Teil
WZ	Wiss. Zs.	Ztg.	Zeitung(en)
		zus.	zusammen
z.	zu, zum, zur	zw.	zwischen
Z.	Zeile(n)	z. Z.	zur Zeit

*= geboren   †= gestorben   →= siehe   ~ steht unter «Literatur» anstelle des Stichworts

INITIALEN DER MITARBEITER

AS	Anna Stüssi	HS	Hartwig Schultz
CLL	Carl Ludwig Lang	HWH	Hans W. Hertz
CM	Christoph Michel	IB	Ingrid Bigler
ES	Erika Schumacher	KS	Klaus Seehafer
FH	Franz Heiduk	KSG	Karl S. Guthke
GH	Gerhard Hay	MB	Martin Bircher
GS	Gerhard Spellerberg	MR	Maria Roth
HB	Helmut Bender	PG	Penrith Goff
HD	Horst Daemmrich	RM	Reinhard Müller
H-G D	Hans-Georg Dewitz	RR	Robert Ruprecht
HK	Harro Kieser	UF	Uwe Faulhaber
HR	Heinz Rupp	WK	Wulf Kirsten

H

Haab, Emil(e), * 28.8.1898 Birkweiler/Pfalz; lebte in Rohrbach b. Landau/Pfalz.

Schriften: Ich klage an ... (Nov.) 1928.   RM

Haacke, Wilmont (Ps. Stefan Lafeuille), * 4.3. 1911 Montjoie (= Monschau, Nordrh.-Westf.); Dr. phil., 1934–39 Feuill.-Red. am European Herold in London u. am Berliner Tageblatt; 1939–42 Assistent am Inst. f. Zeitungswiss. Berlin, Habil. 1942 an d. Dt. Univ. Prag, dann Leiter d. Inst. f. Zeitungswiss. in Freiburg/Br., seit 1955 Prof. in Wilhelmshaven, seit 1963 in Göttingen.

Schriften: Geschichte der Deutschen Rundschau, 1936 (1950 u.d.T.: Julius Rodenberg und die Deutsche Rundschau. Eine Studie zur Publizistik des deutschen Liberalismus 1870–1918); Notizbuch des Herzens (Feuilletons) 1941; Die Jugendliebe (Nov.) 1943; Feuilletonkunde. Das Feuilleton als literarische und journalistische Gattung, 2 Bde., 1943 f.; Handbuch des Feuilletons, 3 Bde., 1951–53; Die Zeitschrift – Schrift der Zeit, 1961; Publizistik. Elemente und Probleme, 1962; Aspekte und Probleme der Filmkritik, 1962; Die Freiheit der Meinungsbildung und -äußerung. Untersuchungen zum Artikel 5,1 des Grundgesetzes für die BRD (mit F. Schneider u. H. Visbeck) 1967; Erscheinung und Begriff der politischen Zeitschrift (Antrittsvorl.) 1968; Die politische Zeitschrift 1665–1965, 1968; Publizistik und Gesellschaft, 1970.

Herausgebertätigkeit: Die Luftschaukel. Stelldichein kleiner Prosa, 1939; Das Ringelspiel. Kleine Wiener Prosa, 1940; V. Auburtin, Einer bläst die Hirtenflöte. Ausgewählte Feuilletons, 1940; ders., Schalmei. Aus dem Nachlaß hg., 1948; Filmstudien. Beiträge des Filmseminars im Institut f. Publizistik an der Univ. Münster, 1952; V. Auburtin, Federleichtes, 1953; Publizistik. Zs. f. d. Wiss. von Presse, Rundfunk, Film ... (mit E. Dovifat u. G. Kieslich) seit 1964; Facsimilequerschnitt durch «Querschnitt» (mit A. v. Baeyer) 1968.

Literatur: ~ 50 Jahre (in: Publizistik, Jg. 6) 1961.   AS

Haacken, Frans, * 7.1.1911 Aachen; Grafiker, arbeitete f. Brecht, f. d. Staatsoper, d. Metropol-Theater u. versch. Verlage. Illustrator, Trickfilmhersteller, Verf. v. Bildgeschichten. Lebt in Uitwellingerga bei Sneek/NL.

Schriften: Husch, das gute Gespenst (Bilderb. mit Kreki) 1948; Ein dicker Mann. Ein dünner Mann. Ein schwarzer Mann (Bilderb. mit Kreki) 1949; Das Loch in der Hose. Ein Bilderbuch über die Entstehung des Fadens, 1951; Die turnende Tante und andere Pinneberger Geschichten, 1968; Eine Kuh aus Pinneberg, 1972; Pflaumenmus tut's auch. Mein Onkel Schang, der Blumenfreund. Der künstliche Vogel. Blumen statt Radieschen (Bildgesch.) 1972; Der violette Studienrat. Eine Bildgeschichte in Blau und Rot und Violett, 1972; Ein Narr, ein Weiser und viele Tiere. Alte Fabeln, neu erzählt, 1973.   AS

Haag, Alfred → Skalde, Hermann.

Haag, Anna, * 10.7.1888 Althütte/Württ.; Lehrerstochter; lebte viel im Ausland; n. ihrer Verheiratung 1909 lit. Tätigkeit als Mitarb. dt. u. schweiz. Ztg. Seit 1945 Mitgl. d. Landtags v. Baden-Württ.; lebt in Stuttgart. Erzählerin.

Schriften: Die vier Rosenkinder. Geschichten aus einem Waldschulhaus, 1926; Renate und Brigitte (Rom.) 1937; Kamerad Liselotte (Rom.) 1940; Junge Ehe – einmal anders (Rom.) 1940; Frau und Politik (Vortr.) 1946; «... und wir Frauen»? (hg. von der Intern. Frauenliga für Frieden und Freiheit, Liga gegen den Faschismus) 1946; Das Glück zu leben. Erinnerungen an bewegte Jahre, 1968; Zum Mitnehmen: ein bißchen Heiterkeit (Kurzgesch.) 1969; Der vergessene Liebesbrief und andere Weihnachts- und Silvestergeschichten, 1970; Gesucht: Fräulein mit Engelsgeduld (Rom.) 1970.   AS

Haag, Gottlob, * 25.10.1926 Wildentierbach/ Kr. Mergentheim; lebt ebd., übte versch. Hilfsberufe aus, seit 1961 Zivilangestellter bei der Bundeswehr; Lyriker, z.T. in Mundart, Verf. v. Funkgedicgten.

Schriften: Hohenlpher Psalm, 1964; Mondokker (Ged.) 1966; Schonzeit für Windmühlen (Ged.) 1969; Mit ere Hendvoll Wiind. Hohenlohisch-fränkische Gedichte, 1970; Unter dem Glockenstuhl. Fünf Funkgedichte, 1971; Ex flammis orior (Ged.) 1972; Dr äersch Hoheloher (mit Schallpl.) 1975.   AS

Haag, Herbert, * 11.2.1915 Singen-Hohentwiel/ Baden; Dr. theol., Prof. d. Theol. d. Theol. in

Luzern (1948) u. seit 1960 an d. Univ. Tübingen. Hg. d. «Bibel-Lex.» (²1968) u. d. «Bibl. Wörterbuchs» (1971), Mit-Hg. d. Tübinger «Theol. Qschr.» (seit 1960), d. «Stuttgarter Bibelstud.» (seit 1965).

Schriften (Ausw.): Biblische Schöpfungslehre und kirchliche Erbsündenlehre, 1966; Vom alten zum neuen Pascha ..., 1971; Wanderung und Wandlung. Die Lebensform des Glaubenden, 1973; Teufelsglaube (Mit-Verf.) 1974; Abschied vom Teufel, ²1975; Vor dem Bösen ratlos?, 1979.   RM

Haage, Peter, * 28.7.1940 Dresden; Dr. phil., lebt in München.

Schriften und Herausgebertätigkeit: E. Friedell, Wozu das Theater. Essays, Satiren, Humoresken (Hg.) 1965; Der Partylöwe, der nur Bücher fraß. Egon Friedell und sein Kreis, 1971; Der Tip, 1973; Egon Friedells Konversationslexikon (Hg.) 1974; Ludwig Thoma. Mit Nagelstiefeln durchs Kaiserreich. Eine Biographie, 1975.   AS

Haage, Rudolf, * 15.5.1836 Lüneburg, † 17.4.1911 ebd.; Studium d. Philol. u. Gesch. in Erlangen und Göttingen, Lehrer in Celle, Aurich u. seit 1866 in Lüneburg, 1868 Gymnasialdir. in Schleusingen u. 1869–1901 in Lüneburg. Geh. Regierungsrat, 1897 Dr. theol. h. c. Göttingen, lebte seit 1901 in Montreux u. Lüneburg.

Schriften: Die Mühle im Hagenthal. Den Gästen des Hauses Hagenthal und den Freunden der Sagen des Harzes in fünf Gesängen erzählt, 1903; Reden und Vorträge (hg. A. Kannengiesser) 1903.   RM

Haage, Walt(h)er, * 25.12.1916 Olmütz, † 4.3.1945 Breslau; Lehrer in Olmütz u. zuletzt in Breslau, Hg. d. Zs. «Nordmährerland» u. d. «Nordmähr. Volkslieder» v. H. Stolz, Verf. botan. Schriften.

Schriften: Fahrt ins Leben (Ged.) 1941; Die Narrengeißel. Heitere Menschenbetrachtung und schmunzelnde Philosophie (Ged.) 1942; Abriß der Geschichte der Stadt Kremsier bis 1850, 1942; Sinnige und unsinnige Reimereien mit der Erdgeschichte, 1943; Olmütz und die Juden. Eine zusammenfassende Darstellung des Wesentlichsten von dem ersten Auftreten der Juden in der Stadt bis in die Zeit des Umbruchs, 1944.   RM

Haager, Hans, * 22.1.1890 Salzburg; Diplom-Braumeister, zeitweise Bürgermeister v. Bad Hall/Oberöst., lebt ebd.; Mundartdichter.

Schriften: Da Gvatterbitter. Eine bäuerliche Idylle in oberösterreichischer Mundart, 1935; Landsleut (Ged. in oberösterr. Mundart) 1947; Geh' mit mir (darin: Da Gvatterbitter umgearb. u. wesentl. erw.) 1952; Zur Hochezit, 1960.   IB

Haake, August * 5.5.1793 Königsberg/Neumark, † 18.4.1864 Darmstadt; seit 1811 Schauspieler, 1829 Theaterdir. in Mainz u. Wiesbaden, 1835 in Breslau, 1839 Oberregisseur u. seit 1840 Hoftheaterdir. in Oldenburg.

Schriften: Theater-Memoiren. Mitteilungen aus seinem Künstlerleben, von ihm selbst geschildert, nebst Nachrichten über das deutsche Theater und seine berühmtesten Schauspieler älterer Zeit, 1866.

Literatur: ADB 10, 257; Theater-Lex. 1, 653.   RM

Haake, Wilhelm, * 27.11 1891; Journalist in Wunstorf b. Hannover, Übers. aus versch. Sprachen.

Schriften: Die Reiter der Offenbarung (Das erlöste Leidensvolk). Ein Mysterienspiel in fünf Geschehnissen, 1926.   RM

Haan, Ignaz, * 17.7.1680 Steyr, † 29.8.1761 Wien; Jesuit, Prediger in Graz, Linz u. Wien, Hofprediger d. Kaiserin Wilhelmine, zuletzt Präfekt am Wiener Theresianum.

Schriften: Christliche Lehrgedanken über die sonntäglichen Evangelia auf das ganze Jahr, 1741; Christliche Lehrgedanken über die festtäglichen Evangelia, 1747.

Literatur: Wurzbach 6, 99.   RM

Haan (Hann), Wenzel (Johann Leopold Thaddäus), * 30.4.1763 Graz, † 10.5.1819 Lemberg; Studium d. Ästhetik u. d. klass. Sprachen in Graz, Prof. in Lemberg, 1797 Bücherrevisor, 1807 Prof. in Krakau.

Schriften: Vermischte Versuche in der Dichtkunst, 2 Bde., 1772/82; Fünf schöne Oden und Lieder, 1779; Xenocrat. Ein Gedicht in sieben Büchern, 1787; Selecta literarum classicarum exemplaria, philologiae auditorum usui, 1789; Albert der Abentheurer, ein satyrischer Roman

aus dem Polnischen des Krasicki, 1794; Kriegslieder, 1797; Erstlinge, der Muse geopfert, 1807;
Gedichte, 2 Bde., o. J.; E. v. Kleists Frühling,
polnisch 1802 (?).

Literatur: Wurzbach, 6,98; Goedeke 6,630.
                                                              RM

Haanen, Karl Theodor, * 13.2.1892; Prokurist
in Solingen, Verf. v. Fliegerbüchern.

Schriften: Ein Segelflieger. Robert Kronfeld,
1932 (Neuausg. 1962); Jungens am Himmel. Bilder aus dem Leben der Segelflieger, 1935; Flieger
vor die Front! Ruf und Befehl an die deutsche
Jugend, 1936; Fliegerhorst im Erlenbusch. Aus
dem Leben der jungen deutschen Luftwaffe, 1937;
Nie genug Segelflug! Ein fröhliches Liederbuch,
1938; Spuk am Himmel. Ein kleines Märchen von
heute für große und kleine Leute, 1940; Sonnen-
stürmer. Otto Lilienthal und sein Erbe, 1941;
Das fliegende Kleeblatt. Ein heiterer Roman,
1942; K. Honolka, Kampfflieger über England ...
(hg.) 1942; Fröhliche Fliegerei. Fast unglaubliche
Geschichten, 1943; Flaksoldat Münchhausen.
Neue Lügengeschichten, 1943; K. Honolka, Vier
Schnäpse in der Ju 88 ... (hg.) 1944.   RM

Haar, Georg, * 17.11.1887 Weimar; n. jurist.
Stud. Referendar, dann Rechtsanwalt u. Notar in
Weimar.

Schriften: Parenthesen zu Lessings «Laokoon»,
1908; Allerlei Lieder, 1908.   RM

Haarbeck, (geb. Bickel), Lina, * 4.1.1871
Lahr/Baden, † 29.9.1954 Müllheim/Baden; Lehrerin, dann freie Schriftst. in Heidelberg-Rohr-
bach, Freiburg/Br. u. Stuttgart.

Schriften: Die Ferienreise. Eine Erzählung für
Kinder. Frei nach dem Englischen, 1904;
Abenteuer zweier kleiner Knaben. Frei nach dem
Englischen, 1904; Ein treuer Bruder. Frei nach
dem Englischen, 1905; Des Hauses Sonnenschein.
Erzählung für Mädchen (Neuausg.) 1905; Die
Liebe siegt. Erzählung für die Jugend. Frei nach
dem Englischen, 1906; Gedanken einer Frau (v.
Mrs. Craik, dt. bearb. u. hg.) 1907; Des Hauses
Mütterlein. Erzählung für Mädchen, 1908; Pfarr-
töchterlein Gretel. Eine Geschichte für junge
Mädchen, 1909; Wildfangs Schulzeit, 1909;
Wildfang als Backfisch, 1911; Heimatlos (Erz.)
1912; E. Rundle Charles, Chronik der Familie
Schönberg-Cotta. Ein Charakter- und Sittenbild

aus der Reformationszeit (bearb.) 1927–30; Die
Pilgerreise. Frei nach Bunyan ..., 1928; H.
Ewing, Zwei Heinzelmännchen. Märchen aus der
englischen Kinderstube (bearb.) 1928; Wildfang
als Braut. Erzählung für Mädchen, 1929 (auch als
Forts. v. «Des Hauses Mütterlein»); Wildfang als
Tante. Erzählung für Mädchen, 1930; Ursula
Rendel (Rom.) 1930; Wildfang als Mutter (Erz.)
1931; Ein Ferienkind. Erzählung für die Jugend,
1931; Die Familie Humboldt ... (hg.) 1932; Wie
zwei Kinder eine neue Heimat fanden ..., 1934;
Hugenottentreue. Erzählung aus den Tagen Cal-
vins, 1935; Geschichten aus dem Rauhen Hause,
1936; Drei tapfere Mädel, 1937; Dr. Luther im
Kreise seiner Kinder, 1939; Eine harte Schule,
1939; Dr. Luthers Singerlein. Erzählung für die
Jugend aus dem Leben des Reformators, 1941;
Deutsche Auslandmärchen, 1942; Der Flug ins
Märchenland (Märchensp., mit P. Moedebeck)
1947; Hans und Lenchen Luther (Erz.) 1949;
Seppel. Eine Hundegeschichte, 1949; Wie Anne-
liese geheilt wurde (Erz.) 1949; Das Bild der
Mutter, 1951; Das gescheite Eselein (Erz.) 1952.
                                                              RM

Haardt, J. (Ps. f. Josephine H. Nebinger), * 10.
10.1861 Böbingen; lebte in Bad Kreuznach. Erbauliche Erzählerin.

Schriften: Nicht gewollt (Erz.) 1887; Viele
Wasser löschen die Liebe nicht (Erz.) 1888; Der
Ring. Eine Geschichte für junge Mädchen, 1889;
Wird das nicht Freude sein? (Erz.) 1889; Ann
von der Glann (Erz.) 1896; Die Geschwister
(Erz.) 1896; Nie zu spät (Erz.) 1896; Nur ein
Schnurrantenkind (Erz.) 1896; Schuldbeladen
(Erz.) 1896; So war es (Erz.) 1896; Im Vorbehalt
(Erz.) 1896; Der Hartsteiner (Rom.) 1897; Da-
heim oder Liebet euch untereinander. Erzählung
für Jung und Alt, 1898; In Gottes Schule. Vier
Erzählungen für Jung und Alt, 1898; Gottlieb
oder Die Liebe decket auch der Sünden Menge.
Erzählung für Jung und Alt, 1898; Reich oder
Die Wege des Herrn sind eitel Güte. Erzählung
für Jung und Alt, 1898; Der Unnütz oder Die
Macht der Liebe. Erzählung für Jung und Alt,
1898; Ave Imperator (Rom.) 1899; Der Götter-
bote. Zum heiligen Grab (Erz.) 1904; Ich hatt'
einen Kameraden! Tante Salome. Zwei Erzählungen, 1906; Zu spät (Erz.) 1911; Der Lebenbrin-
ger (Erz.) 1923; Der Triumphzug und andere Novellen, 1927; Das Erwachen (Rom.) 1928.   AS

Haarhaus, Julius R(üttger), * 4. 3. 1867 Barmen, † 19.8.1947 Leipzig; aufgewachsen am Rhein, Buchhändler in Bonn u. Leipzig; leitete zeitweilig Reclams Universal-Bibl. u. d. Zs. «Grenzboten» in Leipzig. Vorwiegend Erzähler.

Schriften: Christnachtphantasien, 1893; Geschichten aus drei Welten. Novellen und Märchen, 1894; Mirandolina. Lustspiel von Goldoni, in deutschen Versen frei bearbeitet, 1895; Maculaturalia. Ein Märchen für Bücherfreunde, 1896; Auf Goethes Spuren in Italien, 3 Bde., 1896f.; Kennst du das Land? Eine Büchersammlung für die Freunde Italiens (Hg.), 20 Bde., 1896 bis 1904; Goethe (Biogr.) 1899 (Neubearb. 1923); Das Georgenhemd (Nov.) 1903; Der Marquis von Marigny. Eine Emigrantengeschichte, 1903; Leipziger Spaziergänge. Bilder und Skizzen, 1903; Die Episteln des Ovid. Vier Genrebildchen aus dem Buchhandel, 1906; Unter dem Krummstab. Rheinische Novellen, 1906; Der Fächer. Lustspiel von Goldoni, in deutschen Versen frei bearbeitet, 1906; Der Bopparder Krieg. Eine rheinische Novelle, 1907; Wo die Linden blühn! Märchennovellen, 1907; Nach der Hühnersuche und andere Jagdgeschichten, 1908; Die deutsche Natur. Wildkalender, 2 Bde., 1908f.; Der Prophet (Nov.) 1912; Reineke Fuchs. Neue, freie Bearbeitung für das deutsche Haus, 1913; Deutsche Freimaurer zur Zeit der Befreiungskriege, 1913; Das Glück des Hauses Rottland (Rom.) 1913; Die Erben von Blankeneck. Eine lustige Geschichte aus der Eifel, 1913; Der grüne Dämon. Ein Jagdroman, 1914; Blücher in seinen Briefen (Hg.) 1914; Das Mädchen von Lille und andere heitere Erzählungen, 1916; Der Birschknecht von Hambach. Ein Jagdroman aus dem alten Jülicher Land, 1919; Die da zween Herren dienen. Ein Verlegerroman, 1919; Haus Malepartus. Ein Jagdroman, 1919; Jens Sventrup, der Vogelwärter (Nov.) 1920; Der Kreuzbock und andere Jagdgeschichten, 1920; Pancratius Capitolinus. Eine linksrheinische Geschichte aus der Zeit der französischen Revolution, 1922; Der weidgerechte Pastor. Ein heiteres Dorfidyll, 1922; Die rote Exzellenz. Ein Tierroman, 1922; Raketen vom Stephansturm. Wiener Begebenheiten aus den letzten Wochen der Türkennot 1683, 1922; Um eine Königskrone. Abenteuer und Ende des westfälischen Edelmanns Theodor von Neuhoff, 1923; Blattschüsse. Ziemlich wahre Jagdgeschichten, 2 Bde., 1923; Maria Gloriosa.

Eine rheinische Klostergeschichte, 1924; Ahnen und Enkel. Erinnerungen. Bilder aus dem rheinischen Leben der letzten 100 Jahre, 1924; Rom. Wanderungen durch die ewige Stadt und ihre Umgebung, 1925; Der Wiesenteich und seine Lebensgemeinschaft, 1935.   AS

Haarmann, Erna, (Ps. Erna Därmann), * 29. 10. 1902 Herbede/Westf.; Leihbuchhändlerin, dann Verlagsinhaberin in Hattingen/Westf.; Verf. v. Frauen-Romanen.

Schriften: Das Glück vom Berlinghof, 1935; Das blonde Glück von Stavenhagen, 1936; Du nahmst mein Glück mit dir, 1937; Heimweh, 1937; Mein Herz kehrt heim zu dir, 1938; Du bist meiner Liebe Sehnsucht, 1939; Aus erster Ehe, 1939; Hab dich von Herzen lieb, 1939; Hein Burkhardts große Liebe, 1939; Zweimal getraut, 1939; Vom Glück vergessen, 1940; Gib mir mein Herz zurück, 1941; Vom Mitleid zur Liebe, 1949; Zwischen zwei Herzen, 1951; Schicksalswege, 1951; Irrwege des Herzens, 1951; Die Herrin von Elbing, 1951; Die Töchter vom Hollermannshof, 1952; Und dann kam das Glück, 1952; Das Märchen einer Liebe, 1952; Unwandelbar ist meine Liebe, 1952; Das Glück von Dornburg, 1952; Seltsam sind des Schicksals Wege, 1953; Seine geschiedene Frau, 1953; Das Mädchen von Elmshagen, 1953; Du meines Herzens Seligkeit, 1953; Sein Kind, 1953; Ich kann dich nicht vergessen, 1953; Arme Müllerstochter, 1953; Stiefkind des Glücks, 1953; Du bist meine große Liebe, 1953; Ein Herz kehrt heim, 1954; Du hast mein Herz gefangen, 1954; Die aus der Klausenmühle, 1954; Um den Bergödhof, 1954; Wolken über Gut Ristau, 1954; Gekrönte Liebe, 1954; Endlich heimgefunden, 1954; Deine Liebe ist mein Schicksal, 1954; Gequältes Herz, 1954; Nimm mein Herz ..., 1954; Süß und bitter ist die Liebe, 1955; Vom Glück betrogen, 1955; Die Frau vom Mooshof, 1955; Um Liebe und Heimat, 1955; Ein Herz weint um sein Glück, 1955; Das Leid von Hohenschwanau, 1955; ... und führe mich, 1955; Die Liebe spricht das letzte Wort, 1955; Aus Liebe schuldig, 1956; Wirren um Gut Dannewitz, 1956; Es weint ein Herz um seine Liebe, 1956; Der Sehnsucht ewiges Lied, 1956; Gequältes Herz findet Frieden, 1956; ... und fand den rechten Weg, 1956; Ein Herz blieb allein, 1956; Um das Elternhaus betrogen, 1957; Das Reseli vom Sonnenhof, 1957;

Aus Liebe schuldig, 1957; Wenn die Mutterliebe fehlt, 1957; Um des Vaters Schuld, 1957; Wenn das Herz auch bricht, 1957; Du hast den Schwur gebrochen, 1957; Kinderhände führten sie zusammen, 1958; Wohin dein Herz dich führt, 1958; Schmaler Weg zum Glück, 1958; Das Pflegekind von Frankenthal, 1960; Das Mädchen von Heideloh, 1961; Der wilde Herr von Birkenholt, 1961; Der Mühlenprinz, 1961; Durch seine Schuld, 1962; Sturmwolken über Hohenbruch, 1963; Die Gutsherrin von Eckernförde, 1964; Stärker als ihr Haß, 1964; Die Liebe des jungen Mooshofbauern, 1964.   AS

Haarmann, Wilhelm (Ps. W. Heeren), * 30.4. 1859 Heeren/Westf., † um 1935 Halberstadt; Pastor in Starsiedel/Sachsen, Halle/Saale (seit 1905) u. zuletzt in Halberstadt.

Schriften: Deutsch-evangelisches Leben in Brasilien. Erinnerungen und Erfahrungen eines ehemaligen brasilianischen Diasporageistlichen, 1901.
                                                          RM

Haas, Alban, * 29.1.1877 Diemantstein/Bayer. Schwaben, † 29.1.1977 Neustadt/Weinstraße; Oberstudienrat, päpstl. Hausprälat; wohnte in Neustadt. Erzähler, Übersetzer.

Schriften: Aus der Nüwenstadt. Vom Werden und Leben des mittelalterlichen Neustadt a. d. Haardt, 1951; Papst-Anekdoten (mit A.Meyer) 1954; Die Lazaristen in der Kurpfalz. Beiträge zu ihrer Geschichte. Aktenmäßig dargestellt, 1960.
                                                          AS

Haas, Albert (Ps. Harry A. Fiedler), * 23.3. 1873 Herzberg; † um 1935 Buenos Aires; Dr. phil., 1898–1904 Aisst.-Prof. am Bryn Mawr College/Pennsylvania, dann Red. d. Dt. Wirtschaftsztg. u. d. Berliner Tagebl., später Leiter d. Neuen Hamburger Börsen-Halle u. Chefred. d. Berliner Börsen-Couriers, seit 1919 in Buenos Aires als Vertreter d. Transocean G.m.b.H. u. Chefred. e. Handelsztg., seit 1924 Attaché an d. Dt. Gesandtschaft ebd.

Schriften: Über den Einfluß der epicureischen Staats- und Rechtsphilosophie auf die Philosophie des 16. und 17.Jahrhunderts, 1896; Die Negerfrage in den Vereinigten Staaten von Amerika, 1912; Das moderne Zeitungswesen in Deutschland, 1914; Von deutscher Art und deutscher Arbeit in Vergangenheit und Zukunft, 1919; Argentinien, 1923.

Übersetzertätigkeit: P. Baroja, Der Majoratsherr von Labraz (Rom.) 1918; J. Benavente, Dramen, 1919; A. Ganivet, Spaniens Weltanschauung und Weltstellung, 1921; M. Galvez, Nacha Regules. Argentinischer Roman, 1922; Flores de la poesia alemana (mit F. More) 1924.   AS

Nachlaß: Iberoamerikan. Inst. Berlin (West).

Haas, Alfred (Wilhelm Moritz Gottlieb), * 8.7. 1860 Bergen/Rügen, † 27.7.1950 ebd.; Philol.- u. Gesch.-Studium in Greifswald, Dr. phil., Lehrer u. seit 1906 Prof. in Stettin. Mit O. Knoop Hg. d. «Bl. f. pommersche Volkskunde» (1893–1902).

Schriften: Die Insel Hiddensee, 1896; Rügische Skizzen, 1898; Volkskundliches von der Halbinsel Mönchgut, 1905; Die Halbinsel Mönchgut und ihre Bewohner (mit F. Worm) 1909; Die Insel Vilm, 1911; Stubbenkammer, Herthasee und Herthaburg in Geschichte und Sage, 1914; Verschlossene Seelen. Novellen und Skizzen, 1916; Glockensagen im pommerschen Volksmunde, 1919; Bischof Otto von Bamberg in der pommerschen Volkssage, 1922; Pommersche Wassersagen, 1923; Der Badeort Sassnitz auf Rügen, 1924; Burgwälle und Hünengräber der Insel Rügen in der Volkssage, 1925; Die Tiere im pommerschen Sprichwort, 1925; Die Greifswalder Oie, 1931; Klaus Störtebecker in der pommerschen Volksüberlieferung, 1932.

Herausgebertätigkeit: Rügensche Sagen und Märchen, 1891; Schnurren, Schwänke und Erzählungen von der Insel Rügen, 1899; Sagen und Erzählungen von den Inseln Usedom und Wollin, 1904; Pommersche Sagen, 1912 (4., verm. Aufl. 1926); Sagen und Erzählungen aus Bergen auf Rügen und seiner Umgebung, 1917; Arkona im Jahre 1168 ..., 1918; Rügensche Volkskunde, 1920; Plattdeutsche Volks-Lieder aus Pommern, 1922; Buchheidesagen, 1924; Greifswalder Sagen, 1925; Sagen des Kreises Grimmen, 1925; Die große Lubinsche Karte von Pommern, 1926; Des Erasmus Husen Inventar der Berger Klosterurkunden vom Jahr 1551, 1941.

Literatur: H. ZIEGLER, Prof. Dr. ~ (in: Bl. f. dt. Landesgesch. 89) 1952; U. BENTZIEN, ~ u. U. Jahn z. Gedenken (in: Dt. Jb. f. Volksk. 6) 1960 (mit Bibliogr.).   RM

Haas, Alois M., * 23.2.1934 Zürich; Dr. phil., Dr. theol. h. c., seit 1974 o. Prof. an d. Univ.

Zürich. Germanist, Mit-Hg. d. «Stud. z. Germanistik, Anglistik und Komparatistik» (1971 ff.).

Schriften (Ausw.): Parzivals tumpheit bei Wolfram von Eschenbach (Diss. Zürich) 1964; Nim din selbes war. Studien zur Lehre von der Selbsterkenntnis bei Meister Eckhart, Johannes Tauler und Heinrich Seuse, 1971.

Herausgebertätigkeit (Ausw.): J. Fischart, Das Glückhafft Schiff von Zürich, 1967; Erasmus von Rotterdam, Ein Klag des Frydens ... (Leo Juds Übers. d. Querela pacis v. 1521, mit d. Facs.dr. d. lat. Originals; Mit-Hg.) 1969; Abraham a Santa Clara, Wunderlicher Traum von einem großen Narrennest, 1969; A. Gryphius, Catharina von Georgien, 1975. – Typologia litterarum. Festschrift Max Wehrli (Mit-Hg.) 1969; Deutsche Barocklyrik. Gedichtinterpretationen von Spee bis Haller (mit M. Bircher) 1973.   RM

Haas (Hass), Augustinus (od. Georg), um 1470, Dominikaner aus Nürnberg; v. ihm stammen e. Predigtauszug u. Übers. lat. Texte f. d. Nonnen d. Katharinenklosters in N., deren Beichtvater er war.

Literatur: VL 2, 133. – F. JOSTES, Meister Eckhart u. s. Jünger, 1895; F. BOCK, Das Nürnberger Predigerkloster (in: Mitt. d. Ver. f. die Gesch. d. Stadt Nürnberg 25) 1924; P. RENNER, Spätma. Klosterpredigten aus Nürnberg (in: Arch. f. Kulturgesch. 41) 1959.   RR

Haas, Bruno (Ps. Bruno Haas-Tenckhoff), * 6.1. 1893 Styrum bei Mülheim a. R.; Bibliothekar an d. Univ.bibl. Münster/Westf.; Verf. v. Schriften z. Landes- u. Volkskunde.

Schriften: Der Holländer im Spiegel seiner Sprache. Mann und Frau und die Sprache. Zwei Versuche, 1913; Anrede, Titel und Gruß. Eine Kritik deutscher Sprachformen und eine Werbeschrift für ihre Neugestaltung, 1921; Münster und die Münsteraner in Darstellungen aus der Zeit von 1800 bis zur Gegenwart, 1924; Das Fürstbischöfliche Münsterische Militär im 18. Jahrhundert, 1930; Augustin Wibbelt (mit Bibliogr.) 1948.   AS

Haas, Carl-Hellmuth → Kronen, Andrei.

Haas, Doris (Ps. f. Doris Distelmaier-Haas), * 18.2.1943 Bonn; Dr. phil., wiss. Assistentin, lebt in Bonn-Röttgen; Lyrikerin.

Schriften: Sicheln (Ged.) 1969; Flucht aus der Wirklichkeit. Thematik und sprachliche Gestal-

tung im Werk Stéphane Mallarmés (Diss. Bonn) 1970; Gänge. Ergangenes, Verdichtetes, 1972.
                                                                                 AS

Haas, Eduard (Ps. Eduard Demrath), * 8.10. 1878 Hergatz; Red. versch. Ztg. in Linz/Donau, München u. d. «Germania» in Berlin. Kunst- u. Theaterkritiker.

Schriften: Das Ledigenheim (Kom.) 1909.
                                                                                 RM

Haas, Emil, * 20.7.1847 Gimmeldingen/Pfalz, Todesdatum u. -ort unbekannt; autodidakt. Musikausbildung, dann militär. Laufbahn u. seit 1872 Eisenbahnsekretär in Straßburg.

Schriften: Gedichte, 1877; Gedichte, 1895.
                                                                                 RM

Haas, Franz Seraphin (Ps. Gunthold), Geburtsdatum unbekannt, † 1789 München; bayer. Hofratssekretär in München.

Schriften: Versuche in Oden, Sinngedichten und Fabeln, 1777; Kurzgefaßter Lehrbegriff der Kenntnisse und Lehrsätze zur Einsicht und Verfassung aller nothwendigen Gattungen der Gedichte, 1. Tl., 1777; Ode über Oefcle's Tod, 1780.

Literatur: Meusel-Hamberger 3, 11; 11, 306.
                                                                                 RM

Haas, Georg Emanuel (Ps. G. E. Thurn), * 13.2. 1821 Wien, † 4.5.1895 Rom; 1841 Eintritt in d. niederöst. Staatsdienst, daneben Studium d. Philol. u. d. Rechte, Attaché d. öst. Gesandtschaft in München, 1866 Leiter d. süddt. Korrespondenzbüros in München. Seit 1872 Hg. d. «General-Correspondenz» u. Mitarb. d. «Hist.-polit. Bl.» in Wien, ab 1879 freier Schriftst. in Gloggnitz.

Schriften: Gedichte, 1844; Über den Zustand der österreichischen Universitäten ..., 1853; Über das österreichische Studienwesen im Verhältniss zu Staat und Kirche ..., 1853; Die Passauer in Prag (hist. Rom.) 1862; Der alte Kardinal (Rom.) 1864; Vor siebenzig Jahren. Ein Wiener Zeitgemälde, 1865; Das Komödiantentum der modernen Gesellschaft, 1873; Falsche Ideen der modernen Gesellschaft im Lichte der Wahrheit. Ein neuer Beitrag zum Komödiantentum unserer Zeit, 1890; Giftblüten am Lebensbaum des Volkes, 1891; Schattenbilder aus der Bakteriologie der Seele, 1892; Der Geist der Antike (Stud.) 1894; Österreichische Geschichtslügen.

Eine Richtigstellung historischer Irrtümer und Legenden, irriger Auffassungen und Unrichtigkeiten ... (mit Frhr. J. A. v. Helfert) 1897.

Literatur: ÖBL 2, 118.   RM

de Haas, Helmuth, * 2.9.1928 Mehring/Mosel, † 23.10.1970 Oberhausen; Dr. phil., Journalist u. Übers. (u. a. v. Sartre) in Duisburg u. später in Essen.

Schriften: Prager Elegien, 1949; Lineaturen, 1955; Das geteilte Atelier. Essays, 1955; Ruhrgebiet. Porträt ohne Pathos (Mit.-Verf.) 1959.

          RM

Haas, Hermann Julius (Ps. J. Sarländer), * 13.3. 1852 Stuttgart; Dr. phil., Besitzer d. «General-Anz.» in München.

Schriften: Der Pfeifer von Hardt, 1894; Das Recht (Dr.) 1895; Das Geheimnis der Residenz, 1896; Der Dorflump (Volksst.) 1898.   RM

Haas, Hippolyt (Julius), * 5.11.1855 Stuttgart, † 6.9.1913 München; Geologe u. Paläontologe, Dr. phil., 1883 Privatdoz., 1887 a. o. Prof. f. Geol. an d. Univ. Kiel, Kustos d. mineralog. Museums, 1905 o. Honorarprof., 1909 Geh. Regierungsrat. Mit-Hg. d. «Schleswig-Holst. meerumschlungen in Wort u. Bild» (1896), d. «Arch. f. Anthropol. u. Geol. Schleswig-Holst. ...», Hg. d. Zs. «Gaea» (seit 1909).

Schriften (außer fachwiss.): Aus der Sturm- und Drangperiode der Erde ..., 3 Bde., 1892–1902; Der Bergmeister von Grund. Eine gereimte und ungereimte Geschichte aus dem grünen Harzwald und aus kriegsbewegter Zeit, 1897; Schwabenland (2. Aufl., durchges. v. W. Wetzel) 1925; Neapel, seine Umgebung und Sizilien (3. Aufl., durchges. v. G. Greim) 1927.

Literatur: NDB 7, 375. – F. WAHNSCHAFFE, ~ (in: Zs. d. Dt. Geol. Gesellsch. 65) 1913 (mit Werkverz.).   RM

Haas, Karl Franz Lubert, * 12.8.1722 Kassel, † 29.10.1789 Marburg; Gesch.- u. Theol.-Studium u. seit 1754 Prof. das., 1778 Leiter d. Marburger Univ.-Bibliothek.

Schriften: Lebensbeschreibung des berühmten Dr. Heinrich Horch aus Hessen ..., 1769; Opuscula historica ..., 1769; Bemerkungen über die Hessische Geschichte von Landgraf Heinrich I. bis auf das Jahr 1434, 1771; Versuch einer Hessischen Kirchengeschichte der alten und mittleren

Zeiten bis gegen Anfang des 16. Jahrhunderts, 1782; Vermischte Beiträge zur Geschichte und Litteratur, 1784.

Literatur: ADB 10, 261.   RM

Haas, Karl Max, * 20.9.1900 Ichenhausen/ Bayern; Dr. phil., seit 1920 Schauspieler in München u. a. Orten, seit 1931 auch Oberregisseur u. Dramaturg in Stolp u. später in Hof, 1943 bis 1945 u. 1952–55 Intendant in Ingolstadt.

Schriften: Napolen dreht einen Tonfilm, 1934; Möblierte Zimmer zu vermieten (Schw.) 1940; Die Asamkirche Maria de Victoria in Ingolstadt, ein Kleinod bayrischen Spätbarocks, 1949; Das Theater der Jesuiten in Ingolstadt ..., 1958. (Außerdem eine Reihe ungedr. Bühnenstücke.)

Literatur: Theater-Lex. 1, 654.   RM

Haas, Louise Charlotte (od. Friederike Louise, geb. Feuerbach), * 10.1.1738 Ludwigsburg, † 3.11.1811 Schlierbach; lebte als Pfarrersgattin in Schlierbach/Schwaben. Kaiserl. gekrönte Poetin. Ihre Ged. ersch. im «Schwäb. Magazin» u. a. Zeitschriften.

Schriften: Gedicht auf Gellerts Tod, 1770; Gedicht auf die Vermählung des Hauptmanns Winter mit einer Jungfer Bazigin ..., o. J.

Literatur: Meusel-Hamberger 3, 11; 11, 306.

          RM

Haas, Margret, * 10.10.1897 Bern; wohnt in Zürich, Übers. zahlr. Kriminal-Romane (u. a. v. Agatha Christie), Jugendbuch-Autorin.

Schriften: Rack das Teufelchen (Jgdb.) 1957; Casey Jones der Lokomotivführer. Für die Jugend erzählt, 1961; Mutter ist die Allerbeste (Jgdb.) 1962; Casey Jones fährt wieder. Für die Jugend erzählt, 1962.   AS

Haas, Nicolaus, * 25.11.1665 Wunsiedel, † 26. 7.1715 Bautzen/Oberlausitz; Theol.-Studium in Altdorf u. Leipzig, 1685 Magister, seit 1702 Pastor u. Schulinspektor in Bautzen.

Schriften: Astrologia judicaria ..., 1685; Der treue Seelenhirt, 1696; Der Grund des wahren Christenthums und der ewigen Seligkeit ..., 1700 (?); Allzeit fertiger geistlicher Redner, 1701; Drey geistliche Passionshütten, 1711; Eines Priesters Bet-Andachten, 1717; Der Studenten Bet- und Dank-Opfer, 1719; Den Kindern Gottes obliegende Bestellung ihres Hauses ..., 1720; Das in Gott andächtige Frauenzimmer ..., 1725; Kleine theologische Schriften (hg. J. G. Haas) 1727; Evangelische Passionsandachten ..., 1728; Passionsspiegel, 1728; Cränze der Zeit und Ewigkeit über die Evangelia (hg. J. G. Haas) 1728; Unterredungen mit Gott ..., 1732; Der getreue Seelenhirte, 4 Tle., 1736; Zwölf geistreiche Passionsandachten, 1736; Der in Gott andächtige Beter ..., 1741 (Neuausg. 1791); Die andächtige Jungfer ..., 1746; Wider den geistigen Aussatz oder Wie soll der Religionslehrer über das Laster der Unkeuschheit überhaupt öffentlich katechisieren ... (verm. u. bearb. Ausg., hg. P. H. Schwarz) 1885.

Literatur: Jöcher 2, 1297.   RM

Haas, Rudolf, * 28. 6. 1877 Mies (Böhmen), † 25. 8. 1943 Villach; Dr. iur. in Prag, trat 1902 in den Staatl. Eisenbahndienst u. war 1912–25 Oberbahnrat in Villach. Erzähler.

Schriften: Der Volksbeglücker (Rom.) 1910; Matthias Triebl, die Geschichte eines verbummelten Studenten, 1915; Triebl, der Wanderer (Rom.) 1916; Verirrte Liebe (Erz.) 1917; Michel Blank und seine Liesel (Rom.) 1919; Der Schelm von Neuberg (Lsp.) 1919; Die wilden Goldschweine (Rom.) 1920; Der Alte vom Berge (Rom.) 1921; Auf lichter Höhe. Ein Buch aus dunklen Tiefen und der Menschheit Gipfelreichen, 1922; Diktatur (Rom.) 1923; Einsame Riesen (Erz.) 1923; Die Stimme des Berges (Nov.) 1924; Heimat in Ketten (Rom.) 1924; Leuchtende Gipfel (Rom.) 1925; Die drei Kuppelpelze des Kriminalrates. Ein fröhliches Buch, 1927; Waltrada. Ein Sang vom Millstätter, 1927; Komm mit, Kamerad! (Rom.) 1927; Der unruhige Grislmatzrebhahn (Erz.) 1928; Klaus Andrian. Roman eines Deutschen unserer Zeit, 1928; Triebl-Streiche. Geschichten vom freudigen Leben, 1929; Die sieben Sorgen des Kriminalrats. Ein heiterer Roman, 1930; Der lange Christoph. Eine Bauernchronik, 1930; Egerländer. Roman zwischen Karlsbad und Serbien, 1931; Reinheit und Gemeinheit. Zeitfanal (Rom.) 1932; Die Brautlotterie. Schelmenroman, 1933; Die losen Geschichten vom guten Fürsten Ernst Kasimir (Erz.) 1933; Der stumme Konrad (Rom.) 1936; Der Bergadler. Beschichten vom Bergführer Friedel Inwinkler, 1937; Bergbauern (Erz.) 1939; Die Menschen vom Marhof. Ein Frauenschicksal, 1939; Mutter Berta. Ein deutsches Frauenleben, 1940; Vor der Heimholung

ins Reich. Sudetendeutsche Geschichten, 1940; Dort hinter den Hügeln ... (Erz.) 1942.

Literatur: ÖBL 2, 119. – ~, Einiges über mein Schaffen (in: Dt. Leben. Jb., hg. v. E. FRANK) 1938; E. NUSSBAUMER, Geistiges Kärnten, 1956; W. FORMANN, Sudetendt. Dg. heute, 1961.   AS

Haas, Wilhelm, * 3. 11. 1896 Lüdenscheid/Warthe; Lehrer in Gladbeck/Warthe.

Schriften: Fackelschein. Ausgewählte Gedichte, 1919; Antlitz der Zeit. Sinfonie moderner Industriedichtung (hg.) 1926.   RM

Haas, Willy (Ps. Caliban), * 7. 6. 1891 Prag, † 4. 9. 1973 Hamburg; gehörte z. Kreis um Franz Kafka u. Max Brod; Studium in Prag, 1914 Lektor d. Kurt-Wolff-Verlages in Leipzig, 1925 gründete er mit Ernst Rowohlt d. Ws. «D. lit. Welt»; 1939 Flucht n. Indien, dort Filmautor; 1947 Rückkehr n. Dtl., Kritiker d. Hamburger Tagesztg. «Die Welt». Essayist, Drehbuchautor.

Schriften: Das Spiel mit dem Feuer. Prosaschriften, 1923; Gestalten der Zeit (Ess.) 1930 (Neuausg. u. d. T.: Gestalten. Essays zur Literatur und Gesellschaft, 1962); Die literarische Welt. Erinnerungen, 1957; Calibans Weltblick (Ess.) 1957; Bert Brecht, 1958; Rembrandt, ein Mann für heute, 1959; Fragmente eines Lebens (Ess.) 1960; Calibans Panoptikum (Feuill.) 1960; Gesicht einer Epoche (mit B. F. Dolbin) 1962; Nobelpreisträger der Literatur. Ein Kapitel Weltliteratur des 20. Jahrhunderts, 1962; Hugo von Hofmannsthal, 1964; Über die Fremdlinge. Vier weltliche Erbauungsreden (hg. R. Italiaander) 1966; Die Belle Epoque, 1967; Hugo von Hofmannsthal – Willy Haas. Ein Briefwechsel, 1968.

Herausgebertätigkeit: Welt im Wort, Prag 1934/1935; F. Kafka, Briefe an Milena, 1952; V. Ross, O diese Engländer. Kleine Liebe zu Albion (Übers.) 1956; Berliner Cocktail (mit R. Italiaander) 1957; K. Tucholsky, So siehst du aus! (Ausw.) 1962; Forum imaginum (mit G. F. Hartlaub und F. Klemm) 1962–64; Zeitgemäßes aus der «Literarischen Welt» von 1925–32 (fotomech. Nachdr.) 1963.

Literatur: R. ITALIAANDER, ~ (in: D. Einhorn. Jb. freie Akad. der Künste, Hamburg) 1957; M. BROD, Streitbares Leben. Autobiogr., 1960; Herder-Blätter. Faks.-Ausg. z. 70. Geb.tag von ~ (hg. von R. ITALIAANDER) 1962; M. BROD, D. junge ~ in Prag (in: Jb. Freie Akad. der Künste,

Hamburg) 1966; K. SANDFORT-OSTERWALD, ～ (Bibliogr., Einl. R. Italiaander) 1969; P. DE MENDELSSOHN, Unterwegs mit Reiseschatten, 1977.   AS

Haas von Teichen, Philipp (Ps. Philipp Haas), * 15.11.1859 Wien, † 26.2.1926 (Selbstmord) ebd.; Großindustrieller. Bühnenschriftst., mehrere s. Werke nur als Manuskript gedruckt.

Schriften: Für und wider das Duell. Eine dialogisierte Abhandlung über den Zweikampf, 1899; Jagag'müath. Dramatische Charakterskizze aus den Bergen in steirischer Mundart, 1899.   IB

Haase, Friedrich Ludwig Heinrich, * 1.11.1825 Berlin, † 17.3.1911 ebd.; Schauspieler in Weimar, am Dt. Theater in Prag, in München, 1858 bis 1864 in Petersburg u.a. Orten, 1866 Regisseur in Coburg, 1870–76 Theaterdir. in Leipzig, 1883 Mitbegründer d. Dt. Theaters in Berlin.

Schriften: Ungeschminkte Briefe, 1883; Was ich erlebte. 1846–96, 1897.

Literatur: NDB 7, 380. – O. SIMON, ～, 1898; P. SCHLIENTHER, Ausgew. theatergesch. Aufs. (hg. H. KNUDSEN) 1930.   RM

Haase, Hans Gerd, * 30.5.1889 Lippehne/Soldin; Rechtsanwalt in Göttingen.

Schriften: Der Weg ins Lautlose (Rom.) 1949.   RM

Haase, Hermann, * 20.2.1845 Kassel, Todesdatum u. -ort unbekannt; Lehrgehilfe in Gilsa, 1871 Lehrer u. Kantor in Gelnhausen b. Hanau, 1878–96 Lehrer in Marburg, seither in Gelnhausen im Ruhestand.

Schriften: Blumen am Wege. Gesammelte Gedichte (3., verb. u. verm. Aufl.) 1895; Lose Körner, 1903; Spätherbstblätter, 1904; Herbstzeitlosen (Ged.) 1906; Aus Herz und Leben (Ged.) 1908.   RM

Haase, Horst, * 2.1.1929 Schönwalde bei Bernau; Studium d. Germanistik u. Gesch. in Berlin (Ost), Dr. phil., Prof., Dir. d. Inst. d. dt. Literaturgesch. an d. Karl-Marx-Univ. Leipzig, seit 1969 Doz. am Inst. f. Gesellsch.wiss. beim ZK der SED. Lit.wissenschaftler, Kritiker, Essayist, Herausgeber.

Schriften und Herausgebertätigkeit (Ausw.): Besuch von draußen (mit andern) 1958; Hans Marchwitzas Kumiak-Trilogie. Das Leben einer deutschen Arbeiterfamilie im Roman, 1961; Lexikon sozialistischer deutscher Literatur. Von den Anfängen bis 1945. Monographisch-biographische Darstellungen (Mit-Hg.) 1963; Geschichte der deutschen Literatur. Von den Anfängen bis zur Gegenwart (Leiter des Autorenkollektivs) 11 Bde., 1960ff.; Joh. R. Bechers Deutschland-Dichtung. Zu dem Gedichtband «Der Glücksucher und die sieben Lasten» 1938, 1964; Dichten und Denken. Einblicke in das Tagebuch eines Poeten (Ess.) 1966; J. R. Becher, Bekenntnisse, Entdeckungen, Variationen. Denkdichtung in Prosa (Hg.) 1968; Zur Theorie des sozialistischen Realismus (Mitautor) 1974.   AS

Haase, Josef Ludwig (Ps. Josef Ludwig), * 25.10.1848 Niemes/Böhmen, † 7.11.1933 Iglau/Böhmen; Studien an d. TH Wien, Lehrer an versch. Orten, 1900 Dir. d. Lehrerbildungsanstalt in Komotau.

Schriften: Ein Lehrerleben (Autobiogr.) 1878; Wald und Welt (Ged.) 1879; Ruine Roll. Epische Dichtung in neun Gesängen, 1888; Schuld und Sühne. Eine Klostergeschichte aus Sachsen, 1890; Balladen und Bilder, 1896; Kreuz und Krone. Epische Dichtung in Terzinen, 1899; Ein Tag aus dem Leben zweier Studenten oder Die unverhoffte Erbschaft (Lsp.) 1900; Mir oder mich? (dramat. Scherz) 1902; Aus ferner Vorzeit trüben Tagen (Erz.) 1909.

Literatur: ÖBL 2, 120.   RM

Haase, Karl (Friedrich), * 18.9.1870 Berlin, † 15.12.1958 ebd.; Theol.- u. Philos.-Studium u.a. in Berlin u. Jena, Dr. phil. (1915), Schuldir. u. Oberstudienrat in Erfurt, Oberstudiendir. in Potsdam u. zuletzt in Berlin-Lichterfelde. Verf. versch. Schulschriften.

Schriften: Der moderne Hauslehrer. Eine gesellschaftliche und pädagogische Studie, 1900; Der weibliche Typus als Problem der wissenschaftlichen Pädagogik (Diss. Jena) 1915 (auch u. d. T.: Der weibliche Typus als Problem der Psychologie und Pädagogik ..., 1915); Einführung in die angewandte Seelenkunde, 1921; Die psychologischen Strömungen der Gegenwart ..., 1922; Methodik und Gemeinschaftsleben ..., 1925; Goethe und der Mythos. Ein Beitrag zur Philosophie der Gegenwart, 1929; Geschlechtscharakter und Volkskraft (mit E. F. W. Eberhardt) 1930.   RM

Haase, Lene (verh. Baudevin), * 18. 1. 1888 Rotterdam; wuchs in Chicago auf, Besuch d. Lehrerinnenseminars in Bonn, Reisen in Südafrika u. in d. USA, 1912 Heirat mit d. Stationsarzt B. Baudevin, lebte seither in Victoria/Kamerun.

Schriften: Raggy's Fahrt nach Südwest (Rom.) 1910; Im Bluffland (Rom.) 1912; Die märkischen Lienows (Rom.) 1913; Durchs unbekannte Kamerun. Beiträge zur deutschen Kulturarbeit in Afrika, 1910; Meine schwarzen Brüder. Geschichten aus dem Urwald, 1916; Die Helden von Maka und andere afrikanische Geschichten, 1922.   RM

Haase, Mathes, * 15. 2. 1858 Angerburg/Ostpr.; nach Theol.-Studium Pfarrer in Lichtenhage/Ostpr. u. seit 1886 in Hasestrom b. Königsberg, seit 1897 Chef d. lit. Büros d. Versicherungsgesellsch. «Viktoria» u. Red. in Berlin.

Schriften: Esther (Schausp.) 1892; Du sollst nicht begehren (Tr.) 1892; Vineta. Eine Sage, 1894; Der Spiritismus. Eine Studie, 1897.   RM

Haasenwein, Hans, 1. Hälfte 15. Jh. Verf. e. ‹Kunstbuchs› (militär. Bilderhs.), d. er 1417 begann u. d. ein Nachkomme v. ihm (Konrad Haas v. Dornburg) zw. 1529 u. 1560 vollendet hat. K. war in kaiserl. Diensten Zeugwart u. -meister in Ungarn u. Siebenbürgen.

Literatur: VL 2, 133. – M. JÄHNS, Gesch. d. Kriegswesens, 1889; F. M. FELDHAUS, Die Technik d. Antike u. d. MA, 1931; B. HAAGE, Z. Kunstbuch d. ~ (in: Sudhoffs Arch. 51) 1967; P. ASSION, Altdt. Fachlit., 1973.   RR

Haasis, Evmarie → Evmarie.

Haasis, Johannes → Liesegang, Johannes.

Haasler, Helene → Tiedtke, Helene.

Haaß, C. Maria Katharina, * 29. 2. 1844 Ottweiler, Todesdatum u. -ort unbekannt (lebte 1898 in Mainz); Musikausbildung in Mainz, Musiklehrerin in Mainz u. Paderborn, Hg. d. «Musikal. Jugendpost» in Paderborn.

Schriften: Lustige und ernste Musikantengeschichten, 1888; Die Singkunst, 1888; Künstlerleben. Heiteres und Weiteres aus der Künstler- und Musikerwelt (Nov., Humoresken, Erz.) 1891; Bethlehem (Weihnachtsfestsp.) 1903; Grebel im Feenreich. Musikalisch-melodramatisches Festspiel, 1905; Weihnachtszauber auf der Alm. Deklamatorisch-melodramatisches Festspiel, 1905; Frieder und Trudel. Musikalisch-melodramatisches Waldmärchen, 1906; Das Franzosenkind. Erzählung aus der Zeit der Befreiungskriege, 1907.   RM

Haaß, Robert (Ps. H. Robert), * 4. 12. 1847 Bruchsal/Baden, † 22. 12. 1905 Karlsruhe; Studium d. Rechte u. Chemie in Heidelberg, Chemiker in Spanien, dann Vorstand u. Leiter d. chem.-techn. Prüfungs- u. Versuchsanstalt in Karlsruhe.

Schriften: In honorem Victoris Scheffel (Ged.) 1888; Abnoba. Lieder und Bilder vom Schwarzwald, 1890; Pro Patria. Zeit- und Streitgedichte und politische Stimmungsbilder vom Oberrhein 1887–1891, 1891; Im Zeichen Bismarcks. Zeitgedichte und politische Stimmungsbilder aus den letzten zehn Jahren, 1899; Nachlaß-Gedichte (hg. W. Jensen) 1906; Lieder und Bilder vom Schwarzwald, 1908.

Nachlaß: Landesbibl. Karlsruhe. – Denecke 65.
                                                      RM

Habbicht, Therese, * 17. 8. 1862 Eisenach; lebte auf Reisen u. in Eisenach.

Schriften: Mönch und Nonne. Der Drache. Zwei Thüringer Sagen, 1908.   RM

Habe, Hans (eigentlich János Békessy; Ps. Antonio Corte, Frank Richard, Frederick Gert, John Richler, Hans Wolfgang), * 12. 2. 1911 Budapest, † 29. 9. 1977 Locarno; wuchs auf u. studierte in Wien, seit 1929 Journalist, 1935–38 Völkerbundkorrespondent in Genf, ging ins Exil, 1939 Freiwilliger der franz. Armee, 1940 Gefangenschaft u. Flucht nach Amerika, zuletzt Major d. amerik. Besatzungsarmee, 1945/46 Chefred. der «Neuen Ztg.» München, danach freier Schriftsteller, zuerst in St. Wolfgang, dann in Ascona. Erzähler, Drehbuchautor (1954–59 in Hollywood). 1972 Herzl-Preis.

Schriften: Drei über die Grenze. Ein Abenteuer unter deutschen Emigranten. Genf 1937; Eine Zeit bricht zusammen (Rom.) Genf 1938; Tödlicher Friede. Ein Liebesroman mit politischem Hintergrund, Genf 1939; Zu spät? Ein Liebesroman mit politischem Hintergrund, New York 1940; Ob Tausend fallen, London 1943 (neu bearb. Ausg. 1961); Kathrine (Rom.) New York 1943; Wohin wir gehören (Rom.) 1948; Weg ins Dunkel (Rom.) 1951; Die schwarze Erde (Rom.) 1952; Unsere Liebesaffaire mit Deutschland (Ess.) 1952; Ich stelle mich. Meine

Lebensgeschichte, 1954; Off Limits. Roman der Besatzung Deutschlands, 1955; Im Namen des Teufels. Aufzeichnungen eines Geheimkuriers, 1956; Wenn die andern nach Hause gehn ... (Rom.) 1958; Die Schöne von Amalfi (Rom.) 1958; Die rote Sichel (Rom.) 1959; Siebenmal sah ich den Himmel (Rom.) 1959; Die Primadonna. Schicksalsroman einer begnadeten Sängerin, 1959; Land ohne Frauen (Rom.) 1959; Die Botschafterin. Roman einer großen Frauenkarriere, 1959; Ilona (Rom.) 1960; Leopoldville. Liebe, Freiheit und Uran (Rom.) 1960; Siebzehn. Die Tagebücher der Karin Wendt und ihres Lehrers, 1961; Frau Irene Besser (Rom.) 1961; Good-bye, Beverly Hills, (Rom.) 1961; Die Tarnowska (Rom.) 1962; Die Frau des Staatsanwalts (Rom.) 1963; Ich habe immer Zeit für dich (Rom.) 1963; Meine Herren Geschworenen. 10 große Gerichtsfälle aus der Geschichte des Verbrechens, 1964; Der Tod in Texas. Eine amerikanische Tragödie, 1964; Die Mission (Rom.) 1965; Im Jahre Null. Ein Beitrag zur Geschichte der deutschen Presse, 1966; Christoph und sein Vater (Rom.) 1966; Das Netz (Rom.) 1969; Wien, so wie es war. Ein Bildband, 1969; Das Ehebuch (mit G. Döring u. F. Leist) 1970; Wie einst David. Entscheidung in Israel. Ein Erlebnisbericht, 1971; Erfahrungen, 1973; Gesammelte Werke in Einzelausgaben, 1974ff.; Palazzo (Rom.) 1975; Mord an der Gesellschaft, Selbstmord der Gesellschaft?, 1976; Leben für den Journalismus, 4 Bde., 1976.

Literatur: HdG 1, 256; Albrecht/Dahlke II, 2, 714. – F. HANDT, Das hohle Wunder. Bericht über drei Aufs. v. G. Steiner, J. McCormick u. ~ (in: Sprache im techn. Zeitalter 2, H. 6) 1963; W. A. BERENDSOHN, ~s Bewährung (in: Moderna Språk 63) Stockholm 1969.   AS

Habeck, Fritz (Ps. Glenn Gordon), * 8.9.1916 Neulengbach b. Wien; Jura-Studium in Wien, 1937–46 Soldat, Gefangenschaft in Amerika; 1946 Hilfsregisseur am Theater in d. Josefstadt, 1947–48 Dramaturg der Renaissancebühne ebd.; 1950 Dr. iur., seit 1953 Lektor u. Leiter des Funkstudios Radio Wien, dann freier Schriftst., Verf. hist. und zeitkrit. Rom., Dramatiker, Hörsp.- u. Jgdb.autor; Übers. franz. u. engl. Autoren. Mehrere öst. Preise.

Schriften: Der Scholar vom linken Galgen. Das Schicksal François Villons (Rom.) 1941; Verlo-

rene Wege (Erz.) 1947; Der Tanz der sieben Teufel (Rom.) 1950; Das Boot kommt nach Mitternacht (Rom.) 1951; Das zerbrochene Dreieck (Rom.) 1953; Das Rätsel der müden Kugel (Krim.rom.) 1955; Ronan Gobain. Die Sage vom großen Wollen (Rom.) 1956; Das Rätsel des blauen Whisky (Krim.rom.) 1956; Das Rätsel der kleinen Ellipsen (Krim.rom.) 1957; Das Rätsel des einarmigen Affen (Krim.rom.) 1958; Der Ritt auf dem Tiger (Rom.) 1958; Der Kampf um die Barbacane (Jgdb.) 1960; Die Stadt der grauen Gesichter (Jgdb.) 1961; Der verliebte Österreicher oder Johannes Beer. Seine absonderliche Lebensgeschichte, sowie etliche Auszüge aus seinen denkwürdigen Romanen, 1961; Der einäugige Reiter (Jgdb.) 1963; In eigenem Auftrag (Ausw., hg. W. Kraus) 1963; Der Piber (Rom.) 1965; Die Insel über den Wolken (Jgdb.) 1965; König Artus und seine Tafelrunde (Jgdb.) 1965; Der Salzburg-Spiegel. Kirigins Tagebuch aus der Mozart-Zeit, 1967; Aufstand der Salzknechte (Jgdb.) 1967; Marianne und der Wilde Mann (Jgdb.) 1968; François Villon oder Die Legende eines Rebellen, 1969; Taten und Abenteuer des Doktor Faustus. Erzählt von einem Magister der Hohen Schule (Jgdb.) 1970; Des Herrn Doktor Conrad Humery Buch von Johannes Gutenberg (Jgdb.) 1971; Schwarzer Hund im goldenen Feld: die mehr heiteren als blutrünstigen Erlebnisse des jungen Freiherrn von Diest während des Kartoffelkrieges von 1778, unter Benutzung seines Tagebuchs zur Ergötzung und Besinnung heutiger Leser aufgezeichnet und in Druck gegeben, 1973; Der schwarze Mantel meines Vaters (Rom.) 1976; Wind von Südost (Rom.) 1979.

Übersetzertätigkeit: M. Achard, Kranke Liebe (Schausp.) 1945; C.-A. Puget, Don Juan geht vorbei (Kom.) 1947; Jean Cocteau, Doppeladler (Schausp.) 1947; F. de La Rochefoucauld, Spiegel des Herzens. Seine sämtlichen Maximen, 1951; F. Villon, Gesang unter dem Galgen. Werke, Auswahl (mit andern) 1958; J. Cocteau, Dramen. Auswahl (mit andern) 1959; J. Loisy, Das Geheimnis des Don Tiburcio, 1959; V. W. v. Hagen, Das Sonnenkönigreich der Azteken, 1960; J. Robichon, Invasion Provence 15. August 1944. Tatsachenbericht, 1963.

Literatur: Hdg 1, 256; Theater-Lex. 2, 656. – N. LANGER, Dichter aus Öst., F. 2, 1957; W. KRAUS, D. «Verlorene Generation» diesseits d.

Grenzen. Ein Porträt ∼s (in: Wort in d. Zeit 6) 1960; G. JUNGWIRTH, Über ∼ u. s. Werke (in: VASILO 23) 1974.   AS

Habel(-Malinski), Eduard, * 18.3.1803 Prag, † 22.8.1884 Salzburg; Hofsekretär in Wien.

Schriften: Johann Hasil von Nepomuk (ep. Ged.) 1829; Der geheiligte Hain (dramat. Ged.) 1829; Fragmente aus Briefen eines Reisenden, 1836; Der Karthäuser (hist.-eleg. Ged.) 1846.

Literatur: Wurzbach 6,112; ÖBL 2,122; Goedeke 10,633.   RM

Habel, Reinhardt, * 12.4.1928 Stuttgart; 1956 Dr. phil. Freiburg/Br., seit 1972 Prof. f. neuere dt. Lit.wiss. in Marburg.

Schriften (Ausw.): Joseph Görres. Studien über den Zusammenhang von Natur, Geschichte und Mythos in seinen Schriften, 1960; W. Rehm, Der Dichter und die neue Einsamkeit ... (hg.) 1969; J. W. v. Goethe, Poetische Werke und Schriften. Gesamtausgabe in 22 Bänden, Bd. 21 u. 22: Schriften zur Farbenlehre (hg., Nachw. H. Hönl) 1959/63.   RM

Habenicht, Richard Karl Leopold, * 26.8.1828 Meissen, † 29.5.1890 Lindewiese/Schles.; 1856 Oberlehrer in Zittau, seit 1867 Oberlehrer u. Prof. in Plauen/Vogtl. Verf. versch. Schulbücher.

Schriften: Das Lied von Germania's Größe. Epos in drei Gesängen, 1872.   RM

Haber, Heinz, * 15.5.1913 Mannheim; Dr. rer. nat., Prof. ,Astronom und Physiker; 1942–45 Leiter am physik. Inst. in Berlin, 1946–52 Forsch.tätigkeit in Texas, 1952–55 Lehrtätigkeit an der Univ. of California, Los Angeles, 1955–58 wiss. Chefkonsultant der Walt Disney Production, Burbank, seit 1958 selbst. Produzent für das dt. u. amerikan. Fernsehen; wohnte in Hamburg, jetzt in Stuttgart. Zahlr. Veröff. auf d. Gebiet d. Weltraumforsch.; Hg. d. Zs. «Bild d. Wiss.»; Adolf-Grimme-Preis 1964.

Schriften: Menschen, Raketen und Planeten, 1953; Unser Freund, das Atom (mit W. Disney) 1958; Lebendiges Weltall. Menschen, Steine und Atome, 1959 (Neuaufl. 1961); Unser blauer Planet. Die Entwicklungsgeschichte der Erde, 1965; Der Stoff der Schöpfung, 1966; Das mathematische Kabinett. Eine Auslese, 2 F., 1967, 1970;

Der offene Himmel. Eine moderne Astronomie, 1968; Unser Mond. Naturgeschichte und Erforschung des Erdtrabanten, 1969; Brüder im All. Die Möglichkeit des Lebens auf fremden Welten, 1970; Drei Welten (Slg.) 1971; Unser Wetter. Einführung in die moderne Meteorologie, 1971; Sterne erzählen ihre Geschichten (mit I. Haber) 1971; Stirbt unser blauer Planet? Die Naturgeschichte unserer übervölkerten Erde, 1973; Gefangen in Raum und Zeit. Die Grenzen der menschlichen Vorstellungskraft über das Wesen der Schöpfung, 1975; Eine Frage, Herr Professor. H. H. antwortet seinem Publikum, 1978.

Herausgebertätigkeit: Die Architektur der Erde, 1970; Mit der Erde durchs All, 1970; Neue Funde aus alter Zeit, 1970; Tiere und ihr Verhalten, 1971; Naturvölker in unserer Zeit, 1971; Kernkraftwerke, müssen wir mit ihnen leben?, 1976.   AS

Haber, Louisa v. → Carl, Louisa.

Haber, Siegmund, * 11.9.1835 Neisse/Schles., † 27.2.1895 Berlin; Handlungsreisender u. Kontorist, Chefred. d. humorist. Beilage «Ulk» d. «Berliner Tageblatts».

Schriften: Frau Fortuna (Schw.) 1866; Salon pour la coupe des cheveux. Posse mit Gesang, 1867; Ein Stündchen im Comptoir. Posse mit Gesang, 1872; Der Maskenball (Burl.) 1876; Berlin bei Nacht. Kaiserstädtische Kneipstudien, 1887; An der Mosel. Patriotisches Gemälde, 1889; Paragraph Elf. Kaiserstädtische Kneipstudien, ⁹1889; Ernst bei Seite! Lustige Anspruchslosigkeiten, 1891; Reiselustiges. Allerhand über Rumtreiben und Zuhausebleiben, 1894; Lustiges und Listiges (hg. F. Engel) 1899.

Literatur: ADB 49,695; Theater-Lex. 1,657.
                    RM

Haberer, Hermann, * um 1505 Brugg, † 1577; 1537 Landschreiber in Lenzburg/Aargau, 1558 abgesetzt, 1559 Stiftsschreiber in Zofingen. Dramatiker.

Schriften: Jephta, 1551; Ein gar schön Spyl von dem glöubigen vatter Abraham, wie Gott jm, und er uss sim befelch gehandelt, 1562.

Literatur: ADB 10,267; HBLS 4,31; Theater-Lex. 1,657; Goedeke 2,351. – M. BANHOLZER, ∼ ... Landschreiber u. Dramatiker (in: Brugger Neujahrsbl.) 1960.   RM

Haberfelder, Wilhelm, * 28. 2. 1837 Köln, Todesdatum u. -ort unbekannt; seit 1860 Hauptlehrer u. seit 1872 Bibliothekar in Düren. Seit 1907 im Ruhestand.

Schriften: Gedichte, 1878.   RM

Haberkern (geb. Stenzel), Hedwig (Ps. Tante Hedwig), * 16. 4. 1837 Breslau, † 1902 ebd. (?); Kindergärtnerin in Breslau, lebte dann in Myslowitz u. Beuthen/Schles., zuletzt Lehrerin in Breslau.

Schriften: Tante Hedwigs Geschichten für kleine Kinder. Ein Buch für erzählende Mütter, Kindergärtnerinnen und kleine Leser, 1869 (2., verm. Aufl. 1887); Zwei Wege zum Lichte. Eine schlesische Geschichte für die reifere weibliche Jugend, 1872; Garten, Wald und Feld, meines Kindes Zauberwelt. Ein Gruß an die lieben Kleinen und ihre Mütter ..., 1877; Weihnachts-Klänge. Eine Festgabe für das deutsche Haus. Im alten Hause. Eine Weihnachtserzählung, 1889.   RM

Haberland, Friedrich Wilhelm (Ps. Ferdinand Müller), * 14. 6. 1777 Orlamünde, Todesdatum u. -ort unbekannt; sachsen-altenburg. Amtskommissar in Eisenberg.

Schriften: Die Familie Leblanc oder die Waldhöhle bei Bougenois, 3 Bde., 1803–05; Der nächtliche Verbannte oder Die nächtliche Flucht vom Schlosse Morawitz ..., 3 Tle., 1812; Der Amtmann zu Reinhausen oder Franks Geheimnisse ..., 2 Bde., 1818.

Literatur: Meusel-Hamberger 22.2, 519.   RM

Haberland, Friedrich Wilhelm, * 9. 12. 1807 Königsberg/Pr., † 7. 7. 1832 ebd.; Sohn d. Buchdruckers Georg Karl H., Rechts- u. Theol.-Studium, seit 1829 mit seinem Vater Hg. d. «Königsberger Wochenblattes.»

Schriften: Bernsteinkränze oder Erzählungen aus Preußens Vorzeit, 2 Bde., 1831 (Neuausg. u. d. T.: Historische Erzählungen aus Preußens Vorzeit, 2 Bde., 1836).

Literatur: Goedeke 14, 885.   RM

Haberland, Georg Karl, Geburtsdatum u. -ort unbekannt, † 1835 Königsberg; Buchdrucker in Königsberg. Hg. d. «Königsberger Wochenbl.» (mit Friedrich Wilhelm H.).

Schriften: Gegenstände der Phantasie. Mit einigen Melodien fürs Klavier begleitet (1. Slg.)

1800; Preußische Blumenlese auf das Jahr 1813 (hg.) 1813.

Literatur: Goedeke 7, 416; 8, 69.   RM

Haberlandt, Michael, * 29. 9. 1860 Ungarisch-Altenburg, † 14. 6. 1940 Wien; Indologie- u. a. Stud. in Wien, 1882 Dr. phil., Prof. f. Völkerkunde in Wien, mit W. Hein Gründer d. Ver. f. Öst. Volkskunde (1894), Gründer u. Dir. d. Museums f. Öst. Volkskunde (1895), Hg. d. «Zs. f. Öst. Volkskunde» (seit 1895) u. d. «Öst. Volkskunst» (1911), Verf. versch. wiss. Schr. u. Museumsführer.

Schriften (Ausw.): Zur Geschichte des Pancatantra, 1884; Indische Legenden, 1885; Der altindische Geist. In Aufsätzen und Skizzen, 1887; Vasantasenâ oder Das irdene Wägelchen. Ein altindisches ... Schauspiel, 1893; Volk und Cultur von Japan ..., 1894; Cultur im Alltag. Gesammelte Aufsätze, 1900; Hugo Wolf. Erinnerungen und Gedanken, 1903 (2., erw. Aufl. 1911); Daçakumâracaritam, 1903; H. Wolfs Briefe an Hugo Faisst ... (hg.) 1904; Die Welt als Schönheit. Gedanken zu einer biologischen Ästhetik, 1905; Werke der Volkskunst (hg.) 3 Bde., 1912–17; Die Völker Europas und des Orients, 1920; Die Völker Europas und ihre volkstümliche Kultur (mit Arthur H.) 1928.

Literatur: NDB 7, 395; ÖBL 2, 125. – FS f. ~, 1925; L. RADERMACHER, ~ (in: Forsch. u. Fortschritte 16) 1940; E. OBERHUMMER, ~ (in: Gedenkh. d. Wiener Zs. f. Volksk. 45) 1940; DERS., ~ (in: Almanach d. Akad. d. Wiss. Wien) 1941; L. SCHMIDT, ~ (in: Volk u. Heimat 3) 1950; ~ u. Hugo Wolf (in: ebd. 4) 1951; L. SCHMIDT, D. Öst. Museum f. Völkerkunde, 1960.   RM

Habermann, Gerhard Emil Erich (Ps. Gerd Wengern), * 21. 7. 1911 Berlin; Publizist u. Pressefotograf, 1932–61 im Verwaltungsdienst, dann Dir. d. Bildarch. Kultur u. Geschichte in München; lebt jetzt in Gräfelfing b. München. Erzähler, Essayist, Biograph, Übersetzer.

Schriften: Maxim Gorki. Roman-Biographie, 1968.   AS

Habermann, Johann (Avenarius), * 10. 8. 1516 Eger/Böhmen, † 5. 12. 1590 Zeitz; seit 1542 ev. Prediger an versch. Orten, Theol.-Prof. 1573 in Jena u. 1574 in Wittenberg, 1576 Superintendent in Naumburg u. Zeitz. Seine Gebetbü cher ersch., auch in andern Sprachen, bis ins 19. Jh. hinein.

Schriften (Ausw.): Christliche Gebeth für allerley Not und Stende der gantzen Christenheit ..., 1567; Liber radicum sive Lexicon hebraeum, 1568; Grammatica hebraea, 1570; Trostbüchlein für kranke, betrübte und angefochtene Christen, 1570; Vita Christi ... (in Sprüchen) 1580 (2. Tl. 1616); Predigten ... Zwei Sammlungen, 1585; Christliche Gebet auss Göttlicher Schrifft und heiligen Sprüchen, 1586; Betbüchlein, darin auf alle Tage in der Wochen Gebet zusprechen verordnet, 1590.

Literatur: Jöcher 1,629; ADB 1,699; NDB 1,467; LThK 1,1142 (alle unter Avenarius); RE 7,281; RGG³3,7. – L. Bönhoff, ~ (in: Beitr. z. sächs. Kirchengesch. 29) 1915.   RM

Habermann, Karl, * 22.8.1865 Schloß Töltschach/ Kärnten,† 19.5.1913 Capri; Hg. d. «Scherer», Lyriker.

Schriften: Ze Garten. Ein deutscher Sang am Gardasee, 1895.   IB

Habermann, Wilhelm → Öhquist, Johannes.

Habermas, Jürgen, * 18.6.1929 Düsseldorf; Studium in Göttingen, Zürich u. Bonn, 1956–59 Assistent Adornos in Frankfurt/M., 1961 Habil. Marburg, a. o. Prof. d. Philos. in Heidelberg, seit 1964 o. Prof. d. Philos. u. Soziol. in Frankfurt/ M., 1971 mit C.F. v. Weizsäcker Dir. d. Max-Planck-Inst. z. Erforsch. d. Lebensbedingungen d. wiss.-techn. Welt in Starnberg. Hg. v. Hegels «Polit. Schr.» (1966), Nietzsches «Erkenntnistheoret. Schr.» (1968), d. Abt. «Soziol.» d. «Neuen Wiss. Bibl.» (seit 1966), seit 1970 Mit-Hg. d. «Theorie». Hegel-Preis Stuttgart (1974), Sigmund Freud-Preis (1976).

Schriften (Ausw.): Student und Politik ..., 1961; Strukturwandel der Öffentlichkeit. Untersuchungen zu einer Kategorie der bürgerlichen Gesellschaft, 1962 (⁸1976); Theorie und Praxis. Sozialphilosophische Studien, 1963 (erw. Neuausg. 1972); Erkenntnis und Interesse, 1968 (Neuausg. 1973 u. 1975); Antworten auf Herbert Marcuse (hg.) 1968; Theorie der Gesellschaft oder Sozialtechnologie (mit N. Luhmann) 1971; Über Kultus und Gewalt – Die Aktualität Walter Benjamins, 1972; Kultur und Kritik. Verstreute Aufsätze, 1973; Legitimationsprobleme im Spätkapitalismus, 1975; Zur Rekonstruktion des Hi-

storischen Materialismus, 1976; Wahrheit und Diskurs, 1976.

Literatur: Die Linke antwortet ~ (hg. O. Negt) 1969; G. Rohrmoser, D. Elend d. krit. Theorie. Theodor W. Adorno, Herbert Marcuse, ~, 1970; F. Solms, Dimensionen d. Friedens (in: Internat. Dial. Zs. 4) 1971; H. Ludwig, D. Verhältnis v. Theorie u. Praxis bei ~ (in: Jb. f. christl. Soz.wiss. 13) 1972; W. Jäger, Öffentlichkeit u. Parlamentarismus. E. Kritik an ~, 1973; Materialien zu ~, Erkenntnis u. Interesse (hg. F. Dallmayr) 1974; R. Simon-Schaefer, W. C. Zimmerli, Theorie z. Kritik u. Praxis. ~ u. d. Frankfurter Schule, 1975; D. Moser, Gesellsch.theorie od. Christentum ..., 1977; M. Schmidt, Erziehung u. moral. Entwicklung ..., 1977; C. Koreng, Norm u. Interaktion b. ~, 1979.   RM

Habernig, Christine → Lavant, Christine.

Haberstich, Samuel → Bitter, Arthur.

Haberstock, Ernst, * 19.3.1900 Müllheim/ Baden; Gärtnermeister ebd.

Schriften: Gar lustig ist die Jägerei. Heitere Jagdgeschichten aus dem Schwarzwald, 1966.   AS

Haberstock, Joachim, 16. Jh.; lebte in Freising. Neulat. Dichter.

Schriften: Hymnus de Christo Salvatore nostro rec. nato, 1558; Epicedion in D. Ferdinandi Rom. Imper. obitum, 1564; Musarum Threnodia in eundem, 1564; Epitaphia quatuor in eundem, 1564; Psalmus Davidis trigesimus elegiace redditus, 1564; Binae epistolae divi Petri Christi Jesu Apostoli heroico latino carmine redditae, 1566; Ferrandus, Paraeneticus, (übers.) 1567; Institutio exhortatoria ad sincere et christiane meditandam sacrosanctam Dominicam Passionem, 1594.

Literatur: Schottenloher 1,318.   RM

Haberstrumpf, Salomon Heinrich, * 13.9.1730 Heilsbronn/Ansbach, † 11.4.1810 Kulmbach(?); Pfarrer in Birk b. Bayreuth, seit 1788 Hauptpastor u. Superintendent in Kulmbach.

Schriften: Schrift- und Vernunftmäßige Gedanken von dem Schicksale der Heiden in der Ewigkeit, 1776; Lesebuch für junge Theologen und Historiker, 1784.

Literatur: Meusel-Hamberger 3,18; 14,5; 18,8.   RM

Habetin, Rudolf, * 21.9.1902 Leipzig; Dr. phil., Schriftst., Mitarb. b. Presse u. Rundfunk; lebte in Leipzig, nach dem 2. Weltkrieg in Bamberg, dann in Köln. Lyriker; Preis der Stadt Leipzig 1932, Preis des WDR 1956.

Schriften: Rosen und Dornen (Ged.) 1922; Dunkle Blumen. Balladen und Gedichte, 1925; Weisen von Wonne und Weh. Volkstümliche Lieder, 1927; Du in der Zeit. Gedichte und Sonette, 1933; Die Lyrik Hölderlins im Verhältnis zur Lyrik Goethes und Schillers (Diss. Leipzig) 1933; Ewiger Strom (Ged.) 1939; Rast im Vergänglichen. Zwischen Städten und Sternen. Neue Gedichte, 1954; Zwieklang unserer Zeit. Ausgewählte Gedichte 1928–1939, 1962; Irdische Spur. Neue Gedichte, 1962.

Literatur: I. MEIDINGER-GEISE, ∼ (in: Besinnung) 1966; W. NAUMANN ZU KÖNIGSBRÜCK, ∼ (in: Sächs. Heimat) 1967.   AS

Habicher, Theodor, * 2.9.1859 Schwaz (Tir.), † 13.7.1913 Augsburg; Sohn e. Mechanikers; Kaufmann, Fremdenlegionär; seit 1873 Buchhändler in Augsburg, Red. versch. Ztg. Erzähler u. Reiseschriftsteller.

Schriften: Fünf Jahre unter den Horden Afrikas und Asiens, 1893; Briefe aus der französischen Fremdenlegion, 1894 (neue Aufl. 1905 u. d. T.: In der französischen Fremdenlegion. Erlebnisse und Erinnerungen); Eine Woche in Augsburg. Kleiner Wegweiser für die Stadt und ihre Umgebung, 1896; In Ulm, um Ulm und um Ulm herum. Kleiner Wegweiser für die Stadt und ihre Umgebung, 1896; Schwäbische Fahrten, 1896; Weihnachts-Bazar. Allerlei heitere und ernste Geschichten, dem deutschen Volk erzählt, 1896; Deutsche Fahrten. Schwaben und Oberschwaben, 1897; Empor. Moderne Monatsschrift (Hg.) 1897; Wegweiser in Augsburg. Ein illustrierter Nimmmichmit für jeden Einheimischen und Fremden, 1898.   AS

Habicht, Arnold, * 29.5.1878 Pernau/Livland, † 26.3.1964 Bad Segeberg/Holstein; lebte als Pastor ebd.; Erzähler.

Schriften: Und ihre Stätte kennet sie nicht mehr. Die Geschichte einer baltischen Familie im Wandel der Jahrhunderte, 1956; Liiso. Ein Lebensbild aus Estland, 1964.   AS

Habicht, Friedrich, * 11.8.1845 Bernburg/Anhalt, Todesdatum u. -ort unbekannt; Philol.-

Studium in Göttingen u. Jena, Lehrer in Schleiz u. Apolda, lebte dann in München. Verf. versch. philol. Schriften.

Schriften: Zwischen den Dornen (Ged.) 1872; Tibulls Delia-Elegien, dt., 1875.   RM

Habicht, Ludwig, * 23. 7. 1832 Sprottau/Schles., † Ende Dez. 1908 Amalfi; Büroangestellter, seit 1857 Schriftst. in Dresden, Berlin, Sagan u. seit 1881 in Italien. Zeitweilig Red. d. «Dt. Magazins» in Berlin.

Schriften: Kriminalnovellen, 1864; Der Stadtschreiber von Liegnitz (hist. Rom.) 3 Bde., 1865; Irrwege (Erz. u. Nov.) 2 Bde., 1866; Zwei Höfe (Rom.) 3 Bde., 1871; Vor dem Gewitter (Rom.) 4 Bde., 1873; Am Genfer See (Erz.) 1875; Offene Augen (Erz.) 1875; Ideal und Welt (Erz.) 1875; In Paris (Erz.) 1875; Schein und Sein (Rom.) 5 Bde., 1875; Harte Kämpfe (Nov.) 1876; Das Haus des Unfriedens (Erz.) 1877; Auf der Grenze (Rom.) 4 Bde., 1878; Quer über oder Ein Mann, ein Wort (Erz.) 1879; Der rechte Erbe (Rom.) 1879; In guten Händen (3 Nov.) 1880; Wille und Welt (Rom.) 3 Bde., 1884; Im Sonnenschein (Rom.) 3 Bde., 1885; Zum Schein. Erzählung aus dem Volksleben, 1886; Kriminalnovellen, 1889; Am Gardasee (Nov.) 1890; Er muß studieren! – Der Nagel – Die Gewalt der Wahrheit – Der Schutzgeist, 1896; Ein verfehltes Leben (Nov.) 1896; Das Grafenhaus (Kriminalrom.) 1897; Vor den Geschwornen und andere Kriminalerzählungen, 1897; Unter fremder Schuld (Rom.) 1897; Die Erbschaft (Kriminal-Rom.) 1897; Widersprüche (Nov.) 1899; Das Geheimnis des Waldes (Rom.) 1900; Wahrheit (Erz.) 1902; Besondere Kennzeichen (Erz.) 1902; Im Wege – Eine Kohlenzeichnung (Kriminalnov.) 1905.   RM

Habicht, Melchior, * 19.9.1738 Schaffhausen, † 21.6.1817 ebd.; 1761 Prof. in Schaffhausen, 1772–95 Pfarrer in Lohn, seither Triumvir u. Pfarrer, 1803 Antistes u. Dekan in Schaffhausen.

Schriften: Das Frohlocken der Völker über die wiederhergestellte Ruhe in Europa ..., 1763; Die schreckliche Tiefe des menschlichen Elends und die unergründliche Tiefe der göttlichen Erbarmung ..., 1764; Sechs Predigten über die Wichtigkeit der Vermahnung Jesu ..., 1775; Nachricht von dem Leben des Herrn Thomas Spleiss ..., 1776; Gespräche, worinn verschiedene gemeine Vorurtheile gegen das thätige Christenthum beleuchtet und widerlegt werden, 8 Tle., 1777–79; Beyspiele von dem Einfluss des weiblichen Geschlechts in den alten römischen Staat, aus der Geschichte gesammelt und nach der Zeitfolge dargestellt, 1792; Eine Abschiedspredigt und eine Antrittsrede, 1796; Was spricht die christliche Religion zu der neuen Constitution von Freiheit und Gleichheit? 1798; Das neueste Schicksal der Stadt Schaffhausen, 1799.

Literatur: Ersch-Gruber II. 1, 50; HBLS 4, 32; Meusel-Hamberger 3, 18; 11, 307; 18, 8.   RM

Habicht, Victor Curt, * 16.5.1883 Oberstein/ Nahe, † 10.7.1945 Hannover; Dr. phil., Kunsthistoriker, Prof. an d. TH Hannover. Lyriker, Erzähler, Dramatiker.

Schriften (ohne fachwiss.): Stätten der Kultur: Hannover, 1914; Deutschland! Vollend' es! Ein Zukunftsbrevier, 1915; Der Triumph des Todes. Ein Mysterienspiel in drei Aufzügen, 1919; Echnaton (Nov.) 1919; Der Funke Gott (Ged.) 1919; Symbol und Pflicht, Ein Hochzeits-Gedichte-Kranz, 1919; Odysseus und die Sirenen. Ein Gespräch, 1920; Die selige Welt. Der Psalm vom Menschensohne, 1920; Die letzte Lust (Rom.) 1920; Vergils Vision. Ekloge, 1924; Maria, 1926; Celle und Wienhausen, 1930.   AS

Habichtslehre, ältere dt., entstanden 14. Jh., älteste dt. Lehrschrift über d. Vogelbeize (überl. in e. Hs. d. 15.Jh., 39 Kap.), d. über Abrichtung, Pflege u. d. Gebrauch d. zugehörigen Jagdhundes handelt. Die Schr. scheint original zu sein u. blieb bis ins 16. Jh. wirksam, wo sie 1542 als Quelle f. d. ‹Beizbüchlein› des Humanisten Eberhard Trappe diente. Eine auf ihr fußende jüngere Hs. (um 1400, gedr. 1480) verdrängte die ältere Hs. rasch, erfuhr aber d. gleiche Schicksal n. d. Aufkommen v. Trappes Beizbüchlein. In dieser Form wirkte d. ältere Hs. bis ins 18. Jahrhundert.

Ausgabe: K. LINDNER, D. dt. Habichtslehre, 1955.

Literatur: De Boor-Newald 4/1, 358. – G. EIS, Nachtr. z. VL (in: SN 30) 1958; K. LINDNER, Dt. Jagdtraktate d. 15. u. 16.Jh., 2 Bde. 1959; DERS. Über d. Europ. Jagdlit. d. 12. bis 14. Jh. (in: Zs. f. Jagdwiss. 1) 1955; C.A. WILLEMSEN,

Über ma. Quellen z. Gesch. der Jagd (in: AfK 39) 1957; G. EIS, D. Stellung d. Jagd im ma. System der Wiss. (in: Zs. f. Jagdwiss. 7) 1961; K. LINDNER, Alte dt. Weidsprüche (in: FS EIS) 1968; P. ASSION, Altdt. Fachlit., 1973.   RR

Habisreutinger, Rudolph Demeter (Ps. Stephen Tanner, Frank Pentland), * 23.5.1918 Genf; lebte in München, dann in Friedrichshafen/ Bodensee; Erzähler.

Schriften: Waldläufer. Erlebnisse aus der Pionierzeit Nordamerikas. I. Die Pfahlburg im Saint Clair See, 1946, II. Zum Cuyahoga-Fluß, 1946, III. Die verschollene Voyageur-Flottille, 1947; Der Palisadenbrecher, 1952; Fremde Welt in ferner Wildnis, 1952; Mokassins und Lederhemden, 1952.   AS

Habraschka, Paul, * 6.11.1897 Rossberg-Beuthen/Oberschles., † 12.9.1969 Hildesheim; war Bergmann in Oberschles., lebte später als Bergrentner in Hildesheim; Lyriker u. Erzähler.

Schriften: In der Tiefe (Ged.) 1930; Des Bergmanns Feierschicht (Ged.) 1932; Nach der Schicht (Ged.) 1936; Kleinkohle. Bergmannshumoresken, 1940; Der Kumpel lacht, 1941 (Neuaufl. 1966); Die Front vor den Kohlen (Erz.) 1944; Die Heimkehr (Rom.) 1944; Lied der Teufe. Ausgewählte Erzählungen und Gedichte, 1961; Meinen Tod will ich selber sterben! Erlebnisse als Internierter in der Sowjetunion, 1966; Oberschlesische Buxliks. Aus einer goldenen Jugendzeit im oberschlesischen Industriegebiet, 1970.   AS

Habsburg → Johannes von Habsburg.

Haccius (Hacke), Georg, * 30.8.1626 Uthleben/Sangershausen, † 12.4.1684 Hamburg; Theol.-Studium in Jena u. Rostock, 1648 Konrektor u. 1661 Prediger in Minden, seit 1669 Prediger u. später Pastor in Hamburg.

Schriften: Deliciae Marianae oder himmlische Seelen-Lust ... Mariae, welche sie von innen bey sich empfand, und von aussen andern mittheilete durch ... Ansprechen ihres wonnigen Lob-Gesangs Magnificat. In 55 Predigten betrachtet, 1665; 116 Fest- und Buss-Predigten, o. J.; Apologia XX controversarium et propositionum ..., o. J.; Geistliche Blumen-Garten ..., o. J.; Biblischer Lebens-Brunn ..., o. J.

Literatur: Jöcher 2, 1302; Ersch-Gruber II.1, 73; ADB 10, 288.   RM

Hach, Irmgard → Sazenhofen, Irmgard von.

Hach-Hengsbach, Arno (Ps. Arno Hach), * 23. 11.1877 Chemnitz; studierte Kunstgesch. u. Malerei, lebte als Verlags-Red. in Chemnitz, in Leipzig, dann in Berlin. Erzähler, Feuilletonist, Lyriker.

Schriften: Licht- und Schattenflecke (Gesch.) 1901; Launen und Leidenschaften. Psychologische Skizzen, 1903; Fratzen. Zwölf Capriccios, 1904; Erwartung. Tragische Szene in erzgebirgischer Mundart, 1905; Harlekin Tod. Elf Totentänze, 1905; Zu Straßburg auf der Schanz (Volksst. in erzgebirgischer Mundart, mit W. Schindler) 1907; Leichte Lieder, 1907; Lichter im Nebel. Mären und Bilder, 1909; Der Kopf des Maori. Geschichten zwischen Trug und Traum, 1920; Alt-Berlin im Spiegel seiner Kirchen. Rückblicke in die versunkene Altstadt, 1933.   AS

Hachfeld, Eckart (Ps. Fred Hardy), * 9.10.1910 Mörchingen/Lothr.; Dr. iur., lebte in Berlin, jetzt in Tutzing; Arbeiten für Film, Funk, Fernsehen, Kabarett. Humorist. Lyriker u. Erzähler.

Schriften: Amadeus geht durchs Land. Dunkle Weltbegebenheiten heiter ausgeleuchtet, 1956; Eulen-Spiegeleien. Eine tierisch heitere Fotogalerie, 1962; Der Motorroller. Funkkomödie (Bearb. v. J. Jaarsma) Amsterdam 1963; Kuckucks-Eier. Eine poin-tier-te Fotogalerie, 1964; Die ganze Wahrheit über die Ehe (nach einer Idee von Lois Wyse) 1965; Bienen-Stiche. Neue tierisch heitere Schnappschüsse, 1967; Museum der deutschen Seele, 1968; Der Struwwelpeter, neu frisiert oder Lästige Geschichten und dolle Bilder. Für Bürger bis 100 Jahre nach Heinrich Hoffmann (mit R. Hachfeld) 1969; Tierisch heiter. Ein Fotokalender mit Pointen, 1971; Die besten Eulenspiegeleien. Eine tierisch heitere Fotogalerie mit Pointen, 1973.   AS

Hachfeld, Eckart jr. → Ludwig, Volker.

Hachfeld, Rainer, * 9.3.1939 Ludwigshafen; Journalist, Cartoonist, 1968 Mitbegründer d. Berliner Grips-Theaters. Verf. v. Kinder-Theaterstücken, lebt in Berlin. Brüder-Grimm-Preis 1969.

Schriften: Der Struwwelpeter, neu frisiert oder Lästige Geschichten und dolle Bilder. Für Bürger

bis 100 Jahre nach Heinrich Hoffmann (mit E. Hachfeld) 1969; Marx und Maoritz. Eine Bubengeschichte in 7 Streichen nach Wilhelm Busch für Erwachsene umfrisiert (mit K. Budzinski) 1969; Mugnog-Kinder. Theaterstück für Kinder (in: 3mal Kindertheater, mit C. Krüger, L. Volker) 1971; Hans und Grete ziehen um. Ein Theaterstück für Kinder (mit U. J. Jensen) 1972; Die sagenhafte Sache mit dem Zimmer (mit U. J. Jensen) 1972; Die bunten Kinder von Kloacker (mit U. J. Jensen) 1973; Politische Karikatur in der BRD und Westberlin (mit andern) 1974; Stokkerlok und Millipilli. Ein abenteuerliches Puzzlespiel (mit V. Ludwig; in: 3mal Kindertheater, Bd. 3) 1975.   AS

Haching, Hans → Hänsler, Rolf.

Hachtmann, Adolf, * 29.11.1844 Groden b. Cuxhaven, Todesdatum u. -ort unbekannt; seit 1868 Kaufmann in Brooklyn/N.Y., USA.

Schriften: Ut Dütschland un Amerika. Plattdütsche Humoresken in Riemels, 1883; Lieder eines Deutsch-Amerikaners. Ernste und humoristische Dichtungen in hoch- und plattdeutscher Sprache, 1889; Von Haus und Hof verbannt oder Ut'n Oellernhus wiest (Volksschausp.) 1897.

RM

Hacke, Ernst-Max (Ps. Peer Baedeker), * 1.1. 1912 Rittergut Alt-Lönnewitz b. Torgau; wirkte als Opernsänger in Braunschweig, Görlitz, Bayreuth, Bamberg, Augsburg, Salzburg; jetzt Antiquariatsbuchhändler, lebt in Kemnath-Stadt/Oberpfalz; Erzähler, Dramatiker, Verf. von Film-Scenarios.

Schriften: Aufstieg nur für Schwindelfreie (Rom.) 1942; Männer glauben alles (Lsp.) 1942; Heute gehörst du mir (Rom.) 1957; Erich Ebermayer, Buch der Freunde (hg. mit K. Lemke) 1960.

Literatur: Theater-Lex. 1, 658.   AS

Hacke, Georg → Haccius, Georg.

Hacke, Gottlob von, Geburts- u. Todesdatum unbekannt; königl. poln. Geheimrat, später Kommissionsrat u. Ritter d. weißen Adlerordens in Neubrandenburg.

Schriften: Das Schnupftuch (Tr.) 1781; Gegenkritik und Belehrung der Fehler des Johann Ballhorns der Neubrandenburgischen Geschichte, 2 H., 1782; Geschichte der Vorderstadt Neubrandenburg (1. Tl., 1248–1711) 1783; Fabeln Lieder und Sinngedichte, allen lustigen und traurigen Leuten gewidmet, 1784; Geistliche Gesänge, 1784.

Literatur: Meusel-Hamberger 3, 19; 9, 488; 18, 8.	RM

Hacke, Heinrich, * 14. 5. 1855 Mainz; lebte nach militär. Laufbahn als Schriftst. in Berlin.

Schriften: Rekrutens Freud und Leid. Allerlei aus dem Rekrutenleben, 1888; Soldatenbuch für deutsche Knaben, 1891; Der Traum des Invaliden (patriot. Festsp.) 1894; Das Klostergeheimnis. Historischer Roman aus dem 8. Jahrhundert, 2 H., 1899; Deutschlands Stolz. Unser Heer, unsere Marine, unsere Luftwehr (mit H. Schmidt, K. Engerer) 1915.	RM

Hackebeil, Margarete, (Ps. f. Margarete Lehmann geb. Hackebeil), * 6. 4. 1907 Bautzen; Lehrerinnenausbildung, verheiratet mit einem Papiergroßhändler, lebt in Berlin; Romanautorin.

Schriften: Kristin und die Erde (Rom.) 1932; ... und wieder beginnt das Leben (Rom.) 1935; Ein Damm wächst ins Meer (Rom.) 1935; Schulmeister Thiess und seine Jungen (Rom.) 1936.
	AS

Hackeborn → Mechthild von Hackeborn.

Hackel, Franz, * 8. 6. 1887 Dresden, † 1. 6. 1962; wohnte in Lückendorf über Zittau.

Schriften: Die banalen Lieder (Ged.) 1928; Hohnstein (Ber.) 1949; Auf Kerkerwände gekritzelt (Ged.) 1951; Verse auf ein Bergdorf (Ged.) 1957.	AS

Hackelsperger-Rötzer, Klara, * 23. 7. 1877 Neukirchen hl. Blut, † 23. 12. 1959 Augsburg; Schriftst. in Augsburg.

Schriften: Die Sonnleitnerin (Rom.) 1949.	RM

Hackenberg, Hans (Ps. f. Hans Weber), * 12. 11. 1904 Wuppertal, † 11. 3. 1951 Wenningstedt/Sylt; Red. in List/Sylt, Mit-Verf. d. «Ersten 50 Jahre des 20. Jahrhunderts» (3 Bde., 1950).

Schriften: Bei uns in Bainingen. Eine heitere Feriengeschichte, 1941; Beim Barte des Ministers. Eine respektlose Geschichte, 1951.	RM

Hackenbroich, Heinz, * 5. 9. 1913 Köln, † 20. 12. 1958 Bergheim/Erft bei Köln; Musik-Studium, 1939–45 Kriegsdienst, kurze amerikan. Gefan-

genschaft; seit 1946 als freier Schriftst. in Köln; Essayist.

Schriften: Musiker-Portraits (Ess.) 1948; Carl Orff (Biogr.) 1948; Musiker von heute. Strawinskij, Bartok, 1949.	AS

Hackenschmidt, Christian Johann, * 20. 5. 1809 Straßburg/Elsaß, † 16. 2. 1900 ebd.; Korbmachermeister, später Verwaltungsrat u. Kassier d. Erziehungsanstalt Neuhof b. Straßburg.

Schriften: Gedichte (mit D. Hirtz) 1841; Die Waldenser in Straßburg oder Die Kraft des Glaubens. Vaterländische Erzählung aus dem 13. Jahrhundert für die reifere Jugend, 1842; Die Judengasse in Straßburg. Vaterländische Erzählung aus dem 14. Jahrhundert für die reifere Jugend, 1843; Die Reformation in Straßburg. Nach geschichtlichen Quellen für das Volk und die Jugend erzählt, 1846; Vater Wurtz, der Stifter der Neuhof-Anstalt, 1847; Über wahres und falsches Luthertum, 1877; Unsere feste Burg wider Rom, 1878; Armuth und Barmherzigkeit im Elsaß. Gesammelt und bearbeitet zum Besten der Neuhof-Anstalt, 1880; Warnung vor seelengefährlichem Wesen ..., 1880; Die Kirche im Glauben der evangelischen Christen, 1881; Luise Scheppler, die fromme und getreue Magd, ⁵1881; Bilder aus dem Leben von Franz Heinrich Härter. Ein Beitrag zur Geschichte des geistlichen Lebens im Elsaß im 19. Jahrhundert, 1888; Das kirchliche Parteiwesen im Elsaß, 1897; Ein christliches Handwerkerbild, 1901.

Literatur: Biogr. Jb. 5, 151.	RM

Hackenschmidt, Karl, * 14. 3. 1839 Straßburg, † 10. 11. 1915 ebd.; Sohn v. Christian H., Theol.-Studium in Straßburg u. Erlangen, 1870 Pfarrer in Jaegerthal/Elsaß, seit 1882 in Straßrug. Seit 1879 Hg. d. Volkskalenders «D. gute Bote», Verf. zahlr. theol. Schriften.

Schriften: Vaterlandslieder eines Elsässers, 1871; Licht und Schattenbilder aus dem Alten Testament, 1893 (Neuausg. 1902; 2 Bd., 1907); Alte und neue Geschichten aus dem Elsaß, 1894; Wie werden wir unseres Glaubens gewiß und froh? Eine Rede an denkende und forschende Christen, 1895; Der christliche Glaube in acht Büchern dargestellt, 1901; Fritz Oberlin, der Vater des Steinthals, 1902; Vor vierzig Jahren. Kriegserlebnisse, 1910; Wegweiser zu den Segensquellen Gottes für Konfirmanden, 1910; Der

Prophet Jeremia, 1912; Der Prophet Daniel, 1914; Der Krieg und die Lüge, 1915; Kalendergeschichten, 1925.   RM

Hacker, Benedict, * 30. 5. 1769 Deggen/Niederbayern, † 2. 5. 1829 Salzburg; Musikausbildung in versch. Orten, Buchverkäufer u. Buchhalter in Salzburg, 1802 Eröffnung e. Musikalienhandlung. Komponist versch. Lieder u. kirchl. Musik.

Schriften: Gesellschaftslieder in vierstimmigen Singechören, 1799; List gegen List oder der Teufel im Waldschloß (Karnevalsoper) 1801; Lustige Gesänge aus den norischen Alpen ..., 1816; Sammlung deutscher Kirchengesänge ... (hg.) o. J.; Die Namens-Feyer, Seiner Durchlaucht Ernst Fürsten von Schwarzenberg ... geweiht, 1819; Wegweiser oder Kurze Erklärung der Merkwürdigkeiten und mahlerischen Ansichten in der Stadt Salzburg und der Umgebung, 1824.

Literatur: Wurzbach 7, 159; MGG 5, 1212; ÖBL 2, 131.   RM

Hacker, Franz Xaver (Ps. Franz von Seeburg), * 20. 1. 1836 Nymphenburg, † 28. 1. 1894 München; Philos.-, Theol.- u. a. Studien in München, 1859 Priesterweihe, seither in München Hochstiftsvikar, Lehrer, 1886 Hofkaplan u. Ehrenkanonikus, 1887 Inspektor d. königl. Zentralblindeninst. u. geistl. Rat.

Schriften: Das Marienkind (Erz.) 1869; Durch Nacht zum Licht. Ein Zeit- und Sittengemälde aus dem Anfange des 19. Jahrhunderts, 1875; Cyclame. Eine Erzählung aus alter Zeit, 1875; Die Nachtigall. Eine Dorfgeschichte aus dem bayrischen Hochlande, 1877; Papst Pius IX., 1878; Der ägyptische Joseph. Ein blüthenreiches Vorbild Jesu, unseres lieben Heilandes ..., 1878; Die Fugger und ihre Zeit. Ein Bildercyclus, 1879; «Laudate pueri Dominum!» (Gebetbüchlein) 1881; Joseph Haydn. Ein Lebensbild ,1882; Die Hexenrichter von Würzburg (hist. Nov.) 1883; Immergrün. Volkserzählungen, 6 Bde., 1899.

RM

Hacker, Friedrich, * 1914 Wien; Medizin-Studium, 1938 Emigration, 1939 Promotion in Basel, 1940 an d. Columbia-Univ./USA u. in versch. Kliniken tätig, seit 1945 Leiter eigener Kliniken in Beverley Hills u. Lynwood/Kalif., Psychiatrieprof. an d. Univ. v. Süd-Kalifornien. Gründer u. Leiter d. Hacker-Foundation, Präs. d. Sigmund Freud-Gesellschaft.

Schriften (Ausw.): Versagt der Mensch oder die Gesellschaft? Probleme der modernen Kriminalpsychologie, 1964; Aggression. Die Brutalisierung der modernen Welt, 1971; Terror. Mythos, Realität, Analyse, 1973; Freiheit die sie meinen, 1978.   RM

Hacker, Joachim Bernhard Nikolaus, * 11.11. 1760 Wittenberg, † 4. 10. 1817 Zscheila b. Meißen; Theol.-Studium in Wittenberg, seit 1786 Prediger an versch. Orten, seit 1812 in Zscheila.

Schriften: Ode auf die jetzige Reformation in Deutschland, 1782; Geistliche Gesänge und Lieder zum Privatgebrauche, 1783; Über die menschlichen Leiden. Ein Beitrag zur Unterhaltung und Belehrung für Leidende, 1786; Die Aufklärung ... (Ged.) 1788; Thanatologie oder Denkwürdigkeiten aus dem Gebiete der Gräber, ein unterhaltendes Lesebuch für Kranke und Sterbende, 4 Tle., 1795 ff. (auch u. d. T.: Denkwürdigkeiten aus dem Gebiete der Gräber, 2 Bde., 1819); Jesus, der Weise von Nazareth ..., 2 Bde., 1801–1803; Der Schulmeister Anton. Winke für Gutsbesitzer, Kirchenpatrone und Lehrer, die zur Veredlung der Menschheit wirken und beytragen, 2 Abt., 1809–1811 (Neuausg. u. d. T.: Schulmeister Anton und seine Zöglinge, eine unterhaltende Geschichte zur ernstlichen und sittlichen Bildung der Menschen, 1816); Der Unsichtbare oder Menschenschicksale und Vorsehung, ein historisch-moralisches Lesebuch ..., 2 Bde., 1811 f.; Meine Vorbereitungen zum Tode. Ein Erbauungsbuch für Kranke und Bejahrte. Nebst der Jugendgeschichte des Verfassers (hg. J. G. Trautschold) 1818.

Literatur: Meusel-Hamberger 3, 20; 22.2, 8; ADB 10, 294.   RM

Hacker, Johann Georg August, * 24. 1. 1762 Dresden, † 21. 2. 1823 ebd.; Theol.-Studium in Wittenberg, 1784 Prediger in Torgau, 1790 Substitut u. seit 1796 erster Hofprediger in Dresden. Verf. zahlr. Predigten, Hg. versch. Reinhardscher Predigten sowie dessen Psalmen-Übersetzung.

Schriften: D. Reinhardo Imago vitae morumque Socratis, 1781; Morgen- und Abendgebete für Zuchthausgefangene, 1789; Erinnerungen und Ermunterungen, die uns von dem scheidenden Jahrhunderte gegeben werden, 1800; Abendmahlsreden an Familien aus den gebildeten Ständen, 2 Bde., 1801 f. (2., verb. Aufl. d. 1. Bds., 1810);

Ausführlichere Predigtentwürfe über gewöhnliche sonntägige und über freye Texte (6 Slg.) 1804–13 (4.–6. Slg. auch u. d. T.: Neue Predigtentwürfe, 1.–3. Slg.); Formulare und Materialien zu kleinen Amtsreden an Personen aus den gebildeteren Ständen, 6 Bde., 1806–13; Erinnerungen an die Erweisungen der Vaterhuld Gottes unter den Drangsalen des scheidenden Jahres, 1810; Andeutung zu einer fruchtbareb Benutzung der … heiligen Schrift …, 4 H., 1810; Communionbuch für Personen aus den gebildeten Ständen, 1812; Communionbuch für denkende Christen, 1812; Worte an Reinhards Grabe gesprochen, 1812; Religiöse Amtsreden in Auszügen und vollständig, 6 Bde., 1816–20.

Literatur: Ersch-Gruber II. 1, 78; Meusel-Hamberger 3, 20; 11, 307; 14, 6; 18, 9; 22.2.521.

RM

Hacker, Willy (Reinhold) (Ps. Heinz vom Berge, Siegwart Felden), * 31.7.1888 Dresden; kaufmänn. Lehre, dann Abenteuerdrang zur See, viele Reisen in Europa, später Leiter d. Bergland-Verlags in Hermsdorf/Sachsen, lebte dann als Journalist u. Fachschriftst. (Volkswirtsch., Gewerbekunde, Chemie) in Dresden. Lyriker, Erzähler.

Schriften: Wir von der Westfront. Bunte Bilder aus dem Westen, 1917; Sei hart, mein Herz! Kriegsgedichte, 1917; Warum auswandern? Jedem sein eignes Heim auf eigner Scholle, 1919; Welt der Abenteuer (Zs., Hg.) 1924.   AS

Hackermiller, Ferdinand, * 1842 Weitersfelden/Oberöst., † 1935 Altmünster/Oberöst.; in versch. Orten Lehrer. Mundartdichter.

Schriften: Unterm Lindenbaum, 1934.   IB

Hackerott, Ludwig, * 16.4.1906; Büroangestellter in Bremen; niederdt. Erzähler.

Schriften: Usen Herrgott sien Gornix. Nedderdüütsche Geschichte um dat Jahr 1350, 1938; De Vagel Griep. Een Krönk von de Wikinge (Erz.) 1939.   AS

Hackethal, Julius K. H., * 6.11.1921 Rheinholterode/Eichsfeld; 1945 Dr. med., Arzt in Eschwege, 1952 wiss. Assistent in Münster, 1956 Oberarzt an d. Chirurg. Univ. Klinik Erlangen, 1962 Prof., seit 1964 Arzt in Lauenburg/Elbe, seit 1974 selbst. Chirurg in Lauenburg, 1979 Gründer d. Klinikzentrums «Eubios» in Münstertal/Schwarzwald. Verf. medizin. Sachbücher.

Schriften (ohne fachwiss.): Auf Messers Schneide. Kunst und Fehler der Chirurgen, 1976; Nachoperation, 1977; Sprechstunde. Fälle, Operationen, Ratschläge, 1978; Krankenhaus. Gegen ein patientenfeindliches Gesundheits-System, 1979.

RM

Hackewitz, Lili von, * 13.2.1857 Eldena b. Greifswald; † 12.5.1912 Ballenstedt; lebte in Berlin, Köpenick u. a. Orten, seit 1900 in Ballenstedt, war schon früh krank u. später gelähmt.

Schriften: Erlebtes, nicht Erdachtes vom Krankenbett, 1899; Alltägliches und Ewiges aus der Krankenstube, 1900; Thränensaat und Freudenernte im Krankenleben, 1902; Blumen, am Wege gepflückt, für Kranke und Gesunde, 1904 [diese 4 Schr. ersch. 1904 u. d. T.: Ein Strauß, im Dunkeln erblüht, fürs Krankenzimmer]; Unverlierbares aus gesunden und kranken Tagen, 1906; Ein Gedanke für die Stille, 1908; Ein Wort, das helfen möchte, 1908; Grüne Auen und finstere Täler. Eine Bildermappe für Kranke und Gesunde, 1909; «Wirket, solange es Tag ist» – ein Wort an Kranke und Gesunde, 1911; «Als die hinwegeilen». Allerlei Skizzen, Kranken und Gesunden gezeigt, 1914; Öl und Wein für Verwundete, 5 H., 1915; Worte der Erquickung für unsere verwundeten Helden, 5 H., 1916; Aus ernster Zeit – für ernste Zeiten, 1921; Perlen der Tiefe (Sprüche) 1925; Briefe (hg. E. v. Schierstedt) 1926.

Literatur: ~, ihr Leben u. ihre letzte Gabe (Geleitwort T. KORTH) 1925.   RM

Hackl, Gustav, * 2.8.1892; Dr. med., Arzt in Donawitz bei Leoben (Steierm.); Lyriker und Erzähler.

Schriften: Gedichte an Maria Rack. Firneland. Zwei Zyklen, 1920; Steirische Legende, 1923; Das Hufeisen (Nov.) 1925; Domina Literata (Erz.) 1926; Steirischer Almanach (Hg., mit R. List und F. Pennerstorfer) 1927; Das Hausbüchl der Stampferin, einer geborenen Dellatorrin, Radmeisterin zu Vordernberg. Mit einer Schilderung des Lebens in einem altsteirischen Gewerkenhause von Marianne v. Rabcewicz, einer gegenständlichen und örtlichen Studie neu hg., 1927.

AS

Hackl, Leopold (Ps. Phil. Garrik), * 25.3.1900 Wien, † 4.11.1958 ebd.; Dr. iur., Sektionsrat, Oberregierungsrat in Wien. Verf. v. Kriminal- u. Abenteuerrom., auch Übersetzer.

Schriften: Ein Mörder verliert die Nerven, 1950; Das gelbe Gesicht, 1950; Schatten über Marseille, 1950; Der Spion mit der Narbe, 1952; Totopanik, 1952; Die Doggen von Glyn Hall, 1952; Der Elektronenmörder, 1952; Strahlentod, 1953; Die Hyänen von Rosedale, 1953; M.C.12, 1953; Der Mann ohne Schatten, 1953; Gliff räumt auf, 1960; Verfluchtes Gold, 1960; Gier nach Gold, 1960.   AS

Hackl, Louise (Aloisia Johanna), * 2.12.1863 Oberbrühl/Nieder-Öst., † 2.5.1935 Weitra/Nieder-Öst.; Schrifst. in Wien u. Brühl b. Weitra, Feuill.red. d. «Gmünder Ztg.» u. seit 1907 d. Zs. «Das Recht d. Frau».

Schriften: Der Liebe Zaubermacht. Dämonen (Erz.) 1900; Brennende Fragen. Drei Kapitel reformatorischen Inhalts, 1903; Entlobungstragödien. Offener Brief als Erwiderung auf die «Entgegnung einer Entlobten», 1905.   RM

Hackländer, Friedrich Wilhelm (seit 1860 Ritter v.), * 1.11.1816 Burtscheid bei Aachen, † 6.7.1877 Leoni am Starnberger See, Sohn d. Lehrers Johann Wilhelm H., Lehrling (Elberfeld), Artillerist, Kaufmann, seit 1840 Zeitungsschriftst., 1842 Reisebegleiter eines württemberg. Adligen in d. Orient, seit 1843 Hofrat, Sekretär u. Reisebegleiter d. Kronprinzen v. Württemberg (Italien, Belgien, Österreich, Rußland), 1849 Entlassung aus d. Staatsdienst, Teilnahme als Kriegsberichterstatter am öst. Feldzug in Piemont 1849 u. am italien.-öst. Krieg 1859, dann bis 1865 Bau- u. Gartendir. in Stuttgart; seit 1865 als freier Schriftst. teils in Stuttgart, teils in Leoni. Unterhaltungsschriftst. u. Lustspieldichter.

Schriften: Bilder aus dem Soldatenleben im Frieden, 1841; Daguerrotypen (Reisebilder) 2 Bde., 1842; Märchen, 1843; Wachstubenabenteuer, 1845; Humoristische Erzählungen, 1847; Der Pilgerzug nach Mekka (Sagen, Erz.) 1847; Bilder aus dem Soldatenleben im Kriege, 2 Bde., 1849 bis 1850; Bilder aus dem Leben, 1850; Handel und Wandel, 2 Bde., 1850; Der geheime Agent (Lsp.) 1851; Namenlose Geschichten, 3 Bde., 1851; Eugen Stillfried (Rom.) 3 Bde., 1852; Magnetische Kuren (Lsp.) 1853; Soldatengeschichten für das Militär und seine Freunde, 4 Bde., 1853 bis 1857; Europäisches Sclavenleben, 4 Bde., 1854; Ein Winter in Spanien, 2 Bde., 1855; Erlebtes (Erz.) 2 Bde., 1856; Der Augenblick des Glücks, 2 Bde., 1857; Zur Ruhe setzen (Lsp.)

1857; Der neue Don Quixote, 5 Bde., 1858; Krieg und Frieden (Erz. u. Bilder) 2 Bde., 1859; Tag und Nacht, 2 Bde., 1860; Der Tannhäuser (Rom.) 2 Bde., 1860; Der verlorene Sohn (Lsp.) 1861; Tagebuch-Blätter, 2 Bde., 1861; Der Wechsel des Lebens (Rom.) 3 Bde., 1861; Die dunkle Stunde (Rom.) 5 Bde., 1863; Fürst und Kavalier (Rom.) 1865; Vom Haidehaus, 1866; Künstlerroman, 5 Bde., 1866; Neue Geschichten, 2 Bde., 1867; Das Geheimniß der Stadt (Rom.) 3 Bde., 1868; Marionetten (Lsp.) 1868; Eigene und fremde Welt (Erz.) 2 Bde., 1868; Zwölf Zettel (Rom.) 2 Bde., 1868; Hinter blauen Brillen (Nov.) 1869; Der letzte Bombardier, 4 Bde., 1870; Nahes und Fernes (Erz.) 1870; Geschichten im Zick-Zack, 4 Bde., 1871; Sorgenlose Stunden in heitern Geschichten, 2 Bde., 1871; Der Sturmvogel (Rom.) 4 Bde., 1871; Kainszeichen (Rom.) 4 Bde., 1874; Lohengrin (Nov.) 1874; In den Katakomben, 1874; Nullen (Rom.) 3 Bde., 1874; Falsches Spiel (Erz.) 1874; Die Valencianerin (Erz.) 1874; Zur Weltausstellung verurtheilt, 1874; Geschichtenbuch, 3 Bde., 1875; La Gitana, 1875; Komödien im Zwischenakt, 1875; Eine Viertelstunde Vater, 1875; Fra Diavolo (Nov.) 1876; Das Märchen von der Eisfee, 1876; Variationen über die Hugenotten, 1876; Das Ende der Gräfin Patatzky (Rom.) 2 Bde., 1877; Verbotene Früchte (Rom.) 2 Bde., 1878; Der Roman meines Lebens (Selbstbiogr.) 2 Bde., 1878; Der alte Lehnstuhl (Erz.) 1879; Letzte Novellen, 1879; Feuerwerker Wortmann und andere Soldatengeschichten, 1884.

Ausgaben: Werke, 40 Bde., 1855–1866; Werke, 60 Bde., 1860–1873; Ausgewählte Werke, 20 Bde., 1881–1882.

Nachlaß: Slg. im Dt. Lit.arch./Schiller-Nat.-mus. Marbach; Landesbibl. Stuttgart. – Denecke 65.

Literatur: ADB 10,296; NDB 7,412. – H. Morning, Erinnerungen an ~, 1878; C. Pech, ~ u. der Realismus (Diss. Kiel) 1932; G. Hendler, D. poet. Namengebung bei ~ (Diss. Graz) 1947; T. Heuss, Der Hack (in: T.H., Schattenbeschwörung) 1948; M. Altner, ~ in s. Zeit (Diss. Jena) 1968.   PG

Hackländer, J.W., * 30.6.1763, † 1828 Burtscheid b. Aachen; Vater d. Schriftst. Friedrich Wilhelm H., Oberlehrer u. Leiter e. Erziehungsanstalt in Burtscheid.

Schriften: Neujahrsgeschenk für Kinder (18 Jg. für 1811–28) 1810 ff.; Denkübungen in Räthseln und Charaden, Logogryphen und andern Aufgaben. Ein Geschenk für Kinder, 1827.

Literatur: Goedeke 13, 507.   RM

Hackland-Rheinländer, Ernst (Ps. f. Wilhelm Ernst Annas), * 19.4.1859 Ratingen/Rheinld.; war Lehrer, u.a. in Mülheim-Ruhr; Verf. v. Kinder-Theaterstücken u. Festspielen (meist ungedr.), Erzähler.

Schriften: Van de Waterkant bit an de Alpenwand. Die Dialect-Dichter der Gegenwart, 1885; Die verdeckte Schüssel (Kinder-Theater) 1894; Der Rappe von Rossbach. Historische Erzählung aus dem siebenjährigen Kriege, 1902 (2. durchges. Aufl. 1912); Gebhard Leberecht v. Blücher. Ein Lebens- und Charakterbild, 1912; Die Herrschaft der 100 Tage oder Belle Alliance, 1912; Klaus Clasen. Im Kampfe um Schleswig-Holsteins Freiheit. Geschichtliche Erzählung, 1914.   AS

Hackmann (Hackemann, von Hackemann), Friedrich August, Geburts- u. Todesdatum unbekannt; um 1709 Prof. in Helmstedt, 1729 Prof. u. Geheimrat in Halle, lebte seit 1730 in Wien u. zuletzt in Prag.

Schriften: De poemate Reineke de Voss ..., 1709; Reineke de Vos mit dem Koker (hg.) 1711; Disputatio ... de Decoro, 1712.

Literatur: Adelung 2, 1708; ADB 10, 297. – M. MÜHLHAUS, ~, e. seltsamer niedersächs. Gelehrter (in: Niedersachsen 65) 1965.   RM

Hacks, Peter, * 21.3.1928 Breslau als Sohn eines Rechtsanwalts; Studium der Lit.- u. Theaterwiss. in München, Dr. phil., Arbeit f. Theater u. Funk; 1955 Übersiedlung in d. DDR, 1960–63 Dramaturg u. Theaterdichter am Dt. Theater (Berliner Ensemble), lebt als freischaffender Schriftst. in Berlin. Dramatiker, Essayist, Verf. v. Kinderbüchern, Hör- u. Fernsehspielen. Mehrere Preise (Lessing-Preis 1956).

Schriften: Eröffnung des indischen Zeitalters (Schausp., Urauff. 1954) 1955 (Neufass. u. d. T.: Columbus oder Die Weltidee zu Schiffe, 1970); J.M. Synge, Der Held des Abendlandes (Dr., übers. mit A.E. Wiede) 1956; Das Volksbuch vom Herzog Ernst oder Der Held und sein Gefolge. Stück in einem Vorspiel und drei Abteilungen, 1956 (Urauff. 1967); Das Windloch. Geschichten von Henriette und Onkel Titus

(Kinderb.) 1956; Die Schlacht bei Lobositz (Kom.) 1956; Theaterstücke, 1957; Der Müller von Sanssouci. Ein bürgerliches Lustspiel, 1958; Geschichte eines alten Wittibers im Jahre 1673. Eine Moralität, 1958; H.L. Wagner, Die Kindermörderin (Bearb.) 1958; Die Sorgen um die Macht. Historie, 1960; Aristophanes, Der Frieden (Übers. und Bearb.) 1962; Das Turmverlies. Geschichten von Henriette und Onkel Titus (Kinderb.) 1962; Zwei Bearbeitungen. «Der Frieden» nach Aristophanes. «Die Kindermörderin», ein Lust- und Trauerspiel nach H.L. Wagner, 1963; Die schöne Helena. Operette für Schauspieler (nach Meilhac und Halévy) 1964; Moritz Tassow (Kom.) 1965; Stücke nach Stükken (Der Frieden. Die schöne Helena. Die Kindermörderin. Polly oder Die Bataille am Bluewater Creek) 1965; Fünf Stücke (Teilslg.) 1965; K.M. Bellmann, Fredmans Episteln an diese und jene, aber hauptsächlich an Ulla Winblad (Nachdichtungen, mit andern) 1965; Der Flohmarkt. Gedichte für Kinder, 1965; Polly oder Die Bataille am Bluewater Creek (Kom., Bearb. nach J. Gay) 1966; Der Schuhu und die fliegende Prinzessin (Jgdb.) 1966; Lieder zu Stücken. Lieder und Balladen (mit Schallplatte) 1967; Amphitryon (Kom., Urauff. 1968) 1969; Vier Komödien (Moritz Tassow, Margarete in Aix, Amphitryon, Omphale) 1971; Das Poetische. Ansätze zu einer postrevolutionären Dramaturgie (Ess.) 1972; Gedichte (ausgew. von B. Jentzsch) 1972; Stücke (Ausw.) 1972; Ausgewählte Dramen. Mit einem Essay von Herm. Kähler, 1972 (Bd. 2, 1976); Die Katze wäscht den Omnibus (Kinderb. mit G. Zucker) 1972; Der Bär auf dem Försterball (Bilderb. mit W. Schmögner) 1972; Kathrinchen ging spazieren (Kinderb.) 1973; Lieder, Briefe, Gedichte (Slg.) 1974; Die Dinge in Buta (mit Linolschnitten von W. Jörg und E. Schönig) 1974; Die Sonne (Kinderb.) 1974; Das Pflaumenhuhn (Kinderb.) 1975; Meta Morfoss (Kinderb.) 1975; Oper. Geschichte meiner Oper. Noch einen Löffel Gift, Liebling? Omphale. Die Vögel. Versuch über das Libretto (Slg.) 1976; Adam und Eva. Komödie in einem Vorspiel und 3 Akten (mit Briefwechsel P.H. und Albert Ebert) 1976; Ausgewählte Dramen, Bd. 2 (Das Volksbuch vom Herzog Ernst. Die Sorgen und die Macht. Margarete in Aix. Prexaspes. Ein Gespräch im Hause Stein über den abwesenden Herrn von Goethe)

1976; Das Jahrmarktsfest zu Plundersweilern. Rosie träumt. Zwei Bearbeitungen nach J. W. von Goethe und Hrosvith von Gandersheim, 1976; Die Maßgaben der Kunst. Gesammelte Aufsätze, 1977; Das musikalische Nashorn (Kinderb.) 1978.

Literatur: HdG 1, 257; Albrecht-Dahlke II, 2, 282; LexkJuglit 1, 516. – M. LINZER, Bausteine zu e. realist. Theater (in: NDL 6) 1958; H. M. ENZENSBERGER, Offener Brief an ~ (in: H. M. E., Einzelheiten, 1962); M. KESTING, Panorama d. zeitgenöss. Theaters, 1962; G. GÖRLICH, Z. Diskussion über d. sozialist. Menschenbild in unserer Dramatik. D. zentrale Thema (in: NDL 11) 1963; H. REDEKER, D. Dialektik u. d. Bitterfelder Weg (in: ebd.) 1963; H. D. ZIMMERMANN, D. Dialektik d. Oben u. Unten (in: Sprache im techn. Zeitalter, H. 17/18) 1966; H. A. WALTER, E. Dramatiker u. s. Vorbild (in: FH 21) 1966; M. W. SCHULZ, Dt. Kom. heute (in: M. W. S., Stegreif u. Sattel) 1967; L. ZAGARI, ~ o dell'entusiasmo dialettico (in: Studi Germ 5) 1967; M. SCHEDLER, Dämmerung n. vorwärts (in: Kürbiskern 1) 1968; J. GLENN, Hofmannsthal, ~ and Hildesheimer: Helen in the 20th century (in: Seminar 5) 1969; H. LAUBE, ~ 1972; F. J. RADDATZ, Traditionen u. Tendenzen. Materialien z. Lit. der DDR, 1972; R. ROHMER, ~ (in: Lit. der DDR in Einzeldarst., hg. H. J. GEERDTS) 1972; Liebes- u. andere Erklärungen. Schriftst. über Schriftst. (Hg. A. VOIGTLÄNDER) 1972; H. KÄHLER, Überlegungen zu Kom. v. ~ (in: SuF 24) 1972; H. RISCHBIETER, Philos. u. Kom. Zu ~' Amphitryon (in: Dt. Lit.kritik d. Ggw., hg. H. MAYER, IV, 2) 1972; V. CANARIS, ~ (in: Dt. Dichter d. Ggw. Ihr Leben u. Werk, hg. B. v. WIESE, 1973); Ch. TRILSE, Mythos u. Realismus. 3 Stücke von ~ (in: NDL 22) 1974; W. SCHIVELBUSCH, Sozialist. Dr. n. Brecht. Drei Modelle: ~, Heiner Müller, Hartmut Lange, 1974; H.-G. WERNER, Überlegungen z. Verhältnis v. Individuum u. Gesellsch. in d. Stücken von ~ (in: WB 20) 1974; J. MILFULL, Utopie u. Wirklichkeit in ~' «Moritz Tassow» u. Heiner Müllers «Der Bau» (in: Rezeption d. dt. Gegenwartslit. im Ausland (Hg. D. PAPENFUSS u. J. SÖRING) 1976; R.-E. BOETCHER JOERES, Hereinspaziert! Hereinspaziert! Goethe and Hacks at the Jahrmarktsfest zu Plundersweiler (in: GR 51) 1976; W. SCHLEYER, D. Stücke v. ~. Tenden-

zen, Themen, Theorien, 1976; W. H. REY, D. erstaunl. Phänomen ~ oder d. Wiederentdeckung d. Schönen (in: Monatshefte 68) 1976; P. SCHÜTZE, ~. E. Beitr. z. Ästhetik d. Dr. Antike u. Mythenaneignung. Mit e. Originalbeitrag v. P. H., «Der Fortschritt in der Kunst», 1976; J. R. SCHEID, «Enfant terrible» of Contemporary East German Drama. ~ in his Role as Adaptor and Innovator, 1977.   AS

Hadamar von Laber, * gegen 1300, † nach 1354; H. III v. L. aus der Oberpfalz verf. um 1335 d. Ged. «Die Jagd», eine Minnedg. in Form e. Allegorie, sprachl. in d. Wolfram- u. Albrecht v. Scharfenberg-Nachfolge. H.s «Jagdhunde» sind Herze, Freude, Wille, Wunne etc., d. Jagderfolg wird mehrmals durch Wölfe (Merker) vereitelt. D. Handlung ist aufgelockert durch Gespräche mit Jägern, Betrachtungen u. Klagen. – In vielen Hss. überl., d. Textgestaltung, bes. f. d. Anfang, nicht ganz gesichert.

Ausgaben: J. A. SCHMELLER, H.s v. L. Jagd ... 1850 (Nachdr. Amsterdam 1968); A. STEJSKAL, H.s v. L. Jagde ..., 1860; A. PATIN, H.s v. L. Jagd, 1919.

Bibliographie: T. BRANDIS, Mhd., mnd. u. mnl. Minnereden, 1968.

Literatur: VL 2, 133; 5, 319; ADB 17, 465; NDB 7, 415; Ehrismann, 2 Schlußbd.) 499; de Boor-Newald, 3/1 – – E. BETHKE, Über d. Stil ~s (Diss. Berlin) 1892 (mit Verz. d. älteren Lit.); K. MATTHAEI, D. ‹weltl. Klösterlein› u. d. dt. Minneallegorie (Diss. Marburg) 1907; W. ERBEN, E. oberpfälz. Register aus d. Zeit Kaiser Ludwigs d. Baiern, 1908; A. LEITZMANN, Zu d. Ambraser Büchlein (in: PBB 57) 1933; E. HEESE, Die Jagd ~s, 1936; H. SCHÜTZNER, Fragmente e. Papierhs. ... (in: ZfdA 82) 1948/50; K. LINDNER, Über d. europ. Jagdlit. d. 12.–15. Jh. (in: Zs. f. Jagdwiss. 1) 1955; R. GRUENTER, Bemerkungen z. Problem d. Allegorie in d. dt. Minneallegorie (in: Euphorion 51) 1957; I. GLIER, Z. Edition v. Minnereden in d. ~-Tradition (in: Kolloquium über Probleme altgerm. Editionen, hg. H. KUHN) 1968; K. LINDNER, Alte dt. Weidsprüche (in: FS Eis) 1968; W. BLANK, D. dt. Minneallegorie, 1970; I. GLIER, Artes amandi, 1971; B. SOWINSKI, Lehrhafte Dg. d. MA, 1971.   RR

Hadamowsky, Franz, * 31. 1. 1900 Rappoltenkirchen (Nieder-Öst.); Dr. phil., seit 1934 Dir.

d. Wiener Volksbildungsver.; 1940–45 Soldat, seit 1948 Staatsbibliothekar an d. Theaterslg. d. Öst. Nationalbibl. Theaterhistoriker.

Schriften: Katalog der Handzeichnungen der Theatersammlung der Nationalbibliothek, 1930; Das Theater in der Wiener Leopoldstadt 1781 bis 1860, 1934; Die Wiener Operette. Ihre Theater- und Wirkungsgeschichte (mit H. Otte) 1948; Barocktheater am Wiener Kaiserhof. Mit einem Spielplan, 1625–1740, 1955; Europäische Theaterausstellung. Von der Antike bis zur Gegenwart (Katalog, mit H. Kindermann) 1955; Hugo Steiner-Prag. Festgabe anläßlich der Gedächtnisausstellung zum 75. Geburtstag, 1955; Richard Teschner und sein Figurenspiel. Die Geschichte eines Puppentheaters, 1956; Mozart. Werk und Zeit (Katalog, mit L. Nowak) 1956; Stefan Hlawa und sein szenisches Werk. Aus Anlaß der Ausstellung zu seinem 25jährigen Jubiläum als Bühnenbildner, 1956; Wiener Theater zur Zeit Franz Josephs I. Ausstellung zum Gedenken an Josef Kainz (Katalog) 1958; Schiller auf der Wiener Bühne. 1783–1959, 1959; Das Theater an der Wien (FS) 1962; Reinhardt und Salzburg, 1964; Richard Strauss und Salzburg, 1964; Kleines Lexikon des Sammelns, 1965; Die Wiener Hoftheater 1776–1966, 1966; Hugo von Hofmannsthal in der österreichischen Nationalbibliothek (Katalog, mit W. Ritzer) 1971; Caspar Nehers szenisches Werk. Ein Verzeichnis des Bestandes der Theatersammlung der Österreichischen Nationalbibliothek, 1972.

Herausgebertätigkeit: F. Raimund als Schauspieler. Chronologie seiner Rollen nebst Theaterreden und lebensgeschichtlichen Nachrichten, 1925; Die Gründungsakten der Leopoldstädter Schaubühne, 1928; Die Wiener Faustdichtung von Stranitzky bis zu Goethes Tod (mit F. Brukner) 1932; Friedrich Kaiser, Achtzehnhundertachtundvierzig. Ein Wiener Volksdichter erlebt die Revolution. Die Memoiren Friedrich Kaisers, 1948; Jahrbuch der Gesellschaft für Wiener Theaterforschung, 1950–70; Die Familie Galli-Bibiena in Wien. Leben und Werk für das Theater, 1962; Hugo Thimig erzählt von seinem Leben und dem Theater seiner Zeit. Briefe und Tagebuchnotizen, 1962; Max Reinhardt, Ausgewählte Briefe, Reden, Schriften und Szenen aus Regiebüchern, 1963; F. Raimund, Werke, 2 Bde., 1971; K. Schönherr, Gesamtausgabe, Bd. 3 (Bühnenwerke) 1974.

Literatur: Theater-Lex. 1, 659. – O. FAMBACH, Richtigstellungen – Lösungen – Antworten (in: DVjs 48) 1974.   AS

Hadank, Gertrud (geb. v. Wenckstern) → Wenckstern, Gertrud von.

Hadatsch, Franz Joseph (Ps. Karl Blumenauer, Maurus Severinus), * 25. 3. 1796 Wien, † 1. 6. 1849 ebd.; Regierungskanzlist in Wien.

Schriften: Die Heirath durch die Brochüre oder Die Erzählungen in der Erzählung (Rom.) 1823; Lilien (Erz., hg. Vasquez) 1829; Launen des Schicksals oder Scenen aus dem Leben und der theatralischen Laufbahn des Schauspielers Anton Hasenhut. Nach seinen schriftlichen Mittheilungen bearbeitet, 1834 (Neuausg. hg. M. M. Rabenlechner, 1941). (Außerdem e. Reihe ungedr., aber aufgef. Lsp. u. Possen).

Literatur: Goedeke 10, 508; 11/2, 178; 12, 245.
                                                                              RM

Hadeke, Johannes → Hadus, Johannes.

Hadelich-Nauck, Irmela, * 26. 9. 1923 Wolfen; Graphikerin, Töpferin, lebt in Dessau-Ziebigk; Kinderbuchautorin.

Schriften: Milchtopfgeschichte, 1952; Die Geschichte von der kleinen Schere. Geschrieben und geschnitten, 1958.   AS

Hadelius, Janus → Hadus, Johannes.

Hadeln, Charlotte von (geb. v. Natzmer), * 18. 10. 1884 Trebendorf bei Cottbus, † 3. 6. 1959 Essen; lebte in Halle. Lyrikerin und Memoirenschreiberin.

Schriften: Deutsche Frauen studieren den Faschismus und werden von Mussolini empfangen, 1933; Deutsche Frauen – deutsche Treue. 1914 bis 1933. Ein Ehrenbuch der deutschen Frau (Hg.) 1935; In Sonne und Sturm. Lebenserinnerungen, 1935; Gedanken und Gedichte, 1937.   AS

Hadeln, Maria von (Ps. f. Betty Müller, geb. Pape), * 27. 1. 1814 Nordleda/Hadeln, † 5. (od. 7.) 3. 1890 Delmenhorst; Tochter d. Predigers u. Dichters Samuel C. Pape, 1838 Heirat, lebte seit 1869 als Witwe in Bremen u. seit 1888 in Delmenhorst.

Schriften: Gedichte, 1853.   RM

Haderer, Anna (Ps. Elisabeth Satory), * 12. 7. 1916 Wiener Neustadt; Kindergärtnerin u. freie Schriftstellerin.

Schriften: Das Kindergartenjahr, 1961; Das neue Kindergartenbuch, 1969; Kindergartengeschichten, zum Vorlesen und Erzählen, 1974; Kindergarten kunterbunt, 1977.   IB

Haderer, Franz, * 28. 5. 1943 Burgau/Steiermark; Dr. phil., lebt als freier Schriftst. in Wien.

Schriften: Vom Bauern, von der Bäuerin und vom Bauernhof, 1973; In seinem Äußeren unterschied er sich nicht von den Anderen, 1973.   IB

Hadermann, Ernst, * 22. 5. 1896 Schlüchtern, † 2. 1. 1968 Halle/Saale; nahm am 1. Weltkrieg teil, studierte 1919–23 Germanistik, Gesch. u. Romanistik in Frankfurt/M., Heidelberg, Berlin u. Marburg/L., Dr. phil., war 1930–39 Studienrat in Kassel, 1939 Soldat, zuletzt Hauptmann d. R., 1941–45 in sowjet. Kriegsgefangenschaft, gehörte 1943 zu d. Gründern d. Nationalkomitees «Freies Dtl.», 1945 Leiter d. Schulabt. in d. Dt. Zentralverwaltung f. Volksbildung (Berlin Ost), 1948 Prof. f. Germanistik an d. Pädagog. Hochschule Potsdam, 1955 bis 1962 Professor f. neuere dt. Lit. in Halle/Saale. Mehrfach ausgezeichnet, u. a. mit d. Vaterländischen Verdienstorden.

Schriften: Karl Gutzkows «Wullenweber» (Diss. Marburg/L.) 1923; Wie ist der Krieg zu beenden? Ein Manneswort eines deutschen Hauptmanns (Flugschrift) Sowjetunion 1942; Umlernen (Mit-Verf.) Stockholm 1944.

Literatur: ~, ein guter Dt., 1968; T. Höhle, ~ 1896–1968, 1969; W. Berthold, Marxist. Gesch.bild – Volksfront u. antifaschist.-demokrat. Revolution, 1970.   HK

Hadermann, Johann Wilhelm Ernst, Geburtsu. Todesdatum unbekannt; Magister d. Philos. u. Rektor in Philippseich/Isenburg. Mitarb. versch. Zeitschriften.

Schriften: Das menschliche Herz nach seiner Größe und Schwäche, 1799; Selmar oder Der Schwärmer (Rom.) 1800.

Literatur: Meusel-Hamberger 9, 489; 11, 308.
                                                                RM

Hadermann, Josias Marius, * 25. 12. 1753 Schlüchtern/Hessen, † 26. 1. 1827 Büdingen/Isenburg; Bruder v. Karl H., Theol.-Studium in Hanau, seit 1778 Rektor in Büdingen. Mitarb. am «Christl. Gesangbuch z. Beförderung d. häusl. u. öffentl. Erbauung» (1801) u. Red. d. «Büdinger Wochenblattes».

Schriften: J. H. Hadermanni carmina posthuma (hg., mit Karl H.) 1789.

Literatur: Goedeke 7, 247.   RM

Hadermann, Karl, Geburtsdatum u. -ort unbekannt, † 1. 2. 1814 Oppenheim; Bruder v. Josias Marius H., Privatlehrer in Frankfurt/M., später Privatmann in Philippseich u. Oppenheim.

Schriften: Demoustier's Briefe an Leonoren über die Mythologie, 3 Tle., dt. 1799; Briefe an Leonore über die Mythologie. Nachlese zu Demoustier's Briefen, 1804; Mythologische Erzählungen im lieblichen Gewande. Für Freunde der Mythe, 1808.

Literatur: Goedeke 7, 247.   RM

Hadewijch, Mystikerin, hist. Einordnung umstritten (vor od. nach Eckhart?), nach Mierlo (vgl. Lit.) wahrsch., daß sie ihre Visionen um 1250 als allein lebende Beghine mit hoher theol. u. höf. Bildung verf. hat, damit steht sie am Anfang der niederländ. Mystik, P. C. Boeren (1962) setzt sie etwa eine Generation früher an. Von ihr 14 (13) Visionen, 31 Briefe, 45 stroph. Ged. u. 16 gereimte Briefe überliefert.

Ausgaben: Werken van Zuster Hadewijch I (hg. J. F. Heremans u. C. J. K. Ledegang), 1875, II (hg. J. Vercoullie) 1895; Liederen van Hadewijch (hg. J. Snellen) 1907; krit. Ausg.: J. v. Mierlo, Visionen: I (Text en Com.) 1908–12, II: Inleiding, 1924; Stroph. Gedichten (2 Bde.) 1948; Brieven (2 Bde.) 1948; Mengeldichten, 1952; – J. Quint, Dt. Mystikertexte d. MA, 1, 1929.

Übertragungen: (Niederl.): De Vizionen v. Hadewijch (übertr. A. Verwey) Antwerpen 1922; Briefen van H. (übertr. M. H. Van der Zeyde, 1936; H. Strofische Gedichten (übertr. J. E. Rombauts u. N. de Paepe) Zwolle 1961; (dt.): F. M. Hübner, D. Visionen d. Schwester H., 1917; J. O. Plaumann, D. Werke d. H., 2 Bde. 1923; W. Oehl, Dt. Mystikerbriefe d. MA, 1931.

Literatur: VL 2, 140; 5, 319. – J. F. Mone, Übersicht d. mndl. Volkslit., 1838; M. Jöris, Unters. über d. Werke v. Zuster ~, 1894; E. v. Even, ~ en Bloemardinne (in: Dietsche Warande) 1896; Van Veen, Bloemardinne (in: Theol. Tijdschr. 38) 1903; J. A. N. Knuttel, ~ – Bloemardinne (in: Tijdschr. 35) 1916; J. Witlox, ~ – Bl. (in: Tijdschr. van Taal en Letteren 7); Joh. Snellen, ~ mystica (ebd. 35); A. C.

BOUMAN, D. lit. Stellung d. Dichterin ~ (in:
Neophilologus 8) 1922/23; J. VAN MIERLO, ~s
Mengeldichten, 1912; DERS. ~ u. Eckart (in:
Dietsche Warande) 1921; DERS. ~ une mystique
flamande (in: Révue d'ascétique et de mystique)
1924; M. H. VAN DER ZEYDE, ~ Ein studie ...,
1934; P. C. BOEREN, ~ en Heer Hendrik van
Breda, Leiden 1962; J. DAGENS, Influences néerl.
sur la litt. française du XVIe s. (in: Actes du IIIe
Congr. de l'ass. int. de litt. comparée) 1962; H.
VAN CRANENBURG, ~s zwölfte Vision ... (in:
Altdt. u. altniederl. Mystik, hg. K. RUH) 1964/
1965; T. M. GUEST, ~ and minne (in: Europ.
Context) 1970; H. SCHOTTMANN, D. Naturein-
gang in d. Liedern ~s (in: PBBTüb 93) 1971;
DERS. Autor u. Hörer in d. stroph. Ged. ~s (in:
ZfdA 102) 1973; F. GOODAY, Eine bisher unbek.
~-Übers. (ebd.) 1973; W. BREUER, D. myst.
Präsenzerlebnis d. Frommen (in: Stud. z. dt. Lit.
u. Sprache d. MA) 1974; J. REYNAERT, De 10de
Brief van ~ (in: Leuv. Bijdr. 63) 1974.   RR

Hadina, Emil, * 16. 11. 1885 Wien, † 7.4. 1957
Ingolstadt; Dr. phil., Gymnasiallehrer, dann lit.
Referent d. Wiener Schulbücherverlags; 1922–26
Dir. einer höheren Mädchenschule; lebte dann als
freier Schriftst. in Troppau. Zuerst Lyriker, dann
Roman-Autor.
Schriften: J. L. Deinhardstein, Ausgewählte
Werke (Hg.) 1913; Alltag und Weihe. Dichtun-
gen, 1914; Moderne deutsche Frauenlyrik, 1914;
Sturm und Stille. Kriegsdichtungen, 1916; Näch-
te und Sterne. Dichtungen, 1917; Kinder der
Sehnsucht (Nov.) 1917; Leben, Sittlichkeit und
Religion in und nach dem Kriege, 1917; Heimat
und Seele. Neue Dichtungen, 1918; Suchende
Liebe. Ein Buch von Frauen und Heimweh, 1919;
Das andere Reich. Novellen und Träume, 1920;
Von deutscher Art und Seele. Ein Trostbüchlein,
1920; Lebensfeier. Neue Dichtungen, 1921; Die
graue Stadt – die lichten Frauen. Ein Theodor
Storm-Roman, 1922; Dämonen der Tiefe. Ein
Gottfried Bürger-Roman, 1922; Advent. Roman
einer Erwartung, 1922; Großböhmerland. Ein
Heimatbuch für Deutschböhmen, Nordmähren
und das südöstliche Schlesien (mit W. Müller-
Rüdersdorf) 1923; Maria und Myrrha. Geschichte
zweier Frauen und einer Liebe, 1924; Kampf mit
den Schatten. Ein Theodor Storm-Roman, 1925;
Himmel, Erde und Frauen. Ein Sonettenkranz
weltlicher Andacht, 1926; Madame Lucifer. Ro-

man einer Romantikerin, 1926 (1952 u. d. T.:
Caroline, die Dame Luzifer); Ihr Weg zu den
Sternen. Der Roman einer Schillerfreundin,
1926; Götterliebling. Eine Hauff-Novelle, 1927;
Die Seherin (Rom.) 1928; Geheimnis um Eva.
Ein Frauenreigen, 1929; Friederike erzählt. Tage-
buch aus Sesenheim (Rom.) 1931; Der Gott im
Dunkel. Drei Weisen um Liebe, Tod und Ver-
klärung, 1933.
Literatur: E. GLOFKE, Zeiten, Gestalten und
Dichtungen in ~s Storm-Rom. in ihrem Ver-
hältnis z. wirkl. Leben Theodor Storms (Diss.
Wien) 1950; W. FORMANN, Sudetendt. Dg. heu-
te, 1961; F. MAYRÖCKER, V. d. Stillen im Lande,
1968.   AS

Hadlaub (Hadloub), Johannes, um 1300,
schweiz. Minnesänger aus Zürich, d. in näherer
Beziehung zu d. Herren v. Manesse steht. In d.
Heidelberger «maness.» Hs. mit 54 (oft autobio-
graph.) Liedern vertreten, (sonst nirgends). Als
Meister Joh. H. ist er bürgerl. (bäuerl.) Abkunft.
Ausgaben: K. BARTSCH, Schweizer Minnesänger,
1886 (Neudr. 1964); F. PFAFF, D. große Heidel-
berger Liederhs., 1909 (diplomat. Druck); H.
LANG, 1959 (vgl. Lit.); U. MÜLLER, D. große
Heidelberger ‹maness.› Liederhs. (Faksimile),
1971.
Bibliographie: H. TERVOOREN, Bibliogr. z.
Minnesang, 1969.
Literatur: VL 2, 141; 5, 319; Ehrismann 2
(Schlußbd.); de Boor-Newald 3/1, 341. – SILLIB,
Auf d. Spuren ~s (in: AAH) 1922; J. A. SCHLEI-
CHER, Über Meister ~s Leben u. Ged., 1888;
K. BERTRAM, Quellenstud. zu Gottfr. Kellers ~,
1906; E. STANGE, ~ (in: ZfdA 52), 1910; F.
MOHR, D. unhöf. Element in d. mhd. Lyrik v.
Walther an, 1913; G. WEYDT, ~ (in: GRM 21)
1933; E. SCHRÖDER, ~ u. Manesse (in: ZfdA 70)
1933; W. BRAUNS, Z. Heimatfrage der Carmina
Burana (ebd. 73) 1936; R. AUTY, Stud. z. späten
Minnesang (Diss. Münster) 1937; H. LANG, ~,
1959; R. LEPPIN, D. Minnesänger ~ (Diss.
Hamb.) 1961; F. H. BÄUMEL, ~ (in: JEGP 60)
1961; F. C. TUBACH, ~ (in: Monatshefte 53)
1961; F. R. SCHRÖDER, ~ und Ovid? (in: GRM
43) 1962; E. JAMMERS, D. königl. Liederbuch d.
dt. Minnesangs, 1965; H. KUHN, Minnesangs
Wende, ²1967; D. R. MOSER, ~ Nachtlied (in:
Schweiz. Arch. f. Volksk. 66) 1970; U. MÜLLER,
Unters. z. polit. Lyrik d. MA, 1974.   RR

Hadoardus, 9. Jh.; Westfranke, Presbyter und Bibliothekar in e. Kloster. – Verf. e. größeren Exzerptenslg., die, v. e. Ged. eingel., zu ca. 2 Dritteln aus Cicero besteht. H. muß d. alte Corpus d. philos. Werke Ciceros z. Verfügung gestanden haben, er gliedert d. Slg. in 19 Kategorien, denen je ein Werk Ciceros zugrunde liegt, fügt aber auch andere Exzerpte ein. Moral., nicht philolog. Absichten stehen im Vordergrund.

Ausgabe: P. Schwenke in: Philologus. Zs. f. d. klass. Alt.tum, Suppl. 5.

Literatur: Manitius 1,478. – P. Schwenke (vgl. Ausg.).   RM

Hadus (urspr. Hadeke), Johannes (seit 1517 Janus Hadelius), * um 1488 Stade, 1524 in Italien verschollen; 1508–12 Studium in Wittenberg u. 1513 in Frankfurt/Oder, Poetik-Prof. 1514 in Greifswald u. seit 1515 in Rostock, poeta laureatus in Wien, in Rom Anschluß an d. Corycius-Dichterkreis.

Schriften: Extemporales Camoenae, 1516 (?); Elegiarum liber primus, 1518.

Literatur: Adelung 2, 1709; ADB 10, 307; NDB 7, 418.   RM

Hadwiger, Viktor, * 6. 12. 1878 Prag, † 4. 10. 1911 Berlin; Studium d. Germanistik u. Philos. in Prag, seit 1903 als freier Schriftst. in Berlin; Vorläufer d. Expressionismus aus d. Prager Dichterkreis.

Schriften: Gedichte, 1900; Ich bin (Ged.) 1903; Blanche. Des Affen Jogo Liebe und Hochzeit. Liebesgeschichten, 1911; Der Empfangstag (Nov.) 1911; Wenn unter uns ein Wandrer ist. Ausgewählte Gedichte. Aus dem Nachlaß hg. Anselm Ruest, 1912; Abraham Abt (Rom.) 1912; Der Tod und der Goldfisch, 1913; Il Pantegan, 1920.

Literatur: NDB 7, 419; ÖBL 2, 134. – F. J. Schneider, ∼. E. Beitr. z. Gesch. d. Expressionismus in d. dt. Dg. d. Ggw., 1921; M. Brod, Streitbares Leben (Autobiogr.) 1960.   AS

Häberle, Wilhelm, * 21. 8. 1905 Dettingen/Albuch; war Missionar in Kamerun, wohnt in Schwäbisch Hall. Jugenderzähler.

Schriften: Unter Afrikas Sonne im Grasland von Kamerun (Erz.) 1941; Adzu und sein Buch. Aus dem Bergland von Kamerun, 1949; Die Buben von Ibod (Erz.) 1950; Im Banne des Zauberers (Erz.) 1951; Geheimnisvolle Mächte im Elefan-

tenwald. Eine Erzählung aus Kamerun, 1952; Im sinkenden Kanu (Erz.) 1953; Talikum, der Geisterbeschwörer. Eine Erzählung aus Kamerun, 1955; Friedensbote im Sturm. Das Lebenswerk Alfred Sakers in Kamerun, 1956; Wagnis im afrikanischen Urwald. Erzählung aus Kamerun, 1957; Vorstoß in Nord-Ghana (Erz.) 1961; Im Bergland von Kamerun. Eine Missionserzählung, 1962; Die Sprechtrommel im Moghamo, 1965; Trommeln, Mächte und ein Ruf. Erzählungen aus Kamerun, 1966; Kamerun. Neue Zeit, alte Geheimnisse, 1967.   AS

Häberli, Kurt, * 26. 8. 1908 Studen/Kt. Bern; Sohn e. Schmieds, wurde selber auch Schmied, seit 1956 Sekretär d. Schweiz. Schmiede- u. Wagnermeister-Verbandes in Zürich; lebt in Pfaffhausen/Kt. Zürich. Mundartschriftsteller.

Schriften: Kunkeränz. Es bärndütsches Lustspiel us dr «Volksbrotzyt» i eim Ufzug, 1938; Rächts Pfyfeholz. Mundart-Gschichte, 1950; Das Schmiedehandwerk. Gruppenberufsbild, 1963; Wagner-Holzgerätebauer, Skiwagner. Berufsbild, 1967.   AS

Häberli, Kurt, * 1. 7. 1942 Bern; in der Werbung tätig, Verf. v. Kaberett- u. anderen Texten; wohnt in Uettligen/Kt. Bern.

Schriften: Wackelkontakte (Erz.) 1972.   AS

Häberlin, Anna, geb. Meißner (Ps. Anna Häberlin-Meißner), * 30. 10. 1867 Berlin; aufgewachsen in Bad Pyrmont, wo ihr Vater e. Kurhotel hatte, lebte später als Gattin e. Red. in Leipzig. Erzählerin.

Schriften: Opfer der Tradition (Rom.) 1906; Naturgewalten, 1907; Gleiches Recht (Lsp.) 1908.   AS

Häberlin, Georg Heinrich, * 30. 9. 1644 Stuttgart, † 20. 8. 1699 ebd.; 1673 Diakon in Stuttgart, 1681 Theol.-Prof. in Tübingen, 1692 Konsistorialrat u. Stiftsprediger in Stuttgart u. Abt von Alpirsbach.

Schriften: Postilla evangelica versicularis ... (Predigten) 2 Jg., 1685–87; Dissertatio theologica, in qua sententia de generatione plantarum, a recentioribus quibusdam philosophis, probabiliter asserta, et sacris literis clare ostenditur ..., 1693; Historische Relation von den in der Stadt Calw ... der Zauberey halber beschreyeten Kindern und andern Personen, o. J.; Tractatio de usu fructu statutario materno ..., 1704.

Literatur: Jöcher 2, 1308; Ersch-Gruber II. 1, 43.   RM

Häberlin, Karl Ludwig (Ps. H. E. R. Belani, H. Melindor, C. F. Mandien, Niemand, C. Niedtmann, Louis von Häfely, Avanella), * 25. 7. 1784 Erlangen, † 4. 1. 1858 Potsdam; Studium d. Rechte in Helmstedt, 1807 Auditor in Braunschweig, 1814 Kreisamtmann in Hasselfelde/Harz, 1824 Amtsentsetzung, Gefängnis bis 1828, lebte seither in Potsdam.

Schriften: Justizämter und deren Geschäftsordnung, 1822; Gundobald oder Die Rächer mit den schwarzen Waffen ..., 1825; Die Kaisermörder ..., 1826; Zilia die Peruanerin (nach dem Französ.) 1826; Der Raubritter. Ein historischer Roman aus der Geschichte der Kucksburg auf der Teufelsmauer bei Blankenburg, 3 Tle., 1826; Scherz und Ernst auf einer Badereise (Erz.) 1826; Schriften, 13 Bde., 1826 ff.; Der Marodeur oder Walten der Leidenschaft. Schauspiel, mit dem Vorspiel «Der Deserteur», 1827; Die Demagogen. Novelle aus der Geschichte unserer Zeit, 1829; Räuberleben in Italien, 2 Bde., 1832; Erzählungen, 1832; Blutrache im Hause Anjou. Eine Trilogie von Novellen aus Neapels und Ungarns Vorzeit, 2 Bde., 1833; Galanterien und Liebesgeschichten August des Starken. Nach «La Saxe galante du Baron de Pöllnitz» frei und in Novellenform bearbeitet, 2 Bde., 1833; Bilder aus meinem Kriegs- und Wanderleben, 1833; Romantische Erzählungen aus Portugals Geschichte, 1834; Der Heimathlose. Roman in Zeitbildern, 1834; Der arme Joseph. Novelle nach den Mittheilungen eines Kriminalbeamten erzählt, 1834; Novellen und Erzählungen, 2 Bde., 1834; Der Premierminister. Geschichtliches Lebensbild, Volks- und Sittengemälde, 4 Bde., 1835; Liebe und Berufstreue. Doppelnovelle aus den Papieren eines jungen Arztes, 2 Bde., 1836; Der Geächtete. Geschichtlicher Roman aus dem 16. Jahrhundert, 3 Bde., 1836; Tyrol 1809, 3 Bde., 1837 f.; Des Beduinen Tochter und andere Novellen, 1838; Sidonia. Macht des Wahns. Historische Novelle aus dem Anfang des 17. Jahrhunderts, 1838; Hof und Bühne. Novelle aus dem modernen Leben, 1838; Das Haus Braganza. Historisch-romantisches Gemälde, 4 Bde., 1839 (auch u. d. T.: Die feindlichen Brüder);

Der abtrünnige Bourbon (hist. Rom.) 1840; Wittenberg und Rom. Historisch-romantisches Gemälde aus der Reformationsgeschichte, 3 Bde., 1840; Novellenkranz, 1841; Die Auswanderer nach Texas. Historisch-romantisches Gemälde aus der neuesten Zeit, 3 Bde., 1841; Schillers Dramen in erzählender Form (1. Bd.: Wilhelm Tell, bearb.) 1842; Don Carlos, Prätendent von Spanien, 3 Bde., 1842; Don Fernando. Aus dem Jugendleben des letzten Königs von Spanien, 2 Bde., 1842; Die Mutter des Legitimen (Lebensrom.) 3 Bde., 1842; Georginen. Novellen, Noveletten und Humoresken, 1842 (auch u. d. T.: Schön-Täubchen. Der Liebe Täuschung); Josephine (geschichtl. Lebensrom.) 3 Bde., 1844; Kranichfels oder Geheimnisse aus dem Leben eines Edelmanns, 1844; Die armen Weber und andere Novellen aus den Mysterien einer neuern und ältern Zeit, 1845; Maria Antoinette, 2 Bde., 1846; Die Erbschaft aus Batavia (Volksrom.) 3 Bde., 1846; Ein deutscher Michel vor hundert Jahren und der deutsche Michel von heute. Ein Lebensbild, 1847; Der Schatz des letzten Jagellonen, 3 Bde., 1848; in der Schweiz. Jesuitenumtriebe 1844–47, 3 Bde., 1848; So war es (polit.-soz. Rom.) 1849; Die Magyaren. Historisch-romantisches Gemälde aus der Zeit der neuesten Bewegungen in Ungarn, 2 Bde., 1850; Reaktionäre und Demokraten (geschichtl.-polit. Rom.) 2 Bde., 1850; Die Emigranten (Nov.) 1850; Treu und brav. Roman aus dem bürgerlichen Leben [mit Verz. d. Rom. ∼s] 1851; Elisa, Markgräfin von Ansbach und deren Zeitgenossen, 2 Bde., 1852; Kronprinz Friedrich, seine Zeit und der Hof seines Vaters, 3 Bde., 1853; Hohe Liebe. Aus dem Leben des Freiherrn von der Trenck, 3 Bde., 1853; Sanssouci, Potsdam und Umgegend, 1855; Peter der Große. Seine Zeit und sein Hof, 3 Bde., 1856; Russische Hofgeschichten. Von dem Peter dem Großen bis auf die neuere Zeit. Novellenkreis, 3 Bde., 1856 (NF: Von Katharina II. bis Nicolaus I., 3 Bde., 1857); Goethe und sein Liebesleben. Historischer Novellenkreis, 3 Bde., 1866.

Nachlaß: Frels 110.

Literatur: ADB 10, 279; Goedeke 6, 415.   RM

Häberlin, Paul, * 17. 2. 1878 Kesswil/Kt. Thurgau, † 29. 9. 1960 Basel; Philosoph u. Pädagoge; Studium in Basel, Göttingen, Berlin, Dir. d. Lehrerseminars in Kreuzlingen, 1908–14 Privatdoz.

f. Philos. in Basel, 1914–22 Ordinarius f. Philos., Pädag. u. Psychol. in Bern, 1922–44 in Basel; 1963 wurde eine P.H.-Gesellsch. mit Archiv in Zürich gegründet.

Schriften (Ausw.): Wissenschaft und Philosophie. Ihr Wesen und ihr Verhältnis, 2 Bde., 1910/12; Das Ziel der Erziehung, 1917 (2., umgearb. Aufl. 1925); Wege und Irrwege der Erziehung. Grundzüge einer allgemeinen Erziehungslehre, 1918 (3., bearb. Aufl. 1931); Kinderfehler als Hemmungen des Lebens, 1921; Der Gegenstand der Psychologie. Eine Einführung in das Wesen der empirischen Wissenschaft, 1921; Der Leib und die Seele, 1922; Der Geist und die Triebe. Eine Elementarpsychologie, 1924; Pestalozzi in seinen Briefen. Briefe an die Braut und an Verwandte (hg. mit W. Schohaus) 1924; Der Charakter, 1925; Das Gute, 1926; Das Geheimnis der Wirklichkeit, 1927; Allgemeine Ästhetik, 1929; Über die Ehe, 1929; Das Wunderbare. 12 Betrachtungen über die Religion, 1930; Das Wesen der Philosophie, 1934; Wider den Ungeist. Eine ethische Orientierung, 1935; Möglichkeiten und Grenzen der Erziehung. Eine Darstellung der pädagogischen Situation, 1935; Minderwertigkeitsgefühle, 1936; Leitfaden der Psychologie, 1937 (3., verb. Aufl. 1949); Naturphilosophische Betrachtungen. Eine allgemeine Ontologie, 2 Bde., 1939/40; Der Mensch. Eine philosophische Anthropologie, 1941; Ethik im Grundriß, 1946; Logik im Grundriß, 1947; Kleine Schriften. Zum 70. Geburtstag hg. von der Stiftung «Lucerna» (bearb. P. Kamm, mit Bibliogr.:) 1948; Handbüchlein der Philosophie. 60 Fragen und Antworten, 1949; Philosophia perennis. Eine Zusammenfassung, 1952; Aus meinem Hüttenbuch. Erlebnisse und Gedanken eines Gemsjägers, 1956; Leben und Lebensform. Prolegomena zu einer universalen Biologie, 1957; Vom Menschen und seiner Bestimmung. Zeitgemäße Betrachtungen. 12 Radiovorträge, 1959; Statt einer Autobiographie (mit Bibliogr.) 1959; Das Böse, 1960.

Literatur: J. SCHWEIZER, D. Weg z. freien Menschen. Kurze Einf. in d. Psychol. u. Pädag. ~s, 1927; R. PRISS, Darst. u. Würdigung d. philos., psycholog. u. pädag. Hauptprobleme ~s (Diss. Braunschweig) 1932; P. KAMM, Philos. u. Pädag. ~s in ihren Wandlungen (Diss. Basel) 1938; X. WYDER, D. Schau d. Menschen bei ~ (Diss. Rom) 1955; Im Dienste d. Wahrheit.

~ z. 80. Geb.tag (mit Bibliogr.) 1958; F. MAIER, D. Pädag. ~'s systemat. dargest. im Zus.hang mit d. philos. u. psycholog. Gesamtwerk (Diss. Bonn) 1962; P. KAMM, ~. Z. 2. Todestag (in: Zs. f. philos. Forsch. 16) 1962 (mit Bibliogr.); K.-A. HELFENBEIN, ~s Lehre v. d. Erziehung (Diss. Frankfurt/M.) 1965; Schriften d. ~-Gesellsch., 1965 ff.; H. NEUBAUER, ~s Grundlegung d. Pädag. als Wiss. (Diss. Wien) 1969; P. KAMM, ~. Leben u. Werk, Bd. 1, 1977.   AS

Häberlin, Wilhelm, * 9.6.1856 Polle/Weser, † 5.5.1912 München; lebte n. militär. Laufbahn in Berlin, Wien u. zuletzt in München.

Schriften: Warum der Einjährig-Freiwillige Hans Wohlgemut nicht «Sommerleutnant» geworden ist, 1903; Dorngestrüpp und Heidekraut. Spottnovelle: «Sein erster Stubenarrest», Märchen und Erzählungen, 1906.   RM

Haebler, Carl Gotthelf, * 7.1.1829 Gross-Schönau/Sachsen, † 11.2.1909 Dresden; Philos.- u. Philol.-Studium in Leipzig, 1852 Dr. phil., seit 1853 Gymnasiallehrer in Dresden.

Schriften (außer Schulbüchern): Lieder, 1852; Die Töchter des Grafen Alban. Ein Märchenkranz für die Jugend, 1856; Sechs Reden an Völker und Herrscher Europas, 1859; In der Schenke (Dr.) 1859; Satyros (dramat. Dg.) 1860; Welsche Stanzen, 1862; Wittekind. Ein Heldengedicht in zehn Gesängen, 1864; Thalkönigs Sohn. Ein Mährchen in sechs Gesängen, 1866; Graf Mirabeau (Dr.) 1866; Die sieben Raben (dramat. Märchen) 1866; Liebesgeschicke. Donna Blanca. Sarolta. Svanhild. Ein Damencyclus, 1867; Höhen und Tiefen (Dr.) 1868; Offenes Wort über das Dresdener Theater, 1868; Wie sollte das deutsche Volk nach den Siegen von 1870 und 1871 auf das Drama der Vergangenheit blicken? Wie sollte es das seiner eigenen Zukunft gestalten? 1872; Herakles. Ein griechisches Heldenlied in deutscher Dichtung widergespiegelt, 1873; Freundesworte an den berühmten Tondichter Richard Wagner gerichtet ..., 1873 Lieder der Huldigung, 1888; Das Testament eines Dichters. Biographie und Gedichte, 1895; Einführungen in die sechs Hauptsprachen der europäischen Culturvölker, 2 Bde., 1895; Fünf Vorträge über Ilias und Odysee, 1896.   RM

Haebler, Hans von, * 1.12.1870 Dresden; Großindustrieller, Major, wohnte in Gross-Schönau/Sachsen. Erzähler, Dramatiker.

Schriften: Meine Jungens. Eine Schüler-Komödie in fünf Aufzügen, 1924; Vom glückhaften Sterben. Sechs kurze Geschichten für solche, denen auch heute noch die Ehre mehr gilt wie das Leben, 1925; Weihnachtsmärchen aus fünf verschiedenen Welten, 1925; Die Vogelrepublik. Ein politisches Frühlingsmärchen, 1925; Von der großen Sehnsucht. Die Geschichte einer Jugend, 1925; Neue Helden. Vaterländisches Schauspiel in fünf Aufzügen, 1926; Sie will Schwester werden (Lsp.) 1927; Die Eine Einzige und die Anderen (Rom.) 1927; Märchen und Legenden, 1927; Käthe Trenck (Rom.) 1928; Die Aussaat (Rom.) 1929; Deutsche Komödie, Sechzig Millionen Seelen und drei dramatische Skizzen, 1930; Der Antichrist. Der Führer. Zwei politische Studien in dramatischer Form, 1930. **AS**

Haebler, Rolf Gustav, (Ps. Rolf Geha), * 11.2. 1888 Baden-Baden † 1.4.1974 ebd.; war Lehrer in Baden-Baden, Dramatiker u. Erzähler, Lokalhistoriker.

Schriften: Judas Jscharioth (Dr.) 1912; Die Geschichte des Menschen Ernst Drach (Rom.) 1925; Wie unsere Waffen wurden. Aus der Geschichte der Waffentechnik und der Pulverchemie von der chinesischen Feuerwerkerei zur Stukabombe, 1940; Die Wirtschaft im Raume des afrikanischen Krieges, 1941; Demokratie, Sinn oder Unsinn?, 1947; Menschen im Netz. Vier Erzählungen zwischen Vorgestern und Gestern, 1948; Ein Staat wird aufgebaut. Badische Geschichte 1789–1818, 1948; Badische Geschichte. Die alemannischen und pfälzisch-fränkischen Landschaften am Oberrhein in ihrer politischen, wirtschaftlichen und kulturellen Entwicklung, 1951; Das Baden-Badener Wanderbüchlein, 1953; Der Merkur. Heimatkalender der Kreise Rastatt und Bühl und für die Kurstadt Baden-Baden (Hg.) 1962–66; Geschichte der Stadt und des Kurorts Baden-Baden, 2 Bde., 1969. **AS**

Haeckel, Ernst (Heinrich Philipp August), * 16.2.1834 Potsdam, † 9.8.1919 Jena; Medizin- u. Zoologie-Studium in Berlin, Würzburg u. Wien, Arzt in Berlin, 1861 Habil. in Jena, 1865–1909 Prof. d. Zoologie. Entdecker d. «biogenet. Grundgesetzes» (1866).

Schriften (außer spezialwiss.): Indische Reisebriefe, 1883; Der Monismus als Band zwischen Religion und Wissenschaft. Glaubensbekenntnis eines Naturforschers, 1892; Die Welträthsel ..., 1899; Aus Insulinde. Malayische Reisebriefe, 1901; Die Lebenswunder, 1904; Die Natur als Künstlerin, 1913; Ewigkeit. Weltkriegsgedenken über Leben und Tod, Religion und Entwicklungslehre, 1917; Von Teneriffa bis Sinai. Reiseskizzen, 1923.

Ausgaben (Ausw.): Berg- und Seefahrten (hg. H. SCHMIDT) 1923; Gemeinverständliche Werke (hg. DERS.) 6 Bde., 1924; Wunderglaube, Gott, Unsterblichkeit. Ausgewählte Texte (hg. O. KLOHR) 1959; Die Welträtsel (hg. DERS.) 1960; Tropenfahrten. Reiseschilderungen aus Ceylon, Java und den Mittelmeergebieten (hg. A. DANGEL) 1969; Über den Kaukasus nach Tiflis. Ausgewählte Reisebriefe (besrb. G. USCHMANN u. K. WEDEKIND) 1972.

Briefe: Briefw. zw. ~ u. F. v. Hellwald, 1900; Entwicklungsgesch. e. Jugend. Briefe an d. Eltern 1852/1856 (Einl. H. SCHMIDT) 1921; Italienfahrt. Briefe an d. Braut 1859/1860 (hg. DERS.) 1921; B. CARNERI, Briefw. mit ~ u. F. Jodl, 1922; Himmelhochjauchzend. Erinn. u. Briefe d. Liebe (hg. H. SCHMIDT) 1927 (gekürzte Neuausg. 1930); The Love Letters of ~ ... (hg. J. WERNER) New York u. London 1930; ~ u. Allmers. Die Gesch. e. Freundschaft in Briefen d. Freunde (hg. R. KOOP) 1941; Ernst u. Agnes Haeckel. E. Briefw., 1950; Forscher, Künstler, Mensch. Briefe (hg. G. USCHMANN) 1954 (2., erw. Aufl. 1958; 3., erw. u. verb. Aufl. 1961).

Nachlaß: Staatsbibl. Preuß. Kulturbesitz Berlin; Bayer. Staatsbibl. München; ~-Arch. Jena; ~-Museum u. Inst. f. Gesch. d. Zool. d. Univ. Jena. – Mommsen Nr. 1376; Denecke 65.

Literatur: NDB 7,423; BWG 1,1002; LThK 4,1304. – W. MAY, ~, Versuch e. Chron. s. Lebens u. Wirkens (mit Bibliogr.) 1909; Was wir ~ verdanken (hg. H. SCHMIDT) 2 Bde., 1914; H. SCHMIDT, ~, Leben u. Werke, 1926; DERS., ~, 1934; G. HEBERER, ~ u. s. wiss. Bedeutung, 1934; ~, eine Schriftenfolge (hg. V. FRANZ) 2 Bde., 1943 f.; J. HEMLEBEN, ~, 1964; DERS., ~ in Selbstzeugnissen u. Bilddokumenten (mit Bibliogr.) 1967; G. ALTNER, Darwin u. ~, 1966; D. gerechtfertigte ~ (hg. G. HEBERER) 1969; D. GASMAN, The Scientific Origins of

National Socialism. Social Darwinism in ~ ...,
1971; N. R. Holt, ~s Monistic Religion (in:
Journal of the Hist. of Ideas 32) Lancaster 1971.

RM

Häckel, Manfred, * 29. 3. 1927 Gerstungen
(Thür.), † 10. 5. 1972 Berlin (Ost); nach dem
Krieg Studium d. Germanistik u. Gesch., Dr.
phil., wiss. Mitarbeiter der Akad. der Künste,
Berlin (Ost), Mitarb. d. Kulturkommission beim
Politbüro d. SED u. d. Ministeriums f. Kultur,
1961–66 wiss. Arbeitsleiter an d. Akad. d.
Wiss., Habilitation, 1966–70 Doz. f. neuere dt.
Lit.gesch. in Greifswald, dann an d. Hochschule
f. Film u. Fernsehen in Babelsberg. Lit.wissen-
schaftler, Hg. u. Kritiker.
Schriften: Skizze zu einer Geschichte der deut-
schen Polenliteratur unter besonderer Berück-
sichtigung der Lyrik aus den Jahren 1830–1834
(Diss. Jena) 1954; F. Freiligrath, Briefwechsel
mit Marx und Engels (bearb. und eingel.) 2 Bde.,
1968.
Herausgebertätigkeit (Ausw.): Für Polens Freiheit. Achthundert Jahre deutsch-polnische
Freundschaft in der deutschen Literatur, 1952;
1813. Ein Lesebuch für unsere Zeit (mit G.
Steiner) 1953; Das Volk steht auf. Deutsche
Dichter rufen zur nationalen Befreiung (mit G.
Steiner) 1953; Der wahre Jacob. Lyrik und
Prosa 1884–1905 (Ausw.) 1959; Warum ich da-
für bin. Stimmen zu unserer Zeit (mit E. Lip-
pold) 1960; Eichendorff, Gesammelte Werke,
3 Bde., 1962; Gedichte über Marx und Engels,
1963; Textausgaben zur frühen sozialistischen
Literatur in Deutschland (mit andern) 1963 ff.;
Lexikon sozialistischer deutscher Literatur. Von
den Anfängen bis 1945 (mit andern) 1963; F.
Freiligrath, Gedichte, 1973.   AS

Häcker, Clara (Ps. für Clara Sidonie Gorges,
geb. Häcker), * 15. 4. 1862 Kleindembach/Sach-
sen-Meiningen; Bauerstochter, lebte seit 1877
in Tünschütz/Altenburg u. n. ihrer Heirat mit d.
Schuldir. G. (1887) in Auerbach/Vogtland.
Schriften: Thüringer Dorfgeschichten, 4 Bde.,
1892–1904; Thüringer Sagenschatz, 1. Bd., 1895;
Beim Federnreißen. Eine Dichtung aus dem Thüringer Bauernleben, 1898; Thüringer Erzählungen, 1899; Fichtners Rieke. Thüringer Dorfgeschichte, 1901; Frede un Leid ussen Thiringer
Dorflam, 1901; Thüringer Spinnstubengeschich-
ten, 1903; Der Türkenhof. Geschichte aus der

Zeit der Türkenkriege, 1908; Schulzens Som-
merfrischler. Thüringer Dorfgeschichte, 1912.

RM

Haecker, Gustav, * 9. 9. 1822 Stuttgart, † 14. 6.
1896 Baden-Baden; Studium d. Rechte in Tü-
bingen, Richter in versch. Orten Württembergs,
1873 Hoftheaterintendant in Stuttgart, 1887
Landgerichtspräs. in Tübingen.
Schriften: Aus frühen und späten Tagen. Ein
Lebensgang in Gedichten, 1896.
Literatur: Biograph. Jb. 1, 95.   RM

Haecker, Hans-Joachim, * 25. 3. 1910 Königs-
berg/Pr.; Studienrat ebd., 1944–48 engl. Kriegs-
gefangenschaft in Ägypten, dann Studienrat in
Wilhelmshaven, seit 1955 in Hannover. Dra-
matiker u. Lyriker. Gerh.-Hauptmann-Preis d.
Freien Volksbühne Berlin 1961.
Schriften: Hiob. Spiel von Adams und Evas
Schuld, von Hiobs Heimsuchung und der Aufer-
stehung des Herrn, 1937; Segler gegen Westen
(Schausp.) 1941; Die Insel Leben (Ged.) 1943;
Teppich der Gesichte. Sonette, 1947; Der Tod
des Odysseus (Tr.) 1948; Dreht euch nicht um.
Gedenktag. Der Briefträger kommt (3 Stücke)
1962; Das Spiel vom Teufelsstein zu Thalussen.
Eine masurische Sage (Laiensp.), 1962; Gesetzt
den Fall. Fallgesetze (Ged.), 1967; Insonderheit
(Ged.), 1968. (Außerdem e. Reihe ungedr. Bühnenstücke.)
Literatur: E. Metelmann, ~, «Segler gg. Westen» (in: NLit 11) 1941; E. Donat, ~ (in:
Theater heute) 1962; E. Wendt ~ (in: ebd.)
1963. H. Beckmann, Nach d. Spiel. Theater-
kritiken 1950–1962, 1963; G. Reuter, Das
Werk ~s (in: D. Volksbühnenspiegel) 1963;
niedersachsen literarisch, 1978.   AS

Haecker, Theodor, * 4. 6. 1879 Eberbach
(Württ.), † 9. 4. 1945 Ustersbach/Augsburg; Stu-
dium d. Philos. in Berlin u. München (v. a. bei
Max Scheler), Red. u. Verlagsmitarb., Mitar-
beit an d. Zs. «Der Brenner» u. «Hochland».
Wurde 1921 unterm Einfluß v. Kardinal New-
man katholisch. Christl. Schriftst. u. Philosoph,
Übers. v. a. Kierkegaards.
Schriften: Sören Kierkegaard und die Philoso-
phie der Innerlichkeit, 1913; Ein Nachwort,
1918; Satire und Polemik 1914–1920, 1922;
Christentum und Kultur, 1927; Das Deutsche
Meisterbuch, 2 Bde., 1927 f.; Wahrheit und Le-

ben (Vortrag) 1930; Dialog über Christentum und Kultur, mit einem Exkurs über Sprache, Humor und Satire, 1930; Vergil, Vater des Abendlandes, 1931; Der Begriff der Wahrheit bei Kierkegaard, 1932; Was ist der Mensch?, 1933; Schöpfer und Schöpfung, 1934; Der Christ und die Geschichte, 1935; Schönheit. Ein Versuch, 1936; Der Geist des Menschen und die Wahrheit, 1937; Die Versuchung Christi, 1946; Tag- und Nachtbücher. 1939–1945, 1947; Der Bukkel Kierkegaards, 1947; Opuscula. Ein Sammelband, 1949; Metaphysik des Fühlens. Eine nachgelassene Schrift, 1950; Werke, 5 Bde., 1958–1967.

Übersetzer- und Herausgebertätigkeit: S. Kierkegaard, Der Pfahl im Fleisch, 1914; ders., Kritik der Gegenwart, 1914; ders., Der Begriff des Auserwählten, 1917; J. H. Newman, Philosophie des Glaubens, 1921; ders., Die Entwicklung der christlichen Lehre und der Begriff der Entwicklung, 1922; S. Kierkegaard, Religiöse Reden, 1922; ders., Am Fuße des Altars. Christliche Reden, 1923; ders., Die Tagebücher, 2 Bde., 1923; Vergil, Bucolica. Hirtengedichte, 1923; F. L. Graf zu Stolberg, Oden und Lieder (Hg.) 1923; F. Thompson, Shelley. Ein Korymbus für den Herbst. Der Jagdhund des Himmels (mit Essay «Über F. Th. und Sprachkunst») 1925; H. Belloc, Die Juden, 1927; S. Kierkegaard, Über die Geduld und die Erwartung des Ewigen. Religiöse Reden, 1938; J. H. Newman, Die Kirche und die Welt. Predigt, 1938; ders., Der Traum des Gerontius, 1939; ders., Das Mysterium der Dreieinigkeit und der Menschwerdung Gottes. Predigten, 1940; ders., Historische Skizzen, 1948; ders., Ausgewählte Werke, Bd. 7: Entwurf einer Zustimmungslehre, 1961.

Nachlaß: Dt. Lit.arch./Schiller-Nat.mus. Marbach. – Denecke 2. Aufl.

Literatur: HdG 1,258; NDB 7,425; LThK, 4,1303. – K. Muth, Satire u. Polemik (in: Hochland 20) 1922/23; W. Benjamin, Privilegiertes Denken. Zu ~s «Vergil» (in: Die lit. Welt, 8) 1932 (jetzt in: W. B., Ges. Schr. 3); F. Muckermann, ~ z. Gedächtnis (in: SR 45) 1945/46; R. Seewald, Abschied v. ~ (in: Der Brenner 16) 1946; J. Sellmair, ~ (in: Päd. Welt 1) 1947; A. v. Grolman, ~: Vergil (in: A. v. G., Europ. Dichterprofile 2) 1948; W. Becker, D. Überschritt v. Kierkegaard zu Newman in d. Lebensentscheidung ~s (in: Newman-

Studien) 1948; M. Büdel, D. Essay ~s u. T. S. Eliots als Beitr. z. abendländ. Lit.- u. Kulturkritik (Diss. Marburg) 1950; T. Kampmann, Gelebter Glaube. Zwölf Porträts, 1957; A. Hübscher, Denker unserer Zeit I, 1958; E. Blessing, ~. Gestalt u. Werk, 1959; J. Günther, ~ nach 15 Jahren (in: NDH 6) 1959; H. Kunisch, Über ~ (in: Der Mönch im Wappen. Aus Gesch. u. Ggw. d. kathol. München) 1960; H. Ahl, ~, Ein homo spiritualis (in: H. A., Lit. Portraits) 1962; B. Hannsler, Christl. Spektrum. Aufrisse, Gestalten, Lebensmächte, 1963; Flugblatt zum 20. Todestag von ~, Kösel-Verlag, 1965 (Werk-Verz.).   AS

Häckermann, Adolf, * 18.2.1819 Neuenkirchen b. Greifswald, † 24.7.1891 Greifswald; Philol.-, Theol.- u. Geschichtsstudium in Greifswald u. Berlin, 1843 Dr. phil., bis z. Pensionierung (1878) Oberlehrer in Greifswald. Übers. skandinav. Lit. u. Verf. versch. wiss. Schriften.

Schriften (Ausw.): Explicationum Vergilianarum specimen, 1853; Preußen und England. Ein vergleichender Rückblick, 1868; Neuvorpommersche Dichtungen, 1871; Ein Kaiserjahr und Königin Louise (geschichtl. Vorträge) 1877; Dr. Hermann Paldamus, Professor und Prorektor zu Greifswald. Ein pädagogisches Zeitbild, 1884; Der Bauerberg. Ein Episches Idyll, 1885; Zum Rhodischen Laokoon, I Goethe und die Laokoon Gruppe, II Laokoon und seine Söhne, 1888; Der brandenburgisch-preußischen Geschichte jüngste Epoche. Vom Tilsiter Frieden 1807 bis zur Gegenwart (Dg., hg. A. Wagner) 1892.   RM

Häckl, Heinrich Franz, lebte Ende des 18. Jh. in Wien; Lyriker u. Erzähler.

Schriften: Meistens scherzhaft, satirisch und epigrammatische Gedichte, 1781; Pasquillantische Schilderungen (Satiren) 1782.   IB

Häckl, Marie (geb. Zierhut), * 12.3.1855 Deschernitz/Böhmerwald; lebte nach gescheiterter Ehe als Schriftst. in Wien.

Schriften: Die Waldblume aus dem Wienerwald (soz. Rom.) 1900.   RM

Hädecke, Wolfgang, * 22.4.1929 Weissenfels/Saale; Lehrer in Bielefeld. Lyriker, Dramatiker, Erzähler.

Schriften: Uns stehn die Fragen auf (Ged.) 1958; Leuchtspur im Schnee (Ged.) 1963; Panorama moderner Lyrik deutschsprechender Länder. Von der Jahrhundertwende bis zur jüngsten Gegenwart (mit U. Miehe) 1965; Die Steine von Kidron. Aufzeichnungen aus Ägypten, dem Libanon, Jordanien und Israel, 1970; Eine Rußlandreise, 1974.   AS

Hädicke, G. → Schade, Georg.

Haefeli, Johann Kaspar d. Ä., * 1.5.1754 Basadingen/Kt. Thurgau, † 4.4.1811 Bernburg/Anhalt; Lehrer in Zürich, Hofkaplan in Wörlitz, 1793 Pfarrer in Bremen, seit 1805 Oberprediger u. Oberkonsistorialrat in Bernburg. Rezensent d. Marburger «Theol. Annalen» (1801–04).
Schriften (Ausw.): Sendschreiben an den Bremischen Beantworter der Lavaterschen eigentlichen Meynung, 1776; Allerley gesammelt aus Reden und Handschriften großer und kleiner Männer (mit J. J. Stolz hg.) 2 Bde., 1776f.; Predigten und Predigtfragmente ..., 4 Bde., 1778–83; Geschichte Jesu und seinen Gesandten in Briefen und Erzählungen. Übersetzungen der sämtlichen Schriften des Neuen Testaments (mit J. J. Stolz) 2 Tle., 1782; Vermischte Predigten und Auszüge aus Predigten, 1784; Die wohlthätigen Wirkungen des Vertrauens auf Gott, 1802; Über die Christlich-protestantische Freyheit (4 Predigten) 1804; Nachgelassene Schriften (mit Vorrede hg. J. J. Stolz) 3 Bde., 1813–15.
Literatur: Ersch-Gruber II. 1,109; ADB 10, 314; HBLS 4,43; Meusel-Hamberger 2,28; 9,490; 18,12. – E. HAUG, Aus d. Lavaterschen Kreise. J. G. Müller u. ∼, 1894.   RM

Haefeli, Johann Kaspar d. J., * 4.3.1778 Zürich, † 31.10.1812 ebd.; Sohn v. J.K.H. d. Ä., 1804 Lehrer u. später Aktuar d. Kirchenrats in Frauenfeld, seit 1809 Kappellan in Bernburg/Anhalt u. Pfarrer in Dröbel. Verf. e. bed. «Elementar-Geometrie» (1806) u. Mitarb. zahlr. Zeitschriften.
Schriften: Zwey katholische Hymnen, aus dem Lateinischen übersetzt; als Probe einer herauszugebenden Sammlung von metrischen Übersetzungen auserlesener Gesänge dieser Art, 1803; Ode, dem Vaterlande gesungen ..., 1808; Griffe aus meinem Gedanken Topf ..., 1810.
Literatur: Meusel-Hamberger 14,8; 18,12.   RM

Haefliger, (auch Haeflinger, Haeffli(n)ger), Jost Bernhard Barnabas, * 7.6.1759 Beromünster/Kt. Luzern, † 1.6.1837 Hochdorf; 1783 Priesterweihe, 1784–93 Oberleutpriester in Beromünster, seit 1793 Pfarrer in Hochdorf. 1807 Kammerer, 1808 Dekan d. Kapitels Hochdorf; Protonotar d. päpstl. Stuhles, Begründer u. Präs. d. «Schweiz. Musikal. Gesellsch.» Volksliederdichter.
Schriften: Lied eines Schweizerbauren in seiner Natursprache, 1798; Lied für Schwizer-Heeren ..., 1800; Lied uf d'Sämpacher-Schlacht, 1801; Lieder im helvetischen Volkston, 1801; Ein Wort des dankbaren Andenkens an Felix Balthasar, 1810; Es Schwizer-Müsterli, 1813; Schweizerische Volkslieder nach der Luzernischen Mundart, 1813; Die natürliche Musik, 1816; Aerndt- und Wimmetlied für 1818, 1818 (?); D'Gloggen-Tauf, 1824; Dr Rägeboge, 1827.
Literatur: ADB 10,321; HBLS 4,43; Goedeke 6,488; 12,140; 15,738.   RM

Häfner, Karl, * 2.6.1885 Malmsheim/Kr. Böblingen; Prof. in Heilbronn. Verf. v. Sprachbüchern für die Schule; Mundartdichter.
Schriften (außer Schulbüchern): Malmsheim. Heimatgeschichte eines schwäbischen Dorfes, 1934; Das bäuerliche Jahr im Wortschatz. Für den südwestdeutschen Raum zusammengestellt, 1957; Mier Schwobe wearnt mit vierzge gscheit. Vo schwäbischer Gscheitheit ond vo schwäbische Gscheitle. Ernste und heitere Verse in schwäbischer Mundart, 1973; Vom schwäbischen Dorf um die Jahrhundertwende. Arbeits- und Lebensformen, 1974; Alte Leut. Schwäbische Verse vom Alter fürs Alter, 1975; Vom Vierzger a'. Nomol vo dr schwäbische Gscheitheit. Ernste und heitere Verse in schwäbischer Mundart, 1977.   AS

H. A. E. G. v. D. → Eckhart, Johann Georg von.

Haegele, Joseph Matthias (Ps. Grünwald), * 24.2.1823 Zizenhausen b. Stockach, † 1892 Freiburg/Br.; Theol.-Studium in Freiburg, dann Philos.-, Gesch.- u. Philol.-Studium in Freiburg u. Heidelberg, 1849 Gefangennahme, 1852 Begnadigung. Seit 1854 im Verlag Herder in Freiburg, 1860 Registrator in d. erzbischöfl. Kanzlei. 1865 bis 1867 Schriftleiter d. «Freiburger Boten».
Schriften: Der schwarze Vetter – Das Gewissen (Erz.) 1852 (Neuausg. u. d. T.: Zwei Erzählungen für die reife und überreife Jugend, 1858); Zucht-

hausgeschichten von einem ehemaligen Züchtling, 2 Bde., 1853; Kalender für Zeit und Ewigkeit, 1855–57; Erfahrungen in einsamer und gemeinsamer Haft ..., 1857; Andreas Hofers letzter Gefährte, 1862 (2., umgearb. Aufl. 1867); Der moderne Fortschritt und die arbeitenden Klassen, 1865; Die Revolution und die moderne Gesellschaft, 1869; Die katholischen Feiertage und das goldene Kalb mit seinen Hornisten auf den Markt geführt, 1869; Eine Leuchtkugel in die sociale Dämmerung, 1870; Die europäische Läusekrankheit, 1870; Fortschritt und Auchfortschritt, 1871; Petroleum und Olivenöl, 1872; Bernhardine. Eine merkwürdige Gebetserhörung vom Schwarzwalde ..., 1874; Alban Stolz, nach authenthischen Quellen, 1884 (2., erw. Aufl. 1884; 3., verm. Aufl. 1889).   RM

Haegeli, Albert, * 2.2.1840 Hilsenheim/Elsaß, † 8.11.1888 Nordheim; 1864 Priesterweihe, Kaplan u.a. in Straßburg, 1873 Pfarrer in Gries u. seit 1878 in Nordheim.

Schriften: Garcia Moreno's Tod (hist. Schausp.) 1876 (neue, erw. Aufl. 1884); Der königliche Praetor von Straßburg (hist. Dr.) 1883; Die Merowingerpfalz zu Kirchheim oder König Dagobert II. (hist. Tr.) 1885; Predigten bei einer achttägigen Mission, 1886; Triduum mit einer Lobrede auf den heiligen Martinus, 1887.

Literatur: Theater-Lex. 1,660.   RM

Häger, Adolf, * 7.4.1892 Warburg/Westf., † 15.4.1959 Grebenstein/Hessen; Rektor in Großalmerode b. Kassel. Erzähler u. Lyriker.

Schriften: Rose Brunold (Rom.) 1921; Die Glocke von Innisfare. Ein Weihnachtsspiel, 1924; Aus Tag und Traum (Ged.) 1924; Der Spielmann von Mainz. Ein Schatten- und Bühnenspiel für die reife Jugend und für Vereine. Der Schneider in der Hölle. Ein lustiges Schattenspiel für Schulen und Jugendvereine, 1925; Der Schelm im Volk. Kurhessisches Anekdotenbuch. Ein Schock Schwänke, Schnurren und Schelmereien, dem Volksmund nacherzählt (mit H. Ruppel) 1940; Der Schießranzen. Neues vom Schelm im Volk, 1941; Der blinde Hess. Ein Schock Späß, 1951; Auf Entdeckungsfahrt im Hessenland, 1958. AS

Haeger, Albert (Ps. Domino), * 10.1.1829 Cottbus, Todesdatum u. -ort unbekannt; militär. Dienste im holländ.-ostind. Heer, dann Erzieher

in Amsterdam u. bei Arnhem, seit 1882 Lehrer in Berlin.

Schriften: König Richard. Drei Romanzen, 1868; Tropenlieder, 1868; Der bekehrte Ehefeind (Lsp.) 1870; Die Überwinterung auf Nova Sembla. Aus dem Holländischen 1871; Die Gräfin Lichtenau (Schausp.) 1872; Die Mühle von Sanssouci (Oper) 1873; Die Handschrift des Figaro (Schausp.) 1874; Sirenen (Lsp.) 1882; Gedichte eines Freigeistes, 1890.

Literatur: Theater-Lex. 1,660.   RM

Haegler, Kurt (Ps. Peter Pee), * 29.3.1900 Basel, † 21.7.1967 ebd.; 1925 freier Journalist in Berlin, 1927–31 in versch. Berufen in Kanada, 1931–36 bei der Publicitas in Basel, Bern, Olten, 1937 Reise um die Welt, 1938–40 Propagandachef der Swissair, seit 1941 Verkehrsdir. v. Basel. Erzähler.

Schriften: Oh Canada! Vier Jahre Auf und Ab, 1932; Doris reist um die Welt. Ein Tagebuch, 1938; Die «Fünf» und Frosch Lift. Das Bubenbuch von Kameradschaft und Höhenluft, 1939; Gotthard, September 1939 (Rom.) 1940; Warum denn verzweifeln? Ein Lebensabschnitt der Frieda Weniger (Rom.) 1941; Petersilien. Feuilletons 1934–44, 1944; E «Baseldytsch»-Sammlig. Ygrummt in 12 Fächli und in e Vytryne (mit Fridolin) 1947 (2., erw. Aufl. 1965); Die Abenteuer von Ringgi und Zofi. Bd. 4: Im Strudel des Verkehrs (mit H. Laubi) 1951; Aus sechsundzwanzig Buchstaben (Erz.) 1952/53; Drei Äpfel und der Stamm. Ein Vaterkomödchen, 1953; Vo Liebi, Laid und Larve. Drei Fasnachtsgeschichten aus Basel (mit R. Graber und H. Räber) 1959; Basel – Bâle – Basle (mit L. Bernauer) 1964 (2. erw. Aufl. 1970); 3 vo 365. Ein Photobuch von der Basler Fasnacht, 1968.   AS

Häglsperger, Franz Seraph, * 1.10.1796 Hub/Bayern, † 5.11.1877 Egglkofen b. Neumarkt; seit 1827 Pfarrer in Egglkofen, Hg. d. «Jugendbibl.» (1827–44), Verf. zahlr. kirchl. Schriften.

Schriften (Ausw.): Die Pilgerfahrt nach der Heimath. Ein Handbüchlein für junge Wanderer nach dem Himmelreich ..., 1823; Simon Zollbrucker in seinem Leben und Wirken, 1825; Heilige Augenblicke im priesterlichen Leben oder Briefe eines jungen katholischen Seelsorgers an seinen Freund, 2 Tle., 1825; Die vier Jahreszeiten: Frühling, Sommer, Herbst und Winter. Ein kleiner Handspiegel für die Jugend, 1825; Die Wiedererhöhung des gefallenen Menschen. Eine Messiade in kurzen Betrachtungen, 2 Bde., 1826; Der erzählende Hausfreund, 1828; Festabende im priesterlichen Leben, gefeiert mit Betrachtungen und Erinnerungen ..., 3 Bde., 1828 ff.; Das Leiden des Herrn nach den vierzehn Stationen ..., 1829; Jesus meine Liebe ..., 1830; Früchte aus dem Garten der Geschichte, 1831; Neuer Spiegel für Herz und Leben, 1831; Heiligthum für häusliche Selbsterbauung, 1831; Die Wiederherstellung der Klöster in Bayern, eine göttliche und heilsame Sache, 1832; Winterrosen. Eine Sammlung belehrender Geschichten und Erzählungen, 1832; Neue Briefe über die Seelsorge, 4 Bde., 1833–43; Sommerrosen, 1834; Religion und Kunst, 10 H., 1838; Hyacinth und Osterglöcklein, 1838; Neue skizzierte und nicht skizzierte Predigt-Themate, 1852.

Literatur: LThK 4, 786.   RM

Hägni, Rudolf, * 11.8.1888 Stäfa bei Zürich, † 4.10.1956 Zürich; Primarlehrer in Langnau am Albis, dann in Zürich. Verf. v. Kinderged. u. -stücken, vorwiegend in Mundart.

Schriften: Ein Gaunerstreich. Schwank, 1920; Der alte Esel. Schwank in einem Aufzug, 1923; Alfred Huggenberger. Persönlichkeit und Werk, 1927; 's Jahr-i und – us! Versli für die Chline, 1928; Auf, auf, ihr lieben Kinderlein. Lauter Verse für artige Kinder und für lustige nicht minder, 1932; Spielen und singen, Tanzen und springen! Kleine Spiele und Spielgedichte, 1934; Wir geben eine Zeitung heraus. Ein Spiel für Kinder, 1934; Das Jahr des Kindes. 100 neue Lieder von Schweizer Komponisten für Schule und Haus (hg. mit R. Schoch) 1935; Dornröschen lädt die Kinder an die Hochzeit ein. Märchenspiel, 1935; De Lehrer chrank, gottlob und dank! Spitzbuebevers für alli Chind, sebs achti oder achzgi sind, 1937; Eine lustige Tierkantate, 1937; Besuch im Schlaraffenland. Ein Spiel für Kinder, 1937; W. Busch, Max und Moritz. E Buebegschicht vo sibe Streiche vom Wilhelm Busch. Züritüütsch vom R.H., 1938; D' Wienachtsgschicht i föif Bilder. Es Spill für die Chlyne, 1939; De Schuelverschlüüfer – D' Kafischwöschtere. Zwei Stückli für Chind, 1939; De Brief – Uf em Gmüesmäärt – Vor der Abreis. Drüü Stückli für Chind, 1939; I ghöören es Glöggli. Neui Väärsli für d Chind, 1940; Wänn alles lätz use chund. Drei Jugendspiele, 1940;

Was spilet mer uf d' Fäschttaag? Kleine Spiele in Mundart und Schriftsprache für Schule und Haus, 1941; Wir ziehen um. Ein Spiel für Kinder, 1941; Schwaan, chläb aa! E luschtigs Stückli für d Chind naa eme Määrli vom Bechstein, 1941; Lichter am Weg (Ged.) 1942; Durch Leid zur Freude. Erzählungen für die Jugend, 1945; De Naagel. Es Stuck für d' Chind. Frei nach der Erzählung «Der Nagel» von Gebrüder Grimm, 1946; Fäschtbüechli für grooss und chly, züritüütsch und schrifttüütsch, 1947; Am Feischter. Es Ysepahnbüechli, 1947; Tirlitänzli. Chinderväärsli, 1947; Uf ale Wääge, a der Sunn und im Rääge. Väärsli für d' Chind züritüütsch und schrifttüütsch, 1948; Gloggegglüüt. Züritüütsch Väärs, 1948; Durchs ganze Jahr mit Spiel und Sang! Reigenspiele und Spielgedichte, 1948; Spruchbüechli züritüütsch und schrifttüütsch, 1949; Öiseri Chly. Väärsli, 1949; Singen und spielen, juchhei! Reigenspiele und Spielgedichte in Mundart und Schriftsprache, 1950; Komm mit in den Wald! Väärsli, Liedli, Gsprööchli und Gschichtli i der Mundaart und Schriftspraach, 1951; Spiel für eine Schulhaus-Einweihung, 1951; Ferien, juchhe! Ein lustiges Spiel für Kinder, 1952; De Samichlaus chund – De Schlüssel verloore, 1952; Theööterle, wer macht mit? Gsprööchli und Stückli, züritüütsch und schrifttüütsch, 1953; Lachpülverli gfelig? E luschtigs Huusbuech züritüütsch und schrifttüütsch, 1954; En verwöhnte Hotelgascht. – De frönd Herr. Stückli nach Gschichtli vom Johann Peter Hebel, 1956; Es Gspängscht und föif anderi Spiil, 1956; Aabiggold. Gedichte aus dem Nachlaß, 1957; Us mym Väärsli-Chrättli. Züritüütschi und schrifttüütschi Chinderväärsli, Sprüchli und Gebättli, 1957.   AS

Hähn, Johann Friedrich, * 15.8.1710 Bayreuth, † 4.6.1789 Aurich/Ostfriesland; Theol.-Studium in Jena, Lehrer u. Erzieher in Klosterberge b. Magdeburg; Feldprediger, Schulinspektor u. Pastor in Berlin, Abt v. Klosterberge, seit 1771 Generalsuperintendent in Aurich. Verf. zahlr. Schulschr. u. einzeln gedr. Predigten.

Schriften (Ausw.): Von der Verbindung der Wahrheit und Liebe, 1743; Von einigen unerkannten Wohlthaten, welche Gott den Unterthanen durch die Obrigkeit erzeigt, 1746; Kleine Schriften für Eltern und Kinder, 1748; Agenda scholastica ..., 10 St., 1750–52; Sammlung klei-

ner Schriften für Eltern und Kinder, 1754; Die
Völkerhistorie Alten Testaments ..., 1754; Betrachtung des Weihnachtsfestes ..., 1754; Die
Glaubenslehren und Lebenspflichten des Christen
..., 1754; Bekehrung des Herrn von Bardeleben
Obristen des Regiments vom Markgrafen Karl,
1755; Gute Wirkungen des Krankenbettes, 2 St.,
1755/60; Von der Freudigkeit und Hoffnung eines
rechtschaffenen Knechtes Gottes bey dem Antritt
seines Lehramtes, 1757; Letzte Stunden einer von
Jesu wiedergefundenen Seele, 1758; Fortsetzung
des von Abt Steinmetz angefangenen geistlichen
Magazins ..., 4 Bde., 1762–63; Von der im Christenthum nöthigen Verbindung der Wahrheit und
Liebe, 1767; Neu eingerichtetes Kirchen- und
Haus-Gesang-Buch ... (hg.) 1767; Die merkwürdige Vorstellung Jesu von dem Gnadenreiche Gottes auf Erden, 1771; Ausführliche Abhandlung der
litteral Methode, 1777; Betrachtungen über Josias ..., 1781.

Literatur: Ersch-Gruber II.1, 184; ADB 10,
373; NDB 7, 432. – F. WIENECKE, ~ (in: Bran-
denburgia 19) 1910.   RM

Hähnel, Franziskus (Ps. Erich Bardewieck), * 15.
5. 1864 Hamburg, † 17. 5. 1929 Wellingsbüttel-
Hoheneichen b. Hamburg; Lehrer, seit 1896 am
Technikum in Bremen, später Geschäftsführer d.
«Dt. Vortrupp-Bundes» u. Red. d. «Enthaltsam-
keit». Führend im Kampf gegen d. Alkoholgenuß.
Erzähler, Dramatiker u. Kritiker.

Schriften (Ausw.): Lehrerpflicht und Lehrer-
liebe (Festsp.) 1890; Einer für alle. Ein Lehrer-
festspiel. Der deutschen Lehrerschaft zum Die-
sterwegjubiläum gewidmet, 1890; Neue litterarische Blätter. Zeitschrift für Freunde zeitgenössischer Litteratur (Hg.) 1892–1896; Die Bremischen Dichter und Schriftsteller der Gegenwart.
Eine litterarische Plauderei, 1893; Psychodrama-
tische Dichtungen, 1893; Zur Kraft und zum
Können (Festsp.) 1896; Auf festem Grunde (Festsp.) 1900; Harro Tienbeck. Eine einfache Geschichte aus dem deutschen Volksleben, der
Wirklichkeit nacherzählt, 1901; Alkoholismus
und Erziehung, 1902; Der Weg zum Glücke.
Volkserzählung aus dem Leben der Gegenwart,
1902; Für Feierstunden. Gesammelte Volkserzählungen, 1904; Der Väter wert! Ein dramatisches Sittenbild in einem Aufzuge aus der Vorzeit
unseres Vaterlandes für Wehrlogen und Jugend-
Enthaltsamkeits-Vereine, 1910; Im Sturmschritt

voran oder Die lustige Bamen auf der Werbefahrt
nach Bimmelhausen. – Mit lachendem Mund – zu
heiterer Stund'. Zwei Werbespiele (mit R. Voigt)
1912; Unsere Vortrupp-Jugend, 1918; H. Paa-
sche, Die Forschungsreise des Afrikaners Lukanga
Mukara ins innerste Deutschland, geschildert in
Briefen Lukanga Mukaras an den König Ruoma
von Kitara (Hg.) 1921.   AS

Hähnlein, Irene (Ps. Irene Busch), * 17. 3. 1935
Hamburg; Choreographin ebd.; Kinder- u. Jgdb.-
Autorin.

Schriften: Als Lilli bummeln ging, 1964; Bodos
freche Bande, 1965; Es spukt auf Krähenfels,
1967; Drei gegen einen, 1968; Meine Freundin
in Spanien, 1971; Kathi vom Flohmarkt, 1972;
Kathi und der Käpt'n, 1973; Kathi am Meer,
1974.   AS

Haek, David (Ps. Franz Helbing, Hans Helling),
* 17. 8. 1854 Budapest; n. Chemie-Studium Fabrikdir., seit 1880 Schriftst. in Wien, seit 1889
in Leipzig u. Berlin. Verf. zahlr. kaufmänn. Schr.,
Übers. v. Darwin, M. Twain, Zola, Maupassant u.
anderen.

Schriften: Wiener Xenien, 1888; Arabesken u.
Grotesken. Einfälle in Vers und Prosa, 1889; Justus van den Bondel ..., 1890; Spottdrosselklänge,
1890; Phantasie- und Lebensbilder. Kleine Satiren und Prosagedichte, 1891; Aus dem Jungge-
sellenleben. Bilder und Skizzen, 1892; Splitter u.
Späne. Aphorismen und Sarkasmen, 1893; Demo-
krit der Jüngere. Aus den Papieren eines lachenden
Philosophen, 2 Bde., 1893 f.; Ernst und heiter.
Novelletten und Skizzen, 1896; Prisma (Humoresken) 1896; Pfennige. Verse und Prosa, 1897;
Herrn Knurigs Schlafrockpredigten und Reiseerlebnisse. Humoristisches, 1898; Lustige Radler.
Anekdoten und Scherze ..., 1899; Charles Darwin und der Darwinismus (hg. F. v. Ossen) 1901;
Die Tortur. Geschichte der Folter ..., 1902; In
den Eiswüsten des Nordens. Erzählung aus dem
Polargebiet, 1903; Geschichte der Prostitution
(mit Dufour) 3 Bde., 1907; Hinter Klostermau-
ern. Beiträge zur Geschichte der Mönchs- und
Nonnenklöster, 1908; Die neuesten Forschungs-
fahrten. Für Jung und Alt dargestellt, 1911; Die
Eroberung des Nordpols ... für die Jugend dargestellt, 1912; Das Buch der Abenteuer (Mit-Verf.)
1913.

Übersetzer- u. Herausgebertätigkeit: Deutsche
Sinngedichte. Eine Auswahl deutscher Epigramme

und Spruchgedichte von der Reformationszeit bis zur Gegenwart, 1886; Ungarische Lyrik von Alexander Kisfaludy bis zur Gegenwart ..., 1887; Apophthegmata. Deutscher Citatenschatz ..., 1889; Der Kuß. Eine poetische Anthologie, 1896; Frau Musika. Eine poetische Anthologie für Musikfreunde, 1896; Herrenabende ..., 4 Bde., 1896; Deutscher Zitatenschatz ..., 1903; Neuer Anekdotenschatz, 1908; Parodien und Travestien, 1912 (Neuausg. 1921).   RM

Hael, Kurt → Lipp, Herbert.

Haelssig, Artur, * 3. 8. 1900; zuerst Ing., dann Kapellmeister der Stuttgarter Kammeroper u. d. Kammerorchesters, später Opernkapellmeister d. Stadttheaters Heilbronn. Lyriker, Erz., Bearbeiter v. Operntexten.
Schriften: Flieder (Nov.) 1925.   AS

Haém, H. → Morris, Dan.

Hämmerle, Alphons, * 17. 3. 1919 Rapperswil; Studium d. Lit.wiss., Kunstgesch. u. Philos., Dr. phil., Gymnasiallehrer; wohnt in Oberrohrdorf/ Kt. Aargau; Lyriker, Essayist, Verf. kulturhist. Radio-Sendungen.
Schriften: Komik und Satire und Humor bei Nestroy (Diss. Freiburg/Schweiz) 1951; Brot, nicht Steine (Ged.) 1974.   AS

Hämmerle, Georg, * 4. 5. 1902 Lochau b. Bregenz/Vorarlberg; Druckereileiter in Bregenz, lebt im Ruhestand bei Bregenz. Mundartdichter.
Schriften: Uffem Stubatbänkle. Gedichte in Vorarlbergischer Mundart, 1961.   IB

Haemmerli-Marti, Sophie, * 18. 2. 1868 Othmarsingen/Kt. Aargau, † 19. 4. 1942 Zürich; Tochter e. Bauern; Lehrerin, lebte nach ihrer Verheiratung in Lenzburg, später in Zürich. Vorwiegend Mundartdichterin.
Schriften: Mis Chindli. Ein Liederkranz für junge Mütter, 1896; Großvaterliedli, 1913; Wiehnachtsbuech, 1913; Im Bluest (Ged.) 1914; Is Stärneland (Verse) 1927; Allerseele (Ged.) 1928; Gaggaggah und Güggerüggüh. Tierverse, 1928; Professor Dr. Jost Winteler, 1846–1929 (mit A. Tuchschmid, H. Käslin) 1930; Läbessprüch (Ged.) 1939; Mis Aargäu. Land und Lüt us miner Läbesgschicht, 1939; Rägeboge (Ged.) 1941; Z Välte übers Ammes Hus. Chindelieder, 1942; Passionssprüch (Ged.) 1943; Gesammelte

Werke. Im Auftrag des Regierungsrates des Kantons Aargau hg. C. Günther, 3 Bde., 1947–52.
Literatur: HBLS 4, 45; NDB 7, 435; Biogr. Lex. des Aargaus, 1958. – A. Kelterborn-Haemmerli, ~ , 1958; C. Günther, ~ (in: Lbb. aus d. Aargau, 1803–1953) 1953.   AS

Hämmerlin → Hemmerlin.

Haemmerling, Konrad (Ps. Curt Moreck, Konrad Merlin(g), Beatus Rhein, Konrad von Köln), * 11. 10. 1888 Köln, † 29. 5. 1957 Berlin; Studium in Köln u. Bonn, ließ sich als freier Schriftst. in München, später in Berlin nieder, konnte während der nat.soz. Herrschaft nicht publizieren; Erzähler, Hg. u. Übersetzer.
Schriften: Die Puderquaste der Venus von Medici (Nov.) 1910; Jokaste, die Mutter (Rom.) 1912; Die gotischen Fenster (Ged.) 1913; Büßer des Gefühls (Nov.) 1915; Die heilige Saat (Kriegsskizzen) 1915; Menschen im Kampf (Nov.) 1916; Der Gast (Nov.) 1916; Der Elefant (Nov.) 1918; Die Pole des Eros, 1918; Der Umweg zur Liebe und andere Novellen, 1919; Der Bürger von Brügge und seine zwei Frauen (Dichtung) 1919; Die Hölle (Nov.) 1919; Der strahlende Mensch (Nov.) 1920; Der Riese (Nov.) 1920; Die Liebespilgerin (Rom.) 1920; Brüder im Schicksal (Nov.) 1921; Die Flammende (Nov.) 1921; Die Musik in der Malerei ,1924; Wunder der Liebe (Nov.) 1924; Der Graf von Mylau (Rom.) 1924; Der Tanz in der Kunst. Die bedeutendsten Tanzbilder von der Antike bis zur Gegenwart, 1924; Das weibliche Schönheitsideal im Wandel der Zeiten, 1925; Arbiter Novus, Das kleine Modebuch. Plaudereien über ein unerschöpfliches Thema, 1925; Das Weib in der Kunst der neueren Zeit. Eine Kulturgeschichte der Frau, 1925; Friedrich Rotbarts Leben und Taten, 1925; Sittengeschichte des Kinos, 1926; Kultur- und Sittengeschichte der neuesten Zeit, 3 Bde., 1928 f.; Das Gesicht. Eine sexualpsychologische und physiologische Darstellung der Rolle und Bedeutung des Auges für das Trieblebem des Menschen, 1930; Führer durch das «lasterhafte» Berlin, 1931; Der Mann, der Shakespeare hieß (Rom.) 1938; Die fünf Weltreligionen und ihre Stifter. Mensch und Werk, 1947; Mensch, Maß aller Dinge. Der Roman des Perikles, 1948; Charlottenburg. Das Lebensbild einer Stadt 1905–1955, 1955; Die Kunst, in Berlin zu leben, 1957.

Herausgebertätigkeit (Ausw.): Die Windmühle. Novellen rheinischer Dichter, 1919; Madame Guillotine. Revolutionsgeschichten, 1919; Hesperos-Almanach, 1919; Bettina von Arnim, Aufruf zur Revolution und zum Völkerbunde. Gespräche mit Dämonen, 1919; Die Geschichte von der keuschen Susanna. Juda und Thamar, 1921; Die Märchenquelle. Märchen aller Völker, 1921; Triumph der Liebe. Ein Venusspiegel. Die schönsten Liebesnovellen der Weltliteratur, 1921; Der Silberelefant. Indische Märchen, Sagen und Schwänke von Göttern, Dämonen, Menschen und Tieren, 1922; Margaretha von Valois, Lebenserinnerungen. Nebst anderen Dokumenten zu ihrem Leben, 1922; A. R. Le Sage, Der hinkende Teufel, 1922; Frauenlob. Lieder und Gedichte für die liebste Frau. Gesammelt und an den Tag gegeben, 1923; Rahel Varnhagen. Ein Lebensbild aus ihren Briefen 1799 bis 1832, 1923; G. Basile, Der Pentamerone oder das Märchen aller Märchen, 1924; Mirabeau, Denkwürdigkeiten. Geschrieben von ihm selbst, seinem Vater, seinem Oheim und seinem Adoptivsohn, 1924; Robespierre, Erinnerungen. Von ihm selbst, 1924; W. Hogarth, Werke (Ausw.) 1950; Köpfe des 20. Jahrhunderts, 1957–60.

Übersetzertätigkeit: P. Verlaine, Frauen, 1919; O. Wilde, Salome, 1919; Quevedo's wunderliche Träume, 1919; Johann Bunkels Leben, Bemerkungen und Meinungen, 1920; P. Verlaine, Freundinnen. Sechs Sonette, 1920; Voltaire, Die Jungfrau. Ein erotisch-satirischer Roman aus der Zeit Karls VII. (mit M. Janssen) 1920; ders., Fabeln, 1920; Cervantes, Leben und Taten des scharsinnigen Ritters Don Quixote (Bearb. der Tieckschen Übers.) 4 Bde., 1921; H. d. Balzac, Große und kleine Welt (Ausw.) 1921; Margareta von Navarra, Liebesgeschichten, 1921; Ch. Dickens, Der Weihnachtsabend. Eine Geistergeschichte, 1922; Boccaccio, Das Dekameron, 1922; F. H. Burnett, Der kleine Lord, 1922; J. Cazotte, Der Liebesteufel, 1922; E. u. J. de Goncourt, Frau von Pompadour. Ein Lebensbild. Nach Briefen und Documenten, 1922; Petronius, Die Abenteuer des Encolp. Satiricon (Bearb. der Übers. von W. Heinse) 1922; Altdeutsche Lieder der Liebe und zum Lob der Frauen, Klage- und Tagelieder, Tanzlieder und Sprüche, wie sie die deutschen Minnesänger des 12.–14. Jahrhunderts gesungen haben, 1923; E. u. J. de Goncourt, Die Du Barry. Ein Lebensbild. Nach Briefen und Do-

kumenten, 1923; dies., Marie Antoinette, 1923; R. de la Bretonne, Abenteuer im Lande der Liebe, 1927; ders., Neu Abenteuer im Lande der Liebe, 1929; O. Wilde, Das Gespenst von Canterville und andere Geschichten, 1947; A. Prévost, Manon Lescaut, 1947; J. Cazotte, Der verliebte Teufel, 1947; O. Wilde, Märchen, 1948; E. A. Poe, Unheimliche Geschichten (mit R. Haemmerling) 1948.

Literatur: R. DREWS u. A. KANTOROWICZ, Verboten u. verbrannt. Dt. Lit. zwölf Jahre unterdrückt, 1947; K. H., Der Mann, der Moreck hieß ... Ein Selbstporträt (in: WW 3) 1948. AS

Händel, Gottfried, * 17. 11. 1644 Bayreuth, † 14. 9. 1698 Ansbach; Pfarrer in versch. Orten, 1674 Konsistorialrat, Stiftsprediger u. später Generalsuperintendent in Ansbach.

Schriften: Der Himmel auf Erden, 3 Tle., 1677; Das in seiner Religion durchgehende, bevorab in der Rechtfertigung und Seligkeit, fest gegründete Luthertum, wider G. Haidelbergern, 1680; Auserlesenes denckwürdiges Hundert von allerhand Geschichten, o. J.

Schriften: Jöcher 2, 1309; ADB 10, 500; Ersch-Gruber II. 2, 80. RM

Haendler, Otto, * 22. 10. 1851 Frankfurt/Oder, † 28. 1. 1929 Koblenz. Landgerichtsrat ebd.; Lyriker u. Übersetzer.

Schriften und Übersetzungen: Rosen und Dornen (Ged.) 1880; Paul Verlaine, Ausgewählte Gedichte (Übers.) 1903; G. Carducci, Ausgewählte Gedichte (Übers.) 1905; Herbst (Ged.) 1906; A. Fogazzaro, Gedichte (Übers.) 1909; V. A. Pompilj, Gedichte (Übers.) 1910; Weltkriegslieder, 1914. AS

Hänel, Hanne, * 29. 5. 1903; war Caritassekretärin, wohnte in Breslau; Lyrikerin.

Schriften: Sursum corda! (Text zu Radierungen von B. Zwiener) 1927; Morgenglanz der Ewigkeit. Ausgewählte religiöse Gedichte (Hg.) 1927; Die Harfe (Ged.) 1932. AS

Hänel (geb. Conradi), Maria Erdmuthe Benigna, * 1714/15, † 1775 Dresden; Gattin d. Accise-Sekretärs Hänel in Dresden.

Schriften: Sammlung vermischter Gedichte, 1773.

Literatur: Adelung 2, 1715; Goedeke 5, 406. RM

Hänfler, Johann, Geburts- u. Todesdatum unbekannt; Prediger in Küstrin/Oder.

Schriften: Der verschmachteten Seelen Herzens-Trost und Theil ..., 1692; Ists auch Mode? wann will Mode Modus werden? oder der Christen nach dem Muster der heiligen Schrift ... verfertigte neue Mode, darinnen die zulässige Tracht erwiesen, die verbotene verwiesen, die Einwürfe zur Gnüge abgewiesen, die lobwürdige Kleidung angewiesen werden, 1693; De ovo Gallo-Pavonis in aedibus Prentzlovianis Cüstrini ..., 1697; Unvorgreiffliche Gedancken wegen der in Stenwitz ... auff dem Scheunfluhr ... angetroffenen mildiglich Blut-trieffenden Korn-Aehren, 1697; De missione sanguinis ex venis apud Romanos ignominiosa, o. J.; Das Geheimniss des Reichs Gottes, 1701; Unterredung über Joh. Wilh. Petersens Buch: Wiederbringung aller Dinge genannt, 1702; Haus- und Kirchenschatz über die Evangelien und Episteln, 2 Tle., 1702; Die von Boas ausgebreiteten Flügel über seine geliebte Ruth, in 133 Hochzeit-Predigten und Trau-Sermonen, 1704; Hochzeits-Predigten und Trau-Sermons, 1720.

Literatur: Adelung 2, 1716.   RM

Haengekorb, Robert Kurt (Ps. Robert Kurt), * 25. 8. 1886 Dresden; lebte ebd.; Lyriker, Kinderbuchautor.

Schriften: Der Weg ins Blaue (Rom.) 1924; Was wird aus Waldemar? Kinderbuch mit Versen, 1931; Was tut Marianne? Kinderbuch mit Versen, 1931; Wir ziehen durch das Jahr (Kinderb. mit V. Fritsche) 1953; Rundherum (Kinderb. mit V. Fritsche) 1955; Mein Kinderbuch (mit K. Fischer) 1959.   AS

Haenggi, Eduard (Ps. Eduard Schalmei), * 11. 1. 1852 Solothurn, † 1896 Bern; Buchdrucker in Bern.

Schriften: Schweizer Heimatklänge (Volksged.) 1882; Schwizer Dorfbilder, ²1893.   RM

Hänig, Hans (Ps. Melon, Bruno Grabeis), * 27. 4. 1888 Lengenfeld/Vogtl., † 6. 11. 1968 Berlin; Studienrat, lebte seit s. Pensionierung in Leipzig u. zuletzt in Berlin.

Schriften: Verborgene Klänge. Gedichte und anderes, 1918; Worte der Stille. Meditationen aus drei Jahrtausenden, 1923; Die Entwicklung der seelischen Kräfte und die Bedeutung des Ok-

kultismus für Erziehung und Unterricht, 1923; Ausscheidung der Empfindung und Astralleib, 1926; Das Innere Licht. Einführung in die Weltanschauung der Mystik, 1926; Levitation ..., 1928; Ekstase. Wesen und Bedeutung, 1928; Kosmos und Seele. Urprobleme der Menschheit, 1941.   RM

Hänisch, Gottfried, * 9. 12. 1931 Dresden; Diakon in Leipzig; Lyriker, Erzähler.

Schriften: Nachts leuchten die Sterne hell, 1962; Taifun über Ecclesia (Ged.) 1963; Jeder Tag ist Gottes Tag. Brevier für den Alltag, 1964; Der Weg zum Kreuz (Ged. und Meditationen; mit H. Räcke) 1966; Sonntagsbuch (Meditationen) 1968; Zwischen zwei Tassen Tee (Erz.) 1969 (Neuaufl. 1971); Die Gasse. Nachruf im Konjunktiv, 1973; Das Haus abseits vom Dorf (Erz.) 1974.   AS

Haenisch, Konrad, * 14. 3. 1876 Greifswald, † 28. 4. 1925 Wiesbaden; sozialdemokrat. Politiker; aus konservat. Arztfamilie, zuerst Journalist an versch. sozialist. Ztg.; 1911 Leiter der soz.-dem. Flugblattzentrale in Berlin; bei Kriegsausbruch nationale Wendung, 1915–18 Red. der «Glocke» (Organ d. Mehrheitssozialisten); 1911 bis 1925 im preuß. Abgeordnetenhaus, seit 1918 preuß. Kultusminister (Bildungsreform); seit 1922 Regierungspräs. in Wiesbaden. Publizist u. Biograph.

Schriften (Ausw.): Schiller und die Arbeiter, 1912; Wo steht der Hauptfeind? Aus Aufsätzen der «Internationalen Korrespondenz», 1915; Krieg und Sozialdemokratie. Drei Aufsätze, 1915; Der deutsche Arbeiter und sein Vaterland, 1915; Die deutsche Sozialdemokratie in und nach dem Weltkriege, 1916; Sozialdemokratische Kulturpolitik, 1918; Staat und Hochschule. Ein Beitrag zur nationalen Erziehungsfrage, 1920; Neue Bahnen der Kulturpolitik. Aus der Reformpraxis der deutschen Republik, 1921; Gerhart Hauptmann und das deutsche Volk, 1922; Lassalle. Mensch und Politik, 1923; Parvus. Ein Blatt der Erinnerung, 1925.

Literatur: NDB 7, 442.   AS

Hänle, Franz, * 4. 12. 1913 Wuppertal-Elberfeld; wohnt in Husum; Erzähler, Jugendbuchautor.

Schriften: Der trügerische Schein (Rom.) 1951; Das Rätsel von Raderup. Ein phantastisches Jungenabenteuer in der Welt von heute, 1967; Der Wunderspiegel, 1968. AS

Haensel, Carl, * 12.11.1889 Frankfurt/M., † 25.4.1968 Winterthur; Dr. iur., Rechtsanwalt in Berlin, seit 1946 in Freiburg/Br., seit 1952 in Tübingen; Verteidiger bei den Nürnberger Prozessen 1946–49; Honorar-Prof.; zuerst Dramatiker, dann Verf. von Tatsachenrom. u. Biographien.

Schriften (außer jurist.): Das Grauen (Dr.) 1919; Der Sieg. Dramatische Dichtung in fünf Bildern, 1920; Meister Mariae (Dr.) 1921; Der Tanz (Erz.) 1922; Die Gummizeit (Kom.) 1925; Macht der Erde (Rom.) 1925; Der Kampf ums Matterhorn. Tatsachenroman, 1929; Die letzten Hunde Dschingis Khans. Roman aus der Türkei, 1929; Zwiemann (Rom.) 1930; Das war München. Roman aus Tatsachen, 1933; Politisches ABC des neuen Reichs. Schlag- und Stichwörterbuch (mit R. Strahl) 1933; Politisches ABC des Saar-, Grenz- und Auslandsdeutschtums. Zweites Schlag- und Stichwörterbuch, 1934; Außenpolitisches ABC. Ein Stichwörterbuch (mit R. Strahl) 1935–38; Echo des Herzens. Bericht und Deutung einer Tat, 1935; Der Silberpage. Fuge und Schlußakkord aus dem Leben Augusts des Starken, 1936; Der Mann, der den Berg verschenkte (Nov.) 1937 (1948 u. d. T.: Der Kantor vom Montblanc); Der Bankherr und die Genien der Liebe (Rom.) 1938; Der letzte Grad (Erz.) 1939; Das Haus mit dem Schaukelpferd. Eine Geschichte, 1939; Franz Anton Mesmer. Leben und Lehre, 1940; Über den Irrtum. Eine Kritik unserer Anschauungen (Ess.) 1941 (Neubearb. 1965); Die Tausendste. Ein Don-Juan-Stück, 1942; Die Ablösung (Nov.) 1942; Wetterleuchten. Wien im Frühjahr 1913 (Rom.) 1943 (Neufassg. u. d. T.: Kennwort Opernball 1913. Die letzten zwölf Stunden des Obersten Redl, 1955); Das Wesen der Gefühle (Ess.) 1946; Der Doppelgänger (Nov.) 1948; Das Gericht vertagt sich. Aus dem Tagebuch eines Nürnberger Verteidigers, 1950; Fernsehen – nahe gesehen. Technische Fibel, Dramaturgie, organisatorischer Aufbau, 1952; Professoren (Rom.) 1957; Die Zeugin in der Wolken. Ein Roman der Justiz, 1964; Frankfurter Ballade. Diotima zwischen Gontard und Hölderlin (mit Haensel-Bibliogr.) 1964; Die Revolutionsversicherung. Bekenntnisse aus rechtsverjährter Zeit, 1964. (Außerdem ungedr. Bühnenstücke.)

Literatur: Albrecht-Dahlke II, 2,284; Theater-Lex. 1,662. – H. GÜNTHER, ~ (in: Die Lit. 37) 1935; ~ (in: Was sie schreiben. Wie sie aussehen) 1956. AS

Hänselin, Johann Wilhelm, stammte aus Preußen, † 1782 Soldingen; seit 1752 Prediger in Durben/Kurland u. seit 1768 in Goldingen.

Schriften: Die Ordnung des Heils, zum Besten der Jugend aufgesetzt ..., nebst beygefügtem Catechismo D. M. Lutheri (Vorrede C. Huhn) 1761. RM

Hänselmann, Ludwig, * 4.3.1834 Braunschweig, † 22.3.1904 ebd.; Theol.- u. Gesch.-Studium in Jena, Hauslehrer u. Archivbeamter in Mecklenburg, später Stadtarchivar in Braunschweig. Hg. zahlr. hist. Quellenausgaben.

Schriften: Karl Friedrich Gauss. Zwölf Kapitel aus seinem Leben, 1878; Feuerpolizei und Feuerhilfe im alten Braunschweig, 1878; Der Tod des Herzogs Leopolds von Braunschweig, 1878; Das erste Jahrhundert des Großen Klubs in Braunschweig, 1880; Unterm Löwensteine. Alte Geschichten aus einer ungeschriebenen aber wahrhaftigen Chronik, 1883; Bugenhagens Kirchenordnung für die Stadt Braunschweig nach dem niederdeutschen Druck von 1528 mit historischer Einleitung, 1885; Deutsches Bürgerleben. Alte Chronikenberichte, 1. Bd.: Das Schichtbuch, Geschichten von Ungehorsam und Aufruhr in Braunschweig, 1886; Gottschalk Krusens Unterrichtung, weshalb er aus dem Kloster gewichen, 1887; Werkstücke. Gesammelte Studien zur Braunschweigischen Geschichte, 2 Bde., 1887; Das erste Jahrhundert der Waisenhausschule in Braunschweig, 1897; Abt Berthold Meyer, Geschichten und Legenden des Klosters St. Aegidien in Braunschweig, 1901; Hans Dilien der Türmer. Eine braunschweigische Geschichte aus dem 14. Jahrhundert, ²1904.

Herausgebertätigkeit: Urkundenbuch der Stadt Braunschweig, 3 Bde., 1862–1905 (3. Bd. mit H. Mack); Die Chronika der Stadt Braunschweig, 2 Bde., 1868/1880; Mittelniederdeutsche Beispiele im Stadtarchiv zu Braunschweig, 1892; Henning Brandis' Diarium. Hildesheimische Geschichten aus den Jahren 1471–1528, 1896; Haars, ein Braunschweiger im russischen Feldzug von 1812. Erinnerungen, 1897; Heinrich Oppermann, treue Bauern in Nöthen der Fremdherrschaft, 1903.

Literatur: Biograph. Jb. 9,328. – H. SPIERO, W. Raabe u. sein Lebenskreis, 1931; F. HART-MANN, Meister Ludwig, 1934.   RM

Hänsler, Rolf (Ps. Hans Haching), * 17.6.1900 Stuttgart, † 14.9.1968 Tübingen; Dr. phil., lebte in Stuttgart, dann in Waldenbuch/Württ.; Erzähler, Essayist, Übersetzer.
Schriften: Durch die Wälder, durch die Auen ... Das Leben Carl Maria von Webers für die Jugend erzählt, 1951; Meisterzeichnungen, von der Welt bewundert (mit J. E. Schuler) 1962.   AS

Haentzsche(-Valett), Henny (geb. Kayser), * 13.7.1849 Elze/Hannover, 7.5.1938 Bienenbüttel/Kr. Uelzen; lebte seit 1855 im Elternhaus in Bienenbüttel/Lüneburger Heide, 1895 Palästinareise.
Schriften: Gieb Mir dein Herz. Ernste Lieder, 1901.   RM

Häntzschel(ius), Johann Gottfried (Godofredus), * 8.10.1707 Seifhennersdorf b. Zittau, † 5.2.1748 Zittau; Theol.-Studium in Wittenberg u. Leipzig, Substitut in Lückendorf/Sachsen, seit 1733 Katechet u. später Prediger in Zittau.
Schriften: Disputatio philologico-critica qua quaestionem an Moses Genesin e schedis Patriarcharum collegerit ... (mit M. C. Stephani) 1727; Dissertatio de Hetaeriis veterum Christianorum, 1731; Theaoneustia Lutheri, 1732; Nöthige Anmerkungen über die in dem Herrnhuthigen Gesangbuche befindlichen Irrthümer, Veränderungen und Redensarten, 1734; Bescheidne Nothwehr oder Vertheidigung jener Anmerkungen, 1737.
Literatur: Adelung 2,1717; ADB 10,550. RM

Häntzschel (-Clairmont), Walter (Ps. Jean (Johannes) Clairmont, Walter Clairmont, W. von der Zschopau), * 3.7.1856 Mittweida/Sachsen; Ingenieur in Dresden, Schriftsteller u. Red. versch. techn. Zs., 1907 Red. d. «Eisenztg.» in Charlottenburg. Verf. zahlr. techn. Schriften.
Schriften: Jutta (Dr.) 1903; Erfindungen und Experimente ..., 3 Bde., 1905; Das Buch der neuesten Erfindungen ..., 1905; Mysterien der Isis (Dr.) 1908. (Ferner e. Anzahl ungedr. Bühnenstücke).
Literatur: Theater-Lex. 1,663.   RM

Häny, Arthur, * 9.6.1924 Ennetbaden/Kt. Aargau; Dr. phil., Prof. an d. Kantonsschule Zürich;

Lyriker, Erzähler, Essayist. C.F. Meyer-Preis 1953.
Schriften: Pastorale (Ged.) 1951; Die Einkehr (Ged.) 1953; Das Ende des Dichters. Kleine Erzählungen, 1953; Der Turm und der Teppich. Eine Märchenerzählung, 1955; Im Zwielicht (Ged.) 1957; Der verzauberte Samstag (Erz.) 1964; Deutsche Dichtermärchen von Goethe bis Kafka (Hg.) 1965; Die drei Pinien. Ich bleibe auf Elba, 1966; Der Rabenwinter (Ged.) 1968; Im Meer der Stille (Ged.) 1970; Über Paul Celan (mit andern) 1970; Ein Strauß von Mohn (Ged.) 1973; Die Dichter und ihre Heimat. Studien zum Heimatverhalten deutschsprachiger Autoren im achtzehnten, neunzehnten und zwanzigten Jahrhundert, 1978.   AS

Häny, Marieluise, * 24.4.1921 Zürich; besuchte das Lehrerinnenseminar u. die Kunstgewerbeschule, studierte Kunstgesch. u. Lit. in Zürich, Predigerin. Gattin v. Arthur H.; Verf. v. Kinderbüchern, mit eigenen Illustrationen.
Schriften: Der Haferlöwe, 1967; Daisys Tanne, 1969; Die Arche Noah, 1971; Die Geschichte vom Paradies, 1972; Der arme Fluß, 1972; Dies Land soll Dir gehören, 1973; Guten Tag Sonne, 1974; Weihnachten. Die frohe Geschichte neu erzählt, 1975.   AS

Haerd → Daumann, Rudolf.

Härder, Georg → Schwidetzky, Georg.

Haerdter, Robert, * 25.5.1907 Mannheim; Dr. phil., Journalist; Red. der «Vossischen Ztg.» Berlin 1933–34, 1936–43 Red. der Frankfurter Ztg., 1945–58 Hg. der Zs. «Gegenwart» in Frankfurt/M., 1959–65 Chefred. d. «Stuttgarter Ztg.», 1966 bis 1972 Red. der «Stuttgarter Nachrichten». Erzähler, Essayist. Dt. Journalistenpreis, 1965 Theodor-Wolff-Preis 1967.
Schriften: Der Schuß auf dem See (Erz.) 1943; Bodensee-Wanderung (mit J. Lutz) 1949; Spanisches Capriccio. Bilder einer Reise, 1957; Tagebuch Europa. Stätten und Zeiten (Hg.) 1967; Signale und Stationen, 1945–1973, 1974.   AS

Haering, Hermann, * 4.5.1886 Stuttgart, † 18.12.1967 Köngen/Neckar; Dr. phil., Historiker, war Ober-Bibliothekar u. stellvertr. Dir. d. Univ.-Bibl. Tübingen, dann Staatsarchivdir. in Stuttgart. Lyriker, Erzähler, Essayist.

Schriften: K. A. Varnhagen v. Ense, Denkwürdigkeiten des eigenen Lebens. Die Karlsruher Jahre 1816–1819 (Hg.) 1924; F. C. Dahlmann, G. Waitz, Quellenkunde der deutschen Geschichte, 9. Aufl. (Hg.) 1931/32; Stiftsköpfe. Schwäbische Ahnen des deutschen Geistes aus dem Tübinger Stift (mit E. Müller u. Th. Haering) 1938; Schwäbische Lebensbilder, 5 Bde. (Hg. mit O. Hohenstatt) 1940–50; Der Geschichtsforscher Karl Weller, 1866–1943 (mit Bibliogr.) 1949; Besuche der Söhne, 1952; Theodor Haering, 1848–1928. Christ und systematischer Theologe. Ein Lebens- und Zeitbild, 1963.   AS

Haering, Oskar (Ps. Walter Reinmar), * 1.10. 1843 Neustrelitz/Mecklenb., † 7.4.1931 Berlin; 1870 Buchhändler in Braunschweig, Mitbesitzer d. Verlagsbuchhandlung J. Guttentag u. seit 1885 Verleger in Berlin. Übers. u. Hg. skandinav. Literatur.

Schriften (Ausw.): Weihnachtsschnee und Frühlingsglanz. Eine stille Geschichte, 1872; Berliner Kinder. Bunte Bilder aus der Reichshauptstadt, 1888; Geschichte der preußischen Garde, 1891; Der Märtyrer. Eine Geschichte aus dem 17. Jahrhundert, 1914; Ein Held der Garde. Meines Neffen [Arthur Schicht] Kriegstagebuch und Briefe aus dem Felde, 1917; Voll Röslein blutigrot ..., 1918; Gedichte, 1924.   RM

Haering, Theodor d. Ä., * 4.4.1848 Stuttgart, † 11.3.1928 Tübingen; evangel. Theologe, Dr. theol., seit 1886 o. Prof. in Zürich, seit 1889 in Göttingen, seit 1895 in Tübingen.

Schriften (Ausw.): Über das Bleibende im Glauben an Christus. Eine christologische Studie, 1880; Zur Versöhnungslehre. Eine dogmatische Untersuchung, 1893; Das christliche Leben auf Grund des christlichen Glaubens. Christliche Sittenlehre, 1902; Zeitgemäße Predigt, 1902; Der christliche Glaube. Dogmatik, 1906; Das Rätsel des Krieges. Eine ethische Gegenwartsbetrachtung, 1914; Die Seligpreisungen. Predigten, 1918; Von ewigen Dingen. Betrachtungen, 1923; Der Brief an die Hebräer, erläutert, 1925; Der Römerbrief des Apostels Paulus, erläutert, 1926; Die Johannesbriefe, erläutert, 1927.

Literatur: Biogr. Jb. 10, 108; RGG ³2, 1571. – H. HAERING, ∼, 1963.

Haering, Theodor (d. J.), * 22.4.1884 Stuttgart, † 15.6.1964 Tübingen. Sohn d. Theologen

Theodor H. d. Ä.; Studium d. Theol. u. Philos., Dr. phil., wurde 1919 Prof. d. Philos. in Tübingen. Kulturphilosoph, Lyriker u. Erzähler.

Schriften (Ausw.): Lieder in der Heimat. 1914 bis 1915, 1915; Die Materialisierung des Geistes. Ein Beitrag zur Kritik des Geistes der Zeit, 1919; Die Struktur der Weltgeschichte. Philosophische Grundlegung zu einer jeden Geschichtsphilosophie, 1921; Hauptprobleme der Geschichtsphilosophie, 1925; Über Individualität in Natur- und Geisteswelt. Begriffliches und Tatsächliches, 1926; Hegel. Sein Wollen und sein Werk. Eine chronologische Entwicklungsgeschichte der Gedanken und Sprache Hegels, 2 Bde., 1929/1938 (Neudr. 1963); Gemeinschaft und Persönlichkeit in der Philosophie Hegels, 1929; Die philosophischen Grundlagen der heutigen Universitätsbildung, 1933; Naturphilosophie in der Gegenwart, 1933; Rede auf Alt-Tübingen, 1935; Rede für den Geist, 1935; Der Mond braust durch das Neckartal. Romantischer Spaziergang durch das nächtliche Tübingen nebst allerlei nützlichen und kurzweiligen Betrachtungen ..., 1935; Das Lächeln des Herrn Liebeneiner (Erz.) 1940; Fichte, Schelling, Hegel. Ein Vergleich, 1941; Albert der Deutsche, 1941; Die deutsche und die europäische Philosophie. Über die Grundlagen und die Art ihrer Beziehung, 1943; Der Tod und das Mädchen (Nov.) 1943; Schwabenspiegel. Ein Kapitel über den schwäbischen Volkscharakter für Schwaben und Nichtschwaben, 1950; Haeringssalat. Beiträge zu einer Philosophie des Alltags, 1953; Novalis als Philosoph, 1954; Philosophie des Verstehens. Versuch einer systematisch-erkenntnistheoretischen Grundlegung alles Erkennens, 1963.

Herausgebertätigkeit: F. Hölderlin, Neuaufgefundene Jugendarbeiten (mit W. Betzendörfer) 1921; Stiftsköpfe. Schwäbische Ahnen des deutschen Geistes aus dem Tübinger Stift (mit E. Müller u. H. Haering) 1938; Das Deutsche in der deutschen Philosophie, 1941; In Tübingen Student. Versuch einer Huldigung an die altehrwürdige Universitäts-Stadt Tübingen (mit andern) 1954.

Nachlaß: Univ.bibl. Tübingen. – Denecke 66.

Literatur: NDB 7, 449; Philos.-Lex. (W. Ziegenfuss) 1, 443.   AS

Häring, Wilhelm → Alexis, Willibald.

Härlin, Günter, * 30.7.1922 Essen-Ruhr; Red. in Bad Nauheim. Kinderbuchautor.

Schriften: Uschis Freund heißt Knifke, 1971; Feuer am schwarzen Strand, 1975.   AS

Härlin, Hans, * 23.5.1873 Gaildorf/Württ., † 13.2.1944 Stuttgart; aus alter Pfarrers- u. Beamtenfamilie, Landwirt; seit 1913 schrieb er für die «Frankfurter Ztg.» Kurzgeschichten, Feuilletons und Buchbesprechungen, seit 1926 lebte er in Stuttgart. Erzähler u. Übersetzer.

Schriften: Vaterfreuden (Lsp.) 1922; Caro und andere Geschichten, 1923; Schwarz und Blond (Nov.) 1924; Herbstföhn (Rom.) 1924; Rossbach und Minden. Pflug und Schwert im Siebenjährigen Krieg (Rom.) 1926 (1930 u. d. T.: Johannes unbekannt. Soldatenleben im Siebenjährigen Krieg); James B. Wharton, U.S.A. an der Front. Eine amerikanische Korporalschaft im Krieg (Übers.) 1929; Am Südpol. Die Entdeckungsgeschichte eines neuen Erdteils, 1933; Schicksalsschlachten der deutschen Geschichte. Leuthen, Leipzig, Sedan, Tannenberg, 1933; A. F. Tschiffely, Zwei Pferde auf großer Fahrt. Reise durch beide Amerika, erzählt von ihnen selbst (Übers.) 1935.   AS

Nachlaß: Dt. Lit.arch./Schiller-Nat.mus. Marbach. – Denecke 66.

Haerny, L. → Byern, Hainz Alfred von

Härri, Gottlieb (Ps. Linus auf Homberg), * 12. 3.1845 Birrwil/Kt. Aargau, † 24.2.1914 Flügelberg b. Reinach; Stationsvorstand in Kaiseraugst, Lehrer in versch. Orten (1884–1909 in Birrwil). Mitarb. versch. Ztg., zahlr. Ged. blieben ungedruckt.

Schriften: Glockenschläge ans Menschenherz, 1898.

Nachlaß: Kantonsbibl. Aarau. – Schmutz-Pfister Nr. 855.   RM

Haertel, Kurt, * 19.11.1885 Berlin; lebte in Frankfurt/O. u. Berlin als freier Schriftst.; Dramatiker, Verf. v. Grotesken u. Burlesken (meist ungedr.).

Schriften: Napoleon (Dr.) 1913; Der kleine Kreis (Kom.) 1913.

Literatur: Theater-Lex. 1,664.   AS

Haerten, Theodor, * 3.7.1898 Geldern (Niederrh.), † 30.7.1968 Oberhausen; Dramaturg und Intendant an versch. Bühnen. Dramatiker.

Schriften: Kreuzzug (Dr.) 1924; Der tolle Christian. Herzog von Braunschweig (Dr.) 1934; Die Hochzeit von Dobesti (Dr.) 1937.

Literatur: Theater-Lex. 1, 664.   AS

Härtling, Peter, * 13.11.1933 Chemnitz; wuchs in Olmütz auf, war nach 1945 zunächst in Öst., dann in Nürtingen/Württ. ansässig u. wohnt jetzt in Walldorf/Hessen. 1956–62 Feuilleton-Red. der «Dt. Ztg.» in Köln, dann Mitarb. d. Hamburger «Welt d. Literatur», 1967–73 Cheflektor des S. Fischer-Verlags; 1962–70 Mit-Hg. der Zs. «Der Monat»; 1977/78 Stadtschreiber von Bergen.

Schriften: Poeme und Songs, 1953; Yamins Stationen (Ged.) 1955; In Zeilen zuhaus (Ess.) 1957; Untet den Brunnen. Neue Gedichte, 1958; Im Schein des Kometen (Rom.) 1959; Palmström grüßt Anna Blume. Essay und Anthologie des Geistes aus Poetia, 1961; Spielgeist – Spiegelgeist. Gedichte 1959–1961, 1962; Niembsch oder Der Stillstand. Eine Suite, 1964; Bruchstücke. Prosagedichte, 1965; Vergessene Bücher. Hinweise und Beispiele, 1966; Janek. Porträt einer Erinnerung (Rom.) 1966; Das Ende der Geschichte. Über die Arbeit an einem historischen Roman, 1968; Meine zwei Stimmen (mit F. Ruoff, Zwei Beispiele) 1968; Das Familienfest oder Das Ende der Geschichte (Rom.) 1969; Gilles. Ein Kostümstück aus der Revolution, 1970; Und das ist die ganze Familie. Tagesläufe mit Kindern, 1970; Ein Abend, eine Nacht, ein Morgen. Eine Geschichte, 1971; Das war der Hirbel. Wie Hirbel ins Heim kam, warum er anders ist als andere und ob ihm zu helfen ist, 1973; Neue Gedichte, 1973; Zwettl. Nachprüfung einer Erinnerung, 1973; Eine Frau (Rom.) 1974; Oma. Die Geschichte von Kalle, der seine Eltern verliert und von seiner Großmutter aufgenommen wird, 1975; Zum laut und leise Lesen. Geschichten und Gedichte für Kinder (Slg.) 1975; Hölderlin. Ein Roman, 1976; Anreden. Gedichte aus den Jahren 1972–77, 1977; Theo haut ab. Kinderroman, 1977; Hubert oder Die Rückkehr nach Casablanca (Rom.) 1978; Ben liebt Anna (Kinderrom.) 1979; Ausgewählte Gedichte 1953–1979, 1979.

Herausgebertätigkeit: Die Väter. Berichte und Geschichten, 1968; Ch.Fr.D. Schubart, Gedichte, 1968; N. Lenau, Briefe an Sophie von

Löwenthal, 1968; Leporello fällt aus der Rolle. Zeitgenössische Autoren erzählen das Leben von Figuren der Weltliteratur weiter, 1971; O. Flake, Werke, 5 Bde., (mit R. Hochhuth) 1973–76; G. Hermann, Kubinke (Rom.) 1974; H. Aufricht-Ruda, Die Verhandlung gegen La Roncière, 1974; Ch. Fr. D. Schubart, Strophen für die Freiheit. Eine Auswahl aus den Werken und Briefen, 1976.

Literatur: HdG 1,261; Albrecht-Dahlke II, 2, 288; LexKJugLit 1,517; KLG. – K. SCHÄFFER, ∼ (in: Schriftst. d. Ggw. 53 Porträts. Hg. K. NONNENMANN) 1963; H. HEISSENBÜTTEL, D. Gegenteil e. hist. Rom. (in: Merkur 18) 1964; DERS., Erzählte Selbstbefragung (in: Merkur 20) 1966; W. HILSBECHER, Konturen der Dämmerung (in: FH 21) 1966; Warum ich nicht wie Th. Fontane schreibe (in: 15 Autoren suchen sich selbst. Modell u. Provokation. Hg. U. SCHULTZ) 1967; M. REICH-RANICKI, Wirrwarr v. Erinnerung (in: M.R.-R., Lauter Verrisse) 1970; M.F. LACEY, Afflicted by Memory. The Work of ∼, 1953–69, 1970; M. DURZAK, D. dt. Rom. d. Ggw., 1971; H.L. ARNOLD, Die aktualisierte Gesch. ∼s Rom. «Das Familienfest» (in: H.L.A., Brauchen wir noch d. Lit.? Z. lit. Situation in d. Bundesrepublik) 1972; D. v. KÖNIG, ∼ (in: Dt. Lit. d. Ggw. in Einzeldarst. 2, hg. D. WEBER) 1977; Materialienbuch ∼, 1979.   AS

Haeschke, Traugott Leberecht, * 14.7.1831 Dölitz b. Leipzig, Todesdatum u. -ort unbekannt; n. Theol.-Studium seit 1857 Lehrer in Leipzig.

Schriften: Patriotische Gedichte, mit einem Anhang von Gedichten pädagogischen Inhalts, 1882.   RM

Haesele, Maria, * 18.2.1900 Regensdorf/Kt. Zürich; Dr. phil., war Lehrerin in Zürich; Jugenderzählerin.

Schriften: Goldreifchen und andere Erzählungen, 1927; Beiträge zur Augustinischen Psychologie (Diss. Zürich) 1929.   AS

Das Häslein, e. um 1300 wohl im südl. Niederalemannien entst. Schw. v. d. naiven Unschuld. Zusammen mit d. «Sperber» u. d. «Dulciflorie» bildet d. «Häslein» e. mit d. altfrz. Fabliaux «De la Grue» u. «Du Heron» verwandte Gruppe, die möglicherweise auf e. ge-

meinsame, bereits dt.-sprachl. Quelle zurückgeht (Überl. in d. 1870 verbrannten Cod. A 94 d. ehem. Johanniter-Bibl. Straßburg.)

Ausgaben: GA 2. – Ndh. Ausg. bei F. BERGMANN (in: Altdt. Minnemären) 1924 u. L. GREINER (in: Altdt. Nov., hg. S. HIRSCH) 1930.

Literatur: VL 2,222; de Boor-Newald 3/1, 274. – H. NIEWÖHNER, «Der Sperber» u. verwandte mhd. Nov., 1913; A. LEITZMANN (in: PBB 48) 1924; H. DE BOOR, Zum Häslein V. 1–4 (in: PBB Tüb 87) 1965   RM

Häs(z)lein, Johann Heinrich, 21.(1.?)2.1737 Nürnberg, † 14.10.1796 ebd.; Beamter in Nürnberg, 1788 Eintritt in d. Nürnberger Blumenorden, Mit-Hg. d. «Litt. Magazins teutscher u. nord. Vorzeit» (1792 ff.), Mitarb. versch. Zeitschriften.

Schriften: Hans Sachs, sehr herrliche, schöne und wahrhafte Gedicht, Fabeln und gute Schwenk … mit Nachricht von dessen Leben und Schriften, Worterklärungen und kleinem Glossar (hg.) 1781; Widerlegung der dem Nürnberger Rugamt gemachten Beschuldigungen, o. J.   RM

Häsler, Alfred A(dolf), * 19.3.1921 Wilderswil/Kt. Bern; Schriftsetzer, Sozialarbeiter, Red. è in Zürich (Zs. Ex libris); Erzähler, Essayist, Verf. von Sachbüchern. Preis der Schweiz. Schiller-Stiftung 1967.

Schriften: Thymian. Geschichten von kleinen Leuten hinter den großen Bergen, 1956; Kaspar Iten (Rom.) 1960 (Neuaufl. u. d. T.: Alle Macht hat ein Ende, 1968); Menschen hinter Mauern. Gespräche über den Strafvollzug im Wandel, 1964; Zu Besuch bei … Gespräche, Wege, Standorte, 1965; Überfordertes Kader? Prominente antworten, 1965; Schulnot im Wohlstandsstaat. Gespräche, 1967; Das Boot ist voll … Die Schweiz und die Flüchtlinge 1933–1945, 1967; Knie. Die Geschichte einer Circus-Dynastie, 1968; Geschichten von der Menschenwürde (mit andern) 1968; Der Aufstand der Söhne. Die Schweiz und ihre Unruhigen. Eine Untersuchung, 1969; Zwischen Gut und Böse, 1971; Mensch ohne Umwelt? Die Vergiftung von Wasser, Luft und Erde oder Die Rettung unserer bedrohten Welt, 1972; Im Schatten des Wohlstandes. Das ungelöste Altersproblem in der Schweiz, 1974; Dr. h. c. Albin Fringeli, der Dichter des Schwarzbubenlandes (mit andern) 1975; Das Ende der Revolte. Aufbruch der Jugend 1968 und die Jahre danach, 1976; Die Geschichte der Karola Siegel. Ein Bericht (mit R. K. Westheimer) 1976.

Herausgebertätigkeit: F. T. Wahlen, Dem Gewissen verpflichtet. Zeugnisse aus den Jahren 1940–1965, 1966; Max Geilinger, Leben und Werk, 2 Bde., 1967; Leben mit dem Haß. 21 Gespräche, 1969; F. T. Wahlen, Politik aus Verantwortung. Reden und Aufsätze, 1974; Gott ohne Kirche? Gespräche mit Konrad Farner u. a., 1975; H. P. Tschudi, Soziale Demokratie. Reden und Aufsätze, 1975.   AS

Haeßler, Oscar (Ps. Janus, Jul. Keller, Klein, Hochstädter), * 7.2.1870 Berlin; lebte in Bukkow, Berlin, später Saarbrücken; Verf. v. meist ungedr. Bühnenstücken.

Schriften: Mädel, sei schlau (Lsp.) 1901; Der Sylvester-Engel. Berliner Genrebild, 1901; Steigen und Fallen (Rom.) 1906.   AS

Häßler (geb. Rinck), Paula (Ps. Paula Häßler-Rinck), * 1.2.1882 Elberfeld; lebte in Friedrichshafen.

Schriften: Vorfrühling (Nov.) 1951.   RM

Häßlin, Johann Jakob (Ps. Jonas Jundt), * 14.1.1902 Straßburg; lebt in Köln, Publizist, Essayist.

Schriften: Rheinfahrt. Bd. 2: Von Mainz zum Meer, 1952 (erw. Neuausg. 1963); Rheinfahrt. Bd. 1: Vom Ursprung bis Mainz, 1953 (erw. Neuausg. 1966); Der Rhein von Mainz bis Köln. Ansichten aus alter Zeit (Ess.) 1953; Köln, Stern im Westen (Hg.) 1953; Der Rheingau und die Taunusbäder. Aus alter Zeit, 1954; Frankfurt. Stadt und Landschaft, 1954; Wanderungen durch das alte Köln (mit W. Wegener) 1955; Der Gürzenich zu Köln. Dokumente aus 5 Jahrhunderten. Zur Wiedereröffnung im Jahre 1955 hg., 1955; Berlin, 1955 (Neuausg. 1971); Kunstliebendes Köln. Dokumente und Berichte aus 150 Jahren. Zur Einweihung des neuen Wallraf-Richartz-Museums, hg., 1957 (2. veränd. u. erw. Aufl. 1966); Stuttgart, 1958; S. H. Steinberg, Die schwarze Kunst. 500 Jahr Buchdruck (Übers.) 1958; Frankfurt, 1959; Der Zoologische Garten zu Köln. Ein Beitrag zur Geschichte der Tiergärten, 1960; H. v. Weinsberg, Das Buch Weinsberg. Aus dem Leben eines Kölner Ratsherrn (Hg.) 1961; Köln. Die Stadt und ihre Bürger, 1964.   AS

Hätzer (Hetzer), Ludwig, * um 1500 Bischofszell/Kt. Thurgau, † 4.2.1529 Konstanz (hingerichtet); Studium in Basel u. Freiburg/Br., Kaplan in Wädenswil, dann Priester in Zürich, Protokollführer d. 2. Zürcher Disputation, veranlaßte 1523 d. Zürcher Bildersturm, 1526 Ausweisung aus Zürich, lebte dann im südt. Raum. Radikaler Spiritualist, verf. 1527 mit Hans Denck d. erste reformator. Übers. d. alttestamentl. Propheten, Hg. u. Bearb. d. «Theologia Deutsch», auch Liederdichter.

Schriften (Ausw.): Acta oder Geschicht, wie es uff dem gesprech den 26. 27. und 28. tagen Wynmonadts in Zürich ergangen ist, 1523; Ein urteil gottes unsers ee gemahles, wie man sich mit allen götzen und bildnussen halte sol ..., 1423; Von Nachtmal, Beweisung aus Evangelischen Schrifften ... [Übers. Oecolampads] 1525.

Literatur: ADB 11,29; NDB 7,455; HBLS 4,48; RE 7,325; LThK 5,28; RGG ³3,21; Goedeke 2,244; Schottenloher 1,319. – K. JANSON, ~, 1908; J. F. G. GOETERS, ~, Spiritualist u. Antitrinitarier, 1957; G. BARING, ~s Bearb. d. «Theologia Deutsch» ... (in: Zs. f. Kirchengesch. 70) 1959; C. GARSIDE, ~s Pamphlet against Images (in: Mennonite Quarterly Review 34) Goshen/Indiana 1960.   RM

Hätzlerin, Klara, * um 1430, † nach 1476; lebte als Hs.-Abschreiberin in Augsburg (1452–76 im Steuerreg. nachweisbar). Ihr Liederbuch v. 1471, das auf e. 1470 abgeschlossenen Slg. beruht, enth. Werke d. Teichners, Oswalds v. Wolkenstein, Jörg Schillers u. anderer.

Abschriften: Die bekrönung Kaiser Fridrichs, um 1467; Das erst puch vahet also an und lert paissen («Beizbüchlein») 1468; Doctor Johann Hartliebs puch aller verpoten kunst ..., o. J.; Liederbuch, 1471; Heinrich Mynsinger, Von den valcken, habichen, sperbern, pfäriden und hunden, 1473; Schwabenspiegel verkürzt, o. J.; Hie hebent sich an die Ehaften und alle recht, die diese statt von ir Herschafft Her Hatt pracht ... (Augsburger Stadtrechtsbuch) o. J.

Ausgaben: Liederbuch (hg. C. HALTHAUS) 1840 (fotomechan. Nachdr. mit Nachw. H. FISCHER, 1966); dass. (hg. E. GEBELE, in: Lbb. aus d. Bayer. Schwaben 6) 1958 (mit Lit., Beschreibung d. Hs. u. Ausg.-Verz.); H. MYNSINGER, Von den Valcken ... (hg. HASSLER, in: Bibl. d. Stuttgarter Lit. Ver. 71) 1863.

Literatur: VL 2,223; ADB 11,36; NDB 7,455; de Boor-Newald 4/1,194. – K. GEUTHER, Stud. z. Liederbuch der ~, 1899; H.D. SCHLOSSER Unters. z. sog. lyr. Tl. d. Liederbuches d. ~ (Diss. Hamburg) 1965; P. ASSION, Altdt. Fachlit., 1973.   RM

Häuptner, Lily → Windhager, Lily.

Häusermann, Gertrud (Ps. Käthe Hausmann), * 7.8.1921 Reuss-Gebenstorf (Kt. Aargau); war zunächst Buchhändlerin, mußte 1944 krankheitshalber ihren Beruf aufgeben; 1948–61 verheiratet mit M. Voegeli (d. i. M. West), in 2. Ehe mit dem Anglisten H.W. Häusermann. Rundfunk-Mitarb., Jugendbuchautorin; lebt in Genf. Schweiz. Jugendbuch-Preis 1954, Hans-Christian-Andersen-Preis.

Schriften: Irene. Ein Mädchen findet seinen Weg, 1947; Perdita (Erz.) 1948 (2. Aufl. u. d. T.: Licht und Schatten um Perdita, 1958); Barbara (Erz.) 1948; Anne und Ruth (Erz.) 1949; Die Fischermädchen (Erz.) 1950; Marie Vögtlin. Aus der Lebensgeschichte der ersten Schweizer Ärztin, 1951; Marianne (Erz.) 1952; Heimat am Fluß (Erz.) 1953 (2. erw. Aufl. 1964); Franziska und Renato (Erz.) 1954; Die silberne Kette (Erz.) 1956; Katja (Erz.) 1956; Die Geschichte mit Leonie (Erz.) 1958; Simone. Erzählung für junge Mädchen, 1960; Simone in der Bretagne (Erz.) 1962.

Literatur: LexKJugLit 1, 518. – D. LARESE, Schweiz. Jugendschriftst. d. Ggw., 1963; R. BAMBERGER, Jugendlektüre, Jugendschriftenkunde, Leseunterricht, Literaturerziehung, ²1965; I. DYHRENFURTH, Gesch. des dt. Jugendbuches (3., neubearb. Aufl.) 1967.   AS

Häusle, Hugo, * 14.4.1885 Rankweil/Vorarlberg, † 14.11.1945 Wien; Dr. phil., Ober-Staatsbibliothekar. Vizedir. d. Nationalbibl. in Wien. Lit.historiker.

Schriften: Eichendorffs Puppenspiel Das Incognito, 1910; Eichendorff, Werke, 10 Bde. (Hg.) 1911.   IB

Häusler, Friedrich, * 14.2.1890; Anthroposoph, Verf. Kulturgesch. Schr., wohnt in Arlesheim bei Basel.

Schriften: Das Antlitz von Venedig, 1932; Die Geburt der Eidgenossenschaft. Aus der geistigen Urschweiz, 1939; Brot und Wein. Stoff und Geist

der Wirtschaft, 1943 (Nachdr. 1972); Die demokratische Gesinnung des Schweizers zwischen westlicher und östlicher Staatsauffassung, 1940; Weltenwille und Menschenziele in der Geschichte. Motive und Metamorphosen im Geschichtsbild Rudolf Steiners, 1961; Das Rätsel Sizilien, 1962; Geld und Geist. Bilder und Tatsachen der Bewußtseinsentwicklung der Menschen, 1963; Heinrich der Seefahrer. Die portugiesischen Entdecker und die Sozialideen der Templer im Zeichen eines neuen Weltbewußtseins, 1971.   AS

Häußer, Karoline (Ps. f. Karoline Eichler, geb. Crané), * 29.8.1856 Regensburg; lebte n. kurzer Ehe mit d. Schauspieler K. Häußer als Schriftst. in München u. später in Schleißheim b. München.

Schriften: Dämmerstunden (Ged.) 1884; 's Resei. Genrebild aus dem Gebirge, 1884; Grüße aus Nord und Süd. Novellen-Cyclus, 1885; Der Bergschreck. Volksstück mit Gesang, 1887.   RM

Häußer, Ludwig, * 26.10.1818 Kleeburg/Elsaß, † 17.3.1867 Heidelberg; Philol.-Studium in Heidelberg, später Gesch.studien. 1845 ao., 1849 o. Prof. f. Gesch. in Heidelberg, 1848 Mitgl. d. bad. Kammer u. d. Vorparlaments, 1850 d. Unionsparlaments in Erfurt, 1862 Mitbegründer d. Dt. Abgeordnetentages. 1848 Mitbegründer u. mit Gervinus Mit-Hg. d. «Dt. Ztg.» u. 1859 d. «Süddt. Ztg.», Mitarb. d. Frankfurter «Zeit» u. 1840–59 d. Augsburger «Allg. Zeitung».

Schriften: Über die Teutschen Geschichtsschreiber vom Anfang des Frankenreichs bis auf die Hohenstaufen, 1839; Die Sage vom Tell aufs Neue kritisch untersucht, 1840; Geschichte der rheinischen Pfalz nach ihren politischen, kirchlichen und literarischen Verhältnissen, 2 Bde., 1845 (Neuausg. 1924); Schleswig-Holstein, Dänemark und Deutschland, 1846; Friedrich Lists Leben und Schriften, Gesammelte Schriften, 3 Bde., 1850 f.; Denkwürdigkeiten zur Geschichte der Badischen Revolution, 1851; Deutsche Geschichte vom Tode Friedrichs des Großen bis zur Gründung des deutschen Bundes, 4 Bde., 1854 ff. (Neuausg. 1933); Karl Freiherr vom Stein, 1859; Geschichte der französischen Revolution 1789–1799 (hg. W. Oncken) 1867; Geschichte des Zeitalters der Reformation 1517–1648 (hg. W. Oncken) 1868; Gesammelte Schriften (hg. K. Pfeiffer) 2 Bde., 1869 f.

Nachlaß: Univ.bibl. Heidelberg; Bundesarch., Abt. Frankfurt; Landesbibl. Karlsruhe. – Mommsen Nr. 1383; Denecke 66.

Literatur: ADB 11,100; NDB 7,456; BWG 1,1003. – E. MARCKS, ~ d. polit. Gesch.-schreibung in Heidelberg, 1903; K. HILLE-BRAND, ~ (in: K.H., Unbekannte Essays, übers. u. hg. H. UHDE-BERNAYS) 1955; A. KALTEN-BACH, ~, Historien et patriote (1818–67) Paris 1965; V. PAIMANN, D. Bibl. d. Heidelberger Historikers ~ ... (in: Bibl. u. Wiss. 5) 1968.

RM

Haeussermann, Ernst Heinz, * 3.6.1916 Leipzig; Sohn e. Burgschauspielers, kam in s. ersten Lebensjahren nach Wien, Schauspieler u. Regiearbeit, 1938 Emigration in die USA, 1939–43 persönl. Assistent v. Max Reinhardt in Hollywood, zeitweiliger Leiter d. dortigen Reinhardt-Schule. 1946 Rückkehr nach Öst., 1953–59 Leiter d. Theaters in d. Josefstadt, 1959–69 Burgtheaterdir., seit 1972 gem. m. Franz Stoß Dir. d. Theaters in der Josefstadt, seit 1966 Dr. phil., Verf. v. Schr., die sich mit d. Theater beschäftigen.

Schriften: Im Banne des Burgtheaters (Teilslg.) Reden und Aufsätze, 1966; Herbert von Karajan (Biogr.) 1968 (Neuausg. 1978); Von Sophokles bis Grass. Zehn Jahre Burgtheater, 1968; Das Wiener Burgtheater, 1975.

IB

Häußermann-Fahrion, Ottilie, * 14.9.1896 Mühlacker/Württ.; Betriebsfürsorgerin in Korntal b. Stuttgart; Lyrikerin, Erzählerin, Kinderbuchautorin.

Schriften: Idyllen (Ged.) 1935; Nachbars Gärtnerei. Was es bei Meister Simon zu sehen und zu lernen gibt (Kinderb.) 1950; Wo die Lokomotive pfeift. Ferienerlebnisse der Bahnhofskinder, 1951; Mariechen, die kleine Malerin (Erz.) 1952; Es weihnachtet (Kinderb.) 1953; Der hungrige Oskar (Erz.) 1954; Die Schneckenburg (Erz.) 1955; Angelika. Eine lange Reise, ein guter Freund und ein glückliches Ende, 1956.

AS

Häussler, Charlotte, * 23.5.1923 Darmstadt; wohnt in Offenbach/M.; Kindes- u. Jugendbuchautorin.

Schriften: Im Reiche des Ameisenprinzen, 1960; Die Kastanienwichtel, 1962.

AS

Haevecker, Johann Heinrich (Ps. Gotthold Eidam Christlieb, Christlieb, Friedrich Wilhelm

Christlieb, Irenaei Christophili), * 1640 Calbe/Saale, † 1722 ebd.; Theol.-Studium in Helmstedt u. Wittenberg, 1663 Magister in Wittenberg, seit 1665 Rektor, Diakon u. erster Pastor in Calbe.

Schriften: Lilium physico-theologico-hieroglyphicum, dt. 1669; Morgen- und Abend-Seufzer, 1669; Abend-Gespräch und Herz-Probe in zweyhundert zufälligen Andachten, 1677; Der fromme gesegnete und böse bestrafte Kaufmann, 1679; Falscher Judas oder Beschreibung der Falschheit, Lästerungen und Tücke ..., 1682; Himmel auf Erden in vierhundert Andachten ..., 1684; Der Schul-Jugend Polar- und Leitstern zur Gottseligkeit, Erbarkeit und Gelehrsamkeit in achtzig Lehrsprüchen, 1685; Der gesegneten Rahel Kreiß- und Kreutz-Bette, 1686; Abriß der evangelisch-lutherischen Grundfesten göttliche Wahrheit (Vorrede v. Spener) 1687; Neu aufgeführte Schaubühne der Religionen in der Welt, 1687; Auf den Tod des Churfürsten Friedrich Wilhelm, 1688; Geistliches Lust- und Garten-Haus des keuschen Lilienordens ..., 1690; Kirchen-Gesangbuch, 1691; Christian Scrivers Theognosia (hg.) 1692; Erndten-Predigten, 1692; Räuch- und Hertz-Opffer ..., 1700; Unverfängliche Friedensgedanken über die Vereinigung der protestirenden Religion ..., um 1704; Das im Glauben und Liebe kurtz gefaßte Send- und Söhnschreiben Pauli an den Philemon, in Predigten, 1709; Großer herrlicher Königs-Saal ... (Predigten) 1710; Vorschläge zu leichterer Ausübung der Gottseligkeit (mit Liedern) 1711; Vorschläge zu leichterer Ausübung der Gottseligkeit und Erbarkeit, 1712; Der lebendig todte Trunkenbold, 1712; Erklärung des Catechismi Lutheri, 1712; Chronika und Beschreibung der Städte Calbe, Acken an der Elbe ..., ²1720; Ordnung des Heils in Sinnbildern, 1727; Einleitung zum rechtschaffenen Christenthum, 1733.

Literatur: ADB 11,113; Adelung 2,1718; Goedeke 3,298.

RM

Hafen, Johann Baptist, * 12.6.1807 Schörzingen/Württ., † 27.6.1870 Gattnau am Bodensee; Theol.-Studium in Tübingen, 1834 Priesterweihe, seit 1851 Pfarrer in Gattnau.

Schriften: Möhler und Wessenberg oder Strengkirchlichkeit und Liberalismus in der katholischen Kirche ..., 1842; Predigten, 3 Bde., 1843 f. (Neuausg. 1859); Das eigenthümlich-katholische Glauben, Üben und Leben ..., 1847; Über die Behandlung der Ehesachen im Bisthum Rottenburg, 1853 (2., verb. Aufl. 1868); Gattnauer Chronik oder Der Pfarrbezirk Gattnau und die nähere Umgebung im Spiegel der Geschichte, 1854; Einhundert Skizzen zu Grab- und Leichenreden, zumeist für arme und niedrig gestellte Leute, 1855 (2., verb. Aufl. 1865); Eintausend Entwürfe zu Predigten ..., nebst einem theoretischen Beitrag zur Homiletik, 1859 (2., verm. u. verb. Aufl. 1863); Die Wünsche. Ein Deklamations- und Gesangstück, 1869; Heinrich Walter, der hochherzige Gastwirth. Ein Lebens- und Charakterbild, 1870.

Literatur: ADB 10, 316.   RM

Haferitz, Simon, 16. Jh.; Karmelitermönch, Prediger an d. Wigbertkirche in Alstedt, Schüler u. Freund Thomas Müntzers.

Schriften: Sermon vom Fest der heiligen drey Könige, 1524.

Literatur: Adelung 2, 1719; de Boor-Newald 4/2, 79. – Veesenmeyer, ∼ (in: Lit. Bl. 2) 1803; O. Clemen, Beitr. z. Reformationsgesch. 2, 1902.   RM

Haffner, Adalbert, * 24. 1. 1846 Wien, † 26. 6. 1907 ebd.; Sohn v. Karl H., Verf. mehrerer Zeitungsrom. u. ungedr. Bühnenstücke.

Schriften: Indische Gesänge (Ged.) 1883; Verwelkte Blumen (Ged.) 1889.   RM

Haffner, Anton, * um 1535 Solothurn, † zw. 1600 u. 1608 ebd.; seit 1552 Kadett, später Feldschreiber, Großrichter u. Hauptmann in französ. Diensten, 1576 Gerichtsschreiber u. Großrat in Solothurn. Verf. e. solothurn. «Chronica» in zwei Teilen (gedr. 1849).

Literatur: ADB 10, 317; HBLS 4, 49; Schottenloher 1, 320. – A. Lechner, Die Chron. ∼s (in: Anz. f. schweiz. Gesch., NF 10) 1906–09.   RM

Haffner, Franz, * 18. 11. 1609 Solothurn, † 26. 3. 1671 ebd.; Ratsschreiber, Großrat, 1639–60 Stadtschreiber, Mitgl. d. Geh. Rats in Solothurn, Tagsatzungsgesandter, eidgenöss. Schiedsrichter, apostol. Notar u. Ritter d. röm. Kirche. 1660 Erblindung.

Schriften: Trophaeum veritatis ... oder unpartheyisch Examen ... dess im ... 1660. Jahr getruckten Tractätlins Iura Beinweilensia ..., 1661; Der klein Solothurner Allgemeine Schaw-Platz Historischer Geist- auch Weltlicher vornembster

Geschichten und Händlen ..., 2 Tle., 1666; Einer Loblichen Uralten Statt Solothurn viljährige Streithandlung ... (vollendet v. J. G. Wagner) 1667.

Literatur: Jöcher 2, 1314; Adelung 2, 1720; ADB 10, 318; HBLS 4, 49. – H. Kläy, Die historiograph. Haltung ∼s (in: Jb. f. solothurn. Gesch. 54) 1954.   RM

Haffner, Karl (eig. Karl Schlachter), * 8. 11. 1804 Königsberg/Pr., † 29. 2. 1876 Wien; 1820 Anschluß an e. Schauspielertruppe, 1830 Theaterschriftst. u. Dramaturg in Pest u. seit 1841 in Wien. Schriftleiter d. satir. Wochenbl. «Böse Zungen». Verf. v. Volksst., Possen, Rom. u. d. Textbuches z. «Fledermaus» v. Johann Strauss Sohn.

Schriften: Oesterreichisches Volkstheater, 3 Bde., 1845f.; Die Studenten von Rummelstadt (Genrebild) 1861; Ein Mann der Gesetze (Dr.) 1861; Therese Krones (Genrebild) 1862; Die beiden Nachtwächter oder Ein Spuk in der Faschingsnacht [Posse n. e. Nov. v. H. Zschokke, mit J. Pfundheller] 1862; Severin von Jaroszynski oder Der Blaumantel vom Trattnerhof (Genrebild, mit J. Pfundheller) 1863; Die Sternenjungfrau (romant.-kom. Märchen) 1863; Ein brummender Journalist, Licht und Schattenbilder im k. k. Landesgerichte, hinter Schloß und Riegel gesammelt, 1863; Die lange Nase (Posse) 1864; Scholz und Nestroy (Rom.) 3 Bde., 1864ff. (Neuaufl. u. d. T.: Zwei von Humor, 1946); Die Vampyre der Residenz (Rom.) 1865; Der Polizeispion. Aus dem Leben eines Wiener Polizei-Agenten (Rom.) 2 Bde., 1866; Junker Flickschuster (Rom.) 3 Bde., 1866; Der Herold des Todes (Rom.) 1866; Louis Napoleon und die Pfarrerstochter (Rom.) 3 Bde., 1866; Nonne und Mätresse (Rom.) 3 Bde., 1867; Die schönen Weiber von Wien. Humoristischer Roman aus dem Wiener Volksleben, 2 Bde., 1867; Jungfernblut (Rom.) 3 Bde., 1869; Was sich die Kammerzofen erzählen (Rom.) 3 Bde., 1870; Der verkaufte Schlaf (dramat. Märchen) 1870; Hans von Alsenbolt (Rom.) 2 Bde., 1871; Die Friedenstaube (Rom.) 1871; Das geheimnisvolle Blumenmädchen, 1871; Die Kinder von Neudorf (Rom.) 1872; Der Mann ohne Herz (Rom.) 1872; Der Erbschleicher (Rom.) 1872.

Literatur: ADB 10, 319; Wurzbach 7, 187; ÖBL 2, 141; Theater-Lex. 1, 666.   RM

Haffner, Paul Leopold (Ps. Arthur von Hohenberg, Arthur von Minranow), * 21.1.1829 Horb/Neckar, † 2.11.1899 Mainz; 1852 Priesterweihe, 1855–86 Philos.-Prof. am Priesterseminar Mainz, 1886–99 Bischof v. Mainz. Mitbegründer d. Görresgesellsch., 1864 Leiter d. «Kathol. Broschürenver.» u. d. «Frankfurter zeitgemäßen Broschüren» (1879), Religionsphilosoph.

Schriften: Die deutsche Aufklärung. Eine historische Skizze, 1864; Der Materialismus in der Kulturgeschichte, 1865; Die katholische Kirche nach der Erklärung des k. bayrischen Staatsministeriums, 1872; Eine Studie über Gotthold Ephraim Lessing, 1878; Sozialer Katechismus, 1879 (Neuausg. F. Kirchesch, 1925); Goethes Faust als Wahrzeichen moderner Kultur, 1879; Gräfin Ida Hahn-Hahn. Eine psychologische Studie, 1879; Goethes Dichtungen auf sittlichen Gehalt geprüft, 1880; Grundlinien der Philosophie, als Aufgabe, Geschichte und Lehre zur Einleitung in die philosophischen Studien, 2 Bde., 1881 f.; Der Atheismus als europäische Großmacht, 1882; Das Ignoramus und Ignorabimus der neueren Naturforschung, 1883; Voltaire und seine Epigonen. Eine Studie über die Revolution, 1884; Schlafen und träumen, 1884; Die soziale Frage in dem katholischen Deutschland, 1884; J. J. Rousseau und das Evangelium der Revolution, 1885; Die Bacillen des sozialen Körpers. Ein historisch-politischer Versuch, 1885; Sammlung zeitgemäßer Broschüren, 1887; Zur Erinnerung J. B. Heinrich Domdecan und Hausprälat Seiner Heiligkeit, 1891; Hirtenbriefe, 1896–98; Gedächtnisrede auf ... Franz Xaver von Linsenmann ... Bischof von Rottenburg, 1898.

Nachlaß: Stadtarch. Mainz. – Mommsen Nr. 1385; Denecke 2. Aufl.

Literatur: NDB 7,463; LThK 4,779. – ∼s Leben u. Wirken. E. Gedenkschr., 1899; T. BALL, ∼ als Philos., 1950; L. LENHART, ∼ (in: Jb. f. d. Bistum Mainz 8) 1959/60.   RM

Haffner, Sebastian (Ps. f. Raimund Pretzel), * 1907 Berlin; Rechts-Studium, 1938 Emigration nach England, Leiter d. dt.sprachigen Londoner «Ztg.», bis 1961 Mitarb. d. «Observer», seit 1961 Journalist in Berlin.

Schriften (dt., Ausw.): Winston Churchill (Monogr.) 1967; Der Teufelspakt. Fünfzig Jahre deutsch-russische Beziehungen, 1968; Die verratene Revolution, Deutschland 1918/19, 1970

(Neuausg. u. d. T.: Die deutsche Revolution 1918/19. Wie war es wirklich?, 1979); Der Selbstmord des deutschen Reiches, 1970; Anmerkungen zu Hitler, 1978; Preußen ohne Legende, 1978.

Literatur: G. KEIDERLING, D. Zwang d. Realitäten ... (in: WZ d. Humboldt-Univ. Berlin, sprach- u. gesch.wiss Reihe 14) 1965.   RM

Hafften (-Ceratzki), Walter v. → Ceratzky-Kries, Walter.

Hafften-Risek, Alex. → Ceratzky-Kries, Walter.

Hafftiz, (Haf(f)titius), Peter, * um 1530 Jüterbog, begraben 28.5.1601 Berlin; Theol.-Studium in Frankfurt/Oder, seit 1550 Lehrer in Berlin, 1577 Rektor in Cölln/Spree. Verf. e. dt.-sprachigen märk. Chron. u. weiterer, meist ungedr. Geschichtswerke.

Schriften: De vita et obitu Joachimi II. S. R. 1. archicamerarii ... ac d. Johannis fratris march. Br., 1571; Liber de extremo iudicio, 1576 (dt. u. d. T.: Lehr- und Trost-Büchlein vom jüngsten Gerichte); Ecloga in obitum augusti el. Saxoniae, 1586.

Literatur: Jöcher 2,1314; ADB 10,320; NDB 7,463; Schottenloher 1,320. – Engelbert Wusterwitz' Märk. Chron., n. Angelus u. ∼ (hg. J. HEIDEMANN) 1878; F. HOLTZE, D. Berolinensien d. ∼, 1894; A. THEEL, ∼, Theologe u. Chron. z. Berlin (Berliner H. f. geist. Leben 4) 1949.

RM

Hafink, Arthur → Fink, Arthur-Hermann.

Hafischer, Karl (Ps. f. Karl H. Fischer), * 19.4.1881; war Arbeitsfürsorger u. Stadtrat in Nürnberg; Lyriker.

Schriften: Die Welt der Vier. Verse, 1925; Der Wanderer nach Niemandsland (Ged.) 1926.   AS

Hafner, Albert Konrad, * 17.6.1826 Winterthur, † 9.10.1888 ebd.; Theol.- u. Philos.-Studium in Zürich, 1849 Dr. phil., 1852–69 Pfarrer in Rickenbach, seit 1871 Stadtbibliothekar in Winterthur. Gründer u. Präs. d. Winterthurer Hist.-antiquar. Ver., Verf. zahlr. lokalgesch. Arbeiten u. d. Textes z. d. «Meisterwerken schweiz. Glasmalerei» (1888–90).

Schriften: Des Pilgrims letzte Fahrt. Ein Opfer an Byrons Manen (Ged.) 1848; Zornesfunken. Zwanzig Lieder an Deutschlands Männer, 1849;

Zwanzig Jubellieder allen Eidgenossen geweiht zur fünfhundertjährigen Feier des Eintritts von Zürich in den ewigen Bund den 1. Mai 1351, 1851; Das ehemalige Kloster des Dominikanerordens an der Tössbrücke (kunsthist. Stud.) 1879.
　　　　　　　　　　　　　　　　　　　　RM

Hafner, Alfred (Ps. H. v. Strassberg, Wieland der Schmied, Anatole de Labruyère), * 30.4. 1873 Herrenstadt/Schles.; lebte in Dorf-Wohlau/ Oberschlesien.

Schriften: Die Flucht aus der Fremdenlegion. Erzählung nach eigenen Erlebnissen, 1898; Pulvermachers gestammelte Werke, 1905; Am Wachtfeuer, 1906. 　　　　　　　　RM

Hafner, Dietrich Gerhard, * 4.9.1856 Radekkow; Red. in Berlin.

Schriften: Der letzte seines Stammes (Nov.) 1890; Die Apartige (Nov.) 1891; Ludger Musen. Die Wappensage des Maltzahn'schen Geschlechts, 1894; Gedichte, 1895; Gedichte Nassr-ed-dins, Kaisers von Persien, dt. 1895; H. C. E. Graf von Zieten ..., 1897. 　　　　　　　　RM

Hafner, Gotthilf (Ps. s Mariele aus'm Stoilachtal), * 10.4.1898 Bad Cannstatt; Oberlehrer, wohnte in Stuttgart-Bad Cannstatt, dann in Mössingen/Kr. Tübingen.

Schriften: Der Wunderbaum. Legenden und Märchen, 1925; Hermann Hesse, Werk und Leben. Umriße eines Dichterbildes, 1947 (3.,erw. Aufl. 1970); W. Vogelpohl. Deutsche Dichtung. Eine Darstellung ihrer Geschichte (Bearb.) 1951.
　　　　　　　　　　　　　　　　　　　　AS

Hafner, J. (Ps. f. Ferdinand Willfort), * 21.1. 1835 Wien, † 22.1.1905 ebd.; 1854–70 Red. d. «Wanderers», später auch d. «Volks-Ztg.», d. «Vaterlandes» u.a. Ztg. in Wien.

Schriften: Gesammelte Novellen und Humoresken, 1. Bd., 1870 (Außerdem zahlr. Nov. in Ztg. u. Zeitschriften.) 　　　　　　　RM

Hafner, Josef, * 20.2.1875 Mattighofen/Ober-Öst., † 4.3.1932 Bad Ischl; Lehrer, dann soz.-dem. Landtagsabgeordneter u. Landeshauptmann-Stellvertreter v. Ober-Öst., schrieb Dramen gemeinsam mit s. Stiefbruder Oskar Gerzer (Ps. O. Weilhart).

Schriften: Keine Sühne (Schausp.) 1897; Der Frauencongress (Lsp.) 1897; Das Märchen vom zweiten Leben. Schauspiel in einem Akt, 1899; Die brotlose Kunst (Schausp.) 1899; Das neue

Dorf. Schauspiel aus dem Leben des oberösterreichischen Volkes, 1901.

Literatur: ÖBL II, 142; Theater-Lex. 1, 666. – H. WIMMER, Gesch. des Dramas in Oberöst. v. 1885 bis z. Ggw. (Diss. Wien) 1925. 　　AS

Hafner, Josef (Ps. Ambrosius Hafner), * 6.4. 1897 Rain am Lech, † 17.2.1966 Tutzing; Pater, Korea-Missionar, lebte zuletzt in St. Ottilien b. München. Erzähler, Essayist, Jugendbuchautor.

Schriften: Das Geheimnis der Jacke. Nach koreanischen Quellen, 1953; Donato bei den Räubern. Erlebnisse eines Koreanerjungen, 1953; Hesuk, die gute Freundin. Aus dem Leben zweier Koreanermädchen, 1954; Kim Iki oder eine Geschichte vom koreanischen Frühling, 1956; Johanna und die «Kirchenschwalben». Geschichte einer Berufung aus Korea, 1957; Ein Blick in die Arena. Koreanische Martyrerbriefe, 1959; Längs der Roten Straße (Erz.) 1960; Der Kristallring (Ch'un-hyang chon) (Hg.) 1961; Der Mandarin von Niosan. Erzählungen aus dem gefahrvollen Leben der ersten Christen in Korea, 1963; Flucht aus der Bonzerei, 1967. 　　　　AS

Hafner, Karl, * 27.10.1905 Zwettl/Niederöst.; † 15.4.1945 Dürnkirchen/Frankreich (gefallen); Lehrer. Mundartdichter.

Schriften: Hoamatgsangl fürs Hoamatlandl, 1924.

Literatur: ÖBL 2, 143. 　　　　　　IB

Hafner, Louis, geb. in Prag, später dort verhaftet u. nach Dtl. deportiert; weiteres Schicksal ungewiß.

Schriften: Gesichter und Grimassen, 1935; Höre Mensch! Dichtungen, Prag 1936. 　　AS

Hafner, Oswald Adam, * 1806 Neustadt/Bayern, † 1882 ebd.; Hirtenknabe, Bauernknecht u. Steinklopfer, Wanderleben in Bayern u. Böhmen.

Schriften: Blüthenfeld entfalteter Lieder und poetische Versuche, 1858. 　　　　　RM

Haf(f)ner, Pater Basilius, * 29.12.1742 Ottobeuren, Todesdatum u. -ort unbekannt; Chorherr im Kloster Schussenried.

Schriften: Lobrede auf den heiligen Martyrer Vincenz, 1786; Biblische Geschichte für das Volk. Mit Anmerkungen, 2 Tle., 1787.

Übersetzertätigkeit: Seufzer einer gerührten Seele, daß sie die Heiligkeit des Vater Unsers so lange mißbraucht (aus d. Französ.) 1772; Kurze und für alle guten Christen wohleingerichtete Lebensordnung (aus d. Französ.) 1772; Elias Avrillon Heiliges Jahr oder Anmuthige Gedanken über die Liebe Gottes (aus d. Französ.) 1774.

Literatur: Meusel-Hamberger 3, 36.   RM

Hafner, Philipp (Ps. Kilian Fiedelbogen, Phakipinpler, Johanno Wurstio), * 27.9.1735 Wien, † 30.7.1764 ebd.; Studium d. Rechte, Schriftführer beim Wiener Stadtgericht.

Schriften: Brief eines neuen Komödienschreibers an einen Schauspieler, 1755; Der von dreyen Schwiegersöhnen geplagte Odoardo oder Hanswurst und Crispin, 1755; Der Freund der Wahrheit, 1760; Die Bürgerliche Dame oder die Ausschweifungen eines zügellosen Eheweibes, mit Hanswurst und Kolombina, 1763; Dramatische Unterhaltungen unter guten Freunden, 1763; Der beschäftigte Hausregent oder Das ... Beylager der Fräule Fanille, 1763; Scherz und Ernst in Liedern, 2 Bde., 1763f.; Neue Bourlesque betitelt: Etwas zum Lachen im Fasching oder Burlins und Hanswursts seltsame Carnevals-Zufälle, 1764; Der Furchtsame (Lsp.) 1764; Poetische und prosaische Werke, 1764; Ein neues Zauberlustspiel, betitelt: Megära, die förchterliche Hexe oder Das bezauberte Schloß des Herrn von Einhorn, 2 Tle., 1764f. (2. Tl. auch u. d. T.: Die in eine dauerhafte Freundschaft sich verwandelnde Rache, 1765); Evakathel und Schnudi. Ein lustiges Trauerspiel, 1765; Die reisenden Comödianten oder Der gescheite und dämische Impressario (Lsp.) 1774; Songes Hanswurstiques, oder auf gut Chinesisch, es könnte einem nicht närrischer träumen, 1970 (Neuausg. 1974).

Ausgaben: Gesammelte Lustspiele, 1782; Gesammelte Schriften (hg. J. SONNLEITNER) 3 Bde., 1812; Gesammelte Werke (hg. E. BAUM) 2 Bde., 1914f.; Scherz und Ernst in Liedern (hg. E. K. BLÜMEL) 1922.

Literatur: ADB 10, 323; NDB 7, 464; Wurzbach 7, 188; Theater-Lex. 1, 666; Goedeke 4/1, 656; 7, 555. – E. ALKER, ∼, e. Alt-Wiener Kom.dichter, 1923; J. ZWERENZ, ∼ als Begründer d. Alt-Wiener Volkslsp. (Diss. Wien) 1927; A. KOLOWRATNIK, ∼, e. Wiener Kom.dichter d. 18. Jh. (Diss. Graz) 1932; C. M. TILL, D. Wiener Wortschatz bei ∼, erarb. an Hand d. Megära (Diss. Wien) 1974.   RM

Hafner, Theodor, * 12.3.1890 Töss/Kt. Zürich, † 6.7.1951 Zug; kaufm. Ausbildung, 1910–16

Studium d. Philos. in Rom, Freiburg i. Ü., Innsbruck, Dr. phil., seit 1913 in Zug Lehrer an d. Sekundarschule; Verf. v. Schau- u. Festspielen; Red. d. Zuger Neujahrbl. 1928–51; Kunstpr. d. Kt. Zug 1951.

Schriften: Fest-Spiel zum Eidgenössischen Musikfest in Zug, 1923; Der schwarze Schumacher (Dr.) 1940; Mount Everest (Schausp.) 1947 (schon 1937 u. d. T.: Vor dem Gipfel des Ruhms); Das Zuger Spiel von Stadt und Land. Festspiel zur Zuger Zentenarfeier, 1352–1952 (nach dem hinterlass. Ms. bearb. v. H. R. Balmer-Basilius) 1952.

Literatur: ∼ (mit Bibliogr., hg. von Freunden) 1951.   AS

Hafner, Tobias (Ps. Sebastian Spundle), * 7.1.1833 Langenau b. Ulm, Todesdatum u. -ort unbekannt; Lehrer in Ulm u. a. Orten, seit 1876 in Ravensburg, 1906 Pensionierung. Verf. versch. Schulschr. u. -bücher.

Schriften: Gedichte, 1875; Blätter und Blüten aus dem Schwarzwald (Ged.) 1868 (2. Aufl. u. d. T.: Mein Liederbuch, 1878); Zur Sedansfeier. Deklamationen und Lieder für die deutsche Jugend, 1873; Biblische Geschichten, 1874; Das Stuttgarter Schützenfest. In oberschwäbischen Reimen, 1875; Der deutsch-französische Krieg 1870–71 in Liedern. Der deutschen Jugend gewidmet, 1875; Das Kaiserfest in Stuttgart, 1876; Ulmer Münster, Ulmer Spatz und Fischerstechen. In schönen Reimen in Ulmer Mundart, 1877; Das Ulmer Vieh- und Geflügelfest. In zierlichen Reimen in Ulmer Mundart beschrieben, 1880; D'r Hebel in Ulm. Hebels lyrische Gedichte aus der alemannischen in die Ulmer Mundart übertragen, 1881; Die evangelische Kirche in Ravensburg, nebst einigen Notizen über ... den Humanisten Hummelberger. Ein Beitrag zur Localgeschichte, 1884; Geschichte von Ravensburg. Beiträge nach Quellen und Urkundensammlungen, 15 Lieferungen, 1885–87; Ulmer Münster-Jubelfest. Die Restauration des Münsters ... in schönen Versen in Ulmer Mundart beschrieben, 1890; Altes und neues aus der Geschichte Ravensburgs, 1908.   RM

Haft, Elli (Ps. Juliane Thörwang, Madeleine Manon, Barbara Stein) * 17.2.1904 Hirschberg/Riesengeb., † 17.6.1964 München; lebte das., Verf. zahlr. Unterhaltungsromane.

Schriften (Ausw.): Die Magd Corinna, 1953; Pension Sommerliebe, 1953; Und zurück blieb Sehnsucht, 1954; Der Himmel meinte es gut, 1955; Kleines Mädel in Paris, 1955; Liebe kennt keine Grenzen, 1956; Übel über dem Birkenhof, 1957; Komm auf mein Schloß mit mir, 1958; Geliebte Michaela, 1959; Komteß Petra, 1960; Liebe fragt nicht nach Geld, 1961; Als die Nachtigall sang, 1964; Wilde Rose Julischka, 1965.   AS

Haftmann, Werner, * 28.4.1912 Glowno/ Westpr.; 1936 Dr. phil., 1936–40 Assistent am Kunsthist. Inst. in Florenz, 1950–55 Doz. in Hamburg, 1967–74 Dir. d. Berliner Nationalgalerie. Lessingpreis d. Stadt Hamburg (1962), a. o. Mitgl. d. Akad. d. Künste in Berlin (1970).

Schriften (Ausw.): Paul Klee. Wege bildnerischen Denkens, 1950; Die Malerei im 20. Jahrhundert, 1954/55 (Neuausg. 1962); Skizzenbuch zur Kultur der Gegenwart. Reden und Aufsätze, 1961; Gotthold Ephraim Lessing – oder über den Auftrag des Schriftstellers in kritischen Zeiten, 1962.   RM

Hag, Julius vom → Boesser, Julius.

Hagall, Walter → Buchow, Wilhelm.

Hagdorn, Christoph Wilhelm, 17. Jh.; wahrsch. aus Holstein gebürtig; berittener dän. Oberst, um 1670 Gesandter am Madrider Königshof.

Schriften: Aeyquan oder Der Grosze Mogol. Das ist, Chinesische und Indische Stahts- Kriegs- und Liebes-geschichte. In unterschiedliche Teile verfasset ..., 3 Tle., 1670.

Literatur: Goedeke 3, 256; FdF 1, 224.   RM

Hage → Hartwig von dem Hage.

Hage, Conrad, * 1550 Hagen, † nach 1617; 1589 Musiker d. Herzogs Johann Wilhelm v. Jülich, später Kapellmeister d. Grafen Ernst v. Holstein-Schauenburg u. Sternberg.

Schriften: Newe Teutsche Tricinen ..., 1604; Erster Theil newer Teutscher Gesäng mit schönen Texten zu singen ..., 1610 (Neuausg. 1614); Ander Theil newer Teutscher Tricinen ..., 1610.

Literatur: Goedeke 2, 71.   RM

Hagedorn, August (Heinrich) (Ps. Ewald Haidmüller), * 3.7.1856 Bockhorst/Westf., † 1925 Berlin-Steglitz; seit 1883 königl. Beamter, 1904 Bürovorsteher u. seit 1907 Rechnungsrat in Berlin.

Schriften: Dürre Reiser (Ged.) 1886 (4., verm. u. verb. Aufl. u. d. T.: Waldklänge, 1904); Gloria concordiae. Ein allegorisch-symbolisches Spiel, 1893; St. Bonifatii. Eine Klostermär aus dem 13. Jahrhundert. Epische Dichtung, 1895; Hartmann von Aue, Der arme Heinrich. Aus dem Mittelhochdeutschen übertragen, 1898; Lottens Vermächtnis (Erz.) 1924.   RM

Hagedorn, Chr., * 9.1.1861 Kiel, † 24.3.1912 Altona; n. Malerlehre seit 1891 Kaufmann in Itzehoe u. zuletzt in Altona.

Schriften: Kiem um Ranken (Ged.) 1908.

RM

Hagedorn, Christian Ludwig, * 14.2.1713 Hamburg, † 24.1.1780 Dresden; Bruder v. Friedrich H., 1737 Legationsrat in Wien, 1743 in Mainz, 1764 Geh. Legationsrat u. Dichter d. Kunstakad. u. Galerie in Dresden. Kunstgelehrter u. -sammler, Radierer.

Schriften: Lettre à un Amateur de la Peinture avec des Eclaircissements historiques sur un Cabinet, 1755; Betrachtungen über die Mahlerey, 1762; Neue Versuche in sechs Landschaften, 1765.

Briefe: Briefe über die Kunst von u. an ∼ (hg. T. Baden), 1797.

Nachlaß: Herzog August Bibl. Wolfenbüttel.

Literatur: Adelung 2, 1721; ADB 10, 325; NDB 7, 465; Jördens 2, 303; 6, 256. – M. STRÜBEL, ∼, e. Diplomat u. Sammler d. 18. Jh., 1912.

RM

Hagedorn, Friedrich von, * 23.4.1708 Hamburg, † 28.10.1754 ebd.; Sohn e. königl. dän. Staats- u. Konferenzrats. 1726–1727 Studium d. Rechte in Halle. 1729–1731 Privatsekretär d. dän. Gesandten in London. Nach Anstellungen u. a. als Hofmeister seit 1733 Sekretär d. ›English Court‹, e. engl. Handelsgesellschaft in Hamburg. V. a. der Eleganz u. Musikalität seiner v. einem aufgeklärten Optimismus erfüllten Dichtungen, in denen Einflüsse engl., franz. u. antiker Vorbilder (Pope, Prior, La Fontaine, Horaz) selbständig verarbeitet sind, verdankt Hagedorn die ihm zusammen mit Haller schon v. d. Zeitgenossen zuerkannte Schlüsselrolle als «Verbesserer des poetischen Geschmacks» (J. J. Eschenburg) an der Wende vom Barock zum Rokoko, von der höf. zur bürgerl. Dichtung.

Schriften: Poetische Unterredung zwischen dem Marti, dem Gott des Krieges, und der Irene, der Göttin des Friedens, 1720; Des Zwölff-Jährigen F. v. H. Gedancken über den jetzigen Nordischen Frieden ..., 1720; Als der Wohl-Ehrwürdige ... Herr Johann Jacob Wetken ... am 25. April 1721 ordiniret und introduciret wurde; Glückwünschender Zuruff bey ... des durchlauchtigsten Cron-Printzens Christians zu Dännemark ... Ankunfft zu Altona am 7. Juli 1721; Das sein Glück vorhersehende Dännemark in der höchsten Vermählung des Cron-Printzens Christians VI. mit ... Sophien Magdalenen Gräfinn zu Brandenburg-Bayreuth-Culmbach ... 1721; Das durch Ehr-Furcht unterbrochene Jauchzen der frolockenden Cimbrier wollte Sr. Königl. Hoheit ... Christian dem VI. ... bei der allerhöchsten Geburt eines durchlauchtigsten Printzen ... in einem Gedicht ... vorstellen F. v. H., 1723; Frolockender Zuruf an ... Herrn Jo. Albertum Fabricium ..., bei der glücklichen Vermählung Seiner Jungfer Tochter ... mit ... Herrn Joach. Diederich Evers, 1723; Als der Hoch-Edle ... Herr Johann Christian Wolf zum Professore Physices et Poesos ... introduciret ward ... (hg. mit D. Heins, C. F. Schnell) 1725; Versuch einiger Gedichte, oder Erlesene Proben Poetischer Neben-Stunden, 1729; Bei dem am 4. Jan. 1730 in Hamburg feyerlichst zu vollziehenden Lastrop-Beselerischen Ehe-Verbündnis ...; An Herrn Michael Richey ... über den höchstschmerzlichen Hintritt Seines geliebten Sohnes ..., 1738; Versuch in poetischen Fabeln und Erzehlungen, 1738; Auszug der vornehmsten Gedichte aus dem von B. H. Brockes in 5 Theilen hrsg. Irdischen Vergnügen in Gott ... (hg. mit M. A. Wilckens) 1738; Der Gelehrte, 1740; Der Weise, 1741; Sammlung neuer Oden und Lieder, 3 Tle, 1742–1752; Die Glückseligkeit, 1743; Die Wünsche, 1743; Die Glückseligkeit, die Wünsche und der Weise, 1743; Schriftmäßige Betrachtungen über einige Eigenschaften Gottes in einer Ode, 1744; Der Schwätzer. Aus dem Horaz, 1744; Der Wein, 1745; Bei der Lake- und Campbellschen ... Eheverbindung ..., 1745; Schreiben einer Hamburgischen, unverheiratheten Frauenzimmer-Gesellschaft an Mademoiselle Mariane Brockes, über Ihre hochzeitliche Verbindung, 1745; Harvstehude, 1746; Adelheid und Henrich, oder die neue Eva und der neue Adam, 1747; Oden und Lieder in fünf Büchern, 1747; Schreiben an einen Freund, 1747; Die Freundschaft, 1748; Moralische Gedichte, 1750 (erw. Neuaufl. 1753); Horaz, 1751.

Ausgaben: Poetische Werke, 3 Bde, 1757; Poetische Werke (hg. J. J. ESCHENBURG), 5 Bde, 1800; Versuch einiger Gedichte (hg. A. SAUER) 1883; Anakreontiker u. preußisch-patriotische Lyriker (hg. F. MUNCKER, DNL 45) 1894; Gedichte (hg. A. ANGER) 1968; Versuch in poetischen Fabeln und Erzehlungen (hg. H. STEINMETZ) 1974.

Nachlaß: Staats- u. UB Hamburg. – Denecke 66.

Forschungsbericht: A. ANGER, Deutsche Rokokodichtung, 1963; DERS., Lit. Rokoko, ²1967.

Literatur: ADB 10, 325; NDB 7, 466; Goedeke 4/1, 25 u. 1103. – G. WITKOWSKI, D. Vorläufer d. anakreont. Dg. in Dtl. u. ~, 1889; H. STIERLING, Leben u. Bildnis ~s (in: Mitt. a. d. Museum f. hambg. Gesch. II) 1911; B. R. COFFMAN, The Influence of English Literature on ~ (in: Modern Philology 12, 13) 1914, 1915; E. BRINER, D. Verskunst d. Fabeln u. Erz. ~s (Diss. Zürich) 1920; K. EPTING› D. Stil in d. lyr. u. didakt. Ged. ~s, 1929; R. PETSCH, ~ u. die dt. Fabel (in: FS W. v. Melle) 1934; E. K. GROTEGUT, The Popularity of ~s «Johann der Seifensieder» (in: Neophilologus 44) 1960; G. STIX, ~. Menschenbild u. Dichtungsauffassung, 1961; K. S. GUTHKE, ~ u. d. lit. Leben s. Zeit im Lichte unveröff. Briefe an J. J. Bodmer (in: JbdFdHochst) 1966; R. R. NICOLAI, Lebensgefühl u. Leitbegriffe in d. Werk ~s (Diss. Univ. of Kansas) 1969; H. ZEMAN, D. dt. anakreont. Dichtung, 1972; C. PERELS, Stud. z. Aufnahme u. Kritik d. Rokokolyrik zw. 1740 u. 1760, 1974; K. S. GUTHKE, ~: D. Dilemma d. «Friedfertigen» in d. «gelehrten Kriege» (in: K. S. G., Lit. Leben im 18. Jh.) 1975; H. ZEMAN, ~, J. W. L. Gleim, J. P. Uz, J. N. Götz (in: B. v. WIESE [Hg.], Dt. Dichter d. 18. Jh.) 1977.

H-GD

Hagedorn, Hermann, * 20. 8. 1884 Essen-Dellwig, † 7. 3. 1951 Fretter/Sauerl.; Dr. phil., Schulrektor in Essen-Dellwig, lebte seit seiner Pensionierung in Fretter.

Schriften: Hatte on Heeme. Plattdeutsche Dichtungen, 1930; Friedrich Krupp, der ewige Deutsche. Dramatische Bilderfolge, 1936; Krupp der Kämpfer. Ein Heldenlied, 1937; Kriegstage-

buch. In Niedersächsischer Mundart, 1940;
Hatte on Heeme. Botterblaumen. Gedichte in
niedersächsischer Mundart, 1940; Hämann Ohme
Joann. Stemmen unt Blaut on Aere. In niedersächsischer Mundart, 1941; Homeseelen. Geschichten von onse verbeenige Frönne. In niedersächsischer Mundart, 1941; Ulenspeigel en
Essen, 1941.

Literatur: E. BOCKEMÜHL, ~, e. dichter.
Künstler s. Heimat (in: D. Bücherfreund 2)
1951; DERS., ~ als sauerländ. Dichter (in: Westfäl. Heimatkalender 8) 1954; D. Andenken d.
Dichters ~ (in: Ruhrländ. Heimatbuch 5) 1955.

RM

Hagedorn, Johann Ph. → Zöllner, Misdroy
August.

Hagel, Jan → Orthofer, Peter.

Hagelstange, Rudolf, * 14.1.1912 Nordhau-
sen/Harz; Studium der Germanistik in Berlin,
bereiste Griechenland u. den Balkan, trat 1937
in die Red. d. «Nordhäuser Ztg.» ein, 1940–45
Soldat, seit 1945 freier Schriftst.; wohnte am
Bodensee, jetzt in Erbach. Lyriker, Erzähler,
Essayist. Dt. Kritikerpreis 1952, Ehrengabe d.
Dt. Schillerstiftung 1955, Campe-Preis 1959.

Schriften: Ich bin die Mutter Cornelias (Erz.)
1939; Es spannt sich der Bogen (Ged.) 1943;
Allegro. Heitere Verse und Zeichnungen, Ve-
rona 1944; Venezianisches Credo, Verona 1945
(Dtl. 1946); Renée Sintenis (mit C. G. Heise und
P. Appel) 1947; Strom der Zeit (Ged.) 1948;
Mein Blumen-ABC. (Kinderb. mit J. Specht)
1949; Meersburger Elegie, 1950; Die Elemente.
Gedichte zu den Mosaiken von Franz Masereel,
1950; Das Vergängliche. Für Harald Kreutzberg
(Ged.) 1950; Balthasar. Eine Erzählung, 1951;
Ewiger Atem, 1952; Ballade vom verschütteten
Leben, 1952; Der Streit der Hirsche. Festgabe
für Emil Junker, Riehen, zum 60. Geburtstag,
1952; Es steht in unserer Macht. Gedachtes und
Erlebtes, 1953; Zwischen Stern und Staub (Ged.)
1953; Die Beichte des Don Juan. Dichtung,
1954; Die Nacht, 1955; How do you like
America? Impressionen eines Zaungastes, 1957;
Gesang des Lebens. Das Werk Frans Masereels,
1957: Verona (Fotob.) 1957; Das Lied der Muschel, 1958; Offen gesagt. Aufsätze und Reden,
1958; Wo bleibst du, Trost ... Eine Weihnachtserzählung, 1958; Die Nacht Mariens. Ein Weih-

nachtsbuch, 1959 (Neuausg. u. d. T.: Stern in der
Christnacht. Eine Weihnachtsgabe, 1965); Spielball der Götter. Aufzeichnungen eines trojani-
schen Prinzen (Rom.) 1959; Huldigung. Droste,
Eichendorff, Schiller, 1960; Viel Vergnügen ...
1960; Römische Brunnen (Fotob.) 1960; Rö-
misches Olympia. Kaleidoskop eines Weltfestes,
1961; Lied der Jahre. Gesammelte Gedichte
1931–1961, 1961; Die schwindende Spur. Für
Harald Kreutzberg, 1961; F. Masereel, Die
Stadt. 100 Holzschnitte (Einl.) 1961; Reise nach
Katmandu (Erz.) 1962; Die Puppen in der Puppe.
Eine Rußlandreise, 1963; Sport (Werke, Auswahl, hg. E. R. Klehm) 1963; Corazón. Ge-
dichte aus Spanien, 1963; Zeit für ein Lächeln.
Heitere Prosa, 1966; Aesop, Fabeln (nacherzählt) 1966; Der schielende Löwe oder How do
you like America, 1967; Ägäischer Sommer,
1968; Altherrensommer (Rom.) 1969; Der
Krak in Prag. Ein Frühlingsmärchen, 1969;
Alleingang. Sechs Schicksale, 1970; Es war im
Wal zu Askalon. Dreikönigslegende, 1971; Ein
Gespräch über Bäume. Zwischen R. H. und HAP
Grieshaber, 1972; Gast der Elemente. Zyklen
und Nachdichtungen 1944–72, 1972; Venus im
Mars. Liebesgeschichten aus der Zeit des Hasses,
1972; Will Sohl und die Insel Sylt. Vierzig ausgewählte Aquarelle (Text) 1974; Die Weihnachtsgeschichte (Text zu Bildern von E. Em-
hardt) 1974; Der General und das Kind (Rom.)
1974; Die Rhön. Landschaft und Städte (Texte
zu Aufnahmen, mit andern) 1974; Reisewetter,
1975; Der große Filou. Die Abenteuer des Itha-
kers Odysseus (Illustr. Hansen-Bahia) 1976; Der
schielende Löwe und die Puppen in der Puppe.
Reiseimpressionen aus Amerika und Rußland
(bearb. Neuausg.) 1977; Tränen gelacht. Steckbrief eines Steinbocks, 1977; Ausgewählte Gedichte, 1978; Und es geschah zur Nacht. Mein
Weihnachtsbuch, 1978; Die letzten Nächte,
1979; Der sächsische Großvater (Erz.) 1979.

Herausgebertätigkeit: Freier Geist zwischen
Oder und Elbe. Dokumente des Widerstandes
seit 1945 in Vers und Prosa (mit andern) 1954;
Ein Licht scheint in die Finsternis. Ein Weihnachtsbuch, 1958; Phantastische Abenteuerer-
zählungen. Eine Sammlung der spannendsten
Erzählungen aus aller Welt (mit J. Carstensen)
1961; J. Keller, Mädchen ... nichts als Mädchen,
1963; W. Lehmann, Gedichte, 1963; Deutschland im Farbbild (mit W. M. Schade) 1963; K.

Craemer, Mein Panoptikum, 1965; Das große Weihnachtsbuch für die Familie (mit M. Achtelik) 1969; Olympische Sommerspiele. Die Spiele der XX. Olympiade München-Kiel, 1972; Fünf Ringe. Vom Ölzweig zur Goldmedaille, 1972; Sternstunden, 1975.

Übersetzertätigkeit: A. Poliziano, Die Tragödie des Orpheus. Italienischer Text mit deutscher Versübertragung, 1956; G. Boccaccio, Die Nymphe von Fiesole. Eine Erzählung in Versen, 1957; G. C. Menotti, Das Einhorn, der Drache und der Tigermann oder Die drei Sonntage eines Dichters. Eine Madrigal-Fabel für Chor, zehn Tänzer und neun Instrumente, 1959; J. W. Johnson, Gib mein Volk frei. Acht Negerpredigten, 1960; P. Neruda, Die Höhen von Macchu Picchu (sp. u. dt.) 1965.

Literatur: HdG 1, 262; Albrecht-Dahlke II, 2, 283. – R. C. ANDREWS, Two German War Poets: ~ – H. E. Holthusen (in: GLL 4) 1950/51; M. HABART, Ballade v. verschütteten Leben (in: Critique 9) 1953; O. HEUSCHELE, Neue Werke v. ~ (in: NSR 22) 1954/55; H. FROMM, D. Ballade als Art u. d. zeitgenöss. Ballade. Erörterungen an ~s «Ballade v. verschütteten Leben» (in: DU 8) 1956; C. W. HOFFMANN, ~ Saga of Dust and Light: Ballade v. verschütteten Leben (in: GR 33) 1958; Lit. als Provokation. Reden anläßlich d. Überreichung d. Julius-Campe-Preises an ~, 1959; R. BAUER, ~: Im Anfang war d. Geist (in: Interpretationen moderner Lyrik) 1964; M. REICH-RANICKI, Adel d. Seele. ~: Altherrensommer (in: M. R.-R., Lauter Verrisse) 1973.   AS

Hagemann, Carl, * 22.9.1871 Harburg b. Hamburg, † 24.12.1945 Wiesbaden; Dr. phil., Theaterkritiker, 1906 Intendant d. Nationaltheaters Mannheim, 1910 Dir. d. Dt. Schauspielhauses Hamburg, 1915–20 wieder Intendant in Mannheim, darauf in Wiesbaden. 1930 Lehrauftrag am Theaterwiss. Inst. Berlin. Theaterhistoriker, Erzähler, Übersetzer.

Schriften: Geschichte des Theaterzettels. Ein Beitrag zur Technik des deutschen Dramas. Das mittelalterliche Theater, 1901; Regie. Studien zur dramatischen Kunst, 1902 (1921 u. d. T.: Die Kunst der Bühne, 2 Bde.); Schauspielkunst und Schauspielkünstler. Beiträge zur Ästhetik des Theaters, 1903; Oscar Wilde. Studien zur modernen Weltliteratur, 1904; Wilhelmine

Schroeder-Devrient, 1904; Oper und Szene. Aufsätze zur Regie des musikalischen Dramas, 1905; Aufgaben des modernen Theaters, 1906; Dialoge über Kultur und Kunst, 1906; Moderne Bühnenkunst, 2 Bde., 1912–1916; Mit der fliegenden Division. Eindrücke eines Batterieführers auf drei Kriegsschauplätzen, 1915; Der deutsche Feldsoldat, 1917; Die Zauberflöte und ihre Mannheimer Neuinszenierung (Vortrag) 1917; Der Ring des Nibelungen und seine Baden-Badener Neuinszenierung (Vortrag) 1917; Weltreise-Chronik. Erlebnisse, Betrachtungen und Anekdoten, 1918; Spiele der Völker. Eindrücke und Studien auf einer Weltfahrt nach Afrika und Ostasien, 1919; Lillis Park. Aus dem Tagebuch einer Frau, 1920; Aphorismen zur Liebesweisheit, 1921; Weltfahrt. Ein unempfindsames Reisebuch, 1921; Das Dutzend und die Eine (Nov.) 1921; Das Schloß im Taunus (Erz.) 1922; Die schwarze Perle (Kom.) 1937; Deutsche Bühnenkünstler um die Jahrhundertwende, 1940; Germaine und Germaine, 1944; Bühne und Welt. Erlebnisse und Betrachtungen eines Theaterleiters, 1948.

Herausgeber- und Übersetzertätigkeit: Das Theater. Eine Sammlung von Monographien, 1904–06; Breviere ausländischer Denker und Dichter (mit E. A. Regener) 1904–08; Wilde-Brevier, 1904; Worte Ruskins, 1906; Worte Multatulis, 1906; Der Mensch im Spiegel. Aussprüche französischer Moralisten, 1946; O. Wilde, Vier Komödien (übers. und bearb.) 1947; Gefährliche Gedanken oder Die Grenze der Vernunft. Ein Oscar-Wilde-Brevier, 1950.

Literatur: NDB 7, 468; Theater-Lex. 1, 667, – H. J. BENGSCH, ~ u. die Szenenreform d. Schauspielbühne. E. Beitr. z. Gesch. d. Regie im 20. Jh. (Diss. München) 1951; H. v. d. Leyen, ~s theoret. Schr. (Diss. München) 1959.   AS

Hagemann, Friedrich Gustav, * 1760 Oranienbaum/Brandenburg, † zw. 1829 u. 1835 Breslau; Schauspieler u. Dramatiker.

Schriften: Der Rekrut (Schausp.) 1783; Handbuch zur Bildung des Verstandes und Herzens, 1783; Kleinere Stücke für die deutsche Bühne bearbeitet, 1784; Kleines Angebinde. Ein Sommergeschenk für Kinder und junge Leute, 1784; Gedichte, 1784; Die Luftkugel. Ein Beitrag zur Bibliothek theatralischer Schnurren, aus einer Geschichte unseres aerostatischen Jahrhunderts,

1784; Prosit das neue Jahr (Lsp.) 1784; Nahrung für alle Temperamente. 2 Bde., 1784f.; Franz von Sassenheim und Adelheid von Baar (Rom.) 1785; Auszug aus Wilhelminens Briefwechsel mit einem ihrer Freunde, 1787; Vermischte Gedichte, 1788; Leichtsinn und gutes Herz (Lsp.) 1791; Otto der Schütz, Prinz von Hessen (vaterländ. Schausp.) 1791; Zwei Vorspiele, 1791; Der Landgraf von Hessen, 1791; Der Fürst und sein Kammerdiener (Lsp.), 1792; Der Fremdling (Lsp.) 1793; Die glückliche Werbung oder Die Liebe zum König (Volkslsp.) 1793; Die Eroberung von Valenciennes (Schausp.) 1793; Friedrich von Oldenburg oder Der Mann von Stroh (Schausp.) 1794; Der Maytag, 1794; Die Hessin oder Das patriotische Fest (Lsp.) 1794; Der Weihnachtsabend oder Der Edelmann und der Bürger (Schausp.) 1798; Die Martinsgänse, 1798; Seliko und Berissa (Schausp.) 1798; Neue Schauspiele, 2 Bde., 1798/1810; Neuester Beitrag zum Theater, 1801; Die Favoritinn oder Der Triumph der Reue (Tr.) 1801; Die Rothköpfe oder Der schöne Wilhelm (Posse) 1801; Der Todtenkopf oder Die Vogelbauer (Schausp.) 1801; Großmuth und Dankbarkeit, 1810; Vetter Paul, 1810; Die Befreier Deutschlands (allegor. Vorsp.) 1813; Iwan, der alte dankbare Kosak (Lsp.) 1815; Der kleine Berliner (Lsp.) 1815.

Literatur: ADB 10,327; Theater-Lex. 1,667; Goedeke 5,288; 11/1,300.   RM

Hagemann, Laurentius, * 10.8.1692 Wolfenbüttel, † 2.5.1762; Theol.-Studium in Jena u. Leipzig, seit 1728 Prediger in Hannover, später hannover. Konsistorialrat, erster Hofprediger u. General-Superintendent d. Grafschaften Hoya u. Diepholz, 1748 Dr. theol.

Schriften: Quaestio historico philosophica, an Homerus fuerit philosophus moralis ..., 1712; Nordbeeks Erklärung der Weissagung Malachiä, aus dem Holländischen mit Anmerkungen, 1727; Gottes Zeugniß unter seinem Volk oder Sammlung verschiedener geistreicher und erbaulicher Reden, aus dem Englischen übersetzt, 2 Tle., 1727/31; Heilsame Worte an die Menschen, in einigen Reden, 4 Tle., 1728–34 (Neuausg. 1738); Dankbares Andenken an göttliche Wunderwege oder Einige geistliche Reden, 1731; Denkmahl evangelischer Jubelfreude oder Reden bey Feyerung des zweyten evangelischen Jubelfestes, 1731; Hirtenstimme an die Schäf-

lein Jesu oder Unterricht für Kinder, 1731; Das herrliche Evangelium des seeligen Gottes, in einigen Reden, 6 Tle., 1736–46 (Neuausg. 1757); Thom. Tennisonii Comm. de adparitionibus in V. et N.T. symbolicis, 1740; Betrachtungen über die göttlichen Erscheinungen im alten Testamente und die darin geoffenbarte göttliche Vollkommenheit, 2 Tle., 1743/45; Sammlung göttlicher Zeugnisse von dem Leiden Jesu (Passionspredigten) 3 Tle., 1747–49 (Neuausg. 1763).

Literatur: Adelung 2,1723; Ersch-Gruber II. 1,159.   RM

Hagemann, Paul (August Theodor Ferdinand) (Ps. Guido René), * 8.9.1858 Bielefeld; Buchhändler in Marburg, Red. d. «Anz. f. Havelland» in Spandau (1887ff.), Red. u. Buchdruckereibesitzer in Biesenthal u. Burg, seit 1893 Chefred. u. Besitzer d. «Stettiner Beobachters» sowie Eigentümer d. Pomm. Buchdruckerei u. Verlagsanstalt in Stettin.

Schriften: Die Anfangsgründe des Schachspiels ..., 1879 (3., verb. Aufl. hg. F. Rudolf, 1900); Ernstes und Heiteres (Ged.) 1882; Lieutenant von Liebenstein auf Zimmer Nr. 91 oder Dreißigtausend Mark (Lsp.) 1882; Die Schaubühne und ihr Einfluß auf unsere Bildung, 1883; Ein origineller Theaterskandal ..., 1885; Heinrich Heine in Dorpat. Eine wehmütige Reminiscenz aus den siebziger Jahren in kritischer Beleuchtung, 1886; Kaiser Friedrich der Edle. Ein Gedenkbuch, dem deutschen Volke gewidmet, 1888; Der Quidde'sche Caligula-Kladderadatsch oder «Sie werden nicht alle!» Auch 'ne Studie, 1894.   RM

Hagemann, Walter (Ps. Michael Bruck), * 16.1.1900 Euskirchen (Rheinl.), † 16.5.1964 Potsdam; Dr. phil. (bei Fr. Meinecke), zahlr. Weltreisen, Reiseschriftst.; seit 1928 Red. d. Tagesztg. «Germania» in Berlin, seit 1946 Prof. f. Publizistik in Münster; übersiedelte 1961 in d. DDR, erhielt e. Lehrstuhl f. Wirtschaftsgesch. d. Imperialismus an d. Humboldt-Universität.

Schriften: Das erwachende Asien. Arabien, Indien, China, 1926; Zwischen La Plata und Hudson. Wanderungen durch Latein-Amerika, 1927; Gestaltwandel Afrikas. Reiseskizzen, 1928; Die Revision der Kolonialmethoden in Afrika, 1929; Deutschland am Scheideweg. Gedanken zur Außenpolitik, 1931; Die Revision marschiert,

1933; Richelieus politisches Testament. Dreihundert Jahre europäische Unsicherheit, 1934; Der deutsch-französische Gegensatz in Vergangenheit und Gegenwart, 1940; Uns ruft Afrika! Reiseskizzen, 1943; Der Weg in den Abgrund, 1946; Grundzüge der Publizistik, 1947; Publizistik im Dritten Reich. Ein Beitrag zur Methodik der Massenführung, 1948; Der Fahrgast aus Chikago. Erlebnisse in drei Erdteilen, 1949; Die Zeitung als Organismus. Ein Leitfaden, 1950; Vom Mythos der Masse. Ein Beitrag zur Psychologie der Öffentlichkeit, 1951; Der Film, Wesen und Gestalt, 1952; Fernhören und Fernsehen. Eine Einführung in das Rundfunkwesen, 1954; Die soziale Lage des deutschen Journalistenstandes, insbesondere ihre Entwicklung seit 1945, 1956; Dankt die Presse ab?, 1957; Das Wagnis des Friedens, 1959.

Herausgebertätigkeit: Die Deutsche Zeitung 1949. Untersuchung von Form und Inhalt, 1949; Die Deutsche Zeitschrift 1949/50. Untersuchung von Form und Inhalt, 1950; Beiträge zur Publizistik, 6 Bde., 1950–54; Filmstudien. Beiträge des Filmseminars im Institut für Publizistik an der Universität Münster, 3 Bde., 1952–1957; Der Film als Beeinflussungsmittel. Vorträge und Berichte der 2. Jahrestagung der Deutschen Gesellschaft für Filmwissenschaft (mit E. Feldmann) 1955; Publizistik. Zeitschrift für die Wissenschaft von Presse, Rundfunk, Film, Rhetorik, Werbung und Meinungsbildung (mit E. Dovifat und W. Haacke) 1956–60; Die deutsche Zeitschrift der Gegenwart. Untersuchung, 1957; Filmbesucher und Wochenschau. Untersuchung, 1959.

Literatur: NDB 7,468. – «D. Führer war heute sehr unzufrieden». ~ als Publizist im Dritten Reich (in: D. Auswahl. Aufs. aus Ztg. d. In- u. Auslandes, H. 10) 1949; W. HAACKE, Dreißig Jahre Inst. f. Publizistik an d. Univ. Münster i. W. (in: D. dt. Ztg., 4) 1950; Publizistik als Wiss. Sieben Beitr. f. Emil Dovifat, 1951; W. HAACKE, D. Inst. f. Publizistik an d. Univ. Münster (in: D. dt. Presse, hg. Inst. f. Publizistik an d. FU Berlin) 1954; ~, In d. neuen Heimat (in: Wir leben in d. DDR. Selbstzeugnisse christl. Persönlichkeiten) 1963; ~ † (in: Publizistik 9) 1964.　　AS

Hagemann, Wanda, * 27. 1. 1908 Schwarmstedt/Hann.; Studienrätin, wohnt in Bochum-Querenburg; Lyrikerin, Essayistin.

Schriften: Auf dem Wege. Der blühende Garten (Ged.) 1955; Herz unterwegs. Gedichte für die Menschen meiner Zeit, 1968.　　AS

Hagemeister, Erich, * 5. 11. 1878 Stralsund, † 27. 1. 1958 Schwerin; Dr. phil., war 1920–25 Dramaturg d. Mecklenburg. Staatstheaters in Schwerin. Dramatiker, v. a. im Dialekt.

Schriften: Friedrich Baron de la Motte Fouqué als Dramatiker (Diss. Greifswald) 1905; Die Bank der Spötter (Schausp.) 1906; «Die Menschen, die nennen es Liebe». Spaziergänge durch das Armenviertel der Gesellschaft, 1909; Die Hochzeit des Buckligen (Rom.) 1920; De gollen Kutsch. Ein Spill för alle Lüd, lütte un grote, de noch eens in den lustigen Wagen instigen willen, 1925; De Buer un de Paap. En lustig Truerspill in 1 Uptog, 1925; Jungfer Eli un de Appelboom. Komedi in 3 Uptög, 1929; Myrten un Oelfarw. Komedi, 1930; Karsten Sarnow. En Stück ut de grote Hansentied in 5 Uptög, 1933; De adlige Rosenblome. En Spill ut olle Tiden, 1938; Nette Pasteten. Schwank, 1939. (Außerdem zahlr. ungedr. Bühnenstücke.)

Literatur: Theater-Lex. 1,668.　　AS

Hagemeister, Johann Gottfried Lucas, * 15. 1. 1762 Greifswald, † 4. 8. 1806 Anklam; Philol.-Studium in Greifswald u. Halle, 1802 Rektor in Anklam. Hg. d. «Dramaturg. Wochenbl.» (1792) u. d. «Journals f. Gemeingeist» (1792 f., mit G. W. Bartholdy).

Schriften: Die Jesuiten (Schausp.) 1787; Die Vorurteile – Der Prüfstein (2 Schausp.) 1787; Georg Lillos Kaufmann von London, dt. 1789; Johann von Procida oder Die sicilische Vesper (Schausp.) 1791; Das große Loos (Lsp.) 1791; Der Graf aus Teutschland oder Der Klosterraub (Lsp., Hg.) 1791; Römische Dichtungen, 1. Bd., 1794. – Unter H.s Namen ersch., verf. v. B. Ahlwardt: Waldemar Markgraf von Schleswig, 1793; Gustav Wasa, 1795; Dom Joam von Braganza, 1796.

Literatur: ADB 10,331; Theater-Lex. 1,668; Goedeke 5,290.　　RM

Hagemeister, Nikolaus Christopher von, * 19. 11. 1747 Lindenhof/Kurland, † Nov. 1814 Riga; bis 1770 in russ. Militärdiensten, dann Privatmann.

Schriften: Meine Abendstunden (Ged.) 1789.

Literatur: Goedeke 5,416.　　RM

Hagen → Böhm, Willibald; Hoewer, Eugen.

Hagen, Adolf → Harpf, (Josef) Adolf.

Hagen, Alfred (eig. Alfred Weiss), * 17.9.1879 Wien; Korrespondent versch. Ztg. in Wien, seit 1899 Chefred. u. Hg. d. ill. Ws. «Wiener Leben», später Chefred. d. «Zürcher Morgen-Ztg.» in Zürich.

Schriften: Das Kainszeichen (Rom.) 1897; Das Recht auf Liebe (Dr.) 1898; Ninion (Melodr., mit E. Maij-Lucey) 1907.   RM

Hagen, Anna → Treichel, Anna.

Hagen, Charlotte → Marx-Lindner, Lo.

Hagen, Dietrich, * 17.7.1893 Aschersleben; lebte in Mühlhausen/Thür. u. in Angersbach/Hessen.

Schriften: Wandlungen (Erz.) 1943; Die Pegasiaden (5 Märchen) 1950; Rot scheint die Sonne. Roman der deutschen Fallschirmjäger, 1960.   RM

Hagen, Ernst, * 7.2.1906 Prag; Red. in Wien; Erzähler, Essayist, Verf. v. Humoresken, Komödien, Hör- u. Fernsehspielen.

Schriften: Kleiner Vogel in großem Käfig. Nachhilfestunden in der Kunst zu lachen, 1956; Banditen der Autobahn (Filmrom.) 1956; Die Brüder vom nackten Berg (Rom.) 1957; Seniorenclub. Jeder kann jung bleiben, 1972; Hotel Sacher. In deinen Betten schlief Österreich, 1976.   AS

Hagen, Ernst August, * 12.4.1797 Königsberg/ Pr., † 16.2.1880 ebd.; Studium d. Medizin, Kunst- u. Lit.gesch. in Königsberg, 1825 Prof. f. dt. Lit. u. seit 1830 Prof. f. Kunstgesch., Red. d. «Neuen Preuß. Provinzialbl.» (1846–57), Begründer d. Königsberger Städt. Gemäldegalerie, d. Kunstver. (1832), d. Alt.gesellsch. «Prussia» (1844) u. d. Kunstakademie (1845).

Schriften: Olfried und Lisena. Ein romantisches Gedicht in zehn Gesängen, 1820; Gedichte, 1822; Norica, das sind Nürnbergische Novellen aus alter Zeit (n. e. Hs. d. 16.Jh. hg.) 2 Bde., 1827 (Neuausg. hg. A. Schurig, 1920; hg. L. Feuerlein, 1920; Ausw., hg. F. Schmidt, 1930); Shakespeares erstes Erscheinen auf den Bühnen Deutschlands und insbesondere auf der Königsbergs, 1832; Die Chronik seiner Vaterstadt vom Florentiner Ghiberti, dt. 1833; Der Dom zu Königsberg, 1833/35; Künstlergeschichten, 4 Bde.,

1833–40; Der Obrist und der Matrose (Tr.) 1842; Geschichte des Theaters in Preußen, 1854; Max von Schenkendorffs Leben, Denken und Dichten, 1863.

Nachlaß: Staats- und Univ.bibl. Königsberg. – Frels 111.

Literatur: ADB 55,770; NDB 7,470; Theater-Lex. 1,668; Goedeke 10,572,657; 11/1,495; 14,885. – H. HAGEN, ~, e. Gedächtnisschr. z. seinem hundertsten Geb.tag, 1897; B. HENRARD, ~ u. seine Beziehungen z. schönen Lit. (Diss. Königsberg) 1926.   RM

Hagen, Franz → Diederich, Franz.

Hagen, Friedrich, * 24.7.1903 Nürnberg, † 25. 2.1979 St-Cloud b. Paris; Schriftst., Übers., Maler u. Regisseur; 1933 verhaftet, dann emigriert, weil er sich von s. jüd.Frau nicht trennen wollte; seit 1946 im Rahmen der franz.-dt. Kulturvermittlung zahlr. Sendungen u. Vorträge. Dramatiker, Lyriker, Erzähler, Essayist, Hörspielautor u.v.a. Übers. aus d. Französ. Kulturpreis der Stadt Nürnberg 1965.

Schriften: Die Legende vom Tode. Mysterienspiel, 1923; Weinberg der Zeit (Ged.) 1949; Paul Eluard (Ess.) 1949; Zwischen Stern und Spiegel. Jean Cocteau als Zeichner. 1956; Die Kelter des Zorns (Rom.) 1963; Zweimal Insel Franken (Vorträge) 1971; Begegnung mit Moira. Tagebuch einer Operation, 1976; Jean Meslier oder ein Atheist im Priesterrock (Vortrag) 1977.

Übersetzertätigkeit: J. Cocteau, Herz unmodern, 1951; J. Gracq, Das Ufer der Syrten, 1952; L. de Vilmorin, Julietta, 1953; R. Lang, André Gide und der deutsche Geist, 1953; P. Eluard, Vom Horizont eines Menschen zum Horizont aller Menschen, 1956; J. Cocteau, Der große Sprung, 1956; J. Cocteau, Die Schwierigkeit zu sein, 1958; A. Simonin, Wenn es Nacht wird in Paris, 1958; A. Curvers, Tempo di Roma. Ein Taugenichts in Rom, 1958; V. Filozof, Le Palais royal. Erzählt von Jean Cocteau. Gesehen von V.F. 1959; Leben und Werk des Jean Cocteau, 2 Bde. 1961; M. Brion, Francis Bott, 1962; P. Eluard, Choix de poèmes. Ausgewählte Gedichte, 1963; ders., Ich bin nicht allein, 1965; J. Cocteau, Opium. Ein Tagebuch, 1966; ders., Meine Reise um die Welt in 80 Tagen, 1967.   AS

Hagen, Friedrich Caspar, * 9.10.1681 Bayreuth, † 13.4.1741 ebd.; Philos.- u. Theol.Studium in

Wittenberg, Prof., Oberhofprediger u. Superintendent in Bayreuth. Verf. zahlr. Progr., Predigten usw.

Schriften: Memoriae philosophorum, oratorum, poetarum, historicorum et philologorum nostrae aetatis clarissimorum renovatae, 1710; Deutsche Bibel Lutheri (hg.) 1736.

Literatur: Adelung 2, 1724; Ersch-Gruber II. 1, 163.   RM

Hagen, Friedrich Heinrich von der, * 19.2. 1780 Schmiedeberg/Uckermarck, † 11.6.1856 Berlin; Rechtsstudium in Halle, Hörer b. F.A. Wolf u. A.W. Schlegel, autodidakt. Nibelungenliedforscher, 1810 a.o. Prof. d. dt. Sprache u. Lit. in Berlin, 1811 in Breslau (auch Bibliothekar), 1818 o. Prof., 1824 o. Prof. in Berlin. Hg. d. «Germania ...» (10 Bde., 1836–53), Mit-Hg. d. «Museum f. altdt. Lit. u. Kunst» (1809–11), d. «Slg. f. altdt. Lit. u. Kunst» (1812), Mitgl. d. «Berlin. Gesellsch. f. dt. Sprache u. Alt.kunde», 1841 Mitgl. d. Preuß. Akad. d. Wissenschaften.

Schriften u. Herausgebertätigkeit (Ausw.): Sammlung deutscher Volkslieder ... (mit J. G. Büsching) 1807; Deutsche Gedichte des Mittelalters (mit dems.) 2 Bde., 1808–25; Der Nibelungen Lied in der Ursprache mit den Lesarten der verschiedenen Handschriften, 1810 (Dass., Zum 1. Mal in der ältesten Gestalt aus der St. Galler Handschrift ..., 1816); Der Helden Buch 1, 1811; Literarischer Grundriß zur Geschichte der deutschen Poesie ..., 1812; Die Eddalieder ... zum 1. Mal verdeutscht und erklärt, 1814; Nordische Heldenromane (übers.) 5 Bde., 1814–28; Briefe in die Heimat aus Deutschland, der Schweiz und Italien, 4 Bde., 1818–21; Heldenbilder aus den Sagenkreisen Karls des Großen, Arthurs, der Tafelrunde und des Grals, Attilas, der Amelungen und Nibelungen, 2 Tle., 1819/21; Gottfried's von Straßburg Werke ..., 2 Bde., 1823; Tausend und eine Nacht ... (übers., mit Habicht u. K. Schall) 13 Bde., 1825; Tausend und ein Tag ... (übers.) 11 Bde., 1827–32; Minnesinger. Deutsche Liederdichter des 12., 13. und 14. Jahrhunderts, 4 Bde., 1838 (Neudr. 1962); Gesammtabenteuer. Hundert altdeutsche Erzählungen, 3 Bde., 1850 (Neudr. 1961; Neuausg. v. H. Neiwöhner, 3 Bde., 1937 ff.; Neuaufl. d. 1. Bd. 1967); Bildersaal altdeutscher Dichter ..., 1856 (auch als 5. Bd. d. «Minnesinger», Neudr. Textbd. u. Atlasbd. 1963).

Nachlaß: Staatsbibl. Berlin (West). – Denecke 66; Nachlässe DDR I, Nr. 248.

Literatur: ADB 10, 332; NDB 7, 476. – Briefe an C. G. Heyne u. G. F. Benecke (hg. K. DJATZKO) 1893; A. LEITZMANN, Z. ∼s GA ... (in: PBB 48) 1924; M. HECKER, Aus d. Frühzeit d. Germanistik. D. Briefe J. G. Büschings u. ∼s an Goethe (in: Jb. d. Goethe Gesellsch. 15) 1929; L. MACKENSEN, Breslaus erster Germanist (in: Jb. d. Schles. Friedrich-Wilhelm Univ. z. Breslau 3) 1958; H. NIEWÖHNER, D. GA (in: Forsch. u. Fortschritte ... 32) 1958; W. GOSE, GA (in: Germanistik 4) 1963.   RM

Hagen, Friedrich Wilhelm, * 31.3.1767 Mistelbach, † 1837 Windsheim/Mittelfranken; Studium d. Philos., Philol. u. Theol., 1797 a.o. Prof. d. Philos. in Erlangen, seit 1799 Schloßprediger u. Theol.-Prof. in Bayreuth, dann Diakon in Selb, Pfarrer in Dottenheim u. seit 1816 Stadtpfarrer u. Dekan in Windsheim. Verf. versch. Schulschriften.

Schriften: Übungen in der Ciceronianischen Schreibart ..., 4 Slg., 1795–99; Sieg des Christenthums über Juden- und Heidentum ..., 1796; Über die Gegenstände der häuslichen Glückseligkeit, 1796; Christliche Religionsvorträge ..., 1797; Commentatio in aliquot psalmorum loca difficiliora et indolem poeticam, 1797; Vindiciae prophetarum ebraicorum et Jesu Christi contra Thomam Paine ..., 1798; Die Messianischen und mehrere Natur-Psalmen ..., übersetzt und erläutert, 1798; Beyträge zur Erläuterung der Briefe Ciceros ..., 1798; Commentar über Ciceros vermischte Briefe ..., 3 Bde., 1798–1805; Blätter für Humanität und Religion für eine Gesellschaft der denkenden Bürger in Erlangen, 1798; Charakteristik des noch unaufgeklärten Theils der Geistlichkeit in Franken, 1799; Über die Worte Jesu, die Wahrheit macht euch frei, 1801; Der Geist des Menschen ist unsterblich (Predigten) 1801; Über das Wesentliche der von Pestalozzi aufgestellten Menschenbildungsweise ..., 1810; Über Volksindustrie und Volksbildung durch die Landschulen. Eine Aerndtepredigt und eine Schulpredigt, 1811.

Literatur: M. SIMON, Diakonus ∼ in Selb 1809 (in: Zs. f. bayer. Landesgesch. 18) 1955.   RM

Hagen, Godefrit, Meister, 2. Hälfte 13. Jh.; Verf. d. ›Boich van der Stede Coelne‹, e. Reimchronik Kölns aus d. Zeit n. 1270, die d. Auseinandersetzung d. Bürgerschaft mit den Bischöfen darstellt, H. war an d. Ereignissen beteiligt. D. Chronik ist (in d. ältesten Fassung) in e. Papierhs. d. 15. Jh. überliefert. – D. Identifikation H.s mit dem gleichzeitigen Stadtschreiber Magister Godefridus († ca .1300) ist nicht ganz gesichert.

Ausgaben: Des Meisters G.H. ... Reimchronik der Stadt Cöln (hg. E. v. GROOTE) 1834; Dit is dat boich van der stede Colne (hg. H. CARDANUS u. K. SCHRÖDER), 1875; H.MASCHEK, Dt. Chroniken, 1936.

Übertragung: F.W. VLEUGELS, Meister G.H.s ... Buch v. d. Stadt Köln, 1921.

Literatur: VL 2,144; Ehrismann II/2,430; de Boor-Newald 3/1 203; NDB 7,478; RL ²1,212. – J. JANSSEN, Stud. über d. Köln. Gesch.quellen im MA (in: Annalen d. hist. Ver. f. d. Niederrh. 1) 1855; A. BIRLINGER, Zu ~s Chronik (in: ZfdA 17) 1874; J. HANSEN, Chroniken u. verwandte Darst. im Stadtarch. (in: Mitt. aus d. Stadtarch. v. Köln 20) 1891; H. KELLETER, ~ u. s. Buch v. d. Stadt Köln (in: Westdt. Zs. f. Gesch. u. Kunst 15) 1894; H. KEUSSEN, D. Rotulus v. St. Maria (in: Mitt. aus d. Stadtarch. v. Köln 35) 1914; E. DORNFELD, Unters. z. ~s Reimchronik, 1912; M. PFÜTZE, ‹Burg› u. ‹Stadt› (in: PBB 80) 1958; J.B. MENKE, Gesch.schreibung u. Politik in dt. Städten d. SpätMA (in: Jb. d. Köln. Gesch.ver. 33) 1958 (u. 35/35) 1960; R. SCHÜTZEICHEL, D. Kölner Schreibsprache (in: Rhein. Vjbl. 27) 1962; A. GRUNDMANN, Gesch.-schreibung im MA (in: Aufriß 3) ²1962; A. BACH, D. Rheinland u. d. dt. Lit. d. MA, 1964; D. HARTMANN, Stud. z. bestimmten Artikel in ... rhein. Denkmälern d. MA, 1967; E. NEUSS, D. sprachhist. Problem v. ~s Reimchron., (in: Rh. Vjbl. 33) 1969.   RR

Hagen, Hans Wilhelm, * 9.5.1907 Markirch/Elsaß, † 2.4.1969 München; Dr. phil., lebte in München; Lyriker, Essayist.

Schriften: Deutsche Dichtung in der Entscheidung der Gegenwart, 1938; Der Schicksalsweg der deutschen Dichtung, 1938; Durchbruch zu neuer Mitte. Drei Studien zur Überwindung der Kultur-Krise, 1957; Zwischen Eid und Befehl. Tatzeugenbericht von den Ereignissen am 20. Juli 1944 in Berlin und Wolfsschanze, 1959; Unvergeßliche Bilder. Deutsche Maler aus sechs Jahrhunderten, 1959; Musikalisches Opfer. Ein Altar

in Worten mit vier Seitentafeln um den Mittelschrein, 1960; Blick hinter die Dinge. Die tiefere Oktave. Zwölf Begegnungen, 1962; Ein Beispiel der Befreiung, 1967.   AS

Hagen, Henning, * ca. 1440 Helmstedt, † 1503 ebd. (?); Chronist, Geistlicher ab 1494 Probst d. Ludgeri-Klosters in Helmstedt. – Verf. 1481 e. Kopialbuch s. Klosters u., 1491, auf Bitten d. Rats d. Stadt e. Chronik von Helmstedt. Diese sollte als Rechtsgrundlage f. eventuelle Streitigkeiten mit d. neuen (seit 1490) Stadtherrn Herzog Wilhelm dienen. Sie ist e. Slg. v. nach Buchstaben u. Zahl geordneten Auszügen aus Urkunden, vermischt m. ausführlichen persönlichen Schilderungen u. Bemerkungen. Original in Helmstedt.

Ausgaben: E. HENRICI, Braunschweig. Magazin, 1909; E. MUTKE, Helmstedt im MA (Quellen u. Forsch. z. braunschw. Gesch.) 1913; E. BRUGGE u. H. WISWE, H.H.s Chron. d. Stadt Helmstedt (in: Niederdt. Mitt. 19/21) 1963/65.

Literatur: VL 2,146; 5,319. – O. SCHÜTTE, Aus ~s Chronik (in: Braunschw. G.N.C. Monatschr. 9) 1922; SCHRÖDER, D. Helmstedter Stadtchron. (in: Zs. Alt-Helmst. 5) 1923; E. BRUGGE, ~s Stadtchron. v. Helmst. (in: Niederdt. Mitt. 2) 1946; G. CORDES, Ostfäl. Chron. d. ausgehenden MA (in: Niederdt. Jb. 50/51) 1935; H. MASCHEK, Dt. Chroniken, 1964 (Neudr. der Ausg. v. 1936).   RR

Hagen, Henriette Christiane von → Gilden, Henriette von.

Hagen, Hildegard, * 17.5.1885 Berlin; war ebd. Deklamationslehrerin.

Schriften: Jene sinds, die leidend büßen! Leiden und Lieder einer Verstoßenen, 1907.   AS

Hagen, J. C. → Federkiel, Hilarius Jocosus.

Hagen, Joachim Heinrich, * 10.11.1649 Bayreuth, † 10.5.1693 ebd.; 1649 Mitgl. d. Pegnitzordens; Prof., Archidiakonus u. zuletzt Asessor d. Consistoriums in Bayreuth.

Schriften: De illustribus Germaniae pöetis germanis (Inaugural-Rede) o. J.; Weihnachts-Schäferey zu Ehren der heiligen Geburt des Welt-Heilandes Jesu Christi, in reine teutsche Reime verfasset, 1669.

Literatur: Jöcher 2,1316; Goedeke 3,275.

RM

Hagen, Johann Evangelist (Ps. f. Johann Hagen),
* 25.10.1864 Buch-Frauenfeld/Kt. Thurgau, † 1.
5.1955 Frauenfeld; Benediktinerzögling, Studium
d. Theol. in Luzern, 1890–97 Pfarrer in Müll-
heim/Kt. Thurgau, dann Red. d. Ztg. «D. Wächter» (später «Thurgauer Volksztg.») u. d. illustr.
Mbl. «Mariengröße aus Einsiedeln»; seit 1922
Domherr der Diözese Basel. Dichter, Reiseschriftst. u. Publizist.

Schriften (Ausw.): Theolinde. Ein Sang vom
Bodensee, 1890; Weihe-Gesang. Festgabe zur
Einweihung der neuen katholischen Kirche Frauenfeld, 1906; Religiöse Lieder für das Feldlaza-
rett, 1914; Der selige Nikolaus von Flüe. Sein
Leben und sein Vorbild für alle. Jubiläums-Gabe
zu seinem 500. Geburtstage 1917; Von der Thurgauer Wochenzeitung zur Thurgauer Volkszeitung, 1844–1944, 1945; Die Stiftung des von
Rüpplin'schen Benefiziums in Frauenfeld. Ein
Beitrag zu dessen Geschichte und Rechtsverhält-
nissen, 1946; Gedichte, 3 Bde., 1946.

Literatur: HBLS 4, 51.   AS

Hagen, Johann Jost Anton von, Geburts- u. Todesdatum unbekannt; n. militär. Laufbahn Referendar in Berlin u. Landrat in Kallwary/Pr., Mitarb. d. Halleschen «Gelehrten Ztg. f. d. Frauenzimmer» (1773 f.) u. d. Berliner «Lit. Wochenbl.»
(1776 f.).

Schriften: Gedichte in Chaulieus Geschmack,
1770; Die Logen, 1771; Briefe teutscher Gelehrten an den Herrn geheimen Rath Klotz (hg.) 2
Tle., 1773; Magazin zur Geschichte des teutschen
Theaters, 1. St., 1773; Dramaturgische Nachrichten (mit G. F. W. Grossmann) 2 St., 1779 f.;
Schnacken, Schnurren und Charakterzüge, 2 Bde.,
1783/86.

Literatur: Meusel-Hamberger 3, 43; 9, 494; 14,
15.   RM

Hagen, Johannes → Indaginis, Johannes.

Hagen, Karl, * 10.10.1810 Dottenheim b.
Windsheim, † 24.1.1868 Bern; Theol. -u. Philol.-Studium in Erlangen, Gesch.-Studium in Jena, Privatdoz. in Erlangen u. Heidelberg, Abgeordneter Heidelbergs in d. Frankfurter Nationalverslg., seit 1855 Prof. u. zeitweise Univ.-Rektor
in Bern. Mit-Hg. d. Heidelberger Zs. «Braga»
(1838 f.), Mitarb. zahlr. Zeitschriften.

Schriften (Ausw.): Deutschlands litterarische
und religiöse Verhältnisse im Reformationszeitalter. Mit besonderer Rücksicht auf W. Pirkhei-
mer, 3 Bde., 1841 ff. (2. u. 3. Bd. auch u. d. T.:
Der Geist der Reformation und seine Gegensätze,
2 Bde., 1843 f.; Neuausg., mit e. Nekrolog hg. H.
Hagen, 3 Bde., 1868); Fragen der Zeit vom histo-
rischen Standpunkt betrachtet, 2 Bde., 1843/45;
Politischer Katechismus für das freie deutsche
Volk, 3 H., 1848; Entwurf zu einem deutschen
Nationalparlament, 1848; Geschichte der neuesten Zeit vom Sturze Napoleons bis auf unsere
Tage, 2 Bde., 1848/50; Deutsche Geschichte von
Rudolf von Habsburg bis auf die Zeit Friedrichs
des Großen, 3 Bde., 1854–58 (Forts. v. Dullers
«Vaterländ. Gesch.»); Grundriß der allgemeinen
Geschichte ..., 3 Bde., 1860 ff.; Reden und Vorträge, 1861; Die auswärtige Politik der Eidge-
nossenschaft namentlich Berns in den Jahren 1610
bis 1618. Ein Beitrag zur Vorgeschichte des Dreißigjährigen Krieges, 1865.

Literatur: ADB 10, 361.   RM

Hagen, Karl-Heinz, * 10.11.1919 Berlin; seit
1945 Journalist u. Chefred. in Berlin. Übers. aus
d. Englischen.

Schriften: Der du bist im Nebel (Rom.) 1947.
                                                    RM

Hagen, Kaspar, * 11.12.1820 Bregenz, † 20.3.
1885 ebd.; Schreiber beim Rentamt in Bregenz,
dann Medizin-Studium in München, Wien u.
Prag. 1856 Dr. med., Arzt in Hard u. zuletzt in
Bregenz.

Schriften: Dichtungen in alemannischer Mundart, 3 Bde., 1872–76 (2., verm. Aufl. 1878); Gedichte in der Bregenzer Mundart (ausgew. u. eingel. E. Allgäuer) 1921.

Nachlaß: Frels 111.

Literatur: ÖBL 2, 143. – J. Mittelberger, Aus
d. Nachl. ∼s, 1913.   RM

Hagen, Ludwig, * 9.6.1824 Regensburg, † 12.
1.1873 Krems/Niederöst.; Schauspieler (seit
1853 in Krems), Bühnenautor u. Lyriker.

Schriften: Der Österreicher ihr Wunsch, 1855;
Johann Martin Schmidt, 1856; Tod und Teufel in
Krems, 1857; Der Weltuntergang, 1857. (Außer-
dem e. Reihe ungedr. Bühnenstücke).

Literatur: ÖBL 2, 143.   RM

Hagen, Margarete, geb. Paufler (Ps. M. Paufler,
Hagen-Paufler, Palfy), * 24.10.1864 Leipzig;
in 1. Ehe verh. mit d. Schriftst. u. Red. O.

Rentsch, lebte später in Toledo/Ohio, USA. Lyrikerin, Erzählerin.

Schriften: Zeitklänge aus ernsten Tagen (Ged.) 1916.   AS

Hagen, Margarete von, * 13.5.1885 Merzdorf/ Kr. Züllichau-Schwiebus; wohnte in Berlin; Erzählerin.

Schriften: Landfahrer sind wir ... Die Tragödie eines Großen (Rom. über Paracelsus) 1939; Die Nahrungsmittel sollen unsere Heilmittel sein!, 1939; Diätkuren, Wunderkuren!, 1939; Von Capperos bis Bonnie. Erlebnisse mit klugen Tieren aus zwei Jahrtausenden, 1949.   AS

Hagen, Niklaus, 2. Hälfte 15. Jh., Meister H., Wundarzt zu Regensburg, Urheber e. Reihe v. Rezepten u. Anweisungen z. Extremitätenchirurgie. Scheint identisch mit Niklaus v. Regensburg, v. d. Salbenrezepte überl. sind.

Literatur: VL 2, 147; 3, 620. – S. SUDHOFF, Beitr. z. Gesch. d. Chirurgie im MA 2, 1918.
                                                                                   RR

Hagen, Otfrid, * 1869 Braunschweig, † 8.12. 1923 Frankfurt/M.; n. kaufmänn. Lehre Gesangsausbildung in Frankfurt/M., Tenor in Heidelberg, München (1905–09) u. a. Orten, später am Braunschweiger Hoftheater.

Schriften: Scherz- und Minneweisen eines Spielmannes, 1902; «Die Geheilten» (Lsp.) 1906; Gottesstreiter. Ein Sang vom Staffelsee, 1910.

Literatur: Theater-Lex. 1, 669.   RM

Hagen, Peter von (Petrus Hagius), * Juni 1569 Henneberg/Ostpr., † 31.8.1620 Königsberg; Theol.-Studium in Königsberg, Helmstedt u. Wittenberg, 1594 Rektor in Lyck u. 1602 in Königsberg. Lehrer Simon Dachs, Verf. geistl. Lieder u. latein. Dichtungen.

Schriften: Praxis pietatis ..., 1611; Prosopopeia veri et sinceri Christiani, 1618.

Literatur: Jöcher 2, 1318; ADB 10, 343.   RM

Hagen, Peter (Ps. f. Willi Krause), * 11.5.1907 Berlin; war zeitweise Reichsfilmdramaturg in Berlin, wohnte dann auf Schloß Colberg bei Storkow/ Mark.

Schriften: Die Straße zu Hitler. SA-Erzählung, 1932; Preußen einst und jetzt, 1932; Reichsminister Dr. Goebbels (Lb.) 1933; Soldat der Revolution (Dr.) 1933; Wir bauen eine Straße (Schausp. mit H. J. Nierentz) 1933; Nur nicht

weich werden, Susanne! (Rom.) 1933; SA-Kamerad Tonne (Rom.) 1933 (Teil daraus u. d. T.: Wie ein Proletarierjunge SA-Mann wurde, 1934); Die schwarze Reihe (Hg.) 1934; Der Flieger (Erz.) 1934; Lichtnacht der Wende. Dichtung für Sprechchor, 1934; Greta und Ulle (Nov.) 1934; Neue Tanzlegende (Erz.) 1934; Auf der Walze, 1934; Bornemann gehört zu uns, 1935; Aufblenden! (Rom.) 1937; Nachtwache im Paradies, 1939; Buren-Tragödie, 1940; Die Prinzessin kehrt heim (Erz.) 1941.   AS

Hagen, Peter → Graenitz, Hans.

Hagen, Renate von der (Ps. Renate Hagen), * 27. 9.1900 Neurode Eulengeb.; Gesundheitsfürsorgerin, Katechetin, wohnt in Reden über Hannover. Erzählerin.

Schriften: Die Feuersäule (Erz.) 1947; Das Gewissen. Aus dem Leben einer jungen Fürsorgerin, 1949; Wintersaat (Erz.) 1951; Erfüllung (Erz.) 1953; Das feurige Gesetz (Erz.) 1959; D. Bennett, Susanne (Übers.) 1959.   AS

Hagen, Richard, * 21.6.1893 Karlsruhe; Dr. phil., lebte in Berlin.

Schriften: Der brennende Kontinent (Rom.) 1928.   AS

Hagen, Robert von (Ps. H. Trebor), * 7.2.1846 Abony/Ungarn, Todesdatum u. -ort unbekannt; lebte n. militär. Laufbahn in Friedrichshagen b. Berlin u. Dresden.

Schriften: Aus dem Privatleben unseres Kaiserhauses. Heitere Skizzen und Geschichten, 1884; Der Firmpathe von der Landstraße. Die beiden Giovannis, 1884; Gruß aus Metz (Lsp.) 1887.
                                                                                   RM

Hagen, Stefan → Hoyer, Franz Alfons.

Hagen, Theodor (Ps. Joachim Fels), * 15.4. 1823 Hamburg, † 27.12.1871 New York; Kaufmann u. Musiker in Hamburg, Paris u. a. Orten, seit 1854 in New York. Musikkritiker d. «Hamburger Korrespondenten», Gründer d. New Yorker «Dt. Musikztg.» Eigentümer u. Red. d. «New York Weekly Review».

Schriften: Die Civilisation und die Musik, 1846; Elise Fährlich (Rom.) 1847; Musikalische Novellen, 1848; Aus Londons Gesellschaft oder Die Drahtzieher (Rom.) 2 Bde., 1856. (Ferner e. Anzahl aufgef., aber ungedr. Bühnenstücke). RM

Hagen, Walter (Ps. f. Wilhelm Höttl), * 19.3. 1915 Wien; studierte Philos. u. Gesch., wurde Lehrer, war später tätig in d. Forschung; nach d. 2. Weltkrieg Schriftst. und Dir. e. priv. Maturaschule in Bad Aussee/Steierm. Verf. von Tatsachenberichten.

Schriften: Die geheime Front. Organisation, Personen und Aktionen des deutschen Geheimdienstes, 1950; Unternehmen Bernhard. Ein historischer Tatsachenbericht über die größte Geldfälschungsaktion aller Zeiten, 1955 (auch u. d. T.: Eine Welt sucht diesen Mann. Ein historischer Tatsachenbericht über geheimdienstliche Aktionen, 1956).   AS

Hagen, Waltraud (geb. Howeg), * 30.8.1926 Domersleben/Wanzleben, studierte v. 1946 bis 1952 Germanistik, Gesch. u. Pädagogik in Halle/Saale (1953 Dr. phil.). Mitarb. d. Goethe-Ausgabe u. Wiss. Arbeitsleiterin am Institut f. dt. Sprache u. Lit. d. Dt. Akad. d. Wiss., Berlin (Ost).

Schriften: Karoline von Günderrode und Hölderlin (Diss.) 1953.

Herausgebertätigkeit: J. W. v. Goethe, Werke (Ergänzungsbde., 1 Die Gesamt- und Einzeldrucke von Goethes Werken, 1956 [Neuaufl. u. d. T.: Die Drucke von Goethes Werken, 1971², 2 Quellen und Zeugnisse zur Druckgeschichte von Goethes Werken, Teil 1 Gesamtausgaben bis 1822, 1966 [mit E. Nahler]).   HK

Hagen, Werner (Hugo Adolf), * 28.9.1884 Lübeck; Mittelschullehrer in Lübeck, Verf. versch. ornitholog. Schriften.

Schriften: Abseits vom Wege. Naturschilderungen, 1936; Erp. Geschichte einer Wildente, 1938; Wunder des Alltags. Natur- und Jagdbilder, 1941; Der Einsiedler der Haidkoppel. Eine Schwarzspecht-Geschichte, 1947.   RM

Hagen, Wilhelm, * 8.10.1883 Neustädtlein; Dr. phil., Beirat d. Hans Sachs-Verlages, Red. d. «Janus», später Feuill.-Red. d. «München-Augsburger Abend-Ztg.» in München.

Schriften: Lieber bayrisch sterben (Dr., mit K. Frey) 1907; Eine Künstlertragödie, 1909 (Bühnenbearb. J. Beck, 1911); Zeitroman, 1917; Das ewige Sehnen. Der Roman eines Künstlerlebens, 1921. (Außerdem e. Reihe ungedr. Schw. u. Operettentexte.)   RM

Hagen, Wilhelm von → Biesten, Wilhelm.

Hagen-Müller, Hans (Ps. Hans Hagen), * 3.2. 1866 Kamenz/Sachsen, † 6.2.1907 Köpenick b. Berlin; Philol.-Student u. Journalist in Leipzig, 1888 Red. d. «Leipziger Tagesanz.», 1891–97 d. «Oberschles. Wanderers» in Gleiwitz. Chefred. d. «Zittauer Nachrichten ...» (1897–1905), zuletzt Red. d. «Kattowitzer Ztg.» u. d. «Dt. Frauenztg.» in Köpenick.

Schriften: Konrad von Marburg, deutscher Ketzerrichter und Großinquisitor (Tr.) 1890; Blätter und Skizzen, 3 Bde., 1898; Der Pönfall. Schauspiel nach Vorgängen aus der Lausitzer Reformationsgeschichte frei bearbeitet, 1901; Lorenz Heidenreich, ein Reformator (hist. Schausp.) 1902; Reformatoren der Lausitz in zehn dramatischen Bildern frei nach der Geschichte dargestellt, 1903; Kleine Könige (Schw.) 1905. (Außerdem e. Reihe ungedr. Bühnenstücke.)

Literatur: Theater-Lex. 1, 670.   RM

Hagenau → Reinmar von Hagenau.

Hagenau, Gerda (Ps. f. Gerda Luise Leber), * 11.12.1918 Lodz (Polen); Dr. phil., lebte als freie Schriftst. in Zell am See/Salzburg, dann in Wien; Lyrikerin, Rom.- u. Hörspielautorin; zahlr. Übers. aus d. Polnischen. Mehrere Preise.

Schriften: Der Liebesgarten. Lyrischer Zyklus, 1948; Kassandra (Dr.) 1948; Der Zaubersee (Spiel) 1950; Bob im Zaubersee (Kinderb.) 1951; Lucyna Herz (Rom.) 1958; Verkünder und Verführer. Prophetie und Weissagung in der Geschichte, 1976.

Herausgebertätigkeit: Hinter goldenen Gittern. Der Orient erzählt, 1951; Liebesgeschichten der slawischen Völker (Anthol.) 1959; Moderne Erzähler der slawischen Völker (Anthol.) 1961; Polen erzählt. 22 Erzählungen, 1961.

Übersetzertätigkeit: R. Brandstaetter, Das Lied von meinem Christus, 1961; ders., Das Wunder im Theater. Drei Dramen, 1961; W. Odojewski, Zwischenreich (Rom.) 1962; ders., Adieu an die Geborgenheit (Rom.) 1966.   AS

Hagenauer, Arnold, * 20.11.1871 Linz, † 27. 6.1918 Wien; studierte ebd. Naturwiss., war Red. d. dortigen Tagesztg. «Ostdt. Rundschau». Vorwiegend Erzähler.

Schriften: Illusionen (Ged.) 1895; Muspilli (Rom.) 1900; Die Perlen der Chloe (Nov.) 1901; Gottfrieds Sommer. Aus dem Tagebuch eines Ro-

mantischen, 1906; Das Ende der Salome (Nov.)
1916; Der Knabe Leonhard. Ein Roman aus Salzburgs Biedermeiertagen, 1930.

Literatur: ÖBL 2, 144.   AS

Hagenbach, Arnold, * 14. 2. 1900 Aarburg/Kt.
Aargau; Journalist in Bern; Verf. v. Reportagen,
Rom., Feuilletons, auch Übersetzer.

Schriften: Intimes Amerika, 1933; Cowboys,
1933; Pilot Tex. Abenteuer eines kalifornischen
Verkehrsfliegers, 1934; Lo, die Indianer, 1936.
                                                         AS

Hagenbach, Karl Rudolf, * 4. 3. 1801 Basel,
† 7. 6. 1874 ebd.; Philos.- u. Theol.-Studium in
Basel, Bonn u. Berlin, 1824 a. o., 1829 o. Prof.
f. Kirchen- u. Dogmengesch., Mitgl. d. Verfas-
sungsrats u. des Großen Rats in Basel. Gründer
u. Red. d. «Kirchenbl. f. d. reformierte Schweiz»,
1824–74 mit de Wette Leiter d. «Protestant.-
kirchl. Hilfsver. d. Schweiz».

Schriften: Kirchliche Denkwürdigkeiten zur Geschichte Basels, mit der Reformation, 1821 (auch
u. d. T.: Kritische Geschichte der Entstehung und
der Schicksale der ersten Basler Confession,
1827); Darstellung Christi im Tempel, 1825;
Predigten, 4 Bde., 1830–36; Encyclopädie und
Methodologie der theologischen Wissenschaften,
1833; Vorlesungen über Wesen und Geschichte
der Reformation in Deutschland und der Schweiz,
mit steter Beziehung auf die Richtungen unserer
Zeit, 6 Tle., 1834–43 (Neuausg. 1854–57); Luther und seine Zeit (Ged.) 1838; Lehrbuch der
Dogmengeschichte, 1840; Erinnerungen an Aeneas Sylvius Piccolomini, 1840; Gedichte, 2 Bde.,
1846 (Neuausg. 1863); Wilhelm Martin Leberecht de Wette, 1850; Die christliche Kirche der
ersten drei Jahrhunderte, 1853; Lieder in Liebe
und Leid an eine Vollendete, 1855; Über die so-
genannte Vermittelungstheorie. Zur Abwehr und
Verständigung, 1858; Predigten (Ausw.) 9 Bde.,
1858–75; Oecolampad und Myconius, 1859; Die
theologische Schule Basels und ihre Lehrer ...,
1860; Grundzüge der Homilektik und Liturgik,
1863; Über Ziel und Richtungspunkte der heutigen Theologie, 1867; Kirchengeschichte von der
ältesten Zeit bis zum 19. Jahrhundert, 7 Bde.,
1869–72; Hundert Räthsel (Nach seinem Tode
hg.) 1876.

Briefe: Jeremias Gotthelf u. ∼, ihr Briefw. aus
den Jahren 1841–53 (hg. F. VETTER) 1910.

Literatur: ADB 10, 344; NDB 7, 486; HBLS 4,
51. – R. BURCKHARDT, E. Basler Dichter, d. nicht
vergessen werden darf, ∼ (in: Die Garbe 8)
1925.   RM

Hagenbeck, Carl Gottfried Wilhelm Heinrich,
* 10. 6. 1844 Haeburg, † 14. 4. 1913 ebd.; Tier-
händler u. Tierparkbesitzer.

Schriften: Von Tieren und Menschen. Erlebnisse
und Erfahrungen, 1908.

Nachlaß: Denecke, 2. Aufl.

Literatur: NDB 7, 487. – L. ZUKOWSKY, Kleine
∼-Erinn. (in: D. Zoolog. Garten, NF 21) 1954/
1956.   RM

Hagenbruch, Paul Georg, * 1745 Langensalza,
Todesdatum u. -ort unbekannt; Kaufmann, dann
Kreis-Steuerrevisor in Langensalza.

Schriften: Die Christnacht unter den Schäfern,
eine dramatische Idylle, 1774; Über die Schönheit des poetischen Enthusiasmus, 1776; Gedichte, 1781; Kurze Handlungsgeschichte der Europäischen Nationen. Nach dem Italienischen des
Herrn Serofani [Scrofani], 1805.

Literatur: Meusel-Hamberger 3, 47; 14, 16;
Goedeke 4/1, 152.   RM

Hagenbuch, Hans (Ps. f. Hans Beerli), * 24. 4.
1880 St. Gallen, † 11. 12. 1957 Genf; Dr. jur.,
Generalsekretär d. Handelskammer u. Doz. d.
Handelshochschule St. Gallen (1911–22), später
Korrespondent versch. Ztg. in Genf.

Schriften: Die sankt-gallische und schweizerische
Freizügigkeit (Diss. Leipzig) 1905; H. Hart, Gesammelte Werke (Mit-Hg.) 4 Bde., 1907; Von
Rügen bis Lappland. Reiseskizzen aus Skandinavien, 1910; Der Wirbel (Schausp.) 1919; Flut.
Vier Frauennovellen, 1920; Industrie und Handel
des Kantons St. Gallen 1901–10, 1921; Aus den
Blättern eines Frühverstorbenen (Arthur Arnold)
1923; Notker der Stammler. Ein Akt, 1923; Ausgewählte Gedichte, 1940.

Literatur: HBLS 2, 71.   RM

Hagenbüchle, Otto, * 21. 4. 1865 Romans-
horn/Bodensee; Dr. phil., wurde Pfarrer in
Paradies bei Langwiesen, verbrachte den Ruhestand in Oberegg/Kt. Appenzell. Geistl. Dichter
u. Übersetzer.

Schriften: Prosper von Aquitanien, Gotteswal-
ten im Menschenwillen. Des hl. Prosper von
Aquitanien Carmen de ingratis (Übers.) 1920;

Der Kirche Trost in banger Zeit. Die Offenbarung des heiligen Johannes in deutscher Übertragung, 1922; Harfenlieder. Der Psalter in deutscher Übertragung, 1924; Der Heiland. Evangelienharmonie in Strophen übertragen, 1924. AS

Hagendorff, Hugo, * 1813 Graudenz, † 17.4. 1860 Berlin; n. Studium d. Rechte jurist. Tätigkeit in Berlin.

Schriften: Gedichte, 1835; Die Mähr vom hörnen Siegfried. Balladenkranz nach dem Volksbuche. Nebst einem Anhange, 1837; Ephemeren (Nov. u. Erz.) 1838; Constitution oder Monarchie? Ein offenes Wort an den Bürger und Landmann, 1852; Das Soolbad Krösen nebst den Saalufern und den nächsten Städten. Ein Wegweiser für Badereisende, o. J.; Borussia. Balladen und Legenden aus Ost- und West-Preußen, 1859.

RM

Hagener, Hermann → Dreyhaus, Hermann.

Hageni, Alfred, * 8.2.1917 Frankenthal/Rhpf.; wohnte in Winden über Usingen/Ts., jetzt in Pirmasens-Niedersimten; Jugendbuchautor.

Schriften: Schnabelwitz. Eine lustige Rabengeschichte, 1946; Die Mondfinsternis, 1949; Fünfzig Tage kanadischer Urwald, 1955; Unter Perlenfischern und Piraten, 1962; Safari am Teufelstisch, 1963; Zauber im australischen Busch, 1964; Schiffbruch vor Jamaika, 1964; Onkel Puck mit der Posaune, 1965; Alles für Schneeblume, 1965; Sonntagskinder, 1966; Die Paxton-Boys, 1967; Ich will nach Indien. Christoph Columbus, 1969; Herren über Wind und Meer. Die Portugiesen entdecken den Seeweg nach Indien, 1971; Segel am Horizont, 1972; Zauber der Ferne, 1973; Gefangen im Dschungel, 1975; Gefährliche Fracht, 1976; Verflixt und zugenäht, 1977; Der Raub des Chinabaums, 1978; Aufstand am Rio Negor, 1979; Der Riesenschnurrbart und andere spassige Geschichten, 1979. AS

Hager, Carl Hermann * 23.7.1890 Berlin † 27. 3.1975 Hamburg; Dr. iur., Rechtsanwalt, Studium in Erlangen u. Leipzig; lebte seit 1907 in Hamburg.

Schriften: Charles Secondat de Montesquieu, Gerechtigkeit – Freiheit – Glück. Aus seinen Werken gewählte Gedanken (übers. u. hg.), 1950; Amerika ist noch nicht entdeckt ..., 1958.

ES

Hager, Christoph Achatius, * 9.3.1584 Frankenberg/Meißen, † 22.3.1657 Hamburg; Sohn d. Stadtpredigers v. Frankenberg, 1610 Rechenmeister in Hamburg. Zahlreiche Schr. über die Rechenkunst, dt. Sprache u. Orthographie.

Werke: Jugendt Spiegel Von Ehrbar' und Höflichen Sitten, die vor die Auffwachsende Jugendt, 1616.

Literatur: LexKJugLit. 1, 519. IB

Hager, Franziska, * 27.6.1874 Traunstein/Obb., † 17.9.1960 München; Lehrerin, trat 1904 in d. Ruhestand u. arbeitete als freie Schriftst. in München. Vorwiegend Dramatikerin u. Folkloristin.

Schriften: Thamar (Libr.) 1922; Abigail (Schausp.) 1919; Der Dorfschullehrer, 1923; Der Chiemgau. Ein Bayernbuch den Deutschen, 1927; Die Schulmeisterkinder. Vom Leben um ein Dorfschulhaus, 1929. (Außerdem . Reihe ungedr. Bühnenstücke.)

Nachlaß: Staatsbibl. Preuß. Kulturbesitz Berlin; Bayer. Staatsbibl. München.

Literatur: Theater-Lex. 1, 670; M. G. CONRAD, ~. E. Lb. d. Frau u. Künstlerin, 1924. AS

Hager, Georg (Jörg), getauft 26.11.1552 Nürnberg, begraben 10.10.1634 ebd.; Schuhmacher u. Meistersinger (Schüler v. Hans Sachs), ab 1575 Wanderjahre, 1619–34 Leiter d. Nürnberger Singschule. Hs. in Dresden, Weimar u. Wien. Zahlr. Lieder abgedr. bei C. H. BELL, ~, A Meistersinger of Nürnberg 1552–1634, 4 Bde., Berkeley u. Los Angeles 1947. Seine Kom., Tr. u. e. Versdg. über Friedrich Barbarossa gelten als verloren.

Literatur: ADB 10, 352; NDB 7, 488; Goedeke 1, 228. RM

Hager, Hans, * 8.8.1903 Wien; Dramatiker.

Schriften: Der Deutsche Held (nach E. v. Handel-Mazzettis gleichnam. Rom. f. d. Bühne bearb.) 1929; Ein Spiel von unserer lieben Frau, 1929; Spiel vom Leben und Sterben, 1929. IB

Hager, Johann Georg, * 24.3.1709 Oberkotzau b. Hof, † 17.10.1777 Oderan/Sachsen; seit 1741 Rektor d. Chemnitzer Lyceums. Verf. versch. Schulprogr. u. -schriften.

Schriften: Allgemeine Staats-, Kriegs-, Kirchen- und Gelehrten-Chronik, in welcher alle geistlichen und weltlichen Denkwürdigkeiten und Geschichten, so sich vom Anfange der Welt bis 1710

zugetragen ... (Mit-Hg.) 20 Tle., 1734–54 (auch u. d. T.: Neueröffneter Schauplatz ...); Die so nützliche als nöthige Buchdruckerkunst und Schriftgießerey, 4 Tle., 1740–45; Homeri Ilias, graece et latine (hg.) 1740 (erw. Aufl., 2 Bde., 1745/53; Neuausg., 2 Bde., 1821 f.); Elementa artis disputandi, 1749; Kleine Kinderbibel, 1749; Der für das Heil ... der Jugend sorgfältige Lehrmeister, 1749; Zuverlässige Nachricht von der gegenwärtigen Verfassung der lateinischen Schule zu Chemnitz, 1755; Gegründete Vorzüge der öffentlichen Schulen ..., 1763; Geographischer Büchersaal zum Nutzen und Vergnügen ..., 30 St. in 3 Bdn., 1764–78; Kurze Einleitung in die Göttergeschichte der alten Griechen und Römer nach Pomeys Anleitung, 1772; Die neuen Propheten, nebst einer Bittschrift an Doederlein, 1776; Homeri Odyssea ... (hg.) 2 Bde., 1776 f. (Neuausg. 1784).

Literatur: Adelung 2, 1730; Ersch-Gruber II. 1, 174; ADB 10, 353.   RM

Hager, Baronin von und zu Altentstein, Julie → Oldofredi-Hager, J.

Hager, Konrad, * 14. 12. 1899 Möckern bei Magdeburg; war Pastor in Langenstein/Harz. Vorwiegend Erzähler.

Schriften: Sophie von Landsberg. Eine Erzählung aus dem 13. Jahrhundert, 1929; Der blühende Weg (Ged.) 1932; Gesandter der Ewigkeit. Ein Gesang vom Leben Jesu Christi, 1937; Die gekränkten Hasen. Heitere Erzählungen aus Tagen der Jugend, 1939; Das Glück der schönen Frau von Branconi. Eine Goethe-Novelle, 1943.   AS

Haggeney, Karl, * 10. 2. 1868 Petershagen b. Minden, † um 1940; Jesuitenpater, Spiritual d. Priesterseminare Fulda, Köln u. Benzberg b. Köln, lebte zuletzt in Bad Godesberg.

Schriften: Fürstin Sophie von Waldburg zu Wolfegg und Waldsee (Lb., Vorw. W. v. Keppler) 1911 (2., verm. Aufl. 1921); In der Schule des Evangeliums (mit H. Cladder) 7 Bde., 1914–1917; Im Heerbann des Priesterkönigs, 7 Bde., 1915–18 (Neuausg., 7 Bde., 1921 f.); P. Arnold, Die Nachahmung des heiligsten Herzens Jesu in vier Büchern (bearb.) 1917; Der Gottessohn. Priesterbetrachtungen ..., 4 Tle., 1921; Auf des Herrn Pfaden ..., 2 Tle., 1925; Der Völkerapostel ..., 1926; Der göttliche Bräutigam ..., 1926; O. Zimmermann, Grundriß der Aszetik

(bearb.) 1933; St. Bonifatius. Gebete zum Apostel des Deutschen, 1935; P. Friedrich Plappert (Lb.) 1939; Adolf Petit ... (Lb.) 1940.   RM

Haggenmacher, Otto, * 21. 2. 1843 Winterthur, † 1918 Zürich; Stiefsohn v. Joh. Scherr, Theol.-Studium in Zürich, 1868 Pfarrer in Richterswil, 1871 in Zürich, 1888–1904 Lehrer u. Prorektor an d. Industrieschule.

Schriften: Dichtungen, 1873; Atlantis, erzählende Dichtung, 1874; Neue Dichtungen, 1878; Danae. Erzählung aus der römischen Kaiserzeit, 1881; Reisebilder aus Italien, 1881; Zur Frage nach dem Ursprung der Relegion und nach den ältesten Religionsformen, 1883; Die Gefangenen. Geschichten und Bilder in Arabeske, 1885; Sebastian Frank, sein Leben und seine religiöse Stellung. Eine Studie aus der Reformationszeit, 1886; Still und bewegt. Neue Dichtungen, 1887; Vorwärts und aufwärts! (Erz.) 1889; Kämpferinnen (2 Nov.) 1890; J. Scherrs illustrierte Geschichte der Weltliteratur, bis zur Gegenwart fortgesetzt, 1895; Bilder (Dg.) 1901; Der Sänger der Freiheit. Bilder aus dem Leben Friedrich Schillers, 1905.

Literatur: HBLS 4, 54. – R. HUNZIKER, ∼ (in: Jb. d. lit. Ver. Winterthur) 1919.   RM

Haggenmacher, Peter → Welti, Jakob Rudolf.

Hagius (Hagen), Johannes, * um 1530 Marktredwitz/Bayern, † n. 1575 wahrsch. ebd.; 1553 an d. Univ. Wittenberg, 1556 Magister, Prediger in Reichenbach/Pfalz, 1570 Stadtprediger in Eger. Komponist u. Dichter.

Schriften (Ausw.): Kurtze, ausserlesene Symbola, 1569; Der Stadt Nürnberg Symbola nur Gott mein Burgk (hg. C. S. v. Buchaw) 1569; Symbola der erwirdigen, hocherleuchten und theuren Menner, Herren D. Martini Lutheri und Philippi Melanthonis, 1572; Spottlied gegen den Rat der Stadt Erfurt, 1572; Haustafel, notwendige und tröstliche lere von den fürnemsten christlichen Stenden, 1574; Unterricht von dem uralten, rechten und heiligen Weg der Seligkeit, o. J.

Literatur: ADB 10, 354; MGG 5, 1308.   RM

Hagn, Hugo (Ps. Leberecht, Leo Löwenzahn, Hermann Reisbacher), * 14. 11. 1903 Bruchsal, † 4. 9. 1970 Stuttgart; dipl. Kaufmann, Feuilletonred. in Saarbrücken, dann Chefred. in Stuttgart; Erzähler, Jugendbuchautor.

Schriften: Links und rechts der Saarbahnen (Reiseb.) 1932; Die Spicherer Höhen. Führer über das Schlachtfeld, 1932; Jahrbuch katholischer Dichter (Hg.) 1934; Die wunderbare Himmelfahrt der Brüder Grimm. Ein Märchenroman für Kinder und Eltern, 1949; Die blaue Stunde. Zehn Geschichten, auf dem Bettrand zu erzählen, 1949; Gefährliches Mädchen Leonore (Rom.) 1949; Familienfreund. Die Zeitschrift für alle (Hg.) 1950–55; Schwetzingen (mit H. Krause-Willenberg) 1959; Der Kraichgau. Zwischen Odenwald und Schwarzwald (mit H. Krause-Willenberg) 1960.   AS

Hagner, Karl, * 10.2.1913 Babstadt bei Heidelberg; war Vikar in Weinheim/Bergstraße.

Schriften: Michael Karr. Die Geschichte einer Jugend, 1936; Leben ohne Tod. Gedichte der Erneuerung, 1937; Ritter, Tod und Teufel. Albrecht Dürers Bild und wir. Meditationen, 1938.   AS

Hahn, Adolf, * 4.3.1884 Stuttgart, † 9.7.1946 ebd.; lebte in Stuttgart.

Schriften: Vom geistigen Kriegsziel. Gedanken eines deutschen Arbeiters. Mit einem Geleitwort in Versen von Therese Köstlin (Einf. Th. Heuss) 1915; Zielwärts. Worte eines deutschen Arbeiters an seine Volksgenossen, 1923; Zum Ziel (Ged. u. Lieder) 1936.   RM

Hahn, Alban von, * 13.5.1858 Jena, † 1942 Liegnitz; Hofrat, Theaterdir. u. Red. d. «Jugendgartenlaube» in Leipzig, später Theaterdir. in Liegnitz.

Schriften: Nach Ober-Ammergau. Wanderung zum Passionsspiel, 1890; Buch der Spiele. Encyclopädie sämtlicher bekannter Spiele und Unterhaltungsweisen ... (Mit-Hg.) 1894; Der Verkehr in der guten Gesellschaft. Ein Buch über Lebensart und feine Sitte, 1896; Die Bühnenkünstlerin ..., 1899; Die Brüder und anderes (Nov.) 1903; I. Bloch, Illustriertes Spielbuch für Kinder ... (Mit-Hg.) 1909; Winke für die Reise nach Montenegro ... (mit O. Schlippe) 1910.   RM

Hahn, Alice von (Ps. A. v. Gallus), * 18.5.1864 Kempen/Posen; n. d. Heirat (1882) Schriftst. in Schönhausen, Schönebeck/Elbe, Rathenow u. Berlin-Schöneberg.

Schriften: Die Sternwirtin. Erzählung für das Volk, 1898; Russisch Blut (Erz.) 1901; Das arme und das reiche Lieschen (Weihnachtssp.) 1902; Die Brüder und anderes (Erz.) 1903; Gerechtigkeit (Rom.) 1906; Herrgottswege (Bauernrom.) 1906.   RM

Hahn (geb. Müller-Bürklin), Annely → Müller-Bürklin, Annely.

Hahn, Annemarie, * 10.6.1922 Görlitz; Dr. phil., Kunsthistorikerin, lebt in Gütersloh. Jugendbuchautorin.

Schriften: Akis bester Trick. Eine turbulente Geschichte für Knaben und Mädchen von 10–14 Jahren, 1964; Die Fahndung läuft (Jgdb.) 1970.   AS

Hahn, Arnold, * 28.8.1881 Kolautschen (ČSR), † 28.6.1963 London; Dr. phil., emigrierte 1933 in d. Tschechoslowakei, 1939 n. England, lebte in London; Lyriker, Erzähler, Essayist.

Schriften: Die Bibse. Groteske Satiren, 1921; Die Steigerung der geistigen Leistungsfähigkeit, 1929; Zwinge das Leben! Technik der Daseinsführung und Lebenskunst, 1932; Das Volk Messias. 7 mal 7 Sonette zum Ruhme der Juden, Prag 1936; Vor den Augen der Welt! Warum starb Stephan Lux? Sein Leben, seine Taten, seine Briefe, Prag 1936; Grenzenloser Optimismus. Die biologischen und technischen Möglichkeiten der Menschheit, Prag 1937.   AS

Hahn, Carl von, * 29.4.1848 Friedrichsthal/Württ., † 16.8.1925 Tiflis/Georgien; Theol.- u. Philol.-Studium in Tübingen, seit 1872 Oberlehrer u. Dir. in Tiflis. Forschungsreisender.

Schriften: Nachrichten der alten griechischen und römischen Schriftsteller über den Kaukasus, 2 Bde., russ. 1884/90; Aus dem Kaukasus, Reisen und Studien, 1892; Kaukasische Reisen und Studien. Neue Beiträge zur Kenntnis des kaukasischen Landes, 1896; Bilder aus dem Kaukasus. Neue Studien zur Kenntnis Kaukasiens, 1900; Erster Versuch einer Erklärung kaukasischer geographischer Namen, 1910; Neue kaukasische Reisen und Studien, 1911; Kurzes Lehrbuch der Geographie Georgiens ..., 1924.

Literatur: NDB 7, 511.   RM

Hahn, Christian Diederich, * 20.7.1902; seit 1927 Kommentator beim Rundfunk u. Fernsehen f. Landwirtschaftsfragen, 1939–45 Red. im Scherl-Verlag Berlin; wohnt in Ascheberg/

Holst.; Erzähler, Essayist, Verf. v. Hör- u. Fernsehspielen.

Schriften: Pflanzen machen Revolution, 1938 (Neuaufl. 1956); Bauernweisheit unterm Mikroskop. Landbuch für Stadtleute, 1939; Der Unbändige (Rom.) 1953; Die grüne Großmacht. Das Ärgernis mit den Bauern, 1962; Vom Pfennigartikel zum Milliardenobjekt. 100 Jahre Milchwirtschaft in Deutschland, 1972.   AS

Hahn, Christian Wilhelm, * 5.11.1769 Zerbst, † 16.3.1804; Studien in Leipzig, Kollaborator in Zerbst.

Schriften: Das Räubermädchen (Rom.) 1896; Der Tempel der Freiheit, eine tragische Scene unseres Zeitalters, 1796; Gedichte, 1797; Gedichte für gefühlvolle Seelen, 1798.

Literatur: Goedeke 5,424.   RM

Hahn, Edmund, * 2.8.1897 Straßburg; war Red. in Frankfurt/Main; Dramatiker, Erzähler.

Schriften: Lisa wird eine Frau (Rom.) 1932. (Außerdem ungedr. Bühnenstücke.)

Literatur: Theater-Lex. 1,672.   AS

Hahn, Emilie, * 7.2.1873 Straßburg/Elsaß; autodidakt. Ausbildung, Gattin e. Postsekretärs in Straßburg u. später in Freiburg/Breisgau.

Schriften: Jungi Madamme. Elsässisch's Luschtspiel, 1908; Isaak Habrecht (Volksst.) 1911; Der Kobold. Komödie für 15 Damen, 1911; E Mässigkeitsaposchtel. Komische Scene für 7 Herren in Elsässer Mundart, 1911; Tante Pauline (Schw.) 1912; Der Engel Lieberich (Kinderst.) 1912; Die Hasenjagd (Kinderkom.) 1913; Aus Prinzip. Lustige Damenscene für 4 junge Damen ..., 1913; Gretes Rache (Schausp.) o.J. (1920); Feldbluemle. Elsässische Gedichte, 1922; D' Advekate! Komische Szene mit Gesang in elsässischer Mundart für 7 Herren, 1924; Zwei Schweschtere. Komödie in elsässischer Mundart, 1926; s'Waisemaidla (Charakterst.) 1929; Wer am leschte lacht (Lsp.) 1929; E Barebli als Geldsack (Lsp.) 1931.

Literatur: Theater-Lex. 1,672.   RM

Hahn, Erna, * 4.9.1894 Mülheim/Ruhr; lebte ebd., Mitarbeiterin an Ztg., Lyrikerin, Erzählerin.

Schriften: Das Glockenspiel (Ged.) 1938.   AS

Hahn, Ernst Eduard, * 6.10.1891; Dr. rer. pol., wohnt in Langenburg/Württ.

Schriften: Götter, Götterhaine und Gotteshäuser in Württemberg. Eine wissenschaftliche Studie aus dem Südwesten und Nordosten des Landes, 1959; Forschungsfahrt durch Süddeutschland. Von der germanischen Irminsäule zur Kapelle der Karolinger, 1963; Ich, Götz von Berlichingen mit der eisernen Hand, 1964; Carl Julius Weber, ein Hohenloher. Sein Leben und seine Reisen, 1967; Im Tal der Brettach. Das große Unternehmen der Salzgewinnung bei Gerabronn, 1967; Heiligtümer der Germanen. Ausradiert, rekonstruiert. Eine Dreiheit germanischer Naturheiligtümer und ein Opferplatz im süddeutschen Raum, 1970; Sternfahrt ins Mittelalter. 3× Ausgrabungsort Unterregenbach, 1972.   AS

Hahn, Erwin (Ps. Georg Weitbrecht), * 24.10. 1887 Lehr bei Ulm; Intendant, 1928–33 am Stadttheater Ulm, später am Volkstheater in München, in Leipzig, am Stadttheater Karlsruhe; lebte im Allgäu; Dramatiker.

Schriften: A.E. Brachvogel, Narziss. Trauerspiel (Bearb.) 1922; Afra (Tr.) 1923; Der Jungferntaler (Kom.) 1924; Nagofong. Zwei erotische Erzählungen, 1925; Der Schelmenspiegel (Lsp.) 1926. (Außerdem ungedr. Bühnenstücke.)

Literatur: Theater-Lex. 1,672.   AS

Hahn, Franziska → Erhardt, F.

Hahn, Friedemann, * 24.5.1949 Singen/Hohentwiel; Maler, wohnt in Hinterzarten.

Schriften: Fick in Gotham City, 1970; Anarcho. Er kannte kein Gesetz. Ein Politwestern, 1971.

Literatur: J. HERMAND, Pop international. E. krit. Analyse, 1971; R.H. THOMAS u. K. BULLIVANT, Westdt. Lit. d. sechziger Jahre, 1975. AS

Hahn, Friedrich, * 5.10.1871 Linz; Dr. med., war Nervenarzt in Linz, dann in Tulln. Erzähler.

Schriften: Das Fresko (Erz.) 1903; Dämonen (Erz.) 1904.   AS

Hahn, Gerhard, * 22.12.1933 Asch/ČSR; 1964 Dr. phil., 1971 Habil. u. seit 1974 Prof. f. german. Sprachen u. Lit. in Regensburg.

Schriften (Ausw.): Die Einheit des «Ackermann aus Böhmen». Studien zur Komposition, 1963; Martin Luther. Die deutschen geistlichen Lieder (hg.) 1967; Werk – Typ – Situation. Studien zu poetologischen Bedingungen in der ältern deutschen Literatur (= FS H. Kuhn, Mit-Hg.) 1969.   RM

Hahn, Herbert, * 23.4.1890 Pernau/Estland, † 20.6.1970 Stuttgart; Dr. phil., war Lehrer an d. Freien Waldorfschule in Stuttgart, dann an d. Vrije School in Den Haag, dann wieder in Stuttgart. Erzähler, Lyriker, Verf. anthropos. Schriften.

Schriften: Ein Meister der Liebe und andere Erzählungen, Legenden, Märchen, 1927; Wege und Sterne (Ged.) 1928; Sonne um Mitternacht. Gedichte und Sprüche, 1928; Vom Ernst des Spielens. Eine zeitgemäße Betrachtung über Spielzeug und Spiel, 1929; Das Erwachen des Geigers und andere Erzählungen von Schicksalsruf, Krankheit und Genesung, 1929; Von Elisabeth, der Thüringerin, Friedrich dem Andern und den Rittern, 1932; Das Heilige Land. Reisebilder und Eindrücke, 1940; Heute wird es nicht regnen, es singt ja Gigli. Eine Begegnung im Sonnenland, 1940; Schritt für Schritt wird Weg gewonnen. Sprüche und Gedichte, 1952; Europas Aufgabe im gegenwärtigen Weltgeschehen (mit andern) 1953; Seltsame Jahrmarktleute. Legendäre Erzählung, 1953; Das goldene Kästchen. Erzählungen, Legenden, Märchen, 1958; Von den Quellkräften der Seele. Wege zu einer zeitgemäßen religiösen Unterweisung der heranwachsenden Generation, 1959; Rudolf Steiner, wie ich ihn sah und erlebte, 1961; Vom Genius Europas. Wesensbilder von zwölf europäischen Völkern, Ländern, Sprachen. Skizze einer anthroposophischen Völkerpsychologie, 2 Bde., 1963 f.; Das Taubenbuch und Das Evangelienlied. Zwei Übertragungen nach alten russischen Texten, 1966; Un' anima cantava – eine Seele sang. Begegnungen mit Beniamino Gigli, 1966; Vor dem Tore von Damaskus. Ein dramatisches Schattenspiel, 1966; Der Lebenslauf als Kunstwerk. Rhythmen, Leitmotive, Gesetze in gegenübergestellten Biographien, 1966; Der Weg, der mich führte. Lebenserinnerungen, 1969. **AS**

Hahn, Hermann Joachim, * 1679 Grabau/Mecklenb., † 21.5.1726 Dresden; Theol.-Studium in Leipzig, seit 1707 Diakon, später Prediger in Dresden. Verf. versch. Disputationen.

Schriften: Vorschlag eines unfehlbaren und handgreiflichen Mittels, die unter Christen so gar sehr eingerissene Unwissenheit in den zur Seligkeit und zum wahren Christenthum nöthigen und nützlichen Sachen auszurotten, 1710; Hauptregister über Misanders Delicias Evangelicas, 1710; Der in der Lehre vom würdigen Gebrauch des Beichtstuhls und des heiligen Abendmahls gründlich unterrichtende Catechet und Hausvater, 1713; Vernünftiger Gottesdienst bey etlichen andächtigen ... Osterliedern, 1713; Deliciae deliciarum oder Die Realien aus Adami biblischen Ergötzlichkeiten, 1719; Altes und Neues aus dem Liederschatze der evangelischen Kirche, oder Gesangbuch, so in 947 Liedern bestehet, nebst einer Vorrede, 1720; Buß-Lieder aus dem Gebet und Flehen, welches Jesus in denen am Kreutz gesprochenen Sieben Worten Gott geopfert, 1721; Aufrichtige und abgenöthigte Vorstellung, wie er gegen seine Beichtkinder ... sich nach Erforderung seines Gewissens zu verhalten pflege, 1726; Ein kurtzer Auszug der heilsamen Lehre von der Buße, von der Beichte und dem heiligen Abendmahle, für die Armen und Einfältigen, 1726 (?); Letzte Worte die der Verstorbene ... zu seiner anvertrauten Gemeinde geredet, und Mittwochs darauf ... reden wollen, 1726; Das dem unschuldig getöteten Jesu aufgerichtete Grabmahl oder Zwölf Charfreytags-Predigten, 1722.

Literatur: Adelung 2, 1733. **RM**

Hahn, Johann, * 22.5.1863 Elbogen/Böhmen, † Mitte Juli 1933 Schlaggenwald/Böhmen; seit 1900 Dir. e. Mädchenschule in Schlaggenwald.

Schriften: Heimathklänge. Geschichten und Gestalten aus fränkischem Lande (hg.) 1899; Der Heideprinz (Schausp.) 1903; Sagenbuch der Heimat. Sagen von Falkenau, Elbogen, Schlaggenwald und deren Umgebungen, 1912. **RM**

Hahn, Johann Friedrich, * 28.12.1753 Gießen, † 30.5.1779 Zweibrücken; Studium d. Rechte u. d. Theol. in Göttingen, Mitbegründer d. «Göttinger Hains».

Ausgaben: Gedichte und Briefe (hg. C. REDLICH in: Beitr. z. Dt. Philol., FS J. Zacher) 1880; Auswahl (hg. M. MENDHEIM in: Lyriker u. Epiker d. klass. Periode, 1 Tl.) 1892; Ungedruckte Briefe und Handschriften (hg. E. METELMANN in: Euphorion 33) 1932.

Nachlaß: verstreut. – Frels 111.

Literatur: ADB 10, 363; NDB 7, 509; Goedeke 4/1, 1048. – A. BECKER, Z. Lebensgesch. u. Charakteristik ~s (in: GRM 3) 1911; DERS., Um d. Nachl. Maler Müllers u. ~s (in: Pfälz. Museum 45) 1928. **RM**

Hahn, Johann Georg von, * 11.7.1811 Frankfurt/M., † 23.9.1869 Jena; Studium d. Rechte in Gießen u. Heidelberg, 1834–43 im griech. Justizdienst, 1847 öst. Vizekonsul in Janina; 1851 Konsul u. 1868 Generalkonsul auf Syra (Syros).

Schriften: Bemerkungen über das albanesische Alphabet, 1851; Albanesische Studien, 1854; Aphorismen über den Bau der auf uns gekommenen Ausgaben der Ilias und Odyssee, 1856; Proben homerischer Arithmetik, 1858; Mythologische Parallelen, 1859; Reise von Belgrad nach Saloniki, 1861; Griechische und albanesische Märchen, gesammelt, übersetzt und erläutert, 2 Tle., 1864; Die Ausgrabungen auf der Homerischen Pergamos ..., 1865; Reise durch die Gebiete des Drin und Wardar ..., 1870; Sagwissenschaftliche Studien, 1871–75.

Literatur: ADB 10,366; NDB 7,510; Wurzbach 7,200; ÖBL 2,147. – G. GRIMM, Leben u. Werk v. ~ (Diss. München) 1957.   RM

Hahn, Johann Michael («Michele»), * 4.2.1758 Altdorf/Württ., † 20.1.1819 Sindlingen/Württ.; 1777 Anschluß an d. «Erleuchteten», Landwirt u. Gründer d. «Hahnschen Gemeinschaft» (Michelianer).

Ausgaben: Schriften, 15 Bde., 1819–41; Sammlung auserlesener geistlicher Gesänge, 2 Bde., 1822/28; Geistliches Liederkästlein, 3 Bde., 1831 ff.

Literatur: ADB 10,364; LThK 4,1323; RE 7,343. – F. BRAUN, ~, 1906; F. W. STROH, D. Lehre d. württ. Theosophen ~, 1936; F. SEEBASS, ~ (in: Neubau 7) 1950.   RM

Hahn, Johann Zacharias Hermann, * 18.8.1768 Schneeberg, † 22.11.1826 Gera; Katechet u. Prediger in Leipzig, 1800 Diakonus in Schneeberg, seit 1804 Generalsuperintendent u. Konsistorialassessor in Gera, 1817 Dr. theol.

Schriften (Ausw.): Unserm vollendeten Morus (Trauerged.) 1792; Über Volksdespotismus. Aus dem Lateinischen mit Anmerkungen und angehängter Betrachtung. Nebst einer Vorrede: was heißt wider den Staat, Religion und gute Sitten schreiben? 1793; Politische Predigten, 1 Bd., 1797; Wer seinen Bruder hasset, der ist ein Todtschläger. Eine Betrachtung bei Gelegenheit der öffentlichen Hinrichtung eines Mörders, 1798; Die Würde eines Landtags, in einigen Reden, Landtagsurkunden und Gesängen dargestellt, 2 H., 1799; Politik, Moral und Religion in Verbindung; nebst einer zur Einleitung dienenden Abhandlung über die Verbindung der Politik, Moral und Religion in praktischer Hinsicht, 2 Tle., 1800; Schneeberger Gesangbuch oder Christliche Religionsgesänge für die öffentliche und häusliche Gottesverehrung, 1800 (Neuausg. 1817); Beiträge zur Beförderung einer vernünftigen Ascetik überhaupt, und zur Vervollkommnung der öffentlichen Gottesverehrungen und Wiederherstellung der denselben gebührenden Achtung insbesondere, 1804; Das Lob der guten Ehefrau. Ein Gesang nach Sprüchwörter Salomonis 31,10 f. Nebst Jos. Scaligers griechischer Übersetzung desselben, 1804; Das Kinderfest, 1804; Die Tiefen der Gottheit, 1805; (erw. Ausg. 1816); Freuden der Religion und des häuslichen Glücks, 1805; Der Sieg des Glaubens und des reinen Herzens über Tod und Betrübniß, 1810; Die Größe Gottes im Lebensanfange jedes Menschgewordenen. Eine religiöse Betrachtung in Bezug auf die Geburt des jungen Königs von Rom, Napoleon, 1811; Siegespredigt zu Ehren des denkwürdigen Sieges bei Leipzig, sämtlichen hohen verbündeten Mächten geweiht, nebst einem Anhang, 1814; Ode auf die hohe deutsche Bundesversammlung ... Dazu eine Herzensergießung über die herrlichste gedenkbare Tripel-Allianz. Politik, Moral und Religion im heiligen Bunde, nebst einigen andern Anmerkungen als Nachwort, 1817.

Literatur: ADB 10,364; Goedeke 7,277.   RM

Hahn, Karl August, * 14.6.1807 Heidelberg, † 20.2.1857 Wien; Philol.-Studium u. 1839 Privatdoz. in Heidelberg; 1850 in Prag u. seit 1851 in Wien Prof. f. dt. Sprache. Hg. u. Verf. versch. Grammatiken (mhd. 1842/47, nhd. 1848; got. 1849; ahd. 1852).

Herausgebertätigkeit: Otte mit dem Barte von Cuonrat von Würzburc, 1838; Kleine Geschichte von dem Stricker, 1839; Gedichte des 12. und des 13. Jahrhunderts, 1840; Der jüngere Titurel, 1842; Das alte Passional, 1845; Ulrich von Zatzikoven. Lanzelet. Eine Erzählung, 1845; Auswahl aus Ulfilas gothischer Bibelübersetzung ..., 1849; Die echten Lieder von den Nibelungen, nach Lachmanns Kritik, 1851; Echte Lieder von Gudrun, nach Müllenhoffs Kritik ..., 1853; Auswahl aus Gottfrids von Straszburg Tristan, 1855.

Literatur: ADB 10,369; Wurzbach 7,201.

    RM

Hahn, Karl Heinrich August, * 17. 1. 1778 Zeitz/ Sachsen, † 10.4. 1854 Groß-Wanzleben/Sachsen; Theol.-Studium in Wittenberg, Erzieher in Ansbach u. Königsberg, 1810 Hofrat, 1817–26 Regierungs- u. Schulrat sowie Schuldir. in Erfurt, 1826 Regierungs- u. Schulrat in Magdeburg, seit 1850 im Ruhestand.

Schriften: Sei der Bestimmung eingedenk (Gespräch) 1803; Stoff zur Bildung des Geistes und des Herzens, 3 Bde., 1803–10; Die Familie Bendheim, 2 Tle., 1804 f.; Kinderfreuden, ein Seitenstück des Stoffes zur Bildung des Geistes und des Herzens, 2 Bde., 1805 f.; Komm mit mir oder Vademecum für Kinder, eine Übung der Geisteskräfte, 1806; Angenehme Schulstunden. Gedichte und gereimte Erzählungen für die Jugend ..., 1806; Wilhelmine oder Das erste Buch für Mütter, die auf den Verstand der Kinder von der frühesten Zeit an wirken wollen, 2 Tle., 1809; Omar, Ein Andachtsbuch für die Jugend, auch für das Alter, 2 Tle., 1809 f.; Parabeln, 1811; Meine Reisen durch einen Theil der Preußischen Staaten ..., für die Jugend beschrieben, 1812; Der Sylvesterabend in der Familie Hellwang. Als Neujahrsgeschenk für die reifere Jugend bearbeitet, 1812; Die Helden. Ein Gedicht zur Feier der Zurückkunft des verwundeten Prinzen Karl von Mecklenburg-Strelitz, 1814.

Literatur: Goedeke 7, 862, 398. RM

Hahn, Karl-Heinz, * 6. 7. 1921 Erfurt; nach dem Krieg Studium d. Gesch. u. Germanistik in Jena, Dr. phil., wiss. Mitarbeiter am Thüring. Landeshauptarch. Weimar, später Dir. des Goethe- und Schiller-Arch. ebd.; 1963 Prof., seit 1974 Präs. der Goethe-Gesellsch.; 1969 übernahm er d. wiss. Leitung der dt.-franz. Heine-Säkularausg. Lit.-wissenschaftler u. Herausgeber.

Schriften und Herausgebertätigkeit: Jakob Friedrich von Fritsch. Minister im klassischen Weimar (Abh.) 1953; Fr. Schiller, Aus dem Briefwechsel mit Goethe. Lichtdrucke der ersten neun Briefe aus dem Sommer 1794. Gedächtnisgabe zum 9. Mai 1955 (hg. mit W. Flach) 1955; Bettina von Arnim in ihrem Verhältnis zu Staat und Politik. Mit einem Anhang ungedruckter Briefe, 1959; Fr. Schiller, Demetrius. Der Reichstag von Krakau (Bearb.) 1959; Die Goethe-Institute für deutsche Literatur. Denkschrift über Arbeit und Aufgaben der Nationalen Forschungs- und Gedenkstätten der klassischen deutschen Literatur in Wei-

mar (hg. mit andern) 1959; Goethe- und Schiller-Archiv, Bestandverzeichnis, 1961; Aus der Werkstatt deutscher Dichter. Goethe, Schiller, Heine, 1963; Fr. Schiller, Briefe, 2 Bde., (Ausw., hg.) 1968; Fr. Klopstock, Werke, 1 Bd. (Ausw., hg.) 1971; Schillers Werke, National-Ausg., Bd. 17 u. 18, Historische Schriften, Erster und zweiter Teil (Hg.) 1970, 1976; C. Brentano, L. A. v. Arnim, Werke in einem Band (Hg.) 1973. AS

Hahn, Lena (Ps. Ena), * 26. 9. 1906 Leipzig; Red. u. Lektorin in Stuttgart; Kinderbuchautorin.

Schriften: Teddys Schulgang (mit F. Baumgarten) 1954; Die Fahrt ins Wunderland (mit dems.) 1954; Sportfest im Walde (mit dems.) 1954; Teddys Traum (mit dems.) 1955; Teddys Weihnachten (mit dems.) 1956; Weihnachtsfest im Wichtelland (mit dems.) 1956; Hoppel und Poppel (mit dems.) 1957; Schnatterich und Puttiputt (mit dems.) 1957; Teddys Abenteuer (mit dems.) 1958; Teddy und Kasperle (mit dems.) 1958; Balduin, der Pinguin und der Dackel Fridolin (mit H. Deininger) 1961; Balduin, der Pinguin im Zoo und anderswo (mit dems.). 1963; Kasperle-Bilderbuch (mit dems., nach J. Siebe) 1963; Frühstück im Zoo. Ein lustiges Bilderbuch (mit E. Hölle) 1964; Maler Max und seine Tiere (mit H. Thiele) 1968; Das Sandmännchenjahr, 1970; Die Reise ans Meer (mit F. Skoda) 1970; Mick und Muck auf großer Fahrt (mit H. Büttner) 1972; Der Rabe und der Fuchs (mit M. Donaszy) 1972. AS

Hahn, Leopold von, Lebensdaten unbekannt; 1807 k. k. pensionierter Offizier, lebte in Linz/ Donau.

Schriften: Baron von Weydenthal oder Die Laune des Schicksals (Lsp.) 1807; Allegorische Gedichte, 2 Tle., 1807; Lied beim Einmarsche des Baron Klebekischen Linien-Infanterie-Regiments, 1809; Empfindungen der Bewohner Linz beim Einmarsch des k. k. österreichischen Militärs ..., 1810; Gesinnungen der Bewohner Linz am 6. Jänner 1810, 1810.

Literatur: Goedeke 6, 467, 813. RM

Hahn, Ludwig, * 18. 9. 1820 Breslau, † 30. 9. 1888 Berlin; Theol.-Studium in Breslau u. Berlin, 1842 Hauslehrer in Paris; 1848 in Breslau Hg. u. Mitarb. d. «Schles. Ztg.», 1850 im Unterrichts-

ministerium, Gründer d. «Provincialcorrespon-
denz»; Regierungs- u. Schulrat in Stralsund, zuletzt Wirkl. Geh. Oberregierungsrat in Berlin.
Publizist u. hist. Schriftst., Übers. v. Guizots
«Demokratie» u. Thiers' «Eigentum».

Schriften (Ausw.): Über die Auflösung des Je-
suitenkongresses 1845, 1846; Geschichte des
preußischen Vaterlandes. Für die reifere Jugend
... und für das größere gebildete Publikum, 1855
(20., verm. Aufl. 1885); Friedrich der Große.
Für das deutsche Volk dargestellt, 1855; Leitfaden der vaterländischen Geschichte für Schule
und Haus, 1855 (18., verm. Aufl. 1880); Kurfürst Friedrich I. von Brandenburg. Burggraf zu
Nürnberg, der Ahnherr des preußischen Königshauses. Ein deutsches Fürstenbild, 1859; Der
kleine Ritter, 1869; Der Krieg Deutschlands gegen Frankreich und die Gründung des deutschen
Kaiserreichs. Die deutsche Politik 1867–71,
1871; Kaiser Wilhelms Gedenkbuch 1797–1877,
²1877 (5., verm. Aufl. 1880); Fürst Bismarck.
Sein politisches Leben und Wirken urkundlich in
Thatsachen und des Fürsten eigenen Kundgebun-
gen dargestellt, 4 Bde., 1878–86 (5. Bd. fortgeführt von C. Wippermann, 1891); Geschichte
des «Kulturkampfs» in Preußen, 1881; Zwanzig
Jahre 1862–82. Rückblicke auf Fürst Bismarcks
Wirksamkeit für das deutsche Volk. Eine politische, aber keine Parteischrift, 1882; Das sociale
Königsthum, 1885; Wilhelm, der erste Kaiser
des neuen deutschen Reichs (hg. O. Hahn) 1888.
Literatur: ADB 49, 709.   RM

Hahn, Ludwig Philipp (Ps. Johann Ehrlich),
* 22. 3. 1746 Trippstadt/Pfalz, † 25. 2. 1814 Zweibrücken; Studium d. Rechte in Göttingen, 1780
Rechnungsrevisor in Zweibrücken, daneben Journalist u. Buchhändler, 1786 Leiter d. «Zweybrük-
ker Ztg.», zuletzt Bürochef bei d. Stadtpräfektur.
Schriften: Der Aufruhr zu Pisa (Tr.) 1776; Graf
Karl von Adelsberg (Tr.) 1776; Robert von Ho-
henecken (Tr.) 1778; Siegfried, ein Singeschau-
spiel, 1779; Zill und Margreth, 1781; Siegfried,
eine ernsthafte Operette, 1782; Wallrad und Evchen oder die Parforsjagd (Singsp.) 1782; Zill und
Marte (Ball.) 1786; Hauswirthschaftliche Beobachtungen und Erfahrungen über die Schädlichkeit
der sogenannten Neuländer von J. M. K. (hg.)
1785; Lyrische Gedichte, 1786; Lieder, Oden
und Gesänge, 1786; Mühlenpraktika oder Unterricht im Mahlen der Brodfrüchte, 1790.

Literatur: ADB 10, 371; Jördens 6, 258; Theater-Lex. 1, 672; Goedeke 4/1, 907. – R. M. WER-
NER, ~, E. Beitr. z. Gesch. d. Sturm- und Drang-
zeit, 1877.   RM

Hahn, Margarete → Oste, von der, Margret.

Hahn, Modest(us) (Ps. Benedikt Vogel), stammte
aus Männerstadt/Würzburg, † 1794 Schönau b.
Würzburg; n. Eintritt in d. Minoriten-Orden
Prediger in Würzburg u. später in Schönau. Verf.
zahlr. einzeln gedr. Predigten.
Schriften (Ausw.): Leben des berühmten Laienbruders Quadratus Holzschlägel, 1772; Ab-
schiedsrede des Generals Ricci (Rom.) 1776; Un-
schuldiges Nonnen-Capitel ..., 1777; Staatsmaxi-
men der Jungfern Hauserinnen, 1777; Gerundio
von Compages Lotterie für die Herren Prediger,
1777; Der Autor nach der neuen Mode, mit kritischen Noten ebenfalls nach der neuen Mode versehen, 1779; Predigten auf die Festtage der selig-
sten Jungfrau Maria, 3 Bde., 1780–84; Die Zerstörung Jerusalems oder Das endliche Verderben
des Sünders ..., 1782; Predigten auf die Festtage
der Heiligen, 2 Bde., 1782/84 (Forts. u. d. T.:
Neue Predigten ..., 2 Bde., 1791); Geist der Erneuerung für den innern Menschen (aus d. Französ.) 1783; Predigten auf alle Sonntage des ganzen
Jahres, 3 Tle., 1784 f.; Der verderbliche Anhang
an dem Irdischen ..., 1789; Predigten über das
Leiden und Sterben Jesu ..., 1791; Das Kunstka-
binet in dem Minoritenkloster zu Würzburg, das
einzige seiner Art, 1794; Predigten (n. seinem
Tode hg.) 5 Bde., 1794 f.   RM

Hahn, Oskar → Hahn, Otto.

Hahn, Otto, * 13. 7. 1828 Ellwangen, Todesdatum u. -ort unbekannt; Rechtsanwalt in Reutlingen, 1888 Auswanderung n. Kanada. Verf. versch.
jurist. Schriften.
Schriften: Recht und Licht. Das Gottleben in
der Natur und im Menschen rhythmisch dargestellt, 1861; Religion im Recht. Eine auf die
Seelenlehre gegründete Untersuchung des Rechts,
1862; Amerika. Der Bauer und Arbeiter in
Schwaben und Amerika, 1866; Die Noth unserer
Bauern und ihre Ursachen ..., 1880; Voltaire am
Hofe Friedrichs II., 1882; Die Frau auf dem Gebiete der Arbeit ..., 1884; König Maximilian I.
in Reutlingen (Volksschausp.) 1885.   RM

Hahn, Otto (Ps. f. Oskar Hahn), * 5. 6. 1876 Rudolstadt; n. Apothekerlehre Musiker u. Schauspieler bei e. wandernden Truppe, später Schriftsteller in London (1909) u. zuletzt in New York.

Schriften: «Fritzi» (Dr.) 1906; Die widernatürliche Heirat. Roman einer sittenlosen Ehe, 1906; Eigene Weisen aus allen Kreisen! Gedichte ernster und heiterer Art, 1907 (?); Das geschlagene Heer (Rom.) 1908; Aus einem Mädchenheim (Rom.) 1911 (Neuausg. 1912); Professor Marvellous. Bühnenskizzen, 1911; Schicksals-Sühne. Roman aus dem amerikanischen Leben, 1912.

Literatur: Theater-Lex. 1, 673. RM

Hahn (Han), Paul Conrad Balthasar, * 17. Jh. Nürnberg, † 1701 ebd.; Studium d. Theol. u. Mathematik in Altdorf, Kalenderschreiber und Schriftsteller in Nürnberg.

Schriften: Venediger Löwen-Muth und Türckischer Übermuth oder Das hefftig-bekriegete, noch unbesiegte, doch hülfbenöthigte Candia..., 1699; Historische Beschreibung aller und jeder Türkkenkaiser, 1672; Das seelzagende Elsaß, sammt Anhang von der Belagerung Philippsburg, 1676; Alt und Neu Pannonia oder Kurtz-verfaßte Beschreibung des Königreichs Hungarn ..., 1686; Hohenlohischer Chronik-Kalender, 1695–98; Gedichtete Sonnette beym Podagra, 1698.

Literatur: Adelung 2, 1737. RM

Hahn, Paul Edmund von; Lebensdaten unbekannt, wohnte in München.

Schriften: Beine und Banditen (Rom.) 1931; Parkplatz Grunewald (Rom.) 1932; Ich komme gern! (Rom.) 1932; Das Zünglein an der Waage, 1932; Morgen wieder Sonne. Roman um die Zugspitze, 1933; Wende der Zeit. Roman-Trilogie. 1. Die Augen des unbekannten Soldaten, 1933.

AS

Hahn, Philipp Matthäus, * 25. 11. 1739 Scharnhausen b. Esslingen, † 2. 5. 1790 Echterdingen b. Stuttgart; Theol.- u. Philos.-Studium in Tübingen, 1764 Pfarrer in Onstmettingen. Betrieb daneben e. feinmechan. Werkstatt, 1770 Pfarrer in Kornwestheim u. 1780 in Echterdingen. Erfinder und Pietist.

Ausgaben: Schriften, 13 Bde., 1819–55 [mit Autobiogr.]; Die gute Botschaft vom Königreich Gottes. Eine Auswahl (= Bd. 8 d. Zeugnisse der Schwabenväter, hg. J. Roessle) 1963; Gesammelte Predigten, [10]1964.

Nachlaß: Landesbibl. Stuttgart; Univ.bibl. Tübingen. – Denecke 2. Aufl.

Literatur: ADB 10, 372; 45, 677; NDB 7, 496; RE 7, 345; RGG [3]3, 29. – B. HAUG, D. gelehrte Wirtemberg, 1790 (mit Schr.verz.); ~s hinterlassene Schr. 1 (hg. C. U. HAHN) 1828; M. ENGELMANN, Leben u. Wirken d. württ. Pfarrers u. Feintechnikers ~, 1923 (mit Bibliogr.); G. SAUTER, ~, d. Uhrmacher- u. Mechanikerpfarrer, [4]1939; DERS., E. Denkmal f. ~, 1940; H. HERMELINK, Gesch. d. ev. Kirche in Württ., 1949; T. HEUSS, Schattenbeschwörungen. Randfiguren d. Gesch., [3]1960; K. REICHLE, «Alte Wahrheiten in e. neuen Kleide». Z. Verhältnis v. Schriftwahrheit u. Rationalismus bei ~ (in: Bl. f. württ. Kirchengesch. 66) 1967; R. F. PAULUS, Pansophie u. Technik bei ~ (in: Technik Gesch. 37) 1970.

RM

Hahn, R. Edm. (Ps. f. Caroline Wilhelmine Pierson, geb. Leonhardt, 2. Ps. Caroline Leonhardt-Lyser), * 6. 1. 1811 Zittau, † 2. 4. 1899 Koswig b. Dresden; 1836 Heirat mit d. Schriftsteller J. P. Lyser in Dresden, n. d. Scheidung Auftritte als Stegreifdichterin in Wien, Berlin, Prag u. a. Städten, 1844 Heirat mit H. H. Pierson, lebte seit 1846 in Hamburg, n. d. Tod ihres Mannes (1873) in Dresden u. zuletzt auf d. Lindenhof in Koswig.

Schriften: Encyclopädie der sämmtlichen Frauenkünste ... (mit C. Seifer) 1833 (2., verm. Aufl. 1837); Liederkranz, 1834; Charakterbilder für deutsche Frauen und Mädchen, 1838; Herbstgabe. Taschenbuch auf die Jahre 1839–41, 1838 bis 1840 (Neuausg. u. d. T.: Zehn Novellen, 3 Bde., 1842); Meister Albrecht Dürer (Dr.) 1840; Ludwig Pauli als Künstler dargestellt, 1842; Novellen, 1842; Goldene Fibel oder Kurzweilige Mährlein, belehrende Fabeln und Geschichtchen, 1843; Novellen (mit F. Pfalz) 1864; Das Dokument (Rom.) 1865; Starhemberg oder Die Bürger von Wien (hist. Dr.) 1865; Der Verschwundene, 1866; Das graue Haus in der Rue Richelieu, 1867; Hohenzollern und Welfen (Rom.) 3 Bde., 1867–69; Tat und Gedanken, 1868; Bilder aus der Dichter- und Künstlerwelt, 1870; Schloß Hrawodar ... (Rom.) 3 Bde., 1870; Die Sklaverei der Liebe (Rom.) 2 Bde., 1872; Stephanie (Rom.) 2 Bde., 1873; Der Zögling des Diplomaten (Rom.) 3 Bde., 1876; Zu früh vermählt (Rom.) 1876; Ein Jahr in der großen Welt (Rom.) 2 Bde., 1879; Schöne Frauen (Rom.) 2 Bde., 1881; Im Park zu

Rodenstein (Rom.) 2 Bde., 1881; Die beiden Gräfinnen (Rom.) 2 Bde., 1884; Die Geheimnisse des Waldschlosses ... (Rom.) 2 Bde., 1885; Ehen werden im Himmel geschlossen (Rom.) 1886; Das Erbfräulein (Rom.) 2 Bde., 1889; Gustav Kühne, sein Lebensbild und Briefwechsel mit Zeitgenossen (Vorw. W. Kirchbach) 1890; Der letzte Jagiello (hist. Tr.) 1895. (Außerdem e. Reihe v. Operntexten). RM

Hahn, Rolf (Ps. Paul Dubois, Ralph Haningway, Ralph Hayn, Achim Stahl) * 16.11.1917 Düsseldorf; wohnt das. u. in Selfkant-Tüddern; Verf. zahlr. Rom., v. a. Krim.-Romane.

Schriften: Die Erbsensuppe (Erz.) 1942; Jens (Erz.) 1943; Mädchen zwischen zwei Fronten (Rom.) 1957; Gefährliche Rückkehr (Rom.) 1957; Gefesselte Herzen (Rom.) 1958; Flammendes Land (Rom.) 1958; Seine Härte – sein Gesetz (Rom.) 1959; Im Höllenfeuer des Roten Sterns (Rom.) 1959; Der Tiger mit der Maske (Rom.) 1960; Bande des Grauens (Rom.) 1961; Göttin des Schreckens (Rom.) 1962; Tödliche Sekunde (Rom.) 1963; Der Rächer mit der zarten Hand (Rom.) 1964; Im Hintergrund der Teufel (Rom.) 1964; Mann ohne Eisen (Rom.) 1966; Der harte Reg (Rom.) 1967; Um eine Zigarettenlänge (Rom.) 1971. AS

Hahn, Ronald (Ps. Ronald M. Hahn), * 20.12. 1948 Wuppertal; Schriftsetzer ebd.; Verf. v. Science-fiction-Romanen, v. a. für Kinder.

Schriften: K. M. O'Donnell, Jagd in die Leere (Übers.) 1974; Das Raumschiff der Kinder (mit H. J. Alpers) 1977; Planet der Raufbolde (mit dems.) 1977; Wrack aus der Unendlichkeit (mit dems.) 1977; Bei den Nomaden des Weltraums (mit dems.) 1977; Die Flüster-Zentrale (mit H. Buwert) 1977. AS

Hahn, Rudolf, * 22.3.1815 Dresden, † 20.10. 1889 Berlin; seit 1834 Schauspieler in Magdeburg, Berlin u. a. Orten, Dramaturg in Berlin und Breslau, Red. d. «Märk. Ztg.» in Neuruppin.

Schriften: Der falsche Döbler (Lsp.) 1837; Eigentum ist Diebstahl (Lsp.) 1848; Schultze und Müller unter den Zulukaffern (Schw.) 1854; Sennora Pepita, mein Name ist Meyer! (Schw.) 1855; Liebhabertheater, 2 Bde., 1855; Ein Tag in der Residenz (Posse, mit F. Denecke) 1855; Und Frauenzimmer sind doch Menschen. Eine dramat.

Kleinigkeit, 1861; Rieke und Pieke oder Am Schornstein (Lsp.) 1862; Fünfzehn Minuten vorm Scheidungstermin (Lsp.) 1863; Im Vorzimmer Sr. Exzellenz (Lb.) 1864; Ein Don Juan aus Familienrücksichten (Schw.) 1864; Vettern und Basen (Schw.) 1865; Erste Coulisse links (Posse) 1865; Parquet-Loge Nr. 3 (kom. Solosz.) 1865; Nachtigall und Nichte (Posse) 1865; Er ist Baron (Posse) 1866; Eine Berliner Bonne (Posse) 1866; Ein alter Dienstbote (Posse) 1866; Zum grünen Esel (Schw.) 1867; Auf Posten am Weihnachtsabend (Lsp.) 1868; Lieschen vorm Spiegel, 1868; Im Wartesalon vierter Klasse (Posse) 1870; Die silberne Hochzeit oder Ins Knopfloch (Schw.) 1870; Fromm und weltlich (Posse) 1870; Am Omnibus (Lsp.) 1875; Ein Paar Ballschuhe (Lsp.) 1875; Jettchens Brautgedanken, 1875; Pikante Lokalnachrichten (Schw.) 1876; Die Berliner mang die Wilden (Posse) 1876; Im Schlafrock (Schw.) 1876; Das Zukunftsmädchen für alles (Lsp.) 1876; Punkt eins zu Tisch! 1876; Onkelchen spioniert (Lsp.) 1876; Wo bleibt da die Moral? 1876; Hanau brennt (Schw.) 1876; Alles für die Neffen (Lsp.) 1876; Hermann und Dorothea (Genrebild) 1876; Durch Nuß-Schalen (Schw.) 1876; Ein Lendemain (Lsp.) 1876; Eine unruhige Hochzeitsnacht (Schw.) 1876; Ein Hochzeitsgedicht, 1876; Noten in Nöten (Lsp.) 1876; Des Theaterdieners Töchterlein (Schw.) 1877; Peter in der Fremde (Liedersp.) 1877; Kadettenlaunen (Lsp.) 1877; Eine Rekrutierung in Krähwinkel (Posse) 1879; Der erste April (Schw.) 1879; Eine Hochzeitsreise (Schw., n. e. engl. Nov.) 1879; Es wird gerückt! (Schw.) 1880; O Arthur! Oder Liebes-Telegraphie (Lsp.) 1881; Mein Mann sitzt im Reichstag! (Schw.) 1883; Präsentiert das Gewehr! (Posse mit Gesang) 1884; In der PolizeiWachtstube (Posse, mit H. Klaeger) 1885; Aus guter Familie (Genrebild) 1886.

Literatur: Theater-Lex. 1,673. RM

Hahn, Ruth (Ps. f. Ruth Hahn von Dorsche), * 17.10.1905 Berlin; Pressereferentin, dann Sachbearbeiterin im Archiv der Bibl. d. TU in Berlin, Mitgl. d. Berliner Legislative.

Schriften: Plaudereien des Katers Hannibal, 1947. AS

Hahn, Victor, * 19.8.1869 Wien; Red. d. «National-Ztg.» u. Hg. d. «Acht-Uhr-Abendbl.» in Berlin.

Schriften: Ein Kaisertag zu Nürnberg (Schausp.) 1906; Moses (Tr.) 1907; Felix Austria. Ein Festspiel zu Kaiser Franz Josephs sechzigjährigem Regierungsjubiläum, 1908; Unsere Feinde. Die Franzosen, die Engländer, die Russen, 1917; Warbeck. Ein Trauerspiel ... frei nach Schillers Fragment, 1917; Cesar Borgia. Die Tragödie der Renaissance, 1922.

Literatur: Theater-Lex. 1,673.   RM

Hahn, Werner, * 13.5.1816 Marienburg, † 1.12.1890 Sakrow b. Potsdam; Theol.- u. Philos.-Studium in Berlin u. Halle, seit 1870 Privatgelehrter, Gesch.schreiber u. Lit.historiker in Sakrow.

Schriften: Geschichtliche Begründung und Ankündigung der wahren Gotteswissenschaft, 1839; Das Leben Jesu. Eine pragmatische Geschichtsdarstellung, 1844; Die Verirrung und das wahre Ziel der religiös-kirchlichen Bewegung unserer Zeit, 1845; Friedrich Wilhelm III. und Luise, König und Königin von Preußen. 217 Erzählungen aus ihrer Zeit und ihrem Leben, 1850 (3. Aufl.: 222 Erzählungen ..., 1877); Hans Joachim von Zieten, Königlich Preußischer General der Kavallerie ..., 1850; Friedrich der Erste König von Preußen. Im Jahr 1851 dem Einhundert und Fünfzigjährigen Königreich, 1851 (2., verb. Aufl. 1861); Kunersdorf am 12. August 1759, 1852; Vom lieben Gott. Erzählungen für Kinder, 1854; Geschichte der poetischen Literatur der Deutschen, 1860 (16. Aufl. hg. u. weitergef. v. G. Kreyenberg, 1910); Helgi und Sigrun. Zwölf Lieder germanischer Heldensage, nebst einer Abhandlung über die Helgilieder der Edda, 1867; Kurprinz Wilhelm. Geschichte der Kindheit des nachmaligen Königs Friedrich Wilhelm I., 1867; Deutsche Literaturgeschichte in Tabellen, 1869; Deutsche Poetik, 1879; Poetische Mustersammlung. Erklärungen und Beispiele zu den Gattungen der Poesie, 1882; Odin und sein Reich. Die Götterwelt der Germanen, 1887 (6 Tle., 1905); Kriemhild, nhd. 1889; Abriß der deutschen Literaturgeschichte ..., 1890; Kriemhildlied. Aelteste Gestalt des Niebelungenliedes. Nebst drei literarischen Abhandlungen, 1890; Deutsche Charakterköpfe. E. M. Arndt, J. G. Fichte, H. J. von Zieten ..., 1899.   RM

Hahn-Butry, Jürgen (Ps. Der deutsche Rufer), * 7.7.1899; Leiter d. Hauses d. dt. Frontdichter; lebte in Berlin; Verf. v. Soldaten-Büchern, Erzähler.

Schriften: Hans Christians Heimkehr (Rom.) 1935; Landsknecht ... nein, Soldat (Rom.) 1935; Arme kleine Juanita! Roman in Mexiko, 1935; Schmuggler in Seenot und andere Erzählungen, 1935; Gelb gegen Gelb. Phantastischer Roman (mit E. Neumann) 1935; General von Reyher. Historischer Roman, 1937; Georgette, der Unteroffizier ... und ich (Rom.) 1937; Der Soldat. Wie der neuzeitliche Soldat wurde und ist, 1937; Margarete Fahrenkamp (Erz.) 1938; Ein Frühling in Flandern (Rom.) 1939; Panzer am Balkan. Erlebnisbuch der Panzergruppe von Kleist (mit W. v. Oven) 1941; Der flandrische Fähndrich. Historische Novelle, 1944.

Herausgebertätigkeit: Kurzgeschichten (Slg.) 1935–36; Das Buch vom deutschen Unteroffizier (Anthol.) 1936; Die Mannschaft. Frontsoldaten erzählen vom Frontalltag (4 Bde.) 1936–38; Preußisch-deutsche Feldmarschälle und Großadmirale (Anthol.) 1938.   AS

Hahn-Hahn, Ida Marie Luise Gustave Gräfin von, * 22.6.1805 Tressow/Mecklenb., † 12.1.1880 Mainz; 1826–29 verh. mit ihrem Vetter Friedrich, dann Aufenthalt in Berlin, Dresden, Greifswald, Wien. Reisen durch ganz Europa u. in d. Orient, 1850 Konversion z. Kathol., lebte dann vorwiegend in e. v. ihr gegründeten Kloster in Mainz.

Schriften: Gedichte, 1835; Neue Gedichte, 1836; Venezianische Nächte, 1836; Lieder und Gedichte, 1837; Aus der Gesellschaft (Nov.) 1838 (Neuaufl. u. d. T.: Ilda Schönholm, 1845); Astralion. Eine Arabeske, 1839; Der Rechte, 1839; Jenseits der Berge, 2 Tle., 1840 (verm. Neuaufl. 1845); Gräfin Faustine, 1841; Reisebriefe, 2 Bde., 1841; Ulrich, 2 Bde., 1841; Erinnerungen aus und an Frankreich, 2 Bde., 1842; Sigismund Forster, 1843; Die Kinder auf dem Abendberg. Eine Weihnachtsgabe, 1843; Ein Reiseversuch im Norden, 1843; Orientalische Briefe, 3 Bde., 1844; Cecil, 2 Bde., 1844; Aus der Gesellschaft. Gesamtausgabe der Romane, 8 Bde., 1845; Die Brüder, 1845; Zwei Frauen, 2 Bde., 1845; Clelia Conti, 1846; Sybille. Eine Selbstbiographie, 2 Bde., 1846; Levin, 2 Tle., 1848; Von Babylon nach Jerusalem, 1851; Unsrer Lieben Frau, 1851; Aus Jerusalem, 1851; Gesammelte Schriften [aus d. prot. Zeit] 21 Tle.,

1851; Die Liebhaber des Kreuzes, 2 Bde., 1852; Ein Büchlein vom guten Hirten. Eine Weihnachtsgabe, 1853; Das Jahr der Kirche. In Gedichten, 1854; Legende der Heiligen (hg. mit J. Laicus u. a.) 3 Bde., 1854 ff.; Bilder aus der Geschichte der Kirche, 4 Bde., 1856–1866; Maria Regina. Eine Erzählung aus der Gegenwart, 2 Bde., 1860; Doralice. Ein Familiengemälde aus der Gegenwart, 2 Bde., 1861; Vier Lebensbilder. Ein Papst, ein Bischof, ein Priester, ein Jesuit, 1861; Zwei Schwestern. Eine Erzählung aus der Gegenwart, 2 Bde., 1863; Ben-David. Ein Phantasiegemälde von Ernest Renan, 1864; Peregrin (Rom.) 2 Bde., 1864; Eudoxia, die Kaiserin. Ein Zeitgemälde aus dem fünften Jahrhundert, 2 Bde., 1867; Das Leben der heiligen Teresa (v. Jesus. A. d. Span.) dt. 1867; Die Erbin von Cronenstein, 2 Bde., 1869; Die Geschichte eines armen Fräuleins, 2 Bde., 1869; Die Glöcknerstochter, 2 Bde., 1871; Die Erzählung des Hofraths, 2 Bde., 1872; Vergieb uns unsere Schuld. Eine Erzählung, 2 Bde., 1874; Nirwana, 2 Bde., 1875; Das Leben des heiligen Wendelinus, 1876; Eine reiche Frau, 2 Bde., 1877; Der breite Weg und die enge Straße. Eine Familiengeschichte, 2 Bde., 1877; Wahl und Führung (Rom.) 2 Bde., 1878; Die heilige Zita, Dienstmagd zu Lucca im dreizehnten Jahrhundert, 1878; Gesammelte Werke [aus d. kathol. Zeit] (mit e. biogr.-lit. Einl. v. O. v. Schaching) 45 Bde., 1902–1905.

Briefe: Briefw. d. ~ u. d. Fürsten Pückler-Muskau (in: Briefw. d. Fürsten P.-M. 1, hg. L. Assing) 1873; M. v. Diepenbrocks Briefw. mit ~ vor u. n. ihrer Konversion (hg. A. Nowack) 1931; Briefe Diepenbrocks, Försters u. Lettelers an ~ (hg. B. Goldmann in: LitJB 13) 1972.

Bibliographie: in: Faustine ... (hg. A. Schurig) 1919.

Nachlaß: Frels 111.

Literatur: ADB 49,711; NDB 7,498; LThK 4, 1322. – K. v. Munster, D. junge ~ (Diss. Nimwegen) 1929; L. Guntli, Goethezeit u. Kathol. im Werke d. ~, 1931; E. J. Schmidt-Jürgens, ~ (Diss. Berlin) 1934 (Neuausg. 1967); A. Töpker, Beziehungen ~s z. Menschentum d. Romantik (Diss. Münster) 1937; H. Sallenbach, D. Krise im Lebensgefühl d. Frau (Diss. Zürich) 1942; M. Kober-Merzbach, ~ (in: Monatshefte 47) 1955; A. Baldus, ~ (in: Begegnung 10) 1955; B. Goldmann, Individualstil u. Konvention im Romanwerk d. ~ (in: LitJB 13)

1972; G. Oberembt, E. Erfolgsautorin d. Biedermeierzeit. Stud. z. zeitgenöss. Rezeption v. ~s frühen Gesellsch.rom. (in: Kleine Beitr. z. Droste-Forschung) 1972/73; G. Lüpke, ~. D. Lb. e. mecklenburg. Biedermeier-Autorin, 1975; R. Möhrmann, D. andere Frau. Emanzipationsansätze dt. Schriftstellerinnen im Vorfeld d. 48er Revolution, 1977.   RM

Hahne, Heinrich, * 30.4.1911 Gelsenkirchen; Promotion Berlin (Philos., Musikwiss.), Staatsexamen Prag (Deutsch, Gesch., Französ., Philos.), seit 1950 regelmäßiger Mitarb. d. «Frankfurter Allg. Ztg.», ferner Mitarb. d. «Süddt. Ztg.», d. «Frankfurter Ztg.», d. «Zeit» u. d. Rundfunks.

Schriften (ohne Schulbücher): In der Pause. Ketzereien eines Studienrates, 1956; Als Lehrer heute, 1963; Erfahrungen im Osten, bei uns und im Westen, 1978.   RM

Hahnewald, Edgar (William) (Ps. Manfred), * 21.8.1884 Dresden, † 6.1.1961 Solna; Red. d. «Dresdener Volksztg.», 1933 Emigration n. Prag u. 1938 n. Schweden, Mitarb. d. Prager «Sozialdemokraten» (1933–38) u. a. Ztg., in Schweden Illustrator naturwiss. Bücher.

Schriften: Trümmer (Erz.) 1916; Der Mahlgang (Erz.) 1916; Der grüne Film. Ein Wanderbuch, 1920; Peter Schlemihls Erlösung, 1920; Sächsische Landschaften, 1922; Die Reise nach Sylt. Eine Elbfahrt, 1924; Im Vorbeigehen, 1926; Deutsche Landschaften und Städte, 1926; Zwischen Saale und Spree, 1929; Karl Herschowitz kehrt heim (Erz.) 1936.   RM

Hahnewald, (Richard) Walter (Ps. Ulli Busch), * 10.6.1913 Meissen; Regisseur in Dresden; Erzähler, Hörspiel- u. Filmautor.

Schriften: Stimmen aus dem Äther. Heitere und besinnliche Funkspiele, 1940; Die Versprochenen (Nov.) 1947.   AS

Hahnfeld, Ingrid (Ps. f. Ingrid Jutta Steinmüller), * 19.9.1937 Berlin; Schauspielerin, wohnt in Greifswald. Lyrikerin, Erzählerin.

Schriften: Hasenbrot (Erz.) 1971; Nachbarhäuser (Lyrik, Erz.) 1975; Lady Grings (Erz.) 1975; Spielverderber (Rom.) 1976.   AS

Hahnke, Gustav von (Ps. Gerd von Hallern), * 17.5.1904 Berlin; Journalist, Pressechef,

wohnt jetzt in Marienhagen über Alfeld/Leine;
Erzähler, Verf. v. Tatsachenberichten.

Schriften: Bunte Zirkuswelt. Erlebtes und Erlauschtes, 1940; Tolle Geschichten, 2 Bde.,
1944/45; Zirkusgeschichten. Erlebtes und Erlauschtes, 1944; Löwen, Eisbären und eine Frau
(Rom.) 1948; Zirkus Sarrasani. Hinter den Kulissen einer Weltschau, 1952; Gräfin de la Motte,
die schöne Hochstaplerin (Rom.) 1957.   AS

Hahnl, Hans Heinz, * 29.3.1923 Oberndorf/
Nieder-Öst.; Dr. phil., Kultur-Red. in Wien.
Lyriker, Erzähler, Essayist, Dramatiker.

Schriften: Die verbotenen Türen (Erz.) 1952;
R. Musil, Utopie Kakanien. Ein Querschnitt
durch den Roman «Der Mann ohne Eigenschaften» (Hg.) 1962; Der byzantinische Demetrius
(Dr.) 1972; In Flagranti erwischt (Ged.) 1976;
Die Einsiedler des Anninger, 1978; Die Riesen
vom Bisamberg, 1979.   AS

Hahnzog, Christian Ludwig, * 27.9.1737
Scharfenbrück/Kr. Luckenwalde, † nach 1810;
Prediger in Welsleben b. Magdeburg. Mitarb. d.
«Magdeburg. gemeinnützigen Blätter».

Schriften: Predigten wider den Aberglauben
der Landleute, 1784; Christliche Volksreden für
Landleute über die Evangelien (mit H. G. Zerrenner) 1785; Patriotische Predigten zur Beförderung der Vaterlandsliebe ..., 1785; Über den
Einfluß des Ackerbaues ... auf die Charakterbildung des Landmannes, 1788; Christliche Volksreden über die Episteln (mit H. G. Zerrenner)
1792 (2., verm. Aufl. 1797); Kleine Sittenlehre,
nebst Sittenversen und moralischen Erzählungen
..., 1803; Über Volksaufklärung oder Ob es
rathsamer sei, daß der Bauer aufgeklärt, oder in
seiner bisherigen Kultur erhalten werde, 1803.

Literatur: ADB 10, 378. – D. DE LEVIE, The
Patriotic Sermons of ∼ (in: Journal of Modern
Hist. 26) Chicago 1954.   RM

Haho, Hans (Ps. f. Hans Hoffmann) * 16.1.1901
Trebitz b. Könnern/Saale; Red. in Köln. Lyriker.

Schriften: Gedanken ohne Bremse. Ziemlich
Heiteres (Ged. u. Prosa) 1935; Gezähmte Wespen, heitere Gedichte, 1937; Die Schaubude.
Heitere Verse, 1938.   IB

Haid, Hans, * 26.2.1938 Längenfeld/Ötztal;
Dr. phil., Angestellter in Wien; Lyriker, Erzähler, v.a. in Mundart; Hg. d. Veröff. d. inter-

nat. Arbeitstage f. Mundartlit. u. d. IDI-Informationen (Internat. Dialekt-Inst.)

Schriften: Pflüeg und Furcha. Gedichte in Tiroler Mundart, 1973; An Speekar in dein Schneitztiechlan. Gedichte im Ötztaler Dialekt der
bayerischen Mundart, 1973; Bericht über die
Erste Internat. Arbeitstagung für Mundartliteratur in Obergurgl (Hg.) 1974; Was leistet der
Dialekt in der heutigen Kultur?, 1974; Abseits
von Oberlangdorf. Ein zeitkritischer Dorfroman,
1975; Mandle, Mandle sall wöll. Tiroler Dialekttexte, 1975.   AS

Haid, Johannes Herkules, * 26.12.1738 Ulm,
† 23.8.1788 ebd.; Theol.-Studium in Halle,
seit 1767 Lehrer in Ulm. Verf. d. Forts. v. Ladvocats hist. Handwörterbuch (Bd. 5–6, 1785)
u. d. 5. u. 6. Tls. v. Schubarts «Neuester Gesch.
d. Welt ... auf d. Jahr 1775» (1776), Mitarb.
versch. Zs. u. Magazine.

Schriften: Geschichte von Baiern ... 1180–1778,
1779; Ökonomische Abhandlungen für Schwaben, 1780; Ökonomisch-praktische Abhandlungen für Schwaben, 1782; Ulm mit seinem Gebiet, 1786.

Literatur: Ersch-Gruber II. I, 196; Goedeke 4/1,
862.   RM

Haidegger, Ingeborg-Christine, * 27.2.1942
Dortmund-Barop; Übers., wohnt in Salzburg.

Schriften: ProjektIL (Lit.zs., Hg.) 1975; Entzauberte Gesichte (Lyrik) 1976.   AS

Haiden, Johannes, humanist. Bildung, führte e.
wechselvolles unstetes Leben. 1605 Notarius regius. 1613–17 Sekretär d. Landeshauptmannes v.
Kärnten, dann jedoch erfolgte s. Sturz, da ihm
Meineid u. Ehebruch vorgeworfen wurden.

Schriften: Fürstenspiegel (Ferdinand II. gewidmet, lat.) 1605; Weihnachtsspiel (Neujahrsgeschenk für d. Söhne Kaiser Ferdinand II., lat. Hexameter wechseln mit dt. Knüttelversen) 1617.

                                                IB

Haidenbauer, Hans, * 5.10.1902 Langenwang/
Steierm.; Sohn e. Werkarbeiters, war zuerst in
e. Stahlwerk Schleifer u. Heizer, wurde später
Beamter in Graz. Vorwiegend Lyriker.

Schriften: Alltag, 1933; Im Schatten der
Schlote. Gedichte und Prosa, 1947.   AS

Haider, Friedrich, * 3.4.1921 Pettnau/Tirol;

Dr. phil., Angestellter d. Öst. Rundfunk u. Fernsehen. Lyriker u. Verf. v. volkskundl. Schriften.

Schriften: 25 Jahre Tiroler Bauernbund. Sein Entstehen und seine Entwicklung. Im Lichte programmatischer Erklärungen und Zeitungsberichte, 2 Bde., 1951; Tiroler Volksbrauch im Jahreslauf, 1968; Ein Stübele voll Sonnenschein. Tiroler Mundartgedichte, 1971; Immerwährender Tiroler Kalender. 1564 wahre Anekdoten, Schmankerl, Bauernbrauch und Weisheit für jeden Tag, 1974.   IB

Haider, Ursula, * 1413 Leutkirch/Schwaben, † 20.1.1498 Villingen; im Säuglingsalter verwaist, v. Großmutter u. Onkel aufgezogen; 1431 Eintritt ins Klarissenkloster Valdunen (Vorarlb.), 1449 Äbtissin; 1462 Berufung nach Villingen mit d. Auftrag, d. bisher offene Kloster am Bickentor zu reformieren u. zu e. geschlossenen Konvent zu machen. – Geistl. v. Seuse beeinflußt, war U.H. Mystikerin u. hinterließ Aufzeichnungen v. Visionen, Ansprachen, myst. Erkenntnissen u. Poesie. Ihre Schr. nur mittelbar bekannt durch d. Chron. d. Bickenklosters v. Juliana Ernestin (1637).

Ausgabe: Chron. d. Bickenklosters zu Villingen 1238–1614 (hg. K. GLATZ) 1881.

Literatur: VL 2, 147. – K. RICHSTÄTTER, D. Herz-Jesu-Verehrung d. dt. MA, ²1914; W. OEHL, Dt. Mystikerbriefe, 1931.   RR

Haidheim, Luise → Ahlborn, Luise.

Haiding, Karl, * 3.7.1906 Wien; Dr. phil. (1936), 1937–42 Leiter d. Mittelstelle f. Spielforsch., 1943–45 d. Forsch.stelle Spiel u. Spruch u. d. Inst. f. dt. Volkskunde in Eisbach b. Graz, 1955–75 Vorsteher d. Landesmuseums Joanneum, seit 1971 Honorarprof. in Graz. Versch. Preise, Korrespondent d. Hist. Landeskommission f. Steiermark.

Schriften (Ausw.): Kinderspiel und Volksüberlieferung, 1939; Österreichs Märchenschatz. Ein Hausbuch für jung und alt, 1953 (verm. Neuausg. 1969); Von der Gebärdensprache der Märchenerzähler, Helsinki 1955; Österreichs Sagenschatz, 1965; Märchen und Schwänke aus Oberösterreich, 1969; Alpenländischer Sagenschatz, 1977.

Literatur: S. WALTER, ~ 60 Jahre (in: Bll. f. Heimatkunde) 1966.   RM

Haidle, Martha-Maria → Bosch, Martha Maria.

Haidmüller, Ewald → Hagedorn, August (Heinrich).

Haidvogel, Carl Julius, * 13.9.1891 Wien, † 26.12.1974 Graz; Sohn e. Eisenbahnschaffners, wurde Beamter in Wien, dann Lektor an d. «Urania» ebd., später Dramaturg d. «Bühne d. Jungen». Zuletzt Oberamtsrat. Lyriker, Erzähler u. Dramatiker.

Schriften: Der heimliche Spiegel (Ged.) 1918; Die Wiedergeburt in Kain. Drei Revolutionsakte, 1920; Golgatha (Ged.) 1924; Soldat der Erde (Rom.) 1939 (weitere Aufl. u. d. T.: Einer am Rande); Bundschuh. Sieben Schitage für Genußspechte nebst einem erbaulichen Traktat über den Genußspecht, 1939; Die Pfeiler Gottes (Rom.) 1942; Wast (Erz.) 1943; Herzbrunn (Ged.) 1943; Es war einmal ein Vater. Geschichten, 1944; Landsidl besucht die Natur (Rom.) 1944 (später u. d. T.: Liebelei mit Pan); Letzter Glaube. Sieben Briefe an einen Sohn, 1946; Der Reiter auf zwei Pferden oder Wem Gott ein Amt gibt … (Rom.) 1954; Mädchen ohne Mann (Rom.) 1954; Das Teufelsloch (Erz.) 1954; Onkel Thym erzählt Abenteuer (Kinderb.) 1954; Herbsthimmel (Ged.) 1955; Der treue Diener (Erz.) 1957; Vaterland (Erz.) 1957; Die große Tat der starken Faust (Kinderb. mit F. Popp) 1957; In die Wolken geschrieben (Ged.) 1961; Das unerbittliche Glück (Erz.) 1963; Mensch nach siebzehn Uhr (Rom.) 1964; Asphalt und Acker (Ged.) 1966; Salz in der Wunde. Briefe ins Niemandsland, 1966; Bomm. Heitere Verse für große Kinder, 1969.

Literatur: N. LANGER, Dichter aus Öst. 4, 1960; P. A. KELLER, ~, Zu s. 75. Geb.tag (in: Jahresgabe d. J. Weinheber-Gesellsch.) 1966/67.   AS

Hailbronner, Karl von, * 1789, † 1864 Leitershofen b. Augsburg; seit 1809 Offizier im bayer. Heer, 1857 im Ruhestand.

Schriften: Cartons aus der Reisemappe eines deutschen Touristen, 3 Bde., 1837; Aus dem Morgen- und Abendlande. Bilder von der Donau, Türkei, Griechenland, Ägypten, Palästina …, 3 Bde., 1841.

Literatur: ADB 10, 386.   RM

Haill, Henriette, * 27.6.1904 Linz; lebt in Urfahr b. Linz, Mundartdichterin.

Schriften: Befreite Heimat. Kampfgedichte und Friedenslieder, 1946 (2. T. u. d. T.: Heimat Mühlviertel. Ged. in oberöst. Mundart).   IB

Haim, Johannes → Predigten.

Haim, Klaus (Ps. f. Franz Scheucher), * 12.4. 1883 Leoben/Steiermark; Landwirt. Bühnenschriftsteller.

Schriften: Das Wunder, 1914.   IB

Haimbach, Philipp, * 12.9.1827 Mannheim, † 11.9.1904 Philadelphia; Kaufmann, seit 1851 in New York, später in Philadelphia.

Schriften: Ostrolenka (heroische Oper) 1874; Librettos, 1884; Herbst-Idyll, 1894; Poetische Blätter, 1899.

Literatur: Theater-Lex. 1, 674.   RM

Haimendorf → Fürer von Haimendorf, Christoph.

Haiminsfeld, Melchior von → Goldast(us), Melchior.

Haimo (Hemmo) von Auxerre, 9. Jh., † viell. um 855; war in d. 40er u. 50er Jahren d. 9. Jh. Lehrer im Kloster v. Auxerre. Zu s. Schülern zählte → Heiric. Exeget u. Homilet, s. Schr. wurden anon. od. unter Namen versch. Verf. überliefert u. im 15. Jh. v. Johannes Trithemius Haimo von Halberstadt zugeschrieben. Als gesicherte Zuschreibungen an H. v. A. können u. a. gelten: «Expositio cantici canticorum», d. auf Beda basierende Hoheliedauslegung «Libellus de nuptiis Christi et Ecclesiae» (Ausg.: Migne PL 117), «Expositio in epistolas Pauli» (Ausg.: ebd.), «Expositio in Apocalypsin». Ungesichert ist neben andern Schr. d. «Historiae sacrae epitome sive de christianarum rerum memoria», e. Kirchengesch. v. Christi Geburt bis Theodosios d. Großen († 395) in 10 Büchern (Ausg.: Migne PL 118).

Literatur: Manitius 1, 500, 516; LThK 4, 1325; RGG ³3, 30. – F. STEGMÜLLER, Repertorium biblicum ... 5 Bde., Madrid 1940–54 [Bd. 3: Verz. d. exeget. Werke]; J. GROSS, D. Schlüsselgewalt nach ~ (in: Zs. f. Religions- u. Geistesgesch. 9) 1957; DERS., Ur- u. Erbsünde bei ~ (in: ebd. 11) 1959; F. BRUNHÖLZL, Gesch. d. lat. Lit. d. MA 1, 1975.   RM

Haimo (Heymo) von Hirsau, 11./12. Jh.; Mönch, dann Prior in Hirsau, später Nachfolger d. Abtes Wilhelm v. Hirsau († 1091). Wahrsch.

Verf. e. in leg.haftem Stil gehaltenen, bald nach 1091 entst. «Vita Wilhelmi», die auch als Quelle f. d. Codex Hirsaugiensis diente u. später hexametr. bearb. wurde. Mit Theoger korrigierte H. im Auftrag Wilhelms e. Vulgata-Hs. Zuweisungen anderer, unter d. Namen Haimo überl. Schr. (u. a. Homilien, Kommentare u. e. Hymnus) an ihn sind nicht gesichert.

Ausgabe: Vita Wilhelmi Abbati Hirsaugiensis (hg. W. WATTENBACH in: MG SS 12) 1856 (hexametr. Bearb. bei Mone in: Anz. f. Kunde d. dt. MA, 1833).

Literatur: Manitius 3, 571.   RM

Haimonskinder, Die, Erz. d. Fehden zw. König Karl u. d. vier Söhnen d. Haimon, bes. d. ältesten Reinhold v. Montauban. D. Werk folgt e. vor 1200 entst. französ. Versepos, das d. Schicksale d. seit langem in Konflikt mit Kg. Karl (Verquickung v. Karl Martell u. K. d. Großen) lebenden Sippe d. Doon de Nanteuil erzählt: D. Verfolgung d. vier Söhne, ihre wiederholte Flucht u. Entdeckung, d. endliche Aussöhnung u. Pilgerfahrt Reinholds, der, zurückgekehrt, als Arbeiter am Kölner Dom baut u. dort ermordet wird. S. Beisetzung unter Wundererscheinungen: R. ist nun verquickt mit d. hl. Reginald († 750). D. dt. Fassung geht auf d. niederländ. Versbearbeitung d. französ. Renaus de Montauban aus d. 2. Hälfte 13. Jh. sowie e. Prosaauflösung dieses Renout de Montelbaen zurück u. entstand in d. 2. Hälfte 15. Jh. – Es existieren zwei fast gleichzeitige Fass., deren eine (in Kölner Mundart) auch e. lat. Vita sti. Reynoldi aus d. 8. Jh. ausschöpft u. f. geistl. Kreise bestimmt ist. E. hochdt. Übers. entstand um 1531; 1535 ersch. d. erste hochdt. Druck. – Als ‹Volksbuch› (bis ins 19. Jh.) beliebt wurde die Erz. nach d. Druck v. 1604 nach der niederländ. Prosa u. (?) der Kölner Fassung.

Ausgaben: Renaus de Montauban od. die H., altfranzös. Ged., nach d. Hss. ... hg. A. MICHELANT, 1862 (Neudr. Amsterdam 1966); F. PFAFF, D. dt. Volksbuch v. d. Heymonskindern, 1887; D. H. in dt. Übers. des 16. Jh. (hg. A. BACHMANN), 1895; De Historie van den vier Heemskinderen (hg. G. S. OVERDIEP) Groningen 1931; Histori von Sent Reinolt (hg. A. REIFFERSCHEID in: ZfdPh 5) 1874; – Übertragung (nach d. niederdt. Fassung): F. PFAFF, Reinolt v. Montauban, 1885.

Ausgaben: Renaus de Montauban od. Die H., 473, 516; de Boor-Newald 4/1, 59. – F. ZIN-NOW, D. Sage v. d. vier ~ (in: Germania 7) 1846; L. JORDAN, D. Sage v. d. vier ~, 1905; M. LOKE, Les versions néerland. de Renaud de Montauban, Toulouse 1906; L. MACKENSEN, D. dt. Volksbücher, 1927; F. OSTENDORF, Überl. u. Quelle d. Reinholdlegende (Diss. Münster) 1911; E. R. CURTIUS, Renaut de Montauban (in: Roman. Forschungen 62) 1950; W. C. CALIN, The Old French Epic of Revolt (Paris/Genf) 1962; A. ADLER, Rückzug in ep. Parade, 1963; J. BUMKE, D. roman.-dt. Lit.beziehungen im MA, 1967.   RR

Hain, Adolf, * 1825 Barby/Sachsen, † Dez. 1854 Glasgow; weitere biogr. Einzelheiten unbekannt.
Schriften: Gedichte, 1855.   RM

Hain, Anna, * 7.4.1884 Biedenkopf/Lahn; Erzieherin in Dillenburg.
Schriften: Nachlese im Garten der Poesie (Ged.) 1904.   RM

Hain, Caspar, * 17.2.1632 Kaschau, Todesdatum u. -ort unbekannt; Rektor, Notar, Rat und Richter in Leutschau/Zips.
Schriften: Zipserische oder Leutschauer Chronica ... vom Ursprung der Zipser bis 1684, o. J.
                                                       RM

Hain, Friedrich → Schneller, Julius.

Hain, Hermann → Jahn, Hermann Eduard.

Hain, Irma → Loos, Irma.

Hain (Hayn), Juliane, * 1758 Pest, Todesdatum u. -ort unbekannt; Schauspielerin, seit 1796 verh. mit d. Schauspieler Wenzel Mihule.
Schriften: Der Dichterling oder Solche Insekten gibt's die Menge (Lsp.) 1781; Das listige Stubenmädchen oder Der Betrug von hinten (Lsp.) 1784.
Literatur: Goedeke 5, 326.   RM

Hain, Ludwig (Friedrich Theodor), * 5.7.1781 Stargard/Pommern, † 27.6.1836 München; Studium d. Philol. u. oriental. Sprachen in Halle, 1812 Hauptred. an Brockhaus' Konversationslex., seit 1821 Privatgelehrter in München. Mitarb. an Eberts Allgem. Bibliograph. Lexikon.
Schriften: Repertorium bibliographicum, 4 Tle., 1826–38 (Teil-Neuausg. 1920, 1925, 1948).
Übersetzer- u. Herausgebertätigkeit: Nizami, poetae, narrationes et fabulae, Persice et Latine,

cum verborum indice, 1802; Denkwürdigkeiten aus dem Leben Vittorio Alfieris. Von ihm selbst geschrieben. Nach der ersten italienischen Original-Ausgabe, 2 Tle., 1812; J. N. Bouilly, Rath an meine Tochter, in Beispielen aus der wirklichen Welt (aus d. Französ.) 2 Bde., 1814; Die Litteratur des südlichen Europas von J. C. L. Simonde Sismondi. Deutsch herausgegeben und mit Anmerkungen begleitet, 2 Bde., 1816/18; Francesco Petrarca, dargestellt von C. L. Fernow. Nebst dem Leben des Dichters und ausführlichen Ausgabenverzeichnissen, 1818.
Nachlaß: Bayer. Staatsbibl. München. – Denecke 67.
Literatur: ADB 10, 392; NDB 7, 523; LThK 4, 1326.   RM

Hain, Serapion, * 14. 8. 1748 Braunau/Böhmen, † 23. 4. 1801 Wien; Angehöriger d. Karmeliterordens, zuletzt Pfarr-Cooperator in d. Leopoldstadt/Wien.
Schriften: Rede bey der am 28. May 1797 in der St.-Johannes-Kapelle am Schanzl gehaltenen Feyerlichkeit wegen des Friedens, 1797; Fastenbuch, das ist: Der das Leiden Jesu betrachtende Christ, 1799; Christliche Charfreytagsbeschäftigung, das ist: Der Christ bey dem Tode, Begräbnisse und dem Grabe sammt der Osterfeyer, 1800.
Literatur: Wurzbach 7, 219; Goedeke 6, 754.
                                                       RM

Hainberg, E. → Diederich, Ernestine.

Hainburg → Konrad von Hainburg.

Haindl, Johann Baptist, * 14. 11. 1869 Piding bei Bad-Reichenhall/Obb., † um 1952 Rottach-Egern/Obb.; kath. Pfarrer ebd.; Lyriker u. Erzähler.
Schriften: Heimatklänge. Aus dem Tagebuch eines Bahnwärterbuben, 1913–21; Bergwaldkinder (Ged.) 1914; Schwert und Harfe. Kriegslieder, 1915; So geht es! Heiteres aus ernster Zeit, 1916; Lach nicht! Aus dem Leben eines Sonntagskindes, 1916; Birkensteinerglocken, 1919; Der Bahnwärterbub. Meine Jugendgeschichte, 1920; Gedanken eines Landstreichers, 1920; Der Dorflump. Eine Volkserzählung aus dem Leben, 1921; Lieder und Leben. Mein Jubelbüchlein, 1921; Kienspäne. Geschichten aus dem bayerischen Oberland, 1929.   AS

Haindl, Marieluise → Fleißer, Marieluise.

Hainisch, Marianne (geb. Perger), * 25.3.1839
Baden b. Wien, † 5.5.1936 Wien; 1857 Heirat
mit d. Fabrikanten Michael H., 1902 Gründerin
u. Vorsitzende d. Bundes öst. Frauenver., später
Leiterin d. Friedenskommission dieses Bundes.
Begründerin d. öst. Frauenbewegung, Mitarb. am
«Hdb. d. Frauenbewegung» (hg. H. Lange, G.
Bäumer, 1902).

Schriften: Zur Frage des Frauenunterrichtes,
1870; Die Brodfrage der Frau, 1875; Seherinnen,
Hexen und die Wahnvorstellungen über das Weib
im 19. Jahrhundert, 1896; Frauenarbeit, 1911;
Die Mutter, 1913; Der wirtschaftliche Einkauf,
ein warenkundlicher Ratgeber für den Konsu-
menten, 1928.

Literatur: NDB 7, 525; ÖBL 2, 152. – H. LAES-
SIG, ~ u. d. öst. Frauenbewegung (Diss. Wien)
1949.   RM

Hainisch, Michael (Arthur Josef Jakob), * 15.8.
1858 Aue b. Schottwien/Nieder-Öst., † 26.2.
1940 Wien; Sohn v. Marianne H., 1882 Dr. iur.,
sozial- u. agrarpolit. Tätigkeit, organisierte Volksbildungsver. usw., mit Pernestorfer Gründer d.
Fabier-Ver., 1918 im Generalrat d. Öst.-Ungar.
Bank, 1920 u. 1924 Wahl z. öst. Bundespräs.,
1928 Rücktritt, 1929–30 Bundesminister f. Handel u. Verkehr, Dr. h.c. Univ. Wien, Graz,
Innsbruck u. Tübingen, Ehrenmitgl. d. Akad. d.
Wiss. Wien.

Schriften: Die Zukunft der Deutsch-Österrei-
cher ..., 1892; Zur österreichischen Wahlreform
(Mit-Verf.) 1895; Der Kampf ums Dasein und die
Socialpolitik, 1899; Aus mein' Leben (Ged.)
1930; Was Z'samklábt's (Dialektged.) 1935.
(Außerdem jurist., sozial- u. wirtschaftspolit.
Schriften.)

Literatur: NDB 7, 525; ÖBL 2, 152; BWG 1,
1006. – H. MAYER, ~ (in: Almanach d. Akad. d.
Wiss. Wien 90) 1940; K. BLAUKOPF, ~, 1946;
~ (in: D. polit. Tagebuch J. Redlichs, hg. F.
FELLNER) 1954; W. G. WIESER, ~ (in: D. öst.
Handels- u. Arbeitsminister ... 1) 1961.   RM

Hainzmann, (Johann) Michael (Josef Anton)
Maximilian, * 13.10.1748 Wien, † 7.10.1810
ebd.; Bankalgefällsadministrations-Assessor in
Wien.

Schriften: Auf den Tod Marien Theresiens ...,
1780; Klage der Völker um Joseph den Zwey-

ten ..., 1790; Patriotische Gedanken bey der
feyerlichen Eröffnung des Ehrendenkmals Josephs
des Zweyten ..., 1807; Beym Anrücken des Zuges
der für König und Vaterland gesetzmäßig bewaff-
neten Edlen Hungariens (Ode) 1809.

Literatur: Goedeke 6, 540; 7, 126.   RM

Haireddin → Elert, Georg.

Haisch-Rolf, Luise (erste Veröff. unter dem
Mädchennamen Rolf), * 15.5.1880; lebte in Ha-
gen/Westfalen.

Schriften: Wegblumen (Ged.) 1918; Über dem
Erdenleid ... (Ged.) 1920; Tapfer und fröhlich
(mit M. Voigt-Claudius) 1921; Himmelsreise
(Erz.) 1921; Im Jahres-Lauf. Musikalisch-dekla-
matorische Aufführung für Vereins- und Gemeindefeiern, 1924; Im hellen Sonnenschein. Musika-
lisch-deklamatorische Aufführung für Vereins-
und Gemeindefeiern, 1924; Die Witwe zu Zar-
path. Eine Gemeinde -oder Vereinsfeier, zusammengestellt aus Schriftwort, Lied und Gedicht,
1924; Näher zu dir! (Ged.) 1926; An Gott gebunden (Ged.) 1931; Im Morgenglanz der Ewigkeit! Bibelspruch und Liedervers in großem
Druck für alle Sonn- und Feiertage des Jahres
(Hg.) 1931; Einmal muß Sonntag werden! (Ged.)
1935; Nichts habe ich zu bringen, alles Herr, bist
du! Alte und neue Gedichte, 1956.   AS

Haiser, Franz, * 5.1.1871 Wien, † 25.5.1945
Scheibbs/Nieder-Öst.; Dr. phil., Chemiker und
Privatgelehrter in Scheibbs, Mitarb. zahlr. völk.
Zs. u. Ztg., Verf. v. physiolog.-chem. Schriften.

Schriften: Die Krisis des Intellektualismus ...,
1912; Der aristokratische Imperativ ..., 1913;
Die Überzeugungskraft des «Beweises» ..., 1916;
Das Gastmahl des Freiherrn von Artaria, ein
Kampf zwischen rassenaristokratischer und demo-
kratischer Weltanschauung, 1920; Im Anfang war
der Streit. Nietzsches Zarathustra und die Weltanschauung des Altertums, 1921; Die Sklaverei,
ihre biologische Begründung und sittliche Rechtfertigung, 1923; Freimaurer und Gegenmaurer
im Kampf um die Weltherrschaft, 1924; Die Judenfrage vom Standpunkt der Herrenmoral ...,
1926; Moralbiologie, Judenfrage und Volkswirtschaft, 1932.   RM

Hajak, Eva-Johanna (Ps. Esther Reimeva), * 9.
11.1925 Breslau; wohnt in Fassberg/Celle; Kin-
der- u. Jugendbuchautorin.

Schriften: Wir Gotteskinder (mit Ch.-M. Ohles) 1959; Wir bleiben treu (mit ders.) 1961; Geschichten für unsere Kleinen (mit ders.) 1961; Mein kunterbuntes Märchenbuch, 1962; Goldlöckchens Reise. Abenteuer in der weiten, fremden Welt, 1962; Klein-Eva, 1863; Die lustigen Zwei, 1964; Goldlöckchen wandert in die weite Welt, 1964; Susi unser Sonnenschein, 1966; Das kleine Tierparadies, 1968; Unsere kleinen Freunde (mit Ch.-M. Ohles) 1968; Seppel, das Schulpferdchen und andere lustige Geschichten, 1970; Florian, das Eselchen, 1971; Wir bleiben auf der Spur (mit Ch.-M. Ohles) 1972; Stiefelchens Sieg, 1974; Stöpsel, du bist eine Wucht, 1974; Was ist los mit Stefan?, 1976; Drei Mädchen um Markus (mit Ch.-M. Ohles) 1976; Die Neue, 1976.
                                                                    AS

Hajan, Ata → Gottschalk, Herbert.

Hajek, Anna Leonore Katharina (Ps. Katja Hajek), * 12.5.1921 Essen/Ruhr; Hausfrau in Stuttgart; Lyrikerin, Erzählerin, Essayistin.
   Schriften: Geädert in deinen Händen, 1974.   AS

Hajek, Egon, * 6.11.1888 Kronstadt/Siebenb., † 15.5.1963 Wien; Studium d. Musik, dann d. Germanistik u. Theol., Dr. phil.; Mittelschullehrer u. Musikdir., seit 1925 evangel. Pfarrer in Kronstadt, seit 1929 in Wien; 1938 Prof. an d. Staatsakad. für Musik ebd., 1944 Kirchenrat, seit 1946 Doz. an d. ev. theol. Fakultät. Prof. h. c.; Lyriker, Erzähler, Hörspielautor, Lit.- u. Musikhistoriker.
   Schriften: Az erdélyi-szász regényirodalom a XIX század közepén. Die siebenbürgisch-sächsische Romandichtung um die Mitte des 19. Jahrhunderts, Budapest 1913; Um Heimat und Herd. Ein Kriegslesebuch für Schule und Haus (mit K. H. Hiemesch) 1916; Das Tor der Zukunft. Ein Buch Gedichte, 1920; Der tolle Bruss und andere Erzählungen aus Siebenbürgen, 1923; Die Hecatombe Sententiarum Ovidianarum des Valentin Franck von Franckenstein, 1923; Balladen und Lieder, 1926; Die Musik, ihre Gestalter und Verkünder in Siebenbürgen einst und jetzt. Musikalische Lebensbilder, 1927; Siebenbürgisch-sächsische Heimats- und Volkslieder (Hg.) 1930; Das Kreuz im Osten (Dr.) 1930; Bakfark (Rom.) 1932; Unsere Kirche in Vergangenheit und Gegenwart, 1931; Der Protestantismus und Goethe, 1932; Aller Welt Not oder Das Spiel vom ungläubigen Thomas, 1933; Leuchter von oben. Religiöse Dichtung, 1934; Du sollst mein Zeuge sein. Lebenswege eines deutschen Bekenners (Rom.) 1938 (Neubearb. u.d.T.: Zwischen zwei Welten, 1942); Meister Johannes. Aus dem Werdegang der Deutschen in Siebenbürgen, 1939; König Lautenschläger. Leben und Abenteuer eines fahrenden Sängers aus Siebenbürgen, 1940; Die evangelische Kirchenmusik in Österreich (Hg.) 1947; Johann Sebastian Bach und seine geistesgeschichtliche Sendung, 1950; Neue Gedichte, 1953; Der Gefangene seines Herzens. Ein Roman um Lenau, 1954; Gustav Adolf in Mainz. Ein Laienspiel für Gustav Adolf-Feiern, 1956; Die große Pest von Unna. Ein Hörspiel für den Schulfunk, 1956; Wanderung unter Sternen. Erlebtes, Erhörtes, Ersonnenes, 1958; Es blieb ein Abenteuer. Und zwei weitere Erzählungen um Mozart, 1960; Die Jacobsleiter. Drei Begebenheiten aus dem Leben J. S. Bachs, 1961; Diebstahl im Paradies und andere heitere Novellen, 1962; Alles nur nach Seinem Willen. Lebenspfade des Thomaskantors J. S. Bach, 1963.
   Literatur: K. K. KLEIN, Ostlanddichter 1926.
                                                                    AS

Hajek, Hans, * 1.5.1889 Daubitz/Böhmen, † 5.6.1970 Eberbach/Neckartal; Dr. phil., lebte in Frankfurt/M., dann in Mannheim.
   Schriften: Sprossende Saat. Eine Anthologie deutschböhmischer Dichter (hg. mit J. Pilz) 1911; Adalbert Stifter. Eine Studie, 1925; Die unendliche Kette (Anthol., Hg.) 1940; Für alle Tage. Redensarten und Sprichwörter aus allen deutschen Landen zusammengebracht, zum innerlichen wie äußerlichen Gebrauch hergerichtet und hg., 1940; Der Zeitspiegel. Sammlung deutscher Anekdoten, 1943; Friedrich Engels, Ludwig Feuerbach und der Ausgang der klassischen deutschen Philosophie (Hg.) 1947; Zwerge unter Riesen, 1951.
                                                                    AS

Hajnec, Lucija → Heine, Lucia.

Hajo → Sanke, Hansjosef.

Hakel, Hermann, * 12.8.1911 Wien; freier Schriftst., 1939 Emigration n. Italien, mehrmals im KZ, lebte 1943–47 in Israel, seither in Wien u. Hirtenberg (N-Öst.). Red. an jüd. Ztg. u. Lektor an jüd. Verlagen, daneben tätig in der Erwachsenenbildung. Lyriker, Essayist, Hörspielautor,

Hg. vieler Anthol. u. d. Zs. «Lynkeus», Übers. aus d. Hebräischen.

Schriften: Ein Kunstkalender in Gedichten, 1936; Und Bild wird Wort ... (Ged.) 1947; An Bord der Erde (Ged.) 1948; Zwischenstation. 50 Geschichten, 1949; Ein Totentanz. 1938–45 (Ged.) 1950; Hier und dort (Ged.) 1955; Von Rothschild, Schnorrern und anderen Leuten, 1957; Die Bibel im deutschen Gedicht des 20. Jahrhunderts, 1958; Wienärrische Welt. Witz, Satire, Parodie einst und jetzt, 1961; Dur und Mollert. Wienerinnen anno dazumal, 1961; Wigl Wogl. Kabarett und Varieté in Wien, 1962; Malerei des phantastischen Realismus. Die Wiener Schule (mit K. Schmied) 1964; Oi, bin ich gescheit. Jüdische Witze, 1965; Jiddische Geschichten aus aller Welt (übers. u. bearb.) 1967 (Taschenbuch-Ausg. 1971 u. d. T.: Der Mann, der den Jüngsten Tag verschlief); Der jüdische Witz, 1971; Streitschrift gegen alle. Vom Eipeldauer zum Götz von Berlichingen, 1975.

Herausgebertätigkeit: Neue Dichtung, 7 Bde., 1936–37; Wien von A–Z (Anthol.) 1953; Mein Kollege der Affe. Ein Kabarett mit Fritz Grünbaum, Peter Hammerschlag, Erich Mühsam, Fritz Kolmar, Anton Kuh, Mynona, 1959; J. Nestroy, Die Welt steht auf kein' Fall mehr lang. Couplets und Monologe (Teilslg.) 1962; Richard der Einzige. Satire, Parodie, Karikatur (R. Wagner) 1963; A. Kuh, Von Goethe abwärts. Aphorismen, Essays, Kleine Prosa, 1963; Die Bibel in deutschen Gedichten, 1968; Wenn der Rebbe lacht. Anekdoten, 1970; Die alte Hagada und andere israelische Erzählungen, 1972.   AS

Haken, Alexander von, * 29.3.1804 Weissenstein/Estland, † 24.3.1872 Tambow; Theol.-Studium in Dorpat, Prediger, seit 1844 russ. evangel. Pastor in Tambow.

Schriften: Sabbathsharfe. Lieder zum Choralgesange ..., 1860; Kosmische Bilder im Lichte der Offenbarung und Sternkunde. Eine eschatologische Studie, 1863.   RM

Haken, Bruno Nelissen → Nelissen-Haken, Bruno.

Haken, Ellen Toni, * 8.6.1888 Riga; Malerin u. Graphikerin in Berlin. Jugenderzählerin.

Schriften: Antje hoch oben. Erlebnisse eines deutschen Mädchens auf Grönland, 1936; Hinter uns die Hölle (Jgdb.) 1942.   AS

Haken, Johann Christian Ludwig, * 25.3.1767 Jamund b. Köslin, † 5.6.1835 Treptow/Pommern; Theol.-Studium in Halle, 1805 Pfarrer in Symbow, 1807 Superintendent in Treptow. Gründer d. «Pomm. Provinzialblätter».

Schriften: Die graue Mappe aus Ewald Rinks Verlassenschaft, 4 Bde., 1790 ff.; John Byrons Schiffbruch und Drangsale, 1793; Argenide. Historisch-politischer Roman aus dem Lateinischen Johann Barklays neue übersetzt, 2 Bde., 1794; Sympathien (dramat. Versuch) 1797; Romantische Ausstellungen, 2 Bde., 1797 f.; A. G. Meissner, das Leben des Julius Cäsar, 4 Bde. [III. u. IV. v. ~] 1799–1812; Phantasus. Tausend und Ein Märchen, 4 Bde., 1802; Amaranthen. Xeranthenum annum, 4 Bde., 1802 ff.; Xenophon und die Zehntausend Griechen (hist. Versuch) 2 Tle., 1805; Bibliothek der Robinsone. In zweckmäßigen Auszügen, 5 Bde., 1805 ff.; Neue Amaranthen, 2 Bde., 1808/11; Gemälde der Kreuzzüge nach Palästina zur Befreiung des heiligen Grabes, 3 Bde., 1808–20; Bibliothek der Abentheurer. In zweckmäßigen Auszügen, 1. Bd., 1810; Die Inquiraner. Eine Robinsonade, 1810; Jakob Haefner, Fußweise durch die Insel Ceylon. Nach dem Holländischen frei bearbeitet, 1816; Joachim Nettelbeck, Bürger zu Colberg. Eine Lebensbeschreibung, von ihm selbst aufgezeichnet (hg.) 3 Bde., 1821 ff.; Ferdinand von Schill. Eine Lebensbeschreibung nach Original-Papieren, 2 Bde., 1824.

Nachlaß: Frels 112.

Literatur: ADB 10, 396; Goedeke 6, 380.   RM

Halbach, Fritz, * 10.8.1878 Hilgen/Rheinl., † Jan. 1943 ebd.; Lyriker, Erzähler, Dramatiker u. Volkskundler.

Schriften: Blühen und Glühen (Ged.) 1904; Lebensakkorde, 1906; Romerike Berge, 1906; Der deutsche Michel. Eine politische Komödie in 3 Akten, 1919; Der Tanz. Eine politische Komödie in 3 Akten, 1920; Jud Günther, der böse Geist der Etappe. Ein Roman nach Tagebuchblättern aus dem Weltkrieg, 1920; Genosse Levi. Ein Roman für das deutsche Volk, 1921; Schnuppeldiwupp. Eine Geschichte für Kinderherzen, 1921; Die Magd. Erlebnisse eines Knaben (Rom.) 1922; Stoffel, der Scherenschleifer. Seine wundersamen Erlebnisse in Postlunarien, Almanien und Egalitien, 1924; Waschelwuschelwisch. Ein Märchen für Kinder von 7–70 Jahren, 1925; Zaungäste des

Glücks (Nov.) 1925; Bergische Lückcher (Volkst. mit Gesang) 1925; Das Erbstück und andere Erzählungen, 1926; Wuppersöng (Ged.) Bergisch Platt, 3 Bde., 1933–38; Esther, die Herrin der Welt. Völkisches Testament, 1934; Der Volksmund. Beiträge zur Bergischen Volkskunde, 1940.   AS

Halbach, Gustav Hermann, * 11.12.1882 Remscheid, † 18.3.1958 ebd.; Kaufmann, 1915–18 in russ. Gefangenschaft, 1919 Red. d. «Dt. Metall-Industrie-Ztg.» in Remscheid, später in d. Stadtbücherei ebd. tätig, zuletzt freier Schriftst. Hoch- u. plattdt. Erzähler u. Lyriker.

Schriften: Bergesche Aat. Geschechten on Gedechte en plattdütscher Muodersproke, 1933; Bergischer Donnerkiel. Hoch- und Plattdeutsches in Dichtung und Alltagssprache, 1937; Bergischer Sprachschatz. Volkskundliches plattdeutsches Remscheider Wörterbuch (Hg.) 1951.   AS

Halbach, Kurt (Herbert), * 25.6.1902 Stuttgart; Dr. phil., o. Prof. für dt. Philol. in Innsbruck u. 1955–67 in Tübingen.

Schriften (Ausw.): Walther von der Vogelweide und die Dichter von Minnesangs Frühling, 1927; Gottfried von Straßburg und Konrad von Würzburg. «Klassik» und «Barock» im 13. Jahrhundert. Stilgeschichtliche Studie, 1930; Franzosentum und Deutschtum in höfischer Dichtung des Stauferzeitalters ..., 1939; Hermann Schneider, Kleinere Schriften zur germanischen Heldensage und Literatur des Mittelalters (hg. mit W. Mohr) 1962; Walther von der Vogelweide, 1965; Die Weingartner Liederhandschrift (Facs.-Ausg., mit Textbd., Mit-Hg.) 2 Bde., 1969.

Literatur: FS f. ~ z. 70. Geb.tag (hg. R. B. SCHÄFER u. a.) 1972.   RM

Halbach-Bohlen, Juliet (Ps. Amanda Matorka Blankenstein), * 27.4.1835 Philadelphia, † 11.2.1919 Baden-Baden; seit 1841 in Dtl., zahlr. Reisen durch Europa u. Nordafrika, lebte größtenteils in Baden-Baden. Vorwiegend Jugendschriftstellerin.

Schriften: Unter dem Christbaum. Sinnige Erzählungen für Kinder, 1878; Für Gott und Vaterland. Erzählung für die reifere christliche Jugend, 1879; Der Weihnachtsmarkt (Erz.) 1879; Freud und Leid im Kinderleben. Sieben Erzählungen, 1879; Pflichtgefühl und Liebe. Drei Erzählungen

für die reifere christliche Jugend, 1880; Des kleinen Antons Schatz. Eine Erzählung für Kinder, 1880; Die kleine Hausfrau. Eine Erzählung für Kinder, 1880; Kindergeschichten, 1.–3. Bd., 1880; Max und Robert oder Unrecht Gut gedeihet nicht (Erz.) 1880; Der Sohn der Pfarrerswitwe. Eine Erzählung für Kinder, 1880; Wunderwege im Kinderleben (Erz.) 1881; Annas Unrecht oder Wer von der Wahrheit weicht, der weicht von Gott (Erz.) 1881; Der lahme Anton oder Der Schatz im irdenen Gefäß (Erz.) 1881; Lichtblicke im Kinderleben. Vier Erzählungen, 1881; Die Kirchenglocken (Erz.) 1881; Der kleine Kunstreiter (Erz.) 1882; Giulio Guttobendrio oder Segen des Gehorsams. Eine Erzählung für Kinder, 1883; Die Kirchenglocken (Erz.) 1884; Reiseskizzen aus Corsika. Zugleich ein Führer durch die Insel, 1886; Die drei Freundinnen. Erzählung für die reifere Jugend, 1888; Ellas Stiefmama und Gehorsam ist besser denn Opfer. Zwei Erzählungen für Kinder, 1892; Der Goldonkel oder Seid freundlich gegen jedermann. Eine Erzählung für Kinder, 1892; Alberts Sieg. Eine Erzählung für Kinder, 1895; Wer Gott vertraut hat auf Fels gebaut. Zwei Erzählungen, 1896; Die drei Vöglein und Der Hund und die Katze. Zwei Erzählungen, 1896; Elsa von Eltville. Ein spannender Roman für junge Mädchen, 1906; Gesammelte Erzählungen für Alt und Jung, 1914.   RM

Halban, George von (Ps. George Halban), * 14.7.1915 Wien; Oberst a. D. der US-Army, lebt in München.

Schriften: Malik der Wolf (Rom.) 1975.   AS

Die halbe Bir, erot. schwankhafte Verserz. d. 13. Jh., wegen d. Qualität d. Erz. in einigen Hss. → Konrad v. Würzburg zugeschrieben. Von Hans → Folz nachgedichtet.

Ausgaben: GA; Der münch mit d. genßlein, 13 spätma. Verserz. (hg. R.M. KULLY u. H. RUPP) 1972; Codex Karlsruhe 408 (hg. U. SCHMID) 1974.

Literatur: VL 2,913 (Art. Konrad v. Würzburg); Ehrismann 2,2,1 241; de Boor-Newald 3/1,274. – G.A. WOLFF, ‹Diu halbe bir› (Diss. Erlangen) 1893; H. LAUDAN, D. Halbe Birne nicht v. K. v. Würzburg (in: ZfdA 50) 1908; H. FISCHER, Stud. z. dt. Märendichtung, 1968.

       RR

Halbe, Carla → Noltens, Carla.

Halbe, Georg, * 24. 5. 1890 Bromberg; lebte in Bankendorf/Holst. u. Rendsburg. Übers. aus d. Englischen.

Schriften: Die Edda. Frei nacherzählt von einer Folge von 36 Bildern, die Franz Stassen malte ..., 1934; N. Collins, Gold für meine Braut, dt. 1947. RM

Halbe, Johann August, * 25. 1. 1754 Bautzen, † n. 1823 Hamburg-Wandsbek; seit 1776 Schauspieler vorwiegend in Prag, seit 1823 Privatmann in Wandsbek.

Schriften: Die Liebe auf der Probe (kom. Operette n. d'Arien) 1787; Der Neujahrstag oder Der Fürst kennt seine Unterthanen, 1778; Theaterstücke, 1. Bd., 1788; Vernunft und Vorurtheil. Ein Gemälde aus den Begebenheiten des jtztlebenden Teutschlandes, 1789; Das Gewissen, ein warnendes Gemälde ..., 1789; Die Pastoren, 1789; Die leidenschaftlichen Unbedachtsamen. Ein lehrendes Sittengemälde, 1790; Der neueste Arzt. Anekdote aus dem jetzigen Jahrhundert, dramatisiert, 1790; Bauernstolz (Posse) 1806; Theaterstücke, 16 Bde., 1808 (?).

Nachlaß: Frels 112.

Literatur: Goedeke 5, 351, 388; 7, 18.　　RM

Halbe, Max, * 4. 10. 1865 Güttland b. Danzig, † 30. 11. 1944 Burg b. Neuötting/Obb.; Sohn d. Gutsbesitzers Robert H., Gymnasiumbesuch in Marienburg, Studium d. Germanistik u. Gesch. in Heidelberg, Berlin, München (Dr. phil. 1888), freier Schriftst. in Berlin u. München (seit 1895 ständiger Wohnort). Mitgl. d. Preuß. Akad. d. Künste u. Wiss. (1927); Goethe-Medaille für Kunst u. Wiss. (1932). Dramatiker u. Erzähler.

Schriften: Die Beziehungen zwischen Friedrich II. und dem päpstlichen Stuhl vom Tode Innocenz III. bis zum Goslarer Tage, 1888; Friedrich II. und der päpstliche Stuhl. Bis zur Kaiserkrönung, 1888; Ein Emporkömmling. Sociales Trauerspiel, 1889; Freie Liebe. Modernes Drama, 1890; Eisgang. Modernes Schauspiel, 1892; Jugend. Ein Liebesdrama in drei Aufzügen, 1893; Der Amerikafahrer. Scherzspiel, 1894; Lebenswende. Eine Komödie, 1896; Mutter Erde. Drama, 1897; Frau Meseck. Eine Dorfgeschichte, 1897; Der Eroberer. Tragödie in fünf Aufzügen, 1899; Die Heimatlosen. Drama in fünf Aufzügen, 1899; Das tausendjährige Reich. Drama, 1900; Ein Meteor. Eine Künstlergeschichte, 1901; Haus Ro-

senhagen. Schauspiel, 1901; Walpurgistag. Eine Dichter-Komödie, 1903; Der Strom. Drama, 1904; Die Insel der Seligen. Komödie, 1906; Das wahre Gesicht. Drama, 1907; Blaue Berge. Komödie, 1909; Der Ring des Lebens. Ein Novellenbuch, 1909; Der Ring des Gauklers. Ein Spiel, 1911; Die Tat des Dietrich Stobäus. Roman, 1911; Freiheit. Ein Schauspiel von 1812, 1913; Jo. Roman, 1917; Hortense Ruland. Tragödie, 1917; Schloß Zeitvorbei. Dramatische Legende, 1917; Kikeriki. Eine barocke Komödie, 1921; Der Frühlingsgarten (Erz.) 1922; Die Auferstehungsnacht des Doktor Adalbert. Osternovelle, 1928; Meister Jörg und seine Gesellen. Festspiel aus Anlaß der Grundsteinlegung zum Studienbau des Deutschen Museums, 1928; Präsidentenwahl. Schauspiel, 1929; Die Traumgesichte des Adam Thor. Schauspiel, 1929; Ginevra oder Der Ziegelstein. Komödie, 1931; Generalkonsul Stenzel und sein gefährliches Ich. Roman, 1931; Heinrich von Plauen. Schauspiel, 1933; Scholle und Schicksal. Geschichte meines Lebens, 1933 (überarb. Neuausgabe 1940); Jahrhundertwende. Geschichte meines Lebens, 1935; Die Elixiere des Glücks. Roman, 1936; Erntefest. Schauspiel, 1936; Kaiser Friedrich II. Schauspiel, 1940; Durch die Jahrhunderte. Festspiel zur Siebenhundert-Jahrfeier der Stadt Elbing, 1952.

Ausgaben: Gesammelte Werke, 7 Bde., 1917 bis 1932; Sämtliche Werke, 14 Bde., 1945–1950.

Nachlaß: Stadtbibl. München; Verzeichnis d. N. in: H. SCHMEER (Hg.) ~ zum 100. Geb.tag, 1965. – Denecke 2. Aufl.

Literatur: NBD 7, 532; Albrecht-Dahlke II, 1, 560. – H. WEDER, D. Stimmungskunst in ~s Gegenwartsdr. (Diss. Halle) 1932; W. KLEINE, ~s Stellung z. Naturalismus 1887–1900 (Diss. München) 1937; H. W. ROOT, New Light on ~'s Jugend (in: GR 10) 1935; H. KINDERMANN, ~ u. d. dt. Osten. Mit e. Selbstbiogr., 1941; Biographisches, Bibliogr. hg. E. METELMANN (in: NLit 43) 1943; E. SILZER, ~s naturalist. Dr. (Diss. Wien) 1949; F. ZILLMANN, ~ Wesen u. Werk, 1959; W. RUDORFF, Aspekte e. Typologie d. Personen im dramat. Werk ~s (Diss. Freiburg) 1961; S. HOEFERT, The Work of ~. With Special Reference to Naturalism (Diss. Toronto) 1963; ~ zum 100. Geb.tag, hg. Stadtbibl. München, 1966; S. HOEFERT, E. T. A. Hoffmann u. ~ (in: Mitt. d. E. T. A.-Hoffmann-Ges. 13) 1967; DERS., Z.

Nachwirkung ∼s in d. naturalist. Ära. ∼ u. Hebbel (in: Hebbel-Jb.) 1970; E. UNGLAUB, K. Kraus – d. private Unheil. E. unveröff. Brief an ∼ (in: LK) 1977.   MR

Halberstadt → Albrecht von Halberstadt; Konrad von Halberstadt.

Halbert, A. (Ps. f. Awrum [Abraham, Abram] Halberthal, 2. Ps. Albert Ganzert), * 16.9.1881 Botschani/Rumänien; Schriftsteller u. Journalist u.a. in Berlin u. Hamburg, exilierte in d. Schweiz u. lebte als Red. d. Zs. «Frau u. Familie» in Zürich.

Schriften: Heinrich von Kleist ..., 1904; Das Rätsel: Jude. Der Roman eines modernen Juden, 1904; Der Mann und das Weib. Novellen und Skizzen, 1904; Zionstöchter. Frauenstudien, 1904; «Hinauf!» Künstlerroman aus der jüngsten Vergangenheit, 1906; Lebensfieber. Der Roman eines Dichters und einer Schauspielerin, 1909; Die Katastrophe unserer Kultur. Die hinterlassenen Memoiren eines modernen Menschen (eingel. u. hg.) 1912; Bayreuth. Kosima – oder Richard Wagner?! Offener Brief an Hermann Bahr zur Parzival-Frage, 1912; Die Sängerin hinter dem Vorhang. Ein Großstadtroman, 1912; Die Frau des Komödianten. Ein moderner Roman, 1913; Die rote Kugel (Kom.) 1913; Frau Irenes Ehe. Ein Roman aus dem Sanatorium, 1914; Henrik Ibsen und Leo Tolstoi ..., 1914; Der Geist der Reklame. Ein Wegweiser praktischer Arbeit, 1918; Der Kaufmann nach dem Weltkrieg ..., 1919; Wie Kinder Menschen werden. Briefe zweier Mütter ..., 1920; Erzählende Reklame, 1926; Praktische Reklame, 1926 Werbebriefe, die wirken ..., 1932; Die Grenze. Ein Schicksal aus 600000 in drei Akten, 1936; Schaufenster Schweiz. Vorschläge eines Freundschweizers im Interesse der freien Schweiz und der gefesselten Welt, 1946; Lerne leichter leben. Probleme aus der Zeit – für die Zeit (mit Elsbeth H.) 1958. (Außerdem e. Anzahl aufgef., aber ungedr. Bühnenst. u. Hörspiele).

Literatur: Theater-Lex. 1,676.   RM

Halbey, Hans Adolf, * 19.7.1922 St. Wendel/ Saar; studierte Kunstgesch., Gesch. u. Lit. in Mainz, 1955 Dr. phil., Doz. an d. Bibliotheksschule d. Stadt- u. Univ.bibl., Dir. d. Klingspor-Museums d. Stadt Offenbach, Dir. d. Gutenberg-Mus. Mainz.

Schriften: Pampelmusensalat. 13 Verse für Kinder, 1965; Vatterchen Rotkopf, 1967.
Literatur: LexKJugLit 1,519.   IB

Halbkart, Karl Wilhelm, * 5.5.1765 Breslau, † 21.3.1830 Schweidnitz; Lehrer in Breslau, dann Rektor u. 1809 Prof. in Schweidnitz.
Schriften: Psychologia Homerica, 1796; Xenophons Anabasis, übersetzt und mit Anmerkungen versehen, 1804 (2., verm. Aufl. 1822); Feyerstunden (Ged. u. Erz.) 1815.
Literatur: Goedeke 7,438.   RM

Halbmeyr (Halbmayer), Johann, um 1600; wahrsch. Prediger aus Hessen (Merkendorf? Dornberg?), Pfarrer in Vendersheim, Verf. geistl. Lieder u. v. Psalmenbearb., die in d. Nürnberger «Geistl. Psalmen, Hymnen, Liedern u. Gebeten» 1607 aufgenommen wurden. H.s Verf.schaft ist allerdings nicht gesichert.
Literatur: ADB 10,403; Goedeke 2,198.   RM

Halbritter, Kurt, * 22.9.1924 Frankfurt/Main, † 21.5.1978 Irland; Lehre als Chemiegraph, Teilnahme am 2. Weltkrieg, 1944–47 in Frankreich in engl. Kriegsgefangenschaft, 1948–52 Besuch d. damaligen Werkkunstschule (heute Hochschule f. Gestaltung) in Offenbach/Main, seit 1952 freier Illustrator, Zeichner u. Karikaturist, verf. Texte dazu.
Schriften: Disziplin ist alles. Der Selbstverteidigungsbeitrag des letzten Zivilisten, 1954; Rue de plaisir. Eine Führung durch die Viertel des erotischen Plaisirs, 1955; Zwischen 12 und 1. Gespenstische Einfälle, 1955; Die Wacht am Rhein, 1957; Johannes, 1958; Heimat – deine Zwerge. Die Kulturgeschichte der Gartenzwerge, 1959; The Murder-Brothers. Moritat von den schrecklichen Untaten einer Bande, 1960; Helden, kleiner Beitrag zur Phänomenologie der Filmhelden, 1960; Girls, Germanen und Gespenster, 1961; Wirb oder stirb, 1962; Tagebuch einer Minderjährigen. Die ehrfurchtslosen Provokationen einer kessen frechen Göre, 1965; A. Hitlers, Mein Kampf. Gezeichnete Erinnerungen an eine große Zeit, 1968; Halbritters Halbwelt. Die besten Karikaturen (hg. v. Heuler) 1970; Knigge verkehrt (gem. m. K. Sigel) 1970; Nach Strich und Faden, 1974; Halbritters Tier- und Pflanzenwelt. Ein Beitrag zur Naturgeschichte für alle Schichten des Volkes, 1975; Jeder hat das Recht, 1976; Halbritters Waffenarsenal. Ein nützlicher Lehrgang

durch die geheimen Waffenkammern der Geschichte. Von den altägyptischen Festungsbauten
bis zu den Flugmaschinen des 19. Jahrhunderts,
1977; Gesellschaftsspiele, 1978; Gespenster und
Helden, 1979.　　　　　　　　　　　　　　　IB

Halbsuter, Hans, * ca. 1410, † n. 1480, v.
Root b. Luzern, ab 1434 Bürger in Luzern,
1441–60 Mitgl. d. Rats. H. wird d. Sempacher-
lied ‹Im tusend und drühundert› (über d.
Schlacht b. Sempach, 1386) zugeschrieben, in d.
erstmals d. Name Winkelrieds erwähnt ist. (D.
älteste Niederschr. d. Lieds allerdings erst Anf.
16. Jh.)

Ausgaben: Liliencron; L. TOBLER, Schweizer
Volkslieder, 2, 1882.

Forschungsbericht: P. X. WEBER, D. Sempacher
Lit. (in: D. Gesch.freund 90 u. 91) 1935 u. 36.

Literatur: VL 2, 156; ADB 10, 405; NDB 7,
535; de Boor-Newald 4/1, 187. – A. LÜTOLF,
Über Lucerns Schlachtliederdichter im 15. Jh.,
(in: Gesch.freund 18) 1862; div. Aufs. zur
Schlacht b. Sempach u. z. Winkelriedfrage in:
Anz. f. Schweiz. Gesch., Bd. 3–5, 1878–89;
Th. v. LIEBENAU, D. Liederdichter ∼ v. Lucern
(in: Monatsrosen 15) 1870–71; DERS. D.
Schlacht bei Sempach, 1886; J. BÄCHTOLD,
Gesch. d. dt. Lit. in d. Schweiz, 1892; W.
MEYER, D. Chronist W. Steiner (in: Gesch.-
freund 65) 1910; E. ERMATINGER, Dichtung u.
Geistesleben der dt. Schweiz, 1933.　　　　RR

Hald, Tobias, * 17. 7. 1879 Jagstzell/Württ.;
wurde Oberlehrer in Erolzheim/Württ. Epiker.

Schriften: Von der Wartburg zum Hohen Licht.
Ein Wanderbüchlein in Versen, 1914; Heimsu-
chung oder Das Golgatha des Weltkrieges. Ein
Zyklus im Geiste der Psalmen, 1915.　　　AS

Halde, Georg von der (Ps. f. Georg Postel),
* 23. 4. 1862 Neiße; Bezirksoffizier in Chemnitz,
Major a. D. in Dresden, seit 1906 Geschäftsführer
d. Verbandes sächs.-thüring. Webereien u. d.
Ver. dt. Webereien engl. Gardinen in Greiz.

Schriften: Aus dem Tornister. Launige Erinnerungen, 1902; Der Bergmann von Falun. Eine
Bergmannsmär, 1902.　　　　　　　　　　RM

Halden, Elisabeth (Ps. f. Agnes Breitzmann),
* 27. 9. 1841 Templin/Brandenb., † 10. 10. 1916
Friedenau b. Berlin; Jugendschriftst. in Magdeburg, Bad Nauheim u. seit 1898 in Berlin.

Schriften: Das Nest. Erzählung für Mädchen,
1883; Tante Adelgundens Nichten. Erzählung
für die Backfischwelt, 1885; Was Liebe vermag.
Eine Erzählung für die Jugend, 1889; Reseda,
eine Erzählung für junge Mädchen, 1889 (3. Aufl.
u. d. T.: Gertrud, 1897); Mamsell Übermut. Erzählung für junge Mädchen, 1891; Evas Lehrjahre. Erzählung für junge Mädchen, 1892; Das
Schloß am Meer, eine Erzählung für junge Mädchen, 1893; Bunte Steine. Erzählungen und Märchen für Kinder, 1893; Aus den Tagen der Königin Luise. Erzählung für die Jugend, 1893/94;
Das wahre Glück. Erzählung für junge Mädchen,
1894; Onkel Fritz. Erzählung für die Jugend,
1894; Die Rosen von Hagenow. Erzählung für
junge Mädchen, 1895 (Forts. u. d. T.: Die Familie Ritzewitz, 1898); An des Lebens Pforte ...,
1896; Etwas Neues. Erzählung für die Jugend,
1896; Das Waldfräulein. Erzählung für junge
Mädchen, 1896; In Heimat und Fremde. Erzählung für junge Mädchen, 1897; In Treue
bewährt ..., 1897; Mädchengeschichten ...,
1897; Neue Mädchengeschichten ..., 1898;
Das Schloß am Meer. Erzählung für junge Mädchen, 1898; Kindergeschichten ..., 1899; Eine
edle Frau. Kulturgeschichtliche Erzählung für
junge Mädchen, 1900; Vor fünfhundert Jahren (Lb.) 1900; Goldschmieds Töchterlein. Erzählung für junge Mädchen, 1901; Mamsell Übermut als Braut. Paulas Freundinnen erzählt, 1902;
Aus rosiger Zeit. Vier Erzählungen für junge
Mädchen, 1902; Im Doktorhause. Eine Erzählung für Kinder, 1902; Im Kampf um die Krone
(hist. Erz.) 1902; Die Schwestern. Erzählung
für junge Mädchen, 1903; Lustige Geschichten.
Den Kindern erzählt, 1903; Aus goldener Jugendzeit. Kleine Geschichten für Kinder, 1903;
Der Kinder Freud und Leid ..., 1903; Die
Tochter des Generals. Erzählung für junge Mädchen, 1904; Klippen (Kriminalrom.) 1905;
Unser Schwalbenheim. Eine Erzählung mit vierzig eingestreuten Märchen und Geschichten,
1905; Mamsell Übermut als junge Frau, 1906;
Feriengeschichten (20 Erz.) 1906; In Schnee
und Eis. Erzählung für die reifere Jugend, 1906;
Marienkäferchen. Erzählung für jüngere Mädchen, 1907; Verwaist. Eine Erzählung für die
Jugend, 1909; Der Kinder Freud und Leid.
Kleine Geschichten für Knaben und Mädchen,
1911; Starke Treue. Erzählung für junge Mädchen, 1911; Das fünfte Rad ..., 1912; Schön-

Elschen, die Burggräfin von Nürnberg. Ein Lebensbild aus früherer Zeit, 1913; Neue lustige Feriengeschichten, 1914; Tiergeschichten, 1925.

Literatur: LexKJugLit 1, 519.   RM

Halden, Hans (Ps. f. Ernst Georg Siewert), * 21.1.1888 Berlin; Verf. v. Kom. u. Volksstücken, auch v. Filmen, Hör- und Fernsehspielen.

Schriften: Der verlorene Sohn (Schausp.) 1946, (Ferner e. Reihe ungedr. Bühnenstücke.)   AS

Haldenwang, Richard (Ps. f. Karl Mauz) * 5. 10.1902 Esslingen, † 1.9.1976 ebd.; Buchhändler in Esslingen; Lyriker, Erzähler, Essayist.

Schriften: Gesittung hält uns tiefer als das Glück (Ged.) 1936; Vierzig Gedichte, 1938; Das Ostrauer Gottesgedenken. 16 Gedichte, 1940; Ostrauer Feldpostbrief 1940. Neue Gedichte, 1940; Der Morgenstrauß (Ged.) 1946; Lebensmitte (Ged.) 1948; Heimatland (Ged.) 1948; Lern den Tag zu Ende leben als ein Stück der Ewigkeit. Gedichte der Besinnung, 1955; Das Spiegelbild. Gedichte der Besinnung, 1963.

AS

Halder, Arnold, * 30.11.1812 St. Gallen, † 23.4.1888 ebd.; bis 1858 Kaufmann in St. Gallen u. bis 1884 in Interlaken, zuletzt Privatmann in St. Gallen.

Schriften: Kleine poetische Versuche. In St. Galler und Appenzeller Mundart, 1836 (2. Aufl. u. d. T.: Reimereien in Appenzellischer und St. Gallischer Mundart, 1854; 3., verm. Aufl. 1884); Vergißmeinnicht. Poetische Freundesgabe, 1838; Bergluft. Sonntagsstreifereien eines alten Clubisten. Mit einem Vorwort von Abraham Roth, 1869; Die Stiefelchen oder Was sich in Interlaken Alles treffen kann, 1884; Humor und doch Wohr. St. Galler G'spröch b'im Aarocke vom Eidgenössische Sängerfest, 1886; Gedichte in Schriftsprache und Mundart, 1888 (2., verm. Aufl. mit e. Charakteristik d. Dichters v. O. Fässler, 1897).

Nachlaß: Stadtbibl. St. Gallen. – Schmutz-Pfister Nr. 868.

Literatur: HBLS 4, 57.   RM

Halder, Nold, * 31.10.1899 Lenzburg/Kt. Aargau, † 1.2.1967 Aarau; war Sekundar-Lehrer an der Strafanstalt Lenzburg, dann Kantonsarchivar,

betreute das Aargauische Kantonsarchiv u. die Kantonsbibliothek; Begründer und Red. der Lenzburger Neujahrsblätter. Erzähler, Bühnenautor.

Schriften (Ausw.): Ein hübsch Spiel, gehalten zu Ury in der Eidgenosschafft von Wilhelm Thellen ihrem Landmann und ersten Eydgenossen (Hg.) 1923; Aus einem alten Nest. Sagen und Spukgeschichten aus Lenzburg, 1923 (2. Aufl. 1977); De Vatter. Ein ernster Einakter in Aargauer Mundart, 1926; Der Zug der Kinder Israel durch den Jordan. Ein biblisches Spiel von Rudolf Schmid 1579, 1931; Tobias Stimmer, Comedia. Ein neu Lustspiel von zweien jungen Eheleuten (erneuert) 1934; Leben und Sterben des berüchtigten Gauners Bernhart Matter. Eine Episode aus der Rechts- und Sittengeschichte des 19. Jahrhunderts, 1947 (2. Aufl. 1977); Geschichte des Kantons Aargau 1803–1953; Jubilierender Aargau (mit Erwin Hinden) 1953; Unser Aargau. Zur Erinnerung an das 150jährige Bestehen des Kantons Aargau ... für die aargauische Jugend geschaffen (mit andern) 1953; Der rechte Barbier. Ein Schwank nach dem gleichnamigen Gedicht von Adelbert von Chamisso. Für das Schul- und Jugendtheater bearbeitet, 1957; 100 Jahre Juden-Emanzipation in Spiegel aargauischer Archivalien (Ausstellungs-Katalog) 1966; Das Osterspiel von Muri. Faksimiledruck der Fragmente und Rekonstruktion der Pergamentrolle (Hg.) 1967.   AS

Haldig, Artur → Soemmering, Sophie.

Haldimann, Paul, * 13.12.1917 Lützelflüh/Kt. Bern; 1945–59 Pfarrer in Heimiswil, seither in Huttwil/Kt. Bern. Lyriker.

Schriften: Der andere Weg (Ged.) 1946.   AS

Haldy, Bruno → Vogelsberg, L. vom.

Halein, Kathinka → Zitz, Kathinka.

Halem, Gerhard Anton von, * 2.3.1752 Oldenburg, † 5.1.1819 Eutin; Studium d. Rechte in Frankfurt/Oder, 1807–11 Dir. d. Justizkanzlei u. d. Konsistoriums Oldenburg, Appellationsgerichtsrat in Hamburg, 1815 Regierungsdir. in Eutin. Gründer d. «Oldenburg. Lit. Gesellsch.», 1787–97 Hg. d. «Bl. vermischten Inhalts» (mit G. A. Gramberg), 1801–06 Hg. d. «Irene» u. d. «Neuen Irene» sowie mit Gramberg d. «Oldenburg. Zeitschrift» (1804–07).

Schriften: Trudelinde, dem Grafen F. L. zu Stolberg gewidmet, 1780; Wallenstein (Schausp.) 1786; Gesammelte poetische und prosaische Schriften, 1787; Poesie und Prosa, 1789; Blicke auf einen Theil Teutschlands, der Schweitz und Frankreichs, bey einer Reise vom Jahre 1790; 2 Bde., 1791; Gesangbuch ... für das Herzogthum Oldenburg (hg., mit Mutzenbecher u. Kuhlmann) 1791; Andenken an Oeder, 1793; Dramatische Werke, 1796; Geschichte des Herzogthums Oldenburg, 3 Bde., 1794 ff.; Blüthen aus Trümmern, 1798; Lebensbeschreibung des russischen Generalfeldmarschalls F. M. Graf von Münnich, 1803; Leben Peters des Großen, 3 Bde., 1803 ff.; Schriften, 7 Bde., 1803 ff.; Erinnerungsblätter von einer Reise nach Paris im Sommer 1811, 1813; Töne der Zeit, 1814; Vernunft aus Gott. In Bezug auf die neuesten Widersacher derselben, 1818; Erzählungen und Geschichten, 1825; Selbstbiographie, bearbeitet von L. W. Ch. von Halem (hg. C. F. Strackerjahn, mit Schr.-Verz. u. Briefen an ~) 1840 (Neuausg. 1970).

Briefe: Briefe v. K. E. Oelsner an ~ 1790–92 (hg. J. MERZDORF) 1858.

Nachlaß: Staatsarch. u. Landesbibl. Oldenburg. – Mommsen Nr. 1403; Denecke 2. Aufl.

Literatur: ADB 10, 407; NDB 7, 535; Ersch-Gruber II. 1, 244; Goedeke 5, 428; 7, 365. – G. LANGE, ~ als Schriftsteller (Diss. Greifswald) 1928; P. RAABE, ~ u. Friedrich v. Schiller (in: Oldenb. Balkenschild 9) 1955; K. WITTE, Reise in d. Revolution. ~ u. Frankreich im Jahr 1790, 1971.   RM

Halem, Ludwig Wilhelm (Christian) von, * 3. 9. 1758 Oldenburg, † 5. 6. 1839 ebd.; Bruder v. Gerhard Anton v. H., Theol.-Studium in Halle u. Göttingen, Hauslehrer in Holland u. Rußland, 1792 Bibliothekar in Oldenburg, 1819 Hofrat. Red. u. Hg. d. «Oldenburg. Staatskalenders» (bis 1836) d. «Oldenburger Ztg.» (bis 1829) u. d. «Oldenburger Bl.» (bis 1834). Bearb. d. Selbstbiogr. v. Gerhard Anton von Halem.

Schriften: Bibliographische Unterhaltungen, 2 St., 1794.

Nachlaß: Staatsarch. Oldenburg .– Mommsen Nr. 1404.

Literatur: ADB 10, 409.   RM

Halfmann, Martha (geb. Haubner, Ps. Martha Carol), * 1861 Schlettau b. Halle; lebte in Halle,

Bremen, 1893 Heirat, lebte seit 1898 in Eisleben u. später in Itzehoe.

Schriften: Isentrud. Ein Epos aus dem Sachsenlande, 1896.   RM

Halgart, Johannes → Predigten.

Haliczky (Halitzky), Andreas Friedrich, * Jan. 1753 Báth/Ungarn, † 12. 4. 1830 Pest; Theol.-Studium in Wien, Lehrer in Tyrnau, Ofen, 1787 Prof. in Hentschin u. seit 1792 in Pest. Hg. d. Pester «Ephemerides politico-literariae» (1791 f., mit Spielenberg). Verf. versch. Schul- u. Militärschr., sowie Übers. (vorwiegend aus d. Lat.).

Schriften: Die Dauer der Freundschaft. Ein Versuch in deutschen Hexametern ..., 1785; Lob Ungarns. Ein Gedicht in deutschen Jamben ..., 1787; Neujahrsgedicht auf den ersten Jänner 1788 ..., 1788; Kriegs-Lied eines K. K. Hussaren bey Jassy, 1788; Antrittsrede bey Eröffnung des Lehrstuhls der deutschen Sprache und Litteratur ..., 1792; Artikel des Ofener Reichstages vom Jahre 1792, aus dem Lateinischen übersetzt, 1792; Glückwunsch eines Zeitungsträgers auf das Jahr 1793, 1793; Gedicht zur Namensfeyer der Frau Elise von Trattner ..., 1794; Elegie auf Hannchens Tod ..., 1795; Klagelied auf den Tod Seiner königlichen Hoheit des Erzherzogs von Österreich und Palatinus von Ungarn Alexander Leopold, 1795; Ode auf die feyerliche Ankunft Seiner Königlichen Hoheit des Erzherzogs von Österreich Joseph Anton ..., 1795; Ode dem Andenken Seiner Exzellenz des nunmehr verherrlichten Grafen Joseph Teleki von Szék ..., 1796; Der edle Mann in einem Liede, 1796; Epistel an J. J. Studer, 1797; Fromme Empfindungen ..., 1798; Ode auf die freudenreiche Ankunft Ihrer Kayserlichen Hoheit Alexandra Pawlowna ..., 1800; Ode auf die Geburt des jungen Herrn Laurentius Festetits von Tolna ..., 1802; Paucula epigrammata, 1807; Paulus von Szemere (Ged., aus d. Ungar.) 1810.

Literatur: Wurzbach 7, 232; Goedeke 7, 64.
                                                    RM

Halirsch, Ludwig Friedrich Franz Thomas (Ps. Carl E. oder K. E. Waller, Stölzer), * 7. 3. 1802 Wien, † 19. 3. 1832 Verona; Philos.-Studium in Brünn u. Wien, seit 1824 Staatsbeamter in Wien, Mailand u. 1832 in Verona. Mitbegründer d. Wiener Zs. «Die Cikade» (1819/20) u. «Eichenbl.» (1821), Rezensent u. Kritiker d. Wiener «Theaterzeitung».

Schriften: Petrarca (dramat. Ged.) 1823; Die Demetrier (Tr.) 1824; Hans Sachs (Dr.) 1826; Novellen und Geschichten, 1827; Der Morgen auf Capri (dramat. Ged.) 1829; Dramaturgische Skizzen, 1829; Die beiden Bilder. Ausgewählte kleine Originalromane der beliebtesten deutschen Erzähler und Erzählerinnen (hg.) 1829; Erinnerungen an den Schneeberg. In vierzig Reisebildern, 1831; Literarischer Nachlaß (hg. J. G. Seidl, mit biogr. Einl.) 2 Bde., 1840; Novellen (hg. ders.) 1842.

Literatur: ADB 10,411; NDB 7,537; Wurzbach 7,233; ÖBL 2,160; Theater-Lex. 1,676; Goedeke 11/2,179,475. – R. HOLZER, ~, z. 100. Geb.tag (in: Jb. d. Grillparzer-Gesellsch. 12) 1902.   RM

Halitgar(ius) von Cambrai, † 830 od. 25.6. 831; seit etwa 817 Bischof v. Cambrai, viell. Begleiter Ebbos v. Reims in Dänemark, 828 in Konstantinopel, 829 auf d. Synode v. Paris. – Auf Veranlassung Ebbos verf. H. e. Poenitentiale in 5, bzw. 6 Büchern, welches versucht, kirchenrechtl. Bußbestimmungen mit e. System d. christl. Ethik zu vereinen. Buch I u. II stimmen mit d. 2 ersten Büchern e. unter Hrabans Namen gehenden Werkes «De vitiis et virtutibus» (Pseudo-Hraban?) überein, auch d. 3. Buch wurde Hraban zugeschrieben.

Ausgabe: Poenitentiale (hg. H. WASSERSCHLEBEN in: D. Bußordnungen d. abendländ. Kirche) 1851 (Neudr. 1947); Migne PL 105.

Literatur: RE 7,360; LThK 4,1331. – S.MÄHL, Quadriga virtutum. D. 4 Kardinaltugenden in d. Geistesgesch. d. Karolingerzeit, 1969; F. BRUNHÖLZL, Gesch. d. lat. Lit. d. MA 1, 1975.   RM

Halka, Alexander → Ledochowska, Maria Theresia von.

Hall, Ernst (Ps. f. Ernst Hassler), * 20.9.1922 Komotau/Sudeten; Journalist in Fürth; Verf. v. Kriminalromanen. Edgar-Wallace-Preis 1963.
Schriften: Glocken des Todes, 1963; Höllenflug, 1965.   AS

Hall, J. van der → Gersdorf, Wilhelmine von.

Hall, Peter (Ps. f. Mark Kallin), * 16.7.1897 Moskau; lebte in London; Romanautor.

Schriften: Der Seehof (Rom.) 1928; Midnight Sun over Karnoe (Rom.) 1933.   AS

Hallacz, Klaus (Ps. Fred Fischer) * 20.12.1913 Gladbeck (Westf.); zuerst Arbeiter, dann Verlagsvertreter u. Angestellter; nach d. Krieg kaufm. Angestellter, jetzt Kulturfunktionär in Cottbus (DDR). Erzähler, v.a. Kinder- und Jugendbuchautor.

Schriften: Cottbuser Heimatkalender (Hg.) 1954; Hubert Regenpfeiffer (Rom.) 1956; Vom Räuber Viting und andere Sagen aus Mecklenburg und dem Spreewald (mit H. A. Stoll) 1956; Der gute Plon (Erz. mit H. A. Stoll) 1956; Die Schlangenkrone (Erz. mit H. A. Stoll) 1956; Der stralsundische Ratskutscher und andere deutsche Sagen. Neuerzählt (mit H. A. Stoll) 1958; Kurz gesagt – Lottchen. Eine heitere Mädchenerzählung aus unseren Tagen, 1962; Die goldene Brücke. Märchen und Sagen aus dem Spreewald, 1967.   AS

Hallard, Ruth → Tetzner, Ruth.

Hallauer, Bertha, * 12.2.1863 Schloß Haslach bei Wilchingen/Kt. Schaffhausen, † 13.10.1939 ebd.; war verheiratet mit A. Gysel; Erzählerin, Lyrikerin.

Schriften: Aus der Heimat (Ged.) 1888; Sonnenuntergang (Ged.) 1907 (1916 u.d.T.: Sonnenuntergang. Dem Andenken eines Verstorbenen gewidmete Gedichte); Späte Rosen (Ged.) 1910 (2. verm. Aufl. 1916); Sehnsucht nach dem Lichte (Ged.) 1933.

Literatur: HBLS 4,58.   AS

Hallbauer, Friedrich Andreas, * 13.9.1692 Allstedt/Thür., † 1.3.1750 Jena; Philos.- u. Theol.-Studium in Halle u. Jena, 1715 Magister, dann Theol.-Prof. u. Kirchenrat in Jena. Hg. versch. Werke v. Erasmus, Palearius, Sandhagen, J. Sturm usw., Verf. versch. wiss. Schr. u. Vorreden.

Schriften: Nöthiger Unterricht zur Klugheit erbaulich zu predigen, zu katechisiren und geistliche Reden zu halten, nebst einer Vorrede ..., 1723; Drey Zehenden der auf der Geraischen Academie gehaltenen Parentationen, 1724ff.; Anweisung zur deutschen Oratorie nebst Vorrede von den Mängeln der Schuloratorie, 1725; Sammlung Teutscher auserlesener sinnreicher Inscriptionen nebst einer Vorrede darinne von den teutschen

Inscriptionen überhaupt eine historische Nachricht ertheilet wird (Anthol., hg.) 1725; Collectio praestantissimorum opusculorum de imitatione oratoria, 1726; Einleitung in nützlichsten Übungen des lateinischen Styli, 1727; Jenaische Jubel-Freude, 1730; Die drey merckwürdigsten Glaubens-Bekenntnisse, welche beym Anfang der gesegneten Kirchen-Reformation aufgesetzt worden ... mit einer Vorrede vom Ursprunge und Fortgange des Papstthums, 1730; Anleitung zur politischen Beredsamkeit, wie solche bey weltlichen Händeln in lateinischer und teutscher Sprache üblich ist, 1736; Animadversiones theologicae in licentiam novas easque germanicas codicis sacri versiones condendi, 1740f., Exercitationes ..., 2 Bde., 1741; W. Seyfridi ... commentatio de Johannis Hussi ... vita ...Praefatus est de hodierno Moravorum fratrum coetu ..., 1743; Zinzendorfiana dogmata ..., 1748.

Literatur: Jöcher 2, 1331; Ersch-Gruber II. 1, 263; ADB 10, 415; Schottenloher 4, 37; FdF 1, 346.   RM

Hallbauer, Philipp, * 13. 5. 1854 Dresden; seit 1874 im Eisenbahndienst tätig, Stationsvorstand u. Bahnhofinspektor in versch. Orten, 1907 in Grimma.

Schriften: Mei Begasus. Humoristische und Gelegenheitsgedichte in sächsischer Mundart, nebst einem Anhange: Travestien klassischer Dichtungen, 1902; Der Nonnen Entführung (dramat. Ged.) 1909.   RM

Hallberg, Emilie Emma von, * 18. 10. 1824 Köln, † 13. 12. 1862 ebd.

Schriften: Waldmährchen und Balladen, 2 Tle., 1854f.; Najade. Dichtung, 1857; Heinrich Heines Himmelfahrt. Eine Geisterstimme, 1857; Die deutsche Nationalliteratur, kritisch, humoristisch satirisch, 2 H., 1857.

Literatur: ADB 10, 416.   RM

Hallberg-Broich, Franz von, * 1781 Schloß Broich b. Duisburg, † 1850 als span. Oberst; Bruder v. Theodor v. Hallberg-Broich.

Schriften: Stammbuch der eisernen Hand des Götz von Berlichingen, 1828; Der Soldat, 1828; Tyll Eulenspiegels Geniestreiche in Knittelversen bearbeitet, 1830; Zur Geschichte der Sitten, Gebräuche und Moden, 1832.

Literatur: Goedeke 10, 649.   RM

Hallberg zu Broich, Franz von (Ps. Franz Broich), * 13. 4. 1895 München; war Kabinettchef u. Ober-Jägermeister beim Fürsten v. Hohenzollern; wohnt in Sigmaringen. Erzähler, Lyriker.

Schriften: Sankt Huberti Lausbuben (Jgdb.) 1937; Die Herrgottswiese. Kleine lyrische Botanik und Naturbetrachtung, entstanden in großer Not, 1951; Jagdfahrten im Herzen Europas, 1965.   AS

Hallberg-Broich, (Karl) Theodor (Maria Hubert Isidor) von (gen. Eremit von Gauting), * 8. 9. 1768 Schloß Broich b. Duisburg, † 17. 4. 1862 Schloß Hörmannsdorf b. Landshut; n. Abenteuerreisen Eintritt in d. Militärakad. Metz, Haft in Wien u. Frankreich, mißlungener Versuch, mit 6000 Mann d. Bey v. Tunis Italien z. erobern, Haft in England, 1814 Leiter d. alliierten Gesamtpolizei in Paris, später auf seinem Gut Gauting. Mitarb. versch. Münchner Ztg. u. Zs., Satiriker u. Reiseschriftsteller.

Schriften: Das politische Kochbuch oder Die vornehme Küche für Leckermäuler und Guippons (mit Franz Hallberg-Broich) 1817; Reise durch Skandinavien im Jahr 1817, 1818; Gedichte an den König von Baiern, 1824; Reise-Epistel durch den Isarkreis, 1825; Stammbuch der eisernen Hand des Götz von Berlichingen, 1828; Die Armen-Kolonie, 1829; Reise nach dem Orient, 1829; Reise durch Italien, 1830; Über den Rhein-Donau-Kanal und den alten Handlungsweg nach Indien, 1831; Historie der Heiligen Genovefa in Knittelversen, 1833; Gebetbuch für die Kolonie Hallberg, 1838; Reise nach dem Orient. Zum Besten der Kolonie Hallberg im Freisinger Moos 1836–1838, 2 Bde., 1839; Reise durch England, 1839; Deutschland, Rußland, Caucasus und Persien 1842–1844, 2 Tle., 1844; Kriegsgeschichten, Reisen und Dichtungen (aus d. Nachl. mit biogr. Skizzen hg. M. Künssberg-Thurnau) 1862.

Literatur: ADB 10, 431; NDB 7, 538; BWG 1, 1008; Goedeke 10, 649, 12, 480. – J. GISTEL, Leben d. preuß. Generals ~, gen. Eremit v. Gauting, 1863; W. MENZEL, Denkwürdigkeiten (hg. K. Menzel) 1877; M. GREIF, ~ (in: Nachgel. Schr.) 1911.   RM

Halle, Der von → Predigten.

Halle, Fannina W., * 26. 10. 1881 Ponewjez/Litauen, † 14. 12. 1963 New York; Dr. phil.,

Kunsthistorikerin, emigrierte 1940 von Wien nach USA, lebte in New York.

Schriften: Alt-russische Kunst, 1920; Die Bauplastik von Wladimir-Ssusdal. Russische Romantik, 1929; Die Frauen in Sowjetrußland, 1932; Frauen des Ostens. Vom Matriarchat bis zu den Fliegerinnen in Baku, 1938.   AS

Hallemann, C. Harry(Ps. Eberhard Hillebrecht) * 10.2.1896 Sagehorn; Reichsbahnobersekretär in Hannover.

Schriften: Kleine Gedichte, 1933.   RM

Hallener, F.O. → Milch, Werner.

Haller Passionsspiel; P. aus d. Zusammenhang d. Tiroler P., überl. in e. (schlecht erhaltenen) Papierhs. v. 1514 nach e. Vorlage v. 1480. D. Haller P. ist e. erw. Fassung d. Tiroler P. (von Sterzing), als Quellen sind auch d. Spiel v. Frau Jutten u. volkstüml. Zustände d. Zeit benützt.

Ausgabe: J. E. WACKERNELL, Adt. Passionsspiele, 1897.

Bibliographie: R. STEINBACH (vgl. Lit.) 1970.

Forschungsbericht: L. SCHMIDT, Neuere P.forschung in Öst. (in: Jb. d. öst. Volksliedwerkes 2) 1953; K. K. POLHEIM, Neuere Forsch. z. d. dt. Oster- u. Pass.sp. d. dt. MA (in: Zs. f. Volksk. 68) 1972; DERS., Weitere Forsch. .... (in: ZfdPh 94 Sonderh.) 1975.

Literatur: VL 3,741; 5,870; de Boor-Newald, 4/1, 249. – J. E. WACKERNELL, D. ält. P. im Tirol, 1887; W. SENN, Aus d. Kulturleben e. süddt. Kleinstadt, 1938; A. DÖRRER, Z. 400-Jahr Gedenkfeier f. Vigil Raber (in: Schlern 27) 1953; DERS., Passionen u. P.spiele in Tirol (in: Dt. Jb. f. Volkskde 2) 1956; N. HÖLZEL, Theatergesch. d. östl. Tirol, 2 Bde., 1966/67; DERS., ‹Tiroler Passion› (in: ÖGL 13) 1969; R. STEINBACH, D. dt. Oster- u. Pass.sp. d. MA, 1970; W. F. MICHAEL, D. dt. Dr. d. MA, 1971.   RR

Haller, Adolf, * 15.10.1897 Muhen b. Aarau, † 21.9.1970 Luzern; seit 1921 Bezirkslehrer in Turgi/Kt. Aargau, seit 1934 Schulinspektor im Bezirk Baden. Erzähler, Jugendbuchautor, Verf. v. Lebensbildern. Mehrere Preise.

Schriften: Heinrich Pestalozzi. Eine Darstellung seines Lebens und Wirkens, 1926; Fratello! (Erz.) 1928; De neu Tiräkter (Lsp.) 1929; Der Sturz ins Leben. Geschichten aus Jugendland, 1930; 's Hürotsäxame (Kom.) 1930; In Bergnot

(Erz.) 1931; Kamerad Köbi ,1933; Das Spiel vom Bruder Tod, 1933; Kleines Spiel zur Hausweihe auf dem Neuhof, 1933; Wozu leben wir? Ein Wort an junge Menschen, 1933; Chronik von Turgi, 1934; Die Schlüsseljungfrau. Sagenspiel, 1936; Ein Mädchen wagt sich in die Welt. Erzählung aus dem Leben junger Menschen, 1936; Begegnung in Hallwil. Ein Spiel um Pestalozzi, 1937; Im Aargäu sind zwei Liebi. Schweizerisches Volksliederspiel (Musik R. Blum) 1937; Der Schatz auf dem Bühel (Erz.) 1939; Der Bärenhäuter. Ein Spiel nach dem Grimmschen Märchen 1940; Freiheit, die ich meine. Das Lebensabenteuer des Daniel Elster, 1941; Heini von Uri. Erzählung für die Jugend aus der Zeit des Sempacherkrieges, 1942; Albrecht von Haller, 1708–1777. Ein Lebensbild, 1944; Heiri Wunderli von Torliken. Wie der verschupfte Heinrich Pestalozzi auf dem Neuhof dem Landfahrerbuben Ludi Schwertfeger ein Vater wird und ihm die Geschichte seines Lebens erzählt, 1944; Königsfelden. Roman um einen Königsmord und um ein Menschenherz, 1945; Das Pestalozzidorf. Ein Jugendspiel mit Sprechchören, 1945; Heinrich Pestalozzi. Ein Lebensbild, 1946; Peter Rosegger. Die Geschichte seines Lebens, 1947; De Wunderdokter (Lsp.) 1948; Die Schmugglerin und ihr Sohn. Fahnenflucht (Erz.) 1948; Der verzehrende Brand. Eine Geschichte von Schuld und Sühne, 1948; Der Gezeichnete. Ein Lebensbild in Briefen, 1949; Wie Tankred seinen Vater fand (Erz.) 1950; ... und gebe uns Frieden. Zwei tröstliche Geschichten, 1951; Albrecht von Hallers Leben, 1954; Einer von der großen Armee. Die Erlebnisse eines jungen Schweizers auf Napoleons Feldzug nach Rußland, 1954; Der Meisterdieb. Ein übermütiges Spiel frei nach den Brüdern Grimm, 1954; Der Tanz um den Freiheitsbaum. Erzählung aus der Zeit der Französischen Revolution, 1954; Das rettende Kind und andere Erzählungen, 1955; Der verschwundene Schatz (Erz.) 1957; Beresina. Eine Erzählung von Napoleons Feldzug nach Rußland, 1957; Mireille und der Fahnenflüchtige, 1959; Der Page Orteguill. Mit Cortés nach Mexiko, 1959; Widewau. Ein heiteres Spiel nach einem alten Volksmärchen, 1961; Der Sklavenbefreier. Das abenteuerliche Leben Abraham Lincolns, 1963; Zwischen zwei Fronten. Das Geheimnis des Überziehers, 1966; Der Mann unseres Jahrhunderts. Das Leben Winston Churchills der jungen Generation erzählt, 1966; Die Fackel. Das leuchtende Leben John F. Kennedys, 1968; Todesmut und Heiterkeit. Aus dem Leben des Sklavenbefreiers Abraham Lincoln, 1968; Wer war Pestalozzi? 1969; Mahatma Gandhi, der Befreier Indiens, 1969; Am Steuerrad der Weltgeschichte: Winston Churchill, 1970; Held der Jugend: John F. Kennedy, 1970; Gebenstorf im Flug durch die Jahrhunderte, 1971.

Herausgebertätigkeit: H. Pestalozzi, Aphorismen, 1927; Pestalozzis Leben in Briefen und Berichten, 1927; H. Pestalozzi, An mein Vaterland, 1939; ders., Das kleine Fabelbuch, 1941; M. Claudius, Aus dem Wandsbecker Boten, 1945; Pestalozzi-Anekdoten, 1946; H. Pestalozzis lebendiges Werk, 4 Bde., 1946; Trost der Welt im Gedicht, 1947; J. Gotthelf, Anekdoten. Nach dem neuen Berner Kalender 1840–1845 hg., 1950; G. Ch. Lichtenberg, Aphorismen, 1954; W. Churchill, Leben, Reden, Gedanken, Anekdoten (mit R. J. Schneebeli) 1967.

Literatur: ~. Freundesgabe z. 70. Geb.tag (hg. P. SCHULER) 1967.   AS

Haller, Albrecht von (Reichsadel 1749), * 16. 10.1708 Bern, † 12.12.1777 ebd.; Sohn d. Advokaten u. Landschreibers Niklaus Emanuel H., Besuch d. Berner Gymnasiums, dann Privatunterricht beim Bieler Arzt J. R. Neuhaus, 1723 Studium d. Med. u. Naturwiss. in Tübingen u. seit 1725 in Leiden, 1727 Dr. med., Weiterbildung (auch auf d. Gebieten d. Botanik, Philos. und Gesch.) in London, Paris u. 1728 in Basel, 1729 prakt. Arzt in Bern, 1734 erstes auswärt. Mitgl. d. Schwed. Gesellsch. d. Wiss. in Upsala, 1736 bis 1753 Prof. f. Anatomie, Botanik u. Chirurgie in Göttingen, Gründer d. Göttinger Botan. Gartens, 1740 Aufnahme in d. Royal Society of London, 1745 Red. u. 1747–53 Dir. d. «Götting. Gelehrten Anz.», Verf. v. ca. 9300 Rezensionen allein f. diese Zs., 1751 Mitbegründer u. Präs. d. Gesellsch. d. Wiss. z. Göttingen, 1753 Rückkehr n. Bern, Rathausammann, 1757 Reorganisator d. Akad. v. Lausanne, 1758 Salzdir. in Roche, 1762 stellvertretender Landvogt in Aigle, seit 1764 wieder in Bern, 1766 Mitgl. d. Berner Ehegerichts, d. Oberappellationskammer u. Assessor perpetuus d. Sanitätsrates. Arzt, Naturforscher u. Dichter.   RM

Schriften: Versuch Schweizerischer Gedichten, 1732, ²1734, ³1743, ⁴1748, ⁵1749, ⁶1751, ⁷1751, ⁸1753, ⁹1762, ¹⁰1768, ¹¹1777; Sammlung kleiner Hallerischer Schriften, 1756 (1 Bd.), ²1772 (3 Bde.); Usong. Eine morgenländische Geschichte, 1771; Briefe über die wichtigsten Wahrheiten der Offenbarung, 1772; Alfred, König der Angel-Sachsen, 1773; Fabius und Cato, ein Stück der Römischen Geschichte, 1774; Briefe über einige Einwürfe nochlebender Freygeister wieder die Offenbarung, 3 Bde., 1775–1777. (Außerdem verf. H. zahlr. Werke medizin. u. naturwiss. Inhalts.)

Briefe: Briefe von J. G. von Zimmermann, Wieland und A. v. H. an V. B. v. Tscharner (hg. R. HAMEL) 1881; H.s Briefe an J. J. Bodmer (hg. L. HIRZEL in: A. v. H.s Gedichte) 1882; Briefe H.s an J. G. Zimmermann (hg. E. BODEMANN in: Von u. über A. v. H.) 1885; Briefwechsel zwischen A. v. H. und E. F. v. Gemmingen (hg. H. FISCHER) 1899; Der Briefwechsel zwischen Voltaire und H. im Jahre 1759 (hg. H. DÜBI) 1910; A. v. H.s Briefe an J. Gessner 1728–1777 (hg. H. SIGERIST in: AAG) 1923; Klopstock's Correspondence with H. (hg. H. T. BETTERIDGE in: MLR) 1963; Zwanzig Briefe A. v. H.s an J. Gessner (hg. U. BOSCHUNG) 1972. – Zahlreiche weitere Briefe sind sehr verstreut gedruckt.

Tagebücher: A.s v. H. Tagebuch seiner Beobachtungen über Schriftsteller und über sich selbst (hg. J. G. HEINZMANN) 2 Tl., 1787; A. H.s Tagebuch seiner Studienreisen nach London, Paris, Straßburg und Basel, 1727–1728 (hg. E. HINTZSCHE) 1942, ²1968; A. H.s Tagebücher seiner Reise nach Dtl., Holland und England, 1723–1727 (hg. E. HINTZSCHE) 1948, ²1971.

Ausgaben: A. v. H.s Gedichte (hg. L. HIRZEL) 1882; weitere von H. nicht veröff. Ged. bringen: Von und über A. v. H. (hg. E. BODEMANN) 1885; A. v. H.s Tagebücher seiner Reisen nach Dtl., Holland und England (hg. L. HIRZEL) 1893; Ungedruckte Gedichte von A. v. H. (K. S. GUTHKE in: MLN) 1968; Facs.-Ausg. der 9. Aufl. der Gedichte (hg. J. HELBING, S. 310–312) 1969; H.s Literaturkritik (hg. K. S. GUTHKE) 1970.

Nachlaß (*Handschriften*): Burgerbibl., Bern; Bibl. Publique et Universitaire Genf; Bibl. Nazionale Braidense, Mailand (vgl. L. Pecorella Vergnano: Il fondo H.iano della Bibl. Nazionale Braidense di Milano, Mailand o. J.); Landesbibl. Hannover. – Schmutz-Pfister Nr. 869; Mommsen Nr. 1405; Denecke 2. Aufl.

Bibliographie: Goedeke 4/1, 22, 1102. – S. LUNDSGAARD-HANSEN-VON-FISCHER, Verz. der

gedr. Schr. A. v. H.s 1959; R. TOELLNER, ~.
Über die Einheit im Denken des letzten Universalgelehrten (S. 203–228) 1971.

Literatur- u. Forschungsbericht: Chr. Siegrist, A.
v. H., 1967.

Literatur: ADB 10,420; NDB 7,541. HBLS 4,
59.

Biographien und Gesamtdarstellungen: J. G. ZIM-
MERMANN, Das Leben des Herrn ~, 1755; L.
HIRZEL, (in: ~s Gedichte) 1882; S. D'IRSAY, ~.
E. Studie z. Geistesgesch. d. Aufklärung, 1930;
R. R. BEER, D. große ~, 1947; G. TONELLI,
Poesia e pensiero in ~, 1961, ²1965; CH. SIEG-
RIST, ~, 1967; R. TOELLNER, ~. Über d. Ein-
heit im Denken d. letzten Universalgelehrten,
1971; K. S. GUTHKE, ~ (in: B. v. WIESE [Hg.],
Dt. Dichter, Aufklärung, Sturm u. Drang, Klas-
sik) 1976; H. BALMER, ~, 1977.

Biographische Einzelthemen: F. MEIER, Beitr. z.
Biogr. ~s (Diss. München) 1915; H. T. BETTE-
RIDGE, Notes on ~ (in: MLR) 1951; E. GRÜN-
THAL, ~, J. W. v. Goethe u. ihre Nachkommen,
ein familiengesch. Vergleich, 1965; K. S. GUTH-
KE, D. Stubenhocker als Kegelspieler: ~s Jugend
im Lichte e. unveröff. Ged. (in: Lessing Yb. 10)
1978.

Zu den Gedichten: H. E. JENNY, ~ als Philosoph
(Diss. Basel) 1902; K. ZAGAJEWSKI, ~s Dichtersprache, 1909; H. MAYNC, ~ als Dichter (in:
Gedichte, hg. H. MAYNC) 1923; A. ISCHER, ~
u. d. klass. Alt., 1928; H. STAHLMANN, ~s Welt-
u. Lebensanschauung. Nach s. Ged. (Diss. Erlangen) 1928; M. HOCHDOERFER, The Conflict Between the Religious and the Scientific Views of
~, 1932; I. S. STAMM, Some Aspects of the Religious Problem in ~ (in: GR 25) 1950; E.
STÄUBLE, ~ «Über d. Ursprung d. Übels», 1953;
K. FEHR, D. Welt d. Erfahrung u. d. Glaubens
in d. Dg. ~s. E. Deutung d. «Unvollkommenen
Ged. über d. Ewigkeit», 1956; E. STÄUBLE, ~ –
d. Dichter zw. d. Zeiten. Versuch e. stilkrit. u.
geistesgesch. Interpretaion s. «Unvollkommenen
Ged. über d. Ewigkeit» (in: DU 8) 1956; A. EL-
SCHENBROICH, Nachwort zu: ~, D. Alpen u. andere Ged., 1965; W. KOHLSCHMIDT, ~s Gedichte u. d. Tradition (in: W. K., Dichter, Tradition u. Zeitgeist) 1965; W. GÜNTHER, Zu Struktur u. Sprache v. ~s «Alpen» (in: W. G., Form
u. Sinn) 1968; J. HELBLING, ~ als Dichter,
1970; A. MENHENNET, Order and Freedom in
~'s «Lehrgedichte». On the Limitations and

Achievements of Strict Rationalism Within the
«Aufklärung» (in: Neophilologus 56) 1972; DERS.,
~'s «Gedanken über Vernunft, Aberglauben und
Unglauben». Structure and Mood (in: Forum for
Mod. Lang. Stud.) 1972; K. RICHTER, Lit. u.
Naturwiss. E. Studie z. Lyrik d. Aufklärung,
1972; K. S. GUTHKE, ~, Brockes u. d. Barock-
lyrik; Glaube und Zweifel. ~s Rezeption d.
christl. Erbes; ~s «Unvollkommene Ode über d.
Ewigkeit». Veranlassung u. Entstehung (in: K. S.
G., Lit. Leben im 18. Jh. in Dtl. u. in d. Schweiz,
Kap. 5, 6, 13) 1975; K. S. GUTHKE, H. u. Pope.
Z. Entstehungsgesch. v. ~s Ged. «Über d. Ur-
sprung d. Übels» (in: Euphorion 69) 1975; K. S.
GUTHKE, Edle Wilde mit Zahnausfall. ~s India-
nerbild (in: D. Amerikabild in d. dt. Lit., hg. S.
BAUSCHINGER u. a.) 1975; K. S. GUTHKE, Kritisches z. Textgesch. v. ~s Gedichten (in: MLN
90) 1975; K. S. GUTHKE, Konfession u. Kunst-
handwerk. Werlhofs Anteil an ~s Gedichten (in:
Schiller-Jb. 21) 1977; K. S. GUTHKE, ~s Lyrik:
Glanz u. Krise d. Aufklärung (in: ~ 1708–1777.
10 Vorträge gehalten am Berner ~-Symposium
vom 6.–8. 10. 1977) 1978.

Zu den Romanen: M. WIDMANN, ~s Staatsrom.
u. ~s Bedeutung als polit. Schriftst. (Diss. Bern)
1894; A. FREY, ~s Staatsrom. (Diss. Freiburg)
1928; D. NAUMANN, Zw. Reform u. Bewahrung:
Z. hist. Standort d. Staatsrom. ~s (in: Reise u.
Utopie: Z. Lit. d. Spätaufklärung, hg. H.-J. PIE-
CHOTTA) 1976.

Zur Literaturkritik: K. S. GUTHKE, ~ u. d. Lit.,
1962; F. JOST, Témoin de son temps. ~, critique
littéraire (in: F. J., Essais de littérature comparée)
1964; K. S. GUTHKE, ~s ‹Anteil› am Lit.streit.
Legende u. Wahrheit; – ~ u. Lessing. Einsames
Zwiegespräch; –D. Göttinger Shakespeare; – ~
als Kritiker. Neue Funde (in: K. S. G., Lit. Leben
im 18. Jh. in Dtl. u. in d. Schweiz, Kap. 2, 4, 7,
15) 1975.

Zur Wirkungsgeschichte: ~ Denkschrift (z. 100.
Todestag) 1877; A. FREY, ~ u. s. Bedeutung f. d.
dt. Lit., 1879; CH. SIEGRIST, ~ (Kap. 5; dort
weitere Lit.) 1967.   KSG

Haller, Berchtold, * 1492 Aldingen b. Rottweil,
† 25. 2. 1536 Bern; Reformator Berns, Theol.-
Studium in Köln, 1513 Schulgehilfe, dann Kaplan
u. Helfer T. Wyttenbachs, 1519 Leutpriester u.
1520 Chorherr in Bern. Seit 1532 Dekan d. Berner Kapitels. Teilnahme an d. Badener Disputa-

tion (1526), Mitred. d. Thesen d. Disputation v. Bern (1528) u. wichtigster Mitarb. am Berner Reformationsedikt, mit W. Capito Verf. d. ref. Kirchenordnung (1532).

Schriften: Handlung oder Acta gehaltener Disputation zu Bern im Uechtland, 1528.

Briefe: in: Zwinglis sämtl. Werke (hg. E. EGLI, G. FINSLER u.a.) 1905ff.

Nachlaß: Staatsarch. Bern.

Literatur: Ersch-Gruber II, 1, 304; ADB 10, 427; NDB 7, 552; HBLS 4, 62; LThK 4, 1334; RE 7, 366; RGG ³3, 40; Schottenloher 1, 321. – B. HALLER, ~ (in: Slg. Bern. Biogr. 1) 1884; R. STECK, ~s Reformationsversuch in Solothurn n. s. eigenen u. Niklaus Manuels Briefen dargest., 1907; ~ (in: Gedenkschr. z. Berner Reformationsfeier) 3 Bde., 1928; M. KIRCHHOFER, ~ od. d. Reformation in Bern, 1928; L. CAFLISCH, Z. Ikonographie ~s (in: Zwingliana 4) 1928; W. KÖHLER, Zwingli u. Bern, 1928; R. FELLER, Gesch. Berns 2, 1953; K. GUGGISBERG, Bern. Kirchengesch., 1958.   RM

Haller, (Ingeborg) Dinah, * 8.10.1924 Berlin; wanderte mit ihren Eltern 1933 n. Israel aus, 1942–45 Zivilangestellte b. d. brit. Kriegsmarine, diente während d. israel. Befreiungskrieges als Offizier, danach Zivilangestellte b. d. israel. Kriegsmarine; während d. Sinaifeldzugs Rückkehr zum aktiven Militärdienst. Lebt seit 1958 wieder in Europa, z. Z. in München.

Schriften: Wie tausend Diamanten (Rom.; urspr. engl.) 1963; Blaubeeren nach Israel (Rom.) 1965.   AS

Haller, Ernst → Rathmann, Oswald.

Haller (gen. von Königsfelden), Franz Ludwig, * 1.2.1755 Bern, † 19.4.1838 ebd.; bern. Hofschreiber in Königsfelden, 1804–1820 Lehensarchivar in Bern. Seither Privatmann u. Journalist in Bern. Verf. versch. archäolog. u. numismat. Schriften.

Schriften: Poetische Versuche, 1781; Leben des Herrn Robert Scipio von Lentulus, 1787; Versuch einer Geschichte der Helvetier unter den Römern ..., 1793 (umgearb. Neuausg., 2 Bde., 1811f.; 2., verb. Aufl. u. d. T. Historische und topographische Darstellungen von Helvetien unter der römischen Herrschaft, 2 Bde., 1818); Militärischer Charakter und merkwürdige Kriegs-

thaten Friedrich des Einzigen, Königs von Preußen, 1796; Acht der merkwürdigsten Schweizerschlachten ..., 1808; Kriegslieder, 1813; Darstellung der merkwürdigsten Schweizer-Schlachten vom Jahr 1298 bis 1499, nach den Grundsätzen der Strategie und Taktik beschrieben, 1826.

Nachlaß: Burgerbibl. Bern. – Schmutz-Pfister Nr. 872.

Literatur: ADB 10, 429; HBLS 4, 60; Goedeke 12, 100. – N. WEBER, ~ 1755–1838 (Diss. Bern) 1900.   RM

Haller, Franz Wilhelm, * 16.5.1891 Kornenburg/Nieder-Öst.; Buchhändler in Kornenburg.

Schriften: Mein Träumen (Ged.) 1911; Aus dem Lande der Sehnsucht (Ged.) 1912.   RM

Haller, Friedrich → Baumblatt, Luitpold.

Haller, Gerd von → Hahnke, Gustav von.

Haller, Gottlieb Emanuel von, * 17.10.1735 Bern, † 9.4.1786 ebd.; Sohn v. Albrecht v. H., medizin.-naturwiss. Stud. in Göttingen, 1753 Rückkehr n. Bern, 1763 Bibliothekar in Bern, 1775 Großweibel u. Mtgl. d. Großen Rats, 1780 Gerichtsschreiber, seit 1785 Landvogt in Nyon.

Schriften (dt., Ausw.): Schweizerisches Münz- und Medaillenkabinet, 2 Bde., 1780f. (Neuausg. 1795;) Bibliothek der Schweizergeschichte und aller Theile, so dahin Bezug haben (hg.), 6 Bde. u. 1 Registerbd., 1785–88 (Fortsetzung v. Gerold Meyer v. Knonau, 1843–49).

Nachlaß: Burgerbibl. Bern. – Schmutz-Pfister Nr. 873.

Literatur: ADB 10, 430; NDB 7, 548; HBLS 4, 61. – H. HAEBERLI, ~, e. Berner Historiker u. Staatsmann im Zeitalter d. Aufklärung, 1735–1786, 1952 (mit Bibliogr.); DERS., D. Hss.-Slg. ~ u. d. Fam. v. Mülinen (in: Schätze d. Burgerbibl. Bern) 1953; R. FELLER, E. BONJOUR, Gesch.schreibung in d. Schweiz 1, 1962.   RM

Haller, Gustav → Barthel, Emil.

Haller, Hanns, * 24.6.1902 Schwimmbach (Bayern); wurde Volksschullehrer in Landshut. Erzähler u. Volkskundler.

Schriften: Der Flieger von Rottenburg. Das Leben des Schlossergesellen und Kriegsfliegers Max Ritter von Müller, 1939; Der alte Waffenrock. Geschichte zweier Kameraden, 1940.   AS

Haller, Hans Konrad, † 12. 10. 1525 St. Gallen; H., gen. Obolus v. Wyl, trat 1508 ins Kloster St. Gallen ein, wo er Priester u. Kustos wurde. Von s. Hand ist e. Predigt überliefert, d. er 1517 zu St. Georgen hielt. H. war auch als Abschreiber tätig, die Cod. 355, 385, 590 u. 1010 d. St. Galler Stiftsbibl. stammen v. ihm.

Literatur: VL 2, 156. – G. SCHERER, Verz. d. Hss. d. Klosters St. Gallen, 1875.   RR

Haller, Heinrich, 2. H. 15. Jh.; Bruder im Kartäuserkloster Allerengelberg (Südtirol), übersetzte u. a. d. ‹Expositio Paternoster› d. Jakob v. Jüterbogk, dessen Schüler H. viell. gewesen ist. D. Hs. heute in Wien (Cod. Vind. 12 787 [Suppl. 111]).

Ausgaben: E. BAUER, Paternoster-Auslegung, zugeschr. Jakob v. Jüterbog, übers. v. H. H., Lund 1966; DIES. (hg.), H. H., Übersetzungen in ‹gemeinem Deutsch› (1464), 1972.

Literatur: VL 2, 157; de Boor-Newald 4/1, 327. – L. MEIER, D. Werke d. Erfurter Kart. Jak. v. Jüterborgk in ihrer hs. Überl., 1955; N. PALMER, E. Hs.fund z. Übersetzungswerk ∼s (in: ZfdA 102) 1973; E. BAUER, Zweigliedrigkeit u. Übersetzungstechnik (in: FS K. Ruh) 1975.   RR

Haller, Hermann, * 24. 11. 1871 Berlin; Theaterdir. u. später Dir. d. Haller-Revue in Berlin.

Schriften: Der Juxbaron (Posse, mit W. Wolff u. A. S. Pordes-Milo) 1913; Immer feste druff! Vaterländisches Volksstück mit Gesang (mit W. Wolff) 1914; Drei alte Schachteln (mit Rideamus [d. i. F. Oliven]) 1917; Die Gulaschkanone (Volksst. mit Gesang, mit W. Wolff) 1917; Die Ehe im Kreise. Operette frei nach Molière (mit Rideamus, Musik E. Künneke) 1921; Wenn Liebe erwacht! Operette nach Schönthan und Koppel-Ellfeld (mit dems., Musik ders.) 1921; Verliebte Leute. Operette nach Schönthan und Koppel-Ellfeld (mit dems., Musik ders.) 1922; Der Vetter aus Dingsda. Operette nach einem Lustspiel von Kempner-Hochstädt (mit dems., Musik ders.) 1922; Achtung! Welle 505 (mit dems., Musik W. Kollo) 1925; Der doppelte Bräutigam (Vaudeville, mit W. Wolff, Musik W. Kollo) 1930.

Literatur: Theater-Lex. 1, 679.   RM

Haller, Hildegard von → Diessel, Hildegard.

Haller, Jakob Emanuel Franz, * 2. 10. 1802 Bern, † 22. 12. 1863 ebd.; Theol.-Studium in

Bern, Pfarrer in Guggisberg u. 1831–52 in Aarberg, seither Spitalprediger in Bern.

Schriften: Berndeutsche Verschen und Lieder für Kinder, 1853 (6., erw. Aufl. hg. E. Mathys, 1887).

Literatur: HBLS 4, 60.   RM

Haller, Johannes, 2. Hälfte 15. Jh., Bruder J. H. in Kolmar, Kompilator (möglicherw. z. T. Verf.) e. Slg. chemisch-techn. u. med. Rezepte (abgeschlossen 1479), die in d. Berner Hs. Ms. hist. Helv. XII 45 erhalten ist.

Bibliographie: C. v. KLINKOWSTROEM, Von der Färbkunst, Versuch einer Bibliogr. bis ca. 1800 (in: Börsenbl. Frankfurt 17) 1961.

Literatur: VL 5, 320. – E. PLOSS, Stud. zu d. dt. Maler- u. Färberbüchern d. MA (Diss. München) 1952; DERS., Ein Buch von alten Farben, ²1967.   RR

Haller, Johann(es) d. J., * 18. 1. 1523 Bern, † 1. 9. 1575 ebd.; Theol.-Studium in Zürich, Marburg u. a. Orten, Besuch v. Luther u. Melanchthon in Wittenberg, 1542 Pfarrer in Hirzel u. 1545–47 in Augsburg, kurze Zeit neben Bullinger in Zürich tätig, 1547 Berufung n. Bern, 1550 Bürger v. Bern, 1552 oberster Dekan d. bern. Landeskirche. Führte in d. Talschaft Saanen d. Reformation ein.

Schriften: Sententiae ex decretis canonicis collectae, 1572.

Ausgaben: Chronik aus den hinterlassenen Handschriften des J. H. und Abraham Müslin von 1550–80 (hg. S. GRÄNICHER) o. J. [1829]; Das Tagebuch J. H.s aus den Jahren 1548–61 ... aus dem Lateinischen übersetzt und mit Anmerkungen versehen (in: Arch. d. Hist. Ver. d. Kt. Bern 23) 1917.

Literatur: HBLS 4, 58; RGG ³3, 40; Schottenloher 1, 322. – E. BÄHLER, Erlebnisse u. Wirksamkeit d. Predigers ∼ in Augsburg z. Zeit d. schmalkald. Krieges (in: Zs. f. Schweiz. Gesch. 2) 1922; DERS., Dekan ∼ u. d. Berner Kirche v. 1548 bis 1573 (in: Neues Berner Taschenbuch 28–31) 1922–25; A. CORRODI-SULZER, Z. Biogr. d. Berner Pfarrers ∼ (in: Zwingliana 4) 1928.   RM

Haller, Johannes, * 16. 10. 1865 Keinis (Estland), † 24. 12. 1947 Tübingen. Historiker; 1892–97 Mitgl. des Preuß. Hist. Inst. in Rom, dann Habil. in Basel, 1902 Prof. in Marburg, 1904 in Gießen u. seit 1913 in Tübingen.

Schriften (Ausw.): Concilium Basiliense. Studien und Quellen zur Geschichte des Concils von Basel (Hg.) Bd. 1–4, 1896–1903; Urkundenbuch der Stadt Basel (7. Bd.) 1899; Papsttum und Kirchenreform. Vier Kapitel zur Geschichte des ausgehenden Mittelalters, 1903; Die Marbacher Annalen. Eine quellenkritische Untersuchung zur Geschichtsschreibung der Stauferzeit, 1912; Der bildende Wert der neueren Geschichte, 1918; Die Epochen der deutschen Geschichte, 1923; Das altdeutsche Kaisertum, 1926; Partikularismus und Nationalstaat, 1926; Gesellschaft und Staatsform, 1927; Die Anfänge der Universität Tübingen, 1477–1537. Zur Feier des 450jährigen Bestehens der Universität im Auftrag ihres Großen Senats dargestellt, 2 Bde., 1927–29; Tausend Jahre deutsch-französischer Beziehungen, 1930; Reden und Aufsätze zur Geschichte und Politik, 1934; Wendepunkte der deutschen Geschichte, 1934; Von den Karolingern zu den Staufern. Die altdeutsche Kaiserzeit, 1934; Das Papsttum. Idee und Wirklichkeit, 3 Bde., 1934–36 (verb. Ausg. in 5 Bden, 1951–53); Von den Staufern zu den Habsburgern. Auflösung des Reichs und Emporkommen der Landesstaaten, 1935; Der Eintritt der Germanen in die Geschichte, 1939; Abhandlungen zur Geschichte des Mittelalters, 1944; Dante, Dichter und Mensch, 1954; Lebenserinnerungen. Gesehenes, Gehörtes, Gedachtes, 1960.

Nachlaß: Landesbibl. Stuttgart. – Denecke 67.
Literatur: NDB 7,552; BWG 1,1011. – F. Ernst, ∼. Gedenkrede (mit Bibliogr.) 1949.

AS

Haller, Karl Franz, * 23.3.1888 Wien, Buchhalter ebd.; Dramatiker.
Schriften: Welt in Not (Dr.) 1932; Volksehre und Glück. Lebensdrama in fünf Ausschnitten, 1930.

AS

Haller, Karl Ludwig von, * 1.8.1768 Bern, † 20.5.1854 Solothurn; Enkel Albrechts v. H., 1795 Sekretär d. Berner Rates, 1806 Prof. f. Staats- u. Völkerrecht in Bern, 1814 Großrat, 1820 Übertritt zum Kathol. u. Amtsentsetzung. In Paris in Diensten Karls X., seit 1830 in Solothurn, 1834–37 Mitgl. d. Großen Rates. Hg. d. «Helvet. Annalen» (1798).
Schriften: Über den Patriotismus (Rede) 1794; Projekt einer Constitution für die Schweizerische Republik Bern, 1798; Geheime Geschichte der Rastatter Friedensverhandlungen, 1799; Denkmal der Wahrheit auf Johann Caspar Lavater, 1801; Geschichte der Wirkungen und Folgen des Österreichischen Feldzugs in der Schweiz ..., 2 Bde., 1801; Litterarisches Archiv der Akademie zu Bern (hg.) 1806f.; Handbuch der allgemeinen Staatskunde, 1808; Grundideen zu einem allgemeinen philosophischen Krankenrecht, 1808; Politische Religion oder Biblische Lehre über die Staaten, 1811; Was sind Unterthanen-Verhältnisse? 1814; Restauration der Staatswissenschaft oder Theorie des natürlich-geselligen Zustands, der Chimäre des künstlich-bürgerlichen entgegengesetzt, I–IV 1816–20 (2., verm. Aufl. 1820–22), VI: Von den Republiken oder freyen Communitäten, 1825, V: Makrobiotik der geistlichen Herrschaften oder Priesterstaaten, 1834; Über die Constitution der spanischen Cortes, 1820; Lettre de Mr. Charles-Louis de Haller ... a sa famille, pour lui déclarer son retour a l'église catholique, apostolique et romaine, Paris und Lyon 1821 (dt. u. a. v. A. Räss u. N. Weis, 1821; v. S. Studer, 1822); Entwurf eines Bundes der Getreuen zum Schutz der Religion, der Gerechtigkeit und der wahren Freiheit, 1833; Satan und die Revolution. Ein Gegenstück zu den Paroles d'un croyant [v. Lamennais] 1834; Geschichte der kirchlichen Revolution oder protestantischen Reform des Kantons Bern und umliegender Gegenden, 1836; Die Freymaurerey und ihr Einfluß in der Schweiz, 1840 (Nachtrag 1841); Die wahren Ursachen und die einzig wirksamen Abhülfsmittel der allgemeinen Verarmung und Verdienstlosigkeit, 1850.

Nachlaß: Burgerbibl. Bern; Arch. de l'Etat de Fribourg. – Schmutz-Pfister Nr. 874.
Literatur: ADB 10,431; NDB 7,549; HBLS 4,61; LThK 4,1334; BWG 1,1010; Goedeke 6,194, 805. – E. Reinhard, ∼, 1933; K. Guggisberg, ∼, 1938; A. Haasbauer, D. hist. Schr. ∼s, 1949; U. Schoettenseger, D. Einfluß ∼s auf d. konservat. preuß. Staatstheorie u. -praxis (Diss. München) 1949; H. Weilenmann, Unters. z. Staatstheorie ∼s, 1955; H. R. Liedke, The German Romanticists and ∼s doctrines of European Restoration (in: JEGP 57) 1958; ders., Achim v. Arnims Stellung z. ∼ u. Friedr. d. Gr. (in: JbFDt Hochst) 1963; H. Raab, Friedrich Leopold z. Stolberg u. ∼ (in: Zs. f. Schweiz. Kirchengesch. 62) 1968. RM

Haller, Lilli, * 3.12.1874 Kandergrund/Kt. Bern, † 20.4.1935 Zollikon b. Zürich; Dr. phil., Privatlehrerin in Rußland, dann am Mädchengymnasium in Jalta (Krim), dann an d. Töchterhandelsschule in Bern; ließ sich 1920 in Zollikon als freie Schriftst. nieder. Erzählerin.

Schriften: Jeremias Gotthelf. Studien zur Erzählungstechnik (Diss. Bern) 1906; Die Frau Major. Berner Novelle, 1913; In tiefster russischer Provinz, 1913; Der Mord auf dem Dorfe. Erzählung aus innerrussischer Provinz, 1918; Sonderlinge (Nov.) 1919; Die Stufe (Rom.) 1923; Julie Bondeli, 1924; Frau Agathens Sommerhaus. Eine stille Geschichte, 1930; Die Briefe von Julie Bondeli an Johann Georg Zimmermann und Leonhard Usteri (Übers.) 1930; Gedichte, 1935.

Literatur: HBLS IV, 60.   AS

Haller, Margarete (Ps. f. Margarethe Deinet) * 1.8.1893 Hamburg; Buchhändlerin ebd., Jugendbuchautorin.

Schriften: Erika, 1931 (Neuausg. 1951); Erika und Anneliese, 1932; Gisel und Ursel, 1932; Gisel und Ursel, die beiden Glücksmädel, 1932 (Neuaufl. 1964); Die Mädel von Oberhofen, 1933 (Neuausg. 1952); Vier Mädel fahren an den Rhein, 1934; Bravo, Trude! Erzählung für die Jugend, 1934 (Neuaufl. 1939); Gretel und die Quinta, 1935 (Neuausg. 1951); Liselotte, 1935; Erikas Reise, 1935 (Neuaufl. 1951); Ilse und der Wettbewerb, 1936; Lotte und der Bund der Vier, 1936; Christas neue Heimat, 1937; Doris, 1937; Helga und ihre Freundinnen, 1938 (Neuausg. 1955); Gisel und Ursel, die beiden Sportsmädel, 1938 (Neuausg. 1950, Neuaufl. 1964); Marias große Reise, 1939; Gisel und Ursel auf Fahrt, 1940; Hilde die Wilde. Die lustige Geschichte vom Wirbelwind Hilde und ihrem Freund Heinz Schluckauf, 1951; Gisel und Ursel am Rhein, 1951; Gisel und Ursel auf eigenen Wegen, 1953 (die beiden in 1 Bd. u. d. T.: Gisel und Ursel auf frohen Fahrten, 1965); Hilde und der Fünferbund. Neue Überraschungen rund um die wilde Hilde, 1953; Die Fünfte hält zusammen, 1953; Gretel schießt den Vogel ab, 1953; Hilde und Heinz. Die wilde Hilde und ihre Freunde machen ernst mit dem Tierschutz, 1955; Hilde sorgt für die Tiere, 1956; Die kleine Neli, 1956 (Neuaufl. 1964); Hilde und Heinz (Slg.) 1956; Trixi und das hilfreiche Kleeblatt, 1957;

Frohe Tage für Trixi. Die Wunschreise nach Kopenhagen, 1958; Gisel und Ursel, die lustigen Zwillinge (Slg.) 1958; Erika, die Tochter des Kapitäns, 1959; Marianne und ihre neue Freundin, 1959; Komm wieder, Trixi!, 1959; Ute, du bist unmöglich!, 1960; Falsch verbunden und doch richtig, 1962; Hier sind wir zu Hause, 1965; Die wilde Hilde und der Fünferbund (Slg.) 1966; Die Abenteuer der kleinen Kornelia, 1972; Heikes Traum geht in Erfüllung, 1972; Ulla und Christian, 1973; Viel Wirbel um den Kummerkasten, 1973; Ilse und der Wettbewerb, 1974.

Literatur: LexKJugLit 1, 520.   AS

Haller, Michael (Ps. f. Manfred Barthel, anderes Ps.: Michael Hardt) * 25.2.1924 Chemnitz; Studium der Theaterwiss. in Berlin (Humboldt-Univ. u. FU), Dr. phil., 1949–53 Feuilletonred. u. Theaterkritiker am «Abend» Berlin, danach Dramaturg b. Berolina-Film.

Schriften: Schauspielerbriefe aus zwei Jahrhunderten (Hg.) 1947; Das Berliner Parodie-Theater 1889–1910 (Diss. Berlin) 1952; Auf Wiedersehen, Uli (Rom.) 1956; Die Zeitung – kurz belichtet. Eine kurzweilige Betrachtung, 1956; Ein tolles Hotel (Drehbuch mit G. Kampendonk) 1956; Berlin von acht bis Mitternacht und ..., 1957; Der Film – kurz belichtet. Eine Plauderei zwischen Kino und Atelier, 1957; Sein größter Fall (mit Harward, d.i. C.J. Braun) 1957; Nachttischbrevier. Eine Schlummerrolle für sie und ihn, 1958; Heinz Rühmann, 1958; Bücher – erlesene Freunde. Eine Plauderei nicht nur für Bücherwürmer und Leseratten, 1958; Schinderhannes (Rom.) 1959; Der Jugendrichter. Der Pauker. Den gleichnamigen Filmen mit Heinz Rühmann in der Hauptrolle nacherzählt, 1960.

                                        AS

Haller, Michael (Ps. f. Joachim Zenker) * 15.7.1930 Emanuelssegen/Kreis Pleß/Oberschles.; wohnt in Wolfratshausen/Obb.; Verf. relig. Jugendbücher.

Schriften: Froher Dienst. Ein Taschenbuch für Ministranten, 1955 (1958 u.d.T.: Freier Dienst); Über alle Zäune. Ein Jungenheft, 1955; Welt zwischen gestern und morgen, 1956; Wer und was, wo und wann? Ein Quizbuch für Jugendgruppe, Familie und Religionsunterricht, 1957; Die Messe. Gehalt und Gestalt, 1958; So, so oder so? Zur Gewissensbildung für junge Men-

schen (mit M. Römer) 1958; Kennst Du sie?
Heils- und Kirchengeschichte einmal anders (mit
ders.) 1959; Film, Jugend, Kirche. Beitrag zu
einer Filmpädagogik (mit F. Glorius) 1960; Pro
mundi vita. Festschrift zum Eucharistie-Welt-
kongreß (Hg.) 1960; Gottes bunte Welt. Ein
Kinder-Vorlesebuch für die religiöse Unterweisung (mit C. Särchen) 1961; Pfeiffer-Werkbü-
cher (hg., mit G. Anders u. F. Hammer) 1961 ff.

AS

Haller, Paul, * 13.7.1882 Rain bei Brugg/Kt.
Aargau, † 10.3.1920 Wettingen (Selbstmord);
zuerst Pfarrer in Kirchberg b. Aarau, dann, wegen Glaubenskonflikten, Studium d. Germanistik u. Gesch., Dr. phil., Lehrer in Schiers u. am
Lehrerseminar Wettingen. Vorwiegend Mundartdichter.

Schriften: 's Juramareili. Gedicht in Aargauer
Mundart, 1912; Pestalozzis Dichtung (Diss. Zürich) 1914/1921; Darum Esperanto! 1913; Marie
und Robert (Schausp.) 1916; Gedichte (hg. E.
Haller) 1922; Gesammelte Werke, hg. E. Haller,
1956.

Literatur: HBLS IV, 58; Biogr. Lex. d. Kt.
Aargau, 303. – E. HALLER, ~ (in: Brugger Neu-
jahrsbl. 32 u. 33), 1922/23; O. v. GREYERZ, ~s
Dichtungen (in: Schweiz. Monatsh., 3) 1923;
E. HALLER, ~ 1882–1920. Ein Lb., 1931; G.
WÄLCHLI, ~ 1882–1920. D. Tr. e. Schweiz.
Dichters, 1946; W. GÜNTHER, Dichter d.
neueren Schweiz 2, 1968.   AS

Haller, Rudolf, * 14.2.1909 Bassum/Hoya,
† 28.10.1975 Königswinter; Dr. phil., Prof. f.
dt. Philol. an d. Univ. Bonn. Mitarb. d. VL u.
d. RL.

Schriften (Ausw.): Der wilde Alexander. Beiträge zur Dichtungsgeschichte des 13. Jahrhunderts (Diss. Würzburg) 1935; Die Romantik in
der Zeit der Umkehr. Die Anfänge der jüngeren
Romantik 1800 bis 1808, 1941; Eichendorffs Bal-
ladenwerk, 1962; Geschichte der deutschen Lyrik vom Ausgang des Mittelalters bis zu Goethes
Tod, 1967.   RM

Haller, Verena (Ps. für Verena Schmid-Haller),
* 26.9.1944 Menziken/Kt. Aargau; Schauspielerin, wohnt in Widen/Kt. Aargau; Verf. v. Lyrik,
Dr., Hörspielen.

Schriften: Kieselsteine im Regen (Ged.) 1975.

AS

Haller von Hallerstein, Hans Freiherr (Ps.
Hans von Haller), * 14.10.1918 Hamburg; Dr.
med., Werbefachmann, Verf. von Schulfunk-
Hörspielen, Kultur- u. Unterrichtsfilmen; wohnte
in Gilching/Obb. u. Düsseldorf, jetzt in Aufhau-
sen bei Starnberg.

Schriften: Habakug im Schneegestöber (Rom.)
1948; Zärtlicher Sommer (Rom.) 1949.   AS

Hallgarten, George W.F., * 3.1.1901 München, † 22.5.1975; Dr. phil., Doz. in Paris,
Brooklyn u. Berkeley, Gastprof. in München
(1949f.), seit 1968 Prof. f. Gesch. an d. Univ.
of New Mexico/USA.

Schriften (Ausw.): Imperialismus vor 1914 ...,
2 Bde., 1951 (erw. Neuausg. 1963); Hitler,
Reichswehr und Industrie, 1955; Als die Schatten
fielen. Erinnerungen vom Jahrhundertbeginn bis
zur Jahrtausendwende, 1969; Deutsche Industrie
und Politik von Bismarck bis heute (mit J. Radkau) 1974.

Literatur: Imperialismus im 20. Jh. Gedenkschr.
f. ~ (hg. J. v. RADKAU, J. GEISS) 1976 (mit Bibliogr. u. Briefauszügen).   RM

Hallier, Ernst, * 15.11.1831 Hamburg, † 20.
12.1904 Dachau b. München; n. Gärtnerlehre
philos. u. botan. Stud. in Berlin, Jena u. Göttingen, 1858 Dr. phil.; Lehrer, Privatdoz. u. Leiter
d. Botan. Gartens in Jena, seit 1884 Privatgelehrter bes. in Dachau. Verf. zahlr. naturwiss. u. botan. Fachschriften.

Schriften (Ausw.): Nordseestudien, 1863; Darwins Lehre und die Specification, 1865; Naturwissenschaft, Religion und Erziehung, 1875; Die
Weltanschauung des Naturforschers, 1875; Ausflüge in die Natur. Allgemeinverständliche Schilderungen, 1879; Die Pflanze und der Mensch in
ihrer Wechselbeziehung geschildert, 1879; Kulturgeschichte des 19. Jahrhunderts, in ihren Beziehungen zur Entwickelung der Naturwissenschaften geschildert, 1889; Das Zölibat (Nov.)
1890; Ästhetik der Natur. Für Künstler, Natur-
kundige ... sowie Freunde der Natur überhaupt
ausgearbeitet, 1890; Helgoland unter deutscher
Flagge, 1892.

Literatur: NDB 7, 563.   RM

Hallig, Christian, * 30.8.1909 Dresden; Dr.
phil., Fernsehred., Kulturfilmproduzent; wohnt
in Grünwald bei München.

Schriften: Kriminalkommissar Eyck (Rom.) 1940.   AS

Hallig, Otto (Ps. für Otto Wiese), * 13.2.1896 Kiel; Red. in Recklinghausen.

Schriften: De Uglei. Niederdeutsche Volksoper, 1936; Der kleine Herr Neller Pieger. Ein tragikomischer Roman, 1950.   AS

Hallmann, Christian Gottlieb, * 8.1.1754 Neukirch b. Goldberg, † 11.12.1831 Habelschwerdt/ Schles.; seit 1773 Justizangestellter in Liegnitz, 1781 Ratsmann, Kämmerer u. später Bürgermeister in Habelschwerdt.

Schriften: Briefe über die Grafschaft Glaz. Von Reisenden als Wegweiser zu gebrauchen. Mit einer Vorrede von T.F. Tiede, 1824; Gläzer Gesänge (hg. J. Müller) 1836.

Literatur: Goedeke 7,439; 13,225; 15,995.
                                                                                RM

Hallmann, Johann Christian, * 1639 oder 1640 evtl. Parchwitz; † nach 1704 Breslau(?), Wien (?). Sohn d. aus Friedland stammenden Juristen Matthäus H. (d. im Dienste d. Herzöge Georg Rudolf v. Liegnitz u. Christian v. Wohlau sowie d. Anna Sophia, Witwe Herzog Ludwigs IV. v. Liegnitz, versch. hohe Verwaltungsaufgaben versah) u. der Rosina Schultz(e) aus Liegnitz. Besuch d. Maria-Magdalena-Gymnasiums zu Breslau v. 1647 bis wahrscheinlich Ende 1661. Immatrikulation an d. Universität Jena erste Jahreshälfte 1662; das. 1665 unter Ernst Friedrich Schröter als Präses jurist. Disputation «De privilegiis militum» (gedr.: Jena 1665). Nach längeren, v. Zwischenaufenthalten in Schlesien unterbrochenen Reisen in Breslau als Jurist ohne feste Anstellung (Candidatus u. Practicus beider Rechte am kaiserl. Oberamt; Advokat) tätig; zwischen 1700 u. 1704 versucht er sich gelegentl. auch als ‹Theaterunternehmer›. D. neben Gryphius u. Lohenstein bedeutendste u. d. wohl. vielseitigste schles. Dramatiker d. Barockzeitalters, auch als Lyriker (Gelegenheitslyrik, Lobgedichte auf d. schles. Herzöge, Epigramme auf Leopold I., Übers. aus d. Italien.) u. als Rhetor (v.a. Trauerreden) geschätzt. Von s. 18 Dr. (Originalwerke u. Übers. bzw. Adaptionen) sind 10 im Druck, 8 nur in Form v. Szenaren (gedruckt anläßlich d. Aufführungen) erhalten; 17 Stücke sind zw. 1662 u. 1704 in Breslau aufgeführt worden, einige wenige, darunter insbes. die «Mariamne», auch andern-

orts. D. 1673 gedr., Leopold I. u. s. Gemahlin Claudia Felicitas aus Anlaß ihrer Vermählung gewidmete Pastorell «Adonis u. Rosibella» konnte H. d. Kaiserpaar in zwei Audienzen Ende November 1673 persönl. überreichen. Ob er tatsächlich, wie Stolle berichtet, z. kathol. Glauben übertrat u. deswegen seit Mitte d. 80er Jahre in Breslau glück- u. erfolglos blieb, läßt sich nicht beweisen.

Schriften (außer den Einzeldrucken der Gelegenheitslyrik und der Trauerreden sowie den Szenaren zu Aufführungen, die später als der Erstdruck erfolgten): Der Bestrafte Geitz / Oder Hingerichte Mauritius, Kaiser zu Constantinopel (Tr., Szenar ohne Verfasserangabe, aber mit Sicherheit Hallmann zuzuschreiben) 1662; Verführter Fürst / Oder Entseelter Theodoricus (Tr., Szenar) 1666; Pastorella Fida Oder Sinnreiche Urania (Lsp., Szenar) 1666; Siegprangende Tugend Oder Getrewe Urania (Lsp.) 1667; Die Beleidigte Schönheit Oder Sterbende Mariamne (Tr., Szenar) 1669; Das Beperlte Leuen-Hertz Oder Die Vergnügte Majestät (Freudenspiel, Szenar) 1669; Antiochus, und Stratonica, Oder Merckwürdige Vater-Liebe (Trauer-Freuden-Spiel, Szenar) 1669; Mariamne (Tr.) 1670; Sophia (Tr., Szenar) 1671; Rosibella (Schäferspiel, Szenar) 1671; Sophia (Tr.) 1671; Schlesische Adlers-Flügel / oder Warhaffte Abbild- und Beschreibung Aller Könige / Ober-Regenten / und Obristen Hertzoge über das gantze Land Schlesien von Piasto an biß auf Unsern Regierenden AllerGenädigsten Kaiser / König / und Obristen Hertzog Leopoldum, 1672; Die Sinnreiche Liebe Oder Der Glückseelige Adonis und Die Vergnügte Rosibella (Pastorell) 1673; Hessischer Ehren-Stern und Tugend-Leu ..., 1676; Leich-Reden / Todten-Gedichte und Aus dem Italiänischen übersetzte Grab-Schrifften, 1682; Trauer- Freuden- und Schäffer-Spiele / Nebst Einer Beschreibung Aller Obristen Hertzoge über das gantze Land Schlesien, o. J. [1684], darin: Die Sinn-reiche Liebe Oder Der Glückseelige Adonis Und Die Vergnügte Rosibella; Die Himmlische Liebe Oder Die Beständige Märterin Sophia; Die Triumphirende Keuschheit Oder Die Getreue Urania; Die Beleidigte Liebe Oder Die Großmütige Mariamne; Die Göttliche Rache / Oder Der Verführte Theodoricus Veronensis (Tr.); Die Merckwürdige Vater-Liebe Oder sis (Tr.); Die Merckwürdige Vater-Liebe Oder Der vor Liebe sterbende Antiochus Und Die vom Tode errettende Stratonica (Trauer-Freuden-

Spiel); Die Sterbende Unschuld / Oder Die Durchlauchtigste Catharina Königin in Engelland (Musikal. Tr.); Die Schaubühne des Glückes Oder Die Unüberwindlichste Adelheide (Freudenspiel, aus dem Ital.); Die listige Rache Oder Der tapffre Heraclius (Schauspiel, aus dem Ital.); Schlesische Adlers Flügel ...; Der Triumphirende Leopoldus, Oder Teutsche Epigrammata Nebst benöthigten Anmerckungen über die Fürnehmste Kaiserliche Victorien In dem itzigen Türcken-Kriege, 1689; Die unüberwindliche Keuschheit oder die Großmüttige Liberata, Prinzessin in Portugal (Tr., Szenar) 1699; Die Unüberwindliche Keuschheit Oder Die Großmüthige Prinzeßin Liberata (Tr.) 1700; Die Triumffirende Gerechtigkeit. Oder Der Vergnügte Alexander Magnus (Schauspiel, Szenar) 1700; Die Tyrannische Regiersucht / Oder Die Unbarmhertzige Laodice, Königin in Armenien (Schauspiel, Szenar) 1700; Die merckwürdige Klugheit / Oder Der Siegprangende Ariaspes, König in Ponto (Schauspiel, Szenar) 1700; Das Frohlockende Hirten-Volck oder Der Gekrönte Schäffer Lionato (Pastorell, Szenar; wie alle der insgesamt 6 im Jahre 1704 gespielten Stücke als opernhafte Aufführung angekündigt) 1704; Der Rechtmäßige Kron-Printz Oder der Triumphirende Salomon (Schauspiel, Szenar) 1704; Die Betrogene Keuschheit Oder Die Entehrte Paulina (Schauspiel, Szenar) 1704.

Ausgaben: Zweite Schles. Schule. I (hg. F. BOBERTAG) o. J. (Prolog «Adonis und Rosibella»); DL 3 (hg. v. A. SCHÖNE) 1963, /1968 (5 d. aus d. Italien. übers. Grabschriften); Papirener Kirchhoff oder aus dem Italiänischen übersetzte Grab-Schrifften (Auswahl, hg. K. SAUER, Linolschnitte v. W. JÖRG u. E. SCHÖNIG) 1964; Mariamne. Trauerspiel (hg. G. SPELLERBERG) 1973; Sämtl. Werke (hg. v. G. SPELLERBERG) 6 Bde., 1975 ff.

Literatur: ADB 10,444; NDB 7,564; Goedeke 3,223; Neumeister-Heiduk 365, FdF 1,648. – G. STOLLE, Anleitung z. Historie d. Gelahrheit ... u. Neue Zusätze z. Verbesserung d. Historie d. Gelahrheit, 1727; F. BOBERTAG, D. dt. Kunsttr. d. XVII. Jh. (in: Archiv f. Lit.gesch. 5) 1876; R. M. WERNER, ~ als Dramatiker (in: Zs. f. d. Öst. Gymnasien 50) 1899; P. STACHEL, Seneca u. d. dt. Renaissancedr., 1907, Nachdr. 1967; H. STEGER, ~. S. Leben u. s. Werke (Diss. Leipzig) 1909; W. RICHTER, Liebeskampf 1630 u. Schaubühne 1670. E. Beitr. z. dt. Theatergesch. d. 17. Jh. (Diss. Berlin) 1910; K. KOLITZ, ~s Dr. E.

Beitr. z. Gesch. d. dt. Dr. in d. Barockzeit (Diss. München 1910) 1911; E. BEHEIM-SCHWARZBACH, Dr.formen d. Barock. D. Funktion v. Rollen, Reyen u. Bühne bei ~ 1640–1704 (Diss. Jena 1933) Teildr. 1931; E. LUNDING, D. schles. Kunstdr., 1940; E. G. BILLMANN, ~s Dr. (Diss. Berlin 1942); J. KAUFMANN, D. Greuelszene im dt. Barockdr. (Diss. Zürich) 1968; G. U. GABEL, ~ D. Wandlungen d. Schles. Kunstdr. im Ausgang d. 17. Jh. (Diss. Rice University 1971); ~ Mariamne. E. Wortindex, bearb. v. G. U. GABEL, 1973; E. M. SZAROTA, Gesch., Politik u. Gesellsch. im Dr. d. 17. Jh., 1976.   GS

Hallup, Emil, * 26.1.1875 Weida/Thür.; Schriftst. in Berlin.

Schriften: Die Internationale. Aus den Schicksalstagen der Sozialdemokratie 1914–18 (Tragikom.) 1920 (Neuausg. 1926); Fiat Justitia (Schausp.) 1926; Justiz am Pranger (Kom.) 1928. (Ferner e. Anzahl ungedr. Bühnenstücke.)

Literatur: Theater-Lex. 1,679.   RM

Hallwich, Hermann, * 9.5.1838 Teplitz-Schönau/Böhmen, † 11.4.1913 Wien; Philol.- und Gesch.-Studium in Prag, Lehrer u. Sekretär in Reichenberg, Landtags- u. Reichstagsabgeordneter, seit 1878 Referent f. Handels- u. Zollverträge, 1891 Übersiedlung n. Wien, 1892 Gründer d. «Zentralverbandes d. Industriellen Österreichs» (seit 1904 Präs.), Mitbegründer d. «Ver. f. Gesch. d. Dt. in Böhmen», Mitarb. zahlr. Zeitschriften.

Schriften: Die Herrschaft Türmitz (Denkschr.) 2 Tle., 1863/65; Jakaubeck von Wresowitz ..., 1867; Geschichte der Bergstadt Graupen in Böhmen ..., 1868; Reichenberg vor dreihundert Jahren, 1868; Die erste Fabrik in Reichenberg, 1869; Der Reichenberger Bezirk, 1873; Reichenberg und Umgebung. Eine Ortsgeschichte ..., 1874; Wallensteins Ende. Ungedruckte Briefe und Akten, 2 Bde., 1879; Heinrich Matthias Thurn als Zeuge im Process Wallenstein, 1883; Gestalten aus Wallensteins Lager. Biographische Beiträge zur Geschichte des Dreißigjährigen Krieges, 2 Bde., 1885; Töplitz. Eine deutsch-böhmische Stadtgeschichte, 1886; Gindelys «Waldstein». Eine historische Studie, 1887; Wallenstein und Waldstein. Ein offener Brief an Gindely, 1887; Böhmen, die Heimat Walthers von der Vogelweide? 1893; Anfänge der Groß-Industrie in Österreich, 1898; Friedland vor fünfhundert Jahren, 1905; Mariaschein und Umgebung (Mit-

Verf.) 1906; Fünf Bücher Geschichte Wallensteins, 1910; Briefe und Akten zur Geschichte Wallensteins (1630–34) 4 Bde., 1912.

Literatur: ÖBL 2, 161; NDB 7, 566.   RM

Halm, Alfred, * 9. 12. 1861 Wien, † 5. 2. 1951 Berlin; Sohn e. Seifenfabrikanten; Schauspieler u. Regisseur an dt. Bühnen, v. a. in Berlin; Verfasser v. Lustspielen, Übersetzer.

Schriften: Faust fin de siècle. Eine Um- und Undichtung, 1900; Der Herr Verteidiger (Groteske mit F. Molnar) 1910; Das Märchen von Heiligenwald (Lsp. mit R. Saudek) 1912; Graf Pepi. Ein Lustspiel aus dem Jahre 1866 (mit R. Saudek) 1912; Seite 105 (Lsp. mit R. Saudek) 1913; Der Schreck von Hohenley. Eine heiter-gruselige Geschichte in drei Akten (mit E. Ritter) 1925. (Ferner ungedr. Bühnenstücke.)

Literatur: Theater-Lex. 1, 679.   AS

Halm, August (Otto), * 26. 10. 1869 Großaltdorf/Württ., † 1. 2. 1929 Saalfeld/Thür.; Theol.-Studium, dann Besuch d. Musikschule in München, Chordirigent u. freier Musiklehrer, 1903 Musikerzieher in Haubinda/Thür., 1906–10 und 1920–29 in Wickersdorf. Komponist u. Musikschriftst. A. H.-Gesellschaft (1929).

Schriften (Ausw.): Von zwei Kulturen in der Musik, 1913; Von Grenzen und Ländern der Musik (ges. Aufsätze) 1916; Einführung in die Musik, 1926 (Nachdr. 1966); Beethoven, 1927 (Nachdr. 1971); Von Form und Sinn der Musik (hg. S. SCHMALZRIEDT) 1979.

Nachlaß: Dt. Lit.arch/Schiller-Nationalmuseum Marbach; Landesbibl. Stuttgart. – Denecke 2. Aufl.

Literatur: MGG 5, 1376; NDB 7, 568. – L. HÖCKNER, D. Musik in d. dt. Jugendbewegung, 1927; R. SCHILLING, D. Musikanschauung ∼s (Diss. Straßburg) 1944; U. SIEGELE, ∼ (in: Schwäb. Heimat 20) 1969.   RM

Halm, Friedrich (Ps. f. Eligius Franz Joseph Frhr. v. Münch-Bellinghausen), * 2. 4. 1806 Krakau, † 22. 5. 1871 Wien; Studium d. Philos. u. d. Rechte in Wien, 1831 Regierungssekretär, 1840 Regierungsrat, 1844 Hofrat u. 1. Kustos, 1867 Präfekt d. Wiener Hofbibl., Generalintendant d. beiden Hoftheater, 1868 Vorsitzender d. Dt. Schillerstiftung.

Schriften: Griseldis (dramat. Ged.) 1837; Der Adept (Tr.) 1838; Camoëns (dramat. Ged.) 1838;

Die Pflegetochter (dramat. Sz.) 1841; Imelda Lambertazzi (Tr.) 1842; König und Bauer (Lsp., n. Lope de Vega frei bearb.) 1842; Der Sohn der Wildniss (dramat. Ged.) 1842 (Neuausg. 1877); Donna Maria de Molina, 1847; Gedichte, 1850 (verm. u. verb. Neuausg. 1857); Über die älteren Sammlungen Spanischer Dramen, 1852; Der Fechter von Ravenna (Tr.) 1854; Eine Königin (dramat. Ged.) 1857; Sampiero (Tr.) 1857; Ein mildes Urtheil (Tr.) 1857; Verbot und Befehl (Lsp.) 1857; Vor hundert Jahren. Festspiel zur Säcularfeier des Geburtstagsfestes Schillers, 1859; Charfreitag. Erzählendes Gedicht, 1864; Iphigenie in Delphi (Schausp.) 1864; Wildfeuer (dramat. Ged.) 1864; Begum Somru (Tr.) 1867; Die Freundinnen (Erz.) 1906; Das Haus an der Veronabrücke (Erz.) 1906; Die Marzipan-Liese (Erz.) 1906 (1947 u. d. T.: Das Geheimnis des Schreibers, hg. R. Gregor).

Ausgaben: Werke 12 Bde. (9.–12. Bd. hg. F. PACHLER u. E. KUH) 1856–72; Ausgewählte Gedichte, 1865; Ausgewählte Werke (hg. A. SCHLOSSAR, mit Bibliogr.) 4 Bde., 1904; Ausgewählte Gedichte (hg. DERS.) 1904; Ausgewählte Novellen (hg. DERS.) 1904; Ausgewählte Werke (hg. O. ROMMEL) 3 Bde., 1908–11; Auswahl in vier Teilen (hg. R. FÜRST) 1910; Das Haus an der Veronabrücke. Friedrich Halms Novellen (hg. K. G. WENDRINER) 1911; Novellen (hg. G. ELLINGER) 1927; Ich bin nur ein Talent (hg. K. VANCSA, mit Schr.- u. Lit.-Verz.) 1965.

Briefe: Briefw. zw. ∼ u. M. Enk v. der Burg (hg. R. SCHACHINGER) 1890; A. SCHLOSSAR (vgl. Lit.).

Nachlaß: National-Bibl. Wien.

Literatur: Wurzbach 19, 421; ÖBL 6, 434; Theater-Lex. 2, 1575; ADB 22, 718; NDB 7, 569. – ∼ u. Familie Rettich (mit ungedr. Briefen, hg. A. SCHLOSSAR in: Jb. d. Grillparzer-Gesellsch. 16) 1906; H. SCHNEIDER, ∼ u. d. span. Dr., 1909; H. PETERSEN, ∼, «Der Fechter von Ravenna», 1910; C. REINECKE, Stud. z. ∼s Erz. u. ihrer Technik (Diss. Bern) 1911; R. PELZ, ∼ u. d. Bühne (Diss. Münster) 1925; H. POTHORN, ∼ als Epiker (Diss. Prag) 1925; M. BUBENZER, ∼s Lyrik auf ihre lit. Vorbilder untersucht ... (Diss. Münster) 1925; K. VANCSA, Neue Beitr. z. Würdigung ∼s (Diss. Wien) 1927; A. v. MORZE, M. Enk u. ∼ (in: ZfdPh 63) 1938; K. NAHLIK, ∼ u. d. Burgtheater (Diss. Wien) 1949; D. ARENDT, D. novellist. Werk ∼s (Diss. Marburg) 1953;

E. H. Siebert, A Typology of ～s Drama (Diss. Connecticut) 1973/74; E. Mrazek-Schwab, ～s Deutschlandreise (in: Biblos 24) 1975.   RM

Halm, Gerhard, * 19. 3. 1896 München, † 14. 7. 1962 ebd.; Dr. phil., war dann im Buchhandel u. bei d. Presse tätig, 1945–48 Musiker, seit 1948 Verlagsangestellter in München. Dramatiker.

Schriften: Die Nacht von Forli. Eine freie Dramatisierung von Stendhals Novelle «Vanina Vanini» ,1937; Kunstkalender 1951. In Bild und Wort zusammengestellt, 1950; Buntes Büchlein für Verliebte. In Wort und Bild zusammengestellt, 1952; Oscar Graf, der Radierer und Maler, 1953. (Ferner ungedr. Bühnenstücke.)   AS

Halm, Gustav (Hubert) (Ps. Gehaha), * 16. 7. 1880 Köln, † 28. 2. 1948 ebd.; Bank-Archivar, später freier Schriftst. in Köln. Hg. d. Zs. «D. neue Leben» (1912f.), Mitgl. d. Kreises Kölner Künstler, Verf. v. Hör- und Laiensp., Übers. aus d. Englischen.

Schriften: Der Fangball und andere Märchen, 1913; Unterm Halbmond im Weltkrieg, 1917; Vom lieben Gott, dem Teufel und der übrigen bösen Welt, 1921; Der Zauberhandschuh (Märchensp.) 1921; K. Adrian, Avalun (Ged. hg.) 1924; Der Spitzbub in der Jungmühle und andere Märchen ..., 1930; Die Ritter auf der Seifenblase. Dreißig Märchen für kleine und große Leute, 1930; Das Spiel vom Eulenspiegel. Folge von derb-deutschen Holzschnitten, 1933; Zwischen zwei Übeln. Ein Spiel, den Schaffenden zur Ehr', den Raffenden zur Lehr', 1934; Pegasus in der Wohnküche, 1934; Das klagende Lied (Msp.) 1934; Die ewige Bürde. Ein Spiel, 1935; Der Läufer von Glarus. Ein Spiel, 1935; Backenzahn und Pfannekuchen. Heiteres Rüpelspiel, 1936; Litangs Opfer. Ein chinesisches Spiel, 1936; Geld vom Himmel (Schw.) 1937; Kasperl in der Jungmühle. Fröhliches Spiel für eine Horde ausgelassener Buben und Mädel, 1939; Die ungleichen Brüder (Märchen) 1941; Das Buch vom Narren Yü-Pei. Geschichten nach alten Motiven, 1959.

Nachlaß: Stadtarch. Köln. – Mommsen Nr. 1411.

Literatur: Theater-Lex. 1, 680. – D. H. Sarnetzki, ～ (in: Rhein. Athenäum) 1948.   RM

Halm, Margarethe (Ps. f. Alberta von Maytner, weitere Ps.: Paul Andow, A. v. Sandec), * 8. 4. 1835 Neu-Sandec/Galizien, † 14. 7. 1898 Wien; in e. poln.-franzöz. Inst. in Tarnow erzogen, lebte n. 2 Ehen (verh. 1855 mit Peter Kestranek [† 1858], 1860 mit Joseph v. Maytner) 1865 in Brünn, Graz u. seit 1890 in Wien. Verf. zahlr. Beitr. in in- u. ausländ. Ztg. u. Zeitschriften.

Schriften: Wetterleuchten. Skizzen und Essays, 1877; Aus der Dornenhecke. Metaphysische Gedichte, 1882; Auf stillen Höhen, 1885; Ein weiblicher Prometheus. Liebesroman aus der Gegenwart, 3 Bde., 1885; Frau Holdings Herz. Die Geschichte einer Familie, 1894; Vom Baum des Lebens. Phantasien einer Idealistin, 1896.

Literatur: ÖBL 6, 172.   RM

Halmsen, Bjarne P. → Holz, Arno u. Schlaf, Johannes.

Halper-Szigeth, Ernst Alfred (Ps. Ernest van Alpen), * 18. 4. 1911 München; Dr. iur., Journalist, seit 1951 Pressereferent im Bayer. Finanzministerium in München.

Schriften: Geheimnis um Jamato (Spionagerom.) 1949.   RM

Halpern, Max (Ps. Norbert Hofmeister), * 20. 2. 1871 Czernowitz /Bukowina; Kaufmann in Berlin, später Schaupieler, Dramatiker u. Journalist in Wien.

Schriften: Anka. Dramatisches Bild, 1894; Wohl täter. Ein modernes Drama, 1899; Muttersöhne. Ein tragisches Lebensbild, 1900; Die Gallenen (Märchendr.) 1900. (Ferner e. Reihe ungedr. Bühnenstücke.)

Literatur: Theater-Lex. 1, 680.   RM

Halpert, (Dodo) David, * 22. 8. 1863 Königsberg/Pr.; Studium d. Rechte in Königsberg, München u. Berlin, Dr. iur., Referendar u. seit 1893 Rechtsanwalt in Berlin.

Schriften: Der «Neid» der griechischen Götter. Eine psychologische Studie, 1888; Literarische Streiflichter, 1888; Schneeflocken des Schicksals (Nov.) 1891; Leidensgefährten (Nov.) 1893; Die Harmlosen und ihre Verhaftung. Eine kritische Studie, 1899; Der Prozeß Sternberg ... Kriminalistische Randglossen, 1900; Stiche und Sprüche (Vorw. L. Berg) 1908.   RM

Halrath, Martin (Ps. f. Siegfried Baack), * 13. 3. 1897 Dortmund; Bankdir., lebte in Regensburg, dann in Mainz.

Schriften: Der Bertramstein (Erz.) 1950.   AS

Hals, Eric N. → Heins, Carl.

Peinlich Halsgerichtsordnung Karls V., («Constitutio Criminalis Carolina» (CCC)), e. Gesetzesslg. Karls V. v. 1532, die in dt. Sprache Strafprozeß- u. materielles Strafrecht enthält. D. H. wurde trotz d. salvator. Klausel als Reichsgesetz erlassen, führte d. Inst. f. Aktenversendung ein u. war allgem. bestimmend f. d. dt. Kriminalistik bis z. 19. Jahrhundert.

Ausgabe: Die Peinlich Halsgerichtsordnung Karls V. (hg. J. KOHLER, W. SCHEEL) 1900.

Literatur: LThK 4, 1336. – G. RADBRUCH, D. ~ v. 1532, o. J. (mit Lit.verz.); T. WÜRTENBERGER, System d. Rechtsgüterordnung in d. dt. Strafgesetzgebung seit 1532 (Diss. Freiburg/Br.) 1932; E. SCHMIDT, D. Carolina (in: Zs. d. Savigny-Stiftung f. Rechtsgesch., Germanist. Abt. 53) 1933; DERS., Einf. in d. Gesch. d. dt. Strafrechtspflege, ²1951; E. DÖHRING, Gesch. d. dt. Rechtspflege seit 1500, 1953; H. v. WEBER, La ~ de 1532 ..., Granada 1958; R. LIEBERWIRTH, Carolina (in: Handwb. z. dt. Rechtsgesch. 1) 1971; DERS., Halgerichtsordnungen (in: ebd.) 1971.   RM

Halster, G. v. (Ps. f. Gertrud Agnes Baronin von Le Fort, geb. v. Voigts-Rhetz), * 12.5.1850 Berlin, † n. 1922 wahrsch. Berlin; lebte in Berlin, verh. 1888 mit d. Gutsbesitzer Karl v. L. F. auf Papendorf/Vorpommern, lebte später wieder in Berlin.

Schriften: Die goldenen Spitzen, 1899; Karlusch (Rom.) o. J.; Auf sumpfigem Boden, 1902; Es ist ein Reif gefallen. Ein Liebesleben, 1904; Das Tagebuch einer Neuvermählten, 1905; Eine Eheirrung, 1905; Ist sie schuldig? (Novellette) 1905; Im Banne der Leidenschaft, 1907; Graf Leos Eheirrung (Nov.) 1909; Blinde Leidenschaft. Roman einer Eheirrung, 1909; Sein Schicksal (Nov.) 1910; Das Grab der Liebe. Roman einer Braut, 1914; Ewiges Verschulden (Erz.) 1915.   RM

Haltaus, Karl Ferdinand, * 1.11.1811 Grossengottern/Thür., † 31.7.1848 Wurzen b. Leipzig; Theol.- u. Gesch.studium in Leipzig, seit 1835 Gesch.lehrer in Leipzig.

Schriften: Allgemeine Geschichte vom Anfang historischer Kenntnis bis auf unsere Zeit, 3 Bde., 1840ff.; Gedichte, 1844; Geschichte Roms vom Anfange des ersten punischen Krieges bis zum Ende des punischen Söldnerkrieges, 1. Bd., 1846 (auch u. d. T.: Geschichte Roms im Zeitalter der punischen Kriege, aus den Quellen geschöpft und dargestellt); Geschichte des Kaisers Maximilian I., 1850.

Herausgebertätigkeit: Theuerdank, 1836; Album deutscher Schriftsteller zur vierten Säcularfeier der Buchdruckerkunst, 1840; Liederbuch der Clara Hätzlerin, 1840.

Literatur: ADB 10, 453.   RM

Halter, Eduard, * 9.10.1845 Schirrhein/Elsaß, † 27.3.1925; 1860 Eintritt in d. Schulbrüderkloster v. Ebersmünster b. Schlettstadt, später Unteroffizier in d. franz. Armee, seit 1871 Kanzlist u. Regierungssekretär d. Univ.-Bibl. Straßburg.

Schriften: Klosterreminiszenzen (Ged.) 1875; Jesus in der Natur (Dg.) 1876; Jugendrausch. Lieder und Bilder, 1877; Kleine Lieder, 1886; Straßburg in Ernst und Scherz, 1886; Das neue Narrenschiff (satir. Dg.) 1893; Die deutsche Muse im Elsaß. Ein Gespräch, 1894; Französisches Soldatenleben, 1895; Epistel an Christian Schmitt, 1895; Die Straßburger literarische «Besegard» (Satire) 1899; Der Dichter und die Dichtung. Heitere und ernste Plaudereien, 1900; Die alemannische Mundart Hagenau-Straßburg, 1901; Meine literarische Bekehrung. Ein reumütiges Gedicht, 1902; Die Urheimat der Elsäßer, 1903; D'r Nazi, e junger Dichter, wo vum Land in d' Schtadt will. Dichtung in dr Heimetschproch, 1904; Die Leiden des Klosterschülers, 1907; Die Mundarten im Elsaß, 1908; Aus meiner Waldheimat. Schilderungen aus dem Leben eines Dorfes im Elsaß, 1911; Indogermanen, 1913; Die deutsche Sprache im Elsaß auf historischer Grundlage, 1914.   RM

Halter, Ernst, * 12.4.1938 Zofingen/Kt. Aargau; Dr. phil., Verlagslektor, verheiratet mit d. Lyrikerin Erika Burkart, wohnt in Aristau/Kt. Aargau. Lyriker, Erzähler, Übersetzer (aus dem Altgriechischen).

Schriften: Kaiser Octavianus. Eine Studie über Tiecks Subjektivität (Diss. Zürich) 1967; Die unvollkommenen Häscher (Ged.) 1970; Die Modelleisenbahn (Erz.) 1972; Einschlüsse. Prosa, 1973; Urwil (AG) (Rom.) 1975; Die silberne Nacht (Rom.) 1977.   AS

Halter, Peter (Ps. Hilarius Bitter), * 8.3.1856 Hochdorf/Kt. Luzern, † 9.5.1922 Luzern. Amtsschreiber in Hochdorf. Volksschriftst., auch im Dialekt.

Schriften: Die wahren Patrioten. Ein Sonetten-Kranz. Den Alleinpächtern von Patriotismus, Freisinn, Toleranz u.s.w. ins Stammbuch, 1883; Festspiel zur 500-jährigen Gedenk-Feier des Eintrittes von Hochdorf in die Republik Luzern, 1896; Arnold Winkelried. Volksschauspiel, 1901; Bureglück, Dialektspiel, 1914; Der Komet, Dialektlustspiel, 1914; D' Wildsaujagd. Dialektlustspiel, 1914; Vor dem Kreuze. Erzählung aus dem Luzernerbiet, 1916; Die Stadt am See. Ein Liedergruß, 1918; Heimeligs G'lüt. Gedichte in Luzerner Mundart, 1919.

Literatur: HBLS 4, 66.   AS

Halton, Bernard → Nipkow, Hans.

Halton, Theo, * 30.6.1875 Wien, † 7.2.1940 Berlin; Verf. v. Textbüchern.

Schriften: Der Vagabund, 1926; Die Mädels von Davos, 1929; Münchhausens letzte Lüge, 1931; Die Männer sind mal so ... (musikal. Schw. gem. m. Rideamus, d. i. F. Oliver) 1933; Die bunte Feder (nach e. span. Kom. v. P. Muñoz Seca u. P.P. Fernández, gem. m. H. Haberer-Helasco) 1934; Die wilde Auguste (Besuch aus Spanien) (musikal. Schw.) 1936; Das goldene Mutterherz. Ein Weihnachtsmärchen aus dem Riesengebirge, um 1937; Die Lachtaube, 1940; Das fünfte Rad (Lustsp.) 1948.   IB

Haltrich, Joseph, * 22.7.1822 Sächsisch-Regen/Siebenbürgen, † 17.5.1886 Schaas/Siebenbürgen; Philol.- u. Theol.-Studium in Leipzig, Lehrer u. Rektor in Schässburg, zuletzt Pfarrer in Schaas. Philologe u. Volkskundeforscher.

Schriften: Zur deutschen Thiersage, 1855; Deutsche Volksmärchen aus dem Sachsenlande in Siebenbürgen gesammelt, 1856 (4., verm. Aufl. 1885); Die Stiefmütter, die Stief- und Waisenkinder in der siebenbürgisch-sächsischen Volkspoesie, 1856; Plan zu Vorarbeiten für ein Idiotikon der siebenbürgisch-sächsischen Volkssprache, 1865; Negative Idiotismen, 1866; Zur Culturgeschichte der Sachsen in Siebenbürgen, 1867; Deutsche Inschriften aus Siebenbürgen, 1867; Die Macht und Herrschaft des Aberglaubens, 1871; Sächsischer Volkswitz und Volkshumor, 1881; Zur Volkskunde der Siebenbürger Sachsen (kleinere Schr., bearb. u. hg. J. Wolff) 1885.

Literatur: ADB 49,734; ÖBL 2,163. – A. SCHULLERUS, D. Vorgesch. d. siebenbürg.-sächs. Wörterbuchs, 1895; O. WITTSTOCK, ∼, e. Bahnbrecher d. Germanistik in Siebenbürgen (in: Südostdt. Vjbl. 21) 1972.   RM

Halusa, Tezelin (Ps. Adolf Tetzel; mit s. Bruder Joseph Kuno H. zus. Ps. Hugin und Munin), * 6.11.1870 Frainspitz/Mähren, † 28.9.1953 Heiligenkreuz bei Wien; Zisterzienser, Priester ebd. Vorwiegend Lyriker u. Kulturschriftsteller.

Schriften: Gnomen und Sprüche, 1897; Frührot (Ged., mit seinem Bruder Joseph Kuno H.) 1898; Flores S. Bernardi, Lebensweisheit des hl. Bernhard von Clairvaux, 1898; Der Zisterzienserorden mit besonderer Berücksichtigung Deutschlands, 1898; Tautröpflein (Ged.) 1899; H. Heine. In charakteristischen Zügen zum 100. Geburtstag entworfen, 1899; Robert Hamerling. Ein Litteraturbild aus Österreich, 1901; Bilder aus der deutschen Litteratur des 19. Jahrhunderts, 1901; Directorium vitae perfectionis, 1900; Marienpredigten. Ein dreifacher Cyclus auf die Hauptfeste der seligen Gottesmutter. Zu Ehren des hl. Geistes hg., 1902; Der Hl. Bernhard von Clairvaux. Abt und Kirchenlehrer (Hg.) 1906; Der Weg zum Leben. Ein Seelenspiegel für Weltkinder, 1907; St. Angela-Büchlein. Zur Jahrhundertfeier ihrer Heiligsprechung, 1907; Margareta Maria Alacoque-Büchlein zu Ehren des hl. Herzens Jesu, 1908; St. Bernhards-Büchlein. Leben und Wirken des «Marienlehrers der hl. Kirche», nebst seinen Lieblingsandachten, 1908; Herz Jesu- und Herz Maria-Büchlein. Zur Verehrung der beiden hl. Herzen hg., 1909; Aus dem Tagebuche eines abgefallenen Priesters (Erz.) 1910; Die Empfindliche. Charakterstück für Mädchen in 3 Akten, 1910; Die Herrlichkeiten des Kostbaren Blutes, 1910; Lebensweisheit der sel. Margareta Maria Alacoque, 1910; Die Leidensgeschichte des Herrn in Lesungen und Erwägungen. Den Evangelisten nacherzählt, 1910; Der Maimonat des hl. Bernhard von Clairvaux, 1910; Lebensweisheit heiliger Ordensleute. Auf die einzelnen Tage des Jahres verteilt und mit Lebensbildern versehen, 1911; Beim Herzen Jesu mit der seligen Margareta Maria Alacoque. Ein Herz Jesu- und Kommunionbüchlein, 1911; Gehet zu Joseph! Ein Sträußlein für den Monat März, 1911; Das Schuldkapitel der Ordensperson. Eine Studie, 1911; Die großen

Herolde des kostbaren Blutes in der Kirche. Lebensbilder, 1912; Die Heiligung des Tages. Fin-
gerzeige zu einem tugendhaften Leben für jedermann, 1913; Die Herz Jesu- und Kommunion-
Andacht der hl. Gertrud der Großen. Allen
Verehrern und Verehrerinnen der «Prophetin des
heiligsten Herzens Jesu» gewidmet, 1913; Kleine
Ratschläge zu einem tugendhaften Leben, 1913;
Die Myrrhenbräute des heiligsten Herzens Jesu.
Nach ihren Schriften gezeichnet, 1914; Das goldene Büchlein von St. Gertrud der Großen und
der Andacht zum heiligsten Herzen Jesu. Zur
Erinnerung an die Erbauung der Gertrudis-Kirche
über dem Grabe der Heiligen in Helfta-Eisleben,
1914; Ein Jünger Garibaldis (Erz.) 1915; Zum
Haus des Herzens Jesu. Ein Konvertitenbild aus
der Gegenwart. Nach den Aufzeichnungen der
Konvertitin, 1915 (2. Aufl. u. d. T.: Eine Berliner Konvertitin. Nach ihrem Tagebuch gezeichnet, 1925); Im Hause des Herrn. Meßbüchlein.
Mit den vornehmsten Andachten des Kirchenjahres, zahlreichen Gebeten und verschiedenen
Unterweisungen, 1916; Marienpreis. Für die
größere Verehrung des reinsten Herzens und der
unbefleckten Empfängnis Mariä, 1916; Der Priester auf Höhenpfaden und auf Irrwegen. Zeitgemäße Erörterungen über Priester und Priestertum. Dem Säkular- und Regularklerus gewidmet,
1916; Vom Nibelungenstreit. Kriegspoesie,
1917; Im Jugendland. Kinder-Lieder und -Balla-
den. Der Jugend gewidmet, 1917; Der Mensch
und sein Engel. Erörterungen über die Engel-
welt und ihre Beziehungen zu den Menschen.
Gemeinverständlich dargestellt, 1918; «Eine
Linde im Winde ...» (Ged.) 1918; Unter dem
Lindenbaum (Ged.) 1918; Der lustige Krieg
(Ged.) 1919; Frühtraum (Ged.) 1920; Die
blaue Blume (Ged.) 2 Bde., 1921; Dante und
sein hl. Lied. Gedenkblätter zur 600. Wiederkehr von Dantes Todestag, 1921; Dante und sein
Hoheslied auf Beatrice, 1921; Die katholische
Kirche als Kulturträgerin der Menschheit, 1922;
Legenden vom Christkindlein, 1923; «Studio auf
einer Reis'». Lustige Studentengeschichten aus
Alt-Österreich, 1923; Die Sibylle und ihre Pro-
phezeiungen, 1923; Das Tausendjährige Reich
Christi nach alten und neuen Propheten, 1924;
Das goldene Zeitalter der Menschheit. Der Völ-
kertraum vom Paradies, 1924; Der Prediger-
oder Dominikanerorden. Bilder aus seinem Wer-
den und Wirken, 1925; Lachinsland. Heitere

Bilder aus Wien und dem Wienerwald, 1925;
Das Kreuzesholz in Geschichte und Legende,
1926; Die blaue Blume vom Bottichstein. Aus
dem Nikolsburger Studentenleben (Ged.) 1927;
Alt-Nikolsburger im Dienst der Musen, 1927;
Studienstädtlein Nikolsburg (Ged.) 1928 (2.
Aufl.); Nikolsburger Studenten von Anno dazumal. Lustiges und Leidiges aus den Gymnasial-
jahren. Von den Altnikolsburgern Hugin und
Munin, 1928; Lehrer Staberl und andere lustige
Geschichten aus Südmähren, 1929; Die Erneuerung der Welt durch das kostbare Blut,
1931; Wienerwald-Lieder, 1932; Blätter deutscher Geschichte, 1936; Lilienbanner über deutschem Land. Geschichtliche Erzählung, 1937;
Das vergnügte Büchel. Lustige Geschichten (neu
hg. von E. Steiner) 2 Tle., 1958.   AS

Haluschka, Helene (Hélène, geb. Grilliet),
* 10.12.1892 Montbéliard (Frankreich), † 20.
12.1974 Graz; Lehrerin, kam 1909 nach Öst. u.
heiratete e. Grazer Rechtsanwalt. Erzählerin
(zuerst franz., dann dt.) u. Übersetzerin; Mitarbeit an franz. Ztg. Peter-Rosegger-Preis 1959.
Schriften: Der Pfarrer von Lamotte (Rom.)
1930; Der Sohn zweier Väter (Rom.) 1932;
Fröhliches Wissen um Adam und Eva, 1934;
Adam und Eva unter vier Augen, 1935; Allerlei
Liebe (Nov.) 1935; Das Liebeslied der Frau Marquise (Rom.) 1935; Was sagen Sie zu unserem
Evchen?, 1936; Das große Ja. Das Leben und
Sterben eines kleinen Helden, 1937; Eine Fran-
zösin erlebt Großdeutschland. Tagebuchblätter
vom 12.2. bis 11.4.1938, 1938; Noch guter
Ton? Ein Buch für Anständige, 1938 (Neuaufl.
u. d. T.: Was heißt schon anständig?, 1947); Im
Schatten des Königs. Spiel um das Herz Lud-
wigs XIV. (Rom.) 1941; Auf Brautschau, 1946;
Liebe und Freundschaft, 1948; Lebenskunst,
1949; Verliebt – verlobt – verheiratet. Ein Ehe-
kursus, heiter und ernst wie das Leben, 1950;
Frauen werden nicht gefragt. Roman wahrer Begebenheiten, 1952; Valentin Duvals Erfolg
(Jgdb.) 1952; Hans, Rhino und die Bräute. Ein
heiterer Roman für junge Menschen, 1955;
Meine Nichte Trudi (Rom.) Die Brücke (Erz.)
1960; Sepp in Frankreich (Rom.) 1963; Und die
anderen? (Rom.) 1965.
Übersetzertätigkeit: F. Mauriac, Die schwarzen
Engel, 1936; H. Bordeaux, Die Magd (Rom.)
1955.   AS

Halvid, Einar → Helwig, Werner.

Ham, Heinrich, lebte in d. 1. Hälfte d. 16. Jh., Magister.

Schriften: Terentii Comedien, Andria und Eunuchus, 1535 (Neudr. 1586, 1602).

Literatur: Adelung 2, 176; Goedeke 2, 318. – O. GÜNTHER, Plautuserneuerungen in d. dt. Lit. des 15.–17. Jh. u. ihre Verf. (Diss. Leipzig) 1886.   RM

Hamacher, Hilger, * 5.5.1804 Aachen, † 20. 1.1837 Lessenich bei Bonn; Theol.-Studium in Bonn, 1827 Priesterweihe, Religionslehrer u. 1829 Lehrer am Priesterseminar in Köln, seit 1833 Pfarrer in Lessenich.

Schriften: Drei Anreden, bei gemeinsamen Communionfeiern ... gehalten, 1830; Der priesterliche Beruf. Eine Betrachtung für angehende Geistliche, 1833; Predigten und Homilien. Erste Sammlung, 1835 (auch u. d. T.: Betrachtungen auf die Sonn- und Festtage des Kirchenjahres).

Literatur: Goedeke 13, 550.   RM

Hamada, Marusa → Nusko, Marie.

Hamann, Albert, * 2.10.1806 Berlin, † 28.12. 1880 Potsdam; Bäckerssohn, Rechts- u. später Philol.-Studium, 1833 Gymnasiallehrer, später Oberlehrer an d. Realschule in Potsdam.

Schriften: Über die Bedeutung der Pestalozzi'-schen Elementarbildung in der Gesammtbildung des Menschen, 1846; Die Reform der Schule und ihre Verwaltung ..., 1848; Grundzüge der Seelen- und Denklehre, zur logischen Vorbildung auf Schulen bearbeitet, 1856; Vierstimmige Lieder für Gymnasien und Realschulen ... (mit R. Lindemann) 1858; Lessings Laokoon (hg.) 1868; Cola Rienzi. Dramatisches Gemälde, 1873; Servet (Dr.) 1881.   RM

Hamann, Elisabeth Margareta (Ps. E. M. Harms), * 18.12.1853 Hansühn (Holst.), † 21.5.1931 Scheinfeld (Franken); leitete d. Zs. «D. christl. Frau» 1902–05; schrieb Essays, Kritiken u. Novellen.

Schriften: Aus Marfas Jugendzeit (Mädchen-Erz.) 1897; Erhebet euch! Ein Wort an Mann und Frau über die Frau, 1899; M. Herbert. Eine Dichterstudie, 1899; Familien-Almanach, 2 Bde., 1899/1900; Studienkalender für katholische Töchter höherer Lehranstalten, Pensionate

etc., 1899 u. 1900; E. M. Ommer, Freundschaft (Übers.) 1902; Angelika Kaufmann (Erz.) 1904; Ferdinande Freiin von Brackel. Ein Gedenkblatt, 1907; Karl Domanig (Monogr.) 1909; Friedenfinder (Erz.) 1911; Emilie Ringseis, 1913.   AS

Hamann, Ernst, * 2.9.1862 Dammerow bei Lübz/Mecklenb.; Sohn e. Gutspächters, Dr. phil., Gymnasiallehrer in Schwerin; gründete 1901 die Zs. «Dat Meckelbörger Döhnken» für plattdt. Lyrik. Dialektdichter.

Schriften: Der Humor Walthers von der Vogelweide (Diss. Rostock) 1889; Min lütt Welt. Meckelbörger Döhnken, 1904; Treckfidel. Dörtig Dönken 1914.   AS

Ha(a)mann, Johann Georg, * 1697 Wendisch-Ossig/Oberlausitz, † 14.7.1733 Hamburg; Onkel d. gleichnamigen «Magus d. Nordens», Rechtsstudium in Leipzig, Mitgl. d. Dt. Gesellsch., 1731 f. Red. d. «Hamburg. Correspondenten». Liederdichter (abgedr. in A. Wiegners «Nöthiger Freytagsarbeit», 1724) u. Verf. v. Operntexten, verf. 1724 d. Forts. v. H. A. Zieglers «Asiat. Banise» (Neuausg. 1965 u. 1967), Verf. d. 2. u. 3. Bds. v. C. F. Hunold – Menantes' «Europ. Liebes- u. Heldengesch. ...» (1728–40), Hg. d. 3. Tls. v. B. H. Brockes «Ird. Vergnügen in Gott ...» (1744).

Schriften: Poetisches Lexicon oder Nützlicher und brauchbarer Vorrath von allerhand poetischen Redensarten, Beywörtern und Beschreibungen ..., 1725 (neue, verb. Aufl. 1765); Die Matrone, eine moralische Schrift (hg., 3. Jg.) 1728–30; Die Flucht des Aeneas (Musik v. Porpora u. Telemann) 1731; Der alte Deutsche (Monatsschr.) 1731; Der Weiseste von Sidon oder Abdolonymus (Musik v. Telemann) 1733.

Literatur: Adelung 2, 1762; ADB 10, 455; FdF 1, 360; Goedeke 3, 302, 338. – W. PFEIFFER-BELLI, D. Asiat. Banise [Besprechung d. Forts. v. ~] 1940; E. SCHWARZ, D. schauspieler. Stil d. dt. Hochbarock. Beleuchtet durch H. A. v. Zieglers «Asiat. Banise» (Diss. Mainz) 1956.   RM

Hamann, Johann Georg, * 27.8.1730 Königsberg, † 21.6.1788 Münster/Westf., Sohn d. Wundarztes Johann Christoph H., seit 1746 Studium d. Rechte, Theologie, Philologie u. Lit. in Königsberg, ab 1752 Hofmeisterstellen in Kurland. 1756 Reise n. Danzig, Berlin, Lübeck, Ham-

burg, Bremen, Amsterdam, v. dort 1757 n. London, wo er bis 1758 im Auftrag d. Rigaer Kaufmanns Berens weilte, dann über Riga Rückkehr
n. Königsberg, wo er als Privatgelehrter lebte u.
seit 1763 e. Stellung als Schreiber b. d. Kriegs-
u. Domänenkammer bekleidete, 1765–67 An-
waltskanzlist in Mitau u. Warschau, 1767 Rückkehr nach Königsberg, Sekretär d. Zollbehörde,
dann 1777 Anstellung als Packhofverwalter, 1787
Pensionierung u. Reise n. Münster wo er sich
zeitweilig im Kreis um d. Fürstin Amalie v.
Gallitzin bewegte u. e. Jahr später im Haus s.
Gönners, Franz Kaspar Buchholtz, Herrn v.
Wellbergen, im Aufbruch zur Heimreise starb.
Verf. v. theolog., philos., philol. u. ästhet.
Schriften.

Schriften: Sokratische Denkwürdigkeiten, 1759;
Wolken. Ein Nachspiel Sokratischer Denkwürdigkeiten, 1761; Kreuzzüge des Philologen,
1762; Leser und Kunstrichter. 1762; Schriftsteller und Kunstrichter, 1762; Fünf Hirtenbriefe das Schuldrama betreffend, 1763; Neue
Apologie des Buchstaben h, 1773; Selbstge-
spräch eines Autors, 1773; Zweifel u. Einfälle,
1776; Golgatha u. Scheblimini, 1784; Betrachtungen über die heilige Schrift, 1816; Sibylli-
sche Blätter des Magus im Norden, 1819; Schriften zur Sprache (Faks.) 1967.

Briefe: Briefwechsel zwischen ~ und Lavater
(hg. H. Funck) 1894; Neue Hamanniana, Briefe
u. andere Dokumente (hg. H. Weber) 1905;
Briefwechsel (hg. W. Ziesemer u. A. Henkel)
7 Bde., 1955–79.

Ausgaben: Schriften (hg. F. Roth) 9 Bde.,
1821–1843; Sämtliche Werke. Hist.-krit. Ausg.
(hg. J. Nadler) 6 Bde., 1949–1957; J. G. H.
Hauptschriften erklärt (hg. F. Blanke) 1956 ff.

Nachlaß: Staatsbibl. Preuß. Kulturbesitz Ber-
lin (in Nachlaß Herder); Univ. bibl. Erlangen;
Univ.bibl. Münster; Dt. Staatsbibl. Berlin, Hss.-
Abt./Lit.-Arch. – Denecke 68, Nachlässe DDR 3,
Nr. 351.

Literatur: ABD 10,456; NBD 7,573; J. Minor, ~ in s. Bedeutung f. d. Sturm- u. Drang-
Periode, 1881; H. Weber, ~ u. Kant, 1904;
R. Unger, ~s Sprachtheorie im Zus.hang s.
Denkens, 1905; R. Unger, ~ u. d. Aufklärung,
1911 (²1925); J. Blum, La vie et l'oeuvre de ~,
1912; W. Rodemann, ~ u. Kierkegaard (Diss.
Erlangen) 1922; H. Cysarz, Erfahrung u. Idee,
1924; G. Hillner, ~ u. d. Christentum, 1924;

F. Blanke, ~ als Theologe, 1928; H. Richter,
Blake u. ~ (in: Archiv 159) 1931; K. Nadler,
~ u. Hegel (in: Logos 20) 1932; E. Metzke, ~s
Stellung in d. Philos. d. 18. Jh., 1934 (1967);
K. Nadler, D. dt. ~-Forsch. im 1. Drittel d.
20. Jh. (in: DVjs 15) 1937; I. Rüttenauer, ~
u. d. Fürstin Gallitzin (in: Hochland 36)
1938/39; J. Herzog, Claudius u. ~. Ihr Kampf
gg. d. Rationalismus, 1941; F. J. Schmitz, The
Problem of Individualism and the Crises in the
Lives of Lessing and ~. 1944; T. Hank, ~ als
Ästhetiker, 1947; T. Schack, ~, 1948; J.
Nadler, ~ 1730–1788, 1949; J. Brändle,
D. Problem d. Innerlichkeit. ~, Herder,
Goethe, 1950; W. Lowrie, ~, an Existentia-
list, 1950; G. Koch, ~-Magus u. d. dt.
Schicksal, 1951; J. O'Flaherty, Unity and Lan-
guage; a Study in the Philosophy of ~, 1952;
H. Steege, ~, e. Prediger in d. Wüste, 1954;
N. Accolti Gil Vitale, La giovinezza di ~,
1957; W. Leibrecht, Gott u. Mensch bei ~,
1958; M. Seils, Wirklichkeit u. Wort bei ~,
1961; R. Knoll, ~ u. F. H. Jacobi, 1963; W.
Koepp, Der Magier unter Masken, 1965; W.
Alexander, ~; Philosophy and Faith, The
Hague 1966; B. Gajek, Sprache beim jungen ~,
1967; L. P. Wessel, ~s Philosophy of Aesthetics (in: Journal of Aesthetics and Art Criticism
27) 1968; H. Sievers, ~s Bekehrung: ein Versuch, sie zu verstehen, 1969; H. Rochelt, Das
Creditiv der Sprache (in: Lit. u. Kritik) 1969;
G. Baudler, Im Worte sehen. Das Sprachdenken
~s, 1970; H.-M. Lumpp, Philologia crucis,
1970; J. C. O'Flaherty, ~s and Nietzsche's
Conception of Socrates (in: Dg., Sprache, Gesellsch. Akten d. IV. Int. Germ-Kongr. 1970,
Hg. V. Lange u. H. Roloff) 1971; H. Herde,
~ z. Theol. d. Sprache, 1971; M. M. Olivetti,
D. Einfluß ~s auf d. Rel.philos. Jacobis (in:
F. H. Jacobi, Philosoph u. Literat d. Goethezeit.
Hg. K. Hammacher) 1971; G. Nebel, ~ 1973;
ders., ~ u. Hegel (in: Scheidewege 3) 1973;
ders., Hume u. ~ (in: Scheidewege 4) 1974;
B. Bischoff, Bobrowski u. ~ (in: ZfdPh 94),
1975; B. Bräutigam, Reflexion d. Schönen –
schöne Reflexion, 1975; B. Bäumer, ~s My-
thologisierung v. Sinnen u. Leidenschaften (in:
Monatshefte 67), 1975, S. A. Jørgenson, ~
1976; J. C.O' Flaherty, Socrates in ~'s ‹So-
cratic Memorabilia› and Nietzsche's ‹Birth of
Tragedy› (in: Studies in Nietzsche, hg. J. C. O'F.)

1976; B. GAJEK, ~ (in: Dt. Dichter d. 18. Jh. Hg. B. v. WIESE) 1977; S. SUDHOF, F. K. Bucholtz, Stud. zu e. Porträt (in: FS A. Henkel) 1977; R. WILD, Natur u. Offenbarung. ~ s u. Kants gemeinsamer Plan zu e. Physik für Kinder (ebd.). HD

Hamann, Johann Michael, * 27.9.1769 Königsberg † 12.12.1813 ebd.; Sohn v. J.G.H. («Magus d. Nordens»), Studium in Königsberg, Hofmeister beim Grafen Keyserlingk in Blieden/Kurland, 1796 Rektor u. später Gymnasialdir. in Königsberg. Verf. versch. dt. u. lat. Schulschriften.

Schriften: Poetische Versuche, 1791; Dissertatio de Socrate ... libros veterum tractante, 1794; Xenophons Briefe, aus dem Griechischen, 1798; Blätter des Gefühls und der Erinnerung..., 1799; Nachrichten von der altstädtischen Schule zu Königsberg, o. J.; Kleine Schulschriften. Nach seinem Tode gesammelt. Nebst einer Denkschrift auf den Verstorbenen von Ludwig von Baczko, 1814.

Nachlaß: Frels 114.

Literatur: ADB 10,468; Meusel-Hamberger 3,67; 9,504; 11,315; 22.2,558; Goedeke 5, 418. RM

Hamann, Ludwig (Ps. L. H. Spielmann, Xanthyppos, L. v. Schwerin), * 14.11.1867 Schwerin; Todesdatum nicht bekannt, zw. 1930 u. 1936; zuerst Buchhändler, dann Gründer e. Verlags in Leipzig, Hg. u. Red. d. «Buchhändler-Akad.», d. «Musik-Woche» u. d. «Kunst-Woche», nach geschäftl. Mißerfolg Red. d. «Stargarder Ztg.», der «Pommerschen Heimats-Bl.» u. d. Ms. «Unser Pommerland»; lebte seit 1924 als Journalist u. Schriftst. in Berlin. Verf. v. buchhändler. Fachlit., Erz., Autor v. Bühnenst. (meist ungedr.), auch Komponist u. Librettist.

Schriften: In Laune und Stimmung. Lieder, 1888; Bastei-Chronik 1857–1893 (Hg.) 1893; Ehrung des Fürsten Bismarck zum 80. Geburtstage 1895. Chronik der nationalen Feiertage, sowie gesammelte Reden und Ansprachen für das deutsche Volk und die Verehrer des Alt-Reichskanzlers (Hg.) 1895; Die Fahrt ins romantische Land. Bilder aus der sächsich-böhmischen Schweiz, umkränzt von Stimmungspoesie, 1895; Der Umgang mit Büchern und die Selbstkultur, 1897; Konventionelle Lügen im Buchhandel. Al-

lerlei Unverfrorenheiten, 1896 (Nachdr. 1977); Floh-Memoiren. I Hubbigs Abenteuer. Lebenserinnerungen eines Pulex irritans, in kitzlige Reime gebracht, 1903, II Hubbigs heitere Fahrten. Flohgift zweite Dosis, in kitzlige Reime verzapft, 1904, III Hubbigs letzte Sprünge. Das Testament eines Blutsaugers in heiteren Versen, 1904; Die Reise ins Pharaonenland. Eine fröhliche Fahrt über Venedig nach dem Nilkatarakt, über Neapel und Rom zurück, 1909; Die Klosterhexe von Marienfliess und der Untergang des pommerschen Herzogs-Geschlechts. Historischer Roman, 1910; Frau Staatsanwalt (Schw.) 1911.

Literatur: Theater-Lex. 1,681. – G. SCHULZ, ~ u. d. «Konventionellen Lügen» (in: FS K. Köster) 1977. AS

Hamann, Otto, 4.9.1882 Grub bei Michaelnbach/Ober-Öst., † 13.2.1946 ebd.; Dr. med., Facharzt für Orthopädie u. Chirurgie in Linz, Obermedizinalrat ebd.; Lyriker u. Kulturschriftsteller.

Schriften: Die Abstammung des Menschen. Eine Darstellung der neueren Ergebnisse der Anthropologie, 1909; Natur und Bibel in der Harmonie ihrer Offenbarung. Handbuch moderner Forschung (mit K. Hauser) 1910; Zwischen Abendland und Morgenland, 1922; Biologie deutscher Dichter und Denker, 1923; Hans Hueber. Ein Kleinmaler der deutschen Spätromantik, 1923; Der deutsche Mensch, 1924; An den Grenzen des Wissens, 1927; Sehnsucht nach Hellas (Ged.) 1932. AS

Hamann, (Heinrich) Richard, * 29.5.1879 Seehausen/Kr. Wanzleben, † 9.1.1961 Immenstadt/ Allgäu; Kunsthistoriker, 1902 Dr. phil., Prof. in Posen, 1913–49 in Marburg, Begründer d. «Bildarch. Foto Marburg», d. Verlags d. Kunstgesch. Seminars u. 1929 d. Forsch.inst. f. Kunstgesch., 1949 Mitgl. d. Dt. Akad. d. Wiss. Berlin, Gründer e. «Arbeitsstelle f. Kunstgesch.» in Berlin. Hg. d. «Marburger Jb. f. Kunstwiss.» (seit 1924), d. «Schr. z. Kunstgesch.» (seit 1957, mit E. Lehmann).

Schriften (Ausw.): Der Impressionismus in Leben und Kunst, 1907; Kunst und Kultur der Gegenwart, 1922; Geschichte der Kunst, 2 Bde., 1933/52 (Neuausg. 1958f.); Epochen deutscher Kultur von 1870 bis zur Gegenwart (mit J. Hermand) 5 Bde., 1971–76.

Literatur: NDB 7, 578. – FS z. 60. Geb.tag, 1939; ~ in memoriam (in: Schr. z. Kunstgesch. 1) 1963 (mit Bibliogr.). **RM**

Hamann, Walter, * 3. 5. 1921 Kiel; Kaufmann, wohnte in Frankfurt/M., jetzt in Rückersdorf. Jugendbuchautor.

Schriften: Jeder Tag ein Abenteuer. Mit dem Fahrrad um die Welt, 1960; Neue Länder – neue Wunder, 1961; Von Kanada bis Mexiko, 1961; Ich war bei den Indianern, 1964; Mit dem Fahrrad um die Welt, 1967. **AS**

Hambach, Wilhelm C., * 25. 8. 1908 Bonn; Dr. phil., Feuilletonred. in Flensburg. Erzähler, Kunstkritiker.

Schriften: Das rheinische Wallfahrtslied (Diss. Bonn) 1934; Menschen und Paragraphen. 50 Gerichtsberichte, 1957; Rendez-vous in Ravenna (Nov.) 1960; Die Düppeler Chancen. Eine Erzählung aus dem Deutsch-Dänischen Krieg von 1864, 1974; Als Vater Soldat war. Erinnerungen eines deutschen Soldaten an die Heimat, niedergeschrieben 1944–46 während seiner Kriegsgefangenschaft in Nordamerika, 1975; Hans Holtorf. Maler in Schleswig-Holstein, 1976; Gerhart Bettermann, Maler in Schleswig-Holstein, 1977. **AS**

Hamberger, Georg Christoph, * 28. 3. 1726 Feuchtwangen/Franken, † 8. 2. 1773 Göttingen; Philol.- u. Philos.-Studium in Göttingen, 1747 Kustos d. Univ.-Bibl., 1755 a. o., 1763 o. Prof. f. Philos. u. Lit.gesch. sowie zweiter Bibliothekar in Göttingen.

Schriften: Dissertatio inauguralis de ritibus, quos Romana ecclesia a majoribus suis gentilibus in sua sacra transtulit, 1751; Disputatio de pretiis rerum apud veteres Romanos, 1754; Zuverlässige Nachrichten von den vornehmsten Schriftstellern, vom Anfange der Welt bis 1500, 4 Bde., 1756–64 (Auszug: 1766f.); A. Y. Gognet, Untersuchungen von dem Ursprung der Gesetze, Künste und Wissenschaften, 3 Tle., dt. 1760–62; Das gelehrte Teutschland oder Lexikon der jetztlebenden Teutschen Schriftsteller, 3 Bde. u. 2 Nachträge, 1767–70 (2., verm. u. verb. Aufl. 1772; 3., verm. Ausg., fortges. v. J. G. Meusel, 1776; 4., verm. u. verb. Ausg., 4 Bde. u. 4 Nachträge, 1783 bis 1791; 5. Aufl. mit Nachträgen u. Suppl., 23 Bde., 1796–1834; reprograph. Nachdr. d. 5.

Aufl. 1965f.); Directorium historicorum medii potissimum aevi ..., 1772.

Literatur: ADB 10, 471. **RM**

Hamberger, Julius, * 3. 8. 1801 Gotha, † 5. 8. 1885 München; n. Theol.-Studium in Erlangen 1825 Ordination, seit 1828 Religionslehrer und später Philol.-Prof. am Kadettenkorps u. an d. Pagerie in München. Religionsphilosoph u. Kulturhistoriker.

Schriften (Ausw.): Gott und seine Offenbarungen in Natur und Geschichte. Für alle Freunde christlicher Erkenntniß, 1839 (2., verb. Aufl. 1882); Lehrbuch der christlichen Religion ..., 1839 (2., umgearb. Aufl. 1864); Die Lehre des deutschen Philosophen Jakob Böhme in einem systematischen Auszuge aus dessen sämmtlichen Schriften ..., 1844; Grundriss der Geschichte der deutschen Prosa und Poesie, 1947 (2., verm. Aufl., hg. F. Beck, 1866); Zur tieferen Würdigung der Lehre Jakob Böhme's, 1855; Die Fundamentalbegriffe von Franz Baader's Ethik, Politik und Religions-Philosophie, 1858; Christenthum und moderne Cultur. Studien, Kritiken und Charakterbilder, 3 Tle., 1863–75; Physica sacra oder Der Begriff der himmlischen Leiblichkeit ..., 1869; Das Licht der geschichtlichen Mittheilungen aus Johannes von Müllers Werken, 1870; Die biblische Wahrheit in ihrer Harmonie mit Natur und Geschichte ..., 1877; Erinnerungen aus meinem Leben. Nebst einigen kleinen Abhandlungen, 1883.

Übersetzer- und Herausgebertätigkeit: F. C. Oetinger, Selbstbiographie (Vorw. G. H. v. Schubert) 1845; Ders., Biblisches Wörterbuch (mit Anmerkungen u. Reg., Vorw. G. H. v. Schubert) 1849; Ders., Die Theologie ... (mit Anmerkungen) 1852; Stimmen aus dem Heiligthum der christlichen Mystik und Theosophie, 2 Bde., 1857; J. Tauler, Predigten. Nach den besten Ausgaben in die jetzige Schriftsprache übertragen, 1864.

Nachlaß: Bayer. Staatsbibl. München. – Deneke 68.

Literatur: ADB 49, 789; RE 7, 375. **RM**

Hamberger, Julius Wilhelm, * 22. 7. 1754 Göttingen, † 8. 6. 1813 Irrenhaus St. Georgen b. Bayreuth; Sekretär, seit 1787 Sachsen-Gothaischer Rat u. Bibliothekar in Gotha, seit 1807 Bayer. Hofrat u. Bibliothekar in München. Setzte

A. B. Michaelis' «Vollständ. Gesch. d. Chur- u. Fürstl. Häuser in Teutschland» fort (3. Tl., 1785), Mitarb. d. «Gothaischen Gelehrten Ztg.», Red. d. «Gothaischen polit. Ztg.», Hg. d. «Gothaischen Hofkalenders» (seit 1790).

Schriften: Merkwürdigkeiten bey der römischen Königswahl und Kaiserkrönung, 1790 (2., verm. Aufl. 1791); Geschichte des blauen Hosenbandordens in England ..., 1791; Historisch-geographisches Handbuch ... für alle Zeitungsleser nützlich, 1793.

Nachlaß: Bayer. Staatsbibl. München. – Denekke 68.

Literatur: Meusel-Hamberger 3,68; 9,504;18, 34.   RM

Hambloch, Anton, †30.4.1708 Köln; stammte aus Zülpich b. Köln, Dr. theol. (Univ. Köln), Minister provincialis d. Conventual-Minoriten in d. Köln. Provinz.

Schriften: Hortulus sacrarum precationum variis et selectis orationibus, 1703.

Literatur: Adelung 2,1766.   RM

Hambruch, Paul, * 22.11.1882 Hamburg, †1. 7.1933 ebd.; Dr. phil., Abt.vorsteher am Museum f. Völkerkunde u. Privatdoz. an d. Univ. Hamburg.

Schriften (Ausw.): Nauru, 1914; Das Wesen der Kulturkreislehre. Zum Streite um Leo Frobenius, 1924; Die Irrtümer und Phantasien des Herrn Prof. Dr. Herman Wirth ... Verfasser von «Der Aufgang der Menschheit» und «Was heißt deutsch?», 1931; Ponape, 1932.

Übersetzer- u. Herausgebertätigkeit: Südseemärchen, 1916; Malaiische Märchen. Aus Madagaskar und Insulinde, 1922; Faraulip. Liebeslegenden aus der Südsee, 1924; B. Mörner, Tinara, 1924; J. F. O'Connell, Elf Jahre in Australien und auf der Insel Ponape. Erlebnisse eines irischen Matrosen in den Jahren 1822–33, 1930.   RM

Hambsch, Johanna (Ps. Hanspeter Moll), * 28. 6.1889 Siegen i. W.; Journalistin, wohnte in Bruchsal; Erzählerin, Lyrikerin.

Schriften: Von den singenden Brunnen des Lebens (Ged.) 1919; Aus dem Wunderland der suchenden Seele, 1919; Ave Maria (Ged.) 1920; Tierbilderbuch (mit D. Baum) 1923; Aus goldenen Kindertagen (Bilderb. mit C. Lauzil) 1923; Mein erstes Buch (Bilderb. mit D. Baum) 1923.

AS

Hamburger Jüngstes Gericht, entstanden Mitte 12. Jh. (?); als Bruchst. erhaltenes rheinfr. (?) Ged. in Langzeilen. Stellt dar, wie Jesus d. Welt richtet u. d. Menschen nach ihren Verdiensten scheidet. D. Darst. soll d. Zuhörer zu Beichte u. Buße anspornen. D. Hs. seit dem 2. Weltkrieg verschollen.

Ausgaben: A. H. HOFFMANN V. FALLERSLEBEN, H. (in: Fundgruben 2) 1837; W. WACKERNAGEL, Altdt. Lesebuch, /1873; A. LEITZMANN, Kleinere geistl. Ged. des 12. Jh. ²1929; F. MAURER, D. relig. Dg. d. 11. u. 12. Jh. 1, 1965; H. DE BOOR, DL I/1, 1965.

Literatur: VL 2,30, Ehrismann 2/1,133; de Boor-Newald 1/176. – W. SCHERER, Gesch. der dt. Dichtung im 11. u. 12. Jh., 1875; RENSCHEL, Unters. z. d. dt. Weltgerichtsdg. d. 11.–15. Jh. (Diss. Leipz.) 1896; DERS. D. dt. Weltgerichtsspiele d. MA u. d. Ref.zeit, 1906; G. GRAU, Quellen u. Verwandtsch. d. älteren german. Darst. d. jüngst. Gerichts, 1908; K. WESLE, Frühmhd. Reimstud., 1925; E. SCHRÖDER, Das ∼ (in: ZfdA 71) 1934; A. LEITZMANN, Lexikal. Probl. i. d. frühmhd. geistl. Dg. (in: AAB 18) 1941; U. SCHWAB, Z. Thema d. jüngsten Gerichts in d. mhd. Dichtg. (in: AION(T) 2 u. 4) 1959 u. 1961; C. SOETEMANN, Dt. geistl. Dichtg. d. 11. u. 12. Jh., 1963.   RR

Hamburger nd. Hs. → Hartebok.

Hamburger, Käte, * 21.9.1896 Hamburg; Studium d. Philos. u. Lit. in Berlin u. München, 1922 Dr. phil., bis 1932 Assistentin d. Philos. P. Hofmann in Berlin, 1934 Emigration zuerst n. Frankreich u. 1935 n. Schweden (Göteborg), 1956 Rückkehr n. Dtl., Habil. u. seit 1959 Prof. f. allgem. Lit.wiss. an d. Univ. Stuttgart.

Schriften (dt.): Schillers Analyse des Menschen als Gundlegung seiner Geschichts- und Kulturphilosophie (Diss. München) 1922; Novalis und die Mathematik: Studie zur Erkenntnistheorie der Romantik, 1929; Thomas Mann und die Romantik. Eine problemgeschichtliche Studie, 1932; Thomas Manns Roman «Joseph und seine Brüder», 1945 (2. Aufl. u. d. T.: Der Humor bei Thomas Mann. Zum Joseph-Roman, 1965); Leo Tolstoi. Gestalt und Problem, 1950 (2.,neubearb. Aufl. 1963); Die Logik der Dichtung, 1957 (2., veränd. Aufl. 1968); Von Sophokles zu Sartre. Griechische Dramenfiguren – antik und modern,

1962 (⁵1974); Thomas Mann, Das Gesetz, 1964; Philosophie der Dichter. Novalis, Schiller, Rilke, 1966; Rilke. Eine Einführung, 1976; Kleine Schriften (hg. U. MÜLLER u.a.) 1976; Wahrheit und ästhetische Wahrheit, 1979.

Herausgebertätigkeit: Deutsche Prosa und Lyrik (mit D. Bergmann) Stockholm 1934; Gestaltungsgeschichte und Gesellschaftsgeschichte ... (FS F. Martini, mit H. Kreuzer) 1969; Rilke in neuer Sicht, 1971.

Literatur: Probleme d. Erzählens in d. Weltlit. (FS z. 75. Geb.tag, hg. F. MARTINI) 1971.   RM

Hamburger, Maria → Seelhorst, Maria.

Hamburger, Michael, * 22.3.1924 Berlin; wanderte 1933 mit s. Familie nach England aus, studierte mod. Sprachen in Oxford, nach d. Krieg freier Schriftst. in London, später Doz. f. Germanistik an d. Univ. Reading, seit 1964 wieder freier Schriftst., 1966/67 u. 1969 Gastprof. in USA; lebt jetzt in England; hat u.a. Hölderlin, Hofmannsthal u. Baudelaire ins Englische übertragen, schrieb Lyrik u. wiss. Aufsätze in dt. u. engl. Sprache. Übersetzerpr. d. Bundesverb. d. Dt. Industrie 1963 u. d. Dt. Akad. f. Sprache u. Dg. 1964.

Schriften (ohne übersetzte): Zwischen den Sprachen. Essays und Gedichte, 1966.   AS

Hamecher, Peter (Ps. Paul Vois), * 30.1.1879 Lechenich bei Köln, † Juni 1938 Berlin; Dramaturg in Köln. Lyriker, Essayist, Feuilletonist, Erzähler u. Herausgeber.

Schriften: Zwischen den Geschlechtern (Erz.) 1901; entrechtet! Eine Apologie, nebst einer Gedichtfolge «Von der stillen Fahrt» und im Anhang «Gedichte eines Toten», 1906; Gedächtnis (Ged.) 1908; H. Eulenberg. Ein Orientierungsversuch, 1911; Bild und Traum (Ged.) 1913; Adele Gerhard (Ess.) 1918; Das Licht vom Großen König (Anthol., Hg.) 1918; Sankt Georgsthaler (Nov., Hg.) 1919; Novellen der Freundschaft (Hg.) 1919; Der Zauberwald, ein deutsches Märchenbuch (Hg.) 3 Bde., 1919; Das Volk steht auf (Anthol.) 1919; Voltaire Candide (Hg.) 1919; Sternberg, Braune Märchen (Hg.) 1919; Entformung und Gestalt. Gottfried Benn – Stefan George, 1932.   IB

Hamel, Adam, † 1592 Köslin, stammte aus Bahn/Pomm.; um 1570 Poesie-Prof. u. Prediger in Greifswald, seit 1582 Pastor u. Praepositus in Köslin. Geistl. Liederdichter, seine Lieder ersch. im Greifswalder Gesangbuch v. 1587 u. 1592.

Schriften: Oratio et historia de vita et morte D. David. Wilmanni ..., o. J.

Literatur: Jöcher 2, 1339; ADB 10, 473. – E. E. KOCH, Gesch. d. Kirchenlieds ... 2, ³1866; P. WACKERNAGEL, D. dt. Kirchenlied 5, 1877.

RM

Hamel, Margarete (Ps. Ilse Hamel, Ilse Waltraun), * 19.2.1874 Hildesheim; war Red. der «Jungdeutschlandpost», der «Schriftstellerin», Hg. d. Halbmonatsschr. «Dt. Frauenwarte» u. d. «Dt. Frau»; war Beauftragte f. Frauenfragen in d. Reichsschrifttumskammer, wohnte in Berlin.

Schriften: Vom Sturm umtost. Kriegsgedichte einer deutschen Frau, 1915; Danken und dienen. Gedichte aus schwerer deutscher Zeit, 1916; Deutsche Dichtung in Deutschlands Kriegen. Vortrags-Abend für die Jugendpflege, 1916.   AS

Hamel, Peter (Ps. Francis Pledge), * 7.12. 1911 Mannheim; Schauspieler u. Regisseur in München, Hamburg, Essen, Nürnberg, Stuttgart u.a., seit 1950 auch Film- u. Rundfunktätigkeit; verf. Bühnenstücke, meist ungedr., Film- u. Fernsehspiele, Hörspiele.

Schriften: Und was geschieht mit Nelly. Theaterstück (mit A. Schmidt) 1940.   AS

Hamel, Richard (Otto Werner Paul) (Ps. Omar Khajjam), * 12.9.1853 Potsdam, † 7.9.1924 Oldenburg; Studium d. Naturwiss., Philos. u. Lit. in Göttingen, München, Zürich u. Bern, Dr. phil., Lehrer in Helsinki, Journalist in Berlin u.a. Orten, seit 1903 freier Schriftst. in Oldenburg.

Schriften: Zur Textgeschichte des Klopstock'schen Messias (Diss. Rostock) 1878; Ein Wonnejahr. Dichtungen, 1879 (3., verm. Aufl. 1889; 4., verm. Aufl. u. d. T.: Zauber der Ehe, 1900); Klopstock-Studien, 3. H., 1879f.; Deutsche Lieder (mit H. E. Jahn) 1880; Epigrammatisches Lustgärtlein. Bismarck-Epigramme und anderes, 1881; Klopstocks Werke (hg.) 2 Bde., o. J.; Briefe von J. G. Zimmermann, C. M. Wieland u. A. v. Haller an Vincenz von Tscharner (hg.) 1881 (Nachdr. 1970); Mittheilungen aus Briefen der Jahre 1748–68 an Vincenz Bernhard von Tscharner (hg.) 1881; Aus Nacht und Licht (Ged.) 1885; Die reaktionäre Tendenz der weltsprachlichen Bewegung. Nebst Untersuchungen über

Wesen und Entwicklung der Sprache, 1889; Das deutsche Bürgertum unter Kaiser Wilhelm II. im Kampfe mit dem Junkerthum und seiner Gefolgschaft ..., 1890; Hannoversche Dramaturgie. Kritische Studien und Essays, 1900; Zwei Meister (Kom.) 1901; Des neuen Omar Khajjam Vierzeiler (1. Slg. u. d. T.: Mit schwarzen Segeln) 1912. (Außerdem ungedr. Bühnenstücke.)   RM

Hamelius Victorinus, um 1574; Verf. v. Ged. u. Hymnen, die v. sog. Anonymus Ravennatensis gg. 1585 gesammelt u. gekürzt wurden.

Ausgabe: Analecta Hymnica Medii Aevi (hg. G. M. Dreves, C. Blume) Bd. 42 u. 44, 1903 u. 1904.

Literatur: vgl. Ausg.; J. Szöverffy, D. Ann. d. lat. Hymnendg. 2, 1965.   RM

Hamelmann, Hermann, *1526 Osnabrück, † 26.6.1595 Oldenburg; humanist. Stud. in Köln u. Mainz, 1550 Pfarrer in Münster u. 1552 in Kamen, 1553 Konversion z. Prot., 1558 Lic. theol. Rostock, 1568 Generalsuperintendent in Gandersheim u. 1573–95 d. Oldenb. Gebiete. Geschichtsschreiber, Verf. v. ca. 85 theol. Schr., schuf 1573 mit N. Schnecker d. Kirchenordnung f. Oldenburg.

Schriften (Ausw.): De sacerdotum conjugio, 1552; De autoritate synodarum, 1554; De traditionibus apostolicis veris ac falsis, 1555; De quibusdam Westphaliae viris scientia claris, 1563; Illustrium Westphaliae virorum libri 6, 1564; De traditionibus apostolicis et tacitis, 1568; De Paedopabtismo, 1572; Historica ecclesiastica, 2 Tle., 1586f.

Ausgaben: Opera genealogica-historica de Westphalia et Saxonica (hg. E. C. Wasserbach) 1711; Geschichtliche Werke (hg. H. Detmer, K. Löffler, G. Rüthning) 3 Bde., 1902–40 (Bibliogr. im 2. Bd.); H. H.'s Religionsgespräch zu Düsseldorf am 14. August 1555 (aus d. Lat. übers. v. W. Rotscheidt in: Monatsh. f. rhein. Kirchengesch. 3) 1909.

Literatur: Jöcher 2, 1340; Ersch-Gruber II.2,8; ADB 10,474; NDB 7,585; RGG ³3,49; RE 7, 385; LThK 4,1338; Schottenloher 1,323. – A. E. Rauschenbusch, ~s Leben, 1830; E. Knodt, ~ (in: Jb. d. ev. Kirchengesch. d. Grafschaft Mark) 1899; K. Löffler, ~ (in: Westf. Lbb. 4) 1933; E. Thiemann, D. Theol. ~s (Diss. Münster) 1958.   RM

Hamer, Gertrud → Kennicott, M. B.

Hamer, Isabel (Ps. für Isabel Leins, geb. Hamer), *15.3.1912 Berlin; Tochter v. Gertrud H. (Ps. M. B. Kennicott), Gattin d. Verlegers Hermann Leins (1899–1977), wohnt in Reutlingen. Erzählerin, Übersetzerin.

Schriften: Perdita (Rom.) 1938; Vor so viel Sommern (Rom.) 1952; Bäume in meinem Leben (Erz.) 1954; Daphne Du Maurier, Kehrt wieder, die ich liebe. Roman meiner Familie (Übers.) 1954; dies., Gerald. Der Lebensroman meines Vaters (Übers.) 1955.   AS

Hamerle, Andreas, *25.2.1837 Nauders/Tirol, † 29.3.1930 Philippsdorf/Böhmen; 1860 Eintritt in d. Redemptoristenorden, 1863 Priesterweihe, 1880–94 Provinzial. Gründer vieler Kollegien, Missionar, Berater Kardinal Gruschas v. Wien, Homilet u. Volksschriftsteller.

Schriften (Ausw.): Licht oder Irrlicht? 1896; Ecce panis angelorum! Oder das allerheiligste Altarsakrament und der Priester (Vorträge) 1896 (2., verb. Aufl. 1907); Religion und Brot! (6 Vorträge) 1897; Trau, schau, wem! Ein Wort der Liebe an die christlichen Arbeiter und ihre wahren Freunde, 1897; Christus und Pilatus ... Sieben Vorträge über die religiöse Gleichgiltigkeit, 1899; Die katholische Kirche am Ende des 19. Jahrhunderts, 1899; Luther und sein Werk ..., 1900; Mutter oder Stiefmutter ..., 1902; Ein Stück ins Herz der österreichischen Katholiken ... 1905; Die neue Türkengefahr für Ost oder Der Ansturm gegen die Unauflösbarkeit der Ehe, 1905; Das Versuchskaninchen oder Das Kind und der Verein «Freie Schule», 1906; Zyklus religiöser Vorträge für das Kirchenjahr, 3 Bde., 1906–10 (2. Zyklus, hg. A. Schön, 2 Bde., 1928/30); Geschichte der Päpste volksthümlich erzählt, 1907 bis 1909; Das große Gebot der Liebe und der Priester, 1913; Die Schmerzensmutter unsere Trösterin. Betrachtungs- und Andachtsbüchlein für katholische Christen, 1920; Herodes und sein Nachtrab (Predigten) 1928.

Literatur: ÖBL 2,163. – A. Pichler, ~, e. Charakterbild, 1934; E. Hosp, Erbe d. hl. Klemens Maria Hofbauer, 1953.   RM

Hamerling, Robert (eigentl. Rupert Johann Hammerling), *24.3.1830 Kirchberg am Walde/ Niederöst., † 13.7.1889 Stifting b. Graz, Sohn des Webers u. Häuslers Franz H., 1840 Sängerknabe d. Zisterzienser-Stifts Zwettl, 1844 Schottengymnasium in Wien, Freundschaft mit Anton Bruckner u. a., seit 1848 Philos.- u. Philol.studium in Wien (Mitgl. d. «Akadem. Legion»), 1852 Hilfsschullehrer in Wien u. Graz, 1854 Lehramtsprüfung, 1855 Gymnasiallehrer in Triest, seit 1866 im Ruhestand, Übersiedlung n. Graz, wo er sich d. «Stiftinghaus» baute u. seine literar. Tätigkeit fortsetzte; Freundschaft mit Peter Rosegger, lit. Beziehungen zu Anastasius Grün u. a. Epiker, polit. Satiriker, auch Lyriker, Dramatiker, philos. Schriftsteller.

Schriften: Ein Sangesgruß vom Strande der Adria, 1857; Venus im Exil, 1858; Sinnen u. Minnen. Ein Jugendleben in Liedern, 1859; Ein Schwanenlied der Romantik, 1862; Germanenzug. Canzone, 1862; Ahasverus in Rom (Dg.), 1866; Der König von Sion. (Episches Gedicht), 1869; Gesammelte kleinere Dichtungen, 1871; Danton u. Robespierre (Tr.) 1870; Teut. Ein Scherzspiel, 1872; Die sieben Todsünden (Ged.) 1873; Aspasia. Ein Künstler- u. Liebesroman aus Alt-Hellas, 3 Bde., 1876 (8. Aufl. 1910); Lord Luzifer (Lsp.) 1880; Die Waldsängerin. Novelle, 1880; Amor u. Psyche (Dg.) 1882; Blätter im Winde. Neuere Gedichte, 1887; Homunkulus (Mod. Epos) 1888; Stationen meiner Lebenspilgerschaft, 1889; Hamerling-Album, 1889; Lehrjahre der Liebe. Tagebuchblätter u. Briefe, 1890; Die Atomistik des Willens, 2 Bde., 1891; Prosa, Skizzen, Gedenkblätter u. Studien. Neue Folge, 2 Bde., 1891; Letzte Grüße aus Stiftinghaus. Lyrischer Nachlaß, 1894; Was man sich in Venedig erzählt. Nach italienischen Quellen, 1894; Ungedr. Briefe, 4 Bde., 1897–1901; Eutychia oder Die Wege der Gleichgültigkeit (Lyr.-didakt. Gedicht aus dem Jahr 1845, hg. M. Vancsa) 1900; Ahasver in Rom (Bühnenbearb. J. Horst) 1900; Die Märtyrer. (Dr., hg. M. M. Rabenlechner) 1901; Ralph und Blanka und andere Erzählungen, 1909.

Übersetzertätigkeit: G. Leopardi, Gedichte, 1866; D. Ciampoli, Sylvanus, 1882; Hesperische Früchte, Verse und Prosa aus dem modernen Italien, 1884.

Herausgebertätigkeit: A. Guzmann, Erinnerungen an den italienischen Feldzug 1859, 1864; J. Leitenberger, Efeu (Ged.) 1870; Das Blumenjahr im Bild und Lied, 1881.

Ausgaben: Werke, Volksausgabe, 4 Bde. (hg. M. M. Rabenlechner) 1900; Sämtliche Werke, 16 Bde. (hg. M. M. Rabenlechner) 1911.

Nachlaß: Landesbibl. Graz; briefl. Nachlaß: Öst. Nationalbibliothek. – Frels 114.

Literatur: ADB 49, 336; NDB 7, 585. Albrecht-Dahlke II, 1, 706; W. Ritzer, ∼. Bibliogr. E. geisteswiss. Dokumentation (in Biblios 7, Sonderheft Niederösterr.) 1958. – C. Landsteiner, H. Makart u. ∼, 1873; F. Scheichl, ∼, 1888; K. E. Kleinert, ∼, 1889; J. Allram, Aus d. Heimat ∼s, 1890; A. Möser, Meine Beziehungen zu ∼, 1890; P. Rosegger, Persönl. Erinnerungen an ∼, 1890; E. v. Gnad, Über ∼s Lyrik, 1891; V. Knauer, ∼ gg. d. Pessimismus Schopenhauers u. Hartmanns, 1892; T. Halusa, ∼, 1901; B. Bruckner, ∼ als Erzieher, 1893; M. M. Rabenlechner, ∼s Jugend, 1896; ders., D. ersten poet. Versuche ∼s, 1896; ders., ∼, d. Nationale, 1896; ders., ∼s Triester Programmaufsätze, 1900; E. Schmidt, ∼ (in: E. S., Charakteristiken 2) 1900; N. Sevenig, D. Grundidee in ∼s König v. Sion, 1902; F. Weidling, Drei dt. Psychedg., 1903; J. Allram, ∼ im Waldviertel, 1912; A. Altmann, ∼s Weltanschauung, 1914; E. Jürries, ∼s Weltanschauung u. Philos., 1915; M. M. Rabenlechner, Wien in d. Tagebüchern u. ∼s, 1916; H. Glasenwald, Ideal u. Wirklichkeit in d. Jugendleben u. d. Jugenddg. ∼s, 1925; F. Lemmermayer, Erinnerungen an ∼, 1929; F. Röttger, D. innere Erlebnisgehalt in ∼s König von Sion, 1931; R. Steiner, ∼, 1939; E. Abma, Sokrates in d. dt. Lit., Nymwegen 1949; E. H. Schindler, ∼s Versepos «D. König v. Sion» (Diss. Wien) 1950; F. Koch, ∼ (in: F. K., Idee u. Wirklichkeit) 1956; A. Hofman, Unbekannte Briefe öst. Dichter (in: Philologica Pragensia 2) 1959; W. Hof, Der Weg zum heroischen Realismus, 1974; P. Klimm, Zw. Epigonentum u. Realismus. Stud. z. Gesamtwerk ∼s, 1974; D. Goltschnigg, Realist. Intentionen im hist. Revolutionsdr. (in: ÖGL 19) 1975; P. Klimm, Von ∼ zu Hitler (ebd.) 1975.   HD

Hamik, Anton, * 1887 Wien, † 4. 2. 1943 ebd.; Schauspieler, u. a. längere Zeit an d. Städt. Bühnen in Graz.

Schriften: Die lustige Wallfahrt. Ein lustiges Spiel aus den Bergen ..., 1935; C. Goldoni, Der Lügner (frei bearb.) 1936; Der Pflaumenkrieg. Lustiger Streit um eine beinahe ernsthafte Sache in sieben Bildern, 1936; Der Bauernkalender ..., 1938; Der verkaufte Großvater. Bäuerliche Groteske, 1941 (Neuausg. 1948); 's Härz am rächte Fläck (Lsp., Dialektbearb. E. Gassmann) 1950.

Literatur: Theater-Lex. 1, 685.   RM

Hamkens, Emilie, geb. Kirch, * 23. 1. 1852 Wesel/Rhein † 2. 10. 1933 (Oster-) Husum; Tochter e. Kaufmanns, verh. 1870 mit d. Landwirt Wilhelm H., lebte in Engelsruh bei Husum; Erzählerin.

Schriften: Wente Frese. Roman aus Alt-Husum und dem Wattenmeer, 1903; Die Tochter des Styresmann's Fuko. Eine altfriesische Geschichte, 1927.   AS

Hamle → Christian von Hamle.

Hamlet, P. P. → Genée, Rudolf.

Hamm, Harry, * 9. 12. 1922 Amsterdam, † 18. 4. 1979 Köln; Sohn dt. Eltern, Studium d. Volkswirtschaft in Amsterdam, bis 1949 in russ. Kriegsgefangenschaft, Studium d. Politol. u. Soziol. in Frankfurt, Sprachstudien in Perugia u. Montpellier, dann Journalist (seit 1959 Red. d. «Frankfurter Allgem. Ztg.». Sachbuchautor.

Schriften (Ausw.): Rebellen gegen Moskau. Albanien-Pekings Brückenkopf in Europa, 1962; Das rote Schisma (mit J. Kun) 1963; Das Reich der 700 Millionen. Begegnung mit dem China von heute, 1965 (4., überarb. Aufl. 1978); China öffnet seine Tore, 1972.   RM

Hamm, Peter, * 27. 2. 1937 München; Red. b. Bayer. Rundfunk in München, Literaturkritiker. Lyriker, Essayist, Übersetzer, Drehbuchautor u. Herausgeber.

Schriften: Sieben Gedichte, 1958.

Herausgeber- u. Übersetzertätigkeit: Licht hinterm Eis. Junge schwedische Lyrik von 1900–1957 (Ausw. u. Übers., mit S. G. Schönberg) 1957; A. Lundkvist, Eine Windrose für Island (Übers., mit andern) 1962; A. Lundkvist, Gedichte, 1963; Aussichten. Junge Lyriker des deutschen Sprachraums vorgestellt von P. H., 1966; Kritik, von wem, für wen, wie? Eine Selbstdarstellung deutscher Kritiker, 1968; Ch. Caudwell, Bürgerliche Illusion und Wirklichkeit. Beiträge zur materialistischen Ästhetik, 1971; Jesse Thor, Gedichte, 1975.

Literatur: L. ROMAIN, G. SCHWARZ (Hg.), Abschied v. d. autoritären Demokratie? D. Bundesrepublik im Übergang, 1970; K. H. BOHRER, D. gefährdete Phantasie, oder Surrealismus u. Ter-

ror, 1970; Selbstanzeige. Schriftst. im Gespräch (Hg. W. KOCH) 1971.   AS

Hamm, Richard-J. (Ps. Richard Lindlar), * 13. 8. 1879 Wesel; lebte in Hamburg; Erzähler.

Schriften: Die Spionin und andere Erzählungen, 1930.   AS

Hamm, Wilhelm (Philipp, seit 1870: von) (Ps. Philipp Emrich), * 5. 7. 1820 Darmstadt, † 8. 11. 1880 Wien; Studium an d. landwirtschaftl. Akad. in Hohenheim b. Stuttgart, Studium d. Chemie u. Naturwiss. in Gießen, 1843 Prof. d. Chemie u. Landwirtschaft in Hofwyl/Kt. Bern, 1844 Schuldir. in Rütihobel b. Bern, 1845 Dr. phil., 1851–64 Leiter e. Fabrik in Eutritzsch b. Leipzig, seit 1867 Ministerialrat u. Leiter d. Departements f. Landwirtschaft in Wien, 1868 Übertritt ins Ackerbauministerium. Red. d. Leipziger «Agronom. Ztg.» (1847–69) u. seit 1868 d. Landwirtschaftsztg. d. «Neuen Freien Presse» in Wien, Chefred. d. landwirtschaftl. Ws. d. Ackerbauministeriums (1869 ff.).

Schriften (außer fachwiss.): Emanuel Fellenberg's Leben und Wirken, zur Erinnerung für seine Freunde, Schüler und Verehrer, 1845; Die Schweiz. Topographisch, ethnographisch und politisch, 2 Tle., 1847 f.; Freischaar-Novellen. Schilderungen und Episoden aus einem Kriegszug in Schleswig-Holstein, 1850; Die Thierwelt und der Aberglaube. Ein Lesebuch für Jedermann, 1852; Shelley (biogr. Skizze) 1858; Südöstliche Steppen und Städte. Nach eigener Anschauung geschildert, 1862; Lust, Lob und Trost der edlen Landwirthschaft. Lieder- und Lebensbuch für den Landwirth in einer Auswahl von deutschen Gedichten, 1862; Das Ganze der Landwirthschaft in Bildern. Ein Bilderbuch zur Belehrung und Unterhaltung für Jung und Alt, Groß und Klein, 1886 f.; Gedichte, 1869; Aus weiten Meeren. Fahrten und Abenteuer eines deutschen See-Offiziers [A. v. Herrmann] (hg.) 1872 (Neuausg., 6 Bde., 1912); Landwirthschaftlicher Geschichtskalender auf alle Tage des Jahres, 1877; Die Habsburg-Lothringer in ihren Beziehungen zur Bodencultur ..., 1879; In der Steppe. Jagdfahrten und Eindrücke in Südrußland, 1880.

Ausgaben: Gesammelte kleine Schriften (hg. L. PRIBYL) 2 Bde., 1881; Jugenderinnerungen (bearb., eingel. u. hg. K. ESSELBORN) 1926.

Literatur: NDB 7, 587; ÖBL 2, 164.   RM

Hamm-Brücher, Hildegard, * 11.5.1921 Essen/Ruhr; Chemie-Studium in München u. in d. USA, Red. versch. Ztg., 1950–66 u. seit 1970 Mitgl. d. Bayer. Landtags, 1967–69 Staatssekretärin im Hess. Kultusministerium, 1969–72 Staatssekretärin im Bundesministerium f. Bildung u. Wiss., 1976f. Parlamentar. Staatssekretärin d. Auswärtigen Amtes in Bonn. Mit-Hg. d. Zs. «liberal».

Schriften (Ausw.): Lernen und Arbeiten. Berichte über das sowjetische Schul- und Bildungswesen, 1965; Aufbruch ins Jahr 2000 oder Erziehung im technischen Zeitalter, 1968; Gegen Unfreiheit in der demokratischen Gesellschaft, 1968; Bildung ist kein Luxus, 1976.   RM

Hammacher, Gustav Hans, * 4.7.1928 Essen; wohnt in Dorsten; Erzähler, Film- u. Hörspielautor.

Schriften: Der Musterschüler. Heiterer Roman, 1965.   AS

Hammacher, Rudolf, * 17.8.1528 Osnabrück, † 19.4.1594 ebd.; n. Studium in Erfurt u. Wittenberg Kaufmann, 1556 Gildemeister d. Krameramtes, 1558 Ratsherr u. 1565–87 Bürgermeister in Osnabrück. Hexenjäger, Verf. d. Osnabrücker «Legerbuchs» (v. 1397–1574 reichende Slg. v. Ordnungen u. Satzungen.)

Ausgabe: Das Legerbuch des Bürgermeisters R.H. zu Osnabrück (hg. E. FINK) 1927.

Literatur: ADB 49,747; NDB 7,589. – F. LODTMANN, D. letzten Hexen Osnabrücks u. ihr Richter (in: Mitt. d. Hist. Ver. z. Osnabrück 10) 1875; E. FINK (siehe Ausg.) 1927.   RM

Hammann, Otto, * 23.1.1842 Blankenhain b. Weimar, † 18.6.1928 Berlin; n. Studium d. Rechte (1875 Dr. jur.) Referendar in Weimar, Später Red. v. «Schorers Familienbl.», d. «Neuesten Mitt.» u. d. «Dt. Tagebl.» in Berlin. 1894 Pressereferent u. später Ministerialdir. im Auswärtigen Amt.

Schriften: Offener Brief an Herrn Hessler, Director des Stadttheaters in Straßburg im Elsaß, 1878; Zur Rettung Lessings, 1881; Die deutschen Standesherren und ihre Sonderrechte, 1888; Was nun? Zur Geschichte der socialistischen Arbeiterpartei in Deutschland, 1889; Die kommunistische Gesellschaft. Lehren und Ziele

der Socialdemokratie, 1891; Erinnerungen, I Der neue Kurs, II Zur Vorgeschichte des Weltkrieges, III Um den Kaiser, 1918f.; Der mißverstandene Bismarck. Zwanzig Jahre Deutscher Weltpolitik, 1921; Bilder aus der letzten Kaiserzeit, 1922; Deutsche Weltpolitik 1890–1912, 1925.

Nachlaß: Dt. Zentralarch. Potsdam; Bundesarch. Koblenz; Polit. Arch. d. Auswärtigen Amtes Bonn. – Mommsen Nr. 1416.

Literatur: NDB 7,589. – F. HEILBRON, ∼ (in: Dt. Biogr. Jb. 10) 1931; W. VOGEL, D. Organisation d. amtl. Presse- u. Propagandapolitik d. dt. Reiches v. d. Anfängen unter Bismarck bis ... 1933, 1941.   RM

Hamme, Meinhart (Meinrich, Meinrat) von, 16. Jh.; als Landsknechtsoffizier u.a. Teilnahme am Zug n. Norwegen unter Christian II. (1531), Verf. d. Landsknechtsliedes «Eyn nye ledt wy henen an» (abgedr. bei K. Goedeke, «konink Ermenrîkes dôt», 1851 u. bei Liliencron.

Literatur: ADB 10,480; Goedeke 2,296.   RM

Hammel, Claus, * 4.12.1932 Parchim/Meckl.; seit 1950 kulturpolit. Arbeit in Berlin (Ost), dann Pressearbeit: Theaterkritiker, Red. d. NDL; seit 1968 künstler. Mitarbeiter d. Leitung d. Volkstheaters Rostock u. d. Dt. Theaters Berlin. 1968 Lessing-Preis; Dramatiker.

Schriften: Hier ist ein Neger zu lynchen (Neufass. des Schausp. «Straßenecke» von H.H. Jahnn) 1958; Fischerkinder. Stück in acht Bildern, mit einem Vorspiel und einem Nachspiel. Frei nach Motiven aus dem Roman «Die Hochzeit von Länneken» von Herbert Nachbar. Musik von W. Bayer, 1962; Frau Jenny Treibel oder Wo sich Herz zum Herzen find't. Berliner Komödie in vier Akten. Nach Motiven von Th. Fontane, 1964; Um neun an der Achterbahn. Stück in sieben Bildern, 1966; Ein Yankee an König Artus' Hof. Ein Spiel nach alten Quellen, 1967; Komödien (Teilslg.) 1969; Le Faiseur oder Warten auf Godeau (Kom. nach Balzac) 1972; Rom oder Die zweite Erschaffung der Welt (Kom.) 1976.

Literatur: Albrecht-Dahlke II, 2,284. – J. BÖHME, Interview mit ∼ (in: WB 15) 1969; DIES., Metamorphose e. Dramatikers (in: ebd.) 1969; F. RÖDEL, ∼ (in: Lit. d. DDR in Einzeldarst., hg. H.J. GEERDTS) 1972.   AS

Hammelburger Markbeschreibung, im Jahr 777 entst. Urkunde (überl. in e. unter Hraban hergestellten Abschr. v. 830), welche d. Grenzen d. Schenkung in Hammelburg festlegt, die Karl d. Große d. Kloster Fulda gemacht hatte. D. Formular d. Urkunde ist lat., aber in d. Beschreibung d. Grenzverlaufes kommen über d. Ortsnamen hinaus dt. Wendungen vor.

Ausgaben: Braune-Ebbinghaus; E. MÜHLBACHER, A. DOPSCH u. a., Die Urkunden Pippins ... u. Karls des Großen 1906 (Nachdr. 1956).

Literatur: de Boor-Newald 1, 36. − E. MÜHLBACHER u. a. (vgl. Ausg.); G. BAESECKE, Hrabans Isidorglossierung, Walahfrid Strabus u. d. ahd. Schrifttum (in: ZfdA 58) 1921; K. LÜBECK, D. Fuldaer Mark Hammelburg (in: K.L., Fuldaer Stud. 2) 1950; E. ULBRICHT, «Beraht» in d. Personennamen d. frühen Urkunden d. Klosters Fulda (in: PBB Halle 82) 1960/61.   RM

Hammelehle, Anny → Demling, Anny.

Hammelrath, Willi, * 13.4.1893 Ronsdorf b. Wuppertal; Dr. phil., 1945−55 Leiter d. Pädagogiums Bad Sachsa u. d. Arbeiterhochschule Oberhausen/Rhl.; viele Auslandsreisen.

Schriften: Heimabende, 1924; Rußland. Der Aufbruch eines Volkes, 1927; Ebba Pauli, Der Eremit (Übers.) 1930; Weltstraßen und Weltpfade (mit M. Hammelrath) 1937; Kleine Dinge am Weg. Wanderung in Österreich, 1937; Von Leistung, Tat und Wirken. Geheimnisse, 1946; Von der Menschenkenntnis, 1947; Auf dem Wege. Der Jugend und allen, die sie lieben, 1947; Jugend begegnet sich. Stimmen zur Gemeinschaftsarbeit Deutscher Jugend (Hg.) 1950; Volksbildung, Arbeiterbildung, 1954.   AS

Hammenstede, Barthold, 15.Jh., Gandersheim. Magister u. Baccalaureus d. Heil. Schrift, von ihm Predigtauszüge in d. Wolfenbütteler Hs. Novi 785 überliefert.

Literatur: VL 2,157. − C. BORCHLING in: Nachr. der Gött. Gesch. der Wiss., Phil.-hist. Kl., 1902, Beiheft.   RR

Hammer, Bonaventura, * 24.6.1842 Durnersheim/Baden, Todesdatum u. -ort unbekannt; kam im Alter v. 4 Jahren n. Amerika, Eintritt in d. Franziskanerorden, später Pfarrer in Lafayette/Indiana.

Schriften: Leben des heiligen Franziskus, 1867; L. Wallace, Ben Hur. Eine Erzählung aus der Zeit Christi (frei n. d. Engl. bearb.) 2 Bde., 1887f.; Herz Jesu-Grüße (Ged.) 1890; Der Apostel von Ohio. Ein Lebensbild des hochwürdigen Ed. Dominik Fenwick ... ersten Bischofs von Cincinnati, Ohio ..., 1890; Die Franciscaner in den Vereinigten Staaten Nordamerikas. Von der Entdeckung durch Columbus bis auf unsere Zeit, 1892; Prologe, Gratulationen und Gelegenheitsgedichte, 1892; Columbus. Für deutschamerikanische Jugendbühnen bearbeitet, 1892; Geisterspuk und Aberglaube. Für deutsch-amerikanische Jugendbühnen bearbeitet (Schw.) 1892; Bilder aus dem Leben Jesu, 1892; Herr und Diener. Für deutsch-amerikanische Jugendbühnen bearbeitet (Schw.) 1892; Die heilige Familie ..., 1893; Gott, Christus und die Kirche. Erklärende Abhandlungen, Widerlegungen von Einwürfen und Beispiele, ²1908; Der heilige Nothelfer. Maria, die Hilfe der Christen ..., Unterweisungen, Legenden, Novenen und Gebete, ²1909.

Literatur: Theater-Lex. 1,686.   RM

Hammer, Carla, * 27.7.1905 Leipzig, † 13.6.1966 Machern/Sachsen; Malerin, lebte in Amsterdam, dann in Machern. Jugendbuchautorin.

Schriften: Pepino. Eine Erzählung für die Jugend, 1935 (1942 u.d.T.: Der kleine Pepi); Pepino und Meister Häberlein. Die Geschichte einer guten Wanderschaft, 1940; Der Kuchenbäcker von Amsterdam. Die Geschichte eines gewagten Unternehmens, 1943; Familie Stiefel und ihre Freunde. Erzählung aus Amsterdam, 1949.   AS

Hammer, Ernst, * 17.6.1877 Marienfeld b. Marienwerder/Westpr., † um 1949 Flensburg; Studium in Berlin u. Königsberg, Studienrat, Prof. in Flensburg. Dramatiker, Lyriker, Novellist.

Schriften: Savonarola (Tr.) 1899; Der tote Gott (Märchen u. Ged.) 1908; Der Gekreuzigte (Dr.) 1911; Die Sünde (Dr.) 1912; York (Dr.) 1913; Arminius' Tod, 1913; Karl und Wittekind, 1914; Kriegsbilder in Feldpostbriefen, 1915; Der König von Vineta (Dr.) 1917; Klytämnestra (Dr.) 1919; Das Marienburger-Festspiel, 1924; Gustav Krause (Schulkom.) 1924; Der arme Heinrich (Dr.) 1924; Bartholomäus-Blume (Ordensfestsp.) 1928; Heinrich von Plauen (Dr.) 1932; Tannberg, eine deutsche Passion, 1932; Stralsund und der Herzog von Friedland. Stralsunder Marktfestspiel, 1934.   IB

Hammer, Ernst, * 24. 3. 1924 Stanz/Mürztal; Lektor in Graz; Erzähler, Hörspielautor. Peter Rosegger-Preis d. Landes Steiermark 1969.

Schriften: Wanns dumpa wird. Steirische Geschichten, 1950; Petelka kommt heim (Nov.) 1952; Staub unter der Sonne (Rom.) 1960; Regen am Nachmittag (Erz.) 1962; Ramint. Roman eines vorsichtigen Lebens, 1965; Ein Augenblick der Schwäche (Erz.) 1977.

Literatur: N. LANGER, ~ (in: N.L., Dichter aus Öst. 5) 1967.   AS

Hammer, Franz, * 24. 5. 1908 Kaiserslautern; Arbeiterkind, aufgewachsen in Eisenach, 2 Jahre Studium in Berlin, aktiv in d. Roten Studentengruppe, ab 1930 Betätigung in d. Roten Sportbewegung, Mitarbeit in der linken Presse, 1933 Haft, danach ständige Überwachung durch d. Gestapo, n. 1945 rege kulturpolit. Tätigkeit in der DDR, Verlagslektor in Weimar, Dramaturg in Eisenach, seit 1971 Generalsekretär der Dt. Schillerstiftung; lebt als freischaffender Schriftst. in Tabarz/Thür. Wald. Vorwiegend Erzähler.

Schriften: Aufbruch. Sprechchöre, 1929; Es wird Frühling ... (Nov.) 1938; Gerichtstag (Nov.) 1938; Phosphor (Nov.) 1946; Die Enthüllung (Erz.) 1947; Der Mann mit der Schmarre und andere Erzählungen, 1950; Die Wittichen (Erz.) 1951; Freistaat Gotha im Kapp-Putsch. Nach Dokumenten und Erinnerungen alter Mitkämpfer, 1955; Theodor Neubauer. Ein Kämpfer gegen den Faschismus, 1956 (2., bearb. Aufl. 1967, 3., erg. Aufl. 1970); Rings um den Inselsberg (Bildrep.) 1958 (3. bearb. Aufl. mit W. Pritsche, 1968); Im Elbstromtal. Eine Reportage, 1963; Martin Andersen Nexö. Sein Leben in Bildern, 1963; Traum und Wirklichkeit. Die Geschichte einer Jugend, 1975.

Herausgebertätigkeit (Ausw.): Hermann Stehr und das junge Deutschland. Bekenntnis zum 75. Geburtstag des Dichters, 1939; Thüringer Volkskalender, 1947–50; K. Liebknecht, Briefe an seinen Sohn Helmi, 1947; J. G. Seume, Von Pferden, Söldnern und Wilden (Werke, Ausz.) 1947; Der bunte Kranz. Märchen aus aller Welt, 1948; Freiheit. Geschichten aus aller Welt,

1948; J. G. Seume, Treibt die Furcht aus! (Werke, Ausz.) 1948; H. Heine, Ich bin das Schwert, ich bin die Flamme (Ausw.) 1949; Das Lied der Freiheit (Lyrik-Anthol.) 1949; Leben ist ein Befehl. Eine Anthologie junger Autoren, 1955; Gottfried-Keller-Brevier (Werke, Ausz.) 1963; Der junge Gottfried Keller (Werke, Ausz.) 1970.

Literatur: Albrecht-Dahlke II, 2, 284; Bibliogr. z. 60. Geb.tag d. dt. Schriftst. u. Publizisten ~ (Bibliogr. Kalenderblätter F. 5) 1968.   AS

Hammer, Georg Friedrich, * 1694 Eilenburg, † 1751 Rabenau; Theol.-Studium in Wittenberg, seit 1731 Pfarrer in Rabenau.

Schriften: De Apotheosi a Stoicis affectata, 1715; Schediasma, von Hoch- und Wohlerwürdigen Priester-Vätern, 1724; Nachricht von den Freunden Lutheri, vornehmlich aber von dem bekannten Bartholomäus Riesenbergen, 1728; Erneuertes Andenken der Rabenauischen Pastorum von 1539 bis 1741, 1742.

Literatur: Adelung 2, 1771.   RM

Hammer, Gertrud (Ps. Gertrud Hammer-Seelmann), * 4. 4. 1894 Halle/Saale; Tochter d. Red. Theo Seelmann in Stuttgart, seit 1919 verh., lebt in Stuttgart-Kaltental; Verf. von Erz., Rom. und Skizzen.

Schriften: Die Gemeinschaft der Freunde (Rom.) 1931; Die große Lüge der kleinen Brigitte (Rom.) 1933; Hallo, Helga in Gefahr! (Rom.) 1934; Die Näherin vom Ried (Rom.) 1934; Die fünf Frauen des Rats (Rom.) 1934; Die Flucht des Gerd Ramdahl (Rom.) 1935; Hella Heimbergers Wandlung (Rom.) 1935; Wettlauf ums Leben (Rom.) 1935; Sieben suchen eine Mutter (Erz.) 1939; Das Leben ruft (Mädchenrom.) 1940; Das erste Stück (Erz.) 1940; Ein glücklicher Einfall (Erz.) 1942; Achtzehn auf vier Rädern (Rom.) 1949; Ich lebe mein Leben (Rom.) 1950; Im Malerhäusle am Bodensee (Erz.) 1955; Lied meiner Seele (Rom.) 1955; Komm wieder, Sybille (Nov.) 1955; Nellys glücklicher Einfall (Erz.) 1956; Tolle Geschichten am Bodensee (Jgd.erz.) 1956; Das Glück der Oldmanns. Ein heiterer Familienroman, 1957; Dem Glück entgegen. Der Weg einer Bewährung, 1958; Heimlicher Abschied (Rom.) 1960.   IB

Hammer, Hella → Ramberg, Ada.

Hammer, (Friedrich) Julius, * 7.6.1810 Dresden, † 23.8.1862 Pillnitz b. Dresden; Studium d. Rechte, Philos. u. Philol. in Leipzig, 1834–51 Schriftst. u. Journalist in Leipzig u. Dresden, 1851 Feuill.-Red. d. Dresdener «Constitutionellen Ztg.».

Schriften: Adlig und bürgerlich (Nov.) 1838; Leben und Traum (Nov.) 2 Bde., 1839; Stadt- und Landgeschichten, 2 Bde., 1845 f.; Schau um dich und schau in dich. Dichtungen, 1851; Die Familie und ihr Einfluß auf die Gesellschaft, 1851; Zu allen guten Stunden. Dichtungen, 1854; Einkehr und Umkehr (Rom.) 2 Tle., 1856; Die Brüder (Schausp.) 1856; Die Geschichte der Schillerstiftung, 1857; Fester Grund. Dichtungen, 1857; Auf stillen Wegen. Dichtungen, 1859; Unter dem Halbmond. Ein osmanisches Liederbuch (hg.) 1860; Leben und Heimath in Gott. Eine Sammlung Lieder zu frommer Erbauung und sittlicher Veredlung (hg.) 1861 (erg. Neuausg. hg. P. Mehlhorn, 1916); Die Psalmen der heiligen Schrift. In Dichtungen. Nebst Einleitung und Erläuterungen, 1861; Lerne, liebe, lebe. Dichtungen, 1862; Gedichte (Ausw.) 1898; Für stille Stunden. Eine Auswahl christlicher Lieder und Gedichte ..., 1898.

Literatur: ADB 10,481; Theater-Lex. 1,686. – C. G. E. am Ende, ~ als Mensch u. als Dichter, 1872.   RM

Hammer, Martin, 16./17. Jh.; Pfarrer in Schmockenberg/Meißen, seit 1602 Pastor u. 1608, 1617/1622 Superintendent in Glauschau/Schönburg.

Schriften: Erklärung des 133sten Psalm, 1600; Comoedia sacra natalita, geistlich lieblich Spiel, vom hertzen lieben Jesulein und dessen Geburt, das ist: der schöne Weihnacht-Gesang, des Herrn D. Martin Luthers in Form einer anmuthigen Comödie gestellet ... und in Zehen Predigten ... erklähret ..., 1608 (Neudr. 1617); Erklärung des Gesangs: Gelobet seyst du Jesu Christ, 1616; Auslegung der Historien des Leidens und Sterbens Jesu Christi, 1619; Predigten über den Gesang: Danksagen wir alle, 1620; Erklärung des Liedes: Christum wir sollen leben schon, 1620; Erklärung des Liedes: Nun lasset uns den Leib begraben, 1621; Sieben fröhlige Siegs- und Ostergänge, 1621; Sieben Predigten über das Lied: Christ lag in Todesbanden, 1622; Zehn Pfingstpredigten, 1623; Erklärung des Liedes: Nun bitten wir den

heiligen Geist, 1623. (Außerdem einzeln gedr. Predigten.)

Literatur: Adelung 2,1771; Goedeke 2,374.   RM

Hammer, Matthäus, 17. Jh.; luther. Geistlicher in Sachsen.

Schriften: Viridiarum Historiarum, das ist: Historischer Blumengarten, darin Saft und Krafft vieler schonen lustigen Historien ... auss alt und newen bewehrten Historischreibern aussgezogen ..., 1632; Visiones und Wunderzeichen so vor der Leipziger Hauptschlacht vorher gegangen, 1632; Ehespiegel der Erzväter in Predigten, 1654; Rosetum Historiarum. Das ist: historischer Rosen-Garten, darinnen aus vielen bewehrten Historicis kurtze und denkwürdige Historien, als liebliche Rosen abgebrochen, mit füglichen Sententien teutsch und lateinisch gezieret ..., 1657; Historischer Rosenkrantz, 1666.

Literatur: Adelung 2,1772.   RM

Hammer, O.→ Schlosser, Julius von.

Hammer, Philipp (Ps. Dr. Philalethes Freimuth), * 13.2.1837 Stein/Pfalz, † 10.6.1901 Wolfstein/Pfalz; Dr. theol., Dechant in Wolfstein; rel. Volksschriftsteller.

Schriften (Ausw.): Die Presse, eine Großmacht oder ein Stück moderner Versimpelung?, 1868; Neuester Jesuitenspiegel, worin nicht blos die schlechte Moral der Jesuiten, sondern auch die nicht minder schlechte der Ultramontanen zur Schau gestellt ist, 1869; Das Lied von der neuen Mode, in allen Tonarten ausgepfiffen, 1869; Zeitgemäßer Neujahrsgruß, zunächst an die katholischen Österreicher, dann auch an die übrigen katholischen Deutschländer, 1869; Leitstern zur Orientierung in politischen Fragen für Katholiken aller Stände, 1870; Die Arbeiterfrage recht ernsthaft und doch kurzweilig für alle Leute besprochen, 1872; Die christliche Mutter in ihrem Berufe, 1873; Die katholische Kirche und die modernen Staatsmänner. Ein ultramontanes Vergißmeinnicht, gepflückt und in ein Sträußchen gebunden, 1874; Der christliche Vater in seinem Berufe, 1883; Der Rosenkranz, eine Fundgrube für Prediger und Katecheten, ein Erbauungsbuch für katholische Christen, 1890; Sieben Predigten über des Menschen Ziel und Ende und letzten Dinge, 1894.   AS

Hammer, Robert, * 22.11.1894 Obrovac/Dalmatien; Dr. phil., war Franziskanerpater in Innsbruck u. Schwaz/Tirol, zog um 1932 nach New York.

Schriften: König und Bettler. Ein Franziskusbuch für den Festsaal (Hg.) 1921; Im Spiegel der Vollendung. Ein franziskanisches Lebensbuch (Hg.) 1922; Franziskus-Blümlein. Das ist Blütenlese aus dem Leben des Heiligen Franziskus von Assisi (Übers.) 1925; Zwischen Gott und Welt. Roman um den heiligen Franziskus, 1931 (auch u. d. T.: Der Roman des Heiligen).   **AS**

Hammer, Roland → Stauf von der March, Ottokar.

Hammer, Rudolf Hans, * 11.12.1897 Erlach/Niederöst.; Red. in Wien, Lyriker, Erz. u. Dramatiker.

Schriften: Jugendstimme (Ged.) 920; Kampf (Dr.) 1921; Die seltsame Stunde (Skizze) 1923.   **IB**

Hammer, Walter, (Ps. für Walter Hösterey), * 24.5.1888 Elberfeld, † 9.12.1966 Hamburg; hervorgegangen aus d. Wandervogel- u. Freidt. Jugendbewegung, schrieb zeitgesch. u. kulturkrit. Bücher, gab nach d. 1. Weltkrieg die Monatshefte «Junge Menschen» u. «D. Fackelreiter» heraus, leitete jahrelang den Fackelreiter-Verlag in Berlin, 1933 mehrere Monate inhaftiert, emigrierte nach Dänemark, wo er 1940 erneut verhaftet wurde, 2 Jahre KZ Sachsenhausen, wegen Vorbereitung d. Hochverrats zu 5 Jahren Zuchthaus (Brandenburg) verurteilt; nach d. Befreiung 1945 baute er ebd. Archiv, Bibl. u. Museum zu Ehren d. Opfer des Nationalsoz. auf; als d. Werk 1950 zerschlagen wurde, floh er nach d. Westen, Wiederaufbau d. Archivs in Hamburg.

Schriften: Nietzsche als Erzieher, 1913; Dokumente des Vegetarismus, 1914; Werdet Führer Eurem Volke! Einige grundsätzliche Bemerkungen zum Eintritt der Politik in die Gedankenkreise der freideutschen Jugend, 1918; Das Buch der 236.I.D. Mit Unterstützung ehemaliger Divisionskameraden hg., 1919; Neue Dokumente des Vegetarismus. Des Gesamtwerkes 2. Bd., 1920; Mußte das sein? Vom Leidensweg der aus Dänemark ausgelieferten deutschen Emigranten, 1948; Brandenburg. Das deutsche Sing-Sing. Zwei Rundfunkreden und eine programmatische Erklärung, 1951; Der lautlose Aufstand. Bericht über

die Widerstandsbewegung des deutschen Volkes 1933–45 (mit R. Huch, G. Weisenborn, G. Prüfer) 1953 (2. verm. u. verb. Aufl. 1954); Theodor Haubach zum Gedächtnis (Hg.) 1955; Hohes Haus in Henkers Hand. Rückschau auf die Hitlerzeit, auf Leidensweg und Opfergang deutscher Parlamentarier, 1956.

Literatur: ~ zu s. 70. Geb.tag, 1958; D. bleibende Spur. E. Gedenkbuch f. ~, 1888–1966 (Hg. E. HAMMER-HÖSTEREY u. H. SIEKER) 1967.   **AS**

Hammer, Walter (Ps. Walter Hammer-Webs), * 8.6.1891 Breslau; lebte als freier Schriftsteller in Wiesbaden.

Schriften: Als ich mich verlor (Ged.) 1921.   **AS**

Hammer, Wilhelm Arthur, * 4.7.1871 Wien, † 12.4.1941 ebd.; studierte Germanistik u. Romanistik ebd., 1895–1932 höheres Lehramt. Lyriker, Epiker, Hg. u. Übersetzer.

Schriften (außer Schulbüchern): Gedichtreigen, 1900; Vogelsang (Märchen aus dem Wiener Walde) 1900; Festbuch zum 65. Geburtstag O. Kernstocks, gemeinsam mit Edmund Aschauer, 1913; Aus der Kriegszeit (Ged.) 1915; Kriegsfranzösisch, Auswahl von Kriegsberichten, 1916; Döblinger Idyll, 1917; Gabe (ausgew. Ged.) 1921; Döbling. Eine Heimatkunde des neunzehnten Bezirks (Mitverf.) 1922; Festgabe zur Jahrhundertfeier der Pfarrkirche in Döbling (mit D. Scheck) 1929; Wenn der Tag sich neigt ... (ausgew. Dichtungen) 1931.

Herausgebertätigkeit: Blätter für Deutsche Dichtung, 1893ff.; Scheffel – Jahrbuch 1908/09 – 1914, 1918, 1919; Ada Christen (Ausgew. Werke mit biogr. Einl.) 1911; Scheffel-Kalender, 1913f.; Literaturkalender «Frommes Elegante Welt», 1916–1929; Ada Christen, Geschichten aus dem Haus «Zur blauen Gans», 1929.

Literatur: ÖBL 2,165.   **IB**

Hammer, Wolfgang, * 2.4.1926 Ansbach/Bayern; Dr. theol., Dr. phil., ev. Pfarrer in Bivio/Graubünden, dann in St. Moritz. Erzähler, Verf. populärwiss. Schriften.

Schriften: Wir haben doch nur einen Herrgott. Der Augsburger Religionsfriede von 1555, 1955; Die letzte Geliebte. Fast ein Kriminalroman, 1961; Musik als Sprache der Hoffnung, 1962; Adolf Hitler – ein deutscher Messias? Dialog mit dem «Führer». Geschichtliche Aspekte, 1970;

Adolf Hitler – der Tyrann und die Völker, 1972; Adolf Hitler – ein Prophet unserer Zeit?, 1974.

AS

Hammer-Purgstall, Joseph Freiherr von, * 9. 6. 1774 Graz, † 23. 11. 1856 Wien; Sohn d. Gubernialrates Joseph Edler v. H., 1788–97 Studium an d. Oriental. Akademie in Wien, seit 1799 in diplomat. Diensten im Orient, wo er 1799 v. Konstantinopel an d. engl. Expedition gg. d. Franzosen mit Sir William Sidney Smith teilnahm, 1802 Ernennung z. Legationssekretär in Konstantinopel, 1806 kaiserl. Agent in Jassey, 1807 Berufung z. Hofkanzlei in Wien, 1811 Staatskanzleirat u. 1817 Hofrat ebd. (Verkehr mit Friedrich v. Schlegel); 1835 ererbte er d. Güter d. Gräfin Purgstall, mit Erhebung in den Freiherrnstand. 1847–49 erster Präs. d. Wiener Akad. d. Wiss.; unter zahlr. Ehrungen u.a. Dr. phil. h.c. (Graz u. Prag). Bahnbrecher auf d. Gebiet d. vorderasiat. Sprachwiss., Gesch., Archäologie, Topographie, Lit.gesch. S. metr. Übertragungen oriental. Dg. (u.a. des Hafis) einflußreich auf d. dt. Poesie (Goethes «Westöstlicher Diwan», Platen, Rückert). Verfaßte eigene Gedichte, Dramen u. Erzählungen.

Schriften: Das Fest des zwölften Februars, 1796; Asia, eine Ode, 1797; Die Befreyung von Akri (Ged. mit Noten) 1799; Die Steyermark (Ode) 1799; Zeichnungen auf einer Reise von Wien über Triest nach Venedig ..., 1800; Ancient Alphabets and Hieroglyphic Characters Explained, London 1806; Schirin. Ein persisches romantisches Gedicht, 1890; Topographische Ansichten gesammelt auf einer Reise in die Levante, 1811; Dschafer, oder Der Sturz der Barmegiden (Tr.) 1813; Des osmanischen Reichs Staatsverfassung u. Staatsverwaltung, 2 Bde., 1815; Die Geschichte der Assinen, 1818; Geschichte der schönen Redekünste Persiens, 1818; Umblick auf einer Reise von Constantinopel nach Brussa und dem Olympos, 1818; Morgenländisches Kleeblatt (Dg.) 1819; Codices arabicos, turcicos, 1820; Constantinopolis und der Bosporos, 1822; Memnon's Dreiklang, nachgeklungen, 1823; Mohammed oder Die Eroberung von Mekka (Schausp.) 1823; Geschichte des osmanischen Reiches, 10 Bde., 1827–1835; Sur les origines Russes, 1827; Wien's erste aufgehobene türkische Belagerung, 1829; Italia in Hundert und einem Ständchen besungen, 1830; Mithriaca

ou les Mithriaques, 1833; Über die Länderverwaltung unter dem Chalifate, 1835; Geschichte der osmanischen Dichtkunst bis auf unsere Zeit, 4 Bde., 1836–38; Gemäldesaal der Lebensbeschreibungen großer moslimischer Herrscher, 6 Bde., 1837–39; Geschichte der goldnen Horde im Kiptschak, 1840; Geschichte der Ilchane, 2 Bde., 1842–43; Die Gallerinn auf der Rieggers (Rom.) 3 Bde., 1845; Khlesl's, des Cardinals ..., Leben, 4 Bde., 1847–51; Abhandlung über die Siegel der Araber, Perser u. Türken, 1850; Literaturgeschichte der Araber, 7 Bde., 1850–56; Geschichte der Chane der Krim unter osmanischer Herrschaft, 1856; Erinnerungen aus meinem Leben 1774–1852 (hg. R. BACHOFEN V. ECHT) 1940; Erinnerungen aus meinem Leben 1774–1852. Nachträge (hg. A. POPEK) 1942.

Übersetzer- u. Herausgebertätigkeit: Encyklopädische Übersicht der Wissenschaften des Orients, 2 Bde., 1804; Die Posaune des heiligen Krieges, 1806; Fundgruben des Orients, 6 Bde., 1809–1818; Der Diwan von Mohammed Schemsed-Din-Hafis, 2 Bde., 1812–1813; Rumeli und Bosna, 1812; Rosenöl. Erstes Fläschchen, oder Sagen und Kunden des Morgenlandes, 2 Bde., 1813; Juwelenschnüre Abul-Maanis, 1822; Der Tausend und Einen Nacht noch nicht übersetzte Mährchen, 3 Bde., 1823–24; Motenebbi, der größte arabische Dichter, 1824; Baki's, des größten türk. Lyrikers, Diwan, 1825; M. Edler v. Collin, Nachgelassene Gedichte, 1827; Wamik und Asra (Pers. Ged.) 1833; Gül u. Bülbül, das ist: Rose u. Nachtigall, von Fasli (türk. Ged.) 1834; Samaschari's goldene Halsbänder, 1835; Duftkörner, aus persischen Dichtern gesammelt, 1836; M. Schebister, Rosenflor des Geheimnisses, 1838; Falknerklee ... (aus türk., griech. Werken über Falknerei) 1844; Zeitwarte des Gebetes in sieben Tageszeiten, 1844; Das arabische Hohe Lied der Liebe, 1854; Porträtgallerie des Steiermärkischen Adels, 1855; Geschichte Wassaf's, 1856; Les aventures d'Antar, 3 Bde., 1868–69.

Nachlaß: Bibl. d. Dt. Morgenländ. Gesellsch. Halle/S.; Dt. Staatsbibl. Berlin, Hs-.Abt./Lit.arch.; Landesbibl. Dresden. – Nachlässe DDR 2, Nr. 179; 3, Nr. 353.

Literatur: ADB 10,482; NDB 7,593. – H.F. DIEZ, Unfug u. Betrug in d. morgenländ. Lit., 1815; C. SCHLOTTMANN, ~, 1857; A. SCHLOSSAR, Vier Jh. d. Kulturlebens in Steiermark,

1908; C. Bucher, D. dichter. Werk des ~ (Diss. Wien) 1949; W. Bietak, Gottes ist d. Orient, Gottes ist d. Okzident: e. Studie über ~, 1948; K. Mommsen, Diez u. Hammer in d. Noten u. Abhandlungen (in: K. M., Goethe u. Diez) 1961; I. Solbrig, Entstehung u. Drucklegung d. Hafis-Übers. ~s (in: StudiGerm 10) 1972; Dies., ~ u. Goethe, 1973; Dies., Dem Zaubermeister d. Werkzeug (Diss. Stanford Univ.) 1969, 1974; Dies., Über ~s ost-westl. Dg. Morgenländ. Kleeblatt u. Duftkörner (in: Jb. d. Wiener Goethe-Vereins 78) 1974; B. M. Elgohary, D. Rezeption d. arab. Welt in d. öst. Lit. d. 19 Jh. (Diss. Wien) 1975; I. Solbrig, ~'s Ghazal in Commemoration of Goethe (in: MLN 92) 1977.   HD

Hammerbacher, Hans Wilhelm, * 1.11.1903 Nürnberg; Dr. rer. pol., wohnt in Wört über Ellwangen. Verf. heimatkundl. u. hist. Schriften.

Schriften: Die Donar-Eiche, 1968; Unvergängliche deutsche Landschaft. Ein Gesamtbild, 1972; Irminsul und Lebensbaum, 1973; Die hohe Zeit der Sueben und Alamannen, 1974; Deutsche Gedenkstätten und Ehrenmale, 1976.
                                                              AS

Hammerdörfer, Karl, * 1758 Leipzig, † 17.4. 1794 Jena; n. Philos.-Studium in Leipzig Philos.-Prof. in Jena, Mit-Hg. d. «Allg. Polit. Ztg.» in Halle (1787f.).

Schriften: Juliens und Karls gesammelte Briefe und wahrhafte Geschichte, 1780; Fragmente zur Philosophie des 18. Jahrhunderts, 1782 (2. Aufl. u. d. T.: Vier kleine philosophische Aufsätze, 1787); Beiträge zur inneren Kenntnis und Geschichte von Sachsen, 2 St., 1785; Geographisch-historisches Lesebuch, zum Nutzen der Jugend … (mit T. Kosche) 5 Bde., 1785–92; Leben Friedrichs II., des Großen, 1786; Holländische Denkwürdigkeiten …, 1788; Grundzüge der allgemeinen Weltgeschichte, 1789; Allgemeine Weltgeschichte von den ältesten bis auf die neuesten Zeiten, 4 Bde., 1789–91; An Joseph's Grabe. Ein Stein zu seinem künftigen Denkmale, 1790; Geschichte des Königreichs Polen, 3 Tle., 1790–94; Die Liebe. Eine Briefsammlung, 2 Bde., 1791; Die Familie Wendelheim, eine Geschichte aus unsern Tagen, 1792; Timon der Zweyte, Leben und Meynungen eines wohlwollenden Menschenfeindes, 1792; Neuer sächsischer Robinson …, 1793 (auch u. d. T.:

Sammlung der vorzüglichsten Robinsone und Abentheuer, 1. Bd.); Geographie und Statistik der ganzen österreichischen Monarchie. 1. Tl., 1793; Geschichte der Lutherischen Reformation und des deutschen Krieges 1. Tl. 1793; Karl Rosen und Wilhelmine Wagner, 2 Tle., 1794; Die Kosaken, nach den zuverlässigsten Nachrichten von der Verfassung und Sitten derselben, 1812.

Übersetzer- und Herausgebertätigkeit: Figaros Reise nach und in Spanien (aus d. Französ.) 2 Tle., 1786; Freundschaftliche Briefe zwischen Friedrich II. und Suhm (aus d. Französ.) 2 Tle., 1787; Gallerie von Menschenhandlungen. Ein Wochenblatt zur Beförderung der Menschen- und Sittenkenntnis, 4 Tle., 1787f.; Briefe eines aufmerksamen Beobachters über England (aus d. Französ.) 2 Tle., 1788; Geschichte der Ukränischen und Saporogischen Kosaken … (aus d. Russ.) 1788; F. Saules, Vollständige Geschichte der Revolution in Nord-Amerika (aus d. Französ.) 2 Tle., 1788; Nebenstunden eines Staatsmannes … (aus d. Französ.) 1789; J. B. v. Scherer, Geschichte und gegenwärtiger Zustand des russischen Handels (aus d. Französ.) 1789.

Nachlaß: Frels 115.

Literatur: Ersch-Gruber II. 2, 36; Meusel-Hamberger 18, 38; Goedeke 4/1, 605.   RM

Hammerer, Josef (Ps. Josef Kerémmah), * 12. 5. 1894 München; lebte ebd., Erzähler.

Schriften: Der Prophet und die Liebe. Eine Geschichte aus dem Morgenland, 1926; Astral. Ein Abenteuer-Roman aus Deutsch-Ost-Afrika, 1940; Diamanten, Palmen und Liebe. Abenteuerlicher Roman um einen großen Fund in Deutsch-Ost-Afrika, 1941.   AS

Hammerl, Franz Josef, * 19.1.1896 Rosenheim, † 6.1.1948 St. Goarshausen/Rh.; Dr. phil., Historiker, lebte in St. Goarshausen.

Schriften: Das Werden der deutschen Südmark Tirol, 1933; Tirol. Des Reiches Südmark im Mittelalter, 1939; Eines Geschlechtes Schicksalsweg. Reimchronik, 1946.   AS

Hammerle, Alois Josef, * 17.11.1820 Mils/ Tirol, † 12.2.1907 Salzburg; Beamter in Innsbruck, seit 1856 Bibliothekar d. Studienbibl. u. 1859–89 deren Leiter in Salzburg. Hg. d. «Echos v. d. Alpen» (1857f.).

Schriften: Neue Erinnerungen aus den Bergen Tirols. Sagen und Märchen, 1854; Alpenbilder aus Tirol, 1856; Vaterländische Spiegelbilder. Land und Leute in Tirol, 1860; Chronik der Stadt Radstatt, 1866; Zur salzburgischen Biographie, 1872; Chronik des Gesanges und der Musik in Salzburg, 1874–77; Mozart und einige Zeitgenossen, 1877; Neue Beiträge für salzburgische Geschichte, Literatur und Musik, 1877; Salzburgische Hochzeitsgebräuche, 1879; Skizzen und Beiträge für ein allgemeines salzburgisches Lexikon, 4 H., 1879f.

Herausgebertätigkeit: J. Stainhauser, Lobsprüche in Reimen zu Ehren des heiligen Bischofs Rupert und der heiligen Äbtissin Ehrentraud von 1601 ..., 1882; A. Weissenbach, Glaube und Liebe (Tr.) 1902.

Literatur: ÖBL 2, 168.　　　　　RM

Hammerling, Rupert Johann → Hamerling, Robert.

Hammerschlag, G. → Freund, Gustav.

Hammerschlag, Peter, * 27.6.1902 Wien; debütierte 1930 in Berlin als Kabarettist, kehrte 1931 nach Wien zurück, gründete mit Stella Kadmon d. «Lieben Augustin», die erste Wiener Kleinkunstbühne; schrieb Grotesklyrik u. Kurzgeschichten, veröff. in versch. Zs.; 1942 deportiert u. umgekommen.

Schriften: Der Mond schlug grad halb acht. Groteske Gedichte (hg. F. Torberg) 1972.　　　AS

Hammerschmid, Jan (Johann) Florian, * 4.5. 1652 Stab/Böhmen, † 1737 Prag; Theol.-Studium in Prag, Dr. theol., Domherr, apostol. Protonotarius u. Pfarrer in Prag.

Schriften: Magnalia S. Andreae, seu vita et res gestas hujus apostoli, 1685; Magnalia S. Joannis Baptistae, 1690; Magnalia S. Joannis Evangelistae, 1690; Magnalia S. Matthiae, 1700; Hystorye Klattowska das ist die Geschichte von Klattau, o.J.; Gloria et Majestat. regiae et exemptae Wissebradensis ecclesiae SS. Petri et Pauli, o.J.; Historia monasteriorum S. Georgii in Castro Pragensi et S. Spiritu, 1715; Prodromus Gloriae Pragenae ..., 1723.

Literatur: Adelung 2, 1772.　　　　RM

Hammerschmid, Josef (Ps. Josef Gollwitzer) * 15.2.1920 München; Dr. med., Arzt in München. Erzähler, Verf. v. Sachbüchern.

Schriften: Der 6. August. Mit einem Nachwort des Bomberpiloten von Hiroshima (Rom.) 1975; Der aufgeklärte Patient. Medizinische Allgemeinbildung und kritische Selbstbeobachtung, 1976; Wörterbuch der medizinischen Fachausdrücke, 1977.　　　　AS

Hammerschmidt, Andreas, * 1612 Brüx, † 29. 10.1675 Zittau; Sohn e. Sattlers, 1634 Organist d. Petrikirche in Freiberg u. seit 1639 d. Johanniskirche in Zittau. Organist, Komponist u. Musiklehrer.

Schriften: Sirachs Lob- und Danck-Spruch ..., 1634; Erster Fleiß allerhand neuer Paduanen ..., 1639 (Neudr. 1639, 1648, 1650); Ander Theil neuer Paduanen ..., 1639 (Neudr. 1650, 1658); Musicalische Andacht Erster Theil ..., 1639; Musicalische Andachten Ander Theil, 1641 (auch u.d.T.: Capella geistlicher Madrigalien, 1641; Neudr. 1650, 1659; ... Dritter Theil, 1642; Neudr. 1652; ... Vierter Theil, 1646; Neudr. 1654, 1669; ... Fünffter Theil, 1653); Erster Theil Weltlicher Oden oder Liebes-Gesänge, 1642 (Neudr. 1651; Ander Theil ..., 1642; Neudr. 1651; Dritter Theil ..., 1649); Dialogi oder Gespräche zwischen Gott und einer gläubigen Seelen, 1645 ([4]1659; Ander Theil ..., 1645; [4]1658); Motettae unius et duarum vocarum, 1649; Lob- und Danck-Lied ... St. Elisabeth in Breslau ..., 1652; Musicalische Gespräch über die Evangelia, 1655 (Ander Theil ..., 1656); Fest- Buß- und Danck-Lieder ..., 1658f.; Kirchen- und Tafel Music, 1662; Missae breves ..., 1663; Fest- und Zeit-Andachten ..., 1671.

Literatur: Jöcher 2, 1344; ADB 10, 488; NDB 7, 594; MGG 5, 1426; Neumeister-Heiduk 366. – A. Tobias, P. Stöbe, ∼ (in: Mitt. d. Ver. f. d. Gesch. d. Deutschen in Böhmen 1) 1900; S. Temesvari, ∼s Dialogi (Masch. diss.) 1911; H. Mueller, Die «Musicalische Gespräche über die Evangeliae» v. ∼, 2 Bde., Rochester/New York 1957.　　　　RM

Hammerschmidt, Karl, * 12.6.1862 Kipfenberg; war Gymnasialoberstudienrat u. Oberstudiendir. in München; 1899–1924 Mitglied d. bayer. Landtags. Erz. u. Bühnenautor.

Schriften: Zwei Schauspiele. Der Sohn des Werkmeisters. Ein Wendepunkt, 1917; Ungebeugt (Rom.) 1926.　　　　AS

Hammerschmidt, Ludwig, * 20. 5. 1896 Hamm/
Westf.; war Lehrer in Delbrück/Westf.; Bühnenautor.

Schriften: Jephta (Tr.) 1928; Um Liebe und
Pflicht (Schausp.) 1929; Adam und Eva und ein
Sekretarius. Ein Lustspielidyll vom Lande in drei
Aufzügen, 1929.   AS

Hammerstein (-Equord), Hans (Georg) von,
* 17. 9. 1771 Equord b. Hildesheim, † 9. 12. 1841
Hildesheim; militär. Laufbahn u. a. unter Napoleon, General unter d. westfäl. König Jerôme,
1813/14 Haft, lebte zuletzt in Equord. Verf.
versch. Abh. z. vaterländ. Frühgeschichte.

Schriften: Beiträge zur Geschichte der Grafen
und Freiherren von Hammerstein, 1806.

Literatur: ADB 10,491; NDB 7,595. – W. u.
E. v. HAMMERSTEIN, Gesch. d. H'schen Familie,
1856 (mit Werkverz.); ∼ (in: Jb. 1927 d. Innviertler Künstlergilde) 1927; W. HARTMANN,
D. General ∼ (in: Alt-Hildesheim 40) 1969.
                                                   RM

Hammerstein (-Equord), Hans (August) von,
* 5. 10. 1881 Schloß Sitzenthal/Niederöst., † 9.
8. 1947 auf s. Gut Pernlehen b. Micheldorf/
Oberöst.; aus altem, aus Hannover eingewanderten Adelsgeschlecht, Sohn e. Offiziers u.
Gutsbesitzers, studierte Jus in Marburg, München u. Wien, ab 1905 im polit. Verwaltungsdienst, 1923 Bezirkshauptmann in Braunau/Inn,
Oberöst., 1933 Sicherheitsdir. f. Oberöst., 1934
Staatssekretär f. d. Sicherheitswesen, 1936 Bundesminister f. Justiz, 1938 Staatssekretär f. Kul-
turpropaganda in Wien, im gleichen Jahr pen-
sioniert, nach dem 20. 7. 1944 in das Konzentrationslager Mauthausen/Oberöst. gebracht, verblieb dort bis Kriegsende. 1923 Gründer u. Präs.
d. «Innviertler Künstlergilde». In d. Romantik
wurzelnder, jedoch fortschreitender u. selbständiger Erz. u. Lyriker.

Schriften: Die blaue Blume (Romantisches Märchen) 1911; Roland und Rotraut (Rom.) 1913;
Februar (Rom.) 1916; Walburga. Eine deutsche
Legende, 1917; Schloß Rendezvous. Eine katholische Rokokogeschichte in Versen, 1918; Zwischen Traum und Tagen (Lieder, Bilder u. Ball.)
1919; Der Glassturz. Ein Salonmärchen, 1920
(8. verm. Aufl. 1932); Ritter, Tod und Teufel.
Ein Bilderbuch aus dem Sechzehnten Jahrhundert, Ritter, Tod und Teufel I 1921, Mangold
von Eberstein II 1922; Wald. Eine Erzählung,

1923 (Neubearb. u. d. T. Wald. Roman aus dem
alten Österreich, 1937); Die Ungarn. Geschichtliche Novelle, 1925; Die Asen. Eine Dichtung,
1928; Der Waffenstillstand 1918–1919 und Polen, 1928; Die schöne Akeley. Ein Märchen,
1932; Erlebnis und Persönlichkeit. Gedenkrede
zur Goethe-Feier des Landes Oberösterreich der
Landeshauptstadt Linz a. d. D., 1932; Die finnischen Reiter. Roman vom Ende des Dreißigjährigen Krieges, 1933; Wie der deutsche Kaiser
Karl V. im Jahre 1519 gewählt wurde, 1934;
Österreichs Kulturelles Antlitz, 1935; Frauen-
schuh und andere Märchen für große Kinder,
1936; Die gelbe Mauer. Urkunde einer Leidenschaft, 1936; Der Wanderer im Abend. Alte
und neue Gedichte, 1936; Kultur- und Schick-
sals-Gemeinschaft Europa. Zwei Reden. Den
Teilnehmern zur Feier des fünfundzwanzigjährigen Bestandes der Wiener Bibliophilen-Gesell-
schaft gewidmet, 1937; Trachten der Alpen-
länder. In zehnfarbigen Wiedergaben von vierhundert vorbildlichen Trachtenstücken aus pri-
vaten und öffentlichen Sammlungen (Einl.) 1937;
Wiedergeburt der Menschlichkeit, 1937; Der
letzte Erbe (eingel. u. ausgew. v. M. SCHMITZ)
1961.

Literatur: ADB 7,491f.; NDB 7,595; Wurzbach 7,291; ÖBL 2,170. – E. REINHARD, ∼ u.
d. Wiedergeburt d. Romantik (in: Allg. Rundschau 16) 1919; W. KOSCH, Hammersteins Asen
(in: Der Wächter 11) 1929; THUN-HOHEN-
STEIN, ∼ zum 50. Geb.tag (ebd. 13) 1931;
DERS., ∼ (in: Der Turm 2) 1946/47; E. BLAAS,
∼. E. Dichter d. Natur (in: Oberöst. Heimatbl.
3) 1949; M. SCHMITZ, ∼ (in: Wort in d. Zeit 6)
1960.   IB

Hammerstein, Hedwig von (Ps. f. Hedwig
Müller-Jürgens, geb. von Hammerstein), * 30.
3. 1901 Kamenz/Sachsen; wohnt in Oldenburg.
Vorwiegend Lyrikerin, auch Arbeiten für den
Rundfunk.

Schriften: Unsere Welt. Ein Kinderbuch (Ged.)
1929; Die Esche (Ged.) 1938; An Dich (Ged.)
1959.   AS

Hammerstein, Ludwig von (Ps. Socialis Politi-
cus), * 1. 9. 1832 Schloß Gesmold b. Osnabrück,
† 15. 8. 1905 Trier; 1854–59 Gerichtsauditor in
Lüneburg, 1855 Konversion z. Kathol., 1859
Jesuit, 1868 Priesterweihe, 1870–74 Prof. f.

Kirchenrecht in Maria Laach u. Ditton-Hall/England, lebte seit 1883 in Trier. Mitarb. d. «Stimmen aus Maria Laach» (seit 1914: «Stimmen der Zeit»).

Schriften (Ausw.): Erinnerungen eines alten Lutheraners, 1882 (verm. u. verb. Aufl. 1883, 1890, 1898); Kirche und Staat vom Standpunkt des Rechtes aus, 1883 (latein. Ausg. 1886); Edgar oder vom Atheismus zur vollen Wahrheit, 1886 (verm. u. verb. Aufl. 1890, 1894); Die Gegner «Edgars» und ihre Leistungen, ²1887; Meister Breckmann, wie er wieder zum Glauben kam und aufhörte Socialdemokrat zu sein, 1888 (4., verm. Aufl. 1898); Betrachtungen für alle Tage des Kirchenjahres ..., 2 Bde., 1888f. (3., verb. Aufl. o. J.); Winfried oder Das sociale Wirken der Kirche, 1889 (4., verm. u. verb. Aufl. 1895); Die Socialdemokratie bei Lichte besehen, 1890; Der heilige Rock zu Trier, 1891; Kann ein Katholik Socialdemokrat sein? 1891; Begründung des Glaubens, 3 Bde., 1891–96 (4., verb. u. verm. Aufl. des 1. Bds. 1894); Arbeiter-Catechismus, 1892 (3., verm. Aufl. 1904); Die Jesuiten-Moral. Offener Brief an Adolf Harnack, 1893; Konfession und Sittlichkeit ..., 1893; Nochmals Konfession und Sittlichkeit ..., 1893; Das Fegefeuer, 1894; Die Wahrheit über Christus und die Evangelien, 1894; Wunder, 1894; Maria, Mutter Gottes, 1895; Das Glück, Katholik zu sein, 1897; Zum fünfundzwanzigjährigen Jubiläum des Kulturkampfes, 1897; Charakterbilder aus dem Leben der Kirche ..., 3 Bde., 1897–1902; Sonn- und Festtags-Lesungen für die gebildete Welt, 1898; Die Zukunft der Religionen, 1898; Ausgewählte Werke (Volksausg.) 6 Bde., 1898–1900; Das Kirchenjahr. Unterweisungen zur häuslichen Andacht für Jedermann, 1898; Geistliche Lesungen für Priester, 1901.

Literatur: LThK 4, 1340. – Im Kraftfeld d. Gnade. ~ 1832–1905 (in: Jesuiten 1) 1954.

RM

Hammerstein, Olga Freiin von (Ps. O. Martell), * 11.12.1866 Retzow b. Mirow, † 8.2.1908 Heringsdorf; Tochter e. Gutsbesitzers, lebte in Heringsdorf, Berlin od. auf Reisen.

Schriften: Um des Gewissens willen (Rom.) 1894; Was Gott zusammenfügt (Rom.) 1908. RM

Hammerstein-Musehold, Maria → Musehold, Mieze.

Hammerstetten → Augustin von Hammerstetten.

Hammerström, Jan (Ps. f. Walter Horn), * 25.6.1903 Bremen; Dr. rer. pol., dipl. Kaufmann, wohnt in Düren. Vorwiegend Erzähler.

Schriften: Das Alibi des Apollon von Manhattan (Rom.) 1961; Die Abenteuer der Sibylle Kyberneta (Rom.) 1963. AS

Hammon, Rudolf (Leonhard), * 8.12.1874 Treuchtlingen/Bayern, † 26.3.1925 Berlin; Theol.-Studium, 1898–1904 Geistlicher d. bayer. protestant. Landeskirche, dann Studium d. Philos. u. Lit., seit 1905 Buchhändler, 1908 Gründung d. Verlags Haupt u. Hammon in Leipzig, 1911 Verlagsbuchhändler in Düsseldorf.

Schriften: Herbes und Liebes (Ged.) 1904; Gesundet (Erz.) 1905; Vikar Lonhard. Ein Stück Lebensgeschichte, 1905; Requiescat, 1908; Die Sünde wider den Geist, 1909; Das Gefühl – meine Welt! Eine Wegbereitung, 1918; Roman Brand's Lästerung, 1919; Das Buch der Verzückung, 1919; Der Nazarener (Dr.) 1920; Der Jüngste Tag (dramat. Dg.) 1921; Die Schöpfung (Dg.) 1922. RM

Hammond-Norden, Wilhelm, * 8.3.1906, verschollen seit d. Schlacht v. Stalingrad; Verf. parodist. u. humorist. Schriften.

Schriften: Der Zerr-Spiegel (Parodien) 1937; Sternschnuppen. Heitere Verse, 1938. RM

Hampe, Johann Christoph (Ps. Echtermann Larsen), * 23.1.1913 Breslau; zuerst Kaufmann, dann Buchhändler, nach d. 2. Weltkrieg Studium d. Theol., Pastor in Hamburg, Red. d. «Dt. Allg. Sonntagsbl.», seit 1962 freier Schriftst., wohnt in Hohenschäftlarn b. München. Lyriker, Erzähler, Essayist, Verf. v. Hör- u. Fernsehspielen. Dt. Jugendbuchpreis 1956.

Schriften: Die Angefochtenen (Erz.) 1948; Der Bruder von drüben (Erz.) 1949; Die blaue Schabracke und andere Erzählungen, 1951; Der vierte Weise (Sp.) 1952; Die Barbara von Bacharach (Erz.) 1953; Die Hand auf deinem Haupt (Erz.) 1953; Der falsche Knoten (Erz.) 1953; Die Sternenfährte. Weihnachtsgeschichten aus unserer Zeit, 1954; Der Familienring (Erz.) 1954; Der Reichenbacher Jubel (Erz.) 1954; Dein Tag bricht an (Jgdb.) 1955; Indische Lilien (Erz.)

1955; Zeit ist der Mantel nur (Ged.) 1956; Fahrt und Irrfahrt (Erz.) 1956; Weihnachtsgeschichten, 1956; Das soll dir bleiben. Ein Brevier für junge Menschen, 1956; Zu trösten alle Traurigen, 1957; Freundschaft mit der Fremde. Ein nachdenkliches Taschenbuch der Reiselust, 1958; Herr Simroth ist ein armer Mann. Der liebe Gott vom letzten Haus. Zwei Weihnachtserzählungen, 1959; Paulus (Ess.) 1960; Geschrei aus Babylon. 20 Erzählungen, 1961; Bei deinem Namen gerufen. Ein Taufbüchlein, 1961; Anfang, Ziel und Mitte. Ein Geburtstagsbüchlein, 1962; Gott strahlt von Weltlichkeit. Beiträge zur Literatur und Sprache, 1965; Was erwarten wir von der sich wandelnden Kirche?, 1969; Ehre und Elend der Aufklärung gestern wie heute. Ein engagierter Vergleich, 1971; Eine neue Kirche für eine neue Zeit, 1971; Der Grund und die Freude. Stücke zum Nachdenken, 1975; Sterben ist doch ganz anders. Erfahrungen mit dem eigenen Tod, 1975; Türen ins Freie. Essays zur Welterfahrung, 1976.

Herausgebertätigkeit: Joseph Wittig, Leben Jesu in Palästina, Schlesien und anderswo, 1958; Er schlägt und heilet Wunden. Trostbüchlein wider den Tod, 1954; Im Feuer vergangen. Tagebücher aus dem Ghetto, 1963; Ende der Gegenreformation? Das Konzil, Dokumente und Deutung, 1964; Die Autorität der Freiheit. Gegenwart des Konzils und Zukunft der Kirche im ökumenischen Disput, 3 Bde., 1967; D. Bonhoeffer, Von guten Mächten. Gebete und Gedichte (Interpret. von J.C.H.) 1976. AS

Hampe, Karl (Ludwig), * 3.2.1869 Bremen, † 14.2.1936 Heidelberg; Studium d. Gesch. in Berlin (1893 Dr. phil.), 1898 Privatdoz., 1901 a.o. Prof. in Bonn, seit 1903 o. Prof. in Heidelberg. Mitarb. d. MGH.

Schriften (Ausw.): Geschichte Konradins von Hohenstaufen, 1894 (2. Aufl., mit Anh. v. H. Kämpf, 1940); Kaiser Friedrich II., 1899; Deutsche Kaisergeschichte in der Zeit der Salier und Staufer, 1909 (11. Aufl. 1963, seit d. 7. Aufl. bearb. v. F. Baethgen); Beiträge zur Geschichte der letzten Staufer ..., 1910; Mittelalterliche Geschichte, 1922; Herrschergestalten des deutschen Mittelalters, 1927 (6. Aufl., hg. H. Kämpf, 1955); Das Hochmittelalter. Geschichte des Abendlandes von 900–1250, 1932 (4. Aufl., mit Nachw. v. G. Tellenbach, 1953); Der Sturz des Hochmeisters Heinrich von Plauen, 1935.

Literatur: NDB 7,599; BWG 1,1017. – F. BAETHGEN, ~ (in: AfK 27) 1937 (mit vollständ. Werkverz.); ~ 1869–1936. Selbstdarst. (hg. H. DIENER in: Sb. d. Heidelberger Akad. d. Wiss., Phil.-hist. Kl.) 1969 (mit Bibliogr.). RM

Hampel, Bruno (Ps. Bruder Eduard), * 27.9.1895 Wien; bis 1938 Lehrer d. Wiener Handelsakad., Schriftpsychologe, einige Zeit Red. d. «Tiroler Tagesztg.», Chefred. d. Lit. Bl. «Winfried», verf. Laiensp. für die «Christliche Volksbühne» u. die «Spielleute Gottes», lebt in Wien. Verf. v. Lyrik, Laiensp., Rom., Nov., Dr., Hörsp. und Übersetzungen (frz., dänisch).

Schriften: Dr. med. Josef Pörner (Biogr.) 1932; Bruder Gottfried, der Arzt (Erz.) 1932; I.N.D. (Rom.) 1933; Es wuchs ein Baum (Laiensp.) 1934; Das Spiel vom heil'gen Rosenkranz, 1934; Bruder Gottfried der Arzt. Episoden aus dem heiligmäß. Leben des Wiener Arztes Dr. Josef Pörner, 1934; Ahnentafel der aus dem Freihof in Klein-Herrlitz bei Troppau stammenden Geschwister Hampel, 1935; Fulgens corona, 1954; Ein Mann aus dem Volke (Dr.) 1965; Die große Sünde des Pater Johannes (Dr.) 1970.

Literatur: Theater-Lex. 1,687. IB

Hampel, Bruno (Ps. Heinz Glogau), * 23.12.1920; Red. u. Schriftst. in Berlin, jetzt wohnhaft in Großhesselohe/Isartal; Erzähler, Verf. von Fernsehfilmen (auch Serien).

Schriften: Früh um fünf im Treppenlicht (Erz.) 1950; Post aus Ottawa. Der Roman einer gefährlichen Erbschaft, 1959; Fußballtrainer Wulff (Jgdb.) 1971; Privatdetektiv Frank Kross. Laß die Finger von dem Fall (nach einer Fernsehserie) 1972; Eichholz & Söhne. Roman einer Familie, 1977; 13 Rosen für die Erbin (Rom.) 1979. AS

Hampel, Camillo, * 12.1.1888 Schöllschitz/Mähren; Handelsschullehrer in Brünn. Vorwiegend Erzähler.

Schriften: Licht und Schatten (Tagebuchbl.) 1918; Vom Lebenswege (Märchen u. Erz.) 1920; Der Heidereiter und andere lyrische Novellen, Skizzen und Erzählungen, 1923; Vom alten Dorfe und andere heitere Plauderein, 1925. IB

Hampel-Faltis, Gertie, * 5.10.1898 Wekelsdorf/Böhmen; lebte als Gutsbesitzerin auf Schloß Wekelsdorf. Lyrikerin.

Schriften: Das große Rauschen (Ged.) 1931. AS

Hampke, Renate → Kirchschlag, Solke.

Hamp(e)l, Karl, * 20.2.1778 Wien, † 3.1.
1819 ebd.; Pantomimenmeister im Leopoldstädter Theater, Verf. zahlreicher Pantomimen.
Schriften: Der Steinhauer, oder Das nächtliche
Rendezvous, 1809; Der lahme Dorfbarbier,
1809; Das Puppenkabinett, oder: Der betrogene
Mechanikus, 1809; Die Judenhochzeit von Nikolsburg, 1809; Der Felsen der Liebe, oder:Die
Holzhauer, 1809; Eifersucht in der Küche, 1809;
Die unterbrochene Hochzeit, 1810; Die lebendigen Mehlsäcke, 1810; Die Wilden, 1811; Das
Leichenbegängnis des Harlekins, 1811; Die al-
gierischen Seeräuber, oder: Die Auswechslung
der Weiber, 1812; Der Zauberhut, 1812; Har-
lekin der Apothekerjunge, 1813; Die eifersüch-
tige Ehefrau, 1813; Die Unterhaltung in der
Ukraine, 1813; Harlekins Schutzgeist, 1813; Fee
Zenobia, oder: Die Zauberruinen, 1814; Das
nächtliche Rendezvous, oder: Die bestrafte
Eigensinnige, 1814; Der siegende Amor, 1814;
Der Schiffbruch, oder: Rettung zut rechten Zeit,
1815; Die Zauber-Pyramiden, oder: Harlekins
Treue an seinem Herrn, 1816; Das Wunschhüt-
chen, oder: Der verfolgte Harlekin, 1823.
Literatur: Goedeke 11,2,184. IB

Hampl, Maximillian, * 13.8.1857 Prag, Todesdat. unbekannt; Jurist, Postrat in Brünn, Erzähler.
Schriften: Gräfin Nikolasine (Rom.) 1895; Siesta Dora. Florian Becher (Erz.) 1896; Nieten,
1909. IB

hamü → Müller-Koller, Hannah

Hana, Frieda → Hupbach, Frieda.

Hanau, Hermann, * 20.7.1871 Frankfurt/Main;
Dr. iur., war Landrichter in Köln, lebte später in
Rom. Bühnenautor.
Schriften: Der arme Heinrich (Dr.) 1900; Va-
terland (Tr.) 1900; Der Religionsstifter (Trauers-
sp.) 1901; Simson und Delila (Trauersp.) 1902;
Der Wunsch. Dramatische Dichtung, 1903; Das
Märchen von den sieben Raben oder das Märchen
von der Kunst. Dramatisches Märchen in fünf
Aufzügen und einem Vorspiel, 1906; Honoria
(Tr.) 1910; Rigi, ein Sonettenkranz, 1919.
Literatur: Theater-Lex. I, 688. AS

Hanau-Schaumburg, Maria von (Ps. Maria
Hanau-Strachwitz), * 3.9.1922 Baden bei Wien;
wohnt in Söcking. Erzählerin, Übersetzerin.
Schriften: Wenn wir warten können. Geschichte
einer Liebe, 1957; Fröhliche Inselzeit, 1966;
Fannys Feriengäste, 1969; Geburtstag im September (Erz.) 1972.
Übersetzertätigkeit: Miß Read (d. i. D. J. Saint),
Geliebter kleiner Marktplatz, 1968; L. Hartde-
gen, Die Leprainsel im River Ping oder Friede ist
das Dach der Welt, 1969. AS

Hancke, Gottfried Benjamin, * 1700 Schweid-
nitz/Schles., † um 1750 Dresden; Sachwalter
d. Reichsgrafen Spork auf Kukus b. Königshof/
Böhmen, zuletzt Akzisesekretär in Dresden.
Schriften: J. Puget de la Serre, Der vergnügte
Mensch oder Anweisung zur Gemüths-Ruh ...
(aus d. Französ.) 1723; Geistliche und Moralische
Gedichte ..., 1723 (3., verm. Aufl. 1724); Weltliche Gedichte. Nebst denen Neukirchischen Satyren, 4 Tle., 1727—35 (2., verm. Aufl. d. 1. Tls.
1731); Cantica sacra ex germanica in latinam linguam translata, 1728; Poetischer Staar-Stecher.
In welchem sowohl Die Schlesische Poesie überhaupt, als auch der Herr von Lohenstein und Herr
Hofrath Neukirch Gegen die Junkerische Untersuchung verthaidigt, absonderlich aber die Ehre
der Hanckischen Gedichte gerettet und dergleichen Tadlern Ihre Poetische Blindheit gewiesen
wird, 1730.
Literatur: Ersch-Gruber II.2,166; ADB 10,
513; FdF 1,423; Goedeke 3,352. – G. BURKART,
~, 1933. RM

Hancke, Gotthard → Ecknah, G.

Hancke, Michael, * 14.6.1609 Danzig, † 12.8.
1644 ebd.; Amtsschreiber in Danzig, hinterließ
e. Slg. v. Sprichwörtern, Rätseln u. Zeitged.
(Danziger Stadtbibl.), welche d. Schwed.-Poln.
Krieg (1626—29) z. Inhalt haben.
Literatur: F. SCHWARZ, ~ (in: Altpreuß. Biogr.) 1948. RM

Hancke, Oswald (Wilhelm), * 24.12.1840
Grätz/Posen, † 2.10.1906 Karlsruhe; n. Ausbildung z. Apotheker 1861—70 Mitgl. d. Schausp.-
Hauses in Berlin, 1870—76 Schauspieler u. Dramaturg in Leipzig, 1876—80 Oberregisseur in Königsberg u. 1880—1905 Dir. d. Hoftheaters in
Karlsruhe.

Schriften: Friedrich Werner, der Sohn des Veteranen. Eine Erzählung aus dem deutsch-österreichischen Kriege für Jung und Alt, 1868; Des Königs Retter. Eine Erzählung aus der Zeit Friedrichs des Großen für Alt und Jung, 1869; Liebeshändel (Erz.) 1869; Furchtbar nett; Sammlung humoristischer Vorträge für frohe gesellige Kreise, 1870; Die Goldhöhle der Sonora. Nach John Retcliff's Roman «Puebla» für die reifere Jugend erzählt, 1890; Der verhängnisvolle Backzahn oder Die wirksame Pille. Ein trauriges Stück – Rinaldini der Zweite (Schw.) 1891; Der Scheich der Khruïden. Eine Erzählung aus den Kämpfen in Algier, 1891; An den Ufern des Uruguay. Eine Erzählung aus den Kämpfen in Uruguay und dem Leben Guiseppe Garibaldis, 1892; Perlen der Bühne in Erzählungen für die Jugend, 1896; Erloschene Sterne. Theatererinnerungen, Kulissengeschichten und andere Humoresken, 1902; Russiche Hofkabalen. Historische Erzählung aus der Zeit der Kaiserin Katharina II., 1906.

Nachlaß: Landesbibl. Karlsruhe. – Denecke 68.
Literatur: Theater-Lex. 1, 688.   RM

Hand, Ferdinand (Gotthelf), * 15.2.1786 Plauen/Vogtl., † 14.3.1851 Jena; Studium d. Philos. u. Philol. in Leipzig, 1807 Dr. phil., 1809 Habil., 1817 a.o. Prof. u. später o. Prof. d. Philos. u. griech. Lit. sowie Mitdir. d. philol. Seminars in Jena. Verf. versch. Schulschr., Mit-Hg. d. «Neuen Jenaischen Lit.ztg.» (1804ff.), Mitgl. v. G. Hermanns griech. Gesellsch., Hg. d. lit. Nachl. v. F. A. Carus (7 Bde., 1808–10).

Schriften (Ausw.): Observationum criticarum in Catulli carmina specimen, 1809; J.F. Gronovii Diatribe in Statii Silvas (hg.) 2 Bde., 1812; Statii Carmina (hg.) 1817; Tursellinus seu de particulis latinis commentarii, 4 Bde., 1829–45; Kunst und Alterthum in Petersburg, 1837; Ästhetik der Tonkunst, 2 Bde., 1837–41; Incerti auctoris libellus ..., 1848.

Nachlaß: Arch. d. German. Nationalmuseums Nürnberg; German. Nationalmuseum in Nürnberg; Goethe-Schiller-Arch. Weimar. – Mommsen Nr. 1430; Denecke 68; Nachlässe DDR 3, Nr. 354.

Literatur: ADB 10,499; Meusel-Hamberger 18, 39; 22.2,561; – G.A. QUECK, ∼ u. s. Leben u. Wirken, ... nebst Auszügen aus Briefen v. Heyne, Carus ..., 1872; O. FEYL, J.F. FRIES, ∼ u. Rußland (in: Zs. f. Slawistik 1,3) 1956.   RM

Hand, Hermann, * 5.9.1911 Bollingstedt/Kr. Schleswig; Sohn e. Landwirtes, studierte Theol. in Kiel u. Erlangen, seit 1936 Pastor, zuerst in Bergenhusen, seit 1954 in Flensburg/Weiche. Plattdt. Erzähler.

Schriften: Chronik des Kirchspiels Bergenhusen, 1939; Kirchspiel Bergenhusen. Ein Heimatbuch, 1939; Stapelholmer Heimatlied, 1949.   IB

Hand, Johann Christian, * 12.12.1743 Calau/Niederlausitz, † 21.4.1807 Sorau; 1774 Armen- u. Zuchthausprediger in Waldheim, 1779–84 Inspektor in d. Schulpforte, 1784 Superintendent in Freiburg/Thür. u. 1785 in Plauen/Vogtl., seit 1798 Konsistorialassessor u. Superintendent in Sorau.

Schriften: De Livio oratore, 1773; Über die Klugheit eines geistlichen Lehrers, wider die Religions- und eigentlichen Predigtverächter, 1784; Memoria G.W. Irmischii, rectoris scholae Plaviensis ..., 1794; Gesang- und Gebetbuch für Stadt- und Landschulen (mit F.W.E. Rost) 1795; Denkmahl der in den verflossenen Jahrhunderten in der Stadt Sorau vorgefallenen merkwürdigen Begebenheiten, 1801.

Literatur: Meusel-Hamberger 3,70; 14,28; 18,39.   RM

Handel, Christian Friedrich, * 9.1.1776 Saarbrücken, † 6.9.1841 Neiße; Theol.-Studium in Halle, Hauslehrer u. Erzieher, 1804–16 Pfarrer in Rudelsdorf, seit 1818 Pastor, Superintendent u. Lehrer in Neiße. Verf. versch. landwirtschaftl. Schr. u. einzeln gedr. Predigten.

Schriften: Evangelische Christenlehre mit und nach den Hauptstücken des Katechismus, 1822 (6., verb. Aufl. 1840); Materialien zu einem vollständigen Unterricht im Christenthum nach Luthers Katechismus ..., 1825 (2., umgearb. Aufl. 1835; 3., verb. Aufl. 1840); Fragebüchlein über die evangelische Christen-lehre ..., 1826; Der katholischen Kirche Schlesiens zweiter Theil oder Paragraphen zu einer neuen Verfassungsurkunde derselben, mit Begründung auf Geschichte, Christenthum und Vernunft, 1830; Pädagogische Hand- und Taschenbibliothek für Ältern, Lehrer und Erzieher (mit C.G. Scholz hg.) 4 Abt., 1831 bis 1840; Kurzer Inbegriff der christlichen Religionslehre und des Wichtigsten aus der Geschichte der christlichen Kirche ..., 1841.

Literatur: Meusel-Hamberger 18,40; 22.2,562.   RM

Handel-Mazzetti, Enrica Freiin von, * 10. 1. 1871 Wien, † 8.4.1955 Linz; Tochter d. k.k. Generalstabshauptmanns Heinrich Freiherr v. H., d. vor ihrer Geburt starb. Privaterziehung durch d. Mutter, 1886–87 St. Pöltener Inst. d. Englischen Fräulein, studierte danach in Wien Sprachen sowie ältere u. neuere Lit., seit 1888 auch lit. Betätigung, enge Bindung an d. Mutter bis zu deren Tode 1901, 1905–1917 Aufenthalt in Steyr, dann Übersiedlung n. Linz, wo sie unter d. Hitlerregime lit. verfemt in wachsender Vereinsamung lebte; 1914: Ebner-Eschenbach-Preis; 1936 Ehrenbürgerin von Linz; 1951: Stiftung e. öst. Handel-Mazzetti-Preises z. jährl. Verteilung an öst. Dichter. Romanschriftst., Volkserz., Ged. u. Dramen.

Schriften: Nicht umsonst (Schausp.) 1892; Pegasus im Joch (Lsp.) 1895; Talitha. Weihnachtsspiel, 1896; In terra pax, hominibus bonae voluntatis! Weihnachtsspiel, 1899; Meinrad Helmperges denkwürdiges Jahr (Erz.) 1900; Die wiedereröffnete Himmelsthür. Osterspiel, 1900; Der Verräter. Fahrlässig getötet (Nov.) 1902; Erzählungen, 2 Bde., 1903; Ich mag ihn nicht (Erz.) 1903; Als die Franzosen in St. Pölten waren (Erz.) 1904; Skizzen aus Österreich, 1904; Der letzte Wille des Herrn Egler (Nov.) 1904; Jesse und Maria (Rom.) 1906; Novellen, 1907; Historische Novellen, 1908; Deutsches Recht und andere Gedichte, 1908; Acht geistliche Lieder, 1909; Sophie Barat. Gedenkblatt, 1910; Erzählungen und Skizzen (hg. J. ECKARDT) 1910; Imperatori. Fünf Kaiserlieder, 1910; Die arme Margaret (Rom.) 1910; Geistige Werdejahre, 2 Bde., 1911 bis 1912; Bunte Geschichten, 1912; Napoleon II. und andere Dichtungen, 1912; Stephana Schwertner, 3 Bde. (Rom.) 1912–14; Weihnachts- und Krippenspiele, 1912; Brüderlein und Schwesterlein (Rom.) 1913; Ritas Briefe, 5 Bde. (Erz.) 1915–21; Friedensgebet, 1915; Der Blumenteufel. Bilder aus dem Reservespital Staatsgymnasium in Linz, 1916; Ilko Smutniak, der Ulan (Rom.) 1917; Der deutsche Held (Rom.) 1920; Caritas. Die schönsten Erzählungen, 1922; Ich kauf ein Mohrenkind (u. andere Weihnachtsspiele) 1922; Ritas Vermächtnis (Rom.) 1922; Das Rosenwunder, 3 Bde. (Rom.) 1924–26; Seine Tochter (Erz.) 1926; Johann Christian Günther (Rom.) 1927; Frau Maria, 3 Bde. (Rom.) 1929–31; Die Heimat meiner Kunst, 1934; Christiana Kotzebue (Nov.) 1934; Die Waxenbergerin (Rom.) 1934; Das hei-

lige Licht (Erz.) 1938; Graf Reichard, 2 Bde. (Rom.) 1939–40; Renate von Natzmer. Eine Paralleldichtung zu Schillers «Kindsmörderin», 1951.

Briefe: Der Dichterin stiller Garten. Briefwechsel mit Marie v. Ebner-Eschenbach (hg. J. MUMBAUER) 1918.

Archiv: H.-M.-Archiv, Bundesstaatl. Studienbibliothek Linz.

Literatur: NDB 7,605; HdG 1,263. – E. KORRODI, ∼, 1909; DERS., ∼ u. d. dt. hist. Rom. (in: ZDU 25) 1911; B. SCHMITZ, Die Gedichtslg. v. ∼ (ebd.) 1911; J. RODENBERG, Briefe über e. dt. Rom., 1911; J. FISCHER, ∼, 1912; H. BRECKA, Die ∼, 1923; B. W. SPEEKMANN, Quellen u. Komposition d. Trilogie Stephana Schwertner (Diss. Groningen) 1924; J. KRÖCKEL, D. Kompositionsgesetz in d. Rom. v. ∼ (Diss. Frankfurt) 1926; D. ∼-Almanach, 1926; P. SIEBERTZ (Hg.), ∼s Persönlichkeit u. Werk, 1930; T. MÜNCKEL, D. archaisierenden Stilmittel d. Erzählkunst der ∼ (Diss. Frankfurt) 1931; H. SCHNEE, ∼, 1934; A. A. HEMMEN, The Concept of Religious Tolerance in the Novels of ∼, Atchison 1946; K. VANCSA, In Memoriam ∼, 1955; N. LANGER, ∼ (in: N. L., Dichter aus Öst. 2) 1957; K. VANCSA, Nur e. Zettel. Aus d. ∼-Archiv (in: Jb. f. Landeskunde v. Niederöst. N.F. 34) 1958–60; J. E. BOURGEOIS, Ecclesiastical Characters in the Novels of ∼ (Diss. Univ. Cincinnati) 1956; DERS., ∼'s Tribute to Schiller (in: Monatshefte 51) 1959; M. ENZINGER, Schriften v. u. über ∼ (in: VASILO 20) 1971; DERS., ∼. Gedächtnisschr. zu ihrem 100. Geb. (ebd.) 1971; B. DOPPLER, Möglichkeiten e. ∼-Archivs (in: VASILO 26) 1977; DERS., Vom «Waisenkind» bis z. «Dt. Rundschau». Publikationsorgane kathol. Schriftst. zw. 1890 u. 1918 am Beisp. ∼ (in: ÖGL 21) 1977. PG

Handelmann, (Gottfried) Heinrich, * 9.8.1827 Altona, † 26.4.1891 Kiel; Gesch.-Studium in Heidelberg, Kiel, Berlin u. Göttingen, 1854 Dr. phil., Priv.doz. u. seit 1866 Prof. in Kiel, 1873 Dir. d. antiquar. Museums; Konservator d. Prov. Schleswig-Holst., Vorsitzender d. Anthropolog. Ver. f. Schleswig-Holst., Hg. zahlr. Bde. d. «Ber. d. Schleswig-Holst.-Lauenburg. Alt.gesellschaft».

Schriften (Ausw.): Die letzten Zeiten Hansischer Übermacht in Skandinavisch Norden, 1853; Geschichte der amerikanischen Kolonisation und

Unabhängigkeit, 1. Bd., 1856 (m.n.e.); Jahrbücher für Landeskunde (hg. mit T. Lehmann) 6 Bde., 1858–63; Nordelbische Weihnachten. Ein Beitrag zur Sittenkunde ..., 1861; Volks- und Kinderspiele der Herzogthümer Schleswig, Holstein und Lauenburg ..., 1862 (2., verm. Aufl. 1874); Herzog Adolf von Holstein-Gottorp ..., 1865; Topographischer Volkshumor ..., 1866; Weihnachten in Schleswig-Holstein, 1866; Geschichte von Schleswig-Holstein mit Berücksichtigung der nordelbischen Kleinstaaten, 1873; Die amtlichen Ausgrabungen auf Sylt, 1882.

Bibliographie: E. ALBERTI, Lex. d. Schleswig-Holst.-Lauenburg. u. Eutin. Schriftsteller 1/1 u. 2/1, 1866/85.

Nachlaß: Staatsarch. Oldenburg. – Mommsen Nr. 1431.

Literatur: ADB 49,749.   RM

Handen, E. → Heidsieck, Antonie.

Handke (Hanke, Hancke, Hantke, Handtke), Johann Christoph, * 18.2.1694 Johnsdorf/Mähren, † Ende Dez. 1774 Olmütz; Ausbildung z. Maler in versch. Orten, 1722 Bürger v. Olmütz, 1723 Aufnahme in d. dort. Malerzunft. Freskomaler (Jesuitenkirche Königgrätz, 2 Festsäle d. spätern Univ. v. Breslau u.v.a.), Verf. e. 1766 entst. Autobiographie.

Ausgabe: Selbstbiographie (hg. R. FOERSTER) 1911.

Literatur: Wurzbach 7,315; Thieme-Becker 15,579; NDB 7,606. – H. TINTELNOT, D. barocke Freskomalerei in Dtl., 1951.   RM

Handke, Peter, * 6.12.1942 Griffen/Kärnten; 1954–59 Gymnasium Klagenfurt u.a., 1961–65 Jurastudium in Graz, Mitglied d. Grazer Autorengruppe, Teilnahme am Forum Stadtpark ebd., 1966 Auftritt vor d. Gruppe 47 in Princeton; freier Schriftst. ,mehrfach wechselnder Wohnsitz: Düsseldorf, Berlin, Paris, Köln, Frankfurt, Kronberg/Taunus. Gerhard Hauptmann-Pr. 1967, P. Rosegger-Lit.pr. 1972, Schiller-Pr. d. Stadt Mannheim 1972, Georg-Büchner-Pr. 1973, Prix Georges Sadoul, 1978; Franz-Kafka-Pr. 1979.

Schriften: Texte ohne Komma, 1960; Weissagung (Stück) 1966; Selbstbezichtigung (Stück) 1966; Publikumsbeschimpfung und andere Sprechstücke, 1966; Die Hornissen (Rom.) 1966; Der Hausierer (Rom.) 1967; Begrüßung des Aufsichtsrats. Prosatexte, 1967 (neue bearb. Ausg. 1970); Literatur ist romantisch (Aufs.) 1967; Kaspar, 1967; Der gewöhnliche Schrecken. Horrorgeschichten (Hg.) 1968; Deutsche Gedichte, 1969; Die Innenwelt der Außenwelt der Innenwelt, 1969; Prosa, Gedichte, Theaterstücke, Hörspiele, Aufsätze (Teilslg.) 1969; Hörspiel Nr. 2, 1969; Die Angst des Tormanns beim Elfmeter, 1970; Wind und Meer. Vier Hörspiele, 1970; Der Ritt über den Bodensee (Stück) 1971; Chronik der laufenden Ereignisse, 1971; Ich bin ein Bewohner des Elfenbeinturms (Aufs.) 1972; Stücke, 2 Bde., 1972/73; Wie wird man ein poetischer Mensch – oder: Der Ekel vor der Macht (Rede d. Büchner-Preisträgers, in: Der Literat 15) 1973; Der kurze Brief zum langen Abschied (Rom.) 1972; Die Unvernünftigen sterben aus (Stück) 1973; Wunschloses Unglück (Erz.) 1974; Als das Wünschen noch geholfen hat, 1974; Der Rand der Wörter. Erzählungen, Gedichte, Stücke (Ausw.) 1975; Falsche Bewegung, 1975; Die Stunde der wahren Empfindung, 1975; Die linkshändige Frau (Erz.) 1976; Das Ende des Flanierens (Ged.) 1976; Das Gewicht der Welt. Ein Journal, 1977; Langsame Heimkehr, 1979.

Literatur: HdG 1,264; Albrecht-Dahlke II,2, 716; KLG. – H. SCHWAB-FELISCH, D. Gruppe 47, ~ u. d. Folgen (in: Merkur 219) 1966; F.MAIERHÖFER, ~s lit. Leierkasten (in: SdZ 93) 1968; M. SCHARANG, Lit. riskiert (in: FH 23) 1968; ~, Text und Kritik, H. 24, 1969 (4., erg. Aufl. 1978); W. WERTH, V. ~ zu ~ (in: Monat 21, 250) 1969; M. KESTING, ~. D. Sozialwelt als Platitüde (in: M.K., Panorama d. zeitgenöss. Theaters, 1969); R. TAENI, Chaos versus Order. The Grotesque in Kaspar and Marat/Sade (in: Dimension 2) 1969; M. WALSER, Über di. neueste Stimmung im Westen (in: Kursbuch 20) 1970; G. HEINTZ, ~: D. Innenwelt d. Außenwelt d. Innenwelt. Z. Verbindung v. Lit.- u. Sprachbetrachtung (in: DU 22,6) 1970; U. TIMM, ~ oder sicher in d. 70er Jahre (in: Kürbiskern 4) 1970; M. BUSELMEIER, D. Image d. ~ (in: FH 25) 1970; H. HEISSENBÜTTEL, ~ u. s. Dg. (in: Universitas 25) 1970; J. BECKER, «Hörspiel» v. ~ (in: Neues Hörspiel, hg. K. SCHÖNING) 1970; R. TAENI, ~ u. d. polit. Theater (in: NR 81) 1970; J. VANDERATH, ~s Publikumsbeschimpfung. Ende d. aristot. Theaters? (in: GQ 43) 1970; P. HORN, Vergewaltigung durch d. Sprache. ~s Kaspar (in: LK) 1971; H. CH. ANGERMEYER, Zuschauer im Drama. Brecht, Dürrenmatt, ∼, 1971; E. NEF, ∼. Identifikation u. Sprache (in: Universitas 26) 1971; W. BUDDECKE u. J. HIENGER, Jemand lernt sprechen. Sprachkritik bei ∼ (in: Neue Slg. 11) 1971; O. LEDERER, Über ∼s Sprachspiele (in: LK 58) 1971; M. DURZAK, Erzählmodelle zu ∼s Romanversuchen (in: StudiGerm 9) 1971; G. HEINTZ, ∼, 1971; N. HERN, ∼. Theatre and Anti-Theatre, London 1971; H. P. FRANKE, Kaspar v. ∼. Versuch e. lit.soz. Interpret. (in: DU 5) 1971; C. A. DE ALMEIDA DIAS, Materiais para o estudo da peca Kaspar de ∼ (Diss. Coimbra) 1971; Über ∼ (mit Bibliogr.; hg. M. SCHARANG) 1972; N. HERN, ∼, New York 1972; K. RIES, ∼, Autor e. dt. Nachmoderne? (in: Boletin de estudios germanicos 9) Mendoza/Argentinien 1972; D. DE VIN, ∼s toneelstukken. Spreeken en zwijgen (in: Dietsche 117) Antwerpen 1972; C. WEBER, ∼s Stage is a Laboratory (in: Drama Rev. 16, 2) New York 1972; C. K. DIXON, ∼, D. Angst d. Tormanns beim Elfmeter (in: Sprachkunst 3) 1972; H. RISCHBIETER, ∼, 1972; I. BERTHIER, ∼ fra parola e realità (in: Il verri 4) Bologna 1973; U. SCHULTZ, ∼, 1973 (2., erw. Aufl. 1974); C. K. DIXON, ∼s Kaspar. E. Modellfall (in: GQ 46) 1973; N. HONSZA, ∼ u. s. Theaterstücke (in: Universitas 28) 1973; A. BLUMER, ∼s romant. Unvernunft (in: AG 8) 1973; P. K. KURZ, ∼. Sprach-Exerzitien als Gegenspiel (in: P. K. K., Über mod. Lit. 4) 1973; R. MICHAELIS, D. Katze vor d. Spiegel oder ∼s Traum v. d. «anderen Zeit». Rede auf d. Büchner-Preisträger (in: Jb. Darmstadt) 1973 (darin auch die Antw. v. P. H.: Die Geborgenheit unter der Schädeldecke); P. PÜTZ, ∼ (in: Dt. Dichter d. Ggw., hg. B. v. WIESE) 1973; H. FALKENSTEIN, ∼, 1974; CH. LINDER, Schreiben & Leben. Gespräche mit J. Becker, ∼, W. Kempowski u. a., 1974; E. WENDT, Mod. Dramaturgie, 1974; G. HEINTZ, ∼, 1974; TH. ELM, D. Fiktion e. Entwicklungsromans. Z. Erzählstrategie in ∼s Rom. «D. kurze Brief ...» (in: Poetica 6) 1974; D. GRIESER, Schauplätze öst. Dg., 1974; K. BATT, Leben im Zitat. Notizen zu ∼ (in: SuF 26) 1974; P. LAEMMLE, V. d. Außenwelt z. Innenwelt. D. Ende d. dt. Nachkriegslit. ∼ u. d. Folgen (in: Positionen im dt. Rom. d. sechziger Jahre, hg. H. L. ARNOLD, TH. BUCK) 1974; A. WEGENER, Fußnoten zu d. Werken ∼ (in: FS A. D. Klarmann) 1974; L. HERBRANDT, ∼s Kaspar: E. Modell d. Inhaltsbezogenen Grammatik

(in: Diskussion Deutsch 6) 1975; K. ROSSBACHER, Detail u. Gesch. Wandlungen d. Erzählens bei ∼ (in: Sprachkunst 6) 1975; W. KLEIN, Über ∼s Kaspar u. einige Fragen d. poet. Kommunikation (in: Mod. Dramentheorie, hg. A. VAN KESTEREN, H. SCHMID) 1975; R. NÄGELE, D. vermittelte Welt. Reflexionen z. Verhältnis v. Fiktion u. Wirklichkeit in ∼s Romen «Der kurze Brief ...» (in: SchillerJb 19) 1975; W. WEISS, ∼, Wunschloses Unglück oder Formalismus u. Realismus in d. Lit. d. Ggw. (in: FS H. Politzer) 1975; A. HOLZINGER, ∼s lit. Anfänge in Graz (in: Wie d. Grazer auszogen, d. Lit. zu erobern, hg. P. LAEMMLE, J. DREWS) 1975; F. N. MENNEMEIER, Rhetor. Weltekel u. Kapitalismuskritik, ∼ (in: F. N. M., Mod. dt. Drama, Bd. 2) 1975; P. PÜTZ, ∼. D. Angst d. Tormanns ... (in: Dt. Bestseller – Dt. Ideologie, hg. H. L. ARNOLD) 1975; M. SCHNEIDER, ∼. V. Formalismus z. psycholog. Realismus (in: M. S., D. lange Wut, 1975); V. BOHN, «Später werde ich über das alles Genaueres schreiben». ∼s Erz. «Wunschloses Unglück» aus lit. theoret. Sicht (in: GRM 26) 1976; W. THUSWALDNER, Sprach- u. Gattungsexperiment bei ∼, 1976; K. BOHNEN, Kommunikationsproblematik u. Vermittlungsmethode in ∼s D. Angst d. Tormanns ... (in: WirkWort 26) 1976; A. LENZEN, Gesellsch. u. Umgebung in ∼: D. Angst d. Tormanns ... (ebd.) 1976; R. NÄGELE, Unbehagen in d. Sprache. Zu ∼s Kaspar (in: Basis 6) 1976; B. HILLEBRAND, Auf d. Suche nach d. verlorenen Identität. ∼: D. kurze Brief ... (in: D. dt. Roman im 20. Jh. 2, hg. M. BRAUNECK) 1976; R. RITTER, D. «Neue Innerlichkeit» v. innen u. außen betrachtet (in: Kontext 1) 1976; M. MIXNER, ∼, 1977; B. v. MATT-ALBRECHT, Journal d. Augenblicks (in: Universitas 32) 1976; L. HILL, Obscurantism and Verbal Resistance in ∼s Kaspar (in: GR 52) 1977; W. H. REY, ∼ oder d. Auferstehung d. Tradition (in: LK 116/17) 1977; J. JACOBS, ∼ (in: Dt. Lit. d. Ggw. in Einzeldarst. 2, hg. D. WEBER) 1977; A. M. CARPI, Un' agiografia di ∼ (in: AION(T) 20) 1977; R. KREIS, Ästhet. Kommunikation als Wunschproduktion. Goethe-Kafka-∼. Lit.analyse am «Leitfaden des Leibes», 1978; R. NÄGELE, R. VORIS, ∼, 1978; G. SERGOORIS, ∼ u. d. Sprache, 1978; P. WAPNEWSKI, D. Gewicht d. Welt u. s. Eichmeister (in: NR 89) 1978; J. MÜLLER, Auf d. Suche nach d. wahren Existenz – ∼ u. s. Erz. (in: Universitas 33) 1978; R. ZEL-

LER, D. Infragestellung d. Gesch. u. d. neue Realismus in ∼s Erz. (in: Sprachkunst 9) 1978; H. L. ARNOLD, «Als Schriftst. leben». Gespräche mit ∼ ..., 1979; M. REICH-RANICKI, D. Angst d. Dichters beim Erzählen. Wer ist hier infantil? ∼ (in: M. R.-R., Entgegnung) 1979; ∼. Ansätze, Analysen, Anmerkungen, hg. M. JURGENSEN, 1979; M. DURZAK, ∼, 1979.

Handl, Franz, * Rostbach/Niederöst.; Zeichner b. e. Juwelier in Wien.

Schriften: Was Liebe vermag (Romanzen) 1906; Libussa. Eine Sage aus Böhmens Vorzeit (Dg.) 1908.   IB

Handl, Joseph (Ps. Hans Holm), * 11.10.1869 Mödling bei Wien; Schriftst. in Wien, Rundfunkmitarb. (zahlr. Hörsp.) u. Theaterkritiker.

Schriften: Kleist. Spiegelbild einer Seele (Rom.) 1938; Die Brüder (Nov.) 1940; Mit dem Privilegium Apolls. Zwei friderizianische Novellen, 1942; Der Schwan vom Avon. Ein Shakespeare-Roman, 1948; Romantische Leidenschaft (Rom.) 1956. (Ferner ungedr. Bühnenstücke u. Hörspiele.)   AS

Handle, Augustin, * 9.11.1774 Hall/Tirol, † 12.2.1839 Innsbruck; 1794 Eintritt in d. Zisterzienserstift Stams, 1797 Priesterweihe, 1800 Lehrer, 1806 Magister, 1807–09 Prior. Pfarrer in Burgeis, 1811 Dekan v. Mals, seit 1820 Abt d. Stifts Stams.

Schriften: Das Notwendigste für Eltern, 1814; Trauerrede auf Alfons II., Prälat von Fiecht, 1816; Trauerrede auf den ... Hintritt des hochwürdigen Herrn Marcus Egle, 1820; Wie man den Tag zubringen soll. Ritus et usus in festorum celebritate ..., 1833; Observanda circa Missas legendas ..., 1834.

Literatur: Wurzbach 7, 298; ÖBL 2, 298. – N. GRASS, D. Haller Damenstift ... Mit e. Anh.: Berühmte Haller, 1955.   RM

Handlgruber, Veronika (Ps. Vroni Handlgruber-Rothmayer), * 7.2.1920 Wien; Dr. phil., Leiterin d. Städt. Büchereien in Steyr/Ober-Öst. Lyrikerin, Verf. v. Kinder- u. Jugendbüchern.

Schriften: Moni geht zum Arbeitsdienst, 1941; Aquas Reise. Die Erlebnisse eines kleinen Frosches, 1943; Die Zwillinge Loni und Moni. Ein Mädchenbuch, 1949; Klein Helmer und das Traummännlein (Bilderb. mit E. Kutzer) 1950;

Ruf und Tröstung (Ged.) 1950; Die geteilten Zwillinge (Kinderb.) 1951; Es begann mit einem Luftballon. Eine Feriengeschichte, 1952; Das andere Gesicht (Ged.) 1961; Ferien in Paris, 1974.   AS

Handmann, Bernhard (Ps. Benno Fußmann), * 3.11.1866 Schleiz; Kaufmann, Red. an versch. Zeitungen, dann Geschäftsführer in Leipzig. Erzähler, Lyriker.

Schriften: Das walte Gott (Krim.rom.) 1905; Inspektor Flamm. Humoristisches aus dem Reiseleben, 1906; Das Geheimnis der Pappel (Krim.-rom.) 1920; Um Amt und Ehre (Krim.rom.) 1921; Rudis Sündenfall. Humoristischer Großstadtroman, 1921; Der Totschläger (Krim.rom.) 1922; Röckele und Zwiebäckle. Gedichte und kleine Erzählungen aus dem alten Schleiz, 1922; Der Diktator. Ein deutscher Wiederaufbau-Roman, 1922 (zeitgemäß überarb. v. G. Winter, 1933); Schleehn un Buchhackerle. Gedichte und kleine Erzählungen aus dem alten Schleiz, 1930.   AS

Handsch, Georg, * 20.3.1529 Böhmisch-Leipa, † n. 1578; Studium an d. Artistenfak. in Prag, Anschluß an d. Prager Humanistenkreis, 1553 Dr. med. (Padua), seit 1561 Famulus beim Leibarzt d. Erzherzogs Ferdinand v. Tirol (P. A. Mattioli), seit 1568 selber Leibarzt. Lyriker u. Hg., Verf. e. fünfbd. «Naturgesch. d. Thierreichs», d. meisten Schr. blieben ungedruckt.

Herausgeber- und Übersetzertätigkeit: Farragines poematum, 1561–72; P. A. Mattioli, New Kreuterbuch, 1563; Dioskurides' Von der materia medica, 1565.

Literatur: ADB 49, 749; de Boor-Newald 4/2, 450.   RM

Handte, Emilie (Ps. Lisel Handte), * 21.12.1897 Göppingen; lebte in Stuttgart.

Schriften: Der Weg. In Rhythmen aus Lenz gen Sommer, 1922; Markus und Ute. Ein Buch der Liebe, 1928.   AS

Handtmann, (Friedrich August) Eduard (Ps. E. Handtmann-Seedorf), * 28.5.1842 Potsdam, Todesdatum u. -ort unbekannt; Theol.-Studium in Berlin, Tübingen u. Halle, 1875 Pfarrer in Seedorf/Elbe, lebte seit 1908 in Potsdam im Ruhestand. Mitgl. d. Berliner u. d. Dt. Antroposoph. Gesellschaft.

Schriften: Neue Sagen aus der Mark Brandenburg. Ein Beitrag zum deutschen Sagenschatz, 1883; Rote Immortelle. Die Rose von Jericho im deutschen Land. Brandenburgisches Märchen, 1886; Was auf märkischer Heide sprießt. Märkische Pflanzenlegenden und Pflanzen-Symbolik, 1890; Fliegende Blumen der Mark Brandenburg. Plauderei über zehn märkische Schmetterlinge von einem Landpfarrer, 1899.   RM

Hané, Eugen, * 23.8.1845 Neu-Ruppin/Mark Brandenb., † 9.11.1900 Frankfurt/M.; Kaufmann, 1864–70 in d. Schweiz im Versicherungsfach tätig; seit 1870 Mitarb. versch. Ztg. u. Zs. in Frankfurt/Main.

Schriften: Träumereien im Studierstübchen. Dichtungen, 1888; Kindermund in Dichtungen, 1900; Im Zenith. Neue Dichtungen, 1900.   RM

Hane, Paschen Heinrich, * 16.10.1749 Plau/Mecklenb., † 26.9.1815 Gadebusch/Mecklenb.; Theol.-Studium in Rostock, Prediger in Woosten/Mecklenb. u. seit 1792 in Gadebusch, zuletzt Kirchenrat u. Praepositus.

Schriften: Litzmanns einige Predigten und Aufsätze. Nach seinem Tode nebst seinem Leben herausgegeben, 1784; Beurtheilung der bisher gedruckten Gedächtnisspredigten auf den weyland Durchl. Herzog Friedrich zu Mecklenburg, 1785; Prüfung der Gedanken über die Beurtheilung der Gedächtnisspredigten ..., 1786; Schrifterklärungen, voran eine Abhandlung über die Metaphora in ascetischen Vorträgen, 1788 (Forts. 1790); Ueber ältere Republiken, mit Hinsicht auf die neue französische Republik, 1793; Über die Nothwendigkeit verbesserter Gesangbücher ..., 1795; Übersicht der Mecklenburgischen Geschichte ..., 1804.

Literatur: Ersch-Gruber II.2, 158; Meusel-Hamberger 3,70; 9,506; 14,28; 18,40.   RM

Hane, Philipp Friedrich, * 2.9.1696 Belitz/Mecklenb., † 27.9.1774 Kiel; Theol.-Studium in Rostock u. Jena, 1723 Habil. u. Prof. an d. Kieler Univ., 1724 Univ. bibliothekar, 1733 Oberkonsistorial- u. Kirchenrat, Mit-Hg. d. «Ann. Lit. Mecklenburgenses» (1722).

Schriften (Ausw.): Das Leben und die Thaten Ignatii Lojolae ..., 1721 (2., verb. Aufl. 1725); Entwurf von dem auswärtig berühmten Mecklenburg, 1722; Tentamina Philosophiae eclecticae ..., 1729; Gedenkmal der holsteinischen Jubel-

freude ..., 1731; Historia critica Augustanae Confessionis ..., 1732; Historisch- und theologische Anmerckungen über A.W. Böhmens Engländische Reformations-Historie, 1735; Entwurf der Kirchengeschichte Neuen Testaments, sowie solche in den erfüllten und aufgeklärten Weissagungen der göttlichen Offenbarung enthalten sind, 3 Tle., 1768–72.

Literatur: Adelung 2, 1776; ADB 10, 501.   RM

Hane, Wilhelm (Ps. Hans Guckdichum), * 28.7.1880 Ludwigshafen, † 6.9.1950 Speyer; war Red. u. Volksschriftst. daselbst.

Schriften: Inserenten-ABC, 1921; Mei Dirndl, mei Zither und ich! Ein musikalisches Gedichtbuch für frohe und ernste Stunden, 1925; Pfälzer Brevier. Gerimter Ernscht unn Scherz for's Pfälzer Herz. Vum «Altpörtelgucker» W.H., 1947.
          AS

Haneberg, Daniel Bonifacius (seit 1866: von), * 17.6.1816 Tanne/Schwaben, † 31.5.1876 Speyer; 1839 Priesterweihe, Dr. theol. u. Privatdoz., 1840 a.o., 1844 o. Theol.-Prof. u. 1845 Univ.prediger in München, 1851 Eintritt ins Benediktinerstift St. Bonifaz, 1854 Abt, 1872 Bischof v. Speyer. Mitgl. d. Bayr. Akad. d. Wiss., Mitarb. am Herderschen Kirchenlex., Verf. einzeln gedr. Predigten u. v. Hirtenbriefen.

Schriften (Ausw.): Wiseman's Vorträge über die vornehmsten Lehren und Gebräuche der katholischen Kirche (übers.) 1837; Handbuch der biblischen Alterthumskunde, 1844 (2., umgearb. Aufl. u.d.T.: Die religiösen Altertümer der Bibel, 1869); Versuch einer Geschichte der biblischen Offenbarung ..., 1849; Abhandlung über das Schul- und Lehrwesen der Muhamedaner im Mittelalter ..., 1850; E. Renans Leben Jesu beleuchtet, 1864; Zur Erkenntnisslehre von Ibn Sina und Albertus Magnus, 1866; Ein Kranz auf den Sarkophag Sr. Majestät des Königs Ludwig I. von Bayern ..., 1868; Canones S. Hippolyti ... (arab. u. lat., hg.) 1870; Über den Abfall vom christlichen Glauben, 1875; Evangelium nach Johannes (hg. P. Schegg) 2 Bde., 1878–80 (mit Biogr.).

Nachlaß: Abtei St. Bonifaz München.

Literatur: ADB 9,502; NDB 7,613; LThK 4, 1351. – C. v. PRANTL, ~ (in: SAM) 1877 (mit Bibliogr.); P. FUNK, ~ (in: Hochland 23) 1925/1926; A. HUT [d.i. M. Müller], ~, 1927; J. BISSON, Sieben Speyerer Bischöfe, 1957; O. LECH-

NER, D. Missionsgedanke bei Abt ~ (in: Laeta dies ... 9, hg. S. AMON, U. MÄRZHÄUSER) 1968.   RM

Hanel, Hermine, * 1874 Prag, lebte in München, (weitere Angaben unbekannt). Erzählerin.

Schriften: Liese und Marie, 1911; Junge Ehe, 1913; Das Rätsel der Sphinx (Märchen) 1919; Eva. Ein Münchner Roman, 1918; Was der Kalender erzählt. Ein deutscher Märchenkranz, 1919; Spätgeboren (Rom.) 1920; Das Haus des Lebens und andere Novellen, 1921; Tonis Abenteuer im Englischen Garten. Kinderbuch, 1926; Die Geschichte meiner Jugend, 1930.   IB

Haner, Georg, * 28.4.1672 Schässburg, † 14. 12.1740 Mediasch; Vater v. Georg Jeremias H., 1691 Magister in Wittenberg, 1695 Rektor u. seit 1697 auch Prediger in Schässburg, 1713 Stadtpfarrer, 1719 Generaldechant, 1736 Superintendent, Pfarrer v. Birthelm u. Bischof d. evangel. Sachsen in Siebenbürgen. Verf. versch. Diss. u. Disputationen.

Schriften: De subjecto Philosophiae moralis speciale, seu Orationis affectus et actiones morales, 1691; Pentecostalis Pneumatologia paradisiaca..., 1692; Lustratio Hebraeorum ad explicanda commata ..., 1692; Historia Ecclesiastica Transsylvanicarum ..., 1694 (e. verm. Umarbeitung ist ungedr.); Acroasium theologicarum, Disputatio prima ex Theologia de Theologia in genere ..., 1696; De Theologiae objecto sive de Religione ..., 1697; Acroasium theologicarum ex D. Cunradi Dicterici Institutionibus, catechetes ..., 1697; Notabene majus pastoris Sax-Transsylvani et Augustanae confessioni invariatae ore et corde addicti in tres partes divisum, 3 Bde., o. J.

Literatur: Adelung 2, 1778; ADB 10, 507; RGG ³3, 65. – F. TEUTSCH, Gesch. d. evangel. Kirche in Siebenbürgen, 2 Bde., 1921 f.; H. JEKELI, Unsere Bischöfe, 1933.   RM

Haner, Georg Jeremias, * 17.4.1707 Keisd/Siebenb., † 9.3.1777 Birthälm/Siebenb.; Theol.-Studium in Wittenberg u. Jena, 1732 Schulrektor in Mediasch, Pfarrer in versch. Orten, seit 1759 Superintendent u. Bischof v. Birthälm. Verf. versch. rechtsgesch. Schr., schuf mit Bruckenthal 1754 d. sog. Konsistorialverfassung.

Schriften: Das königliche Siebenbürgen, entworfen und mit nöthigen Anmerkungen versehen, 1763; De scriptoribus rerum Hungaricarum et Transsylvanicarum scriptis eorundem antiquioribus ordine chronologico digestis adversaria, 2 Bde., 1774/98.

Literatur: Wurzbach 7, 299; ADB 10, 508; NDB 7, 614; RGG ³3, 65. – F. TEUTSCH, Gesch. d. ev. Kirche in Siebenbürgen 2, 1922; H. JEKELI, D. Herrnhutische Bewegung in Siebenbürgen (in: Arch. d. Ver. f. Siebenbürg. Landeskunde, NF 46) 1931; DERS., Unsere Bischöfe, 1933.

   RM

Haner, Johannes, * um 1480 Nürnberg, † um 1549 Bamberg; Magister d. Theol., 1524 Domprediger in Würzburg, Reformator, um 1534 wieder Annäherung an d. Kathol., 1535 Ausweisung aus Nürnberg, 1535 Domvikar u. 1541–44 Domprediger in Bamberg. Verf. e. Reformgutachtens (vgl. P. Balan, Monumenta reformationis lutheranae, 1884).

Schriften: Prophetia vetus ac nova, h. e. vera scripturae interpretatio. De syncera cognitione Christi deque recta in illum fide, 1534; De concilio, 1535; Theses de poenitentia adversus recens aeditas Wittenbergae, 1539.

Briefe: Epistolae duae J. Haneri et G. Wicelii de causa Lutherana (hg. G. WITZEL) 1534; J. v. DÖLLINGER, Briefe u. Aufsätze v. ~ u. Witzel (in: Beitr. z. polit., kirchl. u. Cultur-Gesch. d. 6 letzten Jh. 3) 1882. – Auszüge bei J. H. Hottinger, Historia Ecclesiastica ... 2, 1651 ff.

Literatur: ADB 10, 511; LThK 4, 1351; RE 7, 400; RGG ³3, 66; Schottenloher 1, 324. – G. RICHTER, D. Schr. G. Witzels, 1913; ~ (in: Mitt. d. Ver. f. Gesch. d. Stadt Nürnberg 44) 1944; J. KIST, D. Matrikel d. Geistl. d. Bistums Bamberg 1400–1556, 1959.   RM

Hanf, Friedrich, Lebens- u. a. biogr. Daten unbekannt.

Schriften: Alle strafbar (Lsp.) 1809.

Literatur: Goedeke 6, 474.   RM

Hanff, Josef (Ps. Hans Henkl, Wendelin von Wallern), * 5.4.1847 Maschau; Dr. med., lebte in Morgenstern b. Reichenberg/Böhmen.

Schriften: Sammlung von Erzählungen aus dem ärztlichen Leben, 1874; Vermischte Schriften (= Deutsche Blätter aus Böhmen) 1889.   AS

Hanffler, Johann, 18. Jh.; luther. Geistlicher.

Schriften: Erste Abtheilung des vollständigen Haus- und Kirchenschatzes, vorstellend die Krone des Lebens, in Predigten, 1705 (Forts.: «... vorstellend den Zepter des Reichs Christi», 1712).

Literatur: Adelung 2, 1779.   RM

Hanffstengel, Theodor von (Ps. Purzelchen), * 6. 10. 1881 Burgdorf/Kr. Goslar, † 28. 3. 1944 Bad Gandersheim; Studienrat, zuletzt in Bad Gandersheim.

Schriften: Armer Vati! Heiteres aus dem Eheleben, 1933 (bearb. Neuausg. 1938); Das kleine Süße (Rom.) 1937; Ein Herr in bestem Alter (Rom.) 1938; Das Englein und andere Novellen, 1939; Jugend schafft es doch. Roman für die Jugend, 1940.   RM

Hanftmann, Barthel → Bünau, Georg.

Hango, Hermann, * 16. 5. 1861 Hernals b. Wien, † 10. 10. 1934 Wien; Kanzleibeamter, 1911–23 Dir. d. städt. Arch. in Wien. Red. d. «Kalenders d. dt. Schulver.» (1900–20), Mit-Hg. versch. Quellenwerke z. Gesch. Wiens.

Schriften: Zum Licht! (Ged.) 1890; Neue Gedichte, 1894; Faust und Prometheus. Eine Dichtung, 1895; Nausikaa (Tr.) 1897; Asche! Neue Gedichte, 1899; Lieder aus dem Wiener Walde. Neue Gedichte, 1903; Aus Ruh' und Unruh'. Neue Gedichte, 1912; Jesus Christus. Ein deutsches Jesusbild, 1913; Obertraun. Eine Erzählung aus den österreichischen Bergen, 1929.

Literatur: ÖBL 2, 178.   RM

Hanhart, Dorett(e) (Ps. f. Dorett(e) Hunziker-Hanhart), * Zürich, † 7.4.1941 ebd.; Schriftstellerin in Zürich.

Schriften: Das späte Schiff (Rom.) 1930; Die gläserne Wand, 1933; Der Ritt (Erz.) 1936; Jungfer Regula und andere Erzählungen, 1939; Die drei Kerzen und andere Erzählungen, 1945.   RM

Hanhart, Johannes, * 25.7.1773 Winterthur, † 29.8.1829 ebd.; n. Theol.-Studium Oberlehrer u. 1819 Pfarrer in Winterthur, 1823 Dr. phil.

Schriften: Am Grabe meines Kindes Franz ... Selbstgespräche, 1814; Drey Psalmen zum gottesdienstlichen Gebrauche ..., 1815; Alexander, der Wohltätige (Ged.) 1817; Der Rosenberg und die drey Blumen ..., 1818; Gedichte, 1818; Christliche Lieder zur Feyer der Reformation (mit H.-G. Nägeli) 1818; Ulrich Zwingli's Stimme an die Lehrer des Evangeliums, und Conrad Gessners Ermahnung zur Standhaftigkeit im Bekänntnis der Evangelischen Lehre. Zwey Denkmahle aus den Zeiten der Reformation, 1818; Wie sollen unsere Schulen seyn? Andeutungen und Winke, 1818; Drey Reden am Reformationsfeste 1819 (Mit-Verf.) 1819; An Frau Louise Ziegler, o. J.; C. Gessneri epistolarum medicinalium liber IV. (hg.) 1823; Conrad Gessner. Ein Beitrag zur Geschichte des wissenschaftlichen Strebens und der Glaubensverbesserung im 16. Jahrhundert. Aus den Quellen geschöpft, 1824.

Literatur: HBLS 4, 73; Meusel-Hamberger 18, 40; 22.2, 563; Goedeke 12, 93.   RM

Hanhart, Rudolf, * 1780 Diessenhofen/Kt. Thurgau, † 13.2.1856 Gachnang/Kt. Thurgau; 1803 Pfarrhelfer in Diessenhofen, 1817–31 Univ.-Prof. u. Rektor d. Pädagogiums in Basel, 1823 Dr. phil., zuletzt Pfarrer in Gachnang. Hg. d. «Zs. f. Volksschullehrer» (1829f.), Mitarb. d. wiss. Zs. d. Basler Hochschule (1823 ff.).

Schriften: Über die Nutzbarkeit der Schuldisciplin, 1818; Einige Worte zur Gedächtnisfeier des Herrn Friedrich Miville, 1820; Erinnerungen an Johann Bernhard Merian, 1820; Von der wissenschaftlichen Bildung als Quelle und Stütze der wahren Frömmigkeit, 1821; Blätter zur Belehrung und Erbauung für Jünglinge edler Erziehung, 1824; Reden und Abhandlungen pädagogischen Inhalts, 1824; Veredlung des Handwerkerstandes, 1824; Erinnerungen an Friedrich August Wolf. Ein Beitrag zu seiner Lebensgeschichte ..., 1825; Von der Erziehung zur Religiosität durch die Schule, 1825; Lehrbuch der Volksschulkunde, 1827; Erzählungen aus der Schweizergeschichte, nach den Chroniken, 4 Bde., 1829–38 (Neuausg. 1847); Abriß der Schweizerhistorie zum Schulgebrauch, 1830; Von der Einrichtung der höheren wissenschaftlichen Bildungsschulen nach den Anforderungen der Gegenwart, 1830.

Literatur: ADB 10, 513; HBLS 4, 73; Meusel-Hamberger 22.2, 563.   RM

Hanisch, Carl, Lebensdaten unbekannt; Hofschauspieler u. später Privatgelehrter in Stuttgart.

Schriften: Mannigfaltigkeiten aus dem Gebiete der Literatur, Kunst und Natur (1. Jg., hg.) 1816; Reinholds theatralische Leiden und Freuden, 2 Tle., 1826; Neueste Erzählungen, 1835; Hundert kurze moralische Erzählungen für Kinder …, 1854 (Außerdem e. Reihe ungedr. Bühnenstücke.)

Literatur: Meusel-Hamberger 22.2, 564; Goedeke 10, 495; 11/1, 211; 11/2, 185; 14, 169.

RM

Hanisch, Georg Daniel, * 24.10.1746 Friedland/Westpr., † 2.7.1822 Tangermünde; Feldprediger in Rathenau, Lehrer in Brandenburg, seit 1780 Kirchen -u. Schulinspektor sowie Pastor in Tangermünde.

Schriften: Gesangbuch für die Garnisongemeinde zu Rathenau, 1776; Drey Predigten im Felde gehalten, 1779; Die häusliche Erziehung muß der öffentlichen zu Hülfe kommen, 1780; Predigten zum Andenken einiger merkwürdiger Schicksale der Stadt Tangermünde, 1783; Christliche Huldigungsreden, 1808.

Literatur: Meusel-Hamberger 3, 71; 11, 315; 14, 29; 22.2, 564.

RM

Hanitzsch, Gabriel, * 1673 Glashütte, † 1736 Naundorf; Pfarrer in Gohlis u. seit 1707 in Naundorf.

Schriften: Das fromme und gesegnete Priestergeschlecht, 1715; Sendschreiben von den Fatis der Pfarrer zu Limbach, 1720; Sendschreiben von den Fatis der Pfarrer zu Schweta, 1721; Sendschreiben von den Fatis der Pfarrherren zu Schrebitz, 1721; Christlicher Unterricht von Gevatterschaften, 1735; Spieler-Catechismus, 1742 (?).

Literatur: Adelung 2, 1779.

RM

Hankamer, Paul (Johannes August) (Ps. Peter Hergenbrecht), * 11.2.1891 Wesel, † 29.6.1945 München; Studium d. Germanistik, Gesch. und Philos. in Heidelberg, Dr. phil., 1919 Promotion, 1920 Habil in Bonn, 1925 a.o. Prof. in Bonn u. 1928 in Köln, 1932–36 o. Prof. f. neue dt. Lit.gesch. in Königsberg, lebte seit 1936 in Solln b. München.

Schriften (Ausw.): Zacharias Werners Schicksalsdrama «Der Vierundzwanzigste Februar», 1919; Zacharias Werner. Ein Beitrag zur Darstellung des Problems der Persönlichkeit in der Romantik, 1920; Das geistliche Drama, 1921; Jakob Böhme. Gestalt und Gestaltung, 1924 (Nachdr. 1960); Die Sprache, ihr Begriff und ihre Deutung im 16. und 17. Jahrhundert, 1927 (Nachdr. 1965); Deutsche Literaturgeschichte, 1930 ([3]1952); Deutsche Gegenreformation und deutscher Barock …, 1935 ([4]1976); Vorabend, 1939;

Spiel der Mächte. Ein Kapitel aus Goethes Leben und Goethes Welt, 1943; Der Mantel des Ratsherrn. Erzählung aus dem Dreißigjährigen Kriege (hg. J. Zimmermann) 1954.

Herausgebertätigkeit: Böhme-Lesebuch, 1925; Lebendiges Erbe. Das Buch der Stille. Erzählende Dichtungen des 19. Jahrhunderts …, 1937; F. Schlegel, Über das Studium der griechischen Poesie, 1947.

Literatur: NDB 7, 617. – W. Müller-Seidel, ~ (in: D. Slg. 5) 1950; W. Worringer, ~ (in: Jb. d. Albertus-Univ. z. Königsberg/Pr. 2) 1952; J. Zimmermann, ~ z. Gedenken (in: P.H., D. Mantel d. Ratsherrn) 1954.

RM

Hanke, Fr(ans) → Franke, Hans.

Hanke, Gertrud (Ps. Gertrud Hanke-Maiwald), * 6.5.1920 Mährisch-Ostrau; Hausfrau u. freie Journalistin in Nürnberg.

Schriften: Tonda Machas Weg über die Grenze. Funkerzählung, 1972; Zweite Heimat Franken, 1973.

Literatur: E. J. Knobloch, Kleines Handlex. dt. Lit. in Böhmen, Mähren, Schlesien, v. d. Anfängen bis heute, [2]1976.

AS

Hanke, Helmut, * 11.7.1915 Zittau; aufgewachsen in Ohlau (jetzt Polen), Mitgl. d. Wandervogelbewegung, Studium d. Wirtschaftswiss. in Berlin, wiss. Mitarb. im Weltwirtschaftsinst. in Hamburg, dann Auslandkorrespondent in Frankreich f. Fachzs.; nach d. Krieg u. sowjet. Gefangenschaft Red. bei d. «Tägl. Rundschau» u. d. «Wirtschaft», seit 1960 freischaffender Schriftsteller in Berlin (Ost). Sach- u. Jgdb.autor.

Schriften: Schöpfung ohne Grenzen. Das Chemieprogramm revolutioniert unser Leben, 1959; Das unbeständige Feigenblatt. Kleidung gestern, heute, morgen, 1960; Der siebente Kontinent, 1962; Die große Ernte. Ein Streifzug durch die moderne Landwirtschaft, 1962; Männer, Planken, Ozeane. Das sechstausendjährige Abenteuer der Seefahrt, 1963 (3. verb. Aufl. 1966); Seemann, Tod und Teufel. Eine Oldtimer-Chronik, 1966; Kultur und Lebensweise im sozialistischen Dorf. Über kulturelle Prozesse bei der Gestaltung des entwickelten Systems des Sozialismus in der DDR, 1967 (= Diss. Berlin 1965); Das Abenteuer der Manege. Mit Gauklern, Clowns und Zirkustieren durch die Jahrhunderte, 1968; Kultur und Freizeit. Zu Tendenzen und Erfordernissen eines kulturvollen Freizeitverhaltens (Hg.) 1971; Meer der Verlockung. Auf den Spuren der Argonauten des Pazifik, 1973; Yvette Guilbert. Die Muse vom Montmartre, 1974.   AS

Hanke, Hennak, * 1.4.1906 Bentorf/Lippe; durch Selbsstudium weitergebildet, Lehrer. Plattdt. Erzähler.

Schriften: Kinner van'n Süll. Plattdeutsche Erzählungen, 1932; Pünjeshagen (plattdt. Erz.) 1963.   IB

Hanke (geb. Arndt), Henriette (Wilhelmine), * 24.6.1785 Jauer, † 5.6.1862 ebd.; Kaufmannstochter, 1814 Heirat mit d. Pastor H. in Dyhrnfurth/Oder, seit 1819 verwitwet. Romanschriftstellerin.

Schriften: Die Pflegetöchter, 1821 (2., umgearb. Aufl. 1832); Die zwölf Monate des Jahres. In zwölf Erzählungen, 2 Bde.. 1821 f. (2., verb. Aufl. 1833); Das Jagdschloß Diana und Wally's Garten (2 Erz.) 1822 (2., verb. Aufl. 1836); Bilder des Herzens und der Welt. In Erzählungen, 4 Bde., 1822–25 (2., verb. Aufl. des 1. Bds. 1832; Neuausg., 6 Bde., 1827); Claudie (Rom.) 3 Bde., 1823; Der Christbaum (Erz.) 1824; Die Freundinnen (Rom.) 3 Bde., 1825 f.; Blumenkranz für Freundinnen der Natur in Erzählungen, 1. Slg., 1827; Die Familie Jacobi. Ein häusliches Gemälde, 2 Bde., 1827; Erholungsstunden. Eine Sammlung kleiner Erzählungen, 1828; Die Perlen (Rom.) 2 Bde., 1828; Vergeltungen. Erzählend dargestellt ..., 2 Bde., 1829 f.; Die Schwiegermutter (Rom.) 2 Bde., 1830; Der letzte Wille (Erz.) 1830; Die Schriftstellerin und der Schutzpatron (2 Erz.) 1831; Die Schwester. Seitenstück zur Schwiegermutter, 2 Bde., 1831; Tante und Nichte. Die dritte Frau (2 Erz.) 1832; Elisabeth (Erz.) 1833; Die Witwen (Rom.) 2 Bde., 1833 f.; Der Colibri und die Ruine (2 Erz.) 1835; Die Schwägerinnen (Rom.) 2 Bde., 1835 f.; Der Brief. Minna. Der Barmherzige (3 Erz.) 1837; Der Schmuck. In Briefen. Seitenstück zu den Perlen, 3 Bde., 1837 f.; Ehen werden im Himmel geschlossen (Rom.) 2 Bde., 1840; Herbstblätter. In drei Erzählungen ..., 1841; Der Braut Tagebuch, 1841 (Forts. u. d. T.: Der Frau Tagebuch, 1842); Polterabend-Scenen und Aufzüge. Nebst vermischten Gedichten, 1843; Elfriede (Rom.) 2 Bde., 1846; Die Tochter des Pietisten (Rom.) 2 Bde.,

1847; Meine Hausgötter. Eine Sammlung kleiner Aufsätze ..., 1844; Eine schlesische Gutsfrau und ihre Angehörigen (Rom.) 2 Bde., 1850; Ein stilles Hauswesen, 2 Bde., 1853; Mein Wintergarten. Schilderungen aus dem Leben, 4 Tle., 1854 bis 1857.

Ausgaben: Sämmtliche Schriften (Ausg. letzter Hand) 126 Bde., 1841–57.

Nachlaß: Frels 115.

Literatur: ADB 10, 514; Meusel-Hamberger 22. 2, 565; Goedeke 10, 216.   RM

Hanke (seit 1796: von Hankenstein), Johann Alois, * 24.5.1751 Holleschau/Mähren, † 26.5. 1806 Prossnitz; Studium d. Philos. u. Ökonomie, 1771–73 Ökonom auf adl. Gütern, 1777 Bibl.-Kustos in Olmütz u. Brünn, seit 1785 Bibliothekar in Olmütz, seit 1791 im Ruhestand. Verf. v. ökonom., lat. u. tschech. Schr., übers. Gellerts «Liebe des Nächsten» ins Tschechische.

Schriften (Ausw.): Versuch über die Schiffbarmachung der March und Handlung der Mähren, 1782 (2., verb. Aufl. 1784); Empfehlung der böhmischen Sprache und Litteratur ..., 1783; Hekansohn, über die Wahl der Magistraten in den österreichischen Staaten, 1784; Bibliothek der mährischen Staatskunde, 1. Bd., 1786; Taschenbuch für Christen; ein Kern der heiligen Schrift des alten und neuen Testaments, zum Unterricht brüderlicher Vermahnung und getreuer Warnung der heutigen Christen, 1786; Feldgesang oder sogenannter Marsch für die mährische Legion, 1800; Epigraphia Caroli Ludovici Archiducis Austriae ..., 1802; Recension der ältesten Urkunde der slavischen Kirchengeschichte, Literatur und Sprache ..., 1804.

Literatur: Wurzbach 7, 316; Meusel-Hamberger 3, 71; 14, 29; Goedeke 7, 12. – J. DOLANSKY, ∼ u. s. Zusammenarbeit mit dt. Aufklärern (in: Ost u. West, Aufs. z. slaw. Philol.) 1966.
RM

Hanke, Manfred, * 11.7.1921 Pirna; Bibliothekar, wohnt in Bergisch Gladbach. Essayist.

Schriften: Die schönsten Schüttelgedichte (Hg.) 1967; Die Schüttelreimer. Bericht über eine Reimschmiedezunft, 1968.   AS

Han(c)ke, Martin, * 15.3.1633 Borna/Schles., † 20.4.1709 Breslau; Studium in Jena, Poeta laureatus, Hofmeister, 1659 Lehrer in Gotha; seit 1661 Lehrer, 1681 Prorektor, 1688 Rektor und

Schulinspektor am Elisabethen-Gymnasium in Breslau.

Schriften: Epigrammatum latinorum ... Centuria, 1654; Hundert Deutsche Getichte, 1656; Quorundam ... Silesiorum Theologorum Vitas, 1665; De rerum Romanorum Scriptoribus ..., 2 Bde., 1669/74; Orationes ..., 1673; De Byzantinarum rerum Scriptoribus ..., 1677; Poematum liber ad Deum ..., 1682; Poematum Liber Ad Amicum Theodorum Jacobi Silesium ..., 1685; Funf-Zehn Geistliche Lieder (3., verb. Aufl.) 1690; Sechzehn Lieder Von der Ewigkeit, 1690; Poematum varia ..., 1695; Poematum latinorum libri septem, 1698; Deutscher Lieder Fünf Bücher. Von unterschiedenen Dingen. Von der Ewigkeit. Von der Zeit. Von dem Gelde. Von der Ehre, 1698; Epigrammatum liber ad J.P. Titium ..., 1701; Vratislavienses eruditis propagatores ..., 1701 (Neuausg. hg. H. SCHOLTZ, 1767); De Silesiorum majoribus antiquitates ..., 1702; De Silesiorum nominibus antiquitates, 1702; De Silesiae rebus ab anno Christi 550 ad 1170 exercitationis, 1705; De Silesiis indigenis eruditis ..., 1707; Monumenta pie defunctis olim erecta ... nunc in unum collecta volumen, ²1718; Bemerkungen von dem Latein-Reden der studierenden Jugend zu Breslau (hg. C.G. Schönborn) 1853. (Außerdem e. Reihe ungedr. Schuldramen).

Literatur: Jöcher 2, 1349; Ersch-Gruber II.2, 166; ADB 10, 514; Goedeke 3, 289; FdF 2, 153; Neumeister-Heiduk 367. – H. MARKGRAF, ~ (in: H.M., Kleine Schriften) 1915; F. Heiduk, D. Dichter d. galanten Lyrik, 1971.   RM

Hankel, Christian August, * 19.1.1729 Frankenhausen, † 18.11.1808 ebd.; Hof- u. Konsistorialrat in Frankenhausen.

Schriften: Betrachtungen über die Spuren der göttlichen Vorsehung bey den ehelichen Verbindungen, 1754; Karl Ferdinand Hommel's Abhandlung des Satzes: Die vornehmste Sorge eines Fürsten sind die Gesetze (aus d. Lat. übers.) 1765; Übereinstimmung des Herrn D. Wilhelm Albrecht Teller's Lehrbuch des christlichen Glaubens mit Samuel Crell's neuen Gedanken von dem ersten und anderen Adam (mit Vorrede hg.) 1767; Versuch, einige in dem Stammbaume der hochadelichen Familie von Kettelhodt vorkommende alte Würden zu erläutern, 1770; Reden ... mit einer Vorrede, die eine Nachricht von den Frankenhausischen Superintendenten seit der Re-

formation ... enthält, 1771; Sammlung der durch die solenne Vorstellung des Hrn. Superintendenten Schmelzers veranlaßten Reden, welchen die Lebensbeschreibung der Hrn. Konsistorialpräsidenten zu Frankenhausen beygefügt sind, 1779.

Literatur: Meusel-Hamberger 3, 72; 22.2, 565.   RM

Hankel, J. Gottlieb W., * 1782, † 1820; Prediger in Ringleben b. Frankenhausen.

Schriften: Gedichte. Nach seinem Tode herausgegeben (v. seinem Bruder G. HANKEL) 1820.

Literatur: Meusel-Hamberger 22.2, 565; Goedeke 13, 162.   RM

Hankel, (Johannes Wilhelm) Paul, * 29.8.1861 Halle/Saale, † 21.2.1912 Berlin; Mechaniker u. Techniker in Halle, seit 1880 Schauspieler b. versch. Wandertruppen, später Regisseur und Theaterdir. in Petersburg, Regisseur in Glogau u. zuletzt Schauspieler an versch. Bühnen Berlins.

Schriften: Liebesfesseln oder Die neuen Wahlverwandtschaften (Schw.) 1881; Galilei (Dr.) 1885; Harald. Ein Lied der Liebe, 1893; Die 6. Bitte. Modernes Drama in fünf Akten, 1898; Aus Deutschlands toller Zeit. Kulturhistorischer Roman aus der Mitte des 19. Jahrhunderts, 1905.

Literatur: Theater-Lex. 1, 689.   RM

Hanker, Garlieb → Epheu, F.L.

Hanko, Reinhard, * 1.3.1881 Elberfeld; lebte ebd. als Rechtsanwalt.

Schriften: Dissoziativismus. Eine geneologische Erkenntnistheorie, intellektualistische Ethik, individualistische Rechts- und Staatsphilosophie, idealistische Kulturphilosophie, rationalistische Religionsphilosophie, 1920; Das individualistische Manifest, 1922; Individualistische Gedichte, 1924.   AS

Hankowiak, Friedrich (Peter), * 25.6.1890; war Hauptlehrer in Kokoschütz über Loslau/ Oberschles.; Mundartschriftst., Erz., Verf. v. Laien- u. Hörspielen.

Schriften: Wie de Mutter sproach. Mundartliche Dichtungen, 1935; Aus der Schatzkammer Holteis. Auswahl Holteischer Gedichte (Hg.) 1935; Aus Voatersch Sunntichkiste. Schlesische Dichtungen, 1936; Heemtedörfel. Schlesische Dichtungen, 1937; De Fischutter. Ein heiteres Spiel, 1937; Koarpen oder Liebe (Spiel) 1937; Hoischer Schnoken. Erlauschtes und Erduchtes,

1938; Joahraus, joahrein. Dichtungen, 1938; Hier spricht de Heemte, 1939; Nu doas wär ju goar gelacht ... Inse Durf werd schien gemacht! Heiteres Spiel um die Dorfverschönerung, 1939.

AS

Hann, Pauline, * 29.5.1855 Horschitz/Böhmen; Mitarb. versch. Zs. in Wien, seit 1880 Journalistin in New York.

Schriften: Anspruchslose Geschichten, 1891.

RM

Hannamann, Octavian August, * 30.7.1762 Wien, † 27.1.1808 ebd.; n. jurist. Stud. Magistratsrat in Wien. Verf. versch. jurist. Schriften.

Schriften: Die Hausehre (Schausp.) 1801; Phasma (heroische Oper, Musik F.X. Süssmaier) 1801; Die drei Körbchen (Lsp.) 1802; Über die Grenzlinien zwischen Verbrechen und Vergehen, 1805.

Literatur: Wurzbach 7,320; Goedeke 5,340.

RM

Hanncke, Rudolf, * 27.4.1844 Tilsit, † 17.2.1904; Dr. phil., war Gymnasialprof. in Cöslin; Historiker u. Geograph.

Schriften: Pommersche Skizzen. Kulturbilder aus der pommerschen Geschichte, 1881 (2., verm. Aufl. 1899); Neue Pommersche Skizzen. Kulturbilder und Studien zur pommerschen Geschichte, 1887; Cöslin im 15. Jahrhundert, 1893; Pommersche Kulturbilder. Studien zur pommerschen Geschichte, 1895; Erdkundliche Aufsätze, 1900 (neue F. 1901); Das Bourbonenthum in Spanien, 1900.

AS

Hannecke(n), Meno, * 1.3.1595 Blexen/Oldenb., † 17.2.1671 Lübeck; Theol.-Studium in Gießen u. Wittenberg, Schreiber in Brieg, 1619 Konrektor in Oldenburg, 1626–46 Prof. in Marburg, 1646 Superintendent in Lübeck.

Schriften: Jesus Syrach, welcher in Latein Ecclesiastes genannt wird, aller christlicher Jugend zu ubung in deutsche Reime ubergesetzt, 1618; Scutum veritatis catholicae, 1625; Examen manualis catholici Mart. Becani, 1637. (Außerdem zahlr. Streitschr., Disputationen u. einzeln gedr. Predigten).

Literatur: ADB 10,521; Goedeke 2,172.   RM

Hanneken, (Karl August Bernhard) Hermann von, * 2.2.1810 Vicheln/Mecklenb., † 6.9.1886 Bad Neuenahr; Kommandant d. Bundesfestungen Luxemburg u. Mainz, preuß. Generalleutnant, lebte n. seinem Abschied (1871) in Wiesbaden. Mitarb. versch. Militärzeitschriften.

Schriften: Der Krieg um Metz, 1870; Gedichte und Betrachtungen über den Krieg von 1870/71, 1871; Die allgemeine Wehrpflicht, 1873.

Literatur: ADB 49,762.   RM

Hannemann, Ambrosius, 17.Jh.; stammte aus Jüterbog, Archidiakonus an der St. Nicolaikirche in Jüterbog. Liederdichter u. -übersetzer.

Schriften: Prodomus Hymnologiae ... Achtzig Geistliche Lieder Deutzsch und Lateinisch in gleiche Reimen und Melodeyen gegen einander gesetzet, 1633.

Literatur: Goedeke 3,158.   RM

Hannemann, Franz, * 1.7.1925 Roslau.

Schriften: Noch sind im Kornboden Mäuse (Erz.) 1959; Ein Kochgeschirr voll Zucker (Erz.) 1960.

AS

Hannemann, Karl (Friedrich Wilhelm) (Ps. Ch. Jeannhomme), * 3.7.1839 Berlin, Todesdatum u. -ort unbekannt; Buchdruckerlehre, lebte als Autodidakt auf Reisen, seit 1873 Übers. u. Schriftst. in Berlin. Gründer d. Gesellsch. f. bask. Sprache «Euskara» u. Red. d. gleichnamigen Zeitschrift.

Schriften: Traumbuch, 1872; Spaniens Schreckenstage (Rom.) 3 Bde., 1872f.; Katechismus für Jünglinge und Jungfrauen. Ein Wegweiser durchs Leben, 1878; Prolegomena zur baskischen oder kantabrischen Sprache, 1884; Der Finger des Ermordeten (Kriminalrom.) 1886 (Neuausg. 1905). (Außerdem zahlr. Nov. u. Rom. in Zeitschriften.)

RM

Hannenberg, Gottfried, † 11.1730; Jesuit, Verf. antiprotestant. Schr., die in Posen, Braunsberg u. Kalisch erschienen.

Schriften: Theologia Controversa, 1723; Demonstratio septicollis ..., 1723 (dt. 1724); Antwort nicht ..., 1724; Siles silebis oder Antwort auf Georg Frankens Siles, 1724; Wer machts besser, der Praedikant oder der katholische Beichtvater? 1724; Examen placidum dispartationis theologicae ..., 1725; Revantsch Teuffel heraus, heraus! 1725; Titel ohne Mittel, 1728; Conclusia theologica, 1728; Defensio B.V. Mariae contra nostra tempestatis haereses, 1728; Miphiboseth spiritualis, 1730. u.a.

Literatur: ADB 10,522.   RM

Hannenheim, Wilhelm von, * 13.11.1885 Hermannstadt/Siebenb.; war ebd. Red. der «Neuen Zeitung».

Schriften: Kristian und die Sterne, 1921.   AS

Hanner, Johann David (Ps. J.D.H.), * 12.9.1754 Wien, † 20.6.1795 Neulerchenfeld b. Wien; Theol.-Studium, Privatlehrer, zuletzt Mesner in Neulerchenfeld. Verf. v. Bänkelliedern u. Broschüren.

Schriften (Ausw.): Ode auf das den 26. Juni bei der Nussdorferlinie in die Luft gesprengte Pulvermagazin, 1779; Auf Laudons Abreise zur kaiserlich-königlichen Armee, 1780; Das für Wiener erfreuliche Osterfest ..., 1782; Die Folgen der rasenden Liebe (Moritat) 1782.

Ausgabe: G. GUGITZ (in: G.G., Lieder d. Straße) 1954.

Literatur: G. GUGITZ (vgl. Ausg.).   RM

Hannighofer, Erich, * 25.2.1908 Königsberg; war Staatsangestellter ebd.; Lyriker, Erzähler.

Schriften: Erde (Nov.) 1937.   AS

Hanno, Raphael (Ps. Raphael), * 15.5.1791 Hanau, † 28.12.1871 Heidelberg; 1822 Privatdoz. u. seit 1824 a.o. Prof. f. Philos. u. Orientalistik in Heidelberg. Verf. versch. wiss. Schriften.

Schriften: Erstlinge meiner Leyer, Eine Neujahrsgabe an Günstige, 1817; Gedichte, 1. Slg., 1825; Amulette für edle Menschen gegen Anfälle der Kleinmüthigkeit. Aus der Zeit des Nathaniel gesammelt, 1826; Vorreden meines Vetters (mit Einl. hg.) 1828; Das Schloß im Abendroth. Ein Andenken an Heidelbergs Akademiker ..., 1828; Frühlings- und Sommer-Spazierbüchlein, 1829; Huldigungskantate. Bei der Thronbesteigung SKH. Leopold Großherzogs von Baden, 1830; Liebe und Weisheit. Auswahl aus hinterlassenen Schriften (Vorw. v. Rosa H., hg. C. FORTLAGE) 2 Bde., 1876.

Literatur: Meusel-Hamberger 22.2,566; Goedeke 13,38.   RM

Hannover, Emil, * 13.3.1869 Wien; Dr. iur., Beamter b. d. Eisenbahn.

Schriften: Frau Valerie (Lsp.) 1895. Betriebs-Reglement für die Personalbeförderung auf den österreichisch-ungarischen und bosnisch-herzegovinischen Eisenbahnen ... in Versen, 1903.   IB

Hannover, Heinrich, * 31.10.1925 Anklam; Rechtsanwalt in Bremen; Verf. v. Kinder- u. Sachbüchern.

Schriften: Politische Diffamierung der Opposition im freiheitlich-demokratischen Rechtsstaat, 1962; Hat die SPD etwas aus der Geschichte gelernt? Zur innenpolitischen Bedeutung der Notstandsgesetze, 1966; schubladentexte (Hg.) 1966; Politische Justiz 1918–1933 (mit E. Hannover-Drück) 1966; Der Mord an Rosa Luxemburg und Karl Liebknecht. Dokumentation eines politischen Verbrechens (mit ders.) 1967; Das Pferd Huppdiwupp und andere lustige Geschichten, 1968; Die Birnendiebe vom Bodensee. Geschichten für alle, die wissen wollen, wie man Geschichten erzählt, verändert, verbessert, 1970; Der müde Polizist, 1972; Lebenslänglich. Protokolle aus der Haft (mit K. Antes und Ch. Ehrhardt) 1972; Riesen haben kurze Beine (Bilderb. mit U. Fürst) 1976.   AS

Hanns Guck in die Welt → Beer, Johann.

Hannsmann, Margarete, * 10.2.1921 Heidenheim/Württ.; Schauspielstudium, lebt als Schriftst. in Stuttgart; hielt sich längere Zeit in Griechenland auf. 1976 Schubart-Preis der Stadt Aalen.

Schriften: Tauch in den Stein (Ged.) 1964; Drei Tage in C (Rom.) 1965; Maquis im Nirgendwo (Ged.) 1969; Grob, fein und göttlich (Ged. u. Prosa) 1970; Schwäbisch Gmünd (mit P. Swiridoff u.a.) 1971; Zwischen Urne und Stier (Ged.) 1971; Das andere Ufer vor Augen (Ged.) 1972; Ins Gedächtnis der Erde geprägt (Ged.) 1973; Fernsehabsage (Ged.) 1974; Blei im Gefieder. Ein Paris-Gedicht, 1975; Chauffeur bei Don Quijote, 1977; Kato i diktatoria. Mahnbilder für Freiheit und Menschenrechte, 1977.   AS

Hanoum, Kerimée (Ps. f. Marie v. Hobe, 2. Ps.: M. v. Eboh), 18.9.1845 Münster/Westf., 6.9.1918 Schloß Tucheim b. Güsen (Bez. Magdeburg) 1881 in 2. Ehe mit d. Rittmeister v. Hobe verh., seit 1883 am Hof d. Sultans in Konstantinopel, 1894 Rückkehr nach Dtl., lebte seither in Posen.

Schriften: Haremsbilder, 1896 (Neuausg. u.d. T.: Was der Außenwelt verschlossen, 1904; NF: Vom Orient und vom Occident, 1897); Xia. Weiteres vom Orient und Occident, 1901; Hoflust

(Xia) (Lsp.) 1907; Macboulé. Die Erzählerin. Schauspiel nach einer alten Legende in 3 Akten und einem Vorspiel, 1913; Ein folgenschwerer Rechtsspruch (Rom.) 1914.   RM

Hanov, Michael Christoph, * 18.9.1695 Zamborst b. Neustettin, † 21.12.1773 Danzig; Studium d. Theol., Philos. u. Naturwiss. in Leipzig, Hofmeister in Dresden u. Danzig, 1727 Prof. u. Univ.bibliothekar in Danzig.
Schriften: Erläuterte Merkwürdigkeiten der Natur, 1734; Entwurf der Erfindungskunst, 1738; Danziger Erfahrungen, 20 Bde., 1739–59 (Auszug, hg. J. D. Titius u. d. T.: Seltenheiten der Natur und Oeconomie, 3 Bde., 1753–55); Denkmahl der Danziger Buchdruckereyen, 1740; Preußische Sammlung ungedruckter Urkunden, 4 Bde., 1747–70; Oeconomia Wolffiana, 1755; Philosophia civilis sive Politica, tanquam continuatio systematis philosoph. Christiani Wolff, 4 Bde., 1756–59; Opuscula (hg. J. D. Titius) 1761; Philosophia naturalis sive physica dogmatica tanquam continuatio systematis philosoph. Christiani Wolff, 4 Bde., 1762–65. (Außerdem naturwiss. Schr., Diss. u. Disputationen.)
Literatur: Adelung 2, 1782; ADB 10, 524. RM

Hanrieder, Norbert, * 2.6.1842 Kollerschlag/ Oberöst., † 14.10.1913 Linz; 1863 Eintritt ins Linzer Priesterseminar, 1866 Priesterweihe, Kaplan in Losenstein (1867–69) u. a. Orten, 1874 bis 1913 Pfarrer u. Dechant in Putzleinsdorf. D. meisten seiner Schr. ersch. in Zs. u. Kalendern.
Schriften: Kelle – oder Kreuz oder Freimaurer und Jesuiten. Dramatisierte Erzählung nach Bolanden, 1871 (Neuausg. 1904); Ruiniert (Erz.) 1876; Der Lohn des guten Herzens. Eine Dienstbotengeschichte, 1880; Die Knödelwirtin (Schw.) 1881; Die Gallinade. Der Gesang vom Hahnenried, 1894 (Neuausg. 1902); Bilder aus dem Volksleben des Mühlviertels (Mundartged.) 1895 (2., abgeänd. Aufl. 1924); Mühlviertler Máhrl, 1895; Der oberösterreichische Bauernkrieg. Volksmundartliches Epos, 1907; Mundartliche Dichtungen aus dem Nachlaß (hg. F. Berger, L. Mayrhofer) 1935. (Außerdem e. Reihe ungedr. Bühnenstücke.)
Nachlaß: Bibl. d. oberöst. Landes-Museums Linz. – Frels 115.
Literatur: NDB 7, 623; ÖBL 2, 181; Theater-Lex. 1, 692; Albrecht-Dahlke II, 2, 717. – G.

Prader, ~ in s. Dg., 1912; A. Sonnleitner, ~ (Diss. Innsbruck) 1940; B. Pröll, D. oberöst. Heimat in ~ s Dg. (Diss. Wien) 1949.   RM

Hans → auch Johannes.

Hans von Augsburg → Nider, Johannes.

Hans der Bekehrer, 15. Jh.; vermutl. e. Dominikaner aus d. ostfränk.-niederbair. Raum. Verf. d. in d. Münchner Hs. cgm. 750 überl. Predigt «Von der wirdickait und kraft dez sussen namen Ihesu Christi und von dem namen Maria, seiner liben muter Maria …», die wahrsch. um 1461/62 entstand.
Ausgabe: K. Weigel, Hans des Bekehrers Predigt über die «wirdickait und kraft des sussen namen Ihesu Cristi (in: NM 67, 3) 1966/67.
Literatur: R. Cruel, Gesch. d. dt. Predigt im MA, 1879; G. Eis, Nachtr. z. VL (in: PBB Tüb. 83) 1961/62; K. Weigel (vgl. Ausgabe). RM

Hans, Bruder → Bruder Hans.

Hans von Bühel (gen. der Büheler), * um 1370, † zw. 1429 u. 1444, stammte aus e. oberbad. Geschlecht mit Sitz Bühl b. Rastatt; n. Büschgens (Lit.) Ministeriale d. Markgrafen v. Hachberg, bis 1414 in Diensten d. Kölner Erzbischofs Friedrich III. v. Saarwerden in Poppelsdorf b. Bonn. Verf. d. Versepen «Von eines Küniges Tochter von Frankrich …» (1401, ca. 8000 Verse, überl. in d. fragm. Hs. 3174 d. Breslauer Stadtbibl., Drukke in Straßburg 1500, 1508) u. «Diocletianus' Leben. Die Geschichte der sieben weisen Männer» (1412, 9494 Verszeilen, als Abschr. überl. in d. Hs. O III.14 Univ. Basel, Erstdr. Augsburg 1473).
Ausgaben: Diocletianus' Leben (hg. A. v. Keller) 1841; Des Bühelers «Königstocher von Frankreich …» (hg. T. Merzdorf) 1867.
Literatur VL 2, 159; ADB 3, 509; NDB 7, 624; Goedeke 1, 290. – F. Seelig, D. Elsäß. Dichter ~, 1887; K. Bartsch, Bruchst. e. Hs. d. «Königstochter» ~ s (in: Germania 36) 1891; O. Behaghel, Z. ~ (in: ebd.) 1891; H. Fitscher, Anrede u. Grußformen in d. Rom. ~ s (Diss. Greifswald) 1913; J. Weller, Über d. Stil u. d. stilist. Vorbilder d. «Königstochter von Frankreich» (Diss. Bonn) 1921; K. Büschgens, ~, Stud. z. Überl., Sprache u. Persönlichkeit (Diss. Bonn) 1921 (mit Bibliogr.); E. Scheunemann,

«Mai und Beaflor» u. «Die Königstocher von Frankreich», Unters. z. Darst. im hohen u. späten MA (Diss. Breslau) 1934; W. CLAUSS, Diocletianus Leben (in: Kindlers Lit. Lex. 2) 1966; A. HILDEBRAND, D. Königstocher v. Frankreich (in: ebd. 4) 1968.   RM

Hans Clauert → Krüger, Bartholomäus.

Hans von Dortmund (Tremonia), Meister, lebte um 1400; Verf. e. Zusatzkap. z. Henricus Breyells dt. Bearb. d. «Hortus sanitatis», in dem im Stil d. med. Reklamezettel d. ausgehenden MA 18 «stuck ader duchden» d. Petroleums aufgezählt werden.
Literatur: O. BESSLER, D. dt. Hortus-Ms. d. H. Breyell (in: Nova Acta Leopoldina, NF 15) 1945; R. CREUTZ u. J. STEUDEL, Einf. in d. Gesch. d. Medizin, 1948; G. EIS, Nachtr. z. VL (in: PBB Tüb. 83) 1961/62.   RM

Hans (Bernhard) von Eptingen, 15. Jh.; entstammte d. urspr. freien, später bischöfl.-basler. Dienstmannengeschlecht d. Herren v. Eptingen. H. v. E. wurde bekannt als Verf. e. Beschreibung seiner Reise ins Hl. Land (1460, als Begleiter d. Herzogs Otto II. v. Pfalz-Mosbach).
Ausgaben: Reise des Ritters Hans Bernhard von Eptingen nach Palästina, im Jahr 1460 (in: D. Schweizer. Gesch.forscher 7) 1828; Dass. (in: B. BERNOULLI, Beitr. z. vaterländ. Gesch., NF 2,1) 1885.
Literatur: VL 5,321; HBLS 3,49.   RM

Hans van Ghetelen (van Getelen), 15. Jh.; westfäl.-braunschweig. Herkunft, Bearb. d. v. d. sog. Mohnkopf-Druckerei in Lübeck 1488 hg. nd. «Evangelia» (Neudr. 1492, erh. nur 1 Ex. auf d. Preuß. Staatsbibl. Berlin). Nach H. Brandes (vgl. Lit.) stammen auch sämtl. andern nd. Mohnkopfdr. v. ihm (z.B. «Des dodes dantz» 1489; «Dat narrenschyp», 1497; «Reynke de vos», 1498).
Literatur: VL 2,163. – K.E.H. KRAUSE, ~ aus Lübeck (in: Jb. d. Ver. f. nd. Sprachforsch. 4) 1878; H. BRANDES, D. lit. Tätigkeit d. Verf. d. Reinke (in: ZfdA 32) 1888; «Dat narrenshyp» v. ~ (hg. H. BRANDES) 1914 (vgl. dazu A.G. v. HAMEL, in: DLZ, 1915).   RM

Hans aus Sachsen (d. i. Fritz Jubisch; anderes Ps.: Dagobert), * 11.9.1888 Leipzig; lebte ebd. als Bühnenautor.

Schriften: Richtet nicht! Soziales Drama in drei Akten, 1926; Ein tolles Weihnachtsfest. Weihnachtsschwank in zwei Aufzügen, 1926; Der abgefundene Fürst. Narrenspiel, 1926; Die Operation. Narrenspiel, 1926; Der Scheiterhaufen oder Das Ketzergericht, Narrenspiel, 1927; Die tote Hand oder Das Reichsschulgesetz. Narrenspiel, 1927; Die Hinrichtung oder das große Schlachtfest. Narrenspiel, 1927; Mensch und Maschine. Ein Schicksalspiel für Sprech-Chöre in drei Aufzügen, 1927; Das befreite Herz. Sprech-Chor, 1927; Der Herr im Frack. Sketch, 1927; Was man aus Liebe tut. Burlesker Schwank in drei Aufzügen, 1927; Stumpfsinn! Du siegst! Groteske in einem Akt, 1928; Der Fall Beyer (Schausp.) 1929; Der gezähmte Ehemann (Schwank) 1929; Der tapfere Musikant. Ein heiteres Märchenspiel mit Gesang und Tanz in sechs Bildern, 1929; Die angebrannte Weihnachtsgans. Weihnachtsschwank in zwei Aufzügen, 1929; Kasper demonstriert! Ein Spiel in vier Bildern, 1930; Kasper in Schwulitäten oder Tod und Teufel suchen wieder Stellung. Ein kurzweiliges Stücklein mit Gesang in einem Aufzug, 1930; Blechtopf und Zylinderhut oder Übermut tut selten gut. Ein Puppenspiel, 1930; Wir und die anderen. Eine satirische Revue, 1931; Der Rattenfänger von Hameln. Eine gar unterhaltsame, lehrreiche und doch lustige Geschichte in acht Bildern mit Gesang und Tanz, 1931; Die Schönheitskonkurrenz. Burlesker Schwank, 1931; Der große Unbekannte oder Der geprellte Polizeikommissar. Sketch, 1931; Das Märlein von der goldenen Gans. Traumspiel, 1931.
Literatur: Theater-Lex. II,922.   AS

Hans am See → Hansjakob, Heinrich.

Hans (von) Vintler → Vintler, Hans (von).

Hans von Waldheim, * um 1422 Halle/Saale, † 28.4.1479 Leipzig; stammte aus e. urspr. oberfränk. Geschlecht, das sich Anf. 15. Jh. in Halle niedergelassen hatte. Sohn d. Salzjunkers (Pfänners) Fabian v. W., 1440 Bürger v. Halle, bekleidete seit 1450 versch. städt. Ämter, 1459, 1462, 1465 u. 1468 Bürgermeister u. mehrmals Oberbornmeister, seit 1475 als Vertreter d. v. d. Popularpartei bekämpften Pfänner-Aristokratie mehrmals inhaftiert, 1476 Auswanderung n. Leipzig. Verf. e. Tagebuchs (Hs. Landesbibl. Wolfenbüttel) über d. v. ihm 1474–75 unternommene Pilgerfahrt durch Süd-Dtl. u. d. Schweiz (Begegnung mit Niklaus von Flüe) n. Südfrankreich.

Ausgabe: Die Pilgerfahrt des Hans von Waltheym im Jahr 1474 (hg. F. E. WELTI) 1925 (vollständ. Abdr. mit Beschreibung d. Hs.)

Teilausgaben: H. v. W.s Reisen durch die Schweiz im Jahr 1474 (hg. F. E. WELTI in: Arch. d. Hist. Ver. d. Kt. Bern 25, 2) 1920; Das oberbad. Land im Pilgerbuche des H. v. W. 1474/75 (hg. A. WERMINGHOFF, in: Zs. f. d. Gesch. d. Oberrheins, NF 37) 1922. – *Zur Begegnung mit Niklaus v. Flüe:* A. EBERT, Verschiedene topographische Notizen aus H. v. W.s Reise im Jahr 1474, 1826; G. FREYTAG, Niklaus v. d. Flüe (in: G. F., Vermischte Aufs. ... 2, hg. E. ELSTER, 1903); E. E. L. ROCHOLTZ, Die Schweizerlegende von Bruder Klaus von der Flüe nach ihren geschichtlichen Quellen und politischen Folgen, 1875; R. DURRER, Bruder Klaus ... 1, 1917.

Literatur: VL 2, 168. – H. FREYDANK, D. Hallesche Pfännerschaft, 1927.   RM

Hans von Westernach, 15. Jh.; entstammte e. schwäb. Adelsgeschlecht aus Westernach, d. im Stift Augsburg d. Erbmarschallamt besaß. Verf. e. Ged. über d. Schlacht b. Seckenheim (1462), e. Strafliedes (entst. zw. 1468 u. 1474, beide abgedr. bei Liliencron) u. e. sangbaren «Lobspruchs von den bairischen Fürsten» (Ende 15. Jh., abgedr. in Hormayrs «Taschenbuch f. d. vaterländ. Gesch.», 1850).

Literatur: VL 2, 175; de Boor-Newald 4/1, 188.   RM

Hans von Zollern → Cuvry, A.

Hans Ebran von Wildenberg, * um 1430 bei Abensberg/Niederbayern, † zw. 1501 u. 1503; stand als Reiterhptm. in Diensten d. Baiern-Landshuter Herzogs Ludwig d. Reichen u. dessen Sohnes Georg d. Reichen, Oberrichter in Landshut, 1463 herzogl. Rat; Schloßhptm. u. Hofmeister d. Herzogin Amalie u. später d. Herzogin Hedwig in Burghausen, zuletzt Pfleger das. Gründer e. Spitals bei Pattendorf, 1480 Teilnehmer d. v. Ulrich Fabri beschriebenen Pilgerreise ins Hl. Land (Ritter des Hl. Grabes). Verf. e. kultur- u. sprachgesch. bed. «Chron. v. d. Fürsten aus Baiern», v. der e. 1. Fassung vermutl. zw. 1465 u. 1480 entstand u. e. 2. um 1490 abgeschlossen war.

Ausgabe: F. ROTH, Des Ritters H. E. v. W. «Chronik von den Fürsten aus Baiern» (in: Quellen u. Erörterungen z. bair. u. dt. Gesch., NF 2) 1905.

Literatur: VL 2, 176; ADB 42, 498; de Boor-Newald 4/1, 147. – O. LORENZ, Dtl.s Gesch.-quellen im MA, ³1886; V. KELLER, ~, s. Leben u. s. baier. Chron. (in: Verhandlungen d. Hist. Ver. f. Niederbaiern 31) 1895; F. ROTH (vgl. Ausg.).   RM

Hans, Johann Martin, * 25. 1. 1696 Engeltal, † 5. 6. 1750 Altdorf; Studium in Regensburg u. Altdorf, seit 1721 Lehrer, Kantor u. Musikdir. an d. Stadtschule Altdorf, 1737 Magister u. gekrönter Poet (Göttingen).

Schriften: Des Altdorfischen Zions harmonische Freude im Singen und Spielen, 1722; Arien für Schüler zum Singen, o. J.

Literatur: Adelung 2, 1784.   RM

Hans, Kurt → Willecke, Kurt Hans.

Hansch, Michael Gottlieb, * 22. 9. 1683 Müggenhall b. Danzig, † 1749 Wien; Studium d. Theol. u. Philos. in Danzig u. Leipzig, Magister, 1718 kaiserl. Rat, lebte seit 1726 in Wien. Verf. zahlr. Diss. u. Disputationen sowie naturwiss. Werke, Hg. versch. Predigten s. Vaters, Michael Hansch.

Schriften (Ausw.): De Enthusiasmo Philosophico, 1702; Idea boni disputatoris, 1713; Diatraba de Enthusiasmo Platonico, 1716; Operum Jo. Kepleri Tom. I (hg.) 1718 (auch u. d. T.: Epistolae virorum doctissimorum ad Keplerum insertis ad easdem responsionibus ...); Selecta moralia, 1720; Gründliche Abbildung der Predigten im ersten Christenthum, nebst einem Anhang, 1725; Gottgeheiligte Passionsgedanken, 1725; Theoremata metaphysica e Philosophia Leibnitiana selecta ..., 1725; Regulae artis inveniendi, 1727; Das merkwürdige Wien, 1727; G. G. Leibnitii Principia Philosophiae ... (hg.) 1728; Trias meditationum logicarum de theoria Syllogismorum, 1734; Vernünftige Gedanken von der Möglichkeit zu einer Vollkommenheit in der Deutschen Sprache zu gelangen, 1735.

Literatur: Adelung 2, 1784; Wurzbach 7, 328; ADB 10, 527.   RM

Hanschmann, Alexander Bruno (Ernst) (Ps. Cheiriander), * 4. 1. 1841 Leipzig, † 1905 Coswig b. Dresden; Theol.-, Philol.- u. a. Stud. in Jena u. Leipzig, 1866 Lehrer am Technikum in Frankenberg u. später in Burgstädt, 1870 Rektor u. 1874–96 Dir. d. Bürger- u. Fortbildungsschulen in Waldenburg/Sachsen, lebte später in Dresden u. seit 1899 in Coswig. Verf. versch. Schulschriften.

Schriften: Der Traum der Marquise, 1870; Die biblischen Geschichten ... für Lehrer- und Schülerhand (mit A. Kneiss) 1874; Friedrich Fröbel. Die Entwicklung seiner Erziehungsidee in seinem Leben ..., 1874 (3., erg. Aufl. 1900; Sonderabdr. u. d. T.: Von der Wiege bis zur Hochschule ..., 1901); Kurze Chronik der Stadt Waldenburg und des fürstlichen Hauses Schönburg-Waldenburg..., 1880; Aus Lenz und Sommer (Ged.) 1884; Uriel und Gabriel, 1888; Waldenburg und das Muldenthal, 1896; Bernard Palissy, der Künstler, Naturforscher und Schriftsteller als Vater der induktiven Wissenschaftsmethode des Bacon von Verulam ... Ein Beitrag zur Geschichte der Naturwissenschaften und der Philosophie, 1903.   RM

Hanschmann, Johann Gottlob, * 22.3.1804 Kleinbothen b. Grimma, † 26.2.1858 Weimar; Studium d. Theol. u. Philos. in Leipzig, Dr. phil. (1828), Dir. e. eigenen Erziehungsanstalt in Leipzig, 1846 Schuldir. u. Seminarinspektor in Weimar. Gründer d. pädagog.-katechet. Gesellsch. (1826) u. d. Schullehrer-Ver. d. Ephorie in Leipzig. Verf. versch. Lese- u. Lehrbücher.

Schriften: Abendunterhaltungen für Kinder ..., 6 Bde., 1830; Ein Blick auf den Schullehrer-Verein der Ephorie Leipzig ... nebst einigen Vorträgen, 1833; Der heilige Katechismus ... neu geformt, 1835; Dinterianum, 1836; Museum für Schule und Haus, 1838; Es soll eine Heerde und ein Hirte werden. Katechetische Betrachtungen, 1839; Das Denkmahl für Schwedens Heldenkönige ..., 1840; J. J. Rousseau's Emil (übers.) 3 Bde., 1841; Wer Johannes der Theolog, der Verfasser der Schrift: «Die Leipziger Bekenntnisswirren und Dr. Vogels Abfall» sey? 1844; Schulnachrichten aus Weimar, 1847; Lehrbuch der allgemeinen Katechetik ..., 1848; Christlicher Religionsunterricht für die gebildete Jugend, 1849; Der christlichen Katechetik besonderer Theil oder Die christliche Festkatechetik, 1851; Das Strafrecht der Schule. Ein Wort der Verständigung zwischen Schule und Haus, 1853; Luther als classischer Lehrmeister auf dem Felde der Katechese und populärer Exegese ... (hg.) 1856.

Literatur: ADB 10, 528.   RM

Hanselmann, Heinrich, * 15.9.1885 Wald bei St. Peterzell/Kt. St. Gallen, † 29.2.1960 Muralto/Kt. Tessin; schweiz. Heilpädagoge; Sohn e. Bergbauern, war zuerst Taubstummenlehrer in St. Gallen, dann Studium in Zürich, Berlin, München, Dr. phil. 1911, bis 1916 Leiter e. Beobachtungsanstalt f. Schwererziehbare b. Frankfurt/M., 1918–23 Zentralsekretär d. Stiftung Pro Juventute in Zürich, 1924 Mitbegründer u. erster Leiter d. heilpäd. Seminars d. Univ. Zürich, (u. d. dazugehörigen Landerziehungsheims Albisbrunn), 1932–50 Prof. daselbst.

Schriften (Ausw.): Einführung in die Heilpädagogik, 1930 (9. durchges. Aufl. mit Nachtrag 1976); Jakobli. Aus 1 Büblein werden 2, 1931; Jakob. Sein Er und sein Ich, 1931; Vom Umgang mit Frauen, 1931; Vom Umgang mit Gott, 1931; Vom Umgang mit sich selbst, 1931; Fröhliche Selbsterziehung, 1933; Vom Sinn des Leidens, 1934; Sorgenkinder daheim und in der Schule. Heilpädagogik im Überblick für Eltern und Lehrer, 1934; Vom Sinn der Arbeit, 1936; Erziehungsberatung, 1937; Musikalische Erziehung, 1938 (1952 u. d. T.: Kind und Musik); Sie und Er. Probleme, 1939; Hallo – junger Mann!, 1940; Freue Dich – trotzdem!, 1941; Grundlinien zu einer Theorie der Sondererziehung. Ein Versuch, 1941; Kraft durch Leiden. Ein Trostbuch für Bekümmerte in allen Lebenslagen, 1942; Das Buch für Verlobte. Anruf zur Besinnung, 1942; Elternfreuden, 1944; Lerne leben! Freundliche Ratschläge an ältere Schüler und junge Lehrlinge, 1951; Andragogik. Wesen, Möglichkeiten, Grenzen der Erwachsenenbildung, 1951; Die Anfechtungen der jungen Ursula, 1952; Eltern-Lexikon. Erste Hilfe in Erziehungssorgen und Schulnöten. Wörterbuch vom Seelenleben des Kindes und des jugendlichen Menschen, 1956; Alt werden, alt sein, 1959.

Literatur: FS z. 60. Geb.tag v. Prof. Dr. phil. ∼, 1945; E. BRAUCHLIN, ∼. E. Nachruf (in: Zs. f. Heilpädag. 11) 1960 (mit Bibliogr.).   AS

Hanselmann, Johannes, * 9.3.1927 Ehingen am Ries; Dr. phil., Mag. theol., Dr. theol. h.c.; Studium in Erlangen u. USA, 1966 Leiter d. «Hauses d. Kirche» in Berlin, 1974 Dekan in Bayreuth, jetzt Landesbischof d. Evang.-Luth. Kirche Bayern; wohnt in Pullach/Isartal.

Schriften: Meilensteine auf dem Wege der lutherischen Kirche in Amerika, 1952; Kleines Lexikon kirchlicher Begriffe, 1969; Keine Angst vor Pfarramtsführung. Organisieren, delegieren, rationalisieren. Eine Handreichung für Pfarrer und kirchliche Mitarbeiter, 1971; Stückwerke. Ermutigungen für den Tag, 1974; Mit ihm reden. Gebete zu den Wochensprüchen des Kirchenjahres (hg. mit H. Giesen u.a.) 1974; Keiner will schuld sein. Lesestücke zu Schuld und Schicksal (Hg.) 1977; Wie durch einen Spiegel, 1977.   AS

Hansemann, Walther, * 11.4.1900 Hamburg, † 26.8.1961 ebd.; Journalist, Red., Feuilletonleiter in Hamburg.

Schriften: Das Lächeln am Knie. Stenogramme aus dem Alltag, 1943.   AS

Hansen, Carl, * 24.3.1874 Hürup/Schleswig; lebte als Kunstmaler u. Schriftst. in Weimar, dann in Perleburg.

Schriften: Henrik Ette. Geschichte eines Lebens, 1904; Reif und Anderes, 1904.

Literatur: Thieme-Becker 16,2.   AS

Hansen, Else → Ebert-Hansen, Lisa.

Hansen, F. → Kögl, Ferdinand.

Hansen, Fritz (Ps. F.H. Normann, Hans vom Walde), * 1.2.1870 Berlin; war General-Sekr. d. Ver. d. Fabrikanten photogr. Artikel, Red. d. «Graphischen Rundschau», d. Zs. «Die Linse», «Das Glas», «Presse u. Platte» in Berlin. Erz., Vf. v. Fachschr. über Photogr., Urheber- u. Presserecht.

Schriften (außer Fachschr.): Chronica der Camera obscura. Kleiner Roman um eine große Erfindung, 1933 (2., erw. Aufl. u.d.T.: Das Jahrhundert der Photographie, 1939).   AS

Hansen, Gerda (Ps. Hedwig Gerda Hansen, H.G. Küster), * 19.4.1912 Stendal/Altmark; lebte in Halle/Saale.

Schriften: Die Suche nach dem Ich (Rom.) 1940; Zweimal Afonso Beja? (Rom.) 1941; Crusius bleibt auf der Spur (Krim.rom.) 1942; Muß es denn der Peter sein? (Rom.) 1949; Der Weg zum Licht. Roman einer Ehe, 1949.   AS

Hansen, Hans → Zimmer, Hans.

Hansen, Hein → Pfitzner, Hein.

Hansen, Heinrich, * 14.10.1862 Arnis/Schleswig; Sohn e. Seefahrers, 1881–84 Lehrerseminar Tondern, Lehrer u. seit 1900 Rektor in Apenrade.

Schriften: Aus versunkenem Lande. Historische Erzählungen aus dem Mittelalter, 1905; Zwanzig sassische Leeder ut't Hochdütsche öwerdragen, 1906; Über Memorieren und Memorierstoff auf dem Gebiete des Religionsunterrichtes, 1909; Moderlee. Rutgeb'n vun'n plattdütschen Provinzial-Verband für Schleswig-Holsteen, Hamburg un Lübeck, 1912; Psalmbook. Dat heet: 60 christliche Leeder vör sassische Lüd, 1916 (2., verm. Aufl. 1919).   RM

Hansen, Heinrich Thomas, * 6.4.1895 Wester-Ohrstedt bei Husum; Red., war Gaupresseamtsleiter in Bayreuth, dann Reichshauptstellenleiter u. Pers. Referent des Reichspressechefs in Berlin. Erzähler.

Schriften (Ausw.): Der Türmer. Deutsche Monatshefte (Hg.) 1936–1943; Die Festtage des Dritten Reiches, 1936; Jugend an die Front. Büchlein zum Vorlesen, 1936; Der Meldebube. Jugendspiel aus der Zeit des 30jährigen Krieges, 1936; Der rote Brand. Ein deutscher Kriegsgefangener erlebt den Bolschewismus, 1937; Da ging ich zu meiner Mutter (Erz.) 1938; Der Schlüssel zum Frieden. Führertage in Italien, 1938; Die junge Kameradschaft. Jahrbuch für die deutsche Jugend (hg. mit andern) 1938; Der deutsche Lehrer als Kulturschöpfer (mit J. v. Leers) 1938; Der deutsche Erzähler. Ein Dichterjahrbuch (hg. mit andern) 1938; Fünf am Feuer (Rom.) 1939; Von de Waterkant, 1939; Das Antlitz der deutschen Frau, 1939; Die Soldaten des Führers im Felde (mit H. v. Wedel) 1939; Der Fall Rosendahl, 1940; Wider die englische Unkultur (mit G. Kahl-Furthmann) 1940; Mein Kriegsbuch. Ein Buch von Tapferkeit, Opfermut und Treue aus Deutschlands großer Zeit (Hg.) 1941; Fuhrmann Ücker (Erz.) 1942; Westermanns Monatshefte (hg. mit O.A. Ehlers) 1942–45; Die See ruft (Erz.) 1942; Der Schollenreiter (Erz.) 1943.   AS

Hansen, Hjalmar → Burgert, Helmuth.

Hansen, Jakob Otzen → Lilla, Felix.

Hansen, Jep (Jap) Peter, * 8.7.1767 Westerland/Sylt, † 9.8.1855 Keitum/Sylt; 15 Jahre lang Seemann, 1800 als Nachfolger s. Vaters Schulmeister u. Küster in Westerland u. 1820–28 in Keitum. Verf. versch. mathemat. u. astronom. Schr. sowie einiger Schulbücher.

Schriften: Di Gitshals of di Söl'ring Piersdai (Schausp.) 1809 (Neuausg. 1833; bearb. Neuausg. v. B. P. MÖLLER, 1918); Lieder zur schuldlosen gesellschaftlichen Unterhaltung, o. J.; Mathematische Confitüren, 1816; Nahrung für Leselust in nordfriesischer Sprache (2., verm. Aufl.) 1833 (Neuausg., 3 Bde., 1896); Di nal' en nii Tir üp Söl' (Schausp.) um 1843 (Neuausg., hg. H. SCHMIDT, 1939); Di lekelk falsk Tiring (hg. H. SCHMIDT) 1934.

Literatur: Goedeke 7, 571; 15, 1103. – F. HOLTHAUSEN, D. nordfries. Lit. (in: Nordelbingen 4) 1925; H. SCHMIDT, Handschriftl. z. mundartl. Lit. d. Insel Sylt (in: Jb. d. Nordfries. Ver. f. Heimatkunde 20) 1933; DERS., E. neuer Fund v. ~ (in: ebd. 31) 1956; D. HOFMANN, «Der Sylter Petritag »… (in: Nordfries-Jb., NF 1) 1965. RM

Hansen, Johannes (eig. Hans), * 4. 10. 1797 Husum, Todesdatum u. -ort unbekannt; lebte 1804 bis 1821 in d. Brüdergemeinde z. Christiansfelde, Theol.-Studium in Leipzig u. Kiel, seit 1825 Pastor in Simonsberg b. Husum.

Schriften: Kann die herrnhutische Gemeine eine wahrhaft evangelisch-christliche Gemeine genannt werden? …, 1821; Ein ernsthaftes Wort wider die Herrnhuter. Beantwortung einer sogenannten unparteyischen Beurtheilung und Berichtigung, 1823; Des auferstandenen Heilandes Ruf zur Auferstehung, 1833.

Literatur: Meusel-Hamberger 22.2, 566. RM

Hansen, John → Jonen, Hans.

Hansen, Karl, * 30. 9. 1899 Pellworm über Husum; war Pastor ebd.; lebt jetzt in Husum. Erzähler, Lyriker.

Schriften: Chronik von Pellworm (hg. u. bearb.) 1938 (6., neubearb. u. erw. Aufl. u. d. T.: Pellworm, 1974); Sieben Geschichten um eine Insel, 1951; Wenn de Diek ut Glas weer. 42 Döntjes, opsammelt vun K. H., 1975. AS

Hansen, Karl-Heinz (Ps. Hansen-Bahia), * 19.4. 1915 Hamburg; Holzschneider, Graphiker u. Schriftst.; lebte 1949–59 in Bahia, Nordbrasilien, Prof. f. Holzschnitt am Mus. de Arte in São Paulo,

Hersteller beim größten Buchverlag Brasiliens; nach d. Rückkehr n. Deutschland Privatschule f. Holzschnitt auf Burg Tittmoning/Oberbayern. Erzähler, oft zu eigenen Holzschnitten.

Schriften (Ausw.): Wie Imme den Teichkönig suchen ging. Gemalt und geschrieben, 1947; Wie König Trübsal das Lachen wieder lernte. Gemalt und geschrieben, 1947; B. Traven, Sonnen-Schöpfung. Indianische Legende (Holzschnittfolge) 1960; Hansen-Bahia erzählt von Brasilien, 1962; Die Nibelungen (Holzschnitte) 1963; Holzschnitte zu den Balladen des François Villon (Teilslg.) 1963; Holzschnitte zu alten Texten über Prinz Eugen (Teilslg.) 1963; Holzschnitte aus 25 Jahren (Teilslg.) 1971; Knie nieder wenn du kannst. Ein Kreuzweg unserer Zeit, 1976.

Literatur: Vollmer 6, 20. – ~ (Teilslg.). Stationen u. Wegmarken e. Holzschneiders. Mit e. Geleitwort v. R. GROSSMANN u. e. Einf. in d. Arbeitstechnik d. Künstlers v. C. O. FRENZEL, 1960; Begegnung mit ~ (Teilslg.). Mit e. Einf. v. J. BECKELMANN, 1961. AS

Hansen, Konrad, * 17. 10. 1933 Kiel; dipl. Volkswirt, seit 1959 Red. an versch. Abteilungen v. Radio Bremen, seit 1966 freier Schriftst., wohnt in Moordeich; verfaßte v. a. zahlr. niederdt. Hörspiele (erhielt dafür 1962 d. Hans-Böttcher-Preis) u. Lsp. (ungedr.), auch hochdt. Lyrik u. Prosa.

Schriften: Dat Huus vör de Stadt (in: W. A. Kreye, Niederdt. Hörspielbuch 1) 1961; Solo für Störtebeker (in: WDR-Hörspielbuch 3) 1964; Herr Kannt gibt sich die Ehre (in: WDR-Hörspielbuch 6) 1967; Gesang im Marmorbad (in: WDR-Hörspielbuch 7) 1968; Dreih di nich üm (in: W. A. Kreye, Niederdt. Hörspielbuch 2) 1971; u. a.

Literatur: Reclams Hörspielführer, 1969; WDR. – Das Hörspiel. E. Lit.verzeichnis, 1976. AS

Hansen, Kurt Heinrich, * 10. 10. 1913 Kiel; Dr. phil., Orientalist, Cheflektor, Schriftst. in Hamburg; Essayist, Hörspielautor, Übers. aus d. Arab., Engl., Franz., Persischen. Kleiner Lessing-Preis d. Stadt Hamburg, 1953.

Schriften: Verse und Sprüche der Araber (hg., übers. u. eingel., mit T. Khemiri) 1947; Das iranische Königsbuch. Aufbau und Gestalt des Schahname von Firdosi, 1954 (urspr. Diss. Berlin 1943); Gedichte aus der neuen Welt. Amerikanische Lyrik seit 1910, 1956; Das Buch der Spirituals und Gospel Songs (mit H. Lilje u. S. Schmidt-Joos) 1961; Go down, Moses. 100 Spirituals und Gospel Songs (hg., übers. u. eingel.) 1963; Adler zwischen 50 Sternen. Beobachtungen in Amerika, 1971; Deutschland, ein Wintermärchen. Heinrich Heine. Eine literarische Collage (mit R. Freyberger) 1971.

Übersetzertätigkeit: A. MacLeish, Groß und tragisch ist unsere Geschichte (Ged.) 1950; W. H. Auden, Das Zeitalter der Angst, 1952; J. Swift, Reisen in verschiedene ferne Länder der Welt von Lemuel Gulliver, erst Schiffsarzt, dann Kapitän mehrerer Schiffe, 1952; T. Williams, Mrs. Stone und ihr römischer Frühling, 1953; W. Faulkner, Eine Legende, 1955; W. Stevens, Der Planet auf dem Tisch (Ged.) 1961; J. Kosinski, Chance, 1972; K. Vonnegut, Frühstück für starke Männer oder goodbye, blauer Montag, 1974; J. Updike, Der Sonntagsmonat, 1976.   AS

Hansen, Margot, * 19.3.1923 Stolpmünde; Rechtsanwaltsgehilfin, wohnt in Hürth; Jugendbuchautorin.

Schriften: Illis Dackel Fridolin. Viel Wirbel um vier Hundekinder, 1964; Sabine im Forsthaus. Ein Sommer unter Tannen und Tieren, 1965; Jo und Trixi retten ihre Freunde. Ein quicklebendige Erbschaft, 1965; Jörg und die Katzenbande. Katzen, Mäuse und ein Geheimnis, 1967; Sylt. Geschichte und Gestalt einer Insel (Hg. mit Nico Hansen) 1967; Mohrle auf dem Bauernhof, 1968; Häschen Hoppels Abenteuer, 1968; Föhr. Geschichte und Gestalt einer Insel (Hg. mit Nico Hansen) 1971; Vickys Tierparadies. Mit einer Handvoll Lose fing es an, 1973; Findelhund Felix. Die Erlebnisse mit einem Schäferhund, 1974; Wir suchen Miß Tapsy. Katzen, Mäuse und ein Geheimnis, 1975.   AS

Hansen, Max, * 4.10.1900 Arosa/Kt. Graubünden, † 20.11.1960 Davos-Platz; Maler u. Schriftst., seit 1941 Gerichtssekretär d. Kreisgerichts Rheinwald; lebte in Splügen/Graubünden. Dramatiker, Roman- u. Hörspielautor.

Schriften: Die Brüder Taverna (Dr.) 1945 (berndt. Fass. von Fritz Gribi u. d. T.: Herts Holz, 1947); Über den Berg (Dr.) 1947; Peter Jenal (Rom.) 1947; Es war ein Schatten (Dr.) 1948; Des Teufels Widersacher (Dr.) 1950 (berndt. Fass. von Fritz Klopfstein 1953); Es begann in der

Kupfergasse (Dr.) 1951; Der Stern im Brunnen (Rom.) 1953; Kurt von Koppigen (Schausp. nach Motiven aus Gotthelfs Erz.) 1955; Korpus delicti. Es Luschtspil in 6 Bilder, 1955; Sälber tschuld. En Dialektkomödie in 7 Bilder, 1958; Tot sind nur die Steine (Dr.) 1960.   AS

Hansen, Niels (gen. Nicolaus Helduaderus od. Heldvader), * 27.10.1564 Heldewatt/Nordschlesw., † 23.8.1634 Kopenhagen; Theol.-Studium in Rostock, Pastor in Nordschleswig, 1615 bis 1634 Kalendariograph in Kopenhagen. Volksschriftst. u. Prediger in plattdt., dän. u. lat. Sprache, Verf. v. mathemat. u. astrolog. Schr., Hg. d. dt.-dän. Kalenders «Prognostica Astrologia» (1590 ff.).

Schriften (Ausw.): Conciliato Calendarii vet. et rec. Astronomiae, 1592 (plattdt. 1597); Beschreibung der Stadt Schleswig, 1603 (Neuausg. 1623); Von der Wasserfluth 1. Dec. 1615, 1616; Calendariographica sacra, 1618; Amphitheatrum fidei Catholici, 1622; Sylva chronologica Circuli Baltici d. i. Historischer Wald und Umzirk des baltischen Meeres ... darin die Länder und Örter ... richtig an Tag gegeben ..., 1624.

Literatur: ADB 11,685. – J. CHRISTENSEN, N. Helduaderus (in: Heimatbl. aus Nord-Schlesw.) 1936.   RM

Hansen, Paul, * 28.1.1893 Wien; Erz. u. Dramatiker.

Schriften: Schuß an Bord. Kriminalkomödie in vier Bildern, 1935.   IB

Hans(s)en, Petrus, * 6.7.1686 Schleswig, † 1760 Plön; 1711 Magister in Kiel, 1714 Diakon in Lütgenburg, 1720 Pastor, 1729 Konsistorialrat u. Superintendent in Plön. Verf. versch. Diss., Disputationen, Gelegenheitsschr. u. einzeln gedr. Predigten.

Schriften: Betrachtungen von einem tugendhaften Leben, 3 Tle., 1724–35; Achtzig erläuterte Grundfragen von dem Mittleramte Christi, wider Dippeln, 1731 (Neuausg. 1733); Erläuterungsfragen über den heiligen Catechismus, 1733; Gründliche Antwort auf einige Einwürfe Dippels, 1733; Als die Sterbenden, und siehe, wir leben; drey Wahrheiten wider Dippeln, 1735; Betrachtungen über den Prediger Salomo, 1737; Kern der göttlichen Wahrheiten und Anleitung der Sonntags-Evangelien, 1737; Christliche Sittenlehre, 1739 (Neuausgabe 1753); Sprüche der Heiligen nach

Anleitung der Sonntags-Evangelien, 1740; Betrachtungen über die Sonntags- und Festtags-Evangelia, 2 Tle., 1742–44; Anmerkungen über Joh. Christ. Edelmanns Irrthümer von den Seelenleiden Jesu, 1745; Betrachtungen über die Sprüche Salomonis ..., 1746; Heilige Betrachtungen über alle Sonn- und Festtags-Evangelien, 1748; Zwölf geistliche Betrachtungen über Christi Leiden nach den vier Evangelisten, 1751; Plönisches Kirchen-Ritual in sechs Abteilungen, 1753; Glaubenslehre der Christen, 1754; Betrachtungen über das hohe Lied Salomonis, 1756; Nachricht von den herzoglich Holstein-Plönischen Landen, 1759.

Literatur: Adelung 2, 1790.   RM

Hansen, Wilhelm, * 12.4.1911 Berlin; 1946 Doz. an d. Pädagog. Akad. Detmold, seit 1947 in Bielefeld, 1952 Leiter d. kulturgesch. Slg. u. seit 1961 Dir. d. Lipp. Landesmuseums in Detmold, 1968 Dr. phil. h.c.

Schriften (Ausw.): Der bäuerliche Lebenskreis, 1934; Das deutsche Bauerntum ... (hg.) 2 Bde., 1938; Goethes Egmont-Handschrift, 1939; Anekdoten von Goethe, 1947; Lippische Bibliographie (bearb.) 1957; Das Lippische Landesmuseum, 1972.

Literatur: ~-Ehrendoktor (in: Rhein.-Westfäl. Zs. f. Volksk. 15) 1968 (mit Bibliogr.).   RM

Hansen Palmus, Hans, * 21.9.1901 Sonderburg/Alsen; Ausbildung z. Lehrer, in versch. Berufen tätig, dann Anstellung in Vadersdorf/Insel Fehmarn, lebt jetzt im Ruhestand in Hamburg. Lyriker.

Schriften: Kinnerriemels. Plattdeutsche Gedichte, 1954; Blenkern Stünns. Plattdeutsche Gedichte, 1959.   IB

Hansgirg, Karl Viktor (seit 1873: von), * 5.8.1823 Pilsen/Böhmen, † 23.1.1877 St. Joachimsthal; Neffe d. Dichters K.E. Ebert, Rechtsstudium in Prag u. Wien, seit 1846 im polit. Verwaltungsdienst in versch. Orten, seit 1868 Bezirkshauptmann in St. Joachimsthal. Gründer u. zeitweilig Leiter d. Pilsener Zs. «Westbahn».

Schriften: Heimathstimmen (Ged.) 1844; Die Physiognomie der Stadt Prag in den März- und Apriltagen 1848, 1848; Lorbeer- u. Eichenblätter. Poetische Festgabe zur Prager Radetzky-Feier, 1858; Begebnisse auf einem böhmischen Gränzschloße (Rom.) 1863; Des Kaisers Gnadenquell (Festsp.) 1863; Liederbuch für Deutsche in

Böhmen, 1864; Kaiserkronen und Schwertlilien. Patriotische Dichtungen, 1868; Glockenstimmen, 1871; Ich oder Du (Rom.) 1871; Liebe und Leben. Sonettenbuch, 1873; Orient undOccident. Epische Dichtungen, 1876.

Literatur: ADB 49, 766; Wurzbach 7, 332; ÖBL 2, 183. – H. ROKYTA, ~s «Begebnisse auf e. böhm. Grenzschloß (1863)». E. Epigone v. A. Stifter u. B. Němcová, 1971.   RM

Hansgirg (geb. Jobisch), Therese von (Ps. Theodor Reinwald), * 28.3.1833 Budweis/Böhmen, † nach 1881; 1855 Heirat mit Karl Viktor H., lebte u.a. in Pilsen, St. Joachimsthal u. später in Graz.

Schriften: Dunkle Fügungen (Rom.) 2 Bde., 1862; Gesammelte Novellen, 2 Bde., 1873.

                                                          RM

Hansing, Gottlieb Anton Friedrich, * 4.3.1766 Hannover, Todesdatum u. -ort unbekannt; 1794 bis 1797 Schauspieler in Nürnberg, dann Dir. e. Wandertruppe in Holstein, 1807 Schauspieler in Linz/Donau.

Schriften: Eppelein von Gailingen, dramatisch bearbeitet, 1785; Der Schauspieler-Katechismus (Lsp.) 1803; Künstlerglück oder Die Proberollen (Lsp.) 1807; Entdeckung durch Zufall (Schausp.) 1808.

Literatur: Theater-Lex. 1, 693; Meusel-Hamberger 3, 76; 9, 509; 14, 29; Goedeke 5, 385.

                                                          RM

Hansiz, Marcus (Ps. Modestus Taubengall), * 23.4.1683 Völkermarkt/Kärnten, † 5.9.1766 Wien; 1698 Eintritt in d. Jesuitenorden, 1713–17 Philos.-Prof. in Graz, dann Kirchenhistoriker in Wien, Klagenfurt u. Rom. Begründer (u. Verf. 3er Bde.) d. Reihe «Germania Sacra» nach d. Vorbild v. Ughellis «Italia sacra» (Venedig 1717ff.), Verf. versch. Streitschriften.

Schriften: Commentarii Raymundi Principis Montecuculi ... cum aphorismis militaribus ..., 1716f.; Quinquennium primum Imperii Romano-Germanici Caroli VI., 1717; Quinquennium secundum ..., 1717; Apologeticus adversus Umbras Melliti [Bernhard Pez] ..., 1722; Decas augusta seu lustrum geminum Imperii Augusti Caroli VI. ..., 1724; Metropolis Laureacensis cum episcopatu Pataviensi chronologice proposita, 1727 (1. Bd. d. Germania Sacra); Archiepiscopatus Salisburgensis chronologice propositus, 1729

(2. Bd. d. Germania Sacra); Responsio ad episto-
lam R. P. Bernardi Pezzii ..., 1731; De episcopatu Ratisbonensi prodromus ..., 1755 (3. Bd. d.
Germania Sacra); Illustratio apologetica Prodromi
Episcopatus Ratisbonensis, 1755; Disquisitio de
valore Privilegiorum libertatis Monasterii Em-
meranensis, 1755; Documentum decisorium litis
de Sede Monastica olim Ratisbonae propositum,
1755; Analecta seu Collectanea pro historia Ca-
rinthiae concinnanda, 2 Tle., 1782/93.

Nachlaß: Wiener Nationalbibl.; St. Paul/Kärn-
ten.

Literatur: Adelung 2, 1792; ADB 10, 541; NDB
7, 636; Wurzbach 7, 332; LThK 5, 3; RE 7, 406.
– G. Pfeilschifter, D. St. Blasianer Germania
Sacra, 1921; A. Coreth, Öst. Gesch.schreibung
in d. Barockzeit, 1950.   RM

Hansjakob, Heinrich (Ps. Hans am See), * 17.
8. 1837 Haslach im bad. Kinzigtal, † 23.6. 1916
ebd., Sohn d. Bäckers u. Stadtwirts Philipp H.,
Theol.- u. Philol.studium in Freiburg, Dr. phil.
(Tübingen), 1863 kathol. Priesterweihe in Freiburg u. philolog. Staatsexamen in Karlsruhe, Gymnasiallehrer in Donaueschingen, 1865 Realschul-
direktor in Waldshut; aus polit. Gründen zweimal
mit Festungshaft bestraft, 1869 wegen Beteiligung
am Kulturkampf abgesetzt, schied freiwillig aus
dem Schuldienst aus; Übernahme d. Pfarrei in
Hagnau/Bodensee, 1871–81 bad. Landtagsabgeordneter; 1884–1913 Stadtpfarrer zu St. Martin
in Freiburg/Br. Zwischendurch Reisen n. Frankreich, Italien u. d. Niederlanden. Verbrachte s.
letzten Lebensjahre in Haslach. Volksschriftst.:
Erzählungen, Memoiren; auch Kulturhistoriker
u. Verfasser theolog.-polem. Schriften.

Schriften: Die Grafen von Freiburg im Breisgau
im Kampfe mit ihrer Stadt, 1867; Die Salpeterer,
eine polit.-relig. Sekte aus dem südöstl. Schwarzwald, 1867; Der Waldshuter Krieg vom Jahre
1468, 1868; Ein Büchlein über das Impfen, 1869;
Auf der Festung. Erinnerungen eines badischen
Staatsgefangenen, 1870; Hermann v. Vicari, Erzbischof von Freiburg, 1873; Das Narrenschiff unserer Zeit, 1873; Der Herr u. sein Diener,
1873; Im Gefängnisse, 1873; In Frankreich (Reiseerinnerungen), 1874; Heriman der Lahme von
der Reichenau. Sein Leben u. seine Wissenschaft,
1875; In Italien. Reiseerinnerungen, 2 Bde.,
1877; In der Residenz, 1878; Aus meiner Jugendzeit. Erinnerungen, 1880; In den Niederlanden,

2 Tle., 1881; Aus meiner Studienzeit. Erinnerun-
gen, 1885; Wilde Kirschen, 1888; Dürre Blätter,
2 Bde., 1889–90; Die Toleranz u. die Intoleranz
der kath. Kirche, 1890; Jesus von Nazareth
(Predigten) 1890; Die wahre Kirche Jesu Christi,
1890; Der Sozialdemokrat kommt! 1890; St.
Martin zu Freiburg als Kloster u. Pfarrei, 1890;
Der schwarze Berthold, der Erfinder des Schieß-
pulvers (Krit. Untersuchung) 1891; Meßopfer,
Beichte u. Communion, 1891; Schneeballen, 3
Bde., 1892–93; Unsere Volkstrachten, 1892; Die
Wunden unserer Zeit u. ihre Heilung, 1892;
Sancta Maria. Sechs Vorträge, 1893; Aus kranken
Tagen. Erinnerungen, 1895; Der Vogt auf Mühl-
stein (Erz.) 1895; Der Leutnant von Hasle (Erz.)
1895; Bauernblut (Erz.) 1896; Erinnerungen
einer alten Schwarzwälderin, 1897; Der steinerne
Mann von Hasle (Erz.) 1897; Im Paradies. Tagebuchblätter, 1897; Waldleute (Erz.) 1897; Erz-
bauern (Erz.) 1899; Kanzelvorträge, 1899;
Abendläuten. Tagebuchblätter, 1900; Der heilige
Geist, 1900; In der Karthause. Tagebuchblätter,
1900; Aus dem Leben eines Unglücklichen, (Erz.)
1900; Im Schwarzwald, 1900; Aus dem Leben
eines Glücklichen, 1901; Verlassene Wege (Tagebuchblätter) 1902; Letzte Fahrten. Erinnerungen, 1902; Der Kapuziner kommt!, 1902; Verlassene Wege, 1902; Aus dem Leben eines Viel-
geprüften. Wahrheit u. Dichtung, 1903; Meine
Madonna. Eine Familienchronik, 1903; Zeit u.
Kirche, 1903; Stille Stunden. Tagebuchblätter,
1903; Die Schöpfung, 1904; Sommerfahrten,
1904; Mein Grab. Gedanken u. Erinnerungen,
1905; Alpenrosen mit Dornen. Reiseerinnerungen, 1905; Sonnige Tage. Erinnerungen. 1906;
Kleine Geschichten, 1907; Aus dem Leben
eines treuen Hausgenossen, 1908; Aus dem Leben
eines Vielgeliebten. Nachtgespräche, 1909; Die
Gnade, 1910; Allerseelentage, 1912; Allerlei
Leute u. allerlei Gedanken, 1913; Zwiegespräch
über den Weltkrieg, gehalten mit Fischen auf dem
Meeresgrund, 1916; Feierabend, 1918; Aus der
Werkstatt H. H.s; der Briefwechsel mit dem
Waldhüter Josef Dieterle (hg. H. Fautz) 1964;
H. H. Aus seinem Leben und seinen Werken (hg.
M. Weber) 1970.

Ausgaben: Ausgewählte Schriften, 8 Bde., 1895
bis 1896; Ausgewählte Schriften, 10 Bde., 1911.

Nachlaß: Landesbibliothek Karlsruhe; H.-Mu-
seum in Freihof, Haslach/Kinzigtal. – Denecke
68; Frels 115.

Peridiocum: H.-Jahrbuch, hg. H.H.-Gesellsch. Freiburg, 1958 ff. (in zwangloser Folge).

Bibliographie: B. KREMANN, ∼-Bibliogr. (in: Die Ortenau 41) 1961.

Literatur: NDB 7, 636–37. – Volksschriftsteller Dr. ∼. Hg. v. d. Stadt Haslach, 1966; A. PFISTER, ∼, 1901; H. BISCHOFF, ∼, 1904; K. MUTH, ∼ (in: Hochland 4) 1906/07; J.K. KEMPF, ∼, 1917; O. FLOECK, ∼. E. Bild s. Entwicklungsganges, 1922; S. STANG, ∼, 1923; C. BAUER, ∼, 1925; O. GÖLLER, FS zur Feier des Geb.tages v. Volksschriftstellern, 1937; H. FINKE, ∼ u. s. Anfänge als Historiker, 1938; H. AUER, ∼, 1939; A.P.H. VAN RIJSWIJCK, ∼ (Diss. Nymwegen, mit Werkverzeichnis) 1948; H. EXINGER, H. Federer u. ∼: e. Gegenüberstellung (Diss. Wien) 1949; E. MÜLLER-ETTIKON, ∼ in Waldshut, 1964; M.-P. STINTZI, ∼, Dichter d. Heimat u. d. Volkes, 1966; M. WEBER, D. Weg v. Mann z. Werk (in: ∼-Jb.) 1969; O. ROEGELE, ∼ als Wortführer im Zeitgespräch (ebd.) 1969; L. KOESSLER, ∼ v. Frankreich aus gesehen (ebd.) 1969; K. KLEIN, ∼. E. Leben f. d. Volk, 1977; ∼. S. Bedeutung f. unsere Zeit (Festreden) 1977.   MR/HB

Hanslick, Eduard, * 11.9.1825 Prag, † 6.8. 1904 Baden b. Wien, Sohn d. k. k. Bibliothekars u. Prof. d. Ästhetik Joseph Adolf H., Schüler d. Komponisten W. J. Tomaschek, seit 1844 Jurastudium in Prag u. Wien, wo er 1849 promovierte, 1850–1852 Fiskalbeamter in Klagenfurt, danach ständiger Wohnort in Wien, seit 1846 musikkrit. Beiträge, u. a. «Wiener Musikztg.», «Wiener Ztg.», «Neue Freie Presse»; ausgedehnte Reisen durch Dtl., Frankreich, England, Italien; 1856 Habilitation als Privatdoz. f. Gesch. d. Musik u. Ästhetik an d. Wiener Univ., seit 1861 a. o., seit 1870 o. Prof. ebd., trat 1895 in d. Ruhestand. Enge Freundschaft mit d. Musikhistoriker August Wilhelm Ambros, später mit Johannes Brahms u. d. musikliebenden Chirurgen Thomas Billroth. Gegner Richard Wagners, der ihn als Modell für den Merker in «Die Meistersinger» einführte. Bekleidete zahlreiche Ämter, u. a. zum Dr. phil. h. c. u. 1886 zum Hofrat ernannt. Musikkritiker, -schriftst. u. -gelehrter, Memoirenschreiber.

Schriften: Vom Musikalisch-Schönen, 1854; Über R. Wagner (mit W. Lübke) 1869; Geschichte des Konzertwesens in Wien, 2 Bde.,

1869–1870; Aus dem Konzertsaal 1848–68, 1870; Die moderne Oper. Feuilletons, 9 Bde., 1875–1900; Konzerte, Komponisten u. Virtuosen, 1886; Suite. Aufsätze über Musik u. Musiker, 1886; Aus meinem Leben, 2 Bde., 1894; The Collected Musical Criticism (Nachdr. musikkrit. Aufsätze) 9 Bde., Westmead 1971; Aus Hanslicks Wagner-Kritiken (hg. H. v. KRALIK) 1948.

Literatur: NDB 7, 637–38. – H. RIEMANN, Musik-Lex. (12. Aufl.) 1, 1959; R. HIRSCHFELD, D. krit. Verfahren ∼s, 1885; F. PRINTZ, Z. Würdigung d. musikästhet. Formalismus ∼s, 1918; R. SCHÄFKE, ∼ u. d. Musikästhetik, 1922.   MR

Hanslick (Hanslik), Joseph (Adolf), * 1785 Lischau/Böhmen, † 2.2.1859 Prag; Bauernsohn, Theol.-, dann Philos.-Studium in Prag, Prof. d. Ästhetik u. 1822–36 Skriptor d. Univ. bibl. in Prag. Übers. aus d. Tschech. u. Bibliograph, Mitarb. versch. Zeitschriften.

Schriften: An Herrn Karl Liebich …, 1816; Übersicht der logischen Formen als Hülfsmittel beim öffentlichen und Selbstunterricht, 1822; An den Hochwohlgeborenen Herrn Herrn Peter Ritter von Mertens … (frei aus d. Böhm. übers.) 1823; J.H. Dambeck's Vorlesungen über Ästhetik (hg.) 2 Bde., 1823; Geschichte und Beschreibung der Prager Universitätsbibliothek, 1852.

Literatur: ADB 10, 542; Wurzbach 7, 335; Meusel-Hamberger 22.2, 567; Goedeke 6, 786.
                                                                        RM

Hanson, H. → Krauß, Gustav Johannes.

Hanssen, Clara (Ps. Petra Hell), * 3.12.1877 Pillau/Ostpr.; lebte in Königsberg; Erzählerin.

Schriften: Ewige Eva (Rom.) 1937; Spätes Glück (Rom.) 1938; Meine drei Wunschkinder. Heiteres Buch für Mütter und andere besinnliche Menschen, 1939; Erlebnisse mit Karin (Rom.) 1939; Beate (Rom.) 1940; Die in Mietskasernen wohnen … (Rom.) 1940; Marianne Herdegen (Rom.) 1942; Gereimt und ungereimt (Ged.) 1944.   AS

Hanßen, Ferdinand, * 5.7.1851 Barlt, † 19.7. 1903 Twistringen b. Hannover; Studium d. Pharmazie in Würzburg u. Erlangen, seit 1880 Apotheker u. zeitweilig Stadtrat u. Vizebürgermeister in Elmshorn/Schlesw.-Holstein.

Schriften: Perfetter sin Hannis. Eine Erzählung in niederdeutscher Mundart, 1886; Wulf Isebrand. Ein dithmarscher Heldensang aus der Zeit der ruhmreichen Schlacht bei Hemmingstedt, 1898; Profiser Möller. Ein plattdeutsche Humoreske aus der Apothekerwelt, 1898; De Brodermord to Rantzau, 1898.   RM

Hansson, Laura → Marholm, Laura.

Hansson, Ola, * 12.11.1860 Hönsinge/Schweden, † 26.9.1925 Büjükdere b. Istanbul; n. Studium in Lund Journalist in Schweden, lebte seit d. Heirat (1889) mit Laura Marholm (Ps.) als Schriftsteller im freiwilligen Exil in Dtl., später in Frankreich, d. Schweiz u. zuletzt in d. Türkei.
Schriften (dt.): Parias. Fatalistische Geschichten, 1890; Friedrich Nietzsche. Seine Persönlichkeit und sein System, 1890; Das junge Scandinavien. Vier Essays, 1891; Alltagsfrauen. Ein Stück moderner Lebensphysiologie, 1891; Sensitiva amorosa. Neue Herzensprobleme, 1892 (schwed. Erstausg., Stockholm 1887; dt. Neuausg. 1957); Der Materialismus in der Litteratur, 1892; Seher und Deuter, 1894; Frau Esther Bruce (Rom.) 1895; Vor der Ehe (Rom.) 1895; Meervögel (Nov.) 1895; Im Huldrebann. Nachtspuck (Nov.) 1895; Der Weg zum Leben (6 Gesch.) 1895; Nordisches Leben, I Goldene Jugend (aus d. Schwed. übers.) 1896; Der Schutzengel (Rom.) 1896.
Literatur: H. LEVANDER, Sensitiva amorosa, Stockholm 1944; H.H. BORLAND, Nietzsches Influence on Swedish Lit. with Special Reference to Strindberg, ~ ...; Göteborg 1956; I. HOLM, ~ (Diss. Lund) 1957; S. AHLSTRÖM, ~, Stockholm 1958; A. OESTERLING, ~, 1966; E. GUELAUD, ~, La Suède et l'Allemagne (in: EG 24) 1969; D.R. HUME, The German Lit. Achievements of ~, 1888–1893 (Diss. Univ. of Kentucky) 1973/1974.   RM

Hanstein, (Ludwig) Adalbert von (Ps. Ludwig Bertus), * 29.11.1861 Berlin, † 11.10.1904 Hannover; Sohn d. Botanikers Johannes v.H., Studium d. Naturwiss., d. Gesch. u. Lit. in Berlin u. Bonn, 1896 Doz. an d. Berliner Humboldt-Akad., seit 1900 Privatdoz. f. Ästhetik u. Lit.-gesch. an d. Techn. Hochschule Hannover. Red. d. «Berliner Fremdenbl.» u. Mitarb. d. Zs. «Mode u. Haus».
Schriften: Um die Krone (Dr.) 1885; Menschenlieder, 1887 (3., verm. Aufl. 1904); Kain's Geschlecht. Eine Dichtung in Einzelbildern,

1888; Albert Lindner, in seinem Leben und in seinen Werken dargestellt, 1888; Kaiser Wilhelm's II. Nord- und Südlandfahrten, 1890; Die Königsbrüder (Schausp.) 1892; Der Liebesrichter, 1893 (Neuausg. u.d.T.: Ein edles Wort, 1904); Die Aktien des Glücks. Humoristisch-satirischer Zeitroman, 1895; Gustav Freytag (Gedächtnisrede) 1895; Frauenmoral und Herrenhalbheit. Offenes Schreiben an Dr. Käthe Schirmacher ..., 1896; Der Vikar. Novelle in Versen, 1897; Ibsen als Idealist. Vorträge über Henrik Ibsens Dramen, 1897; König Saul (Dr.) 1897; Die soziale Frage in der Poesie, 1897; Zwei Welten. Roman aus dem modernen Berlin, 2 Bde., 1898; Gerhart Hauptmann, 1898; Achmed, der Heiland. Eine epische Dichtung, 1899; Die Frauen in der Geschichte des deutschen Geisteslebens des 18. u. 19. Jahrhunderts, 2 Bde., 1899 f.; Musiker- und Dichterbriefe an Paul Kuczinsky (hg.) 1900; Das jüngste Deutschland. Zwei Jahrzehnte miterlebter Literaturgeschichte, 1900; Wie entstand Schillers Geisterseher? 1903; Vaterlandsliebe und Gedankenfreiheit. Ein Zuruf an die Jugend, 1904; Gott und Unsterblichkeit in der modernen Weltanschauung ... (Vortrag) 1904.
Literatur: Theater-Lex. 1, 694; Biogr. Jb. 9, 319. – K. KÜCHLER, ~, e. Stud., 1904; K. FANGER, D. geistige Entwickl. ~s (Diss. Rostock) 1922.   RM

Hanstein, Gottfried August Ludwig, * 7.9.1761 Magdeburg, † 25.2.1821 Berlin; n. theolog., philos. u. naturwiss. Studien in Halle Kollaborator in Magdeburg (bis 1787), bis 1803 Diakon in Tangermünde u. Pastor in Miltern, 1804 Berufung n. Berlin, 1806 Dr. theol., Gründer e. Erziehungsanstalt (spätere Louisstiftung), Probst, Oberkonsistorialrat, Superintendent u. Oberschulrat in Berlin. Verf. zahlr. einzeln gedr. Predigten.
Schriften: Über die Beherrschung der Leidenschaften (3 Predigten) 1793; Über den Werth und die Werthhaltung unserer öffentlichen Andachten (2 Predigten) 1799; Predigten, 1803; Die christliche Lehre für Kinder, 1804; Drey Predigten ..., 1805; Predigten (mit C.G. Ribbeck) 1805; Christliche Religions- und Sittenlehre ..., 1805; Trauerrede und Gedächtnisspredigt auf Herrn Jakob Elias Troschel ... nebst dessen Lebenslauf ..., 1807; Christliche Belehrungen und Ermunterungen in Predigten ..., 1808; Wir

sind unsterblich (2 Predigten) 1808; Erinnerungen an Jesus Christus, 5 Tle., 1808–20 (3 Forts. bis 1824); Das Gebet des Herrn in Gesängen, 1813; Gebete und Predigten, 1814; Die ernste Zeit. Eine religiöse Ode, 1814; Der Jahreswechsel und Krönungstag, 1814; Ein Höherer waltet. Eine religiöse Ode, o. J.; Die ernste Zeit (Predigten) 1815; Neuestes Magazin von Fest- Gelegenheits und andern Predigten … (Mit-Verf.) 3 Tle., 1816–18; Vorbereitungen zur Feyer des dritten Jubelfestes der Reformation …, 2 H., 1817; Gott und Vorsehung (4 Predigten) 1819; Leben und Tod (5 Predigten) 1820; Heilige Blicke in das Reich der Natur, 1821.

Herausgebertätigkeit: Homiletisch-kritische Blätter für Kandidaten des Predigtamtes und angehende Prediger, 9 Bde., 1791–99; W. Sucros Predigten, 1794; Neue homiletisch-kritische Blätter, 25 Bde., 1799–1812; Magazin neuer Fest- und Casualpredigten … (mit C. G. Ribbek) 1800–08 (Forts.: Neues Magazin …, 1809–14); J. F. Schilkens Passionsandachten (mit Vorrede) 1808; Predigten über die Sonn- und Festtagsevangelien des ganzen Jahres, 2 Bde., 1817/20.

Literatur: ADB 10, 543; NDB 7, 639; RGG ³3, 73; Meusel-Hamberger 3, 76; 9, 509; 11, 316; 14, 29; 18, 41; 22.2, 567; Goedeke 7, 423. – W. WENDLAND, ∼ als patriot. Prediger in Berlin (in: Jb. f. Brandenburg. Kirchengesch. 13) 1915. RM

Hanstein, L. von (Mädchenname u. Ps. f. Lucie Baeblich), * 25.7.1835 Berlin, † um 1923 Groß-Lichterfelde; Pfarrerstochter, seit 1854 Lehrerin in Berlin, 1861 Heirat mit d. Rektor u. Bibliothekar Alexander B., lebte später in Groß-Lichterfelde.

Schriften: Heitere Geschichten für heitere Leute, 1886; Unter heiterer Flagge, 1887. RM

Hanstein, Marie von (Ps. Maria Hagenstein), * 2.10.1820 Potsdam, † 7.1.1882 Berlin; 1847 mit Jakob v. H. verh., 1859 geschieden; Schriftst. in Berlin.

Schriften: Die Windsbraut (Märchen) 1865; Vier deutsche Märlein. Dem reiferen Kindesalter erzählt, 1872; Des Knappen Sigwart goldnes Buch. Ein Märchen in altdeutscher Form, 1872; Die Aslaug-Sage, 1876; König Dietrich und Königin Gotelind, 1880; Auf dem Wolfsbühel. Erzählung aus dem Anfang des 16. Jahrhunderts, 1882. RM

Hanstein, Otfrid von (Ps. Otfried Zehlen), * 23. 9.1869 Bonn, † 17.2.1959 Berlin; Bruder v. Ludwig Adalbert H., Schauspieler, Gründer d. Theaterschule «Der Bühnenhort», Theaterdir. in Glatz u. 1908f. in Nürnberg. N. versch. Reisen n. Amerika u. in d. Orient freier Schriftst. in Berlin.

Schriften: Theaterprinzeßchen … Ein Theaterroman nach dem Leben (Einf. K. Küchler) 1906; Ballettmädel, 1912; Im Tode gesühnt (Kriegsrom.) 1915; Zwischen Himmel und Erde (Kriegsrom.) 1915; Ein Masurenmädchen (Kriegsrom.) 1915; Wo ist das Glück? (Rom) 1916; Die Seeschlacht am Skagerrak …, 1916; Auf der Hochalm (Rom.); 1916; Maria Rogalla (Rom.) 1916; Gräfin Ilse (Rom.) 1916; Die Stimme des Schuldigen (Rom.) 1916; Erbprinzessin Gisela (Rom.) 1917; Im Lande des Dollars, 1917; Um eine halbe Million (Kriminal-Erz.) 1917; Das Forsthaus in Masuren … (Rom.) 1918; Die brennende Stadt (Rom.) 1918; Das Haus der Gnade (Rom.) 1918; Ein verhängnisvoller Auftrag, 1918; Der Fall des Doktor Romeiro (Kriminalrom.) 1919; Die Madonna des Perugino (Kriminalrom.) 1919; Der Pfarrer von Gossnitzen, 1919; Die Handschrift des Mönches von Bobbio (Kriminalrom.) 1919; Im Reiche des goldenen Drachen …, 3 Bde., 1919 (Neuausg. 1922); Die Feuer von Tenochtitlan …, 1920; Reise-Erzählungen aus Zentral- und Südamerika, 3 Bde., 1920 (Forts. u. d. T.: Reise-Erzählungen, Bd. 4–8 u. 12, 1921–23); Das Schicksal der Hilde van Lingen, 1920; Unter dem Sonnenbanner, 3 Bde., 1920; Der Väter Erbe (Rom.) 1920; Die beiden Rochus Winkler. Ein Danziger Kaufmannsroman, 1921; Ich glaube an Dich (Rom.) 1921; Falsche Scheine (Kriminalrom.) 1921; Sündiges Blut (Rom.) 1921; Das graue Leben (Rom.) 1921; Die Quecksilbermine (Kriminalrom.) 1921; Am Glück vorbei (Rom.) 1921; Der rote Renner (Sportrom.) 1921; Der Herr im gelben Mantel (Kriminalrom.) 1921; Die Sonnenjungfrau … (Rom.) 1921; Der Kaiser der Sahara (Rom.) 1922; In den Tälern des Todes, 1922; Stolz und Liebe (Rom.) 1922; Weltkonzern Lange (Zeit-Rom.) 1922; Die Pelzjäger am Jenissei oder Ein Jahr unter Eskimos. Erzählung für die Jugend, 1922; Im Wigwam der Chorotis-Indianer …, 1922; Im wilden Afghanistan …, 1923; Klosterschüler Taschi-Lunpo. Ein mystischer Roman aus Tibet, 1923; Der Fall Gudulla (Kriminalrom.) 1923; Die Welt des Inka. Ein Sozialstaat der Vergangenheit, 1923; Die doppelten Nummern (Kriminalrom.) 1923; Auf den Wogen der Südsee, 2 Bde., 1923; Das Geld auf der Straße (Kriminalrom.) 1923; Die launische Senorita ..., 1924; Durch die Wildnisse des Orinoco ..., 1924; Das Meisterbild des Salvini, 1924; Das grüne Couvert (Kriminalrom.) 1924; Der Telefunkenteufel. Ein Radio-Roman, 1924; Die Farm des Verschollenen (fantast. Rom.) 1924; Beim Großkhan der goldenen Horde. Die Reisen u. Erlebnisse des Venetianers Marco Polo in Asien ..., 1924; Der Fall Grünbaum (Kriminalrom.) 1924; Mit Kamel und Nilbarke ..., 1924; Die Goldjäger ..., 1924; Raisuli, Sultan der Berge (aus dem Engl. des R. Forbes) 1924; Die donnernden Wasser ... (Rom.) 1924; Der Herr des Todes (Rom.) 1924; Liebe kleine Limokoa ... (Rom.) 1924; Der Spuk von Lindenberg (Rom.) 1924; Das Licht im Osten. Der Roman der Erschließung Sibiriens, 1924; Der blutrote Strom ..., 1924; Menschen und Zeiten, Bd. 1, 2, 3, 6, 1924/26; Das sehnende Herz (Rom.) 1925; Dick Roberts, der Goldsucher, 1925; Das Rätsel von Irdingen (Kriminalrom.) 1925; Deutschland-Freunde im sonnigen Süden ..., 1925; Vier Wochen Orient. Reise-Erinnerungen, 1926; Fürstin Elisabeth, 1926; Tausend Meilen im Rentierschlitten ..., 1926; Semiramis ... (Rom.) 1926; Ein Flug um die Welt ..., 1927; Kleopatra (Rom.) 1927; Pfadsucher im wilden Westen, 1927; Ali, der Türkenjunge, 1928; Elektropolis, die Stadt der technischen Wunder (Zukunftsrom.) 1928; Eine Reise nach Madeira ... (hg. E. Gesche) 1928; Das Glück von Edenhall (Kriminalrom.) 1928; Auf unbekannten Meeren ..., 1928; Der Schmuggler von Hankau. Erzählung aus China, 1928; Die Tasche aus grünem Saffian (Kriminalrom.) 1928; Vom Segelschiffsjungen zum Lloydkapitän. Den Erinnerungen des Kapitäns A. Winter ... nacherzählt, 1928; Dick Harders Erlebnisse im australischen Busch, 1929; Vom Laufburschen zum Kühlhausdirektor ..., 1929; Auf der Jagd nach dem goldenen Kaziken ..., 1929; «Mond-Rak I.» Eine Fahrt ins Weltall, 1929; Die drei Schwestern Florizel (Rom.) um 1930; Das Seeräuberbuch. Die Entwicklung und Bekämpfung des Seeräuberunwesens ..., 1930; Jörge, der Leichtmatrose ..., 1930; Elfenbeinjäger und Sklaventreiber ..., 1931; Will Hartmann, der Diamantensucher ..., 1931; Die Milliarden des Iram Lahore, 1931; Fred Andersens Höllenfahrt (Rom.) 1931; Die

Krone der Romanoff ..., 1931; Ein Lebenskämpfer (Rom.) 1931; Das Rätsel der Drusenkopfinsel, 1931; Im Fluge um die Welt, 1933; Die drei Brüder von Korff, 1933; Die Zirkusreiterin (Rom.) 1933; Die Schauspielerin (Rom.) 1933; Maurermeister Eberhart und sein Sohn (Rom.) 1933; Anker auf! ..., 1934; Aus dem Gran Chaco ins Arbeitsdienstlager, 1934; Flucht in die Ehe, 1934; Tapfere Hella (Rom.) 1934; Wie der Glasbläserjunge zum Braunhemd kam ..., 1934; Der Gamsjäger vom Bernina-Paß, 1934 (Neuausg. hg. F. Fethke, 1958); Firma Müller in Sao Paulo (Rom.) 1934; Einem neuen Glück entgegen (Rom.) 1934; Der zweite Sohn (Rom.) 1934; Um das Werk des Vaters (Rom.) 1934; Das Wunder um die Untermanns (Rom.) 1934; Zur Liebe gereift (Rom.) 1934; Zwei im Urwald (Rom.) 1934; Liegt das Geld auf der Straße? (Rom.) 1934; Mariska, die Tänzerin (Rom.) 1934; Glück und Glas ... (Rom.) 1935; Der blonde Gott, 1935; Heimkehr nach Wolfsroda (Heimatrom.) 1935; Ohne Liebe ..., 1935; Ein Mädchen wird betrogen, 1935; Magnus und Magna, 1935; Der Mann mit dem grünen Schlips (Kriminalrom.) 1935; Beate weiß, was sie will, 1935; Der Filmstar von Hollywood (Kriminalrom.) 1935; Das Fräulein von Sontra, 1935; Kaiser Maximilian von Mexiko ... (Rom.) 1935; Das Nein vor dem Traualtar, 1935; Schatten der Vergangenheit, 1935; Wege im Schatten (Rom.) 1935; Ich warte auf dich, um 1935; Der Untergang des Dampfers Therese, um 1935; Alles um Liebe, 1936; Der Fluch des Goldes ..., 1936; Anselmo, der Cowboy, 1936; Die ihre Heimat verließen (Rom.) 1936; Die Heimatsucher, 1936; Ein Mädchen lernt das Leben kennen, 1936; Motzstraße Nr. 142 (Kriminalrom.) 1936; Der Weg der Brigitte Andreas (Rom.) 1936; August Mattusch macht eine Schwarzfahrt (Kriminalrom.) 1937; Die Farm im Gran Chaco ..., 1937; Die Frauen im Hause Erasmus, 1937; Das Haus in der Brüder-Straße, 1937; Gerhard Holten, der jüngste Offizier des Schiffes, 1937; Die Irrungen der Grete von Lohneck, 1937; Das Nandl von Schwangau ... (Rom.) 1937; Zwillingsschwestern (Rom.) 1937 (Neuausg., 2 Bde., 1940); Farm in Südwest (Kolonialrom.) 1938; Hollermann setzt sich durch, 1938; Zwei in der Schlinge, 1939; Das Fräulein vom Hotelbüro (Rom.) 1939; Familie Hannemann (Rom.) 1939; In der Fremde allein (Rom.) 1939; Steine und Schicksale ... (Heimatrom.)

1939; Mildernde Umstände (Kriminalrom.) 1939; Lilly lächelt dich an, 1939; Das Schicksal der Agnes Gruber ... (Rom.) 1940; Stettner und Sohn setzen sich durch (Rom.) 1940; Die Seele des Betriebes, 1940; Der Wille zum Ziel, 1940; Der Brandstifter von Einbeck (Rom.) 1941; Meister Weigels Kinder, 1941; Der Mann im grauen Mantel (Kriminalrom.) 1941; Zwei fahren nach Übersee (Rom.) 1941; Morgenrot über Portugal ..., 1941; Der Meldereiter von Omaruru ..., 1941; Die schwarzen Tage von Peking ..., 1941; Der schwarze Student ..., 1941; Kanonenboot «Eber» vor Samoa ..., 1941; Feldhauptmann Federmann kämpft in Venezuela ..., 1941; Ein Mädchen fliegt nach Übersee (Rom.) 1941; Diamanten im Wüstensand ..., 1942; Der Pflanzer von Londip ..., 1942; Elka und ihre vier Kinder. Der Roman einer Hundefamilie, 1943; Um Freiheit und Ehre, 1943; Die Jagd nach der Frau (Rom.) 1944; Die Brautfahrt der Gerda Alesius (Rom.) 1950; Rätsel um Anita (Rom.) 1950; Meister Wittigs Tochter (Rom.) 1950; Senora Margarida, 1951; Die Unternehmungen des Lord Ossinning, 1951; Das Vermächtnis des Kapitäns, 1953; Die einsame Insel, 1954; Gelbe Piraten, 1954; Räuber, Scheiche, Mandarine ..., 1964; Unheimliche Verfolger, 1954; Gefahr in der Wildnis, 1956; Gelbe Seeräuber, 1956; Ins verbotene Tibet, 1956; Vergeltung am Rio Grande, 1956.

Literatur: Theater-Lex. 1,694. – ~ (in: D. Leihbuchhändler 51) 1951.   RM

Hanstein, Paula von (geb. Schmidt, Ps. Henny Tura), * 15.7.1883 Breslau, † 27.2.1966 Berlin; Schauspielerin; Verf. v. Nov., Reiseberichten u. vorwiegend Romanen.

Schriften: Marias große Liebe, 1932; Es war in einer Sommernacht, 1932; Ein Kind irrt durch die Nacht, 1933; Der Sprung in die neue Zeit, 1933; Herzeleide, 1934; Rätsel um Thea Luise, 1935; Mutter Horn und ihre Kinder, 1936; Sivia Peltram, 1940; Schatten aus der Dämmerung, 1941; Du warst für mich bestimmt, 1951; Im Schatten des Schicksals, 1951; Spätes Glück, 1952; Der Liebe Leid, 1952; Das «Nein» vor dem Traualtar, 1952; Heimgefunden, 1952; Die Ehe der Cilgia Peltram, 1952; Zur Liebe gereift, 1952; Das Geheimnis des roten Schlosses, 1952; Monika, ich warne dich, 1953; Mutter, 1953; Der zweite Sohn, 1953; Das Fräulein von Sontra, 1953; Maria Stettens Leidensweg, 2 Tle., 1953;

Mutterliebe, Mutterleid, 2 Tle., 1954; In der Fremde allein, 1954; Ohne Liebe, 1954; Juttas große Tat, 1954; Liebe überwindet alles I 1954, II 1955; Du bist das Glück, 1955; Halt still, mein Herz, 1955; Sabine-Karina, 1957; Adja kämpft um ihr Glück, 1958; Verzage nicht Sybille, 2 Tle., 1960; Eines Tages wirst du mich vergessen, 1960; ..., bis alle Schuld getilgt ist, 2 Tle., 1960; Drei Frauen um Arno Flensburg, 1961; Rechtsanwalt Jochen Fleming, 1963.   IB

Hanstein, Wolfram von (Ps. Berg Berger, Berger-Hell, Hellan Hell), * 25.2.1899 Berlin; Roman-Autor, wohnte in Berlin, dann Dresden.

Schriften: Der Gott der Sonne und der Morgenfreude, 1919; Märchen der Freude, 1919; Das Geheimnis von Pontiana. Roman aus Borneo, 1930; Walter Amboss. Justizroman frei nach dem Fall Bullerjahn, 1933; Der geheimnisvolle Morgenstern (Krim.rom.) 1933; Der tote Mörder (Krim.rom.) 1933; Die Kugel des Verderbens (Krim.rom.) 1933; Das geraubte Messer (Krim.-rom.) 1933; 1. Preis: Henker-Tod! (Krim.rom.) 1933; Kleine Dame in Grün (Krim.rom.) 1933; Der vertretene Vertreter (Krim.rom.) 1933; Grand mit Vieren (Krim.rom.) 1933; Taitje, die Zauberin (Krim.rom.) 1933; Die Sache mit dem Pfiff (Krim.rom.) 1933; Die Teufelsmusik (Krim.-rom.) 1934; Der Knabe Bibo gestohlen? (Krim.-rom.) 1934; Würden Sie da auch lächeln, gnädige Frau (Rom.) 1934; Diese, Jene oder die Dritte? (Rom.) 1934; Wen liebt sie nun eigentlich? (Rom.) 1934; Wenn sie lacht, hat sie Grübchen (Rom.) 1934; Wenn zwei verliebt sind (Rom.) 1934; Es will dunkel werden (Rom.) 1934; Herein ohne zu klopfen (Rom.) 1934 (überarb. Neuaufl. 1940); Der vom Gutenberg. Die große Liebe im 15. Jahrhundert, 1939; Der schwarze Berthold. Ein Erfinderschicksal, 1941; Und Helga lächelt! (Rom.) 1944; Von Luther bis Hitler. Ein wichtiger Abriß deutscher Geschichte, 1947; Deutschland oder deutsche Länder? Eine geschichtliche Betrachtung, 1947; Ole Bornemann Bull, der große Geiger des Nordens (Rom.) 1958.
                                                    AS

Hantel, Georg (Ernst Hermann) (Ps. German vom Nord), * 20.9.1845 Frauenburg/Ostpr., † 22.2.1908 Rosenheim/Bayern; n. Studium d. Med. 1870 Dr. med., Arzt in Frauenburg u. Elbing, Stabsarzt u. Sanitätsrat. Zahlr. Schr. ersch. in Zeitschriften.

Schriften: Von Kaiser und Reich (Ged.) 1881;
Kriegsfahrten aus den Siegesjahren 1870–71,
1884; Kahlberger Strandgut. Liederkranz von baltischen Gestaden, 1885; Das Lied, eine Parabel,
1888; Inundations-Carmina, 1888; Lieder und
Gelegenheitsgedichte, 1888; Gloria. Erinnerung
an den Abschied Kaiser Wilhelms des Großen von
seinem Volk, 1889; Lieder, 1890–1903; Ander-
nacher Rheinlieder (Ged.) 1894; Bismarck-Fahrt
(ep. Dg.) 1895; Lechtaler Bergpredigt, 1897;
Almenrausch, Edelweiß und Baltenrosen (Ged.)
1898; Zwölf Wanderlieder vom Unterinntal,
1903; Wanderbild von der deutsch-welschen
Sprachgrenze, 1903; Das Rote Kreuz. Melodra-
matische Vision, 1904.   RM

Hanthaler, Chrysostomus (Taufnamen: Johannes Adam), * 14.1.1690 Marenbach b. Ried/
Ober-Öst., † 2.9.1754 Lilienfeld/Nieder-Öst.;
Theol.-Studium in Salzburg, 1716 Eintritt ins Zi-
sterzienserkloster Lilienfeld, 1718 Priesterweihe,
Stiftsbibliothekar u. Provinzialsekretär. Geschichtsschreiber, Numismatiker u. Genealoge.
Schriften: Exercitationes faciles de numis veterum ..., 1735 (erw. Neuausg., 6 Tle. mit Appendix, 1736–53); Notulae anecdotae e chron. illustris stirpis Babenbergicae in Osterrichia domi-
nantis ..., 1742; Grata pro gratiis memoria eo-
rum, quorum pietate vallis de campo liliorum et
surrexit et crevit, 3 Bde., 1744–54; Fasti Campi-
lilienses, 2 Bde., 1747–54; Fastorum Campililien-
sum ... continuatio, seu recensus genealogico-
diplomaticus archivi Campililiensis (hg. L. Pyr-
ker) 1818/20; Recensus diplomatico-genealogi-
cus, 1819f.
Literatur: Ersch-Gruber II.2, 223; Wurzbach 7,
336; ADB 10, 547; NDB 7, 641; LThK 5, 3. –
∼s diplomat. Nachl. in Lilienfeld (in: Arch. f.
Geogr., Hist., Staats- u. Kriegskunst 7) 1806; M.
TANGL, Die Fälschungen ∼s (in: MIÖG 19)
1898; A. CORETH, Öst. Gesch.schreibung in d.
Barockzeit (1620–1740) 1950; A. LHOTSKY,
Quellenkunde z. ma. Gesch. Öst.s, 1963.   RM

Hantsch, Hugo P., * 15.1.1895 Teplitz-Schö-
nau, † 1972; Benediktiner, Dr. phil., Gesch.doz.
in Wien (1930), Prag (1935), seit 1946 Prof. in
Wien. Dir. d. Inst. f. Gesch. d. Öst. Akad. d.
Wiss., Hg. d. Wiener Hist. Stud. (seit 1953).
Schriften (Ausw.): Die Entwicklung Österreich-
Ungarns zur Großmacht, 1933; Die Geschichte

Österreichs, 2 Bde., 1937/48 (5., erg. Aufl. d. 1.
Bd. 1969, 4., erg. Aufl. d. 2. Bd. 1968).
Literatur: ∼, Festgabe z. 60. Geb.tag, 1955;
Öst. u. Europa. FS f. ∼ z. 70. Geb.tag, 1965;
∼ 1895–1972 (in: Central European Hist. 5)
Atlanta 1972.   RM

Hantzsch, Viktor (Gustav Robert), * 10.5.1868
Dresden, † 12.11.1910 ebd.; Studium d. Geographie u. Gesch. in Leipzig, 1898 Promotion,
Leiter d. Kartenslg. d. Kgl. Bibl. Dresden, seit
1902 Privatgelehrter. Mitarb. d. «Lit. Zentralbl.
f. Dtl.» (seit 1899), Verf. u. Hg. versch. geograph.-bibliogr. Werke.
Schriften: Die überseeischen Unternehmungen
der Augsburger Welser (Diss. Leipzig) 1895;
Deutsche Reisende des 16. Jahrhunderts, 1895;
Sebastian Münster. Leben, Werk, wissenschaftliche Bedeutung, 1898; Die kartographischen
Denkmäler zur Entdeckungsgeschichte von Amerika, Asien, Australien und Afrika ... (hg. mit L.
Schmidt) 1903; Dresdner auf Universitäten vom
14. bis zum 17. Jahrhundert, 1906; Der Anteil
der Jesuiten an der wissenschaftlichen Erforschung Amerikas, 1909.
Nachlaß: Landesbibl. Dresden. – Nachläße DDR
1, Nr. 252.
Literatur: NDB 7, 642; Biogr. Jb. 15, 70.

                                                     RM

Hanus, Georg, 17. Jh.; stammte aus Böhmen
(Landskron od. Kronenfeld), Prediger in Prag.
Schriften: Epigrammata, 1613; Eine Böhmische
Predigt von den zehn Verheißungen Gottes, 1613.
Literatur: Adelung 2, 1793.   RM

Hanusch, Ferdinand, * 9.11.1866 Oberdorf b.
Wigstadl/Öst.-Schles., † 28.9.1925 Wien; Sohn
e. Hauswebers, Arbeiter in e. Web- u. später in
e. Seidenfabrik, 1891 Anschluß an d. Arbeiterbewegung. Gewerkschafts- u. soz.-demokrat. Parteisekretär in Sternberg, 1900 Sekretär d. Union
d. Textilarbeiter in Wien, seit 1907 soz.-demo-
krat. Abgeordneter im Reichsrat, 1918–20 Staatssekretär f. soz. Fürsorge (seit 1919: Verwaltung),
1921 Dir. d. Wiener Arbeiterkammer. Gründer
d. soz.-wiss. Studienbibl. d. Arbeiterkammer.
Schriften: Weber-Seff (Erz.) 1905; Schattensei-
ten (soz. Dr.) 1908; Die Namenlosen. Geschichten aus dem Leben der Arbeiter und Armen,
1910; Die Enterbten (soz. Dr.) 1910; Der kleine
Peter, 1912; Edle Seelen (Schw.) 1912; Der

Kampf. Soziales Bild der Gegenwart (Dr.) 1912; Dunkle Mächte (Dr.) 1912; Lazarus. Eine Jugendgeschichte, 1912; Der Bauernphilosoph. Ein Lebensbild (Dr.) 1913; Der Narr (Kom.) 1913; Parlament und Arbeiterschutz (Referat) 1913; Lazarus. Liebe und Ehe, 1914; Aus der Heimat. Geschichten in schlesischer Mundart, 1916; Aus dem grünen Schles'. Geschichten in schlesischer Mundart, 1917; In der Heimat. Geschichten in schlesischer Mundart, 1918; Heimatland. Geschichten in schlesischer Mundart, 1919; Allerlei Menschen. Geschichten in schlesischer Mundart, 1920; Waldpeter. Ein schlesisches Schicksal. Erzählung in schlesischer Mundart, 1922; Die Regelung der Arbeitsverhältnisse im Kriege (mit E. Adler) 1927.

Literatur: NDB 7,643; ÖBL 2,184; Theater-Lex. 1,695. – ~, d. Mann u. sein Werk, 1924; F. WALDEN, Ich gab Euch Zeit! Kleine Lebensgesch. d. großen Sozialreformers, 1948; H. REISSNER, ~, s. Leben u. lit. Werk (Diss. Wien) 1951; H. SUMPOLEC, ~ u. s. sozialpolit. Werk (Diss. Wien) 1963; M. SZECSI, ~ (in: Werk u. Wiederhall ..., hg. N. LESER) 1964; ~ z. s. 100. Geb.tag (in: Mähr.-Schles. Heimat 1) 1967. RM

Hanusch (Hanuš), Ignaz Jan (Johann), * 26.11. 1812 Prag ,† 19.5.1869 ebd.; Studium d. Philos. u. Rechte in Prag u. Lemberg, 1837 Dr. phil., Philos.-Prof. in Lemberg (1838–47), Olmütz (1847–49), dann in Prag. 1852 Amtsentsetzung, 1860 Bibliothekar an d. Univ. Prag. Philosoph u. Slawist.

Schriften (dt., Ausw.): Handbuch der wissenschaftlichen Erfahrungslehre ..., 1842; Die Wissenschaft des Slavischen Mythus im weitesten ... Ein Beitrag zur Entwicklung des menschlichen Geistes, 1842; Handbuch der wissenschaftlichen Denklehre ..., 1843; Grundzüge eines Handbuches der Metaphysik, 1845; Handbuch der filosophischen Ethik, 1846; Blicke in die Urgeschichte der menschlichen Cultur, 1847; Handbuch der Erfahrungs-Seelenlehre ... (3., umgearb. Aufl.) 1849; Vorlesungen über die allgemeine Culturgeschichte der Menschheit ..., 1849; Geschichte der Filosophie von ihren Uranfängen an bis zur Schließung der Filosofieschulen durch Kaiser Justinian. Mit Beigabe der Literatur vom allgemeinen culturhistorischen Standpunkte, 1850; Systematisch und chronologisch geordnetes Verzeichniss sämtlicher Werke und Abhandlungen

der königlichen böhmischen Gesellschaft der Wissenschaften, 1854; Über die alterthümliche Sitte der Angebinde bei Deutschen, Slaven und Lithauern ..., 1855; Spaciergänge im Gebiete der slavischen Sprachforschung und Alterthümlichkeiten, 1856; Zur slavischen Runenfrage ..., 1857; Stellung der «Kritischen Blätter» zu einer Fraction der neuböhmischen Literatur. Ein Culturbild mit einem Schattenrisse, 1858; Der bulgarische Mönch Chrabru, ein Zeuge der Verbreitung glagolitischen Schriftwesens unter den Slaven ..., 1859; Die lateinisch-böhmischen Oster-Spiele des 14. und 15. Jahrhunderts ..., 1863; Das Schriftwesen und Schriftthum der böhmisch-slovenischen Völkerstämme in der Zeit des Überganges vom Heidenthume in das Christenthum, 1867; Die gefälschten böhmischen Gedichte aus den Jahren 1816–49 ..., 1868; Quellenkunde und Bibliographie der böhmisch-slovenischen Literaturgeschichte von 1348–1868, 1868.

Literatur: Wurzbach 7,339; ÖBL 2,185. RM

Hanxleden, Johann Ernst, * 1681 Osterkappeln b. Osnabrück, † 21.3.1732 Palayur/Indien; Jesuit, 1699 Beginn missionar. Tätigkeit u.a. in Malabar/Indien, Verf. v. Grammatiken u. Wörterbüchern (Malayâlam, Sanskrit u.a.), rel. Ged. u. Liedern.

Schriften: Pancha Parvam (5 Ged.) Verapoly 1873; Puthanpâna («Neues Hymnenbuch», relig. Lieder zum Preise des Erlösers) Allepey 1955.

Nachlaß: Tle. Vatikan. Bibl. Rom; Univ.bibl. Coimbra; Kathol. Missionen Bonn.

Literatur: NDB 7,644; Sommervogel 4,80; 9, 456; LThK 5,4. – R. STREIT, Bibl. Missionum 5 u. 8, 1929/34. RM

Hanzely, Carl Joseph, * 27.10.1744 Brünn, † 1.10.1806 ebd.; 1760 Eintritt in d. Jesuitenorden, 1771 Priesterweihe, Gymnasiallehrer in Olmütz (1774–78) u. Brünn (1779–97). Verf. zahlr. Lehrbücher.

Schriften: Abrahami Ecchellensis Collegii Maronitarum Alumni linguae syriacae institutio, ex syriaco latine reddita, 1769; Brünnerische Jugendfrüchte ... in Übersetzungsübungen einiger aus dem Phädrus gewählten Fabeln, 1780; Heiliger Tag oder Tägliche Geistesübungen zu Gott ... übersetzt aus dem Lateinischen des P. Joseph Scoti, 1788; De re sacra et militari veterum Romanorum, 1793; Erklärung lateinischer Sprüchwörter für die studierende Jugend, 1794; De veteris populi romani ordinibus, comitibus, magistratibus, et judiciis, 1795; Nachfolge des heiligen Aloysius Gonzaga; ein Musterbuch für Jünglinge und Jungfrauen, 1798; Gloria posthuma studiosorum Brunensium in obsidione suevica anno 1645 pro urbe militantium ..., 1798; Fünfzigjähriges Andenken des auf dem Brünner Rathausthurme den 1. July 1749 neu aufgesetzten höchsten Knopfes, 1749; De vita privata veterum Romanorum ..., 1800.

Literatur: Wurzbach 7, 343; Goedeke 7, 10.

RM

Hanzig, Ingeborg, * 18.8.1917, † Rudolstadt/ Thür. um 1952; lebte ebd. als Jugenderzählerin.
Schriften: Prinzessin Ilse oder Die Zauberhöhle. Bühnenmärchen in 3 Bildern, 1947; Das musikalische Käuzchen, 1954.

AS

Happ, Alfred, * 7.12.1898 Kempten, † 20.12. 1961 Frankfurt; Studium in München, Dr. phil., Vorsitzender d. Frankfurter Gesellsch. f. Theaterwiss., Lyriker, Dramatiker, Essayist u. Übersetzer (ital.).
Schriften: Die ewige Weihnacht (Sp., mit P. Alverdes) 1922; Hieronymus (Ged.) 1923; Boccaccio, Guiscarda und Ghismonda (Übers.) 1924; Die neue Dichtung (Jb., Hg.) 1924–25; Die Türme Demetrius (Neufassg. 1927) 1924; Idyll zu Ludwigslust, 1953; Ein Band Moliere, 1954; Der Bankherr und die Genien der Liebe. Hörspiel nach einem Roman C. Haensels, 1955; Stavros & Comp., 1956; Lili, 1958; Spiegelkomödie, 1961; Schriften der Frankfurter Gesellschaft für Theaterwissenschaft (Hg. mit G. Rühle) 1961.
Literatur: Theater Lex. 1, 695; A. HÜBSCHER, ∼ (in: Münchner Dichterbuch) 1929.

IB

Happ, Ferdinand, * 8.7.1868 Frankfurt/M., † 17.1.1952 ebd.; war Reichsbahndirektions-Präs. in Frankfurt. Lyriker in Mundart.
Schriften: Die Bodanisierbix. Gedichte in Frankfurter Mundart, 1934; Die Hausapotheke und andere Gedichte in Frankfurter Mundart, 1937; Die Knoppschachtel. Neue und alte Gedichte in Frankfurter Mundart, 1950.

AS

Happach, Johann Casimir, * 1726 Neustadt a. d. Haid, † 11.8.1783 Coburg; seit 1772 Schuldir. u. Konsistorialrat in Coburg.

Übersetzer- und Herausgebertätigkeit: Joh. Matth. Gesneri index etymologicus Latinatis, 1749 (dt. u.d.T.: etymologisches Wörterbuch, 1772); Heinrich Rimius Geschichte des Hauses Braunschweig (aus d. Engl.), 1753; Heinrich Rimius Erzählung von dem Ursprunge und Fortgange der Herrenhuter (aus d. Engl.) 1760. (Außerdem versch. Schulprogramme.)
Literatur: Adelung 2, 1793.

RM

Happach, Lorenz Philipp Gottfried, * 6.1.1742 Dessau, † 20.7.1814 Mähringen/Anhalt; Kaplan u. Rektor in Dessau, Prediger in Alten b. Dessau (1772) u. Mähringen, Schulinspektor im Amt Sandersleben. Mit-Hg. u. Mitarb. d. «Anhalt. Krit. Bibliothek».
Schriften: Versuch über die 22ste Ode im ersten Buch des Horaz ..., 1774; Eines Anhaltiners Lossagung von dem Vermächtnis für die Gewissen, an den Hrn. Prof. Basedow zu Dessau, 1775; Vertheidigte Lossagung ..., 1778; An Geistliche, wenn's gut ist. Allen guten Regenten und ihrer guten Diener Herzen zugeschrieben, 1787; Über das Preußische Religionsedikt vom 9. Julii 1788, und die freymüthigen Betrachtungen darüber, philosophisch, 1789; Handbüchlein für teutsche Bürger und Bauern ... (Preisschr.) 1794; Theologische Nebenstunden, 5 Slg., 1798–1804; Materialien zu neuen Ansichten für die Erfahrungs-Seelenkunde und anderer physikalische Gegenstände, 4 Stücke, 1802–07; Archiv für die Juden ..., 1. Stück, 1805 (m.n.e.); Ist es rathsam, Predigerstellen abschaffen ...? 1805, Neue physikalische Ansichten, 1. Bd., 1809; Über die Beschaffenheit des künftigen Lebens und des Todes, aus Ansicht der Natur, 2 Bde., 1809–11; Beobachtung und Erklärung merkwürdiger Naturerscheinungen, 1812.
Literatur: Meusel-Hamberger 3, 77; 9, 509; 14, 31; 18, 43; 22.2, 569.

RM

Happe, Franz (Engelbert), * 11.6.1863 Sendenhorst/Westf., † 11.9.1897 Südkirchen/Westf.; Philol.- u. Theol.-Studium in Münster, Erzieher an versch. Orten, 1887 Priesterweihe, 1888 Kaplan in Füchtdorf, seit 1895 Vikar in Südkirchen.
Schriften: Stimmungen und Gestalten (Ged.) 1889 (2., verm. u. verb. Aufl. 1897).

RM

Happel (Happelius), Eberhard Werner (Guerner), * 12.8.1647 Kirchhain/Hessen, † 15.5. 1690 Hamburg; 1663–66 Studium d. Rechte u.

Naturwiss. in Marburg, Gießen u. später in Kiel, Hofmeister u. Literat in versch. Orten. zuletzt in Hamburg.

Schriften: Grösseste Denckwürdigkeiten der Welt ..., 5 Bde., 1669–83; Der Asiatische Onogambo Darin Der jetztregierende große Sinesische Käyser Xunchius. Als ein umbschweiffender Ritter vorgestellet ..., 1673; Der Europäische Toroan. Ist Eine kurtz-gefasete Beschreibung aller Königreiche und Länder in gantz Europa ..., 2 Bde., 1676; Valerius Maximus Von Denckwürdigen Reden und Thaten Der Römer und Frembden. Ins Teutsche übersetzt ..., 1678; Kern-Chronick der merckwürdigsten Welt- und Wunder-Geschichten ..., 2 Bde., 1680/90; So genanten Christlicher Potentaten Kriegs-Roman ..., Vorstellend Eine genaue Beschreibung Aller Blutigen Feldschlachten, Bestürmungen, Massacren ..., 2 Bde., 1681; Der Insulanische Mandorell, Ist eine Geographische Historische und Politische Beschreibung Aller und jeden Insulen Auff dem gantzen Erd-Boden ..., 1682; Straff- und Unglücks-Chronick ..., 1682; Gröste Denckwürdigkeiten der Welt Oder so-genannte Relationes Curiosae. Worinnen dargestellet ... die vornehmsten Physicalische ... Historische und andere Merckwürdige Seltzahmkeiten ..., 5 Bde., 1683–91; Der Ungarische Kriegs-Roman, oder Aussführliche Beschreibung, Dess Jüngsten Turcken-Kriegs, 6 Bde., 1685–97; Der Italiänische Spinelli, Oder So genanter Europaeischer Geschicht-Roman ..., 4 Bde., 1885f.; Der Spanische Quintana ..., 4 Bde., 1886f.; Der Frantzösische Cormantin ..., 4 Tle., 1687f.; Mundus Mirabilis Tripartitus, Oder Wunderbare Welt, in einer kurtzen Cosmographia fürgestellet ..., 3 Bde., 1687ff.; Thesaurus Exoticorum oder Eine mit ausländischen Raritäten und Geschichten wohlversehene Schatzkammer ..., 1688; Hochverdiente Ehren-Seule Christlicher Tapfferkeit ..., 1688; Der Ottomanische Bajazet ..., 4 Bde., 1688f.; Fortuna Brittannica oder Brittannischer Glückswechsel ..., 1689; Krönungs-Actus Wilhelm III. und Mariae, 1689; Africanischer Tarnolast, Das ist: Eine anmuthige Liebes- und Heldengeschichte ..., 1689; Der Teutsche Carl, Oder so genannter Europaeischer Geschicht-Roman ..., 4 Bde., 1690; Der Academische Roman, Worinnen Das Studenten-Leben fürgebildet wird; Zusamt allem, Was auf den Universitäten passiret ..., 1690 (Neudr., hg. R. SCHACHT, 1923; Neuausg. 1962); Der Engel-

ländische Eduard ..., 4 Tle., 1691; Irlanda vindicata, 1691; Hibernia Vindicata ..., 1691; Historia Moderna Europae ..., 1692; Der Bäyerische Max ..., 4 Bde., 1692; Der Sächsische Witekind ..., 4 Bde., 1693.

Literatur: Jöcher 2, 1355; ADB 10, 551; NDB 7, 644; FdF 1, 225; 2, 101; Goedeke 3, 256. – T. SCHUWIRTH, ~ (Diss. Marburg) 1908 (mit Schr.- u. Lit. Verz.); H. NIMTZ, Motive d. Studentenlebens in d. dt. Lit. ... (Diss. Berlin) 1937; G. LOCK, D. höf.-galante Rom. d. 17. Jh. bei ~, 1939; H. WAGENER, ~. Vernunft u. Aberglaube im Spätbarock (in: Hess. Bl. für Volkskunde 59) 1968; V. MEID, Francisci, ~ u. Pocahontas. Amerikanisches in der dt. Lit. des 17. Jh., 1975; W. KÜHLMANN, ~s «Academ. Rom.» u. d. Krise d. späthumanist. Gelehrtenkultur (in: Stadt, Schule, Univ. ...) 1976.   RM

Happrich, Victor (Ps. Caballero), * 15. 1. 1863 Breslau, † 21. 3. 1918 wahrsch. Berlin; seit 1886 Lehrer in Berlin, Schriftst., Sportjournalist, Reisen in ganz Europa. Mitarb. v. H. W. Ottos Artistenlexikon.

Schriften: Manege-Sterne. Bunte Skizzen aus der Künstlerwelt, 1902 (2., verm. Aufl. 1903); Interessante Menschen. Plaudereien aus dem Künstlerleben, 1908.   RM

Harald, Leo → Gerstmayer, Hermann.

Harald, M. → Grabi, Margarete.

Harand, Irene, * 6. 9. 1900 Wien; lebte ebd., gab 1933–38 die von ihr gegründete Zs. «Gerechtigkeit» heraus; emigrierte 1938 nach England.

Schriften: So? Oder so? Die Wahrheit über den Antisemitismus, 1933; Sein Kampf. Antwort an Hitler, 1935.   AS

Harb, Aloy (Ps. f. Alois Harback), * 10. 8. 1939 München; Dr. phil., Kunsthistoriker in München.

Schriften: Komplexer Ritt. Selbstsuche eines Perversen (Rom.) 1971; Heiratsannonce (Rom.) 1973; Fuchsjagd (Rom.) 1976.   AS

Harbaugh (Harbach), Henry (Heinrich), * 28. 10. 1817 Waynsboro/Pennsylv., † 28. 12. 1867 Mercersburg/Pennsylv.; Sohn e. dt. Emigranten, Besuch d. dt. theol. Seminars in Mercersburg, 1843 Pastor in Lewisburg, 1850 in Lancaster u. später in Lebanon, 1863 Theol.-Prof. in Mercersburg.

Schriften (dt.): Harbaughs Harfe. Gedichte in pennsylvanisch-deutscher Mundart (hg. B. BAUS-MANN) Philadelphia 1871.

Literatur: F. BRAUN, ~ (in: Pfälz. Familien- u. Wappenkunde 7) 1954.   RM

Harbeck, Alois → Harb, Aloy.

Harbeck, Hans, * 25.12.1887 Eckernförde, † 18.5.1968 Hamburg; Dr. phil. (Studium in Göttingen, München, Kiel), Schriftst. in Hamburg. Lyriker, Kritiker, Essayist.

Schriften: Melchior Lorichs. Ein Beitrag zur deutschen Kunstgeschichte des 16. Jahrhunderts (Diss. Kiel) 1911; Revolution (Ged.) 1919; Der Vorhang. Sonette, 1920; Rund um den Hund. Kunterbunte Verse, 1921; Die Jungfrau. Neue Sonette, 1923; Sonette an Sonja, 1924; Die Kaiserin von Neufundland. Drei Akte nach Frank Wedekinds gleichnamiger Pantomime, 1926; Das Buch von Hamburg, 1930; Tumult im Tintenfaß (Ged.) 1930; Ein Autor fährt Auto (Ged.) 1933; Der Kunstgewerbe-Verein zu Hamburg 1886 bis 1936. Ein Bericht, 1936; Glückseliges Flötenspiel (Ged.) 1938; Carl Wolff, Niederschläge (Hg.) 1938; Verse aus dem Gefängnis (Ged.) 1946; Leichtes Gepäck. Anekdoten, Schwänke und Kuriosa, 1947; Glück der Freiheit (Ged.) 1947; William Wilberforce, der Befreier der Sklaven, 1948; Ch. Dickens, Das Heimchen am Herde (Übers.) 1948; G. de Maupassant, Yvette (Übers.) 1948; Hamburg. Ein Führer für Fremde und Einheimische, 1949; Hamburger Lockbuch. 50 Jahre Hamburger Fremdenverkehr, 1949; Flitzbogen und Flöte. Heitere Verse, 1953; Balduin, der Sportler. Gezeichnet und gedichtet, 1953; Reim dich oder ich freß dich. Neues deutsches Reimlexikon, 1953 (2. Aufl. u.d.T.: Gut gereimt ist halb gewonnen, 1956; 3. erw. Aufl. mit A. Harbeck, 1969); Gustav Sack. Eine Einführung in sein Werk und eine Auswahl, 1958; Die Druckerey Kayser 1833–1958. Versuch einer Chronik, 1958; Herz im Muschelkalk. In memoriam Joachim Ringelnatz, 1961; Schauspieler, gezaust und gezeichnet, 1966.

Nachlaß: Staats- u. Univ.bibl. Hamburg. – Denecke 2. Aufl.   AS

Harberts, Harbert, * 26.12.1846 Emden/Ostfriesl., † 1.10.1895 Hamburg (Freitod); Studium d. Gesch. u. Lit. in Bonn, Lehrer in Holland, Red. in Breslau, in Hamburg Red. d. «Hamburger Volksztg.» u. 1875–86 Feuilletonist d. «Reform», 1886 Gründer d. 1887 n. Berlin verlegten hum. Zs. «Lustige Blätter».

Schriften: Wilde Ranken (Ged.) 1867; Der Honoratiorentisch in Dingsda. Eine fröhliche Geschichte aus dem Rathskeller, 1882; Über Dies und Das. Kleine Geschichten und allerhand Plauderkram, 1883. Clara Horn. Ein Charakterbild ihres Lebens und Wirkens, 1884; Rothe Rosen. Neue Gedichte, 1884; Geschichte der Hamburger Choleraepidemie von 1892; Nach den Quellen geschildert, 1892.   RM

Harboe (geb. de Fallsen), Christine (Johanne) von, * in d. 1760er Jahren in Hadersleben/Jütland, Todesdatum u. -ort unbekannt; Tochter d. Generalkriegskommissars Eschil de F., 1786 verh. mit d. dän. Rittmeister J.C. Harboe u. lebte meist in Hadersleben.

Schriften: Juliane oder Die Belohnung der Tugend (Lsp.) o. J.; Moralisches Allerley von einem Frauenzimmer, 1786; Allzuviel an einem Tage (Lsp.) o. J.; Die Primrose oder Die Reformation im Kerker (Rom. aus d. Engl.) 1818.

Literatur: Meusel-Hamberger 9, 509; 22.2, 569; Goedeke 13, 615.   RM

Harbou, Thea (Gabriele) von, * 27.12.1888 Tauperlitz/Bayern, † 1.7.1954 Berlin; Schauspielerin am Hoftheater in Weimar (1909), Chemnitz (1911 f.) u. Aachen (1913 f.), seit 1917 Schriftst. in Berlin, 1921 Heirat mit d. Filmregisseur Fritz Lang, adaptierte od. verf. alle Drehbücher zu Langs Filmen v. 1920–32.

Schriften: Gedichte, 1902; Weimar, ein Sommertagstraum. – Tiefurt, Memoiren eines Sonnenstrahls. – Belvedere, in einer Vollmondnacht. Drei Märchendichtungen, 1908; Die nach uns kommen (Rom.) 1910; Der Krieg und die Frauen (Nov.) 1913; Von Engelchen und Teufelchen (Märchen) 1913; Deutsche Frauen ..., 1914; Der unsterbliche Acker (Kriegsrom.) 1915; Die junge Wacht am Rhein! 1915; Die Masken des Todes. Sieben Geschichten in einer, 1915; Das Mondscheinprinzeßchen ..., 1916; Die Flucht der Beate Hoyermann, 1916; Gold im Feuer. Erzählung für junge Mädchen, 1916; Aus Abend und Morgen ein neuer Tag (Erz.) 1916; Die deutsche Frau im Weltkrieg ..., 1916; Das indische Grabmal (Rom.) 1917 (Drehbuch 1921, Neuausg. 1937);

Adrian Drost und sein Land (Rom.) 1918; Sonderbare Heilige (10 Nov.) 1919; Das Haus ohne Türen und Fenster, 1920; Die unheilige Dreifaltigkeit, 1920; Legenden, o. J. (1920); Das wandelnde Bild (mit F. Lang) 1920; Das Nibelungenbuch, 1921 (Drehbuch 1924); Metropolis (Rom.) 1926 (Drehbuch 1926); Die Insel der Unsterblichen (Rom.) 1926; Spione (Rom.) 1926 (Drehbuch 1928); Mann zwischen Frauen (Nov.) 1927; Die Frau im Mond (Rom.) 1929 (Drehbuch 1929); Du bist unmöglich, Jo! (Rom.) 1931; Liebesbriefe aus St. Florin (Nov.) 1935; Aufblühender Lotos (Rom.) 1941; Gartenstraße 64, 1952.

Literatur: NDB 7,645; Theater-Lex. 1,696. – H. JAHN, ~, Schriftstellerin (in: Ochsenkopf 2) 1955; A. EIBEL, Fritz Lang, Paris 1964; L. H. EISNER, F. W. Murnau, Paris 1964.   RM

Hard, Hedwig (Ps. für Hans Reinhard), * 11.4. 1872 Aachen; lebte in Berlin, Roman-Autor (auch Krim.rom.).

Schriften: Beichte einer Gefallenen, 1906; Die im Schatten gehen, 1907; Tagebuch einer anständigen Frau, 1909; Das Rätsel der Liebe, 1911; Menschen und Wege, 1919; Ferner liefen. Bunte Bilder von der Rennbahn, 1922; Die Liebe der Tussi Darring, 1928; Der Schuhu, 1928; Bräute des Todes, 1929; Der Schatz im Borobudor, 1929; Das Geheimnis des Riechfläschchens, 1929; Das Geheimnis der Tigerschlucht, 1929; Der Asiate, 1929; Der Heliotrop-Götze, 1929; Der Tod am Vorwerk, 1930; Boxerkönig und Filmdiva, 1932; Ingeborg geht nach Indien, 1934; Die Pforte der Glückseligkeit, 1934; Onkel Bräses Testament (Rom.) 1934; Um die rote Bessie (Rom.) 1935; Teufel in Gottes Land. Abenteuerroman aus dem ehemaligen Deutsch-Ostafrika, 1942.   AS

Hardeck, Ernst von → Dombrowski (von und zu Paprosch u. Kruszwice), Ernst.

Der Hardegger, 13. Jh.; Spruchdichter, dessen Herkunft umstritten ist. Seine Identifikation mit d. St. Galler Lehnsmann Heinrich v. Hardegge (vgl. HMS) wird u. a. v. K. Bartsch u. W. Wilmans (in: ADB 10) bezweifelt. Parteigänger d. Staufer, seine Dg. behandeln polit. u. religiöse Themen, sind überl. in d. Großen Heidelberger Liederhs. C. u. in d. Jenaer Liederhs. J u. sind meist in d. Weise d. Almentstrophe gedichtet.

Ausgaben: HMS 2,4; K. BARTSCH, Dt. Liederdichter d. 12.–14. Jh. (4. Aufl. hg. W. GOLTHER) 1906 (Neudr. 1966).

Literatur: VL 2,182; ADB 10,558; HBLS 4, 74. – H. NAUMANN, ~ (in: Beitr. z. Geistes- u. Kulturgesch. d. Oberrheinlande) 1938; D. große Heidelberger «manness.» Liederhs. (Facs., hg. U. MÜLLER) 1971.   RM

Hardekopf, Ferdinand (Wilhelm Emil) (Ps. Stefan Wronski), * 15.12.1876 Varel/Oldenb., † 24.3.1954 Anstalt Burghölzli/Zürich; Sohn e. Schmiedes, kaufmänn. Ausbildung, 1900–1916 Reichsstenograph u. Theaterkritiker (u.a. d. «Schaubühne») in Berlin, enge Beziehungen z. Jugendstil- u. Expressionistenkreisen («Aktion»), lebte seit 1916 in d. Schweiz, 1921/22 in Berlin, dann mit seiner späteren Frau, d. Schauspielerin Sita Staub, in Frankreich (Paris, Riviera) u. d. Schweiz, 1945 Flucht aus d. besetzten Frankreich n. Zürich.

Schriften: Der Abend. Ein kleines Gespräch, 1913 (Nachdr. 1970); Lesestücke, 1916 (Nachdr. 1973); Privatgedichte, 1921 (Nachdr. 1970); Gesammelte Dichtungen (hg. E. MOOR-WYTTENBACH) 1963 (mit biogr. Vorw.).

Übersetzungen: A. Gide, Retuschen zu meinem Rußlandbuch, 1937; R. Schickele, Heimkehr, 1939; C.-L. Philippe, Marie Donadieu, 1942; R. de Traz, Die geheime Wunde, 1946; A. France, Crainquebille, 1947; A. Gide, Die Falschmünzer, 1947; Ders., Die Verließe des Vatikans ..., 1947; C. F. Ramuz, Tagebuch 1896–1942 (mit E. Ihle) 1947; M. Ponty, Vorsicht, Arlette! 1947; E. Zola, Germinal, 1947; A. Gide, Stirb und werde, 1948; A. Malraux, Conditio humana, 1948 (Neuausg. 1955); Ders., Der Kampf mit dem Engel (übers. H. Kauders) – Die Zeit der Verachtung, 1948; P. Mérimée, Meisternovellen, 1949; C. F. Ramuz, Maß des Menschen, 1949; H. de Balzac, Glanz und Elend der Kurtisanen, 1950; A. Malraux, Der Eroberer. Der Königsweg. Die Lockung des Westens, 1950; P. Mérimée, Carmen, 1950; A. Gide, Die Heimkehr des verlorenen Sohnes, 1951; Colette, La Vagabonde, 1954; M. M. de La Fayette, Die Prinzessin von Clèves, 1954; G. de Maupassant, Die schönsten Novellen, 1955.

Nachlaß: Staatsbibl. Preuß. Kulturbesitz Berlin (im Sturm-Arch.); Dt. Lit.arch./Schiller-Nat.-mus. Marbach. – Denecke 2. Aufl.

Literatur: NDB 7,647; HdG 1,265. – K. HILLER, D. Weisheit d. Langeweile 1, 1913; F. USINGER, Lesestücke e. vollkommenen Stilisten. Z. ~s 75. Geb.tag (in: D. Lit. Dtl.s 3) 1952; KRIEGER, Z. Tode ~s (in: Neue stenograph. Praxis 2) 1954; H. RICHTER, ~ (in: H.R., Dada Profile) 1961; F. USINGER, Gesichter u. Gesichte, 1965; R.W. SHEPPARD, ~ u. Dada (in: Schiller-Jb. 20) 1976 [Briefe an Olly Jacques]; J. SERKE, ~ (in: J.S., D. verbrannten Dichter) 1977.   RM

Hardel, Gerhard, * 13.7.1912 Bromberg; dipl. Volkswirt, begann n. 1945 zu schreiben, daneben als Buchhändler, Red. u. in d. Verwaltung tätig; verheiratet mit Lilo Hardel, wohnt in Berlin (Ost). 1968 Nationalpreis (zus. mit seiner Frau).

Schriften: Wir bauen die schönsten Boote (Rom.) 1951; Eine kleine Sommerferienliebe (Rom.) 1952; Das Geheimnis des langen Lebens (Krim.rom.) 1953; Um 7.30 platzt die Bombe (Erz.) 1953; Viola oder Verliebt in einen Stern, 1955; Acht Tage Glück (Rom.) 1956; Das Mädchen von Simsdorf (Erz.) 1957; Jenny (Kinderb.) 1961; Marie und ihr großer Bruder (Kinderb.) 1964; Treffen mit Paolo, 1967; Der Tod des Bischofs, 1968; Das ungewöhnliche und merkenswerte Leben des Hannes Kraus aus Biebenhausen, 1973; Hellas. Geschichten vom alten Griechenland. 1975.

Literatur: LexKJugLit 1,522; Albrecht-Dahlke II,2,285. – G. EBERT, Geschichte u. Geschichten. Lilo Hardel u. ~ als Kinderbuchautoren (in: Beitr. z. Kinder- u. Jugendlit. 13) 1969.   AS

Hardel, Lilo, * 22.6.1914 Berlin; Tochter e. Schlossers, tätig in sozialist. u. kommunist. Jugendverbänden, mußte d. Schule verlassen, lebte 1933–36 in Frankreich im Exil, war Lehrerin in Paris; nach d. Rückkehr n. Berlin als Stenotypistin tätig, während des Krieges im antifaschist. Widerstand; n. 1945 Mitarbeit b. Schulfunk, schrieb Hörspiele und v.a. Kinder- u. Jugendbücher; wohnt in Strausberg bei Berlin. Erhielt mehrmals den Preis des Min. f. Kultur der DDR, 1968 den Nationalpreis (zus. mit ihrem Mann).

Schriften: Pieps und Hanna, 1952; Der freche Max, 1953; Das schüchterne Lottchen, 1953; Max und Lottchen in der Schule, 1955; Otto und der Zauberer Faulebaul, 1956; Karlas große Reise, 1957; Die Sache mit dem Echo und andere Geschichten von Tieren und Kindern, 1957; Theater in der kleinen Stadt, 1959; Das Mädchen aus Wiederau, 1964; Die acht Raben, 1964; Die lustige Susanne, 1968; Susanne in Märzdorf, 1974; Nadja, mein Liebling, 1975; Emeli, das Saurierkind, 1977.

Literatur: LexKJugLit 1,523; Albrecht-Dahlke II,2,285. – G. EBERT (→ Gerhard H.).   AS

Harden, Harald → Görz, Heinz.

Harden, Maximilian (eigentl. Maximilian Felix Ernst Witkowski, Ps. Apostata), * 20.10.1861 Berlin, † 30.10.1927 Montana/Kt. Wallis. Kaufmannssohn; zunächst Schauspieler, dann Journalist; 1889 Mitbegründer d. Freien Bühne in Berlin, Verbindung zu Max Reinhardt. Er gründete 1892 d. Ws. «Die Zukunft» (1892–1922), in der er sich scharf gegen Wilhelm II., Eulenburg u.a. wandte; langjährige Bekanntschaft mit Bismarck. Auf lit. Gebiet setzte er sich f. d. Naturalismus ein, bes. Dostojewskij, Ibsen, Maeterlinck, Strindberg und Tolstoi. Seit 1914 Annäherung an d. Pazifismus, 1918 linksradikal, 1922 nationalistisches Attentat auf ihn, danach, 1923, permanente Übersiedlung in d. Schweiz. Publizist, Essayist, Kritiker u. Satiriker.

Schriften: Berlin als Theaterhauptstadt, 1888; Apostata, 1892; Apostata. Neue Folge, 1892; Die Zukunft (Wochenschrift, Hg.) 1892–1922; Literatur und Theater (Aufs.) 1896; Kampfgenosse Sudermann, 1903; Varzin. Persönliche Erinnerungen an den Fürsten Otto von Bismarck. Mit einem Beitrag «Johanna Bismarck» (mit P. Hahn) 1909; Köpfe (Essays) 4 Bde., 1910–24; Bismarck. Historische Karikaturen (mit G. Hochstetter, A. Moszkowski, R. Presber) 1915; Krieg und Friede, 2 Bde., 1918; Das Recht soll siegen, 1918; Mit eiserner Schaufel, 1919; Deutschland, Frankreich, England, 1923; Von Versailles nach Versailles (Aufs.) 1927.

Nachlaß: Bundesarchiv Koblenz; Dt. Staatsbibl. Berlin, Hs.-Abt./Lit.arch. – Denecke 2.Aufl.; Mommsen Nr. 1455; Nachlässe DDR 3, Nr. 357.

Literatur: NDB 7,647; Albrecht-Dahlke II,2, 285. – K. KRAUS, ~. E. Erledigung, 1907; E. MÜHSAM, D. Jagd auf ~, 1908; H. DELBRÜCK, Kautsky u. ~, 1920; ~. Stimmen z. 60. Geb.tag, 1921; E. SOKOLOWSKY, ~ u. d. Wilhelmin. Zeit (Diss. München) 1941; ~-Brevier. D. Mensch, d. Kritiker, d. Politiker (hg. E. SCHMALTZ) 1947; R.W. SCHNELL, E. verwaister Platz zw. d. Stühlen. D. vergessene Aktualität ∼s (in: Dt. Woche 7) 1957; H.F. Young, Censor Germaniae. The Critic in Opposition from Bismarck to the Rise of Nazism, Den Haag 1959; G. Mann, ∼ (in: Almanach d. S. Fischer Verl.) 1960; G. Hillard, ∼ (in: Merkur 15) 1961; E. Gottgetreu, ∼. Ways and Errors of a Publicist (in: Yb. Leo Baeck Institute 7) 1962; Köpfe, Portraits, Briefe u. Dokumente (hg. H. J. Fröhlich) 1963; B. U. Weller, ∼ u. d. «Zukunft», 1970; U. C. Lergkill, ∼ (in: Dt. Publizisten d. 15. bis 20. Jh.) 1971; H. Pross, Lit. als prakt. Macht. ∼ (in: H.P., Söhne d. Kassandra) 1971; H.F. Young, ∼ Censor Germaniae. Ein Publizist im Widerstreit v. 1892–1927, 1971.   PG

Harden, Sylvia von (Ps. f. Sylvia Lehr, geb. v. Halle), * 28. 3. 1894 Hamburg, † 4. 6. 1964 England; ging 1933 n. England ins Exil, wo sie nichts mehr veröffentlichte. Lyrikerin.

Schriften: Verworrene Städte (Ged.) 1920; Die italienische Gondel (Ged.) 1927.   RM

Harden, Vincentius, 16. Jh.; Geistlicher, Lieder- u. Spruchdichter. Verf. d. Liedes «Die Schlacht für Sigfridshausen» (in: Liliencron, Nr. 618).

Literatur: de Boor-Newald 4/2, 236; Goedeke 2, 299.   RM

Hardenberg, (Georg) Anton von → Sylvester.

Hardenberg, (Georg Philipp) Friedrich von → Novalis.

Hardenberg, Henriette → Frankenschwerth, Margarete.

Hardenberg, Henriette Luise Juliane von → Walden, S. J. F.

Hardenberg, Karl (Gottlieb Albrecht) von → Rostorf.

Hardenberg, Kuno Ferdinand von (Ps. mit Ernst Ludwig, Großherzog v. Hessen u. bei Rhein: E.K. Ludhard), * 13.8.1871 Hardenberg/Nörten, † 15.11.1938 Darmstadt; Studium d. Rechte, Nationalökonomie u. Kunstgesch. u. a. in Göttingen u. Paris, 1902–14 Maler u. Schriftst. in Dresden, 1917 Hofmarschall, später Chef d. Großherzogl. Haus- u. Vermögensverwaltung u. seit 1921 Dir. d. Großherzogl. Kunst-

slg. u. Schloßmuseums in Darmstadt. Übers. aus d. Engl. u. Französischen.

Schriften (Ausw.): Herkunft, Leben und Wirken des hessisch-darmstädtischen Ober-Cabinets- und Hofmahlers Johann Christian Fiedler ..., 1919; Ostern. Ein Mysterium in 3 Aufzügen (Ps.) 1921; Die erste Cigarette ..., 1925; Carl Philipp Fohr, Leben und Werk ... (mit E. Schilling) 1925; Trinacrius und Priscilla. Eine Sage vom Tarasper-See, 1926; Die Sandale des Nitagrit, 1926; Kartoffelfeuerpoesie, 1926; Sascha Schneider in memoriam, 1929.

Herausgebertätigkeit: R. Wichert, Das Kriegsschaubuch des XVIII. A.-K., 1918; A. C. Ray, Bengalisches Leben, 1920; H. v. Keyserling, Das Okkulte, 1924.   RM

Hardenberg, Magda (später Nicklau, geb. Hardenberg; Ps. Hoffmann-Hardenberg); Gattin e. Realschul-Oberlehrers, Lehrerin f. Vortragskunst, Rezitatorin; lebte in Leipzig, dann in Taucha; Verf. vaterländ. Dichtungen.

Schriften: Kriegerhort. Alldeutsche Vaterland- und Heldenlieder (Hg.) 1892; Das ganze Deutschland soll es sein! 1895; Held Wilhelm! Ein Kaisergedicht, 1897; Fides teutonica! 30 Vaterlandslieder mit Bezug auf die soziale Frage, 1898; Gekreuzigt, 1898; Prinzesschen Sonnenschein. Dichtungen und Erzählungen für die Jugend, 1898; In Treue fest! Kriegsdichtung, 1915; Es werde Licht! Kriegsvorträge, 1916; Wer trägt die Schuld?, 1921; Wenn die Sonne aufgeht (Ged.) 1921.   AS

Hardenberg, Peter von (Ps. f. Peter Guthmann), * 20. 7. 1924 Frankfurt/M., † 6. 3. 1954 ebd., Publizist u. Essayist in Frankfurt.

Schriften: Der Übergang des Abendlandes. Umrisse einer Deutung des Schicksals des Abendlandes sowie dessen geistiger Bestimmung, 1950.
                    RM

Harder, Agnes (Marie Luise Gabrielle), * 24. 3. 1864 Königsberg, † 7. 2. 1939 Berlin; Besuch d. Lehrerinnenseminars in Elbing (1881–83), Lehrerin, später Schriftst. in Stargard u. Berlin.

Schriften: Erkämpft (Rom.) 1893; Sommervögel. Eine launige Geschichte, 1895; Mein Gummimännchen. Aus heiteren Stunden, 1896 (Neuausg. u.d.T.: Aus heiteren Stunden, Humoresken, 1898); Doktor Eisenbart (Familienrom.) 1897; Stille Helden (Rom.) 1898; Im Kaleidoskop (Rom.) 3 Bde., 1899; ... und hätte der Liebe nicht (3 Nov.) 1900; Wider den gelben Drachen. Abenteuer und Fahrten zweier junger Helden im Lande der Boxer, 1900; Im Wunderlande Italien. Reisen und Studien deutscher Jünglinge, 1902; Engelchen und Bengelchen. Ein Buch für junge Mädchen und junge Mütter, 1903 (2. Tl. u. d. T.: Bredablick, 1906); Nach Amerika durchgebrannt. Eine wahre Geschichte ..., 1903; Unter goldenem Joch. Roman aus der Gesellschaft, 1904 (Neuausg. 1924); Thönerne Füße. Die Geschichte einer Enttäuschung, 1904; Siebenschläfer (Rom.) 1904; Irdische und himmlische Liebe (Rom.) 1905; Liebe, 1905; Rahel Baldbereit (Nov.) 1907; Vom Rain des Lebens, 1907; Frau Maja (Rom.) 1909; Anno dazumal. Roman aus dem Ostpreußen der vierziger Jahre, 1910; Capri und der Golf von Neapel, 1911; Die heilige Riza. Der Roman eines Herzens, 1912; Der blonde Schopf und seine Freier (Rom.) 1913; Erbsünde (Rom.) 1914; Franzinens Geschichte (Rom.) 1914; Das trautste Mariellchen (Erz.) 1915; Gottesurteil (Rom.) 1915; Unsere Helden. Ein Buch der Dankbarkeit und Verehrung deutscher Frauen (hg.) 1915; Stille Opfer. Den deutschen Frauen und Jungfrauen in großer Zeit (Mit-Verf.) 1915; Schlumski. Eine Hunde- und Menschengeschichte, 1916; Alltag (Rom.) 1917; Alle miteinander. Neues vom trautsten Mariellchen (Erz.) 1918; Die goldene Otti. Eine Schloßgeschichte, 1918; Glück ohne Ruh' (Rom.) 1919; Alas. Eine Eisbärengeschichte, 1919; Die Präsidentin (Zeit-Rom.) 1919; Lydia (Rom.) 1919; Was sollen unsere jungen Mädchen lesen? Ein literarischer Führer, 1919; Die Kinder Thors (Rom.) 1921; Erschaut-erwandert (mit W. Lenz) 1921; Himmelgarten. Roman eines bürgerlichen Hauses, 1922; Das brennende Herz. Dichtungen in Prosa, 1922; Leiden und Träumen (Nov.) 1922; Seines Herren Sohn (Rom.) 1924; Die kleine Stadt. Aus meinen Kindertagen, 1927; Neue Kinder alter Erde (Ostpreußen-Rom.) 1933; Das unschuldige Blut (Rom.) 1937; Das liebe Leben (Rom.) 1937; Der Liebling der Götter (Rom.) 1938; Der Erbe von Rauschnicken (Rom.) 1939.

Literatur: NDB 7,664. – P. Wittko, D. Ostpreußin in ~ (in: Ostdt. Abh. 19) 1939. RM

Harder, Ben (Ps. für Horst Pietruschinski), * 13. 6. 1913; Journalist u. Lektor in Lüneburg, dann in Berlin. Erzähler.

Schriften: Sammy, der Afrikaner, 1954; Perlen, Kraken, Haie. Abenteuer im Karibischen Meer, 1955; Elf rote Teufel. Die Geschichte einer Fußballmannschaft. Erzählt von einem, der dazugehörte, 1956; Erinnerungen an Dumbea und andere Kurzgeschichten, 1957; Pepo und das Indiomädchen. Eine Erzählung aus Venezuela, 1957; Auf Walfang am Ende der Welt, 1958; Fußball-Weltmeisterschaft 1958 und die deutsche Elf, 1958; Die Strandgänger vor Martinique, 1958; Grünes Gold am Majamu (Erz.) 1959; Begegnung im Negev und andere Erzählungen, 1960; Dolly erlebt die Welt. Mit dem Frachter um den Erdball, 1960; Giulia und die sieben Räuber, 1960; Wettkämpfe im Zeichen der Olympischen Ringe. Die Spiele von der Antike bis heute, 1960; Verdacht im Express. Eine aufregende Italienfahrt, 1961 (1975 u. d. T.: Zwischenfall im Expreß); Abschied vom Schiefen Turm (Rom.) 1963; Bunter Klee für Engelchen (Rom.) 1963; Die Deutsche Bundesliga. Das Fußballjahrbuch, 1963 ff.; Concha, ein Mädchen aus Martinique, 1964; Die 89. Minute, 1965; Der Schatz in der Schublade, 1967; Jagd ohne Gnade. Auf Walfang am Ende der Welt, 1969; Fußballweltmeisterschaft aktuell, 1970; Peggy erlebt die Welt. Zu Schiff rund um den Erdball, 1970; Aufbruch in El Paso. Abenteuer zwischen Colorado und La Plata, 1971; Der lachende Fußball. Spaßiges und Kurioses rund um den Lederball, 1972; Es geschah an einem Mittwoch. Die Geschichte eines Spaßes, der bitterer Ernst wurde, 1974; Mutige Babette. Ein Mädchen lebt mit der Gefahr, 1974; Die Mädchen von der Perlenfarm. Aufregende Tage für zwei Freundinnen, 1974; Ein unvergeßlicher Sommer. Auf Ferienfahrt zum Mittelmeer, 1976; Verliebt in Sonne und Sommerwind. Ferien im Süden, 1976. AS

Harder, Bernhard, * 1576 Hamburg, † 29. 12. 1639 Pilten; Magister d. Philos., um 1605 Rektor in Windau, 1617 Prediger in Hasenpot/Kurland, seit 1622 Superintendent in Pilten u. e. zeitlang Pastor v. Zierau.

Schriften: Synopsis controversiarum, das ist, ein kurtzer Begriff der Streitarticul, in welchen die Calvinianer mit der Lutherischen Kirche wider Gottes Wort streiten, zusambt angehengten einfeltigen, doch in Gottes Wort festgegründeten Gegenbericht, 1615; Argumenta biblica über jedes biblische Capitel in heroischen Versen ..., o. J.; Hortensia passionis dominicae das ist köstliche, wohlriechende unnd wohlschmäckende Geistliche Gartenfrüchte der Historien vom bittern Leiden und Sterben unssers Herrn und Heilandes Jesu Christi ... (12 Predigten) 1639.

Literatur: Jöcher 2, 1358.   RM

Harder, Hans Wilhelm, * 1.2.1810 Schaffhausen, † 5.11.1872 ebd.; Knopfmacher, 1834 Stadtratsdiener u. seit 1848 Dir. d. Strafanstalt in Schaffhausen. Autodidakt, Sammler u. Lokalhistoriker, Zeichner (Hardersche Slg.).

Schriften: Chronik der Stadt Schaffhausen (mit E. Im Thurn) 1844; Historische Beschreibung des Munots zu Schaffhausen, 1846; Ansiedlung, Leben und Schicksale der Juden in Schaffhausen, 1863; Der Rheinfall und seine Umgebung. Historische Darstellung, 1864; Urkundliche Darstellung des Leibeigenschaftswesens im Gebiete des jetzigen Cantons Schaffhausen, 1866; Die Gesellschaft zu Kaufleuten. Ein Beitrag zur Zunft- und Sittengeschichte der Stadt Schaffhausen, 1867; Das Schloß Herblingen, 1867; Beiträge zur Schaffhauser Geschichte, 3 H., 1867–70; Das Clarissinnen Klosterparadies, 1870.

Nachlaß: Staatsarch. Schaffhausen, Fam.arch. – Schmutz-Pfister Nr. 879.

Literatur: ADB 10, 591; HBLS 4, 75.   RM

Harder, Hermann, * 16.2.1901 Berlin-Spandau, † 1944 (aus Rußland als vermißt gemeldet), studierte in Berlin, Freiburg/Br., Dr. phil. u. Marburg, bis 1942 in Berlin als Lehrer tätig. Lyriker u. Erzähler.

Schriften: Sternbilder der Jugend (Ged.) 1929; Die versunkene Stadt (Rom.) 1932; Kant und die Grasmücke. Begegnisse und Legenden um Glaubensgründer und Wahrheitsucher, 1932; Erhebung des Herzens (Ged.) 1937; Irische Heimkehr (Nov.) 1937; Die Religion der Germanen (Abh.) 1937; Sohn der Erde (Ged.) 1939; Das germanische Erbe in der deutschen Dichtung von der Frühzeit bis zur Gegenwart. Überblick, 1939; Walther von der Vogelweide, der Sänger des Reiches. Sein Leben in seinen Werken (Abh.) 1943; Pilgerfahrt und Berlin. Drei Erzählungen aus dem Zeitalter Friedrich des Großen und Goethes, 1944.   IB

Harder, Irma, * 24.12.1915 Polzow/Kr. Prenzlau; lebte bis 1955 als Bäuerin auf ihrem Hof in Zerrenthin/Kr. Pasewalk, seither als Schriftst. in

Potsdam; Fontane-Preis 1956, Preis f. Kinder- u. Jugendlit. 1958.

Schriften: Die Bauernpredigt und andere Geschichten, 1953; Im Haus am Wiesenweg (Rom.) 1956; Ein unbeschriebenes Blatt (Rom.) 1958; Das siebte Buch Mose und andere Geschichten, 1958; Wolken überm Wiesenweg (Rom.) 1960; Die Spatzen pfeifen's schon vom Dach (Jgdb.) 1963; Verbotener Besuch (Erz.) 1968; Melodien im Wind (Erz.) 1971; Die Nacht auf der Mädcheninsel (Erz.) 1974.

Literatur: Albrecht-Dahlke II, 2, 286.   AS

Harder, Irmgard (Ps. f. Selk-Harder, Irmgard), * 20.8.1922 Hamburg; Rundfunkred. in Kiel; plattdt. Erzählerin, Verf. v. Fernsehkurzfilmen, plattdt. Sendereihen, Features.

Schriften: So is dat awer ok, 1959; Hör mal'n beten to. 8 mal 8 plattdütsche Vertelln, 1966; Dat Glück kümmt mit'n Bummeltog, 1971; Bloots en Fru ..., 1976; Mit de besten Afsichten, 1978.   AS

Harder, Johann Jacob, * 18.8.1733 (n. andern 1734) Königsberg/Pr., † 4.12.1775 Riga; n. Theol.-Studium Hauslehrer, später Pastor in Sunzel; seit 1771 Diakon u. Rektor, 1775 Oberkonsistorialrat in Riga.

Schriften: Des Abt Bazin [Voltaire] Philosophie der Geschichte (aus d. Französ., mit Anmerkungen) 1768; Bericht von der Feyerlichkeit des Licey zu Riga ..., 1772; Alexander Pope's Versuch vom Menschen in vier Briefen ... (aus d. Engl.) 1772; Philosophische Untersuchung über unsere Begriffe von dem Schönen, 1772; Sammlung der Reden bey der Feyer des Vermählungsfestes des Großfürsten Paul Petrowitsch im kaiserlichen Lyceo zu Riga (hg.) 1773. (Außerdem Schulprogr. u. einzeln gedr. Predigten.).

Literatur: Adelung 2, 1798.   RM

Harder, Johannes (oder Hans), * 28.1.1903 auf Gut Neuhoffnung bei Uljanovsk/Wolga; Sohn e. westpreuß. mennonit. Kolonistenfamilie, Studium in Königsberg (Wirtsch., Lit.wiss., Slavistik u. Philos.), aktiver Teilnehmer d. dt. Jugendbewegung, vom relig. Sozialismus geprägt, Mitsiedler auf d. Bruderhöfen in Sachsen, Thüringen u. in der Rhön; 1928–33 Verleger u. Red., 1933–45 im Dienst d. Bekennenden Kirche, 1946–48 Prof. f. Sozialwiss. an d. PH Wuppertal, lebt jetzt in

Schlüchtern/Hessen. Erzähler, Übers. u. Deuter russ. Dichtung.

Schriften: In Wológdas weißen Wäldern ... Ein Buch aus dem bolschewistischen Bann von Alexander Schwarz (= Ps.) 1934; Das Evangelium in der russischen Verfolgung. Vom Sterben und Auferstehen einer Kirche, 1936; Das Dorf an der Wolga. Ein deutsches Leben in Rußland, 1937; Das sibirische Tor. Vier Jahre Orenburger Zivilgefangenschaft 1914–18, 1938; Die Hungerbrüder (Erz.) 1938; Wie Lukas Holl seine Heimat suchte. Eine wolgadeutsche Bubengeschichte, 1938; Die vier Leiden des Adam Kling. Eine wolgadeutsche Geschichte, 1939; Klim. Ein russisches Bauernleben, 1940; Der deutsche Doktor von Moskau. Der Lebensroman des Dr. Friedrich Joseph Haas, 1940; Timm. Eine Weihnachtsgeschichte, 1947; Christoph Blumhardt, eine Botschaft an die Gegenwart (Vortrag) 1947; Seid getrost und arbeitet, 1947; N.S. Leskov, Das Tier (Übers.) 1948; Was heißt Kirche?, 1949; Kraft und Innigkeit. Hans Ehrenberg als Gabe der Freundschaft im 70. Lebensjahr überreicht (Hg.) 1953; Zwischen Atheismus und Religion. Eine Deutung Dostojewskis, 1956; Willusch sucht seinen Vater und andere Erzählungen, 1956; N. Leskov, Seltsame Geschichten (Übers.) 1957; Die Nacht der Befreiung (Erz.) 1958 (1960 u. d. T.: Die Nacht am Jacotiner See); Apostelfahrt nach Laskovo (Erz.) 1959; Kampf um den Menschen. Eine Deutung Nikolai Leskovs, 1959; Zwischen Nihilismus und Nachfolge. Eine Deutung Tolstois, 1960; Kleine Geschichte der orthodoxen Kirche, 1961; Der Mensch im russischen Roman. Deutungen. Gogol, Dostojewski, Leskov, Tolstoi, 1961; S. Solovev, Das Judentum und die christliche Frage 1884 (Übers.) 1961; Mut zur Welt (mit O. Hammelsbeck u. R. Bohren) 1962; Die Macht der Ohnmächtigen. Der Protestantismus zwischen Rom und Moskau (Vortrag) 1963; Proteste. Stimmen russischer Revolutionäre aus zwei Jahrhunderten (hg. u. übers., mit andern) 1963; Russische Frauen. Erzählungen aus dem alten und neuen Rußland (hg. u. übers.) 1964; Deutschpolnische Hefte (hg. mit P. Wolf) 1964; Begegnung mit Polen. Zs. für die dt.-polnische Verständigung (hg. mit H. Grüber u. a.) 1964; Worte des evangelischen Pfarrers und Landtagsabgeordneten Christoph Blumhardt (Hg.) 1972.

Literatur: G. DEIMLING, Recht u. Moral. Gedanken z. Rechtserziehung. ~ z. 70. Geb.tag,

1972; Entscheidung u. Solidarität. FS f. ~ . Beitr. zu Theol., Politik, Lit. u. Erziehung (Hg. H. HORN; mit Bibliogr.) 1973.   AS

Harder, Konrad (der Harder, auch: Süx Harter, Harder v. Franken, Conrat Harder, Kunz Herter), Spruch- u. Liederdichter Ende d. 14. Jh. wahrsch. in Böhmen, viell. Geistlicher, Begründer d. «süßen Tons». Seine Dg. sind in e. großen Zahl v. Hss. in Heidelberg, München usw. erhalten. Die Melodien d. Töne abgedr. bei Runge (siehe Lit.).

Ausgaben: Guldin Rei (hg. K. BARTSCH, in: Meisterlieder d. Kolmarer Hs. 3) 1862; Frauenkranz u. Guldin Schilling (hg. T. BRANDIS, siehe Lit.) 1964.

Literatur: VL 2,187; 5,322; ADB 10,592; NDB 7,664; Goedeke 1,313; de Boor-Newald 4/1,180. – P. RUNGE, D. Sangesweisen d. Colmarer Hs., 1896; W. STAMMLER, D. Wurzeln d. Meistergesanges (in: DVjs 1) 1923; H. OPPENHEIM, ~ (in: DLM 2) 1936; T. BRANDIS, Der ~, Texte u. Stud. I, 1964.   RM

Harder, Michael, † 1592 Frankfurt/M. (?); Buchdruckergeselle aus Zwickau, arbeitete im Verlag Gülfferich in Frankfurt/Main.

Ausgabe: Mess-Memorial des Frankfurter Buchhändlers Harder, Fastenmesse 1569 (hg. E. KELCHNER, R. WÜLCKER) 1873.

Nachlaß: Stadt- u. Univ.bibl. Frankfurt/M. – Denecke 69.

Literatur: P. RATH, D. Mess-Memorial d. Frankfurter «Buchhändlers» ~ 1569 u. d. Frankfurter Volksbücherverlag d. H. Gülfferich, 1920.   RM

Harder, Wilhelm, * 4. 2. 1856 Leipzig, † 29. 11. 1899; war Red. in Karlsruhe, dann in Baden-Baden.

Schriften: Silhouetten Leipziger Bühnenkünstler, 1874; Das Karlsruher Hoftheater, 1889; Eine halbe Stunde im Pfarrhaus, 1890; Im falschen Rollenfach, 1892; Grüße aus Baden-Baden, 1898. AS

Harderer → Clemens von Burghausen.

Hardey, Evelyn, * 2. 3. 1930 Berlin; lebt ebd., Kinder- u. Jugendbuchautorin; Mitarbeit im Kinderfunk.

Schriften: Obumbi und die gestreifte Giraffe, 1964; Spatz auf Spitzen, 1964; Die Zeit mit Meiling, 1967; Schweigen ist schwer, 1974; Nadja, ein ungewöhnliches Mädchen. Eine Mädchenerzählung aus unseren Tagen, 1975; Kinder turnen mit Vergnügen. Übungen und Spiele zur Körperschulung, 1977.   AS

Harding →Barth, Friedrich.

Harding, Michael → Erningham, H. F.

Hardmeier, Johann Kaspar, * 1651, † 1719; war Pfarrer in Bonstetten/Kt. Zürich, 1701–19 in Affoltern a. Albis, 1707 Dekan.

Schriften: Die Harpfe des gottsäligen Königs und Propheten Davids, Auss der Hebreischen Grund in der Hochdeutschen Mutterpsrache, durch ~ angestimmt, 1701; Alte Treu wird Heute neu! ..., 1706; Zürichs Traur und Schreyen ueber den betrübten doch säligen Hintritt ... Herren Heinrich Eschers ... (Ged.) 1710; Der Schnoed Friedenfliker, Oder Eigentliche Vorstellung, wie nicht nur in der lieben Christenheit, Sonder auch in Loblicher Eidgenossenschafft Wider die alte ruhmliche Ahrt getreuer Eidgenossen ein falsches Friedenswerk geschmiedet, Aber von Gott selbs gestraffet worden ..., 1712; Der Eidgenössisch Toggenburger entgegengesetzet Dem Toggenburgischen Bidermanne, an welchem ein knechtischer Eidgenoss ... fürstellen wöllen Den Unterscheid Eines Treuen und Untreuen Toggenburgers ..., 1712.

Literatur: HBLS 4,76.   AS

Hardmeyer, David (Caspar), * 1772 Tägerwilen/Kt. Thurgau, † 1832 Zürich; 1795 Prediger in Bayreuth, 1799 Amtsentsetzung, 1800 Lehrer u. seit 1802 Vorsteher e. Privatinstituts in Zürich, 1813 Wiederaufnahme ins Zürcher. Ministerium.

Schriften: Sechs letzte Predigten in Baireuth, oder letzte, unverkennbare Bemühung, seine bisherigen Zuhörer zur allein wahren ewigen Religion der Vernunft zu führen, 1800; Darstellung meiner Standesniederlegung, 1800; Darstellung seiner gegenwärtigen Ansicht des Christenthums (Einl. J. J. Hess) 1814; Idee eines umfassenden theoretischen praktischen Unterrichts in mündlichem Vortrage, 1824; Christus am Kreuze. Auszug aus dem 8., 9. und 10. Gesang des Klopstock'schen Messias, als Probestück eine für declamatorische Vorträge eingerichteten Behandlung dieses Gedichts, 1827; Wie kann die Wirk-

samkeit des protestantischen Kultus nach den Bedürfnissen der gegenwärtigen Zeit am leichtesten und sichersten gehoben werden? (Rede) 1828.

Literatur: HBLS 4,76; Meusel-Hamberger 9, 510; 22.2,570.   RM

Hardmeyer, Johann Melchior, * 1626 Zürich (?), † 1700 im Elsaß; trat 1675 nach e. haltlosen Leben z. Katholiz. über u. zog nach Luzern.

Schriften: Vier Bücher geistlicher und weltlicher Gedichte, 1661.   AS

Hardmeyer-Jenny, Johann Jakob, * 7.12.1826 Männedorf/Kt. Zürich, † 20.10.1917 Zürich; Lehrer in Männedorf, Bergamo u. Zürich, Gründer d. Hofacker-Instituts (später: Concordia), seit 1884 lit. u. päd. Verlags-Berater. Red. d. «Freundl. Stimmen an Kinderherzen» (1882ff.), Leiter d. «Zürcher Wochenchron.» (1899–1908), Leiter d. Slg. «Europ. Wanderbilder».

Schriften: Festbegleiter am Eidgenössischen Sängerfeste in Zürich ..., 1880; Der Bergsturz von Elm im Glarnerlande ..., 1881; Sängerfahrt ... nach Mailand ... (mit W. Bion) 1888; Das Rathaus zu Schwyz, 1891; Antonio Ciseri, 1899; Frohe Stunden. Zürcher Verse, 1900; Schweizer Kinderbuch, 2 Tle., 1901 (2., verm. u. verb. Aufl., 2 Tle., 1907/10); Aus Zürichs Vergangenheit. Rückblicke und Schilderungen (hg.) 3 Bde., 1911–13.

Briefe: O. SCHULTHESS, Briefe v. C.F. Meyer, B. Meyer u. ~, 1927.

Literatur: HBLS 4,75.   RM

Hardorf, Johann, * 25.11.1763 Steinkirchen b. Stade, † Mai 1814 im Irrenhaus Waldheim; Engl.-Lehrer in Dresden, Verf. e. engl. Grammatik, Übers. aus d. Engl. u. Französischen.

Schriften: Eduard, eine Novelle in 2 Theilen, aus dem Englischen übersetzt, 1787.

Literatur: Meusel-Hamberger 3,79; 14,32; 22.2,571.   RM

Hardrat, Carl, * 23.1.1801 Barth/Pomm., † 13. 9.1829 Zirkow/Rügen; n. Theol.-Studium in Greifswald Pastor in Zirkow. Mitarb. d. Stralsunder «Zeitblüthen» (1821).

Schriften: Saitenklänge, 1821.

Literatur: Meusel-Hamberger 22.2,571; Goedeke 14,46. – K. GASSEN, Pomm. Lit. v. d. ältesten Zeiten bis z. Ggw., 1930.   RM

Hardt, Emmy (Ps. f. Emmy Natorp, geb. Hardt),
* 1.1.1885 Königsberg; Tochter e. Rittmeisters,
aufgewachsen in Königsberg u. Danzig, zog dann
nach Berlin, heiratete e. Kaufmann u. später d.
Red. M. Fraenkel. Romanautorin.

Schriften: Aber!!! Novellen aus dem Leben,
1908; Eine Enterbte des Lebens. Bekenntnisse
einer Verirrten, 1909; Maiensünde. Roman einer
Großstadt-Ehe, 1910; Die Frau Baronin (Rom.)
1913; Möblierte Zimmer. Berliner Roman,
1914; Familie Brehmer. Berliner Roman, 1920;
Fannys Erlebnisse. Der Roman einer Optimistin,
1921; Satanella (Rom.) 1921; Die Töchter der
schönen Susanne (Rom.) 1922; Hart am Rande.
Berliner Roman, 1922; Abstieg (Rom.) 1923;
Wie Jo das Glück suchte (Rom.) 1924; Der goldene Käfig (Rom.) 1924; Die gute Partie (Rom.)
1924; Der Geigerkönig (Rom.) 1924; Mieze Lorenz (Rom.) 1924; Schloß Reckhausen (Rom.)
1926.   AS

Hardt, (Friedrich Wilhelm) Ernst, * 9.5.1876
Graudenz/Westpr., † 3.1.1947 Ichenhausen b.
Günzburg, Offiziersohn, Kadettenschule Berlin-
Lichterfelde; 1893–1894 Reise n. Griechenland,
1896–1897 Spanien u. Portugal; 1898 Kritiker d.
«Dresdener Zeitung», 1897–1901 Mitarbeiter
der «Blätter für die Kunst»; freier Schriftst. in
Berlin u. Weimar; 1908 Volksschillerpreis; 1919
bis 1924 Generalintendant d. Dt. Nationaltheaters, 1925 Intendant der Kölner Schauspielbühne;
1926–1933 Leiter d. Westdt. Rundfunks, 1933 s.
Amtes enthoben, einige Monate in Haft; lebte
zurückgezogen in Ichenhausen. Theater- u. Rund-
funkintendant, Erzähler, Dramatiker, Übersetzer.

Schriften: Priester des Todes (13 Nov.) 1898;
Tote Zeit (Dr.) 1898; Bunt ist das Leben (Nov.)
1902; Der Kampf ums Rosenrote (Schausp.)
1903; Aus den Tagen des Knaben (Ged.) 1904;
An den Toren des Lebens (Nov.) 1904; Ninon de
Lenclos (Dr.) 1905; Tantris der Narr (Dr.) 1907;
Gesammelte Erzählungen, 1909; Jakob Kainz.
Verse zu seinem Gedächtnis, 1910; Gudrun (Tr.)
1911; Schirin und Gertraude (Scherzsp.) 1913;
König Salomo (Dr.) 1915; Brief an einen Deut-
schen ins Feld, 1917; Der Ritt nach Kap Spartell
und andere Erzählungen, 1946; Abend, 1947; Erzählungen, 1947; Don Hjalmar. Bericht über vier
Tage und eine Nacht (Erz.) 1946; Zwei Goethe-
Essays. Dramen des Mannes. Dramen des Alters,
1949.

Übersetzungen: E. Zola, Die Tanzkarte und andere Novellen, 1901; H. Taine, Philosophie der
Kunst, 2 Bde., 1902–1903; H. de Balzac, Das
Mädchen mit den Goldaugen, 1904; G. Flaubert,
Ein schlichtes Herz, 1904; H. Taine, Reise nach
Italien, 2 Bde., 1904; La Rochefoucauld, Betrachtungen oder moralische Sentenzen und Maximen,
1906; H. Taine, Aufzeichnungen über England,
1906; Vauvenargues, Betrachtungen und Maximen, 1906; G. Flaubert, Drei Erzählungen,
1907; J.J. Rousseau, Bekenntnisse, 1907; Voltaire, Erzählungen, 1908; H. de Balzac, Die Geschichte der Dreizehn, 1909; R. Kipling, Puck
vom Buchsberg, 1925; E. Zola, Doktor Pascal,
1925; E. Zola, Therese Raquin, 1925; G. Flaubert, Die Sage von Sankt Julianus dem Gastfreien,
1931; P. Claudel, Vom Wesen der holländischen
Malerei, 1937; L. von Puyvelde, Skizzen des Peter Paul Rubens, 1939; Sie alle fielen. Gedichte
europäischer Soldaten (mit W. J. Hartmann)
1939; G. de Maupassant, Bel Ami, 1948; Voltaire. Zadig oder Das Geschick. Eine morgenländische Geschichte, 1949.

Briefe: Briefe an Ernst Hardt. Eine Auswahl aus
den Jahren 1898–1947 (hg. J. MEYER) 1975.

Nachlaß: Dt. Lit.arch/Schiller-Nat.mus. Marbach. – Denecke 69.

Literatur: NDB 7, 667; Albrecht-Dahlke II, 2,
286. – H. SCHUMANN, ~ u. d. Neuromantik,
1913; F. ADLER, Das Werk ~s, 1921; F.K.
RICHTER, ~. E. Beitr. z. dt. Neuromantik (in:
Monatshefte 39) 1947; G. HAY, B. Brechts u. ~s
gemeinsame Rundfunkarbeit (in: Schiller-Jb. 12)
1968; H.-E. KOPPE, Von d. Mission d. Rundfunks. ~ (in: Lit. u. Rundfunk 1923–1933, hg.
G. HAY) 1975; W. SCHULZE-REIMPELL, ~. Dichter auf d. Intendantenstuhl, 1977.   UF

Hardt, Ernst → Stöckhardt, Ernst.

Hardt, Fred B., * 21.8.1869 Leipzig; Rechts-
Studium in Leipzig, Dr. iur., lebte als freier
Schriftsteller in Rom.

Schriften: O.E. Hartlebens Briefe an seine
Freundin 1897–1905 (mit Einl. hg.) 1910; K.P.
Moritz, Anton Reiser. Ein psychologischer Roman (mit Einl. hg.) 2 Bde., 1911; Jus und Recht.
Eine Anwaltstragödie (Rom.) 1914; Kulturdoku-
mente zum Weltkrieg, I Die deutschen Schützen-
graben- und Soldatenzeitungen, 1917.   RM

Hardt, Hans → Albrecht, Paul.

Hardt, Herbert, * 23. 1. 1914 Berlin; Angestellter in Berlin (Ost), Verf. populärwiss. Bücher.

Schriften: Die Steine reden, 1952; Die Rüdersdorfer Kalkberge. Einführung in ihre Geologie, 1952; Junge Geologen wandern durch Rügen, 1952 (auch u. d. T.: Wir wandern durch Rügen. Ein Streifzug durch unsere Heimat); Schätze im norddeutschen Sand. Eine geologische Betrachtung, 1953; Kleine Welt der Briefmarke, 1954; Schöne edle Steine, 1954; Der Bernstein, seine Entstehung und Verwendung, 1954; Versteinertes Leben, 1955; Rund um die Müggelberge, 1955; In Erz umgewandelte Tiere und Pflanzen, 1958.   AS

Hardt, Hermann von der, * 15. 11. 1660 Melle b. Osnabrück, † 28. 2. 1746 Helmstedt; Orientalistik-Studium, 1688 Bibliothekar u. Geh.sekretär d. Herzogs Rudolf August v. Braunschweig, seit 1690 Prof. f. oriental. Sprachen in Helmstedt, zugleich Univ.bibliothekar u. Propst v. Marienberg. Philologe u. Kirchenhistoriker, Verf. v. chaldäisch-syr. Grammatiken sowie v. ca. 560 erhaltenen Druckschriften.

Schriften (Ausw.): De fructu, quem ex librorum Judaicorum lectione percipiunt Christiani, 1683; De pondere orationis, 1686; Autographa Lutheri ..., 3 Bde., 1690–93; Magnum oeconomicum Constatiense Concilium ..., 6 Bde. u. Reg., 1697–1742 (erg. durch d. «Acta Concilii Constanciensis», hg. H. Funke – H. Heimpel – J. Hollnsteiner, 4 Bde., 1896–1928); Historia literaria reformationis in honorem Jubilaei ..., 5 Tle., 1717; Prodromus concilii Basiliensis, 1718; Aenigmata prisci orbis, 1723; Memoria Jubilaei reformationis evangelicae in Brandenburgensi electorali, 1739.

Nachlaß: Landesbibl. Karlsruhe; Herzog-August-Bibl. Wolfenbüttel. – Denecke 69.

Literatur: ADB 10, 595; NDB 7, 668; RE 7, 417; LThK 5, 5; RGG ³3, 75. – F. LAMEY, ∼ in s. Briefen u. Beziehungen z. Braunschweiger Hofe, z. Spener, Francke u. d. Pietismus, 1891; H. MÖLLER, ∼ als Alttestamentler (Habil.schr. Leipzig, mit Bibliogr.) 1962.   RM

Hardt, Käthe → Wald, Otto.

Hardt, Karl-Heinz, * 20. 3. 1926 Grünberg/Schles.; lernte Kaufmann, n. d. Krieg Gelegenheitsarbeiter, daneben Theaterausbildung, seit 1950 FDJ-Funktionär f. d. Aufbau d. Flugsports, seit 1954 Red. d. «Flieger-Revue», aktiver Segel- u. Motorflieger, lebt in Berlin-Pankow. Erzähler, v. a. für d. Jugend, auch Film- u. Fernsehautor.

Schriften: Im Kampf mit Wind und Wolken. Berichte von den internationalen Segelflugwettkämpfen in Volkspolen, 1954; Wind aus West (Erz.) 1954; Die Abenteuer des fliegenden Reporters Harri Kander (15 H.) 1957–58; Die Cobra darf nicht fliegen (Erz.) 1961; Geheimnisse um Raketen. Ein Bericht, der Legenden zerstört, 1962; Eine Welt steht dir offen, 1963; Ole Varndals letzte Fahrt (Erz.) 1963; Rakete ... Start! (Erz.) 1965; Von Fliegern und Flugzeugen. Aus der Geschichte und Technik der Luftfahrt, 1973; Von Luftschiffen und Ballons. Luftfahrzeuge mit Geschichte und Zukunft, 1976.   AS

Hardt, Leo → Leonhardt, Wilhelm.

Hardt, Michael → Haller, Michael.

Hardt, Thomas → König, Hans Heinz.

Hardt, Tino → Gebhardt, Florentine.

Hardt, Wilm → Schwaner, Wilhelm.

Hardt-Stummer, Amalia Crescentia Baronin von → Crescenzia, Amalie.

Hardtmuth, Johann Baptist, * 27. 11. 1810 Wien, † 10. 9. 1870 ebd.; Lehrer u. seit 1857 Oberlehrer an d. Hauptschule z. St. Ulrich am Neubau in Wien.

Schriften: Jugendfreuden. Eine Sammlung moralischer und belehrender Erzählungen (2., verb. Aufl.) 1854 (4., verb. Aufl. 1863); Die Abteien Niederösterreichs. Verfaßt und der reiferen Jugend zur Bildung des Verstandes und Veredlung des Herzens geweiht, 1856 (2., verb. Aufl. 1862); Abendgrüße. Eine Reihe moralischer und historischer Erzählungen ... Der reiferen Jugend geweiht, 1861; Vater und Sohn. Eine moralische Erzählung zur Bildung des Verstandes und Veredlung des Herzens ..., 1863; Morgenglöcklein. Eine Reihe moralischer und historischer Erzählungen ..., 1866.   RM

Hardung, Victor, * 3. 11. 1861 Essen, † 2. 7. 1919 St. Gallen; zuerst Landwirt, dann Studium d. Philos. in Straßburg, Dr. phil., in Zürich Hg. d. «Schweiz. Lit.kalenders» (1893), Red. d. «Volksfreunds» in Flawil, 1899–1916 Feuill.-Red. am «St. Galler Tagblatt».

Schriften: Die Kreuzigung Christi. Entwurf zu einem Kirchendrama, 1889; Sonnwendfeuer (Lieder) 1891; Symphonie (Ged., Mit-Verf.) 1891; Lieder zweier Freunde (mit H. Stegemann) 1893; Königin Rose. Ein Liebeslied, 1893; Die Wiedertäufer in Münster (Tr.) 1895; Im Reigen. Neue Lieder, 1895; Sälde. Eine dramatische Dichtung, 1903; Kydippe (Lsp.) 1905; Seligkeiten, 1907; Die Brokatstadt (Rom.) 1909; Die Gedichte, 1910; Godiva (Dr.) 1911; Die Liebesfahrten der Eisheiligen, 1921. (Ferner e. Reihe ungedr. Bühnenstücke.)

Literatur: HBLS 4, 76; Theater-Lex. 1, 696. – W. GÜNTHER, Dichter d. neueren Schweiz 2, 1968.   RM

Hardy, Bern (Ps. f. Horst Bernhardi), * 21.9. 1906 Berlin; Kapitän, Regierungsoberinspektor, dann Oberamtsrat, wohnte in Frankfurt/M., Bad Homburg v. d. H., jetzt in Lübeck. Lyriker.

Schriften: Flaschenpost in einhundert Gedichten dargeboten, 1960; Lyrisches Logbuch. Schmunzelnd aufgezeichnet, 1963; Zwischen Kimm und Himmelsrand. Vorwiegend heitere, maritime und andere Betrachtungen, 1966; Herz auf großer Fahrt. Gedichte eines kauzigen Salzwasserpoeten, 1970; Lockruf der See (Ged.) 1973; Eine Sixpencemütze voll Wind. Neue Seemannsgedichte, 1977.   AS

Hardy, Fred → Hachfeld, Eckart.

Harelbeck (Harcelbecanus), Siger Paul, 16. Jh.; stammte aus Flandern, 1590 Bürger v. Köln.

Schriften: Fünfzig Psalmen Davids verteutscht [mit 5-stimmigen Melodien] 1590.

Literatur: ADB 10, 598.   RM

Harenberg, Johann Christoph (Ps. Adeisidaemon, J. F. Weitenkampf, A. Windhorn), * 28.4. 1696 Langenholzen/Kr. Alfeld-Leine, † 12.11. 1774 Braunschweig; Studium d. Theol., Gesch. u. Philol. in Helmstedt, 1720–35 Rektor d. Stiftsschule u. seither Generalschulinspektor, seit 1745 Prof. am Collegium Carolinum in Braunschweig u. Propst v. Schöningen. Auf seinen Ber. beruht d. 1753 v. Herzog Carl I. erlassene «Ordnung d. Schulen auf d. Lande»; Verf. versch. Schulprogr. u. Disputationen, Mitgl. d. Berliner Akad. d. Wissenschaften.

Schriften: Veri divinique natales circumcisionis Judaicae ..., 1720; Jura Israelitarum in Palästinam, 1724; Idea Juris divini ..., 1729; Encrinos lilium lapideum, 1729; Das Nordlicht als ein Spiegel göttlicher Güte, 1731; Gedanken über die Vampirs, oder Blutsaugende Todten, 1733; Historia ecclesiae Gandershemensis cathedralis ac collegiatae diplomatica, 1734; Vindiciae Harenbergianae, 1739; Otia Gandershemensia sacra, Utrecht 1740; Sendschreiben an D. J. M. Gläsener, 1745; De theologia primorum Christianorum ..., 1746; Die gerettete Religion, 2 Tle., 1747f.; Zwei Religionssgötter, Celsus und Edelmann ..., 1748; Gedanken von dem hohen Alter der Menschen, als ein Kennzeichen einer gesegneten Republik, 1748; Zehn Briefe von der Kraft des Wortes Gottes, 1756; Kurze ... Nachricht und gründliche Geschichte von dem Reichsstifte auf dem Petersberg vor Goslar, 1757; Monumenta historica adhuc inedita, 3 St., 1758–62; Erklärung der Offenbarung Johannis, 1759; Pragmatische Geschichte des Ordens der Jesuiten, 2 Tle., 1760; Amos Propheta expositus, 1763; Beweis, daß die Freymäurer-Gesellschaft ... sowohl etwas Ueberflüssiges, als auch ohne Einschränkung, etwas Gefährliches sey, 1765; Aufklärung des Buches Daniels, 2 Tle., 1773.

Nachlaß: Staats- u. Univ.bibl. Göttingen. – Denecke 2. Aufl.

Literatur: Adelung 2, 1802; Meusel 5, 160; ADB 10, 598; NDB 7, 671. – F. MÜLLER, D. Gesch. d. Geogr. am Collegium Carolinum in Braunschweig 1745–1834 (in: Braunschw. Jb. 38) 1957; DERS., ~s Tätigkeit als braunschweig. Generalschulinspektor (in: ebd. 40) 1959; H. GOETTING, ~, Fälscher u. Denunziant (in: ebd. 42) 1961.   RM

Harer (Crinitius, Haarer, Harrer, Haverer), Peter, * wahrsch. zw. 1480 u. 1490, † um 1555 Heidelberg; stammte vermutl. aus d. Pfalz, 1518 Kanzleischreiber, 1522 Botenmeister u. (belegt seit 1529) Sekretär in d. kurpfälz. Kanzlei in Heidelberg. Erarb. e. Neufassung d. Kurpfälz. Sal-u. Lehnbuches (Hs. in Karlsruhe), Verf. e. «Eigentlichen Warhafftigen beschreibung dess Baurenkriegs» (dt. Urfassung verloren, Erstdr. 1625, lat. Übers. vor 1531), zweier ungedr. Reimchron. über d. Packischen Händel (1529) u. d. Hochzeit d. Kurfürsten Friedrichs III. v. d. Pfalz (1536). Erhalten sind ferner einige Briefe Melanchthons an ihn (vgl. Thüring.-sächs. Zs. f. Gesch. u. Kunst 2, 1912); zugeschrieben werden ihm Erklärungen

d. «Epistolae familiares» v. Cicero u. e. «Leben des Horaz».

Ausgaben: Beschreibung des Bauernkriegs 1525. Nebst einem Anhang: Zeitgenössisches über die Schlacht bei Frankenhausen und Halle, 1881; Wahrhafte und gründliche Beschreibung des Bauernkriegs (hg. G. FRANZ) 1936.

Nachlaß: Frels 116.

Literatur: Jöcher 1, 2199 (Crinitius); ADB 10, 260; NDB 7, 672; Goedeke 2, 296, 323. – O. L. SCHÄFER, D. Verhältnis d. drei Gesch.schreiber d. Bauernkrieges, ~, Gnodalius u. Leodius, kritisch betrachtet, 1876; K. HARTFELDER, Über ~ (in: Forsch. z. dt. Gesch. 22) 1882; J. SCHWALM, Z. Kritik des ~ (in: MIÖG 9) 1888; P. SANDER, E. Beitr. z. Kritik d. ~ (in: Dt. Zs. f. Gesch.-wiss., NF 1) 1897; N. MÜLLER, Gg. Schwarzerdt, 1908; G. EIS, Zwei med. Rezepte v. ~ (in: Cesra 7) 1960.   RM

Harff, Arnold von, * um 1471, † Jan. 1505 (begraben in Lövenich/Kr. Erkelenz); unternahm 1496–99 eine große Orientfahrt n. Ägypten, Palästina u. (wahrsch.) Indien, in Paris v. Ludwig XII. z. Ritter geschlagen, n. s. Rückkehr Erbkämmerer d. Herzogtums Geldern. Verf. e. in 8 Hss. überl. Ber. in niederrhein. Dialekt über s. Pilgerfahrt.

Ausgabe: Die Pilgerfahrt des Ritters Arnold von Harff von Cöln durch Italien, Syrien, Ägypten, Arabien, Äthiopien, Nubien, Palästina, die Türkei, Frankreich und Spanien, wie er sie in den Jahren 1496–99 vollendet, beschrieben und durch Zeichnungen erläutert hat. Nach den ältesten Handschriften ... (hg. E. v. GROOTE) 1860.

Literatur: VL ²1, 471 (unter Arnold); ADB 10, 599; NDB 7, 672; Aufriss 2, 1661; 3, 328. – L. KORTH, D. Reisen d. Ritters ~ ... (in: Zs. d. Aachener Gesch.ver. 5) 1883 (Nachtr. ebd. 6, 1884); R. RÖHRICHT, H. MEISNER, Dt. Pilgerreisen n. d. hl. Lande, 1880 (mit Inhaltszus.fassung); R. RÖHRICHT, Dt. Pilgerreisen n. d. Hl. Lande, 1889; R. v. SEYDLITZ, D. Orientfahrt d. ~ ... (in: Zs. f. wiss. Geogr., ErgH. 2) 1890; J. BERG, Ältere dt. Reisebeschreibungen (Diss. Gießen) 1912; T. LANGENMAIER, Alte Kenntnis u. Kartogr. d. zentral-afrikan. Seenregion (Diss. München) 1916; M. SOMMERFELD, D. Reisebeschreibungen d. dt. Jerusalempilger im ausgehenden MA (in: DVjs 2) 1924; J. FISCHER, Abessinien auf d. Globus d. Martin Behaim v. 1492 u.

in d. Reisebeschreibung d. Ritters ~ (in: Petermanns geogr. Mitt. 86) 1940; V. HONEMANN, Z. Überl. d. Reisebeschreibung ~s (in: ZfdA 107) 1978.   RM

Hari (Hari Burkhard) → Hering, Burkhard.

Harich, Walter, * 30. 1. 1888 Mohrungen/Ostpr., † 14. 12. 1931 Wuthenow b. Neuruppin; Stud. in Berlin, Königsberg u. Freiburg/Br., Dr. phil., Teilnahme am 1. Weltkrieg, dann freier Schriftst. Lit.ästhetiker, Erzähler, Lyriker, Kritiker u. Herausgeber.

Schriften: Die Pest in Tulemont (Rom.) 1920; E. T. A. Hoffmann (Biogr.) 2 Bde., 1921; Der Turmbau zu Babel (Dichtungen) 1921; Gedichte, 1921; Das Ostproblem, 1922; Jean Paul (Biogr.) 1925; Angst (Rom.) 1927; Der Schatten der Susette (Rom.) 1928; Letzte Ferien (Nov.) 1928; Die beiden Czybulleks (Rom.) 1929; Die Drei um Edith (Rom.) 1929; Jean Paul in Heidelberg (Nov.) 1929; Der Kunstfälscher (Rom.) 1930; Dorette lächelt (Rom.) 1930; Primaner (Rom.) 1931; Der Prinzenhof (Rom.) 1932; Witowd und Jagiello (Hist. Erz., aus d. Nachlaß hg. v. s. Witwe) 1932.

Herausgebertätigkeit: E. T. A. Hoffmanns Schriften und Dichtungen nebst Briefen und Tagebüchern, 15 Bde., 1924; Jean Paul (Idyllen) 1925.

Literatur: C. DIESCH, ~ (in: Altpr. Biogr. 1. Bd.) 1941; P. FECHTER, ~, Ein Mittler zw. Ost u. West (in: Südostpr. u. d. Ruhrgeb. Beitr. z. Heimatkunde anl. d. 600-Jahrfeier Allensteins in d. Patenstadt Gelsenkirchen) 1954; M. JABS-KRIEGSMANN, ~. E. Beitr. z. Lit.gesch. d. zwanziger Jahre. (Diss. Kiel) 1971.   IB

Harich, Wolfgang, * 9. 12. 1923 Königsberg; Sohn v. Walther H., war zunächst Journalist, seit 1949 Prof. f. Marxismus an d. Humboldt-Univ. Berlin (Ost), Mithg. u. Chefred. d. «Dt. Zs. f. Philosophie», wurde wegen s. Eintretens f. e. liberale Kulturpolitik 1956–65 als Konterrevolutionär inhaftiert, danach Mitarbeiter d. Akademie-Verlags; 1979 Ausreise aus d. DDR., lebt in Wien.

Schriften: Herder und die bürgerliche Geisteswissenschaft (Diss. Berlin) 1951; Rudolf Haym und sein Herderbuch. Beiträge zur kritischen Aneignung des literaturwissenschaftlichen Erbes, 1955; Jean Pauls Kritik des philosophischen

Egoismus. Belegt durch Texte und Briefstellen Jean Pauls im Anhang, 1968; Zur Kritik der revolutionären Ungeduld. Eine Abrechnung mit dem alten und dem neuen Anarchismus, 1971; Jean Pauls Revolutionsdichtung. Versuch einer neuen Deutung seiner heroischen Romane, 1974; Kommunismus ohne Wachstum? Babeuf und der Club of Rome. 6 Interviews mit Freimut Duve und Briefe an ihn, 1975.

Herausgebertätigkeit: H. Heine, Gesammelte Werke, 6 Bde., 1951; J. G. Herder, Zur Philosophie der Geschichte. Eine Auswahl in 2 Bden., 1952; J. G. Herder, Patriotismus und Humanität. Aus den Briefen zur Beförderung der Humanität 1793–1797, 1953; R. Haym, Herder, 2 Bde., 1954; Arthur Schopenhauer (Haym, Kautsky, Mehring, Lukács) 1955; H. Heine, Zur Geschichte der deutschen Philosophie, 1956.

Literatur: M. JÄNICKE, D. dritte Weg. D. antistalinist. Opposition gg. Ulbricht seit 1953, 1964; J. W. GÖRLICH, Geist u. Macht in d. DDR. D. Integration d. kommunist. Ideologie, 1968.   AS

Harig, Ludwig, * 18.7.1927 Sulzbach/Saar; 1950–68 Volksschullehrer in Dudweiler/Saar; 1955 Bekanntschaft mit Max Bense u. erste Veröff. in lit. Zs. u. Anthol.; seit 1963 v.a. experiment. Hörspielautor, auch Übers. (v.a. R. Queneau). Kunstpreis d. Saarlandes 1966.

Schriften: Haiku Hiroshima, 1961; Zustand und Veränderungen. Texte aus den Jahren 1956–62, 1963; Das Geräusch (Hörsp.) 1965; Reise nach Bordeaux (Rom.) 1965; das fußballspiel. Ein stereophones Hörspiel, 1967; im men see. Permutationen, 1969; Ein Blumenstück. Texte zu Hörspielen, 1969; Zufällig änderbar. Mit Siebdrucken von Paul Schneider, 1969; Sprechstunden für die deutsch-französische Verständigung und die Mitglieder des Gemeinsamen Marktes. Ein Familienroman, 1971; Die Saar (mit H. Weisweiler) 1971; Zwei Dutzend Sonette an Orpheus von Rainer Maria Rilke, 1972; Saar-Kunst 73. Limericks, 1972; Die Aufhebung der Schwerkraft (mit Jan Voss) 1973; Mosel, Saar, Ruwer. Bilder der Weinlandschaft (mit H. Weisweiler) 1974; Allseitige Beschreibung der Welt zur Heimkehr der Menschen in eine schönere Zukunft (Rom.) 1974; Die saarländische Freude. Ein Lesebuch über die gute Art zu leben und zu denken, 1977; H. Bulkowski, Tempo. Erzählungen. Mit drei alexandrinischen Sonetten von ∼, 1977; Saarbrücken (mit

H. Weisweiler) 1977; Heimweh. Ein Saarländer auf Reisen, 1979.

Herausgebertätigkeit: H. Geissner, elliptoide, 1964; H. Dahlem, graphische kosmogonie, 1965; muster möglicher welten. Eine Anthologie für Max Bense (mit E. Walther) 1970; Und sie fliegen über die Berge, weit durch die Welt. Aufsätze von Volksschülern, 1972; Netzer kam aus der Tiefe des Raumes. Notwendige Beiträge zur Fußball-Weltmeisterschaft (mit D. Kühn) 1974.

Übersetzertätigkeit: W. Alante-Lima, Manzinellenblüten, 1960; R. Queneau, Stilübungen (mit E. Helmlé) 1961; ders., Taschenkosmogonie. Ein Poem, 1963; ders., Heiliger Bimbam (mit E. Helmlé) 1965; M. Proust, Pastiches, 1969; Ch. Cros, Mädchen aus dem Nachtlokal. Seemanns- und Bordellballaden, 1974; C. u. J. Held, T. Mercié, Krautundrüben (mit E. Helmlé) 1974; G. Monreal, H. Galeron, Mia, Dia, Ia und ihr Vetter Tagabia (mit E. Helmlé) 1974; F. Ruy-Vidal, M. O. Willig, Zu Fuß, zu Roß, im Mondgeschoß (mit E. Helmlé) 1974; P. Verlaine, Freundinnen. Szenen sapphischer Liebe, 1975; R. Queneau, Das heiße Fleisch der Wörter. 13 Sonette und andere Gedichte über die Kunst der Poesie, 1976.

Literatur: Reclams Hörspielführer; M. BENSE, ∼s Hörspiele (in: M. B., D. Realität d. Lit.) 1971.   AS

Haringer, (Jan) Jakob (eigentl. Johann Franz), * 16.3.1898 Dresden, † 3.4.1948 Zürich, Jugend in Salzburg u. München; 1917 in Flandern, 1918 als dienstuntauglich entlassen, 1919 vorübergehend Beziehung z. Münchner Räterepublik; unstetes Wanderleben, freier Schriftst., G. Hauptmann-Preis 1925, Kleist-Preis 1926; seit 1933 bei Salzburg, 1936 aus Dtl. ausgebürgert, 1938 Emigration in d. Schweiz, zeitweise im Internierungslager Bellechasse, seit 1946 in Köniz b. Bern. Einzelgänger, d. oft in großer Armut lebte u. auf die Unterstützung s. Freunde angewiesen war. Lyriker, Prosaist, Essayist, Übersetzer.

Schriften: Tobias (Ged.) 1916; Das Marienleben (Ged.) Amsterdam, 1917; Hain des Vergessens (Ged.) 1919; Gesänge, 1919; Abendbergwerk (Ged.) 1920; Die Kammer (Ged.) 1921; Das Gebetbuch des Jakob Haringer (Ged.) 1925 (Die Dichtungen, Bd. 1, 1925) Neudr. 1973; Die Einsiedelei (Studentenblatt, hg.) 1925 ff; Das Räubermärchen (Erz.) 1925; Weihnacht im Armenhaus (Erz., Ged.) Amsterdam 1925; Kind im grauen Haar (Ged.) 1926; Chinesische Strophen, 1926; Verse nach du Bellay, 1926; Verse nach Samain, 1926; Verse von den Salomo-Inseln, 1926; Verse nach Ronsard, 1926; Verse nach Régnier, 1926; Chinesische Strophen. 2. Teil, 1927; Villon. Le Testament, 1928; Verlorener Abend, 1928; Heimweh (Ged.) 1928; Verse für die tote Hilda Reyer, 1928; Leichenhaus der Literatur oder Über Goethe, 1928; Verse in der Nacht, 1929; Ufer im Regen (Ged.) 1929; Schwarzer Kalender (Ged.) 1929; Arme Reisende, 1929; Rimbaud, 1929; Kleine Prosa, 1929; Essays, philosophische Schriften und Schriften zur Literaturgeschichte, 1929; Abschied (Ged.) 1930; Ein altes Nest, 1931; Kleine Abendgalerie, 1931; Deutsche Latrinen-Inschriften, 1931; Der Reisende oder Die Träne (Erz.) 1932; Andenken (Ged.) Amsterdam 1934; Vermischte Schriften (Ged., Nachdg., Aufs.) 1935; Notizen, Prosa, 1938; Souvenir (Ged.) Paris, Amsterdam 1938; Das Fenster (Ged.) 1946; Epikurs Fragmente (hg.) 1947; Der Orgelspieler (Ged.) 1955, Neuaufl. (hg. P. HEINZELMANN) 1963; Das Rosengrab (Ged., hg. V. SCHWERTL) 1960; Lieder eines Lumpen (Ged.) 1962; Der Hirt im Mond (Ged. mit Bibl.) 1965; Das Schnarchen Gottes und andere Gedichte (hg. J. SERKE) 1979.

Literatur: NDB 7, 673; HdG 1, 266; Albrecht-Dahlke II, 2, 286. – E. WOLFRAM, ∼ (in: Nationalsozial. Monatshefte 79) 1936; R. FLINKER, ∼, e. psychopatholog. Unters. über d. Lyrik (in: Arch. f. Psychiatrie u. Nervenkrankheiten 107) 1937; P. HEINZELMANN, D. letzte Werk ∼s (in: Zwiebelfisch 25) 1946/48; G. PAHL, Kind im grauen Haar. ∼ (in: Goldenes Tor 4) 1949; P. HEINZELMANN, ∼ in memoriam, 1955; P. HÜHNERFELD, Versuch über ∼ (in: Akzente 4) 1957; W. AMSTAD, ∼. Leben u. Werk (Diss. Fribourg) 1967; T. SAPPER, E. «Bänkelsänger» unter unseren Expressionistendichtern. (in: T. S., Alle Glokken der Erde) 1974; J. SERKE, ∼ (in: J. S., D. verbrannten Dichter) 1977.   UF

Hariulf von St. Riquier, * um 1060, † 19.4. 1143; 1075 Mönch im Kloster St. Riquier, 1105 Abt v. Oudenbourg u. Brügge. – Setzte e. Stiftsgesch. d. Mönches (Abtes?) Saxowalus bis ins Jahr 1088 fort («Chron. Centulense», 4 Bücher, eingefügt u. a. e. Lebensgesch. d. hl. Richarius u. d. 831 erstellte Bibl.katalog, am Schluß e. Ged. v.

21 Hexametern, die alle auf «-avi» ausgehen), verf. um 1114 d. «Vita Arnulfi episcopi Suessionensis», e. Lebensgesch. d. Bischofs Arnulf v. Soissons († 1114), der 1084 d. Kloster Oudenbourg gegr. hatte. Ferner schrieb H. um 1113 e. kleine Biogr. d. hl. Madegisil (7. Jh.), dessen Reliquien in St. Riquier aufbewahrt werden.

Ausgaben: F. LOT, Chronique de l'abbaye de St. Riquier par H., Paris 1894 (Nachtr. u. Verb. in: Bibl. de l'école des chartes 72, Paris 1922); Teilausg. in MG SS 15. – Vita Arnulfi ... (hg. O. HOLDER-EGGER in: MG SS 15) 1888 [Teilausg.]; Migne PL 174. – Vita s. Madelgisil (in: Migne PL 174).

Literatur: Manitius 2, 533; 3, 541 u. ö.; LThK 5, 12. – W. WATTENBACH, Dtl.s Gesch.quellen im MA, Dt. Kaiserzeit (hg. R. HOLTZMANN, Neudr.) 1948; J. SZÖVÉRFFY, Weltl. Dg. d. lat MA 1, 1970.   RM

Harkenthal, Gerhard, * 15.1.1914 Aschersleben, wohnt ebenda; Erzähler.

Schriften: Hochgericht in Toulouse (Erz.) 1955; Der Hambacher Hut (Rom.) 1956; Blaschkowitz ist wieder da (Krim.rom.) 1959; Liebe ist mehr ... (Rom.) 1960; Flucht ins Schwurgericht (Rom.) 1962; Rendezvous mit dem Tod (Krim.rom.) 1962; Canal Story (Rom.) 1964; Galgenfrist (Krim.rom.) 1965; Im Würgegriff (Krim.rom.) 1966; Durststrecke (Rom.) 1970; River passage (Krim.rom.) 1972; Lokaltermin (Krim.rom.) 1974; Heiße Safari (Rom.) 1976.

Literatur: Albrecht-Dahlke II, 2, 287.   AS

Harkut, Frank (Ps. f. Frank Karuth), * 17.7. 1837 Breslau, Todesdatum u. -ort unbekannt; lebte 1889 in London.

Schriften: Moderne Argonauten (humorist. Rom.) 1889.   RM

Harl, Johann Paul von, * 9.7.1772 Hof/Salzburg, † Nov. 1842 Nürnberg (Freitod); Weltpriester u. Lehrer in Salzburg, dann philos. u. kameralist. Stud. in Berlin, seit 1805 Prof. d. Philos. u. Kameralistik in Erlangen, 1823 Hofrat, 1828 Dr. iur., Hg. d. «Cameral-Correspondent ...» (1805–12), Verf. zahlr. Fachschriften.

Schriften (Ausw.): Über Unterricht und Erziehung, nach den Principien der Wissenschaftslehre ..., 1800; Katechetische Unterredung über die Zukunft, ein nützliches Christenlehrgeschenk für Kinder, 1802; Neue Gallerie der Charlatanerien, Unvollkommenheiten, Vorurtheile, Mißbräuche und Karrikaturen aller Nationen und Stände, zur Beförderung der Nationalcultur, 4 H., 1803 (auch u. d. T.: Neue satyrisch-grotesk-komische Gemäldegallerie des 19. Jahrhunderts); Teutschlands neueste Staats- und Kirchenveränderungen ..., 1804; Karakteristik der Französischen geheimen Polizey unter Bonaparte ..., 1815; Biographie des Herrn Stadtraths J. B. Schenkls in Amberg, 1818.

Literatur: Wurzbach 7, 366; ADB 10, 601; Meusel-Hamberger 9, 510; 11, 316; 14, 33; 18, 46; 22.2, 572.   RM

Harlach, Hanns von → Holzschuher, Hanns.

Harlan, Walter, * 25. 12. 1867 Dresden, † 14. 4. 1931 Berlin; Studium d. Rechte in Heidelberg, Berlin u. Leipzig, Dr. iur., Gerichtsreferendar in Leipzig, dann Journalist, Leiter d. «Lit. Gesellsch.» in Leipzig (1895 f.), 1898–1904 Dramaturg am Lessing-Theater u. später freier Schriftst. in Berlin.

Schriften: Sein Beruf (Schausp.) 1894; O herziges Menschenleben! (Ged.) 1894; Neue Traktätchen (Nov.) 1895; Im April. Lustspiel aus den vierziger Jahren, 1895; Die Dichterbörse (Rom.) 1899; Der tolle Bismarck (Lsp.) 1900; Schule des Lustspiels. Ein System der Dramaturgie, 1903; Das Mantelkind (Lsp.) 1904; Jahrmarkt in Pulsnitz, ein dionysischer Schwank, 1904 (3., gekürzte Aufl. 1917); Die Sünde an den Kindern. Eines Schulmeisters Leben, Sterben und Fahrt in das Allherz, 1908; Familienszenen. Vierzehn Geschichten von Weib und Kindern, von Dienstboten und von der Weltseele, 1912; Catrejns Irrfahrt. Novelle aus Altflandern, 1912; Das Nürnbergische Ei (Tr.) 1913; In Kanaan. Ein frohes Mysterium, 1915; Die vorsichtige Jungfrau. Ein Spiel aus der Jugend des Straßburger Münsters, 1918; Er schnarcht. Ein seliger Schabernack, 1922; Der Erzschulmeister. Roman bis in den Himmel, 1924; Das Frühstück in Genua (Lsp.) 1925; Gib uns Kinder und hundert Enkel! Ein Spiel aus den Tagen der Erzväter, 1928; Bräute in Bamberg. Ein weltgeschichtliches Spiel, 1929.

Literatur: Theater-Lex. 1, 697. – Selbstbiogr. in: D. erhebende Lsp. (in: Volksspielkunst 6) 1925; E. Höffner, D. dramat. Werk ∼s (in: ebd.) 1925.   RM

Harlander, Hildegard, * 9. 11. 1910 Heilbronn/Neckar; Jugendschriftstellerin, wohnt in Hufschlag über Traunstein/Oberbayern.

Schriften: Bei uns im Sonnenhäusl, 1950; Sommer im Sonnenhäusl, 1951.   AS

Harlander, Otto Georg (Ps. Georg Hohenburg), * 4. 3. 1885 München; Dr. phil., lebte als Gymnasiallehrer in München.

Schriften: Phantasien eines Einsamen (Märchen) 1905; Alfred de Vignys pessimistische Weltanschauung. Ein Beitrag zur Geschichte des Romanticismus in Frankreich (Diss. München) 1910. AS

Harles(s), Gottlieb Christoph, * 21. 6. 1738 Kulmbach, † 2. 11. 1815 Erlangen; Theol.- und Philol.-Studium in Erlangen, Halle u. Jena, Mitgl. d. philol. Seminars Göttingen, Prof. d. Orientalistik u. Beredsamkeit in Coburg, 1770–1815 Philol.-Prof., Oberaufseher d. Univ.bibl. u. Hofrat in Erlangen, Gründer d. philol. Seminars Erlangen, Verf. v. über 280 Schr., besorgte d. 4. Aufl. d. «Bibl. Graeca» d. J. A. Fabricius (12 Bde., 1790 bis 1809), Hg. griech. u. lat. Klassiker.

Schriften (Ausw.): Gedanken von dem Zustande der Schulen u. ihren Verbesserungen, 1761; De fato Homeri, 1763; Vitae philologorum nostra aetate clarissimorum, 4 Bde., 1764–72; Gesammelte Nachrichten von dem Leben und Stiftungen des Coburgischen Kanzlers von Scherer, genannt Zieritz, 1766; Memoria J. G. Kraftii, 1772; Opuscula varii argumenti, 1773; Leben des verstorbenen Professors Statius Müller, 1776; Kritische Nachrichten von kleineren theologischen, philosophischen, historischen und philologischen Schriften, 2 Bde., 1782/85 (Forts. u. d. T.: Fortgesetzte kritische Nachrichten ..., 2 Bde., 1785 f.); Prolusio ad laudationem funebrem Friderici II. ..., 1786; Memoria Jacobi Friderici Isenstamm, 1793; Memoria Joannis Philippi Julii Rudolph ..., 1797; Laudationem funebrem honori Regis Friderici Guilielmi II. ..., 1798; Übersichten der altgriechischen und römischen Literaturgeschichte ... (hg. F. E. Petri) 1822.

Herausgebertätigkeit (Ausw.): Chrestomathia graeca poetica ..., 1768; Sucro's kleine teutsche Schriften, 1769; Chrestomathia latina poetica ..., 1770; Anthologia latina poetica, 1774; Anthologia graeca poetica, 1775.

Nachlaß: Univ.bibl. Bonn (Kriegsverlust). – Denecke 2. Aufl.

Bibliographie: G. W. A. FIKENSCHER, Gelehrtes Fürstenthum Baireut 3, 1801 (bis 1801); Meusel-Hamberger 3, 79; 9, 510; 11, 317; 14, 36; 18, 49; 22.2, 573.

Literatur: ADB 10, 603.   RM

Harless, (Gottlieb Christoph) Adolf (seit 1854: von), * 21.11.1806 Nürnberg, † 5.9.1879 München; Studium d. Philol., Rechte u. Theol. in Erlangen u. Halle, 1830 Privatdoz. 1833 a.o. Prof. u. 1836 o. Prof. d. Theol. in Erlangen. 1845 Konsistorialrat in Bayreuth u. Prof. in Leipzig, 1850–52 Oberhofprediger in Dresden, seit 1852 Präs. d. Oberkonsistoriums in München, Gründer u. bis 1845 Hg. d. «Zs. f. Prot. u. Kirche», Verf. zahlr. einzeln gedr. Predigten.

Schriften (Ausw.): Die kritische Bearbeitung des Lebens Jesu von D. F. Strauss ... beleuchtet, 1836; Theologische Encyclopädie und Methodologie vom Standpunkt der protestantischen Kirche aus, 1837; Christi Reich und Christi Kraft (20 Predigten) 1840; Grabrede bei der Beerdigung eines im Duell Gebliebenen ..., 1841; Lucubrationum Evangelia canonica spectantium, 2 Tle., 1841 f.; Die christliche Ethik, 1842 (8., verm. Aufl. 1893); Die evangelisch-lutherische Kirche in Bayern und die Insinuationen des Herrn Prof. Döllinger ..., 1843; Sonntagsweihe. Gesammelte Predigten, 7 Bde., 1848–56 (2. Aufl., 4 Bde., 1859); Das Buch von den ägyptischen Mysterien ..., 1858; Die Ehescheidungsfrage ..., 1861; Das Verhältniss des Christenthums zu Cultur- und Lebensfragen der Gegenwart, 1863 (2., verm. Aufl. 1866); Aus dem Leben in Lied und Spruch, 1865; Geschichtsbilder aus der lutherischen Kirche Livlands vom Jahre 1845 an, 1869; Die kirchlich religiöse Bedeutung der reinen Lehre von den Gnadenmitteln (mit T. Harnack) 1869; Jakob Böhme und die Alchymisten. Ein Beitrag zum Verständniss J. Böhme's. Nebst einem Anhang: J. G. Gichtels Leben und Irrthümer, 1870 (2., verm. Aufl. 1882); Bruchstücke aus dem Leben eines süddeutschen Theologen [Selbstbiogr.] 1872 (NF 1875).

Nachlaß: Univ.bibl. Erlangen; Bibl. d. Dt. Morgenländ. Gesellsch. Halle/S. – Mommsen Nr. 1466; Nachlässe DDR 2, Nr. 183; Denecke 69.

Literatur: ADB 10, 763; NDB 7, 680; LThK 5, 13; RGG ³3, 75; RE 7, 421. – W. LANGSDORFF, ~, 1898; P. BACHMANN, ~ (in: Lebensläufe aus Franken 2) 1922; T. HECKEL, ~, Theol. u. Kirchenpolitik e. luther. Bischofs, 1933; F. W. KANTZENBACH, D. Erlanger Theol., 1960; M. SIMONS, D. innere Erneuerung d. theol. Fak. Erlangen 1833 (in: Zs. f. bayer. Kirchengesch. 30) 1961; L. MOHAUPT, Dogmatik u. Ethik bei ~ ..., 1970.   RM

Harless, Hermann, * 19.2.1801 Erlangen, † 21./22.9.1842 Herford; Studium d. Philos. u. Philol. in Erlangen u. Bonn, 1821 Promotion, 1822 Prorektor u. seit 1826 Oberlehrer in Herford. Mit-Red. d. Zs. «Westfalen», Verf. zahlr. pädagog. Aufsätze.

Schriften: De Epicharmo, 1822; Commentatio de historia Graecorum et Romanorum ..., 1825; Lineamenta historiae Graecorum et Romanorum litterariae, 1827; Die höhere Humanitätsbildung in ihren Hauptstufen, 1829; Quaestiunculae criticae in Plutarchum et Platonem, 1829; De primis Boeotiae incolis quibusdam vere graecis, 1833; Die Bildung zur deutschen Sprache und Rede und zum Ausdruck des selbständigen Denkens, 1836; Die Ackergesetzgebung Julius Caesar's ..., 1841; Die Bildung des Kunstsinnes als Schönheitssinnes ..., 1842.

Nachlaß: Univ.bibl. Bonn (Kriegsverlust). – Denecke 2. Aufl.

Literatur: ADB 10, 604.   RM

Harless, Hermann, * 30.4.1887, † 26.4.1961 Marquartstein/Obb.; war Lehrer im Landerziehungsheim das.; Lyriker, Erzähler.

Schriften (Ausw.): Kriegsweihnacht (Jugendsp.) 1914; Erntefest. Jugendspiel mit Gesang und Reigen in 8 Szenen, 1914; Weihnachtsmärchen (Jugendsp.) 1916; Roland (Jugendsp.) 1919; Vom deutschen Heiland. Politische Legenden, 1919; Erinnerungen aus der Knabenzeit (Lyrik) 1924; Von der Erziehungs- und Bildungsaufgabe einer freien Schule, 1935; Süddeutsche Herrgottsfahrt. Legenden und Schnurren aus Bayern, Franken, Schwaben und der Pfalz, 1938; Jugend im Werden. Getrennte oder gemeinsame Erziehung der Geschlechter? ... (Hg.) 1955.   AS

Harless, Johann Christian Friedrich, * 11.6. 1773 Erlangen, † 13.3.1853 Bonn; Sohn v. Gottlieb Christoph H., 1793 Dr. phil. et med., Arzt, Prof. u. Mit-Dir. d. med. Klinik in Erlangen, 1801/03 Italienreisen, seit 1818 auf Veranlassung Hardenbergs Prof. in Bonn. Hg. u. a. d. «Heidelberger Jb. d. Med.» (1819 ff., seit 1828: «Heidelberger klin. Ann.») , Verf. zahlr. med. Schriften.

Schriften: Comparatio chori Euripidei cum Senecae choro in utriusque Hyppolyto instituta ..., 1791; Dissertatio historiam physiologiae sanguinis antiquissimae exhibens, 1794 (später u. d. T.: Versuch einer Geschichte der Physiologie des Blutes im Alterthum); Beyträge zur Kritik des gegenwärtigen Zustandes der Arzneywissenschaft ..., 1. St., 1797; Einige Worte zur Feyer des letzten Abends des Jahres 1802, 1803; Der Republikanismus in der Naturwissenschaft und Medizin auf der Basis und unter der Aegide des Eklecticismus, 1819; Die Verdienste der Frauen um Naturwissenschaft und Heilkunde, 1820.

Herausgebertätigkeit: J. J. Sue's physiologische Untersuchungen und Erfahrungen über die Vitalität (hg. u. übers.) 1799; A. v. Hallers Grundriß der Physiologie für Vorlesungen (mit Zusätzen u. Anmerkungen) 2 Tle., 1800; M. Devezin's Nachrichten über Aleppo und Cypern (übers. aus d. Engl.) 1804; J. J. A. Schönberg, Über die Pest zu Noja (mit Anmerkungen) 1818.

Nachlaß: Univ. bibl. Bonn (Kriegsverlust); Arch. d. Univ. Bonn. – Denecke 2. Aufl.; Mommsen Nr. 1467.

Literatur: ADB 10, 605; Meusel-Hamberger 3, 89; 9, 511; 14, 36; 18, 49; 22.2, 573. – ∼, e. biogr. Skizze, 1857.   RM

Harmayr, Johann Baptist (Jacob Josef), * 16. 3. 1742 Wien, † 7. 4. 1804 ebd.; 1757 Eintritt in d. Jesuitenorden, seit 1773 Gymnasiallehrer in Klagenfurt, Laimbach u. Wien, Hg. d. Wiener Zs. «Nova latina» (1775–85, mit A. Renzenberg).

Schriften: Gedicht auf den Hintritt der zweyten Gemahlinn Josephs des Zweyten, 1767; Ein Gedicht auf die Durchreise des Großherzogs Leopold von Toscana durch Steyermark, 1769; Joseph der Zweyte besungen, 1773; Gedicht auf die Besitznehmung des österreichischen Antheils von Polen, 1773; Der Tag des eröffneten Augartens, 1775; An die große Todte (M. Theresia) im Jahr 1781, 1781; Catechetische Instruction für den Verfasser über die Begräbnisse [Satire] 1782.

Literatur: Wurzbach 7, 367; Meusel-Hamberger 3, 86; 11, 317; Goedeke 6, 529.   RM

Harmening, Ernst (Karl Julius), * 28. 1. 1854 Bückeburg, † 26. 8. 1913 Meran; Studium d. Rechte, 1876 Dr. iur., Gerichts-Angesteller in Eisenach, seit 1882 Rechtsanwalt in Jena. Justizrat, Mitgl. d. Dt. Reichstages (1890–93).

Schriften: Matthias Overstolz. Roman aus Kölns Vergangenheit, 2 Bde., 1881; Mirjam. Hohes Lied der Liebe, 1881; Erde und Eden, 1883; Südslawische Volkslieder. Aus der Sammlung von F. S. Kuhac übertragen, 1886; Festrede, gehalten bei der Enthüllung des Reuter-Denkmals zu Jena ..., 1888; Wer da? Eine nöthige Frage auf einen unnützen Angriff, 1889; Osterburg. Tagebuchblätter, 1891; Das Recht der Völker auf Frieden, 1891; Verrohung oder Veredelung des Kampfes um die Wohlfahrt, 1891; Die Lösung der socialen Frage durch Bodenbesitz-Reform, 1891; Über die socialen und politischen Aufgaben unserer Zeit, 1892; Die notwendige Entwicklung der Industrie zum Trust, 1904; Das Weltparlament, 1910.   RM

Harmening, Wilhelm Chr. → Erningham, H. F.

Harmes, Henriette, lebte 1812 in Neudietendorf/Gotha; Erzieherin d. Prinzessin Emilie Friederike Caroline v. Schwarzburg-Sondershausen (spätere Fürstin v. Lippe-Detmold) u. später Vorsteherin e. Erziehungsanstalt in Merseburg.

Schriften: Emilie oder Die Macht wahrer edler Weiblichkeit ... Ein Seitenstück zu der Frau von Pichler Agathokles und deren Frauenwürde (hg. Richerz) 3 Bde., 1819.

Literatur: Meusel-Hamberger 22.2, 575; Goedeke 10, 500.   RM

Harms, (Johann Kaspar Georg) Christian, * 8. 4. 1819 Ellwürden/Oldenb., † 8. 11. 1896 Oldenburg; seit 1843 Lehrer u. 1872 Prof. in Oldenburg, seit 1852 auch Leiter d. Gewerbeschule, lebte seit 1888 im Ruhestand. Verf. versch. Schulschriften.

Schriften: Fabeln, Parabeln und Rätsel für die Jugend, 1847; Kurze Darstellung der Entwicklung des Schulwesens der Stadt Oldenburg, 1859; Fibel für Schule und Haus, 1867.   RM

Harms, Christophel → Erningham, H. F.

Harms, Claus, * 25. 5. 1778 Fahrstedt/Schleswig/Holst., † 1. 2. 1855 Kiel; Theol.-Studium in Kiel, 1802–06 Kandidat u. Hauslehrer in Probsteierhagen, 1806–16 Pastor in Lunden, 1816 Archidiakon, seit 1835 Hauptpastor u. Probst in Kiel, 1841 Oberkonsistorialrat. Prediger u. relig.

Volksschriftst., Verf. zahlr. Schulbücher, einzeln gedr. Predigten u. versch. Streitschr. z. sog. Thesenstreit v. 1817.

Schriften (Ausw.): Der Jüngling am Scheidewege (Erinn.bl.) 1808; Winterpostille ..., 1808 (2., veränd. Aufl. 1812; 3., erg. Aufl. 1817); Sommerpostille, 1811 (2., veränd. Aufl., 2 Tle., 1815); Der Krieg nach dem Kriege oder Die Bekämpfung einheimischer Landesfeinde, 1814; Die Religion der Christen ..., 1814; Vermischte Aufsätze publicistischen Inhalts, 1816; Den bloodtüngen för unsern gloobm ..., 1817; Das Göttliche in der Vergebung, 1817; Fibel, 1818; Dass es mit der Vernunftreligion nichts ist ..., 1819; Christlicher Wochenbettsegen in Lehren, Sprüchen und Gebeten ..., 1823; Geistlicher Rath für Hebammen aller Länder, 1824; Neue Winterpostille ..., 1825; Frommes Erwägen unserer persönlichen Angelegenheiten, 1824; Neue Sommerpostille, 1827; Pastoraltheologie in Reden an Theologie Studirende, 3 Bde., 1830–34 (Neuausg., 2 Bde., 1888); Die drei Artikel des christlichen Glaubens in je neun Predigten, 1834; Die Religionshandlungen der lutherischen Kirche (9 Predigten) 1839; Die Bergrede des Herrn, in 21 Predigten, 1841; Predigten über die Bibel, 1842; Schleswig-Holsteinischer Gnomon (Lesebuch) 1843 (2., verm. Aufl. 1854); Weisheit und Witz in Sprüchen und anderen Redensarten, 1850; Lebensbeschreibung, verfasset von ihm selber, 1851; Vermischte Aufsätze und kleine Schriften ..., 1853 (2., verm. Ausg. 1858).

Ausgaben: Die evangelische Beichte, 1954; Ausgewählte Schriften und Predigten (hg. P. MEINHOLD) 2 Bde., 1955 (mit Bibliogr.).

Literatur: ADB 10, 607; NDB 7, 686; LThK 5, 16; RGG ³3, 76; RE 7, 433; Goedeke 15, 1107. – H. ZILLEN, ~s Leben in Briefen (in: Schr. d. Ver. f. Schleswig-Holstein. Kirchengesch. 1/4) 1909; C. ROLFS u. G. FICKER, Harmsiana I. u. II. (in: ebd. 2/7) 1918 f.; M. SCHULZ, D. Begriff d. Seelsorge bei ~ u. W. Löhe (Diss. Erlangen) 1934; H. LEHMANN, ~ als Prediger (in: Pastoralbl. 89) 1949; J. SCHMIDT, ~ u. d. äußere Mission (in: Für Arbeit u. Besinnung 8, Norddt. Beil.) 1955; M. SCHMIDT, ~ u. s. Bed. in d. Gesch d. Lutherthums (in: Ev.-luther. Kirchenztg. 9) 1955; F. W. KANTZENBACH, ~ u. s. Bed. f. d. Neuluthertum d. 19. Jh. (in: Zs. f. bayer. Kirchengesch. 28) 1959; F. WINTZER, ~, Prediger u. Theologe, 1965; L. HEIN, D. Thesen v. ~

in d. neueren theol. Kritik (in: Schr. d. Ver. f. Schleswig-Holst. Kirchengesch. 2/26–27) 1969 bis 1971; W. WIEDEMANN, Katechet. Grundfragen ... 1790–1830, bes. bei A. H. Niemeyer, F. H. C. Schwarz u. ~, 1972; P. KOLLER, Todestrieb im Prot. ... analysiert an Pfarrer-Autobiographien, L. K. Möller, A. Schweizer, ~ ..., 1976.   RM

Harms, E. M. → Hamann, Elisabeth Margareta.

Harms, Emilie von (geb. von Oppel, verh. von Berlepsch u. später Harms), * 1755 (getauft 26. 11.) Gotha, † 27. 7. 1830 Lauenburg; n. d. Ehe mit d. Hofrichter u. Landrat F. L. v. Berlepsch 1801 Heirat mit d. Domänenrat August H., lebte u. a. in Leipzig, d. Schweiz u. Schottland, 1807 bis 1813 auf d. Gut Erlebach am Zürichsee, später in Schwerin u. seit 1828 in Lauenburg.

Schriften: Sammlung kleiner Schriften und Poesien, 1787; Sommerstunden, 1794; Einige Bemerkungen zur richtigen Beurtheilung der erzwungenen Schweitzer-Revolution und Mallet du Pan's Geschichte derselben, 1799; Caledonia, eine malerische Schilderung der Hochgebirge von Schottland, 4 Bde., 1802–04.

Nachlaß: Frels 23.

Literatur: Jördens 5, 736; Meusel-Hamberger 1, 251; 9, 89; 11, 66; 13, 104; Goedeke 5, 413 (alle unter Berlepsch). – A. GILLIES, ~ and Burns (in: MLR 55) 1960; DERS., ~ and her «Caledonia» (in: GLL 29) 1975/76.   RM

Harms, (Joachim) Friedrich (Simon), * 24. 10. 1816 Kiel, † 5. 4. 1880 Berlin; Sohn e. Glasers, Studium d. Med., Naturwiss. u. Philos. in Kiel u. Berlin, 1858 o. Philos.-Prof. in Kiel u. seit 1867 in Berlin, 1873 Mitgl. d. Preuß. Akad. d. Wissenschaften.

Schriften (Ausw.): Der Anthropologismus in der Entwicklung der Philosophie seit Kant und Ludwig Feuerbachs Anthroposophie, 1845; Die Philosophie Fichtes nach ihrer geschichtlichen Stellung und nach ihrer Bedeutung, 1862; Abhandlungen zur systematischen Philosophie, 1868; Zur Erinnerung an Hegels hundertjährigen Geburtstag, 1871; Arthur Schopenhauers Philosophie, 1874; Die Philosophie seit Kant, 1876; Psychologie, Logik und Ethik, 1877; Die Formen der Ethik, 1878; Die Philosophie in ihrer Geschichte, 2 Tle., 1878/81; Metaphysik (hg. H. WIESE) 1885;

Naturphilosophie (hg. DERS.) 1885; Ethik (hg. DERS.) 1889; Psychologie (hg. DERS.) 1897.

Literatur: NDB 7,683. – F. ZIMMER, Grundriß d. Philos. u. ∼, 1902; ∼ (in: Philos.-Lex. 1) 1949. RM

Harms, (Georg) Louis (Ludwig, Detlef Theodor), * 5.5.1808 Walsrode/Hannover, † 15.11.1865 Hermannsburg b. Celle; n. Theol.-Studium in Göttingen 1830–44 Hauslehrer in Lauenburg/Elbe u. Lüneburg, 1834 Gründer d. Lauenburger Missionsver., 1844 Hilfsprediger, 1848 Pastor in Hermannsburg, 1849 Begründer d. Hermannsburger Missionsanstalt u. 1854 d. «Hermannsburger Missionsbl.» (hg. bis 1865), Verf. zahlr. einzeln gedr. Predigten.

Schriften (Ausw.): Sechs Predigten und Dr. Luther's Anweisung zum Gebet, 1846 (3., verm. Aufl. 1851); Die Lehre der heiligen Schrift von den letzten Dingen, 1859; Ein Gespräch über den Katechismus, 1862; Über die Juden-Mission, 1862; Predigten über die Episteln des Kirchenjahrs, 4H., 1862–65 (^{10}1923); Goldne Äpfel in silbernen Schalen (Erz.) 1863 (^{23}1949; Auszug u. d.T.: Vergißmeinnicht, 1881f.); Die heilige Passion, 1864; Der Psalter erklärt, 1868; Honnig. Vertellen un Utleggen in sin Modersprak, 4 H. (hg. T. HARMS) 1869–78; Nachlaßpredigten über die Episteln (hg. DERS.) 1870; Geistlicher Blumenstrauß (Predigten) 1874; Das Ende der Wege Gottes, 1875; Die kleine Marie. Bearbeitet nach einer Erzählung, 1877; Brosamen aus Gottes Wort, 2 Bde., 1878f.; Briefe (hg. T. HARMS) 1879; Katechetik und Erklärung des heiligen Katechismus Dr. M. Luther's, 2 Bde., 1882; Vom heiligen Abendmahl, 1939; Laß uns feste stehn! Trostworte, 1939.

Literatur: ADB 10,612; NDB 7,687; RGG ^{3}3, 76; RE 7,439. – T. HARMS, Lebensbeschreibung d. Pastors ∼, ^{8}1911; W. WENDEBOURG, ∼ als Missionsmann, 1910; J. BRAMMES, ∼, 1949; R. SCHMIDT, ∼ bricht mit d. norddt. Mission (in: Jb. d. Gesellsch. f. Niedersächs. Kirchengesch. 48) 1950; H. DOERRIES, ∼, e. dt. Heide- und Heidenpastor (in: ebd. 50) 1952; H.STEEGE, ∼ als Prediger d. Evangeliums, 1958; H. BARTELS, D. theol. Grundlagen d. Missionsarbeit bei ∼ (Diss. Göttingen) 1960; H. GRAFE, D. volkstüml. Predigt d. ∼, 1965; H. ALPERS, Auf d. Spuren v. ∼ … (in: Jb. d. Gesellsch. f. Niedersächs. Kirchengesch. 64) 1966. RM

Harms, Paul (Dietrich Niklaus), * 6.12.1866 Elberfeld; Studium d. Naturwiss., Philol. u. Philos., Dr. phil., Hauptschriftleiter d. Berliner «National-Ztg.» (1907f.), seit 1916 Red. d. «Leipziger Neuesten Nachrichten», lebte 1935 in Berlin-Dahlem.

Schriften: Die deutschen Fortunatus-Dramen und ein Kasseler Dichter des 17. Jahrhunderts (Diss. Marburg) 1891; Die nationalliberale Partei. Ein Gedenkblatt zu ihrer geschichtlichen Entwicklung, 1907; Die Schlacht bei Liegnitz (Soldatensp.) 1910; Die Parteien nach dem Kriege, 1915; Das soziale Gewissen (Rede) 1915; Um König Hettels Tochter. Ein altes Lied in neuer Form, 1915; Vom Ursprung des Krieges, 1919; Vier Jahrzehnte Reichspolitik 1878–1918. Ursache des Niederbruchs und Vorbedingungen des Aufstieges, 1924; Unter den Auserwählten. Eine Erzählung von Parlamentariern und Journalisten aus der Kaiserzeit, 1925; Das Ich und der Staat. Philosophie der Erziehung zum Reichsbürger, 1926; Die Zeitung von heute. Wesen und Daseinszweck, 1927; Die Tragik im Leben Bismarcks …, 1929. RM

Harms, Richard, * 18.8.1903 Gnetsch/Kr. Köthen; Dr. iur., war Bürgermeister in Dessau/Anhalt. Lyriker.

Schriften (ohne jurist. Fachschr.): Im Banne des Alls. Neue Gedichte, 1937; Das Werk der Lebenden. Vom künstlerischen Drängen einer alten Stadt in Wort und Bild, 1938. AS

Harms, Rudolf, * 21.3.1901 Hannover; Dr. phil., Reklameschriftst., Filmkritiker in Berlin, später Verfasser v. Roman-Biographien, wohnt jetzt in Schmitten/Taunus, vorher in Hunoldstal über Usingen/Taunus.

Schriften: Untersuchungen zur Ästhetik des Spielfilms (Diss. Leipzig) 1922; Philosophie des Films. Ästhetische und metaphysische Grundlagen, 1926; Kulturbedeutung und Kulturgefahren des Films, 1927; Ein lächerliches Wesen (Erz.) 1948; Frühes Licht und später Stern. Die abenteuerlichen Reisen des Marco Polo, 1959 (auch u.d.T.: Die abenteuerlichen Reisen des Marco Polo); Cagliostro. Der Lebensroman eines genialen Schwindlers, 1960; Paracelsus. Der Lebensroman eines großen Arztes, 1961; Robespierre. Ein biographischer Roman, 1962; Semmelweis. Retter der Mütter. Ein biographischer Roman,

1964; Robert Koch. Arzt und Forscher. Ein biographischer Roman, 1966.   AS

Harms, Willy, * 21.4.1881 Hagenow-Heide/ Mecklenburg; Lehrer in Schwerin, Rektor a. D., lebt in Hannover; Verf. von Rom., Nov. u. Dramen.

Schriften: Das Magdtum Dörte Brüsehavers (Rom.) 1919; Tage und Nächte des Hallerhofes (Rom.) 1921; Die starken Godenraths (Rom.) 1922; Im Monarchenwinkel (Rom.) 1924; Jochen Rieckhoff (Rom.) 1927; Ich allein bin schuldig (Rom.) 1932; Renate Levknecht (Rom.) 1934; Das Kollegium von Kleckerfeld (Rom.) 1935; Um den Wenksternhof (Rom.) 1936; Nr. 309 (Rom.) 1937; Die Wette, 1937; Der Sonderling vom Siedenkolk, 1939; Eine lange Nacht, 1939; Angela und der namenlose Soldat (Rom.) 1940; Es geht um Klockentin (Rom.) 1941; Der neue Bürgermeister (Rom.) 1942; Das heitere Dreieck (Nov.) 1942; Urlaub und Kartoffelpulver. (zwei heitere Nov.) 1942; Das leise Kommando (Rom.) 1943; Der Vogt von Uppenmoor (Rom.) 1943; Der Narrenkamp (Rom.) 1944; Eine Handvoll Erde (Rom.) 1944; Schicksalstage (Nov.) 1949; Stoppsacks Erben (Nov.) 1955; Die eigene Straße (Rom.) 1956; Der zweite Hoppenrath, 1957; Der stumme Knecht (Rom.) 1958.

Literatur: K. Peters, ~ (in: D. getreue Eckart 7) 1929–30.   IB

Harms, Wolfgang, * 7.1.1936 Bellavista b. Lima/Peru; 1963 Dr. phil. Kiel, 1969 Habil. Münster, seit 1969 o. Prof. f. Lit.wiss. an d. Univ. Hamburg. 1972f. Gastprof. in Montreal, seit 1975 Präs. d. Joachim Jungius-Gesellsch. d. Wiss. Hg. d. «Mikrokosmos. Beitr. z. Lit.wiss. u. Bedeutungsforsch.» (1974ff.), Mit-Hg. v. «Antike u. Abendland» (1974ff.).

Schriften: Der Kampf mit dem Freund oder Verwandten in der deutschen Literatur bis um 1300, 1963; Homo viator in bivio. Studien zur Bildlichkeit des Weges, 1970; Außerliterarische Wirkungen barocker Emblembücher (mit H. Freytag) 1974; Deutsche Literatur des späten Mittelalters. Hamburger Colloquium 1973 (hg. mit L. P. Johnson) 1975.   RM

Harms-Kutusov, Emil → Muthesius Volkmar.

Harmsen, Johann Jakob, * um 1790 in Clausthal, Todesdatum u. -ort unbekannt; Pastor in Imsen/Alefeld.

Schriften: Horazens Satyren in Teutsche Verse übersetzt, und mit kurzen erläuternden Anmerkungen versehen, 1800; Bedenken und Bitten an alle Jünglinge, welche Theologie studiren wollen, in einer Reihe von Briefen, 1826.

Literatur: Meusel-Hamberger 14,40; 22.2,577.   RM

Harmsen, Matthias, * 1762 Rantrum b. Husum, Todesdatum u. -ort unbekannt; Theol.-Studium in Kiel u. Kopenhagen, seit 1794 Rektor in Marne/Holstein.

Schriften: Der Freund des Landmanns (Mit-Hg.) 1805; Ansprache ... an vaterländische Schullehrer ... in Bezug auf den großen Katechismus des Herrn Cl. Harms, in Lunden ..., 1816; Sittenspiegel für christliche Dienstboten in Städten und auf dem Lande. Ein patriotischer Versuch, 1818; Sendschreiben an den Herrn Archidiakonus Harms in Kiel ..., 1819; Schulmeister-Verse auf Vernunft und Bibel, nebst Schluß-Entherzigung in gebundener und ungebundener Rede, 1825.

Literatur: Meusel-Hamberger 22.2,578.   RM

Harnack, (Karl Gustav) Adolf (seit 1914: von), * 7.5.1851 Dorpat, † 10.6.1930 Heidelberg; Theol.-Studium in Dorpat, 1874 Privat-Doz. u. 1876 a.o. Prof. in Leipzig, 1879 Prof. in Gießen, 1886 in Marburg u. 1888–1921 in Berlin, 1906 bis 1921 nebenamtl. Generaldir. d. späteren Preuß. Staatsbibl., Red. d. mit E. Schürer gegr. «Theol. Lit.ztg.» (1876–1910), Mit-Hg. d. «Texte u. Unters. z. Gesch. d. altchristl. Lit.» (1883ff.), Mit-Begründer d. «Christl. Welt» (1886/87), 1910 Gründer u. seither Präs. d. Kaiser Wilhelm-Gesellsch. z. Förderung d. Wiss., Vorsitzender d. Evangel.-soz. Kongresses (1903–11), Mitgl. d. Preuß. Akad. d. Wissenschaften.

Schriften (Ausw.): Das Mönchthum, seine Ideale und seine Geschichte, 1881; Lehrbuch der Dogmengeschichte, 3 Bde., 1886–90; Geschichte der altchristlichen Literatur bis Eusebius, 2 Tle., 1893 bis 1904; Geschichte der Preußischen Akademie der Wissenschaften zu Berlin, 3 Bde., 1900; Das Wesen des Christentums, 1900; Ausgewählte Reden und Aufsätze, 7 Bde., 1904–30; Militia Christi ..., 1905; Beiträge zur Einleitung in das Neue Testament, 7 Bde., 1906–16; Aus Wissenschaft und Leben, 1911; Aus der Kriegs- und Friedensarbeit, 1915; Martin Luther und die Grundlegung der Reformation (FS) 1917; Der «Eros» in der alten christlichen Literatur, 1918; Marcion: Das

Evangelium vom fremden Gott ..., 1921 (Forts.: Neue Studien zu Marcion, 1923); Erforschtes und Erlebtes, 1922; Die Entstehung der christlichen Theologie und des kirchlichen Dogmas, 1927; Possidius Augustins Leben (eingel. u. übers.) 1930.

Briefe: K. Holl, Briefw. mit ~ (hg. H. KARPP) 1966; K. ALAND, Aus d. Blütezeit d. Kirchenhistorie in Berlin. D. Korrespondenz ~s u. K. Holls mit H. Lietzmann (in: Saeculum 21) 1921.

Nachlaß: Dt. Staatsbibl. Berlin, Hs.-Abt./Lit.-arch., Staatsbibl. Preuß. Kulturbesitz Berlin. – Mommsen Nr. 1471; Nachlässe DDR 1, Nr. 253; 3, Nr. 360 Denecke 2. Aufl.

Bibliographie: M. CHRISTLIEB, ~ – Bibliogr., 1912; F. SMEND, ~, Verz. seiner Schr., 1927 (Nachtrag dazu zus. mit Axel v. Harnacks «Verz. d. ihm gewidmeten Schr.», 1931.).

Literatur: NDB 7, 688; BWG 1, 1027; LThK 5, 16; RGG ³3, 77. – A. v. ZAHN-HARNACK, ~, 1936 (²1951); H. HOFFMANN, Christentum und Antike bei ~ u. E. Troeltsch, 1947; ~ in memoriam. Reden z. 100. Geburtstag ..., 1951; H. STEPHAN u. M. SCHMIDT, Gesch. d. dt. evangel. Theol. seit d. dt. Idealismus, ²1960; E. FASCHER, ~, Größe u. Grenze, 1962; K. BLASER, Gesch., Kirchengesch., Dogmengesch. in ~s Denken (Diss. Mainz) 1964; D. BRAUN, D. Ort d. Theol. Entwurf z. e. Zugang z. Verständnis d. Briefw. zw. ~ u. K. Barth (in: Parrhesia, K. Barth z. 80. Geburtstag) 1966; E. PACHALY, D. gesch.-theoret. Anschauungen ~s (in: FS E. Winter, hg. W. STEINITZ u.a.) 1966; G. W. GLICK, The Reality of Christianity. A Study of ~ as Historian and Theologian, New York 1967; W. PAUCK, ~ and Troeltsch ..., New York 1968; E. W. KOHLS, D. Bild d. Reformation bei W. Dilthey, ~ u. E. Troeltsch (in: Neue Zs. f. systemat. Theol. u. Religionsphilos. 11) 1969; F. W. KANTZENBACH, ~ u. T. Zahn ... (in: Zs. f. Kirchengesch. 83) 1972; K. HAMMER, ~ u. d. 1. Weltkrieg (in: Zs. f. evangel. Ethik 16) 1972.   RM

Harnack, (Carl) Christian von, * 18. (29.). 11. 1782 Arensburg/Ösel, † 29. 12. 1840 (10. 1. 1841) ebd.; 1805–13 Russ.-Lehrer, später Postmeister u. Kollegienregistrator, seit 1834 Titulärrat in Arensburg.

Schriften: Französische Gedichte in's Deutsche übersetzt, 1. H., 1824.

Literatur: Goedeke 15, 134. – ~ (in: Genealog. Hdb. d. balt. Ritterschaften) 1939.   RM

Harnack, Falk, * 2. 3. 1913 Stuttgart; Sohn v. Otto H., Studium d. Theaterwiss. u. Germanistik, Dr. phil., 1937–41 Regisseur u. Dramaturg am Dt. Nationaltheater Weimar, 1943 betroffen v. Münchner Studentenprozeß, Flucht ins Ausland, 1945–47 Regisseur u. Dramaturg am Bayer. Staatstheater München, 1947–49 Intendant am Dt. Theater u. an d. Kammerspielen in Berlin, 1949–51 künstler. Leiter der DEFA Berlin, 1952 bis 1954 des CCC-Film ebd.; Verf. theaterwiss. Arbeiten, Regisseur u. Drehbuchautor von Filmen (z. B. Das Beil von Wandsbek, 1951, Der 20. Juli, 1955 u.a.) u. Fernsehfilmen.

Schriften: Die Dramen Carl Bleibtreus. Eine dramaturgische Untersuchung, (Diss. München) 1938; Die Aufgaben des deutschen Theaters in der Gegenwart (Vortrag) 1946.

Literatur: Reclams Filmführer, 1977; O. KALBUS, Filme der Gegenwart. Jb. des Filmschaffens, 1957; CH. REINERT, Wir vom Film, 1960; W. SCHMIEDING, Kunst oder Kasse. Der Ärger mit dem deutschen Film, 1961.   AS

Harnack, Otto, * 23. 11. 1857 Erlangen, † 22. 3. 1914 bei Heidelberg (Freitod); Bruder v. Adolf H., Philol.- u. Gesch.-Studium, 1880 Dr. phil. Göttingen, 1887 Vorsteher e. v. ihm gegr. Schule in Wenden, 1889–91 Mitarbeiter d. «Preuß. Jb.» in Berlin, Journalist u. Sekretär d. Dt. Künstlerver. in Rom, 1896 Lit.-Prof. in Darmstadt u. seit 1904 in Stuttgart.

Schriften: Napoleon (dramat. Ged.) 1880; Das karolingische und byzantinische Reich ..., 1880; Das Kurfürstencollegium bis zur Mitte des 14. Jahrhunderts, 1883; Goethe in der Epoche seiner Vollendung (1805–32), Versuch einer Darstellung seiner Denkweise und Weltbetrachtung, 1887 (3., verb. Aufl. 1905); Livland als Glied des deutschen Reichs ..., 1891; Die klassische Ästhetik der Deutschen ..., 1892; Hettners Geschichte der deutschen Literatur (4. Aufl., hg.) 4 Bde., 1893 f.; Deutsches Kunstleben in Rom im Zeitalter der Klassik. Ein Beitrag zur Kulturgeschichte, 1896; Über Goethe's Verhältnis zu Shakespeare, 1896; Friedrich von Schiller (Biogr.) 1898 (2. u. 3. verb. Aufl. 1905); Über die Verwendung historischer Stoffe in der Dichtung, 1899; Essais und Studien zur Literaturgeschichte, 1899; Goethes Gedichte in chronologischer Ordnung (hg.) 1901; Der Gang der Handlung in Goethes Faust, 1902; Rom. Neuere Kunst, seit Beginn der Renaissance,

2 Bde., 1903/10; Der deutsche Klassizismus im
Zeitalter Goethes. Eine literarhistorische Skizze,
1906; F. Hebbels Demetrius vollendet, 1910;
Irene (Tr.) 1911; Aufsätze und Vorträge, 1911;
Ulrich von Hutten (Dr.) 1912; Wilhelm von
Humboldt, 1913.

Literatur: Theater-Lex. 1, 698. – T. MAYER, ~
(in: Württ. Nekrolog) 1914.   RM

Harnack, Theodosius (Andreas), * 3. 1. 1817 St.
Petersburg, † 23. 9. 1889 Dorpat; Theol.-Stu-
dium, 1844–75 Theol.-Prof. in Dorpat u. dazwischen 1853–66 in Erlangen.

Schriften: Zwölf Predigten, 1848; Die lutheri-
sche Kirche Livlands und die herrenhuterische
Brüdergemeinde, 1860; Die Kirche, ihr Amt, ihr
Regiment, 1862 (Neuausg. 1934, 1947); Luthers
Theologie, 2 Bde., 1862/86 (Neuausg. 1927); Die
freie lutherische Volkskirche ..., 1870; Prak-
tische Theologie, 2 Bde., 1877f.; Katechetik, 2
Bde., 1882f.; u.a.

Literatur: ADB 50,8; NDB 7,690; RE 7,445;
RGG ³3,79. – O. WOLFF, Haupttypen d. neueren
Lutherdeutung, 1938; G. MERZ, ~s Bed. f. d.
luth. Kirche (in: Mschr. f. Pastoraltheol. 35)
1939; H. BORNKAMM, Luther im Spiegel d. dt.
Geistesgesch., 1955; F. W. KANTZENBACH, D.
Erlanger Theol., 1960; H. WITTRAM, D. Kirche
bei ~ (mit Bibliogr.) 1963.   RM

Harnier, Wilhelm von, * 1836 Eckezell/Hessen,
† 23. 11. 1861 Ägypten (Jagdunfall); seit 1856
Afrikareisender, Jäger u. Sammler, Gründer e.
Siedlung am oberen Nil.

Schriften: Wilhelm von Harniers Reise am
oberen Nil. Nach dessen hinterlassenen Tagebüchern (hg. A. V. HARNIER) 1866.

Literatur: ADB 50,18.   RM

Harnisch, Adalbert (Ps. Hans Albus), * 18. 2.
1815 Breslau, † 14. 10. 1889 ebd.; Sohn v. Wilhelm H., Postdir. in Oppeln, 1872 in Löwenberg/
Schles. u. 1882 in Forst/Lausitz, lebte seit 1885
in Breslau im Ruhestand.

Schriften: Feldblumen (Ged.) 1839; Hansa-Al-
bum (hg.) 1842; Posthornklänge (Lieder) 1847;
Gedichte, 1859; Vom Stadtmäuschen und Feld-
mäuschen in Stadtschlößchen und Landhäuschen,
1864; Trost im Leid (Ged.) 1866; Bunte Blätter,
1868; Wunderbalsam (Ged.) 1871; Was kann da
sein? Ein Sylvestermärchen, 1873; Hans Dudel-

dee. Märchen für Knaben von vierzig Jahren,
1874.   RM

Harnisch, Hedwig → Bode, Hedwig von.

Harnisch, Lucy (Ps. Lucy Cornelßen), * 19. 6.
1898 Jever/Oldenburg; wohnte in Berlin, dann in
Bockum über Amelinghausen/Lüneburg-Land;
Erzählerin.

Schriften: Eine unbequeme Frau (Rom.) 1935;
Rebellen unterm Kreuz. Tatsachenbericht über
die große chinesische Revolution 1849–1864,
1938; Mutter sein! (Rom.) 1942; Baum in Gottes
Wald (Rom.) 1942; Der Wiedergeborene (Rom.)
1947; Karin Seegewalt (Rom.) 1948; Die Wand-
lung (Tageb.) 1949.   AS

Harnisch, Margarete → Grabi, Margarete.

Harnisch, Otto Siegfried, * um 1568/70 Rek-
kershausen b. Göttingen, beerdigt 18. 8. 1623
Göttingen; studierte in Helmstedt, Kantor in
Braunschweig, Helmstedt u. 1594–1600 in Wol-
fenbüttel, Kapellmeister am Hof Hzg. Philipp Si-
gismunds zu Braunschweig u. Lüneburg. 1603–23
Lehrer am Göttinger Pädagogium u. Kantor an d.
Johanniskirche. Komponist.

Schriften: Newe kurtzweilige Teutsche Liedlein ..., 1587; Newe lustige Teutsche Liedlein
mit drey Stimmen auff eine sondere Art und Manier gesetzt, 1588; Hortulus lieblicher, lustiger
und höflicher Teutscher Lieder ..., 1604; Rosetum Musicum etlicher lateinischer und Teutscher
lieblicher Art Balletten, Villanellen, Madrigalen,
Saltorellen ..., 1617.

Ausgaben: F. M. BÖHME, Altdt. Liederbuch,
1877; W. VETTER, Das frühdt. Lied 2, 1928
(Teilausg.); H. A. FEHLBEHR, Ernste und heitere
dt. Lieder, 1933 (Teilausg.).

Literatur: ADB 10,614; NDB 7,692; MGG 5,
1718; Goedeke 2,56. – O. URSPRUNG, 4 Stud.
z. Gesch. d. dt. Liedes (in: Arch. f. Musikwiss. 6)
1924; H. O. HIEKEL, ~, Leben u. Kompositionen (Diss. Hamburg) 1959 (mit Bibliogr.).   RM

Harnisch, Walter (Ps. Johannes W. Harnisch),
* 24. 6. 1883 Berlin, † 10. 5. 1947 Grafenau/Nie-
derbayern; war pol. Red. am Berliner Lokalan-
zeiger, lebte zuletzt in Niederbayern. Erzähler.

Schriften: Harden im Recht? Betrachtung,
1908; Harden, Eulenburg und Moltke (Ess.)
1908; Marokko-Rückzug?, 1911; Der Zerfall.
Ein Zeitroman, 1919; Skizzen und Stimmungen

aus dem Weimar der Nationalversammlung (mit H. Arminius) 1919; Der König von Lobach. Roman aus dem Bayrischen Wald, 1938; Der kleine Prinz (Rom.) 1940; Ein Mann lernt kochen. Fast ein Roman, von Dipl. Ing. R. Grote selbst erzählt, 1944.   AS

Harnisch, (Christian) Wilhelm, * 28.8.1787 Wilsnack b. Wittenberge, † 15.8.1864 Berlin; Theol.-Studium in Halle u. Frankfurt/Oder, 1809 bis 1812 Lehrer in Berlin, 1812 Dr. phil., Seminarlehrer in Breslau, 1822 Seminardir. in Weissenfels, 1837 Dr. h.c. Königsberg, seit 1842 Pfarrer in Elbeu (Wolmirstedt), 1856 Superintendent. Hg. d. «Schulrat an d. Oder» (6. Jg., 1814ff.), d. «Volksschullehrers» (6. H., 1824–26), Verf. versch. Schulbücher.

Schriften (Ausw.): Deutsche Volksschulen, mit besonderer Rücksicht auf die Pestalozzischen Grundsätze, 1812; Das Leben des fünfzigjährigen Hauslehrers Felix Kaskorbi ..., 2 Bde., 1817; Handbuch für das deutsche Volksschulwesen, 1820 (4. Aufl., hg. F. Bartels, 1893); Geschichte des Turnwesens in Schlesien; 1821; Die wichtigsten neuern Land- und Seereisen für die Jugend, 16 Bde., 1821–32; Der Himmelsgarten, eine Weihnachtsgabe für Kinder ..., 1824 (Neuausg. 1839); Lebensbilder aus dem preußischen Sachsenlande, 1827; Die deutsche Bürgerschule, 1830; Vollständiger Unterricht im evangelischen Christenthume, 2 Bde., 1831; Frisches und Firnes zu Rath und That, 3 Bde., 1835–39; Briefe an seine Tochter, 1841; Der jetzige Standpunkt des gesamten preußischen Volksschulwesens, 1844; Die künftige Stellung der Schule ... zu Kirche, Staat und Haus, 1848; Mein Lebensmorgen. Nachgelassene Schrift. Zur Geschichte der Jahre 1787–1822 (hg. H. E. Schmieder, mit Bibliogr.) 1865.

Nachlaß: T. U. Dresden. – Nachlässe DDR 2, Nr. 185.

Literatur: ADB 10,614; NDB 7,693; Meusel-Hamberger 18,52; 22.2,578; RGG ³3,80; Goedeke 10,261. – W. Rissmann, ~ u. s. Bed. f. d. Entwicklung d. dt. Volksschulpädagogik, 1889; H. Metzmacher, Weiter- u. Umbildung d. pestalozzischen Grundsätze durch ~ (Diss. Greifswald) 1901; O. Singer, ~s Weltkunde (Diss. Halle) 1914; L. Scheu, D. Problem d. polit. Erziehung, dargest. an ~s pädag. Schr. (Diss. Hamburg, mit Bibliogr.) 1955; H. Sprenger, ~,

z. 100. Todestage (in: Westermanns pädagog. Beitr. 16) 1964; A. Rach, Biogr. z. dt. Erziehungsgesch., 1968.   RM

Harold, Edmund von, * 1737 Limerick/Irland, † 180? Düsseldorf; kurpfalz.-bayer. Generalmajor in Düsseldorf.

Schriften: Die Gedichte Ossians, eines alten Celtischen Helden und Barden, 3 Bde., 1775; Neuentdeckte Gedichte Ossians (übers.) 1787; Sylmora, Tochter Cuthullins (Dr., n. Ossian bearb.) 1802.

Literatur: Meusel-Hamberger 3,87; 14,40; Goedeke 6,450; 8,701.   RM

Harp → Herp.

Harper, Frank, * 23.3.1905 Hamburg; wohnt in New York; schreibt auch in engl. Sprache.

Schriften: Der Herzog von Sindelfing. Ein Roman, der nicht geschrieben wurde, 1928; Plus und Minus (Rom.) 1929; Vogelrots Ende (Rom.) 1932; Truxa (Rom.) 1938; Männer müssen so sein, 1939; Die Morde der schwarzen Rose (Krim.rom.) 1953; Her mit Johnny Long (Rom.) 1955; Der Mitternachtsengel, 1956; Die Nächte der weißen Lilie (Rom.) 1957; Cora (Rom.) 1960; Berg- und Talbahn (Rom.) 1961; Frau ohne Alter (Rom.) 1964; Die Nadeln in der Puppe (Rom.) 1970.   AS

Harpf, (Joseph) Adolf (Ps. Adolf Hagen), * 18.3. 1857 Graz, † 5.1.1927 Rettenbach b. Graz; Philos.- u. Sprachstudium in Graz, 1884 Dr. phil., 1888 Gründer e. Buchhandlung in Leoben u. d. «Obersteirer Ztg.», Red. d. «Dt. Wacht» in Cilli (1885) u. d. «Marburger Ztg.» (1886), lebte seit 1895 als Schriftst. vorw. in Leoben u. auf Reisen.

Schriften: Sagen und Singen nach Volkes Weise. Zwei Bücher volksthümlicher Dichtungen, 1883; Aus der deutschen Ostmark. Eine Dichtung in zehn Gesängen, 1883; Die Ethik des Protagoras und deren zweifache Moralbegründung, kritisch untersucht, 1884; Rufe aus dem deutschen Osten. Drei Bücher nationaler Dichtungen ... (Mit-Hg.) 1884; Wehr und Waffen. Deutsche Dichtungen des jungen Österreich (mit E. Fels) 1885; Der lustigste Tag des Jahres Achtundvierzig. Eine burschikose Erzählung, 1886; Carneri's Bedeutung als Schriftsteller (Stud.) 1886 (Neuausg. u. d. T.: Darwin in der Ethik. Festschrift zum 80. Geburtstag Carneris, 1901); Geschichte des Leobner Stadttheaters zu dessen hundertjährigem Bestande ..., 1892; Mein Spaziergang nach Paris. Wanderbilder aus Frankreich, 1898; Idyllen aus Kärntens Gassen. Poetische Schilderungen, 1898; Zur Lösung der brennendsten Rassenfrage der heutigen europäischen Menschheit, 1898; Über deutsch-volkliches Sagen und Singen ..., 1898; Aus Heimat und Fremde. Erlebnisse und Ergebnisse, 1903; Weihnachten, 1904; Haschisch, 1904; Mathilde Gräfin Stubenberg, 1904; Morgen- und Abendland. Vergleichende Kultur- und Rassenstudien, 1905; Der völkische Kampf der Ostmarkdeutschen. Volks- und Zeittumsfragen, 1905; Ostara. Die Auferstehung des Menschen, 1906; Der völkische Gedanke, das aristokratische Princip unserer Zeit, 1906; Landgraf, werde hart! 1906; Das Weibwesen, 1906; Die Zeit des ewigen Friedens, eine Apologie des Krieges als Kultur- und Rassenauffrischer, 1907; Natur- und Kunstschaffen. Eine Schöpfungskunde, 1910; Amerika und die Religion der Zukunft. Kulturvergleichende Fernsichten, 1914; Der Erzfeind. Rück- und Ausblicke zum Weltkrieg, 1915; Die Grundlehren der Kriegswirtschaft ..., 1917; Deutsche Waldandachten in drei Erlebnisbüchern, 1922; Völkischer Adel, 1924; Deutsche Bergpredigten zur Notwende im Elendfrieden, 1924.

Literatur: ÖBL 2, 190.   RM

Harpf, Hilde → La Harpe-Hagen, Hilde.

Harpprecht, (Johann) Friedrich von, * 10. 6. 1788 Stuttgart, † 10. 1. 1813 Wilna; Studium d. Rechte in Tübingen u. Stuttgart, nahm als württ. Offizier an Napoleons Rußlandfeldzug teil.
Schriften: Denkmal Friedrichs von Harpprecht. Aus seinem Nachlasse (hg. L. UHLAND) 1813.
Literatur: Goedeke 8, 254.   RM

Harpprecht, Klaus (Ps. Stefan Brant), * 11. 4. 1927 Stuttgart; arbeitet seit 1951 als Korrespondent u. Kommentator f. versch. dt. Ztg., Rundfunk u. Fernsehen, 1962 Amerika-Korrespondent d. ZDF, seit 1966 Leiter d. S. Fischer-Verlags Frankfurt, 1969–71 Red. d. Zs. «Monat», 1973/ 1974 Berater Willy Brandts, seit 1974 als Produzent v. Dokumentarfilmen u. Schriftst. in d. USA, 1977–78 Chefred. d. Zs. «Geo». Theodor-WolffPreis 1965, Joseph-E.-Drexel-Preis 1966.
Schriften: Der Aufstand. Vorgeschichte, Geschichte und Deutung des 17. Juni 1953, 1954; Der Bundesdeutsche lacht. Ein Bilderbuch aus 10

Jahren deutscher Nachkriegspolitik, 1955; Ernst Reuter. Ein Leben für die Freiheit. Eine Biographie in Bildern und Dokumenten (Hg.) 1957; Viele Grüße an die Freiheit. Aus einem transatlantischen Tagebuch, 1964; Beschädigte Paradiese. Aus den transatlantischen Notizen, 1966; Willy Brandt. Porträt und Selbstporträt (Hg.) 1970; Deutsche Themen, 1974.   AS

Harrach, Max (Ps. Robert Bodmer), * 20. 2. 1874 München; lebte in Frankfurt/Main; Romanu. Bühnenautor, Kunstmaler.
Schriften: Haus Taubenfeld (Rom.) 1910; Lebensstürme (Rom.) 1911; Die Mühle von Lichtenbach (Rom.) 1917; Die Insel (Schausp.) 1919; Anatol (Schausp.) 1920.   AS

Harrar, Annie → Friedrich, Annie.

Harrasser, Georg, * 27. 7. 1869 Bruneck/Tirol, † 12. 8. 1945 Wien; Jesuit, lebte in Innsbruck u. Wien, Hg. d. «Fahne Mariens» (1903–20), d. «Liebfrauenboten» u. d. «Kleinen Sodalenbücherei».
Schriften (Ausw.): Gebete und Lieder ..., 1906; Geist und Leben der marianischen Kongregation ..., 1917; Marienkinder. Erzählungen aus dem Sonnenland der Marianischen Kongregation, 1923; Stille Nacht (Weihnachtserz.) 1923; Exerzitienleitung, 2 Bde., 1923 f.; Exerzitienschriften, 19 H., 1923–26; Studien zu den Exerzitien des heiligen Ignatius, 1925; Deklamationsbuch ... Dichtungen, Szenen und lebende Bilder ..., 3 Bde., 1926; Einkehr. Winke, Gebete und Lieder ... (3., verm. Aufl.) 1932.
Herausgebertätigkeit (Ausw.): Dichtergärtlein. Eine Blütenlese aus katholischen Dichtern Österreichs, 1907; Der Friedensbote (Lit. Jb., mit F. Eichert) 3 Bde., 1918–20; Im Dienste der Himmelskönigin (mit P. Sinthern) 2 Bde., 1919; Marienblumen. Liebfrauenerzählungen neuerer katholischer Schriftsteller, 1921; Mutterliebe, 1921; Marianische Kongregationsbücherei, 1921 ff.; M. Greiffenstein, Harfenklänge, 1922; Marianisches Leben ..., 1922; Der Marienkaplan. Erzählungen aus dem Präsesleben, 1923; Sonnenfunken. Eucharistische Erzählungen, 1923; Aus dem Leben. Erzählungen von Lust und Leid des Menschenlebens, 1924.   RM

Harrer, Heinrich, * 6. 7. 1912 Hüttenberg/Kärnten; Studium d. Geogr. in Graz, Alpinist, Forschungsreisender, 1938 Erstbesteigung d. Eiger-nordwand, 1939 Mitgl. d. dt. Himalajaexpedition, v. d. Engländern interniert, floh n. Tibet, wo er bis 1951 blieb. Zahlreiche Vortragsreisen, Verf. v. Sachbüchern, Filmen, Fernseh- u. Rundfunksendungen. Lebte in Kitzbühel/Tir., jetzt in Schaan/Liechtenstein.

Schriften: Sieben Jahre in Tibet. Mein Leben am Hofe des Dalai Lama, 1952 (neubearb. u. erw. Aufl. 1972); Meine Tibet-Bilder (Text Heinz Woltereck) 1953; Flucht über den Himalaja. Als «PW» von Dehra-Dun nach Lhasa (hg. mit W. Baumann) 1953; Die weiße Spinne. Die Geschichte der Eiger-Nordwand, 1958 (erw. u. erg. Aufl. 1975); Thubten Dschigme Norbu. Tibet, verlorene Heimat, 1960; Ich komme aus der Steinzeit. Ewiges Eis im Dschungel der Südsee, 1963; Huka-Huka. Bei den Xingu-Indianern im Amazonasgebiet, 1968; Die Götter sollen siegen. Wiedersehen mit Nepal, 1968; Entdeckungsgeschichte aus erster Hand. Berichte und Dokumente von Augenzeugen und Zeitgenossen aus drei Jahrtausenden (hg. mit H. Pleticha) 1968; Geister und Dämonen. Magische Abenteuer in fernen Ländern, 1969; M. Brauen, H. H.s Impressionen aus Tibet. Gerettete Schätze, 1974; Unter Papuas. Mensch und Kultur seit ihrer Steinzeit, 1976.   AS

Harrer, Josef Robert (Ps. Robert Ibius Lukas Nell), * 5.8.1896 Wien, † 23.11.1960 ebd.; Dr. phil., freier Schriftst., Verf. v. Lyrik, Rom., Nov., Ess., Hörsp. u. Kurzgeschichten.

Schriften: Die exotischen Sonette, 1928; Regina (Rom.) 1930; Stunde zweier Liebenden (Nov.) 1930; Traum über Asphalt (Ged.) 1935; Die sieben Eidechsen (Rom.) 1939; Rings um den Stefansturm (Kurzgesch.) 1941; Fiametta und andere Erzählungen (Nov.) um 1944; Flucht vor Elena (Rom.) 1946; Dorando bei Fernandez Truz und andere Erzählungen, 1946; Paris, o Paris ... und Anderes mehr (Erz.) 1947; Musik im Süden (Rom.) 1947; Doris macht ihr Glück, 1948; Neues vom alten Till Eulenspiegel, 1948; Die Schönheitskönigin, 1948; Das Schwert mit den Chrysanthemen (Rom.) 1948; Die Hexe Nicolete (Rom.) 1949; Zur verkehrten Welt. (Malergesch.) 1949.   IB

Harrer, Marie (Mädchenname u. Ps. f. Marie Uttech), * 22.10.1819 Züllichau, † 6.11.1870 Fürstenwalde; Mitarbeiterin d. ill. Frauenzs. «D.

Basar», später d. «Victoria» u. a. Zs. ,1866 Heirat mit d. Buchhändler Eduard U. in Fürstenwalde.

Schriften: Der arme Tom. Historischer Roman aus der Zeit Karls II. von England, 2 Bde., 1864; Unterhaltungen mit meinen jungen Freundinnen. Eine Festgabe, 1866; Gedichte, 1866; Die kleine Erzherzogin. Lustspiel nach dem Spanischen, 1869.   RM

Harries, Heinrich, * 9.9.1762 Flensburg, † 28. 9.1802 Brügge b. Bordesholm; 1790 Prediger in Sieverstedt u. seit 1794 in Brügge. Sein Lied «Heil dir, dem liebenden Herrscher des Vaterlands! Heil, Christian, dir!» wurde in d. Umdichtung v. B. G. Schumacher preuß. Nationallied («Heil Dir im Siegerkranz»).

Schriften: Weihnachtsbüchlein für die Jugend, 1791; Der fromme Seefahrer. Ein Handbuch zur vernünftigen Erbauung und nützlichen Unterhaltung, 1792; Der May, ein Hirtengesang von Ramler, in Musik gesetzt, 1793; Thomsons Jahreszeiten in teutschen Jamben, 1796; Der Holsteinische Apostel Joachim Heeschen ... Nebst Allerlei über Christusverherrlichung ..., 1798; Collifischets oder Auserlesene Sylbenräthsel von St. Hilaire, 1799; Der glückliche Friede von 1802, eine Neujahrsrede nebst einem angehängten Te Deum, 1802; Gedichte (hg. G. Holst, mit Biogr.) 2 Bde., 1804.

Nachlaß: Frels 117.

Literatur: ADB 10,641; Meusel-Hamberger 3, 88; 9,512; 14,40; 22.2,582; Goedeke 5,436; 7,376.   RM

Harring, Harro (Paul) (Ps. Harro-Harring, Harro, Rhongar Jarr, John Felleisen, Robert Johns, Hazimieriwcz), * 28.8.1798 Wobbenbüll bei Husum, † 15.5.1870 St. Hélier auf Jersey/England; Privatunterricht, Zollbeamter, dann 1817 Studium d. Malerei in Kopenhagen, Dresden, Verbindung zu Burschenschaften; 1820 Reisen durch Europa, 1821 Freiheitskämpfer in Griechenland, n. Aufenthalt in Rom. u. d. Schweiz Theaterdichter d. Theaters an d. Wien; 1828 Junker in e. russ. Regiment in Warschau, 1830 wegen revolutionärer Umtriebe aus Bayern u. Sachsen ausgewiesen, in Straßburg Mitarbeiter des «Constituellen Deutschland», 1832 Teilnahme am Hambacher Fest. Flucht n. Frankreich, Verbindung zu Mazzini; 1834 Teilnahme am Savoyerzug, zeitweilig in Solothurn gefangen, aus d. Schweiz ausgewiesen; ab 1843 ausgedehnte Reisen in Nordamerika u. Brasilien; 1848 Hamburg, Hg. d. Ztg. «Das Volk» in Rendsburg, 1849 ausgewiesen, über Kopenhagen nach London, ebda. Mitgl. d. europäischen demokrat. Nationalkomitees; 1854 in Hamburg auf kurze Zeit in Haft, dann bis 1870 unstetes Reiseleben Rio de Janeiro, London, Insel Jersey, dort Selbstmord wegen Verfolgungswahn. Erzähler, Dramatiker, Herausgeber, Lyriker, Publizist.

Schriften: Blüthe der Jugendfahrt (Ged.) Kopenhagen, 1821; Dichtungen, 1821; Erzählungen, 1825; Cypressenlaub (Erz.) 1825; Die Mainotten. Der Corsar (Dr. Ged.) 1825; Der Wildschütze (Tr.) 1825; Der Student von Salamanca (Dr. Ged.) 1825; Der Patriot. Der Kahn (Erz.) 1825; Ragnarök (Tr.) 1825; Theokla. Der Armenier (Tr.) 1827; Erzählungen aus den Papieren eines Reisenden, 1827; Szapary und Batthiany (Ged.) 1828; Serenaden und Phantasien eines friesischen Sängers ... (Ged.) 1828; Fahrten eines Friesen in Dänemark, Deutschland, Ungarn, Holland, Frankreich, Griechenland, Italien und der Schweiz. 4 Bde., 1828; Firn-Matthes, des Wildschützen Flucht (Nov.) 1831; Elegie an Bernhard Moßdorf ... 1831; Der Livorneser Mönch (Rom.) 1831; Julius von Dreyfalken (Rom.) 1831; Der Carbonaro zu Spoleto (Nov.) 1831; Faust im Gewande der Zeit. Ein Schattenspiel mit Licht, 1831; Die Schwarzen von Gießen oder Der Deutsche Bund (Nov.) 1831; Der Renegat auf Morea (Tr.) 1831; Memoiren über Polen unter russischer Herrschaft, 1831; Rosabianca. Das hohe Lied des friesischen Sängers im Exil, 1831; Der Pole, 1831; Splitter und Balken (verm. Schr., Ged.) 1832; Der russische Unterthan. Schluß zu den Memoiren über Polen, 1832; Blutstropfen (Ged.) 1832; Die Monarchie oder Die Geschichte vom König Saul, 1832; Gedanken über Wahrheit, Liebe und Gerechtigkeit, 1832; Männer-Stimmen, zu Deutschlands Einheit (Ged., Hg.) 1832; Die Völker (Dr. Ged.) 1832; Das Volk (Dr. Szenen) 1832; Die Constitution, 1832; Worte eines Menschen, 1834; Mémoires sur la Jeune Italie ... Dijon, Paris 1834; Die Möwe (Ged.) London 1835; Die deutschen Mädchen (Dr. Szenen) 1835; Der deutsche Mai (Dr. Szenen) 1836; Skizze aus London, 1838; Die Passions-Möwe (Ged.) London 1838; Poesie eines Scandinaven, Montevideo 1843; Moses zu Tanais (Dr.) New York 1844; Epistel an die Fourieristen, New York,

1844; Werke. Auswahl letzter Hand, 2 Bde., 1844–1846; Dolores: A Novel of South America, 4 Bde., New York 1846, deutsch Basel, 1858; Das Volk (Ztg., hg. mit L. Fricker) 1848; Harro-Harrings Republikanische Gedichte, 1848; Erste Rede an die Nordfriesen, 1848; Europas Symbol (Ged.) 1848; Testament fra America. Original Norsk Skuespil ..., Christiania 1850; Rußland und die Vereinigten Staaten Nord-Amerikas, New York 1854; Variationen auf der viereckigen Trommel (Ged.) New York 1854; Görgeys Strafe (Ged.) New York 1854; Rapport entre le Magnétisme et la Sphéréologie, London, Brüssel, Rio de Janeiro 1856; Die Dynastie (Tr.) 1859; Mit Levnet (Memoiren) Kopenhagen, 1863; Carl den XIItes Død. Historik Afhandling ... Kopenhagen 1864; Historisches Fragment über die Entstehung der Arbeiter-Vereine und ihren Verfall in communistische Speculationen, London 1882.

Nachlaß: Landesbibl. Kiel. – Denecke 69; Frels 117.

Literatur: ADB 10,641; NDB 7,702; Goedeke 10,375–386. – TH. KÜHL, ~, d. Friese, 1906; R. BÜLCK, ~s Rolle während d. Erhebungszeit (in: Jb. d. Nordfr. Ver. f. Heimatkunde 17) 1930; W. SCHIEDER, ~ (in: Anfänge d. dt. Arbeiterbewegung) 1963; W. GRAB, ~, Revolutionsdichter u. Odysseus d. Freiheit (in: Demokrat.-revolutionäre Lit. in Dtl.: Vormärz) 1974.

HD

Harring, Martin, * 3. 2. 1789 Wobbenbüll b. Husum, † 1852 Sehestedt b. Rendsburg; Diakon in Neuenkirchen b. Heide/Holst., später Pastor in Sehestedt.

Schriften: Predigten, 1820; Kurzgefaßte Geschichte des israelitischen Volks, mit erläuternden Bemerkungen für die reifere Jugend ..., 1825; Allerlei Nützliches in Poesie und Prosa zur Unterhaltung und Belehrung ..., 1832; Sendwort auf das Vorwort des Herrn Pastor Koopmann ... mit dem Endworte: Nicht Rationalismus oder Orthodoxie, sondern Rationalismus und Orthodoxie, 1843; Bibel und Vernunft. Ein populäres Wort auf dem Gebiete des freien Protestantismus, 1847.

Literatur: Meusel-Hamberger 22.2,582.   RM

Harrison, J. L. → Leutz, Ilse.

Harro, Hanns → Fuchs, Hanns.

Harrven, Gustav → David, Gustav.

Harry (-Meyer), Hermann (Heinrich Willibald),
* 5.5.1821 Berlin, † 13.6.1880 ebd.; Schauspieler in Dtl. u. Amerika, zuletzt Schriftst. u. Red.
d. «Bürgerztg.» in Berlin.

Schriften: Von Fall zu Fall (Tendenz-Rom.)
3 Bde., 1873.

Literatur: Theater-Lex. 1,699.   RM

Harry, Siegmund → Niedner, Heinrich.

Harrys, (Johann) Georg (Karl), * 19.1.1780
Hannover, † 11.12.1838 ebd.; erzogen in Nancy,
Hospital-Inspektor d. hannov. Armee, seit 1815
Schriftst. u. Publizist in Hannover. 1831 Gründer
d. «Posaune» (später: «Hannöv. Morgenztg.»).

Schriften (dt.): Politisches Quodlibet ... (Schw.)
1814; Das Kuckkästchen oder Alles durcheinan-
der. Eine Kleinigkeit zur Beförderung guter Laune, 1814; Der Himmel auf Erden oder Die Tage
des Freyschießens ..., 1814; Büchse und Zither
oder Der singende Schütz ..., 1816; Taschenbuch
militairischer Gesänge ..., 1822; Blitzableiter für
melancholische Gewitterschauer. Allen Hypo-
chondristen, Kopfhängern ... geweiht, 1823;
Taschenbuch dramatischer Blüthen, 3 Bde., 1825
bis 1827; Das Buch mit vier Titeln um der Titu-
lomanie Genüge zu leisten ..., 1826; Zur bunten
Lachtaube ..., 2 Bde., 1829; Fürstengröße und
Bürgerthum, 1829; Paganini in seinem Reisewa-
gen und Zimmer ..., 1830; Festgesänge, 1832;
König und Schauspieler. Freye Bearbeitung eines
französischen Vaudeville, 1833; Gift gegen Langeweile (Erz.) 2 Bde., 1834; Kampf der Leidenschaften. Dramatisches Gemälde (n. d. Französ.)
1834; Sohn oder Braut (Lsp.) 1835; Angelo, Tyrann von Padua (Dr., n. V. Hugo) 1835; Das
goldene Kreuz (Lsp., n. d. Französ.) 1835; Adele
(Lsp., n. d. Französ.) 1836; Die Herzogin von
Vaubaliere (Schausp. n. Rougemont) 1836; Löwenberg ... (Lsp. n. Bayard) 1836; Das Kaiserbuch. Erinnerungen an Napoleon und die große
Armee, 1837; Student und Dame (Lsp. n. Scribe
u. Mélesville) 1838; Die Eisenbahn (Lsp. n. d.
Französ.) 1838. (Außerdem e. Anzahl aufgef.,
aber ungedr. Bühnenstücke.)

Nachlaß: Stadtbibl. Hannover. – Denecke 69.

Literatur: Meusel-Hamberger 18,53; 22.2,
583; Goedeke 9,339; 11/1,356.   RM

Harscher, Johann Evangelist, * 9.2.1739 Vil-
lingen, Todesdatum u. -ort unbekannt; seit 1757
Benediktiner, Bibliothekar im voderöst. Stift St.
Trudpert im Breisgau.

Schriften: Der Katechet ..., 1791 (eig. 1790);
Der Krankenbesuch in seinen Eigenschaften nach
der physischen und moralischen Lage der Kranken ..., 3 Bde., 1792–94; Der denkende und
durch Leidensbeyspiele ermunterte Christ auf
seinem Krankenlager. Eine Zugabe zum Krankenbesuch, 1795; Die feyerlichen Opfer des Seelsorgers im Cirkel seiner Heerde oder Liturgische
Messe-Gelegenheits- und Vesper-Gebete, 1800;
Unterricht zur Bildung eines Katecheten, mit
praktischen Beyspielen erläutert ..., 1807.

Literatur: Meusel-Hamberger 3,88; 11,318;
14,41.   RM

Harscher(us), Nicolaus, * 1.5.1683 Basel,
† 27.10.1742 ebd.; Sohn e. Ratsherrn, 1698 Magister, 1704 Dr. med., 1707–11 Prof. in Marburg, seither Prof. d. Beredsamkeit u. Univ.-
bibliothekar in Basel, 1721 u. 1733 Rektor, Verf.
versch. Reden u. Disputationen.

Schriften (Ausw.): Specimen de usu et praestan-
tia historiae inprimis recentioris, 1706; Oratio in
memoriam Ph. Jo. Tillemanni, 1709; Vitae historia Th. Gauterii, 1709; Diatriben de divinatione
Ciceronis, 1710; Oratio in laudem Gallorum,
1712; Positiones de reviviscentibus iis, qui mor-
tui credebantur, 1721.

Literatur: Adelung 2,1809; HBLS 4,77.   RM

Harsdörf(f)er, Georg Philipp, * 1.11.1607 auf
d. väterl. Gutsbesitz Fischbach b. Nürnberg, † 17.
9.1658 Nürnberg; Sohn d. Patriziers Philipp H.,
studierte 1623–26 Jura, Philos., Sprachen,
Gesch., Naturwiss. u. Mathematik an d. nürnberg. Univ. Altdorf, Forts. d. Studiums in Straßburg, wo Bernegger lehrte; n. Abschluß d. Jurastudiums 1627 Aufbruch zu Bildungsreisen durch
d. Schweiz, Niederlande, England, Frankreich,
mit längerem Aufenthalt in Italien, dort Besuch
d. Accademia degli Intronati in Siena, deren Satzungen er s. Pegnesischen Blumenorden zugrunde-
legte; nach s. Rückkehr n. Nürnberg 1631 begleitete er Tetzel, Nürnbergs Unterhändler mit
den Schweden, auf s. Reisen; 1634 Gründung
e. Hausstandes in Nürnberg u. Ernennung z. Assessor am Untergericht, 1637–55 am Stadtgericht
tätig, 1655 bis zu s. Tode Mitgl. d. Nürnberger
Rates. Seit 1642 Mitgl. d. «Fruchtbringenden Gesellschaft» als d. «Spielende», seit 1634 auch v.
Zesens «Teutschgesinnter Genosschaft» als d.
«Kunstspielende»; gründete mit Johann Klaj d.
Sprach- u. Lit.ver. «Pegnesischer Hirten- und

Blumenorden», dessen Vorsitz er als «Strephon» übernahm u. bis z. s. Tode beibehielt. Großliterat, Polyhistor, Sammler, Übers., Mäzen, Dichter v. weltl. u. geistl. Lyrik, Verf. v. Schäferdichtungen, Erzählungen, sprach- u. dichtungstheoret. sowie populärwiss. Abhandlungen.

Schriften: Frauenzimmer Gesprechspiele, 8 Bde., 1641–49 (Neudr. hg. I. Böttcher, 1967); Dianea oder Räthselgedicht, 1644; Specimen Philologiae Germanicae, 1646; Poetischer Trichter, 3 Bde., 1648–53 (Nachdr. 1971, 1975); Poet. Trichter, T. 1, hist.-krit. Neuausgabe, hg. M.E. Schubert (Diss. Stanford Univ.) 1965; Lobgesang Dem Hoch-Wolgebornen Herrn Carl Gustav Wrangel, 1648; Herzbewegliche Sonntagsandachten, 1649; Der Große Schau-Platz Lust- u. Lehrreicher Geschichte, 2 Bde., 1650–51; Der Große Schau-Platz Jämmerlicher Mordgeschichte, 8 Bde., 1650–52; Nathan und Jotham, 2 Bde. (Ged.) 1650–51; Hertzbewegliche Sonntags-Andachten, 1651; Fortpflanzung der Hochlöblichen Fruchtbringenden Gesellschaft, 1651; Speculum Solis das ist Sonnenspiegel, 1652; Der Mäßigkeit Wohlleben u. der Trunckenheit Selbstmord, 1653; Der Geschichtspiegel, 1654; Catoptrica, 1654; Hundert Andachtsgemählde, 1656; Die Hohe Schul Geist- und Sinnreicher Gedancken, 1656; Der Teutsche Secretarius, 1656 (Nachdr. 1971); Mercurius historicus. Der Historische Merkurius, 1658.

Mitverfasser: Pegnesisches Schäfergedicht (mit J. Klaj) 1641; Der Pegnitz Hirten Frühlings Freude (mit J. Klaj u. S. v. Birken) 1645; Lustgedicht (mit Klaj u. Birken) 1645; Fortsetzung Der Pegnitz-Schäferey (mit Klaj) 1645.

Übersetzertätigkeit: F. Loredano, Dianea, 1634; J. Desmarets, Japeta. Das ist ein Heldengedicht, 1643: Der Königliche Catechismus. Aus dem Französischen, 1645, 1648; Heraclitus und Democritos, 1652; Pentagone Historique. Hist. Fünff-Eck des Herrn von Bellay, 1652; A. Novarinus, Die Offenbarung der verborgenen Wohlthaten Gottes, 1653; Monsieur du Refuge Kluger Hofmann, 1655, 1667.

Bearbeitung: H.J. de Monte-Major, Diana, 3 Bde., 1646.

Bibliographie: Goedeke 3, 18, 107, 173, 266; FdF 1, 47, 135; 2, 58. Neumeister-Heiduk 368; H. Zirnbauer, Bibliogr. d. Werke ∼s (in: Philobiblon 5) 1961.

Literatur: ADB 10, NDB 7. – J. Tittmann, Die Nürnberger Dichterschule, 1847 (Neudr. 1965); T. Bischoff, ∼, (FS z. 250 jähr. Jubelfeier d. Pegnes. Blumenordens) 1894; A. Krapp, D. ästhet. Tendenzen ∼s, 1904; K.A. Kroth, D. mystischen u. mythischen Wurzeln d. ästhet. Tendenzen ∼s (Diss. München) 1921; G.A. Narcis, Stud. zu d. Frauenzimmer Gesprächspielen ∼s, 1928; W. Kayser, D. Klangmalerei bei ∼, 1932; M. Kahle, ∼s Kurzgeschichtssammlungen (Diss. Breslau) 1941; G.J. Jordan, Theater Plans in ∼s Frauenzimmer-Gesp. (in: JEGP 42) 1943; E. Kappes, Novellist. Struktur bei ∼ u. Grimmelshausen ... (Diss. Bonn) 1954; J.E. Oyler, The Compound Noun in ∼s Frauenzimmer Gesprächspiele (Diss. Northwestern Univ.) 1957; C.E. Schweitzer, ∼ and Don Quixote (in: PQ 37) 1958; K.G. Knight, ∼ Frauenzimmergesprächspiele (in: GLL 13) 1959/60; W. Risse, ∼ u. d. humanist. Tradition (in: FS Markwardt) 1961; W. Kayser, D. rhetor. Grundzug v. ∼s Zeit u. die gattungsgebundene Haltung (in: Dt. Barockforschung, hg. R. Alewyn) 1965; G. Weydt, Z. Entstehung barocker Erzählkunst (in: WW, Sammbd. 3) 1963; S. Ferschmann, D. Poetik ∼s (Diss. Wien) 1964; J.B. Neveux, Un «parfait secrétaire» du 17e siècle ... (in: EG 19) 1964; G. Kieslich, Auf d. Wege z. Zs., ∼s Frauenzimmer Gesprächsp. (in: Publizistik 10) 1965; V. Meid, Barocknovellen? Zu ∼s moral. Geschichten (in: Euphorion 62) 1968; H. Blume, ∼s Porticus f. Herzog August d. J. Zu bisher unbekannten bzw. unbeachteten Briefen ∼s (in: Wolfenbütteler Beitr. 1) 1972; G. Hoffmeister, D. span. Diana in Dtl., 1972; H.P. Braendelin, Individuation u. Vierzahl im Pegnes. Schäferged. v. ∼ u. Klaj (in: G. Hoffmeister (Hg.), Europäische Tradition u. dt. Lit.barock) 1973; M.C. Bryan-Kinns, Diese düstre Schattennacht. ∼s Contribution to a 17th-cent. Theme (in: Neoph. 58) 1974; R. Zeller, Spiel u. Konversation im Barock, 1974; W. Mieder, D. Schausp. Teutscher Sprichwörter oder ∼s Einstellung z. Sprichwort (in: Daphnis 3) 1974; K. Conermann, D. Poet u. die Maschine (in: FS Horst Rüdiger, hg. B. Allemann u. E. Koppen) 1975.   MR

Harst, Edmund, * 16.9.1879 Köln; schrieb während seines Studiums der Philos. in Göttingen Lyrik u. Bühnenstücke.

Schriften: Ginster und Heidekraut (Ged.) 1904; Lieder der Liebe, 1908.   AS

Harster, Hermann (Ps. Peter Nord, Frank André), Dr. iur., Rechtsanwalt, Journalist in Hamburg. Theodor-Wolff-Preis 1963.

Schriften: Der literarische Hochverrat (Diss. Erlangen) 1933; Winter-Olympia 1936. Sieger und Ergebnisse (mit P. Y. Le Fort) 1936; Das Rennen ist nie zu Ende. Die Geschichte des Grafen Berghe von Trips, 1962; Gib Gas, Liebling. Mit Tips von Hannelore Werner u. R. Günzler, 1970.

AS

Hart, Friedel (Ps. f. Joachim F. W. Hartfeldt), * 30.11.1913 Berlin; wohnt in Berlin(-Ost); Vf. von Kinder- u. Jugendbüchern, Erzähler.

Schriften: Aus Mutters Einholtasche (Bilderb. mit H. Mau) 1952; Pirat 111. Ein heiterer Sportroman, 1954; Das Ei des Kolumbus (Erz.) 1956; Ein Schritt ins Leben. Was Jugendliche, Eltern und Lehrer über die Berufsausbildung wissen müssen (mit H. Zawadzky) 1956; Rote Kreise (Rom.) 1958; Mordsache F. Eine Erzählung aus dem Dienst der Transportpolizei, 1959; Reise durch den Alltag. Aus einem Tagebuch, 1959; Ermittlungsakte Hahnenkopf. Nach tatsächlichen Begebenheiten, 1962; Die Rabauken vom Hasenstall (Kinderb.) 1965; Tierpflegerin Uschi (Kinderb.) 1967.

AS

Hart, H. W. → Geck, Heinz.

Hart, Hans (Ps. f. Hans (Karl) von Molo), * 30.5.1878 Wien, † 24.4.1940 Ybbs/Nieder-Öst.; Medizin- u. Philol.-Studium in Wien, Dr. phil., Bibliothekar in Wien.

Schriften: Was zur Sonne will. Ein Gymnasiasten-Roman, 1907; Das heilige Feuer. Ein Hochschulroman, 1909; Vom trotzigen Sterben, 1909 (Neuausg. 1911); Liebesmusik. Eine Alt-Wiener Geschichte, 1910; Kupidos Bote ..., 1912; Das Haus der Titanen (Rom.) 1913; Wunderkinder (Rom.) 1915.

RM

Hart, Heinrich, * 30.12.1855 Wesel, † 11.6.1906 Tecklenburg/Westf.; Bruder v. Julius H., Gymnasium Münster, ab 1875 Studium d. Theol., Philos., neueren Sprachen u. Gesch. in Münster, Halle u. München, seit 1877 Schriftst. u. Publizist in Berlin, mit seinem Bruder Gründung d. «Westf. Ver. f. Lit.» in Münster, später führende Mitgl. d. Berliner lit. Gesellsch. «Durch» u. d. «Friedrichshagener Kreises», gaben zus. d. «Dt. Monatsbl.», d. «Allgem. dt. Lit.kalender», d. «Krit. Waffengänge» heraus; Leiter d. «Krit. Jb.»

Mitbegründer d. Berliner «Freien Bühne» (1889) u. d. «Neuen Freien Volksbühne», Gründer d. «Neuen Gemeinschaft», deren seit 1902 ersch. Zs. Heinrich red., Theaterkritiker d. «Tägl. Rundschau», seit 1901 am «Tag». Theoretiker u. einflußreicher Kritiker, Lyriker, Journalist und Herausgeber.

Schriften: Weltpfingsten. Gedichte eines Idealisten, 1872; Sedan. Eine Tragödie, 1882; Kinder des Lichts. Novellistische Skizzen, 1884; Friedrich Spielhagen und der deutsche Roman der Gegenwart (mit J. Hart) 1884 (auch als 6. Bd. d. «Krit. Waffengänge»); Das Lied der Menschheit. Epos in 24 Erzählungen [Fragm.] 3 Bde., 1888–96; Peter Hille, 1904; Vincenz, 1910.

Ausgaben: Gesammelte Werke, 4 Bde. (hg. J. HART u.a.) 1907.

Herausgeber- und Übersetzertätigkeit: Deutsche Monatsblätter. Centralorgan für das litterarische Leben der Gegenwart (mit J. Hart) 1878–1879; Allgemeiner deutscher Litteraturkalender für 1879, 1880, 1881, 1882 (mit J. Hart) 1879–82; Das Buch der Liebe. Eine Blüthenlese aus der gesammten Liebeslyrik aller Zeiten und Völker. In deutschen Übertragungen (mit Julius H.) 1882; Italienisches Novellenbuch (übers., mit dems.) 1882; Kritische Waffengänge (mit J. Hart) 6 Bde., 1882–1884 (Nachdr. 1961); Deutsches Herz und deutscher Geist. Eine Blütenlese aus vier Jahrhunderten deutscher Dichtung von Luther bis auf die jüngste Gegenwart, 1884; Kritisches Jahrbuch. Beiträge zur Charakteristik der zeitgenössischen Literatur, sowie zur Verständigung über den modernen Realismus (mit J. Hart) 2 Bde., 1889–1890; Die deutsche Bühne. Zeitschrift für dramatische Kunst und Litteratur ... (Jg. 4, H. 8–12) 1898; Das Reich der Erfüllung. Flugschriften zur Begründung einer neuen Weltanschauung (verf. u. hg. mit J. Hart) 2 Bde., 1900f.

Nachlaß: Teil-Nachl. in d. Stadt- u. Landesbibl. Dortmund u. im Lit.arch. d. Dt. Akad. d. Wiss., Berlin. – Frels 117; Mommsen Nr. 1474a; Nachlässe DDR 1, Nr. 254; Denecke 2. Aufl.

Literatur: NDB 7,706; Theater-Lex. 1,700. – L. H. WOLF, D. ästhet. Grundlage d. Lit.revolution d. achtziger Jahre. Die Krit. Waffengänge d. Brüder H. (Diss. Bern) 1921; C. TILLMANN, D. Zs. d. Gebrüder H. (Diss. München) 1923; J. ARNDT, D. kulturgesch. Epos bei A. v. Schack, ~, U. Pape (Diss. Königsberg) 1928; E. RIBBAT,

Propheten d. Unmittelbarkeit. Bemerkungen z. ~ u. J. Hart (in: Wiss. als Dialog, hg. R. v. HEYDEBRAND u. K. G. JUST) 1969.   PG/RM

Hart, Julius, * 9.4.1859 Münster, † 7.7.1930 Berlin, Gymnasium Münster, 1877 Jurastudium in Berlin; 1878 Theaterkritiker in Bremen, Red. in Bromberg u. Glogau; ab 1881 in Berlin, vielfache Hg.-Tätigkeit mit s. Bruder Heinrich; 1887 Kritiker d. «Tägl. Rundschau», 1900 beim «Tag», Mitgl. d. Ver. «Durch»; 1900 Gründer d. sozialrel. «Neuen Gemeinschaft» in Friedrichshagen. Lyriker, Kritiker, Herausgeber.

Schriften: Sansara. Ein Gedichtbuch, 1879; Don Juan Tenorio. Eine Tragödie, 1881; Der Rächer. Eine Tragödie, 1884; Friedrich Spielhagen und der deutsche Roman der Gegenwart (mit H. Hart) 1884; Sumpf, 1886; Julius Wolff und die «moderne» Minnepoesie, 1887; Fünf Novellen, 1888; Die Richterin, 1888; Homo sum! Ein neues Gedichtbuch, 1890; Sehnsucht, 1893; Geschichte der Weltliteratur und des Theaters aller Zeiten u. Völker, 2 Bde., 1894–1896; Stimmen in der Nacht. Visionen. Das Hünengrab. Media in vita. Mit einem ästhetischen Nachwort, 1898; Triumph des Lebens. Gedichte, 1898; Zukunftsland. Im Kampf um eine Weltanschauung, 2 Bde., 1899–1902; Leo Tolstoj, 1904; Träume der Mittsommernacht, 1905; Revolution der Ästhetik als Einleitung zu einer Revolution der Wissenschaft. 1. Buch. Künstler und Ästhetiker, 1909; Das Kleistbuch, 1912; Kriegs- oder Friedensstaat? 1919; Artur Landsberger, 1919; Wie der Staat entstand, 1919; Führer durch die Weltliteratur, 1923.

Herausgebertätigkeit: Blütenlese aus spanischen Dichtern aller Zeiten. In deutschen Übertragungen, 1882; England und Amerika. Fünf Bücher englischer und amerikanischer Gedichte von den Anfängen bis auf die Gegenwart. In deutschen Übersetzungen, 1885; Orient und Occident. Eine Blütenlese aus den vorzüglichsten Gedichten der Welt-Litteratur. In deutschen Übersetzungen, 1885; Diwan der persischen Poesie. Blütenlese aus der persischen Poesie, 1887; Heinrich Hart, Gesammelte Werke, 4 Bde., 1907 (für die zus. mit s. Bruder hg. Werke → Heinrich Hart).

Nachlaß: Akad. d. Künste, Berlin; Stadt- u. Landesbibl. Dortmund. – Denecke 2. Aufl.; Frels 117.

Literatur: NDB 7,706. – K. MAERLIN, ~ (in: Ostdt. Monatshefte 11) 1930/31; J. JÜRGEN, D. Theaterkritiker ~ (Diss. FU Berlin) 1956. (Weitere Lit. → Heinrich Hart.)   PG

Hart, Marie (Ps .f. Marie Kurr, geb. Hartmann), * 29.11.1856 Buchsweiler/Elsaß, † 30.4.1924 Bad Liebenzell/Württ.; Offiziersgattin in Buchsweiler, lebte zuletzt in Liebenzell.

Schriften: D'r Stadtnarr. Volksstück ... in elsässischer Mundart, 1907; G'schichteln und Erinnerungen üs de sechziger Johr, 1911; D'r Herr Merkling und sini Deechter. Elsässische Novellen, 1913; Walther Hartmann, Lebensblätter (hg.) 1916; D'r Hahn im Korb. Elsässische Novellen, o.J. (1917); Üs unserer Franzosezit, 1918; Elsässische Erzählungen, 1922; E Scheidungsg'schicht. Ebs allegorisches, 1922; Erinnerungsland (Erz. u. Ged.) 1923.   RM

Hartauer, Andreas, * 30.11.1839 Stachau/Böhmen, † 18.1.1915 St. Pölten; lebte seit 1883 in St. Pölten, Gründer e. Fabrikations- u. Verkaufsstelle f. Glas- u. Porzellanmalerei. Anfangs d. 70er Jahre Verf. d. urspr. Fassung u. Singweise d. sog. Böhmerwaldliedes («Tief drin im Böhmerwald»).

Literatur: ÖBL 2,192. – R. KUBITSCHEK, Tief drin im Böhmerwald, ²1941.   RM

Harte, Günter, * 26.9.1925 Hamburg; Lehrer, Rektor in Reinbek; plattdt. Erzähler.

Schriften: Spegelschören (Erz.) 1964; Hör mal'n beten to. 8 mal 8 plattdütsche Vertelln (mit andern) 1966; Schar un sööt. Plattdeutsche Erzählungen (Hg.) 1970; Nu hör to un luster mol. Heitere und besinnliche plattdeutsche Kurzgeschichten, 1976.   AS

Hartebok, Das, e. seit 1854 in d. Staatsbibl. Hamburg befindl. Hs., d. auf 82 Bl. 7 Dg. enthält. Nach Seelmann (siehe Teilausg.) kurz vor 1500 wahrsch. in Brügge v. mind. zwei Schreibern verfertigt.

Ausgabe: N. STAPHORST in: Hamburg. Kirchengesch. I, 4) 1731.

Teilausgaben: P. J. BRUNS (in: Romant. u. a. Ged. in altplattdt. Sprache ...) 1798; E. KLEMMING, Namnlös och Valentin ..., 1846; P. WAKKERNAGEL (in: D. dt. Kirchenlied ... 2) 1865; C. SCHRÖDER, Van deme Holte des Hilligen Cruzes, 1869; H. Oesterley (in: K. Goedeke, Dt. Dg. im MA 12) ²1871; W. Seelmann, Van Namelos ond Valentin (in: Niederdt. Denkmäler 3) 1884.

Literatur: VL 2,188; Goedeke 1,458; Ehrismann 2 (Schlußbd.) 679; – J. F. A. Kinderling, Gesch. d. niedersächs. od. sog. plattdt. Sprache, 1800; E. Beta, Unters. z. Metrik d. mnd. «Valentin und Namelos» (Diss. Leipzig) 1907; K. Künstler, D. Leg. d. drei Lebenden u. d. drei Toten u. d. Totentanz, 1908; W. F. Storck, D. Leg. v. d. drei Lebenden u. d. drei Toten (Diss. Heidelberg) 1910; W. Stammler, Gesch. d. nd. Lit., 1920; ders., D. Totentänze d. MA, 1922; F. Karg, D. altschwed. Erz. v. «Valentin und Namelos» (in: FS E. Mogk) 1924; Jellinghaus, Gesch. d. mnd. Lit., ³1925; A. Dickson, Valentin and Orson, A Study in Late Medieval Romance, New York 1929; K. Goedeke an Hoffmann v. Fallersleben (in: Euphorion 31) 1930; G. Cordes (in: Aufriß 2) 1954; J. v. Dam (in: ebd. 3) 1957; T. Brandis, D. Codices in scrinio d. SUB Hamburg, 1972.   RM

Hartegg, Vera (Ps. f. Vera Hierl), * 28. 5. 1905 Straßburg; lebt in Heidelberg; Erzählerin.

Schriften: Es ist nicht gelogen. Roman einer Schauspielerin, 1939; Warum ... (Rom.) 1940; Oriane (Rom.) 1941; Drei Väter und ich armes Kind, 1961; Vornehmstes Haus am Platze. Lulus Memoiren, 1964.   AS

Hartel, Wilhelm (August, seit 1882: von), * 28. 5. 1839 Hof/Mähren, † 14. 1. 1907 Wien; Philol.-Studium in Wien, 1846 Dr. phil., seit 1872 Prof. f. klass. Philol. in Wien, 1890 f. Univ.-Rektor. Seit 1891 Dir. d. Hofbibl., 1900–1905 Minister f. Kultus u. Unterricht, 1900–07 Vizepräs. d. k. Akad. d. Wiss. Mitarb. u. später Leiter d. v. dieser Akad. hg. Corpus d. lat. Kirchenväter, Begründer d. öst. Volksliedwerkes, Mit-Begründer d. «Wiener Stud.» (1879) u. d. «Diss. philol. Vindobonenses» (1887), Gründer d. «Modernen Galerie» u. Förderer d. Sezession. Hg. u. a. v. Eutrop, Ennodius, Paulinus v. Nola.

Schriften (Ausw.): Untersuchungen über die Entstehung der Odysee, 2 Bde., 1864/67; Kritische Beiträge zu Livius, 1866; Bibliotheca Patrum Latinorum Hispaniensis, 6 Bde., 1886; Kritische Versuche zur fünften Decade des Livius, 1888; Über Aufgabe und Ziele der klassischen Philolo-

gie, 1890; Die Wiener Genesis (hg. mit F. Wickhoff) 1895.

Literatur: NDB 7,707; ÖBL 2,192. – A. Engelbrecht, ~ (in: Bursians Biogr. Jb. f. Alt.-kunde 31) 1908 (mit Bibliogr.); S. Frankfurter, ~, 1912; F. Vogel, D. schwierigen Anfänge d. Thesaurus lingua lat. (in: Bayer. Bl. f. d. Gymnasialschulwesen 66) 1930; R. Meister, Gesch. d. Akad. d. Wiss. in Wien, 1947; ~ (in: Jb. d. öst. Volksliedwerkes 4) 1955; J. E. Sandys, A History of Classical Scholarship 3, Cambridge 1958; H. Haffter, F. Ritschel an Karl Halm z. Thesaurusplan vor 100 Jahren (in: Museum Helveticum 16) 1959.   RM

Harten, Angelika → Fabri de Fabris, R.

Harten, E. → Martens, (Peter) Christoph.

Harten (-Dillen), Johann (Jan) von, * 31. 3. 1867 Neurönnebeck-Dillen/Weser; Sohn e. Kapitäns, n. Besuch d. Lehrerseminars Hannover 1888 Lehrer in Listringen u. seit 1894 in Fähr-Lobbendorf.

Schriften: Von'n Weserstrann', Plattdütsche Dichtungen, H. 1, 4, 6, 1893 f.; Niedersachsens Sagenborn (ges. u. hg. ,mit K. Henniger) 2 Bde., 1907–09 (Ausw. u. d. T.: 50 Sagen und Schwänke aus Niedersachsen, 1913); Niedersächsische Volksmärchen und Schwänke (ges. u. hg., mit dems.) 2 Bde., 1908; 100 Schwänke und Schelmenstreiche aus 4 Jahrhunderten deutschen Humors ... (Mit-Hg.) 1910; Niedersächsische Erzählungen. Ein literarisches Heimatbuch ... (hg., mit K. Henniger) 1912 (Neuausg. 1916); Aus Niedersachsens Märchenschatz ... (mit K. Henniger, hg. G. Olms) 1919; Rosengaarn. Plattdütsche Kinnerrimels, 1920; Grohn in Vergangenheit und Gegenwart (mit F. Müller) 1926; Du Land der Niedersachsen. Ein Heimatbuch mit Schilderungen und Dichtungen (mit K. Henniger) 1930.   RM

Harten, geb. Hoencke, Toni (Ps. Toni Harten-Hoencke), * 7. 6. 1872 Kiel; aufgewachsen in Kiel u. Heiligenhafen, verheiratet mit Rechtsanwalt H. in Bonn, nach dessen Tod Heirat mit d. Amerikaforscher F. Schönemann (1886–1956), lebte in Münster/Westf. u. später in Berlin. Lyrikerin, Erz., Übers. aus d. Amerikanischen.

Schriften: Gedichte, 1907; Zur großen Frage: Mann und Weib, 1910; Die Kraft die heilt, 1921;

Reifende Saaten (Rom.) 1922; Das Gesetz der Fülle Gottes. Betrachtung über die Schriften «Besitz» und «Das göttliche Gesetz des Ausgleichs» von A. H. Dickey, 1927; Die wirklichen Werte des Lebens, 1928; Karolas Scheidung. Zeitroman, 1929.

Übersetzertätigkeit (Ausw.): H. W. Hayes, Paul Anthony, ein Christ, 1914; ders., Der tönerne Mensch (Rom.) 1922; Amerikanische Lyrik, 1925; B. B. Lindsey u. W. Evans, Die Revolution der modernen Jugend (mit F. Schönemann) 1927; E. Pascal, Spiel mit der Ehe (Rom.) 1928; H. Walpole, Jeremy. Roman einer Kindheit, 1930; ders., Jeremy und sein Hund, 1930.   AS

Hartenau (-Thiel), Gert (Ps. f. Walter Adolf Thiel), * 11.9.1865 Nikolsburg, † 28.12.1936 Neubabelsberg b. Potsdam; Ztg.-Korrespondent in Indien, China, Sumatra u. a. Ländern, 1911 Leiter d. Naturtheaters in Potsdam, 1919 Dir. d. Kleinen Theaters u. 1921 d. Friedrich Wilhelm-Theaters in Berlin.

Schriften: Dramatische Werke, 4 Bde., 1904; Hagar (Schausp.) 1910; Ostindische Schauspiele nach wirklichen Begebenheiten, 1910; Gewehr ab! (Dr.) 1910; Ursula (Rom.) 1910; Im Reiche des Königstigers. Drei Pflanzergeschichten aus Sumatra, 1923; Der Radscha von Negri-Lama. Erlebnisse auf Sumatra, 1924; Pakrass. Memoiren eines indischen Polizei-Kapitäns, 1925; Der grüne Turban des Propheten. Erinnerungen eines indischen Polizei-Kapitäns, 1927; Auf Befehl des Radscha. Indischer Roman nach eigenen Erlebnissen, 1933; Erlebnisse eines Deutschen auf Sumatra, 1933; Die drei roten Striche (Rom.) 1935; Sabine Berger (Rom.) 1936; Im Schatten indischer Zaubermächte. Roman nach Erlebnissen 1936. (Außerdem e. Reihe ungedr. Bühnenstücke.)   RM

Hartenfels, Wilhelm → Freimut, Ernst.

Hartenstein, Anna, * 1.11.1857 Plauen/Sachsen; 1879 Lehrerin in Limbach u. 1888 in Dresden, seit 1895 Oberlehrerin in Glauchau, lebte seit 1910 in Dresden im Ruhestand.

Schriften: Aus dem Bürgerhause (Nov.) 1890; Die goldene Karla (Rom.) 1893; Donate vom Freihof (Rom.) 2 Bde., 1898; Die Freundin (Rom.) 1903; Offene Türen und andere Novellen, 1908; Der gute Kamerad (Rom.) 1912; Der

Hausfreund und andere Erzählungen, 1912; Der Geschwisterhof (Erz.) 1922.   RM

Hartenstein, Elisabeth, * 15.11.1900 Leipzig; lebt als freischaffende Schriftst. ebd.; Verf. kulturhist. Jugendbücher u. Romane.

Schriften: Um eine Pferdelänge (Jgdb., mit H.-G. Krack) 1953; Mit dem Pferd durch die Jahrtausende (Jgdb.) 1956 (2. verb. Aufl. 1957); Auf den Spuren unserer Haustiere. Ursprung und Entwicklung der Haustiere (Jgdb.) 1956; Tausend Jahre wie ein Tag. Eine Geschichte der Höhlenforschung (Jgdb.) 1957 (3. erw. Aufl. 1960); Der rote Hengst. Bei den Pferdejägern der Steinzeit, 1960; Sturm zwischen Euphrat und Tigris (Rom.) 1967; Ein goldenes Pferd für Yüan. Ein Roman über die Han-Zeit, 1970 (1972 u. d. T.: Kaiser Wu-di kauft Pferde); Am Rande der Wildnis (Erz.) 1972; Der Schatten Alexanders (Rom.) 1976.   AS

Hartenstein, Gustav, * 18.3.1808 Plauen/Vogtl., † 2.2.1890 Jena; Studium d. Theol. u. Philos. in Leipzig, 1831 Promotion, 1833 Habil., 1834 a.o. u. 1836 o. Philos.-Prof., 1848 Rektor u. Pater Ephorus d. Univ.bibl. Leipzig, zuletzt Leiter d. Univ.bibl. Jena.

Schriften: Die Probleme und Grundlehren der allgemeinen Metaphysik, 1836; Über die neuesten Darstellungen und Beurtheilungen der Herbart'schen Philosophie, 1838; Die Grundbegriffe der ethischen Wissenschaft, 1844; Historisch-philosophische Abhandlungen, 1870; u.a.

Herausgebertätigkeit: I. Kants sämtliche Werke, 10 Bde., 1838 f.; J. F. Herbarts kleinere philosophische Schriften und Abhandlungen, 3 Bde., 1842 f.; J. F. Herbarts sämtliche Werke, 12 Bde., 1850–52 (Erg. Bd. 1893); I. Kants sämtliche Werke in chronologischer Reihenfolge, 8 Bde., 1867–69.

Nachlaß: Univ.bibl. Berlin. – Denecke 2. Aufl.; Nachlässe DDR 3, Nr. 360 bis.

Literatur: ADB 50, 21; NDB 7, 710.   RM

Harter → Harder.

Harter, Ernst Ludwig (Ps. f. Ernst Ludwig Jacobsen), * 6.9.1884 Stade/Hannover; 1907 Privatsekretär u. Kunstkritiker in München u. seit 1909 in Brüssel.

Schriften: Liesa, ein Danklied, 1906.   RM

Harter, Hermann → Frankl, Adolf.

Hartert, Franz Theodor, Lebensdaten unbekannt; um 1809 fürstl. Hessen-Philippsthalischer Amtmann in Barchfeld.

Schriften: Gedichte, 2 Bde., 1805/07.

Literatur: Meusel-Hamberger 14,41; Goedeke 7,250.   RM

Hartfelder, Karl, * 25.4.1848 Karlsruhe, † 7. 6.1893 Heidelberg; Theol.- u. Philol.-Studium, 1876 Gymnasialprof. in Freiburg/Br., 1879–82 Arch.rat in Karlsruhe, dann Gymnasialprof. in Heidelberg. Mitarb. versch. Fachzs., a.o. Mitgl. d. bad. hist. Kommission (seit 1885).

Schriften (Ausw.): De Cicerone Epicureae doctrinae interprete, 1875; Zur Geschichte des Bauernkrieges in Südwestdeutschland, 1884; Der Briefwechsel des Beatus Rhenanus, 1886; Philipp Melanchthon als Praeceptor Germaniae, 1889; Melanchthoniana Paedagogica, 1892.

Literatur: ADB 50,24.   RM

Hartfeldt, Joachim F. W. → Hart, Friedel.

Hartfisch, J. → Fischart, Johann Baptist Friedrich.

Hartger, Friedrich, * 28.2.1883 Elsebeck, Kr. Helmstedt, † 5.12.1961 Braunschweig; Waldschullehrer in einem Dorf nahe der Weser, später in Braunschweig. Verf. von Rom., Nov., Tiergesch. und Lyrik.

Schriften: Im Paddelboot durch den Drömling (Jgdb.) 1928; Im Wald vor Tau und Tag. Tierschicksale (Neuaufl. 1961) 1939; Die Mondreiter. Roman aus den Tagen von Fehrbellin, 1945; Rufe über dem Moor, Buch vom Elch, 1950; Wo der Adler kreist (acht Tiergesch.) nach 1950.

Literatur: W. Wien, In Ehrfurcht vor d. Geschaffenen. ∼, d. Fünfundsiebzigjährigen z. Dank.   IB

Harth, Peter → Duhr, Peter.

Harthern, Jacobson Ernst (Ps. Ludwig Harter Jacobson, Niels Hoyer), * 7.9.1884 Stade bei Hamburg, † 1969 in Dänemark; Korrespondent führender Tagesztg. in Kopenhagen, später in Sigtuna (Schweden) u. Hellerupe (Dänemark). Erzähler, Lyriker, Dramatiker, vorwiegend Übers. (dän., isländ., norweg., schwed.).

Schriften: Axel Maertens Heimat (Rom.) 1913; Erlösung (Dr.) 1921; Nachtlied (Dichtung) 1921; Ein Mensch wechselt sein Geschlecht (mit Lili Elbe) 1932; Heimwärts, 1936; Endlich zu Hause (Rom.) 1955; Wandlung, 1955.

Herausgebertätigkeit und Übersetzungen: H. Jäger, Kranke Liebe (Rom.) 1922; Goethe, Hymnen an die Natur, o.J.; Shakespeare, Sonette an den geliebten Knaben, o.J.; Alfons Paquet, Botschaft des Rheins, o.J.; u.a.; H. Jäger, Kristiana-Bohème, 1932; ders., Olga (Schausp.) 1932; Laxness, Das Fischkonzert, 1961; ders., Drei Erzählungen, 1963; ders., Islandglocke (Rom.) 1964; Matin, Andersen-Nexö, Junge Jahre, 1966; ders., Memoiren, 1966; ders., Sandemose, 1966; ders., Ein Flüchtling, 1966; Laxness, Atomstation, 1966; Bertil Malmberg, Exzellenz (Schausp.) 1966; Bj. Björnson, Legenden, 1966; ders., Synnöve Solbakken, 1966.

Literatur: H. Müssener, ∼ (1884–1969). Miszellen zu e. dt.-jüd. Schicksal u. z. Gesch. d. dt.sprachigen Exil-Lit. (in: FS G. Korlén) 1975.   IB

Hartig, Franz de Paula Anton von, * 29.8.1758 Prag, † 1.5.1797 ebd.; Diplomat, Gesandter am kursächs. Hof in Dresden, Geheimrat, Präs. d. böhm. Gesellsch. d. Wissenschaften.

Schriften: Essay sur les avantages, qui retireraient les femmes en cultivant les sciences et beaux arts …, 1775; Lettres sur la France, l'Angleterre et l'Italie, 1785; Historische Betrachtungen über die Aufnahme und den Verfall der Felderwirthschaft bei den verschiedenen Völkern, 1786; Mélange de vers et de prose, Paris 1788; Moralische Gedichte und andächtige Betrachtungen, 1797; Variétés, o.J.

Literatur: ADB 10,653; Wurzbach 7,392. – Biogr. S. Exzellenz ∼, 1799.   RM

Hartig, Franz de Paula von (Ps. Gotthelf Zurecht), * 5.6.1789 Dresden, † 17.1.1865 Wien; Sohn v. Franz Anton H., 1814/15 Zivilkommissär im besetzten Frankreich, 1819 Hofrat u. Referent d. vereinigten Hofkanzlei, 1825 Gouverneur in d. Steiermark u. 1830–40 in d. Lombardei, 1840 Staatsrat u. Konferenzminister, seit 1848 im Ruhestand, 1860 Berufung in d. verstärkten Reichstag.

Schriften: Das kaiserliche Manifest 1848 oder Freimüthige Bemerkungen über die österreichische Herrschaft im lombardo-venezianischen Königreich, 1848; Österreichs innere Politik mit Bezug auf die Verfassungsfrage, 1848; Die niederösterreichischen Landstände und die Genesis der

Revolution in Österreich im Jahr 1848, 1849 (3., verb. Aufl. 1850); Nachtgedanken im Februar 1851, 1851; Zwei brennende Fragen, 1852.

Briefe: Metternich-Hartig, E. Briefw. d. Staatskanzlers aus d. Exil 1848–51 (hg. F. Hartig) 1923.

Literatur: ADB 10,654; NDB 7,713; Wurzbach 7,399; ÖBL 2,193. – ~ (in: Bl. f. Heimatkunde 14) 1939; F. WALTER, Gesch. d. öst. Zentralverwaltung 1790–1848, 1956; R. KANN, D. Nationalitätenproblem d. Habsburgermonarchie 2, 1964.　　　　　　　　　　　　RM

Hartig, Mina, * 29.4.1869 Moschwitz b. Greiz, † 3.9.1947 Hagen; lebte als Gattin e. Geschäftsmanns in Hagen/Westf.; Bühnenautorin.

Schriften: Im Bann der Lüge (Volksst.) 1900 (ferner ungedr. Bühnenst.).

Literatur: Theater-Lex. 1,701.　　　　　　　AS

Hartig-Attems, L. u. S., gemeinsames Ps. f. Leopold Graf Hartig (* 1866 Wien, † 27.12. 1954 ebd.; Beamter im Wiener Ministerium f. Kultus u. Unterricht) u. s. Schwester Sophie (* 27.2.1862 Retz, † 1.12.1937 Wien, verh. 1888 mit d. Schiffsoffizier Alfred Graf Attems).

Schriften: Aus rauher Zeit. Ein Sang aus der Wachau, 1906; Ein Königstraum (hist. Epos) 1909; Die Salzfehde (Rom.) 1911; Der Palatin (hist. Rom.) 1931.　　　　　　　　　　　　RM

Hartje-Leudesdorff, Irma, * 30.9.1881 Elberfeld; lebte als Kunstmalerin u. Schriftst. in Wuppertal-Elberfeld.

Schriften: Goldene Stunde (Ged.) 1918; Von Mensch zu Mensch. Dichtungen, 1928.　　　AS

Hartker, † 1011 St. Gallen; Benediktiner-Mönch u. Priester in St. Gallen, Abschreiber, erh. ist d. sog. «Cod. Hartker», e. mit Neumen ausgestattetes Antiphonar in 2 Tl. (Cod. 390–91 d. Stiftsbibl. St. Gallen).

Literatur: HBLS 4,78. – L. KUNZ, D. Dehnungszeichen d. Cod. Hartker (in: Benediktin. Ms. ... 27) 1951.　　　　　　　　　　　　RM

Hartknoch, Christoph, * 1644 Jablonken/ Ostpr., † 3.1.1687 Thorn; Studium d. Theol., Philos. u. Poesie in Königsberg, 1672 Promotion, Rektor in Wilna u. Privatlehrer in versch. Orten, 1677 Lehrer, 1686 Konrektor am Gymnasium in Thorn. Hg. d. Chron. Peters v. Dusburg (1679),

Verf. e. Autobiogr. (abgedr. in: Continuirtes Gelehrtes Preußen 4, 1725) u. zahlr. Diss. u. Disputationen.

Schriften: De republica Polonica libri duo, 1678; Alt- und Neues Preußen oder Preußischer Historien zwey Theile, 1684; Preußische Kirchen-Historia, 1686.

Bibliographie: Erleutertes Preußen, Nachlese, 1742; E. WERMKE, Bibliogr. z. Gesch. v. Ost- u. Westpr., 1933.

Literatur: Jöcher 2,1379; ADB 10,665; NDB 7,717.　　　　　　　　　　　　RM

Hartknoch, Johann Friedrich (d. Ä.), * 28.9. 1740 Goldap/Ostpr., † 12.4.1789 Riga; Theol.- u. Philos.-Studium in Königsberg, Angestellter der Kanterschen Buchhandlung das., 1783 Buchhändler in Mitau u. seit 1767 in Riga. Verleger zahlr. Schr. Kants, Herders, Hamanns u.a., sowie russ. Literatur.

Schriften: Merkwürdigkeiten der Morduanen, Kosaken, Kalmücken ... (mit A. W. Hupel) 3 Tle., 1773–77 [bearb. Auszug aus P. S. Pallas' Reisen].

Nachlaß: Briefe v. Caroline u. J. G. v. Herder an ihn: Landesbibl. Dresden; Dt. Staatsbibl. Berlin, Hs.-Abt./Lit.arch. – Nachlässe DDR 3, Nr. 384, 385b.

Literatur: ADB 10,667; NDB 7,717. – J. ECKHARDT, ~ (in: Rigascher Almanach) 1870; A. POELCHAU, D. Verlag J. F. H. 1762–1804, 1918; D. LEUBE, Kanter u. ~, 2 Verlegerporträts aus d. 18. Jh. (in: Börsenbl. Frankfurt 22) 1966.　RM

Hartknoch, Johann Friedrich (d. J.), * 1768 Riga, † 1819 Dresden; Sohn d. obigen, Verleger in Riga, übersiedelte wegen Konflikten mit d. russ. Regierung 1804 n. Leipzig, wo d. Verlag bis 1879 weiterbestand.

Schriften: Geschichte meiner Gefangenschaft unter der Regierung Kaiser Pauls I., 1803; Denkschrift über den Büchernachdruck (Mit-Verf.) 1814.　　　　　　　　　　　　RM

Hartl, Albert (Ps. Anton Holzner) * 13.11.1904 Roßholzen/Obb.; war SS-Sturmbannführer.

Schriften: Das Gesetz Gottes (Erz.) 1939; Priestermacht, 1939; Ewige Front, 1940; Zwinge das Leben, 1941.　　　　　　　　AS

Hartl, Eduard, * 8.8.1892 Wien, † 4.1.1953 Unterwössen; Dr. phil., seit 1925 an d. Univ. München, zuerst als Privatdoz., seit 1946 als o.

Prof. f. Germanistik. Neubearbeiter d. 7. Ausg.
v. K. Lachmanns Wolfram v. Eschenbach-Ausgabe.

Schriften (Ausw.): Die Textgeschichte des
Wolframschen Parzival, 1. Tl., 1928; Der Anteil
Österreichs an dem gesamtdeutschen Schrifttum
des Mittelalters, 1941.

Herausgebertätigkeit (Ausw.): Das Drama des
Mittelalters … Auf Grund der Handschriften herausgegeben, 3 Bde., 1937–42 (Neuausg. 1967);
Passionsspiele, 1942; Wolfram von Eschenbach,
Parzival (Ausz.) 1951; Das Benediktbeurer Passionsspiel. Das St. Galler Passionsspiel. Nach den
Handschriften herausgegeben, 1952.

Nachlaß: Univ.bibl. München. – Denecke
2. Aufl.   RM

Hartl, Edwin, * 6. 7. 1906 Wien; Kritiker, Magistratsbeamter, Amtsrat. Lyriker u. Essayist.

Schriften: Wer will unter die Soldaten (vierzig
satirische Ged.) 1946.   IB

Hartl, Gerta, * 8. 4. 1910 Mostar/Jugoslaw.; lebt
als Schriftst. in Wien, vorwiegend Kinder- u. Jugendbuchautorin, Mitarbeit am Rundfunk, ca.
200 Märchensendungen.

Schriften: «Liebe Mutti es geht uns gut …» Eine
heitere Erzählung aus ernster Zeit, 1948; Und
nun setzt Euch zu mir … Ausgewählte Märchen,
1952; Die tüchtige Pauline, 1954; Reddy findet
zu Renate. Ein Buch für junge Damen, 1955; Die
Natur spricht zu euch (mit W. Halden) 1956; Das
Spiel von der Null (zus. mit H. Bernt, Unsere
Klasse spielt Theater) 1957; Kleines Herz – weite
Welt, 1958; Straßen, Brücken, Eisenbahnen. Karl
Ritter von Ghega (mit H. von Patera) 1960; Arabesken des Lebens. Die Schauspielerin Toni
Adamberger (Rom.) 1963; Kleines Herz – fernes
Ziel, 1965; Eine plitschnasse Teichgeschichte und
andere Märchen, 1965; Die Fee im Regenmantel.
Ein heiter-besinnliches und sehr gegenwärtiges
Spiel, 1965; Kotillon und Zapfenstreich (Rom.)
1966; Kleines Herz – kleines Glück, 1968; Kilian
im Silberhaus, 1968; Der zwetschkenblaue Isidor,
1969; Babettchen und Herr Babylon, 1970; Von
Leutchen, die es gibt und doch nicht gibt, 1970;
Em Ende ist alles anders. Ein Mädchenbuch,
1970; Ich heiße Isabelle, 1973; Kleines Herz –
klare Sicht, 1973; Herbst ohne Sommer (Rom.)
1974; Kleines Herz – neuer Weg, 1977; Kleines
Herz – frischer Mut, 1978.   AS

Hartl, Hans, * 16. 8. 1913 Kronstadt/Siebenbürgen; 1937 Red. beim Siebenbürg.-Dt. Tagebl.,
1937/38 Moskau-Korrespondent, 1938–40 in
Griechenland, Türkei, Italien, Spanien, dann Red.
in Rumänien, 1941–44 Kriegsreporter in Rußland, 1946 geflohen; jetzt Leiter d. Abt. Gegenwartskunde im Südost-Inst. in München; wohnt
in Starnberg. Hg. des «Wiss. Dienst Südosteuropa» u. der «Dt. Monatshefte f. Politik u. Kultur».

Schriften (Ausw.): Ich sah das rote Rußland,
1937; Spanien 1938, 1939; Das Schicksal des
Deutschtums in Rumänien, 1958; Hermann
Oberth. Vorkämpfer der Weltraumfahrt (Biogr.)
1958; Fünfzig Jahre sowjetische Deutschlandpolitik (mit W. Marx) 1967; Nationalismus in Rot.
Die patriotischen Wandlungen des Kommunismus
in Südosteuropa, 1968; Nationalitätenprobleme
im heutigen Südosteuropa, 1973; Das Gastarbeiterproblem. Rotation? Integration? Arbeitsplatzverlagerung? Jugoslawien, Griechenland, Türkei.
Ergebnisse einer Fachtagung (Hg.) 1975; Der
«einige» und «unabhängige» Balkan. Zur Geschichte einer politischen Vision, 1797.   AS

Hartl, Karl Paul E., * 30. 6. 1909 Wien; öst.
Konsul, Legationsrat, Botschafter, u. a. in Tel
Aviv u. Ankara. Verf. v. Kinder- u. Jugendbüchern.

Schriften: Wie … wann … wo? Die Geschichte
der kleinen und großen Dinge, 1935 (1948 u. d.
T.: Wie? Wann? Wo? Wie das Alltägliche zum
Alltäglichen wurde); Warum … wozu? Was hinter den Dingen steckt, 1936 (1948 u. d. T.: Warum? Wozu? Von Dingen, die die Welt veränderten; 3. verb. Aufl. u. d. T.: Wozu? Von Dingen,
die die Welt veränderten, 1953).   AS

Hartl-Mitius, Philomene (Ps. f. Philomene
Hartl, geb. Waschmitius), * 14. 4. 1851 München, † 27. 7. 1928; 1871–99 Schauspielerin d.
Theaters am Gärtnerplatz in München. 1876
Heirat mit d. Kommerzienrat Ferdinand Hartl.

Schriften: Der Protzenbauer. Gebirgsposse mit
Gesang und Tanz, 1880; Theatertypen, 3 Bde.,
1887; Am Wetterstein (Volksst.) 1888 (Neuausg.
1899); Odysseus im Salon (Rom.) 1890; Durchs
Standesamt. Eine lustige Geschichte aus den Bergen, 1896; Sumpfherzblättchen. Ein kleiner Roman, 1897; Der goldene Boden (Volksst., mit R.
H. Greinz) 1898; Das Annerl vom Grundlhof.
Oberbayrisches Volksstück, 1898; Civil-Ehe,

Volksstück mit Gesang, 1898; Der schlaue Mahm (Volksst.) 1898; Bühnengeschichten, 1901. (Außerdem e. Reihe ungedr. Bühnenstücke).

Nachlaß: Bayer. Staatsbibl. München. – Denecke 2. Aufl.

Literatur: Theater-Lex. 1,701. RM

Hartlaub, Felix, * 17.6.1913 Bremen, † 1945 (als Infanterist in Berlin vermißt); Sohn v. Gustav F. H., Studium d. Gesch. u. Romanistik, 1939 Promotion in Berlin, Kriegsteilnahme, seit Ende 1940 in Paris, seit 1942 hist. Sachbearb. in d. Abt. «Kriegstagebuch» d. Führerhauptquartiers. H. publizierte s. Schr. nicht selbst, d. veröff. Werke sind meist bearbeitet.

Schriften: Don Juan d'Austria und die Schlacht bei Lepanto (Diss. Berlin) 1940; Von unten gesehen. Impressionen und Aufzeichnungen des Obergefreiten Felix Hartlaub (hg. Geno H.) 1950 (erw. Ausg. u. d. T.: Im Sperrkreis. Aufzeichnungen aus dem 2. Weltkrieg, 1955); Parthenope oder Das Abenteuer in Neapel, 1951; Das Gesamtwerk. Dichtungen, Tagebücher. Auf Grund der Originalhandschriften (hg. Geno H.) 1955 [unvollst.].

Briefe: F. H. in seinen Briefen (hg. E. KRAUSS, G. F. HARTLAUB) 1958 (²1966).

Literatur: NDB 7,718; HdG 1,267. – E. HOLTHUSEN, D. negative Held (in: E. H., Ja u. Nein) 1954; H. M. ENZENSBERGER, Vor Tarnkappen wird gewarnt (in: Augenblick 2, H. 3) 1956; W. MEYER, ~ in d. Odenwaldschule (in: Slg. 13) 1958; H. PLARD, «Tout seul»: La conscience de la solitude chez ~ (in: EG 14) 1959; H. AHL, D. negative Held ~ (in: H. A., Lit. Portraits) 1962; W. JENS, ~s Notizen (in: W. J., Zueignungen) 1962; C. WILKE, «D. Gesamtwerk» u. ~ (Diss. Würzburg) 1964 (mit Bibliogr. u. krit. Apparat); DERS., D. letzten Aufz. ~s, 1967 (mit Bibliogr.) 1967; DERS., D. Jugendarbeiten ~s. E. Vergleich d. veröff. Fass. mit d. Originalen (in Lit.-wiss. Jb. 7) 1967; O. v. NOSTITZ, E. Frühbegabter: ~ (in: O. v. N., Präsenzen ...) 1967; P. CHIARINI, Dalla crisi della coscienza alla «ricostruzione morale» ... (in: StudiGerm 6) 1968.

Literarische Beziehungen: K. PEUKER, D. Werk E. G. Winklers u. ~ (in: Päd. Prov. 11) 1957; W. KOEPPEN, F. Lampe u. ~ (in: Merkur 11) 1957.

Nachlaß: Dem Dt. Lit.arch./Schiller-Nat.mus. zugesagt, noch nicht übergeben. RM

Hartlaub, Geno(veva) (Ps. Muriel Castorp), * 7.6.1916 Mannheim; Tochter v. Gustav F. H.; Journalistin,1945–48 Lektorin in Heidelberg, ab 1949 Verlagslektorin, seit 1956 Red. d. «Sonntagsbl.» in Hamburg; Hg. d. Werke ihres Bruders, Erzählerin, Essayistin.

Schriften: Die Entführung. Eine Geschichte aus Neapel, 1941; Noch im Traum. Geschichte des jungen Jakob Stellrecht (Rom.) 1943; Anselm, der Lehrling. Ein phantastischer Roman, 1947; Die Kindsräuberin (Nov.) 1947; Ugo Betti, La Piera Alta (Übers. mit C. M. Ludwig) 1951; Die Tauben von San Marco (Rom.) 1953; Der große Wagen (Rom.) 1954; Windstille vor Concador (Rom.) 1958; J. Genet, Unter Aufsicht. Die Zofen. Der Balkon (Übers. mit G. Schulte-Frohlinde) 1960; Gefangene der Nacht (Rom.) 1961; Mütter und ihre Kinder. Die Mutterdarstellung in der bildenden Kunst, 1962; Der Mond hat Durst (Erz.) 1963; Die Schafe der Königin (Rom.) 1964; Unterwegs nach Samarkand. Eine Reise durch die Sowjet-Union, 1965; Nicht jeder ist Odysseus (Rom.) 1967; Rot heißt auch schön (Erz.) 1969; Eine Frau allein in Paris (Erz.) 1970; Leben mit dem Sex, 1970; Lokaltermin Feenteich (Rom.) 1972; Wer die Erde küßt. Orte, Menschen, Jahre, 1975.

Herausgebertätigkeit: Scheherezade erzählt. Unbekannte Geschichten aus 1001 Nacht, 1949; F. Hartlaub, Impressionen und Aufzeichnungen des Obergefreiten F. H., 1950 (erw. Aufl. u. d. T.: Im Sperrkreis. Aufzeichnungen aus dem 2. Weltkrieg, 1955); ders., Das Gesamtwerk. Dichtungen, Tagebücher. Auf Grund der Orig. hs. hg., 1955; Unser ganzes Leben. Ein Hausbuch, 1966. AS

Hartlaub, Gustav F(riedrich), * 12.3.1884 Bremen, † 30.4.1963 Heidelberg; Dr. phil., Kunsthistoriker, Förderer mod. Kunst, 1913–33 Assistent u. Dir. d. Kunsthalle Mannheim (entlassen), seit 1946 Prof. in Heidelberg.

Schriften (Ausw.): Matteo da Siena und seine Zeit, 1910; Die Großherzogliche Gemäldegalerie im Augusteum zu Oldenburg (Hg.) 1912; Kunst und Religion. Ein Versuch über die Möglichkeit neuer religiöser Kunst, 1919; Die neue deutsche Graphik, 1920; Der Genius im Kinde. Zeichnungen und Malversuche begabter Kinder, 1922 (stark erw. u. umgearb. Aufl. 1930); Vincent van Gogh, 1922; Gustav Doré, 1924; Die schöne Maria zu Lübeck und ihr Kries, 1924; Giorgiones

Geheimnis. Ein kunstgeschichtlicher Beitrag zur Mystik der Renaissance, 1925; Alchemisten und Rosenkreuzer. Sittenbilder von Petrarca bis Balzac, von Breughel bis Kubin (Hg.) 1947; Die Graphik des Expressionismus in Deutschland, 1947; Der Kunstspiegel. Eine ikonographische Schriftenreihe (Hg.) 1947/48; Die großen englischen Maler der Blütezeit 1730–1840, 1948; Prospero und Faust. Ein Beitrag zum Problem der schwarzen und weißen Magie, 1948; Fragen an die Kunst. Studien zu Grenzproblemen, 1950; Bewußtsein auf anderen Sternen? Ein kleiner Leitfaden durch die Menschheitsträume von den Planetenbewohnern, 1951; Das Unerklärliche. Studien zum magischen Weltbild, 1951; Zauber des Spiegels. Geschichte und Bedeutung des Spiegels in der Kunst, 1951; Die Impressionisten in Frankreich, 1955; Gestalt und Gestaltung. Das Kunstwerk als Selbstdarstellung des Künstlers (mit F. Weissenfeld) 1958; Felix Hartlaub in seinen Briefen (hg. mit E. M. Krauss) 1958; Der Stein der Weisen. Wesen und Bildwelt der Alchemie, 1959; Der Gartenzwerg und seine Ahnen. Eine ikonographische und kulturgeschichtliche Betrachtung, 1962.

Literatur: A. WECHSLER, ~ (in: Ruperto-Carola 34) 1963.   AS

Hartleben, Otto Erich (Pseud. Henrik Ipse, Otto Erich), * 3.6.1864 Clausthal/Harz, † 11.2.1905 Salo/Gardasee; früh verwaist, 1885 Abitur in Celle, 1886 Jurastudium Berlin u. Leipzig; 1889 Referendar in Stolberg/Harz u. Magdeburg; ab 1890 freier Schriftst. in Berlin, dort enge Verbindung zu d. Naturalisten Holz, Conradi, d. Brüdern Hart u.a.; seit 1901 meist in München u. aus Gesundheitsgründen am Gardasee. Übers. Parodist, Lyriker, Erzähler.

Schriften: Studenten-Tagebuch, 1885–1886, 1886 (verm. Neuausg. 1888); Zwei verschiedene Geschichten, 1887; Der Frosch. Familiendrama in einem Act, 1889; Angele. Comödie, 1891; Die Serényi, 1891; Die Erziehung zur Ehe. Eine Satire, 1893; Hanna Jagert. Comödie in drei Acten, 1893; Die Geschichte vom abgerissenen Knopfe, 1893; A. Giraud, Pierrot Lunaire (übers.) 1893; Ein Ehrenwort. Schauspiel in vier Acten, 1894; Goethe-Brevier. Goethes Leben in seinen Gedichten (hg.) 1895; Vom gastfreien Pastor, 1895; Meine Verse, 1895; Angelus Silesius (hg.) 1896; Die sittliche Forderung. Comödie in einem

Act, 1897; M. Maeterlinck, Der Ungebetene (Übers.) 1898; Der römische Maler, 1898; Die Befreiten. Ein Einacter-Cyclus, 1899; Ein wahrhaft guter Mensch. Comödie, 1899; Rosenmontag. Eine Offiziers-Tragödie in fünf Acten, 1900; Von reifen Früchten. Meiner Verse zweiter Theil, 1902; Meine Verse. Gesammtausgabe, 1902; E. A. Butti, Lucifer (übers. mit D. Piltz) 1904; Der Halkyonier. Ein Buch Schlußreime, 1904; Logaubüchlein (hg.) 1904; Liebe kleine Mama, 1904; Im grünen Baum zur Nachtigall. Ein Studenten-Stück in drei Akten, 1905; Diogenes. Szenen einer Komödie in Versen, 1905; Das Ehefest. Novellen, 1906; Tagebuch. Fragment eines Lebens, 1906.

Briefe: Briefe an seine Frau 1887–1912 (hg. F. F. HEITMÜLLER) 1908; Briefe an seine Freundin (hg. F. B. HARDT 1910); Briefe an Freunde (hg. F. F. HEITMÜLLER) 1912.

Ausgaben: Ausgewählte Werke, 3 Bde. (hg. F. F. HEITMÜLLER) 1909; Aphorismen (hg. F. R. v. D. TRELDE) 1920; Halkyon. Brevier mit Erinnerungen der Schwester Annemarie Pallat (hg. C. F. W. BEHL u. C. v. KLEMENT) 1962.

Nachlaß: Stadtbibl. Hannover; Bayer. Staatsbibl. München; Dt. Lit.arch./Schiller-Nat.mus. Marbach. – Denecke 70; Frels 117.

Literatur: NDB 7,720; A. v. KLEMENT, D. Bücher v. ~. Eine Bibliogr., 1951. – C. FLAISCHLEN, ~. Beitr. zu e. Gesch. d. modernen Lit., 1896; H. LANDSBERG, ~, 1905; S. HARTLEBEN, Mei Erich. Aus Otto Erichs Leben, 1910; F. HOCK, D. Lyrik ~s, 1931, Nachdr. 1967; H. LÜCKE ~. Lebenslauf, 1941; G. DE REESE. ~. E. krit. Auseinandersetzung mit d. Leben u. Schaffen e. dt. Naturalisten (Diss. Jena) 1957; H. REIF, D. dramat. Werk ~s (Diss. Wien) 1963.   MR

Hartleben, Theodor (Conrad), * 24.6.1770 Mainz, † 15.6.1827 Mannheim; Dr. iur., Magister d. Philos., 1793 Speyer. Hofrat, seit 1795 Hof- u. Regierungsrat sowie Prof. f. Staatsrecht in Salzburg, seit 1804 Prof. in Würzburg, 1806 Landes- u. Regierungsrat in Koburg, 1807 Dir. d. herzogl. Landesregierung das., 1808 Regierungsrat u. Prof. in Freiburg/Br., 1819 Regierungs- u. Legationsrat in Karlsruhe, zuletzt in Mannheim im Ruhestand. Verf. zahlr. jurist. Schriften.

Schriften: Über den Verfall der Wissenschaften unter den Griechen und Römern, und die Mittel,

uns vor einem ähnlichen Verfalle zu retten ...,
1785; Erste Linien einer Geschichte der Weltweisheit, nebst Streitsätzen aus derselben, 1786;
Auszug aus der Verfassung und den Statuten des
correspondierenden litterarischen Cirkels zu
Mainz, 1790; Briefe über die böhmische Königs-
krönung, nebst einer kurzen Schilderung von
Prags politischem und litterärischen Zustande,
1792; Untersuchung der Rechte und Pflichten
eines Kurfürsten von Mainz während des Interregnums, 1792; Flüchtige Betrachtungen über
den Gang der französischen Revolution ..., 1792;
Teutsche Justiz - und Polizeyfama (hg.) 1802 ff.
(ersch. unter versch. Titeln bis 1827); Allgemeines Archiv für Sicherheits- und Armenpflege (hg.
mit J. Gruner) 3 H., 1805 f.; Statistisches Gemählde der Residenzstadt Carlsruhe und ihrer
Umgebung, 1815.

Literatur: Wurzbach 7, 407; Meusel-Hamberger
3, 92; 9, 515; 11, 319; 14, 42; 18, 55; 22.2, 585.
– R. STAMM, ~ u. seine «Allg. dt. Justiz- u. Polizey-Fama». E. Unters. über Aufgabe u. Wirksamkeit e. Zs. im Kampf gg. d. Jauner- u. Bettel-
wesen, 1964; DERS., ~ u. s. «Allg. dt. Justiz- u.
Polizey-Fama» (in: Zs. f. d. Gesch. d. Oberrheins
113) 1965.   RM

Hartlieb (Hartliep), Jakob (auch Walsporn od.
Landoiensis gen.), stammte aus Landau/Pfalz, † 8.
2. 1504 Landau; studierte in Heidelberg u. war
später Schultheiß v. Landau. Verf. d. quodlibetar.
Scherzrede «De fide meretricum in suos amato-
res» (1499–1501), v. der d. ersten drei Ausg. seit
1501 in Ulm, o. J., ersch.; um Schelmenlieder
erw. Ausg. 1506 in Straßburg; seither zahlr.
Neudr. z. T. in Verbindung mit d. Scherzrede des
P. Olearius («De fide concubinarum») u. in
versch. Schw.büchern d. 16. u. 17. Jh.; in d.
«Epistolae obscurorum virorum» usw., Neuausg.
durch F. Zarncke (vgl. Lit.)

Literatur: ADB 10, 669; Goedeke 1, 437. – F.
ZARNCKE, D. dt. Univ. im MA 1, 1857; G. EIS,
~ (in: PBBTüb. 83) 1961/62.   RM

Hartlieb (Hartliepp), Johann(es) (Hans), * um
1400 Neuburg/Donau (?), † 18. 5. 1468; um 1430
Beginn s. Übers.-Tätigkeit auf Schloß Neuburg,
Stud. in Wien (Magister d. freien Künste u. Dr.
med.), seit 1440 Leibarzt, Berater u. Diplomat in
Diensten Hzg. Albrechts III. v. Bayern-München,
1465 Leibarzt Hzg. Sigmunds v. Bayern.

Schriften: Kunst des gedächtnüsz, 1430; Mond-
wahrsagebuch (entst. 1433/35); Über die Erhaltung des Sieges (astrolog. Abh., entst. 1434, Hs.
Berlin Ms. germ. qu. 1187); Onomatomantia
(Kampfbuch, entst. 1437, Hs. Cod. ms. 3062
Staatsbibl. Wien); Kriegsbuch (Hs. Freiburg/Br.
UB 362 u. a.); Buch aller verpoten kunst, unglaubens und der zauberey (entst. 1455/56, Hs. Wol-
fenb. 815 u. a.); Legende von St. Brandan (entst.
um 1456/57, Hs. Cgm. 301.385.689 u. a.); Albertus M. de Secretis mulierum verdeutscht
(entst. 1460–70, Hs. Cgm. 261 u. a.); Caesarius
von Heisterbachs Dialogus Miraculorum (entst.
um 1460, Hs. Brit. Mus. Ms. Sign. Additionals
6039); F. Hemmerlins Vou warmen Bädern
(übers.) 1467; Alexanderbuch (entst. 1444)
1472; Chiromantie, 1473; Andreae Capellani
Tractatus Amoris (übers.) 1482.

Ausgaben: St. Brandanus (1 lat. u. 3 dt. Texte,
hg. C. SCHRÖDER) 1871; J. H.'s Übersetzung d.
Tractatus amoris d. Andreas Capellanus (in: H.
HOFMANN, E. Nachahmer Hermanns v. Sachsenheim, Diss. Marburg) 1893; dass. u. d. T.: De
amore deutsch. D. Tractatus d. Andreas Capellanus in d. Übers. J. H.'s (hg. A. KARNEIN) 1970;
Buch aller verbotenen Kunst (hg. D. ULM) 1914;
Die Kunst Chiromantia (Facs. dr., hg. E. WEIL)
1923; D. Alexanderbuch (hg. R. BENZ) 1924;
dass. (hg. F. PODLEISZEK) 1936; Caesarius' Dialogus miraculorum (hg. K. DRESCHER) 1929; Das
Kräuterbuch (hg. H. L. WERNECK, in: Ostbayer.
Grenzmarken 2) 1958; Kunst d. gedächtnüss u.
De mansionibus (hg. B. WEIDEMANN) 1964.

Literatur: VL 2, 195; Ersch-Gruber II. 3, 22;
ADB 10, 670; NDB 7, 722; de Boor-Newald 4/1,
58, 359; Ehrismann 2 (Schlußbd.) 659; Goedeke
1, 359. – P. LEHMANN, Haushaltungsaufzeichnun-
gen e. Münchner Arztes aus d. 15. Jh., 1909; K.
DRESCHER, ~ Über s. Leben u. s. schriftsteller.
Tätigkeit (in: Euphorion 25) 1924; L. VEIT, Nürn-
berg u. die Feme, 1955; W. KÖRTING, ~ (in:
Bayer. Ärztebl. 4 u. 11) 1962 u. 1963; W.
SCHMITT, ~s mant. Schr. u. s. Beeinflussung
durch Nikolaus v. Kues (Diss. Heidelberg) 1963;
H. KLEIN, Dr. ~ über Badgastein 1467 (in: Mitt.
d. Gesellsch. für Salzburger Landeskunde 104)
1964; W. STAMMLER, ~ (in: Aufriß 2) 1954; G.
EIS, ~ (in: ebd.) 1954; M. WIERSCHIN, ~s
«Mantische Schriften» (in: PBBTüb. 90) 1968; P.
ASSION, Altdt. Fachlit., 1973.

Zu einzelnen Werken: S. HIRSCH, D. Alexander-

buch ~s, 1909; H. POPPEN, D. Alexanderbuch
~s u. s. Quellen (Diss. Heidelberg) 1914; E.
TRAVNIK, Über e. Raaber Hs. d. ~schen Alexan-
derbuches, 1914; A. J. BARNOUW, A Middle Low
German Alexander-Leg. (in: GR 4) 1929; H.
BRACKERT, ~s Buch v. d. Großen Alexander (in:
Kindlers Lit. Lex. 1) 1965; J. VORDERSTEMANN,
~s Alexanderbuch..., 1976. – H. G. WIECZOREK,
~s Verdt. v. d. Andreas Capellanus Liber de reprobatione amoris (Diss. Breslau) 1929. – C.
SELMER, The St. Brendan Leg. in Old German Lit.
(in: Journal of the American Irish Hist. Society
32) 1941; T. DAHLBERG, D. hd. Zweig d. Bran-
danus-Überl. (in: Ann. Acad. Scient. Fennicae,
Ser. B. 84) 1954. – H. FISCHER, Zu ~s Bäder-
buch (in: PBBTüb. 84) 1962.   RM

Hartlieb, Johann David Friedrich, * 6.3.1743
Altdorf, Todesdatum u. -ort unbekannt (lebte
1802 in Kaufbeuren); 1769 Ratskonsulent in Ulm,
1770 Syndikus in Kaufbeuren. Übers. aus d. Französischen.

Schriften: De separatione bonorum conjugalium
occasione divortii secundum statua Ulmensia,
1769.   RM

Hartlieb, Rudolf, * 13.8.1899 Möllbrücke/
Kärnten; Patent-Ing., dann Schriftst. in Lendorf/
Kärnten. Erzähler, Verf. v. Ratgebern für Haus,
Garten, Natur.

Schriften (Ausw.): Die Anglerfibel oder Was der
Angler wissen muß, 1933; Die Jägerfibel oder
Was der Jäger wissen muß, 1933; Gamsjäger erzählen ..., 1947; Im Kampf mit dem Wasserpan-
ther (Rom.) 1947; Walfängertragödie im Bering-
meer. Tatsachenbericht, 1947; Die Geschichte
vom treuen Forellchen Schwimmschnell, 1948;
Im Wundergarten der Natur, 1951; Das Buch
vom See, 1957; Im Bergwald, 1966.   AS

Hartlieb, Wladimir von, * 19.2.1887 Görz,
† 2.9.1951 Werfen/Salzburg; Studium in Wien,
Dr. iur., große Reisetätigkeit, freier Schriftst.,
Lyriker, Erzähler, Dramatiker, Essayist u. Übersetzer (Französisch).

Schriften: Die Stadt im Abend (Ged.) 1910;
Herbert (Ged.) 1912; Noel (Dramat. Ged.)
1912; Anima candida (Dichtungen) 1913; Myron
und Theodora (Ged.) 1914; Silvio (Dr.) 1915;
König David (Dr.) 1917; Du (Ged.) 1918; Ro-
xane (Dr.) 1918; Chaos (Farce) 1920; Epigram-

me, 1920; Scherben (Satir. Ged.) 1921; Mächti-
ger Ruf (Ged.) 1921; Fortschritt ins Nichts
(Aphorismen) 1924; Italien (Reisetagebuch)
1927; Das Antlitz der Provence (Reisebuch)
1929; Ich habe gelacht (Satiren) 1933; Fredericus
Rex (Ep.) 1935; Das Haus einer Kindheit (Rom.)
1936; Parole: Das Reich. Darstellung einer politischen Entwicklung in Österreich 1933–38,
1939; Erlebtes Theater (Wiener Dramaturgie)
1949; Zur Frage, ob Gott ist, 1951; Geist und
Maske (Erz.) 1951; Spuren des Lebens (Ged.)
1952; Aspekte der Zeit (Ess.) 1953; Das Christentum und die Gegenwart, 1953.

Literatur: Theater-Lex. 1,702. – W. STAPEL, ~
(in: Dt. Volkstum 19) 1937.   IB

Hartman, Thomas, stammte aus Lützen, Archidiakonus in Eisleben um die Wende d. 16./17. Jh.
Bearb. u. Dichter geistl. Lieder.

Schriften: Der kleine Christenschild. Der einigen, heiligen, Christlichen, Apostolischen Creutz
Kirchen Hand, Hauss, Reise, Gesang und Betbüchlein: Reimweise, 1562 (Neuausg. 1604).

Ausgabe: 40 Lieder in: W. WACKERNAGEL, D.
dt. Kirchenlied 5, 1877.

Literatur: ADB 10,703; de Boor-Newald 4/2,
260; Goedeke 2,189; 3,149.   RM

Hartmann, der arme → arme Hartmann, der.

Hartmann von Aue (Hartman von Ouwe), urkundl. nicht bezeugter Dichter d. Stauferzeit;
Herkunft ungewiß, Heinrich v. d. Türlin nennt
ihn e. Dichter «von der Swâbe lande», im «Armen Heinrich» bezeichnet sich H. als Dienstmann
e. Herrn «ze Ouwe». D. Wesperbühler, e. Ministerialenfamilie seit d. 13. Jh. an d. untern Thur
im Zürichgau, führten d. gleiche Wappen, das d.
Weingartner u. d. Maness. Liederhs. auch H. geben. In d. Nähe d. Wesperbühls hatten d. Abtei
Reichenau u. d. Grafen v. Kyburg Besitz. D. Reichenau ist damals d. «Au» schlechthin, in d. Kyburger Fam. tritt d. Name H. auf, es ist deshalb
möglich, daß sich H. als Kyburger Lehnsmann d.
Beinamen «von Aue» zulegte. Keine gesicherten
Anhaltspunkte gibt es f. e. Herkunft H.s aus d.
herzogl.-zähring. «Au» südl. Freiburg/Br. od. aus
Obernau (od. Niedernau) bei Rottenburg u. d.
dortigen Geschlecht «von Ow». Am ehesten kann
man also H. d. alemann. Sprachraum u. zwar d.
Tl. Schwabens zuweisen, der v. westl. Bodensee
bis z. Rheinknie reicht.

F. die Bestimmung v. H.s Lebensdaten gibt es nur Hinweise aus seinen u. zeitgenöss. Werken. D. «Erec», n. Sprache u. Versbau e. Frühwerk H.s, muß bald n. 1180 entst. sein, H.s Geb.datum dürfte in d. frühen 6oer Jahre z. setzen sein. D. letzten Werke H.s («Armer Heinrich» od. «Iwein») sind wahrsch. anfangs d. 13. Jh. entst.; in Gottfrieds «Tristan» wird H. nicht mehr als Lebender erwähnt, s. Tod ist wohl um 1205–10 erfolgt.

H. nennt sich selbst e. «gelehrten» Ritter, s. Werk weist auf schulmäßige Ausbildung hin, Latein u. Französ. waren ihm bekannt. Ob H. am Kreuzzug v. 1189/91 oder demjenigen v. 1197/98 teilgenommen hat, ist wegen versch. interpretierbarer Äußerungen H.s (vgl. MF Nr. 210 u. 218) ungeklärt.

H.s Lieder zeigen Einflüsse d. provençal. Minnesangs, wobei sich thematisch auch d. Leiden an d. Minne u. d. Absage an d. Minnewesen sowie Kreuzzuglieder vorfinden.

«Die Klage» (auch: «Büchlein»)stellt in d. Form e. Streitgesprächs (disputatio) zw. «herze» u. «lip» Minneproblematik u. -ethik dar.

Mit d. «Erec» (fragm. überl. in d. Ambraser Hs. u. im Wolfenbütteler Fragm.) überträgt H. wohl als erster (→ aber Ulrich von Zatzigkofen) e. Artusrom. in freier Bearb. d. Vorlage Chrestien v. Troyes' in d. dt. Sprache. H. zeigt in ihm d. durch ritterliche Schuld (verligen) u. ritterliche Buße führenden Weg Erecs u. Enites zum vorbild. höf. Ehepaar.

Der «Gregorius» (überl. in 5 im wesentl. vollständ. Hss. aus d. 13.–15. Jh.), der ebenfalls auf französ. Quellen zurückgeht, ist d. Gesch. v. «guten Sünder», d. als Kind e. Geschwisterehe selbst Inzest mit seiner Mutter begeht, in tiefer Reue e. unerhörte Buße auf sich nimmt u. v. Gott z. Papst erhöht wird (→ Thomas Mann).

Die Leg. v. «Armen Heinrich» (überl. in 3 vollst. Hss. aus d. 14. Jh., die 2 Red. vertreten) zeigt, daß vor Gott höchstes ird. Ansehen nichts gilt, wenn man Gott vergißt; d. v. Aussatz befallene Heinrich findert erst im Verzicht auf d. Opfertod e. heiratsfähigen Mädchens z. richtigen «niuwen güete» u. kann damit v. Gott geheilt werden.

In H.s zweitem Artusrom. «Iwein» (in 25 Hs. v. 13.–16. Jh. z. T. fragm. überl.), der sich an d. «Yvain» Chrestiens anschließt, geht es um richtiges Verhalten («rehte güete» u. «mâze») im v. «aventiuren» erfüllten Ritterleben.

H.s Vers- u. Sprachkunst galt f. d. folgenden Dichter als vorbildlich u. wirkte stark auf sie. D. sog. «zweite Büchlein» stammt mit aller Wahrscheinlichkeit nicht v. Hartmann.

Gesamtausgabe: H. v. A. (hg. F. BECH) 3 Bde., 1867–69 (Neudr. 1934).

Einzelausgaben:

a) Büchlein: H. ZUTT, Die Klage – Das (zweite) Büchlein. Aus dem Ambraser Heldenbuch, 1968; L. WOLFF, Das Klagebüchlein H.s v. A. und das zweite Büchlein, 1972; P. W. TAX, H. v. A., Das Büchlein. Nach den Vorarbeiten von A. Schirokauer zu Ende geführt, 1977.

b) Lyrik: M. HAUPT, Die Lieder und Büchlein und der Arme Heinrich von H. v. A., 1842 (2. Aufl. v. E. Martin, 1881); H. BRINKMANN, Liebeslyrik der deutschen Frühe. In zeitlicher Folge, 1952; MF.

c) Erec: H. NAUMANN, H. STEINGER, H. v. A., Erec/Iwein, 1933 (Neudr. 1964); A. LEITZMANN, H. v. A., Erec, 1939 (^{2}1972).

d) Gregorius: K. LACHMANN, Gregorius, eine Erzählung von H. v. A., 1838; H. Paul, Die Werke H.s v. A. IV: Gregorius, 1882 (^{22}1973); F. Neumann, Gregorius der «gute Sünder» (hg. u. erläutert) 1958 (3., durges. Aufl. 1968).

e) Armer Heinrich: Brüder GRIMM, Der Arme Heinrich von H. v. d. A. Aus der Straßbrugischen und Vatikanischen Handschrift herausgegeben und erklärt, 1815; H. PAUL, Der Arme Heinrich, 1882 (14. Aufl. v. E. L. WOLFF, 1972); E. GIERACH, Der Arme Heinrich von H. v. A. Überlieferung und Herstellung, 1913; F. MAURER, H. v. A.: Der Arme Heinrich …, 1958 (2., verb. Aufl. 1962); H. METTKE, H. v. A.: Der arme Heinrich, 1974.

f) Iwein: G. F. BENECKE/K. LACHMANN, Iwein der riter mit dem lewen …, 1827 (Neudr. 1966; 7. Aufl., neubearb. v. L. WOLFF, 2 Bde., 1968); E. HENRICI, H. v. A.: Iwein, der Ritter mit dem Löwen, 2 Tle., 1891 (1892)/1893; H. NAUMANN, H. STEINGER (vgl. «Erec») 1933 (Neudr. 1964).

Übertragungen und Wörterbücher: F. JANDEBEUR, Reimwörterbücher und Reimwortverzeichnisse zum ersten Büchlein, Erec, Gregorius, Armen Heinrich, den Liedern von H. v. A. und dem sogenannten zweiten Büchlein, 1926; R. FINK, H. v. A., Epische Dichtungen. Übertragen, 1939.

a) Lyrik: C. v. KRAUS, Aus Minnesangs Frühling. Ausgewählt und erklärt, 1948/50; M. WEHRLI, Deutsche Lyrik des Mittelalters ..., 1955.

b) Erec: E. SCHWARZ, H. v. A.: Erec-Iwein. Text, Nacherzählung, Worterklärungen, 1967; T. CRAMER, H. v. A.: Erec. Mittelhochdeutscher Text und Übertragungen, 1972 ([4]1975).

c) Gregorius: B. KIPPENBERG, H. v. A.: Gregorius, der gute Sünder. Mittelhochdeutscher Text nach der Ausgabe von F. Neumann. Übersetzt von B. KIPPENBERG. Nachwort von H. KUHN ..., 1959 ([2]1974); E. SCHWARZ, H. v. A.: Gregorius – Der arme Heinrich. Text, Nacherzählung, Worterklärung, 1967; H. J. GERNENTZ, Epik des deutschen Hochmittelalters. Herausgegeben und übertragen, 1973.

d) Armer Heinrich: K. SIMROCK, Der arme Heinrich ... Metrisch übersetzt, 1830 (2., umgearb. Aufl. 1874); G. C. L. RIEMER, Wörterbuch und Reimverzeichnis zu Dem Armen Heinrich ..., 1912; H. DE BOOR, H. v. A. Der arme Heinrich ..., 1963 ([2]1976); U. PRETZEL, Deutsche Erzählungen des Mittelalters. Ins Neuhochdeutsche übertragen, 1971; M. LEINER, Erzählungen des Mittelalters, 1977.

e) Iwein: G. F. BENECKE, Wörterbuch zu H.s Iwein, 1833 (Neudr. d. 2., v. E. WILKEN 1874 besorgten Ausg., 1965); T. CRAMER, Iwein. Text der 7. Auflage von G. F. BENECKE, K. LACHMANN und L. WOLFF. Übersetzung und Anmerkungen von T. CRAMER, 1968 ([2]1974).

Bibliographie: E. NEUBUHR, Bibliographie zu Hartmann von Aue, 1977; Albrecht-Dahlke 1, 558.

Literatur: VL 2, 202; 5, 322; ADB 1, 634; NDB 7, 728; de Boor-Newald 2, 67; 270, 432; Ehrismann 2, 2, 141.

Gesamtwürdigungen: A. E. SCHÖNBACH, Über ~. Drei Bücher Unters., 1894; H. SPARNAAY, ~. Stud. z. e. Biogr., 2 Bde., 1933/38 (Neudr. 1975); DERS., Nachträge z. «~» (in: Neoph. 29) 1944; F. MAURER, Leid. Stud. z. Bedeutungs- u. Problemgesch., bes. in d. großen Epen d. Stauf. Zeit, 1951 ([3]1964); P. WAPNEWSKI, ~, 1962 (4., erg. Aufl. 1969); S. KISHITANI, «Got» u. «geschehen». D. Vermeidung d. menschl. Subjekts in d. ritterl. Sprache (~), 1965; K. RUH, Höf. Epik d. dt. MA 1, 1967; L. WOLFF, ~. V. Büchlein u. Erec bis z. Iwein (in: DU 20) 1968; G. KAISER, Textauslegung u. gesellsch. Selbstdeutung. Aspekte e. sozialgesch. Interpretation v. ~s

Artusepen, 1973; B. NAGEL, Stauf. Klassik ..., 1977.

Sprache und Form: H. EGGERS, Symmetrie und Proportion ep. Erzählens. Stud. z. Kunstform ~s, 1956; H. RUPP, Über d. Bau ep. Dg. d. MA (in: FS F. Maurer) 1963; H. LINKE, Ep. Strukturen in d. Dg. ~s. Unters. z. Formkritik, Werkstruktur u. Vortragsgliederung, 1968; N. HEINZE, Z. Gliederungstechnik ~s. Stilist. Unters. als Beitr. z. e. strukturkrit. Methode, 1973.

Zu einzelnen Werken:

a) Büchlein: H. ZUTT, D. formale Struktur v. ~s «Klage» (in: ZfdPh 87) 1968; R. WISNIEWSKI, ~s «Klage»-Büchlein (in: ~, hg. H. KUHN, C. CORMEAU) 1973; W. GEWEHR, ~s «Klage-Büchlein» im Lichte d. Frühscholastik, 1975.

b) Lyrik: Überlieferung: R. KIENAST, D. ~-Liederbuch C[2] (in: SAB, Kl. f. Sprache, Lit. u. Kunst 1963, 1) 1963. – H. SPARNAAY, Z. ~s Kreuzzugslyrik (in: H. S., Z. Sprache u. Lit. d. MA) Groningen 1961; E. BLATTMANN, D. Lieder ~s. E. Zyklus, 1968.

c) Erec: Überlieferung: A. LEITZMANN, D. Ambraser Erec-Überl. (in: PBB 59) 1935; P. BROMMER, E. unbek. «Erec»-Fragm. in Koblenz (in: ZfdA 105) 1976. – E. SCHEUNEMANN, Artushof u. Abenteuer. Zeichnung höf. Daseins in ~s Erec, 1937 (Neudr. 1973); R. ENDRES, Stud. z. Stil v. ~s Erec (Diss. München) 1961; G. MECKE, Zwischenrede, Erzählerfigur u. Erzählhaltung in ~s «Erec». Stud. über d. Dichter-Publikum-Beziehung in d. Epik, 1965; H. KUHN, Erec (in: H. K., Dg. u. Welt im MA) [2]1969; T. CRAMER, Soz. Motivation in d. Schuld-Sühne-Problematik v. ~s «Erec» (in: Euphorion 66) 1972; E. OH, Aufbau u. Einzelszenen in ~s höf. Epen «Erec» u. «Iwein» (Diss. Hamburg) 1972; H. E. WIEGAND, Stud. z. Minne u. Ehe in Wolframs Parzival u. ~s Artusepik, 1972; P. WIEHL, Z. Komposition d. «Erec» ~s (in: WirkWort 22) 1972; DERS., D. Redesz. als ep. Strukturelement in d. Erec- u. Iwein-Dg. ~s u. Chrestiens de Troyes, 1974; B. THORAN, Diu ir man verrâten hât – Z. problem v. Enîtes schuld im «Erec» ~s (in: WirkWort 25) 1975; D. PEIL, D. Gebärde bei Chrétien, ~ u. Wolfram. Erec-Iwein-Parzival, 1975; H. REINITZER, Über Bsp.-Figuren im «Erec» (in: DVjs 50) 1976; F. PICKERING, The «fortune» of ~s «Erec» (in: GLL 30) 1976/77; F. TOBIN, ~'s Erec: The Perils of Young Love (in: Seminar 14) 1978.

d) Gregorius: Überlieferung: N. HEINZE, ~,
Gregorius. D. Überl. d. Prologs, d. Vaticana-Hs.
A. u. e. Ausw. d. übrigen Textzeugen ... (hg. u.
erläutert) 1974. – W. DITTMANN, ~s Gregorius.
Unters. z. Überl., z. Aufbau u. Gehalt, 1966; C.
CORMEAU, ~s «Armer Heinrich» u. «Gregorius».
Stud. z. Interpretation mit d. Blick auf d. Theol.
z. Zeit ~s, 1966; H. SEIGFRIED, D. Schuldbegriff
im «Gregorius» u. im «Armen Heinrich» ~s (in:
Euphorion 65) 1971; U. PRETZEL, Z. Prolog v.
~s «Gregorius» ... (in: FS G. Cordes) 1973;
D. GOEBEL, Unters. z. Aufbau u. Schuldproblem
in ~s «Gregorius», 1974; B. LORENZ, Bemerkungen z. Motiv d. «Zwei Wege» in ~s «Gre-
gorius» (in: Euphorion 71) 1977; B. HERLEM-
PREY, Neues z. Quelle v. ~s «Gregorius» (in:
ZfdPh 97) 1978; B. MURDOCK, ~'s Gregorius
and the Quest of Live (in: NGS 6) 1978; V.
MERTENS, Gregorius Eremita. E. Lebensform d.
Adels b. ~ in ihrer Problematik u. ihrer Wandlung in d. Rezeption, 1979.

e) Armer Heinrich: Überlieferung: E. GIERACH,
Unters. z. Armen Heinrich I–V (in: ZfdA 54 u.
55) 1913/17; U. MÜLLER, ~: «Der Arme Heinrich». Abb. u. Materialien z. gesamten hs. Überl.,
1971; C. SOMMER, ~: «Der Arme Heinrich»,
Fass. d. Hs. Bb. ..., 1973. – A. SCHIROKAUER,
Z. Interpretation d. Armen Heinrich (in: ZfdA
83) 1951/52; B. NAGEL, D. Arme Heinrich ~s.
E. Interpretation, 1952; C. CORMEAU (vgl. unter
«Gregorius») 1966; F. NEUMANN, D. «Arme
Heinrich» in ~s Werk (in: F. N., Kleinere Schr.)
1969; H. SEIGFRIED (vgl. unter «Gregorius»)
1971; K. RUH, ~s «Armer Heinrich». Erzähl-
modell u. theol. Implikation (in: FS H. de Boor)
1971; K. D. GOEBEL, Boethii «Philosophiae con-
solatio» u. ~s «Armer Heinrich» (in: ZfdPh 95)
1976; W. C. McDONALD, The Maiden in ~'s
«Armen Heinrich»: Enite redux? (in: DVjs 53)
1979.

f) Iwein: Überlieferung: E. HENRICI, D. Iwein-
Hss. I–III (in: ZfdA 29 u. 30) 1885/86; L. WOLFF,
D. Iwein-Hss. in ihrem Verhältnis zueinander (in:
L. W., Kleinere Schr. z. altdt. Philol.) 1967; L.
OKKEN, E. Beitr. z. Entwirrung e. kontaminier-
ten Manuskripttrad. Stud. z. Überl. v. ~s «I-
wein», Harmelen 1970; DERS., Iwein. Ausgew.
Abb. u. Materialien z. hs. Überl., 1974; E. PA-
SCHER, H. GRÖCHENING, ... e. neues Iwein-
Fragm. aus d. Stiftsbibl. St. Paul in Kärnten (in:
FS A. Schmidt) 1976; P. WIESINGER, E. Fragm.

v. ~s Iwein aus Kremsmünster (in: ZfdA 107)
1978 [beide mit Texted.]. – T. CRAMER, «saelde»
u. «ere» in ~s «Iwein» (in: Euphorion 60)
1966; B. HEGERFELDT, D. Funktion d. Zeit
im «Iwein» ~s (Diss. Marburg) 1970; E. OH
(vgl. unter «Erec») 1972; H. E. WIEGAND (vgl.
unter «Erec») 1972; M. T. NÖLLE, Formen d.
Darst. in ~s Iwein, 1974; P. WIEHL (vgl. unter «Erec») 1974; V. SCHUPP, Krit. Anmerkungen z. Rezeption d. dt. Artusrom. anhand v. ~s
«Iwein». Theorie – Text – Bildmaterial (in: Frühma. Stud., Jb. d. Inst. f. Frühma.forsch. d. Univ.
Münster 9) 1975; D. PEIL (vgl. unter «Erec»)
1975; R. SELBMANN, Strukturschema u. Opera-
toren in ~s Iwein (in: DVjs 50) 1976; T. E.
HART, The Structure of «Iwein» and Tectonic
Research: What Evidence, which Methods? (in:
CollGerm 10) 1976/77; T. L. MARKEY, The «ex
lege» Rite of Passage in ~'s Iwein (in: ebd. 11)
1978.　　　　　　　　　　　　　　　　　　RM

Hartmann von St. Gallen I, * wahrsch. in d.
frühen 60er Jahren d. 9. Jh., † 16.12.884 (?);
früher Eintritt ins Kloster St. Gallen, schuf mit
seinem Lehrer Notker Balbulus 2 Bücher e. «Vita
s. Galli» (fragm. Hs. in d. St. Galler Stiftsbibl.)
in d. Form d. Prosimetrums. Ob versch. liturg.
Ged. u. e. Begrüßungslied f. d. Empfang e. Königs diesen od. e. andern H. z. Verf. haben, ist
nicht entschieden.

Ausgaben: Vita s. Galli (in: MG Poetae 4)
1923. – Die ungesicherten Ged. bei W. BULST
(in: FS K. Strecker) 1941.

Literatur: VL 5,331; NDB 7,731; Manitius 1,
1911. – W. v. D. STEINEN, Notker d. Dichter
(Darst.bd.) 1948.　　　　　　　　　　　　　RM

Hartmann von St. Gallen II, † 21.9.925; 922
Wahl z. Abt d. Klosters St. Gallen als Nachfolger
d. Abtbischofs Salomo († 919). Seine zeitgesch.
Darst. (sui temporis libellus), wohl in d. Art e.
Klosterchron. gehalten, ist verloren.

Literatur: ADB 10,678; NDB 7,731; LThK 5,
20. – G. MEYER V. KNONAU, Ekkeharti Casus s.
Galli (in: Mitt. z. vaterländ. Gesch., NF 5/6) 1877.
　　　　　　　　　　　　　　　　　　　　RM

Hartmann von St. Gallen III, 10. Jh.; Mönch
u. Hagiograph, wahrsch. Verf. e. zw. 993 u. 1047
entst. vita d. Klausnerin Wiborada (Vita I) mit
hist. Nachrichten über d. Ungarneinfall im J. 926.
Die Original-Hs. ging verloren, d. älteste Abschr.

ist enthalten im sog. «Stuttgarter Passionale» aus d. frühen sechziger Jahren d. 12. Jh. (Württ. Landesbibl. Stuttgart, Auszug abgedr. in: MG SS 4, 1841).

Literatur: ADB 10,678; NDB 7,732; HBLS 4, 78; LThK 5,20. – G. Meyer v. Knonau, Ekkeharti Casus s. Galli (in: Mitt. z. vaterländ. Gesch., NF 5/6) 1877; E. Irblich, D. vitae sanctae Wiboradae, e. Heiligen-Leben d. 10. Jh. als Zeitbild. in: Schr. d. Ver. f. Gesch. d. Bodensees u. s. Umgebung 88) 1970.   RM

Hartmann von Heldrungen, * ca. 1210, † 19. 8. 1283 Akkon; stammte aus e. thüring. Vasallengeschlecht, 1234 Eintritt in d. Dt. Orden, 1261 bis 1266 Großkomtur u. 1273 Hochmeister, 1278 Erwerb d. Augustinerchorherrenstiftes Zschillen/ Sachsen. Wahrsch. Verf. e. gereimten Ber. über d. Verhandlungen z. Ver. d. livländ. Schwertbrüderordens mit d. Dt. Orden (Hs. 205 d. Dt.ordens-Arch. Wien; überl. auch als Prosafassung aus d. Anf. d. 16. Jh.).

Literatur: NDB 7,727; de Boor-Newald 3/1, 206. – H. Grundmann, Dt. Schrifttum im Dt. Orden (in: Altpreuß. Forsch. 18) 1941; M. Tumler, D. Dt. Orden, 1955; U. Arnold, ∼ (in: PBB Tüb. 88) 1966.   RM

Hartmann von Kronenberg («Der von Kronenberg»), 14. Jh.; Dominikanerprediger aus d. Erfurterkreis d. Eckhartschule, wahrsch. adeliger Herkunft. Verf. e. St. d. in e. Zürcher-Hs. befindl. «Wettstreites der zwölf Meister zu Paris» (Abdr. in: ZfdA 4, 1844) u. zweier in e. Einsiedler u. e. Berliner Hs. überl. Predigten (Abdr. in: ZfdA 8, 1851).

Literatur: VL 2,949. – W. Preger, Gesch. d. dt. Mystik 2, 1881.   RM

Hartmann von Starkenberg, um 1260, stammte wahrsch. aus e. Tiroler Ministerialenfamilie. Überl. sind v. ihm in d. Maness. Liederhs. 3 Lieder.

Ausgaben: HMS 2; C. v. Kraus, Dt. Liederdichter d. 13. Jh. 1,2, 1952/58 (2. Aufl., durchges. v. G. Kornrumpf, 1978); Die große Heidelberger «maness.» Liederhs. (Facs., hg. U. Müller) 1971.

Forschungsbericht: L. Rettig, ∼, E. Minnesänger d. 13. Jh. im Lichte d. neuern Forsch., 1973.

Literatur: VL 2,216; 5,334; ADB 35,495; de Boor-Newald 3/1,315; Ehrismann 2 (Schlußbd.)

169; Albrecht-Dahlke 1,705. – J. Schatz, ∼ (in: Zs. d. Ferdinandeums f. Tirol 3. Folge, 45) 1901; P. Kluckhohn, ∼ (in: ZfdA 52) 1910; H. Kuhn, ∼ (in: C. v. Kraus, Dt. Liederdichter ... 2) 1958.   RM

Hartmann, Albert → Borstendörfer, Adolf.

Hartmann, (Karl) Alfred (Emanuel), * 1.1.1814 Schloß Thunstetten/Kt. Bern, † 10.12.1897 Solothurn; Studium d. Rechte in München, Heidelberg u. Berlin, in Solothurn Gründer d. lit. Zs. «D. Morgenstern», d. lit. Jb. «Alpina» (1841), Betreuer d. lit. Tls. d. «Wochenbl. f. Freunde d. Lit. u. vaterländ. Gesch.» (1845), 1845–75 Leiter d. humorist.-satir. Zs. «Postheiri», Feuill.-Red. d. Berner «Bund» (1857f.), Mitbegründer d. solothurn. «Töpfergesellsch.», Verf. d. Textes z. d. «Gallerie berühmter Schweizer d. Neuzeit» (2 Bde., 1868/71).

Schriften: Kiltabendgeschichten (Erz.) 2 Bde., 1852/54 (2. Folge u. d. T.: Erzählungen aus der Schweiz, 3 Tle., 1863); Meister Putsch und seine Gesellen. Helvetischer Roman, 2 Bde., 1858; Junker Hans Jakob vom Staal. Ein Lebensbild aus der Zeit des dreißigjährigen Kriegs, 1861 (Neuausg. 1918); Martin Disteli, ein Künstlerleben, 1861; Junker und Bürger oder Die letzten Tage der alten Eidgenossenschaft (hist. Rom.) 2 Bde., 1865; Die Denkwürdigkeiten des Kanzlers Hory. Ein Zeit- und Charakterbild des 17. Jahrhunderts, 1876; Schweizer-Novellen, 1877; Fortunat (Rom.) 3 Bde., 1879; Neue Schweizer-Novellen, 1879; Der gerechte Branntweinbrenner (Volksrom.) 1881; Auf Schweizererde. Neue Novellen, 3 Bde., 1883–85; Tannenbaum und Dattelpalme – Illusionen. Schweizerisches Soldatenleben. Der Heimatlose (hg. R. Weber) 3 Bde., 1888f.; Dursli, der Auswanderer, 1890; Die Erbvettern auf dem Aspihof. Eine Dorfgeschichte, 1896; Lyrenhans und seine drei Töchter. Eine ländliche Tragödie, 1897; Der Glücksschütze vom Glärnisch. Der Heimatlose (2 Erz.) 1900.

Literatur: ADB 50,25; HBLS 4,79. – W. v. Arx, ∼, s. Leben u. s. Schr. (in: Progr. Solothurn) 1901 f.   RM

Hartmann, Alfred, * 7.2.1898 Jena; studierte Naturwiss. u. Pädagogik, Lehrer u. Organist, lebt in Jena-Zwätzen. Verf. v. Lyrik, Nov., Dr. u. Epen.

Schriften: Das Junggesellenheim (Lsp. nach G. Benedix) 1935; Aladin und die Wunderlampe (Märchensp. nach G. Räder) 1936; Aschenputtel (Märchensp.) 1937; Phöbus und Daphne (Ep.) 1939; Drei Balladen, 1942; Fünf Balladen, 1942; Epigramme des Gartens, 1942; Acht Sonette, 1942; Vier Balladen, 1947; Die Hafnerin (Ball.) 1948; Zwölf Gedichte, 1950; Der Diener auf Schloß Gotenhorst (Tr.) 1951; Sechs Balladen, 1951; Zwölf Gedichte. Nach Bildern von Carl Spitzweg, 1953; Zwölf Sonette, 1955; Sieben Balladen, 1957; Sieben Paprikagedichte I 1963, II 1964; Jenaer Liederbuch, 1964.

Literatur: Theater-Lex. 1,702.   IB

Hartmann, Alfred Georg, * 13.4.1874 Heilbronn, † 27.2.1930 Berlin; Kunstkritiker u. Red. d. Berliner «Lokalanz.», Red. d. Berliner «Woche», zuletzt Feuill.-Chef d. Berliner «Lokalanzeigers».

Schriften: Die Fahrt ins Himmelreich. Ein Künstlerroman aus Holland, 1915; Das Künstlerwäldchen. Maler-, Bildhauer- und Architektenanekdoten, 1917 (2., erw. Aufl. 1918); Der Künstlerspiegel. Maler-, Bildhauer- und Architekten-Anekdoten aus sechs Jahrhunderten, o. J. (1920); Regierungsrat Schwitzgäbele. Geschichte einer Wandlung (Rom.) 1925.   RM

Hartmann, Alma von (geb. Lorenz), * 23.7. 1854 Bremen, † 17.10.1931 Glogau/Schles.; Tochter d. Bremer Konsuls Ferdinand Lorenz, Dr. h. c., Heirat mit d. Philos. Eduard v. H., lebte in Berlin, zuletzt in Minden/Westf. u. Glogau. Mitarb. an A. Drews' «D. Monismus» (Bd. 2).

Schriften: Zurück zum Idealismus (10 Vorträge) 1902; Zwischen Dichtung und Philosophie, 1912 (Neuausg., 3 Bde., 1927); E. v. Hartmann, Phänomenologie des sittlichen Bewußtseins ... (3. Aufl., neu hg.) 1922; ders., Gedanken über Staat, Politik und Sozialismus (hg.) 1923.   RM

Hartmann, Andreas, 16./17. Jh., stammte aus Herzberg; Theol.- u. Philol.-Studium in Wittenberg (1559), 1586 Konsistorialbeamter in Dresden, 1593 Kanzleisekretär in Merseburg, lebte in Dresden u. 1600 in Magdeburg.

Schriften: Historia von des ... Ritters Amadisens auss Franckreich ... Thaten. Die allererste Comedia, 1587; Eine newe Aussbündige, sehr schöne, und durchauss Christliche Comedia. Vom Zustande. Im Himmel und in der Hellen ... [z. T.

n. B. Ringwalts «Treuen Eckhart»] 1600; Erster Theil, des Curriculi vitae Lutheri. Das ist: Warhafftige und kurtze Historische Beschreibung ... in summa der ganze Lauff, beydes Lebens und Sterbens, Des Ehrwürdigen ... Herrn D. Martini Lutheri ... Jetzo gantz New Inn etlichen unterschiedenen, sehr schönen und Christlichen Comoedien repraesentirt ..., 1600; Lutherus redivivus. Das ist: eine wahrhaffte Beschreibung der Geburth, ... Lehr ... Lebens ... Des Herrn D. Martini Lutheri, In eine sehr schöne, anmuthige und Christliche Comedia gebracht, 1624.

Literatur: Adelung 2,1812; ADB 10,680; Theater-Lex. 1,702; Goedeke 2,369.   RM

Hartmann, Andreas Gottlieb, * 28.11.1751 Bautzen, † 7.2.1787 Forsta/Niederlausitz; studierte in Leipzig, 1770 Dr. iur., zuletzt Bürgermeister in Forsta.

Schriften: Schlußrede zum Don Osorio, 1776; Der Geburtstag. Ein Nachspiel, 1776; Kleine Gedichte, zwei Meilen von Pförthen, 1776/77; Die erfüllten Wünsche. Ein kleines Nachspiel, 1777; Schlußrede zum dankbaren Sohn, 1777; Die dankbare Tochter (ländl. Lsp.) 1784.

Literatur: Meusel-Hamberger 3,93; 11,319; Theater-Lex. 1,702; Goedeke 4/1,667.   RM

Hartmann, Anton Theodor, * 25.6.1774 Düsseldorf, † 20.4.1838 Rostock; Theol.-Studium in Göttingen, 1797 Konrektor in Soest, 1799 Prorektor in Herford, 1804 Kollaborator am Oldenburger Gymnasium, seit 1811 Theol.-Prof. in Rostock, 1813 Dr. theol., 1815 Konsistorialrat, 1818 Münzkabinettsdirektor.

Schriften: Über die Ideale weiblicher Schönheiten bei den Morgenländern, 1798; Der Prophet Micha, neu übersetzt und erläutert, 1800; Asiatische Perlenschnur. Erzählungen und Märchen, 2 Bde., 1801; Blicke in den Geist des Urchristenthums, 1802; Die hellstrahlenden Plejaden am arabischen poetischen Himmel oder Die sieben am Tempel zu Mecca aufgehangenen arabischen Gedichte (übers.) 1802; Morgenländische Blumenlese, 1802; Früchte des asiatischen Geistes, 2 Tle., 1803; Aufklärungen über Asien, 1806/07; Sieben arabische Gedichte, übersetzt und erläutert, 1807; Medscherum und Leila, 1807; Die Hebräerin am Putztische und als Braut (auch u. d. T.: Übersicht der wichtigsten Erfindungen im Reiche der Mode bei den Hebräerinnen) 3 Tle.,

1809f.; Linguistische Einleitung in das Studium
der Bücher des Alten Testaments, 1818; Oluf
Gerhard Tychsen oder Wanderungen durch die
mannichfaltigsten Gebiete der biblischen asiatischen Literatur, 2 Bde., 1818–20; Biblisch-asiati-
scher Wegweiser zu Oluf Gerhard Tychsen ...,
1823; Die enge Verbindung des Alten Testaments
mit dem neuen, 1831; Historisch-kritische Forschungen über die Bildung, das Zeitalter und den
Plan der fünf Bücher Mosis, 1831; Johann Andreas Eisenmenger und seine jüdischen Gegner,
1834; Beziehungen und Grundsätze des orthodoxen Judenthums, 1836.

Literatur: ADB 10, 680.   RM

Hartmann, August (d. J.), * 25. 1. 1846 München, † 23. 3. 1917 ebd.; Dr. phil., Kustos, Bibliothekar u. zuletzt Oberbibliothekar an d. Hof-
u. Staaatsbibl. München, Mit-Hg. v. «Bayerns
Mundarten» (1891–95).

Schriften: Weihnachtslied und -Spiel in Oberbayern, 1875; Das Oberammergauer Passionsspiel
in seiner ältesten Gestalt zum ersten Mal herausgegeben, 1880; Volksschauspiele in Österreich-
Ungarn und Bayern. Mit vielen Melodien, aus dem
Volksmund aufgezeichnet (v. H. Abele) 1880;
Volkslieder. In Bayern, Tirol und Land Salzburg
gesammelt (mit Melodien, ges. v. H. Abele) 1.
Bd., 1884; Hans Heselloher's Lieder, 1890; Regensburger Fasnachtsspiel (hg.) 1893; Deutsche
Meisterlieder-Handschriften in Ungarn. Ein Beitrag zur Geschichte des Meistergesanges ...,
1894; Historische Volkslieder und Zeitgedichte
vom 16. bis 19. Jahrhundert. Gesammelt und erläutert (mit Melodien hg. H. Abele) 3 Bde., 1907
bis 1913.

Nachlaß: Bayer. Staatsbibl. München. – Denecke 70.   RM

Hartmann, Carl Heinrich (Ps. Carolus Hartmann), * 15. 10. 1901 Iserlohn/Westf.; freier
Schriftst. in s. Heimat. Erzähler.

Schriften: Kleiner Gang durch Haarlem, 1943;
Mozarts Reise nach Haarlem, 1944; Die Orgel
von St. Bavo. Mozarts Reise nach Haarlem, 1947.
                                                      IB

Hartmann, Charles-Léon (Ps. E. de Varga)
* 6. 1. 1856 New York; Dr. med., tätig im
diplomat. Dienst d. USA, war Konsul v. Kuba
f. d. Schweiz, wohnte auf Schloß Landschlacht/
Kt. Thurgau. Publizist, Erzähler.

Schriften: Lex Talionis (Rom.) 1884; Deka-
denten (Rom.) 1913; Das Recht des legitimen
Besitzes und andere ungemütliche Geschichten,
1917; Vor der Waffenruhe. Eine Kritik der
reinen Unvernunft, 1917; Kriegsgefangener auf
Gibraltar und der Insel Man. Tagebuch eines
Amerikaners, 1918; Wer trägt die Schuld am
Weltkrieg? Mit bisher unbekannten Dokumenten aus den russischen Archiven, 1924.   AS

Hartmann, Christian Friedrich, * 12. 10. 1767
Köthen, † 5. 2. 1827 ebd.; seit 1796 Rektor und
Adjunkt d. geistl. Ministeriums in Köthen, 1804
Lehrer in Oldenburg, 1810 Diakon u. seit 1812
Konsistorialrat u. Schuldir. in Köthen. Mitarb. d.
«Krit. Bibl. d. schönen Wiss.» (1795) u. d.
«Bernburg. wöchentl. Anz.», Verf. versch. Schul-
progr. u. -schriften.

Schriften: Versuch einer Übersetzung der Propheten Nahum, Habakuk, Zephania und Obadja,
mit Anmerkungen, 1791; Commentatio in epi-
stolam Judae, 1793; Geschichte der evangelisch-
lutherischen St. Agnuskirche zu Köthen, 1799;
Versuch einer Litteratur brauchbarer Bücher für
Schulbibliotheken, 2 H., 1800f.; Die biblische
Geschichte mit praktischen Anmerkungen ..., 2
Tle., 1802f.; Von der Aufsicht über die Lektüre
für junge Leute, 1807.

Literatur: Meusel-Hamberger 3, 93; 9, 516; 11,
320; 14, 44; 18, 56; 22.2, 587.   RM

Hartmann, (Karl Robert) Eduard von (Ps. Carl
Robert), * 23. 2. 1842 Groß-Lichterfelde/Berlin,
† 5. 6. 1906 Berlin; bis 1865 Offizier, dann Studium d. Naturwiss. u. Philos., später Privatgelehrter u. philos. Schriftst. in Berlin.

Schriften (Ausw.): Philosophie des Unbewußten. Versuch einer Weltanschauung, 1869 (10.,
erw. Aufl., 3 Tle., 1890; Erg.bd. zur 1.–10.
Aufl. 1890); Aphorismen über das Drama, 1870;
Dramatische Dichtungen. Tristan und Isolde –
David und Bathseba, 1870; Shakespeare's Romeo
und Julia, 1874; Die Selbstzersetzung des Christenthums und die Religion der Zukunft, 1874;
Wahrheit und Irrthum im Darwinismus ..., 1875;
Phänomenologie des sittlichen Bewußtseins,
1879 (3., Aufl., hg. Alma v. H., 1924); Zur Geschichte und Begründung des Pessimismus, 1880
(2., erw. Aufl. 1892); Die Krisis des Christenthums in der modernen Theologie, 1880; Die
Religion des Geistes, 1882; Philosophische Fra-

gen der Gegenwart, 1885; Das Judenthum in Gegenwart und Zukunft, 1885; Der Spiritismus, 1885; Die deutsche Ästhetik seit Kant, 1886; Moderne Probleme, 1886 (2., verm. Aufl. 1888); Philosophie des Schönen, 1887 (Neuausg., hg. R. MÜLLER-FREIENFELS, 1924); Zwei Jahrzehnte deutsche Politik und die gegenwärtige Weltlage, 1889; Kritische Wanderungen durch die Philosophie der Gegenwart, 1890; Die Geisterhypothese des Spiritismus ..., 1891; Die sozialen Kernfragen, 1894 (2. Aufl., 3 Bde., 1906); Kategorienlehre, 3 Bde., 1896 (Neuausg., hg. F. KERN, 1923); Tagesfragen, 1896; Geschichte der Metaphysik, 2 Bde., 1899 f.; Die Weltanschauung der modernen Physik, 1902; Das Problem des Lebens ..., 1906 (Neuausg., hg. F. KERN, 1925); System der Philosophie im Grundriß, 8 Bde., 1907 ff.; Grundriß der Religionsphilosophie, 1909 (auch als 7. Bd. des «Systems der Philosophie).

Ausgaben: Gesammelte Studien und Aufsätze gemeinverständlichen Inhalts, 1876; Ausgewählte Werke, 6 Bde., 1885–87; Ausgewählte Werke, 9 Bde., 1886–90; Ausgewählte Werke, 13 Bde., 1896–1901; Gedanken über Staat, Politik und Sozialismus (hg. Alma v. H.) 1923.

Briefe: G. J. O. J. Bollands Briefw. mit ~, 1937; B. Kern–v. Hartmann, Briefw. zw. ~ u. E. Haeckel (in: Kantstud. 48) 1956/57.

Nachlaß: In Privatbesitz u. Dt. Staatsbibl. Berlin, Hs.-Abt.; Landesbibl. Stuttgart. – Denecke 2. Aufl.; Mommsen Nr. 1478; Nachlässe DDR 1, Nr. 255.

Bibliographie: A. v. HARTMANN, Chronolog. Übersicht d. Schr. v. ~ (in: Kantstud. 17) 1912; H. STÄGLICH, Verz. d. ~-Lit., 1923.

Literatur: NDB 7, 738; Biogr. Jb. 11, 72; LThK 5, 20; RGG ³3, 82; MGG 5, 1755. – A. DREWS, D. Lebenswerk ~s, 1907; T. KAPPSTEIN, ~, 1907; O. BRAUN, ~, 1908; L. GIEGLER, D. Weltbild ~s, 1910; M. SCHMITT, D. Behandlung d. erkenntnistheoret. Idealismus bei ~, 1910; N. E. POHORILLE, Entwicklung u. Kritik d. Erkenntnistheorie ~s, 1911; K. F. SCHAER, D. metaphys. Voraussetzungen d. künstler. Schaffens bei ~, 1921; J. HESSEN, D. Kategorienlehre ~s u. ihre Bed. f. d. Philos. d. Ggw., 1924; K. O. PETRASCHEK, D. Logik d. Unbewußten, 2 Bde., 1926; W. v. SCHNEHEN, ~, 1929; H. HEINRICHS, D. Theorie d. Unbewußten in d. Psychol. ~s (Diss. Bonn) 1933; B. BAVINK, ~

u. d. mod. Naturphilos. (in: Bl. f. dt. Philos. 16) 1942/43; M. HUBER, ~s Metaphysik u. Religionsphilos., 1954; W. HARTMANN, D. Philos. M. Schelers in ihren Beziehungen z. ~, 1956; T. SCHWARZ, ~ (in: Dt. Zs. f. Philos. 17) 1969; G. KUEBART, D. Unbewußte in d. Menschenlehre ~s u. S. Freuds, 1970.   RM

Hartmann, Elise → Beck, Elise.

Hartmann, Ernst, * 26. 1. 1868 Breckerfeld/Kr. Hagen, † 24. 6. 1943 Wuppertal-Barmen; plattdt. Erzähler u. Novellist.

Schriften: Famillge Klätsch. Erzählung aus jüngster Vergangenheit, 1928; Meskendals Jull on angere Wopperdaler Geschichten, 1936; Färwerschbarke on Bandsgetau (Rom.) 1938.   RM

Hartmann, Franz → Hartmann, Placidius.

Hartmann, Fritz (Friedrich), * 2. 2. 1866 Frankfurt/M., † 27. 6. 1937 Lenglern b. Göttingen; Studium d. Gesch., Philos. u. Lit. in Berlin u. Heidelberg, 1890 Dr. phil., Red. d. «Braunschweig. Landes-Ztg.» (1891 ff.), seit 1907 Red. beim «Hannov. Kurier» in Hannover.

Schriften: Sechs Bücher Braunschweigischer Theatergeschichte. Nach den Quellen bearbeitet, 1905; Der Wunderliche von Bevern (Tr.) 1908; Die Saalnixe. Alte Geschichten, Sagen und Gedichte aus Bad Kissingen und Umgebung (ges. u. hg.) 1909; Wilhelm Raabe, wie er war und wie er dachte. Gedanken und Erinnerungen, 1910 (2., verm. Aufl. 1927); Vor 100 Jahren. Geschichtliche Skizzen, 2 Bde., 1913/17; Ob-Ost. Friedliche Kriegsfahrt eines Zeitungsmannes, 1917; Mein bulgarisches Tagebuch. Eindrücke und Ausblicke, 1918.

Literatur: Theater-Lex. 1, 704. – F. HAHNE, ~ (in: Mitt. f. d. Gesellsch. d. Freunde W. Raabes 4) 1937.   RM

Hartmann, Georg Leonhard, * 19. 3. 1764 St. Gallen, † 8. 5. 1828 ebd.; Sohn d. Malers Daniel H., Studien in Theol., Gesch. u. Malerei, Kupferstecher u. Landschaftsmaler, später in versch. amtl. Stellen in St. Gallen tätig (u. a. Mitgl. d. Erziehungsrates u. dessen Aktuar 1803–16), Hg. d. «Wochenbl. f. d. Kt. Säntis» (1798 f.), Mitarb. versch. Ztg. u. Zs., Verf. d. erziehungsrätl. «Neujahrsst. f. d. vaterländ. Jugend» (1805–14).

Schriften: Über den Bodensee. Ein Versuch, 1795 (2., verm. Aufl. 1808); Nagelneues Gespräch, in der Dorfschenke gehalten, 1798; Ein Wort über das Nichtvertheilen des St. Gallischen Waidbodens, 1800; Rheinthalischs Weinbüchlein, 1803; Geschichte des Rheintals, 1805; Landwirthschaftliche und Sittengemählde der Bewohner der alt St. Gallischen Landschaft, 1817; Geschichte der Stadt St. Gallen, 1818; Helvetische Ichthologie ..., 1827.

Nachlaß: Stadtbibl. St. Gallen. – Schmutz-Pfister Nr. 882.

Literatur: HBLS 4, 81; Meusel-Hamberger 3, 95; 14,45; 18,56; Goedeke 12,170. – Aus d. Lebensbeschreibung ∼s, 3 H. (in: St. Gall. Analekten 2, 3, 4, hg. DIERAUER) 1890–92; T. SCHIESS, ∼, e. Portrait, 1924.   RM

Hartmann, Gisela (Ps. für Gisela Wenz-Hartmann), * 14.8.1904 Culmsee/Kreis Thorn; Kunsthandwerkerin in Halle, seit ca. 1965 wohnhaft in Stuttgart. Erzählerin, Jugendbuchautorin.

Schriften: Amleth. Ein Kampf um Ehre, Recht und Heimaterde (Rom.) 1936; Lebensbilder germanischer Frauen, 1937; Über dem Leben leuchten die Sterne (Rom.) 1939; Rainer und Reni (Jgdb.) 1951; Modesalon Weissgerber. Ein Mädchen wird Schneiderin, 1954; Wir lesen und spielen, 1955; Zirkus Mirabelli. Der Kaspar und die gestohlenen Äpfel, 1955; Unter dem Hollerbusch, 1955; Die Kinder aus der Maikäferstraße, 1955; Mit Feder und Tinte. Schrift und Übungen, 1955; Wohin die Wolken ziehen. Mädchenerzählungen aus der Dichtung der Völker (Hg.) 1960; Eins ums andere. Das neue große Buch der Erzählungen, 1961; Vater Immerda (Kinderb.) 1965.   AS

Hartmann, Gottlob David (Ps. Barde Telynhard), * 2.9.1752 Roswaag/Württ., † 5.11.1775 Mitau/Kurland; Theol.-Studium in Tübingen, 1773 Magister, 1774 Gymnasialprof. in Mitau.

Schriften: Die Feyer des letzten Abends des Jahrs 1772, 1773; Sophron oder Die Bestimmung des Jünglings für dieses Leben, 1773; Die Feyer des Jahrs 1771 an den Genius der Jahre, 1774; Die Feyer des Jahrs 1773, 1774; Litterarische Briefe an das Publikum. Zweytes und Drittes Paquet, 1774f.; Hinterlassene Schriften. Gesammelt und mit einer Nachricht von seinem Leben herausgegeben (v. C. J. Wagenseil) 1779.

Nachlaß: Tle. in d. Zentralbibl. Zürich. – Frels 118.

Literatur: ADB 10,683; Goedeke 4/1,193. – W. LANG, ∼, e. Lb. aus d. Sturm- u. Drangzeit, 1890.   RM

Hartmann, Guido, * 9.5.1876 Aschaffenburg, † 26.2.1946 ebd.; im Postdienst tätig. Vorwiegend Heimatschriftst., Lyriker, Verf. v. Feuilletons.

Schriften: Friedrich Bierlein, Letzte Grüße (Gesammelte Ged., hg. u. mit e. Einl. versehen) 1905; Fliehen und Sehnen (Ged.) 1907; Aus dem Spessart. Kultur- und Heimatbilder, 1910; Auf der Sehnsucht Schwingen (Ged.) 1916; Ludwig Hartmann. Ein Künstlerleben, 1921; Der Spessart in der Literatur, 1928; Die Kurmainzischen Kunstschätze des Schlosses zu Aschaffenburg, 1933; Reichskanzler, Kurfürst und Kardinal Albrecht der Zweite von Brandenburg, der Führer deutscher Renaissancekunst, o.J.; Kampf um Meister Mathis von Aschaffenburg, genannt Mathias Grünewald, 1957.

Literatur: G. STADELMANN, ∼. 9.5.1876–26. 2.1946. Spessartforscher (in: Aschaffenburger Jb. f. Gesch., Landeskunde u. Kunst d. Untermaingeb. 1) 1952; DERS., Dem vor 10 Jahren verstorbenen ∼ zum 80. Geb.tag. (in: Frankenland. Zs. f. d. Frankenvolk u. seine Freunde N.F. 8) 1956.   IB

Hartmann, Hans, * 8.6.1870 Neustift b. Krumm-Nußbaum/Niederöst., † 3.9.1954 Wien; Lehrer. Mundartdichter.

Schriften: Was z'lacha. Gedichte in niederösterreichischer Mundart, 1899.   IB

Hartmann, Hans Reinold (Ps. Walter Brant), * 5.11.1888 München, † 17.5.1976 Berlin; Sohn von Gottfried H., Prof. d. Romanistik in München; Dr. phil., lic. theol., 1915–28 Pfarrer in Solingen-Foche, dann Privatgelehrter u. Schriftst. in Berlin, Vortrags- u. Studienreisen in vielen europ. Ländern. Verf. kulturphilos. Essays, Biograph, Übersetzer.

Schriften: Kunst und Religion in der Frühromantik (= zuerst Diss. Erlangen) 1916; Jesus, das Dämonische und die Ethik, 1920 (2., bearb. Aufl. 1923); Kulturwende, 1920 (2., bearb. Aufl. 1922); Die Stimme des Volkes, 1920; Zur religiösen Krisis, 1923; Nietzsche als Erlösender und

Erlöster, 1925; Oswald Spengler und Deutschlands Jugend, 1925; Kirche und Sexualität. Der Wandel der Erotik, 1929; Die junge Generation in Europa, 1930; Der Faschismus dringt ins Volk. Eine Betrachtung über das Dopolavoro, 1933; D. Popoff, Germanismus und Zivilisation (Übers.) 1934; Der ideale Staat, 1934; Denkendes Europa. Ein Gang durch die Philosophie der Gegenwart, 1936; Max Planck als Mensch und Denker (Biogr.) 1938 (3. bearb. Aufl. 1953); Gesunde Kinder. Das Lebenswerk Adalbert Czernys, 1938; Vitamine. Auf der Spur des Lebensgeheimnisses (Rom.) 1939; Forschung sprengt Deutschlands Ketten, 1940; Paracelsus. Eine deutsche Vision, 1941; Schöpfer des neuen Weltbildes. Große Physiker unserer Zeit, 1952; Georg Agricola 1494–1555, Begründer dreier Wissenschaften: Mineralogie, Geologie, Bergbaukunde, 1953; Begegnung mit Europäern. Gespräche mit Gestaltern unserer Zeit, 1954; R. W. Emerson, Ein Weiser Amerikas spricht zu uns. Auszüge aus seinem Werk (Übers. u. Hg.) 1954; Wer war Jesus Christus? Verändern die Schriftrollenfunde vom Toten Meer unser Christusbild? 1957; Triumph der Idee. Schöpfer des neuen Weltbildes, 1959; Lexikon der Nobelpreisträger, 1967.   AS

Hartmann, Heinrich, * 2. Hälfte 16. Jh. wahrsch. Reichstadt, † 1616 Coburg; seit 1607 Kirchen- u. Schulkantor in Coburg. Komponist.

Schriften: Erster Theil Confortativae Sacrae Symphoniacae, d. i. Geistlicher Labsal und Hertzstärckung meisten theils auss der heiligen göttlichen schrifft, dess alten und newen Testaments ausserlesen, Und mit fünff, sechs, acht und mehren Stimmen componiret und gesetzet ..., 1613 (Neuausg. 1618); Der Ander Theil Confortativae Sacrae Symphoniacae ..., 1617.

Literatur: MGG 5, 1747; FdF 2, 5.   RM

Hartmann, Heinz, * 31. 1. 1909 Werdau/Sachsen; lebte in Berlin; Erzähler.

Schriften: Hände am Pflug (Ged.) 1936; Das letzte Korn (Nov.) 1937; Mutter ohne Kind (Rom.) 1937; Streit um Strolch (Rom.) 1938; Das Erbe von Liebenstein (Rom.) 1941.   AS

Hartmann, (Gottlieb Friedrich) Hermann, * 22. 3. 1826 Ankum b. Osnabrück, † 27. 12. 1901 Lintorf b. Osnabrück; Med.-Studium in Heidelberg u. a. Orten, seit 1850 Arzt in Lintorf, 1873 Sanitätsrat.

Schriften: Schatzkästlein westfälischer Dichtkunst in hoch- und plattdeutscher Sprache (mit Anmerkungen hg.) 1855; Gedichte, 1862 (3., verm. Aufl. u. d. T.: Mythe und Sage, 1889); Bilder aus Westfalen. Sagen, Volks- und Familienfeste, Gebräuche, Volks-Aberglaube und sonstige Volksthümlichkeiten ..., 1871 (NF 1884); Wanderungen durch das Wittekinds- oder Wiehengebirge, 1876; Das Buch vom Sachsenherzog Wittekind. Sage und Dichtung nebst historischer Einleitung (mit O. Weddigen) 1883; Der Sagenschatz Westfalens (mit dems.) 1885 (Neuausg. 1923); Der römische Bohlenweg im Dievenmoore, 1892; Am römischen Grenzwall. Altgermanische Erzählungen, 1893; Auf der Wittekindsburg. Altsächsische Erzählungen, 1895; Beiträge zur Geschichte von Wiedenbrück, 1900.

Literatur: L. SCHRÖDER, ∼ (in: Niedersachsen) 1902.   RM

Hartmann, Hermann (Ps. Armin), * 28. 4. 1865 Riehen/Basel, † 27. 10. 1932 Bern; lernte Müller, reiste dann in d. USA, studierte dort zuerst Theol., ging später z. Journalismus über, war Red. d. St. Louis Tribune; nach 15 Jahren Rückkehr in d. Schweiz, seit 1898 Dir. d. Verkehrsver. d. Berner Oberlandes in Interlaken, maßgebl. beteiligt an d. Erschließung d. Beatushöhlen; Tellspielleiter in Interlaken. Verf. zahlr. Schr. f. den Fremdenverkehr, Erzähler.

Schriften (Ausw.): Bernerland, 1900; Der Allmen-Christel. Eine Erzählung aus den Berner Oberländer Bergen, 1902; Die Beatus-Höhlen am Thunersee, 1904; Fest-Schrift zur Hundertjahrfeier des Aelplerfestes von 1805, 1905; Berner Oberland in Sage und Geschichte, 2 Bde., 1910/13 (Register-Bd. 1932); Wilhelm Tell. Freilicht-Aufführungen, 1912.

Literatur: HBLS 4, 79. – H. SOMMER, Volk u. Dg. d. Berner Oberlands, 1976.   AS

Hartmann, Jakob (Ps. Chemifeger Bodemaa), * 16. 5. 1876 Wienacht-Tobel/Kt. Appenzell, † 10. 5. 1956 Rehetobel/Kt. Appenzell; lebte als Kaminfegermeister im Appenzell. Volksschriftst., auch im Dialekt, Erzähler u. Verf. v. Volksstükken (ungedr.).

Schriften: E'gnareti Setzi im «Wilde Maa». Bilder aus dem Appenzeller Volksleben, 1909; Appezeller-Gschichte, 1912; Appezeller-Sennelebe. Appenzellisches Charaktergemälde mit Jodel, Gesang und Tanz in fünf Aufzügen, 1914; Das Vorspiel des Lebens. Geschichte einer Kindheit, 1923; Mer sönd halt Appezeller! Erinnerungen aus Jugend und Heimat (mit andern) 1925; Heimatspiegel. Bilder und Gestalten aus dem Appenzellerland, 1930; Stöck ond Stuude. Z'sämmebbüschelet, 1933.   AS

Hartmann, Joachim, * 1.1.1715 Malchow/ Mecklenb., † 6.11.1795 Rostock; Theol.-Studium in Rostock, 1739 Magister, Prinzenlehrer in Schwerin, 1748 Dr. theol.; Prof., Superintendent u. Konsistorialrat in Rostock, 1792 Dir. d. Rostocker Ministeriums. Verf. zahlr. theol. u. polem. Schriften.

Schriften (Ausw.): Vernunfftmäßiger Beweis von der Nothwendigkeit eines Erlösers ..., 1747; Jesus Nazarenus ..., 1757; Betrachtungen über die Geschichte Jesu, nach dem Zeugnisse der vier Evangelisten, 1. Tl., 1761; Entwürfe für Predigten (4 Jg.) 1774–81; Heilige Reden über wichtige Wahrheiten der göttlichen Offenbarung, 1776; Systema Chronologiae Biblicae ..., 1777; Belehrung für den Recensenten, der das System Chronologiae Biblicae zu beurtheilen unternommen, 1778.

Literatur: ADB 10, 684.   RM

Hartmann, Johann David (Ps. Selmar), * 1.6. 1761 Aschersleben, † 4.12.1801 Holzminden; 1790 Gymnasialdir. in Bielefeld u. seit 1794 in Herforden, Prior d. Klosters Amelungsborn, zuletzt Prof. u. Schuldir. in Holzminden. Verf. versch. Schulschriften.

Schriften: Briefe an eine Freundin über Schönheit, Grazie und Geschmack, 1784; Komische Erzählungen in Versen, von einem Freunde frohen Scherzes und heiterer Laune, 1785; Der Patriot am Grabe Friedrichs des Einzigen, 1786; Huldigungsfeyer am Throne Friedrich Wilhelms des Vielgeliebten, 1786; An-weisung zum Briefschreiben für die adliche Jugend ..., 1789 (auch u. d. T.: Adlicher Briefsteller ..., 1789); Bemerkungen und Anekdoten die Bastille betreffend (aus d. Engl. d. J. Howard) 1789; Merkwürdige Geschichte eines niedersächsischen Edelmanns [Herrn von Brockdorff] 2 Bde., 1789; Über die moralische Bildung der Jugend auf Schulen ..., 1790; Friedrich Wilhelm, der Freund des Friedens. Ein Hymnus ..., 1790; Handbuch für Teutschlands Söhne und Töchter, 1790; Hesiods

moralische und ökonomische Vorschriften (Mit-Hg.) 1792; Hesiods Schild des Herakles, nebst den Schilden des Achilleus und Aeneas von Homer und Virgil (metr. übers. u. hg.) 1794; Über die ältesten Lehrdichter der Griechen, nebst der metrischen Übersetzung eines Solonischen Fragments, 1794; Beitrag zur christlichen Kirchen- und Religionsgeschichte, 1795; Versuch einer Kulturgeschichte der vornehmsten Völkerschaften Griechenlands, 2 Bde., 1796/1800; Versuch einer allgemeinen Geschichte der Poesie von den ältesten Zeiten an, 2 Bde., 1797 ff.; Gedanken über das Wesen eines guten sittlichen Tones auf Schulen ..., 1799; Holzmindisches Unterhaltungsblatt auf das Jahr 1800 (hg.) 1800.

Nachlaß: Frels 118.

Literatur: Ersch-Gruber II.3, 26; Meusel-Hamberger 3, 95; 9, 517; 11, 320; Goedeke 4/1, 632.
                                                              RM

Hartmann, (Christoph) Johann Dietrich (David Joachim), * 28.11.1762 Rostock, † 17.8.1840 Parchim; Theol.-Studium in Rostock, 1813–38 Pastor in Gorlosen b. Eldena.

Schriften: Gedichte (mit C. Kosegarten) 1794; Geschichte des Lebens, Charakters, der Meynungen und Schriften seines Vaters ..., D. Joachim Hartmanns, 1798.

Literatur: Meusel-Hamberger 3, 96; 9, 518; Goedeke 7, 382.   RM

Hartmann, Johann Jacob (Ps. Caesar Aquilinus), * 1.1.1671 Nürnberg, † 7.11.1728 ebd.; 1691 Magister in Altdorf, Hofmeister in Wittenberg, 1697 Prediger u. seit 1701 Diakon in Nürnberg. Unter d. Namen Durando Mitgl. d. Pegnes. Blumenordens.

Schriften: De cultu externo numinis Divini secundum rationis ductum et legem (mit C. Gipser) 1692; Ausführliche Historie des jetzigen Bairischen Kriegs ..., 3 Tle., 1704 f.; Christus in uns und für uns ... (Fastenpredigten) 1706; Heinr. Conr. Agrippae Ungewißheit und Eitelkeit aller Künste und Wissenschaften, auch wie selbige dem menschlichen Geschlecht mehr schädlich als nützlich sind, 1713; Wilhelm Beveridge Privat-Gedanken von der Religion, übersetzt, 1714; Janneway Exempel-Büchlein für Kinder, 2 Tle., o. J.; Die große Wichtigkeit eines gottseligen Lebens, nebst Morgen- und Abendgebeten (aus d. Engl.) 1717; Das Muster eines rechtschaffenen Edelmannes, in den Pflichten gegen Gott, gegen den

Nächsten, und gegen sich selbst (aus d. Engl.) 1721; Historischen Bilder-saals siebenter Theil, 1727 (8. Tl., 1. Periode 1727). (Ferner einzeln gedr. dt. u. lat. Ged. u. versch. Disputationen.)

Literatur: Adelung 2, 1815.   RM

Hartmann, Johann Ludwig (Ps. Israël Fromschmidt von Hugenfelsz), * 3. 2. 1640 Rotenburg, † 18.7.1684 ebd.; n. Theol.-Studium in Wittenberg u. Straßburg Pfarrer u. Superintendent in Rotenburg.

Schriften: Simplicissimi Galgenmännlein, Oder Ausführliche Bericht, woher man die sogenannten Allräungen oder Geldmännlein bekommt ..., (mit Anm. hg.) 1773; Alamode Teuffel ..., 1675; Concilia illustrata (mit J.L. Rül) 1675; Fränkische Blut-Geschicht ..., 1676; Spielteuffel ... von Gewinnsüchtigen Spielens Beschaffenheit ... und Abscheulichkeit ..., 1678; Tanzteuffel, neben einem Anhange vom Praecedenzteuffel, 1679; Saufteufels Natur, Censur und Cur ..., 1679; Schmeichel- und Fuchsschwanzteuffels Natur, Censur und Cur ..., 1679; Der Lästerteuffel, 1679; Der Müßiggang- und Faulenzteuffel, 1680; Greuel des Segenssprechens sammt Bericht von Alraunen oder Galgenmännlein, Diebs- Damen und spiritus familiares, 1680.

Literatur: Jöcher 2, 1382; ADB 10, 685; FdF 1, 292; Goedeke 2, 482.   RM

Hartmann, Johann Melchior, * 20.2.1764 Nördlingen, † 16.2.1827 Marburg; Theol.-Studium in Jena u. Göttingen, seit 1793 Prof. d. Philos. u. oriental. Sprachen in Marburg, 1794 Dr. phil. u. 1817 Dr. theol., 1800 Mitgl. d. «Gesellsch. d. Alterthümer» in Kassel, 1817 d. Marburger «Gesellsch. z. Beförderung d. gesammten Naturwiss.», Hg. d. 5., revid. Ausg. v. J. G. Röchlings lat. Chrestomathie (1797), Mitarb. an Eichhorns «Allgem. Bibl. d. bibl. Wiss.» u. an Büschings Erdbeschreibung (Verf. d. 6. Tls., 1799), begann 1807 mit A.J. Arnoldi u. G.W. Lorsbach d. «Museum f. bibl. u. oriental. Literatur».

Schriften: Commentatio de geographia Africae Edrisiana, 1792 (Neuausg. 1796); Anfangsgründe der hebräischen Sprache ... nebst einer Chrestomathie ..., 1797 (verm. u. umgearb. Ausg. 1819); Hessische Denkwürdigkeiten (hg. mit K. W. Justi) 2 Tle., 1799f.; Edrisii Hispaniae Perticula, 3 Bde., 1802–18; Biblia, das ist die ganze heilige Schrift ... verteutscht durch D. Martin

Luther ... (hg. mit G. W. Lorsbach) 1808; Über den gegenwärtigen Zustand der Samaritaner (aus d. Französ. d. S. de Sacy) 1814.

Literatur: ADB 10, 687; Meusel-Hamberger 3, 98; 9, 518; 11, 321; 14, 45; 18, 57; 22.2, 588.

RM

Hartmann, Jula, * 5.7.1880 Darmstadt; lebte in Offenbach/Main, verf. vorwiegend Theatersp. für Kinder.

Schriften: Im Reiche der Arbeit. Märchenspiel in drei Bildern, 1916; Weihnachtsspiel. Osterwasser. Frühlingsspiel. Drei kleine Spiele, 1918; Glockenton. Ein kleines Festspiel für Kindergottesdienstfeiern, 1920; Ein Weihnachtslegendenspiel unter Anlehnung an Selma Lagerlöfs Christuslegende, 1924; Die Frau im Spiegel (Erz.) 1927; Mozart auf der Reise nach Prag. Singspiel. Nach der Novelle von Mörike, 1927; Ein Waldweihnachtsmärchen, 1928; In St. Nikolaus' Reich. Ein kleines Spiel, 1930; Nur ein Stück Draht (Sp.) 1955; König Drosselbart (Sp.) 1955.

AS

Hartmann, Julius, * 1.6.1806 Backnang, † 9. 12.1879 Tuttlingen; Theol.-Studium in Tübingen, 1833–40 Diakon in Neuenstadt an d. Linde u. bis 1843 in Böblingen, Dekan u. Schulinspektor in Aalen (bis 1851), zuletzt Stadtpfarrer u. Diözesanvorstand in Tuttlingen, 1877 Dr. theol., Vf. versch. Schulschriften.

Schriften: Geschichte der Reformation in Würtemberg, 1835; Das Leben Jesu nach den Evangelien geschichtlich dargestellt für gebildete Leser, 2 Bde., 1837/39; Johann Brenz. Nach gedruckten und ungedruckten Quellen (mit K.F. Jäger) 2 Bde., 1840/42 (gekürzte Neufassung in: Leben und ausgewählte Schriften der Väter und Begründer der lutherischen Kirche, 1862); Geschichte von Würtemberg ..., 1856; Matthäus Alber, der Reformator der Reichsstadt Reutlingen ..., 1863; Frauenspiegel aus dem deutschen Alterthum und Mittelalter, 1863; Eberhard Schnepf, der Reformator in Schwaben, Nassau, Hessen und Thüringen. Aus den Quellen dargestellt, 1870; Liederschatz der deutschen Mutter ..., 1875; Wegweiser durch das Kloster Heilbronn (mit P. Hartmann) ²1875.

Literatur: ADB 50, 32.   RM

Hartmann, Julius von, * 19.5.1821 Glocksee/Hannover, † 13.6.1892 Hannover; 1835 Eintritt in d. hannov. Armee, 1865 Major, 1867 preuß.

Abt.kommandant, 1869 Vorstand d. Artillerie-Prüfungskommission in Berlin, 1881 Pensionierung als Generalleutnant.

Schriften: Vorträge über Artillerie ..., 1856 (Forts. 1858); Die Artillerie-Organisation, 1864; Kritische Versuche, 3 Tle., 1876–78; Lebens-Erinnerungen, Briefe und Aufsätze, 2 Tle., 1882 (Neuausg. u. d. T.: Erinnerungen eines deutschen Officiers, 2 Tle., 1885); Der Wandel der Zeiten (4 Erz.) 1888; Zu spät erkannt (Rom.) 1888; Briefe aus dem deutsch-französischen Kriege 1870/71, 1893.

Literatur: ADB 50, 33.   RM

Hartmann, Julius von, * 22. 5. 1836 Neuenstadt/Linde, † 20. 9. 1916 Stuttgart; Dr. phil. Tübingen, Prof. u. Oberstudienrat in Stuttgart. Vf. versch. heimatkundl. Werke.

Schriften: Johannes Brenz. Leben und ausgewählte Schriften, 1862; Frauenspiegel aus dem deutschen Alterthum und Mittelalter. Mit einem Anhang, enthaltend Briefe und Dichtungen deutscher Frauen des Mittelalters, 1863; Schwabenspiegel aus alter und neuer Zeit, 1871; Geschichte Schwabens im Munde der Dichter. Für Schule und Haus zusammengestellt, 1882; Wildbad ..., 1886; Chronik der Stadt Stuttgart ..., 1886; Denkwürdigkeiten der ehemaligen schwäbischen Reichsstadt Weil, 1886; Aus den Lehr- und Wanderjahren unserer Väter, 1896; Wildbadberichte aus sechs Jahrhunderten, 1899; Württemberg im Jahr 1800, 1900; Schillers Jugendfreunde, 1904; Geschichte der Stadt Stuttgart (Mit-Verf.) 1905; Das Verhältnis von Hans Sachs zur sogenannten Steinhöwelschen Decameron-Übersetzung, 1912.

Herausgebertätigkeit: Liederschatz der deutschen Mutter ..., 1875; Magisterbuch, 1875; Ludwig Uhlands Tagebuch 1810–20. Aus des Dichters handschriftlichen Nachlaß, 1897; Ludwig Uhlands Gedichte (vollständ. krit. Ausg., mit E. Schmidt) 2 Bde., 1898; Ludwig Uhlands Briefwechsel, 4 Bde., 1911–16.

Literatur: B. Pfeiffer, ~ (in: Württ. Nekrolog) 1916.   RM

Hartmann, K. A. Martin, * 22. 8. 1854 Bautzen, † 17. 8. 1926 Leipzig; Dr. phil., Oberstudienrat u. Prof. in Leipzig-Gohlis. Besorgte zahlr. Schulausg. französ. Schriftsteller, Hg. d. «Mitt. d. dt. Zentralstelle f. internat. Briefw.» (1897–1915, «... f. amerikan.-dt. Briefw.», 1922 ff.) u. d.

«Mitt. d. dt. Zentralstelle f. fremdsprachl. Recitationen» (1901–07).

Schriften (Ausw.): Tempi passati, 1878; Über das altspanische Dreikönigsspiel ..., 1880; Zeittafel zu Victor Hugos Leben und Wirken ... (hg.) 1886; Chénier-Studien, nebst einem Abdruck von Chénier's Bataille d'Arminius, 1894; Reiseeindrücke und Beobachtungen eines deutschen Neuphilologen in der Schweiz und in Frankreich, 1897; Kriegspädagogische Betrachtungen eines deutschen Neuphilologen, 1914.   RM

Hartmann, Karl Friedrich, * 1. 12. 1788 Straßburg, † 25. 1. 1864 ebd.; Posamentierer in Straßburg u. Paris, später Angestellter e. Speditionsfirma in Straßburg.

Schriften: Seufzer eines Straßburger Nationalgarden, 1815; An das scheidende Jahr 1817, 1817; Lieder und Gedichte den vaterländischen Freunden ... gewidmet (Anthol.) 2 Bde., 1819/24; Das Vogelgarn. Erzählung für Kinder, 1828; Der Fischerkahn. Eine Erzählung für Kinder, 1829; A la France ... (Couplets) 1830; Gedichte, 1831; Des treuen Bürgers Grabgeleite. Strophen geweiht dem Andenken des vollendeten J. F. Deimling ..., 1831; Blumen auf das Grab des vollendeten ... J. F. Hoff ..., 1832; Des Erdenpilgers Ziel ..., 1832; Der getäuschte Juligast. Eine Fiction am 27. Juli 1834, 1834; Der Geist der Straßburger Nationalgarde ..., 1834; Traumbild oder Nicht geträumte Beiträge zur Gesetzesverfassung eines geträumten Landes, 1834; Das Schloß Lützelhardt. Ein historisch-elsäßisches Rittergemälde, dramatisch bearbeitet, 1836; Alsatische Saitenklänge, 1840 (2., erw. Aufl. mit d. Untertitel: Sämmtliche Gedichte, 1848); Friederike und die Engel ..., 1841; Das Rosenfest, 1842; Der Feierabend (Ged.-Ausw.) 1844; An Heinrich Schulers Grab ..., 1845.

Literatur: Goedeke 13, 75; 15, 741. – K. Pöschel, D. elsäß. Lyrik d. 19. Jh. in ihrer Abhängigkeit v. d. lit. Strömungen in Dtl., 1932.   RM

Hartmann, Laurents, schrieb z. Beginn d. 18. Jh.; evangel. Prediger in Crizkow u. Weitendorf.

Schriften: Des Geistlichen und Evangelischen Zions- Neue Passion- und Catechismus-Lieder, Samt einem Anhang etlicher Buß- Beicht- Nachtmahls und Begräbniss-Lieder, 1712; Des Geistlichen und Evangelischen Zions Neue Standes Lieder ..., 1716.

Literatur: Goedeke 3, 289.   RM

Hartmann, Leopold von, * 1734 Wien, † 24. 2.
1791 Burghausen; Rechtsstudium in Ingolstadt,
1754 Regierungsrat in Burghausen, Vizepräs. d.
«Churbayr. Landwirtschaftl. Gesellschaft».

Schriften (Ausw.): Erfindung, den schädlichen
Folgen des Schneedruckes abzuhelfen, 1771; Abhandlung von der Erkenntniss und Verbesserung
der Erde, 1772; Gedanken von der Verminderung
der Verbrechen und peinlichen Strafen durch ge-
lindere Wege und weise Anstalten, 1777; Abhandlung von dem wahren Glücke der Fürsten
durch das ... Wohl ihrer Unterthanen, 1778;
Rede von den Folgen aus der Belohnung gesell-
schaftlicher Tugenden ..., 1780; Abhandlungen
von einigen allgemeinen nützlichen Verbesserungen in der Stadt- und Landwirthschaft in Bayern,
1785; Ebbe und Fluth der Staaten ..., 1785; Rede
von der Tugend, dem nothwendigsten Bestand-
theile der Nationalstärke, 1786; Abhandlung von
den weisen Befehlen guter Regenten ..., 1787;
Abhandlung vom Nationalstolze aus Vaterlandsliebe ..., 1788; Rede von den aus Tugend und
Menschenliebe entspringenden glücklichen Folgen für jeden Staat, 1790.

Literatur: Ersch-Gruber II.3,27; Wurzbach 8,
2; ADB 10,696.   RM

Hartmann, Ludo (Ludwig) Moritz, * 2.3.1865
Stuttgart, † 14.11.1924 Wien; Sohn v. Moritz
H., Studium d. Gesch. u. Nat.ökonomie in Wien
u. Berlin, 1889 Privatdoz., 1918 a.o. Prof. u.
1922 o. Prof. f. Gesch. in Wien, 1918–20 öst.
Gesandter in Berlin, bis 1924 Mitgl. d. öst. Bun-
destags, Mitgl. d. Konstituierenden Nationalverslg., Gründer v. Volksschulen, d. Ver. «Freie
Schule», d. Frauenbildungsakad. «Athenäum» u.
d. Dt. Hochschultages. Mitbegründer d. überpar-
teilichen Öst.-Dt. Volksbundes u. d. Ver. sozialist. Hochschullehrer Öst.s. Mitarbeiter d. MGH,
Mitbegründer d. «Zs. (später: Vjs.) f. Sozial- u.
Wirtschaftsgesch.» (1893ff.), Hg. d. «Sozialgesch. Forsch.» (1897ff.). Dr. h.c. Univ. Heidelberg u. Bonn.

Schriften: De exilio apud Romanos ... (Diss.
Berlin) 1887; Untersuchungen zur Geschichte der
byzantinischen Verwaltung in Italien, 1889; Urkunde einer römischen Gärtnergenossenschaft
vom Jahr 1030 (hg.) 1892; Tabularium Ecclesiae
S. Mariae in via lata, 3 Tle., 1895–1913; Geschichte Italiens im Mittelalter, 4 Bde., 1897 bis
1915; Corporis chartarum Italiae specimen, Rom

1902; Der Untergang der antiken Welt. Sechs
volkstümliche Vorträge, 1903 (2., veränd. Aufl.
1910); Zur Wirtschaftsgeschichte Italiens im frühen Mittelalter, Analekten, 1904; Über historische Entwickelung (Vorträge) 1905; T. Mommsen,
sen, Eine biographische Skizze. Mit einem Anhang: Ausgewählte politische Aufsätze T. Momm-
sens, 1908; Christentum und Sozialismus, 1911;
Ein Kapitel vom spätantiken und frühmittelalter-
lichen Staate, 1913; Hundert Jahre italienische
Geschichte 1815–1915, 1916; Über den Beruf
unserer Zeit. Optimistische Betrachtungen,
1917; Weltgeschichte in gemeinverständlicher
Darstellung (hg.) 1919ff.; Kurzgefaßte Geschichte
Italiens von Romulus bis Viktor Emanuel, 1924.

Nachlaß: Dt. Staatsbibl. Berlin, Hs.-Abt./Lit.-
arch. – Nachlässe DDR 3, Nr. 362.

Literatur: ÖBL 2,195; NDB 7,737. – S. BAU-
ER, E. STEIN u. ~ (in: Vjs. f. Soz.- u. Wirtsch.-
gesch. 18) 1925 (mit Bibliogr.); H. v. PALLER,
D. großdt. Gedanke, 1928; P. WENTZKE, D. dt.
Farben, 1955.   RM

Hartmann, Ludwig, * 4.2.1881 Speyer, † 4.4.
1967 Ludwigshafen/Rhein; aus altem Bauerngeschlecht, Eisenbahnbeamter. Mundartdichter,
Lyriker u. Hörspielautor.

Schriften: Pälzer Sternschnuppe (Ged.) 1914;
Kinnersprich vom Ludewig (Bilderbuch) 1920;
De Unkel aus Amerika (Erz.) 1923; Muscht nit
greine! (Ged. u. Erz.) 1923; Pälzer Ausles (Ged.
u. Erz., Hg.) 2 Bde., 1926; Deheem isch deheem
(Ged. u. Erz.) 1928; Die Teemaschin (Ged.)
1958.

Schallplatte: Pfälzer Deklamationen, 1927.

Literatur: L. FRÄNKEL, ~ (in: Bayerland 10)
1921; H. LORCH, Der neue ~. – Deheem isch
deheem (in: Pfälz. Rundschau 12) 1928.   IB

Hartmann, Lukas (Ps. f. Hans-Rudolf Lehmann),
* 29.8.1944 Bern; Ausbildung zum Primar-,
dann Sekundarlehrer, abgebrochenes Psychologie-
studium, wirkte als Sozialarbeiter, ist jetzt Radio-
journalist beim Studio Bern. Erzähler, Hörspielautor.

Schriften: Madeleine, Martha und Pia. Protokolle vom Rand, 1975; Mozart im Hurenhaus. Geschichten, 1976; Pestalozzis Berg (Rom.) 1978.
                                                              AS

Hartmann, M. Andreas, * um 1612 Leipzig, † n.
1682 wahrsch. Zeitz; Studium der Rechte u. Phi-

los. in Leipzig, 1636 Magister d. Philos., Geheimer Kammersekretär bei Herzog Moritz v. Sachsen-Zeitz.

Schriften: Des Hylas aus Latusia lustiger Schauplatz von einer Pindischen Gesellschaft, 1650.

Literatur: Jöcher 2, 1380; Neumeister-Heiduk 370. – A. HIRSCH, Bürgertum u. Barock im dt. Rom., ²1957.   RM

Hartmann, geb. Sommer, Martha, (Ps. Martha Sommer, M. Seeger), * 10.7.1877 Lübeck, † 13. 3.1957 ebd.; lebte in Lübeck; Erzählerin, Übersetzerin.

Schriften: Frau Elise Ruperti. Roman eines tapferen Lebens, 1934; Das arme Kindlein Heineken. Das Wunder von Lübeck. Sein kurzes und merkwürdiges Leben. Alter Chronik frei nacherzählt, 1936; Mädel, Sonne, Zelte. Geschichten und Erzählungen um das Mädellager Hochland, 1942; Im Wandel des Glücks. Der Lebensroman der Dorothea von Schlözer, 1946; In der Kuhgrund. Eine Erzählung aus der Zeit, als Großvater die Großmutter nahm, 1949.

Übersetzertätigkeit: S. Streuvels, Sonnenzeit (Nov.) 1903; H. Nyblom, Es war einmal, 1905; S. Streuvels, Sommerland (Nov.) 1906; ders., Frühling (Nov.) 1908.   AS

Hartmann, Mignon (Ps. f. Wilhelmine Hartmann, geb. Nieder-Schabbehard), * 21.1.1854 Steinhagen/Westf.; 1872 Heirat, 1881 Scheidung, 1895 zwangsweise in e. Irrenanstalt, lebte dann in Bielefeld u. seit 1897 in Nantes/Frankreich.

Schriften: Liebe und Leidenschaft, 1893. RM

Hartmann, Moritz (Ps. Pfaffe Maurizius), * 15. 10.1821 Duschnik/Böhmen, † 13.5.1872 Wien; Med.-Studium in Prag, seit 1840 Hofmeister u. Schriftst. in Wien, später in Berlin, Leipzig, Paris u. a. Orten, Abgeordneter v. Leitmeritz im Frankfurter Parlament. Aus polit. Gründen in d. Schweiz, in Frankreich u. a. Ländern im Exil, später Korrespondent d. «Köln. Ztg.», 1863 Red. d. Zs. «Freya» in Stuttgart, 1867 amnestiert u. seither Feuill.-Red. d. «Neuen Freien Presse» in Wien.

Schriften: Kelch und Schwert. Dichtungen, 1845 (3., verm. Aufl. 1851); Ein Tag aus der böhmischen Geschichte, 1845; Neuere Gedichte 1846; Reimchronik des Pfaffen Maurizius, 5 Tle., 1849 (Neuausg. 1874); Der Krieg um den Wald.

Eine Historie, 1850 (Neuausg. mit Einl. v. L. GOLDSCHMIDT, 1925); Adam und Eva. Eine Idylle in sieben Gesängen, 1851; A. Petöfi, Gedichte (übers. mit F. Szarrady) 1851; Schatten. Poetische Erzählungen, 1851; Tagebuch aus Languedoc und Provence, 2 Bde., 1853; Erzählungen eines Unstäten, 2 Bde., 1858; Zeitlosen (Ged.) 1858; Bretonische Volkslieder (übers. mit L. Pfau) 1859; Bilder und Büsten, 2 Tle., 1860; Erzählungen meiner Freunde und Novellen, 1860; Von Frühling zu Frühling, 1861; Die Katakomben (Oper, Musik F. Hiller) 1862; Novellen, 3 Bde., 1863; Nach der Natur (Nov.) 3 Bde., 1866; Die letzten Tage eines Königs (Nov.) 1866 (Neuausg., hg. H. NEDOMANSKY, 1948); Märchen nach Perrault neu erzählt, 1867; Die Nacht (Hymne) 1867; Die Diamanten der Baronin (Rom.) 2 Bde., 1868; Weiber von Weinsberg, 1890; Der blinde Wilhelm (Erz.) 1909.

Ausgaben: Gesammelte Werke (hg. L. BAMBERGER, W. VOLLMER) 10 Bde., 1873–74; Gedichte. Neue Auswahl, 1874; Ausgewählte Werke (hg. O. ROMMEL) 2 Bde., 1910; Revolutionäre Erinnerungen (hg. H. H. HOUBEN) 1919; Der Gefangene von Chillon (Nachw. C. TRILSE) 1967; Tagebuch aus Languedoc und Provence (hg. K. PAUL) 1972.

Briefe: Briefe aus dem Vormärz (hg. O. WITTNER) 1911; Briefe (ausgew. u. eingel. R. WOLKAN) 1921.

Nachlaß: Stadtbibl. Wien, Dt. Lit.arch., Schiller Nationalmus. Marbach, Kestner-Mus. Hannover. – Frels 118; Mommsen Nr. 1482.

Literatur: Wurzbach 8,4; ÖBL 2, 196; ADB 10, 697; NDB 7, 737. – O. WITTNER, ∼s Leben u. Werke …, 2 Bde., 1906f.; H. LASS, ∼. Entwicklungsstufen d. Lebens u. Gestaltungswandel d. Werkes (Diss. Hamburg) 1963; H.-B. MOELLER, Strukturstud. u. Werkdeutung z. Kunstprosa ∼s (Diss. Univ. of Southern California) 1964; T. L. DORPALEN, D. Motiv d. ruhelosen Wanderers. Stud. z. Leben u. Werk ∼s (Diss. Univ. of Maryland) 1966; M. FAERBER, Z. 150. Geb.tag d. jüd. Freiheitskämpfers u. Politikers ∼ (in: Zs. f. d. Gesch. d. Juden 9) 1972; M. PAZI, B. Auerbach and ∼. Two Jewish writers of the 19th century (Year Book. Leo Baeck Institute 18) 1973.
             RM

Hartmann, Nicolai, * 20.2.1882 Riga, † 9.10. 1950 Göttingen; Studium in Dorpat, St. Peters-

burg u. Marburg, 1909 ebd. Habilitation, Teilnahme am 1. Weltkrieg, 1920 Prof. d. Philos. in
Marburg, 1925 in Köln, 1931 in Berlin u. zuletzt
in Göttingen.

Schriften (Ausw.): Platos Logik des Seins, 1909;
Grundzüge einer Metaphysik der Erkenntnis,
1921; Die Philosophie des deutschen Idealismus,
2 Bde. Fichte, Schelling und die Romantik I,
1923, Hegel II, 1929; Ethik, 1925; Das Problem
des geistigen Seins, Untersuchungen zur Grundlegung der Geschichtsphilosophie und der Geisteswissenschaft, 1933; Zur Grundlegung der Ontologie, 1935; Der Aufbau der realen Welt;
Grundriß der allgemeinen Kategorienlehre, 1940;
Ästhetik, 1953.

Bibliographie: TH. BALLAUFF, Bibliogr. d. Werke v. u. über ~ einschließl. d. Übers. (in: HEIM-
SOETH u. HEISS, ~ d. Denker u. s. Werk) 1952;
I. WIRTH, Realismus u. Apriorismus in ~ Erkenntnistheorie, 1965.

Literatur: NDB 8, 2 f; RGG 3, 83; LThK 5, 21.
- A. GUGGENBERGER, D. Menschgeist u. d. Sein.
E. Begegnung mit ~, 1942; H. HEIMSOETH, ~.
(in: Jb. d. Akad. d. Wiss. u. Lit. in Mainz) 1950;
H. HERRIGL, D. philos. Gedanke ~s (in: Kant-
Stud. 51) 1959/60; J. JUNKER, ~ als Erkenntnis-
theoretiker. Eine Darstellung und kritische Wür-
digung, (Diss. Münster) 1953; J. ARAGO, Die
antimetaphysische Seinslehre ~s (in: Phil. Jb. d.
Görres-Gesellsch. 65) 1959; K. KANTHACK, ~
u. d. Ende e. Ontologie, 1962; E. HAMMER-
KRAFT, Freiheit u. Dependenz im Schichtdenken
~s. (Diss. Zürich) 1971; W. BULK, D. Problem
d. idealen An-sich-Seins bei ~, 1971; ~ u. H.
Heimsoeth im Briefw., hg. F. HARTMANN u. R.
HEIMSOETH, 1978.   IB

Hartmann, Oskar, * 29.5.1851 Erlach/Kt.
Bern; Studium d. Physik u. Chemie, später d.
Med. in Bern, 1875 Staatsexamen, 1876 Dr. med.,
Arzt u. Sekretär d. Sanitätskollegiums in Bern.

Schriften: Moderne Idyllen, 1876; Briefe an eine
Studentin (über die Frauenfrage), 1876.   RM

Hartmann, Otto (Ps. Otto von Tegernsee), * 8.
9.1876 Tegernsee, † 22.4.1930 Regensburg; in
Verlagshäusern in Würzburg, Kempten, Stuttgart, Passau u. München tätig. Folklorist u. Na-
turschilderer.

Schriften: Locarno. Führer von Locarno und
Umgebung, 1901; Vom Brenner ins Zillertal,

1909; Die Entwicklung der Literatur und der
Buchhandel, 1910; 50 Stunden auf dem Groß-
glockner, 1910; Die wilde Gerlos, 1912; Im Zauber des Hochgebirges. Alpine Stimmungsbilder,
1913 (in der Folge zahlreiche, teilw. verb. u.
verm. Aufl.); Friedensfreudenquelle, 1918 (6.,
verb. Aufl. 1921); Waldeszauber. Bergländische
Stimmungsbilder aus dem Waldgebirge (2. u. 3.,
verb. u. wesentl. verm. Aufl.) 1924.   IB

Hartmann, Otto, * 19.11.1894 Freudenberg a.
M.; Dr. rer. pol., Red. in Hamburg, später in
Berlin.

Schriften: Das deutsche Herz (Ged.) 1923.   AS

Hartmann, Philipp, * 15.4.1875 Schriesheim/
Mannheim; Besuch d. evangel. Lehrerseminars in
Karlsruhe, seit 1904 Mittelschullehrer in Mann-
heim.

Schriften: Strahlenberg. Romantische Erzählung
aus dem 13. Jahrhundert, 1900; Der deutsche
Rhein. Schülerfestspiel mit Gesängen und verbin-
denden Dialogen, 1908; Das Försterhaus. Ein
Weihnachtsmärchen. – Der Amerikaner. Erzählung aus der Pfalz. Für die Jugend ausgewählt,
1908.   RM

Hartmann, Philipp Karl (Ignaz), * 20.1.1773
Heiligenstadt/Sachsen, † 5.3.1830 Wien; Med.-
Studium, 1799 Dr. med., 1803 Physikatsstelle in
Mauerbach, 1806 Med.-Prof. in Olmütz u. seit
1811 in Wien, zuletzt Krankenhausdir. in Wien.
Chefred. d. «Med. Jb. d. Öst. Monarchie» (9
Bde., 1813 ff.) u. d. «Beobachtungen und Abh.
aus d. Gebiete d. prakt. Heilkunde» (6 Bde., 1819
bis 1828). Verf. zahlr. med. Schriften.

Schriften: Glückseligkeitslehre für das physische
Leben des Menschen oder Die Kunst, das Leben
zu benutzen, und dabey Gesundheit, Schönheit,
Körper- und Geistesstärke zu erhalten und zu ver-
vollkommnen, 1808 (12., umgearb. u. verm.
Aufl., hg. M. Schreber, 1881); Der Geist des
Menschen in seinen Verhältnissen zum physischen
Leben oder Grundzüge für eine Physiologie des
Denkens für Ärzte, Philosophen und Menschen im
höheren Sinne des Wortes, 1820 (2., verm. Aufl.
1832); Festrede vom Leben des Geistes. Ver-
deutscht mit Beigaben von Ernst Freiherr von
Feuchtersleben, 1846.

Literatur: Wurzbach 8, 11; ÖBL 2, 197; ADB
10, 699. – P. A. HOLGER, ~, d. Mensch, Arzt u.

Philos. aus s. Werken geschildert, 1831; K. DA-
NEK, ~ als Prof. in Olmütz (in: Beitr. z. Gesch.
d. Univ. Erfurt 15) 1970.   RM

Hartmann, Plazidius (eigentl. Franz), * 4.6.
1887 Luzern, † 10.1.1965 Engelberg/Kt. Obwalden; Benediktiner, Studium d. Theol. in Innsbruck u. Engelberg, 1911 Priester, Studium d.
Naturwiss. in Freiburg/Schweiz, Dr. phil., Lehrer u. Leiter d. Schulbühne an d. Stiftsschule Engelberg. Lyriker u. Bühnendichter.

Schriften (ohne Schul- u. Lokalschr.): Sühneblut
(Oper) 1913; Gundoldingen. Vaterländisches
Schauspiel, 1916; Der weiße Tod (Lied) 1920;
Bergkinder. Skizzen und Verse, 1920; Firnen-
glühn (Ged.) 1922; Der neu «Goethe», Mundart-
komödie, 1922; Engelberg. Land und Leute.
Kurze Heimatkunde von Engelberg, 1924; Berg-
volk (Schausp.) 1925; Gedeon. Ein biblisches
Spiel, 1927; Passionsspiel. Selzach (Neubearbei-
tungen) 1927, 1932, 1949; De Bluffini chonnd.
Es heiters Speeli i zwee Uufzüge, 1933; Vicen-
tius. Christliches Heldenspiel, 1939; St. Urban.
Gedenkspiel, 1948.

Literatur: Theater-Lex. 1, 703. – Innerschweizer Schriftst. Texte u. Lexikon, 1977.   IB

Hartmann, Rolf → Anders, Achim.

Hartmann, Siegfried, * 25.3.1875 Dresden,
† 6.9.1935 Berlin; Hauptschriftleiter d. «Dt.
Allg. Ztg.», Verf. populär-techn. Schriften.

Schriften: Naturwissenschaftlich-technische
Plaudereien, 1908; Ein gemütliches Heim. Kleine
Plauderei über Heizung. Auf der Wohnungssuche.
Rückkehr von der Hochzeitsreise. Der Besuch der
Schwiegereltern. Die vollendete Bekehrung,
1910; Eine Stunde Physik, 1922; Winterschön-
heit, 1923; Unsere Technik ..., 1926; Technik
und Staat, von Babylon bis heute, 1929.   RM

Hartmann, Sophie, geb. Porzelt (Ps. Phyllis Sey-
mour, Linda Collins), * 30.1.1901 Mühldorf/
Oberbayern, † 7.11.1967 Rosenheim/Oberb.;
studierte Lit.gesch., war Buchhändlerin, verheiratet mit Henry Hartmann-Seymour, wohnte in
Riedering-Rosenheim; verf. ca. 80 Frauenromane
(z.T. mit Gitta von Cetto) und einige Jugendbücher.

Schriften (Ausw.): Du bleibst mir doch, 1938;
Ich schwieg aus Liebe, 1939; Wenn ich dich lieb',
nimm dich in acht!, 1939; Liebe in den Tropen,

1940; Das Haus am Strom. Ein Familienroman,
1950; Frauen hinter Gittern, 1950; Schicksal
über dem Waldhof, 1953; Die Bettelgräfin, 1954;
Hab keine Angst, Gabriele!, 1954; Denn zwischen uns stand die Liebe, 1954; Liebe unter
fremdem Himmel, 1955; Die Rose von Irland,
1955; Die Klostermauer trennte sie, 1956; Thesi
flieht ins Abenteuer. Eine Geschichte für junge
Mädchen, 1956; Die Mühle im Schwarzwald,
1957; Das Mädchen Cora. Ein Auto und ein Mädchen spielen Schicksal, 1959; Armer kleiner Zei-
tungsboy. Eine Geschichte für Mädchen und Jungen, 1960; Billa sucht eine Mutter, 1962; Das
graue Haus, 1964; Rosen für Claudia, 1964; Eine
Heimat für Toni. Die Geschichte eines Jungen,
1964; Die Lüge hieß Helen, 1966; Das Geheimnis des Dr. Sandos, 1968; Die Veilchen der Kaiserin, 1968; Stephanies Irrweg, 1968; Letzte
Nacht in Rom, 1968.   AS

Hartmann, Thomas, 16. Jh.; stammte aus Lützen, Archidiakon in Eisleben.

Schriften: Der kleine Christenschild. Hand-
Haus- Reise- Gesang- und Betbüchlein, 1562
(Neuausg. 1604).

Literatur: de Boor-Newald 4/2, 260; Goedeke
2, 189; 3, 149.   RM

Hartmann, Walther G(eorg), * 17.7.1892 Stre-
litz/Mecklenburg, † 18.10.1970 Freiburg/Br.;
Studium in Freiburg, München u. Leipzig, Teilnahme am 1. Weltkrieg, Chef d. Auslandsamtes
im Präsidium d. Dt. Roten Kreuzes. Lyriker,
Autor v. Rom. u. Novellen.

Schriften: Wir Menschen (Ged.) 1919; Der be-
geisterte Weg (Erz.) 1920; Die Erde (Ged.)
1921; Die Tiere der Insel (Erz.) 1923; Schicksal,
Andacht, Liebe (Ged.) 1924; Wer ist Herr Philipps? (Jgderz.) 1932; Die Engelbotschaft (Erz.)
1935; Friedrich Brekow (Rom.) 1940; Anderes
Ich, anderes Du (Erz.) 1942; Winterbuch (Erz.)
1948; Der Bruder des verlorenen Sohnes (Erz.)
1949; Die überschlagenen Seiten (Erz.) 1960.

IB

Hartmann, Wolf Justin, * 22.10.1894 Markt-
breit/M., † 30.8.1969 München; Dr. iur. in
München; Offizier in den beiden Weltkriegen;
lebte einige Zeit in Südamerika; Erzähler, Dramatiker, Verf. zahlr. Schulfunksendungen.

Schriften: Fäuste! Hirne! Herzen! (Rom.)
1931; Der Schlangenring. Zähne. Zu Gomié-

court, in der Kirche. Drei Erzählungen, 1935;
Stacheldraht. Die Tragödie einer Gemeinschaft
(Dr.) 1937; Krieg über der Kindheit (hg. mit
andern) 1937; Durst (Erz.) 1938; Sie alle fielen.
Gedichte europäischer Soldaten (Hg.) 1939;
Mann im Mars (Rom.) 1940; Das Papageiennest.
Eine Urwaldgeschichte, 1948; Gringo im Ur-
wald. Südamerikanische Skizzen, 1949; Ein Glanz
lag über der Stadt (Rom.) 1952; Das Spiel an der
Sulva (Rom.) 1956; Kupfer, das Abenteuer einer
Revolution, 1967.   AS

Hartmann, Wolfgang, * 11.4.1891 Zürich; studierte Germanistik in Berlin, 1912 Rückkehr in
d. Heimat, 1917 Theaterreferent, freier Schriftst.
in versch. Orten. 1924 Dotation d. Schweiz.
Schillerstiftung, lebt in Luzern. Verf. v. Rom.,
Dr., Nov., Lyrik, Ess. u. Hörspielen.
    Schriften: Verena Calonder (Rom.) 1939; Vre-
nelis Heimkehr (Nov.) 1940; Regina Schultheß
(Rom.) 1947; Elegien, 1967; Der Traum vom
neuen Menschen (Elegien) 1968; Die neue Apokalypse (Elegien) 1970; Dantes Paolo und Francesca als Liebespaar. Beiträge zur Kunst des neunzehnten und zwanzigsten Jahrhunderts, 1970;
Heimstätte der Seligen (Dr.) 1970; Sturzo (Dr.)
1970; Die fremde Frau (Dr.) 1970.
    Literatur: Theater-Lex. 1, 706.   IB

Hartmann von Baldegg → Ah, Joseph Ignaz
von.

Hartmann-Plön, (Nikolaus) Karl (Magdalus),
* 24.10.1829 Plön/Holst., † 28.12.1899 Heide/
Holst.; Kaufmann in Lübeck, später Med.-Stu-
dium in Kiel u. Würzburg, 1857 Promotion in
Kiel, seit 1858 Arzt in Heide.
    Schriften: Geheimnisse (Rom.) 3 Bde., 1877;
Herodias (Rom.) 3 Bde., 1882; Die Schwiegermutter (Schw., mit H. Hirschel) 1883; Der neue
Staats-Anwalt (Rom.) 1884; Haß und Liebe sind
eins. Nordfriesischer Kriminalroman, 1897.   RM

Hartmanni, Hartmann d. Ä., * um 1495 Eppin-
gen, † 3.7.1547; Studium in Heidelberg, 1519
Dekan d. Artistenfak., 1521 Dr. jur., 1523 Prof.
d. Pandekten, 1524 Rat d. Kurfürsten Ludwig V.
v. d. Pfalz, 1527 Rat d. Pfalzgrafen Friedrich beim
Oberpfälzer Regiment, 1534/35 kurpfälz. Kanzler.
    Schriften: Practicarum observationum a duobus
clarissimis jureconsultis Bernhardo Wurmse-

ro ... collectorum libri II (hg. Hartmann Hartmanni d. J.) 1570 (zahlr. Nachdrucke).
    Literatur: Jöcher 2, 1381; ferner d. Lit. z. Art.
Hartmann Hartmanni d. J.   RM

Hartmanni, Hartmann d. J., * 1523, † 16.5.
1586; Sohn v. H. Hartmann d. Ä., bis 1567 Assessor am Reichskammergericht, dann Hofrichter u.
Oberrat. Hg. d. «Observationes» seines Vaters
zus. mit denen v. B. Wurmser (1570).
    Schriften: Gründliche, wahrhaffte, kurtze Be-
schreibung welcher Gestalt ein Fürst sein regiment einrichten und gottselig bestellen soll, 1573.
    Literatur: ADB 10, 680; NDB 8, 5. – H. ROTT,
Friedrich II. u. d. Reformation, 1904; A. HASEN-
CLEVER, D. kurpfälz. Politik in d. Zeiten d.
schmalkald. Krieges, 1905; M. STEINMETZ, D.
Politik d. Kurpfalz unter Ludwig V. (1508–44)
(Diss. Freiburg/Br.) 1942.   RM

Hartnack (Hartnaccius), Daniel (Ps. Daniel Ma-
phanafus), * 20.11.1642 Mulchentin/Pommern,
† 1708 Bramstedt; Theol.-Studium in Jena und
Frankfurt/Oder, Schulrektor in Bremen, 1683 in
Altona u. 1690 in Schleswig, seit 1702 Pfarrer in
Bramstedt. Verf. zahlr. theol. sowie Gelegenheits-
u. Streitschr., Übers. u. Hg. lat. Klassiker.
    Schriften (Ausw.): Johannis Stelleri Pilatus de-
fensus ..., 1676; Breviarium Historicae Turci-
cae ..., 1684; Curiosa Naturae ..., 1685; Biblische Geographia, darinn das gelobte Land samt
dessen Städten und Gegenden ... beschrieben,
1688; Erachten von Einrichtung der alten Teutschen und neuen Europaeischen Historien, 1688;
Anweisender Bibliothecarius Der Studirenden Jugend ..., 1690; Collectanea Curiosa, Theologica
et Historica, Oder: Eine nützliche Sammlung Satyrischer Straff-Schriften ..., 1690 (Neuausg.
1713, 1735); Curiosa Theologica vel diversa di-
versorum de modernis quibusdam tam clericorum
quam laicorum moribus corruptis ... collecta ...,
1690; Gratulation an Johann Freidrich Mayer,
über seinen Deckel der Bossheit, 1692; Kurtzer
Entwurff Lieffländischer Geschichte ... samt ...
Vorrede und doppeltem Anhang, 1700; Erläuter-
ter Sallustius (dt. u. lat.) 1702.   RM

Hartnack, Rudolf, * 3.7.1881 Marne/Dithmar-
schen; † 7.7.1958 Düsseldorf-Oberkassel; Lehrer in Hamburg.
    Schriften: Baven un ünn (Ged.) 1940.   AS

Hartnagel, Friedrich, * 11.5.1908 München; war Werbeleiter in Köln.

Schriften: Amazonen vom Broadway (Rom.) 1942.   AS

Hartner, Eva (Ps. f. Emma Eva Henriette von Twardowska), * 28.6.1845 Königsberg/Pr., † 14.12.1889 Berlin; Majorstochter, an versch. Orten aufgewachsen, seit 1863 Schriftst. in Berlin.

Schriften: Pension und Elternhaus. Eine Erzählung für junge Mädchen, 1877; Der Gesangverein. Eine Erzählung für junge Mädchen, 1878; Severa (Familiengesch.) 2 Bde., 1881; Versuche und Erfolge. Eine Erzählung für junge Mädchen, 1882; Ohne Gewissen (Rom.) 2 Bde., 1882; Unter dem schwarzen Kreuz (hist. Rom.) 2 Bde., 1883; Fata Morgana (Rom.) 3 Bde., 1885; Im Schloß zu Heidelberg (hist. Rom.) 2 Bde., 1887; Licht und Schatten. Erzählung für heranwachsende Mädchen, 1890; Als Stütze der Hausfrau. Eine Erzählung für junge Mädchen, 1890; Der Erbgraf (Rom.) 2 Bde., 1890; Ein Jugendleben. Aufzeichnungen einer Einsamen, 1891; Ein Kind des Reichthums (Rom.) 1892.   RM

Hartner, Ingomar, * 31.7.1925 St. Gallen/Steierm.; Angestellte, wohnt in Liezen/Steierm.; Verf. v. Erz., Lyrik, Essays.

Schriften: Zwischen Ende und Anfang (Ausw. von O. Hofmann-Wellenhof) 1955.   AS

Hartog, Marie → Megede, J. W. Marie zur.

Hartstock, Elmar, * 8.8.1951 Ansbach; dipl. Psychologe, wohnt in Ansbach. Lyriker.

Schriften: Stimmen (Ged.) 1970; Vergessen die Augen im Mittelpunkt der Sonne. Gedichte 1968 bis 1973, 1976.   AS

Harttmann (nicht Hartmann), Karl Friedrich, * 4.1.1743 Adelberg/Schwaben, † 31.8.1815 Tübingen; Theol.-Studium im Stift Tübingen, 1774 Prediger u. Prof. an d. Karlsschule (seit 1775 in Stuttgart), 1777 Pastor in Illingen, dann in Kornwestheim, Dekan in Blaubeuren, u. a. Orten, seit 1795 Stadtpfarrer u Superintendent. in Neuffen/Württ., Verf. einzeln gedr. Predigten, seine geistl. Lieder ersch. in A. Knapps Liederschatz (1837).

Schriften: De periodis oeconomiae divinae scripturariis, 1766; Der Psalter Davids, nach Luthers Übersetzung mit Anmerkungen (mit C. G. Kraft) 1766 (Neuausg. 1776); Das Neue Testament mit Anmerkungen, 1767; Schriftmäßige Erläuterung des evangelischen Lehrbegriffs ..., 1793; Predigten über die Sonn- Fest- und Feyertags-Evangelien, nebst einem Anhang von Passionspredigten, 1800.

Nachlaß: Univ.bibl. Tübingen. – Denecke 70.

Literatur: ADB 10,703; Meusel-Hamberger 3, 98; 9,519; 22.2,589. – E. E. KOCH, Gesch. d. Kirchenliedes ..., ³1866–72.   RM

Hartung, Bruder, 15. Jh.; v. ihm überl. d. Gräfl. Lobkowitzsche Bibl. in Prag e. dem Landgrafen Otto v. Hessen gewidmeten Ausz. aus d. «Traktat vom Schlaf und Traum».

Literatur: VL 2,217; de Boor-Newald 4/1,362.   RM

Hartung von Erfurt, 14. Jh.; Franziskaner, Predigertätigkeit zw. 1323 u. 1340, s. Predigtwerk war weit verbreitet u. u. a. auch v. Fritzlar benützt worden (überl. in den Hs. Königsberg Univ. Bibl. 896; München cgm. 636; Wien 3057 u. 2845.)

Literatur: VL 2,217; 5,334; NDB 8,645 (unter Fritzlar); LThK 5,21. – J. HAUPT, Beitr. z. Lit. d. dt. Mystiker 2, 1879; G. LICKENHEIM, Stud. z. Hl. Leben d. Hermann v. Fritzlar (Diss. Heidelberg) 1916; V. MERTENS, Hss.-Funde z. Lit. d. MA, ∼, Postille (in: ZfdA 107) 1978.   RM

Hartung, Alfred von, * 3.4.1838 Prenzlau, Todesdatum u. -ort unbekannt; n. militär. Laufbahn Auswanderung n. Amerika, n. der Rückkehr n. Dtl. Eisenbahningenieur in Altenwalde.

Schriften: Gedichte (hg. Adolf v.H.) 1871.
                                             RM

Hartung, August, * 11.3.1762 Bernburg/Sachsen-Anhalt, † 31.1.1829 Berlin; Vorsteher versch. Schulanstalten, 1799 Prof. d. Militärakad., später d. Domschule u. Kantor d. Hof- u. Domkirchen in Berlin, 1809 Mit-Dir. d. Friedrichstifts, Verf. versch. Schulschriften.

Schriften (Ausw.): Einige Gedanken zur Beförderung der Aufmerksamkeit ..., 1790; Gesangbuch für meine Schüler und Schülerinnen, 1790 (2., verm. Aufl., u. d. T.: Liedsammlung für Schulen, 1793; 3., verm. Aufl. 1797); Brandenburgische Geschichte für heranwachsende Söhne und Töchter, 2 Bde., 1793/95; Allerley Fragen zur Beförderung des Nachdenkens ..., 1794; Abriß der alten Geschichte ..., 1794 (4., umgearb. Aufl. u. d. T.: Die alte Welt ..., 1825); Berlinischer Kinderalmanach auf das Jahr 1797 (hg., mit F. P. Wilmsen) 1796; Joachim II. und sein Sohn Johann George, ein historisches Gemählde aus der Brandenburgischen Geschichte, 1798; Gedichtsammlung für Schulen ,o. J. (²1826); Bruchstücke aus Friedrichs des Einzigen Jugendgeschichte, 1812; Zur Erinnerung an den Reichsgrafen F. F. W. B. von Moltke, 1814.

Literatur: Meusel-Hamberger 3, 100; 9, 519; 11, 322; 14, 46; 18, 59; 22.2, 591.   RM

Hartung, E. → Langewiesche, Wilhelm.

Hartung, Fritz, * 12.1.1883 Saargemünd, † 24. 11.1967 Marburg/Lahn; Stud. in Heidelberg u. Berlin, 1910 Habilitation in Halle, 1915 a. o. Prof. ebd., 1922 o. Prof. in Kiel, 1928 in Berlin. Geschichtsschreiber.

Schriften (Ausw.): Geschichte des fränkischen Kreises I, 1910; Karl V. und die deutschen Reichsstände (1546–1554) 1910; Deutsche Verfassungsgeschichte vom fünfzehnten Jahrhundert bis zur Gegenwart, 1914; Österreich-Ungarn als Verfassungsstaat, 1918; Deutsche Geschichte von 1871–1919, 1920; Das Großherzogtum Sachsen-Weimar unter der Regierung Carl Augusts, 1923; Volk und Staat in der deutschen Geschichte, 1940; Entwicklung der Menschen- und Bürgerrechte, 1948.

Herausgebertätigkeit: Quellen und Studien zur Verfassungsgeschichte des Deutschen Reiches, 1928 ff., Berliner Studien zur neueren Geschichte, 1937–1939; Jahrbücher für deutsche Geschichte, 1942, N. F. 1949–1952; O. Hintze, Gesammelte Abhandlungen, 1941–1943 (III.).

Nachlaß: Staatsbibl. Preuß. Kulturbesitz Berlin. – Denecke 2. Aufl.

Literatur: W. SCHOCHOW, Bibliographie ∼ (in: Jb. f. d. Gesch. Mittel- u. Ostdtl. 3) 1954; Forsch. zu Staat u. Verfassung. FS f. ∼ (hg. R. DIETRICH u. G. OESTREICH) 1958; W. SCHOCHOW. Zweiter Nachtrag z. Bibliogr. ∼s (in: Jb. f. d. Gesch. Mittel- u. Ostdtl. 16–17) 1968.   IB

Hartung, Gottlieb Ernst, * 6.8.1756 Thomasbrück/Thür., † 17.11.1806 Bautzen; Magister d. Philos., 1784 Konrektor in Lübben u. seit 1793 in Bautzen, Aufseher d. Mättigschen u. Gersdorferschen Bibliothek.

Schriften: Beytrag zur Werthschätzung des Christenthums (4 Predigten) 1786; Methode bey dem öffentlichen Vortrage der Religion ..., 1790; De praeceptis nonullis juveni litterarum studioso nostra potissimimum aetate magnopere commendandis, 1793; Religionsvorträge, 1804.

Literatur: Meusel-Hamberger 3, 100; 14, 47.
                                                         RM

Hartung, Hans-Joachim, * 5.9.1923 Mühlhausen/Thür.; wohnt in Berlin Adlershof (DDR); Erzähler u. Hörspielautor, vorwiegend für die Jugend.

Schriften: Aufwind über Drohneberg. Eine Erzählung aus dem Leben unserer jungen Segelflieger, 1953; 1000 PS und mehr. Interessantes aus der Welt der Technik, 1955 (überarb. Neuaufl. 1959); Ein Schiff fährt übers Meer. Schiffe, Häfen und vieles, was dazugehört, 1956; Fahr mit! Ein Buch über Kraftfahrzeuge, Motoren und Rekorde, 1957; Und dann kam der Sturm (Erz.) 1958; So arbeiten wir! Du mußt wissen, wofür du die Hände gebrauchst und wozu deinen Kopf. Skizzen über den Alltag der Brigade Mehlhose, Komplexbrigade auf dem «Bau der Jugend», Karbidfabrik Buna, 1959; Es begann am KPP (Erz.) 1960; Brauner Trenchcoat (Erz.) 1961; Die «K» wußte mehr (Erz.) 1962; Die Speichenbande (Erz.) 1962; Im Frühnebel (Rom.) 1963; Signale durch den Todeszaun. Historische Reportage über Bau, Einsatz und Tarnung illegaler Rundfunkempfänger und -sender im Konzentrationslager Buchenwald, 1974; Der illegale Kurier (Erz.) 1977; Die rubinrote Glasperle (Erz.) 1977.   AS

Hartung, Harald, * 29.10.1932 Herne; Prof. f. dt. Sprache u. Lit. an d. PH Berlin; Lyriker, Essayist, Kritiker.

Schriften: Hase und Hegel (Ged.) 1970; Reichsbahngelände (Ged.) 1974; Experimentelle Literatur und konkrete Poesie, 1975; Das gewöhnliche Licht (Ged.) 1976; Deutsch in der Sekundarstufe 1. Literatur, Realität, Erfahrung. Schülerarbeitsbuch (Hg.) 1977; Fruchtblätter. Freundesgabe für Alfred Kelletat (hg. mit andern) 1977; Augenzeit (Ged.) 1978.

Literatur: J. GÜNTHER, ∼ (in: NDH 17) 1970; E. HORST, ∼ (in: NR 82) 1971.   AS

Hartung, Hermann Heinrich, * 20.7.1896 Wien; Journalist, Erz., Publizist.

Schriften: Felix Sorgenlos (Rom.) 1934; Österreichische Passion. Politische Zeitreportage, 1934; Schatten der Vergangenheit (Rom.) 1948; Ein Traum geht zu Ende (Rom.) 1948; Wann kommst du wieder (Rom.) 1948; Ein Weg voller Dornen (Rom.) 1948; Treue bis ans Ende (Rom.) 1950; Ein Herz geht verloren (Rom.) 1950; Du bist das Glück (Rom.) 1950; Das Glück kommt über Nacht (Rom.) 1950; Mädchen am Abgrund (Rom.) 1951.   IB

Hartung, Hugo (Ps. N. Dymion), * 17.9.1902 Netzschkau/Kr. Merseburg, † 2.5.1972 München; aufgewachsen in Thüringen, Studium in Leipzig, Wien, München, bes. bei A. Kutscher; Mitarbeit am «Simplicissimus» u. d. «Jugend», später Schauspieler u. Dramaturg an d. Bayer. Landesbühne, seit 1931 freier Schriftst. in München; 1936 Schreibverbot, dann 4 Jahre Chefdramaturg in Oldenburg u. bis Kriegsende Dramaturg in Breslau. Nach d. Krieg Rückkehr n. München. Erzähler, Verf. v. Hör- u. Fernsehspielen u. Filmdrehbüchern. Heinrich-Droste-Lit.-Preis 1956, Eichendorff-Lit.-Preis, 1969.

Schriften: Friedrich Huchs epischer Stil (Diss. München) 1928; Die große belmontische Musik (Nov.) 1948 (1951 u. d. T.: Der Deserteur oder Die große ...); Ewigkeit (Erz.) 1948; H. M. Batten, Wolfstern (übers. mit S. Hartung) 1948; Ein Junitag (Erz.) 1950; Die wundersame Nymphenreise (Bilderb.) 1951; Der Himmel war unten (Rom.) 1951; Das Feigenblatt der schönen Denise und andere bedenkliche Geschichten, 1952; Aber Anne hieß Marie (Rom.) 1952; Gewiegt von Regen und Wind (Rom.) 1954; Ich denke oft an Piroschka. Eine heitere Sommergeschichte, 1954 (verfilmt 1955); Die Höfe des Paradieses (Nov.) 1955; Schlesien 1944/45. Aufzeichnungen und Tagebuch, 1956; Wir Wunderkinder. Der dennoch heitere Roman unseres Lebens, 1957 (verfilmt 1958); Stern unter Sternen (Rom.) 1958; Das sarmatische Mädchen. Die galiläische Rosalinde (Erz.) 1959; Piroschka (Kom.) 1960; Ein Prosit der Unsterblichkeit. Kein heiterer Roman, 1960; Die goldenen Gnaden. Festtagsgeschichten, 1960; König Bogumil König. Ein heiterer Roman, 1961; Die Braut von Bregenz (Erz.) 1961; Timpe gegen alle. Ein Roman von kuriosen Alten und von junger Liebe, 1962; Die glitzernde Marietta (Erz.) 1962; O Tannenbaum. Heitere Weihnachten, gefeiert mit H. H. und vielen anderen, 1962; Die stillen Abenteuer. Begegnungen mit Menschen und Landschaften, 1963; Von den Freuden und Nöten eines lesenden Autors, 1964; Mit Dichtern reisen. Reise-Winke von Goethe bis Kafka, 1964; Ihr Mann ist tot und läßt Sie grüßen. Ein Schelmenroman über Leben, Liebe und Taten des Feldweibels J. B. N. Schwärtlein, 1965; Die glitzernde Marietta (Erz., zus.gest. L. M. Mazakarini; mit Bibliogr.) 1966; Unser kleiner Herr Stationsvorsteher. Ein Märchen aus der Welt der Spielzeugeisenbahnen, 1967; Kindheit ist kein Kinderspiel (Rom.) 1968 (erw. Aufl. 1972); Keine Nachtigallen im Ölbaumwald (Erz.) 1969; Deutschland, deine Schlesier. Rübezahls unruhige Kinder, 1970; Mein Apfelbaum, mein Dackel und ich, 1972; Wir Meisegeiers. Der Wunderkinder 2. Teil, 1972; Der Witz der Schlesier (Hg.) 1972; Das dritte Licht (Slg.) 1974; Die Potsdamerin (Rom.) 1979.

Nachlaß: Staatsbibl. Preuß. Kulturbesitz Berlin (zugesagt, noch nicht übergeben).

Literatur: HdG 1,270; Albrecht/Dahlke II, 2, 288. – Woher d. Wegs? Wohin? Selbstporträt (in: WW 7) 1952; D. Jahrgang d. Wunderkinder (in: Besondere Kennzeichen. Selbstporträts zeitgenöss. Autoren, hg. K. Ude) 1964; D. van Abbe, A Contemporary satirist: ~ (in: GLL 17) 1963/ 1964; L. Volta, La critica sociale in ~ (Diss. Bologna) 1967/68.   AS

Hartung, Johann, * 1505 Miltenberg/Franken, † 16.6.1579 Freiburg/Br.; theol., philol. u. später jurist. Studien in Heidelberg, 1537 Prof. f. griech. Sprache das., seit 1546 Prof. d. griech. u. hebräischen Sprache u. zeitweise d. Poesie in Freiburg/Breisgau.

Schriften: Prolegomena in tres priores Odysseae Homeri rapsodias, 1539; Apollonii Rhodii Argonauticorum libri quatuor ..., 1550; Lexicon Graeco-latinum post Conradum Gesnerum – postremo nunc non mediocriter auctum, 1550; Chilias Homericorum locorum qui a diversis Pindari, Hesiodi ... interpretibus ... usurpantur, 1558; Decuria locorum quorundam memorabilium ex optimis quibusque authoribus cum Graecis tum Latinis exerptorum, 1559 (Forts., 2 weitere Decurien 1563–68); Centuriae duae lectissimarum historiarum ... (hg. J. J. Beurer) 1621.

Literatur: Jöcher 2,1388; ADB 10,712. – E. Jakobs, ~ z. Gedächtnis (in: Aus d. Werkstatt) 1925.   RM

Hartung, Johann Adam, * 25.1.1801 Berneck/ Bayern, † 20.9.1867 Erfurt; Philol.-Studium in Erlangen u. München, 1824 Gymnasialdir. in Erlangen, 1837 in Schleusingen u. zuletzt in Erfurt. Verf. versch. Schulbücher.

Schriften (Ausw.): Die Religion der Römer nach den Quellen dargestellt, 2 Bde., 1836; Euripides restitutus ..., 2 Bde., 1843; Beiträge zur populären Erklärung des Faust, 1844; Lehren der Alten über die Dichtkunst durch Zusammenstellung mit denen der besten Neueren erklärt, 1845; Ungelehrte Erklärung des Goethe'schen Faust, 1855; Themata zur deutschen Ausarbeitung für reifere Schüler, zugleich als Anleitung zum Eindringen in den Geist der besten deutschen Dichter, 1863.

Übersetzer- u. Herausgebertätigkeit: Euripides' Werke. Griechisch mit metrischer Übersetzung ... und Anmerkungen, 1848; Sophokles' Werke. Griechisch mit metrischer Übersetzung, 1850; Aeschylos' Werke. Griechisch mit metrischer Übersetzung ..., 1852; Sophokles' Werke metrisch übersetzt, 1853; Die griechischen Lyriker. Griechisch mit metrischer Übersetzung ... und Anmerkungen, 6 Bde., 1855–58; Philodern's Abhandlungen über die Haushaltung ... und Theophrast's Haushaltung ..., 1857; Babrios und die ältern Jambendichter. Griechisch mit metrischer Übersetzung ..., 1858; Die Bukoliker. Griechisch mit metrischer Übersetzung ... und Anmerkungen, 1858.

Literatur: ADB 10, 716. – R. BOXBERGER, 2 Erfurter Freunde d. Dichters F. Rückert [~ u. F. Schubart] 1874.   RM

Hartung, Max, * 21.3.1857 Leipzig, † 5.8. 1932 ebd.; Buchhändler in Leipzig, 1888–1901 Red. d. «Gartenlaube», Mitarb. d. «Fliegenden Bl.», d. «Cottaschen Musenalmanachs» u. a. Publikationen.

Schriften: Unter lachender Sonne (Humoresken) 1899; Kleptomanie (Lsp.) 1900; Die Nachtdroschke und andere Humoresken, 1912; Der tapfere Junge, o. J. (1915).   RM

Hartung, Rudolf, * 9.12.1914 München; Dr. phil., Lit.kritiker, Mithg. u. Chefred. d. «Neuen Rundschau»; wohnt in Berlin; Lit.preis «Junge Generation» der Stadt Berlin 1961; Lit.preis Bayer. Akad. d. Schönen Künste 1970; Joseph-E.-Drexel-Preis 1972. Lyriker.

Schriften: Vor grünen Kulissen (Ged.) 1959; Kritische Dialoge, 1973.

Literatur: J. GÜNTHER, D. Kritiker als Poet. Zu e. Gedichtband ~s (in: Monat 12) 1959/60.   AS

Hartwich, Otto, * 22.8.1861 Swinemünde, † 23.11.1948 Bremen; Theol.-Studium in Tübingen u. a. Orten, 1886f. Schulrektor in Jastrow/ Westpr., seit 1894 Pastor, später Domprediger in Bremen. Dr. h. c. Univ. Jena (1923).

Schriften (Ausw.): Richard Wagner und das Christentum, 1903; Kulturwerte aus der modernen Literatur, 1911; Vom vorstellbaren Sinn der Welt, 1912; Aus großer Zeit. Kanzelreden im Kriege 1914/15, 1915; Lebenswinke, 1919; Das Buch meiner Frau. Psychologische Plaudereien, 1922; Aus der Schmiede des Glücks. Zeitbild in Form einer Selbstbiographie, 1924; Vom Amboß des Lebens, 1924; Im Rosengarten, 1925; Im Ruhrkampf, um 1927; Ludendorff und die Freimaurerei, 1928; Der 13. Apostel (hist. Schausp.) 1930. (Ferner ungedr. Bühnenstücke.)

Literatur: Theater-Lex. 1, 706.   RM

Hartwicus, 11. Jh.; Mönch im Benediktinerkloster Regensburg, Schüler Fulberts v. Chartres, Verf. (wahrsch. nach s. Rückkehr aus Frankreich) e. Lebensgesch. d. hl. Emmeram in paarig gereimten Achtsilbern. D. Ged. ist unvollendet u. bricht vor d. Martyrium d. Heiligen ab. Grundlage war e. Rezension v. Arbeos vita Heimhrammi. H. wirkte wohl auch am Evangelistar d. Äbtissin Uta v. Niedermünster mit.

Ausgabe: Vita S. Emmerammi (hg. K. STRECKER in: MG Poetae 5) 1939.

Literatur: VL 5, 335. – G. SWARZENSKI, D. Regensburger Buchmalerei d. 10. u. 11. Jh., 1901; B. BISCHOFF, Lit. u. künstler. Leben in St. Emmeram ... (in: Stud. u. Mitt. d. Benediktinerordens 51) 1933; K. STRECKER (vgl. Ausg.) 1939 H. P. LATTIN, The 11th Century ... (in: Isis 38) 1948.   RM

Hartwig von dem Hage, vermutl. alemann. geistl. Dichter ausgangs d. 13. od .anfangs d. 14. Jh.; Verf. e. «Legende von der Marter der hl. Margarete» (1783 Zeilen), die d. Fassung in d. Boninus-Mombritius «Sanctuarium» (Mailand, vor 1480) nahesteht, sowie d. «Sieben Tagzeiten von den Leiden Christi» (1562 Zeilen), welche d. Gesch. Christi, in 7 Tagzeiten eingeteilt, erzählt.

D. Versbau ist regelmäßig, häufige Anwendung reicher Reime. Beide Werke überl. in d. Münchner Hs. cgm. 717.

Ausgabe: W. SCHMITZ, Die Dichtungen des H. v. dem Hage. Untersuchungen und Edition, 1976. *Literatur:* VL 2, 218; ADB 10, 324. – F. VOGT, Über d. Margaretenleg. (in: PBB 1) 1874; A. RODE, Über d. Margaretenleg. d. ~ (Diss. Kiel) 1890; W. SCHMITZ (vgl. Ausgabe) 1976.   RM

Hartwig von Rute (Hartwic von Rûte, von Raute, de Route od. Riute), 2. Hälfte 12. Jh.; Minnesänger, v. dem 7 Strophen in 4 Tönen erh. sind (überl. in d. Weingartner u. in d. Großen Heidelberger («Maness.») Liederhs.). Vorwiegende Einstrophigkeit, Zweireim u. Daktylen, d. Einzelstrophen zeigen reich gegliederte Satzketten in Reihenform.

Ausgaben: HMS 2, 3; H. BRINKMANN, Liebeslyrik d. dt. Frühe in zeitl. Folge, 1952; MF; G. SCHWEIKLE, D. mhd. Minnelyrik 1: D. frühe Minnelyrik, 1977.

Literatur: VL 2, 219; 5, 337; ADB 30, 38; de Boor-Newald 2, 265; Ehrismann 2 (Schlußbd.) 236. – C. v. KRAUS, D. Minnesangs Frühling, Unters., 1939; H. BRINKMANN (siehe Ausg.) 1952; F. R. SCHRÖDER, Adynata (in: FS Genzmer) 1952; R. KIENAST (in: Aufriß 2) 1954; M. F. RICHEY, Essays on Medieval German Poetry (erw. Neuausg.) 1969.   RM

Hartwig, Franz Gotthold, * 5.4.1742 Groß-Hartmannsdorf b. Freiberg, † 17.1.1820 ebd.; Katechet u. Prediger in Leipzig, 1768 Magister d. Philos., Pfarrer in Groß-Hartmannsdorf.

Schriften: Monatsschrift aus Mitleid von vermischtem Inhalte, 1772; Über die Weglassung des Stammes Dan. Offenb. Joh. 7,6; eine kleine Probe apokalyptischer Untersuchungen, 1779; Gedichte und poetische Abhandlungen, 1780; Apologie der Apokalypse wider falschen Tadel und falsches Lob, 4 Tle., 1780–82; Über die neuen Propheten und deren Werth, 1799. (Ferner einzeln gedr. Predigten).

Literatur: Meusel-Hamberger 3, 101; 14, 47; 18, 60.   RM

Hartwig, Georg (Ps. f. Emmy Koeppel), * 13.8. 1850 Ahlen/Westf., † 25.4.1916 Berlin-Schöneberg; lebte n. Heirat mit d. Offizier Koeppel als Schriftst. in Schlesien, 1895 in Mülhausen/Elsaß, seit 1898 in Neu-Breisach u. seit 1901 in Berlin.

Schriften: Metamorphosen (Rom.) 1875 (Neuausg. u. d. T.: Haß und Liebe, 1889); Zwischen Kreuz und Tempel (Rom.) 2 Bde., 1880; Die Archenbach. Eine Familiengeschichte, 3 Bde., 1886; Die Lumpenprinzessin (Rom.) 1887; Im Reich der Töne (Erz.) 1887; Fräulein Doktor (Rom.) 1887; Gold und Glück (Rom.) 3 Bde., 1888; Licht und Schatten (Rom.) 1888; Verschwiegenheit (Erz.) 1888; Schloß Wolkenstein (Rom.) 1888; Über dem Abgrund, 2 Bde., 1888; Gabriele Erdmann (Rom.) 1889; Ringkämpfe (Rom.) 3 Bde., 1889; Farbenspiele des Lebens (Rom.) 1889; Der Majoratserbe (Rom.) 3 Bde., 1890; Anno Domini. Roman aus der Zeit des Dreißigjährigen Krieges, 1890; Im Banne der Ehre (Rom.) 1890; Welke Blätter (Rom.) 3 Bde., 1890; Auf Umwegen (Rom.) 1892; Die goldene Gans (Rom.) 2 Bde., 1893; Das Glückskind (Rom.) 3 Bde., 1894; Die Sage vom Imhoff (Rom.) 2 Bde., 1894; Der Privatsekretär Sr. Durchlaucht (Lsp., mit F. Erdmann [Ps. ihres Gatten]) 1896; Die Generalstochter (Rom.) 2 Bde., 1896; Alpenrose (Rom.) 2 Bde., 1896; Jugendträume (Rom.) 2 Bde., 1899; Neues Vaterland (Rom.) 3 Bde., 1901; Das Dorfkind (Rom.) 1901; Wenn du mich liebst (Rom.) 2 Bde., 1904; Wär' ich geblieben doch! (Rom.) 1907; Der blaue Diamant (Rom.) 1909; Das Rätsel von Kornfeld (Rom.) 1911; Willst du das Herz mir schenken (Rom.) 1912; Haus Bikkenbach (Rom.) 1914; Der selige Major (Rom.) 1920; Das grüne Haus (Rom.) 1920; Bleib' dir treu! (Rom.) 1920; Die von Beeren (Rom.) 1921.   RM

Hartwig, Gustav (Ps. f. Gustav Hirsch), * 15.6. 1837 Kreuznach, † 20.9.1901 Konstanz; Kaufmann, lebte in Mainz, England u. zuletzt in Konstanz.

Schriften: Erlebtes-Erdachtes (Ged.) 1877; Balladen und andere Gedichte, 1897.   RM

Hartwig, Heinz, * 25.3.1907 Berlin; kaufmänn. Ausbildung, Werbetexter u. -berater, n. Kriegsende Gründer d. Kabaretts «Die Hinterbliebenen» (mit H. Mostar), seit 1949 v.a. Rundfunk- und Buchautor in Stuttgart, dann München, lebt jetzt in Ottobrunn. Verf. v. Gebrauchslyrik, Satiren, Glossen, Feuilletons, Essays. Hg. versch. Bücher von Willy Reichert u. Thaddäus Troll.

Schriften: Dichter Qualm (Verse) 1944; So geht es besser ... Kleine Rede an den Nachwuchs der Behörden (mit W. Roth) 1948; Keine sanften Flötentöne ... sondern neue Verse, 1949; Umgang mit Werbung. Kleiner Knigge für Reklame-Verliebte, 1961; Liebenswertes an den Frauen (Ess.) 1958; Geliebtes Bett. 13 Episteln zum Einschlafen, 1959; Ich werbe richtig, 1960; Sonntag ist's. Ein Büchlein vom Sonntag, 1968; Das Wort in der Werbung. Ein Nachdenkewerk, das in die Geheimnisse der Sprachwelt einführt, neue Wortquellen erschließt, die Werbewirksamkeit der einzelnen Wortarten untersucht und an aktuellen Beispielen neue Wege der Textgestaltung aufzeigt, 1974; Die Kunst zu informieren. Werbe- und PR-Journalistik. Ein Buch für angehende Pressereferenten ..., 1977.

Literatur: Als d. Krieg zu Ende war. Lit.-polit. Publizistik 1945–1950, 1973 (Ausstellungs-Katalog Dt. Lit.archiv im Schiller-National-Mus. Marbach a. N., hg. G. HAY u.a.).   AS

Hartwig, Mela (Mädchenname u. Ps. f. Mela Spira), * 10.10.1893 Wien, † 24.4.1967 London; lebte als Frau e. Rechtsanwalts in Gösting b. Graz, Lehrerin, ging 1938 n. London ins Exil, war ebd. Lehrerin u. Malerin. Übers. aus d. Französ. u. Engl., Erzählerin, Lyrikerin.

Schriften: Ekstasen (Nov.) 1928; Das Weib ist ein Nichts (Rom.) 1929; Das Wunder von Ulm (Nov.) Paris 1936; Spiegelungen (Ged.) 1953.

Literatur: G. TERGIT, P.E.N., Zentrum dt.-sprachiger Autoren im Ausland – Sitz London. Autobiogr. u. Bibliogr., 1959.   RM/AS

Hartwig, Otto (Peter Conrad), * 16.11.1830 Wichmannshausen/Niederhessen, † 22.12.1903 Marburg/Lahn; Theol.- u. Philos.-Studium in Marburg u. Halle, 1856 Dr. phil., 1860–65 Prediger in Messina/Sizilien, seit 1867 Univ.bibliothekar in Marburg, 1876–98 Dir. d. Univ.bibl. Halle. Historiker, Förderer d. preuß. Bibl.reform, Gründer d. «Zentralbl. f. Bibl.wesen» (1884, Hg. bis 1903), Verf. d. Textes zu Baedekers Unteritalien-Reiseführer (1885).

Schriften: Henricus de Langenstein dictus de Hassia ..., 1857; Aus Sicilien. Cultur- und Geschichtsbilder, 2 Bde., 1867–69; Quellen und Forschungen zur ältesten Geschichte der Stadt Florenz, 2 Bde., 1875/80; Eine Chronik von Florenz zu den Jahren 1300–1313, 1800; Die Über-

setzungsliteratur Unteritaliens in der normannisch-staufischen Epoche, 1888; Ein Menschenalter florentinische Geschichte 1250–1293, 1889 bis 1891; Ludwig Bamberger, eine biographische Skizze, 1900; Lehr- und Wanderjahre eines alten deutschen Bibliothekars, 1900; Stammbaum der niederhessischen Familie Hartwig, 1902; Aus dem Leben eines deutschen Bibliothekars. Erinnerungen und biographische Aufsätze, 1906.

Herausgebertätigkeit: Album Academiae Vitebergensis (Mit-Hg.) 3 Bde., 1841–1905 (Neudr. 1976); Sicilianische Märchen. Aus dem Volksmund gesammelt von Laura Gonzenbach ..., 2 Bde., 1870; Sanzanome. Gesta Florentinorum e cod. Florentinum inedita, 1875; R. Pauli, Aufsätze zur englischen Geschichte (NF) 1883; Charlotte Diede, die Freundin von W. v. Humboldt. Lebensbeschreibung und Briefe (mit A. Piderit) 1884; Die Zukunft. Ein bisher ungedrucktes Gedicht des Grafen Friedrich Leopold zu Stolberg ..., 1885.

Briefe: Carl Justi und Otto Hartwig, Briefw. 1853–1903 (hg. R. LEPPLA) 1968.

Nachlaß: Landesbibl. Wiesbaden. – Mommsen Nr. 1484; Denecke 71.

Literatur: NDB 8,15; Biogr. Jb. 8,309. – L. GRAESEL, ~ (in: Zentralbl. f. Bibl.wesen 21) 1904; K. BURDACH, ~ (in: ebd. 50) 1933; F. GROSSART, ~ (in: Lbb. aus Kurhessen u. Waldeck 2) 1940; R. LEPPLA, D. Nachlaß ~s (in: Zs. f. Bibl.wesen u. Bibliogr. 1) 1954; F. JUNTKE, D. Katalogreform d. Univ.bibl. Halle a. S. durch ~, 1967.   RM

Hartwig, (Reinhard) Paul, * 18.2.1859 Pirna/Sachsen, † 1919 Rom; Dr. phil., Privatgelehrter u. Altertumsforscher in Rom.

Schriften (außer archäol.): Späte Lieder, 1908.

Nachlaß: Dt. Archäol. Inst. Rom. – Mommsen Nr. 1485; Denecke 71.   RM

Hartwig, Paul (Hermann), * 17.7.1871 Karlsruhe/Mecklenb., † 13.10.1927 Dresden; Red. in Würzburg (1897), München (1900), Chemnitz (1904) u. zuletzt in Dresden.

Schriften: Farbenspiele (Nov.) 1896; Ein Vampir und anderes (Nov.) 1897; Sonnenseite. Lustige Geschichten, 1899; Als wir jung waren (Gesch.) 1902; Schnockelchen (Kindergesch.) 1902; Kinderland, 1908; Vom starken Mann (Humoresken) 1912; Hans Gradedurch. Ein deut-

sches Märchen, 1919; Traumjörgs Reise ins Früh-
lingsland, 1919; Christkinds Schleier. Märchen in
fünf Bildern, 1921 (Neuausg., sieben Bilder
1936); Die Schneekönigin. Ein Weihnachtsmärchen in sieben Bildern nach Andersen (Neubearb.
O. Werther) 1935.
Literatur: Theater-Lex. 1,706.   RM

Hartwig, (Karl Franz Hugo) Richard von, * 17.
11.1849 Stargard/Pomm., † 1917 Berlin; lebte n.
militär. Laufbahn als Schriftsteller in Berlin (seit
1889 im dort. Invalidenhaus).
Schriften: Welt-Märchen, 1886; Dichtungen,
1888; Ein Idol (soz. Dr., 2., veränd. Aufl.) 1892;
Die camera obscura bringt es an den Tag. Eine
Kolberger Strandnovelle, 1909.   RM

Hartwig, Theodor, * 25.11.1872 Wien; war
Prof. f. Soziologie in Brünn/CSR.
Schriften (Ausw.): Sozialismus und Freidenker-
tum, 1924; Jesus oder Karl Marx? Christentum
und Sozialismus, 1925 (2. erw. Aufl. 1926); Die
Erschaffung der Welt und das Jüngste Gericht,
1925; Die «Privatsache» Religion, 1926; Die Re-
volutionierung der Frau, 1927; Soziologie und Sozialismus. Einführung in die materialistische Ge-
schichtsauffassung, 1927; Die Lüge von der «re-
ligiös-sittlichen» Erziehung, 1927; Wanderlust
und Bergfreude. Gesammelte Aufsätze, 1927;
Vorbei ... Skizzen und Reflexionen, 1927; Christentum in Theorie und Praxis, 1928; Religion
und Wissenschaft, 1929; Der Faschismus in
Deutschland. Milwaukee/Wisconsin 1933; Die
Tragödie des Schlafzimmers. Beiträge zur Psychologie der Ehe, 1947; Der Existentialismus. Eine
politisch-reaktionäre Ideologie, 1948; Hamlets
Hemmungen. Psychologische Studie, 1952.   AS

Hartwig, Thora, * um 1880 Hadersleben/
Schleswig; Schriftst. in Hadersleben.
Schriften: Gedichte, 1912; Aus Märchen-Lan-
den, 1912; Kraft aus der Höhe (Kriegsged.) 1915;
Von Straßen und Gärten des Lebens (Nov. u.
Skizzen) 1916; Die Träumerin von Helleby
(Rom.) 1927.   RM

Hartwig, W. H. → Bley, Wulf.

Hartwin, Kurd (Ps. f. Annelise Abels; anderes
Ps.: Ann K. Hartwin), * 23.7.1903 Berlin; emigrierte 1939 nach England. Erzählerin.

Schriften: Die Silberfuchsfarm (Rom.) 1933;
Thomas Finds the Answer and Other Stories,
London 1948.   AS

Hartz, Erich von, * 5.1.1886 Angermünde; aus-
gebreitete Stud. u. Reisen, Teilnahme am 1.
Weltkrieg, Dramaturg in Würzburg, später Chef-
dramaturg in Darmstadt. Dramatiker.
Schriften: Kampfgesänge der Liebe (Ged.) 1922;
Kaiser Heinrich VI (Tr.) 1924; Heros (Dr.)
1924; Das verlorene Volk, 1828; Wesen und
Mächte des heldischen Theaters, 1935; Odrūn
(Tr.) 1939; Baldurs Tod (Tr.) 1943.
Literatur: Theater-Lex. 1,706. – W. MICHEL,
Ein Dichter (in: Völk. Kultur 2) 1934.   IB

Hartz, Johann Tycho, * 21.7.1756 Neuenkirchen, † 11.8.1807 Husum; Prediger in Tönnin-
gen/Schlesw., 1798 Propst u. Hauptpastor in Husum.
Schriften: Predigten zur Beförderung christlicher Gesinnungen ..., 1794; Plan zu einer ver-
besserten Einrichtung des Armenwesens in der
Stadt Husum, 1806.
Literatur: Meusel-Hamberger 3,102; 9,521;
22.2,593.   RM

Hartzheim, Caspar, * 1678 Köln, † 1758 ebd.;
Bruder v. Hermann Joseph H., 1698 Eintritt in d.
Jesuitenorden, Doz. f. Philos. u. Theol. in Trier,
Paderborn, Köln u. Koblenz, 1735–40 Subregens
d. Kölner Tricoronatums.
Schriften: Castum novae legis presbyterium,
1717; Explicatio fabulorum et superstitionum in
SS. Scripturis indicatorum, 1724; Pietas in Salva-
torem mundi ..., 1728; Vita Nicolai de Cusa,
1730; Sortilegium solandis animabus defuncto-
rum, 1735 (dt. 1743).
Literatur: Adelung 2,1819; ADB 10,722; Sommervogel 4,125.   RM

Hartzheim, Hermann Joseph, * 11.1.1694
Köln, † 17.1.1767 ebd.; 1712 Eintritt in d. Jesuitenorden, Theol.-Studium in Mailand, 1724
bis 1730 Philos.- u. 1730–35 Theol.-Prof. in
Köln, 1735–59 Regens d. Kölner Tricoronatum,
zuletzt Domprediger. Historiograph, Verf. e. ungedr. Dr. «Belisar».
Schriften: Summa historiae omnis ab exordio
rerum ad annum 1718, 1718; De initio metropo-
leos ..., 1731; Inscriptionis Hersellensis ...,

1745; Bibliotheca scriptorum Coloniensium, 1747; Dissertationes X historicocriticae in s. scripturam ab anno 1736 ad annum 1746, 1746; Catalogus historicus criticus Manuscriptorum bibliothecae ecclesiae metropolitanae, 1752; Historia rei nummariae Coloniensis, 1754; Bibliotheca Coloniensis, 1757; Prodromus historiae universitatis, 1759; Concilia Germaniae, 5 Bde., 1759–63 (Forts. bis 1790 v. H. Scholl, A. Neissen u. J. Hesselmann).

Literatur: Adelung 2, 1820; ADB 10, 721; NDB 8, 16; Sommervogel 4, 126; 9, 460; LThK 5, 22; RE 7, 451. – J. KUCKHOFF, D. Gesch. d. Gymnasiums Tricoronatum, 1931.   RM

Harum, Brigitte, Jugendbuchautorin, wohnt in Leoben/Steiermark.

Schriften: Till. Kunterbunte Geschichten, 1964; Das Silberschiff. I Durch die grüne Steiermark, 1967, II Die Reise mit dem Silberschiff durch Kärnten und Tirol, 1968; III Till auf neuer Fahrt, IV Auf Wiedersehen, Silberschiff, 1969; Der geheimnisvolle Stern. Ein Weltraumabenteuer, 1969; Till und seine Freunde, 1978.   AS

Harun, Helmut, * 18. 3. 1914 Westhoven/Rh.; Studium d. Theaterwiss., Schauspielerausbildung, Schriftst. u. Regisseur; Drehbuchautor (dt. Nachdg v. «Hiroshima mon Amour», dt. Fass. der Filme «Pippi Langstrumpf», 1968–73 100 Filme «Paradiese der Tiere»), Erzähler, Verf. von Hörspielen (ungedr.) u. Features. Hörspielpreis des Bayer. Rundfunks 1952 u. a.

Schriften: Mätti. Eine Erzählung, 1957; Tiere beschenken uns. Neun wahre Geschichten, 1966; Die Leute von der Shiloh-Ranch. I Achtzig Dollar für ein Leben, II Sein letztes Spiel, 1971.   AS

Harun-el-Raschid-Bey, Wilhelm (d. i. Wilhelm Hintersatz), * 26. 5. 1886 Senftenberg/Lausitz, † 29. 3. 1963 Lübeck; kaiserl. osman. u. dt. Oberst a. D., bis 1919 aktiver Offizier, während dieser Zeit u. später vielseit. Einsatz im In- u. Ausland (Europa, Afrika, Asien); Mohammedaner, wiss. Rutengänger u. Schriftst.; lebte in Husby b. Flensburg, zuletzt in Lübeck.

Schriften: Liman von Sanders Pascha und sein Werk, 1932; Schwarz oder weiß? «Ad Imperium Romanum versus!» Roman nach eigenem Erleben im afrikanischen Kriege, 1940; Achtung, Erdstrahlen sind Gefahr für Mensch, Tier und Pflan-

zenhaltung! Die Wünschelrute warnt, 1952; Aus Orient und Occident. Ein Mosaik aus buntem Erleben, 1954.   AS

Harven → David, Gustav.

Harwalik, Adolf Helmut, * 22. 5. 1908 Graz; Hauptschuldir. ebd., Nationalratsabgeordneter. Dramatiker u. Lyriker.

Schriften: Der Steirer Land. Ein Zauberspiel um das steirische Land, 1955.   IB

Harweck-Waldstedt, G. M. (Ps. Gottfried Waldstedt), * 3. 8. 1849 Zörbig/Sachsen, † 1894; Privatgelehrter, lebte in Goslar, dann in Blankenburg/Harz.

Schriften: Herzensklänge (Ged.) 1870; Teufels Minister. Zeitdichtung, 1870; Frühlingsblüthen. Dichtungen, 1872; Eduard Lasker. Biographische Skizze, 1873; Briefe aus Rumänien, 1877; Dem Kaiser Heil! (Festsp.) 1881; Friedrich Friesen. Ein Lebens- und Charakterbild aus der Zeit der deutschen Befreiungskriege. Mit einem Anhang: Deutsche Freundestreue. Ballade, 1885; Aus den Fremdenbüchern des Harzes, 1887; Brockenbuch. Führer und Erinnerungsgabe für Brockenwanderer, 2 Teile, 1888; Die Clus bei Goslar in Sage, Geschichte und Märchen, 1888; Was die Ilse rauscht! Schilderungen, Sagen, Märchen und Liederklänge über die Ilse von Andersen, Eichler, Heine, Pröhle, Roquette, Spieker, Scheffel u. a., 1888; Was die Selke plätschert! Geschichtliches, Gedichte, Sagen und Märchen aus dem Selkethale, 1891.   AS

Harwen, Friedrich Ernst, * 12. 1. 1735 Carpen/ Ungarn, † 1814 Augsburg; Gymnasiallehrer und Ephorus in Augsburg. Red. d. Augsburg. polit. Ztg. u. bis 1800 d. sog. «Maschenbauerischen Ztg.», Verf. e. zweibd. franz.-dt. Wörterbuchs (1783).

Herausgebertätigkeit: M. T. Ciceronis et aliorum quorundam epistolae selectae ..., 1766; Eutropii breviarum Rom. Historia, 1767.

Literatur: Meusel-Hamberger 3, 102; 11, 322.
                                                   RM

Hary-Epp, Leonor → Epp, Jovita.

Harych, Theo, * 19. 12. 1903 Doruchow (bei Kalisz, Polen), † 22. 2. 1958 Berlin; Sohn e. Landarbeiters, beteiligte sich 1921 am mitteldt. Aufstand, war Kraftfahrer in Berlin (Ost); Verf. autobiogr. Romane; Heinrich-Mann-Preis 1954.

Schriften: Hinter den schwarzen Wäldern. Geschichte einer Kindheit, 1951; Im Geiseltal (Rom.) 1952; Bärbels und Lothars schönster Tag (Kinderb.) 1952; Im Namen des Volkes? Der Fall Jakubowski, 1958.

Nachlaß: Lit.arch. d. Dt. Akad. d. Künste Berlin.

Literatur: Albrecht/Dahlke II, 2, 288. — R. MÜLLER, ∼ – e. schreibender Arbeiter (in: NDL 11) 1959.   AS

Harzer, Karl Heinz (Ps. Robert Duncan, Ubelius, Godward Lynn), * 28. 3. 1913 Libotschau/Sudetengau; Angestellter des öffentl. Dienstes, wohnt in Uffenheim/Mfr.; Verf. zahlreicher Unterhaltungsromane.

Schriften (Ausw.): Kameraden vorher und immer, 1950; Eine Chance für Eddie Briggs, 1950; Die rote Rose der Liebe, 1956; Bleib' bei mir, Peter!, 1956; Bellas Geheimnis, 1957; Die Glut eines Lebens. Arztroman, 1957; Die Hieroglyphen-Botschaft, 1960.   AS

Harzmann, Ernst → Cumme, Ernst.

Has, Kunz (Contz Hass), * um 1460 wahrsch. Nürnberg, † um 1525; Angehöriger d. Tuchmacherzunft u. v. Rosenplüt angeregter Meistersänger. D. bei Liliencron abgedr. «Spottlied auf Herzog Friedrich von Sachsen» stammt wahrsch. nicht v. ihm.

Schriften: Eyn new gedicht der loblichen Stat Nürnberg von dem regiment gebot und satzung eyns erbern weysen Rats, 1492 (Neuausg. hg. K. A. Barack, 1858); Hierin findet man die ursach wodurch alle hendel yetz in der welt verkert und verderbt werden, 1493; Gedicht auf die Sundersiechen, 1493 (Neuausg. H. Roesch in: Mitt. d. Ver. f. d. Gesch. d. Stadt Nürnberg 16, 1905); Ein spruch von einem peckenknecht der funff unschuldiger menschen grausamlich ermördet zu Wienn in Osterreich, 1516 (Neuausg. hg. A. v. Keller, 1853; Neudr. in: F. M. Böhme, Altdt. Liederbuch, 1877); Ein new lied von der stat Rottenburg an der Tauber und von vertreibung der Juden doselbst. Im Schuttsamen ton, 1520 (Neuausg. bei Liliencron); Von dem Eelichen standt, wie er gehalten soll werden, Ser nutzlich und fruchtbar allen denen, so sich darein begeben,

nach aussweyssung und inhalt götlicher schrifft, o. J. (um 1525); Der valschen Bettler Teuscherey (in: F. Kluge, Rotwelsch 1) 1901. – E. Neuausg. d. Ged. ist in Vorbereitung (Diss. Erlangen).

Literatur: VL 2, 220; ADB 10, 753; de Boor-Newald 4/1, 215; Ehrismann 2 (Schlußbd.) 494. – E. MATTHIAS, D. Nürnberger Meistersinger ∼ (in: Mitt. d. Ver. f. d. Gesch. d. Stadt Nürnberg 7) 1888; A. TAYLOR, F. H. ELLIS, A. Bibliogr. of Meistergesang, Bloomington, 1936; P. ASSION, Altdt. Fachlit., 1973.   RM

Hasche, Johann Christian, * 1. 1. 1744 Nieska/Sachsen, † 25. 7. 1827 Dresden; seit 1788 Prediger in Dresden, lebte seit 1822 im Ruhestand, Mitarb. d. «Dresdner Gelehrten Anz.» u. d. «Lausitz. Magazins».

Schriften: Zärtliche Klagen eines Jünglings über Gellerts Tod, 1770; Ehrendenkmahl, dem seligen Professor Gellert aufgerichtet, 1770; Vermischtes Magazin, 2 Tle., 1773f.; Über Jephta und seine Gelübde, 1778; Umständliche Beschreibung Dresdens, mit allen seinen äußern und innern Merkwürdigkeiten ..., 2 Tle., 1781/83; Magazin der Sächsischen Geschichte, 7 Tle., 1784–90; Ist es wahr, daß der Redner auf der Bühne stärker rührt, als der Redner auf der Kanzel? Eine Skizze, 1788; Diplomatische Geschichte Dresdens von seiner Entstehung bis auf unsere Tage, 6 Bde., 1816–25.

Nachlaß: Landesbibl. Dresden. – Mommsen Nr. 1486; Nachlässe DDR 1, Nr. 256.

Literatur: Meusel-Hamberger 3, 102; 14, 47; 18, 60; 22. 2, 593.   RM

Haschka, Lorenz Leopold, * 1. 9. 1749 Wien, † 3. 8. 1827 ebd.; seit 1765 Jesuit, Lehrer in Krems, lebte seit Aufhebung d. Ordens (1773) in Wien. 1797 Kustos an d. Univ.-Bibl., 1798 Ästetik-Prof. am Theresianum, Mit-Hg. d. «Lit. Monate» (1776f.), Verf. d. Textes d. v. J. Haydn vertonten öst. Volkshymne «Gott erhalte Franz, den Kaiser» (1797).

Schriften: Ein Gedicht auf den Ritter Gluck bei seiner Rückkunft von Frankreich, 1775; Die Ehre der Tonkunst, 1775; Ehrenrettung des Kaisers und Klopstocks, 1782; Unsere Sprache, 1784; Die Wissenschaften, 1784; Aufruf an die teutschen Schriftsteller wider F. Nicolai ..., 1787; Ode nach der Eroberung Belgrads, 1789; Epinikion Herrn Johann August Starck, dem beyspiellos verfolgten, 1789; Am Huldigungstage, den 6. April 1790, 1790; Auf die Rückkehr Leopold II. von der Krönung in Frankfurt, 1790; Laudon besungen, 1790; Auf den Friedensschluß von Szistow ein Gesang, 1791; Verwünschungen, den Franzosen gesungen im Februar 1793, 1793; Loblied auf die Haupt- und Residenzstadt Wien in Österreich, 1793; Blutrache über die Franzosen gerufen, 1793; Das gerettete Teutschland, 1795; Bey der Fahnenweihe der Wiener Freywilligen October 1796, 1796; An Wien über Hatschka, 1796; Der Bund des Todes unserem allgeliebten Monarchen Francisco dem Standhaften geschworen im Nahmen seiner Mitbürger, 1796; An die Befreier Teutschlands, 1796; Gedichte auf die Vermählung Fräulein Carolinens von Greiner mit dem Herrn Andreas Pichler ..., 1796; Auf den Tod Johann von Alxingers ..., 1797; Zum Singen für Österreich bey dem Jahresfeste des 17. Apriles 1797, 1798; Auf den Frieden von Campoformio, 1798; Auf die Siege Österreichs und Rußlands, 1799; Auf Denis Tod, 1800; Sineds [Denis] letztes Gedicht (hg.) 1801; Auf Franz I. Erbkaiser von Österreich, 1804; Bey der erwünschten Rückkehr Sr. Röm. u. Öst. K. K. Maj. Franz des Zweyten ..., 1806; Josephs des Zweyten eherne Statüe zu Pferde ... besungen, 1807; Auf die Vermählungsfeyer Sr. K. K. Ap. Maj. Franzens des Ersten ..., 1808; Auf die erwünschte Zurückkunft Sr. K. K. Maj. Franzens des Ersten ..., 1809; Auf die Vermählung Ihrer Kaiserl. Hoheit Maria Ludovica ..., 1810; Auf seiner K. K. A. Maj. Franzens des Ersten Rückkehr in die Hauptstadt ..., 1814; Ode bey der Heimkunft der Österreichischen Heere von dem französischen Feldzuge im Junius, 1814.

Briefe: K. v. Greiner, ~ u. J. C. Lavater: D. Korrespondenz (hg. C. KRITSCH, H. SICHROVSKY in: Haydn u. d. Lit. seiner Zeit, hg. H. ZEMAN) 1976.

Nachlaß: verstreut. – Frels 118.

Literatur: Wurzbach 8, 20; ÖBL 2, 199; ADB 10, 723; NDB 8, 18; Meusel-Hamberger 3, 103; 9, 522; 14, 47; Goedeke 4/1, 203; 5, 406; 6, 532. – E. TOPERMANN, ~ (Diss. Wien) 1907; G. GUGITZ, ~ (in: Jb. d. Grillparzergesellsch. 17) 1907 (mit Bibliogr.).   RM

Hase, Christian Gottfried, † 1766 Brandenburg; Adjunkt d. philos. Fak. Halle, 1755 Rektor in Tangermünde u. zuletzt Prediger in Brandenburg.

Schriften: Versuch eines Lehrgebäudes der Hebräischen Sprache, 1750; Philosophische Anweisung zur Französischen, Italiänischen und Englischen Sprache, 1750; Erläuterung der Gedanken im Hohen Liede überhaupt, o. J.; Auslegung des hohen Liedes, 1765; Die heilige Schrift des Neuen Testamentes gegen den Unglauben, besonders gegen die Dammische Auslegung gerettet, 1. Tl., 1765. (Ferner einzeln gedr. Predigten, Progr. u. Gelegenheitsschriften.)

Literatur: Adelung 2, 1821.   RM

Hase, Friedrich Traugott, * 16. 2. 1754 Niedersteinbach/Sachsen, † 9. 2. 1823 Dresden; Studium d. Rechte in Leipzig, seit 1779 Beamter in Dresden, 1788 Geheimsekretär, 1807 Kriegsrat u. 1808 geh. Kabinettssekretär. Hg. d. Leipziger Musenalmanachs (1776–78), Verf. sog. «dramat.» Rom., Übers. aus d. Engl., gehörte d. Körner-Schillerschen Kreise an.

Schriften: Die ehrsüchtige Stiefmutter. Ein Trauerspiel aus dem Englischen des Rowe übersetzt in reimlosen Jamben, 1773; Gustav Aldermann, ein dramatischer Roman, 2 Tle., 1779 (Facs. dr. mit Nachwort v. E. D. Becker, 1964); Der Mißverstand (Lsp. n. d. Engl.) 1779; Friedrich Mahler. Ein Beytrag zur Menschenkunde. Ein dramatischer Roman, 2 Tle., 1780; Geschichte eines Genies, 2 Bde., 1780.

Nachlaß: Frels 119.

Literatur: NDB 8, 19; Meusel-Hamberger 3, 104; 22.2, 593; Goedeke 4/1, 604. – E. D. BEKKER, D. dt. Rom. um 1780, 1964; E. T. VOSS, Nachw. z. J. J. Engel, Über Handlung, Gespräch und Erzählung, 1964.   RM

Hase, Heinrich, * 18. 1. 1789 Altenburg, † 9. 11. 1842 Dresden; Dr. phil., 1809–17 Erzieher beim Grafen Medem in Kurland, Reisen n. Italien u. Frankreich, lebte seit 1820 in Dresden, Oberinspektor d. Antikenslg. u. Inspektor d. Münzkabinetts, 1836 im akad. Rat d. Kunstakad., 1839 Reise n. Griechenland u. Kleinasien.

Schriften: Nachweisungen für Reisende in Italien, in Bezug auf Örtlichkeit, Alterthümer, Kunst und Wissenschaft, 1821; P. B. Webbs Untersuchungen über den ehemaligen und jetzigen Zustand der Ebene von Troja (übers. aus d. Italien.) 1822; Über den Farnesischen Congius ..., 1824; H. E. Fischer, Die Heimath (Ged., hg.) 1824; Verzeichniss der alten und neuen Bildwerke und übrigen Alterthümer in den Sälen der königlichen Antikensammlung zu Dresden, 1827; Übersichtstafeln zu Geschichte der neuern Kunst ... nach Denkmälern zusammengestellt, 1827; Classische Alterthumskunde: Griechische Alterthümer, 2 Bde., 1828 (Neuausg. u. d. T.: Die griechische Altertumskunde, 2 Bde., 1841; Forts.: Römische Alterthumskunde, 1830); Paläologus. Kleine Schriften meist antiquarischen Inhalts, 1837; Joannis Alexandrini cognomine Philoponi de usu astrolabii eiusque constructione libellus ..., 1839.

Nachlaß: Landesbibl. Dresden. – Nachlässe DDR 1, Nr. 257; 3, Nr. 365.

Literatur: ADB 10,724; Meusel-Hamberger 22. 2,593.   RM

Hase, Johann Gottlob, * 1738 Steinbach b. Penig, † 8.1.1812 Langenriensdorf b. Zwickau; Bruder v. Friedrich Traugott H., Magister d. Philos., seit 1774 Pfarrer in Clodra/Vogtl. u. seit 1794 in Langenriensdorf.

Schriften: Briefe eines Patrioten, zur Verbesserung der Sitten unseres Jahrzehends, 1774; Die Schriften des neuen Testaments ..., 3 Tle., 1786 bis 1790; Predigten zum Vorlesen ..., 3 Tle., 1790–92.

Literatur: Meusel-Hamberger 3,104; 9,522; 22.2,594.   RM

Hase, Karl (August, seit 1883: von) (Ps. Karl von Steinbach, Karl Lossius), * 25.8.1800 Niedersteinbach/Sachsen, † 3.1.1890 Jena; Neffe v. Friedrich Traugott H., Theol.-Studium in Leipzig u. Erlangen, Dr. phil., wegen burschenschaftl. Tätigkeit Festungshaft u. Landesverweis, 1828 Habil. in Leipzig, 1830 a.o. u. 1833–83 o. Prof. d. Philos. in Jena. Mitgl. des Frankfurter Parlaments.

Schriften (Ausw.): Ein Fastnachtsspiel ... Germania ..., 1821; Des alten Pfarrers Testament, 1824; Lehrbuch der evangelischen Dogmatik, 1826 (seit d. 5. Aufl. 1860: Lehrbuch der evangelisch-protestantischen Dogmatik); Vom Justizmorde ..., 1826; Vom Streite der Kirche ..., 1826; Die Leipziger Disputation, 1827; Die Proselyten. Theologischer Roman, 1827; Gnosis der evangelischen Glaubenslehre, 3 Bde., 1827–29 (2., umgearb. Aufl. 1869f.); Hutterus redivius, 1828 (¹²1883); Das Leben Jesu ..., 1829 (5., verb. Aufl. 1865); Die abenteuerliche Kirch-

weih-Suite dreier Studiosen, 1831; Kirchengeschichte, 1834 (¹²1900); Das junge Deutschland. Ein theologisches Votum ..., 1837; Liederbuch des deutschen Volkes (hg.) 1843; Die Republik des deutschen Volkes ..., 1848; Das Kaiserthum des deutschen Volkes, 1848; C.V. Wolzogens literarischer Nachlaß (hg.) 1848; Die evangelisch-protestantische Kirche des deutschen Reiches ..., 1849; Neue Propheten, 1851; Die Entwicklung des Protestantismus, 1855; Jenaisches Fichte-Büchlein, 1856; Franz von Assisi, ein Heiligenbild, 1856; Das geistliche Schauspiel in geschichtlicher Übersicht, 1858; Handbuch der protestantischen Polemik gegen die römisch-katholische Kirche, 1862 (⁷1900); Caterina von Siena, ein Heiligenbild, 1864; Ideale und Irrthümer. Jugenderinnerungen, 1872; Geschichte Jesu, 1875; Des Culturkampfes Ende, 1878 (3., verm. Aufl. 1879); Kirchengeschichte auf der Grundlage akademischer Vorlesungen, 3 Tle. (2. u. 3. Tl. hg. G. Krüger) 1885–92; Erinnerungen an Italien in Briefen an die künftige Geliebte, 1890; Gesammelte Werke, 12 Bde., 1890–93; Annalen meines Lebens (hg. K. A. v. Hase) 1891; Vaterländische Reden und Denkschriften, 1891; Theologische Erzählungen, 1892; Theologische Ährenlese (hg. G. Frank) 1892; Theologische Erzählungen, geistliche Schauspiele und Rosenvorlesungen, 1892; Theologische Reden und Denkschriften, 1892; Dein Alter sei wie deine Jugend. Briefe an eine Freundin (hg. O. v. Hase) 1920.

Nachlaß: Goethe-Schiller-Arch. Weimar. – Nachläße DDR 3, Nr. 365.

Literatur: ADB 50,36; NDB 8,19; RGG ³3, 85; RE 7,453; LThK 5,22; Meusel-Hamberger 22.2,594; Goedeke 8,292; 10,651; 11/1,300; 13,143. – R. Bürkner, ∼, 1900; P. Dahinten, E. Rhein- u. Lenzfahrt e. Studenten d. Theol. aus d. Zeit d. Demagogenverfolgung. Zum 150. Geb.-tag ∼s (in: Dt. Pfarrerbl. 50) 1950; H. Jursch, ∼s Rom.-Erlebnis (in: WZ d. Univ. Jena 2) 1952/53; K. Heussi, Gesch. d. theol. Fak. z. Jena, 1954; G. Fuss, D. Auffassung d. Lebens Jesu bei ∼ (Diss. Jena) 1955.   RM

Hase, Konrad, mähr. Dichter im 16. Jahrhundert.

Schriften: Ein Gesprech des Herrn mit sanct Petro. Von der itzigen Weltlauff und irem verkerten bösen wesen, 1555 (Neuausg. 1584; Neuausg. in Versen, um 1600); Ein schön lied wirdt euch hie bekant, Pawrn kalender ist es genant, um 1560.

Literatur: M. KREBS, ~ (in: Heimat Südmähren) 1955.   RM

Hase, (Georg) Oskar (Immanuel) von, * 15.9. 1846 Jena, † 26.1.1921 Leipzig; Sohn v. Karl August H., Student u. Buchhändlerlehrling in Bonn, Dr. phil. 1869, 1873 Prokurist u. später Seniorchef d. Verlagsbuchhandlung Breitkopf & Härtel in Leipzig.

Schriften: Die Koberger, Buchhändler-Familie zu Nürnberg. Eine Darstellung des buchhänderlischen Geschäftsbetriebes in der Zeit des Überganges vom Mittelalter zur Neuzeit, 1867 (2., verm. Aufl. 1885); Die Entwickelung des Buchgewerbes in Leipzig, 1887; Der Verband der Berufsgenossenschaften ..., 1888; Kürassierbriefe eines Kriegsfreiwilligen, 1895; Emil Strauss, ein deutscher Buchhändler am Rheine. Gedenkbuch eines Freundes, 1907; Das Aumaer Hasennest. Urkundliches aus unserer Hauschronik. Geschichte der Aumarer Hasen in fünf Jahrhunderten, 1913; Breitkopf & Härtel. Gedenkschrift und Arbeitsbericht, 2 Bde., 1917/19 (Neuausg., 2 Bde., 1968); K. von Hase, Dein Alter sei wie Deine Jugend ... (hg.) 1920.

Literatur: J. HOHLFELD, ~ (in: Dt. Biogr. Jb. 3) 1921; G. MENZ, Dt. Buchhändler, 1925.   RM

Hase-Koehler, Else von, geb. Brugmann, * 20. 9.1883; Gattin d. Inhabers d. Verlages Koehler & Amelang in Leipzig, Mitarbeiterin ebd., später Verlagslektorin in Berlin. Herausgeberin.

Herausgebertätigkeit: Freifrau von Heldburg, fünfzig Jahre Glück und Leid. Ein Leben in Briefen aus den Jahren 1873–1923, 1926; Max Reger, Briefe eines deutschen Meisters. Ein Lebensbild, 1928; Ursula schreibt ins Feld. Echte Briefe aus den Jahren 1914–1919, 1931.   AS

Haselbach → Ebendorfer.

Haselbach → Peter von Haselbach.

Haselbach, Hans, * 11.4.1873 Hermagor/Kärnten, † 5.4.1911 Klagenfurt; Lehrer u. Prof. in Klagenfurt.

Schriften: Gedichte und Novellen, o. J.; Herbstlaub (Ged.) 1895. (Ferner Schulschriften.)   RM

Haselbach, Volkmar, * 4.2.1909 Klagenfurt, † 24.5.1976 ebd.; Hofrat, Landesschulinspektor

in Klagenfurt. Lyriker, Essayist; Förderungspreis für Lyrik der Stadt Klagenfurt, Öst. Ehrenkreuz f. Wiss. u. Kunst 1970.

Schriften (außer Schulbüchern): Immerwährender Bauernkalender (Ged.) 1940; Die Schenke zu den Schmerzen (Ged.) 1946; Kärnten. Land und Leute. Ein Buch für die Jugend ausgewählt und gestaltet, 1952; Gesang aus Kärnten. Die Landschaft, der Mensch (Hg., mit H. Haselbach) 1953; Die Schwinge. Gedichte aus Kärnten (hg. mit H. Haselbach) 1954; Die Kleeharfe (Ged.) 1959; Die Rosenaster (Ged.) 1961; Andreas Fischers Verse, eine lyrische Monographie des Gailtales, 1961; Die kleine Laterna magica didacta des Dorfschullehrers Volkmar Haselbach (Ged.) 1962; Kärnten. Eine poetische Reise (Ess.) 1964; Verse unterm Vogelbeerbaum (Ged.) 1965; Wolke aus Ankora. Neue Lyrik (mit J. Hopfgartner und H. Scharf) 1966; Der Kinderkahn (Ged.) 1967; Geh mit Gesang (Ged.) 1971; Gedichte (mit Bibliogr.) 1972.

Literatur: E. NUSSBAUMER, Geistiges Kärnten, 1956; H. SCHARF, Kärntner Literaturspiegel I, 1966, II, 1971.   AS

Haselberg(h), Johann, nachweisbar 1515–38; stammte v. d. Reichenau, wandernder Verleger u. Schriftst., Inhaber versch. kaiserl. Privilegien f. s. Verlagswerke, Verf. v. Lobschr. auf Karl V. u. Maximilian I.

Schriften: Beschreibung des Reichstages zu Augsburg, 1518; Die Stend des heiligen Römischen Reichs ..., 1518; Des Türckischen Kaysers Heerzug ..., 1530; Eyn lobspruch der Kayserlichen freygstath Coellen ..., 1531; Das new Bockspiel nach gestalt der Welt, 1531; Keyserlicher Mayestat abschyd zu Brussel, 1532; Wahrhafftige Beschreibung der Kriegshandlung und Rüstung, 1532; Von den welschen Purpeln, 1533; Der Adler wider den Hanen. Eyn schön lüschtbarlicher Dialogus und bedüttnus. Römischer Kayserlicher Maiestät und des Künigs von Franckenreich, wie sich der Adler uber den Hanen beclagt, 1536; Newe zeitung und Kriegshandlung, 1537; Newe Zeitung nach gestalt der Welt, 1537; Wunderbahrliche Newe Zeitung, Von den Wunderzeichen am himel, 1538.

Literatur: NDB 8,22; de Boor-Newald 4/2, 120; Schottenloher 1,327; Goedeke 2,272,280. – W.E. ROTH, ~, Verleger u. Buchführer 1515 bis 1538 (in: Arch. f. d. Gesch. d. dt. Buchhan-

dels 18) 1896; E. SECKENDORF, E. unbeachtetes
Urteil e. Zeitgenossen (∼) über Luther (in: Christentum u. Wiss. 7) 1931; J. BENZING, ∼, ein
fahrender Verleger u. Schriftst. 1515–38 (in:
Arch. f. d. Gesch. d. Buchwesens 7) 1966.

RM

Haselbusch, Günther (Ps. f. Willy Günther),
* 9.5.1908 Groß Lenkenau/Ostpr.; Kaufmann,
wohnt in Bad Pyrmont; Jugendbuch-Autor, vorwiegend Tiergeschichten.
Schriften: Die schöne Schleie Linka. Geschichten aus dem Wasser, 1948 (1963 u. d. T.: Linkas
Abenteuer. Geschichten aus der Wasserwelt);
Simbatoff und seine Freunde (Erz.) 1955; Herko
der Raubhecht (Erz.) 1955; Gilka und die grauen
Wölfe (Erz.) 1956; König Greif, der Seeadler.
Der gefiederte Tod stürzt vom Himmel, 1958;
Rinka die Flußpiratin. Das geheimnisumwitterte
Leben eines Aales, 1958; Mordzahn der Wassermarder. Eine der Letzten seiner Sippe, 1958;
Dolchtatze, 1959; Aranka. Die Geschichte eines
Aal's, 1961; Die Borstenbande. Eine heitere
Wildschweingeschichte, 1962; Cilly und die kleinen Räuber. Eine heitere Tiergeschichte, 1962;
Wolly und die Kronenkinder, 1963; Riesenhai
und rote Barsche. Mit Hochseefischern zur Grönlandküste, 1964; Der Geisterhirsch, 1968; Der
Elchkönig, 1968; Die Fallensteller, 1968; Im wilden Tann, 1968; Durch Busch und Wald, 1969;
Senta und ihr Goldfuchs, 1970; Ein Mädchen mit
Pferdeverstand, 1970; Mit Flory durch dick und
dünn, 1970; Der Mordbär, 1971; Paradies der
Tiere, 3 Bde., 1972f.; Wilkas, der Steppenwolf,
1975.

AS

Haselhoff van Lich, Dirk Albertus (Ps. Dirk
Albertus van Lich), * 21.7.1885 Amsterdam;
wohnt in Gschöder/Steierm.; Erzähler, Hörspielautor.
Schriften: Lichs Märchen. Bd. 1, Die Kinderkrone und anderes aus dem Märchenland, 1947;
Bin ich noch ich? Ein phantastischer Kriminalroman, 1949; Henri Dubonet, der Jetonkassier. Ein
phantastischer Kriminalroman, 1950; Jan Zondervan. Ein phantastischer Kriminalroman, 1950.

AS

Haselich, Charlotte (Karoline Emilie), * 7.12.
1790 Breslau, † nach 1850 wahrsch. in Breslau;
Schwägerin v. Henriette Hanke, Erzieherin in
versch. Orten, seit 1828 Schriftst. in Breslau.

Schriften: Heloise und Adele oder Die Stiefschwestern. Roman in Briefen, 1815; Dornen aus
dem Leben der großen Welt und Blüthen der Einsamkeit, 1818; Phantasie und Pflichtgefühl (2
Erz.) 1821; Leichtsinn und leichter Sinn (Erz.)
1824; Edwina. Ein Gemälde auf geschichtlichem
Hintergrunde, 3 Bde., 1827; Wintergrün (3 Erz.)
1850.
Literatur: Meusel-Hamberger 18,62; 22.2,
596; Goedeke 10,314.

RM

Haselsteiner, Franz de Paula Wilhelm, * 7.11.
1763 Wien, † 25.11.1837 ebd.; Militärappellationsrat in Wien. Satiriker.
Schriften: Die gewöhnliche Wienerin mit Leib
und Seele bey Tag und Nacht, 1785; Prosaische
Aufsätze, 1. Slg., 1787.

RM

Hasemann, Richard, * 12.7.1905 Kaiserslautern; Dr. iur., Notar, wohnt in Zusmarshausen b.
Augsburg. Erzähler.
Schriften: Nasses Brot (Rom.) 1952; Südrand
Armjansk (Rom.) 1952; Gejagt (Rom.) 1953.

AS

Hasenauer, Hermann, * 25.12.1886 Ispringen/
Baden, bis 1933 Lehrer in Berlin. Erzähler und
Dramatiker.
Schriften: Almanach und Quelle für das Jahr
1911, 1912; Das Recht auf Liebe (Nov.) 1912;
So sollst Du lieben! Plaudereien eines Stillvergnügten, 1912; Mara, Das Hohe Lied der Liebe.
Dichtung, 1912; Tischlermeister Harthe. Ein
Handwerkerschicksal (Nov.) 1931.
Literatur: Theater-Lex. 1,707.

IB

Hasenauer, Irene, * 3.11.1901 Wien; Schriftleiterin ebd. Lyrikerin.
Schriften: Lieder der Stille. Besinnliche Worte
für suchende Seelen, 1948; Ein Wort auf den
Weg. Sinnsprüche und Gedichte für Arbeit, Fest
und Feier, 1959.

IB

Hasenberg, Johann, 16. Jh., lebte 1528 in Leipzig; Magister u. Collegiat, gehörte z. Kreis um
Cochlaeus in Leipzig, Verf. v. Streitschr. u. e.
lat. Dr. gg. Luther.
Schriften: Epistola, Martino Ludero et suae parum legitimae uxori Catharinae a Bhor Christiano
prorsus animo scripta, 1528; Zwei Sendbriefe,
latein und deutsch, dem Luther und seinen vermeinten ehelichen Weibe Käthe von Bora samt
einem Geschenk freundlicher Meinung zuverfer-

tigt, 1528; Ludus ludentem Luderum ludens ...,
1530.

Literatur: Jöcher 2, 1395. – H. HOLSTEIN, D.
Reformation im Spiegelbilde d. dramat. Lit. d.
16. Jh., 1886.   RM

Hasenberger, Andreas, † 1555; Benediktiner in
Kärnten, viell. mit d. Ossiachen Abt Andreas H.
aus Villach identisch. Sein lat. Ged. «Suspiria» ist
nur in Bruchst. überliefert.
Literatur: P. A. BUDIK, ∼ (in: Carinthia 35)
1852.   RM

Hasenclever, Julia → Jobst, Julia.

Hasenclever, Sophie (geb. von Schadow), * 6.
1. 1824 Berlin, † 9. 5. 1892 Düsseldorf; Tochter
d. Malers Wilhelm v. S., 1845 Heirat mit d. Sanitätsrat u. Komponisten Richard H., lebte in
Düsseldorf.
Schriften: A. Brigeux' Gedichte, dt. 1874; Michelangelos Gedichte, dt. 1875; Rheinische Lieder, 1881; Erzählungen und Märchen, 2 Bde.,
1884.
Nachlaß: Heinrich-Heine-Inst. Düsseldorf. –
Denecke 2. Aufl.   RM

Hasenclever, Walter, * 8. 7. 1890 Aachen, † 22.
6. 1940 Internierungslager Les Milles/Aix en Provence; Vater Sanitätsrat; Gymnasium in Aachen,
1908 Jurastudium in Oxford u. Lausanne, 1909
bis 1914 Leipzig, hier Studium d. Gesch., Lit. u.
Philos., enge u. langjährige Verbindung zu K.
Pinthus, E. Rowohlt, F. Werfel, K. Wolff u. a.
expressionistischen Künstlern; 1914 zunächst
Kriegsfreiwilliger, dann entschiedener Pazifist, Si-
mulant, 1916–1917 im Lazarett, 1917 Kleist-
Preis; seit Kriegsende Vortragsreisen, 1924–29
als Korrespondent des «Berliner Abendblattes» in
Paris, Freundschaft mit Tucholsky u. Giraudoux,
1929 zeitweilig in Berlin, in Hollywood u. Nord-
afrika; 1933 Ausbürgerung, Emigration n. Nizza,
Aufenthalte in Jugoslawien, England, Italien, zu-
letzt Südfrankreich; 1939 in Antibes interniert,
1940 Internierungslager in Aix en Provence, bei
Anmarsch deutscher Truppen Freitod. Lyriker,
Dramatiker, Essayist, Journalist.
Schriften: Nirwana. Eine Kritik des Lebens in
Dramaform, 1909; Städte, Nächte und Menschen.
Erlebnisse, 1910; Das unendliche Gespräch. Eine
nächtliche Szene, 1913; Der Jüngling (Ged.)
1913; (Hg.) Dichter und Verleger. Briefe von W.

Friedrich an D. v. Liliencron, 1914; Der Sohn
(Dr.) 1914; Der Retter (dramat. Dg.) 1916;
Antigone (Tr.) 1917; Tod und Auferstehung
(Ged.) 1917; Die Menschen (Schausp.) 1918;
Der politische Dichter (Aufs.) 1919; Die Ent-
scheidung (Kom.) 1919; Jenseits (Dr.) 1920;
(Mhg.) Menschen. Zeitschrift neuer Kunst, 1920
bis 1921; Die Pest. Ein Film, 1920; Gedichte an
Frauen, 1922; Gobseck (Dr.) 1922; (Übers.) E.
Swedenborg: Himmel, Hölle, Geisterwelt, 1925;
Mord (St.) 1926; Ein besserer Herr (Lsp.) 1927;
Ehen werden im Himmel geschlossen (Kom.)
1929; Kulissen (Lsp.) 1929; Napoleon greift ein.
Ein Abenteuer in sieben Bildern, 1930; Kommt
ein Vogel geflogen (Kom.) 1931; Christoph Ko-
lumbus oder Die Entdeckung Amerikas (Kom.,
mit K. Tucholsky) o. J.; Münchhausen (Schausp.)
o. J.; Sinnenglück und Seelenfrieden (Schausp.)
1932; Irrtum und Leidenschaft (Rom.) 1969; Der
Froschkönig. Restauriert von Peter Hacks, 1975.
Nachlaß: Dt. Lit.arch./Schiller-Nat.mus. Mar-
bach (zugesagt). – Denecke 2. Aufl.
Literatur: NDB 8, 29. – P. J. CREMERS u. O.
BRUES, ∼, 1922; H. KOCH, D. Generationspro-
plem in d. dt. Dg. d. Ggw., 1930; K. T. WAIS,
D. Vater-Sohn-Motiv in d. Dg. 1880–1930, 1931;
H. KESTEN, ∼ (in: H. K., Meine Freunde, d.
Poeten) 1959; W. REES, Die Hasenclever u. ihre
Beziehung zu Goethe u. s. Freundeskreis, 1959;
E. ZELTNER, Die expressionist. Dr. ∼s (Diss.
Wien) 1961; A. HOELZEL, ∼s Humanitarianism.
Themes of Protest in His Works (Diss. Boston
Univ.) 1964; W. HUDER, ∼ u. d. Expressionis-
mus (in: WW 21) 1966; F. LESCHNITZER, Jüng-
ling ∼ (in: F. L., Von Börne zu Leonhard) 1966;
H. M. RAGAMM-LINDQVIST, D. Leid als menschl.
Grunderfahrung im Leben u. Werk ∼s (Diss.
Wien) 1968; A. HOELZEL, ∼s Satiric Treatment
of Religion (in: GQ 41) 1968; DERS., ∼s Politi-
cal Satire (in: Monatshefte 61) 1969; W. PAUL-
SEN, ∼ (in: W. ROTHE [Hg.] Expressionismus als
Literatur) 1969; K. PINTHUS, ∼, d. Freund (in:
K. P., D. Zeitgenosse) 1971; M. RAGGAM, ∼.
Leben u. Werk, 1973 (mit Bibliogr.); J. SERKE,
∼ (in: J. S., D. verbrannten Dichter) 1977.   HD

Hasenclever, Wilhelm, * 19. 4. 1837 Arnsberg/
Westf., † 3. 7. 1889 Berlin-Schöneberg; n. Loh-
gerber-Lehre wandernder Handwerksgeselle, seit
1864 Mitgl. d. Lassalle'schen Allgem. Dt. Arbei-
terver. (1871–75 als Nachfolger J. B. v. Schweit-

zers Präs.), 1867–69 Leiter d. Lohgerberei seiner
Schwester in Halver, 1875 Erster Vorsitzender d.
Sozialist. Arbeiterpartei Dtl.s, unter d. Soziali-
stengesetz 1881 aus Leipzig u. 1884 aus Berlin
ausgewiesen, lebte seit 1887 in Dessau. 1862–64
Red. d. «Westfäl. Volksztg.» in Hagen, Red. u.
Mit-Hg. d. «Neuen Social-Demokrat», d. «Agita-
tor», mit Hasselmann d. «Socialpolit. Bl.», 1876
Gründer d. «Hamburg-Altonaer Volksbl.», mit
W. Liebknecht Chefred. u. Hg. d. «Vorwärts»
(1876–78). 1869–71 u. 1874–88 Mitgl. d. Reichs-
tags.

Schriften: Liebe, Leben und Kampf (Ged.)
1876; Erlebtes. Skizzen und Novellen, 1879; Der
Feldzug des Herrn Findel gegen die Socialdemokratie ..., 1880; Gedichte (mit K. E. Frohme u.
A. Lepp), 1893; Illustrirter deutscher Jugend-
schatz. Eine Festgabe für Knaben, Jünglinge, Mädchen und Jungfrauen, ²1893.

Ausgaben: Ged. in: Dt. Arbeiterdg. 1 (hg. J. H.
W. DIETZ) 1893; Werkausw. in: Im Klassen-
kampf (hg. W. FRIEDRICH) 1962.

Literatur: NDB 8,31; BWG 1,1031. – D.
Kampf d. dt. Sozialdemokratie in d. Zeit d. Sozia-
listengesetzes 1878/90 (hg. L. STERN) 1956; W.
SCHULTE, ~ (in: Westfäl. Köpfe) 1963 (mit Bi-
bliogr.).   RM

Hasenfratz, Ferdinand (Ps. Waldstrolch), * 7.7.
1858 Untereggingen b. Waldshut/Baden, † nach
1934; Lyriker, Heimaterzähler u. Folklorist.

Schriften: Jubelklänge (Ged.) 1897; Im Götter-
hain am Opferstein (Ged.) 1904; Harte Schädel
(Plaudereien) 1906; Zwei Zwingherren. Romantische Erzählung aus dem Mittelalter, 1907; Ra-
deburg von Roggenbach (Volksst.) 1908; De
Brüeder us Welschland (Dichtung) 1908; Burg-
hildas Klagelied, 1908; Die Reuentaler Mühle.
Eine Plauderei, 1908; Der Italiener (Dichtung)
1909; Die Grundsteinurkunde zur Reuentaler
Mühle. Eine Plauderei, 1909; Die Leidweide
(Dichtung) 1910; Dumpf rauscht im Tal der
Strom (Dichtung) 1911; Graf Rolfs Silvesteraben-
teuer (Dichtung) 1912; Der Hufwilm (Erz.)
1922; Der Krautbeetjäger. Eine sagenhafte Erzählung aus dem Wutachtale, 1924; Die Kapelle auf
dem Helle, 1922; Der Jahrlauf (Dichtung) 1922;
Pfarrer Santer (Nekrolog) 1927; Eilt sehr! (Plaudereien) 1928; Der Dorfbrand (Erz.) 1931; Der
Basler. Sagenerzählung, 1934.

Literatur: Theater-Lex. 1,708.   IB

Hasenfratz, Petrus → Dasypod(ius), Petrus.

Hasenhüttl, Franz, * 12.11.1888 Graz; Red.
ebd.; vorwiegend Lyriker.

Schriften: Pilger der Liebe (Ged.) 1954; Grazer
Sonette, 1958; Wandel und Wandlung (Ged.)
1964.   AS

Hasenkamp, Elfriede, * 3.3.1906 Hagen/West-
falen; Märchenerzählerin, Pädagogin, Lektorin an
d. Volkshochschule, lebt in Karlsruhe; Verf. v.
Märchen, auch zahlr. Märchenhörspiele.

Schriften: Schnuffelinchen. Sechs Märchen,
1952; Umgang mit Märchen. Ein märchenkund-
liches Leitbuch für Lehrkräfte, Eltern, sonstige
Erzieher und die Freunde des Märchens, 1958.
                                                                                                  AS

Hasenkamp, Friedrich Arnold, * 11.1.1747
Wechte b. Tecklenb., † 1795 Duisburg; Bauernsohn, urspr. Handweber, später Studium u. Nachfolger v. Johann Gerhard H. am Duisburger Gymnasium.

Schriften: Über die verdunkelnde Aufklärung,
1789; Die Israeliten, die aufgeklärteste Nation in
der Erkenntniss der Heiligkeit und Gerechtigkeit
Gottes, 1790; Über Kant's Moralprincip, 1791;
Briefe über Propheten und Weissagungen ...,
1791 f.; Wahrheiten für ein braves Volk, 1793;
Briefe über wichtige Wahrheiten der Religion, 2
Tle., 1794.

Literatur: ADB 10,737; NDB 8,32; RE 7,463.
                                                                                                  RM

Hasenkamp, Gottfried, * 12.3.1902 Bremen;
studierte in Münster, Tübingen u. Bonn, Dr.
phil. In der Zeit d. Nat.sozialismus in s. Tätigkeit
als Red. («Münster. Anzeiger») behindert, später
Verlagsleiter, lebt in Münster. Lyriker, Übers.
(lat.) u. Dramatiker.

Schriften: Hymnen, 1924; Sponsa Christi (Geistliches Sp.) 1924; Winter-Sonnenwende (Geistliches Sp.) 1924; Das Siegel. Ein Jahrbuch katholischen Lebens (Hg.) 1924–1926; Religion und
Kultur. Bemerkungen zur geistigen Situation des
deutschen Katholizismus, 1926; Salzburger Elegien (Ged.) 1931; Der Königsstuhl von Aachen
und andere Gedichte, 1832; Das Spiel vom Antichrist. Übertragen, mit einem Nachwort über den
Ludus de Antichristo, seine Aufführung und Übersetzung, 1933; Das Meer (Ged.) 1938; Carmina
in nocte (Ged. aus den Jahren 1942–1945) 1946;
In memoriam Clemens August Kardinal von Galen

(und) Adolf Donders (Ged.) 1946; Gedächtnis aller Gefallenen. Gebete beim heiligen Opfer, 1946; Heimkehr und Heimgang des Kardinals, 1946; Das brennende Licht. Ein kleines Gebetbuch in Versen, 1946; Münsterisches Dombauspiel, 1947; Die Kathedrale. Blätter zum Wiederaufbau des Domes von Münster und der westdeutschen Kirchen, 1. Folge (Hg.) 1947; Wie dieser Ring ist ganz in sich vollendet. Sonette der Ehe aus nachgelassenen Briefen eines Kameraden, 1947; Zwischen Endzeit und Altar. Zwei Schriften zur Zeit, 1947; Das Totenopfer, 1948; Eine Romfahrt im Heiligen Jahr, 1950 (erw. Ausg. u. d. T.: Römische Pilgerwoche. Ein kleines Buch für Romfahrer dieser Zeit, 1959); Der Brautbecher. Ein Marienspiel, 1952; Das Morgentor. Gedichte aus drei Jahrzehnten, 1956; Der Kardinal. Taten und Tage des Bischofs von Münster Clemens August Graf von Galen, 1957; Der Antichrist. Der staufische Ludus de Antichristo (kommentiert v. G. Günther). Deutsche Übertragung von G. H., 1970.

Literatur: Albrecht-Dahlke II, 2, 289. − TH. MICHELS, ~ Salzburger Elegie (in: D. kathol. Gedanke 4) 1931; ~ (in: D. Begegnung 7) 1952; O. FORST DE BATTAGLIA, (in: ebd. 10) 1955; W. VERNEKOHL, Poesie u. Religion. ~. (in: W. V., Begegnung) 1959.   IB

Hasenkamp, Johann Georg, * 12.7.1736 Wechte b. Tecklenb., † 27.6.1777 Duisburg; Halbbruder v. Friedrich Arnold H., Theol.-Studium in Lingen, 1761 Haft wegen Heterodoxie u. Aufruhr, 1766 Gymnasialrektor in Duisburg u. Haupt e. pietist. Sondergruppe, z. der u. a. Jung-Stilling u. Lavater in Beziehung standen. 1769 u. 1771 Verurteilung auf d. Synoden v. Jülich-Kleve.

Schriften (Ausw.): Gedanken über die Gottesgelehrtheit, 1759; Bestreitung der Unmöglichkeit einer vollendeten Heiligung auf Erden, 1760; De optima cum Judeis de religione disputandi ratione, 1772; Predigten im Geschmacke der ersten drey Jahrhunderte nebst einer Rede bei Tersteegen's Begräbnis, 1773; Unterredungen über allerhand Schriftwahrheiten, 1775; Der deutsche reformirte Theologe, 1775; Ein christliches Gymnasium ..., 1776.

Briefe: Briefw. mit Lavater (hg. K. EHMANN) 1870.

Literatur: Adelung 2, 1821; ADB 10, 737 NDB 8, 33; RE 7, 461; RGG ³3, 85. − C.H. G. HA-

SENKAMP, Mitt. aus d. Leben ~s (in: D. Wahrheit z. Gottseligkeit 2) 1832/34; K. EHMANN, F. C. Oetingers Leben u. Briefe, 1859; A. RITSCHL, Gesch. d. Pietismus 1, 1880; F. AUGE, S. Collenbusch u. s. Freundeskreis, 2 Bde., 1905/07.   RM

Hasenkamp, Johann Heinrich, * 19.9.1750 Wechte b. Tecklenb., † 1814; jüngster Bruder v. Friedrich Arnold H., 1776 Rektor d. Lat.schule in Emmerich, seit 1779 Landpfarrer in Dahle/Mark.

Schriften: Christliche Schriften (hg. C.H.G. HASENKAMP) 2 Bde., 1816/19.

Briefe: E. THIEMANN, Aus Briefen d. Dahler Pfarrers ~ (in: Jb. d. Ver. f. Westfäl. Kirchengesch. 53–54) 1960–61.   RM

Hasenstand, Peter, 15./16. Jh.; vermutl. fahrender Dichter, Verf. d. Liedes «Von der Kirchweih zu Affalterbach» (1502, überl. in e. Abschr. v. 1549), bei der d. Nürnberger v. Ansbacher Markgrafen überfallen wurden u. d. «lied von Markgrauen Casimiro ...» (1502).

Ausgabe: Liliencron 2.

Literatur: VL 2, 223; de Boor-Newald 4/1, 189; Goedeke 1, 281, 287.   RM

Hasentoedter, Johann, * 1517 Königsberg (?), Todesdatum u. -ort, sowie biogr. Einzelheiten unbekannt.

Schriften: Chronica. Das ist Beschreibung der furnembsten Historien ... Auss Heiliger Göttlicher Schrifft, und Glaubwirdigen Geschichtsschreibern ... in artliche Teutsche Reimen gebracht, 1569.

Literatur: Goedeke 2, 325.   RM

Haserodt, Hans, * 11.12.1884 Groß-Wanzleben; Dr. med., war prakt. Arzt in Gotha. Romanautor.

Schriften: Not der Liebe. Die Geschichte eines Untergangs, 1924; Friedrich Klöppels Wanderschaft nach dem Glück. Die Geschichte einer Wandlung, 1928.   AS

Hasert, Bruno, * 4.4.1819 Buttstedt, † 20.3. 1892 Eisenach; seit 1836 Mechaniker u. Maschinenbauer in d. USA, Gründer d. Sternwarte v. Cincinnati, lebte seit 1852 in Berlin u. zuletzt in Eisenach.

Schriften: Kosmos. Ein didaktisches Gedicht, 1873; Neue Erklärung der Bewegungen im Weltsystem. Eine logische Kette von Folgerungen aus der Kant-Laplacischen Theorie der Weltentstehung ..., 1874.   RM

Hasert, Jacob, † 1632, stammte aus Stralsund; Dr. iur., Syndikus in Stralsund, Vermittler zw. Wallenstein u. d. Stadt, auch Verhandlungsparner Christian IV. u. Gustav Adolfs v. Schweden.

Schriften: Gründlicher und wahrhaffter Bericht von der Hansastadt Stralsund Belagerung, 1631.

Literatur: ADB 10,742.   RM

Hasert, (Johann J. C.) Rudolf, * 1813 Bischofs-rode b. Eisenach, † 1902 Graz; Pastor in Bunzlau, n. Konversion zum Kathol. (1852) Seminarlehrer in Graz.

Schriften: War ich vom Satan verblendet, da ich katholisch wurde? Ein Beitrag zur Symbolik ..., 1854 (2., verm. Aufl. 1856); War Luther ein Mann Gottes ... oder vom Satan verblendet? 1856 Joseph und seine Brüder (Schausp.) 1859 (Neuausg. 1887); Die göttliche Tragödie, 1868.

Literatur: Theater-Lex. 1,709.   RM

Hashagen, (Johann) Friedrich, * 4.10.1841 Leuchtenburg/Hann., † 1925; Dr. theol., Prof. an der Univ. Rostock, dann in Göttingen. Essayist, autobiogr. Erzähler.

Schriften (Ausw.): Die Explosion in Bremerhaven, 1876; Seelsorgerliche Kreuzfahrten im Kampf wider kräftige Irrthümer, 2 Bde., 1896/1899; Nefanda – Infanda. Der «moderne» Roman und die Volkserziehung. Ein Protest, 1905; Aus der Jugendzeit eines alten Pastors, 1906; Aus der Studentenzeit eines alten Pastors, 1908; Johann Sebastian Bach als Sänger und Musiker des Evangeliums und der lutherischen Reformation, 1909; Aus der Kandidaten- und Hauslehrerzeit eines alten Pastors, 1910; Aus dem amtlichen Leben eines alten Pastors, 1911; Persönliche Schrift- und Kirchen-Studien zur Bekämpfung der modern-rationalen Schrift-Kritik, 1913; Wir deutschen Christen im Leiden und Tun, 1919.   AS

Hashagen, Justus, * 4.12.1877 Bremerhaven, † 14.11.1961 Wyk auf Föhr; Dr. phil. et theol., 1906 Doz. in Bonn, 1920 o. Prof. in Köln u. 1926 in Hamburg, seit 1937 in Wyk auf Föhr im Ruhestand.

Schriften (Ausw.): Otto von Freising als Geschichtsphilosoph und Kirchenpolitiker, 1900;

Kulturgeschichte des Mittelalters ..., 1950; Europa im Mittelalter ..., 1951.   RM

Hashagen, Margaretha, geb. Culin, * 29.10.1889; lebte in Hamburg, Gattin von Justus H.; Romanautorin.

Schriften: Das Haus am Kupferteich (Rom.) 1933.   AS

Hasl, Josef, * 16.3.1930 München; Bibliotheksangestellter ebd.; Lyriker.

Schriften: Zwischenzeit (Ged.) 1974; Schneidersitz (Ged.) 1976; Hinter sternlosen Lidern (Ged.) 1977.   AS

Haslacher, Therese, * 30.9.1900 Graz; lebt ebd., vorwiegend Mundart-Lyrikerin, auch Autorin von Hörspielen u. Hörfolgen.

Schriften: Der Knecht vom Grundnerhof (Rom.) 1951; Unter'm Herrgottswinkel. Gedichte in steirischer Mundart, 1955; Um Weihnochtn uma. Gedichte in steirischer Mundart für Advent, Weihnachten, Jahreswechsel, 1957; Steirische Leut und steirisches Land (Ged.) 1972; A Handvoll Gmüat (Ged.) 1976.

Literatur: J. HAUER, Am Quell d. Muttersprache. Öst. Mundartdg. d. Ggw., 1955.   AS

Haslau → Konrad von Haslau.

Haslehner, Edith, * 28.9.1913 Gries bei Bozen; Sprachlehrerin in Innsbruck; Erzählerin.

Schriften: Irrlicht (Rom.) 1950.   AS

Haslehner, Elfriede, * 17.7.1933 Mödling b. Wien; studierte Malerei, Sozialarbeiterin in Wien. Vorwiegend Lyrikerin.

Schriften: Spiegelgalerie (Ged.) 1971.   AS

Hasler, Eugen, * 22.12.1884 Mailand, † 26.3.1965 Küsnacht/Kt. Zürich; Dr. iur., Oberrichter, später Bundesrichter, wohnte in Kilchberg b. Zürich; Lyriker. Präs. d. Zürcher Theatervereins.

Schriften: Hochland (Ged.) 1920; Lias Jahr. Erzählungen und Gedichte, 1922; Quadriga. Erzählende Gedichte, 1923; Im Dasein (Ged.) 1935; Lemanische Lieder, 1943; Agathe. Ein Schauspiel, 1961.   AS

Hasler, Eveline, * 22.3.1933 Glarus; Lehrerin, Studium der Psychol., Gesch. u. vergl. Lit.wiss. in Fribourg u. Paris; Kinder- u. Jugendbuchautorin, wohnt in St. Gallen.

Schriften: Stop, Daniela! Sowie «Die Eidechse mit den Similisteinen» und andere Erzählungen, 1962; Ferdi und die Angelrute, 1963; Adieu Paris, adieu Catherine, 1966; Komm wieder, Pepino, 1967; Die seltsamen Freunde, 1970; Ein Baum für Filippo (Bilderb. mit J. Wilkon) 1973; Der Sonntagsvater, 1973; Unterm Neonmond. Liebes- und Umweltgeschichten für junge Menschen aus unserer Zeit, 1974; Der Zauberelefant (mit A. Bolliger-Savelli) 1974; Denk an mich, Mauro, 1975; «Der Buchstabenkönig» und «Die Hexe Lakritze». Zwei Geschichten, 1977; Dann kroch Martin duch den Zaun (mit D. Desmarowitz) 1977; Die Hexe Lakritze und Rino Rhinozeros, 1979.　　　　　　　　　　　　　　AS

Hasler-Schönenberger, Elisabeth → Schönenberger, Elisabeth.

Haslinger, Adolf, * 23.3.1932 Saalfelden/Salzburg; 1961 Dr. phil., 1969 Habil u.. 1973 a.o. Prof. f. neuere dt. Sprache u. Lit. in Salzburg.

Schriften (Ausw.): Sprachkunst als Weltgestaltung (=FS H. Seidler, hg.) 1966; Epische Formen im höfischen Barockroman. Anton Ulrichs Romane als Modell, 1970; Gegenwartsliteratur (Mit-Verf.) 1973; Salzburg. Von der Schönheit einer Stadt (mit J. Dapra) 1977.　　RM

Haslmayr, Adam (d.Ä.), * um 1555 Bozen, † 1630 (od. später) Augsburg (?); Organistenausbildung in Brixen, seit 1588 lat. Schulmeister, Chorleiter u. «notorius caesareus» in Bozen, 1603 Entlassung, um 1605 Übersiedlung n. Schwaz u. 1610 n. Heiligkreuz b. Hall, theol., philos. u. alchimist. Stud., Verbindung mit d. Rosenkreutzern, Verurteilung z. Galeerenstrafe, seit 1617 in Freiheit, lebte 1630 in Augsburg. Komponist u. Pansoph, arbeitete 1612 an e. «Liber totius Naturae», Verf. v. Ausz. aus Theophrastus, versch. Traktaten u. Streitschr. (u.a. gg. H. Guarinoni).

Schriften: Theophrastisch Puechlin, 1603; Ad Tincturam Physicorum Processus ..., 1607; Antwort an die lobwürdige Brüderschaft der Theosophen von Rosencreutz, 1612; Oratio revelatoria de anno Judicum, 1612.

Ausgaben: Teilausg. d. polem. Schr. bei J. HIRN: Erzherzog Maximilian der Deutschmeister I, 1915.

Literatur: NDB 8,36; MGG 5,1788; Goedeke 2,59. − A. DÖRRER, D. Tragödie d. Bozner Ton-

dichters ∼ (in: D. Schlern 20) 1946; W. SENN, ∼, Musiker, Philos. u. «Ketzer» (in: FS L. Franz) 1965.　　　　　　　　　　　　　　RM

Haslob(ius), Michael, * 1540 Berlin, † 28.4. 1589 Frankfurt/Oder; Studium in Frankfurt/Oder u. Wittenberg, Schüler v. Georg Sabinus, 1568 Magister, seit 1572 Prof. f. Poesie in Frankfurt/Oder. Lat. Liederdichter.

Schriften: Idyllia quatuor. Amyntas, Philetas, Aeglus, Alcon, 1561; Amor nuptialis ..., 1561; Leben und Heimgang des Georg Sabinus, 1567; Hortus vernus, 1572; Hyaena, Halcyo et vitis (3 Ged.) 1576; Das Land, Frühling, Sommer; der Winter und dessen Lob, 1577; Carminum ... anno 1573 scriptorum liber I., 1577; Frühlingsgedichte, 2 Tle., 1577f.; Vernorum carminum libri II., 1578; Emmanuel: sive, de Christo Jesu, Deo et Homine ... carmen, 1584; Carmina pestis tempore scripta, 1585; Elegien, 2 Bde., 1587; Carminum libri VI., o.J. − Gesamtausgabe, 14 Bde., 1588.

Literatur: Jöcher 2,1396; ADB 10,745.　　RM

Hasner von Artha, Leopold, * 15.3.1818 Prag, † 5.6.1891 Bad Ischl; Studium d. Rechte u. Philos. in Prag, 1842 Dr. iur., 1848 Doz. an d. Univ. Wien, 1849 a.o., 1851 o. Prof. in Prag. Red. d. «Prager Ztg.» (1848f.), 1861 im böhm. Landtag, 1863 Präs. d. Abgeordnetenhauses, 1865 Prof. (1867/68 Rektor) an d. Univ. Wien, 1867 Herrenhausmitgl. u. Unterrichtsminister (Urheber d. Volksschulgesetzes), 1870, Ministerpräs. später Referent im Herrenhaus, Geheimrat.

Schriften (Ausw.): Philosophie des Rechts und seiner Geschichte in Grundlinien, 1851; Denkwürdigkeiten, Autobiographisches und Aphorismen (hg. J. v. HASNER) 1892.

Literatur: Wurzbach 8,31; ÖBL 2,202; ADB 50,54; NDB 8,38. − G. BAHR, ∼ (Diss. Wien) 1947.　　　　　　　　　　　　　　RM

Hass, Hans, * 23.1.1919 Wien; Dr. rer. nat., Meeresforscher, zahlreiche Unterwasser-Expeditionen, Kulturfilmproduzent, Schriftsteller; wohnt in Zinkenbach/St. Gilgen (Oberöst.). Mehrere Auszeichnungen.

Schriften (außer rein wiss.): Jagd unter Wasser mit Harpune und Kamera, 1939; Unter Korallen und Haien. Abenteuer in der Karibischen See, 1941; Photojagd am Meeresgrund. Erlebnis und

Technik der Unterwasserfotografie, 1942; Drei Jäger auf dem Meeresgrund, 1947 (1961 u. d. T.: Jäger auf dem Meeresgrund); Menschen und Haie, 1949; Manta. Teufel im Roten Meer, 1952; Ich fotografierte in den sieben Meeren, 1955; Wir kommen aus dem Meer. Forschungen und Abenteuer mit der Xarifa, 1957; Expedition ins Unbekannte. Ein Bericht über die Expedition des Forschungsschiffes Xarifa zu den Malediven und Nikobaren und über eine Serie von 26 Fernsehfilmen, 1961; Wir Menschen. Das Geheimnis unseres Verhaltens, 1968; Energon. Das verborgene Gemeinsame, 1970; In unberührte Tiefen. Die Bezwingung der tropischen Meere, 1971; Die Welt unter Wasser. Der abenteuerliche Vorstoß der Menschen ins Wasser, 1973; Eroberung der Tiefe. Das Meer, seine Geheimnisse, seine Gefahren, seine Erforschung, 1976; Der Hans-Hass-Tauchführer. Das Mittelmeer. Ein Ratgeber für Sporttaucher und Schnorchler, 1976; Der Hai. Legende eines Mörders, 1977.   AS

Hass, Hans-Egon, * 10.4.1916 Kattowitz, † 12. 8.1969 Berlin; Dr. iur. et phil., wiss. Assistent u. seit 1954 Privatdoz. an d. Univ. Bonn, 1957 a. o. u. seit 1959 o. Prof. f. dt. Sprache u. Lit. an d. FU Berlin.

Schriften: Die Städte. (Schönheit. Strophen zwischen Licht und Schatten.) Gedichte, 1947; Heinrich Heine, 1949; Die Centenarausgabe sämtlicher Werke Gerhard Hauptmanns. Ein editorischer Vorbericht, 1964; Das Problem der literarischen Wertung, [2]1970.

Herausgebertätigkeit (Ausw.): Gestaltungsprobleme der Dichtung (Mit-Hg.) 1956; G. Hauptmann, Sämtliche Werke (Centenar-Ausg.) 7 Bde., 1962–65; Sturm und Drang. Klassik. Romantik. Texte und Zeugnisse, 2 Tl.bde., 1966; G. Hauptmann, Venezianische Blätter, 1966.   RM

Hass(e), Johannes, * um 1476 Greiz/Vogtl., † 3. 4.1544 Görlitz; Philos.-Studium in Leipzig, Lehrer in Zittau, Zwickau u. Naumburg, 1505 Magister, seit 1509 Stadtschreiber u. seit 1535 mehrmals Bürgermeister v. Görlitz, 1536 geadelt. Gegner d. Ref., Verf. d. dreibd. «Görlitzer Rathsannalen», e. Stadtchron., welche d. Zeit v. 1509 bis 1542 umfaßt.

Ausgaben: Görlitzer Rathsannalen (hg. C. G. T. NEUMANN, E. STRUVE) 1852/70; Fünf Actenstücke, die 1530 wegen Verheirathung erfolgte

Absetzung des lutherischen Predigers M. Franz Rothbart zu Görlitz betreffend (in: Zs. f. hist. Theol. 12) 1842.

Literatur: ADB 10,450. – O. KÄMMEL, ∼, Stadtschreiber u. Bürgermeister z. Görlitz. E. Lb. aus d. Ref.zeit, 1874; F. FALK, D. Bürgermeister G. Agricola u. ∼. 2 Charakterbilder aus d. 16. Jh. (in: Hist.-polit. Bl. 113) 1894.   RM

Hassaureck, Franz Josef (eig. Franz Seraphin Antonius), * 18.9.1787 Wien, † 10.6.1836 ebd., 1813–27 k.k. privileg. Großhändler in Wien, Freund I. F. Castellis, Mitgl. d. Ludlam.

Schriften: Cölestine oder Die Festung am Wilga-Strome (Schausp., frei n. d. Französ.) 1806; Der Vater und seine Kinder (Schausp. n. Duval) 1807; Wiedervergeltung (Lsp., n. d. Französ.) 1811; Joseph und seine Brüder (hist. Dr., frei n. Duval) [3]1820. (Ferner aufgef., aber ungedr. Bühnenstücke.)

Nachlaß: Versch. Theater-Hs. in d. Nat. Bibl. Wien.

Literatur: Goedeke 11/2,187.   RM

Hassaurek, Friedrich, * 9.10.1832 Wien, † 3. 10.1885 Paris; wanderte 1849 n. Cincinnati/USA aus, wo er d. Zs. «Hochwächter» gründete, seit 1857 Advocat, unter Präs. Lincoln bis 1865 amerikan. Gesandter in Ecuador, seither Hg. u. später Eigentümer des «Cincinnati Volksblatts».

Schriften: Hierarchie und Aristokratie (Rom.) 1855; Welke Blüten und Blätter (Ged.) 1877; Gedichte, Cincinnati 1878; Das Geheimnis der Anden (Rom.) 1879; Vier Jahre unter Spanisch-Amerikanern (dt.) 1887 (engl. Originalausg., New York 1868).   RM

Hasse, Dora, * 27.10.1877 Bad Schandau; lebte ebd.; Erzählerin.

Schriften: Heimatlieb und Heimatleid. Roman aus der Zeit des Dreißigjährigen Krieges, 1933; Das Schicksal rollt. Historischer Roman aus der Zeit des Siebenjährigen Krieges, 1935.   AS

Hasse, Else, * 1.5.1870 Bad Schandau, † 14.2. 1960 ebd.; Lehrerin in Bad Schandau; Erzählerin, Verf. v. Essays über Ethik, Politik, Kunst u. Religion, widmete sich auch sozialen Fragen, der Frauenbewegung u. der Gefangenenfürsorge.

Schriften: Moderne Frauenbildung und ihr sittlicher Gehalt, 1898; Dantes Göttliche Komödie.

Das Epos vom inneren Menschen. Eine Auslegung 1909 (4. bearb. Aufl. 1923, Neuaufl. 1931); Der große Krieg und die deutsche Seele. Bilder aus dem Innenleben unseres Volkes, 1917; Kleine Blumenpredigten, 1921; Im Himmel der Freude, 1921; Stimmen aus dem Jenseits, 1921; Schönheit, Kunst und Seelenleben. Eine Kulturstudie, 1925; Der Ruf nach der mütterlichen Frau. Ein Buch der weiblichen Selbsterforschung, 1927 (3., verm. u. verb. Aufl. 1930); Lebensbemeisterung. Führerbuch für junge Menschen, 1927; So dienten sie dem Leben. Ein Frauenbuch, 1930; M. Sticco, Pflicht und Traum. Ein Buch vom Leben der Frau (Übers.) 1930; Sehne dich und wandere! Seelenerlebnisse in der Natur, 1935.   AS

Hasse, Friedrich Christian August, * 4.1.1773 Rehfeld b. Herzberg, † 6.2.1848 Leipzig; Notar u. Advokat in Wittenberg, 1795 Instruktor d. Prinzen Viktor u. Alfred v. Schönburg, 1798 a. o., 1803 o. Prof. d. Moral u. Gesch. an d. Militärakad. in Dresden, 1828 Prof. in Leipzig. Red. d. «Zeitgenossen» (1824 ff.) d. «Leipziger Ztg.» (1831–46) u. mit Gretschel d. Leipziger «Fama», Verf. versch. topograph. Werke, übernahm n. Brockhaus' Tod d. Red. d. NF u. d. 6. u. 7. Aufl. d. Konversationslexikons.

Schriften (Ausw.): Über das militärische Verdienst im Allgemeinen und den militärischen Ruhm des Sächsischen Adels insbesondere. Eine pädagogisch-historische Abhandlung, 1805; Notizen für Reisende nach Warschau, 1808; Politisches Gemählde von Europa ... aus dem Französischen [des M. de la Maisonfort] 1814; Johann Viktor Moreau. Sein Leben und seine Todenfeyer ..., 1816; Teutsche Taschen-Encyclopädie oder Handbibliothek des Wissenswürdigsten ... (Mit-Hg.) 4 Bde., 1816–20; Arthur, Herzog von Wellington. Sein Leben als Feldherr und Staatsmann. Nach englischen Quellen ..., 1817; Das Leben Gerhards von Kügelgen ... nebst einigen Nachrichten aus dem Leben des k. Russ. Cabinetsmalers K. v. Kügelgen, 1824; Die Gestaltung Europa's seit dem Ende des Mittelalters bis auf die neueste Zeit ... Versuch einer historisch-statistischen Entwickelung, 4 Bde., 1826–28; Kurze Geschichte der Leipziger Buchdruckerkunst im Verlaufe ihres 4. Jahrhunderts ..., 1840; Erinnerung an Gottfried Wilhelm Freiherr von Leibnitz. Bei der zweihundertjährigen Feier seiner Geburt in Leipzig, 1846.

Briefe: Briefw. mit Brockhaus (in: F. A. Brockhaus ... geschildert v. seinem Enkel H. E. Brockhaus) 1881.

Nachlaß: Landesbibl. Dresden. – Nachlässe DDR 3, Nr. 367.

Literatur: ADB 10,754; Meusel-Hamberger 14, 48; 18,62; 22.2,598; Goedeke 7,299.   RM

Hasse, Hermann Gustav, * 18.4.1811 Oberblauenthal, † 1892 Frauenstein; Dr. phil., 1845 Pfarrer in Leulitz/Wurzen u. 1860 in Mügeln, seit 1865 lic. theol., Pfarrer u. Superintendent in Frauenstein. Mitgl. d. hist.-theol. Gesellsch. Leipzig.

Schriften (Ausw.): Abriß der meißnisch-albertinisch-sächsischen Kirchengeschichte, 2 Tle., 1846; Sächsischer Haustempel. Evangelienpredigten sächsischen Geistlichen, 1849; Vinets Pastoraltheologie (übers. mit Anmerkungen) 1852; Das Leben des verklärten Erlösers im Himmel. Ein Beitrag zur biblischen Theologie, 1854; König Saul. Eine Erzählung nach der heiligen Schrift, 1854; J. Jonas' Leben, 1862; Die Zeichensprache der evangelisch-lutherischen Kirche ..., 1877; Grundlinien christlicher Itenik. Aufruf und Beitrag zum Frieden unter den christlichen Confessionen und Nationen, 1882; Geschichte der sächsischen Klöster in der Mark Meißen und Oberlausitz, 1887. (Außerdem einzeln gedr. Predigten.)   RM

Hasse, Johann Gottfried, * 1759 Weimar, † 12. 4.1806 Königsberg/Pr.; Philos.-Studium in Jena, 1784 Adjunkt d. philos. Fak.; 1786 Prof. d. Orientalistik u. 1788 d. Theol., Konsistorialrat u. Rektor in Königsberg. Hg. d. «Magazins f. d. bibl.-oriental. Lit. ...» (1788 f.), Verf. versch. Lehrbücher.

Schriften (Ausw.): Idiognomik Davids ... nebst einer neuen metrischen Übersetzung der schönsten Psalmen ..., 1784; Salomo's Weisheit, neu übersetzt, mit Anmerkungen und Untersuchungen, 1784; Ansichten zu künftigen Aufklärungen über das Alte Testament, in Briefen, 1785; Versuch über das Studium der Theologie, 1790; Biblisch-orientalische Aufsätze, 1793; Der aufgefundene Eridanus ..., 1796; Preußens Ansprüche, als Bernsteinland, das Paradies der Alten und Urland der Menscheit gewesen zu sein, 1798; Freymüthige Untersuchung über Jesum, den Sohn Gottes, 1798; Entdeckungen im Felde der ältesten

Menschengeschichte, 2 Tle., 1801/05; Zigeuner im Herodot oder neue Aufschlüsse über die ältere Zigeunergeschichte, 1803; Letzte Äußerungen Kant's, von einem seiner Tischgenossen, 1804.

Literatur: ADB 10,758; Meusel-Hamberger 3, 108; 9,523; 11,323; 14,50.   RM

Hasse, Ludwig → Elster, Otto.

Hasse, Nikolaus Hermann, * 19.9.1766 Wandsbeck, † 30.11.1831 Kappeln a. d. Schlei; Theol.-Studium in Kiel, 1804–20 Prediger in Sörup/Angeln. Seine Ged. ersch. in Gardthausens «Eidora» u. in Zeitschriften.

Schriften: Predigt am hundertjährigen Reformationsfeste, 1817.

Literatur: Meusel-Hamberger 22.2,599; Goedeke 13,608.   RM

Hasse, Otto Eduard, * 11.7.1903 Obersitzko/Posen, † 12.9.1978 Berlin. Schauspieler u. Regisseur in Berlin, München, später wieder Berlin. Verf. v. Memoiren.

Schriften: O. E. Unvollendete Memoiren, 1979.
                                                    CLL

Hassebrauk, geb. Riemkasten, Marianne (Ps. Marianne Abel), * 11.5.1923 Braunschweig; Journalistin, freie Schriftst., wohnt in Wehr/Baden, vorher in Bergalingen/Kr. Säckingen; Kinder- u. Jugendbuchautorin.

Schriften: Gib nicht nach, Jessie, 1953; Ein Mädchen mit kleinen Fehlern, 1955; Freundschaft mit Billie, 1955; Parole Keks, 1955; Wenn Billie nicht wäre, 1958; Petra und Marion. Die Geschichte einer herzlichen Freundschaft, 1959; Sonntagskind Maja, 1960; Was ist mit Iris?, 1961; Zehn Tage himmelblau, 1961; Wir halten zusammen, Sonja!, 1961; Heimweh nach dem Rosenhof, 1962; Auf das Herz kommt es an, 1964; Wir brauchen dich, Jutta, 1966; Penny hat immer Mut, 1967; Agi und ihr Haus, 1968; Aber du bist die beste, 1969; Sei doch ehrlich, Christina, 1971; Ein Mädchen mit Zukunft, 1971; Nikis rettende Idee, 1972; Der zweite Anruf für Simone, 1972; Die Spur führt ins Palast-Hotel, 1973.
                                                    AS

Hassel, Georg M. von (Ps. Jorge M. von Hassel), * 25.12.1871 Hannover; Zivil-Ing. in Berlin. Erzähler, Verf. geogr. Werke, auch in span. Sprache.

Schriften: Der Untergang New Yorks und andere Skizzen aus der Welt der Erfinder und Forscher, 1923; Die Auslandsdeutschen. Ihr Schaffen und ihre Verbreitung über die Erde. Historisch-wirtschaftliche Studie, 1926; Die Verteilung der Erde. Erzählung aus deutscher Vergangenheit, 1927.   AS

Hassel, Hedwig (Ps. f. Hedwig Hirschfeld), * 21.8.1884; lebte in München.

Schriften: Babs. Roman einer Negertänzerin, 1929.   IB

Hassel, Henriette, Lebensdaten unbekannt, * in Weimar; Tochter des Geographen Prof. Joh. Georg Heinrich Hassel, lebte in Weimar, später in Braunschweig.

Schriften: Hedwig von Brandenburg. Ein kulturhistorischer Roman aus der letzten Hälfte des 16. Jahrhunderts, nach archivalischen Akten, 1900.
                                                    RM

Hassel, Johann Bernhard, * 22.2.1690 Wolfenbüttel, † 23.2.1755 ebd.; Theol.-Studium in Helmstedt, 1721 Prediger, 1726 Konsitorialrat, 1730 Ober-Superintendent, 1752 Hofprediger u. Abt v. Mariental in Wolfenbüttel. Dr. theol. (1748).

Schriften: Geistliche Amtsreden, 1735; Synopsis Bibliothecae Exegeticae in Vetus Testamentum ..., 1745. (Ferner zahlr. einzeln gedr. Predigten.)

Literatur: Adelung 2,1823.   RM

Hassel, Samuel Friedrich, * 9.9.1798 Frankfurt/M., † 3.2.1876 ebd.; 1804 Chorist u. seit 1815 Sänger u. Schauspieler am Frankfurter Stadttheater, dazwischen 1817–21 Buffo in Mainz.

Schriften: Die Frankfurter Lokalstücke auf dem Theater der Freien Stadt. Skizzen aus meinem Schauspielerleben 1821–1866, 1867.

Nachlaß: Stadt- u. Univ.bibl. Frankfurt/M. – Denecke 2. Aufl.

Literatur: ADB 10,760; Theater-Lex. 1,710. – H. SCHNEIDER, D. Frankfurter Schauspieler ∼, e. bürgerl. Darsteller aus d. 1. Hälfte d. 19. Jh. (in: Theaterwiss. Bl. 1) 1925.   RM

Hasselbach, Alexander, * 1912 Orlowskoje (ehem. Gouvernem. Samara); Wolgadeutscher, aufgewachsen in Marxstadt, Arbeiter in Maschinenbauwerk, ab 1928 Mitarb. an versch. Ztg., Red. d. Marxstädter Kantonztg., 1937–66

Deutschlehrer, zuletzt in Kabinetnoje/Nowosibirsk; Mitarb. d. Zs. «Freundschaft». Erzähler.

Schriften: Der Kämpfer (Erz.) 1932; Nach dem Gewitter (Erz.) Alma-Ata 1969.   AS

Hasselbach, Anna, * 31.12.1854 Einbeck/Hannover; Offizierstochter, lebte als Schriftstellerin in Metz u. Straßburg.

Schriften: Ver sacrum (ges. Nov.) 1895; Seine Vergangenheit (Rom.) 1898; Meister Erwin (Schausp.) 1900.   RM

Hasselbach, Karl Friedrich Wilhelm, * 22.9. 1781 Anklam, † 1864 Grünhof b. Stettin; Philol.-u. Theol.-Studium in Halle, 1802 Lehrer am Grauen Kloster, 1803 Kollaborator, später Lehrer u. 1828 Schuldir. in Stettin, lebte seit 1854 in Grünhof. Hg. d. «Cod. Pomeraniae Diplomaticus».

Schriften: Über Erziehung, in Gesprächen, 1816; Über den Philoktetes des Sophokles, 1818; Des heiligen Chrysostomus sechs Bücher vom Priesterthume (übers.) 1821; Über Sell's Geschichte des Herzogthums Pommern. Ein Sendschreiben …, 1821; De multimoda, idolatria, cujus Tertullianus Ludimagistros et cet. Professores literarum arguit, 1829; Die Stellung der Schule zu Kirche und Staat. Ein Votum, 1848; Für Bunsen wider Stahl, 1856; Sophokleisches. Zur Rechtfertigung und Allgemeineres, 1861.

Literatur: ADB 10,761; Meusel-Hamberger 18, 67; 22.2,600.   RM

Hasselblatt, Cäcilie (geb. Schultz), * 27.9.1847 Estland, † 10.8.1874 St. Petersburg; Tochter e. Pastors, Verf. v. Gelegenheitsgedichten.

Schriften: Die Lieder meines Lebens, 1882.   RM

Hasselblatt, Dieter, * 8.1.1926 Reval/Estland; Dr. phil., Abteilungsleiter Hörspiel (beim Bayer. Rundfunk) in München. Verf. zahlr. Science-Fiction-Hörspiele, Hg. einer Science-Fiction-Paperback-Reihe; Erzähler, Essayist.

Schriften: Lyrik heute. Kritische Abenteuer mit Gedichten, 1963; Aufbruch zur letzten Aventüre (Rom.) 1963; Zauber und Logik. Eine Kafka-Studie, 1964; Grüne Männchen vom Mars. Science Fiction für Leser und Macher, 1974; Das Experiment (Hg.) 1975; Stanislaw Lem, Mondnacht. Hör- und Fernsehspiele (Hg.) 1977.   AS

Hasselblatt, Dora, geb. Norden, * 10.4.1893 St. Petersburg; Volksmissionarin, Bibelbearb.

beim Berliner Verband d. Evang. Frauenhilfe, 1952–58 Lehrerin an d. Bibelschule d. Frauenmission Malche in Hannover, dann Krankenseelsorgerin ebd.; Erzählerin.

Schriften: Der neue Morgen. Bekenntnisse aus der Zeit, 1917; Reichsgottesarbeit und Anthroposophie, 1923; Ewigkeitsdurst (Ess.) 1927; Die leere Stelle, 1928; Elisabeth Fry. Ein Leben im Dienste an Menschen in Not, 1932; Unsere Ausrüstung zum Dienst. Ein Wort an die Berufsarbeiterinnen der Kirche und inneren Mission (Hg.) 1932; Wir Frauen und die nationale Bewegung (Hg.) 1933; Mutter Eva (Lb.) 1936; Mechtildis und die Liebe. Roman aus dem Zeitalter der Reformation, 1937 (Neuaufl. 1947); Das singende Herz. Ein Gruß zur Einsegnung, 1937; Der neue Patron (Erz.) 1937; Die Gottessänger (Erz.) 1938; Schicksal am Meer (Rom.) 1938; Herzogin Elisabeth von Braunschweig-Lüneburg. Eine Glaubensheldin aus der Zeit der Gegenreformation, 1939; Warum schweigt Gott?, 1946; Heutige Frauenschicksale und ihre Überwindung, 1947; Vom Trost Gottes, 1947; Der moderne Mensch und das Christentum, 1948; Apokalyptische Fragen von heute. Wahrsagen, Hellsehen, biblische Prophetie, 1950.   AS

Hasselblatt, Julius (Ps. J. od. Julius Norden), * 29.7.1849 Kusnezowo/Baltikum, † 5.2.1907 Berlin; Justiz-Beamter in St. Petersburg, Red. d. «Petersburger Ztg.», 1895 Übersiedlung n. Berlin, Red. d. «Modernen Kunst», Mitgl. d. russ. Akad. d. Künste, Übers. aus d. Französ. u. Russischen.

Schriften: Die Justizreform in Rußland, 1876; Historischer Überblick der Entwicklung der kaiserlichen russischen Akademie der Künste in St. Petersburg. Ein Beitrag zur Geschichte der Kunst in Rußland, 1886; Ilja Jefimowitsch Repin, 1894; Dramatische Dichtungen, I John Williams (Schausp.) 1894, II Der Tugendbold (Schausp.) 1894, III Fesseln (Schausp.) 1894; Die Silberhochzeit (Kom.) 1902; Berliner Künstler-Silhouetten, 1902.

Literatur: Theater-Lex. 1,710.   RM

Hassell, Ulrich von, * 11.11.1848 Celle, † 11. 3.1926 Doberan; n. militär. Laufbahn Mit-Hg. u. Red. d. Leipziger «Allg. konservat. Mschr.»; d. «Mschr. f. Stadt u. Land», d. «Zeitfragen d. Christl. Volkslebens» in Berlin, d. «Rundschau f.

Jünglingspflege» in Berlin u. später in Doberan. Ehrenpräs. d. Christl. Ver. Junger Männer.

Schriften: Deutschlands Kolonien. Ein Rückblick und Ausblick, 1897; Die christlichen Vereine junger Männer in Deutschland und ihre Aufgabe, 1898; Christentum und Heer, 1898; Das Kolonialwesen im 19. Jahrhundert, 1900; Streiflichter auf die Unterhaltungslitteratur der letzten zwanzig Jahre, 1901; Deutsche Zeitschriften und ihre Wirkung auf das deutsche Volk, 1902; Öffentliche Bücher- und Lesehallen als Bildungsmittel für das Volk, 1903; Deutschland – eine Weltmacht? 1905; Brauchen wir eine Kolonialreform? 1906; Wer trägt die Schuld? ..., 1907; Klar zum Gefecht für den Kampf um die männliche Jugend der Groß-Städte, 1908; Haben wir eine Kolonialreform? 1909; Soldatenfürsorge. Eine Pflicht des christlichen Volks, 1909; Das weiße Kreuz, 1910; Eberhard von Rothkirch und Panthen. Ein Lebensbild, nach Briefen und Aufzeichnungen dargestellt, 1912; E. v. Rothkirch, Soldat und Christ, 1915; Generalfeldmarschall von Mackensen, 1915; Erinnerungen aus meinem Leben 1848 bis 1918, 1919; Alfred von Tirpitz, sein Leben und Wirken mit Berücksichtigung seiner Beziehungen zu Albrecht von Stosch, 1920; Männer von heute und Christus, 1920; Ein Führer der männlichen Jugend, Eberhard von Rothkirch und Panthen, 1924.   RM

Hassenbach, Else, * 26.10.1906 Geistingen/Sieg; Red. ,wohnt in Nürnberg.

Schriften: Im Zaubergarten (Erz.) 1948.   AS

Hassenberger, Othmar (Ps. Othmar van Rhin), * 3.5.1889 Enns; Journalist, Teilnahme am 1. Weltkrieg, ab 1927 Leitg. d. «Waldviertler Nachrichten»; Folklorist, Erzähler.

Schriften: Wanderungen im Mariazeller Gebiet, 1914; Der Kriegskamerad, 1914f.; Der Olympioniker (Rom.) 1920; Der Gladiator (Rom.) 1920; Kreuz und Quer im Faltboot. Wasserwanderungen auf Wildflüssen, Strömen und Seen, 1926; Führer durch das obere Waldviertel, 1928.

Literatur: KRACKOWITZER-BERGER, Biogr. Lex. d. Landes Öst. ob d. Enns, 1931.   IB

Hassencamp, Eva Maria (Ps. Eva Aab), * 24.5. 1920 Pforzheim; Regisseurin für Jugendfilme beim Fernsehen, wohnt in München. Kinder-, Jugendbuch- u. Drehbuchautorin.

Schriften: ABC für junge Damen, 1962; ABC für junge Männer, 1962; Evi, unser Schusselchen, 1964; Meine lustigen Goldhamster, 1966; Petronella, 1971.   AS

Hassencamp, Georg Ernst, * 1762 Oberwalmenbach, Todesdatum u. -ort unbekannt; Rektor u. seit 1790 a.o. Prof. f. Pädagogik u. Philol. in Rinteln, Gründer e. Erziehungsinstitutes; später Pfarrer in Niederwalmenbach.

Schriften (Ausw.): Einige Gründe für öffentliche Erziehung ..., 1789; Einige pädagogische Gedanken ..., 1792; Empfindungen eines ächten Teutschen bey dem Tode Sr. Köng. Maj. Maria Antonia, Königin von Frankreich, 1793; Peter Fürchtegott oder Die Geschichte von dem Verfall und dem daraus erfolgten Flor des Dorfes Wallersdorf, nebst beyder Quellen, eine moralische Erzählung, 1805.

Literatur: Meusel-Hamberger 9, 523; 14, 52.   RM

Hassencamp, Johann Matthäus, * 28.7.1743 Marburg, † 6.10.1797 Rinteln; Studium in Marburg u. Göttingen, 1768 Prof. d. Mathematik u. morgenländ. Sprachen, 1777 Univ.bibliothekar u. 1789 Konsistorialrat in Rinteln. Leiter d. «Ann. d. neueren theol. Lit. u. Kirchgesch.» (1789–96).

Schriften: Commentatio de Pentateucho LXX interpretum ..., 1765 (2. Tl. als Progr. 1780); Versuch einer neuen Erklärung der siebzig Wochen Daniels, 1772; Ein andrer mit kleinen Academien sympathisirender Raisonneur, 1772; Der entdeckte wahre Ursprung der alten Bibelübersetzungen, 1775; Briefe eines Reisenden über Pyrmont, Cassel, Marburg, Würzburg und Wilhelmsbad, 2 Tle., 1783; James Bruce's Reisen in das innere von Afrika (hg.) 2 Bde., 1791; John David Michaelis' Lebensbeschreibung von ihm selbst abgefaßt (hg.) 1793; u.a.

Literatur: ADB 10, 762; Meusel-Hamberger 3, 110; 9, 524.   RM

Hassencamp, Oliver, * 10.5.1921 Rastatt/Baden; Schriftst. in München, Mitarbeit b. Film, Rundfunk, Fernsehen. Tukan-Preis d. Stadt München 1967. Wohnt jetzt in Frühling/Chiemgau.

Schriften: Die Jungens von Burg Schreckenstein (Jgdb.) 1959; Auf Schreckenstein geht's lustig zu, 1960; Bekenntnisse eines möblierten Herrn (Rom.) 1960; Bereift sein ist alles. Eine Autologie, 1961; Das Recht auf den anderen (Rom.)

1962 (neu bearb. Ausg. 1965); Die Testfahrer und der fixe Toni, 1962; Schwabing. Münchens schönste Tochter (mit G. Radloff u. J. Miczky) 1965; Auf Schreckenstein gibts täglich Spaß, 1966; Ich liebe mich (Rom.) 1967; Die Schreckensteiner auf der Flucht, 1969; Erkenntnisse eines etablierten Herrn (Rom.) 1972; Lebensregeln (Opernlibr.) 1972; Das Rätsel von Burg Schreckenstein, 1973; Fabel-Fibel (mit R.M. Stoeckl) 1973; Freche Ritter auf Burg Schreckenstein (Slg.) 1975; Die Frühstücksfreundin. Ein heiterer Roman, 1975; Zwei Neue auf Burg Schreckenstein, 1975; Viel Wirbel auf Burg Schreckenstein (Slg.) 1976; Sage & Schreibe. Satiren mit Beilagen, 1976; Alarm auf Burg Schreckenstein, 1976.   AS

Hassenkamp-Fischer, Herbert (Ps. Philander de Camp, Herbert Philander Hassencamp), * 1. 12.1892 Baden-Baden; studierte Jus in Heidelberg, Reg. Rat, Erzähler.
Schriften: Die Kußgeschichten des Philander, 1925; Die Milchstraße (Nov.) 1926; Philanders Almanach, ein literarisches Quodlibet mit Beiträgen und Zeichnungen von A. Müller und W. Zentner, 1928.   IB

Hassenstein, Bohuslaus Lobkowitz von → Lobkowitz von Hassenstein, Bohuslaus.

Hassenstein, Dieter (Ps. Heinz Dietrich, Jan Mog), * 25.9.1913 Eschwege; Dr. phil., Red. u. Schriftst., wohnt in Oberursel/Taunus. Hörspielpreis d. Bayer. Rundfunk 1951.
Schriften: Goethes Faust auf dem Frankfurter Theater 1829–1935 (Diss. Frankfurt a. M.) 1939; Bussard im Aufwind. Ein Roman vom Segelfliegen, 1957; Der Mensch und seine Umwelt. Eine Sendereihe des Hessischen Rundfunks (Hg.) 1958; Russisches Brot (Rom.) 1962; Der Hausarzt. Ein medizinischer Ratgeber (Hg.) 1968; Segel für die Pamela (Jgdb.) 1970; Ein Hund für Doktor Jonas, 1976.   AS

Hassfurth, Johann Christoph, * um 1670 Lodenau/Oberlausitz, † n. 1695; besuchte seit 1692 d. Univ. Leipzig. Mitbegründer d. sog. «Dt. Gesellsch.» in Leipzig.
Schriften: Elegia ... in incendium Gorlicii ..., 1691.
Literatur: Neumeister-Heiduk 370.   RM

Haßl, Guido (Ps. J. Bins), * 14.9.1869 Ludwigsburg/Württ., † 20.12.1945 Kirchheim u. Teck; n. Theol.-Studium 1899–1918 Pfarrer in Bad Ditzenbach, dann in Niederwangen i. A., seit 1930 in Jettenhausen u. zuletzt in Kirchheim. Päpstl. Ehrenkämmerer.
Schriften (Ausw.): Machen die Kirchenwände den Christen? Ein Büchlein für's Volk zur Wehr und Lehr, 1897; Allerhand aus Stadt und Land ..., 1898; Weihnachten im Bahnwärterhaus (Weihnachtssp., n. K. Kümmels Erz.) 1899; In den April geschickt (Lsp.) 1899; Humoristica (Nov.) 2 Bde., 1910; Dreierlei Wallfahrt, 3 Bde., 1911; Im Tale der Wunderblume von Helfta ..., 1913; Heil Kaiser Dir! Ein kleines Festspiel ..., 1915; «Gott strafe England!» Militär- und andere Humoresken, 1915; P.W. v. Keppler, Rottenburgs großer Bischof, 1928; Unser heiliger Vater, Papst Pius XI. ..., 1929; Auf dem Weg des Friedens und des Heiles ..., 3 Bde., 1929 f.; Wie's dem Maggen-Dreher Josef erging. Ein schlichtes Lebensbild, 1930; Gertrud die Große, 1938; Frohe Wanderfahrt. Ein Wanderbüchlein, 1941.
                                        RM

Haßl, Johann Aloys, * 20.5.1778 Tannhausen, Todesdatum u. -ort unbekannt; Diakon in Augsburg, 1802 Kaplan in Hochaltingen, später Pfarrer in Zöbingen.
Schriften (Ausw.): Katholisches Gebetbuch für jeden frommen Christen, 1814 (2., verm. 1820; ¹¹1828); Christkatholischer Catechismus, 1819; Der christliche Ehegatte und Hausvater und die christliche Ehegattin und Hausmutter ..., 1820; Handbüchlein für katholische Kinder, 1821; Christliche Volkspredigten ... zur häuslichen Erbauung, 2 Bde., 1823; Lesebuch für die katholische Sonntags-Schuljugend ..., 1824; Reliquien aus dem christlichen Alterthume zur Warnung und Belehrung des Glaubens, 1825; Der Tempel Gottes, 1827; Die christliche Ehe, 1829; Christlicher Anblick der Natur ..., 1830; Siona, das ist religiöse Abendvorträge an fromme Gebildete, 2 Bde., 1830; Vollständiges katholisches Gebetbuch für alle Lagen und Verhältnisse des Lebens, 1832; Andacht zu Jesus Christus ... ein Erbauungsbuch ..., 1833; Erstes Buch für Kinder, 1835; Sonn- und Festtägliche Andacht christlicher Familien und Personen (Predigten) 2 Bde., 1843; Der betende, betrachtende und segnende Priester. Vademecum für katholische Seelsorger,

1851; Sieg der christlichen Religion ..., 1853.
Literatur: Meusel-Hamberger 18, 67; 22.2, 601.
RM

Hassler, Ernst → Hall, Ernst.

Haßler, Hans → Lar She.

Hassler (Hasler, Haissler), Hans Leo von, getauft 26. 10. 1564 Nürnberg, † 8.6. 1612 Frank-
furt/M.; Musikausbildung in Nürnberg u. Venedig, 1586 Organist d. Fugger in Augsburg, 1600
Leiter d. Stadtpfeifer in Augsburg, 1601 Organist
u. Leiter d. Ratsmusik in Nürnberg, 1608 Hof-
organist in Dresden.
Gesamtausgabe: H. L. v. H., Sämtliche Werke
[in 12, bzw. 14 Bdn.] (hg. C. R. CROSBY) 1961 ff.
Literatur: Jöcher 2, 1396; ADB 11, 10; NDB
8, 53; MGG 5, 1801. – R. EITNER, Chronol.
Verz. d. gedr. Werke v. ~ u. O. de Lassus (in:
B3il. z. d. Monatsh. f. Musikgesch. 5–6) 1873 f.;
E. F. SCHMID, ~ u. s. Brüder (in: Zs. d. hist.
Ver. f. Schwaben 54) 1941; R. SEILER, ~ (in:
Nürnberger Gestalten aus 9 Jh.) 1950; A. LA-
YER, D. ersten Augsburger Jahre ~s (in: D. Mu-
sikforsch. 8) 1955; ~, Z. Gedenken s. 400.
Geb.tages (hg. H. MÜLLER, H. ZIRNBAUMER)
1964; B. TERSCHLUSE, D. Verhältnis d. Musik z.
Text in d. textgleichen Motetten d. 16. Jh., mit
bes. Berücksichtigung d. «Cantiones sacrae» v. ~
(Diss. Hamburg) 1964.
RM

Haßler, Konrad Dietrich, * 18.5. 1803 Altheim
Kr. Ulm, † 17.4. 1873 Ulm; Studium d. Theol.
u. Orientalistik in Tübingen, Leipzig u. Paris,
1826–56 Gymnasialprof. in Ulm, 1844–48 Abgeordneter im württ. Landtag, Mitgl. d. Nationalverslg., 1850–68 Vorstand d. «Ver. f. Kunst u.
Alt. in Ulm u. Oberschwaben», 1858 Landeskon-
servator, 1864 Oberstudienrat, 1867 Leiter d.
Staatslg. f. vaterländ. Kunst- u. Alt.denkmale,
Mitgl. d. dt. morgenländ. Gesellschaft.
Schriften (Ausw.): Briefe über den Fortgang der
asiatischen Studien zu Paris, von einem ... jungen
Deutschen, 1826 (2., verm. Aufl. 1830); Commentatio critica de psalmis maccabaicis, 2 Tle.,
1826–30; Paragraphen für den Unterricht in der
Philosophie, 2 Tle., 1830; Ulms Buchdruckerkunst ..., 1840; Die Beziehungen Gustav Adolph's
zu Ulm. Mit Urkunden, 1860; Das alemannische
Todtenfeld bei Ulm, 1860; Ulms Kunstgeschichte
im Mittelalter, 1864; Jüdische Alterthümer aus

dem Mittelalter in Ulm ..., 1865; Die Pfahlbau-
ten des Ueberlinger Sees ..., 1866; Studien aus
der Staatssammlung vaterländischer Alterthümer,
1868.
Herausgebertätigkeit (Ausw.): Sebastian Sailer's
sämtliche Schriften in schwäbischem Dialekte,
[3]1842; Fratris Felicis Fabri evagatorium in Terrae
sanctae, Arabiae et Egypti peregrinationem, 3
Bde., 1843–49; Verhandlungen der deutschen
verfassungsgebenden Reichsversammlung zu
Frankfurt am Main, 5 Bde., 1848 f.; Reisen und
Gefangenschaft Hans Ulrich Kraffts ..., 1861;
Heinrich Mynsinger, Von den Falken, Pferden
und Hunden, 1863; Die Reisen des Samuel Kie-
chel ..., 1866.
Nachlaß: Stadtarch. Ulm. – Mommsen Nr.
1496.
Literatur: ADB 11, 15; NDB 8, 51. – K.D.
HASSLER [Sohn], ~ (in: Münsterbl. 5) 1888; H.
L. FLEISCHER, Briefe an ~ 1823–70 (hg. C.F.
SEYBOLD) 1914; G. HIMMELHEBER, Staatl. Denk-
malpflege in Württemberg 1858–1958, 1960; G.
SCHENK, ~ (in: Lbb. aus Schwaben u. Franken
10) 1966 (mit Bibliogr.).
RM

Haßler, Ludwig Anton, * 7. 1. 1755 Wien, † 22.
12. 1825 Rottenburg/Neckar; 1771 Eintritt in d.
Augustinerorden, 1777 Priesterweihe, 1785 Dr.
theol., 1786 Prof. d. hebräischen Sprache u. Exegese in Freiburg/Br., 1788 Pfarrer in Rottenburg,
1795 in Oberndorf/Neckar, seit 1817 Generalvi-
kariatsrat in Rottenburg.
Schriften: Jesus Christus Gottmensch. Gespräche zwischen Pfarrer Christmann und Kandidat
Hohensteig ..., 1803; Die immerwährende Verehrung Gottes. Ein katholisches Gebetbuch ...,
1804; Christliche Religionsgeschichte in sechzig
Skizzen, 1805 (auch u. d. T.: Christliche Religionslehre in sechzig Skizzen ..., 3 Bde., 1805 bis
1807); Huldigungsrede, 1806; Einziger und un-
umstößlicher Beweis der Gott- und Menschheit
Jesu Christi. In Gesprächen ..., 1806; Chateaubriand's Martyrer (aus d. Französ. übers.) 3 Bde.,
1811; Die christliche Glaubens- und Sittenlehre,
in Predigten ..., 2 Jg., 1811 f.; Homiletisches Repertorium ..., 5 Tle., 1818–21; Der Wandler unter den Gräbern. Eine Sammlung von 300 Grabschriften, 1817 (2., verm. Aufl. 1819); Chateaubriand's Tagebuch einer Reise von Paris nach Jerusalem durch Griechenland (aus d. Französ.
übers.) 3 Tle., 1817; Chronik der Königlich Wür-

tembergischen Stadt Rottenburg ..., 1819; Exegetische Andeutungen über schwere Stellen des Alten Bundes, 1822; Katholisches Gebetbuch für die heranwachsende Jugend, 1824.

Literatur: ADB 11,20; Meusel-Hamberger 14, 52; 18,68; 22.2,601.   RM

Haßler, Ulrich, * 1916 in Öst.-Ungarn, studierte Zool. u. Musik, war im 2. Weltkrieg Soldat auf d. Balkan, lebt in Griechenland. Erzähler.

Schriften: Aller Nächte Tag (Rom.) 1960.

Literatur: C. KÜHNAU, ~ (in: Schriftst. d. Ggw., hg. K. NONNENMANN) 1963.   AS

Hasslinger, Inge Maria (Ps. Inge Maria Grimm), * 3.9.1921 Krems/Niederöst.; wohnt in Wien, verf. seit 1958 ca. 300 Hörspiele f. Kinderfunk u. einige Kinderbücher.

Schriften: Jörgl, Sepp und Poldl, 1951; Neue Abenteuer von Jörgl, Sepp und Poldl, 1952; Jörgl, Sepp und Poldl auf der Insel der sieben Palmen, 1953; Kasperl in der Gespenstermühle. Ein lustiges Spiel in drei Akten, 1959; Seid mucksmäuschen still! (Geschichten zum Vorlesen) 2 Bde., 1962/64; Florian Zipfelmütz, der kühne Gartenzwerg, 1962; Sieben liebe Freunde, 1964; Felix, der Fuchs, 1965; Die schwarze Grete, 1968.   AS

Haßlocher (Haslocher), Johann Adam, * 24.9. 1645 Speyer, † 9.7.1726 Weilburg-Nassau; Theol.-Studium in Straßburg, 1670 Prediger in Weißenburg, 1675 Pfarrer in Speyer, seit 1689 Hofprediger u. Konsistorialrat in Weilburg. Geistl. Lyriker d. Spenerschen Kreises. Unter d. Namen «der Fromme» Mitgl. d. «Teutschgesinnten Gesellschaft».

Schriften: Zeugnisse der Liebe zur Gottseligkeit: In einigen mit erbaulicher Andacht verfertigten und hinterlassenen Liedern, wie sie Stückweiss hier und da ohne sein Wissen schon ehemals in Druck gekommen (hg. P. C. Schlosser) 1727.

Literatur: Adelung 2,1822; ADB 11,22; Goedeke 3,300. – E. LIND, ~. Hist.-biogr. Stud. über d. «geistlichen Sänger aus d. Spenerkreis» (in: Bl. f. pfälz. Kirchengesch. u. relig. Volkskunde 31) 1964; H.W. SURKAU, ... D. Lieder d. ~ aus Weilburg (in: FS W. Zeller) 1976.   RM

Haßlwander, Friedrich, * 4.10.1840 Wien, † 1.9.1914 Grein/Donau; Sohn d. Malers Joseph H., Besuch d. Techn. Hochschule u. 1860–67 d.

Akad. d. bildenden Künste in Wien, seit 1868 Lehrer an versch. Wiener Mittelschulen, 1903 Schulrat. Maler u. Schriftsteller, zahlr. Schr. ersch. in Zs. u. Anthologien.

Schriften: Phantasiestücke (Nov.) 1894; P. Peukers Schriften (mit H. Fraungruber hg.) 1899.

Literatur: ÖBL 2,204; Thieme-Becker 16,114.
                                              RM

Hasslwander, Jolanthe Maria, * 1.2.1905 Wien; Lehrerin, Schuldirektorin in Scheibbs/ Niederöst.; Lyrikerin, Erzählerin, Verf. von Laienspielen.

Schriften: Märchen und Sagen aus dem Ötscherbereich, 1947; Franziskuslegenden, 1949; Blumenlegenden, 1950; Märchenquell, 1952; Vom Leben geschrieben. Wahre Begebenheiten, 1956; Aus meinem Herzen (Ged.) 1964; Herzensgrüße ..., 1965; Adam Rosenblattl und andere Sagen, 1966; Briefe an Gott, 1968 (3., erw. Aufl. 1974); Mein Blumenbücherl (Ged.) 1968; Geliebtes Österreich (Ged.) 1969; Mein Weihnachtsbücherl (Ged.) 1970; Donausagen aus fernen Tagen, 1971; Näher, mein Gott, zu Dir!, 1973; Herz spricht zum Herzen. Gedichte und Legenden, 1974; Nur ein Efeublatt. Novellen und Gedichte (Hg.) 1975.

Literatur: F. MAYRÖCKER, V. d. Stillen im Lande, 1968.   AS

Hassmann, Egmont, * 9.5.1852 Saaz/Böhmen, † 1885/86 wahrsch. Prag; Rechtsstudium in Prag, Dr. iur., n. Tätigkeit am Landgericht Prag u. am Kreisgericht Leitmeritz seit 1879 Advokat in Prag.

Schriften: Lieder, 1876.   RM

Hastedt, Regina, * 23.10.1921 Flöha/Sachsen; lernte Fotografin, besuchte dann die Akad. f. graf. Künste in Leipzig, nach 1945 Pressefotografin, später Autorin in Karl-Marx-Stadt. 1959 u. 1962 Lit.preis d. Freien Dt. Gewerkschaftsbundes.

Schriften: Ein Herz schlägt weiter. Leben und Wirken des Verdienten Arztes des Volkes Dr. med. Gertrud Korb, 1954; Wer ist hier von gestern oder Hausfrauen gesucht! (Lsp.) 1955; Die Tage mit Sepp Zach, 1959; Ich bin Bergmann — wer ist mehr?, 1961; Kumpelgeschichten, 1963; Die Bergparade (Erz.) 1974.   AS

Hastenpflug, Wilhelm von, * 4.2.1777 Marburg, † n. 1818; Sekretär im Innenministerium in Kassel, später russ. Legionsoffizier, seit 1818 kurhess. Hauptmann u. Kompaniechef im Regiment Prinz v. Solms zu Hersfeld.

Schriften: Anekdoten und Schnurren, 1802; Der Gasthof in der Vorstadt (Lsp.) 1804; Pater Damian und die schöne Christel. Ein Kloster-Roman, 1805; Der Graf und sein Liebchen, 1805; Der Scharfschützendienst, 1805; Galanterien aus dem gelobten Lande, 1805; Schilderung des Kaisers Paul, 1805; Abentheuer eines Genies, 1809; Charakteristik einiger russischen Großen, 1810; Abendzeitvertreib für Bürger und Landleute, die Spaß verstehen und Kurzweile lieben ... (hg. E. Mahler) 1811; Abwechslungen. Seitenstück zum Leben, 2 Bde., 1813.

Literatur: Meusel-Hamberger 18,69; Goedeke 6,457.   RM

Hasubek, Peter, * 14.1.1937 Oels/Schles.; 1964 Dr. phil. Hamburg, Doz. d. Pädagog. Hochschule Niederdtl.s, Abt. Göttingen (1968), Abt. Braunschweig (1971).

Schriften (Ausw.): Das deutsche Lesebuch in der Zeit des Nationalsozialismus, 1973; Sprache der Öffentlichkeit (mit W. Günther) 1973 (Materialbd. 1973); Die Detektivgeschichte für junge Leser, 1974.

Herausgebertätigkeit (Ausw.): K. L. Immermann, Tulifäntchen ... Mit den Änderungsvorschlägen von Heinrich Heine und einem Dokumentenanhang, 1968; ders., Briefe. Textkritische Ausgabe in 3 Bänden, Bd. 1 ff., 1977 ff.; G. Herwegh, Gedichte und Prosa (Ausw.) 1975.
                                                                           RM

Hasz, Heinrich, um 1500, Dominikaner, Beichtvater d. Schwestern im Nürnberger Katharinenkloster. Übersetzte 1470 d. «Spieghel der volcomenheit» des niederl. Minoriten Heinrich Herp ins Dt. Die Hs. in d. Stadtbibl. Nürnberg: Cent VI, 96, Pap.

Ausgaben: (holl. Vorlage): L. VERSCHUEREN, Hendrik HERP OFM, Spieghel der volcomenheit, Antwerpen 1931; (Teile, dt.:) K. RUH, Franzisk. Schrifttum im dt. MA, Bd. 1 (Texte), 1965; H. HEGER, DL, 2/1, 1957.

Literatur: P. RUF, Ma. Bibl.kataloge Dtls. u. d. Schweiz, Bd. 3/1, 1932; K. RUH, Altniederl. Mystik in dtspr. Übers. (in: Dr. L. Reypens Album), Antwerpen 1964.   RR

Hata, Harald (Ps. f. Hans-Joachim Tannewitz), * 19.10.1902 Meiningen/Thür.; Regisseur bei

Film, Fernsehen u. Rundfunk in Berlin; verf. 1935–45 etwa 100 Hörspiele.

Schriften: Tumb Eggetan (Nov.) 1947; In Dir die Welt (Erz.) 1948.   AS

Hatje, Jan → Dahl, Jürgen.

Hatry, Michael, * 12.12.1940 Hamburg; Dr. phil., Dramaturg in München. Verf. von Bühnenst., Hör- u. Fernsehspielen, Erzähler.

Schriften: Aus lauter Liebe (Erz.) 1971. (Ferner zahlr. ungedr. Bühnenstücke.)   AS

Hatten, Pieter van → Glock, Karl Borromäus.

Hatter (nicht: Hotter), Anton Ulrich, * 1676 Blankenburg/Harz, † 1705 Jever/Oldenb.; 1701 Sänger bei d. hamburg. Oper, dann Kantor in Jever.

Schriften: Störtebecker und Gödje Michel, 2 Tle., 1701.

Literatur: Goedeke 3,335.   RM

Hattingberg, Magda von (Mädchenname u. Ps. f. Magda Graedener), * 12.10.1883 Wien, † 13.2.1959 Gmunden/Oberöst.; Pianistin, Gattin v. Hermann G., lebte in Wien, zuletzt in Traunkirchen u. Gmunden.

Schriften: Franz Liszts deutsche Sendung (Lb.) 1938; Hugo Wolf. Vom Wesen und Werk des größten Liedschöpfers, 1941; Rilke und Benvenuta. Ein Buch des Dankes, 1944; Hugo Wolf, 1953; R.M. Rilke, Briefwechsel mit Benvenuta (Hg.) 1954.

Nachlaß: Slg. im Dt. Lit.arch./Schiller-Nat.-mus. Marbach.   AS

Hattler, Franz Seraphin, * 11.9.1829 Anras/Tirol, † 13.10.1907 Innsbruck; 1852 Eintritt in d. Jesuitenorden, 1860 Priesterweihe, seit 1865 Mitarb. u. 1882–87 Schriftleiter d. «Sendboten d. göttl. Herzens Jesu».

Schriften (Ausw.): Die neun Liebesdienste zur Verehrung des göttlichen Herzens Jesu in Betrachtungen dargestellt, 1867 (4., verb. Aufl. 1879); Der Garten des Herzens Jesu, 1870 (5., verb. Aufl. 1895); Katholischer Kindergarten oder Legende für Kinder, 1877 (7., verb. Aufl. 1911); Blumen aus dem katholischen Kindergarten, 1879; Herz-Jesu-Monat, 1881 (6., neubearb. Aufl., hg. V. Geppert, 1930); Kinderschutz, 1881 (2. Aufl. u.d.T.: Ernste Worte an Eltern,

Lehrer und alle Kinderfreunde, 1901); Wanderbuch für die Reise in die Ewigkeit, 2 Bde., 1883 f.; Das Haus des Herzens Jesu. Illustrirtes katholisches Volksbuch, 1884 (6. Aufl. hg. A. Bötsch, 1912); Der Maimonat, 1888; Missionsbilder aus Tirol, 1889; Das blutige Vergißmeinnicht ..., 1890 (6., verm. Aufl. 1897; 11. Aufl. hg. A. Streissler, 1914); Christkatholisches Hausbrod für jedermann, der gut leben und fröhlich sterben will, 2 Bde., 1892; Großes Herz-Jesu-Buch für die christliche Familie ..., 16. H., 1879; Das Reich des Herzens Jesu, 1900 (7., verb. Aufl. 1911); Ein Sträußchen Rosmarin. Bunte Geschichten für Jung und Alt, 1901; Christlicher Wegweiser von der Wiege bis zum Grabe, 1902; Der Weg zum Herzen Jesu, 1907; Der christliche Mann in der Schule des Herzens Jesu ..., 1909.

Literatur: ÖBL 2, 208; LThK 5, 27. – J. HÄTTENSCHWILER, ∼, e. Herz-Jesu-Apostel unserer Zeit. Gedenkbl. z. Jh.feier s. Geburt, 1929 (mit Bibliogr.).   RM

Hatvan, Stephan Hatvani de, † 29.4.1816 Großwardein/Ungarn; Arztsohn, Notar d. Biharer Comitats, 1807 Konversion z. Kathol., übers. Geblers «Klementine oder Das Testament» ins Ungarische (1790).

Schriften (Ausw., dt.): Der Bauer ein überbetitelter Ädelmann (Schausp.) 1790; Freymüthige Beurteilung des zurückgelegten Landtages vom Jahr 1791 ..., 1791.

Literatur: Wurzbach 8, 51; Goedeke 7, 69.
                                                                    RM

Hatvani, Paul (Ps. f. Paul Hirsch), * 16.8.1892 Wien; 1905–11 in Budapest, dann Studium in Wien (Chemie, Math.); war Mitarb. d. expressionist. Zs. «Sturm» u. «Aktion», emigrierte 1939 nach Australien, lebt in Melbourne.

Schriften: Salto mortale. Aphorismen, Essais, Skizzen, 1913.   AS

Hatzfeld, Adolf (Franz Iwan) von, * 3.9.1892 Olpe/Westfalen, † 25.7.1957 Bad Godesberg; Vater Senatspräs., Gymnasium in Emmerich, 1911 Militärdienst, Kriegsschule in Potsdam, 1913 kurz vor Entlassung Arrest u. bei e. Selbstmordversuch erblindet; Studium d. Germanistik u. Philos. in Münster, Marburg, München, Freiburg/Br., 1919 ebd. promoviert; ausgedehnte Reisen im Ausland, Auseinandersetzung mit d. Katholizismus, zeitweilige Neigung z. Kommunismus, Verbindung mit E. Toller; seit 1925 freier Schriftst. in Bad Godesberg, Gründer der pazifist. «Rhein. Liga f. Menschenrechte», 1928 d. Bundes rhein. Dichter, Verbindung mit F. Timmermans, R. Schickele, A. Paquet, O. Gmelin, R. Binding, u. a. 1953 Annette-von-Droste-Hülshoff-Preis. Lyriker, Erzähler, Dramatiker, Essayist.

Schriften: Gedichte, 1916; Franziskus (Erz.) 1918; Die Liebe (Ged.) 1918; An Gott (Ged.) 1919; Sommer (Ged.) 1920; Liebesgedichte, 1922; Aufsätze, 1923; Gedichte, 1923; Jugendgedichte, 1923; Die Lemminge (Rom.) 1923; An die Natur (Ged.) 1924; Gedichte, 1925; Positano, Bekenntnis einer Reise, 1925; Das zerbrochene Herz (Tr. nach J. Ford) 1926; Ländlicher Sommer, 1926; Gedichte, 1927; Das glückhafte Schiff (Rom.) 1931; Felix Timmermans. Dichter und Zeichner seines Volkes, 1935; Gedichte, 1936; Gedichte des Landes, 1936; Das flämische Kampfgedicht (hg. Wies Moens) 1942; Der Flug nach Moskau (Erz.) 1942; Melodie des Herzens. Gesammelte Gedichte, 1951; Zwischenfälle (Erz.) 1952.

Nachlaß: Stadt- u. Landesbibl. Dortmund. – Denecke 2. Aufl.

Bibliographie: ∼. 3.9.1892–25.7.1957. Mit e. Essay v. F. BAUKLOH u. e. ∼-Biogr. v. H. BIEBER, 1959.

Literatur: NBD 8, 61; HdG 1, 274. – T. MANN, ∼ (in: Bemühungen) 1925; I. SEIFFERT, Landschaft u. Stammestum in d. westfäl. Dg., insbes. bei ∼ (Diss. Bonn) 1938; A. v. HATZFELD, Meine Heimat (NLit. 42) 1941; I. SEIFFERT, ∼ (ebd.) 1941; R. HAGELSTANGE, E. franziskan. Mensch (in: Neue lit. Welt 3) 1952; H. VAN AUBEL, D. Erlebnis in d. Dg. ∼s (Diss. Bonn) 1949; W. OTTENDORF-SIMROCK, Von Otto Hahn bis Max Liebermann, 1970.   PG

Hatzfeld, Johannes, * 14.4.1882 Benolpe/Sauerland, † 5.7.1953 Paderborn; studierte Theol. u. Musikwiss., Priester, Religionslehrer u. Rektor in Paderborn, bis 1932 Verlagsleiter in Mönchen-Gladbach; wirkte f. d. Erneuerung d. kathol. Kirchenmusik, Hg. d. Zs. «Musik im Leben» u. der Reihen «Musica orans» u. «Musik im Haus».

Schriften (Ausw.): Tandaradei. Volksliederbuch, 1917; Susani. Ein Weihnachtsbuch für das deutsche Haus, 1920; Spinnstube. Ein Liederabend, 1924; Westfälische Volkslieder mit Bildern und Weisen, 1928; Das Buch der Schälke. Aus alten und neuen Quellen zusammengetragen, 1937; Glanz von Innen. Ein Buch von der Größe des Kleinen. Geschichten und Berichte, 1940; Vom Reiche Gottes. Sieben Predigten, 1940; Die fröhlichen Biedermeier. Besinnliche und heitere Lieder für Männerchor, 1949; Priester und Musiker. Gedanken aus Vorträgen und Aufsätzen von J. H. (Hg. J. Overath) 1954

Literatur: Riemann 1, 744; LThK 5, 29.   AS

Hatzinger, Camillus, * 1705 Poisdorf/Nieder-öst., † 27.4.1778 Rastatt; seit 1720 Ordensgeistlicher u. seit 1734 Prof. an versch. Ordenskollegien, zuletzt in Rastatt.

Schriften: Deutsche Schauspieler und verschiedene vermischte Gedichte in Versen, 1748; Briefe an meine Schwester in Versen, 1749; Verdienstmäßige Absolution eines Komödianten in Versen, 1750; Das Buch der Psalmen Davids (metr. übers.) 1772.

Literatur: Wurzbach 8, 52.   RM

Hatzinger, Olga, * 15.8.1876 Steinamanger/Ungarn, † 15.9.1967 Wien; aus altem Bauerngeschlecht, besuchte d. Pädagogium in Wien, lebte ebd.; Lyrikerin u. Erzählerin.

Schriften: Märchenbuch, 1908; Die Zwillingsschwestern (Erz.) 1918; Sonettenkranz, 1928; Alles für andere. Pestalozzi-Roman, 1938; Auf der Scholle der Ahnen (Erz.) 1956.   IB

Hau, Herbert vom, * 4.2.1899 Grimma/Sachsen; war Spielleiter, Bühnen- u. Filmautor in Berlin.

Schriften: Der Imitator (Schausp.) 1933. (Ferner ungedr. Bühnenst.).   AS

Hau (geb. Bernhardt), Oda vom, * 29.5.1904 Riga; Malerin, lebte lange Zeit in Schweden, jetzt in Bad Schwartau; Erzählerin, Übers. aus d. Schwedischen.

Schriften: Seltsame Geschichten von Trollen und Menschen, 1940; Das Trollbuch. Seltsame Geschichten aus Schweden, 1941; E. M. Gowenius, Herrlich ist die Erde (Rom.; Übers. mit E. Suersen) 1943.

Literatur: Vollmer 6, 27.   AS

Hauber, Eberhard David, * 27.5.1695 Hohenhaslach/Württ., † 15.2.1765 Kopenhagen; Studium d. Theol. u. Naturwiss. in Tübingen u. Altdorf, 1724 Vikar in Stuttgart, 1726–46 Superin-

tendent u. Oberpfarrer in Stadthagen, seither Pfarrer in Kopenhagen. Geograph u. Begründer d. Gesch.schreibung d. Grafschaft Schauenburg, Mitgl. d. Societät d. Wiss. Berlin (1724) u. d. Leopoldina (1728).

Schriften (Ausw.): Versuch einer umständlichen Historie der Land-Charten, 2 Tle., 1724; Nützlicher Discours von dem gegenwärtigen Zustand der Geographie, besonders in Teutschland, 1727; Cogitationes theologicae de cogitationibus (Diss. Helmstedt) 1727; Primitiae Schauenburgicae, 1728; Gedanken und Vorschläge, wie die von unterschiedenen Authoren unternommene Historie der Geographie, wie auch die ... Geographische Societät zu Stande gebracht werden möchte, 1730; Harmonische Geschichte der vier Evangelisten ..., 1737; Bibliotheca, Acta et Scripta magica ..., 3 Bde., 1738–45; Betrachtung über das Begräbniss Christi, 1739; Christliche Gedanken von der geistlichen Anfechtung, 1748; Neue biblische Betrachtungen über schwere Stellen der Heiligen Schrift, 1750; Gründliche Untersuchung der ungewöhnlich großen Summen Geldes, welche der König David zu dem Bau des Tempels zu Jerusalem gesammelt und hinterlassen hat, 1765; Bibliotheca ... Haueri ..., 2 Bde., Kopenhagen 1766 f.

Bibliographie: A. F. BÜSCHING, O. BERNSTORF (siehe Lit.).

Literatur: Adelung 2, 1825; ADB 11, 36; NDB 8, 69. – A. F. BÜSCHING, Beitr. z. d. Lebensgesch. denkwürdiger Personen 3, 1785; H. HEIDKÄMPER, ∼ (in: Zs. d. Gesellsch. f. nd. sächs. Kirchengesch. 36) 1931; O. BERNSTORF, ∼ (in: Jb. d. Gesellsch. f. nd. sächs. Kirchengesch. 63) 1965; R. OEHME, ∼ (in: Nordisk Tidskrift für Bok – och Biblioteksväsen 52) Upsala u. Stockholm 1965; DIES., ∼ u. J. J. MOSER (in: Zs. f. württ. Landesgesch. 26) 1967.   RM

Hauber, Johann Michael, * 2.8.1778 Irsee/Bayern, † 10.5.1843 München; n. Theol.-Studium 1801 Priester, 1818 Domprediger u. 1841 Stiftspropst zu St. Kajetan in München. Hofkapelldir., Sammler hist. Musikhss., 1813–17 Hg. d. «Monatsbl. f. christl. Religion u. Lit.» (mit G. F. Wiedemann), Verf. zahlr. Gebet- u. Andachtsbücher.

Schriften: Vollständiges Lexicon für Prediger und Katecheten, 5 Bde., 1802–04 (Neuausg., 5 Bde., 1843–45); Christliche Lieder und Gebete zum allgemeinen Gebrauch ..., 1814; Der musikalische Liederfreund (hg.) 12 H., 1814 f.; Auserlesene Erzählungen und Parabeln zur Beförderung eines christlichen religiösen Sinnes. Ein Lesebuch für die Jugend, o. J. (²1815); Jugendbibliothek (hg.) 8 Bde., 1818–27; Vollständiger Jahrgang lateinischer Kirchenmusik für den katholischen Gottesdienst, 4 H., 1819; Andachts- und Erbauungsbuch für katholische Christen, 1821; Materialien zum Schön- und Rechtschreiben. Ein Sittenbüchlein für Kinder, 1821; Gebetbuch für katholische Christen, 1823; Vollständiges Gebetbuch für fromme katholische Christen, 1825 (29 z. T. verm. Aufl. bis 1867); Katholische Andachtsübungen, 1826; Christ-katholisches Gebetbuch für die heilige Advents- und Weihnachtszeit, o. J. (²1828); Katholisches Gebetbuch, 1828; Christkatholischer Hausaltar zur Belebung der häuslichen Andacht, o. J. (³1828); T. v. Kempen, Andachtsübungen und vier Bücher von der Nachfolge Christi (übers. u. hg.) 1829; Andachtsübungen auf alle Tage der Fastenzeit und Charwoche, 1830; Andachtsübungen auf die Festtage der allerseligsten Jungfrau ..., 1830; Andachtsübungen für die heilige Oster- und Pfingstfeier der katholischen Kirche, 1830; Christkatholische Buß- und Communionandachten, o. J. (³1830); Lobgesang der allerheiligsten Jungfrau Mariä, für ihre andächtigen Verehrer, 1831; Tägliche und sonntägliche Andachtsübungen, 1831; Die sieben heiligen Sakramente ... in ihrer göttlichen Einsetzung und Kraft, 1831; Andachtsübungen für Kranke, Sterbende und ihre Freunde und Tröster, 1833; Andachtsübungen für fromme katholische Christen, 1838; Cantica sacra in usum studiosae juventutis ..., 1843; Silberklänge heiliger Andacht und Frömmigkeit, in einer Sammlung religiöser Blüthen und Blumen ... (Mit-Verf.) o. J.

Nachlaß: Bayer. Staatsbibl. (Musikslg.) München.

Literatur: ADB 11, 37; NDB 8, 70; Meusel-Hamberger 22, 2, 602; LThK 5, 29; Goedeke 7, 185. – J. KOEGEL, Gesch. d. St. Kajetans-Hofkirche, 1899; O. URSPRUNG, Restauration u. Palestrina-Renaissance, 1924.   RM

Haubner, Anton, * 5.2.1879 Neuhaimhausen/Westböhmen, † 21.4.1961 Coburg; war Lehrer an d. Lehrerbildungsanstalt in Komotau/Böhmen, lebte dann als Prof. i. R. in Coburg. Lyriker, Erzähler, Jugendschriftsteller, Mundartforscher.

Schriften: Heimat und Jugend (Ged.) 1910; Waldmännlein erzählt. Märchen und Kindergeschichten, 1911 (2. Aufl. u. d. T.: Waldmännlein. Waldmärchen und Heimatbilder, 1922); Der blinde Märchenmann u. a. Böhmerwald-Heimatbilder, 1922; Frühlingsfreude. Ein neues Bilderbuch, 1923; Daheim. Heimatbilder und Märchen, 1924; Sonnenschein. Ein neues Sommerbilderbuch, 1925; Winters Herrlichkeit. Bilderbuch, 1925; Frohe Erntezeit. Ein neues Herbstbilderbuch, 1925; Winters Herrlichkeit. Bilderbuch, 1925; Kinderspiel und Kinderfreud', ein Bilderbuch für jede Jahreszeit, 1925; Zum Versuch einer neuen Mundartschreibung, 1934; Echalanda Bildabauch. Egerländer Bilderbuch. 12 Bilder aus dem Lebenskreise der Egerländer vor hundert Jahren (mit Musik) 1934; Echalanda Mess. Egerländer Volkssingmesse (Musik F. Roscher) 1950.

Literatur: J. HEINRICH, ∼, d. Erzähler u. Erzieher z. 80. Geb.tag (in: Sudetendt. Kulturalmanach 3) 1959.   AS

Haubner, Matthäus, * 19.9.1794 Vesprém/Ungarn, † 12.11.1880 Ödenburg (Sopron)/Ungarn; Erzieher, dann Pfarrer in Schlaining u. Raab, 1848 Verhaftung aus polit. Gründen, exilierte n. Ödenburg, später Pfarrer in Nagygeresd u. zuletzt in Raab. Übers. d. luther. Katechismus ins Ungar., Verf. einzeln gedr. Predigten u. zahlr. pädagog.-theol. Abh. f. Zeitschriften.

Schriften: Die Gewissensfreihei der protestantischen Christen, 1843.

Literatur: Wurzbach 8, 53; ÖBL 2, 54.   RM

Haubner, Otto, * 14.8.1925 Linz/Oberöst.; Hauptschuldir., Lyriker.

Schriften: Stille, einziges Wort (Ged.) o. J.; Geinberg. Geschichte und Gegenwart, 1973; Rückläufige Stunden (Ged.) 1974; Leben an der Mauer. Erzählungen, kleine Prosa, 1977.   IB

Haubold, (Richard) Fritz, * 29.9.1895 Chemnitz, † 5.3.1945 Großenbrode an der Ostsee (als Flieger verunglückt); studierte in Leipzig Jus, Dr. iur., später Rechtsanwalt in Chemnitz. Übers. (engl., frz.), Erz. u. Dramatiker.

Schriften: Irmela Mimosa (Nov.) 1928; Recht wider Recht. Schauspiel um Veit Stoß, 1937; Wie du mir – so ich dir! (Lsp.) 1938; Das Wunder von Kypros (Erz.) 1939.

Literatur: Theater-Lex. 1, 712.   IB

Haubold, Johann Siegmund Gottlieb, * 1766 Ganglofsömmern/Thür., Todesdatum u. -ort unbekannt; Magister d. Philos., Pfarrer in Klein-Vargula/Kursachsen, 1798 wegen s. Schr. Amtsentsetzung, später Inspektor u. Bibliothekar d. Museums auf d. Sonnenstein b. Pirna.

Schriften: Andachten zur Beförderung christlicher Gesinnungen und Handlungen ..., 1793; Betrachtungen über Gott und seine Vollkommenheiten, in den Betstunden angestellt, 1794; Betrachtungen über verschiedene Gegenstände, 1794; Moralische Maximen, erläutert in auserlesenen Erzählungen und leichtfaßlichen Gesprächen ..., 1802; Rathgebungen der Vernunft und Erfahrung, für mancherlei Stunden und Verhältnisse des Lebens ..., 1814.

Literatur: Meusel-Hamberger 3, 115; 14, 54; 22.2, 605.   RM

Haubrich, Heinz (Ps. Milan Crosz), * 23. 2. 1920 Kleinmaischeid/Kr. Neuwied; Musikverleger in Mülheim/Ruhr. Lyriker, verf. rund 500 Kantaten, Zyklen, Lieder.

Schriften: Der Morgen hebt die Flügel. Ein Geleit, 1957; Alle Sterne wandern weiter (Ged.) 1961.   AS

Haubrich, Leo, * 15. 11. 1896 Köln; Buchhändler, dann Red. in Köln; Verf. v. Schr. zu Philos., Indolog., Baukunst; Lyriker.

Schriften: Welt und Gedanke (Ged.) 1921; Purgatorio. Aus dem Amritavidya des Maitreya, 1923; Aussaat und Ernte (Ged.) 1965.   AS

Haubrichs, Wolfgang, * 22. 12. 1942 Saarbrücken; 1967 Dr. phil., seit 1973 Ass. Prof. f. Germanistik in Saarbrücken, 1975 Habil. Mit-Hg. d. Zs. «Lili» (seit 1971).

Schriften (Ausw.): Ordo al sForm. Strukturstudien zur Zahlenkomposition bei Otfrid von Weißenburg und in der karolingischen Literatur, 1969; Georgslied und Georgslegende im frühen Mittelalter. Text als Rekonstruktion, 1977; Die Kultur der Abtei Prüm zur Karolingerzeit ..., 1977.   RM

Hauch, (Johann) Carsten von, * 12. 5. 1790 Fredrikshald/Norwegen, † 4. 3. 1872 Rom; 1821 Physik-Prof. in Soroe, 1846–48 Prof. d. nord. Lit. in Kiel, seit 1851 Prof. d. Ästhetik in Kopenhagen.

Schriften (dt.): Die Belagerung Maastrichts (Tr.) 1834; Der dritte Cäsar (Tr.) 1836; Der Goldmacher ... (aus d. Dän. v. W. C. Christiani) 2 Tle., 1837; Eine polnische Familie ... Nach einem Manuscript von J. C. Hauch, 1840; Das Schloß am Rhein oder Die verschiedenen Standpunkte (Rom.) 3 Tle., 1851; H. C. Oersteds Leben. Zwei Denkschriften ... (mit G. Forchhammer, dt. H. Sebald) 1853.

Literatur: Theater-Lex. 1, 712. – J. BREITENSTEIN, ~ (in: Danske studier 64) Kopenhagen 1969.   RM

Hauck, Albert (Heinrich Friedrich Stephan Ernst Louis), * 9. 12. 1845 Wassertrüdingen/Mittelfranken, † 7. 4. 1918 Leipzig; Theol.- und Gesch.-Studium in Erlangen u. Berlin, 1870 Vikar in München u. 1871 in Feldkirchen, 1874 Pfarrer in Frankenheim, 1878 a.o. u. 1882 o. Prof. f. Kirchengesch. u. christl. Archäol. in Erlangen u. 1889 in Leipzig. Mit-Hg. d. 2. u. Hg. d. 3. Aufl. v. J. J. Herzogs RE (24 Bde., 1896–1913).

Schriften (Ausw.): Tertullians Leben und Schriften, 1877; Die Entstehung des Christustypus in der abendländischen Kunst, 1880; Vittorio Colonna, 1882; Kirchengeschichte Deutschlands, Bd. 1–5/1, 1887–1911 (Bd. 5/2 aus d. Nachl. hg. H. Böhmer, 1920; Bd. 1–4, 3.–4. Aufl. 1904 bis 1913; 8. Aufl., 5 Bde., 1954); Der Kommunismus in christlichem Gewande, 1891; Friedrich Barbarossa als Kirchenpolitiker, 1898; Die Entstehung der geistlichen Territorien, 1909; Deutschland und die päpstliche Weltherrschaft, 1910; Studien zu Johann Huss, 1916; Evangelische Mission und deutsches Christentum, 1916; Deutschland und England in ihren kirchlichen Beziehungen (8 Vorlesungen) 1917; Apologetik in der alten Kirche (Vorträge) 1918; Jesus. Gesammelte Vorträge, 1921.

Nachlaß: Univ.bibl. Leipzig. – Mommsen Nr. 1506; Nachlässe DDR 1, Nr. 260; 3, Nr. 368.

Bibliographie: G. SEELIGER, 1918; H. BÖHMER, 1920; F. HAUCK, 1960. – Vgl. Lit.

Literatur: NDB 8, 75; Dt. Biogr. Jb., Überleitungs-Bd. 2, 253; LThK 5, 30; RGG ³3, 87; BWG 1, 1038. – G. SEELIGER, ~ (in: Ber. über d. Verhandlungen d. Sächs. Akad. d. Wiss. 70) 1918; H. ZÖHMER, ~, e. Charakterbild (in: Beitr. z. Sächs. Kirchengesch. 33) 1920; F. HAUCK, ~, Leben u. Werk, 1947; DERS., ~ (in: Lbb. aus Franken 6) 1960; B. SCHOLZ, D. Gesch.schreiber ~, Persönlichkeit und Werk (Diss. Jena) 1951; D. LOOCK, Christus u. d. Gesch., Behauptungen z. Werk ~s (Diss. FU Berlin) 1956; DERS., Offenbarung u. Gesch., 1964; P. MEINHOLD, Gesch. d. kirchl. Historiographie, 2 Bde., 1967.   RM

Hauck, Karl (Friedrich), * 13.4.1860 Bad Pyrmont, † 18.7.1939 ebd.; lebte in Bad Pyrmont, Verf. lokalhist. Schr. u. Erzähler.

Schriften: Die historischen Friese in der Pyrmonter Wandelbahn, 1924 (2., verb. Aufl. 1928); Pyrmonts Geschichte ..., 1929; Die Oesdorfer Kirche und ihre Geschichte, 1931; Im Dämmerschein der Hauptallee. Pyrmonter Erzählungen, 1939.   RM

Hauck, Rüdiger, * 24.12.1914 Karlsbad, Medizinalrat, Kreisarzt in St. Margareten/Burgenland. Lyriker.

Schriften: Manege im Freien (Ged.) 1965. IB

Hauck, Wilhelm, * 6.6.1889 Fulda, † 14.8.1966 ebd.; Bürstenfabrikant in Fulda. Erzähler, z.T. in Mundart.

Schriften: Huizelfeuerfunken. Ernstes und Heiteres in Mundart und Schriftsprache, 1926; Huizelfeuerfunken. Weiteres Heiteres aus dem alten und neuen Fulda, 1953; Aus stillen Gassen. Erinnerungen, 1958.   AS

Haudek, Karl → Carolo, A(rnim).

Hauenschild, Christian August, * 18. Jh. in Weimar, † 1820 (?); lebte als Gelehrter in Weimar.

Schriften: Mißbrauch, Aberglaube und falscher Wahn, 2 Slg., 1789/91; Immerwährender Kalender der gesunden Vernunft ..., 1792.

Literatur: Meusel-Hamberger 3,117; 22.2,607.   RM

Hauenschild, (Richard) Georg von → Waldau, Max.

Hauer, August, * 29.3.1886 Bollendorf/Eifel; Dr. med., Prof., Facharzt f. innere u. tropische Krankheiten in Berlin. Erzähler.

Schriften (außer Fachlit.): Kumbuke. Erlebnisse eines Arztes in Deutsch-Ostafrika, 1920; Ali Moçambique. Bilder aus dem Leben eines schwarzen Fabeldichters, 1922; Meine Sippe. Ein Lied des Heimwehs, 1925.   AS

Hauer (Hawer, Hauerius, Haverius), Georg, * um 1484 Tirschenreuth, † 23.8.1536 Ingol-

stadt; bis 1513 Lat.-Lehrer in Passau, Magister d. Philos., Pfarrer in Plattling, seit 1514/15 Prof. d. kanon. Rechts u. Pfarrer in Ingolstadt, 1523 Univ.rektor. Kontroverstheologe, Verf. d. «Puerilia Grammatices» (später «Hauerius» gen.), e. Schulgrammatik mit Zitaten v. antiken u. humanist. Schriftstellern u. ins Dt. übers. Sprichwörtern u. volkstüml. Redensarten.

Schriften: Puerilia Grammatica, 1514 (3 Nachdr. bis 1520); Kontroverspredigten, 1523, 1526.

Literatur: VL 2,226; ADB 11,44; LThK 5,30; Schottenloher 1,328; de Boor-Newald 4/2,408. – J. KNEPPER, D. bayer. Humanist ~ als Pädagoge u. Grammatiker ..., 1904; DERS., E. alte Verdeutschung lat. Sprichwörter (in: ZfdPh 36) 1904; H. BUCHHEIT, E. Bildnis d. Ingolstädter Prof. ~ (in: Kalender bayer. u. schwäb. Kunst 16) 1920.   RM

Hauer, Hans (Johann) Georg, * 8.11.1853 Sieding am Schneeberg/Niederöst., † 9.11.1905 Wien; Philol.-Studium in Wien, Dr. phil., Bibliothekar im Unterrichtsministerium. Lyriker, Dramatiker, auch in niederöst. Mundart.

Schriften: Edelweiß. Gsangln und gspoassige Gschichtln. Gedichte in niederöst. Mundart, 1885; Der Pfeifer von Sierning (Bauerntr.) 1899; Herrisch und bäurisch (Volksposse) 1901. (Ferner ungedr. Bauernkom. u. Volksst.)

Literatur: ÖBL 2,211f.; Theater-Lex. 1,712. – J. HAUER, D. Mundartdg. Niederöst., d. Burgenlandes u. Südmährens, (Diss. Wien) 1936; ~ (in: Heimatkünder, hg. K. BOSEK-KIENAST) 1956.

    IB/RM

Hauer, (Johann) Heinrich, Lebensdaten unbekannt; Lehrer in Suderode-Friedrichsdorf/Halberstadt, seit 1803 Kantor u. Lehrer in Hordorf u. später in Schadeleben. Hg. d. Zs. «Menschenfreund».

Schriften: Kurzer Unterricht über die Erziehung junger Kinder auf dem Lande, 1794; Die Freuden der Kinderzucht, eine aus eigener Erfahrung und ganz nach der Natur des jungen Kindes abgefaßte praktische Erziehungsschrift für edeldenkende Eltern ..., 1. Tl., o. J. (2. Tl. u. d. T.: Meine katechetischen Stunden mit kleinen Kindern, 1800; 2., verb. Aufl. 1801; 3. Tl. u. d. T.: Meine Lustreisen und Spaziergänge mit Kindern in einigen Gegenden des Niederharzes, 3 H., 1802f.; 2., verm. Aufl. 1824); Die Morgenröthe für niedere Bürger- und Landschulen ..., 1815; Erbauliche

Betrachtungen für Eltern und Schullehrer ...,
1817; Elementar-Unterricht für taubstumme
Kinder, 1821; Der Himmel auf Erden. Ein Lehr-
Lebensbuch, 4 Tle., 1827 f.; Selbstbiographie (2.,
verb. Aufl.) 1836.

Literatur: Meusel-Hamberger 9, 527; 11, 324;
14, 54; 18, 72; 22. 2, 607.   RM

Hauer, Jakob Wilhelm, * 4. 4. 1881 Ditzingen/
Württ., † 18. 2. 1962 Tübingen; Indologe u. Re-
ligionswissenschaftler, 1907–11 prot. Missionar in
Indien, 1927–49 o. Prof. für Indologie u. allg.
Relig.gesch. in Tübingen, 1933–36 Führer d.
«Dt. Glaubensbewegung» (Bemühung um eine
«arteigene» Rel.), nach Kriegsende interniert,
nach d. Freilassung gründete er d. «Arbeitsge-
meinschaft f. freie Rel.forsch. u. Philos.» u. d.
«Freie Akad.».

Schriften (Ausw.): Unser Weg (Zs., Hg.) 1920
bis 1927; Die Anfänge der Yogapraxis im alten
Indien, 1922; Die Religionen, ihr Werden, ihr
Sinn, ihre Wahrheit, 1923; Die Vratya. Untersuchungen über die nichtbrahmanische Religion
Altindiens, 1927; Die kommende Gemeinde (Zs.,
Hg.) 1928–33; Der Yoga als Heilweg. Nach den
indischen Quellen dargestellt, 1932 (2., erw. u.
bearb. Aufl. u. d. T.: Der Yoga. Ein indischer
Weg zum Selbst, 1958); Unser Kampf um einen
freien deutschen Glauben, 1933; Was will die
deutsche Glaubensbewegung, 1934; Eine indoari-
sche Metaphysik des Kampfes und der Tat. Die
Bhagavadgita in neuer Sicht mit Übersetzungen,
1934; Deutsche Gottschau. Grundzüge eines
Deutschen Glaubens, 1934; Fest und Feier aus
deutscher Art, 1936; Glaubensgeschichte der Indogermanen, 1937; Ein arischer Christus? Eine
Besinnung über deutsches Wesen und Christentum, 1939; Urkunden und Gestalten der germa-
nisch-deutschen Glaubensgeschichte, 3 Bde., 1941
bis 1944; Der deutsche Born. Hausbuch für Besinnung und Feier. Gedichte, Sinnsprüche, Gedanken (hg. mit A. Hauer) 1952; Verfall oder
Neugeburt der Religion? Ein Symposion über
Menschsein, Glauben und Unglauben (mit Bibliogr.) 1961; Der abendländische Mensch. Selbst-
verständnis und Selbstverwirklichung, 1964.

Literatur: NDB 8, 83; RGG², 2, 1647.   AS

Hauer, Karl, * 29. 10. 1875 Gmunden/Oberöst.;
Angehöriger d. Kreises um G. Trakl, Essayist u.
Erzähler.

Schriften: Entgleist und andere Geschichten,
1897; Von den fröhlichen und unfröhlichen Menschen (Ess.) 1911.   IB

Hauert, Adolf, * 20. 2. 1896 Magdeburg; lebte
ebd., später in Berlin.

Schriften: Blühender Mohn. Prosa und Verse,
1918; Coeur-Ass, 1919; Das Erlebnis der bildenden Kunst in der Schule, 1922; Ins Leben hinein.
Ein Buch für die Schulentlassungsfeier (Hg.)
1926; Wir sind uns nahe. Ein Weihnachtsspiel,
1927; Blumen blühen schwarz und rot. Ein Jugendspiel mit kleinem Sprechchor zur Abgangs-
feier oder Jugendweihe, 1930; Es geht ein Rufen
durch das Land ... Sprechchorspiel, 1931; Die
Wanderung zum heiligen Feuer. Eine Jugendgeschichte aus dem Jahr der Wandlung, 1933; Der
graue Graben. Fronterlebnisse in Geschichten,
Sprechchören und Liedern, 1935.   AS

Haufe, Ewald (Ps. Johannes Schmidt), * 15. 3.
1854 Göda bei Bautzen; studierte Philos., Math.
u. Nat.wiss., Dr. phil., wurde freier Pädagoge u.
pädagog. Schriftst.; lebte meist in Meran/Ital.,
zeitweise in Waidbruck/Tirol.

Schriften (Ausw.): Jugenderinnerungen, nebst
pädagogischen und kulturhistorischen Exkursio-
nen und Reflexionen, 1884; Briefe an eine Mutter,
1886; Die natürliche Erziehung. Grundzüge des
objectiven Systems, 1889; Illustrierte Naturgeschichte der drei Reiche, 2 Tle., 1891; Aus dem
Leben eines freien Pädagogen, 1894; Der Tourist
am Gardasee, 1900; Am Gardasee. Skizzen und
Charakterbilder, 1900; Die Prinzipien der natürlichen Erziehung, 1902; Das Evangelium der natürlichen Erziehung, 1904; Tiroler Bilder, 1924;
Das große Wohin. Eines Deutschen Vermächtnis,
1929.   AS

Hauff, Carl Victor von, * 2. 9. 1753 Botnang b.
Stuttgart, Todesdatum u. -ort unbekannt; Philos.-
u. Theol.-Studium u. a. im Stift Tübingen, 1783
Diakon in Waiblingen, seit 1791 Prof. u. Prediger
d. Klosters Bebenhausen/Württ., seit 1815 Dekan
in Cannstatt. Mit-Hg. d. Zs. «Philol.» (Forts.:
«Zs. f. Klass. Lit. ...», 1803 ff.).

Schriften: Rede von dem höchst glücklichen Einfluß der Herzoglichen Militär-Akademie in die
Wohlfahrt des Staats, 1773; Bemerkungen über
die Lehrart Jesu, mit Rücksicht auf jüdische
Sprach- und Denkungsart, 1788; Über den Ge-

brauch der griechischen Profanscribenten, zur Erläuterung des Neuen Testamentes, 1796 (eig. 1795); Carmen elegicum, quo Memoriam et Exemplum G. C. Horrii exponit, 1805; Briefe, den Werth der schriftlichen Religionsurkunde ... und das Studium derselben ... betreffend, 3 Bde., 1809–14; M. Tullius Cicero's Reden an M. Brutus übersetzt, 1816; Cicero über das höchste Gut und das höchste Übel, in fünf Büchern (aus d. Lat. übers.) 1822; Die Authentie und der hohe Werth des Evangeliums Johannis ..., 1831.

Literatur: Meusel-Hamberger 3,118; 11,324; 14,55; 18,72; 22.2,609.   RM

Hauff, (Karl Georg Friedrich) Gustav, * 23.4. 1821 Auenstein/Württ., † 10.11.1890 Beimbach b. Gerabronn; Theol.-Studium in Maulbronn u. Tübingen, 1946–51 Lehrer in Livland, 1856 Pfarrer in Langenbeutingen, 1872 in Ohmden b. Kirchheim u. seit 1880 in Beimbach. Mitarbeiter v. Herrigs «Archiv», V. Prutz' «Dt. Museum» u. a. Zeitschriften.

Schriften: Liederstrauß, 1861; Schillerstudien, 1880; C. F. D. Schubarts Gedichte (hg.) 1884; C. F. D. Schubart in seinem Leben und in seinen Werken, 1885; Über Vergils Aeneis ... Ein apologetischer Versuch, 1885; K. G. Keller, Deutscher Anti-Barbarus ... (2. Aufl., neu bearb. u. hg.) 1886; Shakespeares Hamlet, Prinz von Dänemark, 1891.

Literatur: ADB 50,68.   RM

Hauff, Hermann, * 22.8.1800 Stuttgart, † 16.8. 1865 ebd.; Bruder v. Wilhelm H., Med.-Studium in Tübingen, 1823 Dr. med., Stadtarzt in Schwaigern b. Heilbronn, seit 1827 Red. d. Cottaschen «Morgenbl. f. gebildete Stände», daneben seit 1847 Bibliothekar in Stuttgart.

Schriften: Reisen und Länderbeschreibungen der älteren und neusten Zeit (mit E. Widenmann u. O.F. Peschel hg.) 1835–60; Die Natur und ihre Geheimnisse oder Die Bridgewaterbücher (Mit-Hg.) 1837f.; Moden und Trachten-Fragmente zur Geschichte des Costüms, 1840; G.K. Pfeffel, Fabeln und poetische Erzählungen in Auswahl (hg.) 2 Bde., 1840; Skizzen aus dem Leben und der Natur. Vermischte Schriften, 2 Bde., 1840; A. v. Humboldt, Reise in die Aequinoctialgegenden des neuen Kontinents (dt. bearb.) 4 Bde., 1859f.; Memoiren des Satan (hg. E. SOMMERMEYER) 1967.

Nachlaß: Dt. Lit.arch./Schiller-Nat.mus. Marbach. – Denecke 71.

Literatur: ADB 11,46; NDB 8,84. – S. PEEK, Cottas Morgenbl. f. gebildete Stände. S. Entwicklung u. Bed. unter d. Red. d. Brüder Hauff (in: Arch. f. d. Gesch. d. Buchwesens 44) 1965; F. NOTTER, ~ (in: F.N., E. Mörike u.a. Essays) 1966.   RM

Hauff, Immanuel Ferdinand Friedrich, * 28.1. 1768 Megerkingen/Württ., Todesdatum u. -ort unbekannt; Theol.-Student in Nürnberg, Mitarb. d. Pfenniger. Kirchenboten.

Schriften: Unterhaltungen für Kinder auf Spatzirgängen, 1785.

Literatur: Meusel-Hamberger 3,118.   RM

Hauff, Rosemarie, * 25.1.1939 Lindau/Bodensee; Kinderbuchautorin, wohnt in München.

Schriften: In meinem Garten blüht ein Märchenbaum, 1967; Frühling, Sommer, Herbst und Winter. Reise durch das Jahr der Kinder (mit andern) 1968; Der kleine und der große Riese. Gute-Nacht-Geschichten, die man auch am Tage lesen kann (mit R. Cossmann) 1969; Alle Tiere hab' ich gern, 1970; Allen Tieren helf' ich gern, 1972; Alle Pferde hab' ich gern, 1974; Florian und sein Hund Bingo, 1976.   AS

Hauff, Walter von, * 16.7.1876 Holzmaden-Teck/Württ., † 13.3.1949 Berlin; Studium d. Theol., dann Dr. phil., 1905–08 Lehrer in Buenos Aires, seit 1909 in Berlin, seit 1917 Prof. ebd.; Verf. v. Abh. über Religionsphilos. u. -psychol., Sexualpsychol. u. Auslandsdeutschtum; Erzähler.

Schriften (Ausw.); Die Überwindung des Schopenhauerschen Pessimismus durch Friedrich Nietzsche (Diss. Halle) 1904; Deutsche Ansiedler in Argentinien im Kampf mit Indianer und Gaucho, 1923; Im Siegeswagen des Dionysos. Ein Nietzsche-Roman, 1924; Sexualpsychologisches im Alten Testament, 1924; Die wirtschaftlichen und politischen Aufgaben des Auslanddeutschtums. Wesen, Ziele, Wege, 1925; Antisemitismus im Alten Testament, 1925; Die Kreuzzüge, 1926; Die Ansiedler im Mohawktal, 1929; F. Nietzsche, Auswahl aus sämtlichen Werken (Hg.) 1933; M. Luther, Gedichte (Hg.) 1933; Schwäbische Skizzen, 1935; Schäfers Walpurga. Ein schwäbischer Bauernroman, 1935; Friedrich Nietzsche. Lebensbild, 1935.   AS

Hauff, Wilhelm, * 29.11.1802 Stuttgart, † 18. 11.1827 ebd., Gymnasium in Tübingen, 1817 Klosterschule in Blaubeuren, 1820–24 Studium d. Theol. in Tübingen, 1825 Dr. phil. ebd., Burschenschaftler; 1824–26 Hauslehrer in Stuttgart, Reisen durch Frankreich u. Norddeutschland; 1827 Red. d. «Morgenbl. f. gebildete Stände» in Stuttgart, bei e. Reise n. Tirol Tod an Nervenfieber. Volkstüml. Erzähler, Lyriker, Essayist.

Schriften: Kriegs- und Volkslieder, 1824; Lichtenstein. Romantische Sage aus der würtembergischen Geschichte (Rom.) 1826; Märchenalmanach auf das Jahr 1826, für Söhne und Töchter gebildeter Stände, 1826; Der Mann im Mond oder Der Zug des Herzens ist des Schicksals Stimme, 1826; Mitteilungen aus den Memoiren des Satan, 1826 bis 1827; Controvers-Predigt über H. Clauren und den Mann im Mond, gehalten vor dem deutschen Publikum in der Herbstmesse 1827 (unter Ps. H. Clauren); Märchenalmanach für Söhne und Töchter gebildeter Stände auf das Jahr 1827, 1828; Jud Süß, 1827; Phantasien im Bremer Rathskeller, 1827; Die Bettlerin vom Pont des Arts, 1827; Die Sängerin, 1827; Das Bild des Kaisers, 1827; Novellen, 1828; Phantasien und Skizzen, 1828; Märchen für Söhne und Töchter gebildeter Stände, 1832.

Ausgaben: Sämmtliche Schriften 36 Bde. (hg. G. SCHWAB) 1830–1831; Werke (hg. F. BOBERTAG) DNL 156–158; Werke 4 Bde. (hg. M. MENDHEIM) 1891; Werke 2 Bde. (hg. M. DRESCHER) 1908; Werke 6 Bde. (hg. R. KRAUS) 1912; Sämtliche Werke 5 Bde. (hg. C. G. v. MAASSEN) 1923; Ges. Werke 4 Bde. (hg. A. v. GLEICHEN-RUSSWURM) 1924; Sämtliche Werke 4 Bde. (hg. W. SCHELLER) 1927; Werke 3 Bde. (hg. G. SPIEKERKÖTTER) 1961, 4 Bde. 1970; Werke 2 Bde. (mit Auswahl der Briefe hg. H. ENGELHARD) 1961–62; Werke 2 Bde. (hg. B. ZELLER) 1969; Sämtliche Werke, 3 Bde., 1970.

Briefe: Briefe, Gedichte und Entwürfe (hg. O. GÜNTTER in: Rechenschaftsbericht Schwäbisch. Schillerver. 31) 1928; Neues aus ~s Lebenskreis. Gelegenheitsgedichte, Briefe, Urkunden (hg. K. STENZEL) 1938.

Nachlaß: Dt. Lit.arch./Schiller-Nat.museum Marbach. – Frels 119; Denecke 71.

Literatur: ADB 11,48; NDB 8,85; Goedeke 9,188–216. – G. KOCH, Claurens Einfluß auf ~ (in: Euphorion 4) 1897; H. HOFMANN, ~. E. nach d. Quellen bearb. Darst. s. Werdegangs, 1902; M. DRESCHER, D. Quellen zu ~s «Lichtenstein», 1905; A. MANNHEIMER, D. Quellen zu ~s Jud Süß (Diss. Gießen) 1909; G.W. THOMPSON, ~s Specific Relation to Walter Scott (in: PMLA 26) 1911; O. PLATH, Washington Irvings Einfluß auf ~ (in: Euphorion 20) 1913; J. ARNAUDORFF, ~s Märchen u. Novellen (Diss. München) 1915; J. F. HAUSSMANN, E. T. A. Hoffmanns Einfluß auf ~ (in: JEGP 16) 1917; Entwürfe der Urfassung (Der Mann im Mond) mitget. von O. GÜNTTER (in: Rechenschaftsbericht d. Schwäb. Schillerver. 31) 1928; H. SCHULHOF, ~s Märchen (in: Euphorion 29) 1928; P. ROGGENHAUSEN, ~-Studien (in: Archiv 156, 157) 1929, 1930; H. TIDEMANN, ~ in Bremen. D. Entstehung d. Phantasien im Bremer Rathskeller, 1929; E. SOMMERMEYER, ~s «Memoiren des Satan», nebst e. Beitr. z. Beurteilung Goethes in d. 20er Jahren d. 19. Jh., 1932; O.L. JIRICZEK, Z. Quelle v. ~s Sage Die Höhle von Steenfoll (in: GRM 25) 1937; H. H. HOUBEN, Wer im Glashaus sitzt ... Eine Schmutz- u. Schundgeschichte (in: Preuß. Jb. 231) 1933; H. MÜLLER, ~ (in: Ahnentafeln berühmter Dt. NF 5–7) 1933; H. BINDER, ~ (in: Schwäb. Lbb. I) 1940; J. W. THOMAS, Paul Bunyan and Holländer Michel (in: Journal of American Folklore 65) 1952; H. LÖWENTHAL, «Der Mann im Mond» (in: SuF 4) 1952; A. JASCHEK, ~s Stellung zw. Romantik u. Realismus (Diss. Frankf./M.) 1956; W. A. REICHERT, Washington Irving's Influence on German Literature (in: MLR 52) 1957; W. KROGMANN, D. kleine Liebesabenteuer e. Schwaben in Bremen (in: Bremer Jb. 49) 1964; S. PEEK, Cottas «Morgenbl. f. gebildete Stände» u. s. Entwicklung u. Bedeutung unter Red. d. Brüder Hauff (in: Börsenblatt) 1965; E. MARTINET, Guglielmo ~, Florenz 1966; I. OTTO, D. Bild d. Dichterpersönlichkeit ~ u. d. Bild d. Menschen in s. Werken (Diss. München) 1967; H. M. WUERTH, D. Erzählungen ~s. E. Unters. d. inhaltl. u. formalen Eigenarten (Diss. Rutgers Univ.) 1967; A. R. A. FATTAH, ~ u. «1001 Nacht» (Diss. Leipzig) 1970; F. MARTINI, ~ (in: B. v. WIESE [Hg] Dt. Dichter d. Romantik) 1971; R.S. BROWN, ~s Novellen, to What Extent Trivialliteratur? (Diss. Univ. of Kansas) 1971; C. SCHWEITZER, E. ungedr. Brief ~s (in: GR 48) 1973; O. HEUSCHELE (in: O.H., Umgang mit d. Genius) 1974; S. BECKMANN, ~. S. Märchenalmanache als zyklische Kompositionen, 1976; K. L. BERGHAHN,

«Der Zug d. Herzens ist d. Schicksals Stimme»:
Beobacht. z. Clauren-∼-Kontroverse (in: Monatshefte 69) 1977.   PG

Hauffe, Christian Gotthold, * 1725 Mittweida/
Sachsen, † 1799 Nürnberg; Buchhändler daselbst.
  Schriften: Begebenheiten einiger Kaufmannsdiener, 1769.
  Literatur: Meusel-Hamberger 3, 119.   RM

Hauffe, Hans Günter, * 4. 3. 1904 Chemnitz;
Dr. iur., Rechtsanwalt in München. Erzähler, Essayist, bis 1960 Hg. d. Internat. Zs. f. Bücherfreunde «Der Bibliophile».
  Schriften: Cornelia und Sabine (Rom.) 1947;
Der goldene Schnee (Erz.) 1950; Der Bibliophile
Johann Wolfgang von Goethe (Ess.) 1951; Der
Künstler und sein Recht. 100 kurzweilige Kapitel
nicht nur für Urheber und Juristen, 1956; Vereinsbrevier. Recht, Takt und Taktik für Vorstände und Mitglieder, Veranstalter und Teilnehmer, mit Beispielen für Aufrufe, Satzungen, Einladungen, Protokolle und Reden, 1956; Recht
haben, Recht behalten. Gesetzeskunde für das
häusliche Leben, 1957; Die liebe Konkurrenz.
Spielregeln im Kampf um den Kunden, 1962;
Glück mit Gästen. Ein Zunftbuch der Gastfreundschaft, 1965.   AS

Hauffen, Adolf, * 30. 11. 1863 Laibach, † 4. 2.
1930 Prag; studierte Germanistik in Wien, Leipzig, Graz u. Berlin, Dr. phil., 1889 Habilitation
f. dt. Spr. u. Lit. in Prag, 1898 a. o. Prof., 1919
o. Prof. für dt. Volkskunde, Spr. u. Lit. ebd.,
Wiss. Arbeiten, Fischart-Forschung sowie Begründer d. wiss. Volkskunde in Böhmen.
  Schriften (Ausw.): Caspar Scheidt, der Lehrer
Fischarts, 1889; Theodor Körner, 1891; Das
deutsche Haus in der Poesie, 1892; Die deutsche
Sprachinsel Gottschee, 1895; Einführung in
Deutschböhmische Volkskunde, 1896; Die deutsche mundartliche Dichtung in Böhmen, 1903;
Geschichte, Art und Sprache des deutschen Volksliedes in Böhmen, 1912; Bibliographie des deutschen Volksliedes in Böhmen, 1913; Kriegslieder
deutschböhmischer Dichter. Mit einer Darstellung der Kriegslyrik der Gegenwart, vornehmlich
in Deutsch-Böhmen, 1916; Geschichte des Deutschen Michels, 1918; Johann Fischart. Ein Literaturbild aus der Zeit der Gegenreformation, 2
Bde., 1921/22; Bibliographie der deutschen

Volkskunde in Böhmen (hg. G. Jungbauer) 1931.
  Herausgebertätigkeit (Ausw.): Das Drama der
klassischen Periode, 1891; Fischarts Werke, 3
Bde., 1891–1895; Beiträge zur Deutschböhmischen Volkskunde, 1896 ff.; Prager Deutsche Studien (gem. mit P. Lessiak u. A. Sauer) 1912 ff.;
Beiträge zur Sudetendeutschen Volkskunde,
1926 ff.; Fischarts Schweizer Dichtungen, 1926.
  Literatur: NDB 8, 88.   IB

Haufs, Rolf, * 31. 12. 1935 Düsseldorf; zuerst
Exportkaufmann in Rheydt, seit 1960 freier
Schriftst. in Berlin, seit 1972 Red. f. Lit. beim
Sender Freies Berlin; Lyriker, Hörspielautor.
  Schriften: Straße nach Kohlhasenbrück (Ged.)
1962; Sonntage in Moabit (Ged.) 1964; Vorstadtbeichte (Ged.) 1967; Das Dorf S. und andere
Geschichten, 1968; Der Linkshänder oder Schicksal ist ein hartes Wort (Prosa) 1970; Die Geschwindigkeit eines einzigen Tages (Ged.) 1976;
Größer werdende Entfernung (Ged.) 1979.
  Literatur: Reclams Hörspielführer.   AS

Haug, Balthasar, * 4. 7. 1731 Stammheim/
Württ., † 3. 1. 1792 Stuttgart; Theol.-Stud. im
Tübinger Stift, 1753 Magister, 1757 Pfarrer in
Niederstotzingen, 1763 in Magstadt, 1766 Gymnasialprof., später Prof. an d. späteren Hohen
Karlsschule u. seit 1776 Prediger an d. Stiftskirche in Stuttgart. 1761 gekrönter Dichter, Hg. u.
a. d. «Schwäb. Magazins v. gelehrten Sachen»
(1775–80), d. Zs. «Zustand d. Wiss. u. Künste
in Schwaben» (1780–82), Mitgl. versch. gelehrter
Gesellsch., 1769 Hofpfalzgraf.
  Schriften: Sammlung von Abhandlungen, Gedichten und Briefen, 3 Tle., 1754 f.; Ode auf den
Krieg (aus d. Französ.) 1759; Gedichte auf die
Kaiserin Maria Theresia, 1760; Müßige Stunden
in Stuttgart, Tübingen und auf dem Lande, in gebundener Schreibart, 1761; Zustand der schönen
Wissenschaften in Schwaben, 1762; Der Christ
am Sabbath besungen, 3 Tle., 1763 f.; Poetisches
Sendschreiben oder Lehrgedicht, von einem Vater an seinen studirenden Sohn, bey dessen Eintritt in ein Kloster, 1765; Gelehrte Geschichte
in Tabellen, 1770; Drei Tabellen zur Litterärhistorie, 1771; Zwei Tabellen zur Mythologie,
1771; Versuch einer Litterar-Historie der Alten
in Tabellen, 1771; Einleitung in die Mythologie,
in Tabellen, 1772; Sammlung und Geschichte aller Wirtembergischer gekrönter Dichter, 1776;

Kurze systematische Encyclopädie über das Nöthige und Nützliche in Künsten und Wissenschaften, 1779; Sätze über die deutsche Sprache, Schreibart und Geschmack, 1779; Die Liederdichter des wirtembergischen Landgesangbuches ..., 1780; Amoenitates Gymnasticae, 1780 (auch u. d. T.: Historia litteraria gymnasii illustris Stuttgardiani); Die Alterthümer der Christen ..., 1785; Das gelehrte Wirtemberg, 1790.

Nachlaß: Dt. Lit.arch./Schiller-Nat.museum Marbach. Denecke 2. Aufl.; Frels 119.

Literatur: ADB 11,50; NDB 8,88; Goedeke 4/1,123. – G. ERNING, D. Lesen u. d. Lesewut. Beitr. z. Fragen d. Lesergesch., dargest. am Bsp. d. schwäb. Provinz, 1974.   RM

Haug, Christian Friedrich, Lebensdaten unbekannt; Bruder v. Friedrich H., Gouverneur in Amsterdam, seit 1807 Gesch.-Prof. an der Holländ. Militärakad. in Hondslardyk.

Schriften: Die Empiriker (Lsp. n. d. Französ.) 1807; Briefe aus Amsterdam über das neue Lustspiel und die niederländische Literatur, Amsterdam, o. J.; Betrachtungen über den Ursprung der deutschen Schauspiele und der deutschen Schauspieldichter, Amsterdam o. J.

Literatur: Meusel-Hamberger 14,55; 22.2,610.
                                                            RM

Haug, Eduard, * 20.6.1856 Widdern/Württ., † 4.8.1932 Schaffhausen; Prof. (seit 1882), Prorektor (1919) u. Rektor (1925) an d. Kantonsschule Schaffhausen, Mitgl. d. Staatsschulrats, d. Erziehungsrats, d. Großen Rats. u. d. Großen Stadtrats, Dr. h. c. Univ. Zürich, Regisseur d. Schaffhauser Festsp., d. Interlakener Tellsp. u. a.

Schriften: Erläuterungen zu Baechtold's deutschem Lesebuch für höhere Lehranstalten der Schweiz ..., 1885; Aus dem Lavater'schen Kreise, 2 Bde., 1894/97; Arnold Ott, eine Dichtertragödie, 1924.

Herausgebertätigkeit: Briefwechsel der Brüder J. Georg Müller und Joh. v. Müller 1789–1809, 2 Bde., 1891 f.; Schweizerisches Dichterbuch (mit E. Ermatinger) 1903; A. Neher, Schaffhuser Dütsch, 1906.

Literatur: HBLS 4,89.   RM

Haug, Erika → Markwald, Erika.

Haug, (Johann Christoph) Friedrich (Ps. Frauenlob d. J., Friedrich Hophthalmos), * 9.3.1761

Niederstotzingen b. Ulm, † 30.1.1829 Stuttgart; Sohn v. Balthasar H., Rechtsstudium an d. Karlsschule d. Hzg. Carl Eugen, 1783 Kabinettssekretär, 1793 Sekretär im Geh. Rat, seit 1816 Hofrat u. Bibliothekar in Stuttgart. Red. an Cottas «Morgenbl.» (1807–17), 1792 Hof- u. Pfalzgraf. Verf. zahlr. Beitr. in Zs. u. Almanachen.

Schriften: Sinngedichte, 1791; Charaden und Logogryphen, 1795; Hundert Hyperbeln auf Herrn Wahl's große Nase ..., 1804; Epigramme und vermischte Gedichte, 2 Bde., 1805; Hundert Epigramme auf Ärzte, die keine sind, 1806; Epigrammatische Spiele, 1807; Taschenbuch dem Bacchus und Jocus geweiht ..., 1811; Treue Skizze der Feyer bey dem Einzuge Ihro Königlichen Hoheit des Kronprinzen von Württemberg am 13. Julius 1814 ..., 1814; Almanach poetischer Spiele auf das Jahr 1815 (1816), 2 Bde., 1815 f.; Sechs Herbstlieder, nach bekannten Melodien, 1818; Magische Laterne. Kleinere und größere Geschichten und Erzählungen, 2 Bde., 1820 (Neuausg. 1828); Neujahrsbüchlein für die Arbeitskästchen holder Frauen und Jungfrauen, 1820; Panorama des Scherzes. 1200 Anekdoten, Witzantworten, Bulls, Naivetäten, Schwänke, 2 Bde., 1820; Zweihundert Hyperbeln auf Herrn Wahl's ungeheure Nase, in erbauliche hochdeutsche Reime gebracht, 1822; Bacchus, Antimomus, Jocus und Sphinx, 1823; Zweihundert Fabeln für die gebildete Jugend. Großentheils freye Nachbildungen französischer, englischer, dänischer und spanischer Originale, 1823; Spiele der Laune und des Witzes, in Epigrammen und versificirten Anekdoten, 1826; Gedichte, Auswahl, 2 Bde., 1827; Fabeln für Jung und Alt, in sechs Büchern, 1828; Gedichte, 1840.

Herausgebertätigkeit: Für Herz und Geist. Ein Taschenbuch für das Jahr 1801 ..., 1800; Epigrammatische Anthologie (mit F. C. Weisser), 10 Bde., 1807–09; Huldigung, den Würdigsten des schönen Geschlechts in zweihundert Epigrammen geweiht ..., 1816; Poetischer Lustwald. Sammlung von Gedichten älterer ... Dichter, 1819.

Nachlaß: Dt. Lit.arch./Schiller-Nat.museum Marbach; Dt. Staatsbibl. Berlin, Hs.-Abt./Lit.arch.; Staatsbibl. Dessau, Abt. 2. – Frels 119; Denecke 2. Aufl.; Nachlässe DDR 3, Nr. 369.

Literatur: ADB 11,51; NDB 8,89; Meusel-Hamberger 3,119; 9,528; 11,324; 14,55; 18,73; 22.2,610; Goedeke 5,547; 7,219. – J. HARTMANN, Schillers Jugendfreunde, 1904; E.

STEINER, ~s Epigramme u. ihre Quellen (Diss. Tübingen) 1907; B. GERLACH, D. lit. Bed. d. Hartmann-Reinbeckschen Hauses in Stuttgart (Diss. Münster) 1910; H. MEYER, ~ (in: Schwäb. Lbb. 1) 1940 (mit Lit.verz.); R. RAISER, Über d. Epigramm, 1950.   RM

Haug, Johann Friedrich (Heinrich), * 17.4.1680 Straßburg, † 12.3.1753 Berleburg; Theol.-Studium in Straßburg, 1705 Ausweisung u. Zuwendung z. d. Inspirierten, Anhänger d. philadelph. gesinnten Gesellsch. z. Berleburg. Lebte zuletzt auf d. Schloß d. Grafen Casimir zu Sayn-Wittgenstein-Berleburg. Separatist. Mystiker. Verf. und Leiter d. sog. «Berleburger Bibel» (1726–42).

Schriften: Loci communes, o. J.; Zeugniss der Liebe an die Inwohner der Städte Straßburg und Esslingen, 1708; Die Heilige Schrift Altes und Neues Testament, nach dem Grund-Text aufs neue ... übersetzt, 8 Bde., 1726–42 (Nachdr., 4 Lieferungen, 1856).

Literatur: Adelung 2, 1831; ADB 11, 51; NDB 8, 90; RE 3, 182; RGG ³3, 87. – J. ADAM, Ev. Kirchengesch. d. Stadt Straßburg 1, 1922; M. HOFMANN, Theol. u. Exegese d. Berleburger Bibel (in: Beitr. z. Förderung christl. Theol. 39) 1937 (mit Lit.verz.); N. THUNE, The Behmenists and the Philadelphians, Upsala 1948; E. BENZ, Adam, d. Mythos v. Urmenschen, 1955 (mit Lit.-verz.); W. HARTNACK, Berleburg als Druckort – Druck d. Berleburger Bibel (in: Wittgenstein 44) 1956; Die Berleburger Chron. (in: ebd., Beih. 2) 1964; J. URLINGER, D. geistes- u. sprachgesch. Bed. d. Berleburger Bibel. E. Beitr. z. Wirkungsgesch. d. Quietismus in Dtl. (Diss. Saarbrücken) 1969.   RM

Haug, Jürgen, * 22.4.1940 Frankfurt/M.; Speditionskaufmann, wohnt in Baden-Baden; Erzähler, Hörspielautor.

Schriften: Aufzeichnungen aus einer Wanderherberge. Fragment, 1975.   AS

Haug, Karl, * 6.3.1900 Stuttgart; Lehrer, Rektor in Stuttgart, dann in Esslingen a. N.; Verf. von Handpuppenspielen.

Schriften: Der Früchtereigen. Ein Erntespiel für die Schule, 1950; Wie die Lebkuchenherzen entstanden. Ein vorweihnachtliches Märchenspiel, 1950; Das verlorene Taschentuch. The lost handkerchief. Ein zweisprachiges Lese- und Handpuppenspiel, 1953; Kleine heitere Welt. Humor und

Besinnlichkeit aus Schule und Familie, 1954; Augen auf – die Straße droht! Ein Lese- und Handpuppenspiel zur Verkehrserziehung, 1956.   AS

Haug, Maria → Liebrecht, Maria.

Haug, Martin, * 8.10.1901 Bernloch/Kr. Münsingen, † 8.5.1976 Talheim b. Mössingen/Württ.; war Pfarrer in Heilbronn.

Schriften (Ausw.): Die einen guten Kampf gekämpft. Vom Ringen und Reifen christlicher Deutscher, 1939 (11. Aufl. 1978); Frisch auf in Gottes Namen! Gespräche mit einem jungen Mann, 1940; Vom täglichen Neuanfang, 1946; Wer Augen hat zu sehen. Ein Christgeburtspiel vom Glauben, 1948 (2., veränd. Aufl. 1965); Am ewigen Quell. Kurzgeschichten zum Vorlesen, 3 Bde. (Hg.) 1955/56; Sie fanden den Weg. Neun Frauenschicksale (mit G. Haug u. E. Lange-Danielczik) 1959; Das Reich muß uns doch bleiben. Geschichten zur Reformation und Gegenreformation, 1960; Die Kunst, Zeit zu haben, 1963; Wer glücklich werden will. Ein Buch vom Heiraten und Verheiratetsein (hg. mit G. Haug) 1963; Für eine bessre Zukunft. Sieben biographische Skizzen, 1970; Lichter leuchten am Abend (mit G. Haug) 1972; Ein Freund kommt zu dir (mit G. Haug) 1975.   AS

Haug, Michael, 16. Jh.; kathol. Dichter, Verf. e. 1525 gedr., in d. längeren Form 73 u. in d. kürzeren 68 Strophen umfassenden Liedes gg. Luther u. d. Reformation.

Ausgabe: P. WACKERNAGEL, D. dt. Kirchenlied 5, 1877.

Literatur: ADB 11, 56; Goedeke 2, 157.   RM

Haug, Walter, * 23.11.1927 Glarus/Schweiz; 1952 Dr. phil. München, 1953–61 Lektor, Dramaturg u. Chefdramaturg am Bayer. Staatsschausp. München, 1966 Habil. München, 1967 o. Prof. in Regensburg, seit 1973 o. Prof. f. Dt. Philol. in Tübingen. Mit-Hg. d. GRM, d. «Wolfram-Stud.» u. seit 1979 d. «Bibl. Germanica».

Schriften (Ausw.): Ruodlieb (Facs.) 1974; Zweimal «Muspilli» (mit W. Mohr) 1977; «Das Land, von welchem niemand wiederkehrt». Mythos, Fiktion und Wahrheit in Chrétiens «Chevalier de la Charrete», im «Lanzelet» Ulrichs von Zatzikhoven und im «Lancelot»-Prosaroman, 1978.   RM

Haug, Wolfgang F(ritz), * 23.3.1936 Esslingen/
Neckar; Dr. phil. 1965, wiss. Assistent am Philos. Seminar d. FU Berlin, 1972 Habil. in Philos.;
gründete 1959 die Zs. «Das Argument».

Schriften: Jean Paul Sartre und die Konstruktion
des Absurden, 1966 (stark überarb. Neuausg. u.
d. T.: Kritik des Absurdismus, 1976); Der hilflose Antifaschismus, 1967; Kritik der Warenästhetik, 1971; Warenästhetik, Sexualität und
Herrschaft. Gesammelte Aufsätze, 1972; Be-
stimmte Negation. Das umwerfende Einverständnis des braven Soldaten Schwejk und andere Aufsätze, 1973; Vorlesungen zur Einführung ins
«Kapital», 1974 (2. überarb. Aufl. 1976); Warenästhetik – Beiträge zur Diskussion, Weiterent-
wicklung und Vermittlung ihrer Kritik (Hg.)
1975.   AS

Hauger, (Josef) Anton, * 18.8.1842 Wien,
† 26.1.1901 ebd.; n. militär. Laufbahn Hg. v.
Eisenbahnfachschr., Publizist und Schriftst. in
Wien.

Schriften: Hedwig. Mutter Reinhold (Nov.)
1891.   RM

Haugwitz, August Adolf von, * 14.5.1647 Übi-
gau/Oberlausitz (?), † 27.9.1706 ebd. (?), begraben in Neschwitz/Kr. Bautezn; Studium d.
Rechts- u. Staatswiss. in Wittenberg (seit 1665),
Reise über d. Niederlande u. England n. Paris,
dann Aufenthalt am Dresdener Hof. Lyriker u.
Dramatiker d. schles. Hochbarock.

Schriften: Prodromus Lusaticus ..., 1681;
Schuldige Unschuld oder Maria Stuarda, Königin
von Schottland. Trauer-Spiel, in gebundener Rede aufgesetzt, 1683 (Neudr. 1972); Prodromus
Poeticus oder Poetischer Vortrab, bestehende aus
unterschiedenen Trauer- und Lustspielen, Son-
netten, Oden, Elegien, Bey- oder Uberschrifften
und andern Deutschen Poetischen Gedichten ...,
1684; Tractatus Politico-Publico-Juridicus De
Regni et Aulae Mareschallorum Nomine ...,
1690.

Literatur: ADB 11,56; NDB 8,93; de Boor-
Newald 5,334; Goedeke 3,228; FdF 1,177;
Neumeister-Heiduk 371. – B. HÜBNER, D. Lau-
sitzer Dichter ~, 1885; DERS., D. kleineren Dg.
u. Dr. d. «Prodromus Poeticus» v. ~, 1893; O.
NEUMANN, Stud. z. Leben u. Werk d. Lausitzer
Poeten ~ (Diss. Greifswald) 1937; E. LUNDING,
D. schles. Kunstdr., Kopenhagen 1940; P. HAN-
KAMER, Dt. Gegenreformation u. dt. Barock ...,

³1964; G.U. GABEL, G.R. GABEL, ~ : Maria
Stuarda. E. Wortindex, 1973; E.M. SZAROTA,
Gesch., Politik u. Gesellsch. im Dr. d. 17. Jh.,
1976.   RM

Haugwitz, Eberhard Graf von, * 21.10.1850
Carolath/Schles., † 1931; Besuch d. Ritterakad.
Liegnitz, 1870 Offizier, 1885 Rittmeister, 1892
Abschied, lebte dann bis 1906 mit s. Frau, Ka-
thinka v. H., in Italien, dann in München, auf Rei-
sen u. in Krappitz/Oberschlesien.

Schriften: Erinnerungslieder 1870–1895, 1895;
Der Palatin ... (Vorwort C. Hülsen) Rom 1901;
Die Geschichte der Familie von Haugwitz ..., 2
Bde., 1910.

Literatur: W. v. BOETTICHER, Gesch. d. Ober-
laus. Adels u. s. Güter 1, 1912.   RM

Haugwitz, Gustav von, * 9.1.1840 Breslau,
† 19.10.1901 Niederlössnitz b. Dresden; 1883
Regierungsrat in Breslau, 1885 Mitgl. d. preuß.
Abgeordnetenhauses, lebte zuletzt in Dresden im
Ruhestand. Verf. versch. pädagog. Schriften.

Schriften: Das Lied vom Boberschwan, 1881;
Aus Friedrichs des Großen Leben. Ein episch-ly-
risches Gedicht, 1883.

Literatur: E. v. HAUGWITZ, D. Gesch. d. Familie ~, 2 Bde., 1910; W. v. BOETTICHER,
Gesch. d. Oberlausitz. Adels u. s. Güter, 1, 1912.
                                                            RM

Haugwitz, Heinrich von, * 14.1.1852 Brieg/
Schles., † 15.5.1905 Weimar; Bruder v. Gustav
v. H., Teilnahme am Frankreich-Feldzug, 1894
Abschied als Major, lebte seit 1900 in Weimar.

Schriften: Tiefen und Höhen (Erz.) 1896; Bu-
chenau und Waldstein (Rom.) 1898; Kleine Gespräche. Betrachtungen und Bilder, 1898; Aus
der Bahn gelenkt (Erz.) 1900.   RM

Haugwitz, Karl Wilhelm von, * 26.9.1770
Großenborau, Kr. Freystadt/Schles., † 23.12.
1844 Speck, Kr. Waren/Mecklenburg; 1805
preuß. Forstrat u. Gutsbesitzer in Tworsimirke,
Kr. Militsch/Schles., 1806 auch Besitzer v. Speck,
wo er seit 1832 lebte, verh. mit Luise, geb. v.
Rohr.

Schriften: Poetische Versuche, 1793; Aurora
(Ged.) 1795; Gedichte, 1804; Poetische Klänge,
1844.

Literatur: Meusel-Hamberger 3,119; 18,73;
Goedeke 5,433; 7,436.   RM/FH

Haugwitz, Kathinka von, * 1.4.1859 Pappen-
heim/Bayern, † 4.1.1906 San Remo; 1883
Heirat mit d. Grafen Eberhard v. H., lebte am
Berliner u. Potsdamer Hof u. seit 1894 häufig in
Italien. Ihre Ged. ersch. in d. v. L. Berg u. W.
Lilienthal hg. «Modernen Lyrik» (1892).

Schriften: Eines Kaisers Traum. Dichtung in
fünf Gesängen, 1892.   RM

Haugwitz, (Karoline Albertine Eleonore) Luise
von (geb. v. Rohr, Ps. Arminia), * 5.6.1781
Daber b. Stettin, † 16.2.1855 Groß-Tworsimirke
b. Militsch; 1804 Heirat mit d. preuß. Forstrat
Karl v. H., lebte seit 1805 in Tworsimirke u. in
Speck, Kr. Waren, seit 1832 in Tworsimirke.

Schriften: Nanny und Adelinde oder Die Macht
der Sympathie (Rom.) 1808; Waldblumen, in
Tannenhains Thälern gesammelt, 1809; Bergblu-
men, gepflückt in den Trümmern des Kynasts,
1809; Der Veilchenkranz ..., zum Besten der
verkrüppelten Krieger ..., 1815; Der goldene
Schleier oder Irmgard und Hugo. Sage aus dem
Riesengebirge, 1821; Weltsinn und Gemüth
(Erz.) 1823; Die Stiefmutter oder Edwin und
Theodora (Erz.) 1826; Das Dreiblatt (3 Erz.)
1827 (Forts.: Das zweite Dreiblatt, 1831; Das
dritte Kleeblatt oder Pommer'sche Geschichten,
1832); Die Liebe nach der Hochzeit oder Edmund
und Bertha. Eine Erzählung nach zwölf aufgege-
benen Worten, 1834.

Literatur: Meusel-Hamberger 22.2,611; Goedeke 5,433; 7,448.   RM/FH

Haugwitz, Marie von (geb. v. Glaubitz, Ps. M.
Manuela), * 21.4.1822 Breslau, † 4.1.1911 ebd.;
1845 Heirat mit d. Gutsbesitzer Gotthard v. H.,
lebte seither in Rosenthal b. Breslau.

Schriften: Rudolf von der Wart (Tr.) 1892; Gedichte, 1894; Die Belagerung Wiens (hist. Schausp.) 1898.   RM

Haugwitz, Otto von, * 28.2.1767 Pischko-
witz b. Glatz, † 17.2.1842 Johannisberg/Öst.-
Schles.; Studium d. Philos. u. Rechte in Halle u.
a. Orten, Schriftsteller u. Übers. zu Falkenau/
Schles., lebte zuletzt als preuß. Kammerherr in
Johannisberg.

Schriften: Gedichte, 1790; Blumen aus der lateinischen Anthologie, 1804; Juvenals Satyren im
Versmaß des Originals und mit erklärenden Anmerkungen (übers.) 1818; Einhundert Epigramme, 1828; Blumen auf ihr Grab, 1834f.

Nachlaß: Frels 120.

Literatur: ADB 11,69; Meusel-Hamberger 3,
119; 14,56; 18,73; Goedeke 4/1,208; 5,431;
7,430; 13,219. – P. KLEMENZ, ~, J. v. Eichendorff u. J. C. v. Zedlitz, 1937.   RM

Haugwitz, Paul von, * 22.1.1791 Reichenbach/
Niederschles., † 8.9.1956 Dresden; studierte in
Heidelberg (1810–13), dann militär. Laufbahn,
1819 Abschied, lebte seither als Majoratsherr in
Oberschles. u. als preuß. Kammerherr auf seinen
Gütern in Schles., 1838 Landrat. Mitarb. versch.
Zs. u. Ztg. sowie d. v. Adrian besorgten Byron-
Ausg. (1830 ff.).

Übersetzungen: Lord Byrons Gefangener von
Chillon und Parisina, nebst einem Anhang seiner
lyrischen Gedichte, 1821; Thomas Moores Liebe
der Engel. Ein Gedicht in drei Gesängen, mit beygefügtem englischen Text, 1829.

Literatur: ADB 11,69; Meusel-Hamberger 22.
2,612; Goedeke 13,236.   RM

Hauke, Franz Josef (Ps. Michael van Straaten),
* 18.8.1921 Wien; Reisen nach Amerika, Australien, freier Schriftst.; Erzähler.

Schriften: Milosbuch. Griechisches Tagebuch,
1943; Rauschgift in Mexiko (Rom.) 1947.   IB

Haulik (seit 1843: von Várallya), Georg, * 20.
4.1788 Tyrnau/Slowakei, † 11.5.1869 Agram;
1811 Priesterweihe, 1819 Dr. theol., 1825 Domherr in Gran, 1831 Rat d. ungar. Hofkanzlei;
1832 Großprobst, 1837 Bischof, 1853 Erzbischof
u. 1857 Kardinal in Agram. 1848 Gründer d. Ws.
«Katolički list».

Schriften: Selectiones encyclicae literae et dic-
tiones sacrae, 3 Bde., 1850–53; Zur italienischen
Frage, 1859; Österreich, der Konkordaten-staat,
1859; Die Autorität als Princip der Ordnung ...,
1865.

Literatur: Wurzbach 8,69; ÖBL 2,214. – V.
ZEZELIC, ~, 1929.   RM

Haun, Ernst, * 27.1.1879 Raguhn/Anhalt; lebte
n. unfallbedingter Erblindung in versch. Blinden-
anstalten, 1900 Eintritt ins Konservatorium Leipzig, 1904–07 Klavier- u. Gesangslehrer in Angers/
Frankreich, seither Musiklehrer u. Schriftst. in
Leipzig u. später in Dresden.

Schriften: Lächelnde Erinnerungen. Bilder aus
dem Leben eines blinden Knaben, 1910; Deutsches Heldentum 1914. Ein Gedenkbuch. Unsern

Helden gewidmet, 1914; Eine Blindenfreundin (Nov.) 1916; Jugenderinnerungen eines blinden Mannes (Geleitwort H. Lhotzky) 1919; Aus lichtem Dunkel. Der Roman eines Blinden, 1921.

Literatur: M. SCHÖFFLER, ~, e. amerikan. Schriftst. (in: D. Gegenwart. Zs. f. Blinde in d. sowjet. Zone 3) 1949.   RM

Haunold, Christoph, * 18.10.1610 Altenthann b. Regensburg, † 22.6.1689 Ingolstadt; 1630 Eintritt in d. Jesuitenorden, Theol.-Studium in Rom, 1642–45 Doz. d. Philos. in Dillingen u. seither d. Theol. in Ingolstadt, 1666–74 Studienpräfekt das. Verf. zahlr. Disputationen.

Schriften: Logica practica in regulas digesta, 1646 (zahlr. Neudr. bis 1752); Pro infallibilitate ecclesiae Romanae, 1654; Institutionum theologicorum libri quattuor, 1659; Controversiorum de iustitia et iure tomi quattuor, 1671 f.; Iurisprudentiae iudiciariae tomi duo, 1674; Theologiae speculativae libri quattuor, 1676.

Literatur: ADB 11,70; NDB 8,98; LThK 5,30. – T. SPECHT, Gesch. d. Univ. Dillingen, 1902.
                                               RM

Haunold, Zacharias, * 1744 Wien, † Aug. 1803 Görz; Piarist, Prediger, Prof. u. zeitweilig Rektor am Josefstädter Gymnasium in Wien.

Schriften: Auszug einer Geschichte von China, o. J.; Einige Fabeln und kleinere Gedichte, zum Theile aus fremden Sprachen übersetzt, 1775; Joseph's Zurückkunft von dem Heere, gesungen den 23. Wintermonath, 1778; Rede über den Frieden zur Königszeit ... zum Unterrichte des gemeinen Mannes herausgegeben, 1793; De ordine et perfectione, o. J.

Literatur: Wurzbach 8,72; Meusel-Hamberger 3,120; Goedeke 4/1,97; 6,531.   RM

Haupt, Andreas, * 22.2.1813 Bamberg, † 28.1. 1893 ebd.; Theol.-Studium in Bamberg u. München, Dr. theol., 1836 Priesterweihe, Religionslehrer, zeitweilig Rektor u. 1838–85 Inspektor d. kgl. Naturalienkabinetts Bamberg, 1862 Lyceal-Prof., 1871 geistl. Rat. Verf. versch. naturwiss. Schriften.

Nachlaß: Staatsbibl. Bamberg. – Denecke 72.

Schriften: Bamberger Legenden und Sagen, 1842 (2., verm. Aufl. 1878); Daguerrotypen der Zeit (Dg.) 1845; Sind die Ultramontanen eine vaterlandslose Partei? 1869; Das öffentliche Erscheinen des heiligen Vaters (Vortrag) 1870; Denk-

sprüche aus allen Jahrhunderten zu Nutz und Frommen der studirenden Jugend, 1884.   RM

Haupt, Antonie → Endler, Victorine.

Haupt, Christoph, * 2.12.1668 Debitz b. Leipzig, † 17.1.1731 Grimma; Theol.-Studium in Leipzig, seit 1695 Rektor an d. Stadtschule in Grimma.

Schriften: De distinctionibus Novi Testamenti, 1693; Die einzige Kunst wahrhaftig groß zu werden, nach Veranlassung der Parisischen Akademie kürzlich entworfen, 1710; Dialogus metricus von drey Personen, einem christlichen Philosopho, eingebildeten Jüngling, und einem unartigen Alten, 1722; Seneca Christianus, i. e. Flores Christiani ex Lucii Annaei Senecae Epistolis collectae et in 38 Capita digestae, 1722.

Literatur: Adelung 2,1833.   RM

Haupt, Friedrich, * 3.10.1805 König/Hessen, † 6.1.1891 Gießen; n. Theol.-Studium in Gießen Lehrer in Darmstadt u. 1826–30 in Michelstadt, 1832 Rektor u. Pfarrer von Frau-Rombach in Schlitz, 1835–45 Lehrer in Aarau, Zürich u. a. Orten d. Schweiz, 1845–56 Pfarrer in Rimhorn/ Odenwald u. 1856–78 in Gronau. Verf. zahlr. pädagog. Abh., Mit-Hg. d. «Dt. Volksfreundes», Gründer d. liturg.-musikal. Konferenz in Gießen (1884), 1885 Dr. h. c. Univ. Gießen.

Schriften (Ausw.): Weltgeschichte, nach Pestalozzi's Elementargrundsätzen und von christlicher Lebensanschauung aus bearbeitet, 1840; Deutsche Prosa ..., 1841 (2., umgearb. Aufl. 1865; 2. Tl. u. d. T.: Deutsche Poesie, 1860); Evangelische Kirchenlieder nach alter Lesart und Singweise (hg.) 1850; Evangelisches Seniorenbüchlein, 1851; Der Episcopat der deutschen Reformation, 2 H., 1863–66; Die grundstürzenden Irrthümer unserer Zeit in Bezug auf die Kirche und ihre Verfassung ..., 1870; Pro und Contra über unser lutherisches Verfassungspanier, 1870; Offener Brief an Se. Maj. ... Wilhelm I. und an die sämmtlichen Königlichen Majestäten und Fürstlichen Hoheiten des deutschen Reichs als Summenepiscopi der deutschen evangelischen Kirche, 1871 [vgl. d. Gegenschr. «Wider Dr. Haupt», 1871]; Zur Reform des Deutsch-Evangelischen Kirchengesangs, 1878.

Nachlaß: Univ.bibl. Gießen. – Denecke 2.Aufl.

Literatur: ADB 50,71.   RM

Haupt, Gunther (Ps. Walther Kessler), * 7.7.
1904 Berlin; Dr. phil., war Pastor in Gotha,
wohnt jetzt in Hildesheim. Verf. v. Laienspielen
und (z. T. ungedr.) lit.hist. Erzählungen.

Schriften: Was erwarten wir von der kommenden Dichtung?, 1934; Der Empörer. Das Leben
Heinrich von Kleists, 1938; Und eines Tages öffnet sich die Tür. Briefe zweier Liebenden, 1939;
Die Gottesherberge zu Bethlehem. Ein Weihnachtsspiel von der Todesnot und der Errettung
der Menschen, 1952; Heinrich von Kleist in Ber-
lin, 1963.   AS

Haupt, Hans → Stein, Berthold.

Haupt, Hans-Arnim → Dreyhaupt, Ottilie Margarete.

Haupt, Hermann, * 29.6.1854 Markt Bibart/
Mittelfranken, † 1935; Studium in Würzburg,
Dr. phil., 1885 Bibiliotheksdir. in Gießen, 1897
Prof., Leiter d. «Burschenschaftl. Hist. Kommi-
sion»; Kulturhistoriker.

Schriften (Ausw.): Geschichte der religiösen
Sekten in Franken, 1882; Die deutsche Bibelübersetzung der mittelalterlichen Waldenser,
1885; Der waldensische Ursprung des Codex
Teplensis, 1886; Waldensertum und Inquisiton
im südöstlichen Deutschland, 1890; Ein ober-
rheinischer Revolutionär aus dem Zeitalter Kaiser
Maximilians des ersten, 1893; Die alte Würzburger Burschenschaft, 1898; K.R. Freiherr von
Senckenberg, 1900; Chronik der Universität Gießen (1607–1907) (gem. mit G. Lehnert) 1907;
Karl Follen und die Gießener Schwarzen ...,
1907; Voltaire in Frankfurt 1753, 1909.

Herausgebertätigkeit: Quellen und Darstellungen
zur Geschichte der Burschenschaft und der deutschen Einheitsbewegung, 1922ff.; Hessische Biographien, 1912ff.; Handbuch für den deutschen
Burschenschafter, 1922ff.

Nachlaß: Mommsen Nr. 1508.   IB

Haupt, Joachim (Thomas) Leopold, * 1.8.1797
Baudach/Niederlausitz, † 9.2.1883 Görlitz;
Theol.-Studium u. Gründer d. Burschenschaft in
Leipzig, 1826 Pfarrer in Kottwitz, 1830 in Frei-
waldau, seit 1832 Archidiakonus, Religionslehrer
u. 1833–45 Sekretär d. Oberlausitzer Gesellsch.
d. Wiss. in Görlitz, 1867 Pastor primarius. Hg.
d. 3. Bds. d. «Scriptores rerum Lusaticarum»
(1852) u. d. Bde. 13–22 d. «Neuen Lausitz. Magazins», Verf. einzeln gedr. Predigten.

Schriften: Teutsche Burschengesänge (Mit-Verf.,
Hg.) 1819; Kränze und Blumen. Eine Sammlung
von Sonetten, 1819; Landsmannschaften und Bur-
schenschaft. Ein freies Wort über die geselligen
Verhältnisse der Studenten auf den Teutschen
Hochschulen, 1820; Liebe, Leben, Vaterland
(Dg.) 1820; Allerlei von Dr. M. Luther, für die
Genossen unserer Zeit, 1820; Prophetenstimmen.
An das Geschlecht dieser Zeit nach den Aussprü-
chen der heiligen Seher des Morgenlandes, 1841;
Eulalia. Taschenbuch dramatischer Spiele zu heiteren Familienfesten, 1842; Volkslieder derWen-
den in der Ober- und Niederlausitz. Aus Volkskunde aufgezeichnet und mit den Sangweisen,
deutscher Übersetzung, den nöthigen Erläuterungen, einer Abhandlung über die Sitten und Gebräuche der Wenden und einem Anhange ihrer
Märchen, Legenden und Sprichwörter herausgegeben (mit J. E. Schmaler) 2 Bde., 1841–44 (Neudr. u. d. T.: Volkslieder der Sorben ..., 1953);
Hiob, ein Gespräch über die göttliche Vorsehung
in das Deutsche übertragen, 1847; Sechs alttesta-
mentliche Psalmen mit den entzifferten Singweisen und ... rhythmischer Übersetzung ..., 1854;
Geschichte der evangelischen Haupt- und Pfarrkirche zu S. Peter und Paul in Görlitz (FS) 1857;
Metrische Übersetzung einiger Psalmen, 1865;
Manoah. Friedenslieder zur Erbauung in Haus und
Kirche, 1866; T. v. Kempen, Das goldene Büchlein von der Nachfolge Christi ... poetisch bearbeitet, 1880 (Neuausg. 1904).

Literatur: NDB 8,100; Meusel-Hamberger 18,
74; Goedeke 13,126. – B. SCHÖNE, ∼s Volkskundl. Bestrebungen in d. Oberlausitz. Gesellsch.
d. Wiss. z. Görlitz (in: Lětopis ... Jahresschr. d.
Inst. f. sorb. Voksforsch. C, 13) 1970.   RM

Haupt, Johannes, * 26.4.1886 Zittau/Sachsen;
Dr. med., war Arzt in e. Sanatorium in Sülz-
hayn/Südharz.

Schriften: Traumheimat. Eine Idylle, 1929.   AS

Haupt, Josef, * 29.7.1820 Czernowitz, † 22.7.
1881 Weinhaus b. Wien; Autodidakt, 1839–51
Privatlehrer u. Korrektor, später Scriptor d. Hofbibl. Wien. Bearb. d. Hs.-Kataloges «Tabulae co-
dicum manu scriptorum» (7 Bde., 1864–75), 1880
wirkl. Mitgl. d. Akad. d. Wiss. Wien.

Schriften: Beiträge zur Kunde deutscher Sprachdenkmäler in Handschriften, 1860; Albungen-
Lied. Ein episches Gedicht aus der deutschen Sage

in zwölf Gesängen, 1861; St. Trudberter Hohes Lied. Das Hohe Lied übersetzt von Willeram, erklärt von Rilindis und Herrad, Äbtissinnen zu Hohenheim im Elsaß (hg.) 1864; Untersuchungen zur deutschen Sage, I Untersuchungen zu Gudrun, 1866; Bruder Philipps Marienleben, 1871; M. Cetius Faventinus und ein Bienensegen ..., 1871; Über das mitteldeutsche Buch der Väter, 1871; Über das mitteldeutsche Arzneibuch des Meisters Bartholomäus, 1872; Über das mittelhochdeutsche Buch der Märterer, 1872; Beiträge zur Literatur der deutschen Mystiker, I Neue Handschriften zum Hermann von Fritzlar, II Hartung von Erfurt, 1874/79; Von den Verhältnissen der Dichtung und Geschichte nach Aristoteles (Vortrag) 1881.

Literatur: NDB 8, 100; ÖBL 2, 215.   RM

Haupt, Julius, * 1.4.1893 Düsseldorf, Dr. phil., Studienrat in Düsseldorf, wohnte nach d. Krieg in Birkenfeld/Nahe, dann Beuel/Rh., jetzt in Sinzig.

Schriften: Die deutsche Insel. Ein Gedenkbuch kriegsgefangener Offiziere (Hg.) 1920; Elementargeister bei Fouqué, Immermann und Hoffmann (Diss. Bonn) 1923; Tempel und Träume (Ged.) 1953.   AS

Haupt, Michael, * 26.12.1891 Jaeskendorf/Ostpr.; war Red. des «Liegnitzer Tagebl.», dann des «Bochumer Anzeigers», später Red. in Berlin. Vf. v. Bühnenstücken (z. T. ungedr.) u. Erzähler.

Schriften: Helwyg Hempe der Schmied. Ein Handwerker-Festspiel in drei Aufzügen, 1927; Kreuzzug 1921. Dramatische Ballade, 1936; Das Herz in der Trommel. Ein deutsches Schauspiel, 1936; Du gabst mir die Heimat (Rom.) 1942. AS

Haupt, (Rudolph Friedrich) Moriz, * 27.7.1808 Zittau, † 5.2.1874 Berlin; Studium d. klass. Philol. in Leipzig, Dr. phil. 1831, 1837 Habil.,1841 a. o. u. seit 1843 o. Prof. f. dt. Sprache u. Lit. in Leipzig. 1838 Gründung d. «Societas Latina», 1851 aus polit. Gründen entlassen, seit 1853 als Nachfolger K. Lachmanns Prof. in Berlin. Betreute nach Lachmanns Tod (1851) dessen mhd. Ausg., schloß 1857 d. v. diesem geplante Slg. MF ab. Mit Hoffmann v. Fallersleben Hg. d. «Altdt. Bl.» (1836–40, Nachdr. 1967), 1841–73 Hg. d. ZfdA, Mitarb. d. «Hermes», Mitgl. versch. Akad. d. Wiss., Friedenskl. d. Ordens Pour le mérite (1871).

Schriften (Ausw.): Opuscula, 3 Bde., 1875f. (Nachdr. 1967).

Herausgebertätigkeit (Ausw.): Hartmann v. Aue, Erec, 1839 (²1871, Nachdr. 1967); «Der gute Gerhard» von Rudolf v. Ems, 1840; Lieder, Büchlein und Armer Heinrich von Hartmann v. Aue, 1842 (2. Aufl. v. E. MARTIN, 1881); Konrad v. Würzburg, «Engelhard», 1844 (²1890); Horaz, 1851; Die Lieder Gottfrieds v. Neifen, 1851 (Neuausg. v. E. SCHRÖDER, 1932); Ovids Metamorphosen 1–7, 1853 [kommentierte Ausgabe]; Virgil, 1858 (²1873, mit Appendix Vergiliana); Die Lieder Neidharts v. Reuenthal, 1858; Moritz v. Craon, 1871.

Briefe: Briefe von Hoffmann v. Fallersleben und M. H. an F. Wolf (hg. A. WOLF) 1874; Lachmanns Briefe an M. H. (hg. J. VAHLEN) 1892; Briefwechsel zwischen M. H. und F. Diez (hg. A. TOBLER in: SAB) 1894.

Nachlaß: Stadtbibl. Berlin; Staatsbibl. Preuß. Kulturbesitz Berlin Univ.bibl. Marburg; Dt. Staatsbibl. Berlin, Hss. Abt./Lit.arch. – Denecke 2. Aufl.; Nachlässe DDR I, Nr. 261; III, Nr. 370.

Literatur: ADB 11,72; NDB 8,101. – C. BELGER, ~ als acad. Lehrer, 1879 (mit Werk-Verz.); C. BURSIAN, Gesch. d. class. Philol. in Dtl. 2, 1883; H. NETTLESHIP, Lectures and Essays, Oxford 1885; A. LEITZMANN, Zu Lachmanns Briefen an ~ (in: FS P. Strauch) 1932; K. MORVAY, D. ZfdA unter ihren ersten Hg. ..., 1975.   RM

Haupt, Otto (Ps. Obstalden), * 17.9.1824 Königsberg, † 25.10.1899 Stettin; Philol.-Studium in Berlin, Lehrer in Kolberg, 1860 Oberlehrer u. 1866 Prof. in Posen, seit 1873 Schuldir. in Stettin, 1898 Schulrat. Verf. versch. Schulschriften.

Schriften: Demosthenische Studien, 1. H., 1852; Das Leben und staatsmännische Wirken des Demosthenes, nach den Quellen dargestellt, 1861; Die Malteser, 1864; Matthias Claudius. Auswahl aus seinen Schriften, 1867; Leben und dichterische Wirksamkeit des Hans Sachs, 1868; Friedrich der Große. Gedenkblatt in gebundener Rede, 1886; Hans Sachs. Vaterländisches Schauspiel, 1890.   RM

Haupt, Rudolfine → Ernst am Strand.

Haupt, Thea, geb. von Fritschen, * 5.2.1906 Breslau; Graphikerin, wohnt in Kaiserslautern; Jugendbuchautorin.

Schriften: Warum darf ich – darf ich nicht? Eine Antwort auf das, was alle Kinder fragen und alle Mütter der Welt sie lehren wollen, 1957; Wir schaffens auch alleine. Kochfibel für hilfreiche Kinder und tüchtige Väter, 1958; Das Buch vom Großen Strom, 1961; Zöpfchen und Knöpfchen. Eine fröhliche und verwunderliche Geschichte, 1962. AS

Haupt, Therese → Lehmann-Haupt, Therese.

Haupt, (Markus) Theodor von (Ps. Theodor Peregrinus), * 2.2.1782 Mainz, † 1832 Paris (Freitod); Studium d. Rechte in Aschaffenburg, 1808 Advokat in Darmstadt, später in Hamburg, seit 1814 Richter in Düsseldorf, 1820 Landgerichtsrat in Trier, lebte seit 1827 in Mainz im Ruhestand u. n. d. Juli-Revolution in Straßburg u. Paris. Verf. zahlr. jurist. Schr., Hg. d. «Monatsrose» (5H., 1817) u. d. «Musikal. Hausfreundes» (1829f.), Bearb. versch. Opern.

Schriften: Blüthen aus Italien, 2 Bde., 1808; Tasso's Nächte. Aus dem Italienischen frey übersetzt, nebst des Dichters Leben, 1809; Die Martyrn oder Der Triumph des Christenthums. Nach dem Französischen des F. A. de Chateaubriand frey bearbeitet, 2 Bde., 1809f.; Hamburgische Abentheuer des Junkers Hans von Birken und seinem treuen Matz, 1810; Malerische Wanderungen durch Holland und einen Theil von Norddeutschland im Jahre 1810, 2 Bde., 1810f.; Blüthenkränze, 1811; Die neue Biene, 1813 (Neuausg. 1814); Hamburg unter dem Marschall Davoust. Aufruf an die Gerechtigkeit ..., 1814; F. A. de Chateaubriand, politische Betrachtungen über einige Schriften des Tages und über das Interesse aller Franzosen, frey bearbeitet, 1815; Über die Unmöglichkeit einer konstitutionellen Regierung unter einem militairischen Oberhaupte, besonders unter Napoleon. Nach dem Französischen des Comte bearbeitet ..., 1815; Ährenlese aus der Vorzeit, 1816; Skizzen ..., 1819; Jacobe, Herzogin von Jülich ... (biogr. Skizze) 1820; Epheukränze, 1821; Mechthilde. Historisch-romantisches Gemälde deutscher Vorzeit, 1821; Triers Vergangenheit und Gegenwart, ein historisch-topographisches Gemälde, 2 Bde., 1822 (1. Bd. auch u. d. T.: Panorama von Trier und seinen Umgebungen; 2. Bd. auch u. d. T.: Trierisches Zeitbuch ...; 2., berichtigte Aufl. 1834; 3., umgearb. Aufl. hg. J. Schneider, 1846); Criminal-

Procedur gegen den Kaufmann P. A. Fonk ..., 1822; Schauspiele, 2 Bde., 1825; Barthélemy, Reise des jungen Anacharsis durch Griechenland .... (aus d. Französ, mit C. A. Fischer) 14 Tle., 1828–31; Unsere Vorzeit, 5 Bde., 1828; Die Stumme von Portici. Oper, nach Scribe und Delavigne frei bearbeitet, 1828; Tell. Historisch-romantische Oper nach Jouy und Bis frei bearbeitet, 1829; Die Freiensteiner (Nov.) 1830; Bignon, Geschichte von Frankreich seit dem 18. Brumaire bis zum Frieden von Tilsit (aus d. Französ.) 2 Bde., 1830f.; Bibliothek merkwürdiger Criminal- und Rechtsfälle der älteren und neueren Zeiten und aller civilisirten Völker (mit F. Heldmann) 4 Bde., 1830f.; Hochverrathsprocess der Minister Karls X. von Frankreich mit historischer Einleitung herausgegeben, 1831; Paris oder Das Buch der Hundert und Eins (aus d. Französ.) 1832. (Außerdem eine Reihe ungedr. Bühnenstücke.)

Nachlaß: Staatsbibl. Bamberg. – Frels 120; Denecke 72.

Literatur: ADB 11,71; 50,74; Theater-Lex. 1, 713; Meusel-Hamberger 14,56; 18,74; 19,85 (Peregrinus); 22.2,614; Goedeke 7,251; 11/1, 269. – ~, e. Journalist d. Goethezeit. Sein Wirken in Düsseldorf (in: Die Heimat [Düsseldorf] 8) 1957. RM

Haupt, Wilhelm, * 28.10.1831 Breslau, † 20.2.1913 Zoppot b. Danzig; Theol.-Studium in Hamburg, 1853 Ordination, Prediger d. Baptistengemeinden in Bremen, Köln, Danzig u. a. Orten, Reiseprediger u. a. in Dtl., d. Schweiz u. Rußland, lebte seit 1907 in Zoppot.

Schriften: Der Brief am Grabe (Erz.) o. J.; Die Braut ohne Gebetbuch, o. J.; Erlebnisse aus der Schlacht von Gravelotte, ²1874; Der kleine Walter in der Hand des großen Walter (Erz.) o. J.; Der Vornehmste unter dreien, ²1898; Meister Kundig und sein Peter, o. J.; Zwei Angler am Rhein, 1905. RM

Hauptmann, Carl (Ferdinand Max) (Ps. Ferdinand Klar), * 11.5.1858 Ober-Salzbrunn/Schlesien, † 4.2.1921 Schreiberhau/Riesengebirge, älterer Bruder v. Gerhart H.; ab 1879 Studium d. Naturwiss. u. Philos. in Jena, 1883 Dr. phil., 1885–89 in Zürich, Verbindung mit E. Haeckel, R. Eucken, R. Avenarius, A. Forel, J. Gaule u. a. 1889 Übersiedlung n. Berlin, seit 1891 freier

Schriftst. in Schreiberhau, enge Verbindung z. Worpsweder Kreis, 1909 Vortragsreise n. Amerika. Naturwissenschaftler, Dramatiker, Romancier, Essayist.

Schriften: Die Bedeutung der Keimblättertheorie für die Individualitätslehre und den Generationswechsel, 1883; Beiträge zu einer dynamischen Theorie der Lebewesen. Teil I: Die Metaphysik in der modernen Physiologie, 1893; Marianne (Schausp.) 1894; Waldleute (Schausp.) 1896; Sonnenwanderer (Erz.) 1897; Ephraims Breite (Schausp.) 1900; Aus meinem Tagebuch, 1900; Die Bergschmiede (dramat. Dtg.) 1902; Aus Hütten am Hange (Erz.) 1902; Mathilde. Zeichnungen aus dem Leben einer armen Frau, 1902; Unsere Wirklichkeit (Vortrag) 1902; Des Königs Harfe (Bühnensp.) 1903; Die Austreibung (tragisches Schausp.) 1905; Miniaturen (Erz.) 1905; Einfältige. Eine Studie, 1906; Moses. Bühnendichtung, 1906; Einhart der Lächler (Rom.) 1907; Das Geheimnis der Gestalt (Vortrag) 1909; Judas (Erz.) 1909; Panspiele, 1909; Napoleon Bonaparte, 2 Bde., 1911; Der Landstreicher und andere Erzählungen, 1912; Nächte (Prosa) 1912; Die armseligen Besenbinder. Altes Märchen, 1913; Ismael Friedmann, (Rom.) 1913; Die lange Jule (Dr.) 1913; Krieg. Ein Tedeum, 1914; Schicksale (Erz.) 1914; Aus dem großen Kriege (dramat. Szenen) 1915; Rübezahlbuch, 1915; Die uralte Sphinx (Kriegsvortrag) 1915; Tobias Buntschuh (burleske Tr.) 1916; Dort, wo im Sumpf die Hürde steckt (Sonette) 1916; Die Rebhühner (Kom.) 1916; Gaukler, Tod und Juwelier (Sp.) 1917; Musik (Sp.) 1918; Offener Brief an den Präsidenten der Vereinigten Staaten von Amerika, Woodrow Wilson, 1918; Angewandte Geschichte, 1919; Der schwingende Felsen von Tandil (Leg.) 1919; Des Kaisers Liebkosende (Leg.) 1919; Lesseps. Legendarisches Porträt, 1919; Der abtrünnige Zar (Leg.) 1919; Eva-Maria (Leg.) 1920; Drei Frauen (Prosa) 1920; Das Kostümgenie (Prosa) 1920; Der Mörder (Prosa) 1920; Die lilienweiße Stute (Leg.) 1920; Die arme Maria (Leg.) 1922; Eine Heimstätte (Erz.) 1923; Vom neuen Studenten (Rede) 1923; Die Heilige (musik. Leg.) 1927; Tantaliden. Eine Romandichtung, 1927; Aus meinem Tagebuch (hg. W.-E. Peuckert) 1929; Die seltsamen Freunde (Rom.-Entwurf) 1933.

Briefe und Tagebücher: Aus meinem Tagebuch 1900, 3. erw. Aufl. 1929; Leben mit Freunden. Ges. Briefe (hg. W.-E. Peuckert) 1928; Briefe mit Modersohn, 1935; Briefe C. Hs. an den Schauspieler Ebers, 1925.

Nachlaß: Handschriftensammlung der Schles. Bibl. zu Kattowitz; Ossolinski-Bibl., Breslau; Akad. d. Künste Berlin (West); Hauptmann-Arch. Dresden-Radebeul; Dt. Lit.arch./Schiller-Nat.mus. Marbach. – Denecke 2. Aufl.

Bibliographie: Schriften von u. über ~ bis 1950 in: H. Minden, ~ u. d. Theater, 1976.

Literatur: NDB 8, 107. – H. v. Berger, ~. E. Studie z. Poesie, 1907; J. M. Fischer, ~ (in: Mitt. d. lit. hist. Gesellsch. Bonn 4) 1909; ~-Sondernummer (in: Schlesien, H. 8) 1909; J. M. Fischer, E. Albert, ~s Dr. (in: Mitt. d. lit.-hist. Gesellsch. Bonn 5) 1910; H. S. Spiero, ~ (in: H. S., Dt. Geister) 1910; H.-H. Borcherdt, ~. Er und über ihn, 1911; W. Goldstein, ~. E. Lebensbild, 1911; A. Wien, ~ (in: Bühne u. Welt 8) 1911; P. Wertheimer, ~ (in: P. W. Krit. Miniaturen) 1912; E. Lemke, ~ (in: Beitr. z. Dt.kunde. FS T. Siebs) 1922; W.-E. Peuckert, ~ (in: Schles. Lbb²1) 1922; H. Tessmer, ~ u. s. besten Bühnenwerke, 1922; M. A. Stommel, ~s dramat. Dg. d. Frühzeit (Diss. München) 1924; W. Reineke, ~ u. s. ep. Werk (Diss. Rostock) 1926; H. Razinger, ~. Gestalt u. Werk, 1928; W.²Oldstein, ~. E. Werkdeutung, 1931, Nachdr. 1972; W. Milch, ~s schles. Sendung, 1931; M. Hauptmann, D. Gefährtin (in: Eckart 9) 1933; W.-E. Peuckert, ~s soziale Dichtung (in: Zs. f. dt. Bildung 11) 1935; J. Reichelt, ~ (in: J. R., Unsterbliche unter uns) 1938; R. Spachta, ~. Rübezahlbuch (Diss. Wien) 1938; J. Nehlert, ~. Ideenwelt u. Formproblem im dichter. Schaffen ~s (Diss. Breslau) 1943; W. Meckauer, ~s dichter. Hinterlassenschaft (in: Monatshefte 42) 1950; D. Gerbert, Motive u. Gestalten im Werk ~s (Diss. Wien) 1952; R. Storm, ~, d. Seher (in: Ostdt. Monatshefte 22) 1956; H. Minden, ~ als Bühnendichter (Diss. Köln) 1957; S. Weindling, D. autobiogr. Element in ~s Einhart d. Lächler (in: GQ 28) 1958; T. Duglor (Hg.) ~. E. schles. Dichter, 1958; W. Meckauer, ~ in s. Dichterwerkstatt (in: Schles. Rundschau 10) 1958; W. Meredies, ~s Weg z. Mystik (in: Schlesien 3) 1958; K. Musiol, D. ~-Hss. in d. schles. Bibl. (in: Libri 8) 1958; W.-E. Peuckert, ~s Anfänge (in: ZfdPh 77) 1958; E. Alker, Mathilde, Studie über d. Erzählprosa ~s (ebd. 78) 1959; H. IHERING, ~ (in: H.I., V. Reinhardt bis Brecht 1) 1959; H. ISCHREYT, D. «Gebärmensch». Versuch über d. Rolle d. Schöpferischen bei ~ ... (in: Jb. d. schles. F. W.-Univ. Breslau 4) 1959; K. MUSIOL, ~ u. Josepha Kodis. Ihr gegenseitiges Verhältnis im Spiegel d. dichter. Werkes (in: DVjs 34) 1960; F. MEHRING, ~s «Ephraims Breite» (in: F.M., Ges. Schr. 11) 1961; M. SINDEN, Marianne u. «Einsame Menschen» (in: Monatshefte 54) 1962; A. STROKA, ~s Anfänge im Spiegelbild s. Tagebücher (in: GermWrat 7) 1962; F. GLÄBE, ~ u. Worpswede (in: Jb. d. Fr. Wilh.-Univ. Breslau 9) 1964; A. STROKA, ~s Werdegang als Denker u. Dichter, Wroclaw 1965; A. HAYDUK, ~s Nachlaß in Ost-Berlin (in: Schlesien 14) 1969; K. SPETH, ~s poln. Freunde (in: Schlesien 15) 1970; J. JOFEN, Das letzte Geheimnis. E. psycholog. Studie über d. Brüder G. u. C. Hauptmann, 1972; K. MUSIOL, ~ u. Polen (in: Lenau-Forum 4) 1972; G.H. DUFFER, From Naturalism to «Seelenkunst». A Study of ~'s Prose (Diss. Univ. of Maryland) 1973; H. MINDEN, ~ u. das Theater, 1976.   PG

Hauptmann, Carl Gottlieb, * 18.8.1816 Zeichen/Sachsen, † 1.10.1905 Sebnitz/Sachsen; Weber u. autodidakt. Volksdichter in Sebnitz.

Schriften: Deutsche Volks- und Zeitgedichte verschiedenen Inhalts, 1868 (4., verb. u. verm. Aufl. u.d.T.: Gedichte, 1871; 25. Aufl. 1900).
                                    RM

Hauptmann, Elisabeth (Ps. Catherin Ux, Dorothy Lane), * 20.6.1897 Pechelsheim/Westf., † 20.4.1973 Berlin; Tochter e. Landarztes, bis 1922 Lehrerin in Pommern, dann Übersiedlung n. Berlin, ab 1924 Mitarb. Brechts; emigrierte 1933 über Frankreich in d. USA, Lehrerin in St. Louis, dann als Schriftst. in New York u. Los Angeles; im Exil verheiratet mit Paul Dessau. 1948 Rückkehr n. Berlin, ab 1956 lit. Mitarb. am Berliner Ensemble, war mit Helene Weigel Sachwalterin d. Brecht-Erbes. Übers.,n Mitarb.n an mehreren Stücken Brechts, redig. dessen «Versuche», schrieb in d. 20er Jahren Geschichten (publ. in Zs. u. Anthol.) u. Hörspiele.

Schriften: J. Gay, Beggar's Opera (Übers.) 1928; Happy End (St., Urauff. 1929, Songs v. Brecht, Musik K. Weill).   AS

Hauptmann, Franz, * 1.4.1895 Prag, † 17.6. 1970 Mainz; studierte Ius, Dr. iur., bis 1945 Prokurist d. Böhm. Unionbank, Dramaturg d. Städt. Theaters in Leipzig. 1962 Preis d. Münchner Kammerspiele; Verf. v. Dr., Nov., Rom. u. Hörsp., sowie Übers. (aus d. Französischen).

Schriften: Bauernkrieg (Schausp.) 1938; Die Entscheidung. Spiel aus dem Leben eines großen Mannes (Schausp.) 1938; Die Insel der Einsamkeit (Rom.) 1939; Der goldene Helm (Sp.) 1941; Das Verhängnis (Ernstes Sp.) 1941; Der Soldat Christoph. Erzählung aus Prag, 1943; Das Wunder (Nov.) 1947; Stunden der Entscheidung (Nov. 1948; Die Glocke ist schuld (Schausp.) 1949; Das Wunder von Saragossa (Schausp.) 1953; Die Vierhundert und etlichen (Schausp.) 1954; Die Königsprobe (Schausp.) 1955; Die Überlebenden (Rom.) 1958; René Fallet, Augustine, das Dreirad (Rom. übers. gem. mit E.R. Schneider) 1960; Jarmilla. Roman einer Stadt, 1963; Y. Bottineau, Portugal. Aus dem Französischen übertragen (gem. mit E.R. Schneider) 1963.

Nachlaß: Dt. Lit.arch./Schiller-Nat.mus. Marbach.

Literatur: Theater-Lex. 1,714. – W. FORMANN, Sinnbilder bevölkern d. Bühne. ~. (in: Sudetendt. Dg. heute) 1961; DERS., ~. Dramatiker u. Erzähler aus Prag. (in: Sudetendt. Kulturalmanach 6) 1967; ~ (in: Prager Nachrichten 18) 1967.   IB

Hauptmann, Gerhart (Johann Robert), * 15. 11.1862 Bad Salzbrunn/Schles., † 6.6.1946 Agnetendorf/Schles.; Vater Gasthofbesitzer, jüngerer Bruder Carl H.s; 1874–78 Besuch d. Zwinger-Realgymnasiums Breslau bis zur Quarta; Landwirtschaftslehrling bei Verwandten, 1880–82 Bildhauerschüler an d. Kunst- u. Gewerbeschule in Breslau; 1883 Reise n. Italien, freier Bildhauer in Rom, 1884 Hamburg u. Dresden, zwei Semester Geschichte an d. Univ. Berlin (E. Curtius, E. du Bois-Reymond, Treitschke u. Deussen); 1885 Heirat mit d. Großkaufmannstochter M. Thienemann, von nun an wirtschaftl. unabhängig; 1885 bis 1889 in Erkner b. Berlin als freier Schriftst.; Anschluß an d. Verein «Durch», enge Verbindung mit M. Kretzer, C. Bleibtreu, B. Wille, W. Bölsche, d. Brüdern Hart, R. Dehmel, O.E. Hartleben, A. Holz u. J. Schlaf; 1888 in Zürich Begegnung mit d. Psychiater A. Forel; 1889 Umzug nach Charlottenburg, 1891–93 mit Carl H. in Schreiberhau; 1894 Reise n. Amerika, 1897 Italien; seit 1901 «Haus Wiesenstein» in Agnetendorf fester Wohnsitz; 1904 Ehescheidung u. Heirat mit M. Marschalk; längere Südeuropaaufenthalte, 1905 England, Dr. h.c. d. Univ. Oxford, 1907 Griechenland, 1909 Dr. h.c. d. Univ. Leipzig, 1912 Nobelpreis, 1921 Dr. h.c. d. Univ. Prag, 1932 Reise in d. USA, Dr. h.c. d. Columbia Univ., New York. Dramatiker, Erzähler, Epiker.

Schriften: Liebesfrühling (Ged.) 1881; Promethidenlos (Ep. Dg.) 1885; Das bunte Buch (Erz.) 1888; Vor Sonnenaufgang (Dr.) 1889; Das Friedensfest. Eine Familienkatastrophe (St.) 1890; Einsame Menschen (Dr.) 1891; Der Apostel. Bahnwärter Thiel. Novellistische Studien, 1892; College Crampton (Kom.) 1892; De Waber (Schausp.) 1892; Die Weber (Schausp.) 1892; Der Biberpelz. Eine Diebskomödie, 1893; Hannele Matterns Himmelfahrt, 1893; Hannele (Traumdg.) 1894; Florian Geyer (Tr.) 1896; Die versunkene Glocke. Ein deutsches Märchendrama, 1897; Fuhrmann Henschel (Schausp.) 1899; Helios (Dram. Frag.) 1899; Schluck u. Jau (Scherzspiel) 1900; Michael Kramer (Dr.) 1900; Der rote Hahn (Tragikom.) 1901; Der arme Heinrich. Eine deutsche Sage, 1902; Rose Bernd (Schausp.) 1903; Elga (Dr.) 1905; Und Pippa tanzt! Ein Glashüttenmärchen, 1906; Die Jungfern von Bischofsberg (Lsp.) 1907; Kaiser Karls Geisel (Legendensp.) 1908; Griechischer Frühling, 1908; Griselda (Dr.) 1909; Der Narr in Christo Emanuel Quint (Rom.) 1910; Die Ratten. Berliner Tragikomödie, 1911; Gabriel Schillings Flucht (Dr.) 1912; Atlantis (Rom.) 1912; Festspiel in deutschen Reimen, 1913; Der Bogen des Odysseus (Tr.) 1914; Winterballade (Dr. Dg.) 1917; Der Ketzer von Soana (Erz.) 1918; Der weiße Heiland (Dr. Phantasie) 1920; Indipohdi (Dr. Ged.) 1920; Peter Brauer (Tragikom.) 1921; Anna (Ländl. Liebesged.) 1921; Das Hirtenlied (Fragm.) 1921; Für ein ungeteiltes deutsches Oberschlesien (Anspr.) 1921; Sonette, 1921; Deutsche Wiedergeburt (Vortrag) 1921; Phantom (Erz.) 1923; Kaiser Maxens Brautfahrt (Idyll) 1923; Ausblicke (Aufzeichnungen, Ged. Fragm.) 1923; Die Insel der großen Mutter oder Das Wunder von Ile des Dames. Eine Geschichte aus dem utopischen Archipelagus, 1925; Veland (Tr.) 1925; Fasching (Studie) 1925; Dorothea Angermann (Schausp.) 1926; Die blaue Blume (Ep.) 1927; Des großen Kampffliegers, Landfahrers, Gauklers u. Magiers Till Eulenspiegel Abenteuer, Streiche, Gaukeleien, Gesichte u. Träume (Ep.) 1928; Wanda. Der Dämon (Rom.) 1928; Der Baum von Gallowayshire, 1929; Spuk. Die schwarze Maske. Schauspiel. Hexenritt. Ein Satyrspiel, 1929; Drei deutsche Reden, 1930; Buch der Leidenschaft (Rom.) 2 Bde., 1930; Die Spitzhacke. Ein phantastisches Erlebnis, 1930; Die Hochzeit auf Buchenhorst (Erz.) 1931; Vor Sonnenuntergang (Schausp.) 1932; Paralipomena zum Hirtenlied, 1932; Um Volk und Geist (Anspr.) 1932; Die goldene Harfe (Schausp.) 1932; Das Meerwunder. Eine unwahrscheinliche Geschichte, 1934; Hamlet in Wittenberg (Schausp.) 1935; Das Hirtenlied (Fragment auf Grund des handschriftl. Bestandes hg. F. A. VOIGT) 1935; Im Wirbel der Berufung (Rom.) 1936; Das Abenteuer meiner Jugend (Autobiogr.) 2 Bde., 1937; Die Tochter der Kathedrale (Schausp.) 1939; Ulrich von Lichtenstein (Kom.) 1939; Ährenlese (Kleinere Dg.) 1939; Iphigenie in Delphi (Tr.) 1941; Der Dom (Fragm.) 1942; Der große Traum (Dg.) 1942; Der Schuß im Park (Nov.) 1942; Magnus Garbe (Tr.) 1942; Iphigenie in Aulis (Tr.) 1943; Der neue Christophorus (Fragm.) 1943; Neue Gedichte, 1946; Die Finsternisse. Requiem. With Essay by W. A. Reichart, 1947; Mignon (Nov.) 1947; Agamemnons Tod. Elektra (Tr.) 1948; Galahad oder Die Gaukelfuhre (Fragm.) 1948; Herbert Engelmann (Dr.) Aus d. Nachlaß ausgef. v. Carl Zuckmayer 1952; Winckelmann. Das Verhängnis (Rom.) (Vollendet u. hg. F. THIESS) 1954.

Ausgaben: Gesammelte Werke. Große Ausgabe, 12 Bde., 1922; Das Gesammelte Werk. Ausgabe letzter Hand, 17 Bde., 1942; Ausgewählte Werke, 8 Bde., (hg. H. MAYER) 1962; Sämtliche Werke. Centenar-Ausgabe, (hg. H.-E. HASS, fortgef. M. MACHATZKE u. W. BUNGIES) 1962 ff.

Nachlaß: Werkmanuskripte, Tagebücher u. umfangreiche Briefsammlung im Besitz d. Staatsbibl. Preuß. Kulturbesitz, Berlin; Hauptteil d. Bibl. H.s, im Märk. Museum Ostberlin; Briefbestände im Lit.arch. d. Akad. d. Künste Berlin u. im Dt. Lit.arch./Schiller-Nationalmuseum Marbach. – Mommsen Nr. 1509a; Denecke 72; Nachlässe DDR 2, Nr. 188; 3, Nr. 370; A. HAYDUK, ∼s Nachlaß (in: Schlesien 19) 1964; N. HONSZA, ∼-Materialien in Wroclaw (in: WB 14) 1968; H. KÜLZ, Schicksale e. Dichternachlasses (in: Jb. Preuß. Kulturbesitz 6) 1968; A. GROEGER, D. Schatz v. Wiesenstein (in: Jb. d. Fr. Wilh. Univ. Breslau 14) 1969; K. JONAS, ~s Manuskripte in Osteuropa (in: MGS 1) 1975; R. ZIESCHE, D. Manuskriptnachlaß ~s. Tl. 1, 1977.

Gesellschaft: G. H.-Ges. Baden-Baden.

Jahrbuch: G. H.-Jb. 1936/37, 1948, unregelmäßig.

Bibliographie: W. REQUARDT, ~-Bibliogr. (seit d. 80er Jahren bis Ende 1931) 1931; W. A. REICHART, Fifty Years of ~ Study in America (1894 bis 1944) (in: Monatshefte 37) 1945; DERS. ~ Study in America. A Continuation Bibl. (ebd. 54) 1962; DERS. ~-Bibliogr., 1969; B. P. LICHATSCHOW, ~, Moskau 1956; W. J. HUTCHINS u. A. C. WEAVER, ~ in England (in: ~ Centenary Lectures, hg. K. G. KNIGHT u. F. NORMAN) London 1964; S. HOEFERT, ~, 1974 (Bibliogr., Forschungsbericht, erfaßt Veröffentl. einzelner Briefe); H. D. TSCHÖRTNER, ~-Bibliogr. Nachtrag, 1976; K. HILDEBRANDT, ~-Lit. 1974–76 (in: Schlesien 22) 1977.

Forschungsberichte: F. A. VOIGT, Grundfragen d. ~-Forsch. (in: GRM 27) 1939; DERS., ~-Literatur (ebd. 30) 1942; DERS., D. amerikan. ~-Forsch. (in: Universitas 4) 1949; K. S. GUTHKE, Probleme neuerer ~-Forsch. (in: GGA 214) 1960; DERS., ~ im ~-Jahr (ebd. 216) 1964; DERS., Neue ~-Bücher (ebd. 218) 1966; C. F. W. BEHL, Neues von u. über ~ (in: Schlesien 12) 1967; K. HILDEBRANDT, Neue ~-Literatur (ebd. 16) 1972.

Gesamtdarstellungen: NDB 8, 103. – A. BARTELS, ~, 1897, ²1906; P. SCHLENTHER, ~s Lebensgang u. s. Dg., 1897, erw. v. A. ELOESSER ~. Leben u. Werke, 1922; A. v. HANSTEIN, ~, 1898; E. SULGER-GEBING, ~, 1909, ⁴1932; U. C. WOERNER, ~, 1901; K. STERNBERG, ~. D. Entwicklungsgang s. Dg., 1910; H. SPIERO, ~, 1912; ⁴1925; P. FECHTER, ~, 1922, Neudr. 1961; M. FREYHAN, ~, 1922; K. KÜHNEMANN, ~, 1922; L. MARCUSE, (Hg.), ~ u. s. Werk, 1922; E. LEMKE, ~, 1923; H. v. HÜLSEN, ~, 1927; DERS., ~. Siebzig Jahre s. Lebens, 1932; W. MILCH, ~. Vielfalt u. Einheit s. Werkes, 1932; C. F. W. BEHL u. F. A. VOIGT, ~s Leben, Chronik u. Bild, 1942, ²1957; E. RUPRECHT, ~ als Dichter d. Menschlichkeit, 1947; W. ZIEGENFUSS, ~. Dg. u. Gesellschaftsidee d. bürgerl. Humanität, 1948; J. GREGOR, ~, 1951; H. F. GARTEN, ~, Cambridge 1954; P. RILLA, Z. Werk ~s (in: SuF 7) 1955; R. ROHMER u. A. MÜNCH,

~. S. Leben in Bildern, 1958; T. SILMAN, ~ 1862–1946, Leningrad 1958; K. L. TANK, ~ in Selbstzeugnissen u. Bilddokumenten, 1959; K. GUTHKE, ~. Weltbild u. Werk, 1961; F. W. J. HEUSER, ~, 1961; E. EBERMAYER, ~. E. Bildbiogr., 1962, 1968; ~. Leben u. Werk. Gedächtnisausstellung d. dt. Lit.arch. (hg. B. ZELLER) 1962; J. SEYPPEL, ~, 1962; C. ZUCKMAYER, E. voller Erdentag: ~. Werk u. Gestalt, 1962; W. MENZEL, ~, 1962; J. AMERY, ~. D. ewige Dt., 1963; H. MAYER, ~, 1967; E. HILSCHER, ~, 1969; H. DAIBER, ~ oder D. letzte Klassiker, 1971; I. HAUPTMANN, Bilder u. Erinnerungen, 1976; ~, (hg. H. J. SCHRIMPF) 1976; H. v. BRESCIUS, ~. Zeitgeschehen u. Bewußtsein in unbekannten Selbstzeugnissen, 1976; A. ABUSCH, Größe u. Grenzen ~s (in: A. A., Humanismus u. Realismus in d. Lit.) 1977; R. ROHMER, ~, 1977; A. LUBOS, ~. Werkbeschreibung u. Chron., 1978.

Untersuchungen zum Werk, formale, thematische u. weltanschauliche Aspekte: S. BYTKOWSKI, ~s Naturalismus u. d. Dr., 1908; J. RÖHR, ~s dramat. Schaffen, 1912; J. H. MARSCHAN, D. Mitleid bei ~, 1919; C. HERMANN, D. Weltanschauung ~s in s. Werken, 1926; E. LANGNER, D. Religion ~s, 1928; H. SCHWAGER, D. Bildungsidee u. d. eth. Programm ~s im Kampf um d. Zukunft, 1932; W. MILCH, ~s Alterswerk (in: GRM 20) 1932; R. PETSCH, D. dramat. Werk ~s (in: Zs. f. dt. Bildung 8) 1932; F. W. J. HEUSER, The Mystical ~ (in: GR 7) 1932; C. F. W. BEHL, D. Magie des Elementaren (in: GHJb 1) 1936; F. A. VOIGT, ~-Studien, 1936; W. A. REICHART, Geistige Grundlagen d. ~schen Dr. (in: Monatshefte 29) 1937; H. BARNSTORFF, D. soziale, polit. u. wirtschaftl. Zeitkritik im Werke ~s, 1938; F. B. WAHR, ~ and the Prometheus Symbol (in: Monatshefte 30) 1938; F. A. KLEMM, Genesis-Thanatos, (in: GR 17) 1942; W. BAUMGART, Erlebnis u. Gestaltung d. Meeres bei ~ (in: ~. Stud. z. Werk u. z. Persönlichkeit, hg. Dt. Inst. Univ. Breslau) 1942; H. SCHREIBER, ~ u. d. Irrationale, 1946; W. KROGMANN, ~, 1947; C. F. W. BEHL, Wege zu ~, 1948; R. MÜHLHER, Prometheus-Luzifer (in: R. M., Dichtung der Krise) 1951; W. MAUSE, Formprobleme in ~s Dr. «Winterballade», «Der Weiße Heiland» u. «Indipohdi» (Diss. Innsbruck) 1951; R. IBSCHER, V. Geiste d. Musik in ~s Werk (in: DVjs 27) 1953; R. FIEDLER, D. späten Dr. ~s, 1954; H. GUT-

KNECHT, Stud. z. Traumproblem bei ~, 1954; G. METKEN, Stud. z. Sprachgestus im dramat. Werk ~s (Diss. München) 1954; K.S. GUTHKE, D. Gestalt d. Künstlers in ~s Dr. (in: Neoph. 39) 1955; DERS., D. Kunstform d. Tragikomödie (in: GRM 38) 1957; G. HURTIG, D. Lichtsymbolik im Werk ~s (in: Gestaltprobleme d. Dg. FS G. Müller) 1957; G. FISCHER, Erzählformen in d. Werken ~s, 1957; M. SINDEN, ~, Toronto 1957; M. HENSEL, D. Gestalt Christi im Werk ~s (Diss. FU Berlin) 1957; K.S. GUTHKE u. H. WOLFF, D. Leid im Werk ~s, 1958; R. ROHMER, D. Romane ~s (Diss. Leipzig) 1958; C.W.F. BEHL, D. Einzelne u. d. Masse im Werk ~s (in: GR 33) 1958; L.R. SHAW, Witness of Deceit, Berkeley 1958; W. RASCH, Z. dramat. Dg. d. jungen ~ (in: FS F.R. Schröder) 1959; K.S. GUTHKE, D. Zwischenreichvorstellung im Spätwerk ~s (in: Archiv 198) 1961/62; DERS., ~s Faust-Dg. (in: Maske u. Kothurn 8) 1962; R. MICHAELIS, D. schwarze Zeus, 1962; J. MÜLLER, ~. Menschengestaltung u. Weltbild (in: WZ Univ. Jena 12) 1963; W. EMRICH, Dichterischer u. polit. Mythos (in: Akzente 10) 1963; H.J. SCHRIMPF, Struktur u. Metaphysik d. soz. Schauspiels bei ~ (in: Lit. u. Gesellsch. FS B. v. Wiese) 1963; T. ZIOLKOWSKI, ~ and the Problem of Language (in: GR 38) 1963; H. STEFFEN, Figur u. Vorgang im naturalist. Dr. ~s (in: DVjs 38) 1964; N. ALEXANDER, Stud. z. Stilwandel im dramat. Werk ~s, 1964; R. ZIMMERMANN, D. Pathetik d. heiligen Berstens (in: Formenwandel. FS P. Böckmann) 1964; K. HILDEBRANDT, ~s Verhältnis z. Gesch., 1965; E. McINNES, The Image of the Hunt in ~'s Drama (in: GLL 19) 1965/66; D. MEINERT, Hirte u. Priester in d. Dg. ~s (in: AG 4) 1969; K. HILDEBRANDT, ~ u. d. Gesch., 1968; J. OSBORNE, ~'s Later Naturalist Dramas (in: MLR 63) 1968; W.A. REICHART, Grundbegriffe im dramat. Schaffen ~s (in: PMLA 82) 1967; W. EMRICH, D. Tragödientypus ~s (in: W.E., Protest u. Verheißung) 1968; G. KAISER, D. Tragikomödien~s (in: FS K. Ziegler) 1968; L.R. SHAW, The Playwright and Historical Change, Madison 1970; H.F. GARTEN, Formen d. Eros im Werk ~s (in: ZfdPh 90) 1971; U.G. BRAMMER, Selbstbildnis in ~s Dramen (Diss. Univ. Pittsburgh) 1972; H. DAIBLER, E. allzu guter Dt. ~ u. d. Politik (in: FH 27) 1972; J. JOFEN, D. letzte Geheimnis. E. psycholog. Studie

über d. Brüder G. u. C. Hauptmann, 1973; F. RICHTER, ~s Vermächtnis (in: Jb. d Fr. Wilh. Univ. Breslau 18) 1973; A. FRANKE, ~, d. Erbe d. schles. Mystik (ebd.) 1973; M. SCHUNICHT, D. zweite Realität (in: Unters. z. Lit. als Gesch. FS B. v. Wiese) 1973; P.C. WEGNER, ~ als Leser (in: GRM 23) 1973; K. MÜLLER-SALGET, Dramaturgie d. Parteilosigkeit (in: Naturalismus, hg. H. SCHEUER) 1974; H.A. LEA, The Specter of Romanticism. ~'s Use of Quotations (in: GR 49) 1974; L. LOEB, From Lessing to ~, London 1974; M. BRAUNECK, Lit. u. Öffentlichkeit im ausgehenden 19. Jh., 1974; P. MELLEN, ~ u. Utopia, 1976; R.C. COWEN, ~-Kommentar. D. dramat. Werk, 1979.

Vergleichende Arbeiten, literarische Beziehungen, Einflüsse: F.B. WAHR, ~'s Hellenism (in: JEGP 33) 1934; DERS., ~ and George (in: GR 13) 1938; DERS., The Timon Mood and its Correctives in ~ (ebd. 16) 1941; F.A. VOIGT, ~ u. England (in: GRM 25) 1937; DERS., ~s Italienerlebnis (in: GR 33) 1958; DERS., ~ u. d. Antike, 1965; DERS. u. W.A. REICHART, ~ u. Shakespeare, 1947; I. MÜLLER, ~ u. Frankreich, 1939; R. ZANDER, D. junge ~ u. H. Ibsen (Diss. Frankfurt) 1947; S.H. MULLER, ~ u. Goethe, 1950; E. v. RICHTHOFEN, ~ u. Dante (in: Archiv 187) 1950; W. LIEBENSTEIN, ~ u. d. Reformationszeitalter (Diss. München) 1950; G. HURUM, H. Ibsens Einfluß auf ~ (Diss. Oslo) 1960; K.S. GUTHKE, Hebbel, ~ u. d. Dialektik in d. Idee (in: Hebbel-Jb.) 1961; E. SCHEYER, ~ u. d. bildende Kunst (in: Schlesien 7) 1962; H. KÜNZEL, D. Darst. d. Todes in d. Dr. ~s u. G. Kaisers (Diss. Erlangen) 1962; K. SCHINDLER, ~ u. Eichendorff (in: Aurora 24) 1964; J.C. HORTENBACH, Freiheitsstreben u. Destruktivität. Frauen in d. Dr. A. Strindbergs u. ~s, Oslo 1965; G. KERSTEN, ~ u. L.N. Tolstoj, 1966; P. C. WEGNER, ~s Griechendr. E. Beitr. zu dem Verhältnis v. Psyche u. Mythos (Diss. Kiel) 1968; I. REIS, ~s Hamlet-Interpretation in d. Nachfolge Goethes, 1969; W. SCHADEWALDT, ~ u. d. Griechen (in: W.S. Hellas u. Hesperien) ²1970; R. GOETZE, Von «Sonnenaufgang» bis «Sonnenuntergang», ~s Berliner Beziehungen, 1971; A. KIPA, ~ in Russia, 1889–1917 (Diss. Univ. of Pennsylvania 1972) 1974; B. RÜHLE, D. junge ~ u. s. Beziehungen z. lit. Welt s. Zeit (in: Fontane-Bl. 3) 1975; N. OELLERS, Spuren Ibsens in ~s frühen Dr. (in: Teilnahme u. Spiegelung. FS H. Rüdiger) 1975; W. A. REICHART, ～ and His British Friends (in: G Q 50) 1977.

Zu einzelnen Werken: W. A. REICHART, ～s «Germanen u. Römer» (in: PMLA 44) 1929; J. H. SEYPPEL, The Genius of ～'s «G. u. R.» (in: Philological Quarterly 36) 1957; F. B. WAHR, ～s «Das bunte Buch» (in: JEGP 26) 1927; M. ORDON, Unconscious Elements in «Bahnwärter Thiel» (in: GR 26) 1951; P. REQUADT, D. Bilderwelt in ～s «B. Th.» (in: Minotaurus, hg. A. DÖBLIN) 1953; U. GOEDTKE, ～s Erz. (Diss. Göttingen) 1955; B. v. WIESE, B. Th. (in: B. v. WIESE [Hg.], D. dt. Novelle 1) 1956; I. HEERDEGEN, ～s Novelle «B. Th.» (in: WB 4) 1958; J. M. ELLIS, B. Th. (in: J. M. E., Narration in the German Novelle) London 1974; J. L. HODGE, The Dramaturgy of «B. Th.» (in: Mosaic 9) 1976; Y. ITO, ～s «Vor Sonnenaufgang» (Diss. Kyoto) 1946; K. S. GUTHKE, ～s Menschenbild in d. Familienkatastrophe «Das Friedensfest» (in: GRM 12) 1962; L. STEIN, ～s «Einsame Menschen» u. «Gabriel Schillings Flucht» (Diss. Wien) 1918; C. JOLLES, Einf. zu «E. M.», London 1962; E. M. BATLEY, Functional Idealism in ～'s «E. M.» (in: GLL 23) 1970; H. RABL, Die dramat. Handlung in ～s Webern, 1928; S. D. STIRK, Aus frühen «Weber»-Kritiken (in: GHJb) 1948; E. WAVERSICH, Vergleichende Betrachtung v. Zolas «Germinal» u. ～s «Webern» (Diss. Wien) 1950; H. J. GEERDTS, ～: Die Weber (Diss. Jena) 1952; ～. Die Weber (hg. H. SCHWAB-FELISCH) 1959; H. IDE, ～s «W.» in unserer Zeit (in: Jb. Schles. Fr. Wilh. Univ. Breslau 5) 1960; K. MAY, «Die W.» (in: D. dt. Dr. 2, hg. B. v. WIESE) 1960; M. BOULBY, Einf. in «Die W.», London 1962; E. MANDEL, ～s «Die W.» in Rußland (in: Zs. f. Slawistik 12) 1967; K. SCHNEIDER, D. kom. Bühnengestalten bei ～ u. d. dt. Familienlsp. (Diss. Köln) 1957; L. BÜTTNER, «Biberpelz» (in: D. europ. Dr. v. Ibsen bis Zuckmayer, hg. L. B.) 1960; W. SCHULZE, Aufbaufragen zu ～s «B.» (in: WW 10) 1960; J. VANDENRATH, D. Aufbau d. «B.» (in: Rev. d. lang. viv. 26) 1960; H. REICHERT, Frau Wolff and Brecht's «Mutter Courage» (in: GQ 34) 1961; R. DITHMAR, Komik u. Moral (in: DU 20) 1968; F. MARTINI, ～s «Der B.» (in: Wissenschaft als Dialog, hg. R. v. HEYDEBRANDT u. K. G. JUST) 1969; H. J. SCHRIMPF, D. unerreichte Soziale. D. Komödien ～s «Der B.» u. «Der rote Hahn» (in: D. dt. Lsp. 2, hg. H. STEFFEN) 1969; O. SEIDLIN, Unmythos irgend-

wo um Berlin (in: DVjs 43) 1969; R. KOESTER, The Ascent of the Criminal in German Comedy (in: GQ 43) 1970; H. J. SCHRIMPF, Brecht u. d. Naturalismus. Z. Biberpelz-Bearbeitung (in: Brecht Jb.) 1975; W. MAUSER, ～s «B.»: E. Kom. d. Opposition? (in: MGS 1) 1975; K. EILAND, ～s Traumspiel «Hanneles Himmelfahrt» (Diss. Wien) 1931; U. MASSBERG, ～s Märchen in neuer Sicht (in: GRM 21) 1971; C. OWEN, ～'s Sources for «Florian Geyer» (in: GR 16) 1941; H. WEIGAND, Zur Textkritik v. ～s «F. G.» (in: Monatshefte 33) 1941; DERS., Auf d. Spuren v. ～s «F. G.» (in: PMLA 57/58) 1942/1943; A. SCHOLZ, Z. Quellenforschung v. ～s «F. G.» (in: MLN 58) 1943; DERS., ～s «F. G.» in d. Lit.gesch. (in: GQ 20) 1947; F. A. VOIGT, D. Entstehung v. ～s «F. G.» (in: ZfdPh 69) 1945; A. STEINER, Glosses on ～'s «Die versunkene Glocke» (in: JEGP 32) 1933; H. BLUHM, D. Bewertung d. Sinnenwelt in ～s Dr. «Einsame Menschen» u. «V. G.» (in: Monatshefte 29) 1937; W. KROGMANN, ～s «V. G.» (in: ZfdPh 79) 1960; E. A. MCCORMICK, Rautendelein and the Thematic Imagery of the «V. G.» (in: Monatshefte 54) 1962; E. GLASS, Psychologie u. Weltanschauung in ～s «Fuhrmann Henschel» (Diss. Erlangen) 1933; J. H. BECKMANN, ～ and Shakespeare, «Schluck und Jau» in Relation to «The Taming of the Shrew» (in: Poet Lore 23) 1912; H. GLASS, ～s «Schluck und Jau» im Rahmen der Wachtraumdg. (Diss. Wien) 1948; K. BRÄUTIGAM, «Schl. u. J.» (in: Europ. Komödien, hg. K. B.) 1964; W. NEHRING, «Schl. u. J.» Impressionismus bei ～ (in: ZfdPh 88) 1969; V. STEEGE, ～s «Michael Kramer» (in: D. europ. Dr. v. Ibsen bis Zuckmayer, hg. L. BÜTTNER) 1960; C. R. BACHMANN, Life into Art: ～ and «Michael Kramer» (in: GQ 42) 1969; H. F. PFANNER, Deutungsprobleme in ～s «M. K.» (in: Monatshefte 62) 1970; H. TARDEL, «Der arme Heinrich» in d. neueren Dg., 1905; J. T. KRUMPELMANN, Longfellow's «Golden Legend» and the «A. H.» (in: JEGP 25) 1926; A. VAN DER LEE, Hartmann von Aues «Armer Heinrich» en het gelijknamige drama van ～, Groningen 1954; T. BUCK, ～s Dt. Sage (in: Oxford German Studies 3) 1968; H. J. SCHRIMPF, «Rose Bernd» (in: D. dt. Dr. 2, hg. B. v. WIESE) 1958; W. BUTZLAFF, D. Enthüllungstechnik in ～s «R. B.» (in: DU 13) 1961; O. ROMMEL, Die Symbolik v. ～s Glashüttenmärchen «Und Pippa tanzt!» (in: Zs. f. Deutschkunde

36) 1922; F. Schön, ∼s Glashüttenmärchen U. P. t.» (Diss. Wien) 1940; W. Rasch, «U. P. t.» (in: D. dt. Dr., hg. B. v. Wiese 2) ²1960; K. Laserstein, D. Griseldisstoff in d. Weltlit., 1926; W. Sulser, ∼s «Narr in Christo Emanuel Quint». E. Beitr. z. Gesch. d. dt. religiösen Dg., 1925; Nachdr. 1970; H. Steinhauer, ∼s Vision of Christ (in: Monatshefte 29) 1937; S.D. Stirk, ∼s «Jesusstudien» in ihrer Beziehung z. d. Roman «N.C.E.Q.», 1937; M. Sinden, ∼'s «E. Q.» (in: GR 29) 1954; K.S. Weimar, Another Look at ∼s «N.C.E.Q.» (ebd. 34) 1959; M. Küsel, ∼s «N.C.E.Q.» D. theolog. Probleme u. ihre dichter. Gestaltung im Roman (Diss. Kiel) 1960; D. Meinert, D. Problematik d. Nachfolge Christi in d. Ggw. in den Darst. v. ∼s «N.C.E.Q.» u. B. Brechts «Der gute Mensch von Sezuan» (in: AG 2) 1968; M. Goodfroid, «N.C.E.Q.» (in: EG 30) 1975; P. Berger, ∼s «Ratten». Interpretation e. Dr., 1961; B. v. Wiese, Wirklichkeit u. Drama in ∼s Tragikomödie «D.R.» (in: Schiller-Jb. 6) 1962; H. Rück, Naturalist. u. expressionist. Dr. (in: DU 16) 1964; K. Emmerich, ∼s Rom. Atlantis (in: Frieden-Krieg-Militarismus im krit. u. sozialist. Realismus, hg. Germ. Inst. d. Humboldt-Univ. Berlin) 1961; J. Kammlander, ∼s «Festspiel in deutschen Reimen» (Diss. Wien) 1945; E.G. Kolbenheyer, ∼s «Der Bogen des Odysseus». E. techn. Analyse (in: Eckart 8) 1914; K. Mayer, D. Bogen d. Odysseus von ∼, 1930; S. Cyrus, ∼s «Winterballade». Quelle u. psychopath. Betrachtungen (Diss. Wien) 1950; G. v. Rüdiger, Kunstform v. ∼s «Ketzer von Soana» (in: Zs. f. Deutschkunde 34) 1920; P.C. Squires, ∼s «K. v. S.» (in: GR 17) 1942; W. H. McClain, The Case of ∼'s Fallen Priest, (in: GQ 30) 1957; W. Grothe, ∼s Nov. «K. v. S.» – ein antikischer Wurf? (in: Jb. d. Schles. Fr. Wilh. Univ. 9) 1964; F.B. Wahr, «Indipohdi» in ∼'s Development (in: GR 11) 1936; F.A. Voigt, «Anna» (in: GH Jb.) 1948; G.H. Hertling, Selbstbetrug u. Lebenskunst. ∼s Lorentz Lubota u. T. Manns Felix Krull (in: OL 20) 1965; K. Sternberg, D. Geburt d. Kultur aus d. Geiste d. Religion. Entwickelt an ∼s Rom. «Die Insel der Großen Mutter», 1925; J. Loibl, ∼s «I. d. G. M.» (Diss. Wien) 1938; C. Kotowicz, ∼ u. s. Rom. «I. d. G. M.» (Diss. Wien) 1939; K. Hemmerich, ∼s «Veland». S. Entstehung u. Deutung (Diss. Würzburg) 1935; H. Steinhau-

er, The Symbolism in ∼'s «V.» (in: MLN 50) 1935; E.A. McCormick, ∼'s «V.» Total Tragedy as Failure of Tragedy (in: Studies in German Drama. FS W. Silz) Chapel Hill 1974; W. Krogmann, Midas in ∼s «Blauer Blume» (in: GRM 17) 1967; O. Enking, ∼s «Till Eulenspiegel», 1920; H. Liepelt, Die ideelle Einheit d. «T. E.»-Epos v. ∼ (Diss. Bonn) 1951; H. Motekat, ∼s «T. E.» (in: Stoffe, Formen, Strukturen, hg. A. Fuchs u. H.M.) 1962; W. Promies, Aspekte d. Närrischen in ∼s «T. E.» (in: RLC 37) 1963; G. Schulz, ∼s «Vor Sonnenuntergang» (in: GRM 14) 1964; H. Steinhauer, ∼'s «Das Meerwunder»: An Analysis (in: JEGP 51) 1952; W. Galambos, ∼s Interesse f. Shakespeares «Hamlet» (Diss. Wien) 1948; H. Ranftl, ∼: Shakespeares Hamlet (Diss. Graz) 1950; F.W.J. Heuser, ∼s «Die Tochter der Kathedrale» (in: GR 15) 1940; L. Frauendienst, «D. T. D. K.» (Diss. Wien) 1948; H. Mayer, Vergebliche Renaissance: Das «Märchen» bei Goethe u. ∼ (in: H.M., V. Lessing bis T. Mann) 1959; U. Massberg, ∼s «Märchen» in neuer Sicht (in: GRM 21) 1971; F.B. Wahr, Comments on ∼'s «Der große Traum» (in: GR 28) 1953; R.A. Schröder, ∼s «G. T.» (in: NDH 3) 1956/57; K.L. Tank, «G. T.» Verse u. Notizen aus d. Nachlaß (in: Eckart 28) 1959; W. A. Reichart, «Iphigenie in Delphi» (in: GR 17) 1942; ders., The Genesis of ∼'s Iphigenia Cycle (in: MLQ 9) 1948; J. Gregor, ∼s Atriden-Tetralogie (in: Phaidros 2) 1948; H. Ries, D. Rückwendung z. Mythos in ∼s «A.» (Diss. Frankfurt) 1952; F.J. Burk, Antike Quellen u. Vorbilder von ∼s «A.» (Diss. Marburg) 1953; K. Hamburger, D. Opfer d. delphischen Iphigenie (in: WW 4) 1953/54; J. Krüger, Wandlungen d. Tragischen, nachgewiesen am Orestes-Problem (Diss. Greifswald) 1954; C. David, «L'Iphigénie à Delphes» de ∼ (in: Annales de l'Univ. Paris 29) 1959; R. Rosenberg, D. Struktur v. ∼s «A.» (Diss. Jena) 1959; T. Ziolkowski, ∼'s «Iphigenie in Delphi»: A Travesty? (in: GR 34) 1959; H. Keipert, Goethes «Iphigenie» u. ∼s «A.» (in: DU 13) 1961; D. Meinert, Hellenismus und Christentum in ∼s «A.», Cape Town 1964; D. H. Crosby, Characteristics of Language in ∼'s «A.» (in: GR 40) 1965; A. Meetz, ∼s Requiem «Die Finsternisse» (in: GRM 40) 1959; H.F. Garten, ∼s «Der neue Christophorus. Betrachtungen z. Entstehungsgesch. (in: ZfdPh 94) 1975;

W. Bungies, ~s nachgelassene dramat. Fragm.
«Die Wiedertäufer», 1971; M. Machatzke, ~s
nachgelassenes Erzählfragm. Winckelmann (Diss.
FU Berlin) 1968.   HD

Hauptmann, Hans, * 23.11.1865 Coburg, † um
1946 Hannover; Schriftsteller in Berlin (1907),
Anderten b. Hannover, seit 1909 in Westendorf,
zuletzt Hauptmann in Hannover. Red. d. «Welt-
kampfs» (seit 1936).

Schriften: Gigantomachie (Rom.) 1903; Steinigt
ihn! Ein Liebesroman, 1903; Wie Seine Hoheit
verpöbelte (Rom.) 1904; Auf tönernen Füßen
(Rom.) 1908; Geschleifte Burgen (Rom.) 1910;
Wer bin ich? Roman aus zwei Leben, 1911; Ein
Teil von jener Kraft (Rom.) 1913; Ein Todesflug
und andere Novellen, 1913; Heraus dein Wäl-
sung-Schwert! Deutsche Kriegsgedichte, 1915;
Im Schatten großer Zeit (Nov.) 1916; Das Fohlen
(Nov.) 1919; Geistlehre. Geoffenbarte Religionsphilosophie (hg. u. erläutert) 3 Bde., 1923; Memoiren des Satans. Die Menschheitstragödie im
19. und 20. Jahrhundert. Ein satirischer Roman,
1929; Jesus, der Arier. Ein Heldenleben, 1930;
Die moderne Frau! Die deutsche Frau? 1931;
«Nationale» Deutsche unter jüdischer Hypnose,
1932; Erneuerung aus Blut und Boden ..., 1932;
Deutschlands heimliche Herren. Rotary-Klub und
Herrenklub als Stoßtrupp Judas, 1932; Bolschewismus in der Bibel, 1937; Der Glaubensweg
eines Siebzigjährigen, 1937. (Außerdem ungedr.
Bühnenstücke.)   RM

Hauptmann, Hans Jürgen → Christophé, E(du-
ard) C(urt).

Hauptmann, Helmut, * 12.3.1928 Berlin;
Sohn e. Arbeiters, seit 1949 Journalist, Red. u.
Lektor, seit 1958 Prosa-Red. d. NDL; Erzähler,
Verf. v. Reportagen u. Essays, wohnt in Berlin-
Weissensee (DDR). Erich-Weinert-Medaille
1958, Heinrich-Mann-Preis 1960, Kunstpreis d.
Freien Dt. Gewerkschaftsbundes 1964.

Schriften: Das Geheimnis von Sosa (Rep.) 1950;
Schwarzes Meer und weiße Rosen (Rep.) 1956;
Donaufahrt zu dritt (Rep.) 1957; Die Karriere des
Hans Dietrich Borssdorf alias Jakow. Porträt eines
Spionageoffiziers der Hitlerluftwaffe. Nach Auf-
zeichnungen von Walter Jacobi-Budissin, 1958;
Der Unsichtbare mit dem roten Hut. Skizzen, ge-
schrieben auf den Spuren Georgi Dimitroffs,

1958; Sieben stellen die Uhr. Porträts von Zeitgenossen, 1959; Hanna (Erz.) 1963; Das kom-
plexe Abenteuer Schwedt. Reportage auf den
Spuren der Fließfertigung, 1964; Der Kreis der
Familie (Rom.) 1964; Blauer Himmel, blaue
Helme. Eine Reise auf Zypern, 1965; Ivi (Rom.)
1969; DDR-Reportagen (Anthol., hg.) 1969 (2.,
erw. Aufl. 1974); Warum ich nach Horka ging,
1971; Das unteilbare Leben. Neun Erzählungen
und fünf Auskünfte, 1972; Standpunkt und Spiel-
raum. 13 Briefe an G. (Slg.) 1977.   AS

Hauptmann, Johann Gottfried, * 19.10.1712
Großenhain, † 21.10.1782 Gera; Studium in
Pforta u. Leipzig, 1737 Konrektor, 1740 Rektor
u. seit 1751 Dir. d. Gymnasiums in Gera, 1768
Dr. theol., Verf. zahlr. Schulschriften.

Schriften (Ausw.): Das Abgeschmackte der heutigen Religionsvertreter, 1852; Schwanenge-
sänge (hg. C.S.W. Hauptmann) 1782.

Literatur: ADB 11,81.   RM

Hauptmann, Josef, * 11.11.1882 Deutsch-Jaß-
nitz/Mähren, † 28.5.1929; Studium in Wien, Dr.
phil., Mittelschulprof., Lyriker u. Dramatiker.

Schriften: Der Rockengang (Volksst.) 1920;
Huldigung der Heimat, 1921; Die Bauerntruhe
(Dialekt-Ged.) 1922; Der bunte Almer (Ged.)
1925.   IB

Hauptmann, Karl → Ridder, Lucien de.

Hauptmann, Richard, * 16.1.1908 Oderfurt,
† 19.8.1970 Coburg; Heimleiter auf Schloß Neuhof über Coburg. Lyriker, Erzähler.

Schriften: Das kunterbunte Märchenbuch,
1953; Die kleine Kuhländer Hauspostille, 2 Bde.,
1956/57; Neubeginn. Erzählungen und Gedichte
von dort und hier, 1962.   AS

Hauptvogel, Franz (Ehregott), * 9.5.1872
Leipzig, † 5.3.1932 ebd.; 1896 Dr. iur. Leipzig,
1898 Regisseur u. Schauspieler in Stettin, dann
Referendar u. seit 1905 Rechtsanwalt in Leipzig.

Schriften: Das große Geheimnis (Shakespeare
oder Bacon?) (Satire) 1896; 's Messherze, uffs
Modernste behorcht und beglobbt. Leipziger Lo-
calposse, 1897 (2., umgearb. Aufl. u.d.T.:
Fietsch uff dar Leibzcher Messe ..., 1918); Als
gemeiner Soldat ... Stimmungen und Erlebnisse
eines Gebildeten, 1918; Friede! Ein Ruf, 1918;

«De droggne Bemme» und andere Gedichte und Erzählungen in sächsischer Mundart, 1920; Was zum Lach'n, was zum Ween'n ... Gedichte und Erzählungen in sächsischer Mundart, 1921; Die neue Sittlichkeit für die Völker der Erde, 1922; De Weibsen (Ged. u. Erz.) 1925; 's neie Glawier ..., 1925; Die letzte Stunde der Völkerschlacht ..., 1925; De Mannsen, 1926; Gedichte und Erzehlungen, 1926; Garle Ullrich uff dar Ostsee. Gedichde un Erzehlungen, 1927.

Literatur: Theater-Lex. 1,717.   RM

Hausberger, Mathilde, geb. Borniger (Ps. Math. Hausberger-Borniger), * 22.2.1873 Trier; Musiklehrerin, war ständige Mitarbeiterin versch. Tagesztg., lebte in Trier.

Schriften: Von Mosellas Strande (Ged.) 1909.

AS

Hausbuch, ma. Bezeichnung für Schr., welche das für d. Besitzer z. Führung e. «Hauses» (Burg, Hof) notwendige Wissen enthalten. Im Vordergrund stehen dabei meist kriegstechn. Aspekte, aber auch medizin. Probleme, Ackerbau, Jagd, Kochkunst usw. kommen zur Sprache. Das H., d. → Lehre vom Haushaben u. a. Lehrschr.slg. zu d. Teilbereichen häusl. Wirtschaftens stellen frühe dt. Formen d. Hausväterlit. d. 16./17. Jh. dar.   RM

Das **Mittelalterliche Hausbuch** (Wolfegger Hausbuch) ist e. auf Veranlassung d. Fürsten v. Waldegg zu Wolfegg u. Waldsee um 1480 in Süd-Dtl. verfertigte, mit zeitgenöss. Zeichnungen ausgestattete kriegswiss. Hs. e. unbek. Verf. D. Illustrationen stammen v. sog. «Meister d. Hausbuches» (wahrsch. d. 1470–1510 tätige Heinrich Mann v. Augsburg od. Erhard Rewich). D. Buch übernimmt e. Tl. d. «Feuerwerksbuches» v. 1420 u. handelt Büchsenmeisterei, Pulver-, Geschütz- u. Kriegswesen ab.

Ausgaben: Ein mittelalterliches Hausbuch des 15. Jahrhunderts (hg. v. German. Museum Nürnberg) 1866; Neuausg. v. H. T. BOSSERT u. W. F. STORCK, 1912.

Literatur: VL 2,226; 5,338; de Boor-Newald 4/1,357. – R. v. RETBERG, Kulturgeschichtl. Briefe über e. ~, 1865; A. SCHULTZ, Dt. Leben im 14. u. 15. Jh., 1892 (mit zahlr. Abb.); M. STERZEL, D. ~ u. s. Bedeutung f. d. Waffenkunde (in: Zs. f. hist. Waffenkunde 6) 1914; F. M. FELDHAUS, D. Technik d. Antike u. d. MA,

1931; J. DÜRKOP, D. Meister d. ~ (in: Oberrhein. Kunst 5) 1932; M. GEISBERG, Gesch. d. dt. Graphik von Dürer, 1939; L. BEHLING, ~ (in: Zs. f. hist. Wiss. 5) 1951; A. STANGE, D. Hausbuchmeister, 1958 (mit Katalog); G. EIS, Ma. Fachprosa d. Artes (in: Aufriß 2) ²1966; P. ASSION, Altdt. Fachlit., 1973; J. Jahn, Hausbuchmeister (in: Wörterbuch d. Kunst) ²1974.

RM

Hauschild, Christian Gottfried, * 12.3.1730 Lengendorf b. Zeitz, † 19.5.1819 Naumburg; Pfarrer an d. Domkirche Naumburg.

Schriften: Betrachtungen im Reiche der Religion und Tugend, 1786.

Literatur: Meusel-Hamberger 3,122; 18,76.

RM

Hauschild, Ernst, * 30.1.1816 Altenburg, † 29.7.1872 Basel; Privatdoz. an d. Univ. und Gymnasiallehrer in Basel. Verf. versch. Schulschriften.

Schriften: Sammlung ein-, zwei-, drei- und vierstimmiger Lieder und Gesänge, 1844; Blicke in die Geschichte der neuern Tonkunst ..., 1849; Schweizerisches Volksliederbüchlein für Schule und Haus ... (2., verb. u. verm. Aufl.) 1850 (3., umgearb. Aufl. 1860); Über den sogenannten rhythmischen Choral (Vortrag) 1854; Tonsprachliche Zeichenlehre. Elementar-Theorie der Tonkunst, 1862; Immanuel (Ged.) 1865.   RM

Hauschild, Georg, * 25.8.1686 Cotta, Todesdatum u. -ort unbekannt; Pfarrer in versch. Orten, seit 1750 in Borna.

Schriften: Erweis, daß das wahre Christenthum keine Last, sondern eine Lust sey, mit Clemens Thiemens, Superintendent zu Colditz, Vorrede, 1729 (Neuausg. 1734); Betrachtungen über das Leiden Christi zu Bethanien und im Gasthause zu Jerusalem, nach des seligen D. Rambachs Lehrart abgehandelt, nebst einem Anhange vom ehrlichen Begräbniss Christi ..., 1738.

Literatur: Adelung 2,1834.   RM

Hauschild, Reinhard, * 14.4.1921 Koblenz; Oberst, wohnt in Bonn. Erzähler.

Schriften: plus minus null? Das Buch der Armee, die in dem eingeschlossenen Ostpreußen unterging, 1952; Raketen. Die erregende Geschichte einer Erfindung (mit H. H. Führing) 1958; Jahrbuch des Heeres (Hg.) 1967 ff.; Beurteilung für

Hauptmann Brencken (Rom.) 1974; Das Buch vom Kochen und Essen. Ein Streifzug durch die Küche, 1975.   AS

Hauschka, Ernst Reinhold, * 8.8.1926 Aussig/ Böhmen; Dr. phil., 1960–68 Dir. d. Staatl. Bibliotheken v. Regensburg u. Amberg, jetzt stellvertr. Dir. der Univ.bibl. Regensburg; Lyriker, Essayist. Sudetendt. Lit.pr. 1973, Schubart-Pr. 1974.

Schriften: Kritische Strukturanalyse der «Katechetischen Blätter» 1909–30 und Typologie einer Fachzeitschrift (Diss. München) 1957; Weisheit unserer Zeit (Hg.) 1965; Georg Britting 1891 bis 1964 (Ausstellungskatalog) 1966; Handbuch moderner Literatur im Zitat. Sentenzen des 20. Jahrhunderts, 1968; Gefangene unter dem silbernen Mond (Erz.) 1969; Wortfänge. Ein Zyklus biblischer Szenen aus dem Neuen Testament, 1970; Erwägungen eines männlichen Zugvogels (Ged.) 1971; Sich nähern auf Distanz. Neue Gedichte, 1972; die zeitbahn hinunter, 1974; Die Violinstunde (Ged.) 1974; Türme einer schweigsamen Stadt. Regensburger Epitaphium, 1975; Marienleben, 1976; Regensburg. Schaubühne der Vergangenheit, 1976.   AS

Hauschner, Auguste (geb. Sobotka), * 1851 Prag, † 10.4.1924 Berlin; Gattin d. Fabrikanten u. Malers Bruno H. († 1910); Verf. v. Rom., Nov., vorwiegend v. Erzählungen.

Schriften: Doktor Ferenczy (Nov.) 1895; Abschied (Rom.) 1897; Die Unterseele (Nov.) 1898; Lehrgeld (Rom.) 1899; Frauen unter sich (Zwölf Dialoge) 1901; Daatjes Hochzeit (Nov.) 1902; Kunst (Rom.) 1904; Die sieben Naturen des Dichters Clemens Breißmann (Rom.) 1906; Zwischen den Zeiten (Rom.) 1906; Der Tod des Löwen (Rom.) 1906; Die Familie Lowositz. Roman in zwei Bänden I 1909, Rudolf und Kamilla II 1910; Die große Pantomime (Rom.) 1913; Die Siedelung (Rom.) 1918; Nachtgespräche (Nov.) 1919; Der Versöhnungstag (Nov.) 1919; Die Heilung (Rom.) 1922.

Nachlaß: Nachlässe DDR 1,262; Denecke 72.
Literatur: ÖBL 2,216; R. Fürst, E. dt. Dichterin aus Böhmen (in: Dt. Arbeit 3) 1904; E. Frank, ~ u. ihr Kreis (in: Sudetenld. 10) 1968.
                                                     IB

Hausdorf, Paul Christian, * 1683 Lauban, † 1753 ebd.; Theol.-Studium in Lauban u. Wittenberg, Lehrer u. Kandidat d. Predigtamtes in Seidenberg/Oberlaus. u. zuletzt in Lauban. Verf. versch. ungedr. Lebensbeschreibungen.

Schriften: Von wohl- und übelgerathenen Urbanis, 1715; Parentation …, 1717; Brevia Consulum Lauban. encomia, 1719; Historische Nachricht von Wingendorf, o. J.; Das durch die Grabmahle seiner Prediger geehrte Seidenberg, 1722.

Literatur: Adelung 2,1835.   RM

Hausdorf, Woldemar Salomo, * 5.6.1731 Zittau, † 28.3.1779 ebd.; Theol.-Studium in Zittau u. Leipzig, Magister, seit 1756 Prediger u. später auch Diakon in Zittau sowie Pastor v. Klein-Schönau.

Schriften: Elpidium ex antiquitatis priscae monumentis erutum …, 1754; Dissertatio de ordinatione Thimothei …, 1754; Untersuchung der Frage: ob die schwere Verantwortung eines Predigers ein hinlänglicher Bewegungsgrund sey, einem von der Gottesgelahrtheit abzurathen? 1754; Ob es rathsam sey, daß eine jede Gemeine ihr eigen Gesangbuch habe …, 1756; Dank- und Ermunterungsrede …, 1766; Die neue Pfarrfrau, ein aufgefundenes Singespiel bey der ehelichen Verbindung des Pastor Schletter's in Dittersbach, 1777.

Literatur: Adelung 2,1835.   RM

Hausdorff, Felix (Ps. Paul Mongré), * 8.11.1868 Breslau, † 26.1.1942 Bonn (Freitod); Studium in Berlin u. Leipzig, 1891 Dr. phil., 1895 Habil., 1901 a.o. Prof. f. Mathematik u. Astronomie in Leipzig, a.o. Prof. in Bonn, 1913–210. Prof. f. Mathematik in Greifswald u. bis 1935 in Bonn.

Schriften (außer mathemat.): Sant'Ilario. Andenken an die Landschaft Zarathustras, 1897; Das Chaos in kosmischer Auslese, 1898; Ekstasen, 1900; Der Arzt seiner Ehre (Groteske) 1912.

Literatur: NDB 8,111. – P. Fechter, Menschen u. Zeiten, Begegnungen aus 5 Jahrzehnten, 1948; ~ (in: FS z. 500-Jahr-Feier d. Univ. Greifswald 2) 1956; ~ (in: Jber. d. Dt.Mathematiker-Ver.) 1966/67.   RM

Hause, Benedict, * 20.3.1814 Reutershausen/ Kurhessen, † 3.3.1896 Eisenach; Lehrer an d. israelit. Schule in Oberaula, 1847 in Neukirchen, lebte seit 1869 in Eisenach im Ruhestand.

Schriften: Palästina. Kurzgefaßte Beschreibung Palästina's für Freunde des heiligen Landes …,

1868; Die Aufnahme. Erzählung aus der ersten Hälfte unseres Jahrhunderts, 1877; Esther, Königin von Persien und Medien (Dr.) 1880 (2., verb. Aufl. 1885); Aus dem jüdischen Leben (Nov.) 2 Bde., 1884/94; Ungleiche Ausgänge oder Die Folgen der Trunksucht. Eine Erzählung für Jung und Alt, 1885; Religiöse Reden ... (2., verm. Aufl.) 1885; Der goldene Boden. Eine Erzählung für die israelitische Jugend, 1886; Leichenreden, 1. Bd., o. J. (2. u. 3. Bd. 1890); Sechzig Toaste für alle festlichen Ereignisse des israelitischen Familien- und Vereinslebens, 1892; Drei Erzählungen, 1895; Die Erbfeindschaft, 1896; Eine bekannte Melodie, 1896.　　　　　　　　RM

Hause von Kommersberg, Melchior, * Febr. 1577 Zittau, † 14./15.9.1632 Lauban; Rechts-Studium in Zittau u. Frankfurt/Oder, 1602 poeta laureatus, 1611–20 Rektor in Lauban, 1620–29 Prorektor in Löwenberg.

Schriften: Schediasmatum succisivorum Sylloge, 1602; Epigrammatum Centuriae II., 1616; Jesus Crucifixus (Ged.) 1621.

Literatur: Adelung 2, 1836.　　　　　　　RM

Hausegger, Friedrich von, * 26.4.1837 St. Andrä/Kärnten, † 23.2.1899 Graz; Studium d. Rechte, später Rechtsanwalt u. Musikausbildung in Graz, seit 1872 Priv. Doz. f. Gesch. u. Musiktheorie das. Mitbegründer d. v. L. v. Sacher-Masoch hg. «Monatsh. f. Theater u. Musik», Musikkritiker d. «Grazer Ztg.».

Schriften: Richard Wagner und Schopenhauer. Eine Darlegung der philosophischen Anschauungen R. Wagners an der Hand seiner Werke, 1878 (2., verm. Aufl. 1892); Bismarck als Vertreter deutschen Geistes (Rede) 1885; Die Musik als Ausdruck, 1885 (2., verm. u. verb. Aufl. 1887); Das Jenseits des Künstlers, 1893; Die Anfänge der Harmonie ..., 1895; Die künstlerische Persönlichkeit, 1897; Unsere deutschen Meister. Bach, Mozart, Beethoven, Wagner (hg. R. Louis) 1901; Gedanken eines Schauenden. Gesammelte Aufsätze (hg. Siegmund v. H.) 1903; Gesammelte Schriften (hg. ders.) 1939.

Briefe: Briefw. mit P. Rosegger (hg. Siegmund v. H.) 1929.

Literatur: NDB 8, 112; ÖBL 2, 217; Riemann 1, 747; MGG 5, 1836. – R. SCHÄFKE, Gesch. d. Musikästhetik in Umrissen, ²1964.　　　RM

Hausen → Friedrich von Hausen.

Hausen, Hans von → Bunzeck, Gustav.

Hausen, Karl Renat(us), * 18.3.1740 Leipzig, † 20.9.1805 Frankfurt/Oder; Philos.- u. Gesch.-studium u. 1761 Habil. in Leipzig, 1766 Philos.- u. seit 1772 Gesch. Prof. in Frankfurt/Oder.

Schriften (Ausw.): Politische Historie des 18. Jahrhunderts, 2 Tle., 1763 f.; Sendschreiben an den Hrn. Major von Büssing über die Veränderungen in den Begebenheiten der Welt, 1764; Pragmatische Geschichte des 18. Jahrhunderts, 1766; Sammlung vermischter Schriften über einige Gegenstände der Geschichte, 1866; Pragmatische Geschichte der Protestanten, 1. Tl., 1866; Allgemeine Bibliothek der Geschichte und einheimischen Rechte, 2 Tle., 1767 f.; Vermächtnisse für alle Stände, 1770; Versuch einer Geschichte des menschlichen Geschlechts, 4 Bde., 1771–81; Leben und Charakter C. A. Klotzen's, 1772; Staatsmaterialien und historisch-politische Aufklärungen für das Publikum ..., 2 Bde., 1783 f.; Maximilian Julius Leopold, Herzog von Braunschweig-Lüneburg, eine historische Denkschrift, 1785 (umgearb. Neuausg. u. d. T.: Biographie Herzogs Maximilian Julius Leopold ... nebst einer vollständigen Sammlung aller ... herausgekommenen Schriften und Gedichte über das Absterben des Herzogs ..., 1785); Geschichte der Stadt und Universität Frankfurt an der Oder ..., 1800; Von der Bildung des Churfürsten Johann Georg auf hiesiger Universität, seinen unsterblichen Verdiensten um selbige, und einigen charakteristischen Zügen aus seinem Leben, 1804.

Literatur: ADB 11, 87; Meusel-Hamberger 3, 123; 9, 528; 11, 325; 14, 58.　　　RM

Hausen, Klaus von (Ps. f. Eugen Vollmer), * 21.2.1884 Westhausen/Württ.; Unterlehrer und Schulhausverweser in versch. Orten, 1910 Hauptlehrer in Aichstetten.

Schriften: Frühling und Liebe (Ged.) 1909.　　RM

Hausen, Peter → Hoder, Friedrich Josef.

Hausenstein, Wilhelm (Ps. Johann Armbruster), * 17.6.1882 Hornberg/Schwarzwald, † 3.6.1957 München; Beamtensohn, Gymnasium Karlsruhe, 1900–1905 Studium d. Philos., Gesch., Soziologie, Kunstgesch. in Heidelberg, Tübingen, München, 1905 Dr. phil., ausgedehnte Reisen durch Europa; 1907–1919 Mitglied d. sozialdemokrat. Partei, Verbindung zu den führenden Künstlern s. Zeit; 1919–1922 Mitherausgeber v. «Der neue

Merkur», 1921–1925 «Ganymed», 1917–1943 ständiger Mitarbeiter an der «Frankfurter Ztg.», 1934–1943 Leiter d. Literatur-Beilage; 1936 Ausschluß aus d. Reichsschrifttumskammer, Schreibverbot; 1950 Generalkonsul, 1953–1955 dt. Botschafter in Paris, seit 1950 Präs. d. Bayer. Akad. d. Schönen Künste, 1955 Großoffizier d. Ehrenlegion, Professor-Titel, Großes Bundesverdienstkreuz mit Stern. Kunstschriftst., Diplomat, Essayist, Erzähler, Übersetzer.

Schriften: Der Bauern-Bruegel, 1910; Der nackte Mensch in der Kunst aller Zeiten und Völker, 1911; Rokoko. Französische und deutsche Illustratoren des 18. Jahrhunderts, 1912; Die großen Utopisten, 1912; Die bildende Kunst der Gegenwart, 1914; Belgien, 1915; Die Kunst und die Gesellschaft, 1916; Der Körper des Menschen in der Geschichte der Kunst, 1916; Albert Weisgerber, 1918; Der Isenheimer Altar des Matthias Grünewald, 1919; Über Expressionismus in der Malerei, 1919; Rudolf Grossmann, 1919; Vom Geiste des Barock, 1919; Bild und Gemeinschaft. Entwurf einer Soziologie der Kunst, 1920; Zeiten und Bilder (Ess.) 1920; Die Kunst in diesem Augenblick (Ess.) 1920; Kairuan oder Eine Geschichte von Maler Klee und der Kunst dieses Zeitalters, 1921; Barbaren und Klassiker, 1922; Die Bildnerei der Etrusker, 1922; Das Gastgeschenk (Analysen von Gemälden) 1923; Giotto, 1923; Fra Angelico, 1923; Kannitverstan. Herbstliche Reise eines Melancholikers in Briefen aus Holland (Reisebeschr.) 1924; Carpaccio; 1925; Rembrandt, 1926; Reise in Südfrankreich, 1927; Kunstgeschichte, 1928; Die Welt um München, 1929; Badische Reise, 1930; Drinnen und Draußen (Tageb.) 1930; Meister und Werke (Aufs.) 1930; Das Land der Griechen (Reisebeschr.) 1934; Wanderungen auf den Spuren der Zeiten, 1935 (u. d. T.: Besinnliche Wanderfahrten, 1955); Buch einer Kindheit (Erz.) 1936; Allgemeine Kunstgeschichte, 1938; (Übers.) Baudelaire, Ausgewählte Gedichte, 1946; Herbstlaub (Erz.) 1947; Adolf Hildebrand, 1947; Lux Perpetua. Summe eines Lebens aus dieser Zeit. 1. Bd. (Autobiogr.) 1947; Begegnung mit Bildern (Analysen von Kunstwerken) 1947; München, 1947; Degas, 1948; Die Masken des Münchner Komikers Karl Valentin, 1948; Adalbert Stifter und unsere Zeit, 1948; Zwiegespräch über den Don Quijote, 1948; Meißel, Feder und Palette (Ess.) 1948; Französische Lyrik von Chénier bis Mal-larmé, 1948; Was bedeutet die moderne Kunst? 1949; Max Beckmann (mit B. v. Reifenberg) 1949; Das trunkene Schiff und andere französische Gedichte von Chénier bis Mallarmé, 1950; Abendländische Wanderungen. Städte und Kinder, Landschaften und Figuren in Reisebildern, 1951; Stimmen der Dichter (Schallplatte) o. J.; Der Traum vom Zwerg (Erz.) 1957; Onkel Vere, der Douglas (Erz.) 1957; Liebe zu München, 1958; Die Kunst in diesem Augenblick (Aufs., Tageb.) 1960; Pariser Erinnerungen (Autobiogr.) 1961; Reisetagebuch eines Europäers, 1964; Das Herz (Erz.) 1967; Licht unter dem Horizont. Tagebücher von 1942–1946 (hg. W. E. Süskind mit Bibliogr.) 1967; Impressionen und Analysen. Letzte Aufzeichnungen (hg. W. E. Süskind) 1969.

Nachlaß: Dt. Lit.arch./Schiller-Nat.mus. Marbach. – Denecke 2. Aufl.; Mommsen Nr. 1512.

Literatur: NDB 8, 113; HdG 1, 282; Albrecht-Dahlke II, 2, 292. – H. Günther, ~ (in: WW 5) 1950; W. Dirks, ~ (in: FH 5) 1950; ~ (in: DR 78) 1952; W. Schmiele, Selbstlose Leidenschaft (in: Neue lit. Welt 3) 1952; FS für ~. Zum 70. Geb.tag, 1952; T. Heuss, ~. (in: T. H., Würdigungen) 1955; Bibliogr. (in: Gegenwart 12) 1957; R. Minder, ~, écrivain (in: Allemagne aujourd'hui 6) 1957; G. Hillard, ~ (in: Jahresring) 1958/59; F. d. A. Caballero, «Recuerdos de Paris». Acotaciones a la obra póstuma de ~ (in: Arbor 52) 1962; A. Hoentzsch, Der «Kunstschriftst.» ~ (in: Hochland 54) 1961; W. Migge (hg.) ~. Wege e. Europäers. Katalog e. Ausstellung, 1967; J. Bode, Bibliogr. (ebd.) 1967; B. Reifenberg, Horizont u. Tiefe v. ~s Schr. (in: Jb. Darmstadt) 1967; Gedenkstunde f. ~ im Goethe-Inst., Paris (in: Dokumente 25) 1969; M. v. Brück, Der Schriftst. als Diplomat. ~ (in: W. H., Diplomaten d. Friedens) 1971 UF

Hauser, Arnold, * 8. 5. 1892 Temesvar/Ungarn, † Jan. 1978; Dr. phil., emigrierte 1938 nach England, war 1951–57 Prof. in Leeds/England, und 1952–65 Gastprof. an amerik. Univ.; lebte in London; kurz vor s. Tod Rückkehr nach Budapest. Kunst- u. Kulturhistoriker u. -soziologe.

Schriften: Sozialgeschichte der Kunst und Literatur, 1953 (zuerst engl.); Philosophie der Kunstgeschichte, 1958 (neuer Titel seit 2. Aufl. 1970: Methoden moderner Kunstbetrachtung); Der Manierismus. Die Krise der Renaissance und der Ursprung der modernen Kunst, 1964; Kunst und

Gesellschaft, 1973; Soziologie der Kunst, 1974; Arnold Hauser im Gespräch mit Georg Lukács, 1978. **AS**

Hauser, Arnold, * 31.3.1929 Brașov/Kronstadt, Rumänien; stellvertr. Chefred. d. dt.sprach. Zs. «Neue Lit.» in Bukarest. Erzähler, Übersetzer.

Schriften (alle erschienen in Bukarest): Kerben (Erz.) 1962; Eine Tür geht auf. Erzählungen und Skizzen, 1964; Leute, die ich kannte. Erzählungen und Skizzen, 1965; Neuschnee im März. Kurze Prosa, 1968; Der fragwürdige Bericht Jakob Bühlmanns. Kurzroman, 1968; Unterwegs. Skizzen und Erzählungen, 1971; P. Simion, Der heitere Friedhof. Eine sentimentale Monographie (Übers.) 1972; Examen Alltag. Geschichten, 1974. **AS**

Hauser, Carl Maria (Ps. Carry Hauser), * 16.2. 1895 Wien; Kunstmaler (Wandbilder, Fresken etc.) u. Illustrator, auch Schriftst.; bis 1938 Bundestreuhänder f. bildende Kunst, 1939–47 Emigration in d. Schweiz, nach d. Rückkehr Generalsekretär des öst. PEN. Prof. h. c., Kunstpreis d. Stadt Wien 1949.

Schriften: Die Insel. Steinzeichnungen, 1919; Buch der Träume (Holzschnitte) 1922; Köpfe (mit G. Ph. Wörlen) 1922; Heilige (mit dems.) 1923; Die Legende vom Jäger und Jägerlein (mit R. Haas) 1926; Adventspiel, 1944; Eine Geschichte vom verlorenen Sohn (Erz.) 1945; Maler, Tod und Jungfrau und andere Malermärchen, 1946; H. S. Waldeck, Balladen (Illustrationen) 1948.

Literatur: Vollmer 2, 392; Thieme-Becker 16, 140; L. HAIBÖCK, Der Maler ∼, 1960. **AS**

Hauser, Enzio → Rotter, Kurt Erich.

Hauser, Erika → Juschkat, Erika.

Hauser, Frank → Wiemer, Rudolf Otto.

Hauser, Franz → Oppenheimer, Franz.

Hauser, Harald, * 17.2.1912 Lörrach/Baden, 1932–1933 Studium in Berlin, Hg. e. revolutionären Stud.ztg., nach d. Machtergreifung Hitlers Emigration n. Frankreich, später Chefred. d. illegalen Ztg. «Volk u. Vaterland» in Paris, seit 1945 Red. in Berlin (Ost), 1959 Lessingpreis, 1960 Nationalpreis der DDR. Erzähler.

Schriften: Wo Deutschland lag ... (Rom.) 1947; Prozeß Wedding (Schausp.) 1951; Am Ende der Nacht (Schausp.) 1955; Tibet (gem. mit Siao) 1957; Im himmlischtn Garten (Schausp.) 1958; Weißes Blut, 1960; Häschen Schnurks (Hg. mit H. Korff-Edel) 1960; An Französischen Kaminen. Eine Filmerzählung (gem. mit H. Kleisch) 1962; Barbara. Drei Biographien in einem Vorspiel und sieben Bildern, 1964; Sozialistische Dramatik (Hg.) 1968.

Literatur: Albrecht-Dahlke II, 2, 292. – H. D. TSCHÖRTNER, Unser Porträt: ∼ (in: Börsenbl. Leipzig 126) 1959; R. ROHMER, Erfahrungen mit Barbara (in: Theater d. Zeit 20) 1965; Unser Werkstattgespräch mit ∼ (in: ebd. 20) 1965; U. HEINRICHS, Am Ende d. Nacht (in: WZ d. Humboldt-Univ. in Berlin 18) 1969. **IB**

Hauser, Hedwig Margarete (Ps. Hedi Hauser), * 26.1.1931 Timisoara/Rumänien; Verlagslektorin beim Jugendverlag Bukarest, jetzt Chefred. beim Kriterion-Verlag ebd.; Kinderbuchautorin, Übersetzerin (v. a. T. Arghezi, A. Mitru).

Schriften (alle erschienen in Bukarest): Waldgemeinschaft «Froher Mut» und andere Geschichten, 1956; Hannes Kinkerlitzchens Reise in die Welt, 1956; Seifenbläschens Abenteuer, 1957; Eine ganz tolle Geschichte, 1958; Im Guckkasten, 1960; Jetzt schlägt's dreizehn, 1962; Viele Fenster hat mein Haus, 1965; Der große Kamillenstreit, 1966; Lutz und die Hampelmänner, 1975; Rumänische Gedichte von T. Arghezi, L. Blaga, I. Barbu (Hg. mit M. Rehs) 1975; Der Wunschring. Eine Lese- und Spielbuch für Kinder (Hg.) 1977. **AS**

Hauser, Heinrich, * 27.8.1901 Berlin, † 25.3. 1955 Dießen am Ammersee; übte mehrere Berufe aus, 1938 Emigration in d. USA, 1948 Rückkehr in d. Heimat, Journalist u. Reporter. Übers. u. Erz. (Schilderer d. Natur u. Technik).

Schriften: Das zwanzigste Jahr (Rom.) 1925; Brackwasser (Rom.) 1928; Friede mit Maschinen (Ess.) 1928; Donner überm Meer, 1929; Schwarzes Revier, 1930; Die letzten Segelschiffe. Schiff, Mannschaft, Meer und Horizont, 1930; Feldwege nach Chicago, 1931; Noch nicht. Aufzeichnungen des Christian Heinrich Skeel (Rom.) 1932; Wetter im Osten, 1932; Ein Mann lernt fliegen, 1933; Kampf. Geschichte einer Jugend (tw. Selbstbiogr.) 1934; Fahrten und Abenteuer im Wohnwagen, 1935; Männer an Bord (Erz.) 1936; Am laufenden Band, 1936; Once your enemy,

London 1936; Notre Dame von den Wogen, 1937; Die Flucht des Ingenieurs (Nov.) 1937; Leinenzwirn, 1937; Opel, ein deutsches Tor zur Welt, 1937; Süd-Ost-Europa ist erwacht. Im Auto durch acht Balkanländer, 1938; Australien. Der menschenleere Kontinent, 1938; Battle against Time. A survey of the Germany of 1939 from the inside, New York 1939 (Neuauflg. 1940); Im Kraftfeld von Rüsselsheim, 1940; Kanada. Zukunftsland im Norden, 1940; Time was. Death of a junker, New York 1942; The German talks back, New York 1945; Nitschewo Armada. Roman. Nach den Erinnerungen an Aage von Kohl. (übers. aus d. Amerik. v. E. Duncker) 1949; Meine Farm am Mississippi, 1950; Bevor dies Stahlherz schlägt, 1951; Tochter Europas Düsseldorf (gem. mit A. Tritschler) 1951; Dein Haus hat Räder, 1952; Unser Schicksal. Die deutsche Industrie, 1952; Gigant Hirn (Rom.) 1958.

Literatur: NDB 8, 117f.; Albrecht-Dahlke II, 2, 293. – W. TÜRK, ~ (in: D. Lit. 33) 1931; M. HINDUS, The Strange Case of ~. (in: Sewanee Review 54) 1946; Keine bleibende Stätte. Erinnerung an ~. (in: D. Gegenwart 10) 1955.   IB

Hauser, Jochen, * 23.11.1941 Chemnitz; Sohn e. Bergarbeiters, Dramaturgiestudium in Potsdam-Babelsberg, seit 1966 Dramaturg d. Hörspielabt. d. Staatl. Komitees für Rundfunk, wohnt in Berlin (Ost). Verf. v. Hörspielen (ungedr.), Erzähler.

Schriften: Der Kaplan (Nov.) 1971; Pepp und seine Frauen (Rom.) 1973; Johannisnacht (Rom.) 1974.   AS

Hauser, Johann(es), * um 1440, † 29.11.1518; stammte aus St. Georgen b. Mondsee/Ober-Öst., Mönch d. Benediktinerstifts Mondsee, zuletzt Leutpriester, wahrsch. auch Bibliothekar und Schulmeister. Verf. v. Ged., e. Autobiogr., e. Bibelauslegung, e. «Collectura ex aurea biblia» (1483) u. e. «Pharetra doctorum» (1485) (alle Hss. in Wien); Abschreiber (Hans Folz' Lehre f. d. Pest, e. Pseudo-Aristoteles u. a.), Sammler latein. u. dt. Ged., Übers. u. Lexikograph.

Ausgabe: Teilausg. hg. H. MASCHEK (in: DLE 6) 1939 (Neudr. 1967).

Literatur: VL 2, 227; 5, 338; de Boor-Newald 4/1, 195. – I. FIEDLER, D. Mondseer Benediktiner ~ als Sammler u. Dichter (Diss. Wien) 1955; H. MASCHEK (vgl. Ausg.) 1967.   RM

Hauser, Josef, * 21.8.1892 Häggenschwil/St. Gallen; Lehrer in Neuallschwil b. Basel. Jugendbuchautor.

Schriften: Pestalozzi und Heinrich Stephani. Ein Beitrag zur Geschichte des Pestalozzianismus, 1920; Jugendbund und Jugendliga. Ein Wegweiser für Leiter, 1925; Die Höhlenbuben am Waldiloch, 1932 (2. Aufl. u. d. T.: Die Höhlenbuben, 1941); Der Sturz in die Nacht (Erz.) 1933; O Röbeli! Geschichten von kleinen Leuten, 1936 (2. erw. Aufl. 1950); Die roten Fähnchen, 1937; Hanspeter erlebt die Grenzbesetzung. Geschichten aus dem Grenzdienst, 1940; Im Märchenland. Ernste und heitere Märchen für Mutter und Kind, 1943; O du schöne Welt. Ein Heimat- und Naturbuch für die Jugend, 1945; Hanslis Wallfahrt, und andere Erzählungen für die Jugend, 1947; Die Kinder auf der Himmelbodenalp, 1948; Das Kühlein Muh. Geschichte eines hölzernen Kühleins, 1950; Röbeli und die Zigeuner, 1954; Röbeli der Läuterbub. Eine Lausbubengeschichte, 1956; Im singenden Garten des Zauberers. Ein Märchenbuch für Kinder, 1960.   AS

Hauser, Margrit (Ps. für Elsa Margot Hinzelmann), * 16.2.1895 Leipzig, † 16.9.1969 Ascona; aufgewachsen in Leipzig, wurde durch ihre Heirat Schweizerin, lebte als freie Schriftst. in Zürich, später in Ascona. Jugendbuch- u. Romanautorin (Jugendbücher unter d. Namen E.M. Hinzelmann veröffentlicht).

Schriften: Zwei Mädchen stehen im Leben. Eine Erzählung für Mächen von 13 bis 17 Jahren, 1935; Ma-Re-Li. Ein Buch für junge Menschen, 1936; Barbara erobert ihren Platz und Neues von Ma-Re-Li. Ein Jungmädchenbuch, 1936; Drei Wege ins Leben. Ein Jungmädchen-Buch, 1937; Die Hauptperson ist Klecks. Eine erlebnisreiche Geschichte, allen Kindern erzählt, 1937; Gloria hat es schwer. Eine Erzählung für junge Mädchen, 1938; Angelica, das Mädchen aus Crino (Rom.) 1940; Ursula Amreins böse Stunde. Eine Geschichte für Mädchen, 1940; Die Schwestern Burglin (Rom.) 1941; Verena erlebt das Wunder. Ein Buch für junge Menschen, 1942; Nur Mut, Gritli! Ein Buch für junge Menschen, 1943; Irrweg im Nebel (Rom.) 1943; Vom sicheren und unsicheren Leben (Rom.) 1943; Cordelia McPherson (Rom.) 1944; Toni in der Fremde. Ein Buch für unsere jungen Mädchen, 1945; Der Glücksritter (Rom.) 1946; Rosmarie. Ein Buch für junge Mädchen, 1946; Rosmaries glückliche Zeit. Ein Buch für junge Mädchen, 1947; Mariannes Londoner Jahr (Erz.) 1949; Gladys kommt in die Schweiz. Ein Buch für junge Mädchen, 1951; Gaston Burglin und Christine (Rom.) 1952; Dorette erlebt eine neue Welt. Eine Erzählung für junge Menschen, 1953; Vertrauen in Erika. Aus dem Leben einer glücklichen Familie, 1954; Gabys Welschlandjahr, 1956; Denise. Erzählung für junge Menschen, 1958; Die Trauung (Rom.) 1959; Meine Mutter und ich. Tagebuch eines jungen Mädchens, 1960; Denise findet ihre Aufgabe. Ein Buch für alle jungen Menschen, 1963; Conny reist nach Israel. Ein Roman für junge Menschen, 1965; Die Klassenzusammenkunft. Sieben Erzählungen, 1965; Frauenplatz Nr. 9 (Rom.) 1967.   AS

Hauser, Otto, * 27.4.1874 Wädenswil/Kt. Zürich, † 19.6.1932 Berlin-Friedrichshagen; Dr. phil., Prähistoriker u. Anthropologe, Ausgrabungsleiter in d. Dordogne (Entdecker d. Neanderthalerskeletts v. Le Moustier u. d. Menschen v. Combe-Capelle), 1914 Beschlagnahmung s. Besitzes in Les Eyziès wegen Mißachtung d. Denkmalpflege, lebte seit d. 1. Weltkrieg in Berlin, Weimar u. zuletzt in Berlin-Friedrichshagen. Leiter d. lit. Abt. d. Berliner «Sammlung».

Schriften: Der Mensch vor 100000 Jahren, 1917 (bearb. Neuausg. 1924); Im Paradies der Urmenschen ..., 1920; Leben und Treiben der Urzeit, die unsere Jugend kennen sollte, 1921; Urmensch und Wilder ..., 1921; Der Aufstieg der ältesten Kultur, 1922; Dort wo der Menschheit Wiege stand! (Erz.) 1922; Der Aufstieg zur menschlichen Kultur. Ein Bild zur Menschwerdung, 1923; Vom Urmenschen und seiner Welt zum Menschen der Gegenwart ..., 1926; Urwelt, 1929 (Außerdem zahlr. archäolog. u. prähist. Schriften.)

Literatur: HBLS 4,93. – R. VAUFREY ∼ (in: Anthropologie 43) 1933.   RM

Hauser, Otto, (Ps. Ferdinand Bütt[n]er), * 22.8.1876 Gut Dijaneš bei Vrbovec/Kroatien, † 26.5.1944 Blindendorf b. Wiener Neustadt (Unfall); studierte in Wien protestant. Theol. u. oriental. Sprachen, Teilnahme am 1. Weltkrieg, u.a. Red. d. «Belgrader Nachrichten». Beschäftig. mit Rasse u. Kultur, Übers., Literarhistoriker.

Schriften: Ethnographische Novellen, 1901; Lehrer Johann Johannsen (Erz.) 1902; Mutter und Sohn. Bürgerliches Drama aus den sechziger Jahren, 1903; Ein abgesetzter Pfarrer (Erz.) 1904; Lucidor der Unglückliche (Erz.) 1905; Der Reigen der schönen Frauen (Ged.) 1905; Angelika und Malwine (Erz.) 1906; 1848 (Rom.) 1906; Spinoza (Rom.) 1908; Runen (Ged.) 1908; Die Familie Geßner (Rom.) 1909; Weltgeschichte der Literatur, 2 Bde., 1910; Alt-Wien (Rom.) 1911; Faustulus (Erz.) 1911; Der Roman des Auslands, 1913; Das Drama des Auslands, 1913; Der liebe Augustin. Altwiener Schelmenroman, 1913; Rasse und Rassefragen in Deutschland, 1914; Die Lyrik des Auslands, 1914; Die Fürstin Mutter (Rom.) 1920; Das deutsche Herz (Erz.) 1921; Atlantis (Erz.) 1921; Biblische Sonette (Ged.) 1922; Klingsor und Morgane (Ep.) 1922; Alte deutsche Balladen. Sprachlich erneuert, 1922; Das Nibelungenlied, Neudichtung, 1923; Rasse und Kultur, 1924; Rassezucht, 1924; Die Blauen. Briefe und Aufzeichnungen, 1924; Rasselehre, 1925; Rassebilder, 1925; Die Menschwerdung, 1925; Germanischer Glaube, 1926; Der goldene Garten (Ged.) 1926; Wieland der Schmied. Neudichtung, 1926; Das Harlungenlied (Erz.) 1929; Deutsche und Juden, 1929; Protestantismus und Rasse, 1933; Juden und Halbjuden in der deutschen Literatur, 1933; Die Jesuiten, 1933; Christus, 1934.

Herausgebertätigkeit: Homer, Ilias und Odyssee (revid. Übers. v. Voß) 1912; Tasso, Befreites Jerusalem (revid. Übers. v. Gries) 1913.

Übersetzungtätigkeit: Rossetti, Das Haus des Lebens (Son.) 1900; Die niederländische Lyrik. Studien und Übungen, 1900; Die belgische Lyrik, 1902; Die dänische Lyrik von 1872–1902 (E. Stud. u. Übers.) 1904; Die japanische Lyrik von 1880–1900, 1904; Dante, Das neue Leben, 1906; Die chinesische Dichtung, 1908; Das Buch Hiob, 1909; Aus fremden Gärten (oriental. Dichtung) 1911–1924; Die Edda, 1926.

Literatur: ÖBL 2,220. – F. DOLEZAL, ∼ als Erzähler. (Diss. Wien) 1951.   IB

Hauser, Walter, * 4.10.1902 Näfels/Kt. Glarus, † 23.9.1963 Sisikon/Kt. Uri; 1927 Priester, 1928 Pfarrhelfer u. Sekundarlehrer in Isenthal, Kt. Uri, später Kaplan, u. ab 1939 Pfarrer in Sisikon. Vorwiegend Lyriker.

Schriften: Stufen zum Licht (Ged.) 1934; Das Christkind, 1940; Der Heiland erzählt, 1940; Singendes Gleichnis (Ged.) 1945; Neue Andachten. Lebensweihe. Religiöses Handbuch, 1945; Via crucis (mit W. Helbling) 1947; Sisikon. Geschichte eines Dorfes, 1947; Das ewige Siegel (Ged.) 1950; Flüelen (Uri) am Vierwaldstättersee, 1952; Franz von Assisi (gem. mit L. von Matt) 1952; D's Glarnerländli isch nu chli. Festspiel zur Sechshundert-Jahr-Feier des Eintrittes von Glarus in den Bund, 1352–1952, 1952; Sisikon am Urnersee, 1952; Der Franzosenhelfer. – Bürglen. (Ged.) 1954; Die heilige Klara. Ihr Leben der Jugend erzählt, 1954; Der Krug des Gastmahls (Ged.) 1954; Schwizerpsalm. Festspiel zur Einweihung der Straße Isleten und Bauen und zum hundertsten Todestag von P. Alberik Zwyssig, 1954; Sr. Edelharda Ritter aus der Kongregation der Schwestern vom Heiligen Kreuz Ingenbohl, 1954; Vom lieben Jesuskind, 1954; Elisabeth von Thüringen. Eine Frau nach dem Herzen Christi, 1955; Margit Bays. Ein echtes Franziskuskind. (mit anderen) 1956; Feier des Lebens (Ged.) 1957; Mein Weißer Sonntag (gem. mit anderen) 1958; Ein Mann glaubt an die Vorsehung: Cottolengo, 1959; Gesang im Abend (Ged.) 1963; Das Weihgeschenk. Ausgewählte Gedichte. (Ausgew. u. hg. v. R. Räber-Merz).

Literatur: A. MÜLLER-MARZOHL, Eine Einführung in das Werk von ∼ (mit e. Selbstbiogr. d. Dichters) u. Bibliogr., 1958; Innerschweizer Schriftst., 1977.   IB

Hauser, Wilhelm, * 1710 Dillingen, Todesdatum u. -ort unbekannt; Jesuit, geistl. Liederdichter.

Schriften: Der singende Christ, das ist: geist- und lehrreiche Gesänge, 1762; Neuer singender Christ ..., 1779.   RM

Hauser-Edel, Karoline, * 19.7.1838 Würzburg, Todesdatum u. -ort unbekannt; Tochter d. Prof. Karl Franz Wilhelm Edel, Schwester d. Dichterin Margarethe Edel, 1862 Heirat mit d. Juristen L. Hauser in München, 1879 Übersiedlung n. Leipzig, lebte als Witwe in München (1882–98) u. a. Orten, seit 1904 in Traunstein. Hg. d. Ged. ihres Vaters (1894).

Schriften: Den Treuen treu. Erinnerungsblätter an zwei teure Abgeschiedene, 1890; Blumen und Liebe. Ein Strauß von Liedern, 1893; Gedichte, 1899; Gedankenmosaik in Prosa und Versen, 1912.   RM

Hauserhoff, Annie → Kayser, Anna.

Haushofer, Albrecht (Georg) (Ps. Jörg Werdenfels), * 7.1.1903 München, † 24.4.1945 Berlin-Moabit, ermordet; Sohn v. Karl H.; Studium d. Gesch. u. Geographie in München, 1924 Dr. phil.; ausgedehnte Reisen; 1940 Prof. f. Geographie an d. Univ. Berlin; Mitarbeiter am Auswärtigen Amt, Verbindung zu R. Heß, 1941 kurzfristig verhaftet, Amtsenthebung, Redeverbot; Teilnahme an d. Verschwörung v. 20. Juli 1944, v. d. Gestapo getötet. Lyriker, Dramatiker, Geograph, Politiker.

Schriften: Paß-Staaten in den Alpen, 1928; (Hg.) Zeitschrift der Gesellschaft für Erdkunde zu Berlin, 1931–1939; Richtfeuer (Ged.) 1932; Zur Problematik des Raumbegriffs, 1932; (Hg.) Verhandlungen und Wissenschaftliche Abhandlungen des deutschen Geographentages Nr. 24–26, 1932 bis 1937; Scipio (Schausp.) 1934; Sulla (Schausp.) 1938; Gastgeschenk (Ged.) 1938; Augustus (Schausp.) 1939; Englands Einbruch in China, 1940; Moabiter Sonette (Ged.) 1946; Chinesische Legende (dramat. Dichtung) 1949; Allgemeine politische Geographie und Geopolitik, 1951.

Nachlaß: Privatbesitz; Bundesarch. Koblenz. – Mommsen Nr. 1512.

Literatur: NDB 8, 120; HdG 1, 284; Albrecht-Dahlke II, 2, 293. – F. M. WASSERMANN, E. Denkmal d. ewigen Dtl.: ∼ s Moabiter Sonette (in: Monatshefte 37) 1945; H. SALINGER, ∼ Moabiter Sonette (in: Monatshefte 38) 1946; J. NOBECOURT, A la trace d' ∼ (in: Verger 1) 1947; H. HAUSHOFER, Souvenirs sur mon frère Albrecht (ebd.); J. C. BLANKENAGEL, ∼s Moabiter Sonette (in: GQ 20) 1947; P. FECHTER, D. Montagstisch (in: P. F., Menschen u. Zeiten) 1948; A. GRIMM, C. F. v. WEIZSÄCKER, W. STUBBE, In memoriam ∼, 1948; R. HILDEBRANDT, Wir sind die Letzten. Aus d. Leben d. Widerstandskämpfers ∼, 1949; R. ITALIAANDER, Besiegeltes Leben. Begegnungen auf vollendeten Wegen, 1949; A. E. ZUCKER, The Literary Work of ∼ (in: MLQ 11) 1950; F. M. WASSERMANN, ∼s Chinesische Legende (in: Monatshefte 42) 1950; M. HABART, ∼s Moabiter Sonette (in: Critique Nr. 77) 1953; F. M. WASSERMANN, Macht u. Geist in ∼s Römerdramen (in: Monatshefte 46) 1954; A. GRIMM, ∼. Nach 10 Jahren e. Wort d. Gedächtnisses z. 23.4.1945 (in: Sammlung 10) 1955; F. M. WASSERMANN, E. unbekanntes Denkmal dt. Dg. in d. Krisenzeit d. dreißiger Jahre des XX.

Jh.: 20 Gedichte ~s (in: JEGP 55) 1956; E. PREISS, ~ (Diss. Wien) 1957; H. HEIMPEL, Worte d. Gedenkens an ~ (in: Neue Sammlung 5) 1965; E. POCAR, Sonetti di Moabit di ~ (in: Miscellanea di studi in onore di B. Tecchi) 1969.

UF

Haushofer, Karl, * 17.8.1869 München, † 10. 3.1946 Hartschimmelhof bei Pähl/Obb. (Selbstmord); Studium in München, Teilnahme am 1. Weltkrieg als bayer. General, weilte zwei Jahre in Japan, 1919 Privatdoz. u. 1921 Honorarprof. f. Geographie in München. Begründer d. dt. Geopolitik. Geopolit. und geograph. Schriften.

Schriften (Ausw.): Grundrichtungen in der geographischen Entwicklung des Japanischen Reichs, 1919; Geopolitik des Pazifischen Ozeans, 1925; Grenzen in ihrer geographischen und politischen Bedeutung, 1927; Japans Reichserneuerung, 1931; Deutschlands Weg an der Zeitenwende (Mitverf.) 1931; Japans Werdegang als Weltmacht und Empire, 1933; Der Nationalsozialistische Gedanke in der Welt, 1934; Deutsche Kulturpolitik im Indo-Pazifischen Raum, 1939.

Herausgebertätigkeit: Zeitschrift für Geopolitik, 1924–1944; Der Rhein: sein Lebensraum und sein Schicksal, 1928 ff.; Großmächte vor und nach dem Weltkriege, 1930; Jenseits der Großmächte, 1932; Macht und Erde (Schriftenreihe) 1932–1934.

Nachlaß: Univ.bibl. München. – Denecke 2. Aufl.

Literatur: NDB 8,121. – ~ z. 60. Geb.tag (in: Zs. f. Geopolitik, Sonderh.) 1929; ~ zum 70. Geb.tag (in: ebd.) 1939; K.-H. HARBECK, D. Zs. f. Geopolitik 1924–1944. (Diss. Kiel) 1963; D. H. NORTON, ~ and the German Academy 1925 bis 1945. (in: Central European History. 1) 1968.

IB

Haushofer, Marlen, * 11.4.1920 Frauenstein/ Oberöst., † 21.3.1970 Wien; Studium der Germanistik, lebte in Steyr/Oberöst., als Gattin eines Arztes; Erzählerin. A. Schnitzler-Preis 1963, Kinderbuchpreis d. Stadt Wien 1965 u. 1967 u. a.

Schriften: Das fünfte Jahr (Erz.) 1951; Eine Handvoll Leben (Rom.) 1955; Die Vergißmeinnichtquelle. 20 Erzählungen, 1956; Die Tapetentür (Rom.) 1957; Wir töten Stella (Nov.) 1958; Die Wand (Rom.) 1963; Bartls Abenteuer (Kinderb.) 1964; Brav sein ist schwer (Kinderb.) 1965; Himmel, der nirgendwo endet (Rom.)

1966; Lebenslänglich (Ausw. O. J. Tauschinski; mit Bibliogr.) 1966; Müßen Tiere draußen bleiben?, 1967; Schreckliche Treue (Erz.) 1968; Wo hin mit dem Dackel?, 1968; Die Mansarde (Rom.) 1969; Schlimm sein ist auch kein Vergnügen (Kinderb.) 1970.

Literatur: LexKJugLit 1,527. – O. J. TAUSCHINSKI, Im Angesicht d. Grenze. ~ (in: Wort in d. Zeit 7) 1961; H. KUPRIAN, ~ – 60 Jahre (in: Sudetendt. Kulturalmanach 5) 1964; R. BAMBERGER, D. öst. Jugendschriftst. u. s. Werk, 1965; Dg. aus Österreich 2, 2, 1969; O. J. TAUSCHINSKI, ~ in usum delphini (in: Jugend und Buch 2) 1970; DERS., D. neue Phase in ~s Prosa (in: LK 47/48) 1970.

AS

Haushofer, Max, * 23.4.1840 München, † 10. 4.1907 Gries b. Bozen; erste Jugend in Prag, Studium in München, 1866 Prof. an d. TH, 1875 bis 1880 Bayer. Landtagsabgeordneter; alpiner Landschaftsschilderer u. Kulturhistoriker, Erzähler u. Lyriker.

Schriften (außer fachwiss. Schr.): Gedichte, 1864; Unhold, der Höhlenmensch (Lyrik u. ep. Ged.) 1880; Der ewige Jude (Dramatisches Ged.) 1886; Geschichten zwischen Diesseits und Jenseits. Moderner Totentanz, 1888; Die Verbannten (erz. Ged.) 1890; Alpenlandschaft und Alpensage, 1891; Vom Land Tirol, 1896; Lebenskunst und Lebensfragen, 1897; Allerhand Blätter (Gesch.) 1898; Planetenfeuer (Zukunftsrom.) 1899; Tirol, 1899; Oberbayern, München und bayerisches Hochland, 1900; Prinz Schnuckelbold (Märchendichtung) 1906; Der Gast der Einsamkeit und andere Gedichte, 1907; An des Daseins Grenzen. Geschichten und Phantasien, 1908.

Nachlaß: Mommsen Nr. 1515.

Literatur: Biogr. Jb. 12,75.

IB

Haushofer-Merk, Emma, * 15.6.1854 München, † 11.7.1925 ebd.; Tochter d. Kunstmalers Eduard Merk, Schriftst. u. Mitarb. versch. Zs. in München, 1902 Heirat mit Max H., Vorsitzende d. Münchner Schriftstellervereins.

Schriften: Evas Töchter, 1893; Chiemsee-Novellen, 1897; In enger Gasse. Die Trennung (2 Nov.) 1897; Mädchen von heute (Nov.) 1898; Irrwege der Liebe (Nov.) 1899; Das Klosterkind (Nov.) 1899; Drei Frauen. Münchener-Roman, 1902; Das Rätsel der Bergnacht (Rom.) 1903;

Am Hochzeitstage (Rom.) 1903; Die junge Generation (Rom.) 1904; Freundinnen (Nov.) 1905; Frauengestalten (Erz.) 1906; Unter der Asche (Nov.) 1907; Seine Frage und andere Novellen, 1910; Neue Frauen, alte Liebe (Rom.) 1910; Urteile du! (Rom.) 1912; Der Pakt mit dem Himmel (Rom.) 1913; Die Lierbachs-Mädeln, 1913; Luxuspflänzchen und andere Novellen, 1913; Weiße Lilien, 1919; Lore (Rom.) 1919; Auf einsamem Weg (Rom.) 1920; Spieglein, Spieglein an der Wand! (Rom.) 1921; Die einzige Tochter (Erz.) 1922; Es wetterleuchtete. Münchener Roman aus der Mitte des vorigen Jahrhunderts, 1922; Treulos (Erz.) 1922; Aus Mitleid (Erz.) 1923; Die Gewissensbisse des Ignatius Stupfer. Das Lieserl. Zwei Erzählungen aus dem alten München, 1924; Zwei Mädchen (Erz.) 1924; Ihr Vater (Nov.) 1925.   RM

Hausin, Manfred, * 21.8.1951 Hildesheim; Abitur, wohnt in Celle; Lyriker, Erzähler.
Schriften: konsequenz (Ged.) 1970; Bahnhofs-Gedichte, 1972.   AS

Hausius, Karl Gottlob, * 31.3.1754 Fremdiswalde Kr. Leipzig, † 7.6.1825 Backleben/Merseburg; Philol.- u. Theol.-Studium in Leipzig, 1780 Magister, Konrektor, 1799 Pfarrer in Altenbeichlingen/Merseburg u. seit 1809 in Backleben u. Batgendorf.
Schriften: ABC oder Unterricht der Christen, 1774; Gesänge am Klavier, 1. Tl., 1784; Über Raum und Zeit. Ein Versuch in Beziehung auf die Kantische Philosophie, 1790; Materialien zur Geschichte der critischen Philosophie, 3 Bde., 1793; Neues ABC-Buch, welches das Angenehmste und Interessanteste aus der Naturgeschichte zum Grunde hat, 1791 (3., verb. Aufl. 1794); Biographie Herrn Johann Gottlob Samuel Breitkopfs, ein Geschenk für seine Freunde, 1794; Die vier Jahreszeiten oder Angenehme Belustigung für Kinder durch die Abwechselung der Natur, 1794 (verm. Neuausg. 1800); Geographisches Handbuch, 3 Bde., 1795; Der kleine Pferdeliebhaber, ein Lesebuch für Knaben, 1800.
Literatur: ADB 11,93; Meusel-Hamberger 3, 126; 11,326; 22.2,617.   RM

Hauska, Maria Dolores (Ps. Marian Doska), * 25. 6.1903 Brünn, † 12.3.1977 Waiblingen/Rems; lebte ebd.; Erzählerin, Lyrikerin, Dramatikerin,

Verf. von Sprachführern, Reise- u. Kochbüchern; A. Stifter-Preis 1941, 1943, Anerkennungspreis d. Ostdt. Lit.preises 1964.
Schriften (Ausw.): Das Wunschbuch Ihres Kindes. Eine Auslese von leicht verständlichen Glückwünschen für alle festlichen Ereignisse im täglichen Leben, 1947; Das scharlachrote Tuch (Erz.) 1951; Rummy, 1952; Zu Besuch in Rom und Umgebung. Ein Führer durch die Ewige Stadt (mit H. Meyer) 1955; Zu Besuch in Venedig. Ein Führer durch die Lagunenstadt und deren Umgebung (mit H. Meyer) 1956; Ich bleib dir treu (Rom.) 1956; Erfüllte Träume (Rom.) 1956; Seine Stimme (Rom.) 1956; Vroni und der Maler (Rom.) 1956; Damals ... (Rom.) 1957; Mährische Novellen, 1957; Das Königsopfer. Historisches Schauspiel, 1958; Der Steinmetz von Sankt Jakob (Erz.) 1963; Ungewiß ist die Stunde des Regenbogens (Ged.) 1963.
Literatur: W. FORMANN, Sudetendt. Dg. heute, 1964.   AS

Hausknecht, Balthasar, * 11.6.1735 Wallnitz/ Schles., † n. 1797 (lebte 1797 in Amsterdam); Hofmeister in Aslau b. Bunzlau u. später in Amsterdam, kaiserl. gekrönter Poet.
Schriften: Der Sommerabend in drey Spaziergängen, 1758; Kurzgefaßte geographische Beschreibung aller Länder der Welt, 1764; Briefwechsel zur wahren Empfindung des Schönen und Nützlichen einer moralischen Schrift, 1764 (Neuausg. u.d.T.: Briefe des Fräuleins von V** über die besten moralischen Schriften unserer Zeit, 1768); Beschreibung aller Religionen der Welt, nebst der gegen über stehenden Widerlegung durch die einzig wahre, 1765 (Neuausg. 1782); Skarsine; ein Frühlingsgedicht in drei Gesängen, 1769.
Literatur: Meusel-Hamberger 3,127; 14,59.
                                                         RM

Hausleiter, Charlotte (geb. Westermann), * 13. 10.1883 Nürnberg; schrieb auch u. ihrem Mädchennamen. Verf. v. Ess. u. Erzählungen.
Schriften: Knabenbriefe, 1911; Briefe aus drei Jahrhunderten deutscher Vergangenheit. Auswahl und zeitgeschichtliche Lebensbilder, 1913.   IB

Hausleitner, Ines Hermine → Widmann, Ines.

Hausleutner (Hausleitner), Philipp Wilhelm Gottlieb, * 12.8.1754 Neuenstadt/Württ., † 13.

5. 1820 Stuttgart; 1788 Philol.-Prof. an d. hohen Karlsschule, dann Regierungs-Registrator u. -sekretär in Stuttgart. Hg. d. «Gallerie d. Nationen» (1792 ff.), Mit-Hg. d. «Teutschen Kuriers».

Schriften: Das türkische Reich nach seiner Geschichte, Religions- und Staatsverfassung ... Sitten und Gebräuchen beschrieben, 1. Bd., 1789.

Übersetzer- und Herausgebertätigkeit: Lateinische Chrestomathie ..., 1786 (2., verm. Aufl. 1794); König Theodor (Oper, aus d. Italien.) 1786; Die Sanftmuth des Titus (Oper, aus d. Italien. d. Metastasio)1786; Schwäbisches Archiv, 17 Stücke, 1789–93; Litteratur der Türken (aus dem Italien. d. Abbée Toderini) 2 Tle., 1790; Geschichte der Araber in Sicilien und Siciliens unter der Herrschaft der Araber ..., 4 Bde., 1791 f.; Originalbriefe von Mirabeau ... Gesammlet von P. Manuel, 1. Bde., 1792; Historische Beschreibung der Westmünster-Abtey ... (aus d. Engl.) 1796; Opera scelte dell'Abate Pietro Metastasio ..., 1798; Erläuterungen über die Cisalpinische Republick (aus d. Französ. d. C. J. Trouvé) 1800; E. F. Hüblers Skizze des 18. Jahrhunderts, 1801; Handbuch der Erdbeschreibung von Europa ... (mit C.L. Lotter hg.) 1804; Entdeckungsreise nach den Südländern ... (aus d. Französ. d. F. Péron) 2 Bde., 1808/19.

Literatur: Meusel-Hamberger 3, 128; 9, 530; 11, 326; 14, 59; 18, 76; 22.2, 617.   RM

Hausmann, Eduard, * 24. 11. 1847 Ribnitz/Mecklenb.-Schwerin, Todesdatum u. -ort unbekannt; Seemann, 1902 Kapitän in Swinemünde u. seit 1904 in Kiel. Lebte seit 1907 in Lübeck im Ruhestand.

Schriften: Sylvester (Neujahrsfestsp.) 1898. RM

Hausmann, (Ludwig) Gustav (Ps. Gustav H. Oekander), * 11. 3. 1840 Dresden, † 30. 8. 1905 ebd.; 1863 Dr. phil., Hauslehrer, 1866 Lehrer u. 1871 Oberlehrer in Dresden, 1877 Dir. d. Töchterschule, 1884 Prof., seit 1900 im Ruhestand.

Schriften: Vivat Paulus! Liederbuch des Universitäts-Sängervereins zu St. Pauli (hg.) 1863; Der arme Heinrich von Hartmann von Aue ... übertragen, bearbeitet und den deutschen Jungfrauen gewidmet, 1886; Lesebuch für höhere Mädchenschulen (mit A. Wünsche) 5 Bde., 1886 f.; Eugenie. Tragödie, im Anschluß an Goethes Drama «Die natürliche Tochter», 1890; Christian Günther oder Genius und Schuld (Tr.) 1891; König

Autharis Brautfahrt. Handlung in 5 Aufzügen, 1897.

Literatur: Biogr. Jb. 10, 200; Theater-Lex. 1, 719.   RM

Hausmann, Heinrich Karl, * 18. 10. 1792 Darmstadt, Todesdatum u. -ort unbekannt; Theol.-Studium in Gießen, 1813–21 Vorsteher e. Erziehungsinstitutes in Darmstadt, seit 1821 Pfarrer v. Niederbeerbach u. Malchen.

Schriften: Catechismus der christlichen Religion in evangelischer Lauterkeit gestützt auf die Schrift und die Vernunft. Nach den Bedürfnissen der Zeit verfaßt, 1836; Der evangelische Lichtfreund (Mit-Verf.) 1838.   RM

Hausmann, Julie von, * 7. 3. 1825 Mitau/Kurland, † 2. 8. 1901 Wösso/Estland; lebte in Mitau, später in Biarritz, seit 1870 in Petersburg u. zuletzt in Wösso, Verf. d. geistl. Volksliedes «So nimm denn meine Hände und führe mich».

Schriften: Maiblumen. Lieder einer Stillen im Lande (hg. G. Knak) 1860; Blumen aus Gottes Garten. Lieder und Gedichte, 1902.

Literatur: Biogr. Jb. 6, 227.   RM

Hausmann, Manfred, * 10. 9. 1898 Kassel, Abitur in Göttingen, ab 1916 Soldat, 1918 schwer verwundet, studierte nach Kriegsende Philol., Philos. u. Kunstgesch. in Göttingen (1922 Dr. phil.), 1923 Kaufmannslehre in Bremen, 1924–25 Feuilletonred. der «Weserztg.», seit 1927 freier Schriftst., lebte ab 1929 in Worpswede, seit 1951 in Bremen. Auch Nachdichter griech., hebr., jap. u. chin. Lyrik. Mitgl. der Dt. Akad für Sprache u. Dichtung (1955 ausgetr.), der Akad. der Künste, Akad. der Wiss. u. d. Lit., Präs. der Gesellschaft für Brüderlichkeit. Ralph-Beaver-Straßburger-Preis, 1930; Jochen-Klepper-Medaille, 1953; Lit.preis der Stadt Soest, 1955; Kogge-Ring, 1958; Medaille für Kunst u. Ws. des Bremer Senats, 1963; Knut-Hamsun-Medaille, 1966; Konrad-Adenauer-Preis, 1970.

Schriften: Die Frühlingsfeier (Nov.) 1924 (Neufassung 1932); Jahreszeiten (Ged.) 1924; Orgelkaporgel (Erz.) 1925; Alt-Hollands Kirchenbauten, 1926; Die Verirrten (Nov.) 1927; Marienkind (Leg.sp.) 1927; Alt-Hollands Bürgerbauten, 1927; Die Böttcherstraße in Bremen, 1927; Lampioon küßt Mädchen und kleine Birken (Rom.) 1928; Salut gen Himmel (Rom.) 1929; Lilofee (Laiensp.) 1929 (Dr., 1936); Kleine Liebe zu

Amerika (Reisebericht) 1930; Abel mit der Mundharmonika (Rom.) 1932; Die Föhre (Ausw.) 1933; Ontje Arps (Erz.) 1934; Die Begegnung (Erz.) 1936; Abschied von der Jugend (Rom.) 1937 (später u. d. T.: Abschied vom Traum der Jugend); Demeter (Erz.) 1937; Jahre des Lebens (Ged.) 1938; Mond hinter Wolken (Ausw. v. F. Hammer) 1938; Geliebtes Bremen, 1939; Geheimnis einer Landschaft – Worpswede, 1940; Alte Musik (Ged.) 1941; Quartier bei Magelone (Erz.) 1941; Einer muß wachen (Ess.) 1942; Füreinander (Ged.) 1946; Das Worpsweder Hirtenspiel, 1946; Vorspiel (Ess.) 1947; Von der dreifachen Natur des Buches (Vortr.) 1947; Gedichte, 1949; Martin. Geschichten aus einer glücklichen Welt, 1949; Das Erwachen. Lieder und Bruchstücke aus der griech. Frühzeit (Übers.) 1949; Einer muß wachen (Ess.) 1950; Der dunkle Reigen (Mysteriensp.) 1951; Liebe, Tod und Vollmondnächte. Japanische Ged. (Übers.) 1951; Der Überfall. Gesammelte Erzählungen, 1952; Die Überwindung (Ausw. v. S. Hajek) 1952; Liebende leben von der Vergebung (Rom.) 1953; Isabel. Geschichten um eine Mutter, 1953; Die Begegnung. Vor der Weser (Erz.) 1953; Die Achterbahn (Ausw.) 1953; Hafenbar (Kom.) 1954; Hinter dem Perlenvorhang. Gedichte nach dem Chinesischen (Übers.) 1954; Die Entscheidung (Ess.) 1955; Der Fischbecker Wandteppich (Leg.-sp.) 1955; Die Wüste lebt. Nach dem Film beschrieben von ∼, 1955; Bremen – Gesicht einer Hansestadt (Text) 1955; Was dir nicht angehört (Erz.) 1956; Trost im Trostlosen (Rede) 1956; Andreas. Geschichten um Martins Vater, 1957; Aufruhr in der Marktkirche. Reformationsspiel, 1957; Das Lied der Lieder, das man dem König Salomo zuschreibt (Übers.) 1958; Tröstliche Zeichen (Ess.) 1959; Die Zauberin von Buxtehude (Sp.) 1959; Propheten, Apostel, Evangelisten (Text, mit L. Eckener) 1959; Irrsal der Liebe (Ged.) 1960; Ruf der Regenpfeifer. Japanische Lyrik (Übers. mit Kuniyo Takayasu) 1961; Heute noch (Erz.) 1962; Die Bremer Stadtmusikanten (Kinderbuch) 1962; Unendliches Gedicht. Bemerkungen anläßlich der Lyrik Theodor Storms, 1962; Kleiner Stern im dunklen Strom (Rom.) 1963; Ist es wahr, daß man mit Gott nicht reden kann? 1963; Gelöstes Haar. Japanische Gedichte von Toyotama Tsuno (Übers.) 1964; Zwei unter Millionen (Ausw.) 1964; So beginnt das Licht (Ausw. v. K. Schauder) 1964; Kassel – Porträt

einer Stadt, 1964; Und wie Musik in der Nacht (Ausw.) 1965; Sternsagen, 1965; Und es geschah. Gedanken zur Bibel, 1965; Widerschein der Ewigkeit. Bildmeditationen, 1966; Spiegel des Lebens. Gedanken über das Fußballspiel, 1966; Hinter den Dingen (Ess.) 1967; Heiliger Abend. Eine Weihnachtsgabe, 1967; Wort vom Wort (Predigten) 1968; Unvernunft zu dritt (Erz.) 1968; Kreise um eine Mitte (Ess.) 1968; Gottes Ja (Predigten) 1969; Der golddurchwirkte Schleier. Gedichte um Aphrodite, 1969; Keiner weiß die Stunde (Erz.) 1970; Vergebung, 1972; Die große Kunst des Dienens, 1972; Wenn dieses alles Faulheit ist … (Text) 1972; Das abgründige Geheimnis (Predigten) 1972; Kleine Begegnungen mit großen Leuten. Ein Dank, 1973; Zwei mal zwei im Warenhaus. Ein Spiel für Kinder, 1973; Nacht der Nächte. Ein Weihnachtsbuch, 1973; Im Spiegel der Erinnerung. Erlebnisse und Begegnungen …, 1974; Jahre des Lebens (Ged.) 1974; Andreas, Viola und der neue Stern, 1975; Die Nienburger Revolution (Schausp.) 1975; Nüchternheit (Predigten) 1975; Altmodische Liebesgedichte, 1975; Der Mensch vor Gottes Angesicht. Rembrandt-Bilder. Deutungsversuche, 1976; Bis nördlich von Jan Mayen. Geschichten zwischen Kopenhagen und dem Packeis, 1978.

Schallplatten: ∼ spricht, 1960; ∼ liest Gedichte und Prosa, 1960.

Bibliographie: Albrecht-Dahlke II, 2, 294. – ∼ (FS zu s. 70. Geb.tag, hg. K. SCHAUDER) 1968.

Literatur: HdG 1, 285. – C. BOURBECK, ∼ (in: C. B., Schöpfung u. Menschenbild in dt. Dichtung um 1940) 1947; G. KAPPNER, D. Weg ∼s v. Nihilismus z. Glaubensgewißheit (in: Zeitwende 1948–49); ∼: Wer bin ich also? Zwei Selbstportr.: 1930. 1950 (in: Welt u. Wort 6) 1951; R. A. SCHRÖDER, ∼ (in: R. A. S., Ges. Werke 2) 1952; S. HAJEK, ∼, 1953; K. BRINKEL, Wo kein Sinn mehr ist. D. Lebensproblem in d. Dg. ∼s, 1953; S. RUSSACHER, Le message de ∼ (in: Allemagne d'aujourd'hui) 1957; F. E. KORN, D. Motiv d. Jugendbewegung im Werk ∼s (Diss. München) 1958; J. LOPES, O Homen entre a natureza e deus, uma interpretação da problematica da obra de ∼ (Diss. Lissabon) 1960; K. ROSELIUS, Bremer Dichter in d. dt. Lit. (in: Geist. Bremen) 1960; E. BONALDA, ∼s Erz. u. Nov. (Diss. Mailand) 1964; C. P. FRÖHLING, Sprache u. Stil in d. Rom. ∼s (Diss. Bonn) 1964; G. H. FRÖHLICH, The Development of Religious Consciousness in

the Works of ~ (Diss. Iowa) 1966; K. SCHAU-
DER (Hg.), ~, 1968 (2., erw. Aufl. 1979); H.
KLUCARIC, Stud. z. Bild- u. Metaphernsprache
~s (Diss. Graz) 1970; W. BORTENSCHLAGER ~,
(in: W.B., D. dt.-sprachige Dr.) 1971; W.
FEHSE, Einer muß wachen. ~ zum 75. Geb.tag
(in: D. Literat) 1973; S. BEIN, Vernunftglaube
u. Weisheitsglaube im Werk v. ~ (in: Welt u.
Wort 28) 1973; ~, (in: G. KRANZ, Lex. d.
christl. Weltlit.) 1978.						KS

Hausmann, Nicolaus (Niclas), * um 1479 Frei-
berg/Sachsen, † 3.11.1538 ebd.; Theol.-Studium
in Leipzig, 1503 Magister d. freien Künste, 1519
ev. Prediger in Schneeberg, 1521 Reformator u.
Nachfolger v. Sylvius Egranus an d. Marienkirche
in Zwickau, führte seit 1531 d. Reformation in
Dessau ein, 1538 Rückberufung n. Zwickau, Vf.
zweier Reformationsgutachten, überl. ist ferner
seine Antrittspredigt in Zwickau (1538).
Ausgaben: L. PRELLER, N.H., der Reformator
von Zwickau und Anhalt. Zwei Gutachten von
ihm über die Reformation von Zwickau ... (in:
Zs. f. d. hist. Theol. 22) 1852.
Briefe: O. CLEMEN, E. Brief v. ~ an Stephan
Roth ... (in: Alt-Zwickau) 1928. – vgl. ferner C.
G. BLUMBERG, ... Veritas Misterii Tiarae, Romani
Pontificis ... accedunt ... N. Hausmanni ... epi-
stolae, 1710.
Literatur: ADB 11,98; NDB 8,126; RGG ³3,
98; RE 7,487; Schottenloher 1,329. – O.G.
SCHMIDT, ~, d. Freund Luthers n. gesch. Quellen
dargest., 1860; M. MEURER, ~s Leben ... aus d.
Quellen erz. (in: M.M., D. Leben d. Altväter d.
luth. Kirche) 1863; F. BOBBE, ~ u. d. Reforma-
tion in Dessau, 1905.						RM

Hausmann, Otto, * 5.11.1837 Elberfeld, † 15.
3.1916 ebd.; Lithographenlehre u. autodidakt.
wiss. Ausbildung, Publizist u. Schriftst. in Elberfeld.
Schriften: Humoristisch-satyrische Reise-Skizzen, 1876; Nach der Mosel. Von Coblenz bis
Trier. Trinkfahrt in den verschiedensten Stadien,
1878; In's Ahrthal. Lustige Wallfahrt mit fröhlichen Zechern, 1880; Zerstreute Blätter (Ged.)
1886; Freud' und Leid (Ged.) 1888; Neue Gedichte, 1890; Aus der Mappe (Ged.) 1894; Aus
der alten Reichsstadt (Musik H. Hirsch) 1895;
Mosaik (Ged.) 1897; Ausgewählte Gedichte (mit
Biogr. hg. v. HÖRTER) 1907. (Ferner e. Anzahl
ungedr. Bühnenstücke u. Operettentexte.) RM

Hausmann, Raoul, * 12.7.1886 Wien, † 1.2.
1971 Limoges; bildender Künstler und Dichter,
Mitglied der Berliner Dada-Bewegung, Hg. der
Zs. «D. Dada», 1933 Emigration n. Spanien, in
d. Schweiz, d. Tschechoslowakei, 1938 n. Frankreich, zuerst n. Paris, dann n. Limoges.
Schriften: Hurrah! Hurrah! Hurrah! 12 Satiren,
1921 (Neuaufl. 1970); Traité de questions sans
solutions importantes, 1957; Courrier dada, Paris
1958 (entstanden 1946); Poèmes et Bois, Paris
1961; Sprechspäne, 1962; Pin (Ged., mit K.
Schwitters; entstanden 1946/47) London 1962;
Hyle. Ein Traumsein in Spanien, 1969.
Nachlaß: Staatsbibl. Preuß. Kulturbesitz Berlin; Stadtbibl. Hannover. – Denecke 2. Aufl.
Literatur: Das war Dada. Dichtungen u. Dokumente (Hg. P. Schifferli) 1963; K. RIHA, Cross-
reading u. cross-talking. Zitat-Collagen als poet.
u. satir. Technik, 1971; J.-F. BORY, Prolegomè-
nes à une monographie de ~, Paris 1972.		AS

Hausmann, (Friedrich) Wilhelm, * 7.2.1871
Essen/R., † um 1952 in Unkel/Rh.; lebte in
München, Hiddesen b. Detmold u. Unkel/Rhein;
Lyriker, Erzähler, Theaterkritiker, Feuilletonist.
Schriften: Kegel-Struwwelpeter. Lustige Verse
zu fröhlicher Kegelbrüder Nutz und Frommen,
1910; Des Königs Artollerey, 1915; Vaterlän-
dische Dichtungen. Bd. 1, Treudeutsch aller-
wege!, 1923, Bd. 2, Flammenzeichen, 1926;
Deutsche heraus! Vaterländische Gedichte und
Freiheitslieder. Folge 2, 1924; Tannenberg.
Eine vaterländische Ode, 1927; Die alte Mühle
und andere lyrische Gedichte, 1934; Balladen,
1934; Aus dem Erbe Heinrich von Kleists. Aus-
arbeitung hinterlassener Fragmente, 1934.		AS

Hausmeister, Jakob August, * 6.10.1806 Stuttgart, † 17.4.1860 Straßburg; Uhrmacherlehre,
1825 Konversion, Eintritt in d. evangel. Missionshaus Basel, seit 1831 in Diensten d. Londoner Gesellsch. z. Bekehrung Israels, seit 1832 Missionar
in Straßburg.
Schriften: Worte der Liebe an meine Brüder ...,
1833; Winke und Mittheilungen über das evangelische Missionswerk ..., 1834 (2., umgearb.
Aufl. u. d. T.: Die evangelische Mission unter Israel, 1861); Merkwürdige Lebens- und Bekeh-
rungsgeschichten nebst interessanten Äußerungen
bekehrter Israeliten, 1835; Dr. Da Costa in Amsterdam. Einiges aus seinem Leben ... (aus d.

Engl.) 1845; Züge aus dem Leben und Wirken des seligen Johann Peter Goldberg, Missionar unter Israel, 1848; Leben und Wirken des Pastors J. J. Börling, 1852; Der Unterricht und die Pflege jüdischer Proselyten ..., 1852; Die Judenmission ... (Vortrag) 1856.

Literatur: ADB 11, 100. – E. FINK, D. evangel. Mission unter Israel, 1861. RM

Hausotter, Emil, * Mai 1854 Kunewald, † 21. 6. 1944; Lehrer u. Mundartdichter.

Schriften: Das Kuhländchen im geistigen Bilde seiner Schönheit. Ernste und heitere Erzählungen, 1904. RM

Hausotter, Johann (Hans), * 20. 5. 1847 Theresienstadt/Böhmen, † 6. 12. 1926 Innsbruck; 1872 Dr. phil., Lehrer, 1887–1919 Landesschulinspektor (Tirol), 1913 Hofrat in Innsbruck. Hg. d. dt. Ausg. d. «Jb. d. Volksschulwesens in Tirol» (seit 1895), Bearb. d. 4. Aufl. v. A. Scherers «Geogr. u. Gesch. v. Tirol u. Vorarlberg» (1876).

Schriften: Die Edel-Patina oder Der Schwarzen Mander Glück und Ende, 1882.

Literatur: ÖBL 2, 223. RM

Hausrath, Adolf (Ps. Konrad Mähly, George Taylor), * 13. 1. 1837 Karlsruhe, † 2. 8. 1909 Heidelberg; Theol.-Studium in Jena, Heidelberg u. a. Orten, 1861 Lic. theol., 1862 Priv.doz. u. Vikar in Heidelberg, Mitbegründer u. erster Sekretär d. dort. Protestantenver., 1864–67 Oberkirchenratsassessor, 1867 Abgeordneter d. Generalsynode sowie a. o. u. 1871 O. Prof. für Kirchengesch., Dr. theol., Dr. phil. h. c. Heidelberg. Red. d. «Süddt. Wochenbl.», Mitbegründer d. «Heidelberger Jb.» (1891), Mitarbeiter an d. «Dt. Rundschau». Neben Dahn u. Ebers Hauptvertreter d. sog. «Professorenromans».

Schriften (Ausw.): Der Ketzermeister Konrad von Marburg, 1861; Geschichte der alttestamentlichen Literatur in Aufsätzen, 1864; Neutestamentliche Zeitgeschichte, 3 Tle., 1868–74 (3. Aufl., 4 Bde., 1879); Die oberrheinische Bevölkerung in der deutschen Geschichte, 1871; Religiöse Reden und Betrachtungen, 1873 (2., verm. Aufl. 1882); David Friedrich Strauss und die Theologie seiner Zeit, 2 Bde., 1876/78; Antonius. Historischer Roman aus der römischen Kaiserzeit, 1880; Klytia. Historischer Roman aus dem 16. Jahrhundert, 1883; Kleine Schriften religionsgeschichtlichen Inhalts, 1883; Jetta. Historischer

Roman aus der Zeit der Völkerwanderung, 1884; Elfriede (Erz.) 1885; Arnold von Brescia, 1891; Peter Abälard, ein Lebensbild, 1893; Weltverbesserer im Mittelalter, 3 Bde., 1893–95; Martin Luthers Romfahrt. Nach einem gleichzeitigen Pilgerbuche erläutert, 1894; Alexander und Luther auf dem Reichstag zu Worms ..., 1897; Karl Holsten. Worte der Erinnerung ..., 1897; Peter Maternus. Roman aus dem 16. Jahrhundert, 1898; Unter dem Katalpenbaum (Erz.) 1899; Alte Bekannte (Gedächtnisbl.) 3 Bde., 1899 ff.; Potamiäna (Erz.) 1901; Geschichte der theologischen Facultät zu Heidelberg im 19. Jahrhundert, 1901; Die Albigenserin (Erz.) 1902; Richard Rothe und seine Freunde, 2 Bde., 1902/06; Luthers Leben, 2 Bde., 1905; Jesus und die neutestamentlichen Schriftsteller, 2 Bde., 1908 f.

Literatur: NDB 8, 126; Biogr. Jb. 14, 294; RGG ³3, 99; RE 23, 623. – T. KAPPSTEIN, ∼, D. Mann, d. Theolog, d. Dichter, 1912; K. BAUER, ∼, Leben u. Zeit, 1. Bd., 1933 (2. Bd. als fragm. Ms. im Arch. d. Ev. Oberkirchenrats in Karlsruhe). RM

Hauß, Charles (Ps. Karl Forest), * 3. 1. 1871 Brumath/Elsaß, † 23. 1. 1925 ebd.; Studium in Clermont-Ferrand, Bankbeamter, 1894 Übernahme d. Red. d. «Elsässers». Übers. u. Dramatiker.

Schriften: Danneholz. Wihnachts-Stimmungsbild in einem Uffzug in Stroßburjer Ditsch, 1899; Eulogius Schneider. Vadderländisches Schauspiel in vier Akten, 1903. IB

Hausschwender, Paul, * um 1618 Schniegling/ Nürnberg, † n. 1647; n. Besuch d. Gymnasiums in Nürnberg Studium an d. Univ. Altdorf (1638) u. Leipzig (1646).

Schriften: Groß- und Sieg-pachtende Schreib-Feder, 1647 (Neuausg. in d. Slg. Stolberg-Stolberg, 4 Bde., 1927–32).

Literatur: Neumeister-Heiduk 371. RM

Haußdorff (Hausdorf), Salomon, * 19. 12. 1640 Lauban, † 16. 10. 1715 Bernstadt/Oberlausitz; Theol.-Studium in Helmstadt, Wittenberg und Leipzig, 1664 Hilfsprediger u. seit 1668 Prediger in Bernstadt. Verf. zahlr. einzeln gedr. Predigten u. kleinerer Gelegenheitsschriften.

Schriften: Carmen von dem uralten adelichen Geschlechte derer von Löben ..., 1674; Der geschlagene Knauff auf dem Heiligthum und Götzen-

Tempel zu Bethel, 1708; Lobhandlung von der Metatron, o. J.; F. Seidel, Denkwürdige Gesandtschaft an die Ottomanische Pforte (mit Vorrede u. Anm. hg.) 1711; Erbauliches Schwanen-Gethöne, Das ist Eine und andere erbauliche Lieder ... auf mancherley Zeiten und Fälle abgefasset ..., 1724.

Literatur: Jöcher 2, 1408; Goedeke 3, 298.   RM

Haußdorff, Urban(us) Gottlieb, * 21.2.1685 Bernstadt, † 17.4.1762 Zittau; Theol.-Studium in Leipzig, seit 1714 Pfarrer in versch. Orten Sachsens, 1733 Diakon, 1737 Archidiakon u. 1742 Pastor primarius in Zittau.

Schriften: Gottgeheiligte Erstlinge Christlicher Ehegatten das ist Christliche Hochzeit- und Ehstands-Lieder ... nebst einer Zugabe von Begräbniss-Liedern, 1725 (auch u. d. T.: Die unter den Myrten und Cypressen erschallenden Lieder der Kinder Zions); Aufmerksamer Seelen Siegel Der Andacht ..., 1730; Kirchen- und Reformations-Geschichte der Stadt Zittau, 1732; Lebensbeschreibung eines christlichen Politici, nehmlich Lazari Spenglers ..., 1741.

Nachlaß: Staats- u. Univ.bibl. Hamburg. – Fels 120.

Literatur: Adelung 2, 1835; Goedeke 3, 316.
                                                                                    RM

Haussen → Husanus.

Haußknecht, Gabriel, 16. Jh., biogr. Daten unbekannt.

Schriften: Ain schöner spruch, So sich ainer Chronica vergleicht, Von mancherley Kriegen, Schlachten und anderen wunderbarlichen thaten un geschichten ... biss auff das 1536. Jahr geschehen, 1536; Eyn schöner spruch so sich eyner Chronica verglycht biss uff das 1537. Jar, 1537; Summ aller Chronicken bis uff diss 1553. Jar in rymens wyss gestelt, 1553; Chronica Oder Zeitregister, bis auff das Jar 1591, 1591; Chronica ... biss auff das Jar 1592, 1592.

Literatur: Goedeke 2, 324.   RM

Haußmann, Georg, * 1583 Mittweida, † 28.1. 1639 Dresden; n. Studien an d. Univ. Leipzig u. Wittenberg 1611 Konrektor in Mittweida, 1619 Tertius in Freiberg und seit 1624 Rektor in Dresden.

Schriften: In onomasteria ... Christiani II. ..., 1616; Fausta acclamatio, qua ... Johannem Georgium ... Lusatia suscepta ..., o. J. (1621); Flores

de quatergeminis areolis horti Evangelii Honor exequalis ..., o. J. (1623). (Ferner ca. 25 Leichenged., in d. Slg. Stolberg-Stolberg, 4 Bde., 1927 bis 1932).

Literatur: Neumeister-Heiduk 371.   RM

Haußmann (Hausmann, Husmann), (Johann) Valentin, * um 1560 Gerbstädt b. Eisleben, † 1611/14; lebte 1588–1611 als Komponist ohne feste Anstellung auf Reisen. Führte v. a. italien. u. poln. Elemente in d. dt. Musik ein, Hg. v. italien. Liedern u. Kompositionen.

Schriften (Ausw.): Neue Teutsche Weltliche Lieder ..., 1592; Eine fast liebliche art derer noch mehr Teutschen weltlichen Lieder ..., 1594; Newe liebliche Melodeyen ... eines theils mit Texten, ander theils ohne Text ..., 1594; Neue Teutsche weltliche Canzonetten, 1596; Neue teutsche weltliche Lieder ... mit ... kurtzweiligen Texten, 1597; Andere noch mehr Neue teutsche weltliche Lieder ..., 1597; Newe artige und liebliche Tänze ..., 1598; Neue liebliche Melodien, unter neue teutsche weltliche Texte ..., 1598; Neue artige und liebliche Täntze zum Theil mit Texten ..., 1600; Fasciculus newer Hochzeit und Brautlieder, 1602; Fragmenta oder 35 noch übrige newe Lieder ..., 1602; Venusgarten darinnen hundert ... liebliche mehrentheils polnische Täntz mit Texten, 1602; Extract aus ... fünf Theilen der teutschen weltlichen Lieder, 2 Tle., 1603; Rest von Polnischen und andern Täntzen nach Art der wie im Venusgarten ..., 1603; Canzonette ... zuvor mit italienischen Texten ... jetzo ... mit teutschen Texten ..., 1606; Neue artige und liebliche Täntze zum Theil mit Text ..., 1606; Johann-Jacobi Gastoldi und anderer Autorn Tricinia ... jetzo mit Teutschen weltlichen Texten ..., 1607; Musicalische teutsche weltliche Gesänge ..., 1608; Thomas Morlei liebliche fröhliche Ballette ... auf italiänische Texte gesetzt, jetzt mit Teutschen unterlegt, 1609; Die erste Class. Der vierstimmigen Canzonetten Horatii Vechi ... jetzo mit Unterlegung Teutscher Texte ..., 1610; Die ander Class ..., 1610; Die dritte Class ..., 1610.

Neuausgaben (Texte): Zahlr. Texte bei R. VELTEN (siehe Lit.).

Literatur: ADB 11, 112; NDB 8, 132; MGG 5, 1841; Aufriß 2, 45, 46; 3, 712; FdF 1, 6; Goedeke 2, 59. – R. VELTEN, D. ältere dt. Gesellsch.-lied unter d. Einfluß d. ital. Musik, 1914; A. SI-

MON, Poln. Elemente in d. dt. Musik, 1916; J. MÜLLER-BLATTAU, Gesch. d. Musik in Ost- und West-Preußen, 1931; T. WERNER, E. Brief ∼s (in: Zs. f. Musikwiss. 15) 1932/33; B. DELLI, Stud. z. Gesch. d. Pavane u. Galliarde in Dtl. (Diss FU Berlin) 1956; W. DÜRR, D. italien. Canzonette u. d. dt. Lied im Ausgang d. 16. Jh. (in: Studi in onore di Lorenzo Bianchi) Bologna 1960.　　　　　　　　　　　　　　　　RM

Haußwald, Günter, * 11.3.1908 Rochlitz a. d. Mulde; Studium in Leipzig (Dr. phil.), Kritiker, später Dramaturg an d. Staatsoper v. Dresden, sowie Doz. an d. Staatl. Akad. f. Musik u. Theater. Vorwiegend musiktheoret. Schriften.

Schriften: Wie höre ich Musik? 1928; Empor! Ein Buch der Tat, 1929; Johann David Heinichens Instrumentalwerke, 1937; Heinrich Marschner – Ein Meister der deutschen Oper, 1938; Die deutsche Oper (neue Aufl.) 1941; Dramaturgische Blätter der Staatstheater Dresden (Hg.) 1948; Dresdner Kapellbuch. Generalintendanz der Staatstheater Dresden (Hg.) 1948; Mozarts Serenaden. Ein Beitrag zur Stilistik der achtzehnten Jahrhunderts. Mit zahlreichen Notenbeispielen, 1951; Das neue Opernbuch, 1953 (7. erw. Aufl. 1957); Richard Strauss. Ein Beitrag zur Dresdner Operngeschichte seit 1945, 1953; Dirigenten, Bild und Schrift, 1965.　　　　　IB

Hauswald, August Wilhelm, * 1749 Dresden, † 16.4.1804 ebd.; 1779 Kanzlist, später Arch.-registrator u. Geheimsekretär in Dresden.

Übersetzungen: Des Herrn von Montesquieu Werk und Geist der Gesetze (mit Anmerkungen) 1782 (Neuausg., 3 Bde., 1804); Des Herrn von Montesquieu Betrachtungen über die Ursache der Größe und des Verfalls der Römer (mit Anmerkungen) 1786; Torquato Tasso's befreytes Jerusalem, 2 Bde., 1802.

Literatur: Ersch-Gruber II. 3, 202; Meusel-Hamberger 3, 129; 11, 327; 14, 61.　　　RM

Hauth, Walther, * 5.3.1885 Biberach/Riss, † 29.4.1957 Stuttgart; Reg. Baumeister, Kunsthändler in Stuttgart. Erzähler.

Schriften: Whisky. Der Schatzgräber. Zwei Erzählungen, 1952.　　　　　　　　　　AS

Hauthaler, Willibald (Taufname: Kaspar), * 5. 1.1843 Heimbach/Salzburg, † 10.12.1922 Salzburg; 1862 Eintritt in d. Benediktinerstift St.

Peter in Salzburg, Lehrer u. Schuldir., seit 1901 Abt. Mitgl. d. Akad. d. Wiss. Wien, Begründer u. erster Bearb. d. Salzburger Urkundenbuches (1898 ff.), Mitarb. d. «Stud. u. Mitt. d. Benediktinerordens» (seit 1880).

Schriften u. Herausgebertätigkeit: J. Stainhauser, Leben, Regierung und Wandel des Erzbischofs Wolf Dietrich, 1873; Fragment eines alten Salzburger Nekrologiums, 1875; Die Salzburger Traditionscodices des 10. und 11. Jahrhunderts, 1882; Der Mondseer Codex Traditionum, 1885; Libellus decimationis de anno 1285 ..., 1887; Aus den Vaticanischen Registern. Eine Auswahl von Urkunden ... vornehmlich zur Geschichte der Erzbischöfe von Salzburg bis zum Jahre 1280, 1887; Notae Seccovienses, 1893; Ein Registerbuch aus dem 14. Jahrhundert, 1893; Die große Briefhandschrift zu Hannover, 1894; Kardinal Matthäus Lang und die religiös-soziale Bewegung seiner Zeit 1517–1540, 1896; Die Nonnberger Rotel von 1508, 1899.

Bibliographie: in: Wiener Almanach, 1923.

Literatur: LThK 5, 38; ÖBL 2, 223. – ∼ (in: Stud. u. Mitt. aus d. Benediktinerorden, NF 2) 1924.　　　　　　　　　　　　RM

Hautli, (Johann) Nepomuk, * 1765 Appenzell, † 1826 ebd.; lebte in Appenzell, Freund v. F. J. B. Bernold (gen. der Barde v. Riva).

Schriften: Wie kann den Armen im Land geholfen werden? Eine Unterredung mit besonderer Rücksicht auf Inner-Rhoden, 1807; Das Wildkirchlein und die Ebenalp im Kanton Appenzell (Ged.) 1816.

Literatur: Goedeke 12, 165. – E. GÖTZINGER, Aus d. Papieren d. Barden v. Riva ... Briefw. mit ∼ ..., 1891.　　　　　　　　　　RM

Havemann, Hans, * 5.5.1887 Grabow/Mecklenburg; Studium in Berlin, München, Jena u. Paris, Dr. phil., Lehrer u. freier Schriftst., Journalist, 1924–1938 Red. in Bielefeld. Kulturschriftst. u. Dramatiker.

Schriften: Ch. Baudelaires, Der Verworfene (Nachdichtungen) 1920; Der polare Mensch. Gestalten und Gespräche, 1923; Die Not in Calais (Dr.) 1923; Das Bild des Menschen. Mensch und All im Lichte einer Philosophie des Raumes, 1937.　　　　　　　　　　　　　IB

Havemann, Julius (Johannes) * 1.10.1866 Lübeck, † 30.8.1932 Klempau, Kr. Lauenburg/Elbe; Studium in Freiburg/Br., München, Tübingen u. Leipzig, lebte teilweise als freier Schriftst. im Ausland, ließ sich nach versch. Bibl.diensten in Lübeck nieder. Erz. auf d. Gebiet d. hist. Rom., sowie d. Charakter-Novelle.

Schriften: Perücke und Zopf (Nov.) 1911; Am Brunnen (Erz.) 1912; Eigene Leute (Tril.) 1913; Der Ruf des Lebens (Rom.) 2 Bde., 1913; Schönheit (Rom.) 1914; Deutsche Heldenjugend. Ein Weckruf zum heiligen Krieg, 1915; Glücksritter (Erz.) 1915; Gedichte, 1917; Ruth Sydentop (Nov.) 1919; Die Göttin der Vernunft (Rom.) 1919; Dolores (Nov.) 1921; Drei Märchen, 1922; Die Stimmen der Stille (Nov.) 1923; Overbeck (Nov.) 1924; Pilger durch die Nacht (Rom.) 1926; Die Verheißung. Festspiel zur Eutiner Weber-Feier, 1926; Der Barbar und andere Novellen, 1927; Geschichte der schönen Literatur in Lübeck, 1926.

Literatur: NDB 8, 136 – P. BÜLOW, D. Dichter ∼ u. s. Werk (in: Der Türmer 29) 1926; M. ELSTER, Erinnerungen an ∼ zu s. Tode. (in: Die Gestalt 2) 1932; K. ZIESENITZ, D. Dichter ∼, Leben u. Schaffen. (in: Der Wagen 33) 1933; R. MAJUT, ∼ (in: GLL NS 5) 1952; E. LUDWIG, In memoriam ∼. (in: Lübeckische Bl. 126) 1966.

IB

Havemann, Robert (Hans Günther), * 11.3. 1910 München; Chemiker, 1935 Dr. phil., 1943 Habil. in Berlin, Leiter d. Widerstandsgruppe «Europ. Union», 1943 z. Tod verurteilt, 1945 befreit, Leiter d. späteren Max-Planck-Inst. in Berlin, 1947 Doz. f. physikal. Chemie an d. Humboldt-Univ., SED-Mitgl., Abgeordneter d. Volkskammer, Mitgl. d. Dt. Friedensrates u. d. Akad. d. Wiss., 1965 Amtsentlassung aus polit. Gründen, lebt in Grünheide b. Berlin/DDR.

Schriften (Ausw.): Fragen, Antworten, Fragen. Aus der Biographie eines deutschen Marxisten, 1970; Die Zukunft des Sozialismus (hg. H. Jäckel) 1971; Berliner Schriften (hg. A. W. v. Mytzke) 1977; Ein deutscher Kommunist – Rückblicke und Perspektiven aus der Isolation (hg. M. Wilke) 1978.

Literatur: D. KNÖTZSCH, Interkommunist. Opposition. D. Beispiel ∼ (in: Ggw.kunde 16) 1967; J. MOSANDER u.a., Am Beispiel ∼s (in: Dtl.-Arch. Köln 5) 1972.

RM

Havemann, Wilhelm, * 27.9.1800 Lüneburg, † 23.8.1869 Göttingen; Studium d. Rechte und Gesch. in Göttingen u. Erlangen, wegen burschenschaftl. Tätigkeit 1825–30 in Haft, dann Lehrer in Hannover u. Ilfeld, seit 1838 Prof. in Göttingen, 1850 Mitgl. d. Gesellsch. d. Wiss., Red. d. Götting. Gelehrten Anz. (1841–48).

Schriften: Geschichte der italienisch-französischen Kriege 1484–1515, 1833; Geschichte und Kämpfe Frankreichs in Italien unter Ludwig XII., 1835; Magnus II., Herzog zu Braunschweig und Lüneburg. Eine biographische Skizze, 1836; Geschichte der Lande Braunschweig und Lüneburg ..., 2 Bde., 1837f. (erw. Neuausg. ‚3 Bde., 1853–57); Elisabeth, Herzogin von Braunschweig Lüneburg ..., 1839; Mittheilungen aus dem Leben des Michael Neander, 1841; Die Kirchenreformation der Stadt Göttingen, 1842; Geschichte des Ausganges des Tempelherrnordens, 1846; Francisco Ximenez, 1847; Darstellungen aus der neuen Geschichte Spaniens ..., 1850; Das Leben des Don Juan d'Austria. Eine geschichtliche Monographie, 1865; Das Kurfürstenthum Hannover unter zehnjähriger Fremdherrschaft, 1867.

Nachlaß: Landesbibl. Hannover. – Denecke 2. Aufl.

Literatur: ADB 11, 114.

RM

Havenstein, Wilhelm Heinrich, * 4.9.1791 Züllichau, † vor 1866; Theol.- u. Philol.-Studium in Leipzig u. Berlin, seit 1813 Lehrer, später auch Konsistorial- u. Schulrat in Liegnitz u. zugleich Pfarrer v. Krischwitz b. Liegnitz. 1818–26 Rezensent d. lit. Beil. d. schles. Prov.blätter.

Schriften: Die Heiligung in dem Herrn (Predigten) 1822; Geistliche Reden an die Freunde Jesu unter den Gebildeten (aus d. Nachl. ges. u. mit biogr. Notiz hg. H. TOLLIN) 1866. (Außerdem einzeln gedr. Predigten.)

Literatur: Meusel-Hamberger 22.2, 621.

RM

Haverland, Anna, * 8.1.1854 (n. andern: 1851) Berlin, † 31.5.(1.6.?)1908 Dresden-Blasewitz; Schauspielerinnen-Ausbildung u.a. in Berlin, Engagements u.a. in Leipzig u. Dresden u. seit 1878 in Berlin, lebte seit 1897 in Dresden.

Schriften: Lose Blätter (Skizzen) 1891. (Ferner ungedr. Bühnenstücke.)

Literatur: Theater-Lex. 1, 720.

RM

Haverland, Gerwin (Ps. Daniel v. Soest), * um 1535 im Herzogtum Westfalen, Todesdatum unbekannt, da d. Klosternekrologe verloren gingen;

Minorit, Provinzial s. Ordens in Köln. Polemiker in dramat. Form.

Schriften: Ketterspegel, 1533; Ein Dialogon, darjnne de sprock Esaie am ersten Capitel, nömlich: Wü iß de getrüwe Stadt ein Hoern worden … vnd etliche andere sprocke meer, vp de lutherischen Bynnen Soest recht gedütet wert, 1537; Apologetikon, 1538; Eine gemeyne Bicht oder bekennung der Predicanten tho Söst, bewyset wu vnd dorch wat maneren se dar tor stede dat wort Gods hebben ingenort, vp dat aller korteste durch ~ beschreuen, 1539 (Neudruck u. d. T.: Soester Daniel oder Spottgedicht Gerhard Haverlands, besorgt v. F. L. SCHMITZ, 1848).

Literatur: ADB 11, 117; Goedeke 2, 336; Schottenloher 1, 329; Adelung 2, 1831. – J. S. SEIBERTZ, ~. (in: J. S. S., Westfäl. Beitr. z. Dt. Gesch. 1) 1819; W. CRECELIUS u. FR. WOESTE, Auszüge aus Daniel ~. (in: Zs. d. Bergischen Gesch. ver. 11) 1876; J. WORMSTALL, Culturhistorisches aus d. Soester Daniel. (in: Mschr. f. rhein.-westfäl. Gesch.forsch. u. Alt.kunde 2) 1876; ~. Ein westfäl. Satiriker d. 16. Jh. (hg. u. erläutert v. F. JOSTES) 1888.   IB

Havestadt, Bernhard, * 27. 2. 1714 (?) Köln, † 28. 1. 1781 Münster/Westf.; seit 1732 Jesuit, 1743 Priesterweihe, 1746–71 Missionar in Chile, dann Ordenstätigkeit in Haus Geist/Westf., lebte n. Aufhebung d. Ordens 1773 in Münster. Missionar u. Sprachforscher.

Schriften: Chilidugu sive tractatus de lingua seu idiomate Indo-Chilensi … Hispanice et Latine conscriptus, 1775; Chilidugu sive res Chilenses vel Descriptio Status tum naturalis, tum civilis, cum moralis Regni populique Chilensis, inserta suis locis perfectae ad Chilensem Linguam Manuductioni, 3 Bde., 1777; Zwölf Missionspredigten …, 1778.

Ausgaben: Des P. B. H. Reise nach Chili 1746 bis 1748, dessen zwanzigjähriger Aufenthalt bis 1768, und seine Rückreise im Jahr 1770 (in: C. v. MURR, Nachr. v. versch. Ländern d. span. Amerika) 1810; Chilidugu sive res Chilenses … (hg. J. PLATZMANN) 2 Bde. u. Nachtr., 1883–98.

Bibliographie: Sommervogel 4; V. D. Sierra (siehe Lit.).

Literatur: NDB 8, 138. – J. DAHLMANN, D. Sprachkunde u. d. Mission (in: Stimmen aus Maria Laach, ErgH. 50) 1891; G. WUNDER, ~, e. dt. Chilereisender d. 18. Jh. (in: Dt. Monatsh. f.

Chile 15) Valdivia 1934; V. D. SIERRA, Los Jesuitas Germanos en la conquista espiritual de Hispano-America, Buenos Aires 1944; C. KELLER, E. westf. Missionar in Chile. D. Werk ~s (in: Auf roter Erde. Monatsbl. f. Landeskunde u. Volkstum Westf. 87–89) 1966.   RM

Haw, Johann, * 26. 5. 1871 Schweich; war Pfarrer u. Red. in Trier u. in Leutersdorf a. Rh.; Volksschriftsteller.

Schriften: Eine gute Beicht! Ein Mahnruf an viele Katholiken, 1900; Die Hölle. Etwas aus dem dunklen Jenseits für Jedermann, 1901; Der Himmel auf Erden!, 1904; König Alkohol. Ein Aufruf zum Kampfe gegen den Erbfeind, 1904.   AS

Hawart von der Hagen («Herr Hawart»), Lyriker um d. Mitte d. 13. Jh.; stammte aus d. Tirol (F. H. v. der Hagen) od. Straßburg (A. Schulte, F. Grimme), Verf. e. Sangspruchtones (relig. Spruch gg. d. Not im Hl. Land u. e. gg. d. Verwirrung im Reich), e. sangbaren fünfstroph. Kreuzliedes u. e. Scherz-Dial. zw. Ritter u. Dame über d. Liebe. Später Walther-Schüler. Überl. aus gemeinsamer Quelle in d. Maness. (C) u. in d. alten Heidelberger Hs. (A).

Ausgaben: HMS 2, 4; C. v. KRAUS, Dt. Liederdichter d. 13. Jh. 1, 2, 1952/58 (2., durchges. Aufl. v. G. KORNRUMPF, 1978).

Literatur: VL 2, 228; 5, 338; ADB 11, 119; Ehrismann 2 (Schlußbd.) 282. – H. DREES, D. polit. Dg. d. dt. Minnesänger, 1887; W. WISSER, D. Verh. d. Minneliederhs. B. u. C, 1889; F. GRIMME (in: Neue Heidelberger Jb. 4) 1884; DERS., Gesch. d. Minnesänger, 1897; A. SCHULTE (in: ZfdA 39) 1895; A. WALLNER (in: PBB 33) 1908; E. THURNHER, Wort u. Wesen in Südtirol, 1947.   RM

Hawel, Rudolf, * 19. 4. 1860 Wien, † 23. 11. 1923 ebd.; aus ärml. Verhältnissen, Volksschullehrer, Mitarb. an d. «Ostdt. Rundschau» (Hg. Wolf), «Zeit» u. anderen Bl.; f. «Mutter Sorge» Bauernfeld-Preis, f. «D. Politiker» Raimund-Preis, Vertreter d. Wiener Volksst., Verf. v. volkstüml. Dramen u. Erzählungen.

Schriften: Rummelshausener Lieder, 1899; Märchen für große Kinder und andere Geschichten, 1900; Mutter Sorge (Wiener Volksst.) 1902; Frieden (dramatische Leg.) 1903; Die Politiker (Kom.) 1904; Kleine Leute (Rom.) 2 Bde., 1904; Aus meiner Heimat, 1904; Fremde Leut' (Volks-

st.) 1905; Heimkehr (Schausp.) 1906; Erben des
Elends (Rom.) 1906; Das Eselshirn und andere
Geschichten, 1906; Der Naturpark (Volksst.)
1906; Das reiche Ähnl (Volksst.) 1906; Das
Heimchen im Hause (Volksst.) 1907; Erlösung.
Schauspiel in einem Akte, geschrieben zur Feier
des sechzigjährigen Regierungsjubiläums Seiner
Majestät des Kaisers Franz Josef, 1908; Wie es
mir zu Hause geht. Heitere Skizzen und Ge-
schichten, 1909; Im Reiche der Homunkuliden
(Rom.) 1910; Der Krieg. Burleske Tragödie in
drei Aufzügen, 1913; Einberufung (Volksst.)
1914; Sommernarren (Schausp.) 1914; Dr.
Thorns Lebensabend (Rom.) 1916; Erzählungen
aus Stadt und Land. I 1916, II 1917, III 1920; Die
Patrioten. Schauspiel in vier Akten, 1917; Der
Geiger. Musikantengeschichte aus dem Nachlaß,
1947.

Nachlaß: Stadtbibl. Wien.

Literatur: ÖBL 2,224f.; NDB 8,139; Biogr.
Jb. (1923) 5,161f.; Theater-Lex. 1,720. – K.
SALLABER, ~ (Diss. Wien) 1931.   IB

Hawelka, Karl, * 28.2.1865 Budweis/Böhmen;
Advokat ebd., Lyriker.

Schriften: Gedichte, 1893.   IB

Hawich der Kellner (Havich, Haug, der Chel-
nër), 13.Jh.; Dienstmann auf St. Stephan z. Passau, vielleicht ident. mit e. cellerarius Hartwig
(unter Bischof Otto v. Lonsdorf urkundl. nachweisbar, † 1285). Verf. e. St. Stephansleg. (überl.
in d. Berliner Sammelhs. Ms. germ. Fol. 1278)
mit starker Anlehnung an Hartmann v. Aue u.
Konrad v. Heimesfurt. D. in bair.-öst. Mundart
verf. Ged. umfaßt 5245 paarweis gereimte Verse.

Ausgabe: R. J. McCLEAN, Hawich der Kellner,
Sankt Stephans Leben, 1930.

Literatur: VL 2,230; 5,338; de Boor-Newald
3/1,536; Ehrismann 2 (Schlußbd.) 391. – E.
BAUMGARTEN, Latein. mhd. Stephansleg. (Diss.
Halle) 1924; R. J. McCLEAN, Sprachl. u. metr.
Unters. über St. Stephans Leben (Diss. Königsberg) 1928; C. v. KRAUS, Z. Haugs Stephansle-
ben (in: ZfdA 76) 1939; H. ROSENFELD, D. Leg.
als lit. Gattung (in: GRM 33) 1951.   RM

Hawlik, Ernst, * 6.2.1776 Brünn, † 1846 ebd.;
seit 1792 Magistratsbeamter in Brünn. Theaterkritiker d. «Allg. Europ. Journals» (1794–98),
Mitarb. versch. weiterer Zeitungen.

Schriften: Taschenbuch zur Aufmunterung vaterländischer Talente (hg.) 1802 (Forts. u. d. T.:
Taschenbuch für Mähren, 1803 u. 1804; Taschenbuch für Mähren und Schlesien, 1808); Zur Geschichte der Baukunst der bildenden und zeich-
nenden Künste im Markgrafenthum Mähren, 1838
(Zusätze 1841).

Literatur: Wurzbach 8,101; Meusel-Hamberger 18,78; Goedeke 7,19.   RM

Hawraneck, Otto (Ps. O. Kehnar), * 16.5.
1895 Markneukirchen/Vogtl.; war Offizier, lebte
u.a. in Markneukirchen, Stettin, Stralsund. Erzähler.

Schriften: Dr. Groten führt Regie ... Liebesroman, 1935; Meister Franke und seine Söhne
(Rom.) 1935; Glück muß Thomas haben (Rom.)
1936; Granit (Rom.) 1937; Forstmeister Röder
(Rom.) 1938.   AS

Haxthausen, Antonie von, * 4.5.1852 Vör-
den/Westf.; lebte als Ordensfrau d. Dames du
sacré coeur in Mexiko.

Schriften: Mädchenleben (preisgekrönte Nov.)
1879.   RM

Haxthausen, August (Franz Ludwig Maria) von,
* 3.2.1792 Bökendorf/Westf., † 31.12.1866
Hannover; Geologie- u.a. Studien in Clausthal,
Rechts-Studium in Göttingen, Mitbegründer d.
«Poet. Schusterinnung an d. Leine», gehörte z.
romant. Kreis um d. Zs. «Wünschelruthe», seit
1819 Verwalter d. väterl. Güter in Bökendorf,
lebte zuletzt auf Schloß Thienhausen. Volkslieder-
sammler u. Agrarhistoriker, Mitarbeiter d.
Grimmschen Märchensammlung.

Schriften (Ausw.): C. Reuter, Schelmuffsky
(neu hg.) 1817; Über die Agrarverfassung in den
Fürstenthümern Paderborn u. Corvey ..., 1829;
Die ländliche Verfassung in den einzelnen Provin-
zen der preußischen Monarchie, 2 Bde., 1839/61;
Studien über die inneren Zustände des Volks-
bens und insbesondere der ländlichen Einrichtungen Rußlands, 3 Bde., 1847–52; Geistliche Volkslieder (hg.) 1850; Fünf Briefe über die Stellung
des Katholizismus in Frankreich und England,
1851; Transkaukasia, Andeutungen über das Fa-
milien- und Gemeindeleben und die sozialen Verhältnisse einiger Völker zwischen dem Schwarzen
und Kaspischen Meere, 2 Tle., 1856; Das Konsti-
tutionelle Prinzip, 2 Bde., 1864; Die ländliche

Verfassung Rußlands ..., 1866; Westfälische Volkslieder in Wort und Weise (hg. A. Reifferscheid) 1879.

Briefe: K. Schulte-Kemminghausen, Aus d. Briefw. zw. A. v. Arnim u. ~ (in: Jb. f. Volksliedforsch. 4) 1934; W. Schoof, Freundesbriefe d. Fam. ~ an d. Brüder Grimm (in: Westf. Zs. 94) 1938; H.-J. Rick, ~s Konzeption d. «einen Kirche». Unbekanntes aus e. Korrespondenz mit Vertretern d. Russ. Orthodoxie (in: Paderbornensis Ecclesia) 1970.

Nachlaß: Arch. des erzbischöfl. Generalvikariats Paderborn; Familien-Arch. Schloß Thienhausen u. Schloß Vörden; Univ.bibl. Münster. – Denecke 72; Mommsen Nr. 1521.

Literatur: ADB 11, 119; NDB 8, 140. – J. Risse, ~s Bed. u. seine Verkörperung in d. zeitgenöss. Lit. (in: FS K. Wagenfeld) 1929; J. Grauheer u. E. Arens, D. Poet. Schusterinnung an d. Leine, 1929; J. Grauheer, ~ u. s. Beziehungen zu A. v. Droste-Hülshoff, 1933; K. Schulte-Kemminghausen, ~ (in: Westfäl. Lbb. 1) 1930 (mit Bibliogr.); ders., E. neu aufgefundene Volksliedslg. aus d. Zeit d. Romantik (in: Zs. d. Ver. f. rhein. u. westfäl. Volkskunde 30) 1933; M. Lippe, L.E. Grimm u. d. ~sche Kreis (in: Westf. 23) 1938; W. Bolke, ~, E. Stud. z. Ideengesch. d. polit. Romantik (Diss. München) 1954; N.M. Druzinin, ~ u. d. russ. rev. Demokraten (in: FS E. Winter) 1966. RM

Haxthausen (-Abbenburg), Werner (Moritz Maria, seit 1837: Graf von), * 18.7.1780 Bökendorf/Westf., † 30.4.1842 Würzburg; Studium d. Rechte u. Med. in Münster, d. Orientalistik in Paris, Göttingen u. Halle, wegen polit. Verfolgung Flucht n. London, 1815–26 Regierungsrat in Köln, seither Verwalter d. Familiengüter in Bökendorf, lebte seit 1837 auf d. Gut Neuhaus b. (Bad) Neustadt. Sammler u. Übers. neugriech. Volkslieder.

Schriften: Über die Grundlagen unserer Verfassung, 1833 (Neuausg. mit Biogr. v. F. Bartscher, 1881); Neugriechische Volkslieder. Urtext und Übersetzung (hg. K. Schulte-Kemminghausen u. G. Soyter) 1935.

Nachlaß: Univ.bibl. Münster. – Denecke 2. Aufl.

Literatur: ADB 11, 121; NDB 8, 141. – J. Gotthardt, Aus d. Jugendzeit ~s (in: Hist.-polit. Bl. 152) 1913; E. Arens, ~ u. s. Verwandtenkreis als Romantiker, 1927; K. Dietrich, Goethe u. d. neugriech. Volksdichtung, 1929; A. Klein, ~ u. s. rhein. Freundeskreis (in: Ann. d. Hist. Ver. f. d. Niederrhein 151/52) 1952; ders., ~ u. s. Freundeskreis am Rhein (in: ebd. 155/56) 1954; A. Schaefer, Goethe in Wiesbaden 1814 u. 1815 (in: Goethe, NF d. Jb. d. Goethe-Gesellsch. 27) 1965; F. Keinemann, Westfäl. Adel u. preuß. Staatsverwaltung. Aus unveröff. Briefen ~s (in: Westfäl. Zs. 120) 1970. RM

Hay, Gyula (Julius), * 5.5.1900 Abony/Ungarn, † 7.5.1975 Intragna/Kt. Tessin; Studium d. Architektur in Budapest; 1918–1919 Teilnahme an d. Räterepublik, 1919 Bühnenbildner in Dresden, Berlin, Ungarn, seit 1929 freier Schriftst. in Berlin; 1933 Emigration n. Wien, 1934 Zürich, 1935 Moskau, 1945 Rückkehr n. Budapest, 1956–1960 wegen Beteiligung am Aufstand in Haft, seit 1965 in Ascona/Schweiz. Dramatiker, Erzähler.

Schriften: Das neue Paradis (Kom.) 1930; Gott, Kaiser und Bauer (Schausp.) 1935; Der arme Mann in Toggenburg, 1936; Der Damm an der Theiß, 1937; Kamerad Mimi, 1938; Haben (Schausp.) 1938; Hautpmannslieder, 1938; Gerichtstag (Dr.) 1946; Der Putenhirt (Dr.) 1948; Der Wellenjäger von Schewtschenko (Nov.) 1949; Begegnung (Dr.) 1953; Geboren 1900. Erinnerungen (Autobiogr.) 1971; Dramen, 2 Bde., 1951–1953.

Nachlaß: Dt. Lit.arch./Schiller-Nat.mus. Marbach.

Literatur: H. Ihering, ~ u. d. dt. Theater (in: Aufbau 1) 1945; K.-F. Müller, Cuatro dramaturgos, cuatro problemas (in: Boletin de estudios germanicos 6) 1967. MR

Hay, Wilhelm, * 11.10.1891 Büchel in der Eifel, Volksschullehrer, ab 1920 Red. d. kathol. Sonntagsbl. «Paulinusblatt». Begründer u. seit 1923 Hg. d. Heimatkalenders f. d. Trierer Land «Paulinuskalender». Folklorist, Erzähler.

Schriften: Aus meinen Bergen. Eifeler Dorgeschichten, 1920; In meiner Heimat Haus (Gesch. u. Bilder) 1926; Vergilbte Blätter. Im Eifeldorf von hundert Jahren. Nach einer alten Pfarrchronik, 1927; Volkstümliche Heiligentage. Leben und Legenden von zweiundsiebzig Heiligen, 1932; Spaß beim Ernst, 1954; Heimat wie schön du bist, 1956. IB

Hayd, Heinrich, * 11. 1. 1829 München, † 23. 4. 1892 Freising b. München; Philos.- u. Theol.-Studium in München, 1852 Priesterweihe, 1860 Dr. theol., Stiftszeremoniar in München u. seit 1866 Prof. d. Philos. u. Ästhetik in Freising. Stifter d. Freisinger Waisenhauses, Übers. aus d. Griech. u. Lat. f. d. «Bibl. d. Kirchenväter» (1872–80).

Schriften: Das Buch Job. In gereimtem Versmasse übersetzt und mit den nöthigen Erklärungen versehen, 1859; De doctrina Petri Abaelardi, 1860 (erw. Neuausg. u. d. T.: Abaelard und seine Lehre im Verhältnis zur Kirche und ihrem Dogma, 1863); De Christo incarnando etiam Adamo non peccante, 1860; Das Buch der Psalmen. In gereimtem Versmaße übersetzt, 1863; Die Principien alles Seienden bei Aristoteles und den Scholastikern, 1872; Der freie Wille als tieffste Wurzel der menschlichen Persönlichkeit, 1887 (Forts. u. d. T.: Wesen der menschlichen Seele, 1888).

Literatur: ADB 50, 84.   RM

Hayde, Bertl (Ps. für Berte Hetmanek), * 10. 6. 1899 Wien, † 16. 2. 1969 ebd.; lebte in Wien als Jugendschriftst., verf. zahlr. Märchensp. f. d. Rundfunk u. Jugendhörspiele. Kinderbuchpreis d. öst. Bundesverb. 1947, II. Staatspr. d. Handelsministeriums 1960.

Schriften: Märchenreigen (Kinderb.) 1947; Eisherz erlebt den Frühling, 1949; Kasperl erlöst seinen Drachen (Handpuppensp.) 1949; Das fünfblättrige Kleeblatt. Die Geschichte einer Kinderfreundschaft, 1950; Kasperl als Fischer (Handpuppensp.) 1951; Der Blumen Bitte. Ein sommerliches Spiel, 1951; Vorhang auf! Szenarien für das Handpuppenspiel, 1954; Kasperl Übermut, 1956; Lumpazi, die Vogelscheuche (Kinderb.) 1956; Das große Buch für unsere Kleinen (Hg.) 1959; Die geteilte Straf! Eine fröhliche Gerichtsverhandlung nach einer Idee von Anton Ostry, 1959; Die Fahrt auf den Mond (Handpuppensp.) 1961; Drachen Juppo fliegt um die Welt, 1962; Einen Sommer lang (Jgdb.) 1966.   AS

Haydecker, Sebastian, * 14. 1. 1789 Ranshofen/Ober-Öst., † 4. 9. 1850 Mauthausen/Ober-Öst.; Wanderjahre als Krämer, Metzger, Kellner usw. in Bayern u. Öst., lebte n. d. Meisterprüfung im Gürtlergewerbe in Mauthausen. Mundartdichter.

Schriften: Gedichte im Innvierteler Dialekt, 2

Bde., 1845/47; Volkslieder in oberennsischer Mundart an allö meinö Landsleut, 1847.

Literatur: ÖBL 2, 225. – R. KASTNER, D. Mundart-Dichter ~ (in: Oberöst. Kulturber. 18) 1947; ~-Feier in Mauthausen (in: ebd. 50) 1950.
                                                          RM

Hayden, Gregor, lebte vermutl. in d. 2. Hälfte d. 15. Jh. in d. Oberpfalz; übertrug f. d. Landgrafen Friedrich VII. v. Leuchtenberg († 1478) n. d. mlat. Prosavorlage «Dialogus Salomonis et Marcolfi» (12. Jh.) d. Sage v. Salomon u. Markolf in dt. Reime (überl. in cgm. 579).

Ausgabe: F. BOBERTAG (in: Narrenbuch) 1884 (Neudr. 1964).

Literatur: VL 2, 231; 5, 338; de Boor-Newald 4/1, 72. – E. SCHAUBACH, ~s «Salomon u. Marcolf» (Diss. Leipzig) 1881; W. HARTMANN, D. dt. Dg. v. Salomon u. Markolf, 1934; K. WINKLER, Lit.gesch. d. oberpfälz.-egerländ. Stammes 1, 1940.   RM

Hayden, Johann, † 1613 Nürnberg; Musiker in Nürnberg, erfand um 1610 d. sog. Geigen-Clavicymbel.

Schriften: Musicale instrumentus reformatus, 1610.

Literatur: Adelung 2, 1839.   RM

Haydinger, Franz, * 21. 9. 1797 Wien, † 15. 1. 1876 ebd.; 1822 Übernahme d. väterl. Gaststätte, Bibliophile, legte d. erste große Viennensia-Slg. an, später auch Slg. z. dt. Theatergesch., dt. Lit., z. Hexenprozessen usw., zus. über 12 000 Nr. umfassend.

Herausgebertätigkeit: Hans Weitenfelders Lobspruch der Weiber und Heirats Abrede zu Wien, 1861; Prinz Eugenius der edle Ritter in den Kriegs- und Siegesliedern seiner Zeit, 1865.

Nachlaß: Tle. (Viennensia u. Theatralia) Stadtbibl. Wien.

Literatur: Wurzbach 8, 107; ÖBL 2, 225. – F. SCHLÖGEL, ~ (in: F. S., Wienerisches) 1886; FS z. Erinn. u. d. Enthüllung d. d. Bibliographen ~ gewidmeten Gedenktafel, 1909; M. M. RABENLECHNER, ~, d. Wirt v. Margarethen, 1927. RM

Haydl, Maria, * 23. 9. 1910 Arbegen/Siebenbürgen; Mittelschullehrerin, wohnt in Sibiu/Rumänien. Erzählerin.

Schriften: Andreas (Jugend-Rom.) Bukarest 1953.   AS

Haydlauf (Haidlauf(f)), Sebastian, * 5.4.1539 Messkirch/Schwaben, † 18.9.1580 Freising b. München; Theol.-Studium in Ingolstadt, Magister d. Philos. u. freien Künste, lic. theol., 1563 Priesterweihe, Kaplan u. später Stadtpfarrer in Ingolstadt, 1568/69 Univ.rektor, 1569–79 Weihbischof v. Freising.

Schriften: Ein Christliche Predig, Vom Wüstgrewel oder Vom Antichrist, das nemblich derselbig nit bey den Catholischen, sunder bey den Sectischen öffentlich gefunden werde, 1569; Grundtlicher warhafftiger Bericht inn drey und dreissig Conclusiones verfasst, wie das die vermeinten Evangelischen Predicanten, nit allein von der letzten, sonder auch von der Ersten Römischen und Apostolischen Kirchen seind abgefallen ..., 1569; Gewisse warhafftige newe zeitung Von der Augspurgerischen Confession verwandten Predicanten, new angerichter Ainigkeit, 1572 (bearb. u. erw. Aufl. u. d. T.: Der Augspurgerischen Confession, und dieser verwandten Predicanten, jetziger newer Grundfest, Bestendigkait und Ainigkeit, 1573); Leichpredig am tag des Begrebnuss Weylund des Durchleuchtigen, Hochgebornen Fürsten unnd Herrn ..., 1580; Oratio lugubris in placidissimam Serenissimi Boiorum Principis Alberti ..., 1580.

Literatur: ADB 50, 87; LThK 5, 40; Schottenloher 1, 329; 3, 113. – F. LAUCHERT, D. Freisinger Weihbischof ∼ u. seine Schr. (in: Hist. Jb. 26) 1905; J. BIRKNER, D. Weihbischofs ∼ Aufz. aus d. Jahren 1570–77. Nebst e. Beitr. z. Gesch. d. Freisinger Domprädikatur (in: Frigisinga 5) 1928.　　　　　　　　　　　　　　　RM

Haydn, J. (Ps. f. Jeanette Haymon, eigentl. Haymann, geb. Feldheim), * 14.8.1844 Bamberg; verh. um 1868 mit d. Agenten Max H., lebte in Mannheim, seit 1903 in München.

Schriften: Im Reiche der Musen. 12 Künstlerskizzen, 1896; Gute und schlechte Früchterl'n. Oberbayrische Hochlandskizzen, 1897; Aus dem Genielande. 17 Künstler-Skizzen, 1904; Münchner Leut'. 12 humoristische Skizzen, 1907. AS

Haydn, Ludwig, * 22.12.1891 Göß/Steiermark; Dr. iur., Rechtsanwalt in Wien; Zeitungs-Hg., Erzähler, Essayist.

Schriften (außer juristischen): Meter, immer nur Meter! Das Tagebuch eines Daheimgebliebenen, 1946; Zweimal dasselbe, 1947; Mensch in seiner Zeit (Erz.) 1948; Ratgeber des Herzens. Ein heiterer Roman aus der Zeitungswelt, 1952; Wahre Liebe kostet Geld. Heitere Geschichten, 1956.　　　　　　　　　　　　　　　AS

Haydu, Julius, * 8.5.1886 Fünfkirchen/Ungarn; Stud. in Wien, Dr. iur., Erz. u. Essayist.

Schriften: Roman der Sonne, 1928; Jehovas Geburt (Rom.) 1930; Ins Chaos? Tragödie der Bauern, der Arbeiter, des Kapitals (Ess.) 1931; Rußland 1932.　　　　　　　　　　　　　　IB

Hayduk, Alfons (Ps. Fonslik), * 18.11.1900 Oppeln in Oberschlesien, † 15.7.1972 Erlangen; Theaterdir. in Chemnitz, Vertreibung aus Schlesien, Lehrer in Arberg, Mittelfranken. Bearb. u. a. der Dramen Eichendorffs, Erzähler.

Schriften: Das Heilige Antlitz. Gedicht der oberschlesischen Heimat, 1921; Das schlesische Adventsspiel. Nach alten Worten und Weisen erneuert, 1922; Das Maisingerspiel. Nach alten Bräuchen und mit alten Weisen, 1922; Der Himmelschlüsselhans. Eine Kinderlegende, 1922; Der königliche Bettler (Ged. des hl. Franz) 1923; Blutende Heimat. Gedichte um Oberschlesien, 1926; Heini Wunderlich, Kinderkranz um Pestalozzi, 1927; Der Heilige Berg. St. Annaberg-Büchlein. (gem. mit A. Hellmann) 1927; Volk unterm Hammer (Ged.) 1931; Kasperl und Annerl. Märchenspiel nach Eichendorff, 1932; Annabergsaga (Ged.) 1938; Török Orczag, Leid und Ruhm der Schwäbischen Türkei. Eine Baranya-Fahrt, 1938; Sturm über Schlesien (Rom.) 1940; Strom des Schicksals (Eichendorff-Nov.) 1940; Umkämpfte Erde (Oberschles. Schicksal) 1941; Altvater. Ein Bergbuch voll Geschichten, 1942; Das Olivenspiel. Ein Lustspiel nach Tausendundeinernacht in zwei Aufzügen und einem Zwischenakt, 1950; Das Sommeransingespiel. Nach altem Brauch, 1951; Suste nischt ack heem. (E. schlesisches Sp.) 1951; Schlesischer Märchen- und Sagenborn, 1953; Wir feiern Feste der schlesischen Heimat (Werkbuch) 1953; Himmel der Heiterkeit (Schles. Anekdoten) 1954; Das schlesische Adventspiel. Nach alten Vorlagen erneuert, 1957; Große Schlesier. Geistestaten – Lebensfahrten – Abenteuer, 1957; Der Schelmen-Graf Gaschin. Eine heitere Chronik, 1958; Schlesische Miniaturen. Volkserzählgut im Landschaftsgebilde, 1960; Schlesischer Märchen-, Legenden- und Sagenschatz, 1963; Die goldene Schnur geht um das Haus. Jahreskreis, 1965; Das Hausbuch des schlesischen Humors, 1965.

Herausgebertätigkeit (Ausw.): Der neue Osten, 1922, 23; Eichendorff-Lese. Aus den Romanen, Novellen und Gedichten des großen Romantikers (ausgew., eingel.) 1944; Der Schlesier. Hauskalender, 1957; Volkskalender für Schlesien, 1958 ff.; Schlesische Studien, 1970; Vierteljahresschrift Schlesien, 1970.

Schallplatte: Mein Schlesierland, 1959.

Literatur: Theater-Lex. 1,722. – J. HOFFBAUER, Zw. Romantik u. Realität. Zum 65. Geb.tag v. ~ am 18. November 1965. (in: Der Schlesier 17) 1965; ~. (in: Prager Nachrichten 18) 1967; M. KRIEGER, Dichter u. Schriftst. ~. (in: Der Schlesier 19) 1967; K. SCHODROK, ~ z. Gedenken (in: Schlesien 17) 1972; E. G. SCHULZ, Rede am Grabe v. ~ (ebd.) 1972.   IB

Haym (eig. Haymann), Christoph, * 15.10.1677 Reichenbach b. Freiberg, † 1731 Langen-Hennersdorf; Theol.-Studium in Leipzig, 1706 Substitut u. seit 1715 Pastor in Langen-Hennersdorf.

Schriften: Unterricht für Schulmeister, Kinderlehrer und Hausväter, mit den ihrigen Bibel und Catechismus erbaulich zu tractiren, 1707; Christliche Haus-Betstunde (Vorrede D.R. Teller) 1712; Eilf Geschichten von Johann Arnds Paradis-Gärtlein, mit einer Anweisung, auch Glaubens-Prüfung und Gebet wider den Selbstbetrug, 1713; Vorbericht von der geistlich Jerusalemer-Zeitung, 1714; Anweisung zur täglichen Hauskirche auf alle Tage ..., 1715; Des Dresdnischen Catechismi leichte Lehrart und Deutlichkeit, in einer Probe, 1718; Rechter Verstand und Gebrauch des heiligen Vater Unser, 1718; Vier göttliche Erweckungen in allerhand vorfallenden Begebenheiten ..., 1719; Das Niederknien bey oftmaligen Beten, 1724; Andacht der Hirten auf dem Felde, 1724; Ein paar Zeilen von der Kinder Gegen-Rache gegen des Teufels großen Zorn, 1725; Etwas von der Kinder Gottes rechten Gebrauch, und der Kinder des Teufels Mißbrauch der sogenannten Mitteldinge, oder zugelassenen Ergötzlichkeiten, 1726; Communicationes oder Etwas von den geistlichen Gaben so geistlich Gesinnte einander mittheilen, 1730; Etwas von der geistlichen Weisheit ... (hg. C. Haymann) 1737.

Literatur: Adelung 2, 1841.   RM

Haym (von Themar), Johannes, 16. Jh., stammte aus Themar; kathol. Priester, Domvikar in Augs-

burg, Verf. e. Passion u. zweier Liederbücher (1584, 1590), Hg. v. Augsburger Weihnachtsliedern (1590).

Literatur: ADB 11, 157; de Boor-Newald 4/2, 263. – P. WACKERNAGEL, D. dt. Kirchenlied ... 1 u. 5, 1841 ff.   RM

Haym, Rudolf, * 5.10.1821 Grünberg/Schles., † 27.8.1901 St. Anton/Vorarlberg; Studium d. Theol. in Halle u. d. klass. Philol. in Halle u. Berlin, 1843 Dr. phil., Abgeordneter im Frankfurter Parlament, 1850 Habil. in Halle, Red. d. Berliner «Konstitutionellen Ztg.», 1860 a.o. u. 1868 o. Prof. in Halle, Abgeordneter im preuß. Abgeordneten-Haus, Gründer u. Hg. d. «Preuß. Jb.» (1858).

Schriften (Ausw.): Reden und Redner des ersten Preußischen Vereinigten Landtags, 1847; Die deutsche Nationalversammlung, 3 Tle., 1848–50; Wilhelm von Humboldt, Lebensbild und Charakteristik, 1856 (Neudr. 1965); Hegel und seine Zeit. Vorlesungen über Entstehung und Entwickelung, Wesen und Werth der Hegel'schen Philosophie, 1857 (2., verm. Aufl. hg. H. ROSENBERG, 1927; Nachdr. d. Erstausg. 1962); Schopenhauer, 1864; Die romantische Schule. Ein Beitrag zur Geschichte des deutschen Geistes, 1870 (bearb. Neuausg. v. O. WALZEL 1914; 6. Aufl. hg. E. REDSLOB; Nachdr. d. Erstausg. 1961 u. 1972); Herder nach seinem Leben und seinen Werken, 2 Bde., 1877–85 (2. Aufl. mit Einl. v. W. HARICH, 1954); Das Leben Max Dunckers, 1891; Aus meinem Leben, 1902; Gesammelte Aufsätze, 1903; Zur deutschen Philosophie und Literatur (ausgew., eingel. u. erläutert v. E. HOWALD) 1963.

Briefe: Ausgew. Briefw. (hg. H. ROSENBERG) 1930; Briefe Wilhelm Diltheys an R.H. (hg. E. WENIGER) 1936.

Nachlaß: Univ.- u. Landesbibl. Halle; Dt. Staatsbibl. Berlin, Hs.-Abt./Lit.arch. – Mommsen Nr. 1522; Nachlässe DDR 1, Nr. 263; 3, Nr. 372.

Literatur: Biogr. Jb. 8, 152; NDB 8, 152. – A. RIEHL, ~, 1902; H. BIEBER, ~ (in: Schles. Lbb. 2) 1926; H. ROSENBERG, ~ u. d. Anfänge d. klass. Liberalismus, 1933; W. HESSLER, D. philos. Persönlichkeit ~s (Diss. Halle) 1935; W. HARICH, ~, seine polit. u. philos. Entwicklung (in: SuF 6) 1954; E. HOWALD, D. Lit.historiker ~ (in: E.H., Dt.-franzöz. Mosaik) 1962; E. G.

SCHULZ, ~ u. seine Grünberger Jugendjahre (in: Schlesien 10) 1965; G. KLIEME, ~s «Romant. Schule». Historiograph. u. method. Betr. (Diss. Leipzig), 1969; S. SCHMIDT, Z. hist.-polit. Standort d. bürgerl. Hegel-Rezeption im 19. Jh. ~s Hegelbuch v. 1857 (in: WZ d. Friedr. Schiller-Univ. Jena, Gesellsch.- u. sprachwiss. Reihe 21,1) 1972; F. SCHALK, Z. d. Erinn. ~s (in: Philos. Perspektiven 5) 1973.   RM

Haymann, Christoph, * 15.8.1709 Langen-Hennersdorf, † 7.6.1782 Meißen; Sohn v. C. Haym, Dr. theol., seit 1757 Superintendent in Meißen. Mitarb. d. Freiberg. Bibelwerkes.

Schriften (Ausw.): Sendschreiben von den Absichten der gelehrten Historie, 1731; Biblia ... (Mit-Hg.) 1739; Geschichte der vornehmsten Gesellschaften der Gelehrten, 1. Bd., 1743; Versuch einer biblischen Theologie in Tabellen, 1746; Erklärung der Buß-Texte, 1747; Pfortisches Denkmahl vermittelst einiger Amtsreden, 1749; Das Gute der Gerechten, in Predigten, 1752; Anmerkungen über Dr. Hollazens Messianische Religion, 1753; Litterae encyclicae ..., 1753; Sammlung alter und neuer Nachrichten von Armen, Schul- und Waisenhäusern, 4 Tle., 1754f.; Das Geheimniss von Christo und der Gemeinde, 1755; Erkenntniss Jesu ..., 1759; Biblisch-harmonische Welt- und Kirchengeschichte, 3 St., 1760; Auszug aus der biblischen Theologie ..., 1775 bis 1777; Harmonische Bemerkungen bey den Sonn-und Festtags-Evangelien, 6 Bde., 1777–82. (Außerdem einzeln gedr. Predigten.)

Literatur: Adelung 2,1843.   RM

Haymann, Christoph Johann Gottfried, * 28.9. 1738 Schulpforta, † 2.6.1816 Dresden; Rektor d. Annenschule in Dresden (seit 1763). Verf. zahlr. Schulschr. u. -progr. sowie lat.philol. Schriften.

Schriften: Christliche Schulen, wie sie seyn sollen, 1764; Christliche Schulgedanken von Schulwissenschaften, 1768; Versuch einer poetischen Übersetzung der zwey ersten Bücher Ovids von den Verwandlungen ..., 1772; Betrachtungen über die Buche als ein Bild wohlverdienter Männer, 1773; Gedächtnisschrift der zweihundertjährigen Erbauung der Annenschule, 1779; Kurze Geschichte der christlichen Liebe und Wissenschaften ..., 1780; Gerichtsstuben, als Bilder des göttlichen Gerichts, 1781; Etwas von Verbesserung unserer Kirchenlieder, 1782; Schmetter-

linge, als Lehrer der Menschen, 1784; Kurze Geschichte der Societät der christlichen Liebe und Wissenschaften und Ehrendenkmahl des Herrn M. Gottfried Gerhard Stöckhardts ..., 1789; Kurze Übersicht über die neueren theologischen Schriftsteller Dresdens ..., 1794; Kurze Übersicht der neuern Schriftsteller und Künstler Dresdens, 1807; Dresdens theils neuerlich verstorbene, theils jetzlebende Schriftsteller und Künstler ..., 1809; Biblisches Lehrbuch der christlichen Religion für die Jugend, 1811; Denkmahl an Gott ..., 1813.

Literatur: Meusel-Hamberger 3,131; 9,531; 14,61; 18,79; Goedeke 7,743.   RM

Haymerle, Franz Josef von, * 3.12.1850 Preßburg, † 16.12.1928 Wien; Studium in Wien, Dr. iur., ab 1877 Unterrichtsminister in Wien. Essayist u. Lyriker.

Schriften (außer Schulbüchern): Gedichte, 1877 (Neuaufl. u. d. T.: Alte Lieder, 1904); Rücksicht auf die praktischen Bedürfnisse des Lebens, 1900; Aus dem Leben und den Tagebüchern eines österreichischen Offiziers (Erinnerungen aus der Gefangenschaft F. Kossuths in Preßburg) 1905; Schiller in seinen Briefen. Auswahl aus zweitausend Briefen, 1909; Einheitsmenschen (Biogr. Charakterbilder) 1910.

Herausgebertätigkeit: Centralblatt für das gewerbliche Unterrichtswesen in Österreich, 1882 bis 1897; Dr. C. A. Wilhens. Aus dem Tagebuch eines evangelischen Pfarrers (Otium Kalsburgense). Auswahl aus hundert Bänden, 1917.

Literatur: ÖBL 2,227.   IB

Haymon, Jeanette → Haydn, J.

Hayn, Henriette Louise von, * 22.5.1724 Idstein, † 27.8.1782 Herrnhut; Mitgl. d. herrnhut. Brüdergemeinde, 1750 Oberin e. Mädchenerziehungsanstalt u. später e. Schwesternhauses in Herrnhut. Geistl. Liederdichterin, ihre Lieder ersch. im Gesangbuch d. Brüdergemeinde v. 1778 (gekürzte Neuausg. 1869).

Literatur: ADB 11,158.   RM

Hayn, Julia(ne) → Hain, Julia(ne).

Haynald, Ludwig (Lajos), * 3.10.1816 Szécsény/Ungarn, † 4.7.1891 Kalocsa; 1839 Priesterweihe, 1840 Dr. theol., 1852–61 Bischof v. Karlsburg/Siebenb., später Erzbischof v. Kalocsa, 1879 Kardinal, Teilnahme am vatikan. Konzil

1869/70. Gründer d. Sternwarte am Gymnasium v. Kalocsa. Verf. v. botan. Schr., einzeln gedr. Predigten u. Hirtenbriefen.

Schriften: Epistolae pastorales, 1852; Rede gehalten in der Sitzung des ungarischen Oberhauses zu Pest ..., 1861; Denkrede auf Philipp Parlatore ..., 1879.

Literatur: LThK 5,42; ÖBL 2,227. – T. GRANDERATH, Gesch. d. vatikan. Konzils, 3 Bde., 1903 bis 1906; J. SCHMIDLIN, Papstgesch. d. neuesten Zeit, ²1934; G. ADRIÁNYI, Erzbischof ∼s Mission in d. öst. Konkordatsfrage (in: D. Donauraum 16) 1971.   RM

Hayneccius, Martin(us) (Martin Heinecke), * 10.8.1544 Borna b. Leipzig, † 28.4.1611 Grimma/Sachsen; Philol.-Studium in Leipzig, Magister, dann Lehrer in Chemnitz u.a. Orten, 1585 Rektor in Braunschweig u. 1588–1610 an d. Fürstenschule in Grimma. Verf. zahlr. ungedr. lat. Schuldr., d. beiden Titel «Epithalaminus in honorem Oberndorfferi» (1584) u. «Medulla sive Phraseologia Terentiana» (1590) sind nicht gesichert.

Schriften: Almansor sive ludus literarius, 1578 (Neudr. 1579, 1588; dt. Ausg. u.d.T.: Almansor, Der Kinder Schuelspiegel, 1582; verb. Aufl. u.d.T.: Schulteuffel ... mit dem Titel Almansor, 1603; Neuausg., mit Einl. v. O. HAUPT, 1891); Hansoframea sive Momoscopus, 1581 (dt. Ausg. u.d.T.: Hansoframea, Hans Pfriem oder Meister Kecks, 1582; Neuausg. 1603 u. 1606; Abdr. d. 1. Aug. (1582) durch T. RAEHSE, 1882; Bearb. v. W. u. C. KÜCHENMEISTER u.d.T.: Hans Pfriem oder Kühnheit zahlt sich aus ..., o.J.); Captivi, Der gefangenen leute Trew [Übers. d. Plautus] 1582; Exequiae, Sanctis manibus Illustrissimis ... Principis Ludovici ... dicatae, 1583; Adami Siberi ad. M.H. Propemticum ..., 1583; Adami Siberi et M.H. Bor., Fonteia, 1583; Oratio panegyrica ad solennitatem natalitiam, tam illustriss. Princip. Frider. IV. ... quam Ludi Provincialis Illustr. Ambergensis, 1584; P. Terentii Afri Comoedie residuae sex (hg.) 1592; Encheiridion Ethicon, Compendium moralium praeceptionum, 1594; Medulla Tulliana, 1595; E.M.T. Cicerone selectissima: Sententiae ... Libris IV, 1597; S.S. Crucis Iesu Christi salvatoris mundi Soteria aeterna, 1603.

Nachlaß: Staats- u. Univ.bibl. Hamburg. – Denecke 2. Aufl.; Frels 120.

Literatur: Jöcher 2,1416; ADB 11,163; NDB 8,157; Theater-Lex. 1,722; Schottenloher 1, 329; Goedeke 2,141,353,368. – M. ZESCH, E. Schulkom. aus d. 16.Jh. ... d. Rathe z. Leisnig gewidmet im Jahr 1592 (in: Mitt. d. Gesch.- u. Alt.-Ver. z. Leisnig 10) 1896; P. MEYER, Aus d. Jugendzeit d. Fürstenschule Grimma u. d. Leben d. ∼ (in: Neue Jb. f. Pädagogik 8) 1905; A. TRÖTHANDL-BERGHAUS, D. Dr. d. ∼, 1927; B. KÖNNECKER, ∼: «Hans Pfriem oder Meister Kecks». E. Absage an d. Geist u. d. Zielsetzung d. prot. Schuldr. (in: FS M.-L. Dittrich) 1976.   RM

Haynisch, Johann Christoph, * 6.8.1703 Mielesdorf/Vogtl., † 15.10.1743 Schleiz; Theol.-Studium in Jena u. Leipzig, seit 1730 Rektor in Schleiz.

Schriften: (Ausw.); Systema Copernicanum Scripturae Sacrae non esse oppositum, 1724; De veterum Saxonum equestribus ludis, quos torneamenta vocant, 1734; De virtutibus et vitiis primariis, 1736; Vom Nutzen den ein Staat vom Gottesdienste hat, 1737; Kurze Erzählung eines gewissen Hindernisses der wahren Gelehrsamkeit, 1739; Kurze Beschreibung der Amerikanischen Aloe ... in Deutschen Versen, 1743; Xeneophon von der Ritterkunst (hg.) 1743.

Literatur: Adelung 2,1844.   RM

Hayo, Johannes, * in Schottland, † 8.9.1590 's Heerenberg; adeliger Herkunft, 1550 Eintritt in d. Franziskanerprov. Scotia, 1559 Flucht n. Dtl., Generalkommissar d. dt.-belg. Prov., 1581 Apostol. Kommissar, gewann d. Konvente v. Nymwegen u. Limburg zurück, Gründer d. Kölner Olivenklosters, 1585–89 Provinzial, dann Visitator der Niederlande.

Schriften: Provinciae Scotiae exordius, progressus et finis, 1585; Bericht über die Trennung der Niederländischen von der Cölnischen Franziskanerprovinz, o.J. (beide Schr. verloren).

Literatur: NDB 8,157. – P. SCHLAGER, Gesch. d. köln. Franziskaner-Ordensprov. während d. Reformationszeitalters, 1909.   RM

Haza-Radlitz, Hedwig von, * 1.9.1881 Erwitte/Westf.; Wohlfahrtsfürsorgerin. Erzählerin.

Schriften: Die Strandhexe (Erz.) 1900; Buntes Völkchen, (Erz.) 1910; Das moderne Gemälde (Lustsp.) 1910; Poesie und Prosa oder: Die ungleichen Schwestern und der kluge Papagei (Hu-

morist. Szene) 1911; Hedwigis. (Schausp.) 1912;
Im Frauenabteil 3. Klasse. Heiteres Reisebild in
einem Aufzug, 1912; Der vornehme Besuch,
1914; Tante Callas Krönungsmantel, 1914; Im
Wartezimmer des Zahnarztes. Humoristisches
Gesangsstück, 1915; Die geheilte Migräne. Heiterer Einakter, 1916; Der Empfang Ihrer Exzellenz, 1917; Die Reiche an der Himmelstür (2.
Aufl.) 1924.   IB

Hearny, B. → Byern, Hainz Alfred von.

Hearting, Erni (Ps. f. Ernst Herzig, anderes Ps.
Greti Herzog), * 31.7.1914 Langenthal/Kt.
Bern; Reklamechef, Red., wohnt in Basel. Verf.
v. Jugendbüchern.
Schriften: Sitting Bull. Der große Führer im
Freiheitskampf der Sioux-Indianer. Der reiferen
Jugend nach historischen Quellen aufgezeichnet,
1949; Stumpfes Messer. Führer der Chayenne-
Indianer in ihrem letzten Kampfe um Heimat und
Freiheit, 1951; Allmächtige Stimme. Geschichte
eines Indianers, 1952; Geronimo. Die Ge-
schichte der Apachen in ihrem Kampfe um Frei-
heit und Unabhängigkeit, 1952; Rollender Don-
ner: Kriegshäuptling Joseph. Die Geschichte
seines Lebens und seines Volkes, 1953; Minito.
Die Geschichte eines Indianermädchens, 1954;
Kleine Krähe. Die Geschichte eines Siouxhäupt-
lings, 1954; Kriegsadler. Die Geschichte des
Comanchenhäuptlings Quanah Parker, 1955;
Wildes Pferd. Die Geschichte eines großen
Kriegshäuptlings der Teton-Dokota, 1956; Os-
ceola, Häuptling der Seminole-Indianer, 1957;
Moxtaveto, genannt Schwarzkessel. Das tragische
Schicksal dieses großen Häuptlings der Chayenne-
Indianer, 1958; Damals im Aktivdienst. Soldaten
erzählen aus den Jahren 1939–54 (Hg.) 1959;
Einsamer Wolf. Die Geschichte eines Kriegers
der Apachen-Indianer, 1959; Schwarzer Falke.
Die Geschichte eines Häuptlings der Sauk-In-
dianer, 1960; Pontiac. Sendung und Schicksal
eines großen Indianerhäuptlings, 1961; Häuptling Jack. Kintpuash. Anführer der Modoc Indianer im Kampf um ihre Heimat, 1962; Jack
Gregor, 1963; Metacomet. Sendung und Schicksal eines großen Indianerhäuptlings, 1963; Die
großen Indianerhäuptlinge. So lebten sie wirklich, 1964; Der Indianer-Oberst. Vom Genfersee
in den nordamerikanischen Urwald. Leben und
Abenteuer des Schweizer H. Bouquet, Offizier
in englischen Diensten, 1965.   IB

Heaton-Armstrong, Bridget-Louisa, (Ps. B.-L.
Armstrong) * 8.5.1852 Ischl/Oberöst., lebte in
Görz. Lyrikerin.
Schriften: Im Spätsommer (Ged.) 1888.   IB

Hebbel, (Christian) Friedrich, * 18.3.1813
Wesselburen/Norddithmarschen, † 13.12.1863
Wien; aus ärml. Verhältnissen, Vater Maurer,
1827 Schreiber d. Kirchenspielvogts, Autodidakt; durch Vermittlung d. Schriftstellerin A.
Schoppe ab 1835 in Hamburg z. Vorbereitung
auf d. Univ., hier Beginn d. langjährigen Verhältnisses zu E. Lensing; 1836–1839 kurzes Jurastudium in Heidelberg, dann Lit., Gesch. u. Philos. in München (Görres, Schelling); 1839 Hamburg, 1843 mit Stipendium d. Königs v. Dänemark nach Paris, Bekanntschaft mit Heine, 1844
Rom u. Neapel; seit 1845 Wien, 1846 Heirat mit
C. Enghaus, Burgschauspielerin, von nun an wirtschaftl. gesichert; 1849–1850 Feuilletonred. d.
«Öst. Reichsztg.»; ausgedehnte Reisen, 1861
Weimar, 1862 Paris u. London, zahlreiche Auszeichnungen v. Fürstenhäusern, 1863 Schiller-
preis. Dramatiker, Lyriker, Erzähler, Kritiker.
Schriften: Geschichte des dreißigjährigen Krieges, 1840; Geschichte der Jungfrau von Orleans,
1840; Judith (Tr.) 1841; Gedichte, 1842; Mein
Wort über das Drama! Eine Erwiderung an Professor Heiberg in Copenhagen, 1843; Genoveva
(Tr.) 1843; Maria Magdalene (Tr.) 1844; Der
Diamant (Kom.) 1847; Neue Gedichte, 1848;
Schnock. Ein niederländisches Gemälde, 1850;
Herodes und Mariamne (Tr.) 1850; Ein Trauerspiel in Sizilien (Tr.) 1851; Der Rubin (Kom.)
1851; Julia (Tr.) 1851; Agnes Bernauer (Tr.)
1855; Erzählungen und Novellen, 1855; Michel
Angelo (Dr.) 1855; Gyges und sein Ring (Tr.)
1856; Gedichte. Gesamt-Ausgabe, 1857; Mutter
und Kind (Ep. Ged.) 1859; Die Nibelungen (Tr.)
2 Bde., 1862; Demetrius (Tr.) 1864.
Ausgaben: Sämtliche Werke. Hist.-krit. Ge-
samt-Ausgabe, hg. R. WERNER, Abt. 1 Werke,
12 Bde., 1901–1903; Sämtliche Werke. Hist.-
krit. Ausgabe, hg. R. WERNER, 19 Bde., 1911–22
(Nachdr. 27 Bde., 1970).
Briefe: Sämtliche Werke. Hist.-krit. Gesamt-
Ausgabe, hg. R. WERNER, Abt. 3. Briefe, 8
Bde., 1904–1907; Neue H.-Dokumente, hg. D.
KRALIK u. F. LAMMERMAYER, 1913; Aus F.H.s
Korrespondenz, hg. F. HIRTH, 1913; Elise Len-

sing, Briefe an F. und Christine H., hg. R. KAR-
DEL, 1928; H.-Dokumente, hg. R. KARDEL,
1931; Neue H. Briefe, hg. A. MEETZ, 1963;
Briefe an H., hg. M. ENZINGER u. E. BRUCK, 2
Bde., 1973–1975; Briefe, hg. U. H. GERLACH,
1975.

Tagebücher: Sämtliche Werke. Hist.-krit. Gesamt-Ausgabe, hg. R. WERNER, Abt. 2. Tagebücher, 4 Bde., 1903–1904.

Nachlaß: Goethe- u. Schiller-Arch. Weimar;
H.-Mus. Wesselburen; Teilnachlaß Inst. f. Lit.-
wiss. an d. Univ. Kiel; Landesbibl. Kiel, dazu,
H. MATTHIESEN, Systematischer Katalog der H.-
Slg. der Stadt Kiel, 1964. – Denecke 2. Aufl.

Periodicum: H.-Jb. 1939 ff.

Bibliographien: H. WÜTSCHKE, ∼-Bibliogr.,
1910; P. KISCH, H. WÜTSCHKE, ∼-Bibliogr. (in:
Euphorion 19) 1912; W. JOKISCH, Bausteine zu
e. ∼-Bibliogr. 1919–1930 (in: Archiv 163)
1933; L. KOOPMANN, Materialien für die ∼-
Bibliogr. (in: Hebbel-Jb.) 1957; W. REICHART,
∼ in Amerika u. Engl. (in: Hebbel-Jb.) 1961;
H. MATTHIESEN, Beitr. zu e. ∼-Bibliogr. (in:
Hebbel-Jb.) 1963; U. H. GERLACH, ∼-Bibliogr.
1910–70, 1973; DERS., Standartverzeichnis d.
Briefautographen ∼s (in: H.-Jb.) 1976.

Literatur- und Forschungsberichte: W. VONTIN,
Bilanz d. ∼-Forschg. (in: H.-Jb.) 1962; H.
STOLTE, Forsch.ber. (ebd.) 1913; W. VONTIN,
Forsch.ber. (in: ebd.) 1964; H. STOLTE, Lit.ber.
(ebd.) 1965, 1968, 1969, 1970, 1972, 1974,
1975, 1976, 1977; W. VONTIN, Neue ∼-Lit.
(in: GRM 45) 1964; H. KREUZER, Z. Stand d.
∼ Forsch. (in: DU 16) 1964; E. PURDIE, ∼.
Some Aspects of Research ... 1953–1963/4 (in:
Euphorion 60) 1966.

Literatur:

Gesamtdarstellungen und Würdigungen: ADB 10,
169; NDB 8, 160; E. KUH, Biographie ∼s 2
Bde., 1877, Nachdr. 1969; P. BASTIER, L'ésoté-
risme de ∼ Paris, 1910; L. BRUN, ∼ Sa person-
nalité et son oeuvre lyrique Paris, 1919, 1922;
E. FEDERN, ∼ 1920, J. BAB, Das Wort ∼s 1923;
P. BORNSTEIN, D. junge ∼ 1925; DERS., ∼. E.
Bild s. Lebens, 1928; E. PURDIE, ∼. A Study of
His Life and Work, London 1923; Nachdr. 1969;
J. M. WEHNER, ∼, 1938; ∼. Leben u. Werk in
Einzeldarstellungen (hg. W. THOMAS) 1924; A.
MEETZ, ∼, 1962; W. LIEPE, Beitr. zur Lit.- u.
Geistesgesch. (hg. E. SCHULZ) 1963; ∼ in neuer
Sicht (hg. H. KREUZER) 1963.

Biographische Einzelthemen: K. SZIDON, ∼s Ju-
gend (in: Zs. für Individualpsych. 1) 1914; A.
JANSSEN, D. Frauen rings um ∼, 1919; J. SAD-
GER, ∼. E. psychoanalyt. Versuch, 1920; A.
BARTELS, ∼s Herkunft u. andere Fragen, 1921;
W. RUTZ, ∼ u. Elise Lensing, 1922; P. BORN-
STEIN, ∼s Persönlichkeit, 2 Bde., 1924; A.
ZIEGELSCHMID, Beitr. zu ∼s Charakterkunde,
1932; A. BARTELS, Christine ∼ (in: Dithmar-
schen 11) 1935; C. JENSSEN, Elise Lensing (in:
C. J., Licht d. Liebe) 1938; D. CÖLLN, ∼ und
Elise Lensing (in: H.-Jb.) 1951; E. HOFREITER,
∼ in charakterolog. Betrachtung (Diss. Inns-
bruck) 1955; E. WOHLHAUPTER, ∼ (in: H. SEI-
FERT, Hg. Dichterjuristen, 3) 1957; A. MEETZ, F.
u. Christine ∼ (in: H.-Jb.) 1960; H. SIEBERT,
∼-Anpassung u. Widerstand (ebd.) 1970; W.
AUGUSTINY, Elise u. Christine, d. beiden Frauen
im Leben ∼s, 1971; F. SENGLE, D. Antiidylliker
v. Paris bis München. ∼s Metaphysik u. geschichtl. Erfahrung ... (1843–1852), (in: Grill-
parzer-Jb. 12) 1976.

Allgemeines zum Drama: T. POPPE, ∼ u. s. Drama, 1900; A. SCHEUNERT, D. Pantragismus als
System d. Weltanschauung u. Ästhetik ∼s, 1903;
A. KUTSCHER, ∼ als Kritiker d. Dr., 1907; S.
SCHMITT, ∼s Dr.technik, 1907; O. WALZEL, ∼
u. s. Dramen, 1913; T. GEISSENDOERFER, D. Bedeutung d. Episoden in ∼s Dr. (in: JEGP 29
1920; W. BRECHT, Wege u. Umwege in d. dt.
Lit. seit 100 Jahren (in: DVjs 7) 1929; G. REES,
∼ as a Dramatic Artist, 1930; R. BERGER, Stud.
z. Ideen- u. Motivwelt v. ∼s Dr. (Diss. Innsbruck) 1949; A. MEETZ, ∼ u. d. Dr. s. Zeit (in:
H.-Jb.) 1959; W. EMRICH, ∼s Vorwegnahme u.
Überwindung d. Nihilismus (in: Akzente 11)
1964; G. BISCHKE, D. Problem d. Rachemotivs
im Dr. ∼s (in: H.-Jb.) 1965; K. S. GUTHKE, ∼s
«Dialektik der Idee»: d. Erfüllung e. Prognose
(in: K. S. G., Wege z. Lit.) 1967; R. HÖGEL, D.
Held im Dr. G. Büchners, d. Jungdt. u. ∼s
(Diss. Bonn) 1969; W. RITTER, ∼s psycholog. u.
dramat. Charaktergestaltung, 1973.

Tragödie: K. BÖHRIG, D. Probleme d. ∼schen
Tr., 1899; F. ZINKERNAGEL, D. Grundlagen d.
∼schen Tr., 1904; E. A. GEORGY, D. Tragische
bei ∼, 1904; H. FAUSTEN, D. ∼sche Tr. u. ihre
Versöhnungsidee (in: Masken 6) 1911; E. DO-
SENHEIMER, D. zentrale Problem in d. Tr. ∼s,
1925; D. CÖLLN, ∼ als Tragiker (in: Dithmarschen 12) 1936; H. HENEL, Realismus u. Tragik

in ~s Dr. (in: PMLA 53) 1938; H. Stresau, Dt.
Tragiker. Hölderlin, Kleist, Grabbe, ~, 1939;
F. Martini, D. Mensch in ~s Tr. (in: H.-Jb.)
1942; B. v. Wiese, D. dt. Tr. v. Lessing bis ~
Bd. 2, 1948; H. Kreuzer, D. Tr. ~s (Diss. Tü-
bingen) 1956; H. Frisch, Symbolik u. Tragik in
~s Dr., 1961; B. v. Wiese, D. Tragiker ~ (in:
H.-Jb.) 1963; W. Wittkowski, D. junge ~,
1969; D. Gerth, D. reduzierte Individuation als
Moment d. Tragischen bei ~, 1970; H. Kraft,
Poesie u. Idee, 1971; M. Garland, ~'s Prose
Tragedies, 1973.

Komödie: L. Bette, ~ u. die kom. Kunst (in:
Neue Jb. f. d. klass. Alt., 37) 1916; K. Schulz-
Streeck, D. Komische u. d. Komödie im Welt-
bild u. im Schaffen ~s, 1956; H. Siebert, Z.
Theorie d. Kom. bei ~ (in: H.-Jb.) 1968; H.
Nägele, ~ über die Kom. (in: H.-Jb.) 1970;
A. E. Hammer, The Comic Element in ~'s Plays
(in: GLL 26) 1972/73.

Tragikomödie: K. S. Guthke, Dehmel, ~ u. d.
Struktur d. Mischspiels (in: Rev. des lang. viv.
24) 1958; U. Jenny, ~ u. die Tragikom. (in:
DU 24) 1964; G. Kaiser, ~s Ein Trauerspiel in
Sizilien als Tragikom. (in: H.-Jb.) 1974.

Judith: K. Gumperts, Der Judith-Komplex ...
(in: Zs. f. Sexualwiss. 14) 1927; H. Stern, ~s
Judith auf d. dt. Bühne, 1927; E. Purdie, The
Story of Judith in German and Engl. Lit. Paris,
1927; O. Baltzer, Judith in d. dt. Lit., 1930;
C. Niessen, Napoleon Holofernes, Jungfrau-Ju-
dith (in: Theater d. Welt 2) 1938; G. Fricke,
Gedanken zu ~s Judith (in: H.-Jb.) 1953; W.
Wittkowski, D. Tragische in ~s Judith (ebd.)
1956; K. Ziegler, ~. Judith (in: B. v. Wiese,
Hg., D. dt. Drama v. Barock bis z. Gegenwart 2)
1958; I. Brugger, D. prophet. Wort d. ‹Stum-
men› ... (in: H.-Jb.) 1966; D. Hanig, Three
Transformations of the Judith Story (Diss. Indiana
University) 1966; W. Kraft, Über ~s Judith
(in: H.-Jb.) 1970; L. Lütkehaus, Verdinglichung (ebd.) 1970; M. Durzak, ~s Judith
(ebd.) 1971/72.

Genoveva: R. Meszling, ~s Genoveva 1910;
J. Bab, D. allergläubigste Judas (in: Schaubühne
6) 1910; ders., D. Münster (ebd.) 7) 1911; K.
May, ~s opus mysticum Genoveva (in: Eupho-
rion 45) 1950; W. Wittkowski, Genoveva. Z.
Ursprung der Tragödie ~s (in: H.-Jb.) 1958; W.
Kraft, Zwischen Tat u. Begebenheit. Über ~s
Genoveva (in: ebd.) 1966; F. M. Fowler, The

Return of the Hind: ~s Genoveva and Its Epilo-
gue (in: MLR 65) 1970.

Maria Magdalene: P. Zincke, Die Entstehungsgesch. v. ~s M. M., 1910; F. Schnass, D.
dt. bürgerl. Trauerspiel bei Schiller u. bei ~ (in:
ZDU 28) 1914; H. Sievers, ~s M. M. auf d.
Bühne, 1933; K. May, M. M. im Zusammenhang
d. jüngsten ~forsch. (in: Dg. u. Volkstum 43)
1943; J. Wright, ~'s Klara (in: Monatshefte
38) 1946; P. Michelsen, ~s M. M. (in: Bl. d.
Dt. Theaters in Göttingen 91) 1955/56; H. Fal-
kenberg, Z. Entstehungsgesch. u. Bühnengesch.
v. ~s M. M. (in: ebd.) 1955/56; K. May, ~s
M. M. (in: K. M., Form u. Bedeutung) 1957; M.
Stern, D. zentrale Symbol in ~s M. M. (in: H.
Kreuzer, hg., ~ in neuer Sicht) 1963; G. Fa-
vier, Lecture de ~ (in: EG 20) 1965; J. Glenn,
The Title of ~s M. M. (in: Papers on Lang. and
Lit. 3) 1967; J. Müller, Z. motivischen u. dra-
maturg. Struktur v. ~s M. M. (in: H.-Jb.) 1968;
J. Fetzer, Water-Imagery in M. M. (in: GQ 43)
1970; H. Weiss, Animal and Nature References
in ~'s M. M. (in: Seminar 7) 1971; J. Granges,
Les réminiscences bibliques dans M. M. de ~ (in:
EG 29) 1974; J. Berg, ~. M. M. u. die Bearbei-
tung von F. X. Kroetz (in: J. B., V. Lessing bis
Kroetz) 1975.

Herodes und Mariamne: F. Falk, Wer ist d.
Träger d. Tragischen in ~s H. M. (in: Dithmar-
schen 3) 1923; F. Winkelhöfer, ~s Tr. H. M.
(Diss. Prag) 1926; J. Blankenagel, Titus in ~'s
H. M. (in: MLN 42) 1927; F. Weichenmayr,
Dramat. Handlung u. Aufbau in ~s H. M. (Diss.
Erlangen) 1929; M. Hiller, ~s H. M. auf d.
Bühne 1849–1925, 1930; F. Schneider, Mystik
in ~s H. M. (in: Dg. u. Volkstum 36) 1935; K.
May, ~s H. M. (in: H.-Jb.) 1949/50; G. Rai-
ner, ~. H. M. (in: B. v. Wiese, hg. D. dt. Dra-
ma 2) 1958; D. Barlow, Mariamne's Motives
(in: MLR 55) 1960; H. Stolte, ~s H. M. als Be-
kenntnisdg. (in: H.-Jb.) 1961; L. Ryan, ~s H.
M. Tr. u. Gesch. (in: H. Kreuzer, hg., ~ in
neuer Sicht) 1963; H. Matthiesen, H. M. Eine
Unters. über d. Quellen (in: H.-Jb.) 1966; J.
Müller, Zu Struktur u. Motivik in ~s H. M.
(in: H.-Jb.) 1966.

Agnes Bernauer: A. Löwenstein, The Sources
of ~'s A. B. (in: MLR 7) 1912; E. Dosenheimer, ~s Auffassung v. Staat u. s. Tr. A. B. (Diss.
Jena) 1912; E. Dosenheimer, A. B. (in: Frau 20)
1912/13; K. Schultze-Jahde, Motivanalyse v.

~s A. B. (Diss. Berlin) 1924; H. Meyer-Benfey, ~s A.B., 1931; K. Schramm, ~s A.B. auf d. dt. Bühne (Diss. Frankfurt) 1937; W. Rasch, ~s A. B. D. Tr. als polit. Dg. (in: DVjs 18) 1940; G. Fricke, ~s A.B. (in: H.-Jb.) 1951; P. Klussmann, ~. A.B. (in: B. v. Wiese, hg. D. dt. Dr. 2) 1958; W. Wittkowski, Menschenbild u. Tragik (in: GRM 39) 1958; H. Kreuzer, A. B. als ~s moderne Antigone (in: H.-Jb.) 1961; ders., ~s A.B. (in: H.K., ~ in neuer Sicht) 1963; M. Smith, Das Zeitbewußtsein u. seine symbol. Gestaltung (in: H.-Jb.) 1971/72; M. Durzak, Polit. oder politisiertes Dr.? (in: H.-Jb.) 1973; K. Pörnbacher, A. B.-Lit. u. Wirklichkeit (in: H.-Jb.) 1976.

Gyges und sein Ring: L. Glatt, G.R. (in: Wissen u. Leben 12) 1913; E. Schwartze, ~s G.R. (Diss. Breslau) 1914; W. Michalitschke, ~s Tr. G.R., 1925; P. Eggstein, ~s Dr. G.R. (Diss. Zürich) 1948; W. Naumann, ~s G.R. (in: Monatshefte 43) 1951; D. Cölln, Rhodope (in: H.-Jb.) 1955; H. Stolte, ~s G.R. (in: H.-Jb.) 1959; B. Nagel, D. Tragik d. Menschen in ~s Dg. (in: H.-Jb.) 1962; H. Kreuzer, ~s G. R. (in: H.K., ~ in neuer Sicht) 1963; H. Matthiesen, G.R. (in: H.-Jb.) 1965; P. Michelsen, Rhodopes Schleier (in: FS K. Ziegler) 1968; E. Görlich, ~s G.R. u. d. antike Mythos (in: H.-Jb.) 1972; L. Völtz, Z. Analyse d. Sprache (in: H.-Jb.) 1973.

Die Nibelungen: J. Blankenburg, ~s N. in christl.-dt. Beleuchtung, 1913; G. Wittkowski, ~s N. (in: Der Zwinger 1) 1917; E. Schmidt, Quellen u. Gestaltg. v. ~s N. (Diss. Breslau) 1921; G. Fricke, D. Tr. d. N. bei ~ u. P. Ernst (in: H.-Jb.) 1940; K. May, ~s N. (in: Dg. u. Volkstum 41) 1941; J. Hermand, ~s N. (in: H. Kreuzer, hg., ~ in neuer Sicht) 1963; H. Stolte, E. Plädoyer f. ~s N. (in: H.-Jb.) 1970; W. Emrich, ~s N. Götzen u. Götter d. Moderne (in: Abh. Akad. d. Wiss. u. d. dt. Lit. Mainz) 1974; P. Boswell, The Hunt as a Literary Image (in: H.-Jb.) 1977.

Zu den übrigen Bühnenwerken: E. Franz, ~s Struenseetr. (in: Dithmarschen 4) 1924; A. Friedrichs, ~s Diamant u. Rubin (Diss. Breslau) 1929; E. Castle, D. falsche Demetrius in der Auffassg. Schillers u. ~s (in: JbFDtHochst) 1930; O. Erler, Marfa-Demetrius, 1930; E. Brinkmann, ~s Julia (Diss. Köln) 1951; H. Oppel, ~s Moloch (in: DVjs 25) 1951; ders.,

~s Tragikom. E. Trauersp. in Sizilien (in: K. Bischoff, hg. Gedenkschr. f. F. J. Schneider) 1956; K.S. Guthke, ~s Trauersp. in Sizilien (in: H.-Jb.) 1957; W. Wittkowski, Demetrius. Schiller u. ~ (in: Schiller-Jb. 3) 1959; J. Müller, Bemerkungen z. Kernproblematik u. dramat. Dialektik v. ~s Demetrius (in: H.-Jb.) 1962; H. Stolte, Das Molochfragment (in: H.-Jb.) 1962; W. Hecht, ~s Diamant (in: H. Kreuzer, hg., ~ in neuer Sicht) 1963; W. Krogmann, D. heiml. Prinz (in: H.-Jb.) 1965; A. Meetz, ~s Demetrius-Fragm. u. s. Frühwerk Der Rubin (in: FS D.W. Schumann, 1970; L. Lütkehaus, «Übertragung» in ~s Barbier Zitterlein u. Julia (in: H.-Jb.) 1971/72; ders., D. Gesellschaft u. ihr Henker. Zu ~s E. Trauersp. in Sizilien (in: ebd.) 1973; H. Matthiesen, ~s Demetrius (in: ebd.) 1975; L. Lütkehaus, Weltbild oder Zeitbild? ~s Diamant (ebd.); H. Stolte, D. Tr. d. Unpolitischen. Z. Interpretation v. ~s Demetrius (in: ebd.) 1976.

Lyrik: J. Fischer, Stud. zu ~s Jugendlyrik, 1910; A. Gubelmann, Studies in the Lyric Poems of ~, New Haven 1912; P. Witkop, ~ (in: P. W. D. dt. Lyriker v. Luther bis Nietzsche 2) 1921; K. Kampe, ~s Balladen (Diss. Hamburg) 1937; C. Jenssen, ~s Lyrik als Glaubensbekenntnis (in: H.-Jb.) 1951; I. Braak, ~ als Lyriker (in: H.-Jb.) 1954; J. Müller, D. Motiv d. Todes in ~s Lyrik (in: ebd.) 1963; F. Martini, D. Lyriker ~ (in: H. Kreuzer, hg., ~ in neuer Sicht) 1963; H. Stolte, ~s Balladen (in: H.-Jb.) 1974.

Erzählungen: R. Ebhardt, ~ als Novellist (Diss. Kiel) 1916; W. Liepe, Unbekannte u. unerkannte Frühprosen ~s (in: H.-Jb.) 1953; C. Jenssen, ~s Erzählungen (ebd.) 1955; H. Kreuzer, ~ als Novellist (in: H.K., ~ in neuer Sicht) 1963; L. Lütkehaus, Pantrag. Liquidation oder soz. Katastrophe? ~s Erz. Die Kuh (in: H.-Jb.) 1975.

Zu den Tagebüchern: A. Rosenbusch, D. Tagebücher ~s, 1935; R. Bauer, D. Kunstform d. Aphorismus in ~s Tagebüchern (Diss. Wien) 1939; E. Purdie, Two Nineteenth Century Diaries and their Writers (~ and Grillparzer), (in: Pub. of the Eng. Goethe Society 15) 1946; P. Michelsen, ~s Tagebücher (Diss. Göttingen) 1951; ders., D. Paradoxe als Grundstruktur ~schen Denkens (in: H.-Jb.) 1952; L. Kleefisch, ~s Tagebücher (Diss. Bonn) 1953; K. Essel-

BRÜGGE, Z. Psychol. d. Unbewußten in ~s Tagebüchern u. Briefen (in: H.-Jb.) 1960; J. MÜLLER, Zu Struktur u. Funktion v. ~s Tagebüchern (in: H. KREUZER, hg., ~ in neuer Sicht) 1963; P. MICHELSEN, ~s Tagebücher, 1966; G. JASPERS, ~s Tagebücher als «Ideenmagazin» d. Dichters (in: H.-Jb.) 1977.

Einzelfragen: A. HALBERT, D. soziale Gedanke bei ~ (in: Die Waage 16) 1913; A. PORTERFIELD, ~'s Use of Jewels (in: PMLA 45) 1930; P. HOFFMANN, ~ u. das Dämonische (in: H.-Jb.) 1941; H. SCHUELER, ~'s Poetic Use of the Dream (in: GQ 14) 1941; B. v. WIESE, D. Tragische in ~s Welt- u. Kunstanschauung (in: Dg. u. Volkstum 41) 1941; J. MÜLLER, D. Weltbild ~s, 1955; W. LIEPE, Z. Problem d. Schuld bei ~ (in: H.-Jb.) 1958; DERS., ~. Weltbild u. Dg. (ebd.) 1960; K.S. GUTHKE, Mitt. z. Streit um ~s Hegelianismus (ebd.) 1961; I. BRUGGER, D. Mensch-Ding-Problematik bei ~ (ebd.) 1963; M. GANSBERG, Z. Sprache in ~s Dramen (in: H. KREUZER, hg., ~ in neuer Sicht) 1963; A. MEETZ, Intuition u. Bewußtsein im Schaffen ~s (in: Dithmarschen, NF) 1963; F. THIESS, D. unbequeme Mitmensch. E. Unters. über d. Produktionsprozeß bei ~ (in: Abh. d. Akad. d. Wiss. u. d. dt. Lit. Mainz 42) 1963; R. HÖGEL, Z. Frage d. Identität d. Helden (in: H.-Jb.) 1974; N. MÜLLER, D. Rechtsdenker ~, 1974; A. BÖNIG, ~ u. d. Dr. d. Griechen (in: H.-Jb.) 1974; B. KAYSER, Der Schuldbegriff bei ~ (ebd.) 1975; H. MARTIN, Besitzdenken im dramat. Werk ~s, 1976.

Beziehungen u. Wirkungsgeschichte: M. BIENENSTOCK, ~s Beziehungen zu Heine (in: Jb. d. Grillparzer-Ges. 24) 1914; H. KEIDEL, ~, Hegel u. Plato (in: JEGP 17) 1918; H. FRICKE, ~ u. Schiller (Diss. Freiburg) 1922; R. EDIGHOFFER, ~ u. Grillparzer (in: H.-Jb.) 1949/50; D. CÖLLN, ~ u. E. Mörike (in: ebd.) 1956; H. KREUZER, ~ u. Kleist (in: DU 13) 1961; K. ESSELBRÜGGE, Gedanken über ~ im 20. Jh. (in: H.-Jb.) 1964; S. HOEFERT, Z. Nachwirkung ~s in d. naturalist. Ära (in: H.-Jb.) 1970; B. WEBER, B. Brecht and ~ (Diss. Univ. of Wisconsin) 1973; H. STOLTE, ~ u. Dänemark (in: H.-Jb.) 1975; H. FRICKE, Gelangten Gedanken Giordano Brunos über K.W.F. Solger zu ~? (in: ebd.) 1977; J. MÜLLER, Symbol u. Glauben. D. Streitgespr. im Briefdialog zw. ~ u. Luck (in: ebd.) 1977.   UF

Hebel, Frieda, * 1.6.1904 Ort unbekannt; Journalistin, wohnt in Raanana/Israel. Mitarb. an in- u. ausl. Ztg. u. Zs., Erz. u. Lyrikerin.

Schriften: Gesang des Lebens, 1964; Der Mond wird voll, 1964; Fernes Land (Ged.) 1967. IB

Hebel, Johann Peter, * 10.5.1760 Basel, † 22. 9.1826 Schwetzingen; aus ländl. Verhältnissen, Dorfschule Hausen, 1770 Lateinschule Schopfheim, 1774 Gymnasium in Karlsruhe, 1778–1780 Theologiestudium in Erlangen, 1780 Staatsexamen; zunächst Hauslehrer, 1783 Lehrer am Pädagogium in Lörrach, 1791–1824 am Gymnasium in Karlsruhe (1808–1814 Direktor), 1798 Professor, 1819 Prälat d. Ev. Landeskirche Baden, als solcher 1819–1821 im Landtag; auf e. Dienstreise gestorben. Mundartdichter, Erzähler, Theologe, Erzieher.

Schriften: Etwas über die Bevestigung des Glaubens an die göttliche Wahrheit und Güte, 1795; Allemannische Gedichte, 1803 (verm. Neuaufl. 1820); (Hg.) Der Rheinländische Hausfreund ... (Kalender auf das Jahr 1808, 1809, 1810, 1811) 4 Bde., 1808–11; Schatzkästlein des rheinischen Hausfreundes, 1811; (Hg.) Rheinischer Hausfreund ... (Kalender auf 1813, 1814, 1815, 1819) 4 Bde., 1813–19; Biblische Geschichten für die Jugend bearbeitet, 2 Bde., 1822; Christlicher Katechismus. Aus den hinterlassenen Papieren, 1828; Aus J.P.H.s ungedruckten Papieren (hg. G. LÄNGIN) 1882.

Briefe: Briefe von H. an einen Freund (hg. F. A. NÜSSLIN) 1860; Briefe (hg. O. BEHAGHEL) 1883; Briefe an G. Fecht 1791–1826 (hg. W. ZENTNER) 1921; Briefe, eine Nachlese von K. OBSER, 1926; Briefe. Gesamtausgabe (hg. W. ZENTNER) 2 Bde., 1939, ²1957; Werke u. Briefe (hg. E. MECKEL) 1943.

Ausgaben: Sämmtliche Werke, 8 Bde., 1832 bis 1834; Werke, 5 Bde., 1843; Werke, 3 Bde., 1847; Werke, 2 Bde. (hg. O. BEHAGHEL in: DNL 142/1, 2) 1883; Werke in 4 Teilen (hg. A. SÜTTERLIN) 2 Bde., 1911; Werke, 3 Bde. (hg. W. ZENTNER) 1924, 1972; Werke, 3 Bde. (hg. W. ALTWEGG) 1943; Ges. Werke (hg. E. MECKEL) 2 Bde., 1958.

Nachlaß: Landesbibl. Karlsruhe. – Denecke 2. Aufl.

Bibliographie: Goedeke 7, 533, 734; 8, 703; 15, 742. – F. SCHMITT, ~-Bibliogr. (in: FS z. Ausstellung ~ u. s. Zeit) 1960; R.M. KULLY, ~ (Biogr., Bibliogr. u. Forschung) 1969.

Allgemeine Darstellungen u. Würdigungen: ADB 11,188; NDB 8,165. – G. Längen, ~. E. Lebensbild, 1875; J.B. Trenkle, D. alemann. Dg. seit ~, 1881; F. Giehne, Stud. über ~, 1894; K.E. Hoffmann, ~s Geburtshaus (Basler Dichterstätten) 1934; W. Altwegg, ~, 1935; T. Bohner, ~, 1936; A. v. Grolman, Werk u. Wirklichkeit, 1937; G. Behringer, R. Zu.tobel, Hausen im Wiesental, 1937; A. Heusler, ~ (in: D. Innere Reich 4) 1937/38; E. Strauss, ~ (in: Corona 9) 1939; W. Zentner, ~, 1948; R. Suter, D. baseldt. Dg. vor ~, 1949; T. Meyer, «Wien i zem ~ cho bi» (Rede) 1949; A. v. Grolman, ~: Kannitverstan (in: A. v. G., Europ. Dichterprofile) 1949; T. Heuss, ~ (Rede) 1952; E. Wolf, ~ (in: E.W., V. Wesen d. Rechts in d. dt. Dg.) 1946; G. Hess, ~ (in: D. großen Dt. 2) 1956; W. Benjamin, ~. Zu s. 100. Todestag (in: W. B., Schr. 2) 1955; W. Zentner, ~s letzte Lebenstage (in: Ruperto-Carola 8, Bd. 19) 1956;M. Heidegger, ~, d. Hausfreund, 1957; C.J. Burckhardt, D. treue ~ (Rede) 1959; Ausstellung ~ u. s. Zeit, 1960; W. Weber, ~s «Zeit». Z. 200. Geb.tag d. Dichters (in: NR 71) 1960; C.J. Burckhardt, ~s Gestalt u. s. Dg. (in: Universitas 15) 1960; O. Kleiber, Basler ~stiftung. Lebendiger ~. 100 Jahre Basler ~stiftung, 1960; R. Suter, ~s lebendiges Erbe (Rede) 1961; A. Fringeli, Mein Weg zu ~, 1961; H. Uhl, Hg., Bekenntnis z. alemann. Geist in 7 Reden beim «Schatzkästlein», 1964; M. Lutz, D. Erzieher ~, 1964; R. Feger, ~ u. d. Belchen, 1965; G. Hess, Rede auf ~ (in: G.H., Gesellsch., Lit., Wiss.) 1967; G. Hirtsiefer, Ordnung u. Recht in d. Dg. ~s, 1968; K. Schmid, Mitmenschlichkeit d. Dichter, Gedanken über ~, 1969; N. Oellers, ~ (in: B. v. Wiese, Hg., Dt. Dichter d. Romantik) 1971; C. Schneider, V. ~ in meinem Lesebuch zu ~ heute (Rede) 1971; U. Däster, ~ in Selbstzeugnissen u. Bilddokumenten, 1973; H. Pongs, ~ (in: H.P., D. Bild in d. Dg. 4) 1973.

Einzelne Aspekte: F. Willomitzer, Die Sprache u. d. Technik d. Darstellung in ~s rheinländ. Hausfreund, 1891; H. Bürgisser, ~ als Erzähler, 1929; R. Hünnerkopf, Mittelalterliches Erzählgut bei ~ (in: FS F. Panzer) 1930; O.E. Sutter, D. Landschaft ~s, 1935; C.P. Magill, Pure and Applied Art. A Note on ~ (in: GLL NS 10) 1956/57; K. Bräutigam, Humor u. Her-

zensgüte in ~s Erz. (in: DU 14) 1962; B. Boesch, ~s Umgang mit d. Sprache, 1965; R. Minder, Heidegger u. ~ oder Die Sprache v. Meßkirch (in: R.M., Dichter in d. Gesellsch.) 1966; ders., ~ u. d. franz. Heimatlit. (in: ebd.); H. Trümpy, D. Volkstüml. bei ~ (Rede) 1969; ders., Volkstüml. u. Literar. bei ~ (in: WirkWort 20) 1970; D. Ader, Syntakt. Strukturen als Aussagegehalt (in: Linguist. Ber.) 1970; W. Sommer, D. menschl. Gott ~s. D. Theol. ~s (Diss. Basel) 1972; A. Fringeli, ~ u. d. Schweiz (Rede) 1973; L. Forster, ~ u. d. Vergänglichkeit (in: GLL 29) 1975/76; C.V. Ponomareff, Woman as Nemesis; Card Symbolism in ~, Esenin, and Puschkin (in: Germano-Slavica) 1975.

Einzelne Werke: H.-G. Oeftering, Naturgefühl u. Naturgestaltung bei d. alemann. Dichtern v.B. L. Muralt bis J. Gotthelf, 1940; S. Löffler, ~. Wesen u. Wurzeln s. dichter. Welt, 1944; W. Weber, Rötteler Schloß (in: W.W., Zeit ohne Zeit) 1959; J.L. Hibberd, ~s Alemann. Ged. and the Idyllic Tradition (in: Forum for Mod. Lang. Stud. 8) 1972; W. Jost, Probleme und Theorien d. dt. u. engl. Verslehre, 1976.

Kalendergeschiten: H. Funck, Über d. Rheinländ. Hausfreund u. ~, 1886; O.E. Sutter, ~s letzte Kalendergeschichten (in: Die Markgrafschaft 14) 1962; U. Däster, ~, Stud. zu s. K. (Diss. Zürich) 1968; L. Wittmann, ~s Spiegel d. Welt. Interpretationen zu 53 K., 1969; M. Lypp, «Der geneigte Leser verstehts». Zu ~s K. (in: Euphorion 64) 1970; H. Vosberg, ~s seltsame K. Untreue schlägt den eigenen Herrn (in: Jb. d. Raabe-Ges.) 1973; J. Knopf, Geschichten z. Geschichte. Krit. Tradition d. «Volkstümlichen» in d. K. ~s u. Brechts, 1973; E. Bloch, Nachwort zu ~s Schatzkästlein (in: E.B., Lit. Aufs.) 1965; S. Hajek, Kannitverstan. D. Gesch. e. lit. Motivs (in: Jb. d. Raabe-Ges.) 1973; K. Bräutigam, ~s «Drei Wünsche» (in: DU 8) 1956; M. Scherer, ~. «Unverhofftes Wiedersehen» (in: GRM NF 5) 1955; ders., D. Bergwerke zu Falun... Studie zu E.T.A. Hoffmann u. ~ (Bl. f. Dt.lehrer) 1958; G. Bevilacqua, In che consiste il fascino di U.W. (in: Paragone 22) 1971; M. Stern, Zeit, Augenblick u. Ewigkeit in ~s U.W., 1976.

Beziehungen: A. Corrodi, R. Burns u. ~, 1873; C. Braun, ~ u. Thoma, 1910; F. Liebrich, ~ u. Basel, 1926; G. Jänsch, Karl v.

Holtei u. ∼ (in: Bad. Heimat 34) 1954; W.
REHM, Goethe u. ∼ (in: W. R., Begegnungen u.
Probleme)1957; R. FEGER, ∼ u. Frankreich (in:
Alemann. Jb.) 1961.   HD/HB/H-GD

Hebel(ius), Samuel, † 1574; stammte aus
Hirschberg/Schles., Prediger in Schweidnitz,
Rektor in Mähren.
   Schriften: Ein Spil von der Belegegerung der
Statt Bethulia, und wie sie Gott wunderlich
durch ain Wittfraw Judith genant ... erlöset hat
... in Reym beschrieben, 1566; Sonntagsevange-
lien uber das gantze Jahr in Gesänge gefasset,
1571.
   Literatur: Adelung 2, 1848; Goedeke 2, 171,
406.   RM

Hebenstreit, Christoff, 16. Jh.; wahrsch.
Schweizer, biogr. Daten unbekannt.
   Schriften: Ein new lied «Ach Got eyl mir zu
helfen schier». Im thon, Er war einmal ein rei-
cher man ..., o. J. (vor 1544).
   Literatur: Goedeke 2, 245.   RM

Hebenstreit, F. → Fischer, Christian August.

Hebenstreit, Wilhelm, * 24. 5. 1774 Eisleben,
† 17. 4. 1854 Gmunden/Oberöst.; studierte in
Göttingen, Dr. phil., Journalist, redigierte seit
1817 d. «Wiener Zs. für Kunst, Lit., Theater u.
Mode», später Beteiligung am «Wiener Conver-
sationsblatt» (begr. v. Gräffer). Verf. v. ästhet.
Schriften.
   Schriften: Dictionarium editionum tum selec-
tarum tum optimarum auctorum classicorum et
Graecorum et Romanorum ad optimos Biblio-
graphorum libros collatum emend. supplevit
notulisque criticis instruxit, 1828; Der Fremde
in Wien und der Wiener in der Heimath, 1829
(neue Bearb. u. d. T.: Der Reisende nach Wien
und der Aufenthalt des Reisenden in Wien,
1843); Wissenschaftliche literarische Encyklopädie der Ästethik. Ein etymologisch-kritisches
Wörterbuch der ästhetischen Kunstsprache,
1842; Das Schauspielwesen. Dargestellt auf dem
Standpunkte der Kunst, der Gesetzgebung und
des Bürgerthums, 1843.
   Literatur: Wurzbach 8, 180.   IB

Hebenstreit von Streitenfeld, Franz, * 1748
Prag, † 8. 1. 1795 Wien (z. Tode verurteilt u.

gehängt); Offizier, Haupt d. sog. Jakobinerver-
schwörung. Verf. d. Eipeldauerliedes.
   Schriften: Homo hominibus (lat. Epos).
   Literatur: Wurzbach 8, 181. – A. KÖRNER, D.
Wiener Jakobiner. ‹Homo hominibus› (∼).
Übers. u. Kommentar v. Franz-Josef Schuh,
1972.   IB

Hebentanz-Kaempfer, Lucy von (Mädchen-
name u. Ps. Lucy Kaempfer), * 10. 7. 1856
Baals/Holland; lebte n. ihrer Heirat 1906 in
Kairo.
   Schriften: Lieder, 1884; Bleibet im Hause.
Ein Beitrag zur Frauenfrage, 1903; Taubenflug
(Rom.) 1903; Harret el Haduta. Moderner Ge-
sellschaftsroman aus Kairo, 1910; Die himmel-
blaue Ahnfrau (Rom.) 1912.   RM

Heberegister → Essener, Freckenhorster, Herzebrocker, Werdener Heberolle.

Heberer, Alfred (Ps. f. Michael Enders), * 1. 1.
1913 Berlin-Neukölln; Verlagskaufmann, Dramaturg, Regisseur u. Bibliothekar, wohnt in Wetz-
lar-Neunheim. Erzähler.
   Schriften: Das Haus über dem Meer (Rom.)
1950; Straße ohne Illusion (Rom.) 1953; In diesen verdammten Jahren (Rom.) 1975; Zum
Abend keine Rosen. Zeitroman des deutschen
Presse- und Filmwesens, 1977; Der «Laser-Fall»
oder Die Sache mit Habakuk. Bericht über eine
Reportage von tragischer Bedeutung, 1977. IB

Heberer, Michael, * um 1560 Bretten, † nach
1623; studierte 1579–82 in Heidelberg, Hofmei-
ster, Reisen n. Italien u. Frankreich, türk. Gefan-
genschaft u. Sklave in Konstantinopel u. im
Orient, nach d. Freilassung Kanzleiregistrator d.
Kurfürsten v. d. Pfalz. Lat. Dichter u. Reise-
schriftsteller.
   Schriften: Aegyptiaca Servitus, Das ist Warhafte
Beschreibung einer Dreyj. Dienstbarkeit, so zu
Alexandrien in Egypten ihren Anfang und zu
Constantinopel ihr Endschaft gefunden, 1610
(Nachdr. u. d. T. Pfälzischer Robinson, 1747).
   Literatur: ADB 11, 197; NDB 8, 170; Jöcher
(Ergänzungsbd. 2) 1853. – A. BECKER, V. Pfälzer
Robinson. ∼. (in: D. Bayernland 22) 1911; H.
FRÖHLICH, ∼ v. Bretten, d. «Churpfälzer Robin-
son», 1965.   IB

Heberle, Eugen, * 29. 10. 1901 Karlsruhe, † 23.
3. 1974 Heidelberg; Rektor i. R. Lyriker.

Schriften: Germanische Heldensagen (Hg.) 1965; Ein Erntetag (Ged.) 1967; Durchsonnte Welt (Ged.) 1970.   IB

Heberolle → Essener, Freckenhorster, Herzebrocker, Werdener Heberolle.

Hebich, Samuel, * 29.4.1803 Nellingen b. Ulm, † 21.3.1868 Stuttgart; n. kaufmänn. Lehre Geschäftsreisender, 1831 Eintritt ins Basler Missionshaus, seit 1834 Missionar in Indien, lebte seit 1859 als Evangelist in Stuttgart.

Schriften (Ausw.): Predigten, 1860; Das Geheimnis vom Wesen und Willen des dreieinigen Gottes und unserer ewigen Erwählung, praktisch dargelegt in sechzig Predigten, 2 Tle., 1876.

Literatur: ADB 11,198; NDB 8,172; RE 7, 491. – T. SCHÖLLY, ~, 1911.   RM

Hebler, Carl (Rudolf Albrecht), * 21.12.1821 Bern, † 4.9.1898 ebd.; Prof. d. Philos. an d. dort. Univ., Vertreter d. Lehre Spinozas. Literaturästhetiker.

Schriften: Spinoza's Lehre vom Verhältniß der Substanz zu ihren Bestimmtheiten, 1850; Shakespeare's Kaufmann von Venedig. Ein Versuch über die sogenannte Idee dieser Komödie, 1854; Lessing-Studien, 1862; Zum hundertsten Geburtstag J. G. Fichtes. Seine Grundsätze über Wesen und Bestimmung des Gelehrten (Vortrag) 1862; Aufsätze über Shakespeare, 1865 (2., beträchtl. verm. Ausg. 1874); Die Philosophie gegenüber dem Leben und den Einzelwissenschaften 1867 (2. durchges. Aufl. 1874); Philosophische Aufsätze, 1869; Lessingiana, 1877; Elemente einer philosophischen Freiheitslehre, 1888.

Literatur: Biogr. Jb. 3,123. – L. BÄRTSCHI, D. Berner Philosoph ~ (1821–1891) 1944.   IB

Hebler, Matthias, † 18.9.1571 Hermannstadt/ Siebenb., stammte aus Karpfen/Slowakei; 1546 Theol.-Studium in Wittenberg, 1551 Lehrer u. 1553 Rektor d. Lateinschule in Hermannstadt, 1554 Prediger, 1555 Pfarrer, 1556 Superintendent. Anhänger Luthers.

Schriften (Ausw.): Brevis confessio de coena Domini ecclesiarum Saxonicarum et coniunctarum in Transsylvania, 1561 (Neuausg. bei G.D. Teutsch, Urkundenbuch d. ev. Landeskirche ... in Siebenbürgen 2,1883).

Literatur: ADB 11,201; NDB 8,172; RGG ³3,105. – O. WITTSTOCK, ~ (in: Siebenb.-

sächs. Hauskalender) 1958; E. ROTH, D. Reformation in Siebenb. 2,1964.   RM

Hechelmann, Adolf, * 10.2.1905 Leipzig, † Aug. 1962 Hagen; Dr. phil., Geistlicher. Übers. u. Verf. v. Jugendbüchern.

Schriften: Die Rätsel von Katsch. Eine abenteuerliche Geschichte aus Indien, 1932; Ärgernisse in der Kirche, 1938; Nordisches Christentum nach Snorris Königsbuch, 1938; Leben im Heiligen Geist, 1949; Harry sucht einen Weg. Eine wahre Lausbubengeschichte, 1950; König Sigurds Fahrt. Eine Erzählung aus der Zeit der Kreuzzüge, 1957.   IB

Hecher, Josef von, * 25.11.1845 Schongau, † 14.5.1919 München; Benediktinerzögling, studierte in München u. Freising, 1871 Priester, 1879 Domprediger in München, 1888 Hofprediger, 1913 Stiftsprobst v. St. Kajetan ebd., 1916 päpstlicher Protonotar, Mitarb. am Text d. Passionsspiel in Oberammergau. Hg. d. «Marienboten» 1896–1908. Geistl. Dichter u. Erzähler.

Schriften: Die sieben Kreuzesworte Jesu Christi, Fastenpredigten, gehalten in der Allerheiligen-Hofkirche zu München 1893, 1893; Die ägyptische Fürstentochter. Weihnachtsspiel, 1895; Lebende Bilder in religiösen Dichtungen, I Passions-Blumen, Begleitender Text zur Darstellung lebender Bilder aus dem Leiden und der Verherrlichung Christi, II Marien-Rosen. Text zur Erläuterung lebender Bilder der Geheimnisse des heiligen Rosenkranzes, III Märzen-Veilchen. Text zu lebenden Bildern aus dem Leben des Nährvaters Christi, 1895; Das Lamm Gottes. Fastenpredigten, 1895; Predigten über das Vaterunser. Ein Cyklus Predigten für alle Sonn- und Festtage von Allerheiligen bis zum Feste der Apostelfürsten Petrus und Paulus, gehalten in der Allerheiligen-Hofkirche zu München, 1898; Lia. Erzählung aus dem Geburtsjahre Christi, 1900; Dietlinde Trozza. Erzählung aus Bayerns Urgeschichte, 1901; Die Perle von Rom. Erzählung aus dem dritten Jahrhundert, 1901; Das Muttergotteskindel. Eine Münchner Geschichte aus dem sechzehnten Jahrhundert, 1902; Frauengestalten am Leidenswege des Herrn, Sieben Fastenpredigten über die Buße, 1903; Die Kreuzesschule. David und Christus. Ein geistliches Festspiel in sieben Handlungen und neun lebenden Bildern, 1905; Zum Gedächtnis Seiner königlichen Hoheit des Prinzregenteu Luitpold der Bayern (Rede) 1912.   IB

Hechinger, Flora, * 17.1.1865 Berlin; lebte ebd., war zuerst Erzieherin, dann tätig f. versch. Berliner Blätter.

Schriften: Königin Mode (Nov.) 1900.   AS

Hechler, Adam, * 16.10.1811 Georgenhausen/ Darmstadt, † Sept. 1842 ebd.; war Lehrer, leitete Privatschulen in Pfungstadt, Eberstadt u. Umstadt.

Schriften: Gedichte, 1840.   AS

Hechler, Hans, 16. Jh., Schauspieldichter aus d. Schweiz, biogr. Daten unbekannt. S. Sp. gelangte zw. 1530 u. 1540 in Utzenstorf im Berner Gebiet z. Aufführung.

Schriften: Ein hüpsch neüw Spil, wie man alte weyber jung schmidet, gar kurtzweylig zu lesen ..., 1540 (Neuausg. 1613).

Literatur: Goedeke 2, 347.   RM

Hecht → Pfarrer zum Hecht.

Hecht, Else, * 28.2.1888 München; Kunsthandwerkerin, Puppenspielerin, wohnt in München. Verf. v. Märchen u. Puppenspielen.

Schriften: Im Märchenwald (Märchen) 1938; Seids alle da? (Puppensp.) 1938; Der Drehorgelmann kommt, 1941; Die Wundernacht (Märchen) 1953.   IB

Hecht, Friedrich (Ps. Manfred Langrenus), * 3.8.1903 Wien; Dr. phil., o. Univ. Prof. f. analyt. Chemie, wohnt in Wien. Neben zahlreichen wiss. Arbeiten Verf. v. Romanen.

Schriften: Reich im Mond. Utopisch-wissenschaftlicher Roman aus naher Zukunft und jahrmillionenferner Vergangenheit, 1951; Im Banne des Alpha Centauri (Rom.) 1955.   IB

Hecht, Georg, * 12.1.1885 Schwersens, lebt in München. Lit.historiker, Essayist.

Schriften: Der neue Jude, 1911; Rainer Maria Rilke, 1912; Gerhart Hauptmann. Essay über Kunst und Pathos, 1912; Herbert Eulenberg oder Ein Traktat über Kritik, 1912; Die Geschichte der jüdisch-deutschen Literatur, 1913; Die fünf portugiesischen Briefe der Nonne Marianna Alcoforado, 1913.   IB

Hecht, Hugo (Ps. Arwed Hugo, Hugo Lucius), * 5.2.1861 Merbeck Aachen, † 1924; Berlin letzter Wohnort. Lyriker.

Schriften: Gedichte, 1888; Gedichte, alte und neue, 1896; Dichtungen, 1905.   IB

Hecht, Johann, * um 1645 Mühlbeck b. Bitterfeld, † 1709 Wachau b. Leipzig; Theol.-Studium in Wittenberg u. Leipzig, seit 1674 Kantor u. Lehrer in Wachau.

Schriften: Wahrer Christen-Seelen göldene Tauben-Flügel ..., 1670; Aurora ..., 1675; Ecclesiodam Lutheri ..., 1682; Lipsia septicollis ..., 1691; Odeon Piorum ... Teutsche Danck-Buss-Beth-Lehr- und Trost-Lieder, 1710.

Literatur: Adelung 2, 1854; Neumeister-Heiduk 371. – A. FISCHER, W. TÜMPEL, D. dt.-evangel. Kirchenlied d. 17. Jh. 4, 1964 (Neudr.).   RM

Hecht, Joseph J. (Ps. Joseph J. Brochet), * 1861 Budapest; Kaufmann in Budapest, daneben autodidakt. Ausbildung in Philos. u. Literatur.

Schriften: Ein moderner Don Juan (Rom.) 1893; Nemesis (Dr.) 1899.   RM

Hechtel-Anders, Hildegunde (Ps. Hildegunde Fritzi Anders), * 15.7.1904 München, † 1944 Stuttgart; Verf. v. hist. Romanen.

Schriften: Der Verwandler der Welt. Friedrich der Zweite von Hohenstaufen, 1942; Feirefis sucht den Gral, 1945.   IB

Heck, Elisabeth, * 5.6.1925 St. Gallen; Lehrerin, wohnt in St. Gallen. Erzählerin.

Schriften: Elisabeth von Thüringen. Ihr Leben den Kindern erzählt, 1958; Soldat der höchsten Königin. Das Leben des Heiligen Vinzenz von Paul der Jugend erzählt, 1960 (2. leicht überarb. Auflg. u. d. T.: Viele reden, Vinzenz wirkt. Das Leben des heiligen Vinzenz von Paul, 1973); Die Weihnachtsgeschichte. Den Kleinen erzählt, 1963; Hell und dunkel, 1970; Der Zauberballon, 1971; Nicola findet Freunde. Eine Geschichte von Buben und Tieren, 1974; Laßt mich fliegen! 1975; Der Schwächste siegt, 1975; Wer hilft Roland? 1976; Jan reißt aus, 1976; Miezi, 1976; Richard rebelliert, 1977; Beat und sein schlechtes Zeugnis, 1977.   IB

Heck, Ludwig, * 11.8.1860 Darmstadt, † 17.7.1951 München; studierte in Straßburg, Gießen, Berlin u. Leipzig, Dr. phil., 1886 Dir. d. Zoolog. Gartens in Köln, 1888 in Berlin. Mitarb. an d. vierten Aufl. v. Brehms «Tierleben». Verf. v. Tierbüchern u. Memoiren.

Schriften: Das Tierreich (gem. mit Schäff, von Martens, E. Krieghoff, B. Düringen u. L. Staby) 1892; Lebende Bilder aus dem Reiche der Tiere. Augenblicksaufnahmen nach dem lebenden Tierbestande des Berliner Zoologischen Gartens, 1900 (Neuausg. u. d. T.: Lebende Tiere, 1925); Schimpanse Bobby und meine anderen Freunde, 1931; Papa Heck und seine Lieblinge, 1931; Tiere, wie sie wirklich sind. Bilder- und Lesebuch für jedermann, 1934; Heiter-Ernste Lebensbeichte. Erinnerungen eines alten Tiergärtners, 1938; Tiere in Natur und Kunst (gem. mit Lutz Heck) 1943.   IB

Heck, Lutz, * 23.4.1892 Berlin; Sohn v. Ludwig H., Dr. phil., Prof., 1932 Nachfolger s. Vaters, seit 1945 freier Schriftst. in Wiesbaden-Sonnenberg. Verf. f. Tierbüchern, Expeditions- u. Forschungsberichten.

Schriften: Aus der Wildnis in den Zoo. Auf Tierfang in Ostafrika (hg. v. M. Proshauer) 1930; Der deutsche Edelhirsch. Lebensbild mit photographischen Natururkunden aus der Wildbahn, 1935; Auf Urwald in Kanada. Berichte, Beobachtungen und Gedanken einer glücklichen Fahrt, 1937; Auf Tiersuche in weiter Welt, 1941; Schwarzwild. Lebensbild des Wildschweines, 1950; Tiere – mein Abenteuer. Erlebnisse in Wildnis und Zoo, 1952; Großwild im Etoschaland. Erlebnisse mit Tieren in Südwestafrika, 1955; Der Rothirsch. Ein Lebensbild, 1956; Tiere in Afrika, 1957; Fahrt zum weißen Nashorn. Im Auto durch Südafrika und seine Wildschutzgebiete, 1957; Wildes schönes Afrika (gem. m. Eva ~) 1960; Wilde Tiere unter sich. Beobachtungen ihres Verhaltens in Afrika, 1970; Das doppelte Äffchen: Die Hellbrunner Orang-Utan Zwillinge, 1972.

Schallplatten: Schrei der Steppe. Tönende Bilder aus dem ostafrikanischen Busch, 1932; Der Wald erschallt! Das tönende Buch vom Frühling und Herbst des deutschen Waldes, 1933.

Literatur: LexKJugLit 1, 529. – Prof. Dr. ~ 60 Jahre alt. (in: Wild u. Hund 55) 1952; M. A. ZOLL, Prof. Dr. ~ 75 Jahre alt. (in: Zs.f. Jagdwiss. 13) 1967; DERS., ~ sen. 75 Jahre. (in: Säugetierkundl. Mitt. 15) 1967.   IB

Hecke, Johann Valentin, 17./18. Jh., stammte aus Schlesien; Rechtsstudium, n. militär. Laufbahn 1815 Reise u.a. durch d. Schweiz u. 1818

durch Amerika, lebte dann in London u. Hamburg, freier Schriftst. u. Gründer d. Mschr. «Merkur» (1821) in Berlin, lebte n. 1826 in Schlesien.

Schriften: Reise durch die Vereinigten Staaten von Nord-Amerika ..., 2 Bde., 1820 f.; Lily, die grossmüthige Amerikanerin. Eine historische Erzählung aus dem letzten Kriege der nordamerikanischen Freistaaten wider die Britten und Indianer, 1821; Griechenlands Entstehen, Verfall und Wiedergeburt ..., 1826; Wiens Kunst, Natur und Menschen. In vergleichender Betrachtung mit Berlin, London und Nordamerika, 1826.

Literatur: Meusel-Hamberger 22.2,627; Goedeke 15, 566. – J. F. L. RASCHEN, Gleanings from a Travel Book (in: American-German Review 12) 1945/46.   RM

Heckel, Hans, * 14.8.1890 Breslau, † 13.3.1936 ebd.; Stud. in Breslau u. München, Teilnahme am Ersten Weltkrieg, 1920 Privatdoz., 1927 ao. Prof. in Breslau. Literaturhistoriker.

Schriften: Das Don-Juan-Problem in der neueren Dichtung, 1915; Die Schlesischen Provinzialblätter 1785–1849 in ihrer literargeschichtlichen Bedeutung. Ein Beitrag zur Geschichte der deutschen Literatur in Schlesien, 1921; Das deutsche Weihnachtsspiel, 1921; Geschichte der deutschen Literatur in Schlesien, I Von den Anfängen bis zum Ausgang des Barock, 1929.

Herausgebertätigkeit: Festschrift Max Koch zum siebzigsten Geburtstag (gem. mit E. Boehlich) 1926.

Literatur: K. HILDEBRANDT, Das Werk ~ s. (in: D. Schlesier 18) 1966.   IB

Heckel, Johann Christoph, * 22.8.1747 Augsburg, † 6. oder 7.12.1798 ebd.; Pastor, Hg. geistl. Lieder, teilweise eigene, teilweise fremde, die er überarbeitete.

Schriften: Beschreibung der Steinischen Melodica, ein neuerfundenes Clavierinstrument, 1772; Versuch einer theologischen Enzyklopädie und Methodologie (anonym) 1778; Neues Beicht- und Communionbuch, zur Unterhaltung der Andacht, 2 Tle., 1778; Wöchentliche Erbauungen der geistlichen Lieder, 4 Tle., 1785; Christliche Beruhigungen unter den Leiden und Beschwerden dieses Lebens, 1787; Kleine Bibel und Gesangbuch für Kinder, 1788; Unterricht im Christen-

thum, 1788; Lieder für Leidende, 1789; Neues
Gesangbuch für die evangelischen Gemeinden der
freien Reichsstadt Augsburg (gem. mit L.F.
Krauß) 1794.

Literatur: ADB 11,204; Meusel 5,270; Meusel-Hamberger 3,139, 9,533.   IB

Heckel, Karl, * 23.6.1858 Mannheim, † 20.10.
1923 Schöngeising b. München. Beziehung zu R.
Wagner, Hg. v. Wagners Briefen an E. Heckel
1899. Erz., Dramatiker.

Schriften: Friederike von Sesenheim. Idyllisches
Drama in drei Aufzügen, 1880; Richard-Wagner-
Gedenkfeier. Dichtung, 1883; Karin. Dichtung,
1883; Robert Emmet. Historisches Drama, 1884;
Die Idee der Wiedergeburt, 1889; Die Bühnen-
festspiele in Bayreuth. Authentischer Beitrag zur
Geschichte der Entstehung und Entwicklung,
1891; Erläuterungen zur R. Wagner's Tristan und
Isolde, 1893; Sonnenwende (Dr.) 1894; Hugo
Wolf in seinem Verhältnis zu R. Wagner, 1905;
Einen Garten nenn' ich die Ehe (Rom.) 1907;
Das stille Lachen (Ged.) 1921.   IB

Heckel, Karl Maria (Ps. Karl Lerch), * 19.6.
1899 Augsburg; lebte ebd., gab 1924–25 die Zs.
«Ariadne» (für Lit. u. Kunst) heraus.

Schriften: Laotse, Tao te king (Übers.) 1922;
Sechs Gedichte, 1923; Der Traum in der
Christnacht. Weihnachtsstück in drei Bildern,
1929.   AS

Heckel, Li Maria, * 10.6.1880 Newport, † 3.
12.1924; lebte zuletzt in Schöngeising b. München.

Schriften: Hansis Vorfrühling (Erz.) 1920; Lebensform, 1921.   IB

Heckenast, (Johann) Michael, † um 1848 Pest;
Prediger in Kaschau.

Schriften (Ausw.): Die Leidensgeschichte Jesu
mit Chorgesängen und Liederversen ..., 1812;
Augsburgisches Glaubensbekenntniss nach seinem wesentlichen Inhalte ..., 1830.

Literatur: Goedeke 7,112.   RM

Heckenauer, Johann, 17./18.Jh.; «Sprach-
meister» in Ulm.

Schriften: Paroemiae et Dialogi trilingues Oder
Kurtze Vorstellung 1340 Ausserlessner Sprüchwörter, und beygefügten dreyen Gesprächen, in

Teutsch, Frantzösisch und Italienischer Sprach
verfasset, 1700.

Literatur: Goedeke 2,17.   RM

Heckenstaller, Urban, * Mitte d. 17.Jh.,
† 1739 oder 1740; Sekretär d. kurfürstl. Geh.
Rats in München, Mitgl. e. Bayer. Gesandtschaft
n. Warschau 1694, Verdacht d. Teilnahme an e.
öst.feindlichen Erhebung, Flucht in d. Franziskanerkloster in Freising, später Rückkehr u. in alter
Stellung tätig. 1702 Begründer der «Isargesell-
schaft».

Schriften: H. Gobinet, Unterweisung der Jugend in die christliche Gottseligkeit, 1714
(Übers.); Leben der seligen Stifterin des Ordens
unserer Lieben Frau Heimsuchung, Franziska von
Chantal, 1714 (?).

Herausgebertätigkeit (als Begründer d. Isargesell-
schaft): Vertrauliche politische und historische
Discourse über allerhand zeit-läuffige Begebenheiten und dadurch veranlassende Materien, 5
Bde., 1702–04.

Literatur: ADB 11,206.   IB

Hecker, A. → Erhard, Heinrich August.

Hecker, Clemens August (Ps. Dr. Till), ge-
tauft 28.11.1791 Bonn, † 23.6.1832 Aachen;
Sekretär beim Landgericht Aachen, Gründer u.
Präs. d. Aachener Karnevalsgesellsch. Florresei.

Schriften: Historisch-psychologische Darstellung merkwürdiger ... Criminal-Fälle, 1826;
Florresiana Aquisgranensis oder Leben, Thaten
und Abentheuer der ersten Aachener Carnevals-
Florresei. Eine ebenso erbauliche als lustige
Historia ..., 1829; Allaf Oochen, En wenn et
versönk!! E löstlich Fasteloffend-Spiel, 1829.

Literatur: Meusel-Hamberger 22.2,630; Goedeke 10,516; 13,550; 15,995. – H.A. Crous,
Aachener Karnevalsver. ..., 1959.   RM

Hecker, Emil, * 4.6.1897 Hamburg; Eulenspiegel Orden u. Plakette d. Stadt Mölln, wohnt
in Brunnbüttel. Erz. u. Lyriker.

Schriften: Vun Dörp und Diek, 1929; Vunt't
bunte Leben. Gedichen un Geschichen (sic!)
1931; De Smitt un de Dood. En eernsthaftig
Speel in een Uptogg, 1938; Störm öwer't Watt
un anner Geschichten, 1939; Jungs achter'n Diek
(Gesch.) 1939; Die blaue Flagge weht. Jugend-
fahrten in der Elbemündung, 1946; Diekerjungs,

1952; In'n Glücksputt langt. Lustige Geschichten van Lüd ut de Masch, 1957; Vun Lüd' as du un ick, 1958; Hatt geiht de Stroom. Geschichten von der Niederelbe, 1959; Markst Müs? 1959; Wunnerli Volk, de Minschen. Geschichten ut en lütt Dörn, 1964; An de Klöndör, 1972; Mit Öltüg un Südwester. Geschichten un Gedichten (Slg.) 1974; De Waggboom. Plattdütsche Geschichten un Gedichte, 1977; Uns Lüd vun de Westküst, 1978.

Schallplatten: Fröhjohr in Veerlann', 1976; E. H. verteilt, 1977.   IB

Hecker, Friedrich (Franz Karl), * 28.9.1811 Eichtersheim/Baden, † 24.3.1881 St. Louis/USA; 1834 Dr. iur., 1838 Advokat, seit 1842 liberaler Abgeordneter, 1848 Führer d. sozialdemokrat. Republikaner, mißlungener Aufstand, Flucht in d. Schweiz, später n. Amerika, Farmer, Brigadegeneral d. Cumberlandarmee im Bürgerkrieg, Vorkämpfer d. nationalbewußten Deutschtums. S. Person lebt im Volkslied weiter «Hekkerlied», «Heckerhut».

Schriften: Ideen und Vorschläge zu einer Reform des Gerichtswesens, 1844; Die staatsrechtlichen Verhältnisse der Deutschkatholiken mit besonderem Hinblick auf Baden, 1845; Deutschland und Dänemark. Für das deutsche Volk (gem. mit G. Lommel) 1847; Der Erhebung des Volkes in Baden für die deutsche Republik im Frühjahr 1848, 1848; Gepfefferte Briefe, 1868; Reden und Vorlesungen, 1872; Betrachtungen über den Kirchenstreit in Teutschland und die Infallibilität, 1874.

Nachlaß: Mommsen Nr. 1525.
Literatur: ADB 50,93; NDB 8,180; BWG 1, 1050. – H. SCHARP, ~, e. dt. Demokrat (Diss. Frankfurt/Main) 1923; P. STRACK, ~s Herkunft, 1959.   IB

Hecker, Johann Wilhelm, * 28.5.1724 Bückeburg, † 8.6.1793 Stettin; Gymnasialprof. in Stettin, Mitgl. d. dt. Gesellsch. Königsberg u. Göttingen.

Schriften: Gedichte, 1748; Religion der Vernunft, 1752; Abriß moralischer Vorlesungen ..., 1781.
Literatur: Goedeke 4/1, 106.   RM

Hecker, Josef Ludwig, * 22.3.1910 Pfarrkirchen/Niederbayern; wohnt in Ingolstadt. Erzähler.

Schriften: Die Dachbodengeschichte, 1948; Gott hat keinen freien Samstag, 1965; Das Wirtshaus an der Gabel. Als anno 1633 der Schwede Ingolstadt belagerte fanden Johanna und die Jäger des Fürstbischofs wunderbare Hilfe (Rom.) 1973; Die Nonnen von Mariastein: als anno 1633 der Schwede Eichstätt eroberte, begann für die Klosterfrauen eine Zeit voll Bangen und Hoffen (Rom.) 1974; Der unheimliche Berg, 1975; Das Haus am Inn, 1975; Der Heuberg schweigt, 1976; Fußgängerzone (Rom.) 1979.   IB

Hecker, Jutta, * 13.10.1904 Weimar; Tochter von Max H., Dr. phil., Ober-StudRat, wohnt in Weimar. Erzählerin.

Schriften: Die Altenburg. Geschichte eines Hauses, 1955; Flammendes Leben. Sehnsucht, Erfüllung und Katastrophe im Leben J. Winckelmanns, 1956; Die Maske (Erz.) 1957; Wieland. Die Geschichte eines Menschen in der Zeit, 1958; Ich erinnere mich. Gespräche um Eckermann, 1962; Lied an die Freude. Roman über Schiller und seine Zeitgenossen, 1965; Traum der ewigen Schönheit. Der Lebensroman J.J. Winckelmanns, 1965; Corona. Das Leben der Schauspielerin Corona Schröter, 1969; Als ich zu Goethe kam (3 Erz.) 1974.   IB

Hecker, Karl, * 23.11.1845 Ulm, † 18.11.1897 Stuttgart; 1861 Eintritt in d. Kriegsschule in Ludwigsburg, 1865 Leutnant, Teilnahme an d. Feldzügen v. 1866 u. 1870/71, 1888 Abschied. Verf. v. Humoresken u. Militärgeschichten.

Schriften: Aus den Memoiren eines Lieutnants, 1887 (3. Auflg. u. d. T. Memoiren eines Lieutnants, 1898); Das Kasernenblümchen (Erz.) 1888; Casino-Geschichten, 1889; Blaue Husaren, Spiele nicht mit Schießgewehren (Erz.) 1889; im alten Schloß und andere Erzählungen, 1893; Lieutnantsgeschichten, 1898.

Nachlaß: Dt. Lit.arch./Schiller-Nat. Museum Marbach. – Denecke 2. Aufl.
Literatur: Biogr. Jb. 2, 149.   IB

Hecker, Lydia, geb. Paalzow (Ps. L. H.), * 10.12.1802 Marienwerder, Todesdatum unbekannt; Gattin e. Medizinalrats, lebte nach dessen Tod in Berlin.

Schriften: Schlüsselblumen. Gesammelt für Freunde (Ged.) 1842.   AS

Hecker, Max (Franz Emil), * 6.4.1870 Köln, † 9.4.1948 Weimar; Studium d. Germanistik,

Philos. u. Anglistik in Bonn, 1896 Promotion, seit 1900 Mitarb. d. Sophienausg. v. Goethes Werken in Weimar, Archivar am Goethe- und Schiller-Arch., zuletzt stellvertretender Dir.; Gründer d. «Slg. zeitgenöss. Zeugnisse z. Schillers Persönlichkeit» (1. Tl. 1904, fortges. v. J. Petersen), 1924–35 Hg. d. «Jb. d. Goethe-Gesellsch.» Ehrenbürger d. Univ. Jena.

Schriften (Ausw.): Schopenhauer und die indische Philosophie (Diss. Bonn) 1896; Schillers Tod und Bestattung, 1935.

Herausgebertätigkeit (Ausw.): Goethes Maximen und Reflexionen, 1907 (Neuausg. mit Nachw. v. J. Kuhn, 1976); Goethes Faust (Gesamtausg.) 1941; Goethes Gedichte in zeitlicher Folge, 1945.

Bibliographie: J. HECKER, Haec otia fecit ..., 1940.

Literatur: NDB 8,183. – Vimariensia f. ~ (z. 60. Geb.tag) 1930; H. WAHL, ~ 70 Jahre (in: Goethe ... 5) 1940; A. ELSCHENBROICH, Arch.-wiss. u. Lit.gesch. (in: JbFDtHochst) 1964; H. KINDERMANN, D. Goethebild d. 20. Jh., ²1966.

RM

Hecker-Corinth, Mine → Corinth, Mine.

Heckmann, Herbert, * 25.9.1930 Frankfurt/M.; studierte Philos., Germanistik u. Gesch. in Frankfurt, 1957 Dr. phil., lit. wiss. Assistent, 1965–67 Gastdozentur in USA. Bremer Lit.preis 1962, lebt als freier Schriftst. in Bad Vilbel/Grona. Erzähler.

Schriften: Das Portrait (Erz.) 1958; Benjamin und seine Väter (Rom.) 1962; Schwarze Geschichten, 1964; Die sieben Todsünden, 1964; Der kleine Fritz. Ein Roman für Kinder und solche die es werden wollen, 1968; Geschichten vom Löffelchen, 1970; Der große Knockout in sieben Runden, 1972; Der Sägemehlstreuer, oder: Wie man ein Clown wird, 1973; Hessisch auf Deutsch. Herkunft und Bedeutung hessischer Wörter, 1973; Ubuville – die Stadt des großen Ei's. Aus den Papieren eines Deutschlandreisenden (Erz.) 1973; Der Junge aus dem zehnten Stock (Erz.) 1974; Kommt, Kinder, wischt die Augen aus, es gibt hier was zu sehen, 1974; Gastronomische Fragmente eines Löffeldilettanten, der solcherart seine Freunde traktiert, 1975; Der große O (Erz.) 1977; Knolle auf der Litfaßsäule, 1977.

Literatur: LexKJugLit 1,530; Albrecht-Dahlke 2/2,294. H. LAMPRECHT, Zu: Benjamin u. s. Väter. (in: NDH 9) 1962; W. GRÖZINGER, D. Rom. d. Ggw. (in: Hochland 55) 1962/63; K. BATT, D. gemäßigten Nonkonformisten. (in: NDL 12) 1963.

IB

Heckscher, Siegfried, * 8.9.1870 Hamburg, † 5.2.1929 ebd.; Dr. iur., Rechtsanwalt u. Dir. bei d. Hamburg-Amerika-Linie, Hg. d. Zs. «Der Lotse», 1900–1902 (mit C. Mönckeberg). Dramatiker.

Schriften: Der Stürmer. (Schausp.) 1904; Schuld (Schausp.) 1905; König Karl der Erste. Ein geschichtliches Trauerspiel in fünf Aufzügen, 1908; Der Spielmann (Leg.sp.) 1911; Der Tod (Tr.) 1911.

IB

Hedderich, Franz Anton (Ordensname: Philipp, Ps. Arminius Seld), * 7.11.1744 Bodenheim b. Mainz, † 20.8.1808 Düsseldorf; 1795 Minorit u. Student in Köln, 1774 Berufung an d. Bonner Akad., 1778 Dr. theol. u. Geistl. Rat, 1782 bischöfl. Bücherzensor, 1803 Prof. an d. Rechtsakad. Düsseldorf. Antikurialer u. aufklärer. Theologe u. Kanoniker, zahlr. Schr. indiziert.

Schriften (Ausw.): Dissertatio ad concordata Germaniae, 1773; Elementa iuris canonici ad statum ecclesiarum Germaniae praecipue Coloniensis accomodata, 4 Bde., 1778–85 (2., verb. Aufl. 1791).

Bibliographie: J.F. v. SCHULTE, D. Gesch. d. Quellen u. Lit. d. Canon. Rechts 3/1, 1956 [Neudr.]; M. BRAUBACH, D. erste Bonner Hochschule ..., 1966.

Literatur: ADB 11,219; NDB 8,186; LThK 5,52; RGG ³3,111. – E. HEGEL, Febronianismus u. Aufklärung im Erzbistum Köln (in: Ann. d. Hist. Ver. f. d. Niederrhein 142/143) 1943; M. BRAUBACH, Rhein. Aufklärung (in: ebd. 149/150) 1950; H. RAAB, D. Concordata Nationis Germanicae in d. kanonist. Diskussion d. 17. bis 19. Jh. ..., 1956.

RM

Hede, Helen (Ps. f. Helen Dubusc), * 6.5.1896 Andernach; wohnt in Castrop-Rauxel.

Schriften: Das schönere Gesicht, 1940.

IB

Hedemann, Hartwig, * 24.10.1756 Schleswig, † 11.1.1818 ebd.; Generalmajor, Kriegsteilnehmer von 1813. Vorwiegend Erzähler.

Schriften: Auffsaetze, Skizzen und Fragmente für
das Publikum, 1787; Über die Freiheit, ein Zuruf
an deutsche Fürsten und deutsches Volk, 1790.
Literatur: Meusel-Hamberger 22,2,631.   IB

Hedemann, Walter, * 17.7.1932 Lübeck; Ob-
Stud. Rat, wohnt in Hameln, Dramatiker u. Lyri-
ker.
Schriften: Dorothea oder Wer hat Angst vor H.
Geßler? (Posse mit Gesang) 1972; Nur ein Fall
Werner (Posse) 1973; Pampelmus und Blechpott.
Studie für Kinder, 1974.
Schallplatten: Na hören Sie mal, 1967;
Sch(m)erz beiseite, 1967; Unterm Stachelbeer-
busch, 1970; Herzlich willkommen, 1975.   IB

Hedenberg, Friedrich (Ludwig) (Ps. F-. H-.),
* 17. (28.) 6.1794 Reval, † Aug. 1860 St. Pe-
tersburg; Medizin-Studium in Dorpat, 1815
Dr. med., Arzt u. Dir. e. Kinderheims in St.
Petersburg.
Schriften: Sühnungs-Oper [Ged.] 1819.
Literatur: Meusel-Hamberger 22.2,631; Goe-
deke 10,575; 15,135.   RM

Hedenus, August Wilhelm, * 27.12.1797
Dresden, † 6.11.1862 ebd.; studierte seit 1816
in Leipzig, Dresden, Göttingen u. Berlin, große
Reisen durch Europa, seit 1836 Arzt in Dresden.
Z. Unterstützung der notleidenden griech. Frei-
heitskämpfer Hg. der Ged.sammlung «Graeciae
antiquam gloriam vindicanti sacrum», 1824. Me-
dizinische Veröffentlichungen.
Schriften: Saxonis elegiae, 1824.
Nachlaß: Nachlässe DDR 1, Nr. 264.
Literatur: ADB 11,220; Meusel-Hamberger 22,
2,631.   IB

Hederich, Bernhard, * 1533 Freiberg in Sach-
sen, † 1605 Schwerin; Rektor d. Domschule ebd.
Chronist u. lat. Dichter.
Schriften: Aigret zu Schwerin auff dem Schloß,
für den ... Herrn Johann Albrecht, Hertzogen zu
Meckelnburgk, ets. seiner F. G. Gemahl, Jungen
Herren, vnd Frawlin Vrsula, geborenes Frawlin zu
Meckelnburg, Eptissin zu Ribnik, etc., 1567;
Tragicocomoedia: Von dem frommen Könige Da-
vid vnd seinem auffrürischen Sohn Absolon,
1569; Schwerinische Chronica, 1598.
Handschriften: Frels 122.
Literatur: ADB 11,222; Goedeke 2,402; Jö-
cher 2,1430.   IB

Hediger, Heini, * 30.11.1908 Basel; Studium
in Basel, Dr. phil., Dr. med. vet. h.c., Privatdoz. u. 1933–53 a.o. Prof. an d. Basler Univ.,
1944 Dir. d. Basler u. seit 1954 d. Zürcher Zoos.
Hg. d. Zs. «D. Tier» (mit B. Grzimek, K. Lorenz,
1960ff.).
Schriften (Ausw.): Jagdzoologie – auch für
Nichtjäger, 1951 (Neuausg. u.d.T.: Aus dem Leben der Tiere ..., 1966); Betrachtungen zur Tier-
psychologie im Zoo und im Zirkus, 1961; Exotische Freunde im Zoo (Neuausg.) 1968; Tiere
sorgen vor. Zukunft und Vorsorge im Tierreich,
1973 (Neuausg. 1977, mit Bibliogr.); Zoologische
Gärten – gestern, heute und morgen. Ein Blick
hinter die Kulissen, 1977. (Ferner fachwiss.
Schriften).
Literatur: H. DATHE, ~ 60 Jahre (in: D. Zoolog. Garten 36) 1968; C.R. SCHMIDT (u.a.),
Bibliogr. v. ~ (in: ebd.) 1968.   RM

Hedinger, Johann Reinhard, * 7.9.1664 Stuttgart, † 28.12.1704 ebd.; Prof. in Gießen, später
Hofprediger in Stuttgart. Geistl. Dichter.
Schriften: Passions-Spiegel oder zwölf Betrachtungen über die Leiden Jesu Christi, 1702; An-
dächtiger Hertzens-Klang In dem Heiligthum Gottes, Oder: Würtembergisches Gesang-Buch, 1713
(3. Auflg.); Neugeruehrte Harfe Davids oder der
ganze Psalter mit Auslegen, 1718; Neues Testament, mit ausfuehrlichen Summarien, Concor-
danzien und Randglossen, 1724.
Nachlaß: Staatsbibl. Berlin; Staats- u. Univ.-
bibl. Hamburg; Landesbibl. Stuttgart. – Frels
122.
Literatur: ADB 11,222; Goedeke 3/5,288. –
A. KNAPP, ~ (in: Altwürtemberg. Charaktere)
1870.   IB

Hedinger, Karl, * 24.11.1882 Mülhausen/El-
saß; mußte wider Willen in d. Geschäft d. Vaters
eintreten, Selbststudium auf dem Gebiet der Literatur.
Schriften: Geistesjoch! (Dr.) 1904; Aus Himmel und Erde (Ged.) 1909; Elsaß, 2 Tle., 1909;
Unterwegs. Gedichte und Stimmen, 1913.   AS

Hedio (Heid, Heyd, Bock, Böckel), Kaspar,
* 1494 Ettlingen/Baden, † 17.10.1552 Straßburg; 1518 Magister in Freiburg/Br., 1519 lic.
theol., Kaplan in Basel, Dr. theol. u. Hofprediger in Mainz, geistl. Rat Kurfürst Albrechts, seit

1523 Münsterprediger in Straßburg, Delegierter am Marburger Religionsgespräch u. an d. Straßburger Synode (1533), Teilnehmer an d. Religionsgesprächen in Worms u. Regensburg, zuletzt Prediger in d. Kirche d. ehem. Dominikanerklosters in Straßburg. Reformator. – Übersetzer (Cuspinian, Eusebius' Kirchengesch. u. a.), Hg. u. Fortsetzer v. Chron. («Chronicon Urspergense», «Chronicon Germanicum ...»), Verf. religiöser Traktate u. zahlr. Briefe u. Sendschreiben.

Schriften (Ausw.): Ablehnung, kurz, nutzlich und nothwendig, uff Cunrats Tregers Büchlin, 1524; Von dem Zehnden, 1524; Radtpredig, 1534; Epitome in Evangelia et Epistolas, 1537; Itinerarium ab Argentina Marpurgum super negotio Eucharistiae (hg. A. ERICKSON in: Zs. f. Kirchengesch. 4) 1881. – Briefl. Nachl. im Thesaurus Baumanianus (Bibl. Nat. Straßburg).

Bibliographie: Schottenloher 1, 330. – J. ADAM, Versuch e. Bibliogr. ~s (in: Zs. f. d. Gesch. d. Oberrheins, NF 31) 1916.

Literatur: ADB 11, 223; NDB 8, 188; RE 7, 515; LThK 5, 52; RGG ³3, 111; BWG 1, 312. – E. HIMMELHEBER, ~, e. Lb., 1881; W. JUNG, Oekolampad an ~ (in: Bl. f. pfälz. Kirchengesch. 39) 1972; W. BELLARDI, E. bedacht ~s z. Kirchenzucht in Straßburg aus d. J. 1547 (in: Bucer u. s. Zeit, hg. M. de KROON, F. KRÜGER) 1976.   RM

Hedler, Friedrich (Ps. Anselm Berkey), * 9. 4. 1898 Sonne/Rhein Wupper-Kreis; Dr. phil., Kreisred., 1. Preis im dt.-fläm. Dr.-Wettbewerb, Lit.preis d. Stadt Magdeburg. Wohnt in Gummersbach. Dramatiker.

Schriften: Till Eulenspiegel. Pandaemonium germanicum quasi comoedia, 1929; Erntetag. Bäuerliches Schauspiel, 1934; Hier muß ein Mann her (Lustsp.) 1935; Der Urlaubsschein. Kriegsnovelle, 1939; Das Schulhaus auf der Sonne oder: Die vierzehn Nothelfer I Die Erbschaft, II Der Amtsantritt, III Macht der Musik, 1939; Der Floh im Ohr (Kom.) 1941; Der goldene Reiter (Schausp.) 1943; Totentanz. Ein Spiel vom Tod und Auferstehen nach altdeutschen Motiven, 1950; Der Tänzer Unserer Lieben Frau. Ein Spiel nach altfranzösischen und altdeutschen Motiven, 1950; Marienklage. Eine kleine Marienpassion, 1951; Das Magdeburger Jungfrauenspiel. Ein Spiel von der irdischen und himmlischen Minne, 1951.   IB

Hedluff (nicht: Hedlaf), Heinrich Gottfried, * 7. 3. 1748 Görlitz, † 24. 1. 1785 ebd.; Theol.-Studium in Görlitz u. Leipzig, Prediger u. 1778 Subdiakon in Görlitz.

Schriften: Sammlung geistlicher Lieder. Erster Versuch (hg. G. C. Giese) 1785.

Literatur: Goedeke 4/1, 289.   RM

Hedrich, Franz, * zw. 1823 u. 1825 Podskal b. Prag, † 31. 10. 1895 Edinburgh; Politiker im Frankfurter Parlament, Freundschaft mit A. Meißner, dessen Günstling u. lit. Kompagnon.

Schriften: Kain. Dramatisches Gedicht, 1851; Lady Esthe Stanhope, die Königin von Tadmor (Tr.) 1853; Moccagama (Dr.) 1853; Baron und Gräfin (Dr.) 1855; Im Hochgebirge. Zwei Nachtstücke mit einem Vorwort von A. Meißner, 1862; Alfred Meißner und Franz Hedrich. Geschichte ihres literarischen Verhältnisses auf Grundlage der Briefe, die A. Meißner seit dem Jahre 1854 bis zu seinem Tode 1885 an F. Hedrich geschrieben, 1890.

Literatur: ADB 50, 561. – R. BYR, D. Antwort A. Meißners, 1889; P. W. HEINRICH, «Für» und «Wider» A. Meißner. Klarstellung d. lit. Verhältnisses zwischen A. Meißner und ~, 1890; K. BRAUN, ~ contra Meißner. E. litterar. Controverse rechts- u. culturwissenschaftl. erörtert (in: Vjs. f. Volkswirtschaft, Politik. u. Culturgesch. 108) 1890.   IB

Hedrich, Karl (Ps. Irmin), * 12. 1. 1864 Gera; war Red. v. Radfahrer- u. Automobilsportztg. in Berlin, dann in Rüttenscheid b. Essen, später Red. d. «Wochenschau» in Essen.

Schriften: Der Sieg des Rades (Lsp.) 1894; (einige weitere Schausp. sind ungedr.).

Literatur: Theater-Lex. I, 728.   AS

Hedwig, die heilige, Schutzpatronin v. Schlesien u. Polen, * 1174/78 Schloß Andechs/Bayern, † 14. 10. 1243 Trebnitz/Schles.; Tochter d. Grafen Berthold IV., Herzogs v. Dalmatien u. Istrien (Meranien), erzogen im Kloster Kitzingen/Bamberg, 1186 Gemahlin Herzog Heinrichs I. v. Schlesien († 1228), 1201 Gründung d. Zisterzienserinnen-Klosters Trebnitz, 1267 Heiligsprechung. Stammutter versch. europ. Dynastien (Wittelsbacher, Habsburger, Hohenzollern und Wettiner).

Ihr Leben beschreibt e. um 1300 entst. «vita» (Orig.hs. od. gleichzeitige Abschr. in d. Breslauer

Dombibl., andere Hss. in d. Breslauer Staats- u. Univ.bibl., Liegnitz u. a. Orten). Ludwig I. ließ d. «legenda maior» u. «minor» 1353 durch Nicolaus Pruzie abschreiben u. mit Illustrationen ausstatten, e. Kopie dieser Bilderleg. wurde 1380 unter Herzog Ruprecht angefertigt u. 1451 v. Peter Freitag ins Dt. übers. Mit dieser Übers. als Grundlage verfertigte Konrad Baumgarten in Breslau d. 66 Holzschnitte, die d. ersten Druck («Große Legenda der hailigsten frawen Sandt hedwigis») v. 1504 schmückten. D. «Legenda maior» wurde 1380 unter Herzog Albrecht III. v. Öst. durch Rudolf Wittnauer ins Dt. übertragen (Hs. Brüssel). Als Bilderhs. geplant war die heutige Maihinger Hs. (in d. Oettingen-Wallersteinschen Bibl.), d. Miniaturen fehlen jedoch. Dieselbe Bibl. besitzt auch e. Papierhs. d. Leg. in dt. Übers. u. mit 72 kolorierten Zeichnungen (15. Jh., süd-dt. Raum). 1424 vollendete d. Barfüßermönch Kilian e. dt. Übers. d. Leg. in Erfurt (Papierhs. in Schleusingen). D. Krakauer Druck v. 1511 wurde 1595 v. Blasius Laubich übers. («Historia von dem Heyligen ... Stanislav, auch andern Heyligen ...), zahlr. Übers. u. Bearb. folgten in d. nächsten Jahrhunderten.

Ausgaben: Vita maior. Vita minor. Genealogia (hg. G. A. STENZEL in: Scriptores rerum Silesiacarum 2) 1839; Auszüge bei A. v. WOLFSKRON (vgl. Lit.); Krit. Übers. d. «Vita maior» durch K. METZGER u. F. METZGER, 1927 (Neuausg. mit Einl. v. W. NIGG, 1967); J. GOTTSCHALK, Die große Legende der heiligen Frau Sankt Hedwig..., 2 Bde., 1963 (Facs. d. Originalausg. v. K. BAUMGARTEN, 1504).

Literatur: VL 2,238; ADB 11,229; NDB 8, 190; LThK 5,53; RGG ³3,113; RE 7,517; de Boor-Newald 4/1,101; Aufriß 2,1472,1549. – A. v. WOLFSKRON, D. Bilder d. Hedwigsleg. n. e. Hs. v. Jahr 1353 in d. Bibl. d. PP. Piaristen z. Schlackenwerth, 1846; H. LUCHS, Über d. Verf. u. Copisten u. über d. Schicksale d. wichtigsten Hss. d. Hedwigsleg. (in: Schles. Vorzeit 3) 1881; E. HORA, D. ehemalige Schlackenwerther Hs. d. Hedwigsleg. (in: Mitt. d. Ver. f. d. Gesch. d. Dt. in Böhmen 49) 1911; F. X. SEPPELT, Ma. Hedwigsleg. (in: Zs. d. Ver. f. d. Gesch. Schles. 48) 1914; P. KNÖTEL, D. Entwicklung d. Hedwigstypen in d. schles. Kunst (in: ebd. 54) 1921; K. BURDACH, D. Kulturbewegung Böhmens u. Schlesiens an d. Schwelle d. Renaissance (in: Euphorion 27) 1926; M. MUMELTER,

~, 1954; J. GOTTSCHALK, D. neuere ~-Lit. (in: Schlesien 3) 1958; DERS., D. Kanonisationsurkunde der ~ (in: Arch. f. schles. Kirchengesch. 22) 1964; DERS., ~, Herzogin v. Schles., 1964; DERS., D. ältesten Bilderhss. mit d. Quellen z. Leben d. ~ ... (in: Aachener Kunstbl. 34) 1967; DERS., D. ~-gedenken 1967, e. Rückblick (in: Schles. Priester-Jb. 7–9) 1969; DERS., Erinn.-stücke aus d. Nachl. ~ (in: Arch. f. schles. Kirchengesch. 29) 1971; O. REBER, D. Gestaltung d. Kultes weibl. Heiliger im SpätMA, 1963; K. SCHINDLER, D. ~-Ged. d. Erdmann Hunger (1821) (in: Arch. f. schles. Kirchengesch. 28) 1970.   RM

Hedwig-Julia (Ps. f. Hedwig Julia Laatsch), * 5.1.1865 Speyer; lebte in Ludwigshafen.

Schriften: Stille Lieder, 1904; Ein Jahr aus meiner Jugend. Pensionstagebuchblätter einer Fünfzehnjährigen. Für werdende Backfische aufgezeichnet, 1905.   AS

Hedwiglegende → Hedwig; Freitag, Peter von.

Heede, Theodor, * 27.8.1865 Münden/Hannover; war Pastor in Dedensen.

Schriften: Ohne Religion (Rom.) 1910.   AS

Heege, Fritz (Ps. Max Anders), * 14.2.1888 Alvesse bei Braunschweig, † 14.1.1953 Bremen; Lehrer, auch als Lektor tätig. Verf. v. Erz. u. Romanen.

Schriften: Was will das Leben? 1928; Der krumme Schneider, 1928; Die Barbaren (Bühnensp.) 1932; Die Republik der Termiten (Erz.) 1933; Nach Ostland wollen wir fahren (Bühnensp.) 1936; Franz Karl Achard, 1950; Gefährliche Floßfahrt, 1950.   IB

Heeger, Hermann, * 3.9.1888 Freudenthal, † 31.5.1958 Knittelfeld/Steiermark; Forstbeamter.

Schriften: V. Heeger, Ein treuer Schlesier. Werke. (Auszug, zus. gestellt, 2., geänderte Aufl.) 1936; Lustige Geschichten aus dem Holzmesserleben, 1937.   IB

Heeger, Viktor, * 28.4.1858 Zuckmantel an der mähr.-schles. Grenze, † 5.8.1935 Troppau; Wandererlehrer, Begründer d. Bauerntheaters «Die Reihwiesner» 1913. Dramatiker u. Erz. in schles. Mundart.

Schriften: Geschichten vom alten Haimann. Humoristische Erzählungen in schlesischer Mundart I 1885, II 1895; «Weidmannssprache», 1886; Der Kobersteiner. Eine Sage aus dem mährisch-schlesischen Sudeten, 1908; Köpernikel und Arnika. Geschichten ond Gedichtla aus der deutschen Schles', 1909 (3. verm. u. veränderte Aufl. 1923); Die Wunderkur. Schlesisches Volksstück, 1913; Hans Kudlich. Ein schlesisches Bauernstück aus der Robotzeit in drei Akten nach Aufzeichnungen und Angaben Dr. Hans Kudlichs. Frei bearbeitet, 1914; Der Pfeifla-Schuster. Schlesisches Volksstück, 1914; Drei Mütter (Volksst.) 1914; Die Seminarlotterie (Volksst.) 1914; Das Kind. Schlesische Bauernkomödie, 1921; Der Schubert-Schmied. Schlesische Dorfgeschichte, 1928; ~. Ein treuer Schlesier. Werke (Ausw.) zusammengestellt v. H. Heeger, 1936.

Bibliographie: J. W. KÖNIG, ~-Bibliogr., 1966. *Literatur:* ÖBL 2, 236. – R. SALIGER, ~. (in: Nordmährenld. 4) 1943; P. BUHL, Der Koppenvater. Z. hundertsten Geb.tag ~s, d. Dichters d. «Grünen Schles.» (in: Sudetendt. Kulturalmanach) 1958; J. W. KÖNIG, Grundlegung e. ~-Bibliogr., 1962; DERS., ~s Leben u. Wirken. E. lit.hist. Forsch.bericht mit ausführl. Bibliographie, 1963; DERS., «Die Welt ist zu schön!» Z. dreißigsten Todestag ~s. (in: Mähr.-schles. Heimat. Vjs. f. Kultur u. Wirtschaft 10) 1965.   IB

Heemstede, Leo von (Ps. f. Leo Tepe von Heemstede), * 24.7.1842 Heemstede/Holld., † 19.2.1928 Haarlem. Hg. d. Monatsschr. «Dichterstimmen d. Ggw.». Dramatiker.

Schriften: Lauretanische Litanei, 1872; Mathusala. Dramatisches Gemälde, 1884; Alda Renzoni. Frei nach Melati von Java, zw. 1884–86; Arnold von Brescia (Tr.) 1889; F. W. Helle, Biographie und literarische Skizze, mit einigen nicht streng zur Sache gehörenden aber keineswegs überflüssigen Glossen, 1897; Höhenluft. AusgewählteGedichte, 1902; Simon von Montfort (Dr., 2. Aufl.) 1907; Paul Alberdingk-Thijm, 1827–1904. Lebensbild, 1909; Lepanto. Dramatisches Gemälde, 1911; Nimrod, 1913; Psallite sapienter! Die Jubel-, Trauer- und Bußpsalmen aus Davidischer Zeit in deutsches Reimgewand gebracht, 1922. IB

Heer, (Josef) Carl Wilhelm (Ps. Carl Wilhelm), * 3.11.1854 Luzern, † 1.3.1896 St. Gallen; Ausbildung an d. kaufmänn. Zeichnungsschule,

dann Inhaber e. Zeichnungsateliers in St. Gallen.

Schriften: Niklaus von der Flüe (dramat. Ged.) 1884; Gottfried. Ein Sang aus dem Volke, 1885; Blumen aus der Heimat. Schweizerdeutsche Gedichte, 1890; Gedichte, 1894.

Literatur: HBLS 4, 103.   RM

Heer, Friedrich (Ps. Hermann Gohde), * 10.4.1916 Wien, lebt ebd.; studierte ebd., Studium u. Wanderfahrten v. Spanien bis Finnland, Dr. phil., später Univ.-Doz., 1946 Eintritt in d. Red. d. Monatsschr. «Wort u. Wahrheit», 1948 Mitarb. an d. Wochenschr. «Die Öst. Furche», später Red. d. Zs. (jetzt u. d. T. «Die Furche»), 1955 Willibald-Pirkheimer-Preis, seit 1961 Dramaturg am Burgtheater. Publizist, Kulturpolitiker, Erz., Essayist, Historiker.

Schriften: Die Stunde des Christen, 1947; Aufgang Europas. Eine Studie zu den Zusammenhängen zwischen politischer Religiosität, Frömmigkeitsstil und dem Werden Europas im zwölften Jahrhundert, 1949; Gespräch der Feinde (Ess.) 1949; Der achte Tag. Roman einer Weltstunde (unter d. Ps.) 1950; Die Tragödie des Heiligen Reiches, 1952; Das Experiment Europa. Tausend Jahre Christenheit, 1952 Europäische Geistesgeschichte, 2 Bde., 1953; Grundlagen der europäischen Demokratie der Neuzeit, 1953; Begegnung mit dem Feinde. (Ess.) 1955; Ehe in der Welt (Ess.) 1955; Sprechen wir von der Wirklichkeit (Ess.) 1955; Quellgrund dieser Zeit. Historische Aufsätze, 1956; Mensch unterwegs. Historische Aufsätze, 1956; Koexistenz – Zusammenarbeit – Widerstand und Grundfragen europäischer und christlicher Einigung, 1956; Meister Eckhart, Predigten und Schriften (ausgew. u. eingel.) 1956; Sieben Kapitel aus der Geschichte des Schreckens, 1957; Experiment des Lebens. Von den Wegen in die Zukunft, 1957; Junger Mensch vor Gott, 1957; Alle Möglichkeit liegt bei uns, 1958; Mozarts Schönheit, 1958; Land im Strom der Zeit. Österreich gestern, heute, morgen, 1958; Hegel. (ausgew. u. eingel.) 1958; Glaube und Unglaube. Briefwechsel mit G. Szczesny, 1959; Das Abenteuer des Priesters, 1959; Die dritte Kraft. Der europäische Humanismus zwischen den Fronten des konfessionellen Zeitalters, 1959; Das reichere Leben, 1959; Sprung über den Schatten. Christsein ist kein Hobby, 1959; G. W. Leibniz (ausgew. u. eingel.) 1959; Europa. Sein Wesen im Bild der Geschichte, 1960; Mittel-

alter von 1100–1350, 1961; Mittelalter, 1961;
Offener Humanismus, 1962; Christ und Zukunft,
1962; Die Rolle des Buches in der Geistes- und
Meinungsbildung (Vortrag) 1962; Eine Geschichte des Schreckens, 1962; Österreich ein Leben
lang. Geschichtliche Essays (unter wiss. Mitarbeit
v. C. Jedlicka) 1962; Österreich – damals, ge-
stern, heute, 1962; E. v. Rotterdam, Werke.
Auszug. (ausgew. u. eingel. u. hg.) 1962; Kirche
und Zukunft. Rückkehr zur Brüderlichkeit. Atheisten und Christen in einer Welt. Katholische
Aktionen und Aktionen der Katholiken (gem. m.
W. Daim u. A. M. Knoll) 1963; Ein neues Men-
schenbild? Rundfunkstimmen zur Weltschau von
P. Teilhard de Chardin (gem. m. anderen) 1963;
Europa, Mutter der Revolutionen, 1964; Das
Glück der Maria Theresia, 1966; Gottes erste
Liebe. Zweitausend Jahre Judentum und Chri-
stentum. Genesis des österreichischen Katholiken
Adolf Hitler, 1967; Das Heilige Römische Reich
(mit 166 histor. Abbildungen u. acht ganzseitigen
Farbtafeln) 1970; Der Glaube des Adolf Hitler.
Anatomie einer politischen Religiosität, 1968;
Katholiken sehen dich an (gem. m. O. Pawek)
1969; Kreuzzüge – gestern, heute, morgen?
1969; Abschied von Höllen und Himmeln: Vom
Ende des religiösen Tertiär, 1970; Abendrot und
Morgenröte: Zeitkritische Betrachtungen, 1972;
Plädoyer für eine offene Kirche, 1972; Scheitern
in Wien (Rom.) 1974; Werthers Weg in den
Underground: die Geschichte der Jugendbewegung, 1974; Kindler, Kulturgeschichte des Abendlandes in 22 Bänden (Hg.) 1975; Aster und der
Alte (Rom.) 1976; Warum ich Christ, Atheist,
Agnostiker bin? (gem. mit J. Kahl, K. Deschner)
1977; Das Heilige Römische Reich: Von Otto
dem Großen bis zur Habsburgischen Monarchie,
1977.
    Literatur: HdG 1, 286 f. – F. ABENDROTH, D.
öst. Autor u. s. Werk. Versuch über ~. (in:
Wort i. d. Zeit 7) 1961; A. KUHN, D. Idee d.
dritten Kraft in d. Sicht v. ~. (in: Philos. Rundschau 12) 1964; E. KRIEGER, D. Gespräch d.
Feinde. Versuch e. Auseinandersetzung mit ~.
(in: Wort u. Wahrheit 21) 1966; O.F. BEST,
Sünden d. Kirchenväter. ~ : «Gottes erste Liebe»
(in: Der Monat 20) 1968; K. BRUNNER, ~s «Abschied». (in: Wiener Jb. f. Philos. 4) 1971.   IB

Heer, Gottfried, * 11.4.1843 Wartau/St. Gallen, † 24.10.1921 Hätzingen/Kt. Glarus; Theol.-

u. Philos.-Studium, 1866–1906 Pfarrer in Bet-
schwanden, seit 1906 Pfarrer u. 1907–14 Stände-
rat in Hätzingen. Gründer d. Sanatoriums Braunwald u. d. Glarner. botan. Ver. (später: Natur-
forsch. Gesellsch.), Hg. d. 3. Bd. u. d. Reg. d.
«Urkundenslg. z. Gesch. d. Kt. Glarus», Dr.
phil. h. c.
    Schriften (Ausw.): Ulrich Zwingli als Pfarrer
von Glarus, 1884; Landammann und Bundespräsident Dr. J. Heer. Lebensbild eines republikanischen Staatsmannes, 1885; J. Heer, Vaterländische Reden (hg., mit biogr. Nachtr.) 1885;
Zweck einer Familienbibel, 1887; Zur fünfhundertjährigen Gedächtnissfeier der Schlacht bei
Näfels (FS) 1888; St. Fridolin, der Apostel Ala-
manniens, 1889; Die Zürcher Heiligen Felix und
Regula, 1889; Reiseerinnerungen aus Deutschland ..., 1890; Glarnerdütsch, 1892; Geschichte
des Landes Glarus, 2 Bde., 1898 f.; Briefe aus dem
Sanatorium Braunwald. Seinen Freunden und
Gönnern gewidmet, 1901; Neue Glarner Ge-
schichten, 1902; Fridolin Brunner, Reformator
des Landes Glarus, 1917; Die Reformation im
Landes Glarus ..., 1919; Geschichte glarnerischer
Geschlechter ... allerlei Bilder aus vergangenen
Tagen, 1920.
    Literatur: HBLS 4, 103.   RM

Heer, Gottlieb Heinrich, * 2.2.1903 Ronchi/
Italien, † 23.10.1967 Zürich; Sohn e. Ausland-
schweizers, Neffe v. J. C. Heer, Dr. phil., war
seit 1943 Red. der «Schweizer Bücher-Ztg.»,
freier Schriftst. u. Journalist, lebte in Ermatin-
gen/Bodensee, in Rüschlikon bei Zürich u. seit
1947 in Zürich. Erzähler, meist ausgehend von
hist. Stoffen, u. Hörspielautor. 1946 C.F. Meyer-
Preis.
    Schriften: Der Getreue (Nov.) 1927; Jakob
Christoph Heer, 1927; Das Naturerlebnis Heinrich Federers. Grundzüge seiner künstlerischen
Gestaltung und seiner psychologischen Deutung
(Diss. Bern) 1930; A. Weese, Ausgewählte Briefe
(Hg.) 1935; Carolin spielt um Liebe (Kom., Urauff. 1935); Die Königin und der Landammann
(Rom.) 1936; Der Lausbub. Novelle aus der Zeit
der Grenzbesetzung, 1936; Thomas Platter. Roman eines sinnvollen Lebens, 1937 (2., umgearb.
Aufl. 1956); Ein König, ein Mensch (Schausp.)
1938; Fest im Grünen und andere Novellen,
1939; Ordnung und Schicksal (Erz.) 1941; Junker Diethelm und die Obristin (Rom.) 1942; Das

Buch vom Schweizer Soldaten (hg. mit W. A. Claassen) 1942; Die wunderbare Flut. Eine Legende von den ersten Christen in Zürich, 1945; Der schwarze Garten. Eine Zürcher Legende, 1945; Zauber der Harfe (Nov.) 1946; Das Buch vom Sihltal, 1948; Ewiger Friede ... (Nov.) 1949; Die Krone der Gnade (Erz.) 1950; An unserer Nordostgrenze, 1950; Kleine Stadtbürgerkunde, 1950; Die Schweiz erzählt (Anthol., hg.) 1950; Verlorene Söhne (Rom.) 1951; Bilder aus dem Unter-Engadin (mit K. Y. Trüb) 1952; Festrede anläßlich der J. C. Heer-Gedenkfeier in Pontresina, 1952; Spuk in der Wolfsschlucht. Roman um Carl Maria von Weber, 1953; Vielfalt in der Schweiz. Beglückende Fahrten, 1956; Die Russen in Zürich. Nach Erzählungen von David Hess und R. v. Tavel, 1958; Die Sage vom Glockenhügel (Erz.) 1959; Bergland Graubünden, 1960; Am Saum der Schweiz, 1962; Die rote Mütze (Erz.) 1963; Panorama Schweiz (mit H. Kasser) 1964.

Literatur: Albrecht-Dahlke II, 2, 845. – ~ (in: Bodensee-Dichterspiegel, hg. H. BEUTTEN) 1949.

AS

Heer, Jakob Christoph, * 17.7.1859 Töss/Kt. Zürich, † 20.8.1925 Rüschlikon b. Zürich; war zuerst Lehrer, dann Red. d. NZZ, später an d. «Gartenlaube» in Stuttgart; 1902 Rückkehr in die Schweiz, lebte in Ermatingen, dann in Rüschlikon, zuletzt in Stein am Rhein. Vorwiegend Erzähler, Reiseschriftsteller.

Schriften: Die zürcherische Dialektdichtung. Ein Literaturbild, 1889; Ferien an der Adria. Bilder aus Süd-Oesterreich, 1888; Blumen aus der Heimat. Schweizerdeutsche Gedichte, 1891; Im Ballon. Fahrten des Kapitän Spelterini, 1892; Führer für Luzern, Vierwaldstättersee und Umgebung, 1893; Im Deutschen Reich. Reisebilder, 1895; Bilder vom Albis (Festsp.) 1897; Streifzüge im Engadin, 1898 (2. verm. Aufl. 1899); Rigi-Kaltbad. Ein Sommerfrischebild vom Rigi, 1898; An heiligen Wassern. Roman aus dem schweizer Hochgebirge, 1898; Glarus und Umgebung, 1898; Der Vierwaldstättersee und die Urkantone. Pracht-Album (mit andern) 1898; Schweiz (Bildbd.) 1899; Der König der Bernina. Roman aus dem schweizerischen Hochgebirge, 1900 (Neuausg. 1975); Felix Notvest (Rom.) 1901; Der Spruch der Fee (Nov.) 1901; Joggeli. Die Geschichte einer Jugend, 1902; Freiluft. Bilder vom Bodensee, 1903; Blaue Tage. Wander-

fahrten, 1904; Der Wetterwart (Rom.) 1905; Der Kurort Engelberg, 1905; Vorarlberg und Liechtenstein. Land und Leute, 1906; Laubgewind (Rom.) 1908 (Neuaufl. 1957); Da träumen sie von Lieb' und Glück! Drei Schweizer Novellen, 1910; Die Luftfahrten des Herrn Walter Meiss und andere Novellen, 1912; Bad Gurnigel im Berner Oberland, 1912; Gedichte, 1913; Heinrichs Romfahrt (Rom.) 1914; Das Engadin, 1914; Der lange Balthasar. Dorfroman, 1915; Was die Schwalbe sang. Geschichten für Jung und Alt, 1916; Martin Hächlers Erlebnisse, 1917; Jugendfahrt und die Geschichte eines kleinen Buches, 1918; Nick Tappoli (Rom.) 1920; Tobias Heider (Rom.) 1922; Der Held der heiligen Wasser, 1924; Das erste Bild und andere Weihnachtsgeschichten, 1924; Das Abenteuer im Wald (Erz.) 1925; Romane und Novellen. Gesamt-Ausgabe, 2 Reihen in je 5 Bden, 1927; Erinnerungen, 1930; Da droben in den Bergen. Geschichten aus dem Alpenland, 1932; Das größere Licht. Schweizer Novellen, 1933; Das Alphorn ruft. Geschichten aus dem Hochland, 1938; Blueme us dr Heimet (Ged.) 1942 (Nachdr. 1975).

Nachlaß: Slg. im Dt. Lit.arch./Schiller-Nat.-mus. (Cotta-Arch.) Marbach.

Literatur: NDB 8, 193; HBLS 4, 103; Albrecht-Dahlke II, 2, 845. – Als unsere großen Dichter noch kleine Jungen waren. Selbsterzählte Jugenderinnerungen (darin: J. C. H., Aus meiner Knabenzeit) 1911; G. H. HEER, ~, 1927; R. HUNZIKER, ~. Gedächtnisrede (in: Jb. d. Lit. Vereinigung Winterthur) 1931; T. EINHAUSER-HEER, Erinnerungen an ~ (in: D. Bodenseebuch 26) 1939; G. H. HEER, Festrede anläßl. d. ~-Gedenkfeier in Pontresina, 1952; M. M. KULDA, ~. Versuch e. Monographie (Diss. Wien) 1957. AS

Heer, Joachim, * 25.9.1825 Glarus, †1.3.1879 ebd.; Dr. iur., 1847 Ratsherr, 1857 Landammann u. Mitgl. d. Nationalrats, 1867f. Gesandter in Berlin, 1876–78 Bundesrat, 1877 Bundespräsident.

Schriften (Ausw.): Aufzeichnungen über meine Mission nach Deutschland, 1867; Vaterländische Reden (hg. G. Heer) 1885.

Briefe: Briefe an den Bundespräsidenten Dr. J. H. (hg. E. VISCHER in: Jb. d. Hist. Ver. d. Kt. Glarus 60) 1963; Fünf Briefe von Jost Winteler an Landammann J. H. (hg. DERS., Einf. K. FEHR in: ebd. 61) 1966.

Nachlaß: Landesarch. Glarus. – Schmutz-Pfister Nr. 890.

Literatur: ADB 11,235; NDB 8,192; HBLS 4,102. – G. HEER, Landammann u. Bundespräs. ~ ... (Lb.) 1885; E. Vischer, Landammann ~s dt. Gesandtschaft ... (in: Jb. d. Hist. Ver. d. Kt. Glarus 59) 1960; E. GRUNER u.a., D. Schweizer Bundesverslg. 1848–1920, I Biographien, 1966.   RM

Heer, Johannes, * um 1489 Glarus, † um 1553 ebd.; wahrsch. Chorknabe in Sitten/Kt. Wallis, 1508 u. 1510–16 in Paris nachweisbar, 1510 Magister, seit ca. 1518 Kaplan in Glarus, Freund Zwinglis. – H. hinterließ e. hs. Slg. v. 88 Lied- u. Motettensätzen.

Ausgabe: Das Liederbuch des J. H. von Glarus ... (hg. A. GEERING, H. TRÜMPY) 1967.

Literatur: MGG 6,17. – A. GEERING, D. Vokalmusik in d. Schweiz z. Zeit d. Reformation, 1933; H. TRÜMPY, Glarner Studenten im Zeitalter d. Humanismus (in: Beitr. z. Gesch. d. Landes Glarus) 1952; R. LICKTEIG, D. Liederbuch d. ~ (in: Jb. f. Volksliedforsch. 13) 1968.   RM

Heer, Samuel, * 26.1.1806 Betschwanden/Kt. Glarus, † 24.1.1858 Mitlödi/Kt. Glarus; Theol.-Studium in Halle, Vikar in Glarus, seit 1828 als Nachfolger s. Vaters Jost H. Pfarrer in Mitlödi, 1834 Kreisschulinspektor. Mundartdichter u. Verf. v. Predigten u. Erziehungsschr., s. Ged. ersch. in Almanachen u. geograph.-hist. Werken.

Schriften (Ausw.): Predigt an der Landsgemeinde, 1835; Geographie der Schweiz, 1846.

Literatur: HBLS 4,102; Goedeke 15,817. – A. LUDIN, D. schweizer. Almanach «Alpenrosen» u. s. Vorgänger (Diss. Zürich) 1902; A.G. KIND, D. Kirchgemeinde Mitlödi in 2 Jh. ihres Bestehens 1725–1925, 1925.   RM

Heerbrand, Daniel («der Feurige»), 17. Jh.; Lobged. v. ihm (u.a.) enthält d. «In deutsche Reime übersetzte Jesus Syrach ...» (1662) d. Eylenburger Organisten Johann Hildebrand.

Literatur: FdF 1,128.   RM

Heerbrand, Jakob, * 12.8.1521 Giengen a.d. Brenz, † 22.5.1600 Tübingen; Schüler Melanchthons u. Luthers in Wittenberg, 1543 Diakon in Tübingen, 1550 Dr. theol. u. Superintendent in Herrenberg, unterzeichnete d. Confessio Virtembergica, 1552 mit Brenz am Trien-

ter Konzil, Mitarb. v. Brenz' «Großem Buch v. Tübingen» (1561), 1557 Superintendent, 1561 Superattendent, 1590 herzogl. Rat u. Propst d. Stiftskirche in Tübingen. Reformator Baden-Durlachs.

Schriften: Compendium theologiae methodi quaestionibus tractatum, 1573 u.ö. – Ferner Disputationen u. Streitschriften.

Bibliographie: L. M. FISCHLIN, Memoria Theol. Wirt. 1, 1709.

Nachlaß: Univ. bibl. Tübingen. – Denecke 73.

Literatur: Jöcher 2,1433; ADB 11,242; NDB 8,194; RE 7,514; LThK 5,54; RGG ³3,113. – V. ERNST, Briefw. Herzog Christophs, 4 Bde., 1899–1907; E. BIZER, Confessio Virtembergica, 1952; E. W. ZEEDEN, Kleine Reformationsgesch. v. Baden-Durlach u. Kurpfalz, 1956.   RM

Heerbrandt, Gustav, * 14.3.1819 Reutlingen, † 26.5.1896 New York; Buchhändler, als Revolutionär 1848 längere Zeit auf d. Hohenasperg in Haft, ging dann n. Amerika, seit 1876 Leiter d. v. ihm begründeten «Neuyorker Schwäb. Wochenbl.», Hg. d. Werke v. Weitzmann u. Nefflen.

Schriften: Wieland, der wackere Schmied. Nach einer alten Volkssage bearbeitet, 1854.

Literatur: Biogr. Jb. 1,96.   IB

Heeren, Arnold (Hermann Ludwig), * 25.10. 1760 Arbergen b. Bremen, † 6.3.1842 Göttingen; studierte Theol., Philol. u. Gesch. seit 1779 ebd., Habil. f. Gesch. 1784 ebd., 1794 o. Prof. f. Philos., 1801 f. Gesch., 1827 Übernahme d. Red. d. «Göttinger Gelehrten Anzeigen», Begründer (mit F. A. Uckert) d. Sammlung «Gesch. d. europ. Staaten» 1729, später von H. Oncken als «Allg. Staatengesch.» fortgesetzt.

Schriften (Ausw.): Entwurf zu seinen Vorlesungen über die Geschichte und Litteratur der schönen Wissenschaften, 1788; Über den Einfluß der Normanen auf die französische Sprache und Litteratur, 1789; Ideen über die Politik, den Verkehr und den Handel der vornehmsten Völker der Alten Welt, 2 Bde., 1793–96; Geschichte des Studiums der classischen Literatur seit dem Wiederaufleben der Wissenschaften, 2 Bde., 1797–1802 (neue, verb. Aufl. u.d.T.: Geschichte der classischen Litteratur im Mittelalter, 2 Tle., 1822); Handbuch der Geschichte der Staaten des Alterthums, 1799 (5. Aufl. 1828); Handbuch der Geschichte des Europäischen Staatensystems und

seiner Colonien, 1809 (5., verb. Aufl., 2 Tle.,
1830); J. v. Müller, der Historiker, 1810; Christian Gottlob Heyne. Biographisch dargestellt,
1813 (2., verm. Ausg. u. d. T.: Biographische und
litterarische Denkschriften, 1823); Etwas über
meine Studien des alten Indiens. Antwort an A.
W. v. Schlegel, auf dessen drei erste Briefe in seiner indischen Bibliothek, 1827.

Ausgaben: Historische Werke. (Gesamtausg.)
15 Bde., 1821–1826.

Nachlaß: Staats- u. Univ.bibl. Göttingen; Landesbibl. Dresden. – Mommsen Nr. 1528; Denekke 2. Aufl.; Nachlässe DDR 3, Nr. 374.

Literatur: ADB 11, 244; NDB 8, 195; BWG 1,
1051; Meusel-Hamberger 9, 535; 14, 67; 18, 84;
22, 2, 632. – G. WAITZ, ~ (in: Göttinger Prof.)
1872; W. LÜTGE, ~ als Historiker. (Diss. Leipzig) 1925; J. KAHN, D. Historiker ~. (Diss. Basel) 1939.   IB

Heeren, Hanns, * 3.10.1893 Hannover, † 8.7.
1964 Winterburg/Rheinld.-Pfalz; Lyriker.

Schriften: Das deutsche Volkslied (Hg.) 1916;
Niederrheinisches Liederblatt (Hg.) 1917; Das
Löns-Liederbuch (gem. m. O. Koch) 1918; Neuer Liederborn (1920); G. Wedepohls Kleingrafik,
1926; Von Kampf und Liebe. Lieder aus meiner
Sammelmappe, 1938; Lieder eines Soldaten,
1940; Neue Fliegerlieder, 1942; Hei, du muntrer
Seemann, Lebensfrohe Lieder, 1948; Der Himmelsquell. Lieder frohen Glaubens nach alten Reimen von F. P. Kürten, 1949; Von Seefahrt und
Lieb. Lieder nach Gedichten von H. Leip, 1953;
Die Windmühle. Niederrheinische Volkslieder
(gem. m. E. Klusen) 1955; Lied am Abend. Neue
Wiegenlieder, 1955; Halunkenlieder. Schauerballaden, Rattenpfiffe, Bänkelgesänge, Waschküchenlieder und Moritaten nach Texten aus der
Halunkenpostille von F. Grasshoff, 1963.

Nachlaß: Burg Ludwigstein über Witzenhausen
an d. Werra, Ludwigstein-Arch. d. dt. Jugendbewegung. – Mommsen Nr. 1529.

Literatur: R. ALTHAUS, Volkssänger im Sauerland. ~ z. siebzigsten Geb.tag. (in: Sauerländ.
Gebirgsbote 65) 1963.   IB

Heeren, W. → Haarmann, Wilhelm.

Heeringen, Gustav Adolf von (Ps. Ernst Wodomerius), * 27.10.1800 Mehlra b. Mühlhausen/
Thür., † 25.5.1851 Coburg; studierte in Jena
Jus. u. Staatswiss., Regierungsrat u. Kammerherr

in Coburg, Begleitung coburg. Prinzen n. Windsor u. Lissabon. Mitarb. am «Maler. u. Romant.
Deutschland». Erz. u. Reiseschriftsteller.

Schriften: Ein Ausflug nach England, 1812; Rudolf von Eggenberg. Historisch-romantische Erzählung, 2 Bde., 1829; Liebesurne (Erz.) 2 Bde.,
1833; Mutter Anne und ihr Sohn. Eine Erzählung
aus dem sechzehnten Jahrhundert, 2 Bde., 1834;
Fränkische Bilder aus dem sechzehnten Jahrhundert, 4 Tle., 1835; Der Courier von Simbirsk
(Nov.) 1836; Winterblumen (Erz. Die Kinder
der Wittwe – Kleine Reisebilder – Iwan) 1836;
Der Tartar (Nov.) 2 Bde., 1838; Meine Reise
nach Portugal im Frühjahre, 2 Tle., 1836–38; Die
Einnahme von Choczym (Erz.) 1838; Reisebilder
aus Süd-Deutschland und einem Theil der
Schweiz. Gesammelt im Sommer 1838, 1839;
Wanderungen durch Franken, 1839; Ein Ausflug
nach England, 1841; Phantasiegemälde. (Auch u.
d. T.: Die Brüder de Matos. Hist. Rom.) 1841;
Der Geächtete. (Hist. Nov.) 1842; Der Knabe
von Lucern. Historischer Roman aus der Schweizer Geschichte, 4 Bde., 1843; Mein Sommer
(Erz.) 2 Bde., 1844; Der Chorherr von Solothurn. (Hist. Nov.) 2 Bde., 1844; Gesammelte
Novellen (Der Leibeigene – Der Sternwirt – Der
grüne Schleier – Der Tyrann von Padua) 2 Bde.,
1845; Jack und John (Nov.) 2 Bde., 1845; Des
Amtmanns Pflegling. Historische Novelle aus den
Zeiten des ersten schlesischen Krieges, 2 Bde.,
1846; Die Pagen des Bischofs (Nov.) 2 Bde.,
1848; Der Balsamträger (Nov.) 2 Bde., 1848; Der
Kaufmann von Luzern. Historischer Roman aus
der Schweizergeschichte, 2 Bde., 1849; Ein Mädchen vom Schwarzwald (Rom.) 1850.

Nachlaß: Staatsbibl. Berlin; Staats- u. Univ.-bibl. Hamburg. – Frels 122.

Literatur: ADB 11, 246; Goedeke 10, 425; Meusel-Hamberger 21, 655.   IB

Heerklotz, Adolf, * 13.6.1823 Börnchen im
Voigtland, † 30. oder 31.1.1898 Dresden; studierte zuerst Bergwiss. in Freiburg/Sachsen, dann
Theol. u. Philol. in Leipzig, Lehrer, 1848–49 polit. Agitator u. Freischarenführer, Flucht n. Brüssel, Prof. in Lausanne 1854–57, Begnadigung u.
Heimkehr, Privatlehrer. Vorwiegend Erzähler.

Schriften: Betrachtungen über die Odyssee,
1854; Janthe. Episode aus dem Tscherkessen-Kriege, 1858.

Literatur: ADB 50, 107; Biogr. Jb. 3, 244. IB

Heermann, Dora, * 12.6.1897 Rittergut Nie-
derauerbach b. Rodewisch/Vogtld.; lebte in
Leipzig.

Schriften: Mädchennamen lyrisch gedeutet,
1921.   AS

Heermann, Gottlieb Ephraim, * 1727 Lesch-
witz b. Görlitz, † 11.2.1815 Weimar; Bibliothekar u. Aufseher des Münzkabinetts ebd., später
Legationsrat. Singspieldichter.

Schriften: Das Rosenfest (Operette nach Favart,
Rosière de Salenci) 1771; Die treuen Köhler,
Operette, 1772; Die Dorfdeportierten. (Singspiel
nach Goldoni) 1773; Der Abend im Walde. Operette, 1774; Der Schulze im Dorfe, oder der verliebte Herr Doctor. Eine komische Oper in drei
Aufzügen, 1779; Beytrag zur Ergaenzung und Berichtigung des Lebens Johann Ernst, des jüngeren,
Herzogs zu Weimar 1785 (mit Nachlese, 1786).

Literatur: ADB 50, 108; Goedeke 4, 150; Meusel-Hamberger 3, 153; 18, 85.   IB

Heermann, Johannes, * 11.10.1585 Raudten
bei Wohlau, Schlesien, † 17.2.1647 Lissa; studierte in Leipzig, Jena u. Straßburg, 1611 Pfarrer
in Köben, später in Lissa. Vorwiegend Kirchenliederdichter (manches wurde volkstümlich).

Srhriften: Flores ex odorifero annuorum evangeliorum vireto ad fontes Israëlis ... excerpti, et
... filo poëtico contexti, 1609; Biblisches Christentum, 1609; Gebettbuch, darinnen hundert
Gebett, 1609; Andächtige KirchSeufftzer oder
Evangelische Schließ-Glöcklein, 1616; Crux
Christi, d. i. die schmerzliche u. traurige Marter-
Woche ... Jesu Christi ..., 1618; Heptalogus
Christi. Das ist: die allerholdseligsten sieben Worte ... Jesu Christi ..., 1619; Labores Sacri. Geistliche Kirch-Arbeit. In Erklerunge aller gewöhnlichen Sonntags- vndt Vornembsten Fest-Evange-
lien, 3 Tle., 1624–1638; Lehr- vnd Erinnerungs-
Seulen ... In Trawr- vnd Fest-Predigten ..., 3 Tle.,
1628–1650; Devoti Musica Cordis. Hauß- vnd
Hertz-Musica. Das ist: Allerley geistliche Lieder ..., 1630; Exercitium Pietatis, Das ist: In-
brünstige Seufftzer, andächtige Lehr- vnd Trost-
sprüchlein für die liebe Jugend: Aus den Sonn-
vnd Festtags-Evangelien verfasset (Bearbeitung
der «Flores ...») 1630; Egregia et Regia Creden-
tium Privilegia. Fünff herrliche Privilegia ...,
1630; New umbgegossenes und verbessertes
Schließ-Glöcklein ..., 1632 (Neuauflg. 1668);

Sonntags- vnd Fest-Evangelia durchs gantze Jahr
Auff bekannte Weisen gesetzt, 1636; Die allerbeste u. schönste Trost- vnd Ehren-Schrifft,
1636; Laborum Sacrorum FESTIVALIS. Dritter
Theil Geistlicher Kirchen-Arbeit ..., 1638;
Zwölff Geistliche Lieder jetziger Zeit nützlich zu
singen, 1639; Treuhertzige Abmahnungs-Schrifft
an seinen jederzeit gehorsamsten Sohn ..., 1640;
Teutsche Poemata, 1640; Sechserley Sonntags-
Andachten: Oder Was frome Christ-Hertzen an
dem heiligen Sontage betrachten thun vnnd lassen
sollen, 1642; Beicht-Büchlein, 1643; Communi-
canten-Büchlein, 1643 (beide zusammen u. d. T.
Buß-Leyter, 1652); Väterliche Liebe-Gedächtniß,
seinem eltesten Sohne, Samueli Heermanno,
1644; Praeceptorum Moralium et Sententiarum
libri III. Zucht-Büchlein für die zarte Schul-Jugend, 1644 (Neudr. hg. A. W. BERNHARD,
1886); Poet. Erquickstunden, Darinnen allerhand
schöne und trostreiche Gebet ... zu finden seyn,
1656.

Ausgaben: Heermanns geistliche Lieder (hg. P.
WACKERNAGEL) 1856; Heermanns Frohe Botschaft aus seinen Evangelischen Gesängen ausgewählt (hg. R. A. SCHRÖDER) 1936; Ges. Werke
(hg. R. A. SCHRÖDER) ²1958.

Handschriften: Frels 122.

Literatur: ADB 11, 247; NDB 8, 197; Jöcher 2,
1539; Goedeke 3, 166; Neumeister-Heiduk 373;
FdF 1, 125; 2, 44. – H. SCHUBERT, Leben u.
Schr. ∼s v. Köben, (in: Zs. d. Ver. f. Gesch. u.
Alt. Schlesiens 19) 1885; W. A. BERNHARD,
Beitr. z. Biogr. d. Liederdichters ∼. (in: ebd.
21) 1887; A. HENSCHEL, ∼, 1902; C. HITZE-
ROTH, ∼. E. Beitr. z. Gesch. d. geistl. Lyrik im
17. Jh., 1907 (Nachdr. 1968); G. BLÜMEL, ∼.
(in: Schles. Lbb. 3) 1928; O. BRODDE, ∼.,
1948; G. HULTSCH, ∼, 1950; R. A. SCHRÖDER,
∼ (in: R. A. S., Ges. Werke 3) 1952; G. WAG-
NER, D. Sänger v. Köben, ∼s Werden, Werk,
Wirken, 1954; H.-P. ADOLF, D. Kirchenlied ∼)
u. s. Stellung im Vorpietismus. (Diss. Tübingen.
1957; S. FORNACON, ∼ u. Heinrich v. Rantzau.
(in: Monatsschr. f. Pastoraltheol. 49) 1960; Ks
A. ZELL, Unters. z. Problem d. geistl. Barocklyrik mit bes. Berücksichtigung d. Dg. ∼s (1585
bis 1647). (Diss. Hamburg) 1966 (später gedr.
1971).   IB

Heermann, Theo(dor) Heinrich Hermann, * 3.
10.1863 Moskau; aufgewachsen in Moskau, kauf-

männ. Tätigkeit ebd., führte zeitweise e. Gutsbe-
trieb u. e. Teeplantage in Zentralasien.

Schriften: Ein deutsches Wort an alle Deutschen, Moskau 1892; Der Regenbogen. Sieben
Dichtungen, Moskau 1893; Lieder der Liebe,
1895; Wetterleuchten. Gedichte, Sprüche und
Gaben, 1896.　　　　　　　　　　　　　　AS

Heermann, Wilhelm, * 20.1.1877 Werlte/
Hann.; Theologe, wohnte in Ludwigslust/Meck-
lenb., dann in Bad Bentheim.

Schriften (Ausw.): Aus dem Priesterseminar
(Ess.) 1910; Der weiße Mönch. Szenen aus dem
Karthäuserleben, 1919; Die Weltenweihe. Ein
Jubiläums-Festgesang, 1924; Die Weihe der
Menschheit an das heilige Herz Jesu und die
Deutsche Nonne Schwester Maria ... Droste zu
Vischering, 1924.　　　　　　　　　　　　AS

Heertrost → Jungwirth, Adalbert.

Heese, Ruth, * 8.9.1915 Kehl am Rhein; wohnt
in Gengenbach. Jugendbuchautorin.

Schriften: Auf silberner Spindel. Märchen,
1949.　　　　　　　　　　　　　　　　　IB

Heeß, Johannes, * 17.11.1840 Worms, † 5.12.
1902 Hofheim/Hessen; studierte in Mainz, 1864
Priester, Seelsorger u. Gefängnisgeistlicher, 1887
Pfarrer in Oppenheim, 1893 in Hofheim. Dramatiker.

Schriften: Die christlichen Helden. Dramatisches Spiel, 1878; Des Priesters Rache. Dramatisches Bild aus dem achtzehnten Jahrhundert in
vier Aufzügen, 1881; St. Martin's Jugendleben.
Dramatisches Spiel, 1882; Rudolph von Habsburg. Dramatisches Bild aus der vaterländischen
Vorzeit in drei Aufzügen, 1885; Auf der Wanderschaft. Dramatisches Spiel, 1888; Am Christabend.
Dramatisches Familiengemälde, 1888; Das Kindlein von Bethlehem. Dramatisches Weihnachtsspiel, 1889; Durch Kreuz zum Heil. Dramatisches Bild, 1893; Sankt Stephanus. Dramatisches
Spiel in drei Aufzügen mit drei lebenden Bildern,
1894; An's Mutterherz. Dramatisches Spiel für
Jungfrauen in drei Aufzügen, 1895; Die Vestalin.
Dramatisches Spiel, 1897; Unter dem Christbaum. Dramatisches Spiel, 1898; Eleanor. Dramatisches Spiel, 1898; Julia. Dramatisches Spiel,
1900; Friedel. Dramatisches Weihnachtsmärchen
in vier Aufzügen für die liebe Jugend, 1901.　IB

Hefele, Carl Joseph (seit 1853: von), * 15.3.
1809 Unterkochen b. Aalen/Württ., † 5.6.1893
Rottenburg; studierte in Tübingen, 1833 Priesterweihe, 1836 Privatdoz., 1840 o. Prof. in Tübingen, 1869 Bischof in Rottenburg; auf d. Vatikan. Konzil Gegner d. Unfehlbarkeitserklärung d.
Papstes; Kirchenhistoriker.

Schriften (Ausw.): Patrum Apostolicorum Opera. Textum editt. praestantiss. repetitum recognovit, brevi adnotat instruxit et in usum praelec-
tionum accademicarum ed., 1839 (Hg.); Chrysostomus Postille. Eine Auswahl des Schönsten aus
den Predigten des heiligen Chrysostomus. Für
Prediger und zur Privaterbauung. Ausgewählt und
aus dem Grundtexte übersetzt, 1845; Conzilien-
geschichte, 7 Bde., 1855–74 (Bd. 1–6 2. Aufl.
1873–1890), Forts. durch Hergenröther, Bd. 8 u.
9 1887–90); Beiträge zur Kirchengeschichte, Archäologie und Liturgik, 2 Bde., 1864.

Literatur: ADB 50, 109; NDB 8, 199; BWG 1,
1051; LThK 5, 55. – R. REINHARDT, D. Nachlaß
d. Kirchenhistorikers u. Bischofs ~. (in: Zs. f.
Kirchengesch. 82) 1971; DERS., Unbekannte
Quellen zu ~s Leben und Werk (in: Theol.
Qschr. 152) 1972; DERS., Zum Verbleib der
Nachlaß-Papiere ~s. (ebd.); P. STOCKMEIER,
Briefe d. Rottenburger Bischofs ~ an Carl Johann
Greith, Bischof v. St. Gallen. (ebd.); H. TÜCHLE,
~. (ebd.).　　　　　　　　　　　　　　　IB

Hefele, Herman, * 13.10.1885 Stuttgart, † 30.
3.1936 Frauenburg/Ostpr., Sohn d. Präs. d. kathol. Oberkirchenrates Emil v. H.; Studium in
Tübingen, 1919 Regierungsrat am Staatsarch. in
Stuttgart, 1929 Prof. d. Gesch. an d. Staatl. Akad.
in Braunsberg. H. verf. Beitr. z. Kultur- u. Lit.-
gesch. d. MA u. d. Renaissance in Italien, schrieb
Darstellungen Dantes u.v. Goethes Faust; Übers.-
u. Hg.tätigkeit.

Schriften: Die Bettelorden u. das religiöse
Volksleben Ober- u. Mittelitaliens im 13. Jahrhundert, 1910; Petrarca, deutsch, 1910; Alfonso
u. Fernande von Neapel, deutsch, 1911; Infessu-
ra, deutsch, 1912; F. Petrarca, 1913; Des Giro-
lamo Cardano von Mailand eigene Lebensbeschreibung, deutsch, 1914; Zur Psychologie der Etappe, 1918; Das Gesetz der Form, 1919; Die Entsagenden (Nov.) 1919; Der Katholizismus in
Deutschland, 1919; Dante, 1921; Augustinus'
Bekenntnisse, deutsch, 1921; Literatur u. Dichtung, 1922; Das Wesen der Dichtung, 1923;

(Hg.) Augustinus, der Sabbat Gottes, 1923, (Hg.) Herders Vom Sinn der Geschichte, 1923; Die Reise (Nov.) 1924; Albert v. Aachens 1. Kreuzzug, deutsch, 1924; Politik (Auswahl aus Machiavelli) 1927; Goethes Faust, 1931; Geschichte u. Gestalt (Ess. hg. C. BAUER) 1940.

Nachlaß: Dt. Lit.arch./Schiller-Nat.museum Marbach. Denecke 2. Aufl.

Literatur: W. MEREDIES, ~ (in: D. Neue Reich 10) 1928; L. HANSEL, ~ (in: Hochland 26) 1928/29; J. BERNHART, ~ (in: ebd. 33) 1936; H. GETZENY, ~ z. Gedächtnis (in: Schönre Zukunft 11) 1936; H. MISSENHURTER, ~ z. Gedächtnis (in: Württemberg 8) 1936; E. HÖLZLE, ~ (in: Hist. Zs. 155) 1937; H. BINDER, ~ (in: Dg. u. Volkstum 37) 1937; C. BAUER, ~ (in: Braunsberger Akad. Abhandlungen) 1937/38.

MR

Hefke, Ernest A. (Ernst v. Benthe), * 13. 2. 1901 Hannover; war Red. in Rostock, dann Schriftl. d. Reichspropagandaamtes Mecklenburg in Schwerin; Lyriker, Erzähler.

Schriften: Hakenkreuz-Merkbuch (Bearb.)1924; Das Antlitz der Stadt, 1936; Visby. Menschen um eine Stadt (Rom.) 1940; Mecklenburg, 1941.

Herausgebertätigkeit: Nordische Kultur-Arbeit (Mschr.) 1924–27; Runenstäbe. Beiträge zur Erforschung germanischer Gottes- und Weltanschauung, 1926; Der deutsche Dom. Blätter für nordische Art und deutschen Glauben, 1926–29.

AS

Hefner, Joseph von, * 5. 2. 1799 Augsburg, † 16. 9. 1862 München; Studienlehrer u. seit 1831 Gymnasialprof. in München.

Schriften: Auswahl von Gedichten zu Declamationsübungen für die Jugend, 1829; Blüthenkränze für deutsche Mädchen. Eine Auswahl von Gedichten ..., 1830; Deutsche Chrestomathie ..., 1830 (4., verm. u. verb. Aufl. 1854); Deutsche Anthologie zum Schul- und Privatgebrauch ..., 1831; Herbstreise von München nach Venedig. In Briefen, 1834; Philomusos oder Auserlesene Sammlung lehrreicher Fabeln, Erzählungen ..., 1834 (4., verm. Aufl. 1855); Tegernsee und seine Umgegend, 1838; Trachten des christlichen Mittelalters (hg.) 3 Bde., 1840 ff.; Über die literarischen Leistungen des Klosters Scheyern, über den Mönch Conrad, genannt Philosophus, und die Fürstengruft jener Abtei, 1840; Reise in Brasilien von Dr. Spix und Dr. von Martius. Für

die reifere Jugend bearbeitet ..., 2 Bde., 1846. (Außerdem einige Schulschriften.)

Nachlaß: Bayer. Staatsbibl. München. – Denecke 73.

Literatur: Goedeke 12, 555.

RM

Hefs, Heinrich, * 19. 1. 1788 Hasel, † 21. 9. 1850 Karlsruhe; Studium d. Kameralwiss. in Heidelberg, 1826 Finanzrat u. später Geh. Finanzrat in Karlsruhe. Hg. zahlr. alter u. neuer Liebeslieder auf Flugblättern.

Schriften: Lieder, 1829; Rheinlied, 1848.

Literatur: Goedeke 7, 229.

RM

Heftrich, Eckhard (Ps. Urs Markus f. Jugendbücher), * 8. 12. 1928 Stockach/Baden; Studium d. Germanistik in Freiburg/Br., 1958 Dr. phil., 1970 Habil. Köln, 1974 o. Prof. in Münster/Westf.; Lit.historiker u. Jugendbuchautor.

Schriften: Die Philosophie und Rilke, 1962; Nietzsches Philosophie. Identität von Welt und Nichts, 1962; David in der Heiligen Nacht (Jgdb.) 1964; Sieben kleine Tiere (Jgdb.) 1965; Die Mondseefahrt (Jgdb.) 1965; Hegel und Jacob Burckhardt. Zur Krise des geschichtlichen Bewußtseins, 1967; Stefan George, 1968; Novalis. Vom Logos der Philosophie, 1969; Zauberbergmusik. Über Thomas Mann, 1975; Lessings Aufklärung. Zu den theologisch-philosophischen Spätschriften, 1977.

IB

Heftrich, Wilhelm, * 16. 4. 1897 Waldmannshausen b. Limburg/Lahn; Lehrer in Mimmenhausen b. Überlingen/Baden. Erzähler.

Schriften: Der Lockenkasperle und andere Geschichten aus dem Alltag, 1925.

IB

Hegaur, Engelbert → Öftering, Wilhelm Engelbert.

Hege, Christian, * 20. 12. 1869, † 1943 Bonfeld/Württ.; lebte als Red. d. Frankfurter Nachrichten in Frankfurt/M.; gab 1936–40 die Mennonit. Geschichtsblätter heraus.

Schriften: Kurze Geschichte der Mennoniten, 1909, Die Täufer in der Kurpfalz. Ein Beitrag zur badisch-pfälzischen Reformationsgeschichte, 1908; Mennonitisches Lexikon, 2 Bde. (Hg. mit Ch. Neff) 1913/14; Ein Rückblick auf 400 Jahre mennonitische Geschichte, 1935.

AS

Hege, Heinrich → Ginzkey, Franz Karl.

Hegedo, Gerhard → Doll, Herbert Gerhard.

Hegel, Georg Wilhelm Friedrich, * 27.8.1770 Stuttgart, † 14.11.1831 Berlin; Beamtensohn, Gymnasium Stuttgart, 1788–1793 Tübinger Stift, Freundschaft mit Hölderlin u. Schelling; 1793 bis 1800 Hauslehrer zunächst in Bern dann Frankfurt; Habil. in Jena, 1805–1807 a.o. Prof. ebd.; 1808 Gymnasiumdir. in Nürnberg, 1816 Ruf an d. Univ. Heidelberg, seit 1818 an d. Univ. Berlin, 1829–1830 Rektor; 1831 Choleraerkrankung. Philosoph.

Schriften: System der Wissenschaft, 1807; Wissenschaft der Logik, 2 Bde., 1812–16; Encyklopädie der philosophischen Wissenschaften im Grundrisse, 1817; Grundlinien der Philosophie des Rechts oder Naturrechts und Staatswissenschaft im Grundrisse, 1821.

Ausgaben: Werke. Vollständige Ausgabe durch einen Verein von Freunden hg., 18 Bde. (in 21) 1832–45; Sämtliche Werke. Jubiläumsausgabe in zwanzig Bden., einer Hegel-Monographie u. einem Hegel-Lexikon (hg. H. GLOCKNER) 26 Bde., 1927–1940; Sämtliche Werke, Neue krit. Ausg. (hg. J. HOFFMEISTER) 1952 ff.

Nachlaß: Staatsbibl. Preuß. Kulturbesitz Berlin; Stadtbibl. Berlin; H.-Arch. Bochum; Univ.-bibl. Jena; Univ.bibl. Tübingen; Dt. Lit.arch./ Schiller-Nat.mus. Marbach. – Mommsen Nr. 1534; Nachlässe DDR 1, Nr. 265; 3, Nr. 861 b; Denecke 2.Aufl.

Periodicum: H.-Studien 1 ff. 1961 ff.

Bibliographie: B. CROCE, Abriß einer ∼schen Bibliogr. (in: B.C., Lebendiges u. Totes in ∼s Philos.) 1909; Abh. zur ∼forschung 1958/59, 1960/61 (in: H.-Studien 1, 2) 1961, 1963; W. KERN, Bibliogr. d. ∼-Bücher 1961–1965 (in: H.-Stud. 5) 1969; W. HENCKMANN, Bibliogr. z. Ästhetik ∼s (ebd.); R. C. CLARK, ∼. Bibliogr. Spectrum (in: Review of National Literatures 1) 1970; F. G. WEISS, ∼ in Comparative Lit. (ebd.); L. W. SCHUMILOWA, Arbeiten über ∼ in d. UdSSR (in: Dt. Zs. für Philos. 21) 1973; K. MEIST, Abh. zu ∼forschung 1972 (in: H.-Stud. 9) 1974.

Forschungsberichte: W. R. BEYER, ∼-Bilder. Kritik der ∼-Deutungen, 1964; I. FETSCHER, (Hg.) ∼ in der Sicht der neueren Forschung, 1973.

Gesamtdarstellungen: ADB 11, 254; NDB 8, 207; BWG 1, 1052. – K. ROSENKRANZ, ∼s Leben, 1844, Neudr. 1963; K. FISCHER, ∼s Leben, Werke u. Lehre, 1901, ²1911, Neudr. 1963; P. ROQUES, ∼. Sa vie et ses oeuvres. Paris 1912; T. W. ADORNO, Aspekte der ∼schen Philos., 1957; H. GLOCKNER, ∼. 2 Bde., 1929–1940 (H., Sämtl. Werke 22, 23), ³1954–1958; J. N. FINLAY, ∼. A Reexamination. London 1958; F. GREGOIRE, Etudes hégéliennes. Les points capitaux du système, Louvain 1958; G. E. MÜLLER, ∼. Denkgesch. e. Lebendigen, 1959; T. HEUSS, ∼ (in: T.H., Dt. Gestalten) 1962; F. WIEDMANN, ∼ in Selbstzeugnissen u. Bilddokumenten, 1965 (mit Bibliogr.); E. METZKE, ∼ (in: Genius der Dt.) 1968; ∼ 1770–1970. Leben, Werk, Wirkung. E. Ausstellung d. Arch. d. Stadt Stuttgart, 1970.

Untersuchungen zum Gesamtsystem: K. ROSENKRANZ, Krit. Erläuterungen d. ∼schen Systems, 1840, Neudr. 1963; R. HAYM, ∼ u. s. Zeit, 1857, ²1927, Neudr. 1. Aufl. 1962; J. H. STIRLING, The Secret of ∼. 2 Bde., ²1898; K. ROSENKRANZ, ∼ als dt. Nationalphilosoph, 1870, Neudr. 1965; E. CAIRD, ∼, Edinburgh 1883; J. M. E. McTAGGART, Studies in Hegelian Cosmology, Cambridge 1901; B. CROCE, Lebendiges u. Totes in ∼s Philos. mit einer ∼-Bibliogr., 1909; R. KRONER, Von Kant bis ∼. 2 Bde., 1921–24, ²1961; A. BRUNSWIG, ∼, 1922; W. T. STACE, The Philosophy of ∼, London 1924; N. HARTMANN, D. Philos. des dt. Idealismus. T. 2. ∼, 1929, ²1960; T. HAERING, ∼. S. Wollen u. s. Werk. 2 Bde. 1929–38; Neudr. 1963; W. MOOG, ∼ u. d. ∼sche Schule, 1930; J. HOFFMEISTER, Goethe u. d. dt. Idealismus. E. Einführung zu ∼s Realphilos., 1932; T. STEINBÜCHEL, D. Grundproblem d. ∼schen Philos. Bd. 1, D. Entdeckung d. Geistes, 1933; J. SCHWARZ, ∼s philos. Entwicklung, 1938; G. R. G. MURE, An Introduction to ∼, Oxford 1940; E. DE NEGRI, Interpretazione di ∼. Firenze 1943; A. KOJEVE, ∼. E. Vergegenwärtigung s. Denkens hg. I. FETSCHER, 1958; G. DE RUGGIERO, ∼, Bari 1948; E. BLOCH, Subjekt-Objekt. Erläuterungen zu ∼, 1951, erw. 1962; T. LITT, ∼, Versuch e. krit. Erneuerung, 1953; J. VAN DER MEULEN, ∼, D. gebrochene Mitte, 1958; W. SEEBERGER, ∼ oder D. Entwicklung d. Geistes z. Freiheit, 1961.

Ästhetik, Kunst u. Dichtung: A. LEWKOWITZ, ∼s Ästhetik im Verhältnis zu Schiller, 1910; M. SALDITT, ∼s Shakespeare-Interpretation, 1927; E. WOLFF, ∼ u. Shakespeare (in: Petsch-G-ə dächtnisschr.) 1949; I. Schüssler, ~s Kritik an d. dt. Lit. s. Zeit (Diss. Freiburg/Br.) 1953; G. Vecchi, L'estetica di ~. Saggio di interpretazione filosofica, Mailand 1954; O. Pöggeler, ~s Kritik d. Romantik, 1956; T. Pawloff, Die dialektische-idealist. Ästhetik ~s (in: Kunst u. Lit. 5) 1957; P. Reismann, D. Überwindung d. idealist. Ästhetik ~s durch Goethe (in: WB Sonderh.) 1960; G. Rohrmoser, Z. Problem d. ästhet. Versöhnung. Schiller u. ~ (in: Euphorion 53) 1959; H. G. Gadamer, ~ u. d. Heidelberger Romantik (in: Ruperto-Carola 13) 1961; H. Lauener, D. Sprache in d. Philos. ~s mit bes. Berücksichtigung d. Ästhetik, 1962; P. Szondi, Zu ~s Bestimmung d. Tragischen (in: Archiv 198) 1961/62; B. v. Wiese, D. Problem der ästhet. Versöhnung bei Schiller u. ~ (in: Schiller-Jb. 9) 1965; L. Moss, The Unrecognized Influence of ~'s Theory of Tragedy (in: Journal of Aesthetics and Art Criticism 28) 1969/70; T. W. H. Metscher, ~ u. d. philos. Grundlegung d. Kunstsoziologie (in: Lit. wiss. u. Sozialwiss.) 1971; G. Mayer, ~ u. d. Musik (in: Beitr. zur Musikwiss. 13) 1971; M. J. Böhler, D. Bedeutung Schellings f. ~s Ästhetik (in: PMLA 87) 1972; B. Billeter, D. Musik in ~s Ästhetik (in: D. Musikforschung 26) 1973; J. M. Ripalda, Poesie u. Politik beim frühen ~ (in: H.-Stud. 8) 1973; W. Koepsel, Gesch. philos. u. Praxis. Z. Rolle v. Lit. u. Kunst in ~s Jugendschr. (in: FS W. Emrich) 1975; H. Turk, Ästhet. Reflexion. Zu d. handlungstheoret. Grundlagen ~s u. dem Pragmatismus (in: H. T., Wirkungsästhetik) 1976; C. Helferich, Kunst u. Subjektivität in ~s Ästhetik, 1976.

Logik, Dialektik: W. Purpus, D. Dialektik d. sinnlichen Gewißheit bei ~ ..., 1905; Ders., Z. Dialektik d. Bewußtseins nach ~, 1908; H. Dreyer, D. Begriff Geist in d. dt. Philos. v. Kant bis ~, 1908; J. O'Sullivan, Vergleich d. Methoden Kants u. ~s auf Grund ihrer Behandlung d. Kategorie d. Qualität, 1908; J. Ebbinghaus, Relativer u. absoluter Idealismus, 1910; A. Phalen, D. Erkenntnisproblem in ~s Philos., Uppsala 1912; B. Heimann, System u. Methode in ~s Philos., 1927; H. Fischer, ~s Methode in ihren ideengesch. Notwendigkeiten, 1928; K. Schilling-Wollny, ~s Wiss. v. d. Wirklichkeit u. ihre Quellen, Bd. 1, 1929; G. Günther, Grundzüge e. neuen Theorie d. Denkens in ~s Logik, 1933; F. Holzheimer, D. logische Ge-

danke v. Kant bis ~, 1936; A. Meusel, ~ u.d. Problem d. philos. Polemik, 1942; J. van der Meulen, Heidegger u. ~ oder Widerstreit und Widerspruch, 1953; B. Lakebrink, ~s dialekt. Ontologie u. d. thomist. Analektik, 1955; W. Beyer, Zw. Phänomenologie u. Logik. ~ als Red. d. Bamberger Ztg., 1955; H. Schmitz, ~ als Denker d. Individualität, 1957; G. Stiehler, D. Dialektik in ~s «Phänomenologie d. Geistes», 1964; A. Redlich, D. ~sche Logik als Selbsterfassung d. Persönlichkeit, 1964; H. F. Fulda, Das Problem e. Einleitung in ~s Wiss. d. Logik, 1965.

Religionsphilosophie: W. Dilthey, D. Jugendgesch. ~s, 1905; H. Hadlich, ~s Lehren über d. Verhältnis v. Religion u. Philos., 1906; H. Reese, ~ über d. Auftreten d. christl. Rel. in d. Weltgesch., 1909; G. Lasson, Einführung in ~s Religionsphilos., 1930; K. Nadler, D. dialekt. Widerspruch in ~s Philos. u. d. Paradoxon d. Christentums, 1931; O. Kühler, Sinn, Bedeutung u. Auslegung d. Heiligen Schrift in ~s Philos., 1934; K. Domke, D. Problem d. metaphys. Gottesbeweise in d. Philos. ~s, 1940; I. Iljin, Die Philos. ~s als kontemplative Gotteslehre, 1946; G. Dulckeit, D. Idee Gottes im Geiste der Philos. ~s, 1947; H. A. Ogiermann, ~s Gottesbeweise, Rom 1948; E. Schmidt, ~s Lehre v. Gott, 1952; W. Albrecht, ~s Gottesbeweis, 1958; G. Rohrmoser, Subjektivität u. Verdinglichung. Theol. u. Gesellsch. im Denken d. jungen ~, 1961.

Geschichts- u. Gesellschaftsphilosophie: F. Dittmann, D. Begriff d. Volksgeistes bei ~, 1909; K. Mayer-Moreau, ~s Sozialphilos., 1910; P. Ehlert, ~s Pädagogik dargestellt im Anschluß an s. philos. System, 1912; F. Bülow, D. Entwicklung d. ~schen Sozialphilos., 1920; G. Lasson, ~ als Geschichtsphilosoph, 1920; F. Rosenzweig, ~ u. d. Staat. 2 Bde., 1920, Neudr. 1962; K. Leese, D. Geschichtsphilos. ~s auf Grund d. neu erschlossenen Quellen untersucht u. dargestellt, 1922; P. Vogel, ~s Gesellschaftsbegriff u. s. geschichtl. Fortbildung durch L. Stein, Marx, Engels u. Lassalle, 1925; G. Giese, ~s Staatsidee u. d. Begriff d. Staatserziehung, 1926; J. Löwenstein, ~s Staatsidee. Ihr Doppelgesicht u. ihr Einfluß im 19. Jh., 1927; F. Ephraim, Unters. über d. Freiheits begriff ~s in s. Jugendarbeiten, Tl. 1, 1928; M. Foster, D. Gesch. als Schicksal d. Geistes in d. ~schen Philos., 1929;

M. Busse, ~s Phänomenologie d. Geistes u.d.
Staat, 1931; H. Marcuse, ~s Ontologie u. d.
Grundzüge e. Theorie d. Geschichtlichkeit,
1932; E. Fahrenhorst, Geist u. Freiheit im System ~s, 1934; O.K. Flechtheim, ~s Strafrechtstheorie, 1936; H. Marcuse, Vernunft und
Revolution. ~ u. d. Entstehung d. Gesellschafts-
theorie, 1962; G. Lukács, D. junge ~, Über d.
Beziehungen v. Dialektik u. Ökonomie, 1948; F.
Nicolin, ~s Bildungstheorie, 1955; J. Ritter,
~ u. d. franz. Revolution, 1957 (mit Bibliogr.);
E. Schulin, D. weltgeschichtl. Erfassung d.
Orients bei ~ u. Ranke, 1958; G. Schmidt, ~
in Nürnberg. Unters. z. Problem d. philos. Propädeutik, 1960; A.A. Piontkowski, ~s Lehre
über Staat u. Recht u. s. Strafrechtstheorie, 1960;
H. Schmidt, Verheißung u. Schrecken d. Freiheit. V. d. Krise d. antik-abendländ. Weltver-
ständnisses, dargestellt im Blick auf ~s Erfahrung
d. Gesch., 1964.

Beziehungen u. Vergleiche: J. Hoffmeister, Hölderlin u. ~, 1931; J. Schubert, Goethe u. ~,
1933; E. Staiger, D. Geist d. Liebe u. d. Schicksal. Schelling, ~ u. Hölderlin, 1935; J. Barion,
~ u. d. marxist. Staatslehre, 1963; H. Glockner, F.T. Vischers Ästhetik in ihrem Verhältnis
zu ~s Phänomenologie d. Geistes, 1920; O.
Engel, D. Einfluß ~s auf d. Bildung d. Gedankenwelt H. Taines, 1920; E. Simon, Ranke u.
~, 1928; B. Knoop, ~ u. d. Franzosen, 1941;
W.R. Beyer, ~s Beziehungen zu Weimar und
Jena während s. Bamberger Zeitungsjahre (in: Jb.
der Goethe-Ges. 18) 1956; P. Henrici, ~ und
Blondel. E. Unters. über Form u. Sinn d. Dialektik in der «Phänomenologie des Geistes» u. der
ersten «Aktion», 1958; R.F. Beerling, ~ und
Nietzsche (in: H.-Stud. 1) 1961; I. Schüssler,
Böhme u. ~ (in: Jb. d. F.-W. Univ. Breslau 10)
1965; W. Schultz, D. Sinn d. Gesch. bei ~ u.
Goethe (in: W.S., Theol. u. Wirklichkeit) 1969;
F.W. Schmidt, Z. Begriff d. Negativität bei
Schelling u. ~, 1971; L. Siep, ~s Fichtekritik
u. d. Wiss.lehre v. 1804, 1970; W. Schuter,
History as Palingenesis in Pater and ~ (in: PMLA
86) 1971; ders., ~ u. die Franz. Revolution (mit
Beitr. von G. Mende u.a.) (in: WZ Jena 21)
1972; G. Nebel, Hamann u. ~ (in: Scheidewege
3) 1973; W. Kahle, Z. ~-Bild in d. Briefen
Goethes (in: Goethe-Jb. 91) 1974; G. Biedermann, Schelling u. ~ in Jena (Dr. Zs. f. Philos.
23) 1975; H. Jendreiek, ~ u. J. Grimm. E.

Beitr. z. Gesch. d. Wiss.theorie, 1975; D. Brea-
zeale, The ~-Nietzsche Problem (in: Nietzsche-
Stud. 4) 1975.

Wirkung: R. MacKintosh, ~ and Hegelianism,
New York 1903; H. Aschkenasy, ~s Einfluß
auf d. Religionsphilos. in Dtl., 1907; O. Engel,
D. Einfluß ~s auf d. Bildung d. Gedankenwelt H.
Taines, 1920; H. Heller, ~ u. d. nationale
Machtstaatsgedanke in Dtl., 1921, Neudr. 1963;
H. Levy, D. ~-Renaissance in d. dt. Philos. mit
bes. Berücksichtigung d. Neukantianismus, 1927;
E. Simon, Ranke u. ~, 1928; E. Metzke, K.
Rosenkranz u. ~. E. Beitr. z. Gesch. d. Philos.
d. sog. Hegelianismus d. 19. Jh., 1929; D. Tschi-
zewskij (Hg.), ~ bei d. Sklaven, 1934, ²1961;
R. Kroner, Kierkegaards ~-Verständnis (in:
Kant-Studien 46) 1954; K.R. Popper, Falsche
Propheten. ~, Marx u. d. Folgen, 1958; E. Bar-
nikol, D. ideengeschichtl. Erbe ~s u. seit
Strauss u. Baur im 19. Jh. (in: WZ Halle-Witten-
berg 10) 1961; F.G. Jünger, Vermittlung und
Grenze. Z. Gesch. d. ~schen Dialektik (in: H.
M. Jürgensmeyer [Hg.] Rückschau u. Ausblick)
1962; G.K. Kaltenbrunner (Hg.), ~ u. d. Fol-
gen, 1970; H. Ley, D. Weiterwirken ~s in d.
Progression unserer Zeit (in: Dt. Zs. f. Philos.
18) 1970; A. Abusch, ~s Werk in unserer Zeit
(in: Einheit 25) 1970; W.J. Brazill, The Young
Hegelians, New Haven, London 1970; G. Nicolai (Hg.), ~ in Berichten s. Zeitgenossen, 1970;
I. Fetscher, L'influence de ~ sur la philos. française après 1945 (in: Revue d'Allemagne 4) 1972;
R. Heede, J. Ritter, (Hg.), ~. Bilanz. Z. Aktualität u. Inaktualität d. Philos. ~s, 1973; W.
Koepsel, D. Rezeption der ~schen Ästhetik im
20. Jh., 1975. PG

Hegel, Karl (seit 1891: von), * 8.6.1813 Nürnberg, † 5.12.1901 Erlangen; Sohn v. Georg Wilhelm Friedrich H., 1848 Prof. in Rostock, 1856
in Erlangen. Historiker.

Schriften (Ausw.): Geschichte der meklenbur-
gischen Landstände, 1856; Die Chronik der Dino
Compagni. Versuch einer Rettung, 1875; Verfassungsgeschichte von Cöln im Mittelalter, 1877;
Über den historischen Werth der älteren Dante-
Commentare. Mit einem Anhang zur Dino-Frage,
1878; Verfassungsgeschichte von Mainz im Mittelalter, 1882; Städte und Gilden der germanischen Völker im Mittelalter, 2 Bde., 1891; Die
Entstehung des deutschen Städtewesens, 1898;

Vergrößerung und Sondergemeinden der deutschen Städte im Mittelalter, 1901.

Nachlaß: Univ.bibl. Erlangen. – Mommsen Nr. 1535; Denecke 2. Aufl.

Literatur: Biogr. Jb. 6,42. – S. Münz, ~. (in: D. Wage 8) 1902; U.Stutz, ~ Leben u. Erinnerungen. (in: Zs. d. Savignystiftung f. Rechtsgesch., Germ. Abt. 33) 1902; H. Dannenbauer (in: Lbb. aus Franken 5) 1936.   IB

Hegeler, Wilhelm, * 25.2.1870 Varel/Oldenburg, † 13.10.1943 Ischenhausen; Stud. in München, Genf u. Berlin, Krankenpfleger, später Kriegsberichterstatter im 1. Weltkrieg, 1904 Bauernfeldpreis für «Pastor Klinghammer». Erzähler.

Schriften: Mutter Bertha (Rom.) 1893; Und alles um die Liebe. Aufzeichnungen eines Philologen, 1894; Sonnige Tage (Rom.) 1898 (Neufassg. 1923); Pygmalion (Nov.) 1898; Nellys Millionen. Ein fröhlicher Roman, 1899; Ingenieur Horstmann (Rom.) 1900; Pastor Klinghammer (Rom.) 1903; Kleist (Monogr.) 1904; Dietrich, der Herzensbrecher (Rom.) 1904; Flammen, 1905; Pietro der Korsar und die Jüdin Cheirinca, 1906; Das Ärgernis (Rom.) 1908; Die frohe Botschaft (Rom.) 1910; Der Mut zum Glück, 1911; Des Königs Erziehung. Eine halbspaßhafte Geschichte, 1911; Eros (Nov.) 1913; Tiefurt, 1913; Die Leidenschaft des Hofrat Horn (Rom.) 1913; Die goldene Kette (Rom.) 1915; Bei unseren Blaujacken und Feldgrauen. Flandrische Erlebnisse, 1916; Der Siegeszug durch Serbien, 1916; Zwei Freunde (Rom.) 1921; Der verschüttete Mensch (Rom.) 1922; Otto der Schmied. Eine Geschichte für die Jugend, 1923; Der Apfel der Elisabeth Hoff, 1925; Einleitung zu H. v. Kleist, Sämtliche Werke, 1925; Das Gerücht und andere Erzählungen, 1926; Die zwei Frauen des Valentin Key, 1927; Der Zinsgroschen (Rom.) 1928; Goya und die Bucklige (Nov.) 1928; Das Wunder von Belair, 1931; Der innere Befehl. Ein Yorck-Roman, 1936; Das Gewitter, 1939; Das Kastenmännchen. Erzählung mit autobiographischem Vorwort, 1943.

Literatur: NDB 8,222. – E.H. Hegeler, Die Dehnenhorster Ratsfamilie Hegeler, 1952; H. Festner, ~ Leben u. Werk. (Diss. Freiburg/Schweiz) 1954; J. Poláček, Z. Problematik d. dt. Abkehrromans F. Hollaender, P. Ernst, ~, A. Gerhard. (in: PP 14) 1971.   IB

Hegelin → Heynlin.

Hegemann Anja (Ps. f. Anja Bertsch-Hegemann), * 11.6.1920 München; Schriftst. u. Übers. in Köln.

Schriften: Ylla: Tiermütter und Tierkinder (Mit-Verf.) 1959; Atemzeit (Ged.) 1972.

Übersetzungen (Ausw.): M. Brion, Machiavelli und seine Zeit, 1957; J. Lodwick, Die seltsame Reise des Mr. Skelton, 1958; A. Lamorisse, Die Reise im Ballon, 1961; R. Huff, Mick und Molly ..., 1961; K. Cicellis, Noch 10 Sekunden, 1964; J. Gloag, Als ob nichts geschehen wäre, 1964; B. Malamud, Bilder einer Ausstellung, 1975.

Literatur: A. Weber, ~ : Überstunden (in: A. W. u. R. Hirschenauer, Wege z. Ged.) [7]1968.   RM

Hegemann, Hans Werner, * 25.9.1911 Frankfurt/Main; Dr. phil., habil., Museumsdir., wohnt in Bad Orb. Erzähler.

Schriften (Ausw.): Solitüde (Rom.) 1937; Die deutsche Barockbaukunst Böhmens, 1943; Die Deutschen in der Kultur des Abendlandes, 1948; Im Sog des Nichts? Zur Situation des heutigen Menschen, 1951; Vom bergenden Raum. Die Zeitformen kirchlicher Baukunst, 1953; Spektrum der Handwerkskunst, 1965; Burgen und Schlösser in Hessen, 1971.   IB

Hegemann, Werner (Ps. Manfred Maria Ellis), * 15.6.1881 Mannheim, † 12.4.1936 New York; studierte in Berlin, Dr. d. Staatswiss., Architekt u. Red. v. «Wasmuths Monatsh. f. Baukunst» und «D. Städtebau» (1924–33, ab 1930 Vereinigung beider Zs.), Leiter d. ersten internationalen Städtebauausstellg. Städtebaul. Schriften, Übersetzer u. Kulturschriftsteller.

Schriften: M. M. E., Deutsche Schriften, gesammelt in drei Bänden, I Iphigenie, ein Lustspiel, II Iphigenienromantik. Friedrichslegende. Sühnopferwahn. Erstes bis drittes der sieben Gespräche über das Königsopfer, III Friedrich der Zweite als Werther. Christi Rettung vom Opfertod. Die letzten vier der sieben Gespräche über das Königsopfer, 1924; Friedrich oder Das Königsopfer, 1925 (neue, veränderte, erw. Aufl., 1926); Napoleon oder «Kniefall vor dem Heros», 1926; Das Jugendbuch vom großen König oder Kronprinz Friedrichs Kampf um die Freiheit, 1926; Der gerettete Christus oder Iphigenies Flucht vor dem

Ritualopfer, 1928; Das steinerne Berlin. Geschichte der größten Mietkasernenstadt der Welt, 1930; Entlarvte Geschichten, 1933 (vollständig umgearbeitete u. erw. Neuausg., 1934).

Literatur: NDB 8, 224. – E. POSNER, ~, Fridericus, Lit.bericht. (in: Hist. Zs. 138) 1928; H. v. SRBIK, ~, Napoleon, Lit.bericht. (ebd.); E. KAEBER, D. alte u. d. neue ~. (in: Mitt. f. d. Gesch. Berlins 47) 1930; H. KESTEN, ~. (in: H. K., Meine Freunde, d. Poeten) 1953.   IB

Hegenbarth(-Florié), Sebastian Max, * 16.4. 1859 Bad Schandau/Sachsen; war Buchhändler, gründete 1895 in Dresden e. Verlagsbuchhandlung. Erzähler, Verf. v. Hotelfachschriften.

Schriften: Frau Röllchen's Ostsee-Reise und Abenteuer, 1904; Das Büchlein vom Wein und vom Weintrinken. Zeitgemäße feuchtfröhliche Betrachtungen, 1904.   AS

Hegendorf(f) (Hegendorf(f)inus, Hegendorfer), Christoph(orus), * 1500 Leipzig, † 8.8. 1540 Lüneburg; Humanist, Jurist u. Theologe, trat für Luther ein, 1520/21 Magister artium, 1523/24 Rektor d. Leipziger Univ., 1525 Nachfolger s. Lehrers Petrus Mosellanus in Leipzig, bis 1536 Lehrer in Posen, 1536 Dr. iur., 1537 Stadtsyndikus in Lüneburg, 1539–40 Prof. d. Rechte in Rostock, 1540 städt. Superintendent in Lüneburg. V. Plautus beeinflußter Komödiendichter.

Schriften: Dialogi pueriles, 1519 u. ö. (dt. v. A. BÖHMER, vgl. Lit.); De duobus adolescentibus, 1520 u. ö.; Comoedia nova de sene amatore, 1521 u. ö. (Neuausg. in: J. C. GOTTSCHED, Nöthiger Vorrath z. Gesch. d. dt. dramat. Dichtkunst, 1757). (Außerdem theol., jurist. u. exeget.-philol. Schriften.)

Bibliographie: G. W. PANZER in: Ann. typographici 7, 1799; G. KAWERAU, Zwei ältere Katechismen d. luther. Reformation v. P. Schultz u. H., 1891; G. Bauch, D. Anfänge d. Univ. Frankfurt a. O., 1900.

Literatur: ADB 11, 274; NDB 8, 227; de Boor-Newald 4/1, 648. – O. GÜNTHER, Plautuserneuerungen d. dt. Lit. d. 15.–17. Jh. u. ihre Verf. (Diss. Leipzig) 1886; A. BÖHMER, D. lat. Schülergespräche d. Humanisten, 1897; O. CLEMEN, Sechs neue Schülergespräche v. ~ (in: Zs. f. Gesch. d. Erziehung u. d. Unterrichts 17/19) 1929; W. F. MICHAEL, D. dt. Dr. d. MA, 1971.   RM

Heger, Hedwig, * 9.12.1933 Wien, Dr. phil., Doz. an d. Univ. Wien, seit 1972 Leiterin d. Abt. f. german. Hss.kunde.

Schriften: Die Mondsee-Wiener Liederhandschrift aus Cod. Vind. 2856 (Facs.) 1968; Das Lebenszeugnis Walthers von der Vogelweide. Die Reiserechnungen des Passauer Bischofs Wolfger von Erla, 1970; Wolfram von Eschenbach, Willehalm. Mit der Vorgeschichte des Ulrich von dem Türlin und der Fortsetzung des Ulrich von Türheim (Facs.) 1974; Spätmittelalter, Humanismus, Reformation. Texte und Zeugnisse (in: DL, hg.) 2 Tl.bde., 1975–78.   RM

Heger, Mauriz Hans, * 26.3.1891 Wien; war Lehrer, Mitarb. d. Wiener Tagespresse als Theaterkritiker, Dir. d. Filmgesellsch. Omnia. Verf. von Possen, Einaktern u. andern Bühnenstücken (meist ungedr.), Erzähler, Essayist.

Schriften: Wenn alles Liebe wär' (Nov.) 1918; Schelme! Fast ein lustiges Büchlein, wenn die Geschichten darin nicht gar so – traurig wären, 1918; Frauen mit dem gleichen Recht ... Nebengeräusche aus der Melodie des Alltags, 1930.

Literatur: Theater-Lex. 1, 729.   AS

Hegewisch, Dietrich Hermann, * 15.12.1740 Quackenbrück bei Osnabrück, † 4.4.1812 Kiel; studierte Theol. in Göttingen, Reisen in d. Schweiz u. n. Holland. Leiter d. Hamburger «Neuen Ztg.» (1778) u. «Adreßkomptoirnachrichten»; 1782 Prof. in Kiel. Geschichtsschreiber.

Schriften (Ausw.): Geschichte der Deutschen von Konrad dem Ersten bis zum Tode Heinrich des Zweiten, 1780; Geschichte der Regierung Kaiser Maximilians des Ersten, 2 Bde., 1782/83; Charaktere und Sittengemälde aus der deutschen Geschichte des Mittelalters ..., 1786; Allgemeine Übersicht der deutschen Culturgeschichte bis zu Maximilian dem Ersten, 1788; Das erste Sehrohr, oder die Erfindung der Ferngläser. Ein Gedicht, Klopstocken gewidmet, 1788 (anon.); Geschichte der Regierung Kaiser Karls des Großen, 1791; Historische, philosophische und literaerische Schriften, 1793; An Deutschlands Patrioten, 1793; Historische und literarische Aufsätze, 1801; Neue Sammlung kleiner historischer und literaerischer Schriften, 1809; Einleitung in die historische Chronologie, 1811.

Herausgebertätigkeit: Amerikanisches Magazin (gem. mit Ebeling) 1795–97.

Literatur: ADB 11,278; Goedeke 7,739; Meusel-Hamberger 3,154; 9,537; 14,68; 18,86; 22,2,635.   IB

Hegewisch, Franz (Hermann, Ps. Franz Baltisch), * 11.11.1783 Kiel, † 27.5.1865 ebd.; 1805 Dr. med., 1807–10 Hausarzt v. Fritz Graf v. Reventlow in Emkendorf, 1810 a.o. Prof. in Kiel, bis 1855 prakt. Arzt, Dr. phil. h.c. (1855), Dän. Justizrat u. Etatsrat. Übers. 1807 Malthus' «Über d. Bedingungen u. Folgen d. Volksvermehrung» ins Dt., polit. Publizist (u.a. «Kieler Bl.», «Kieler Beitr.»)

Schriften (Ausw.): Lobrede auf den Feldmarschall [Blücher], 1819; Politische Freiheit, 1832; Für Holstein, nicht gegen Dänemark, 1835; Eigenthum und Vielkinderei. Hauptquelle des Glücks und Unglücks der Welt, 1846; Politische Anmerkungen eines Siebzigjährigen, 1856.

Nachlaß: Hauptnachl. verloren, Tle. Landesbibl. Kiel-Wik; Dt. Staatsbibl. Berlin, Hs.-Abt./Lit.arch. — Mommsen Nr. 1536; Nachlässe DDR III, Nr. 376.

Literatur: ADB 11,279; NDB 8,231. – L. Hegewisch, Erinn. früherer Stunden f. Letzte Stunden, 1902; W. Klüver, ~ (in: Nordelbingen ... 4) 1925 (mit Bibliogr.).   RM

Heggelin, Ignaz Valentin, * 1.1.1738 Markdorf/Bodensee, † 1.5.1801 Warthausen; Studium in Freiburg/Br., 1764 Pfarrer in Warthausen, Verkehr mit d. ehem. Minister Graf Stadion u. La Roche, Freund Sailers u. Lavaters.

Schriften: Hundert väterliche Lehren für die wandernden Handwerksgesellen, 1791 (Neuaufl. 1836).

Literatur: ADB 11,281; Meusel-Hamberger 14,70. – J.M. Sailer, An ~s Freunde. E. Denkmal des Verblichenen, 1803.   IB

Hegius, Alexander, * um 1433 Heek/Nordwestf., † 27.12.1498 Deventer; 1469 Rektor d. «Großen (Hohen) Schule» in Wesel, Lehrer an d. Stiftsschule in Emmerich, seit 1483 Rektor d. Stiftsschule d. hl. Lebuinus in Deventer, wurde später Priester. Humanist u. Pädagoge, Verf. e. Kommentars z. «Doctrinale puerorum» u. philos.-theol. Schriften.

Ausgabe: Carmina et gravia et elegantia cum ceteris eius opusculis (hg. J. Fabri) 2 Tle., 1503.

Literatur: ADB 11,283; NDB 8,232; LThK 5,61; RGG ³3,120. – J. Wieser, D. Pädagoge ~ u. s. Schüler (Diss. Erlangen) 1892; P.S. Allen, The Age of Erasmus, Oxford 1914 (Neudr., New York 1963); A. Boiner, ~ (in: Westf. Lbb. 3) 1934 (mit Bibliogr.)   RM

Hegner, (Johann) Jakob, * 1757 Seuzach b. Winterthur, † 1838 Winterthur; Lehrer, 1780 Ordination, seit 1791 Gesch.lehrer in Winterthur, 1818 Pfarrer, 1832 Amtsentsetzung.

Schriften (Ausw.): Aufruf an die Helvetier, 1798; Jesus Christus im Leben und im Tode. Ein musicalisches Gemählde in zwei Zeitabschnitten ..., 1809; Alexander der Großmütige und Napoleon Bonaparte. Zwei Gedichte an die Denkmale der Zeit geheftet, 1814; Religiöse Sinngedichte für nachdenkende Christen, 1838.

Literatur: Goedeke 12,71.   RM

Hegner, Jakob, * 25.2.1882 Wien, † 26.9.1962 Lugano; besuchte Vorlesungen in Leipzig, später Lektor, mehrere Jahre in Florenz, übersiedelte in d. Gartenstadt Hellerau b. Dresden, gründete e. Verlag u. später e. Druckerei, dann in Leipzig; Emigration nach Öst., später London, 1946 Rückkehr, lebte dann in d. Schweiz. Viele der v. ihm verlegten Werke hat er selbst übersetzt.

Übersetzungstätigkeit: P. Claudel, Verkündigung, 1913; ders., Aus der Erkenntnis des Ostens, 1913; ders., Goldhaupt, 1916; ders., Ruhetag, 1919; ders., Der Tausch, 1920; F. Jammes, Der Hasenroman, 1920; ders., Klara, 1921; ders., Röslein, 1922 (beide u.d.T.: Der Roman der drei Mädchen 1933); M. Schwob, Der Roman der zweiundzwanzig Lebensläufe, 1925; ders., Die Gabe an die Unterwelt, 1926; F. Jammes, Rosenkranzroman, 1929; ders., Hochzeitsglocken oder Der baskische Himmel und Marie, 1934; G. Bernanos, Der heilige Dominikus, 1935; ders., Ein Verbrechen, 1935; ders., Tagebuch eines Landpfarrers, 1936; ders., Geschichte der Mouchette, 1936; E. Hello, Der Mensch, 1936; B. Marshall, Das Wunder des Malachias, 1950; G. Bernanos, Die Sonne Satans (gem. m. F. Burschell) 1950; B. Marshall, Keiner kommt zu kurz oder Der Stundenlohn Gottes, 1952; ders., Du bist schön meine Freundin, 1953; ders., Alle Herrlichkeit ist innerlich, 1954; ders., Die Rote Donau, 1956; ders., Der rote Hut, 1960.

Briefe: ~, Briefe zu s. 70. Geb.tag (hg. J. Rast u. H. Wild) 1952.

Literatur: NDB 8,234.   IB

Hegner, Martin, * 2.8.1861 Saarburg, † 16.8.
1926 Mühlheim-Ruhr (letzter Wohnort); Buchhändler.

Schriften: Wir Kolpingsöhne, 1913.　　　IB

Hegner, Ulrich, * 7.2.1759 Winterthur, † 3.1.
1840 ebd.; Sohn e. Arztes, studierte gg. s. Willen
in Straßburg Medizin, war 1786–1798 Landschreiber d. Landvogtei Kiburg, während d. Helvetik
Kantonsrichter in Zürich, besuchte 1801 Paris u.
lebte seit 1803 als Friedensrichter u. Mitglied d.
Stadtrats in Winterthur; 1814 kehrte er in d.
kanton. Politik zurück: war bis 1829 Mitglied d.
Großen Rats; 1789–1834 Winterthurer Stadtbibliothekar, Hg. d. Neujahrsbl. mit geschichtl.
Darst. v. Schlössern u. Dörfern d. Umgebung.
Als Schriftst. krit. Schilderer der Zeit.

Schriften: Auch ich war in Paris, 3 Bde., 1803f.;
Das Leben und die Charakteristik Johann Rudolf
Schellenbergs von Winterthur, 1807; Die Molkenkur, 2 Bde., 1812; Saly's Revolutionstage,
1814; Berg- Land- und Seereise, 1818; Suschens
Hochzeit oder Die Folge der Molkenkur, 2 Tle.,
1819; Das Leben des Malers Johann Kaspar Ku-
ster von Winterthur, 1822; Das Leben und die
Charakteristik Johann Heinrich Troll's von Winterthur, 1825; Hans Holbein der Jüngere. Mit des
Meisters Bildnisse, 1827; Gesammelte Schriften,
5 Bde., 1828–30; Beiträge zur nähern Kenntniss
und wahren Darstellung Johann Kaspar Lavaters.
Aus Briefen seiner Freunde an ihn und nach per-
sönlichem Umgang, 1836 (Nachdr. 1975); Aus
dem Briefwechsel zwischen Ulrich Hegner und
Ludwig Meyer von Knonau, 1879; Aus dem Leben eines Geringen (mit: P. Rosegger, Das Ereig-
nis in der Schrun) 1891; Aus dem Briefwechsel
zwischen Ulrich Hegner und Johann Georg Müller (Hg. CH. BIEDERMANN) 3 Tle., 1891–96; Ulrich Hegners Aufzeichnungen aus Winterthurs
Revolutionstagen (Hg. CH. BIEDERMANN) 1900;
Briefe des Malers Johann Jakob Biedermann an
Ulrich Hegner (Hg. R. HUNZIKER) 1936; Ludwig
Vogel und Ulrich Hegner. Ihr Briefwechsel 1818
bis 1838 (Hg. R. HUNZIKER) 2 Tle., 1936–38;
Nachlaß: Stadtbibl. Winterthur.

Literatur: ADB 11,288; NDB 8,235; HBLS 4,
113; Goedeke 6,489, 12,88. – J.M. ZIEGLER,
~'s Jugendjahre, 1855; E. SCHMIDT, ~, 1886;
G. GEILFUS, ~ z. Frieden im Hauskäppchen
(biogr. Skizze in: Zürcher Taschenbuch) 1888;
A. HAFNER, ~'s Leben u. Wirken. N. dessen

eigenhändigen Aufzeichnungen erzählt, 2 Tle.,
1886f.; F.O. PESTALOZZI, David Hess und ~.
Mittheilungen aus ihrem Briefwechsel in d. Jahren
1812–1839, 2 Tle. (in: Zürcher Taschenbuch)
1889 u. 1890; H. WASER, J. K. Lavater n. ~'s
handschriftlichen Aufzeichnungen u. «Beiträgen
zur nähern Kenntniss ... Lavaters» (Diss. Zürich)
1894; DERS., ~. E. schweiz. Kultur- u. Charakterbild, 1901; M. RYCHNER, Rückblick auf vier
Jh. Entwicklung d. Art. Institut Orell Füssli in
Zürich, 1925; E. ERMATINGER, Dg. u. Geistesleben d. dt. Schweiz, 1933; R. HUNZIKER, ~
(in: Jb. d. Lit. Vereinigung Winterthur) 1943;
DERS., Aus Winterthurs Kulturgesch. im 19. u.
20. Jh. (mit andern) 1957; E. DEJUNG, ~ (in:
Winterthurer Jb.) 1959.　　　AS

Hegrad, Friedrich, * 28.4.1757 Lanzendorf/
Niederöst., † 1.10.1809 Wien; Rechnungskanz-
list ebd. Vorwiegend Erzähler.

Schriften: Vermischte Schriften, 2 Bde., 1785;
Saemmtliche poetische und prosaische Schriften,
2 Bde., 1785; Komischer Roman, 2 Bde., 1786;
Der Hausfreund, ein Lesebuch für Frauenzimmer,
1787; Neun Erzählungen, 1787; Felix mit der
Liebesgeige (Rom.) 1790; Versuch einer kurzen
Lebensgeschichte Leopolds des Zweiten bis zu
dessen Absterben, 1792.

Literatur: Meusel-Hamberger 18,87.　　　IB

Hehn, Victor (Amadeus) (Ps. A. E. Horn), * 26.
9./8.10.1813 Dorpat, † 21.3.1890 Berlin, Vater
Pastor u. Jurist, 1830–1833 Studium d. klass.
Philol. u. Gesch. in Dorpat; 1835–1838 Hauslehrer, 1838–1840 in Berlin, Verbindung mit Jacob Grimm; ausgedehnte Reisen in Schweden,
Dtl., Italien, Frankreich, Belgien; 1841–1846
Gymnasiallehrer in Pernau, 1846–1851 Lektor
an d. Univ. Dorpat, 1851 verhaftet, nach Tula/
Innerrußland verschickt; 1855 Berufung an d.
Öffentl. Bibl. in Petersburg, 1856 Oberbibliothekar, seit d. Pensionierung 1873 in Berlin. Sprach-
forscher, Ethnograph, Essayist, Kulturhistoriker.

Nachlaß: Dt. Lit.arch./Schiller-Nat.mus. Marbach. – Denecke 2. Aufl.

Schriften: Italien, 1864; Kulturpflanzen und
Haustiere in ihrem Übergang aus Asien nach Grie-
chenland, 1870; Gedanken über Goethe, 1887;
De moribus Ruthenorum. Zur Charakteristik der
russischen Volksseele, (hg. T. SCHIEMANN) 1892;
Reisebilder aus Italien u. Frankreich, 1894.

Literatur: ADB 50, 115; NDB 8, 237. – O. Schrader, ~. E. Bild s. Lebens u. s. Werke, 1891; T. Schiemann, ~, 1894; Semel, ~, 1907; R. Unger, ~ als Lit.historiker (in: FS O. Walzel) 1924; G. Dehio, (in: G.D., Kl. Aufs. u. Ansprachen) 1931; O. v. Peterson, Herder u. ~, 1931; H. Holldack, ~ u. F. Gregorovius (in: HZ 154) 1936; G. Masing, ~ u. d. Juden (in: Balt. Monatsh.) 1936; T. Heuss, Dt. Gestalten, 1951; W. Rehm, ~ u. Italien (in: W. R., Götterstille u. Göttertrauer) 1951.   MR

Hehner, Claus, * 15.9.1923 Krefeld; Dipl.-Ing., Architekt, wohnt in Idstein.

Schriften: Mit dem Atlantik allein, 1969; Einsamer Pazifik, 1970; Faszination Segeln, 1978.
IB

Heibe, Carolus (Ps. f. Karl-Heinz Berndt, weiteres Ps. Berny Gubane), * 2.3.1923 Guben/NL; Red., W. Borchert-Preis 1956, wohnt in Bonn-Bad Godesberg. Verf. v. Romanen.

Schriften: Duell mit Blitzlicht, 1956; Holliday und die Handschuhe, 1956; Schwindel um siebzehn Ecken, 1956; Der Tick der Mrs. Slaughter, 1956; Ein Totenkopf geht um, 1956; Abuse hat Pech, 1957; Verhängnisvoller Brief, 1957; Capulin steht Kopf, 1957; Du mußt sterben, 1957; Die Mord-Trompete, 1957; Und wenn es wieder vor dir stünde, 1958.
IB

Heiberg, Hermann, * 17.11.1839 Schleswig, † 16.2.1910 ebd.; vorerst Buchhändler in Kiel u. Berlin, seit 1870 Geschäftsführer d. «Norddt. Allg. Ztg.», dann der «Spenerschen Ztg.», Reisen nach Holland, Belgien, Frankreich, England u. in d. Schweiz, 1883 Vertreter des «Hamburg. Korrespondenten», seit 1892 freier Schriftst. in Schleswig. Red. u. Erzähler.

Schriften: Plaudereien mit der Herzogin von Seeland, 1881 (Neuausg. u. d. T.: Aus den Papieren der Herzogin von Seeland, 1887); Acht Novellen, 1882; Ausgetobt (Rom.) 2 Bde., 1883; Ernsthafte Geschichten, 1883; Die goldene Schlange, 1884; Ein Buch, 1885; Apotheker Heinrich, 1885; Schriften, 12 Bde., 1885–1888; Eine vornehme Frau, 1886; Esthers Ehe, 1887; Der Januskopf, 2 Tle., 1888; Liebeswerben und andere Geschichten, 1888; Menschen untereinander, 1888; Kays Töchter (Rom.) 1889; Schulter an Schulter (Rom.) 2 Bde., 1889; Dunst aus der Tiefe. Berliner Roman, 2 Bde., 1890; Empörte Herzen (Nov.) 1890; Die Spinne (Rom.) 1890; Höchste Liebe schweigt! (Nov.) 1891; Ein Mann (Rom.) 1891; Drei Schwestern (Rom.) 1891; Todsünden (Rom.) 1891; Dunkle Geschichten, 1892; Wer trifft das Rechte? (Rom.) 2 Bde., 1892; Die Familie von Stiegritz (Rom.) 1892; Eheleben (Rom.) 1893; Am Kamin (Erz.) 1893; Blinde Liebe (Rom.) 1893; Dr. Gaarz' Patienten (Rom.) 1894; Geschichten aus der Welt, 1894; Novellen. Band 1, 1894; Die Andere. Einmal im Himmel. Zwei Novellen, 1895; Fieberndes Blut. Großstadt-Roman, 1895; Frau Eva. Sechs Novellen, 1895; Zwischen drei Feuern (Rom.) 2 Tle., 1895; Ausgewählte Romane und Novellen, 10 Bde., 1895; Niedersachsen (Hg.) 1895 ff.; Gesammelte Werke, 18 Bde., 1895–96; Fluch der Schönheit. (Rom.) 1896; Zwischen engen Gassen. (Rom.) 1896; Graf Jarl, 2 Tle. in 1 Bd., 1896; Aus allen Winkeln (Nov.) 1896; Zweifach getroffen. (Nov.) 1896; Ein doppeltes Ich. (Rom.) 2 Bde., 1897; Die Rixdorfs. (Rom.) 1897; Daseinshumor. (Gesch.) 1898; Grevinde. (Rom.) 1898; Lebensbürden. Noveletten, 1898; Hinterm Lebensvorhang. Noveletten, 1898; Leiden einer Frau (Rom.) 2 Bde., 1898; Norddeutsche Menschen. (Erz.) 1898; Merkur und Amor. (Rom.) 1898; Durchbrochene Dämme. (Rom.) 2 Tle. in 1 Bd., 1899; Einer vom Adel. – Seine Mutter. 2 Bd., 1899; Fast um ein Nichts. (Rom.) 2 Tle. in 1 Bd., 1900; Vieles um Eine. (Rom.) 2 Bde., 1900; Charaktere und Schicksale. (Rom.) 1901; Zwei Frauen. (Rom.) 1901; Dreißig Geschichten, 1901; Reiche Leute von einst. (Rom.) 1901; Am Marktplatz. Roman in Kleinstadtbildern, 1901; Schuldlos belastet. (Rom.) 2 Tle. in 1 Bd., 1901; Heimat. (Rom.) 2 Tle. in 1 Bd., 1902; Der Landvogt von Pelworm. Der Chronik nacherzählt, 1902; Die schwarze Marit. (Rom.) 1903; Seelenregungen (Rom.) 1903; Im Hafenwinkel. (Rom.) 2 Tle. in 1 Bd., 1904; Geschichten für kleine Kinder und für Erwachsene mit Kinderherzen, 1908; Ulrike Behrens. (Erz.) 1909; Streifzüge ins Leben, 1909; Auch Eine. (Rom.) 1910; Die Erben und andere Erzählungen, 1910; Ringen und Kämpfen und andere Erzählungen, 1910.

Nachlaß: Slg. im Dt. Lit.arch./Schiller-Nat.-mus. Marbach.

Literatur: NDB 8, 238. – H. Merian, ~, 1891; A. Heiberg, Erinnerungen aus meinem Leben, 1897; W. Lobsien, D. erzählende Kunst in

Schleswig-Holstein, 1908; H. MERIAN, ~ (in: Moderne Lit. in Biogr. Einzeldarst. 1) 1910. IB

Heiberger, Peter, 16. Jh.; Nadler in Steyr/Oberöst., stellte 1590 zwei Liederslg. d. Steyr. Meistergesangs zusammen.

Literatur: de Boor-Newald 4/2, 41, 67. – B. NAGEL, Meistersang, 1962.   RM

Heichen, Joachim, * 21.7. 1910, † 18.6. 1965; Pfarrer. Lyriker u. Verf. v. Laienspielen.

Schriften: Judas, ein Berliner Passionsspiel, 1949; Herodes. Ein Spiel von der Geburt des Heilandes, 1951; Judas. Ein Passionsspiel, 1954; Austauschmädel Monika fährt nach England, 1956.   IB

Heichen, Walter (Ps. Walter Eichner, u.a.), * 22.6. 1876 Stuttgart, † 24.3. 1970; Buchhandelsvolontär, später Redakteur d. «Dt. Buchhandelsbl.», 1920 Leiter d. Buchverlages A. Weichert in Berlin. Übers., Bearbeiter u. Hg. bekannter Werke d. Weltlit., v.a. v. Jugendbüchern. Erzähler.

Schriften: Der Sang an Ägir, oder: Nach Unterprima durchgefallen. Eine Schul-Humoreske, 1892; Epiphanias. Ein Weihnachtsdrama in vier Aufzügen, 1894; Ein politischer Pastor. (Rom.) 1896; Otto Ludwig. (Biogr.) 1902; Lord Byron. (Biogr.) 1902; Das Salz der Erde. Ein Hohenzollern-Scherz, 1905; Die Stiefkinder der Alma mater. Roman aus einer Universitätsstadt, 1905; Die Spielplatzstadt, oder das Vermächtnis des Sonderlings. Eine Erzählung für die Jugend, 1907; Auf dem Schienenstrang. Ein Eisenbahnbilderbuch mit Text, 1908; Auf See und in Kamerun. Ein Buch für die deutsche Jugend, 1909; Der Goldmacher von Brandenburg. Eine Erzählung aus der Zeit des Kurfürsten Johann Georg, 1910; Helden. Eine Sammlung geschichtlicher Erzählungen (Der Narr von Genua, 1911 u. d. T.: Die Entdeckung Amerikas, 1941 – Der weiße Schrecken, 1911 – Bei den Kannibalen der Südsee, 1911 – 1000 km im Kanu, 1911 – Der Todesgang der Karawane, 1911 – Unter der Guillotine, 1912 – Der kleine Tiger, 1912 – Vaterland, dir woll'n wir sterben! 1912 – So hat sie Gott geschlagen, 1912 – Der Adler sinkt – die Fahne fliegt, 1912); Unseres Kronprinzen Fahrt nach Indien. Ein Buch für Volk und Jugend, 1911; Abenteuer der Luft. Die Fortschritte der Luftschiffahrt im Freiballon, Luft-

schiff und Flugzeug, 1912; Unter den Fahnen Hindenburgs. Erzählung vom russischen Kriegsschauplatz, 1914; Geo der Flieger. Eine Erzählung für die Jugend, 1914; Kaliber 42. Von Lüttich bis Antwerpen. Erzählung vom belgischen Kriegsschauplatz, 1915; Mit U-Boot und Schlachtschiff gegen England. Eine Erzählung aus dem Seekriege 1914/15, 1915; Die Entscheidungsschlachten der Weltgeschichte von Marathon bis Tsushima. Ein Buch vom Ringen der Völker um die Machtstellung in alter und neuer Zeit, 1915; Mit Zeppelin und Flugzeug. Der Krieg in den Lüften 1914–15. Eine zeitgeschichtliche Erzählung, 1915; Die Helden von Tirol und am Isonzo. Erzählung aus dem Weltkriege, 1916; Im Kampf um die Dardanellen. Erzählung aus dem Weltkriege, 1916; Das Lied von der Kantatehose. Zum Gedenken an Otto Petters, Heidelberg, am Kantate-Fest, 1916; Die Hölle von Verdun, 1917; Van Vlootens Erbschaft. (Erz.) 1920; Der Letzte der Inkas. Eine Erzählung aus der Zeit der Entdeckung Amerikas, 1922; Maria Stuart. (Rom.) 1927; Erlebnisse in der Sahara. Ein Jagdabenteuer am Krokodilsee und andere Erzählungen für die Jugend (gem. mit E. Bergmann) 1928; Ein Ritt ums Leben. Eine Geschichte von der Wasserkante und anderes. Erzählungen für die Jugend, 1928; Der U-Boot-Pirat. Eine phantastische Geschichte für die Jugend, 1929; Der Schatz des Inkas. Eine abenteuerliche Geschichte, 1930; Madho Singh. Der Maharadscha von Lahaur. Erzählung für die Jugend, 1930; Jenseits der Stratosphäre. Erlebnisse zwischen Mond und Erde. Erzählung für die Jugend, 1931; Im Faltboot auf dem Amazonenstrom. Abenteuerliche Reise durch die Urwälder Brasiliens, 1933; Armin der Cherusker. Erzählung aus den ersten Freiheitskämpfen der Germanen, 1934; Helden der See. Heldentaten unserer Marine 1914/18, 1934; Schill und seine Heldenschar. Eine geschichtliche Erzählung, 1934; Helden der Luft. Ein Buch für die Jugend, 1936; Der Todesgang der Karawane. Tatsachenbericht über Sven Hedins Reisen durch Tibet, 1936; Helden der Front. Erinnerungsbuch für die Jugend vom Kampf und Tod der unbekannten Soldaten, 1937; Klaus Störtebecker, 1938; Helden der Kolonien. Der Weltkrieg in unseren Schutzgebieten. Zusammengestellt und bearbeitet, 1938; Thumelicus, der Sohn Armins. (Erz.) 1938; Andreas Hofer, 1939; Deutsche im Kongoland, 1940; Cortez, der Eroberer,

1941; James Cook, der Weltumsegler. Eine Erzählung für die Jugend, 1949; Krusow, Jack, die Bärenklaue. Für die Jugend bearbeitet, 1952; Die hilfreichen Heinzelmännchen, 1952; Vorstoß nach Kentucky. Das Leben von Daniel Boone, dem unsterblichen Waldläufer, 1957; Der unheimliche Fremde, 1964; Die Millionen von Batavia, 1965; Weltreise mit Hindernissen, 1965; Weltumsegler auf großer Fahrt. Von kühnen Taten großer Männer, 1965; Gefährliche Erbschaft, 1965.
IB

Heico von Repegowe → Eike von Repgowe.

Heid, Hans, * 30.11.1889 Karlsruhe; Teilnahme am 1. Weltkrieg, seit 1919 Lehrer, Teilnahme am 2. Weltkrieg u. Gefangenschaft bis 1946, anschließend wieder im Beruf tätig. Erz., Lyriker u. Folklorist.

Schriften: Lautenbach im Renchtal, Wege durch sieben Jahrhunderte seiner Vergangenheit (Ortsgesch.) 1930; Wallfahrtskirche Maria Krönung, Lautenbach im Renchtal, 1956; Die Lautenbacher Wallfahrtskirche. Der Geist der Spätgotik in Baukunst, Plastik und Malerei am Oberrhein, 1960.
IB

Heide, Edith, * 30.3.1920 Hamburg; Schauspielerin, Journalistin u. Werbetexterin, wohnt in Hamburg. Erzählerin.

Schriften: Murkel. Lebensgeschichte eines mißratenen Schweines, 1954; Rolf und Murkel. Ein seltsames Tier stellt alles auf den Kopf, 1966; Maxi und Morchen. Zwei Großstadtrangen, 1968.
IB

Heide, Gedeon von der → Berger, Johann Baptist.

Heide, Hans Karl → Silvester, Ewald.

Heide, Heinrich, * 29.12.1895 Königswinter/Rhein, Stud. in Bonn u. Köln, Reisen n. Skandinavien. Lit.- u. Kunstreferent d. «New-Yorker-Staatszeitung» in New York. Lyriker.

Schriften: Abseits, Ein Buch Gedichte, 1921.
IB

Heidecke, Benjamin, * 18. Jh. Merseburg, † April 1811 Moskau; Hauslehrer in Ronneburg/Livland u. Reval, 1801 Pastor, später Propst d. luther. Kirche u. Schulinspektor in Moskau. Hg. d. «Russ. Merkur» (1805) u.a. Zs., Übers. aus d. Russ. u. Französischen.

Schriften: Tableau von Leipzig im Jahr 1783, 1783; Führt das Leben in Hütten und in Pallästen, 1785; Jacob Böhmens Schattenriß, 1788. (Ferner versch. Schulschriften.)

Literatur: Meusel-Hamberger 3, 158; 9, 540; 14, 71.
RM

Heidegger, Gotthard (Ps. Winckelriedt), * 5.8. 1666 Stein/Rhein, † 22.5.1711 Zürich; Sohn e. Zürcher Pfarrers, wurde selber Pfarrer, 1688 in St. Margarethen, 1697 in Rorbas, 1705 wurde er Inspektor des Alumnats in Zürich; satirisch-krit. Schriftsteller, bekämpfte die Auswüchse der barocken Romane; auch Historiker u. erster mod. Journalist Zürichs, gab 1710 den «Mercurius Historicus» heraus, eine monatl. ersch. Zusammenstellung der wichtigsten Tagesereignisse mit Kommentaren.

Schriften: Apollo Auricomus oder Schutz-Rede der schönen Haare (Ps.) 1692; Mythoscopia Romantica oder Discours Von den so benanten Romans ... Von dero Uhrsprung ... Nuetz- oder Schaedlichkeit ..., 1698 (Faks. ausg. 1969, hg. W. SCHÄFER); Apophoreta moralia, sive D. Erasmi De civilitate libellus, elimatus, cum commentariolo. Item Trochisci Socratici, sive selectae veterum et modernorum quorundam argutiae ethico-politicae, 1707 (2. verb. Aufl. 1726: Sitten-Büchlin Oder Anweisung zu anstaendigen Sitten und Geberden fuer einen jungen Menschen. Anfaenglich von dem berühmten Erasmo Rotterod. in Latein aufgesetzt, hernach von ... G.H. ... auf jetzige Zeiten gerichtet und vermehret. Nun aber ... ins Teutsche uebersetzt ...); Acerra Philologica nova, repurgata, aucta, Dass ist: Sieben Hundert merckwürdige Historien und Discursen/ Theils Auss den vorigen Editionen ... mit vielfeltigen Anmerckungen bereichert/Theils aber Von neuem (anstatt zuruckgelassner sehr viler unphilologischer Schmiererreyen) auss den besten Scribenten hinzugefüget/und also eingerichtet/...: Nebend-Stunden G. Heidekkers ..., 1708; Delicio Holzhalbiano, heu!, 1709; ~'s kleinere deutsche Schriften (hg. v. J.J. Bodmer) 1732.

Nachlaß: Zentralbibl. Zürich.

Literatur: NDB 8, 243; HBLS 4, 115. - E. ERMATINGER, Dg. u. Geistesleben d. dt. Schweiz, 1933; M. WEHRLI, D. geistige Zürich im 18. Jh. Texte u. Dokumente von ~ bis H. Pestalozzi, 1943; U. HITZIG, ~, 1666–1711 (Diss. Zürich) 1954.
AS

Heidegger, Heinrich, * 1738 Zürich, † 1823 ebd.; war Buchhändler, seit 1784 Fraumünsteramtmann, Zürcher Großrat, 1756–98 Teilhaber d. Firma Orell, Füssli u. Co.; lebte später in Italien. Reiseschriftst., Erzähler u. pol. Publizist, Kunstsammler.

Schriften (Ausw.): Handbuch für Reisende durch die Schweitz, 1787; Handbuch für Reisende durch die Schweiz. Mit einem Anhange, von den Merkwürdigkeiten der im Handbuch vorkommenden Ortschaften, 2 Tle., 1789/90 (2., stark verm. u. verb. Aufl. 1791; 3. stark verm. u. verb. Aufl. 1799, 4. Aufl. 1818, hg. R. Glutz-Blotzheim); Der vernünftige Dorfpfarrer. Geschichte wie sie ist, und wie sie durchgehends seyn sollte. Lesebuch für Landgeistliche und Bauern, 1791; Über das Reisen durch die Schweiz…, 1792; Tagebuch eines Unsichtbaren Reisenden, 2 Bde., 1793; Appell an die Gerechtigkeit des Richters und an meine Mitbuerger, 1800; Beherzigungen fuer die Landesväter und Buerger Helvetiens. (Heinrich der Mörder. Oder die traurige Folge einer kostspieligen Process-Ordnung …) 1800; Ueber eine künftige Verfassung des Kantons Zürich, 1801; An die Buerger der Stadt Zuerich von H. H. dem Vater, 1802.

Literatur: HBLS 4, 115; Goedeke 12, 48. AS

Heidegger, Johann Heinrich, * 1.7.1633 Bäretswil/Kt. Zürich, † 18.1.1698 Zürich; Theol.-Studium in Heidelberg u.a. Orten, 1659–65 Theol.-Prof. in Steinfurt/Westf., seit 1667 als Nachfolger J.H. Hoffingers Doz. f. Exegese u. Dogmatik in Zürich.

Schriften (Ausw.): De fide decretorum Tridentini Concilii quaestiones theologicae, 1662; Ethicae christiane disputationes, 1666f.; Tumulus Concilii Tridentini, 2 Bde., 1690; Medulla theologiae christianae, 1697; Historia Vitae Johannis Henrici Heideggeri (erg. v. J.C. Hofmeister) 1698; Corpus theologiae christianae (hg. J.H. Schweizer) 2 Bde., 1700.

Bibliographie: J. Hutter (vgl. Lit.) 1955.

Literatur: Jöcher 2, 1440; NDB 8, 244; HBLS 4, 115; LThK 5, 62; RE 7, 537; RGG ³3, 121. – O. Ritschl, D. ref. Theol. d. 16. u. 17. Jh. 3, 1926; M. Geiger, D. Basler Kirche u. Theol. im Zeitalter d. Hochorthodoxie, 1952; K. Hutter, D. Gottesbund in d. Heilslehre d. Zürcher Theologen ∼, 1955. RM

Heidegger, Martin, * 26.9.1889 Meßkirch, † 26.5.1976 ebd.; 1903–1906 Jesuitengymnasium Konstanz, 1909–1913 Studium d. Philos., Theol., Naturwiss. in Freiburg/Br.; 1916–1923 Privatdoz. ebd., Verbindung mit E. Husserl, 1923 bis 1928 Extraordinarius in Marburg, Verbindung mit R. Bultmann, P. Tillich, dann Prof. in Freiburg/Br. 1933–1934 Rektor d. Universität; 1945 bis 1951 Lehrverbot; 1952 Emeritierung. Philosoph.

Schriften: Die Lehre vom Urteil im Psychologismus (Diss. Leipzig) 1914; Die Kategorien- u. Bedeutungslehre des Duns Scotus, 1916; Sein und Zeit, 1927; Was ist Metaphysik? 1929; Kant u. das Problem der Metaphysik, 1929; Hölderlins Hymne «Wie wenn am Feiertage», 1941; Vom Wesen der Wahrheit, 1943; Erläuterungen zu Hölderlins Dichtung, 1944; Platons Lehre von der Wahrheit, 1947; Holzwege, 1950; Einführung in die Metaphysik, 1953; Vorträge und Aufsätze, 1954; Was ist das – die Philosophie? 1956; Der Satz vom Grund, 1957; Gelassenheit, 1959; Nietzsche, 1961; Die Frage nach dem Ding, 1962; Wegmarken, 1967; Frühe Schriften, 1972.

Ausgabe: Gesamtausgabe in 4 Abt. (Abt. Iu. II 55 Bde., Bandzahl d. Abt. III u. IV noch unbestimmt) 1975 ff.

Nachlaß: Dt. Lit.arch./Schiller-Nat.mus. Marbach. – Denecke 2. Aufl.

Bibliographien: H. Lübbe, Bibliogr. d. ∼-Literatur 1917–1955 (in: Zs. f. philos. Forschung 11) 1957; H.-M. Sass, ∼-Bibliogr. 1968; ders. (Hg.), Materialien z. ∼-Bibliogr. 1917–1972, 1975.

Forschungsbericht: W. Franzen, ∼, 1976 (Leben, Bibliogr., Forschung).

Lexikon: H. Feick, Index zu ∼s ‹Sein u. Zeit›, 1961.

Schallplatten: M.H., Die Kunst u. der Raum, 1969; M.H., Der Satz der Identität. Vortrag zur Fünfhundertjahrfeier der Univ. Freiburg/Br. am 27.6.1957, 1970.

Festschriften, Sammelbände: C. Astrada, (Hg.), ∼s Einfluß auf d. Wiss., 1949; Anteile ,∼ z. 60. Geb.tag, 1950; G. Neske (Hg.), ∼ z. 70. Geb.tag, 1959; O. Pöggeler (Hg.), ∼. Persepektiven z. Deutung s. Werkes, 1969; H.-G. Gadamer (Hg.), D. Frage ∼s. Beitr. zu e. Kolloquium mit ∼ aus Anlaß s. 80. Geb.tages (in: Akad. d. Wiss. Heidelberg, Philos.-hist. Kl. 4) 1969; V.

KLOSTERMANN (Hg.), Durchblicke. ~ z. 80. Geb.tag, 1970.

Zeugnisse u. Kritik: P. HÜHNERFELD, In Sachen ~, 1959; G. SCHNEEBERGER, Nachlese zu ~. Dokumente zu s. Leben u. Denken, 1962; T. W. ADORNO, Jargon d. Eigentlichkeit, 1964; A. SCHWAN, D. polit. Philos. im Denken ~s, 1965.

Allgemeine Darstellungen u. Würdigungen: A. DE WAELHENS, La philos. ~. Löwen 1942; G. LUKÁCS, ~ redivivus (in: SuF 1) 1949; A. DIEMER, Grundzüge d. ~schen Philosophierens (in: Zs. f. philos. Forschung 5) 1950/51; K. LÖWITH, ~ – Denker in dürftiger Zeit, 1953; T. LANGAN, The Meaning of ~, New York 1961; V. VYCINAS, Earth and Gods. An Intro. to the Philos. of ~, Den Haag 1961; O. PÖGGELER, D. Denkweg ~s, 1963; W. J. RICHARDSON, ~. Through Phenomenology to Thought, Den Haag 1963; F. W. VON HERRMANN, D. Selbstinterpretation ~s, 1964; M. KING, ~s Philosophy, New York 1964; J. J. KOCKELMANS, ~. Pittsburgh, Löwen 1965; D. SINN, ~s Spätphilos. (in: Philos. Rundschau 14) 1967; J. L. MEHTA, The Philos. of ~, New York 1971; W. BIEMEL, ~ in Selbstzeugnissen u. Bilddokumenten, 1973.

Ästhetik, Dichtung: E. RUPRECHT, ~s Bedeutung f. d. Lit.wiss. (in: H.-FS) 1949; E. BUDDEBERG, ~ u. d. Dg. (in: DVjs 26) 1952; H. JAEGER, ~s Existential Philos. and Modern German Lit. (in: H. J., Essays on German Lit.) 1968; J. PFEIFFER, Zu ~s Deutung d. Dg. (in: DU 2) 1952; E. BUDDEBERG, ~s Rilkedeutung (in: DVjs 27) 1953; B. ALLEMANN, Hölderlin u. ~, 1954, ²1956; E. STAIGER, E. Briefw. mit ~. Über d. Ged. «Auf eine Lampe» v. E. Mörike (in: E. S., Kunst d. Interpretation) 1955; E. BUDDEBERG, Denken u. Dichten d. Seins. ~, Rilke, 1956; H. JAEGER, ~ and the Work of Art (in: Journal of Aesthetics and Art Criticism 17) 1958/1959; E. SCHÖFER, D. Sprache ~s, 1961; H. J. SCHRIMPF, Hölderlin, ~ u. d. Lit.wiss. (in: Euphorion 51) 1957; P. SZONDI, Hölderlins Brief an Böhlendorff (in: Euphorion 58) 1964; I. BOCK, ~s Sprachdenken, 1966; R. L. HALL, ~ and the Space of Art (in: Journal of Existentialism 8) 1967/68; W. H. BOSSART, ~s Theory of Art (in: Journal of Aesthetics and Art Criticism 27) 1968/69; H. JAEGER, ~ u. die Sprache, 1971; J. KOCKELMANS (Hg.), On ~ and Language, Evanston 1972; R. B. STULBERG, ~ and the Or-

igin of the Work of Art (in: Journal of Aesthetics and Art Criticism 32) 1973/74.

Ontologie: J. LOHMANN, ~s ‹Ontologische Differenz› u. d. Sprache (in: Lexis 1) 1948; W. BIEMEL, Le concept de monde chez ~, Löwen, Paris 1950; E. VIETTA, Die Seinsfrage bei ~, 1950; W. DE BOER, ~s Mißverständnis der Metaphysik (in: Zs. f. philos. Forschung 9) 1955; W. MARX, ~ u. d. Metaphysik (in: FS W. Szilasi) 1960; W. MÜLLER-LAUTER, Möglichkeit u. Wirklichkeit bei ~, 1960; G. NOLLER, Sein u. Existenz. Die Überwindung d. Subjekt-Objektschemas in der Philos. ~s u. in d. Theol. der Entmythologisierung, 1962; K. GRÜNDER, ~s Wiss.kritik in ihren philosophiegeschichtl. Zusammenhängen (in: Archiv f. Philos. 11) 1969; P. FÜRSTENAU, ~. D. Gefüge s. Denkens, 1958; O. PÖGGELER, Metaphysik u. Seinsoptik bei ~ (in: Philos. Jb. 70) 1962/63; J. M. DEMSKE, Sein, Mensch u. Tod. D. Todesproblem bei ~, 1963; W. BRETSCHNEIDER, Sein u. Wahrheit. Über d. Zusammengehörigkeit v. Sein u. Wahrheit im Denken ~s, 1965; O. PUGLIESE, Vermittlung u. Kehre. Grundzüge d. Geschichtsdenkens bei ~, 1965; L. VERSÉNYI, ~, Being and Truth, New Haven 1965; R. PFLAUMER, Sein u. Mensch im Denken ~s (in: Philos. Rundschau 13) 1965; M. S. FRINGS (Hg.), ~ and the Quest for Truth. Chicago 1968; A. ROSALES, Transzendenz u. Differenz. E. Beitr. z. Problem d. ontolog. Differenz beim frühen ~. Den Haag 1970.

Tradition: E. LEVINAS, En découvrant l'existence avec Husserl et ~. Paris 1939; F. ALQUIÉ, Existentialisme et philos. chez ~ (in: La revue internat. 10) 1946; K. LÖWITH, ~: Problem and Background of Existentialism (in: Social Research 15) 1948; M. MÜLLER, Existenzphilos. im geistigen Leben d. Ggw., 1949; H. KNITTERMEYER, D. Philos. d. Existenz v. d. Renaissance bis z. Ggw., 1952; J. HOMMES, Zwiespältiges Dasein. D. existentiale Ontologie v. Hegel bis ~, 1953; J. VAN DER MEULEN, ~ u. Hegel oder Widerstreit u. Widerspruch, 1953; ²1964; J. HOMMES, Krise d. Freizeit. Hegel, Marx, ~, 1958; H. SPIEGELBERG, The Phenomenological Movement. A Historical Introd. 1, Den Haag 1960; W. MARX, ~ u. d. Tradition. E. problemgeschichtl. Einf. in d. Grundbestimmungen d. Seins, 1961; G. J. SEIDEL, ~ and the Pre-Socratics. Lincoln, Nebraska 1964; E. TUGENDHAT, D. Wahrheitsbegriff bei Husserl u. ~, 1967.

Beziehungen: A. SCHWAN, ∼, Politik u. praktische Philos. (in: Philos. Jb. 81) 1974; H. MEYER, ∼ u. T. v. Aquin, 1964; C. M. SHEROVER, ∼, Kant and Time. Bloomington 1971; J. E. DOHERTY, Sein, Mensch u. Symbol. ∼ u. d. Auseinandersetzung mit d. neukant. Symbolbegriff, 1972; J. VAN DE WIELE, ∼ et Nietzsche (in: Revue philos. de Louvain 66) 1968; K.-O. APEL, Wittgenstein u. ∼. D. Frage nach d. Sinn u. das Problem der «Geisteswiss.» (in: Philos. Jb. 72) 1965; J. BEAUFRET, Introd. aux philosophes de l'existence. De Kierkegaard à ∼, Paris 1971; J. M. ROBINSON, J. B. COBB, (Hg.), D. spätere ∼ u. d. Theol., 1964; M. BOSS, Psychoanalyse und Daseinsanalytik, 1957.   HD

Heidelbach, Paul (Ps. Karle Klambert), * 28.2. 1870 Düsseldorf; studierte Deutsch u. Gesch., lebte als Sprachlehrer u. Schriftst. in Kassel, seit 1906 Red. der Zs. «Hessenland».

Schriften: Was mäh so hin un widder bassierd äs. Kasseläner Verzählungen, 1900; Hessische Heimat. Ein litterarisches Jahrbuch (Hg.) 1901; Cervantes, Don Quijote (Bearb.) 1906.   AS

Heidelberg, Wilhelm, * 26.6.1799 Bodenburg/Braunschweig, Todesdatum u. -ort unbekannt; studierte in Leipzig.

Schriften: Erotische Lieder, 1821; Philomele (Ged.) 1823 (2., umgearb. u. verb. Aufl. 1830); Gedichte, 1. Tl., 1827 (m. n. e.); Orpheus und Eurydice. Ein episches Gedicht in 12 Gesängen, 2 Bde., 1829; Romantische Wälder, 4 Tle., 1832; Erzählungen, 1838.

Literatur: Goedeke 10, 609.   RM

Heidelberger Liederhandschrift, Große, «Manessische» und Kleine →Liederhandschrift.

Heidelberger Passionsspiel, jüngstes Passionsspiel d. rheinhess. Gruppe, pergamentgebundene Spiel-Hs. v. 1514 in d. Heidelberger Univ.bibl., 166 v. Wolfgang Stüeckh beschriebene Bl., 6125 Verse, basiert auf d. Spiel d. Frankfurter Dirigierrolle. – Fragmentar., Abbruch bei d. Gefangennahme Josefs v. Arimathea. Enthält 13 Praefigurationen, Auftritte aus d. AT, welche, d. eigentl. Passion antizipierend, diese immer wieder unterbrechen.

Ausgabe: G. MILCHSACK, Heidelberger Passionsspiel, 1880.

Literatur: VL 5, 869; Theater-Lex. 1, 730; de Boor-Newald 4/1, 249; Ehrismann 2 (Schlußbd.) 563. – T. WEBER, D. Praefigurationen im geistl. Dr. d. MA (Diss. Marburg) 1919; J. PETERSEN, Auff. u. Bühnenplan d. älteren Frankfurter Passionssp. (in: ZfdA 69) 1922; W. STAMMLER, D. religiöse Dr. im dt. MA, 1925; E. BEUTLER, Forsch. u. Texte z. frühhumanist. Kom., 1927; A. E. BERGER, D. Schaubühne im Dienste d. Reformation 2, 1936; T. MEIER, D. Gestalt Marias im geistl. Schausp. d. dt. MA, 1959; W. WERNER, Stud. z. d. Passions- u. Ostersp. d. dt. MA in ihrem Übergang v. Lat. z. Volkssprache, 1963; W. F. MICHAEL, Frühformen d. dt. Bühne, 1963; R. M. KULLY, D. Ständesatire in d. dt. geistl. Schausp. d. ausgehenden MA, 1966; H. EILERT, ∼ (in: Kindlers Lit. Lex. 5) 1969; R. STEINBACH, D. dt. Oster- u. Passionssp. d. MA. Versuch e. Darst. u. Wesensbestimmung nebst e. Bibliogr. ..., 1970; R. BERGMANN, Stud. z. Entstehung u. Gesch. d. dt. Passionsp. ..., 1972.   RM

Heideloff, (Dionysius) Karl (Christian) Alexander von, * 2.2.1789 Stuttgart, † 28.9.1865 Haßfurt/Main; Besuch d. Karlsschule, dann Kunstausbildung, 1818 Baumeister u. 1822–1854 Prof. an Polytechnikum in Nürnberg.

Schriften: Maximilian I. oder Der Zweikampf in Worms (Ritterschausp.) 1818; M. Schröder-Devrient als Romeo in Bellini's Oper: Romeo und Julia ..., 1836; Nürnbergs Baudenkmale der Vorzeit ..., 2 H., 1838/43 (Neuausg. 1854); Die Bauhütte des Mittelalters in Deutschland. Eine kurzgefaßte geschichtliche Darstellung ..., 1844; Monarchie und Republik ..., 1848. (Ferner Schr. z. Architektur u. Denkmalpflege.)

Nachlaß: Arch. d. German. Nat.museums Nürnberg; German. Nat.museum Nürnberg. – Mommsen Nr. 1537; Denecke 74.

Literatur: ADB 11, 299; NDB 8, 245; Thieme-Becker 16, 261; Goedeke 11/1, 212 – W. S. SCHWEMMER, ∼ (in: Nürnberger Gestalten aus 9 Jh.) 1950 (mit Bibliogr.); U. BOECK, ∼ (in: Mitt. d. Ver. z. Gesch. d. Stadt Nürnberg 48) 1958 (mit vollst. Werkverz.); W. HOPPE, ∼, z. 100. Todestag d. Baumeisters d. Neugotik (in: Mainlande 16) 1965.   RM

Heidemann, Magdalene → Sorge, Brigit

Heidemann, Theophil Albrecht (Ps. Albrecht Clar u. Carl Albrecht), * 21.5.1778 Stargard,

† nach 1828; Ritterschaftssekretär in Berlin, abenteurl. Wanderleben. Bühnenschriftst., Übers. (frz.) u. Erzähler.

Schriften: Tugend und Laster (Tr.) 1796; Das dicke Halstuch, 1796; Weyhnachts- oder Neujahrsgeschenk für unverheirathete Frauenzimmer, 1796; Aller guten Dinge sind drey; ein Lustspiel in zwei Aufzügen, 1797; Adolf und Aline, oder Jugendjahre zweyer Liebenden; theils komisch-satyrischen, theils ernsthaften Inhalts Mehr Wahrheit, als Erdichtung, 1797; Trümmern der Vergangenheit, 3 Bde., 1797–1801; Über den Nationalhaß der Engländer gegen die Franzosen, 1798; Mnemosyne, oder Über die Wirkungen der Phantasie, 1798; Sanfte Naturschwärmereyen für den höheren Lebensgenuß, 1798; Adeon und Euryone, oder Die Gewalt der Liebe. Eine mythologische Dichtung, 1798; Taschenbuch für Theaterfreunde auf das Jahr 1800, 1799; Die Privattheaterprobe; ein Lustspiel in einem Akte. Nach einer Erzählung aus den Findlingen bearbeitet, 1799; Ämil und Julie, die Unzertrennlichen, ein Seitenstück zu Werthers Leiden. (Rom.) 1800; Piedro und Elmira (Lsp.) 1800; Papierblümchen, oder Novellen inniger Liebe und Freundschaft, 1804; Florentin, der Dolch im Busen des Freundes (Nov.) 1805; Eines zweiten Cartouche sog. hinterlassene Papiere, enthaltend Novellen wonniger Liebe und Freundschaft (auch u. d. T.: Neueste Gemälde der Liebe und Freundschaft) 1805; Beiträge zur deutschen Bühne, 1809; Neue und wichtige Verhandlungen über die öffentlichen Freudenhäuser, mit kritischen Bemerkungen und einer Designation sämtlicher in hiesiger Stadt und den Vorstädten befindlichen Bordellen, 1810; Diogenes, oder der Mann mit der Laterne, 1811; Angelus, oder Worte der Lehre und der Freude, 1811; Memnons Harfe und Titans Strahl, oder Über die Wirkungen der Phantasie, 1811; Romantische Dichtungen für den höheren Genuß des Lebens, 1811; Arabesken. Eine Sylvestergabe zur Erweckung des Frohsinns, 1827.

Handschriften: Frels 123.

Literatur: Goedeke 5/2, 530; 7, 414; Meusel-Hamberger 3, 159; 9, 17; 11, 11; 13, 15; 17, 332; 18, 88; 22, 30; 22/2, 640; Theater-Lex. 1, 731.   IB

Heiden → Hayden.

Heiden, A. → Weber, Adelheid.

Heiden, Else von der → Dörfler, Else.

Heiden, Eugenie (Ps. f. Eugenie Engelhardt, geb. Rieger), * 15. 12. 1852 Ries/Bayern; Tochter e. Arztes, Heirat mit d. Fabrikanten E. in Fürth.

Schriften: Gedichte, 1883; Anna Boleyn (hist. Tr.) 1887; Der Herr Major auf Urlaub (Lsp., mit F. Stahl) 1889.   RM

Heiden, Konrad (Ps. Klaus v. Bredow, Argus, Schäfer), * 7. 8. 1901 München, † 18. 7. 1966 New York; studierte in München Gesch. u. Germanistik, Journalist, 1933 Emigration nach Zürich, 1934 Rückkehr, lebte als freier Schriftst. u. schrieb unter Ps., floh schließlich nach Paris, lebt bis 1939 in Frankreich, dann in USA. Journalist u. einer der ersten Hitler-Biographen.

Schriften: Geschichte des Nationalsozialismus. Die Karriere einer Idee, 1932; Geburt des Dritten Reiches. Die Geschichte des Nationalsozialismus bis Herbst 1933, 1934; Der 30. Juni, 1934; Adolf Hitler. Eine Biographie, I Das Zeitalter der Verantwortungslosigkeit, 1936, II Ein Mann gegen Europa, 1937; Europäisches Schicksal, 1937; The New Inquisition, 1939; Der Führer. Hitler's Rise to Power, 1944.

Literatur: NDB 8, 246.   IB

Heiden, Nikolaus Adam, * 13. 1. 1763 Nürnberg, † 1851 ebd.; Kanzleisekretär in Nürnberg.

Schriften: Oden, der Todesfeyer Josephs des Zweyten geweiht (aus d. Lat. d. W. Jäger übers.) 1790; Poetische Versuche eines Freundes der vaterländischen Muse, 1791; Julius Sabinus. Eine ernsthafte Oper nach dem Italienischen frey bearbeitet, 1791; Anleitung zur Kenntniss der Dichtkunst des alten Roms (aus d. Französ., mit Anmerkungen) 2 Tle., 1815.

Literatur: Goedeke 7, 166.   RM

Heidenbauer, Hans, * 5. 10. 1902 Langenwang/Steiermark, † 25. 4. 1970 Graz; Arbeiter, 1945 Beamter u. später Dir.-Stellvertreter d. Bergarbeiter-Versicherungsgesellsch. in Graz. Erz. und Lyriker.

Schriften: Im Schatten der Schlote (Nov.) 1947; Werk und Welt (Ged.) 1955.

Literatur: A. HEINZEL, ∼ (in: Öst. Gegenwartdichtung) 1952.   IB

Heidenberger, Felix, * 21. 11. 1924 München; Journalist, wohnt in München. Übers., Erz. u. Verf. v. Hörspielen.

Schriften: Eudaimonosophia (Dialoge) 1944; Harald wird Reporter (Jgdb.) 1955.   IB

Heidenreich (Heidenricus, Heinrich), † 29.6. 1263, begraben in Kulm; Dominikaner, 1238–ca. 1240 Prior d. Dominikanerprov. Polen, Magister d. Theol., 1245 Wahl z. Bischof v. Kulm, Vermittler in Konflikten d. Dt. Ordens, 1249 Konservator d. Dt. Ordens, 1251 Einrichtung d. Kathedrale in Culmsee u. Gründung seines Kapitels als Augustinerchorherrenstift, seit 1251 missionar. Tätigkeit in Litauen, 1255 Teilnahme am Kreuzzug in d. Samland. Verf. versch. myst.-relig. Schr. (fragm. überl. in lat. u. dt. Sprache), insbesondere e. lat. Traktats «De amore s. Trinitatis» u. e. bruchstückhaft im Einsiedler Cod. 278 überl. dt. Predigt. Nicht überl. u. zweifelhaft ist e. Chron., die H. verf. u. Martin Cromer benutzt haben soll.

Literatur: NDB 8, 249. – C. P. WOELKY, D. Katalog d. Bischöfe v. Culm (in: Zs. f. d. Gesch. u. Alt.kunde d. Ermlandes 6) 1878; X. FRÖHLICH, D. Bistum Kulm u. d. Dt. Orden (in: Zs. d. Westpr. Gesch.ver. 27) 1889; Z. IVINSKI, Mindaugas u. s. Krone (in: Zs. f. Ostforsch. 3) 1954; M. HELLMANN, ∼ (in: ebd.) 1954; T. KAEPPELI, ∼, Bischof v. Kulm, Verf. e. Traktats «De amore s. Trinitatis» (in: Arch. fratrum Praedicatorum 30) Rom 1960; G. EIS, Nachtr. z. VL (in: PBB Tüb. 83) 1961; U. ARNOLD, Beitr. z. VL (in: ebd. 88) 1966.   RM

Heidenreich, David Elias, * 21.1.1638 Leipzig, † 6.6.1688 Weißenfels; studierte Jura in Wittenberg u. Halle, Hof-, Appelations- u. Konsistorialrat in Weißenfels, 1672 Mitgl. d. «Fruchtbringenden Gesellsch.» .Dramat. Bearb. u. Dichter geistl. Oden.

Schriften: Rache zu Gibeon Oder Die sieben Brüder aus dem Hause Sauls. Trauer-Spiel. Meist nach dem Holl. Josts van Vondel, 1662; Der Herrn T. Corneille Horatz oder Gerechtfertigter Schwester-Mord. Trauerspiel. Aus dem Französischen, 1662; Mirame Oder Die Unglück- und glückseelig- verliebte Printzessin aus Bythinien. Trauer-Freuden-Spiel. Aus dem Frantzösischen d. Herrn des Marets, 1662; Eintracht stärckt Heyrath: Oder, Ballet der Wolgerathenen Ehe Gewiedmet Dem Hoch Fürstl. Beylager Des Durchlauchtigsten Printzen ... Friedrichs, Hertzogs zu Sachsen, Jülich, Cleve und Berg ... Und der

Durchlauchtigsten Printzeszin ... Magdalenen Sibyllen, Hertzogin zu Sachsen ... Welches am 14ten des Winter-Monats, im 1669sten Jahre ... feyerlich gehalten worden, 1669; Haußliedlein zur Zeit der Pestilenz zu singen, o. J.

Handschriften: Frels 123.

Literatur: ADB 11, 302; FdF 1, 175; Goedeke 3, 221; Jöcher 2, 1441; Theater-Lex. 1, 731.   IB

Heidenreich, Gert, * 30.3.1944 Eberswalde, freier Journalist, Dramat.preis d. Jungen Akad. München, 1966, wohnt in München. Dramatiker.

Schriften: B. Viertel, Schriften zum Theater (Teilslg., Hg.) 1970; Rechtschreibung. Deutsches Spruch- und Liedergut, 1971.   IB

Heidenreich, Johannes, * 21.4.1542 Löwenberg/Schles., † 31.3.1617 Frankfurt/Oder; Prof. d. Theol. Neulat. Dichter.

Schriften: Carmen de patefactione trium personarum Divinitatis omnium illustrissima in Baptismo Christi facta, 1568; Poematum libri quattuor, qui sunt Vaticiniorum liber I. Elegiarum lugubrium lib. I. Carminum lib. I. Epigrammatum lib. I, 1578.

Literatur: ADB 11, 303; Goedeke 2, 106; Jöcher 2, 1442.   IB

Heidenstein, Reinhold, * 1553 (?) Königsberg/ Pr., † 24.12.1620 Sullenschin/Westpr.; Studien in Königsberg, Wittenberg u. Padua, 1583 Agent d. Markgrafen Georg Friedrich v. Ansbach am poln. Hof, 1582 Sekretär d. poln. Königs Stefan Batory, später auch König Sigismunds III., lebte seit 1612 auf s. Gütern in Westpr. Wichtigster Mitarb. d. «Jus terrestre notilitatis Burussiae correctum» v. 1598, auch Chronist.

Schriften u. Ausgaben: De bello Moscovitico commentatorium libri VI, 1584 u. ö. (dt. 1590); Cancellarius sive de dignitate et officio cancellarii regni Poloniae, 1610 (Neudr. 1960); Rerum Polonicarum ab excessu Sigismundi Augusti libri XII (hg. J. M. Heidenstein) 1672; Vita Johannis Zamoyscii, 1861.

Literatur: Jöcher 2, 1443; NDB 8, 252. – B. KOCOWSKI, ∼ (in: Polski Slownik biograficzny 9) Krakau 1960/61.   RM

Heidepoet → Trautmann, Arthur.

Heider, Albert, * 22.1.1889 Basel, † 17.12. 1971 ebd.; Dr. iur., Dramenpreis d. Reg.-Präs.

Baden f. alemann. Sprache 1957. Übers. u. Erzähler.

Schriften: Die Kampagne im Sundgau 1914 im Lichte der französischen Armee, I Ein Handstreich auf Basel nach Joffres Kriegsplan, 1927 – II Joffres Handstreich auf Basel, die moderne Lehre von der Rechtswidrigkeit, 1928; Phaedra in Basel. Eine intime Geschichte, 1937; Cleopatra in Rom. Eine leichte Komödie, 1937; Helly lacht zuletzt. Ein frohgemuter Kleinroman, 1940; Stony Point. Heroische Komödie aus der Zeit des amerikanischen Freiheitskrieges, 1952; Jacob Burckhardt als übersehener Theaterkritiker, 1962; Jean de Bueil, der Sieger von Sankt Jakob an der Birs, 1964.　　　　　　　　　　　　　　　　　IB

Heider, August (Ps. Nathanael Lichtwart), * 18. 8. 1880 Hoachanas/ehem. Dt.-Südwestafrika; Dr. phil., lebte als Privatgelehrter in Gütersloh/ Westf.; Lyriker.

Schriften: Die äthiopische Bibelübersetzung (Diss. Halle) 1902; Der Weg zur Wahrheit, 1905; Harfenklänge und Heimwehstimmen für stille Zionspilger (Ged.) 1905; Großkampflage, 1930.　　　　　　　　　　　　　　　　　AS

Heiderich, Ingeborg → Tetzlaff, Ingeborg.

Heiderich, Oswald → Hörmann zu Hörmann, Ludwig von.

Heidfeld, Johannes, (Geb.datum unbekannt) Waltdorff/Westf., † 1623; Prof. d. Theol. am Gymnasium in Herborn, später Pfarrer. Volkstüml. Schriftsteller.

Schriften: Sphinx philosophica, 1600 (3. Aufl. 1631, frei übers. v. J. Flitner als: Sphinx theologicophilosophica 1624 u. 1631).

Literatur: ADB 11, 306; Jöcher 2, 1444.　　IB

Die Heidin, mhd. Nov. aus d. 2. Hälfte d. 13. Jh. e. unbek. Verf., überl. in vier Fass. aus d. 13. u. 14. Jh. Heidin I gibt d. Stoff in d. knappsten Form, Heidin II u. III sind Erweiterungen d. jeweils vorausgehenden Stufe, Heidin IV geht wieder auf d. erste Fass. zurück. D. Sprache d. ersten drei Fassungen ist oberdt., diejenige v. Heidin IV mitteldt. (ostfränk.) Mundart.

In d. Kernfabel zieht e. christl. Ritter aus, um d. Minne e. schönen u. vollkommenen Heidenkönigin zu gewinnen. Im Turnier besiegt er d. Heidenkönig u. dessen Dienstmannen u. nach e. weiteren âventiuren-Fahrt gewährt ihm d. Köni-

gin d. oberen od. d. unteren Tl. ihres Körpers zum Lohn. D. Ritter wählt d. Tl. «oberhalp der gürtel mîn» u. gewinnt durch List schließl. d. ganze Königin. D. Motiv v. d. geteilten Frau, das auch v. Andreas Capellanus als casus abgehandelt wird («De amore libri tres»), ist wahrsch. e. französ. Schw. entnommen u. wird hier mit Motiven d. höf. Rom. (minne, âventiure, ritterschaft) verquickt. In Heidin I kehrt d. Ritter in d. Heimat zurück, während Heidin II u. IV mit gemeinsamer Flucht u. Eheschließung enden. Als gelungenste Fassung gilt Heidin IV, in der d. gescheite u. witzige Heidenkönigin im Mittelpunkt steht.

Ausgaben: Heidin IV (hg. J. N. GRAF) 1817; dass. (in: GA 1); Heidin I (n. d. Pommersfelder Hs. hg. K. BARTSCH in: Mitteldt. Ged.) 1860; Die 4 Redaktionen der Heidin (Heidin I–III, hg. L. PFANNMÜLLER) 1911; Die Heidin IV (hg. DERS.) 1912; Die Heidin. Mittelhochdeutsche Novelle (hg. U. PRETZEL) 1946; dass. (mit textkrit. Beiheft hg. E. HENSCHEL, U. PRETZEL in: Altdt. Quellen 4) 1957; Übers. in: U. PRETZEL, Dt. Erz. d. MA ..., 1971.

Literatur: VL 2, 241; de Boor-Newald 3/1, 253; Ehrismann 2 (Schlußbd.) 211; Aufriß 2, 3 (vgl. Reg.). – K. MAEKER, D. beiden ersten Red. d. mhd. Ged. v. d. ~, 1890; W. STEHMANN, D. mhd. Nov. v. Studentenabenteuer, 1909; A. LEITZMANN, Zu v. d. Hagens Gesamtabenteuer I, 18: ~ (in: PBB 48) 1924; H. NIMITZ, Motive d. Studentenlebens in d. dt. Lit. v. d. Anfängen bis z. Ende d. 18. Jh. (Diss. Berlin) 1937; G. JUNGBLUTH, Krit. Beitr. z. ~ IV (in: PBB Tüb. 80) 1958; A. ROE, ~ (in: Kindlers Lit.lex. 3) 1965.　　　　　　　　　　　　　　　　　RM

Heid(t)mann, Just Dietrich, * 1694 Hoya, † 1742 Verden; Studium in Halle, 1721 Hauslehrer in Stade u. seit 1722 Rektor in Verden.

Schriften: Geistliche Lieder ..., 1745. (Ferner lat. Schulprogr. u. Disputationen.)

Literatur: Adelung 2, 1866; Goedeke 3, 313.
　　　　　　　　　　　　　　　　　RM

Heidmann, Karl, * 23. 9. 1889 Preußisch-Eylau; Studium in Berlin u. München, Schauspieler, Dramaturg u. Regisseur in Lübeck.

Schriften: Walhalls Ende. Ein Märchen für Erwachsene in fünf Vorgängen, 1916.

Literatur: Theater-Lex. 1, 731.　　　　　IB

Heidmark, Frank → Zeddies, August.

Heidrich, Hermine Margarete, * 2.7.1884 Dresden; lebte als Schriftstellerin u. Komponistin (Oper, Chöre, Lieder etc.) in Berlin.

Schriften: Aus einem kleinen Leben (Ged.) 1912; Eines Kriegers Weihnachtsfeier, 1914; Einigkeit macht stark. Vaterländisches Singspiel, 1915; Für zwei, die eines sein wollen (Sprüche) 1918; Goethe. Sein Leben und Wirken in Sonetten, 1932; Durch! Gedichte zur Zeitwende, 1934; Als Flugberichterin unterwegs, 1941. AS

Heidrich, Ingeborg (geb. Rüdiger), * 6.4.1910 Bärenstein/Erzgebirge; wohnt in Gräfelfing. Verf. v. Jgdb., Tier- u. Kinderbüchern.

Schriften: Meine Freunde waren Tiere, 1955; Ted und Penny. Die Geschichte einer Freundschaft zu dritt, 1957; Wie sie groß wurden. Schauspielerinnen und Tänzerinnen auf dem Weg zum Erfolg, 1959; Die Geschichte von Nuja, dem Fohlen, 1960; Es lebt sich gut mit schönen Dingen. Eine Unterweisung im guten Geschmack, 1960; Putti. Die Geschichte der Freundschaft mit einer Taube, 1961; Was soll ich tun? Ratschläge für junge Mädchen von heute, 1961; Wiedersehen mit Nuja, 1962; Kin, der Kater (gem. m. T. Angermayer) 1963; Duri und Corina, 1965; Nujas Tochter, 1975; King, der Schimmel und Panjepferdchen Elise, 1978; Das Mädchen Agi und die Pferde, 1978. IB

Heidrich, Leopold → Gotthelf, Felix.

Heidsieck, Antonie (Ps. E. Handen), * 30.9. 1839 Brandenburg, † 9.2.1913 Stargard.

Schriften: Bruderzwist und Frieden (Nov.) 1910.

Literatur: Theater-Lex. 1,731. IB

Heidsieck, Hanns (Ps. Harry Hoff), * 30.10. 1892 Koblenz; studierte in Bonn, München und Marburg, später freier Schriftst. in Berlin. Dramatiker u. Verf. v. Kriminalromanen.

Werke: Rings um das Leben. Ein buntes Buch, 1920; Gisela Fuhrmanns Geständnis, 1929; Die große Liebe der Cläre Brandt (Rom.) 1939; Der unheimliche Gast. (Kriminalrom.) 1933; Die böse Liebe (Rom.) 1934; Schiffe auf dem Rhein (Rom.) 1934; Der Schuß auf den Schatten (Rom.) 1934; Dynamit (Kriminalrom.) 1934; Ich hab dich wieder! (Rom.) 1935; Das letzte Signal (Rom.) 1935; Post aus Afrika (Kriminalrom.) 1936; Das Lächeln der Sphinx (Rom.) 1936; Flammen über Martinique (Abenteuerrom.)

1936; Die verschleierte Frau (Kriminalrom.) 1936; Wo steckt der kleine Harrington? 1936; Eine Minute nach Mitternacht (Kriminalrom.) 1937; Das blaue Licht (Kriminalrom.) 1937; Drei Tropfen Gift (Kriminalrom.) 1937; Kommissar – schachmatt?, 1937; Taxi 303 (Kriminalrom.) 1937; Attentat auf Dorothy (Kriminalrom.) 1938; Das weiße Schweigen. Polar-Roman, 1938; Sieg oder Platz (Rom.) 1938; Das kreisende Licht, 1938; Das stählerne Antlitz. Phantastischer Kriminalroman, 1938; Kommissar Holl räumt auf (Kriminalrom.) 1938; Lagerschuppen 13 (Kriminalrom.) 1938; Mord im Chicago-Express (Kriminalrom.) 1938; Der Schrei im Nebel (Kriminalrom.) 1938; Ingeborg tippt auf den Zufall, zw. 1938–1940; Drei Herren von Scotland Yard (Kriminalrom.) 1939; Das Wachsfigurenkabinett (Kriminalrom.) 1938; Das tödliche Erbe (Kriminalrom.) 1939; Das Verbrecher-Sanatorium (Kriminalrom.) 1939; Falsche Fährte (Kriminalrom.) 1939; Die schwarze Maske (Kriminalrom.) 1939; Verlorenes Spiel (Kriminalrom.) 1939; Tankstelle 17 (Kriminalrom.) 1939; Tauchpiraten (Kriminalrom.) 1940; Das Gespensterschiff von Singapur (Kriminalrom.) 1940; Brand in Rio (Kriminalrom.) 1940; Das Haus an der Grenze (Kriminalrom.) 1940; Der blaue Falter (Kriminalrom.) 1940; Der Gegenspieler (Kriminalrom.) 1940; Hafengasse 23 (Kriminalrom.) 1940; Goldrausch (Kriminalrom.) 1941; Die Todesotter (Kriminalrom.) 1948; Mit der Liebe spielt man nicht. Komödie in drei Akten, 1948; Schwankendes Herz – wohin?, 1949; Die Todesotter (Kriminalrom.) 1949; 2 Männer um Ingrid (Rom.) 1951; Im Pazifik verschollen. Original-Roman, 1951; Der Mann im Schatten (Kriminalrom.) 1951; Vorwärts, Monika, 1951; Die verlorene Melodie (Frauenrom.) 1952; Mann über Bord (Rom.) 1953; Tausend kleine Teufel, 1954; Der zweite Mann, 1954; Liebe im Schnee, 1954; Verspielt! (Kriminalrom.) 1954; Die gläserne Welt. Utopischer Roman, 1955; Das fremde Gesicht, 1955; Im Schatten des großen Fakir, 1955; Das Gesicht am Fenster, 1956; Die gelbe Fratze, 1956; Alarmstufe 3, 1958; Der Feuerteufel, 1958; Wo die Gipfel glühen ..., 1958; Zwei arme Teufel ..., 1960; Die versunkene Welt (Rom.) 1960; Liebesglück mit Hindernissen, 1961; Das dritte Gesicht (Kriminalrom.) 1961; Das Geheimnis der Rialto Tänzerin, 1962.

Literatur: Theater-Lex. 1,732. IB

Heidt, Karl Maria, * 15. 1. 1866 Genf, † 2. 3.
1901 Wien; studierte in Wien, Finanzbeamter
ebd. Lyriker u. Dramatiker.

Schriften: Die Blutrache. Schauspiel in einem
Aufzuge, 1885; Das Buch Kassandra. Ein Sonettenkranz, 1886 (4. Aufl. 1920); Zwei Seelen
(Ged.) 1889; Gedichte, 1897; ∼, Sein Vermächtnis. Poesie und Prosa aus dem Nachlasse.
Im Einverständnis mit der Witwe des Dichters
herausgegeben von L. Hörmann und W. Mad-
jera, 1902.

Literatur: Biogr. Jb. 239. – A. HAGENAUER, E.
Begräbnis. (Z. Erinn. an ∼) (in: D. Kyffhäuser.
Dt. Monatsh. f. Kunst u. Leben 2) 1900.   IB

Heiduczek, Werner, * 24. 11. 1926 Hinden-
burg/Oberschles.; Kriegsteilnahme, Gefangenschaft, dann Lehrer, heute freischaffender
Schriftst. in Leipzig. Heinrich-Mann Preis 1969,
Händel-Preis 1969, Kunstpreis d. Stadt Leipzig
1976, Dramatiker u. Erzähler.

Schriften: Matthes und der Bürgermeister (Erz.)
1961; Matthes Kinderbuch, 1963; Abschied von
den Engeln (Rom.) 1968; Die Brüder (Nov.)
1968; Jana und die kleine Stern, 1968; Laterne
vor der Bambushütte, 1969; Die Marulas, 1969;
Mark Aurel oder Ein Semester Zärtlichkeit, 1971;
Der häßliche kleine Vogel, 1973; Die seltsamen
Abenteuer des Parzival, neuerzählt nach Wolfram
von Eschenbach, 1974; Im Querschnitt. Prosa.
Stücke. Notate (Slg.) 1976; Vom Hahn, der auszog, Hofmarschall zu werden; eine Bilderbuch-
erzählung, 1975; Tod am Meer (Rom.) 1977.

Literatur: LexKJugLit 1, 534; Albrecht-Dahlke
II/2, 195. – E. STEPHAN, ∼, «Leben, aber wie?»
(in: Theater d. Zeit 5) 1961; H. KORALL, Auf d.
Suche nach d. wirksamsten lit. Lösung (in: Börsenbl. Leipzig 24) 1967; M. LANGE, Zu: Jana u.
d. kleine Stern u. Laterne vor d. Bambushütte (in:
Der Bibliothekar 22) 1968; H. PLAVIUS, E. Mei-
nungsaustausch (in: NDL 16) 1968; R. KUH-
NERT, «Die Brüder» in d. Diskussion (in: Der
Bibliothekar 22) 1968; G. CWOJDRAK, Abschied
u. Ankunft (zu: ‹Abschied von d. Engeln›) (in:
Weltbühne 5) 1969; H. KORALL, Einmal dies
schreiben – Z. Genesis e. Romanes (in: NDL 17)
1969; U. ROISCH, Lit. Traditionen u. sozialist.
Gesch.bewußtsein in ∼s Rom. «Abschied von
den Engeln» (in: WB 15, Sonderh.) 1969; J.
SPRIEWALD, ∼: Die Brüder (in: Beitr. z. Kinder-

u. Jgd.lit. 12) 1969; H. PLAVIUS, Lit. u. Öffentlichkeit. Gespräch mit ∼ (in: NDL 19) 1971;
H. KUHNERT, Maßstäbe f. d. Bilderbuch. Zu einigen Titeln v. ∼ (in: Der Bibliothekar 28) 1974;
W. DIETZE, Dialektik d. Sprache u. Dialektik d.
Sache. Über ∼s neue Nacherz. v. Wolframs Par-
zival-Roman (in: Lit. u. Gesch.bewußtsein) 1976.
                                                              IB

Heigel, Cäsar Max, * 25. 6. 1783 München,
† um 1847 (in Revolutionskämpfen verschollen);
Sohn d. Schauspielers August H., 1799–1803 u.
1805–12 franz. Offizier, dann Schauspieler, Regisseur u. Theaterautor in München, Wien, Nürnberg u. a. Orten, 1829 Dir. d. Bamberger Nationaltheaters, seit 1836 Ztg.-Korrespondent in Paris. Hg. d. Münchner «Gesellsch. bl.f. gebildete
Künste (1811) u. d. «Skizzen aus d. Nürnberger
Leben» (1832).

Schriften (dt.): Die Zeitalter (Skizzen) 1812
(Neuausg. 1832); Frau Hütt (Festsp.) 1813; Tod-
ten-Feyer für Johann Georg Müller ... (Schausp.)
1819 (?); Bruchstücke aus den Ruinen meines Lebens, 1820; Dramatische Bagatellen, 1821; Die
Schlacht bei St. Jakob (Vaterländ. Schausp.)
1822; Lieder für baierische Krieger, 1823; König
Garibald (Oper) 1824; Max Emanuel oder Die
Klause im Tirol (hist. Dr.) 1828; Der Führer auf
der Schmausenbruck (Ged.) 1832; Zwölf
Schmausenbrucklieder, 1832; Kleiner Plutarch
für die Bühne, 1836. (Ferner zahlr. ungedr. Bühnenstücke).

Literatur: ADB 11, 309; Meusel-Hamberger 22.
2, 642; Goedeke 11/1, 169; 15, 821. – A. BÄU-
ERLE, Dir. Carl. Rom. u. Wirklichkeit (Neuausg.)
1890; K. T. HEIGEL, D. Leben d. Schauspielers
u. Schriftst. ∼ (in: Süddt. Monatsh. 10) 1912/
1913; W. KOSCH, D. Kathol. Dtl. 1, 1933; G.
HAASS, Gesch. d. ehem. Großherzogl.-Bad. Hoftheaters Karlsruhe ... (Diss. Heidelberg) 1934.
                                                              RM

Heigel, Karl August (seit 1881: von), * 25. 3.
1835 München, † 6. 9. 1905 Riva; studierte Philos. in München, Fürstl. Bibliothekar in Carolath/
Schles., 1865–75 Leiter d. Berliner Modebl.
«Bazar», lebte in München, Tirol u. Italien.

Schriften: Bar-Cochba, der letzte Judenkönig
(Dg.) 1857; Walpurg. Eine Geschichte aus der
Zeit Max Emanuels, 1859; Es regnet. Eine Münch-
ner Geschichte, 1868; Des Kriegers Frau. Scene

aus der Gegenwart, 1871; Ohne Gewissen (Rom.) 1871; Neue Novellen (Er kommt nicht – Hugilo von Waldrada – Packesel) 1872; Die Dame ohne Herz (Rom.) 1873; Wohin?! (Nov.) 1873; Der Diplomat (Erz.) 1874; Neue Erzählungen, I Benedictus, II Baron Riedgras in der Residenz, 1876; Marfa (Dr.) 18976; Neueste Novellen (Arion – Unterm Krummstab – Goldheim's Glücksstiefel) 1878; Sie spekuliert. Humoreske, zw. 1875–1879; Der Leibarzt des Kurfürsten, zw. 1875–1879; Freunde (Schausp.) zw. 1875 bis 1879; Das ewige Licht (Nov.) zw. 1875–1879; Der Theaterteufel (Rom.) 1878; Am Sedanstag. Scene aus dem Jahr 1870, 1898; Die Zarin. Drama in fünf Aufzügen, 1898; Die Veranda am Gardasee (Nov.) 1879; Der Karneval von Venedig (Nov.) 1880; Mosaik. Kleine Erzählungen in Prosa und Versen, 1886; Ernste und heitere Erzählungen (Der Freund Tibers – Der Hansei strikt – Timon von Tarsus – Der Diplomat von Rumpolzkirchen) 1887; Der Weg zum Himmel (Rom.) 1889; Der reine Thor (Rom.) 1890; Karl Stieler. Ein Beitrag zu seiner Lebensgeschichte. Nebst zwölf bisher ungedruckten Jugendgedichten Stielers und fünfzehn Briefen Stielers an seine Mutter, 1890; Das Geheimnis des Königs (Rom.) 1891; Josefine Bonaparte (Schausp.) 1892; Baronin Müller (Rom.) 1893; König Ludwig II. von Bayern. Ein Beitrag zu seiner Lebensgeschichte, 1893; Gluck-Gluck (Rom.) 1895; Der Sänger (Rom.) 1895; Der Voksfreund (Rom.) 1896; Der Herr Stationschef. (Rom.) 1897; Der Roman einer Stadt (Rom.) 1898; Am blauen Gardasee! (Erz.) 1899; Weltverächter (Erz.) 1899; Der Maharadschah (Rom.) 1900; Die nervöse Frau (Rom.) 1900; Die neuen Heiligen. Roman in zwei Büchern, 1901; Im Isarthal. Eine Erzählung, 1902; Brömmels Glück und Ende (Rom.) 1902; Humoresken. Geschichten vom Gardasee, 1904; Die Durchgänger (Rom.) 1906; Das Recht auf Liebe (Rom.) 1910.

Nachlaß: Bayer. Staatsbibl. München. – Denecke 2. Aufl.; Frels 123.

Literatur: Biogr. Jb. 11,308; Theater-Lex. 1, 732.   IB

Heigel, Karl Theodor (seit 1898: von), * 23.8. 1842 München, † 23.3.1915 ebd.; studierte in München, trat 1866 in d. Archivdienst, 1873 Privatdoz., 1883 Prof., seit 1905 Präs. d. Bayer. Akad. d. Wiss.; Historiker.

Schriften (Ausw.): Ludwig I. König von Bayern, 1872; Die Wittelsbacher. Festschrift zur Feier des 700-jährigen Regierungs Jubiläums des Hauses Wittelsbach, 1880; Aus drei Jahrhunderten, 1881; Die deutschen Kaiser, 1883; Quellen und Abhandlungen zur neueren Geschichte Bayerns, 1884 (N.F. 1890); Nymphenburg. Eine geschichtliche Studie, 1891; Deutsche Geschichte vom Tode Friedrichs des Großen bis zur Auflösung des alten Reichs, 2 Bde., 1891–1911; Essays aus neuerer Geschichte, 1892; Geschichtliche Bilder und Skizzen, 1897; Biographische und kulturgeschichtliche Essays, 1906; Politische Hauptströmungen in Europa im neunzehnten Jahrhundert, 1906 (2., verb. u. verm. Aufl. 1911); Zwölf Charakterbilder aus der neueren Geschichte, 1913; Deutsche Reden. Mit einem Anhang von Aufsätzen und Reden über den Krieg. Ein Nachruf von I. Striedinger und ein Bildnis nach F. von Leubach (hg. v. M.. v. Heigel) 1916.

Nachlaß: Bayer. Staatsbibl. München u. Univ.-bibl. München. – Mommsen 1539; Denecke 2. Aufl.

Literatur: M. STRICH, ~ (in: DR 47) 1921; E. MARCKS, ~ (in: Dt. Biogr. Jb. 1. Überleitungsbd.) 1925; ~ (in: Jb. d. Univ. München 1914 bis 1919) 1927; K. A. v. MÜLLER, ~ (in: Zwölf Historikerprofile) 1935.   IB

Heigelin, Johann Friedrich, * 16.11.1764 Stuttgart, † 1845 Geradstetten/Württ.; Theol.-Studium u.a. im Tübinger Stift, 1784 Magister d. Philos., 1789 Hofmeister in d. Schweiz; Hofmeister u. Prediger in Mailand u. Neapel, seit 1800 Pfarrer im Kloster Herrenalb/Württ.

Schriften: Gelegenheitsgedichte, 1790; Briefe über Graubündten, 1793; Moralische Paragraphen aus ... Seneca, übersetzt und für nachdenkende Jünglinge gesammelt, Mailand 1798; Allgemeines Fremdwörter-Handbuch ..., 3 Bde., 1819 (2., verb. Aufl., 2 Bde., 1838; verm. u. verb. Neuausg. 1843 f.); Dantes Göttliche Komödie ... frei übersetzt (mit Anmerkungen) 3 Tle., 1836 f.

Literatur: Meusel-Hamberger 3, 159; 9, 541; 11, 330; 18, 88.   RM

Heigerlin → Fabri, Johannes.

Heigl, Ferdinand, * 13.12.1839 Regensburg, † 9.9.1903 München. Rechtsanwalt.

Schriften: Spaziergänge eines Atheisten. Ein Pfadweiser zur Erkenntnis der Wahrheit, 1889; Aus Herz und Welt (Ged.) 1890; Verbrecherjagd im Urwalde (aus d. Französ. übertragen) 1896; Lieder eines Kämpfers (2 H.) 1897; Weisheit auf der Gasse in China (Auserlesene Sprüchwörter der Chinesen) 1900; Züge aus der chinesischen Geschichte, 1900; Die Religion und Kultur Chinas, 1900; Chinesische Sprache, Schrift und Literatur, 1901; Der heilige Alfons von Liguori. Graßmanns Broschüre und seine Gegner, 1902; Das Cölibat. Gedanken und Thatsachen, 1902; Vor dem Schwurgerichte! Ein Beitrag zur bayrischen Königstragödie und zur Illustration unserer konstitutionellen Zustände (2. Aufl.) 1903.   IB

Hei(c)kens (Heykens), Hans Frank, * 2.3.1780 Helgoland, † 25.5.1862 ebd.; bis 1805 Seemann, zuletzt Kapitän, dann Fischer u. Wirt auf Helgoland. Vorwiegend Mundartlyriker, s. Ged. ersch. v. a. in Anthol. u. lokalhist. Werken.
Schriften: Helgoland und die Helgolander. Memorabilien des alten Helgolander Schiffscapitains H. F. H. (hg. A. Stahr) 1844.
Literatur: Goedeke 15, 1109. – F. OETKER, Helgoland. Schilderungen u. Erörterungen, 1855.
RM

Heil de Brentani → Brentani, Mario Heil de.

Heilborn, Adolf, * 11.1.1873 Berlin; Studium d. Med. u. Naturwiss., Dr. med. (1898), 1899 bis 1902 Feuill.-Red. d. «Berliner-Ztg.», 1905 bis 1911 d. «Ggw.» u. Doz. an d. Humboldt-Akad., seit 1911 Red. d. Zs. «Wissen», Hg. v. «Wege z. Wissen» (1924–31), Red. v. Schwabachers «Medizin. Bibl.» (mit F. Klemperer), lebte in Berlin-Friedenau.
Schriften: A. Daudet, Briefe aus meiner Mühle. Provençalische Geschichten (übers.) 1893; Allgemeine Völkerkunde in kurzgefaßter Darstellung, 1898; Die deutschen Kolonien (Land und Leute) 1906; Wach auf, mein Herz! Bilder und Klänge, 1910; Die Leartragödie Ernst Haeckels ..., 1920; Unter den Wilden: Entdeckungen und Abenteuer, die unsere Jugend kennen sollte, 1921; Die Reise durchs Zimmer, 1924; Weib und Mann. Eine Studie ..., 1924; Die Zeichner des Volks. Käthe Kollwitz, Heinrich Zille, 1924; Die Reise nach Berlin, 1925; Darwin. Leben und Lehre, 1927; Zoo Berlin 1841–1929 ..., 1929; Käthe Kollwitz, 1929; Alt-Berliner Konditorei-

Allerlei ..., 1930; Heinrich Zille, 1930; Werden und Vergehen. Naturgeschichte des Lebens, 1931; Berliner ABC ..., 1937; Was Wald und Flur erzählen, 1948. (Ferner anthropolog., ethnograph., zoolog. u. topograph. Schriften.)   RM

Heilborn, Ernst (Friedrich), * 10.6.1867 Berlin, † 16.5.1942 Berlin, Sohn d. Kaufmanns Eduard H., besuchte d. Französ. Gymnasium in Berlin, studierte Germanistik zu Jena u. Berlin, promovierte 1890, 1892 Journalist in Berlin, 1894 Red. d. «Frau», 1896–98 Leiter d. internationalen Revue «Cosmopolis», zeitweilig Theaterkritiker d. «Nation», seit 1901 Berliner Theaterkritiker d. «Frankfurter Zeitung», 1911–33 Hg. von «Das literarische Echo» (ab Okt. 1923 «Die Literatur»), seit 1933 Einschränkung s. Tätigkeit durch die nationalsozialist. Regierung, ab November 1936 Schreibverbot. 1937 dennoch im Anschluß an e. Palästinareise nach Dtl. zurückgekehrt. 1942 Verweigerung d. Ausreise in d. Schweiz. Bei e. Fluchtversuch wurde H. mit s. zweiten Frau Lucie, geb. Michaelis, verhaftet. H. starb in Berlin im Gefängnis, Lucie H. beging vor d. Abtransport nach Polen Selbstmord. Journalist, Kritiker, Lit.historiker, Verf. v. Romanen, Novellen u. Memoiren.
Schriften: Der Wortschatz der sogenannten ersten schlesischen Dichterschule in Wortbildung und Wortzusammenhang dargestellt, 1890; Kleefeld (Rom.) 1900; Novalis, der Romantiker (Biogr.) 1901; Der Samariter (Rom.) 1901; Ring und Stab (Erz.) 1905; Das Tier Jehovahs (Aufz.) 1905; Josua Kersten (Rom.) 1908; Die steile Stufe (Rom.) 1910; Die kupferne Stadt (Leg.) 1918; Vom Geist der Erde (Zeitbrevier) 1921; Die gute Stube. Berliner Geselligkeit im 19. Jh., 1922; E. T. A. Hoffmann, Der Künstler und die Kunst, 1926; Zwischen zwei Revolutionen. I: Der Geist der Schinkelzeit (1789–1848) 1927, II: Der Geist der Bismarckzeit (1848 bis 1918) 1929; Tor und Törin (Nov.) 1927; Deutschlandreisen in alter Zeit (Reiseber.) 1934.
Herausgebertätigkeit: Novalis, Schriften. 2 Tle., 1901; Das literarische Echo; Die Literatur, seit Okt. 1923 (Zs.) 1911/33; Ernte, Bd. 1, 2 (Jb., Das lit. Echo) 1919/20; Das Fontane-Buch, 1919; (mit E. Herzog) F. Poppenberg, Menschlichkeiten, 1919; E. Graf v. Keyserling, Baltische Romane. 2 Bde., 1933; E. Graf v. Keyserling, Romane der Dämmerung, 2 Bde., 1933.

Literatur: NDB 8, 257; Albrecht-Dahlke II, 2, 295. – F. SCHOTTHÖFER, In memoriam ~ (in: Die Gegenwart) 1946.　　　　　MR

Heilbronn, Josephine (Ps. f. Maria Labunska, geb. Jedrzejewska), * 8.6.1867 Loebau/Westpr.; Lehrerstochter, lebte in Berlin, seit 1893 in Gorzno/Westpr., heiratete 1894 u. übersiedelte n. Thorn.

Schriften: Oberst von Rochlitz und seine Söhne (patriot. Charakterstück) 1898.　　　　　RM

Heilbronn, Ludwig, * 6.10.1869 Insterburg/Ostpr.; Mitarb. u. Red. versch. Ztg., seit 1896 Red. d. «Osnabrücker Ztg.» in Osnabrück.

Schriften: Hoogeland. Ein Drama vom Meer, 1909; Das verlorene Paradies (Dr.) 1913.　　　RM

Heilbronner (Heilbrunner) Jacob, * 15.8.1548 Eberdingen b. Vaihingen, † 6.11.1618 Bebenhausen b. Tübingen; 1577 Dr. theol., Pfarrer in Wien u.a. Orten, 1575 Hofprediger in Zweibrücken, Superintendent in Bensheim, 1581 Generalsuperintendent in Amberg, 1588–1615 Hofprediger d. Pfalzgrafen Philipp Ludwig in Neuburg/Donau, 1616 Abt v. Anhausen, 1616-1618 Abt u. Generalsuperintendent in Bebenhausen. Verf. zahlr. dt. u. lat. Streitschriften.

Schriften (Ausw.): Widerlegung der Zwinglianischen und Calvinistischen Lehre, 1590; Verantwortung des weiland Durchlauchtigsten Herrn Wolfgangs, Pfalzgrafen bei Rhein, christlichen Glaubensbekandtnus, 1594; Schwenkfeldio-Calvinismus, 1594; Daemonomania Pistoriana, 1601; Unkatholisches Papstthumb, 1601; Carnificia Esawitica, 1613; Colloquium Neuenburgense, 1616.

Literatur: Jöcher 2, 1447; ADB 11, 313; NDB 8, 258; RE 23, 635; RGG ³3, 145. – W. HERBST, D. Regensburger Religionsgespräch v. 1601, 1928.　　　　　RM

Heilbut, Iven George (Ivan), * 15.7.1898 Hamburg, † 15.4.1972 Bonn; freier Schriftst. in Berlin, Mitarb. d. «Sturm» u. versch. Berliner Ztg., 1933 Emigration n. Paris, Mitarb. d. «Neuen Tage-Buchs», Theaterkritiker u. Korrespondent d. Basler «National-Ztg.», seit 1941 Lektor am Hunter College New York, Mitarb. d. «Amerikan. Rundschau» u.a. Zs., 1950 Rückkehr n. Berlin, später Journalist in München.

Schriften (dt.): Triumph der Frau (Rom.) 1928; Bürgertragödie (Dr.) 1929; Kampf um Freiheit. Ein Hebbel-Roman, 1930; Frühling in Berlin (Rom.) 1931; Die öffentlichen Verleumder ..., 1937; Meine Wanderungen (Ged.) New York 1942; Die Sendung Hermann Hesses, New York 1947; Liebhaber des Lebens (Rom.) 1949; Anrufe, 1962; Höher als Mauern (Erz.) 1965. (Ferner ungedr. Hörspiele.)

Literatur: Im Wirbel nach Symbolen greifend. E. Selbstportrait (in: WW 10) 1955; W. NEUMANN, Dg. u. Freiheit ... (in: ebd. 20) 1965. RM

Heile, Gerhard, * 22.3.1877; war polit. Publizist, Chefred. d. «Weser-Ztg.» in Bremen, dann Leiter d. Nachrichten-Abt. d. Nord. Rundfunks in Hamburg.

Schriften: Der Feldzug gegen die Türken und die Eroberung Stuhlweissenburg's unter dem Erzherzog Matthias von Oesterreich im Jahre 1601, 1901; Nach Rapallo im Sowjetlande. Eine empfindsame Pfingstreise, 1922.　　　　　AS

Heiler, Friedrich (Johann), * 30.1.1892 München, † 28.4.1967 ebd.; 1919 Konversion z. luther. Kirche, 1920 Prof. f. vergl. Religionsgesch. u. Religionsphilos. an d. theol. Fak. Marburg, 1935–48 an d. philos. Fak., seit 1953 Leiter d. religionskundl. Slg. d. Univ. Marburg, 1962 Gastprof. in München. Wegbereiter d. ökumen. u. Una-Sancta-Bewegung, Gründer d. Hochkirchl. Vereinigung. Hg. u.a. d. Zs. d. Hochkirchl. Bewegung (1930ff.) u. d. «Ökumen. Einheit»(1949 bis 1952).

Schriften (Ausw.): Das Gebet, 1918 (⁵1923, Neudr. 1969); Sâdhu Sundar Singh, ein Apostel des Ostens und des Westens, 1924 (4., verm. u. verb. Aufl. 1926); Gesammelte Aufsätze und Vorträge, 2 Bde., 1926/31; Das Sakrament der kirchlichen Einheit. Ökumenische Aufsätze ..., 1954; Erscheinungsformen und Wesen der Religion, 1961; Ökumenische Predigten für das Kirchenjahr, 1964; Die Ostkirchen (hg. A.M. Heiler, H. Hartog) 1971 (mit Bibliogr.); Die Frau in den Religionen der Menschheit, 1977.

Nachlaß: Univ.bibl. Marburg. – Denecke 2. Aufl.

Literatur: NDB 8, 259. – In deo omnia unum. E. Slg. v. Aufsätzen (~ z. 50. Geb.tag dargebracht, hg. L.M. SCHRÖDERS) 1942; Inter Confessiones ..., ~ z. Gedächtnis ... (hg. A.M. HEILER) 1972.　　　　　RM

Heiler, Günther, * 13.1.1645 Halle/Saale, † 26.
10.1707 Stargard; studierte Theol. in Halle u.
Wittenberg, Geistlicher in versch. Orten, seit
1687 Generalsuperintendant von Hinterpommern
u. Camin, veranlaßte den Druck d. ersten niederdt. Bibel in Pommern, Verf. pietistischer Predigten u. Erbauungsschriften.

Schriften: Chronik von Pommern (ungedr.).

Literatur: ADB 11,315; Jöcher 2,1448.   IB

Heilgers, Josef, * 11.6.1841 Buscherheide,
† 15.5.1911 Roisdorf/Rheinl., Pfarrer ebd., Lyriker u. Erbauungsschriftsteller.

Schriften: Blicke ins Menschenleben, 1883; Die
Gründung der afrikanischen Mission durch den
ehrwürdigen Libermann, den Stifter der Kongregation vom heiligen Geiste und vom heiligen Herzen Marias. Anweisungen und Belehrungen für
seine Missionäre. Nach seinen Briefen dargestellt,
1896; Vom Leben und für das Leben. Eine Weihnachtsgabe für Kinder, 1897; Maria, Unsere liebe
Frau von der immer währenden Hülfe. Unter-
richts- und Gebetbuch für fromme Verehrer der
allerseligsten Jungfrau und Mutter Gottes Maria
(neu bearb. 17. Aufl.) 1903; Geistliche Blumenlese aus den Schriften des heiligen Alfons Maria
von Lignori und einiger anderer Heiligen. Ein
vollständiges Gebet- und Erbauungbuch mit Un-
terrichten, 31 Altarbesuchungen, 26 verschiedenen Betrachtungen, 5 Meßandachten und allen
gewöhnlichen Andachten eines katholischen Christen (5. Aufl.) 1905.   IB

Heilig, August → Santamar, Guido.

Heilig, Bruno, * 26.4.1888 Hohenau/Öst.,
† Aug. 1968 Berlin; verließ 1933 Öst., 1939
Emigration nach Engld., 1947 Rückkehr nach
Dtl. Übers., v.a. aus dem Ungarischen, u. Essay-
ist.

Schriften: Nicht nur die Juden geht es an (Ess.)
1936; Menschen am Kreuz (Rom.) 1948.   IB

Heiligenkreuz → Gutolf von Heiligenkreuz.

von Heiligenstein → Rothe, Ernst Hermann.

Heilmann, Alfons, * 5.10.1883 Oedheim/
Württ.; studierte in Tübingen, Dr. phil., 1909
Priester, Hg. d. «Kathol. Familienfreundes»
(1911–14), 1915 Gründer d. illustr. Familienz.
«Sonntag ist's» in München, Leiter ders. bis z.

Verschmelzung mit d. «Dt. Hausschatz», den er
später redigierte. Relig. Volksschriftsteller.

Schriften (Ausw.): Wozu die Kirche? 1908;
Katholische Volksbibel, 1912; Neujahrs-Feld-
bibel, 1914; Fasten-Feldbrief, 1915; Feldbrief
vom Heldengrab, 1915; Kinderbrief ins Feld,
1915; Lazarett-Feldbrief, 1915; Maien-Feld-
brief, 1915; Mutterbrief ins Feld, 1915; Oster-
Feldbrief, 1915; Seelenbuch der Gottesfreunde.
Perlen deutscher Mystik, 1920; Feuer vom Himmel. Biblisches Stundenbuch, 1920; Gottesträ-
ger. Das Schönste aus den Kirchenvätern, 1921;
Wege zum Glück, I Zwischen Alltag und Ewigkeit, Sonntagsgedanken, 1923, II Wege Stunden
der Stille, Sonntagsgedanken, 1924, III Vom
kostbaren Leben, Sonntagsgedanken, 1925; Herrlichkeiten der Seele, Mystik des Auslandes, 1926;
Wege zum Blück. Bücher für schöne Lebensgestaltung, 1927; Das geistliche Jahr. Buch der religiösen Besinnung für katholische Menschen,
1931; Meditationen großer Gottesfreunde. Perlen christlicher Mystik (2. Aufl.) 1963; Themen
der Kirchenväter. Eine Auswahl..., 5 Bde., 1963
bis 1966; Einsichten des Glaubens. Texte der
Kirchenväter (gem. mit H. Kraft), 1968.   IB

Heilmann, Irmgard, * 20.5.1919 Zeitz; Verle-
gerin u. Schriftst., wohnt in Hamburg. Erzählerin.

Schriften: Wahlheimat am Meer. Ein Bildwerk
von Landschaft und Haus einer deutschen Nord-
seeinsel, 1944; Sylter Inselsommer. Eine Reise an
die Nordsee, 1952; Pension Dünenblick. Lisas
Inselabenteuer, 1955.   IB

Heilmann, Johann David, * 13.1.1727 Osnabrück, † 22.2.1764; Studium in Halle, 1754
Gymnasialrektor in Hameln u. 1756 in Osnabrück, 1758 Theol.-Prof. in Göttingen. Theologe u. Thucydides-Übersetzer (1764).

Schriften: Compendium theologiae dogmati-
cae, 1761; Opuscula maximam partem theolo-
gici argumenti (hg. E. J. Danovius) 2 Bde., 1774/
1778.

Literatur: ADB 11,317.   RM

Heilmann, Joseph, * 3.7.1803 Wien, † 19.3.
1854 ebd.; Lehrer, später Beamter. Volksschriftsteller.

Schriften: Der verbotene Weg. Erzählung aus
dem österreichischen Landleben, 1850; Der Ur-

lauber. Erzählung aus dem österreichischen Landleben, 1852; Der Schulmeister von Ringelsdorf,
10 Hefte, 1852–53.
　　Literatur: Wurzbach 8, 212.　　　　　　IB

Heilmann, Margarete (geb. Bie, Ps. Käthe Helmar), * 9.1.1871 Breslau; Kaufmannstochter,
1899 Heirat mit d. Schriftsteller Hans H., lebte
seit 1906 in Berlin -Friedenau.
　　Schriften: Die Ehe des George Ashton. Aus dem
Englischen des G.S. Street, 1909; Künstlerehen
(Rom.) 1911; Der Kunstgeschichtsunterricht an
der Frauenschule, 1923; Jugendland. Ein Büchlein der Freude (hg.) 1925; Die Schwestern Roh-
loff, 1929.　　　　　　　　　　　　　　　RM

Heilmann, Nikolaus (Leonhard), * 9.12.1776
Krefeld, † 1856 ebd.; Theol.-Studium, Adjunkt
s. Vaters, 1804–56 Prediger in Krefeld, 1836
Konsistorialpräsident.
　　Schriften: Lazarus von Bethanien, eine drama-
tische Poesie (hg.) 1807 [Verf.: A. Köttgen];
Gedichte, 2 Bde., 1817/26 (2. Bd. auch u. d. T.:
Vesperklänge). (Ferner einzeln gedr. Predigten.)
　　Literatur: Meusel-Hamberger 14, 72; 18, 89;
22.2, 644; Goedeke 13, 502. – Erinn. E. Fest-
gabe z. Feier d. 50jährigen Amtsführung d.
Herrn ~ ..., 1854.　　　　　　　　　　　RM

Heilmann, Romulus, * 1812 Züllichau, † 27.8.
1837 Posen; Theol.-Studium in Breslau u. Berlin.
　　Schriften: Gedichte, 1836 (NF 1837).　　RM

Heilsegen, altdt. → Segen.

Heim, Annedore Inge → Gaebler, Dorothea.

Heim, August Wilhelm, * 3.5.1808 Straßburg/
Elsaß, † 6.3.1832 ebd.; Studium d. Philol. u.
Gesch. in Straßburg, 1828 Reise in d. Schweiz
u. 1831 n. Paris, 1830 Baccalaureus d. Theol.
Liederdichter.
　　Schriften: Erinnerungen (Ged.) 1832.
　　Literatur: Goedeke 13, 97.　　　　　　RM

Heim, Emma, Geb.datum nicht bekannt Scheß-
litz in Bayern, † Ende Juli 1913 München. Erzählerin.
　　Schriften: Falscher Stolz (Rom.) 1899; Das Grafenschloß, 1899.　　　　　　　　　　　　IB

Heim, (Johann) Ludwig (Ps. Ellheim), * 8.1.
1844 Salzungen, † 13.11.1917 Berlin; bis 1878
als Bauführer u. -meister in Staatsdiensten, seither

selbständig. Berliner Hofbaurat u. Geh. Hofbaurat.
　　Schriften: Gedanken aus dem Paradiese (Ged.)
1907; Leben und Liebe (Ged.) 1909; Empfindungen (Ged.) 1911.
　　Literatur: Thieme-Becker 16, 279.　　RM

Heim, Maria → Frischauf, Maria.

Heim, Michael (Ps. Kirein Peter), * 13.11.1936
Bad Wiessee; Dr. phil., Red., wohnt in Rottach-
Egern. Erzähler.
　　Schriften: Spiridion Gopčević – Leben und
Werk. (Biogr.) 1966; Der Wolpertinger lebt,
1968; Assuan, wenn der Damm bricht. Präkon-
struktionen einer Katastrophe. Fiction, 1971 (Taschenbuch u. d. T.: Wenn der Damm bricht. Roman einer Katastrophe, 1975).　　　　　IB

Heimann, Erich Hermann, * 5.10.1939 Düsseldorf; studierte Germanistik u. Anglistik, Vorliebe
f. Technik, später Journalist. Dt. Jgdb.preis
1968, wohnt in Düsseldorf. Übers. u. Erzähler.
　　Schriften: Schiffe, Guffas, Galeeren und Gigan-
ten, 1967; Und unter uns die Erde. Fliegen,
schneller, weiter, höher, 1967; Fliegen mein
Hobby, 1969; Sie eroberten den Himmel. Piloten, Planer, Pioniere, fünfzig Jahre Luftverkehr,
1969; Um die Wette mit dem Schall, 1969;
Spielregeln der Technik: Automation, 1971;
Vom Zeppelin zum Jumbo Jet. Die Geschichte
des deutschen Luftverkehrs, 1971; Testpiloten-
Story, 1972; So fliegen die Deutschen: Ein halbes
Jahrhundert Verkehrsluftfahrt und -technik,
1972; Aus Kunststoff selbst gemacht; ein Do-it-
yourself-Ratgeber für Anfänger und Experten,
1973; Start ins Ungewisse, 1975; Der große
Augenblick in der Chemie, 1976.
　　Literatur: LexKJugLit. 1, 535.　　　　IB

Heimann, Erwin, * 20.2.1909 Bern; war zuerst
Mechaniker, ging 1930 als Metallarbeiter nach
Paris, wo er zeitkrit. Artikel zu schreiben begann,
seit 1946 Lektor beim Francke-Verlag Bern, seit
1963 freier Schriftst.; lebt in Heiligenschwendi
ob Thun, verheiratet mit Gertrud Heizmann; Erzähler, auch in Mundart, Verf. v. Hörfolgen für
d. Radio. Erhielt mehrmals den Lit.preis der
Stadt u. des Kantons Bern u. der Schweiz. Schillerstiftung.
　　Schriften: Wir Menschen (Rom.) 1935; Hetze
(Rom.) 1937; Unser albanisches Abenteuer,

1938; Liebling der Götter. Ein Künstler- und Zeitroman, 1939; Welt hinter Wäldern (Rom.) 1943; Der Rätselweg. – Das erfrorene Glück (Nov.) 1944; Der schwierige Eidgenoss. Erzählungen aus dem Soldatenleben, 1944; Der Mut zum Glück (Rom.) 1945; Die Brüder Andreae (Nov.) 1945; Peter Bratschi und seine Heimat. Das Lebensbild eines Dichters (mit andern) 1946; Der Sinn des Berufs. Mechaniker werden, Mechaniker sein, 1947 (Neuaufl. u. d. T.: Metallarbeiter. Beruf und Charakter, 1961); Der letzte Optimist (Rom.) 1948; Andreas Antoni (Rom.) 1952; Lebende Schweizer Autoren (Anthol., hg.) 1952; Zeige mir, wie du fährst ... Eine Psychologie des Autofahrens, 1955; Das Schweizer Volkslied – Le chant et la chanson populaire suisse, 1955; Bern im Spiegel seiner Dichter (Anthol., hg. mit W. Juker) 1956; D'Röschtiplatte. Bärndütschi Gschichte, 1956; Hast noch der Söhne ja (Rom.) 1956; S. Gfeller – O. v. Greyerz, Briefwechsel 1900–1939 (Hg.) 1957; Der Prozeß. Eine Hörfolge, 1959; Lichter auf Bern, 1959 (3. durchges. Aufl. u. d. T.: Lichter auf Bern. Ein Führer zu Bern und den Bernern, 1976); Alt und jung. Das Generationenproblem in heutiger Sicht, 1960 (2. durchges. u. erw. Aufl. 1967); Eine Fahrt durch sechs Jahrzehnte. Die Entwicklung der öffentlichen Verkehrsmittel in Bern von den Anfängen bis in die Gegenwart, 1960; Narren im Netz (Rom.) 1960; Das Antlitz bernischer Landschaften, 1960; Jugend im Feuer. Schauspiel in 4 Akten gestaltet nach Motiven der Hörfolge «Der Prozeß». In Mundart, 1961; Die Kunst des Mitfahrens, 1962; E. Schibli, Reife und Abschied. Aus dem Nachlaß (Hg.) 1962; Vor em Fänschter. Bärndütschi Gschichte, 1962; Schloßberg. Der Fortschritt ergreift eine Stadt. Eine Hörfolge geschrieben im Auftrag von Studio Radio Bern, 1962; Sturmzyt. Eine Sendereihe geschrieben im Auftrag von Studio Radio Bern (mit O. Reck u. H.-R. Hubler) 1964; An allem schuld. Aufzeichnungen zum Fall Oppliger. Sendereihe geschrieben im Auftrag von Studio Radio Bern, 1965 (schriftdt. Fass. 1967); Du und die andern. Der Mensch als Vorgesetzter und Mitarbeiter, 1965; Die Maurizio. Wohlstandsroman, 1966; Im Chalte Chrieg. Eine Sendereihe geschrieben im Auftrag von Studio Radio Bern, 1967; Das Jura-Problem. Gespräch mit Männern und Frauen aller Kreise des Juras und den Exponenten der politischen Gruppierungen,

1968; Ein Volk sucht seinen Weg. Erfahrungen in Rumänien, 1969; Aufruhr nach innen. Zwei Erzählungen, 1969; ... wie sie St. Jakob sah (Rom.) 1970; Haben wir alles falsch gemacht? Eine Meinun zum Konflikt der Generationen, 1971; Bäremutz. Bärndütschi Gschichte, 1972; Bern (mit R. Bruckert, 2 Bde.) 1972; Ein Blick zurück. Mein Leben in meiner Zeit, 1974; D. Reist, Zu den höchsten Gipfeln der Welt (Textbearb.) 1978.

Literatur: G. WYSS-JÄGGI, ~ (in: G. W.-J., Weggefährten) 1958; E. H., Skizzen ohne Illusionen E. Selbstporträt (in: WW 14) 1959.   AS

Heimann, Moritz (Ps. Hans Pauli, Tobias Fischer), * 19.7.1868 Werder/Havel, † 22.9.1925 Kagel b. Brandenburg; Studium d. Philol. u. Philos. in Berlin, seit 1896 Lektor d. S. Fischer-Verlags in Berlin. Mitarb. d. «Neuen (Dt.) Rundschau» (seit 1895), Schriftst. u. Förderer mod. Literatur.

Schriften: Der Weiberschreck (Lsp.) 1896; Kritik der Kritik? 1903; Die Liebesschule (dramat. Dg.) 1905; Gleichnisse (3 Nov.) 1905; Joachim von Brandt (Kom.) 1908; Der Feind und der Bruder (Tr.) 1911; Aphorismen, 1918; Prosaische Schriften, 5 Bde., 1918–26; Armand Carrel (Dr.) 1920; Wintergespinst (10 Nov.) 1921 [=4. Bd. d. «Prosaischen Schr.»]; Das Weib des Akiba (Dr.) 1922.

Ausgaben: Nachgelassene Schriften (hg. O. LOERKE) 1926 [= 5. Bd. d. «Prosaischen Schr.»]; M.H., Die Spindel. Eine Auswahl aus seinem Werk, 1937; M.H., Wintergespinst. Eine Auswahl aus seinem Werk (ausgew. G. MAUZ, Nachw. W. HAAS) 1958; W. LEHMANN, M.H. Eine Einführung in sein Werk und eine Auswahl, 1960 (mit Bibliogr.); Die Wahrheit liegt nicht in der Mitte (Essays, Nachw. W. LEHMANN) 1966; Kritische Schriften (hg. u. erl. H. PRANG) 1969 (mit Bibliogr.)

Briefe: Briefe an W. Lehmann (in: NR 76) 1965; Zwei Briefe an H. Stehr (in: Wangener Beitr. z. Stehr-Forsch. ...) 1966/67; H. v. Hofmannsthal, Briefw. mit M. Rychner, S. u. H. Fischer, O. Bie u. ~, 1973.

Nachlaß: Dt. Lit.arch./Schiller-Nat.mus. Marbach.

Literatur: NDB 8, 273; HdG 1, 289. – A. KERR, Ges. Schr. 3, 1917; O. LOERKE, Zeitgenossen aus vielen Zeiten, 1925; DERS., Tagebücher

1903–1939, 1955; DERS., Reden u. kleinere
Aufs. (hg. H. KASACK) 1956 [Grabrede]; E.
BIN GORION, ~ (in: E.b.G., ceterum recen-
seo) 1929; G. HAUPTMANN, Buch d. Leidenschaft, 1930; M. BUBER, Hinweise, 1953; P.
FECHTER, D. europ. Dr., 1958; D. BAAY, ~,
Critic and Writer (Diss. Univ. of Michigan)
1959; W. HAAS, ~ (in: W.H., Gestalten) 1962;
M. REICH-RANICKI, D. Kritiker ~ (in: NR 82)
1971; H.-W. JANNASCH, Spätlese. Begegnungen
mit Zeitgenossen (Nachw. H. KITTEL) 1973. RM

Heimann, Peter, * 15.1.1921 Bern; Pfarrer,
Red., wohnt in Därstetten/Kt. Bern. Zahlreiche
Rundfunkarbeiten.
  Schriften: Des Jahres Frucht. Meditationen zum
christlichen Festkreis, 1956; Das ewige Geleit.
Ein Weg mit Christus, 1965; Die Kirche Därstet-
ten. Eine Welt der Einkehr im Simmental, 1969;
Mut zu Gott. Meditationen im Kirchenjahr,
1972; Der Weg nach Varatec (Ess.) 1977. IB

Heimanns, Heinrich, * 17.6.1875 Rheydt;
Theologe, Verf. v. Erbauungslit., Red. versch.
relig. Zs., lebte im Missionshaus Sittard, Wehr/
Aachen.
  Schriften (Ausw.): Wenn der König kommt.
Gedichte und Geschichten für die lieben Kom-
munionkinder, 1922; Das Lied vom deutschen
Rhein. Ein Märchen-Festspiel, 1925; Die Wallfahrt. Lieder eines Erdenpilgers, 1925; Das
wandernde Gnadenbild (Leg.) 1927; Der heilige Augustinus, 1930; Eucharistie und Karitas.
Monatsbetrachtungen, 1930; Das Gebet der
Kirche, 1930; Herz Jesu. Zuflucht der Welt,
1932; Der Held von Molokai. Das Opferleben
des Aussätzigen-Apostels P. Damian, 1936; Eucharistie und Priestertum, 1937. AS

Heimbertsohn → Hinze, Friedrich Heimbertsohn.

Heimborn, Carl → Russ, Peter.

Heimbrod, Karl Joseph, * 15.10.1794 Heiligenstadt, Todesdatum u. -ort unbekannt; Studium d. Philos. u. Philol. in Göttingen, d.
Theol. in Fulda, 1824 Hauslehrer, dann Oberlehrer in Gleiwitz.
  Schriften (Ausw.): De Sophoclis Aiace disputatio, 1825; Brevis Romanae linguae historia ...,
1828; Titi Flavii Vespasiani Romani imperatoris vita, 1833. RM

Heimburg, Gregor, * n. 1400 Schweinfurt,
† Aug. 1472 Wehlen/Elbe; Rechtsstudium in
Padua, 1430 Vikar, 1432/34 im Dienst d. Mainzer Kurfürsten u. Kaiser Sigismunds am Basler
Konzil, 1435 in Diensten d. Reichsstadt Nürnberg, seit 1437 Rechtsbeistand u. Diplomat
versch. Fürsten u. Städte, 1469–72 Kirchen-
bann. Jurist u. Humanist.
  Schriften (Ausw.): Oratio pro petendis insigniis
doctoratus (1429?); Admonitio de iniustis usur-
pationibus Paparum (entst. n. 1446, Ausg. in:
M. GOLDAST, Monarchiae ... 1,1611); Briefwechsel mit Joh. Rot in Rom über Jurisprudenz,
1454; Tractatus super Excommunicatione Pii
papae II. ..., 1460 (Ausg. in: M. GOLDAST, Monarchiae ... 2,1614); Invectiva ... in Nicolao de
Cusa, 1461 (Ausg. ebd.); Confutatio primatus
papae, 1461 (Neuausg. hg. P. JOACHIMSOHN,
1891); De militia et republica ad ducem Vic-
torinum, 1469 (Ausg. in: M. GOLDAST, Monarchiae ... 2,1614); Briefwechsel mit Markgraf
Albrecht Achilles, 1468/70 (Ausg. in: L. HÖF-
LER, vgl. Lit., 1850).
  Literatur: ADB 11,327; NDB 8,274; BWG
1,1059. – L. HÖFLER, D. kaiserl. Buch d. Markgrafen Albrecht Achilles 1440/70, 1850; P.
JOACHIMSOHN, ~, 1891; A. WENDEHORST, ~
(in: Fränk. Lbb. 4) 1971. RM

Heimburg, W. (Ps. f. Bertha Behrens), * 7.9.
1850 Thale/Harz, † 9.9.1912 Kötzschenbroda.
Volkstüml. Erzählerin, Hauptmitarbeiterin d.
«Gartenlaube».
  Schriften: Aus dem Leben meiner alten Freundin (Erz.) 1878; Lumpenmüllers Lieschen (Rom.)
1879; Kloster Wendhausen (Rom.) 1880; Waldblumen (8 Nov.) 1882; Ihr einziger Bruder (Nov.)
1882; Dazumal (4 Nov.: Unverstanden – Ursula –
Im Banne der Musen – Das Fräulein Pathe) 1884;
Ein armes Mädchen (Rom.) 1884; Trudchens Heirat (Nov.) 1885; Die Andere (Rom.) 1886; Her-
zenskrisen (Rom.) 2 Bde., 1887; Unter der Linde
(7 Nov.: Jascha – In der Weberg. – Großmütter-
chen – Aus meinen vier Pfählen – Im Abgrund –
Unsere Hausglocke – Unsere Männe) 1888; Lore
von Tollen (Rom.) 2 Bde., 1889; Eine unbedeu-
tende Frau, 1891; Sabinens Freier. Auf schwankendem Boden (2 Nov.) 1892; Mamsell Unnütz
(Rom.) 1893; Um fremde Schuld (Rom.) 1895;
Hans Beetzen (Rom.) 1895; Trotzige Herzen
(Rom.) 1897; Antons Erben (Rom.) 1898; Im

Wasserwinkel (Rom.) 1900; Sette Oldenroths Liebe (Rom.) 1902; Dr. Dannz und seine Frau (Rom.) 1903; Großvaters Stammbuch und andere Novellen, 1904; Alte Liebe und anderes (Erz.) 1904; Wie auch wir vergeben ... (Rom.) 1907; Über steinige Wege, 1908; Der Stärkere, 1909; Die lustige Frau Regine. Novellen und Skizzen, 1910.

Ausgaben: Gesammelte Romane und Novellen, 1890 f.; (2. Ausg., 10 Bde., 1894–97).   IB

Heimdal → Schrönghamer, Franz.

Heimel, Marie Sidonie (geb. Purschke, schrieb auch unter diesem Namen), * 5.12.1853 Prag, † 29.2.1928 Wien. Verf. v. Ged., Erz. u. Liederspielen.

Schriften: Hoch Österreich, 1884; Huldigung vor der Krippe, 1885; Vier Temperamente, 1886; Franz Joseph I., 1887; Rudolf von Habsburg, 1894; Blumen vom Wege, 1894; Donaufluten, 1900; Vindobonas Huldigung, 1902; Alt- und Neu-Wien, 1904; Ein Tugendkranz im Demantglanz. Allegorisches Festgedicht zum sechzigjährigen Regierungsjubiläum Sr. Majestät des Kaisers Franz Josef I. von Österreich, 1908; Gott erhalte! 1908.

Literatur: ÖBL 2, 245.   IB

Heimendahl, Eckart, * 23.5.1925 Krefeld; 1958 Dr. phil. Hamburg, Mitarb. v. C.F.v. Weizsäcker, 1961–63 Referent b. Wiss.rat in Köln, seither Cheflektor u. Red. f. wiss. Sendungen bei Radio Bremen. Auch Filmautor.

Schriften (Ausw.): Fortschritt ohne Vernunft? Wissenschaft und Gesellschaft im technischen Zeitalter, 1964; Wohin führt die Wissenschaft? Neun Gespräche mit deutschen Gelehrten, 1965; Dialog des Abendlandes. Physik und Philosophie ..., 1966; Wegbereiter unserer Zukunft, 1968.   RM

Heimeran, Ernst, * 19.6.1902 Helmbrechts/ Oberfranken, † 31.5.1955 Starnberg; studierte in Erlangen u. München Kunstgesch., Dr. phil.; Journalist, Verlagsbuchhändler. Essayist u. Herausgeber.

Schriften: Michelangelo und das Porträt, 1925; Das Buch, als Freund (Hg.) 1925; Antike Weisheit. Sammlung lateinischer und griechischer Gedanken. 500 lateinische und griechische Worte (gem. m. M. Hofmann) 1930; Namensbüchlein,

1933; Echter Hundertjähriger Kalender. Aufgefunden und nach dem eigenhändigen Konzept des M. Knauer von 1652 und der ältesten Handschriften zum ersten Male vollständig herausgegeben, verdeutscht und für das zwanzigste Jahrhundert erläutert, 1934; Spielbuch für Erwachsene, 1935 (erw. Neuauflg. 1953); Trostbüchlein in allen Lebenslagen. 350 tröstliche Anekdoten, Gedichte, Sinnsprüche aus den deutschen Schriften gezogen, 1935; Unfreiwilliger Humor, 1935; Glückwunschbuch für alle Gelegenheiten, 1935; Die lieben Verwandten. 15 kleine Charakterbilder, 1936; K.H. Ritter von Lang, Geschichten. Aus seinen Werken gezogen, 1936; Anstandsbuch für Anständige. Gestern und Heute des guten Tons, 1937; Ernstgemeint. Entgleisungen in Poesie und Prosa, 1937 (2. Aufl.); Der bequeme Schifahrer, 25 schöne Tagestouren von München aus, vor allem für Autofahrer und Liebhaber später Züge beschrieben wie noch nie (gem. m. G. Müller) 1937; K. Ganzer und L. Kusche, Vierhändig. (Hg.) 1937; Das stillvergnügte Streichquartett (gem. m. B. Aulich) 1938; Der Vater und sein erstes Kind, 1938; Lieblings-Bücher von dazumal. Blütenlese aus den erfolgreichsten Büchern von 1750–1860. Zugleich ein erster Versuch zu einer Geschichte des Lesergeschmacks (gem. m. H. Kunze) 1938; E. Penzoldt, Lebensabriß und Werkverzeichnis zum fünfzigsten Geburtstag dargeboten, 1942; Hinaus in die Ferne mit Butterbrot und Speck. Die schönsten Parodien auf Goethe bis George. Nebst einem Kapitel zeitgenössischer Selbstparodien und einem Bilderanhang, 1943; Der Verlagsvertreter, 1947 (Neuausg. m. d. Untert.: Die Erfahrungen eines Reisenden in Büchern von ihm selbst erzählt, 1956); Christiane und Till, 1944; Gute Besserung. Frohe Stunden eines Patienten, 1946; Grundstück gesucht. Ein Traum und seine Wirklichkeit, 1946; Büchermachen. Geschichte eines Steckenpferdes, 1947 (Neuaufl. m. d. Untert.: Geschichte eines Verlegers von ihm selbst erzählt, 1952); Frühlingssonate, 1949; Frühling, Sommer, Herbst und Winter (Nov.) 1950; Glück mit Kindern. Eine Bilderfolge, 1950; Vornamenbüchlein, 1950; Garten-Einmaleins. Eine Fibel für Gartenfreunde die wenig Zeit und wenig Geld haben, 1951; Familienalbum, 1952; Alter Witz, neu herausgegeben, 1952; Zimmer 16 (Erz.) 1953; Die Ahnenbilder. Drei Geschichten, 1954; Unfreiwilliger Humor. Stilblüten, Kathederblüten, Druckfehler-

teufel ..., 1954; Lehrer, die wir hatten, 1954;
Sonntags-Gespräche mit Nebe, 1955; Der
schwarze Schimmel, 1957; Es hat alles sein Gutes
(Ausgew. u. zs.gestellt v. M. v. Heimeran) 1959;
Der Haushalt als eine schöne Kunst betrachtet,
1959; Der Kellner Fritz, 1965.

Literatur: NDB 8, 275; Albrecht-Dahlke II, 2,
296; J. WOELKE, ~. Verzeichnis d. in d. Dortmunder Volksbüchereien vorhandenen Werke.
– H. SCHALLINGER, ~ ist gestorben (in: D.
Antiquariat 11) 1955; R. ROHLFS, Liebe, Menschlichkeit u. Humor. Z. Tode v. ~ (in: Zs. f. Musik 116) 1955; L. ROSSIPAUL, Von u. bei ~. Z.
Tode d. Verlegers u. Schriftst. (in: Börsenbl.
Leipzig 122) 1955; E. LISSNER, Vale ~. Z. Tode
d. Verlegers, Dichters u. Freundes (in: Börsenbl.
Frankfurt 11) 1955.   IB

Heimerdinger, Friedrich, * 10.1.1817 Altona,
† 2.10.1882 Hamburg; Schulgehilfe, dann Besuch d. Akad. Düsseldorf, Maler in München u.
seit 1846 in Hamburg. Gründer e. Kunstschule,
Begründer d. sog. «Hamburger Zeichenmethode».

Schriften: Lust und Leid (Ged.) 1878; Seelen-
verwandtschaft (bürgerl. Schausp.) 1878; Ein le-
bendes Bild (Lsp.) 1878. (Außerdem versch.
Lehrbücher.)

Literatur: Thieme-Becker 16, 282.   RM

Heimerich, Alexander (Ps.?), * um 1795, † n.
1824, stammte wahrsch. aus Nordwest-Dtl., in
d. Schlacht v. Ligny (1815) schwer verwundet,
lebte dann in Aachen, 1821/22 auf e. Reise in d.
Schweiz u. in Norditalien, 1823 in München u.
1824 in Kopenhagen.

Schriften: Bruchstücke, 1. Bd., 1825 (m.n. e.)
Literatur: Goedeke 15, 462, 1144.   RM

Heimerl, Maria Josefa, * 20.4.1866 Wien, † 8.
11.1947 ebd., Lyrikerin u. Dramatikerin.

Schriften: Der verlorene Silbergulden, 1933;
Frau Holde (Singsp.) 1934.   IB

Heimesfurt → Konrad von Heimesfurt.

Heimfelsen, J. (Sepp) (Ps. f. Joseph Kerausch
[-Heimfelsen]), * 19.8.1859 Imst/Tirol, † 12.
11.1934 Innsbruck; bis 1900 Berufsoffizier, seit
1904 Journalist in Riva/Gardasee, seit 1909 Red.
d. «Sarajewoer Tagbl.», n. 1918 freier Schriftst.
in Innsbruck.

Schriften: Andreas Hofer. Zeitbild aus den Tiroler Befreiungskriegen in vier Acten, 1893; Die

Großberghofer. Volksstück mit Gesang, 1895;
Zu spät! (modernes Dr.) 1896; Die Generalshose
(Schw.) 1897; Kleine Erzählungen, 1897 (Neuausg. 1907); Abgeschossen (öst. Militärrom.)
1906; Die deutschen Kolonien in Bosnien, 1911;
Die sich wiederfinden. Ein Stück aus der völki-
schen Leidenszeit Tirols, 1922; Das Kreuz am
blauen Bande, 1925; Was ich sang und sang,
1925; Auf Irr- und Kreuzwegen (Lebenserinn.)
1935. (Außerdem geogr.-topogr. Schriften).

Literatur: Theater-Lex. 2, 982; ÖBL 3, 296.
                                           RM

Heimfried, Hally → Chappuis, Edgar.

Der heimliche Bote, 50 Reimpaare e. dt. Ged.-
fragm. aus d. 12. Jh. v. 2 Verf., das mit d. Worten «[ich bin] ein heinlich bote» beginnt u. auf
d. 1. Bl. d. mittleren Cod. d. aus 3 Hss. bestehenden Münchener Pergamenths. Clm. 7792 überl.
ist. D. 1. Tl. (v. 1. Verf.) umfaßt in d. Form e.
Briefes 56 Verse u. lehrt d. Frau, falsche Minner
zu meiden. D. 2. Tl. (v. 2. Verf.), e. Sitten- u. An-
standslehre f. Männer d. höf. Gesellsch., gipfelt
in d. Aufforderung. d. Welt zu gefallen. O. Fischer (in: ZfdA 48) hält d. 2 Tle. f. nicht zus.-
gehörend, während Ehrismann (in: ZfdA 64) an
d. Einheitlichkeit d. Ged. festhält. – Die Verf.
sind unbek., sie dürften aus Mittel-Dtl. stammen,
d. Quellenfrage ist umstritten, vgl. Ehrismann
(in: ZfdA 64) u. E. Schröder (in: ZfdA 56).

Ausgabe: H. MEYER-BENFEY, Mhd. Übungsstücke 2, 1921 (u. d. T.: Lehren f. Frauen und
Männer).

Literatur: VL 1, 270; de Boor-Newald 2, 394. –
E. MEYER, D. gereimten Liebesbriefe d. dt. MA
(Diss. Marburg) 1899; H. BRINKMANN, Entstehungsgesch. d. Minnesangs, 1926; J. PURKART,
Botenrolle u. Botenlied. E. Beitr. z. Gesch. d.
mhd. «Liebesbriefe» (Diss. Univ. of Mass.) 1971;
DERS., ~ – Liebesbrief od. Werbungsszene? (in:
ABäG 2) 1972; F. v. SPECHTLER, D. Stilisierung
d. Distanz. Z. Rolle d. Boten im MA bis Walther
u. bei Ulrich v. Liechtenstein (in: Peripherie u.
Zentrum) 1971; P. DRONKE, Pseudo-Ovid, Fa-
cetus, and the Arts of Love (in: Mittellat. Jb. 2)
1976. (Ferner d. oben erwähnten Aufs. v. Ehrismann, Fischer u. Schröder.)   RM

Heimlieb, Otmar → Schönhuth, Ottomar.

Heimo von Michelsberg, † 31.7.1139; Kanoniker d. Kirche St. Jakobi in Michelsberg b.

Bamberg, Schüler v. Frutolf, Dudo u. d. 1122 in Bamberg tätigen span. Bischofs Bernhard. – H. verf. vor 1135 e. Computus, e. Lehrbuch d. kirchl. Zeitrechnung (Hs. verloren) u. 1135 d. Chron. «De decursu temporum» (verb. Neuausg. im selben Jahr), die in 7 Tln. d. 6 Weltalter, die Jahre d. Päpste u. Kaiser, d. Gesch. d. menschl. Elends seit d. Sündenfall u. d. Bundes d. auferstandenen Jesus mit d. Menschen schildert (Ausz. gedr. bei P. JAFFÉ, Bibl. rerum Germanicarum 5; Migne PL u. W. WATTENBACH, Dtl.s Gesch.quellen im MA ... 2).

Literatur: ADB 11, 332; Manitius 3, 361. RM

Heimpel, Hermann, * 19. 9. 1901 München; Dr., Dr. h. c., emer. Univ. Prof., Kulturpreis d. Stadt Goslar 1965, silberne Medaille ‹München leuchtet› 1967, wohnt in Göttingen. Historiker.

Schriften (die hist. in Ausw.): Das Gewerbe der Stadt Regensburg im Mittelalter, 1926; Dietrich von Niem (ca. 1340–1418) 1932; Bemerkungen zur Geschichte König Heinrichs des Ersten; Die halbe Violine. Eine Jugend in der Residenzstadt München, 1949; Der Mensch in seiner Gegenwart. Sieben historische Essais, 1954; Deutschland im späten Mittelalter, 1957.

Literatur: E. u. H. GEUSS, Veröffentl. v. ~ (in: FS f. ~ z. 70. Geb.tag, hg. v. d. Mitarb. d. Max-Planck-Inst. f. Gesch., 3. Bd.) 1972. IB

Heimreich, Jens, * 13. 6. 1912 Hamburg, seit 1944 in Rußland verschollen; studierte in München u. Berlin, Dr. phil. Leiter der Außenstelle Antwerpen d. Dt. Akad., seit 1940 Soldat. Lyriker, Erz. u. Essayist.

Schriften: Die Mondentrommel (Ged.) 1935; Ufer der Frühzeit (Ged.) 1937; Die Koren (Ged.) 1939; Die Teufelsbrücke (Rom.) 1943. IB

Heims, Paul G. (Ps. Gerhard Walter), * 4. 5. 1847 Kopenhagen, † 21. 6. 1906 Bleckendorf bei Magdeburg, Marinepfarrer, Pastor u. Kreisschulinspektor. Erzähler.

Schriften (Ausw.): Kreuzfahrten in Ost und West, Bilder und Skizzen von der Weltreise S. M. Kreuzer-Korvette Nymphe. April 1884–Oktober 1885, 1885; Seespuk. Aberglauben, Märchen und Schnurren, in Seemannskreisen gesungen und bearbeitet, 1888; Im Rauschen der Wogen, im Branden der Flut, 1890; Fernab von der Straße (4 Nov., 2. Aufl.) 1891; Auf einsamen Wegen (3 Nov.) 1893; Lebensfragen. Gedanken über allerlei Alltägliches, 1893; Hüben und Drüben (Nov.) 1893; Unter einsamen Menschen (Nov.) 1895; Von der Wasserkante. Skizzen und Erinnerungsblätter, 1897; Daheim und draußen (Skizzen u. Nov.) 1897; Wandlungen, 1897; Seemannslatein und anderes, 1898; Ausgewählte Novellen, 1898; Skizzen und Randzeichnungen (Kleine Nov.) 1900; In stillen Winkeln. Novellen und Skizzen. I Drei Feste. Ein Novellenkranz (3. Aufl.) 1900, II In Frost und Glut. Ein Novellenkranz, 1900, III Nachbarskinder. Eine Erzählung, 1902; Zu Füßen der Wartburg. Novellen und Skizzen, 1903; Eine seltene Ehre und andere Novellen, 1902; Auf blauem Wasser. Ein Buch von der See für die deutsche Jugend, 1903. IB

Hein, Alfred (Ps. Julius Beuthen), * 7. 10. 1894 Beuthen in Oberschlesien, † 30. 12. 1945 Halle; freier Schriftst. in Berlin. Erz. u. Lyriker.

Schriften: Sammelnde Trommel. Lieder in der Not der Zeit, 1917; Die Terzinen an die tote Isot, 1918; Die Lieder vom Frieden (Ged.) 1919; Der Lindenfrieden. Ein deutsches Liederbuch fürs Volk, 1920; Die Frauenburger Reise. Entdeckung einer ostpreußischen Landschaft, 1922; Kurts Maler, Ein Lieblingsroman des deutschen Volkes, 1923; Neue Gedichte, 1924; Pan und Elysia (Tanzleg.) 1925; Eine Kompagnie Soldaten. In der Hölle von Verdun, 1929; Die Erstürmung des ‹Toten Manns› am 20. V. 1916 und Die Tornisterphilosophie, 1932; Über zertrümmerte Brücken – vorwärts! Ostpreußische Schicksalbilder, 1933; Sturmtrupp Brooks (Rom.) 1933; Der Alte vom Preußenwald. Hindenburgs sieghaftes Leben, 1934; Das kleine Buch vom großen Krieg, 1934; Gloria! Viktoria! Erzählung aus der Tannbergschlacht 1914, 1935. Annke. Kriegsschicksale eines ostpreußischen Mädchens (1915–1918) 1935; Fridericus und mein Vorfahr (Erz.) 1936; Der Trommler schlägt Parade! Deutsche Heerschau in Augenblicksbildern, 1936; Leuchtfeuer über Preußen. Erzählung aus der Napoleonzeit, 1937; Greift an, Grenadiere! 1939; Kleine Geschichten von großen Leuten, 1940; Beates Vater, 1940; Ein Teufelskerl. Blüchers verwegenes Leben, 1940; General Rössel greift ein. Im Fieselerstorch über das Schlachtfeld, 1941; Schach dem Sonnenkönig. Taten und Siege des Prinzen Eugen, 1941; Die Meistergeige, 1941; Du selber bist Musik (Rom.) 1942; «Höhe 304». Aus der Schlacht um Verdun 1916, 1942; Paul rettet die

Verschleppten. Erzählung vom Russeneinfall in Ostpreußen 1914/15, 1942; Der Zauberlehrling (Erz.) 1942; Seydlitz. Reiter für Friedrichs Ehre, 1943; Susanne und Jucunda (Nov.) 1943; Ruhig Blut, Gustav! und andere Erzählung, 1944.

Literatur: W. GRALKA, «Eine Kompanie Soldaten». Z. 70. Geb.tag d. Dichters u. Schriftst. ∼ (in: Der Schlesier 16) 1964; A. HAYDUK, ∼. Gedenkbl. z. 70. Geburtstag (in: Schlesien 9) 1964.   IB

Hein, Alfred, * 7.3.1911 Soltau; Dr. phil., Stud. Rat, wohnt in Lüneburg. Lyriker.

Schriften: Das Neue Weltjahr (Ged.) 1948; Inmitten aller Zeit (Ged.) 1958.   IB

Hein, Alois Raimund, * 1.6.1852 Wien, † 4.1.1937 ebd.; studierte an der Wiener Akad. d. bildenden Künste, nebenbei in d. Industrie tätig, nach Studienabschluß Lehrer an höheren Schulen, viele weite Studienreisen. Biograph Adalbert Stifters, sowie Gründer d. A. Stifter-Gesellsch. (1918). Maler u. Biograph.

Schriften: Adalbert Stifter. Sein Leben und seine Werke, 1904; Adalbert Stifter, Dichterbiographie, 1912; Gebet, Arbeit, Pfarrkirche Unterach (Oberöst.) 1914; Verbrechen am Genius. Eine Salzkammergut-Historie aus unseren Tagen, 1934.

Nachlaß: Adalbert Stifter-Gesellsch., Wien; Adalbert Stifter-Institut, Linz.

Literatur: ÖBL 2, 245. – G. WILHELM, Der Stifterbiograph ∼ (in: Begegnung mit Stifter) 1943; O. JUNGMAIR, ∼. S. Leben u. Wirken (in: Oberöst. Heimatbl. 6 u. 9) 1952–1955; A. MARKUS, D. Nachlaß v. ∼ im A. Stifter-Institut (in: VASILO 13) 1964.   IB

Hein, Erika, * 7.5.1939 Schramberg/Kr. Rottweil; Kinderkrankenschwester, lebt in Villingen. Erzählerin.

Schriften: Gespenster machen keine Ferien, 1970; Stefanies Sommer, 1973; Das Mädchen vom Ponyhof, 1978; Das Versteck auf der Schlangeninsel, 1978.   IB

Hein, Franz, * 30.11.1863 Altona, † 21.10.1927 Leipzig; Studium in Karlsruhe, 1890 Lehrer an d. Kunstgewerbeschule ebd., 1905 Prof. an d. Staatl. Akad. f. Graph. Künste u. Buchgewerbe in Leipzig. Dichter u. Memoirenschreiber.

Schriften: (Neben zahlr. Büchern mit Holzschnitten) Die Nixe (Märchensp.) 1902; Lieder und Bilder, 1903; Hellenische Sänger in deutschen Versen. (gem. mit K. Preisendanz) 1904; Scheherasade. Ein Märchen in zwei Aufzügen, 1906; Schneewittchen. Ein deutsches Märchen in fünf Aufzügen, 1911; Zehn farbige Märchenbilder mit begleitendem Text von H. W. Singer, 1913; Deutscher Wald. Die Jahreszeiten in Holzschnitten, 1920; Deutsche Eichen. Eingedruckte Holzschnitte und Verse, 1924; Wille und Weg. Lebenserinnerung eines deutschen Malers, 1924; Unsere Bäume. Acht Original-Holzschnitte, 1925.   IB

Hein, Günther → Konsalik, Heinz G.

Hein, Gustav → Dennert, Eberhard Gustav.

Hein, Jürgen, * 12.1.1942 Köln; 1968 Dr. phil., 1972 Habil., 1972 Prof. u. Wiss. Rat an d. Päd. Hochschule Köln, 1973 o. Prof. f. dt. Sprache u. Lit. in Münster. Mit J. Hüttner Hg. e. auf 17 Bde. geplanten hist.-krit. Ausg. d. «Sämtl. Werke» J. Nestroys (seit 1977).

Schriften (Ausw.): Spiel und Satire in der Komödie Johann Nestroys, 1970; Ferdinand Raimund, 1970; Theater und Gesellschaft. Das Volksstück im 19. und 20. Jahrhundert (hg.) 1973; Dorfgeschichte, 1976; Deutsche Anekdoten (hg.) 1976; Das Wiener Volkstheater. Raimund und Nestroy, 1979.   RM

Hein, Manfred Peter, * 25.5.1931 Darkehem; Weilin&Göös-Lit.preis Helsinki 1964, wohnt in Espoo Finnld. Lyriker, Übers. aus d. Finnischen, Kinderbuchschriftsteller.

Schriften: Ohne Geleit (Ged.) 1960; Taggefälle (Ged.) 1962; Gegenzeichnung. Gedichte 1962 bis 1972, 1974.   IB

Hein, Nikolaus, * 17.6.1889 Ehnen a. d. Mosel, † 7.10.1969 Luxemburg; studierte in München u. Paris, Dr. phil., Prof. am Athenäum in Luxemburg. Lit.historiker u. Dichter.

Schriften: Lichter und Funken (Ged.) 1917; Goethe in Luxemburg 1792 (Abh.) 1925 (Eine philosophisch-geschichtliche Studie. 2. im wesentl. unveränd. Aufl., 1940; vollständig umgearb. u. erw. 3. Aufl. 1961); Deutsches Lesebuch für mittlere Lehranstalten, 2 Bde., 1935; Unterwegs. Stimmungsbilder, 1939; Der Verräter (Nov.) 1948; Deutsches Lesebuch für höhere Schulen, 1949; Der Brunnen. Deutsches Lesebuch für höhere Schulen in sieben Bänden, 1955;

Das Nikolausbuch. Nikolausgeschichten aus aller Welt für jung und alt gesammelt, 1961; Das Buch vom Sankt Nikolaus, 1962.

Literatur: A. ELSEN, ∼ (in: Hémecht a Missio'n 10) 1949.   IB

Heinatsch, Eberhard (Ps. Sigfrid Eberhard) * 15.4.1902 Prauss/Schles.; Diplomhandelslehrer, lebte in Berlin, dann in Liegnitz. Erzähler, Dramatiker.

Schriften: Henrik Händchen (Nov.) 1922; Schwert über Golgatha. Tragödie in drei Akten, 1926; Der Fischzug (Anthol., Hg.) 1926; Kämpfer für Deutschlands Kolonien, 1939; Werden und Sein. Die Geschichte von der Schaffung Großdeutschlands, eine Darstellung seiner Lebensgrundlagen und der Gesetze der Volksgemeinschaft, 2 Bde., 1941/42.   AS

Heincke, Ida (geb. Dreckmann), * 16.9.1860 Lübtheen/Mecklenb.; 1881 Heirat mit d. Forstbeamten Paul H., lebte seit 1885 in Rostock.

Schriften: In Freud' und Leid (Ged.) 1897; Waldblumen (neue Ged.) 1898; Sommermetten (plattdt. Ged.) 1904.   RM

Heindl, Anton, * 2.6.1859 Wostitz/Mähren, Todesdat. unbek.; studierte Philol. in Wien, Dr. phil., arbeitete als Privaterzieher in Wien u. Konstantinopel, lebte 1894–1902 als freier Schriftst. in Dresden, dann wieder Erzieher in vornehmen Häusern, zuletzt beim Statthalter v. Triest.

Schriften: Hoch vom Dachstein. Roman aus der Sommerfrische, 1904.   AS

Heindl, Gottfried, * 5.11.1924 Wien, Dr. phil., Beamter, wohnt in Wien.

Schriften: 1945–1960 wie wir wurden. Der Weg der österreichischen Volkspartei, 1960; Geschichten von gestern und Geschichte von heute. Das zwanzigste Jahrhundert in Anekdote und Bonmot, 1965; Und die Größe ist gefährlich oder Wahrhaftige Geschichte eines schwierigen Volkes (Mit Lit.verzeichnis) 1969; Wien, Brevier einer Stadt, 1972; Michael Märwerts Soll und Haben oder Wirtschaft in Anekdoten, 1974.   IB

Heine, Anselma (Ps. Anselm od. Selma Heine u. Feodor Helm), * 18.6.1855 Bonn, † 9.11.1930 Berlin; lebte bis 1897 in Halle u. seither in Berlin. Verf. v. Nov. u. Romanen.

Schriften: Sein Lieblingsgericht (Lsp.) 1887;

Drei Novellen, 1896; Unterwegs (Nov.) 1897; Auf der Schwelle. Studien und Erzählungen, 1900; Bis ins dritte und vierte Glied (Nov.) 1902; Maeterlinck, 1905; Aus Suomi-Land (Erz.) 1905; Mütter (Rom.) 1905; Vom Markte der Liebe, 1907; Der Wegweiser (Rom.) 1907; Eine Peri (Rom.) 1909; Die Erscheinung (Nov.) 1912; Fern von Paris (Erz.) 1915; Die verborgene Schrift. Roman aus dem Elsaß, 1918; Am Abgrund (Nov.) 1920; Gürtelkämpfer (Rom.) 1922; Einer sät, ein Andrer erntet (Rom.) 1922; Finnische Novellen, 1923; Der Zwergenring. Erzählung aus Goethes Jugendland, 1925; Mein Rundgang. Erinnerungen, 1926; Die Erscheinung (Nov.) 1927.

Literatur: E. SEIDL, ∼. Versuch e. Monographie. (Diss. Wien) 1957.   IB/RM

Heine, Carl, * 24.6.1861 Halle/Saale, † 17.3. 1927 Berlin; Dr. phil., seit 1912 Dramaturg u. Oberspielleiter am Dt. Theater in Berlin, 1915 bis 1918 Hg. d. Zs. «Die Scene». Theaterhistoriker u. Dramatiker.

Schriften: Das Schauspiel der deutschen Wanderbühne vor Gottsched, 1889; Der Roman in Deutschland von 1774–1778, 1892; Herren und Diener der Schauspielkunst, 1905.

Literatur: Theater-Lex. 1,735.   IB

Heine, Emil, * 24.7.1806 Dresden, † 25.1. 1873 ebd.; studierte in Prag, Priester, 1835–37 Kaplan in Leipzig, 1845 Hofprediger in Dresden, 1853 Beichtvater d. Königs Johann von Sachsen. Verf. v. Predigten.

Schriften: Sechs Fastenvorträge über einige besonders gangbare Reden und Grundsätze der Welt. Nebst einer Ernte-Dank-Festpredigt, 1848; Unverbrüchliche Achtung vor dem Gesetz und seinen berufenen Wächtern und Vollstreckern! Predigt am 12.3. als am 1. Sonntag der heiligen Fastenzeit 1848 gehalten, 1848; Jetzt ist die gnadenreiche Zeit. Ein Fastenbuch für den Gebrauch bei der häuslichen Andacht als Predigten. Zusammengestellt und herausgegeben von einem seiner Beichtkinder, 1873.

Literatur: ADB 11,337.   IB

Heine, Erwin, * 19.6.1899 Schrittenz/Böhmen, † 1947 Schwarzenburg/Herzberg/Elster; Red. in Troppau, Erzähler.

Schriften: Waldseele. Das Tagebuch eines Friedesuchers, 1923; Vlasta und ihr Student. Ein Prager deutsches Studentenschicksal aus der Gegenwart, 1924; P. Schaufuß, Über den Dengis-Bei. Die abenteuerlichen Erlebnisse eines Deutschböhmen auf der Flucht vom roten Rußland zum indischen Ozean und in die Heimat (Bearb. u. Hg.) 1926.   IB

Heine, Friedrich, * 19. 12. 1865 Cöthen/Anhalt; studierte Theol. u. Philolog., Dr. phil. (1912), war Pfarrer in Kleinmühlingen, in Wörbzig, dann Diakonus in Zerbst. Verf. landes-, orts- u. kirchengesch. Arbeiten. Mithg. der «Anhaltischen Heimatblätter».

Schriften (außer Fachschr.): Gisela Agnes. Ein kultur-historischer Roman, 1909; Fürstin Gisela Agnes (Abh.) 1909; Neues über Fürstin Gisela Agnes, 1913.   AS

Heine, Gerhard, * 13. 1. 1867 Köthen in Anhalt, † 1948 Dessau; stud. in Greifswald, Berlin, Göttingen u. Halle, Dr. phil., Dir. versch. Gymnasien, Hg. d. «Heimatl. Jb. für Anhalt» (1925–27), Verf. v. Laiensp., Erz. u. Literarhistoriker.

Schriften: Das Verhältnis der Ästhetik zur Ethik bei Schiller, 1894; Ferdinand Avenarius als Dichter, 1904; Aus der silbernen Zeit unserer Literatur. Mörike, Ludwig, Hebbel und C. F. Meyer, 1905; Verschneite Seelen (Rom.) 1905; Kleinkrieg in Weisenberg (Erz.) 1907; Die neuere deutsche Dichtung im Wandel der Weltanschauung, 1911; Könige. Zwei dramatische Dichtungen, 1913; Die Mobilmachung der Schule. Pädagogisches Gedicht, 1913; Der Kaiser und wir (4. Aufl.) 1916; Die Befreiung (Sp.) 1922; Ulricus uff dem Ziebigk oder Das Sommerfest (Sp.) 1922; König Fredo. Eine dramatische Ballade (2. Aufl.) 1923; Osfried. Dramatische Ballade (2. Aufl.) 1924; Der Kronprinz in Küstrin. Ein Spiel von heute, 1924; Der König aus dem Morgenlande. Ein Weihnachtsspiel, 1925; Glum. Ein heldisches Spiel, 1926; Prinzeß Sidonie erwacht, Erzählung aus einer kleinen Residenz, 1935; Gneisenau. Ein großes Leben, 1938; Ernst Moritz Arndt. Der Weg eines deutschen Mannes, 1939; Der Mann, der nach Syrakus spazieren ging. Das abenteuerliche Leben des J. G. Seume, 1940; Erlebnisse der Freifrau Fritze von Riedesel (Rom.) 1941.

Literatur: Theater-Lex. 1, 735.   IB

Heine, H. (Heinrich Christian Engelhard), * 13. 2. 1824 Wolfshagen b. Goslar, † 5. 5. 1879 Berlin; Sohn e. Holzfällers, n. Besuch d. Domschule Ausbildung z. Arzt 2. Kl., lebte dann auf Wanderschaft u. in Berlin, 1854–67 wieder in Wolfshagen, seit 1867 in Seesen/Harz u. zuletzt in Berlin.

Schriften: Blumen am Wege (Ged.) 1863; Wilde Heckenrosen. Humoristische und satyrische Gedichte in plattdeutscher Mundart, 1877; Die schönsten Sagen, Märchen und Bilder aus dem Harze. Nach alten Legenden und mündlichen Überlieferungen frei bearbeitet, 1878.   RM

Heine, (Christian Johann) Heinrich (bis 1825 Harry), * 13. 12. 1797 Düsseldorf, † 17. 2. 1856 Paris; Sohn d. Tuchkaufmanns Samson (Sigmund) H., 1810–14 Lyzeum in Düsseldorf, 1815 kaufm. Lehre Frankfurt/M., ab Sommer 1816 im Bankhaus s. Onkels Salomon H. in Hamburg. Jura-, Lit.- u. Philosophiestudium in Bonn, Göttingen u. Berlin. Burschenschaftler, Vorlesungen bei Arndt u. A. W. Schlegel, Hegel-Schüler, Verkehr in literar. Salons, v. al. bei Rahel Varnhagen. Zwischendurch Aufenthalte in Cuxhaven, Helgoland u. Hamburg. 1824 Fußreise durch d. Harz nach Thüringen, Besuch bei Goethe. 1825 Übertritt zur evangel. Kirche u. Promotion zum Dr. jur. Versuche, als Advokat u. Syndikus in einem bürgerl. Beruf Fuß zu fassen, scheiterten. Durch seine literar. Arbeiten, seit 1826 von Campe veröffentlicht, früh bekannt. 1827–28 Mitred. v. Cottas «Neuen allg. polit. Annalen» in München, vergebl. Bewerbungen um eine Professur. Kurzfristige Reisen nach London u. Italien. 1828 Tod des Vaters u. Rückkehr nach Dtl., u. a. Hamburg, Berlin, Wandsbek, Helgoland. 1831 Übersiedlung nach Paris, anfänglich als Berichterstatter v. Cottas Augsbürger «Allg. Ztg.». Die Beiträge wurden bald von d. Zensur unterdrückt, erschienen aber Anfang d. 40er Jahre wieder. Verkehr mit Künstlern u. Schriftst. wie Balzac, Dumas d. Ä., V. Hugo, George Sand, u. a. Anschluß an d. Saint-Simonisten, Mitarbeit an d. Zs. «L'Europe littéraire», Beziehungen zu d. dt. Emigranten um L. Börne, v. denen er sich bald löst, 1843–44 Anschluß an Karl Marx u. dessen Anhänger. Seit 1834 Bindung an Créscence Eugénie Mirat («Mathilde»), die er 1841 heiratete. 1843 u. 1844 Reisen nach Dtl. z. Besuch s. Mutter u. Verhandlungen mit s. Verleger Campe. Heine, seit 1837 augenleidend, litt seit 1848 an schmerzhaften Lähmungserscheinungen, wahrscheinlich *Lues cerebrospinalis*, u. war für d. Rest s. Lebens bettlägrig. Späte Liebe zur jungen Dt. Elise Krinitz. Er wurde auf dem Montmartre-Friedhof beigesetzt. Dichter, Publizist, Schöpfer d. modernen Feuilletons.

Schriften: Gedichte, 1822; Tragödien, nebst einem lyrischen Intermezzo, 1823; Reisebilder. 4 Bde., 1826–31; Buch der Lieder (Ged.) 1827; (Hg.) Kahldorf über den Adel in Briefen an den Grafen M. v. Moltke, 1831; Zur Geschichte der neueren schönen Litteratur in Deutschland, 2 Bde. 1833; Vorrede zu H. H.s Französischen Zuständen, 1833; Oeuvres. 6 Bde. Paris 1833–35; Französische Zustände (Ess.) 1833; Der Salon. 4 Bde. 1834–40; Die romantische Schule, 1936; (Übs.) Cervantes: Der sinnreiche Junker Don Quichote von La Mancha. 2 Bde. 1837–38; Über den Denunzianten (Vorrede zum 3. T. des Salons) 1837; Shakespeares Mädchen und Frauen (Ess.) 1839; Über Ludwig Börne (Ess.) 1840; Deutschland. Ein Wintermärchen (Ged. Zyklus) 1844; Neue Gedichte, 1844; Atta Troll. Ein Sommernachtstraum (ep. Ged.) 1847; Politisches Glaubensbekenntnis oder: Epistel an Deutschland, geschrieben in Paris im Oktober 1832 (Neuaufl. der Vorrede zu Franz. Zuständen) 1848; Der Doktor Faust. Ein Tanzpoem. 1851; Gedichte. 4 Bde. 1851–57; Romanzero (Ged.) 1851; Les Dieux en exil, 1853; Die verbrannten Götter, 1853; Die Harzreise (Reisebeschr.) 1853; Letzte Gedichte und Gedanken, hg. A. STRODTMANN, 1869; Memoiren und neugesammelte Gedichte, Prosa und Briefe, hg. E. ENGEL, 1884.

Ausgaben: Sämtliche Werke. 23 Bde., 1861–84; Sämtliche Werke, hg. E. ELSTER, 7 Bde. 1887 bis 1890; Sämtliche Werke, hg. O. WALZEL, 11 Bde. 1910–20; Sämtliche Werke, hg. F. STRICH, 11 Bde., 1925–30; Werke und Briefe, hg. H. KAUFMANN, G. ERLER 10 Bde., 1961; Säkularausgabe. Werke, Briefwechsel, Lebenszeugnisse (hg. Nat. Forschungs- u. Gedenkstätten der Klass. Dt. Lit. u. Centre Nationale de Recherche Scientifique Paris, 30 Bde., 1970 ff.; Historisch-krit. Gesamtausgabe der Werke. Düsseldorfer Ausgabe (hg. M. WINDFUHR), 16 Bde., 1973 ff.; Werke (hg. u. kommentiert v. ST. ATKINS u. O. BOECK) 2 Bde., 1973–78.

Briefe, Gespräche: Briefe. Erste Gesamtausgabe, hg. F. HIRTH, 6 Bde., 1950–57; Gespräche, hg. H. BIEBER, 1926, 2 Aufl. u. d. T.: Gespräche mit H. (hg. H. H. HOUBEN) 1948; Briefe (ausgew. v. F. MENDE) 1969.

Nachlaß: H.-H.-Inst. Düsseldorf; Bibl. Nationale, Paris; Harvard Univ. Library; Schocken-Bibl. Jerusalem. – Denecke 2. Aufl.; Frels 123.

Periodicum: H.-Jb. hg. H.-Archiv Düsseldorf 1962 ff.

Dokumente: E. GALLEY, D. Düsseldorfer ∼-Archiv. Gesch. u. Aufgabe (in: H.-Jb. 7) 1968; W. VORTRIEDE, ∼-Kommentar. Bd. 1: Zu den Dg., Bd. 2: Zu den Schr. z. Lit. u. Politik, 1970; F. MENDE, ∼. Chronik s. Lebens u. Werkes, 1970; H. BUNKE, G. KLITZKE, Illustrationen zu ∼, 1972; ∼, 1797–1856 hg. R. W. LEONHARDT, 1972; E. GALLEY, ∼. Lebensber. mit Bildern u. Dokumenten, 1973; Begegnungen mit ∼. Ber. der Zeitgenossen hg. M. WERNER, 1973; F. MENDE, ∼-Chronik. Daten zu Leben u. Werk, 1975; I. HERMSTRUWER, Bestandsverz. d. Düsseldorfer ∼-Autographen. Neuerwerbungen 1968 bis 1975 (in: H.-Jb. 15) 1976.

Bibliographien: G. WILHELM, ∼-Bibliogr. (bis 1953) 2 Bde., 1960; ∼-Lit. 1954 ff. laufend in: H.-Jb. 1963 ff.; S. SEIFERT, ∼-Bibliogr. 1954 bis 1964, 1968; C. R. OWEN, ∼ in spanischem Sprachgebiet, 1968; A. ECKHOFF, Dichterliebe, ∼ im Lied. Ein Verz. d. Vertonungen v. Ged. ∼s, 1972; H. BUNKE, D. illustrierten dt. ∼-Ausgaben 1910–71 (in: Marginalien H. 48) 1972.

Forschungsberichte: E. GALLEY, ∼. 2. verb. Aufl. 1967 (Biogr., Bibliogr., Forschung); J. L. SAMMONS, Phases of ∼ Scholarship 1957–71 (in: GQ 46) 1973; J. HERMAND, Streitobjekt ∼. E. Forschungsber. 1945–75, 1975; D. SCHAEFER-WEISS, Dichter oder Sozialliterat? Probleme und Problematik der ∼-Forschung (in: GGA 227) 1975; H. THOMKE, Dg. u. Politik im ∼s (in: Akten d. 5. Internat. Germ.-Kongr.) 1976.

Sammelbände: ∼ u. s. Zeit (Sonderheft ZfdPh 91) 1972; ∼-Studien hg. M. WINDFUHR, 1972, 1973; Cahier ∼ hg. M. WERNER, Paris 1975; ∼ hg. H. KOOPMANN, 1975.

Leben: A. MEISSNER, ∼. Erinnerungen, 1856, Nachdr. 1972; L. MARCUSE, ∼. E. Leben zw. Gestern u. Morgen, 1932, ²1951; S. BÄCHLI, ∼ in s. Jugendbriefen (Diss. Zürich) 1945; W. WADEPUHL, ∼s Geburtsjahr (in: PMLA 61) 1946; A. MAYERHOFER, ∼ in Paris (in: Berliner Hefte 3) 1948; F. HIRTH, ∼ u. s. französ. Freunde, 1949; H. MEYER-BENFEY, ∼ u. s. Hamburger Zeit, 1946; F. HIRTH, Bausteine zu e. Biographie, 1950; E. M. BUTLER, ∼. A Biography, London 1956; W. ROSE, Ein biog. Beitr. zu ∼s Leben

u. Werk (in: WB 3) 1957; C. C. Lehrmann, ∼ Kämpfer u. Dichter, 1957; ∼. Sein Leben in Bildern, 1956; J. Krüger, ∼ u. Berlin, 1956; J. Dresch, ∼ à Paris (1831–1856) d'après sa correspondance et les témoignages de ses contemporains, 1956; H. J. Weigand, ∼ Paris. F. Hirth's Commentary on the Letters (in: Orbis litt. 11) 1956; W. Wadepuhl, ∼s Memoiren (in: WB 2) 1956; E. Galley, ∼ u. d. Kölner Dom (in: DVjs 32) 1958; C. Brinitzer, ∼. Roman s. Lebens, 1960; J. Brummack, ∼s Entwicklung z. satir. Dichter (in: DVjs 41) 1967; W. Maier, Leben ,Tat u. Reflexion. Unters. zu ∼s Ästhetik, 1969; J. A. Kruse, ∼s Hamburger Zeit, 1972; P. F. Veit, ∼ and His Cousins. A Reconsideration (in: GR 47) 1972; H. Lilge, ∼, ²1972; G. Heinemann, D. Beziehungen d. jungen ∼ zu d. Zs. im Rheinland u. in Westfalen, 1974; L. Rosenthal, ∼ als Jude, 1973; H. Hultberg, ∼. Leben, Ansichten, Bücher, Kopenhagen 1974; W. Wadepuhl, ∼. S. Leben u. s. Werke, 1974; E. Weidl, ∼s Arbeitsweise. Kreativität d. Veränderung, 1974.

Allgemeine Darstellungen: ADB 11,338; NDB 8, 286. – H. Keiter, ∼, s. Leben, s. Charakter u. s. Werke, 1891, ²1906; K. Steinberg, ∼s geistige Gestalt u. Welt, 1929; H. G. Atkins, ∼, London 1929; M. Brod, ∼, 1934, ²1956; W. Pollatschek, ∼, 1947; H. Eulenberg, ∼, 1947; G. Bianquis, ∼, l'homme et l'oeuvre, Paris 1948; W. Vontin, ∼. E. Lebensbild, 1949; W. Ilberg, Unser ∼. Eine krit. Würdigung, 1952; W. Wadepuhl, ∼-Studien, 1956; A. Vallentin, ∼, 1956; E. Wohlhaupter, ∼ (in: E. W., Dichterjuristen 2) 1955; W. Rose, ∼. Two Studies of His Thought and Feeling, 1956; B. Fairley, ∼. An Interpretation, London 1954; J. Edfelt, ∼, Stockholm 1955; W. Harich, ∼ u. d. Schulgeheimnis d. dt. Philos. (in: SuF 8) 1956; G. Lukács, ∼ u. das Ende der Kunstperiode (in: Geist u. Zeit) 1956; H. Salinger, ∼s Stature after a Century (in: Monatshefte 48) 1956; H.-G. Werner, ∼. S. weltanschaul. Entwicklung u. s. Dtl.bild, 1958; M. Stockhammer, ∼ als Pessimist (in: Schopenhauer-Jb. 43) 1962; H. Paucker, ∼. Mensch u. Dichter zw. Dtl. u. Frankreich, 1967; D. Sternberger, ∼ (in: Genius der Dt.) 1968; L. Marcuse, ∼ in Selbstzeugnissen u. Bilddokumenten, ⁶1967; H. Koopmann, ∼ (in: Dt. Dichter des 19. Jh., hg. B. v. Wiese) 1969; M. Windfuhr, ∼, Re-

volution u. Reflexion, 1969; J. L. Sammons, ∼. The Elusive Poet, 1969; H. Kaufmann, ∼. Geistige Entwicklung u. künstlerisches Werk, 1970; L. Marcuse, ∼, Melancholiker, Streiter in Marx, Epikureer. Neuausg. 1970; D. Sternberger, ∼ u. d. Abschaffung der Sünde, 1972; J. Dudda, ∼ Leben u. Werk, 1972; W. Preisendanz, ∼. Werkstrukturen u. Epochenbezüge, 1973; E. Loeb, ∼ Weltbild u. geistige Gestalt, 1975; B. v. Wiese, Signaturen. Zu ∼ u. seinem Werk, 1976.

Einzelne Themen: A. Pache, Naturgefühl u. Natursymbolik bei ∼, 1904; C. Puetzfeld, ∼s Verhältnis z. Religion, 1912, Nachdr. 1973; A. G. Tournoux, Les mots étrangers dans l'oeuvre poétique de ∼, Paris 1920; I. Weidekampf, Traum u. Wirklichkeit in d. Romantik u. bei ∼, 1932, Nachdr. 1967; M. Brod, ∼s Witz (in: Welt und Wort 11) 1956; E. Vermeil, ∼ als Politiker (in: SuF 8) 1956; L. L. Hammerich, ∼ als polit. Dichter (in: Orbis litt. 11) 1956; H. Pfeiffer, Begriff u. Bild, ∼s philos. u. ästhet. Ansichten, 1958; W. Welzig, ∼ als Dichter d. Sentimentalität (Diss. Wien) 1958; K. Emmerich, ∼s polit. Testament in dt. Sprache (in: WB 4) 1958; A. Leschnitzer, Vom Dichtermärtyrertum z. polit. Dg. ∼s Weg zur Demokratie (in: FS H. Herzfeld) 1958; L. Hofrichter, ∼s Kampf gg. d. Tradition (in: MLN 75) 1960; H. Kaufmann, ∼s Schönheitsbegriff u. die Revolution v. 1848 (in: Zs. f. dt. Lit.gesch. 6) 1960; M. Niehaus, Himmel, Hölle u. Trikot. ∼ u. d. Ballett, 1959; G. Schmitz, Über d. ökonom. Anschauungen ∼s Werken, 1960; M. Kofta, ∼ u. die poln. Frage (in: Zs. f. dt. Lit.-gesch. 6) 1960; A. Fuhrmann, Recht u. Staat bei ∼, 1961; H.-G. Koch, ∼ u. d. Religion. E. Auseinandersetzung mit d. marxist. ∼-Bild (in: Zeitwende 32) 1961; F. Mende, ∼s lit. Persönlichkeitsideal (in: H.-Jb.) 1965; U. Geisler, D. sozialen Anschauungen d. revolutionären Demokraten ∼ (in: WZ Leipzig 14) 1965; P. K. Kurz, Künstler, Tribun, Apostel. ∼s Auffassung vom Beruf d. Dichters, 1967; V. Radlik, ∼ in der Zensur der Restaurationsepoche (in: Z. Lit. d. Restaurationsepoche hg. J. Hermand, M. Windfuhr) 1970; V. Deblue, Anima naturaliter ironica. D. Ironie in Wesen u. Werk ∼s, 1970; M. Mann, ∼s Musikkritiken, 1971; K.-H. Fingerhut, Standortbestimmungen, 1971; H. Koopmann, ∼s Gesch.auffassung (in: Schiller-Jb. 16)

1972; W. Kuttenkeuler, ∼. Theorie u. Kritik d. Lit., 1972; D. Möller, ∼. Episodik u. Werkeinheit, 1973; H. Hengst, Idee u. Ideologieverdacht. Revolutionäre Implikationen d. dt. Idealismus im Kontext d. zeitkrit. Prosa ∼s, 1973; L. Rosenthal, ∼ als Jude, 1973; H. Kirchner, ∼ u. d. Judentum, 1973; P. U. Hohendahl, Gesch. u. Modernität. ∼s Kritik an d. Romantik (in: Schiller-Jb. 17) 1973; N. Reeves, ∼. Poetry and Politics, London 1974; W. Kanowsky, Vernunft u. Gesch. ∼s Studien als Grundlegung s. Welt- u. Kunstanschauung, 1975; I. Karger, ∼. Lit. Aufklärung u. werkbetonte Textstruktur. Unters. z. Tierbild, 1975; R. W. Leonhardt, D. Weib, d. ich geliebet hab. ∼s Mädchen u. Frauen, 1975; G. Tonelli, ∼s polit. Philos. 1830–1845, 1975; U. Lehmann, Popularisierung u. Ironie im Werk ∼s. D. Bedeutung d. Textimmanenten Kontrastierung f. d. Rezeptionsprozeß, 1976; F. Mende, «Indifferentismus». Bemerkungen zu ∼s ästhet. Terminologie (in: H.-Jb. 15) 1976; M. Rose, D. Parodie. E. Funktion d. bibl. Sprache in ∼s Lyrik, 1976; H. Seeba, D. Kinder d. Pygmalion. D. Bildlichkeit d. Kunstbegriffs bei ∼ (in: DVjs 50) 1976.

Zu der Lyrik: P. Beyer, Über d. frühesten Beziehungen ∼s z. Volkslied (in: Euphorion 18) 1911; E. Elster, Das Vorbild der freien Rhythmen ∼s (in: Euphorion 25) 1924; U. Belart, Gehalt u. Aufbau v. ∼s Gedichtsammlungen, 1925, Nachdr. 1970; W. Rose, The Early Love Poetry of ∼. An Inquiry into Poetic Inspiration. Oxford, 1962; S. S. Prawer, ∼. The Tragic Satirist: A Study of the Later Poetry 1827–56, London, 1961; D. Weber, «Gesetze d. Standpunkts» in ∼s Lyrik (in: JbFdtH) 1965; W. Paar, Z. Deutung ∼scher Ged. im Dt.unterricht (in: H.-Jb. 6) 1967; V. Knüfermann, Symbolische Aspekte ∼scher Lyrik (in: EG 27) 1972; G. Storz, ∼s lyr. Dg., 1971; H. Tischer, Ironie u. Resignation in d. Lyrik ∼s, 1973; P. G. Klussmann, D. Deformation d. romant. Traummotivs in ∼s früher Lyrik (in: FS B. v. Wiese) 1973; P. F. Veit, Fichtenbaum u. Palme (in: GR 51) 1976.

Zu der Prosa: E. Brauweiler, ∼s Prosa. Beitr. zu ihrer Wesensbestimmung, 1915, Nachdr. 1973; M. A. Bernhard, Welterlebnis u. gestaltete Wirklichkeit in ∼s Prosaschr. (Diss. München) 1962; I. Maliniemi, Über rhythm. Satzkadenzen in ∼s Prosaschr. (in: H.-Jb.) 1965; A.

Betz, Ästhetik u. Politik. ∼s Prosa, 1971; G. Oesterle, Integration u. Konflikt. D. Prosa ∼s im Kontext oppositioneller Lit. d. Restaurationsepoche, 1972; S. Grubačić, ∼s Erzählprosa, 1975; J. Müller, ∼s Prosakunst, 1975.

Einzelne Werke: U. Jespersen, «Abenddämmerung», «Ich weiß nicht, was soll es bedeuten», «Das Fräulein stand am Meere» (in: Die dt. Lyrik hg. B. v. Wiese) 1956; I. Feuerlicht, ∼ and his Atta Troll in Spain (in: Monatshefte 49) 1957; P. F. Veit, ∼s Imperfect Muses in A. T. (in: GR 39) 1964; F. Sengle, A. T. ∼s schwierige Lage zw. Revolution u. Tradition (in: H.-Stud.) 1973; W. Woesler, ∼ ‹köstliche› Trolliaden (in: H.-Jb. 15) 1976; H. Christmann, ∼ Belsazer (in: Wege z. Ged. II) 1964; W. A. Berendsohn, D. künstler. Entwicklung ∼s im Buch d. Lieder, Stockholm 1970; J. Zinke, Autortext u. Fremdeingriff. D. Schreibkonventionen d. ∼-Zeit u. d. Textgesch. des B. d. L. 1974; E. Weidl, D. zeitgenöss. Rezeption des B. d. L. (in: H.-Jb. 14) 1975; G. Waseem, D. kontrollierte Herz. D. Darst. d. Liebe in ∼s B. d. L., 1976; H. Kaufmann, Polit. Ged. u. klass. Dg. Deutschland, ein Wintermärchen, 1958; M.-B. v. Loeben, D. e. W. Polit. Gehalt u. poet. Leistung (in: GRM NF 20) 1970; W. Grössmann, W. Woesler, Polit. Dg. im Unterricht. D. e. M. von ∼, 1974; R. Atkinson, Irony and Commitment in ∼s D. e. W. (GR 50) 1975; I. Feuerlicht, ∼s Es war ein alter König (in: H.-Jb. 15) 1976; C. Enders, ∼s Faustdichtungen (in: ZfdPh 74) 1955; B. v. Wiese, Mephistopheles u. Faust. Z. Interpretation v. ∼s Tanzpoem Der Doktor Faust (in: Herkommen u. Erneuerung. hg. G. Gillespie, E. Lohner) 1976; J. Mittenzwei, Musikal. Inspiration in ∼s Erz. Florentinische Nächte … (in: J. M., D. Musikalische in d. Lit.) 1962; W. Weber, ∼s D. Grenadiere (in: Wege zum Gedicht 2) 1964; J. Müller, Über ∼s Harzreise (in: J. M., Wirklichkeit u. Klassik) 1955; G. Grossklaus, ∼s Ideen. Das Buch le Grand. E. textsemantische Beschreibung (in: Zur Grundpflegung d. Lit.wiss. hg. S. J. Schmidt) 1972; D. Korell, ∼s «Letzte Gedichte» als Spiegel s. Wesensbildes, 1972; H. Woerth, ∼s Lorelei u. ihr Vorbild (in: Muttersprache) 1956; W. Preisendanz, D. Sinn der Schreibart in ∼s Berichten aus Paris 1840–43 Lutezia (in: Dt. Weltlit. hg. K. W. Jonas) 1972; S. Atkins, The Evaluation of ∼s Neue Gedichte (in: FS Weigand) 1957; J. Wikoff, ∼. A Study of N.

G., 1975; E. FEISE, Form and Meaning of ~s Essay Nordsee (in: Monatshefte 34) 1942; J. MÜLLER, ~s Nordseegedichte. E. Strukturanalyse (in: J.M., V. Schiller bis Heine) 1972; D. LASHER-SCHLITT, ~s Unresolved Conflict and Der Rabbi von Bacharach (in: GR 27) 1952; J. L. SAMMONS, ~s R. v. B. The Unresolved Tensions (in: GQ 37) 1964; M. ROSE, Über d. strukturelle Einheit v. ~s Fragment D. R. v. B. (in: H.-Jb. 15) 1976; E. LOEWENTHAL, Stud. zu ~s Reisebildern, 1922, Nachdr. 1967; M. SCHUELLER, Überlegungen z. Textkonstruktion d. ~schen R. (LiLi H. 12) 1973; G. GROSSKLAUS, Textstruktur und Textgesch. d. R. ~s, 1973; R. SCHNEIDER, Themis and Pan. Zu lit. Struktur u. polit. Gehalt der R. ~s (in: Annali 18) 1975; C. HOLLOSI, The Image of Russia in ~s R. (in: H.-Jb. 15) 1976; J. HERMAND, D. frühe ~. E. Kommentar zu den R., 1976; S. PRAWER, ~s Romanzero (in: GR 31) 1956; H. GEBHARD, Interpretation d. «Historien» aus ~s R., 1957; W. VICTOR, Zum ~schen R. (in: W.V., Verachtet mir den Meister nicht) 1960; R. ANGLADE, E. Begegnung, d. nicht stattfand. ~s Der weiße Elephant (in: Schiller-Jb. 20) 1976.

Beziehungen u. Vergleiche: L.P. BETZ, ~ in Frankreich, 1895; DERS., ~ u. A. de Musset, 1897; F. MELCHIOR, ~s Verhältnis zu Lord Byron, 1903; W. OCHSENBEIN, D. Aufnahme Lord Byrons in Dtl. u. s. Einfluß auf d. jungen ~, 1905; G. MÜCKE, ~s Beziehungen z. dt. MA, 1908; W. SIEBERT, ~s Beziehungen zu E.T.A. Hoffmann, 1908, Nachdr. 1968; E. THORN, ~s Beziehungen zu C. Brentano, 1913; K. R. H. HESSEL, ~s Verhältnis z. bildenden Kunst, 1931; I. WEIDENKAMPF, Traum u. Wirklichkeit in d. Romantik u. bei ~, 1932; F. STRICH, Goethe u. ~ (in: F.S., D. Dichter u. d. Zeit) 1947; W. VICTOR, Marx u. ~, 1951; D. V. B. HEGEMANN, ~s Indebtedness to W. v. d. Vogelweide (in: Monatshefte 42) 1950; C. ROOS, Nordische Elemente im Werk ~s (in: Orbis litt. 11) 1956; E. M. BUTLER, ~ in England and M. Arnold (in: GLL, NS 9) 1955/56; F. KOCH, ~ u. Börne (in: F.K., Idee u. Wirklichkeit) 1956; B. FAIRLEY, ~, Goethe and the Divan (in: GLL, NS 9) 1955/56; G. BIANQUIS, ~ et G. Sand (in: EG 11) 1956; W. WADEPUHL, Shakespeares Mädchen u. Frauen: ~ u. Shakespeare (in: W.W., H.-Studien) 1956; E. HILSCHER, ~ u. R. Wagner (in: NDL 4) 1956; K. WEINBERG, ~ «Romantique défroqué». Hé-

raut du symbolisme français, 1954; U. RUKSER, ~ in d. hispan. Welt (in: DVjs 30) 1956; H. UYTTERSPROT, ~ en zijn invloed in de Nederlandse letterkunde, 1953; F. WILHELM, Das Indienbild ~s (in: Saeculum 10) 1959; P. HESSMANN, ~ u. G. de Nerval (in: Studia Germanica Gandensia 5) 1963; U. MACHE, D. junge ~ u. Goethe. E. Revision d. Auffassung v. ~s Verhältnis zu Goethe vor d. Besuch in Weimar (in: H.-Jb.) 1965; L. B. JENNINGS, The Dance of Life and Death in ~ and Immermann (in: GLL 18) 1964/1965; G. HOFFMANN, Über ~s Beziehungen zu Musik u. zu Musikern (in: Aufbau 12) 1956; G. G. IGGERS, ~ and the Saint-Simonians, A Reexamination (in: CL 10) 1958; C. TRILSE, D. Goethe-Bild ~s (in: Jb. d. Goethe-Ges. 30) 1968; F. MENDE, Zu ~s Goethe-Bild (in: EG 23) 1968; H. SPENCER, ~ and Nietzsche (in: H.-Jb. 11) 1972; N. REEVES, ~ and the Young Marx (in: Oxford German Studies 7) 1972/73; W. HEISE, ~ u. Hegel (in: WB 19) 1973; E. SOURIAN, Madame de Staël et ~. Les Deux Allemagnes, Paris 1974; V. HANSEN, T. Manns ~-Rezeption, 1975; H. P. BAYERDÖRFER, Laudatio auf e. Nachtwächter. Marginalien z. Verhältnis v. ~ u. Dingelstedt (in: H.-Jb. 15) 1976; E. ZIEGLER, J. Campe. D. Verleger ~s, 1976.

Wirkungsgeschichte: H. KOOPMANN, ~ in Dtl. Aspekte s. Wirkung im 19. Jh. (in: Nationalismus in Germanistik u. Dg. hg. B. v. WIESE) 1967; F. MENDE, ~ u. Ruge. Ein Kapitel ~-Rezeption in d. Zeit d. Vormärz (in: WB 14) 1968; J. HERMAND, ~s frühe Kritiken (in: D. Dichter u. seine Zeit, hg. W. PAULSEN) 1969; A. SCHWEIKERT, ~s Einflüsse auf die dt. Lit. 1830–1900, 1969; E. J. KRZYWON, ~ u. Polen, 1972; O. BOECK, ~s Nachwirkung u. ~-Parallelen in d. franz. Dg., 1972; Geständnisse. ~ im Bewußtsein heutiger Autoren, hg. W. GÖSSMANN, 1972; H. GELDRICH, ~ u. d. span.-amerikan. Modernismo, 1971; ~ in Dtl. Dokumente seiner Rezeption 1834–1856, hg. K. KLEINKNECHT, 1976; ~. Wirkungsgesch. als Wirkungskritik. Materialien... hg. K. HOTZ, 1975.　　　　　UF

Heine, Hermann, * 5. 12. 1826 Dessau, † 10. 5. 1905 ebd.; Ausbildung an d. Bauschule in Berlin, seit 1854 Baubeamter, Bauinspektor in Dessau, 1884–86 Bürgermeister v. Wörlitz.

Schriften: Von oben. Sociale Gedanken, 1872; Fröhliche Gedanken (Ged.) 1873; Heinrich der

Schwarze (hist. Schausp.) 1874; Durch Nacht zum Licht. Rom und Golgatha. Weihnachtsgedanken, 1874; Taunus-Lieder, 1875; Ostern bis Pfingsten (Sonette) 1879; Friedrich Schneiders Choralbuch ..., 1879; Drei Tage in Jerusalem. In drei Bildern. Den deutschen Jünglingsvereinen gewidmet, 1891; Der Erbe. Scene im Gerichtssaal ..., 1893; Es ist noch Raum da. Kleines kirchliches Festspiel, 1893; Gesuchte Ziele (bürgerl. Tr.) 1914.   RM

Heine, Lucia (Hajnec, Lucija), Geburtsdatum u. -ort unbekannt, Studium (Dr. phil.), habilitierte sich 1968 in Leipzig, Dozentin f. Sorb. Lit.-gesch. an d. Univ. Leipzig; auch Übers. aus dem Tschechischen (V. Stýblová).
Schriften: Die sorbische Balladendichtung. Eine historisch-vergleichende Untersuchung (Habil.-Schrift) 1968; Abriß einer Geschichte der sorbischen Literatur nach 1945, 1975.   HK

Heine, Th(omas) Th(eodor), * 28.2.1867 Leipzig, † 26.1.1948 Stockholm; satir. Zeichner, Begründer (gem. m. A. Langen) d. «Simplizissimus», langjähriger Mitarbeiter, emigrierte 1933 über Prag nach Oslo, später Stockholm.
Schriften: Ich warte auf ein Wunder, 1945; Seltsames geschieht, 1950.
Literatur: NDB 8,259f. – H. Esswein, ~, 1904; J. Meier-Grafe, ~ (in: Entwicklungsgesch. d. modernen Kunst) 1904; A. Trübenbach, ~. Leben und Werk in Hinblick auf sein karikaturistisches Schaffen und sein publizistisches Wollen (Diss. Berlin) 1956.   IB

Heine, Theodor (Ps. Theodor Sylvester), * 25.12.1855 Klettendorf/Schles.; 1880 Dr. phil., 1881 Lehrer u. 1892 Oberlehrer in Kreuzburg/Oberschles., seit 1899 Gymnasialprof. in Breslau.
Schriften: Jephtah (Tr.) 1890. (Außerdem versch. Schulschriften.)   RM

Heine, Werner, * 22.12.1889 Königsberg; lebte als Zahnarzt das.; Verf. v. Dramen u. Lyrik.
Schriften: Der Falter und die Einsame. Gedichte, Romanzen und dramatische Skizzen, 1920.   AS

Heine-Borsum, Karl (Ps. f. Karl Heine), * 19.12.1894 Borsum b. Hildesheim; Lehrer in Ruhe, Maler, wohnt in Erkrath b. Düsseldorf. Erz. u. Lyriker.
Schriften: Im Ring des Lebens (Ged.) 1960; Flucht ans Meer (Ged.) 1962; Dur und Moll. Prosa und Gedichte, 1964; Dennoch siegte die Ehe, 1965; Der Besessene. Zwölf Szenen um Vincent van Gogh, 1965; Nordstrand. Ein Sang von Liebe und Meer (Ged.) 1969; Bunte Lese (Kurzgesch. u. Skizzen) 1971; Bunter Strauß (Ged.) 1972; Am Lebensborn (Ged.) 1976.   IB

Heinecke, Erfrid, * 31.5.1898 Frankfurt/Oder, † 3.6.1968 Berlin; studierte in Breslau, Dr. d. Staatswiss., Leiter d. Wirtschaftsteils d. Berliner Ztg. «Nach d. Abend», wirtschaftspolit. u. tagespolit. Rundfunkkommentator. Vorwiegend Erzähler.
Schriften (neben Facharbeiten): Zwischenfall im Nordexpreß. Detektiv-Roman, 1936; Vampir von Paris. (Rom.) 1939; Der Gast aus Shanghai (Kriminalrom.) 1947 (Neuaufl. 1948); Die Silberne Orchidee (Kriminalrom.) 1941.   IB

Heinecke, Ferdinand, * 8.2.1813 Wernigerode, † 14.1.1876 Stendal; Studium in Halle, Gründer e. Buchhandlung in Wernigerode. Ratsherr.
Schriften: Gedichte, 1840; Memoiren oder Abenteuer und Schicksale eines englischen Werbers im Jahre 1809, 1847.   RM

Heinecke (geb. Quade), Henriette, * 2.2.1788 Berlin, Todesdatum u. -ort unbekannt; 1811 Heirat mit d. Prediger C. Heinecke, lebte n. d. Scheidung in Dresden. Ihre Ged. ersch. in Zs. u. Miscellen.
Schriften: Les adieux, 1807.
Literatur: Meusel-Hamberger 22.2,648; Goedeke 13,114.   RM

Heinecke, Rudolf (Ps. Ralph Heygk), * 5.5.1923 Berlin, Angestellter, wohnt in Bad Homburg v. d. Höhe. Erzähler.
Schriften: Der Kampf der Navajos. Erzählung nach einer historischen Begebenheit aus dem Indianerterritorium, 1955; Barry, der Wolfshund (Jgdb.) 1956; Joe und der Silberfuchs. Die Erzählung um die Tierliebe eines Jungen, 1957; Dreizeh, der Steinmarder. Pirschgänge eines kleinen Räubers, 1959; Der schwarze Rebell. Freiheitskampf auf Haiti, 1960; Spiro, der Schuhputzerjunge aus Korfu, 1965; Nicht so stürmisch, Brigitte (Mädchenerz.) 1972.   IB

Heine(c)ken, Karl Heinrich von, getauft 24. 12. 1707 Lübeck, † 23. 1. 1791 Altdöbern/Niederlaus.; Studium d. Rechte u. Lit. in Leipzig, Hauslehrer, Bibliothekar u. Sekretär d. Grafen Brühl, dann in sächs. Diensten. Geh. Kammerrat u. Oberamtsrat, 1746 Dir. d. Kupferstichkabinetts in Dresden, 1763 Amtsentlassung, lebte seither als Kunstsammler in Altdöbern. Verf. d. 1778–90 ersch. «Dictionnaire des artistes ...»

Schriften (dt., Ausw.): Die wahren Absichten d. Menschen ..., 1732; Dionysius Longin vom Erhabenen, Griechisch und Teutsch, nebst dessen Leben ..., 1737; Nachrichten von der Beschaffenheit der Niederlausitz, 1760; Nachrichten von Künstlern und Kunstsachen, 2 Bde., 1768/71; Neue Nachrichten von Künstlern und Kunstsachen, 1786.

Nachlaß: Dt. Staatsbibl. Berlin, Hs.-Abt./ Lit.arch. – Nachlässe DDR III, Nr. 378.

Literatur: NDB 8, 297; Thieme-Becker 16, 291. – D. E. SCHMIDT, Minister Graf Brühl u. ∼, 1921; C. DITTRICH, ∼s kunsthist. Schr. (in: Jb. d. Staatl. Kunstslg. Dresden) 1965/66. RM

Heinel, Eduard, * 5. 9. 1798 Marienburg/Pr., † 17. 2. 1865 Königsberg/Pr.; studierte ebd., Dr. phil., Lehrer in Elbing, 1825 Pfarrer, 1842 Diakonus. Epiker u. Volkstüml. Historiker.

Schriften (ohne Schulbücher): Kränze um Urnen Preußischer Vorzeit (Ball., Romanzen, Leg. u. Schw.) 1828; Geschichte Preußens für das Volk und die Jugend, 1829 (2. verm. Ausg. 1832); Tobias. Idyllische Erzählung in drei Gesängen, frei nach der heiligen Urkunde, 1832; Das Pfingstfest. Eine erzählende Dichtung in drei Gesängen, 1833; Geschichte des preußischen Staates und Volkes, für alle Stände bearbeitet, I 1834, II 1838, III 1841.

Literatur: Meusel-Hamberger 22/2, 650. IB

Heinemann, Albrecht von, * 30. 12. 1903 Berlin-Spandau, † 27. 8. 1962 Weimar; Erzähler.

Schriften: Der Page (Ged.) 1928; Empfindsames Wandern in Weimar. Buntes Bilderbuch, 1932; Hans Severus Ziegler, 1933; E. v. Wildenbruch, Die Rabensteinerin (Einführung) 1935; Der Schatzgräber von Ehringsdorf. Eine Erzählung von Wildbeutern, Feuersteinschlägern und Menschenschädeln, 1954; Ein Kaufmann der Goethezeit. F. J. J. Bertuchs Leben und Werk, 1955; Friedrich Johann Justin Bertuch. Ein Weimarischer Buchhändler der Goethezeit, 1955; Wartburgfeuer. Eine Erzählung vom Heldentum deutscher Studenten, 1956; Der goldene Käfig (Nov.) 1957; Unbändiges Herz. Weimarer Novellen, 1958; Frühlicht der Freundschaft. Eine Schiller Novelle, 1959; Melodie in Moll. Der Ring. Zwei Novellen um Goethe, 1960; Weimarer Novellen, 1961; Wälder, Wiesen, weiße Kittel. Bad Berka und seine Heilstätten, 1963. IB

Heinemann, Erich (Ps. Matthias Mann), * 23. 1. 1929 Hildesheim; Verwaltungs-Oberamtmann, Gründer u. Vorstandsmitglied d. Karl-May-Gesellsch., wohnt in Hildesheim. Erz., Hsg., Bearb., sowie Verf. v. Märchen.

Schriften: Gartengemeinschaft Malepunke (Märchen) 1949; Wichtelhausen (Märchen) 1949; Siebenpünktchen (Märchen) 1955; Gasthaus «Zur Sonne» (Märchen) 1955; Michael im Zauberwald (Märchen) 1956; Der alte Regulator (Erz.) 1956; Försterei «Waldeslust» (Märchen) 1958; Chronik der Stadt Hildesheim, 1959; Am Fluß der toten Indianer (Erz.) 1962; Ritt durch die Wüste (Erz.) 1964; Gut gemacht, Winnetou (Erz.) 1964; Sanda, der Negerjunge (Erz.) 1965; Roby sucht das Abenteuer (Jgdb.) 1966; Robys Abenteuer in Afrika (Jgdb.) 1966; Roby als Schatztaucher (Jgdb.) 1967; Verrat am Apachenpaß. Historische Erzählung aus dem amerikanischen Westen, 1974; Noch tausend Meilen bis Nevada, 1977. IB

Heinemann, Felix, * 24. 6. 1863 Hamburg; war Red., Hg. der «Romanwelt» in Berlin.

Schriften: Vorposten. Eine Sammlung, 1892. AS

Heinemann, (Heinrich Ernst Ludwig) Ferdinand von, * 23. 10. 1818 Bettmar b. Hildesheim, † 29. 11. 1881 Wolfenbüttel; Theol.-Studium in Jena u. Berlin, Hauslehrer, Collegiat am Predigerseminar Wolfenbüttel. Kollaborator in Braunschweig, 1864–69 Oberlehrer in Helmstedt, bis 1881 Gymnasialdir. in Wolfenbüttel. Mitgl. d. braunschweig. Landtags (1856–81) u. d. Landessynode (seit 1872), 1881 Wahl in d. Reichstag.

Schriften: Gedichte, 1845; E. Tégner, Die Frithiofssage (übers.) 1846; Vor 1848 (Nov.) 1850; Robespierre (Tr.) 1850; Der Friesenhof (Dr.) 1859 (2. Aufl. u. d. T.: Claus Hansen, 1859); Der Waffenschmied von Braunschweig (Dr.) 1876. (Außerdem einige Schulschriften).

Literatur: ADB 50, 142. IB/RM

Heinemann, Franz, * 10.8.1870 Hitzkirch/Kt. Luzern, † 7.8.1957 Luzern; Dr. phil., Dir. d. Bürgerbibl. Luzern bis 1920, Doz. f. allg. Kulturgesch. u. Gesch. d. Technik an d. ETH Zürich, 1920–46 Chefred. d. «Luzerner Neuesten Nachrichten». Verf. u.a. 5 Bde. d. Bibliogr. d. schweiz. Landeskunde.

Schriften (Ausw.): Das sog. Katharinenbuch v. J. 1577 (Hg.) 1896; Der Richter und die Rechtspflege in der deutschen Vergangenheit, 1900; Peter Spichtigs Dreikönigspiel von Lungern v. J. 1658 (Hg.) 1901; Tell-Iconographie, 1902; Krieg und Frieden. Melodramatisches Oratorium, 1905; Tell-Bibliographie, 1907; Der Weltteufel. Kriegssatiren und Friedens-Ironien, 1916; Hinter den Kulissen des Krieges. Skizzen aus dem Kriege und gegen den Krieg, 1916; Ewiger Krieg? oder ewiger Friede? Schicksalsfragen der Menschheit im Lichte ihrer Kriegs- und Friedens-Literatur, 1917. Moderne Kulturgeschichte der schweizerischen Verkehrstechnik und Touristik 1820–1920, 1922.

Literatur: HBLS 4, 129.   AS

Heinemann, Fritz, * 8.2.1889 Lüneburg, † 7. 1.1970 Oxford; Dr. phil., 1930 Philos.-Prof. in Frankfurt/M. u. 1939–56 in Oxford, seit 1957 em. Prof. in Frankfurt, lebte zuletzt in Oxford.

Schriften (Ausw.): Neue Wege der Philosophie. Geist, Leben, Existenz ..., 1929; Odysseus oder Die Zukunft der Philosophie, Stockholm 1939; Existenzphilosophie, lebendig oder tot? 1954 (⁴1971); Jenseits des Existenzialismus ..., 1957; Die Philosophie im 20. Jahrhundert ... (hg.) 1959 (2., durchges. u. erw. Aufl. 1963, Neudr. 1975).

Literatur: D. Schr. v. ~ (in: Zs. f. philos. Forsch. 19) 1965.   RM

Heinemann, Georg Wilhelm Friedrich, * 5.4. 1825 Stöcken/Hannover, † 10.3.1899 Wittingen; Besuch d. Seminars Hannover, 1844–96 Lehrer in Stöcken (als Nachfolger s. Vaters).

Schriften: Kleine Schul- und Familienharfe. Eine Sammlung lieblicher Lieder ..., 1861 (2., verb. u. verm. Aufl. 1875); Ein Missionskleeblatt ..., 1863; Dreißig Schulentlassungs-, Stammbuchs- und sonstige Gedenkblätter ..., 1863; Schul- und Familienfeier am 50. Gedenktage der Schlacht von Waterloo ..., 1865; Räthsel, Lieder und vermischte Gedichte für christliche Kreise, 1876 (2. Slg. u.d.T.: Rätsel und

vermischte Gedichte, 1892); De dütsch-französische Krieg 1870–71 in 59 plattdütschen Gedichten, 1892.   RM

Heinemann, Gustav W(alter), * 23.7.1899 Schwelm/Westf., † 7.7.1976 Essen; Rechtsanwalt, bis 1933 im Christl. Volksdienst tätig, dann Mitorganisator d. Bekennenden Kirche, 1946–49 Oberbürgermeister v. Essen, 1949 Bundesinnenminister, 1950 Rücktritt, 1953 Mitbegründer d. Gesamtdt. Volkspartei, 1957 SPD-Abgeordneter im Bundestag, Bundesjustizminister, 1969–74 Bundespräsident.

Schriften (Ausw.): Deutsche Friedenspolitik. Reden und Aufsätze, 1952; Im Schnittpunkt der Zeit. Reden und Aufsätze, 1957; Verfehlte Deutschlandpolitik – Irreführung und Selbsttäuschung. Artikel und Reden 1951–61, 1966; Plädoyer für den Rechtsstaat. Reden und Aufsätze, 1969; Präsidiale Reden, 1975; Reden und Schriften, 3 Bde., 1975 f.

Nachlaß: Landeskirchenamt d. Ev. Kirche v. Westf. in Bielefeld: Im Bestande Arch. d. Kirchenkampfes im Dritten Reich. – Mommsen Nr. 1549.

Literatur: J. BRAUN, D. unbequeme Präs., 1972; W. KOCH, ~ im Dritten Reich. E. Christ lebt f. morgen, 1972.   RM

Heinemann, Heinrich, * 15.9.1842 Bischofsburg in Ostpreußen, Todesdatum unbekannt; ging 1864 zur Bühne, Charakterspieler in Breslau, Königsberg u. Wien. Verf. v. Theaterstükken.

Schriften: Gesammelte dramatische Werke, I Der Schriftstellertag, II Herr und Frau Doktor, III Auf glatter Bahn, IV Die Zeisige, 1897; Beethoven und sein Neffe, 1903; Teufelspredigt zur Walpurgisfeier am 30.IV./1.V., 1903.

Literatur: Theater-Lex. 1, 736.   IB

Heinemann, Helmut, * 24.6.1906 Hildesheim; Prof. an d. Pädagogischen Hochschule, wohnt in Lüneburg. Verf. v. Laienspielen.

Schriften: Schreie in der Nacht. Pantomimisch illustrierter Roman in sieben Kapiteln, 1952; Die seltsamen Abenteuer des Herrn X, 1954; Das Geheimnis des Dr. Wu. Ein heiteres Spiel, 1956; Nur eine Million. Eine besinnliche Moritat, 1958; Das Gold von Williams Rauch. Ein Original-Western-Rülpser, 1961; Der Mann, der es dreimal versuchte. Ein zeitkritischer Seufzer, 1963.   IB

Heinemann, Hermann (Olaf), * 22.2.1880 Riesel/Westf.; Studium d. Philol. u. Gesch. in Berlin, Lehrer in Warnitz/Neumark, seit 1909 Schriftst. in Brakel/Westf. u. seit 1911 in Berlin.

Schriften: Trutznachtigall (Ged. u. Nov., Mit-Hg.) 1906; Requiem und andere Novellen, 1907; Aus der Jugendzeit (Verse) 1908; Von Dichtern und Hanswürsten. Schnurrige Geschichten, 1909; Geschichten aus Banausia, 1910; Von Dichtern, Juristen und kleinen Mädchen. Geschichten aus dem Berliner Quartier latin, 1911.   RM

Heinemann, Jeremias, * 20.7.1778 Sandersleben bei Anhalt Dessau, † 16.10.1855, Vorsteher zweier Erziehungs- u. Lehranstalten in Berlin. Verf. von zahlr. pädag. Schriften.

Schriften: (neben rel. Büchern u. Lehrbüchern). Religiöse Gesänge für Israeliten, insbes. für das weibliche Geschlecht und die Jugend, 1810; Deutsche Gesänge auf alle Tage in der Woche, 1810; Deutsches Andachtsbuch für Israeliten, 1825; Moses Mendelssohn. Sammlung theils noch ungedruckter, theils in anderen Schriften zerstreuter Aufsaetze und Briefe von ihm, an und über ihn, 1831; Wörterbuch zu F. v. Schillers Gedichten. Oder vollständige Erklärung und Erläuterung aller in denselben vorkommenden Namen und Ausdrücke ..., 1834; Allgemeines Gebetbuch der Israeliten, geordnet für die Jugend, 1840; Geschichte der Juden, 1849; Die Reihe der römischen Päpste (275). Von Petrus bis auf Pius IX. ..., 1851.

Herausgebertätigkeit: Iris (Zs.) 1823–24; Jedidja, eine religiöse, moralische und pädagogische Zeitschrift, 1817–23, 1831, 1839–42.

Literatur: ADB 11,366; Goedeke 7,309f.; 8, 28; 8,99; Meusel-Hamberger 18,92; 22/2, 650f.   IB

Heinemann, Johann, * 17.10.1851 Bonn; studierte Math. u. Naturwiss., Dr. phil., war Gymnasiallehrer in Wandsbeck, dann in Hamburg.

Schriften (außer Fachschr.): Die krystallinischen Geschiebe Schleswig-Holsteins, 1879; Kalender für Lehrer an höheren Schulen (Hg.) 1895–98; Johann Meyer, ein schleswig-holsteinischer Dichter. Festschrift zu seinem 70. Geburtstage, 3 Bde., 1899/1900; Johann Meyer, Sämtliche Werke, 8 Bde., 1906 (Hg.).   AS

Heinemann, Johann Christian, * 1750 Arnstadt, Todesdatum u. -ort unbekannt; seit 1780 Pfarrer in Altenfeld/Schwarzburg-Sondershausen.

Schriften: Etwas von Gellert, der groß war als Schriftsteller, als Christ und Philosoph, 1783; Karl und Henriette. Eine wahre Geschichte aus dem jetzigen Revolutionskriege, 1796; Edelmuth und Klage oder Etwas ... zur Aufklärung und Befestigung des Christenglaubens ..., 1802. (Außerdem Predigten, theol. u. grammatikal. Schriften.)   RM

Heinemann, Karl, * 9.3.1857 Deutsch-Eylau, † 4.7.1927 Leipzig; Dr. phil., Oberstudienrat u. Gymnasialprof. in Leipzig, Goetheforscher, Hg. d. Goethekalenders u. e. dreißigbd. Goethe-Ausg. d. Bibliogr. Inst., Verf. versch. Schulschriften.

Schriften (Ausw.): Über das Hrabanische Glossar, 1881; Goethes Mutter. Ein Lebensbild nach den Quellen, 1891 (7., verb. Aufl. 1903); Goethe, 1895 (4., verb. Aufl., 2 Bde., 1916); Die deutsche Dichtung, 1910 (8. Aufl., fortgef. v. F. Michael, 1930); Die klassische Dichtung der Griechen, 1912; Die klassische Dichtung der Römer, 1914; Die tragischen Gestalten der Griechen in der Weltliteratur, 1920; Lebensweisheit der Griechen, 1922.

Herausgebertätigkeit (Ausw.): Hundert Briefe Goethes, 1919; Goethes Liebesbriefe, 1920; Walther von der Vogelweide, Minnelieder, 1919 (²1922).

Literatur: C. BADER ~ (in: Altpreuss. Biogr. 1) 1941.   RM

Heinen, Anton, * 12.11.1869 Buchholz b. Bedburg, Kreis Bergheim, † 3.1.1934 Rickelrath; studierte Theol. in Bonn, 1893 Priester, später in d. Seelsorge u. in d. Volksbildung tätig, seit 1932 Pfarrer in Rickelrath.

Schriften: (Ausw.) Lebensspiegel. Ein Familienbuch für Eheleute und solche die es werden, 1913; Das Feldgebet. Ein Andachtsbüchlein für unsere Krieger im Felde, 1914; Briefe an einen Landlehrer, 1917; Die Bergpredigt Jesu Christi. Was sie dem Manne des zwanzigsten Jahrhundert zu sagen hat ..., 1921; Von alltäglichen Dingen. Ein Büchlein der Bildung und der Lebensweisheit für den werktätigen Mann, 1922; Bürgerliche Gemeinschaft und Volkstum, 1922; An ewigen Quellen, 1930; Der Bauer und sein Beruf, 1933.

Literatur: NDB 8, 301. – F. GÖBEL, ~, 1935; M. FETTWEIS, ~, 1954; H. P. PATT, ~ als Sozialpädagoge. (Diss. Münster) 1957; K. BOZEK, ~ u. d. dt. Volkshochschul-Bewegung, 1963; E. PÖGGELER, D. Phänomen ~. (in: Erwachsenenbildung 9) 1963.   IB

Heinen, Josef Maria, * 15. 1. 1899 Geb.ort unbekannt; wohnte in München. Verf. v. Jgd.-, Kinder- u. Schulspielen (ca. 200).

Schriften (Ausw.): Dornröschen, 1928; Jutta von Heinsberg, 1932; Wir wünschen Glück, 1951; Annebärbel, 1951; Das Denkmal. Ein Menschenspiel aus der Notzeit von heute, 1953; Der bunte Strauß. Ein Buch für fröhliche Stunden (Hg.) 1954; Das große Verwundern, 1957; Judith, 1958; Die heilige Nacht, 1959; Die Kaiserin, 1960; Der Weg des Yohei, 1960; Das Lager, 1962; Die Buben von Buganda, 1963; Sachiko, 1963; Markt-Stand 12, 1963; Kinder in Kyoto, 1964; Schneewittchen 1975, 1964; Der Froschkönig, 1965; Ein Frau in Israel, 1965; Der neue Krippenstall, 1970; Protest, Protest, 1970.   IB

Heinen, Reinhold (Ps. Heinrich Heinenberg), * 7. 1. 1894 Düsseldorf, † 23. 7. 1969 Hasenfeld; studierte in Bonn, Königsberg u. Breslau, Journalist, Leiter d. «Köln. Rundschau», ab 1948 Leiter der «Allg. Kölnischen Rundschau». Erz. u. Dramatiker.

Schriften: (außer zahlreichen Facharbeiten): Kommunalpolitische Blätter (Zs.) 1925f.; Klidderaditsch. Dorfkomödie, 1938.   IB

Heinen, Werner, * 23. 10. 1896 Oberpleis/Siegkreis, † 22. 10. 1976 Köln; studierte in Bonn u. Köln, Dr. phil., seit 1947 Doz. f. Biologie an d. Pädagog. Akad. in Oberhausem. Erz. u. Dramatiker.

Schriften: Die Sturmglocke von Oberpleis (Dg.) 1924; Der braune Tod. Roman eines Wiesels, 1931; Rubin im Basalt (Rom.) 1931; Die Flucht nach Ägypten Legendenspiel für junge Menschen, 1933; Brot aus den Steinen (Rom.) 1934; Tristan Röder (Rom.) 1935; Die Legende vom verlorenen Kind (Sp.) 1936; Rebellen am Rhein (Schausp.) 1936; Agrion. Geschichte einer Libelle, 1938; Der junge Genius: Johann Gregor Mendel (Biogr. Rom.) 1941; Architektur im Roggenhalm und andere natur-

kundliche Plaudereien und Schilderungen, 1941; Die freie Folge. Ein Roman aus dem Weißen Venn, 1941; Zwiegespräche mit Tieren. Eine Sammlung der schönsten deutschen und nordischen Tiergeschichten, 1942; Beseeltes Land (fünf Nov.) 1943; Falken im Venn. Heideroman, 1947; Das singende Jahr (Ged.) 1947; Biologische Plaudereien, 1948; Das Oberpleiser Tausendjahrspiel, 1948; Die drei Heilmittel gegen die Liebe (Nov.) 1948; Die Insel. Geschichte einer Kindheit (Rom.) 1953; Mein Naturkundebuch. Biologie, 1955; Räuber in der Nacht. Die Geschichte eines Wiesels, 1956; Flut. Glut und Asche (Rom.) 1960; Woher stammt der Mensch? 1962; Lebendiger Mikrokosmos. Eine moderne Biologie der Kleinsten, 1963.

Literatur: Theater-Lex. 1, 737.   IB

Heinenberg, Heinrich → Heinen, Reinhold.

Heiner, Wolfgang (Ps. Heiw.) * 16. 7. 1933 Saalburg/Saale; Geschäftsführer, wohnt in Großalmerode. Verf. v. relig. Jgdb. u. Hörspielen.

Schriften: Doch in unsere Herzen sieht man nicht! 1961; Werfet die Netze aus, 1963; Notiert in Stadt und Land. Aus der Arbeit der Missionstrupps Frohe Botschaft, 1964; Die Mannschaftsevangelisation, 1964; Yang der Flüchtling, 1964; auf neuem kurs, 1964; Tom der Zettelschneider und andere Geschichten, 1964; Warum eigentlich Christus, 1966; Der Tod des Dr. Weber (Dr.) 1966; Jung und schon enttäuscht (Dr.) 1966; Versteht uns denn keiner? 1970; Jesu Name II Liederbuch, 1970; Warum unbedingt Jesu (3. bearb. Auflg.) 1971; Wache Gemeinde, 1971; Zeigt uns, was ihr sagen wollt (Slg.) 1972; Seelsorge und Seelenführung, 1974; Tom und seine Freunde, 1974; Fragen der Jugend, 1975; Aktionen für die Jugend, 1976; Bekannte Lieder und wie sie entstanden, 1978; Ich liebe Uganda. Kirche im Leid – Kirche auf dem Weg mit Jesu, 1978; Die Schüsse am Schlangenfluß, 2 Bde., 1978.

Schallplatten: Ja du bist einsam, 1963; Die Jugend von heute, 1963; Die Weltbühne, 1964.   IB

Heinfogel, Konrad, † 13. 2. 1517 Nürnberg; lebte in Nürnberg u. stand in naher Beziehung z. Freundeskreis A. Dürers, 1480 Priesterweihe, später kaiserl. Kaplan. Verf. lat. Tagebuchaufz. über d. Jahre 1463–1517 (überl. in e. Almanach

J. Stöfflers, Staatl. Bibl. Bamberg, Ausg. durch K. Schottenloher, siehe Lit.), stellte e. in 2 Exemplaren überl. Wandkalender f. 1515 zusammen, verfertigte mit Dürer u. J. Stabius 2 Sternkarten («Mappa mundi», 1515, Neuausg. 1781), ließ die auf d. «Sphära Mundi» d. J. v. Sacrobosco (um 1250) fussende «Dt. Sphära» v. Konrad v. Megenberg u. d. T. «Sphära materialis» unter s. Namen 1516 drucken (Nachdr. 1519, 1533, 1539). H.s Bearb. modernisiert Konrads Sprache, ergänzt d. Vorlage mit Zeichnungen u. steuert Änderungen u. Zusätze bei.

Literatur: VL 2,904; 5,339; de Boor-Newald 4/1,679. – J. DIEMER, Kleine Beitr. z. älteren dt. Sprache u. Lit. 1, 1851; K. SCHOTTENLOHER, ~, e. Nürnberger Mathematiker aus d. Freundeskreis A. Dürers (in: FS J. Schlecht) 1917; E. ZINNER, Gesch. u. Bibliogr. d. astronom. Lit. in Dtl. z. Zeit d. Renaissance, 1941; P. ASSION, Altdt. Fachlit., 1973.   RM

Heinicke, Paul Osmar, * 8.6.1874 Frankenberg/Vogtland; war zuerst Lehrer in einem vogtländ. Walddörfchen, dann in Leipzig.

Schriften: Im Werden (Ged.) 1897.   AS

Heinicke, Samuel, * 10.4.1727 Nautschütz b. Weißenfels, † 30.4.1790 Leipzig; Leibgardist in Dresden, Studium in Jena, 1768 Küster u. Schulhalter in Eppendorf b. Hamburg, 1778 Gründer u. seither Leiter d. ersten Taubstummenanstalt in Dtl., schuf e. Lehrverfahren z. Bildung d. Lautsprache.

Schriften (Ausw.): Biblische Geschichte Alten Testaments, zum Unterricht taubstummer Personen, 1775 [erstes Religionsbuch f. Taubstumme]; Beobachtungen über Stumme und über menschliche Sprache in Briefen, 1778; Über die Denkart der Taubstummen und die Mißhandlungen, welchen sie durch unsinnige Kuren und Lehrarten ausgesetzt sind, 1780; Die Metaphysik für Schulmeister und Plusmacher ..., 1785; Verkappter Recensenten- und Pasquillanten Jagd, 1786; Clavicula Salomonis oder Schlüssel zur höchsten Weisheit, 1789.

Ausgabe: Gesammelte Schriften (hg. G. u. P. SCHUMANN) 1912.

Literatur: ADB 11,369; NDB 8,303. – E.H. STÖTZNER, ~, s. Leben u. Wirken, 1870; G. u. P. SCHUMANN, Neue Beitr. z. Kenntnis ~s, 1909 (mit vollst. Bibliogr.); H. WRUCK, ~ u. d.

moderne Gehörlosenpädagogik (in: D. Sonderschule 11) 1966.   RM

Heinig, Karl, * 12.10.1886 Bernburg/Saale; lebte als freier Schriftst. in Gera. Verf. v. Lyrik u. Schauspielen.

Schriften: Dichtung und Liebe (Ged.) 1910; Was die Stunde sang (Ged.) 1920; Glück (Dichtung) 1920; Nackte Nöte (Visionen) 1925.

Literatur: Theater-Lex. 1,737.   AS

Heinikel, Rosemarie, * 4.6.1946 Nürnberg. Produzentin, wohnt in München.

Schriften: Rosy Rosy (Memoiren) 1971.

Schallplatten: Mister Rosymoon – Boogie Woogie Boy, 1975.   IB

Heining, Heinrich, * 4.4.1902 Tönisheide/ Große Höhe, † 9.10.1960 Frankfurt am Main; Schriftleiter d. Abt. Pressedienst d. Ufa. Erzähler.

Schriften: Die unvollkommene Liebe (Rom.) 1940; Auf Wiedersehen, Franziska (Rom) 1941; Goethe und der Film. Mit vielen Bildern und Dokumenten, 1949.   IB

Heinisch, Eduard Christoph, * 14.1.1931 Wien; Laborleiter, wohnt in Vöcklabruck/Oberöst. bzw. Seewalchen am Attersee. Lyriker, Erz. sowie Verf. v. Hörspielen.

Schriften: Ein Tag bricht an (Ged.) 1954; Retter der Hoffnung (Nov.) 1955; Ausgewählte Grimassen (Ged.) 1957; Das Morgentor (Ged.) 1964; Kaltstart (Ged.) 1968; Aussagen (Ged.) 1975.   IB

Heinisch, Paul, * 25.3.1878 Leobschütz/Oberschles. † 11.3.1956 Salzburg; studierte in Breslau, 1902 Priester, 1911 o. Prof. in Straßburg, dann in Nijmegen. Religionsschriftsteller.

Schriften (Ausw.): Die griechische Philosophie im Buche der Weisheit, 1908; Griechische Philosophie und Altes Testament, 2 Bde., 1913–14; Die persönliche Weisheit des Alten Testaments in religionsgeschichtlicher Bedeutung, 1923; Die Totenklage im Alten Testament, 1931; Die Trauergebräuche bei den Israeliten, 1931; Probleme der biblischen Urgeschichte, 1948; Christus der Erlöser im Alten Testament, 1955.

Literatur: LThK 5,174. – Theologie-Professor ~. (in: Der Schlesier 11) 1959.   IB

Heinitz, Margarete, * 7.7.1887, wohnte in Hamburg.

Schriften: Märchen aus Musikanien, 1925.   IB

Heinitz, Wilhelm, * 9.12.1883 Altona, † 31. 3.1963 Hamburg; studierte in Kiel, Dr. phil., 1930 Privatdoz. in Hamburg, später Prof. f. vgl. Musikwiss. ebd. Lyriker, Epiker, Satiriker u. Dramatiker.

Schriften (ohne Fachschr.): Ausgewählte Gedichte, 1923; Arabischer Diwan, 1926; Indianische Fantasie (Ged.) 1928; Instrumentenkunde, 1928/29; Eiwel Dürs. Niederelbisches Epos in einem Vorgesang und fünf Gesängen, 1929; Links und rechts vom Wege eines Lebens. Ein Buch Gedichte, 1930; «Schach! Palandra!» (Chorsp.) 1930; Strukturprobleme in primitiver Musik, 1931; Neue Gedichte, 1935; Die Erforschung rassischer Merkmale aus der Volksmusik, 1938.

Nachlaß: Staats- u. Univ.bibl. Hamburg. – Denecke 2. Aufl.

Literatur: Theater-Lex. 1,737f.   IB

Heinke, Friedrich, * 19.12.1858 Groß-Glogau/Schles. Oberleutnant, lebte in Berlin.

Schriften: Die Mühle von Poscherun. Historisches Lustspiel in einem Akt, 1887; Unser Soldatenkaiser Wilhelm I. Gedenkblatt für die deutschen Soldaten, 1887; Kaiser Friedrich III. als Soldat. Dem deutschen Heere erzählt, 1888; Kaiser Wilhelm II. als Soldat. Dem deutschen Heere erzählt, 1889; Zur Sedanfeier 1894 (Rede) 1894; Prinz Louis Ferdinand von Preußen. Ein Erinnerungsblatt, 1898.   AS

Heinken, Jan (Ps. für Johann Heinken) * 19. 12.1897 Varrel; Lehrer, wohnt in Nordenham. Dramatiker.

Schriften: Bankerott. Een eernstet Spill, 1925; De Erste Beste. Komeedi in veer Ennens, 1940.   IB

Heinlein, Heinlin → Heynlin.

Heinlein, Johann(es) (auch: Haynlein, Hemblein, Henlein, Henlin, Helen, Gallus), 15./ 16. Jh.; Dominikaner in Nürnberg, 1503–15 wiederholt Prior, Freund d. Kurfürsten Friedrich d. Weisen, mußte 1515 Nürnberg verlassen, seither im Dominikanerkloster Esslingen.

Schriften: Tractatus super Salve Regina, 1502. –

Predigten, gehalten im Katharinenkloster, sind in d. Hs. 115 d. Slg. Eis überliefert.

Literatur: G. Bauch, D. Nürnberger Poetenschule 1496–1509 (in: Mitt. d. Ver. f. Gesch. d. Stadt Nürnberg 14) 1901; F. Bock, D. Nürnberger Predigerkloster ... (in: ebd. 25) 1924; P. Renner, Spätma. Klosterpredigten aus Nürnberg (in: AfK 41) 1959; G. Keil, Nachtr. z. VL (in: PBB Tüb. 83) 1961/62.   RM

Heinlers, Heinz. → Oellers, Heinrich.

Heinrich → auch Heini, Heinz, Heinzelin, Hinrik.

Heinrich IV., Kaiser → Vita Heinrici IV.

Heinrich VI., Kaiser, * Herbst 1165 Nimwegen, † 28.9.1197 Messina, begraben im Dom v. Palermo; Sohn Friedrich Barbarossas, 1169 Wahl z. dt. König (Krönung 15.8. in Aachen), 1184 z. Ritter geschlagen u. Verlobung mit Konstanze, d. Erbin d. Normannenreichs, 1186 Heirat u. Krönung z. König v. Italien, seit d. Tod s. Vaters (10.6.1190) Alleinherrscher, 1190 Italienfeldzug, Kaiserkrönung am 15.4.1191, 1194 Eroberung ganz Italiens u. Siziliens, König v. Sizilien. – An H.s Hof verkehrten Minnesänger wie Friedrich von Hausen, Ulrich von Gutenburg u.a. In d. Weingartner u. d. Großen Heidelberger («Maness.») Liederhs. sind unter d. Namen «Kaiser Heinrich» 3 Ged. überl., v. denen man annimmt, daß er sie verfaßt hat.

Ausgaben: HMS 1; H. Brinkmann, Liebeslyrik der deutschen Frühe, 1952; MF; G. Schweikle, Die Mittelhochdeutsche Minnelyrik 1: Die frühe Minnelyrik, 1977 (mit Übertr.).

Literatur: VL 2,284; 5,347; ADB 11,419; NDB 8,323; LThK 5,182; BWG 1,1076; de Boor-Newald 2,250; Ehrismann 2 (Schlußbd.) 227. – F. Gehrlich, D. Testament ∼s, 1907 (Neudr. 1965); J. Haller, ∼, 1915; K. Hampe, Dt. Kaisergesch. in d. Zeit d. Salier u. Staufer (10. Aufl., bearb. F. Baethgen) 1949; K. Hauck, Heldendg. u. Heldensage als Gesch.bewußtsein (in: FS O. Brunner) 1963; G. Jungbluth, D. Lieder ∼s (in: PBB Tüb. 85) 1963; P. Bründl, «unde bringe den wehsel, als ich waen, durch ir liebe ze grabe». E. Stud. z. Rolle d. Sängers im Minnesang v. ∼ bis Neidhart v. Reuental (in: DVjs 44) 1970; W. Raitz, Über d. gesellsch. Funktion v. Kreuzzugslyrik u. Minnesang z. Zeit

d. Kreuzzüge Friedrichs I. u. ∼s (in: Ma. Texte im Unterricht 2) 1976.

Zu einzelnen Liedern: H. de Boor, ∼ 4, 17 (in: H. d. B., Kleine Schr. 2, 1966); F. TOBIN, Wolfram v. Eschenbachs Parzival 435, 1 u. ∼s «ich grüeze mit gesange» (MF 5, 16) (in: MLN 85) 1970; P. WAPNEWSKI, Kaiserlied u. Kaisertopos. Z. ∼ 5, 16 (in: P. W., Waz ist minne) 1975; U. PRETZEL, ∼, «Königslied» ... (in: FS M.-L. Dittrich) 1976.   RM

Heinrich von Afterdingen → Heinrich von Ofterdingen.

Heinrich (I.) von Anhalt, † 1251/52, seit 1212 Herzog v. Anhalt, legte 1242 d. Regierung nieder. H. war verheiratet mit Irmgard, e. Tochter d. Landgrafen Hermann v. Thüringen, an dessen Hof H. wohl d. süddt. Minnesänger kennenlernte. V. ihm selbst sind 2 Lieder überliefert.

Ausgaben: HMS 1, 4; C. v. KRAUS, Deutsche Liederdichter des 13. Jahrhunderts, 1952/53 (2., v. G. KORNRUMPF durchges. Aufl. 1978).

Literatur: VL 2, 247; 5, 341; ADB 11, 449; de Boor-Newald 2, 344.   RM

Heinrich von Augsburg, † 1083 Kloster St. Magnus/Füssen; lebte vor 1077 in Aquileja, 1077 Aufnahme in d. Augsburger Domkapitel, Magister an d. Domschule, 1078 mit d. Domkanonikus Wigolt Flucht n. Füssen. – Verf. d. Lehrged. «Planctus Evae» (2283 leonin. gereimte Hexameter), welches Schöpfung, Sündenfall u. Erlösung d. Menschheit durch Christus schildert.

Ausgabe: Planctus Evae (hg. M. L. COLKER in: Traditio, Stud. in Ancient and Medieval History ... 12) New York 1956.

Literatur: VL 2, 248; NDB 8, 405; Manitius 2, 615. – A. HAEMMERLE, D. Canoniker d. Hohen Domstiftes z. Augsburg bis z. Saecularisation, 1935; F. ZOEPFL, D. Bistum Augsburg u. s. Bischöfe im MA, 1955; K. LANGOSCH, D. dt. Lit. d. lat. MA in ihrer gesch. Entwicklung, 1964.   RM

Heinrich von Baiern → Heinrich von München.

Heinrich van Beeck, 15. Jh., stammte wahrsch. aus d. nordniederfränk. Gebiet; Verf. d. 1469–72 entst., «Agrippina» gen. Chron. v. Köln, die bis 1419 reicht u. autograph. u. in mehreren

Abschr. im Stadtarch. Köln überl. ist. D. Chron. behandelt f. Köln zuerst d. sog. Quaternionensystem u. zeigt d. älteste bekannte Bild d. Kölner Bauern, d. Symbol f. Kölns Reichsstandschaft in diesem System.

Ausgaben: Dat boich van de stede Coellen (hg. K. SCHRÖDER, G. HAGEN in: Hist. Arch. d. Stadt Köln, Chron. u. Darst. Nr. 12) 1875; H. CARDAUNS, Cronica van der hilliger Stat von Coellen (in: ebd. Nr. 13/14) 1876f.; D. Chron. d. dt. Städte vom 14. bis ins 16. Jh. 13, 1876 (Neudr. 1961 ff.).

Literatur: VL 2, 251; de Boor-Newald 4/1, 152. – A. WREDE, D. Kölner Bauer im Lichte d. Forsch. (in: Beitr. z. Köln. Gesch., Sprache, Eigenart 2) 1916; J. MENKE, Gesch.schreibung u. Politik in dt. Städten d. MA (in: Jb. d. Köln. Gesch.ver. 33–35) 1958–60.   RM

Heinrich von Beringen (Berngen), † kurz n. 1320 od. eher bald n. 1354; Verf. d. ersten dt. Schachbuchs (Hs. Stuttgart, erg. durch e. Fragm. d. Stadtbibl. Frankfurt/M.; Hs. Brit. Mus. Add. 24946). Nach älterer Auffassung ist d. Verf. e. Heinrich aus d. in Unterböhringen b. Ulm ansässigen Geschlecht v. Beringen, Dompropst in Augsburg, der d. Schachbuch um 1290 geschrieben haben soll. D. neuere Forsch. (G. F. Schmidt u. a.) tendiert zu einem v. 1323–54 bezeugten ritterbürtigen Heinrich, der bis 1350 Kanonikus in Augsburg u. dann Propst d. Brixener Domkapitels war. In Bologna (1323) lernte er wahrsch. d. Schachtraktat d. oberitalien. Dominikaners Jacobus de Cessolis kennen («Liber de moribus hominum et de officiis nobilium ac popularium super ludo scacorum»), den er um 1330 in dt. Verse umarbeitete. H.s Schachbuch umfaßt 10843 Verse, entwirft anhand d. Schachspiels e. Berufsethik u. beschreibt mittels d. Spielfiguren d. Pflichten d. Stände u. einzelnen Menschen. H.s Bearb. ist relativ frei, fügt zwar nichts Wesentl. hinzu, gewinnt aber durch Raffung u. Ausweitung an Anschaulichkeit u. Dichte. – Vier unter d. Namen H. v. B. überl. Ged. (cgm. 717) dürften ebenfalls d. Verf. d. Schachbuches zugeschrieben werden.

Ausgaben: P. ZIMMERMANN, Das Schachgedicht H.s v. B., 1883 [durch d. Entdeckung d. Londoner Hs. überholt]. – Auszüge bei F. VETTER, Lehrhafte Lit. d. 14. u. 15. Jh., 1. Tl., o. J. – Gedichte: vgl. P. Zimmermann.

Literatur: VL 2,252; 5,342; ADB 2,398; NDB 8,405; de Boor-Newald 4/1, 301; Ehrismann 2,2,633; Goedeke 1,270. –P. ZIMMERMANN, D. Schachged. ~s (Diss. Heidelberg) 1875; F. HOLZNER, D. dt. Schachbücher in ihrer dichter. Eigenart gegenüber ihrer Quelle d. Jacobus de Cessoli, 1897; L. Santifaller, D. Brixener Domkapitel in seiner persönl. Zus.setzung im MA, o. J. (1924); M. D. J. Lloyd, Stud. zu ~s Schachged. (in: Germ. Stud. 30) 1930; H. SCHIEL, E. erg. Bruchst. v. ~s Schachged. (in: ZfdA 74) 1937; E. THURNHER, Wort u. Wesen in Südtirol, 1947; T. KAEPPELI, Pour la biogr. de J. d. Cessole (in: Arch. Fratrum Praedicatorum 30) Rom 1960; G. F. SCHMIDT, D. Schachzabelbuch d. J. d. Cessolis, O. P., in mhd. Prosa übers., 1961; G. SCHINDELE, Schachzabelbücher (in: Kindlers Lit. Lex. 6) 1971; P. ASSION, Altdt. Fachlit., 1973.   RM

Heinrich von Bitterfeld (Henricus Wenceslai Venken de Bitterfeld), † um 1405, stammte wahrsch. aus Sachsen; Dominikaner im Kloster Brieg/Schles., 1386 Praesentatus, 1394 Prof. an d. Univ. Prag. Kirchen- u. Ordensreformator, Verf. versch. reform-theol. Schr. (De vita contemplativa et activa; De institutione sacramenti Eucharistiae; De crebra communione u. a.)

Literatur: VL 5,342; NDB 8,406. – G. Sommerfeld, ~ (in: Zs. f. Kathol. Theol. 29) 1905; V. Koudelka, ~ (in: Arch. Fratrum Praedicatorum 23) Rom 1953.   RM

Heinrich, Abt von **Breitenau** (Bretenowe), † 1170; Abt. d. Benediktinerabtei Breitenau/ Hessen. – Verf. e. «Passio Thiemonis archiepiscopi Salisburgensis» in Prosa, welche d. Leben d. 1090 z. Erzbischof v. Salzburg gewählten Thiemo (1101/02?) beschreibt.

Ausgabe: Passio Thiemonis archiepiscopi Salisburgensis (hg. NOLTE in: Arch. f. öst. Gesch. 54 u. in: MG SS 15).

Literatur: Manitius 3,847.   RM

Heinrich IV., Herzog von **Breslau** → Heinrich IV., Herzog von Schlesien-Breslau.

Heinrich von Burgus (Burgeis), * wahrsch. 2. Hälfte 13. Jh. Burgeis/Südtirol; Laienseelsorger d. Bozener Franziskanerklosters, Verf. d. um 1301/04 entst. poet.-allegor. Beicht- u. Buß-

predigt «Der Seele Rat» (6548 Verse, fragm. überl. in e. Hs. d. Bibl. d. Priesterseminars Brixen, um 1440). D. Werk erläutert im Verweis auf Tod u. Jenseits d. Bußsakrament u. zeigt in volksnaher Sprache e. Katalog d. Laster. Es ist ohne unmittelbare Vorlage, steht aber in Beziehung z. franziskan. Predigt (Berthold v. Regensburg).

Ausgaben: Pilgerfahrt des träumenden Mönchs (hg. A. BÖMER) 1915; Der Seele Rat (hg. H.-F. ROSENFELD) 1932.

Literatur: VL 2,254; 5,344; NDB 8,406. – H.-F. ROSENFELD (vgl. Ausg.); A. DÖRRER, ~ u. sein «Seelenrat» (in: Archiv. 167) 1935; E. THURNHER, Wort u. Wesen in Südtirol, 1947.
                    RM

Heinrich Clusener → Heinrich der Klausner

Heinrich von Diessenhofen, Truchsess, * 1300/03, † 22. od. 24. 12. 1376 wahrsch. Konstanz; stammte aus d. Geschlecht derer v. Diessenhofen, die seit Mitte d. 13. Jh. als Ministerialen d. Grafen v. Kiburg u. später d. Grafen v. Habsburg erscheinen, Sohn d. St. Gallischen Reichspflegers Johannes v. D., studierte 1316 in Bologna, 1319 Prokurator, 1324 Rektor scolarium u. 1324 f. Doctor decretorum das., Kanoniker in Konstanz, 1325 Kustos im Stift Beromünster/Kt. Luzern, 1330–38 Gesandter Ottos v. Habsburg am päpstl. Hof in Avignon, 1341 Übersiedlung nach Konstanz, 1342 Domherr, 1343 wegen Beachtung d. päpstl. Interdikts vertrieben, 1344 Rückkehr, erfolglose Bewerbung um d. Bischofstuhl u. d. Dompropstei, 1373 Succollector camerae apostolicae. – Während s. Aufenthaltes in Avignon erg. H. d. 24 Bücher d. «Historia ecclesiastica nova» des Ptolomäus v. Lucca durch e. 25. Buch, welches d. Beginn seiner Chron. ist, die er, z. T. in annalist. Form, bis 1362 fortführte (überl. clm. 21259). D. Chron. ist eine d. Hauptquellen f. Schwaben u. d. Schweiz im 14. Jahrhundert.

Ausgaben: Chronik des H. Truchsess v. D. (bearb. u. hg. C. v. HÖFLER) 1864; dass. (hg. J. F. BÖHMER) 1868; E. BALUZE, G. MOLLAT, Vitae paparum Avenionensium 1, 1916.

Literatur: VL 2,255; ADB 5,148; NDB 3, 662; HBLS 2,718; Aufriß 3,1309, 1325; BWG 1,1101. – O. LORENZ, Dtl.s Gesch.quellen im MA 1, ²1876; J. L. AEBI, ~, d. Zeitbuchschreiber (in: D. Gesch.freund 32) 1877; H. SIMONS-

FELD, Z. Historiogr. d. 14. Jh. (in: Forsch. z. dt. Gesch. 18) 1878; D. KÖNIG, Matthias v. Neuenburg u. ~ (in: ebd. 19) 1879; A. WERMINGHOFF, ~ als Bewerber um d. Dompropstei z. Konstanz (in: Zs. f. d. Gesch. d. Oberrheins, NF 11) 1896; R. WEGELI, D. Truchsessen v. D. (in: Thurgau. Beitr. z. vaterländ. Gesch. 47) 1907; G. MOLLAT, Etude critique sur les Vitae paparum Avenionensium d' Etienne Baluze, 1917; H. HELBLING, Saeculum Humanum, Ansätze zu e. Vers. über spätma. Gesch.denken, Neapel 1958; H. DE BOOR, D. Wandel d. ma. Gesch.-denkens im Spiegel d. dt. Dg. (in: ZfdA 83, Sonderh.) 1964.   RM

Heinrich von Dissen → Dissen, Heinrich.

Heinrich von Egg(e)win(t) → Predigten.

Heinrich von Erfurt, 1. Hälfte 14. Jh.; vermutl. Dominikaner, verf., beeinflußt u. a. durch Augustinus u. Meister Eckhart, zahlr. u. weitverbreitete myst. Predigten, die in versch. Slg. um 1340 erschienen. Seine Predigttätigkeit dürfte sich v. ca. 1320–1340 erstreckt haben. Mit Namen bekannt ist H. durch d. Dreifaltigkeitspredigt d. Frankfurter Predigtpostille (Hs. Frankfurt II, 30), weitere Predigten überl. Wiener u. Königsberger Hss., sowie d. sog. «Heiligenleben» d. Hermann v. Fritzlar (entst. 1343–49, Heidelberg, Cod. Pal. 113 u. 114). Hauptthemen sind d. Geburt d. ewigen Wortes in d. Seele u. d. Frage, woran e. Mensch seine übernatürl. Liebe z. Gott erkennen könne.

Ausgabe: Hermann v. Fritzlar, Das Heiligenleben (hg. F. PFEIFFER, in: Dt. Mystiker d. 14. Jh. 1) 1845 (Neudr. 1962).

Forschungsberichte: A. SPAMER, Über d. Zersetzung u. Vererbung in d. dt. Mystikertexten (Diss. Gießen) 1910; DERS., D. Mystik. Ber. zur Forsch. (in: FS O. Behagel) 1934; K. RUH, Altdt. Mystik. E. Forsch.ber. (in: WirkWort 7) 1956f.

Literatur: VL 2, 259; LThK 5, 186; Aufriß 2, 1554. – W. HAUPT, Beitr. z. Lit. d. dt. Mystiker (in: Sb. d. Kaiserl. Akad. d. Wiss. Wien, phil.-hist. Kl. 76) 1874; W. PREGER, Gesch. d. dt. Mystik im MA 2, 1881; G. LICHENHEIM, Stud. z. Heiligenleben H.s v. Fritzlar (Diss. Halle) 1926; H. KUNISCH, D. ma. Mystik u. d. dt. Sprache: e. Grundriß (in: Lit. JB 6) 1965; V. MERTENS, ~, Postille (in: ZfdA 107) 1978. RM

Heinrich von Frauenberg, 13. Jh., vermutl. Schweizer u. Angehöriger e. in Graubünden ansässigen Freiherrengeschlechts. Verf. v. fünf Minneliedern, die in d. Großen Heidelberger Liederhs. überl. sind. In e. Tagelied zeigt der Orion (anstelle d. Morgensterns) d. Nahen d. Tages an, s. letztes Lied weist Einflüsse d. Wiener Schule auf.

Ausgaben: HMS 1; K. BARTSCH, Deutsche Liederdichter ... (8. Aufl. hg. W. GOLTHER, 1928; Nachdr. d. 4. Aufl. v. 1906, 1966); K. BARTSCH, Die Schweizer Minnesänger, 1886 (Neudr. 1964); Die Große Heidelberger «manessische» Liederhandschrift (hg. U. MÜLLER) 1971 (Facs.).

Literatur: VL 2, 260; HBLS 3, 234; Ehrismann 2 (Schlußbd.) 277. – C. JECKLIN, ~, e. bündner. Minnesänger (in: Jber. d. hist.-antiquar. Gesellsch. v. Graubünden 36) 1905.   RM

Heinrich von Freiberg, Ende 13. Jh.; urkundl. nicht nachgewiesener Epiker, stammte wahrsch. aus Freiberg/Sachsen, vermutl. Zeitgenosse Wenzels II. in Böhmen. Dichtete um 1285–90 e. Forts. des v. Gottfried v. Straßburg unvollendet hinterlassenen «Tristan»-Epos, die er im Auftrag Reimund v. Lichtenburgs (urkundl. nachgewiesen 1278–1329) in 6890 Versen verf. (überl. in 3 Hss., Florenz 13./14. Jh., Köln u. Modena 15. Jh. u. in e. Wolfenbütteler Fragm.). Quellen waren d. aus d. 12. Jh. stammende «Tristrant» Eilharts v. Oberg, d. um 1230 entst. Gottfriedforts. Ulrichs v. Türheim u. ev. jüngere französ. Versionen od. mündl. Überl. H. strebt nach realist. Deutung d. Ereignisse, charakteristisch sind didakt., christl.-bürgerl. Anmerkungen. Dem Text Gottfrieds kommt H. u. a. in formaler Hinsicht nahe. Unsicher ist, ob H. auch d. Verf. ist der «Legende vom Heiligen Kreuz» (überl. in e. Wiener Hs. v. 1393 unter d. Namen H. v. «Fridewerch» [Friedberg], «de» ist verwischt), der «Ritterfahrt des Johann v. Michelsberg» (überl. Cod. pal. germ. 341) u. des anonym im Anschluß über d. «Ritterfahrt» überl. Schw. «Schrätel und der Wasserbär» (alle 3 Schr. bei A. Bernt, vgl. Ausg.).

Ausgaben: R. BECHSTEIN, H. v. F., «Tristan», 1877 (Neudr. Amsterdam 1966); D. altčechische Tristan-Epos. Unter Beifügung d. mhd. Paralleltexte (hg. u. übers., mit Einl. u. Wortreg., hg. U. BAMBORSCHKE) 2 Tle., 1968f. – A. FIETZ, D. Ged. v. Heiligen Kreuz v. H. v. F., 1881. – Gesamtausg.: H. v. F., mit Einl. über Stil, Sprache, Metrik, Quellen u. Persönlichkeit d. Dichters (hg. A. BERNT) 2 Tle., 1906.

Literatur: VL 2, 261; 5, 344; ADB 7, 335; NDB 8, 407; de Boor-Newald 3/1, 88, 546; Ehrismann 2 (Schlußbd.) 68; Albrecht-Dahlke 1, 706. – F. BECH, ~ (in: Germania 19) 1874; F. WIEGANDT, ~ u. sein Verhältnis z. Eilhart u. Ulrich (Diss. Rostock) 1879; E. KRAUS, Über ~ (in: Germania 30) 1885; S. SINGER, D. Quellen v. ~s Tristan (in: ZfdPh 29) 1897; H. LIESKE, Höf. Leben u. ritterl. Gesellsch. bei ~ (Diss. Greifswald) 1922; E. GIERACH, ~ (in: Sudetendt. Lbb. 1) 1925; G. THRATHNIGG, Fragm. v. ~s Tristan aus Pölten (in: ZfdA 73) 1936; C. v. KRAUS, Z. Tristan ~s (in: FS E. Gierach) 1941; DERS., Stud. z. Tristan ~s (in: Sb. d. Bayer. Akad. 2, H. 5/6) 1941; M. MÜLLER, D. Stilwandel v. d. höf. zur späthöf. Dg., gezeigt am Tristan ~s (Diss. München) 1950; A. HILBRINK, D. weltanschaul. Gehalt in ~s Tristan im Vergleich mit seinen Quellen (Diss. Marburg) 1954; M. SEDLMEYER, ~s Tristanforts. im Vergleich zu andern Tristan-Dgg., 1976; D. BUSCHINGER, A Propos du «Tristan» de ~ (in: EG 33) 1978.   RM

Heinrich von Friedberg → Heinrich von Freiberg.

Heinrich von Friemar d. Ae. (de Vrimaria, de Alemania), * um 1245 Friemar b. Gotha, † 18. 10. 1340 Erfurt; war 1300 Provinzial d. dt. Augustiner, um 1305 Magister, ca. 1305–12 Theol.-Prof. in Paris u. nach 1315 im Augustinerkloster in Erfurt. Doktor seraphicus. – H.s Schr. stehen unter d. Einfluß v. Thomas v. Aquin u. Jakobus v. Viterbo, überl. sind über 50 asket.-myst. Traktate (z. T. ins Hoch- u. Niederdt. übers.). E. Kommentar zum 4. Buch d. Sentenzen d. Petrus Lombardus, der unter H.s Namen überl. ist, gehört e. jüngeren H. v. F., der um 1321 Magister in Paris, 1342–50 Theol.-Prof. im Prager Augustinerkloster war u. am 21. 4. 1354 in Erfurt starb.

Schriften: Tractatus de decem praeceptis (entst. 1324) 1475 [unter d. Namen Nikolaus de Lyra]; De quatuor instinctibus, Venedig 1498 (niederdt. 1485); Opus sermonum de Sanctis, 1513; Expositio passionis Domini, Paris 1514.

Ausgaben: Quodlibet (entst. 1306, fragmentar. gedr. bei C. STROICK, vgl. Lit.) 1954; Com-

mentaria in libros Ethicorum Aristotelis (entst. 1310, Exzepte bei C. STROICK) 1954; Tractatus de origine et progressu ordinis fratrum eremitarum S. Augustini (hg. R. ARBESMANN in: Augustiniana 6) Löwen 1956; D. Traktat H.s über d. Unterscheidung der Geister (lat.-mhd. Textausg. mit Unters., bearb. R. G. WARNOCK, A. ZUMKELLER) 1977.

Literatur: VL 2, 265; 5, 344; ADB 11, 633; NDB 8, 408; LThK 5, 188. – W. STAMMLER, Dt. Scholastik (in: ZfdPh 72) 1953; C. STROICK, ~, Leben, Werke, philos.-theol. Stellung in d. Scholastik, 1954 (mit Bibliogr.); F. PELSTER, ~ (in: Scholastik 32) 1957; A. ZUMKELLER, ~ (in: Würzburger Diözesangesch. Bl. 18/19) 1956f.; DERS., ~ (in: S. Augustinus vitae spiritualis magister 2) Rom 1959; DERS., Mss. v. Werken d. Autoren d. Augustinerordens, 1966 (mit vollst. Schr. verz.).   RM

Heinrich von St. Gallen, Ende 14. Jh.; bezeugt sind zw. 1371 u. 1397 zwei Mitgl. d. Prager Artistenfak. mit Namen Henricus de s. Gallo, einer davon ist als Magister verzeichnet. Welcher d. beiden folgende Schr. verf. hat, läßt sich nicht mit Sicherheit bestimmen. – Überl. sind e. dt. Passionshistorie (sog. Extendit-manum-Passionstraktat, 160 Hss., Erstdr. 1475), als Quellen dienten versch. lat. Passionstraktate, d. 1. Tl. geht auf e. Passio Christi d. Jakobi v. Vitry (?) zurück. Hs. überl. sind ferner dt. Predigten über d. acht Seligkeiten (11 Hss.), e. dt. Auslegung über d. Magnificat (14 Hss.). Unsicher ist H.s Autorschaft f. e. Predigtslg. durch d. ganze Jahr (Cod. Reich 105) u. für e. Traktat über d. «Hindernisse für einen geistlich vollkommenen Menschen».

Ausgaben: K. RUH, Der Passionstraktat des H. v. St. G., 1940; H. v. St. G., Die Magnificat-Auslegung (hg. W. LEGNER) 1973. – E. Ausg. d. «Seligpreisungen» ist in Vorbereitung.

Literatur: VL 2, 330; 5, 349; NDB 8, 422; de Boor-Newald 4/1, 335, 391. – W. SCHMIDT, ~ (in: ZfdPh 57) 1932; E. ROOTH, E. Fragm. d. Passionstraktates v. ~ (in: Ann. Acad. Scient. Fennicae 30) 1934; K. RUH, D. Passionstraktat d. ~ (Diss. Zürich) 1940; DERS., ~ (in: Basler Theol. Zs. 6) 1950; DERS., D. «Extendit-manum»-Passionstraktat (in: Zs. f. Schweizer Kirchengesch. 47) 1953; W. STAMMLER, ~ (in: ZfdPh 72) 1953; J. WERLIN, ~, e. dt. Schriftst. in Prag

z. Zeit Karls IV. (in: StifterJb. 6) 6) 1959; W. SCHMIDT, ~ (in: W.S., Kleine Schr.) 1969; T. DOBRZENIECKI, ~ (in: Pamietnika Literackiego 55) Warschau 1964.　　　　　　　　　RM

Heinrich von Glandorp → Hinrik von Glandorp.

Heinrich der Glîchezaere (Glichezâre, Glichsenere, d. Beiname wird auch auf d. Fuchs bezogen), 2. Hälfte 12. Jh., biogr. Einzelheiten unbek., stammte wahrsch. aus d. Elsaß, Kenner beider Rechte u. d. zeitgenöss. Lit. Verf. d. wahrsch. in d. 1180er Jahren entst. Reimpaarged. «Reinhart Fuchs» (auch: «Isengrînes not», 2266 Verse), fragm. überl. in d. Hs. S d. Landesbibl. Kassel (um 1200) u. durch anonyme Bearb. aus d. 13. Jh. (Univ.bibl. Heidelberg (P); Metropolitanbibl. Kalocsa (K)). – Nach anfängl. Mißerfolgen besteht d. Fuchs während seiner «Freundschaft» mit d. Wolf Isegrin versch. Abenteuer u. triumphiert dank seiner versch. List zuletzt über alle Feinde u. selbst über d. König. D. Ged. folgt d. ma. Trad. d. Tierdg., Vorlagen waren Tle. d. «Roman de Renart» u. d. lat. «Ysengrinus», jedoch finden sich auch eigene Schöpfungen (z. B. Tod d. Königs Vrevel, Vers 2097–2248, Belehnung d. Elefanten mit Böhmen u. d. Kamels mit e. Abtei) u. d. Komposition ist ep. geschlossen angelegt. Charakterist. sind parodist. u. satir. Elemente, die sich auf Adel u. «hohe minne», d. Hof (Friedrichs I.?), d. Lehnswesen u. d. geistl. Stand beziehen.

Ausgaben: R. F. (in: Kaloczaer Cod. altdt. Ged., hg. J. N. Gf. MAILÁTH, J. P. KÖFFINGER) Pest 1817; J. GRIMM, R. F., 1834 [Text n. P., herangezogen K]; DERS., Sendschreiben an Karl Lachmann über R. F., 1840 [Text n. S]; R. F. (hg. K. REISSENBERGER) 1886 [Text n. P u. S, herangezogen K] (²1908); R. F. (hg. G. BAESECKE, mit e. Beitr. v. K. VORETZSCH) 1925 [Text n. P u. S, herangezogen K] (2. Aufl., hg. I. SCHRÖBLER, 1952); R. F. (mhd. u. nhd., hg., übers. u. erläutert v. K.-H. GÖTTERT) 1976 [Text n. P, S]; R. F. (mhd. u. nhd. Prosafassung, Nachwort u. Anmerkungen W. SPIEWOK) 1977.

Übersetzungen: R. F., D. älteste dt. Tierepos aus d. Sprache d. 12. Jh. in unsere übertragen v. G. BAESECKE, 1926; K.-H. GÖTTERT, 1976 (vgl. Ausg.); W. SPIEWOK, 1977 (vgl. Ausg.).

Überlieferung: S. SCHÖNBACH, D. Überl. d. R. F. (in: ZfdA 29) 1885. – Z. Hs. K: M. G. v. KOVACHICH (in: Dt. Museum 4) 1813; Zur Hs. P:

Kleinere mhd. Erz., Fabeln u. Lehrged. 3 ... (hg. G. ROSENHAGEN) 1909; Zur Hs. S: D. Landesbibl. Kassel 1580–1930 (hg. W. HOPF) 1930.

Literatur: VL 2, 267; ADB 9, 236; NDB 8,408; de Boor-Newald 2, 399; Ehrismann 2 (Schlußbd.) 348; Albrecht-Dahlke 1, 491. – A. GRAF, D. Grundlage d. R. F., Helsinki 1920; G. MAUSCH, Der R. F. d. ~ (Diss. Hamburg) 1921; B. SCHULZ, Vergl. Stud. z. dt. Tierepos (Diss. Jena) 1922; A. WALLNER, R. F. (PBB 47) 1923; DERS., Reinhartfragen (in: ZfdA 63) 1926; DERS., D. Urfassung d. R. F. (in: ebd. 64) 1927; G. BAESECKE, ~ (in: ZfdPh 52) 1927; K. VORETZSCH, Z. mhd. R. F.: D. Krankheit d. Löwen (in: FS G. Baesecke) 1941; R. JAUSS, Unters. z. ma. Tierdg., 1959; J. STOROST, D. Vorgesch. d. R. F. (in: FS B. Markwardt) 1961; J. FLINN, Le Rom. de Renard dans la litt. française et dans les litt. étrangères au moyen âge, 1963; W. SPIEWOK, R. F.-Fragen (in: WZ d. E.-M.Arndt-Univ. Greifswald 13) 1964; G. BAESECKE, D. Vers im R. F. (in: G. B., Kleine metr. Schr., hg. W. SCHRÖDER) 1968; K. GRUBMÜLLER, Dt. Tierschw. im 13. Jh. Ansätze z. Typenbildung in d. Trad. d. R. F.? (in: Werk-Typ-Situation) 1969; R. F. (in: Kindlers Lit. Lex. 6) 1971; K.-H. GÖTTERT, Tugendbegriff u. ep. Struktur in höf. Dg. ... ~s R. F. u. Konrads v. Würzburg «Engelhard», 1971; DERS., D. Spiegelung d. Lesererwartung in d. Varianten ma. Texte (am Bsp. d. R. F.) (in: DVjs 48) 1974; F. JACOBY, The Conflict Between Legal Concepts and Spiritual Values in the Middle High German R. F. (in: (Revue des Langues Vivantes 39) Brüssel 1973; H.-J. LINKE, Form u. Sinn d. R. F. (in: Strukturen u. Interpretationen, hg. A. Ebenbauer u. a.) 1974.　　　　　　　　　RM

Heinrich von Gorkum, * um 1378 Gorinchem (Diözese Utrecht), † 19.2.1431 Köln; Artes-Studium in Paris (1395), 1398 Lizentiat u. bis 1419 magister artium actu, 1419 Lizentiat in Köln, 1420 Dr. theol. Paris, seither Prof. d. Theol. u. Artes an d. von ihm gegründeten Bursa Montana in Köln, zeitweilig Univ.rektor. Vertreter d. via antiqua, bereitete d. Thomasrenaissance vor. Verf. e. neuen «Supplementum IIIae Partis Summae Theologiae S. Thomae Aquinatis» und versch. kleinerer Schr., e. «Lectura super Evangelium» befindet sich im Hist. Arch. Köln.

Schriften: Quaestiones in Summam Sancti Thomae [Compendium Summae Theologiae S. Tho-

mae] 1473; Tractatus consultatorii [Slg. kleinerer
Schr.] 1503.

Bibliographie: A. G. WEILER (vgl. Lit.) 1962.

Literatur: ADB 11,636; NDB 8,409; LThK 5,
189. – W. LAMPEN, Notizen z. ~ (in: Franziskan. Stud. 34) 1952; A. G. WEILER, ~ († 1431),
seine Stellung in d. Philos. u. d. Theol. d. Spät-
MA, 1962.   RM

Heinrich von Hagenau → Fuller, Heinrich.

Heinrich der Hammerschmied → Schmitt,
Heinrich.

Heinrich von Herford, * Ende 13. Jh. Her-
ford/Westf., † 9. 10. 1370 Minden; Eintritt in d.
Dominikanerkloster Minden, 1340 als Vertreter
d. sächs. Prov. am Generalkonzil d. Ordens in
Mailand. Verf. versch. theol. u. hist. Schr. sowie
v. Werken über Rhetorik, Metrik u. Sprichwörter. Erhalten sind nur d. «Liber de rebus et temporibus memorabilibus sive Chronicon», e. aus
zahlr. Quellen kompilierte Weltchron. bis 1355,
welche d. geschilderte Zeit in d. 6 Weltalter gliedert u. d. Kap. nach d. Reihenfolge d. röm. Kaiser richtet, u. d. «Catena aurea encium vel pro-
blematum series», e. lehrhaft vorgebrachte Summe philos., theol. u. naturwiss. Fragen u. Antworten in 10 Tln., d. letzte Tl. schließt mit d.
Frage nach d. Heil d. Menschen wieder an d. Anfang, d. Schöpfer-Gott, an (2 Hs. aus d. 15. Jh. in
d. Vatikan. Bibl. Rom, enth. e. eigenhändigen
Katalog seiner Schr.).

Ausgabe: Liber de rebus et temporibus memorabilibus sive Chronicon (hg. A. POTTHAST) 1859.

Literatur: VL 5,345; ADB 13,493; NDB 8,
411; BWG 1,1101. – F. DIEKAMP, Über d.
schriftsteller. Tätigkeit d. Dominikaners ~ (in:
Westf. Zs. 57) 1899; U. CHEVALIER, Répertoire
des sources hist. du moyen-âge 1, Paris ²1905.

     RM

Heinrich von Hesler (Hessler), * um 1270
viell. Hessler/Westf.; Herkunft u. Lebenszeit, sowie seine Identität mit d. Propst Heinrich v. Hö-
seln od. mit d. Probst u. Komtur Henricus de Hesler in Zschillen b. Rochlitz sind umstritten. H.
war gebildeter ritterl. Laie, lebte im letzten
Jahrzehnt d. 13. Jh. im Gebiet d. Dt. Ordens,
dem er wahrsch. angehörte, hielt sich auch in
Nebra (wohl Nebra an d. Unstrut) auf. – Verf. d.
«Evangelium Nicodemi» (5392 Verse, Verspara-

phrase d. 4 Evangelien u. bes. d. apokryphen Evangelium Nicodemi, mit versch. Leg., e. Predigt an
d. Fürsten u. e. großen Judenschelte), e. «Apokalypse» (23000 Verse, Satz-für-Satz-Exegese d.
Geh. Offenbarung d. Johannes, enth. Vers. 1353
bis 1481 e. lit.gesch. wichtige u. ausführliche
Verstheorie) u. des nur in Bruchst. überl. Ged.
«Erlösung» (v. Sturz Lucifers u. Sündenfall d. Engel). Diese Werke entst. zw. ca. 1294 u. bald
nach 1300.

Ausgaben: Erlösung, Bruchstücke (hg. O. v.
HEINEMANN, E. STEINMEYER in: ZfdA 32) 1895;
Evangelium Nicodemi (hg. u. eingel. K. HELM)
1902 (Nachtr. in: PBB 33, 1908; Neudr. 1976);
Apokalypse (hg. DERS.) 1907; K. GÄRTNER,
Neue Fragm. v. ~ s «Evangelium Nicodemi» (in:
ZfdA 107) 1978 [mit Textpublikation].

Literatur: VL 2,276; 5,347; ADB 12,272;
NDB 8,411; LThK 5,192; de Boor-Newald 3/1,
513; Ehrismann 2 (Schlußbd.) 672. – K. HELM,
Unters. über d. Evangelium Nicodemi ~s, 1922;
DERS., E. neues ~-Bruchst. (in: PBB 69) 1947;
K. SCHUMANN, Über d. Quellen d. Apokalypse
~s (Diss. Gießen) 1912; F. E. A. CAMPBELL, D.
Prosa-Apokalypse d. Königsberger-Hs. Nr. 891 u.
d. Apokalypse ~s (Diss. Greifswald) 1912; C. v.
KRAUS, D. metr. Regeln bei ~ u. N. v. Jaro-
schin (in: FS M. H. Jellinek) 1928; K. T. HERR-
MANN, D. Bildschmuck d. Dt.-Ordensapokalypse
~s (Diss. Königsberg) 1934; K. HELM, W. ZIE-
SEMER, D. Lit. d. Dt. Ritterordens, 1951 (mit
Lit.verz.); G. EIS, miselsuht und houbetsuht bei
~ (in: Sudhoffs Arch. f. Gesch. d. Med. u. Naturwiss. 36) 1952; DERS., ~ (in: ZfdPh 73)
1954; DERS., Z. Überl. v. Wolframs Willehalm
u. ~s Evangelium Nicodemi (in: ebd.) 1954; H.
DE BOOR, Stilbeobachtungen z. ~ (in: H. d. B.,
Kleine Schr. 1) 1964; A. MASSER, E. unbek. Hs.
v. Evangelium Nicodemi ~s (in: ZfdPh 91)
1972; P. ASSION, Altdt. Fachlit., 1973; J. PUR-
KART, Einige Nachtr. z. d. Fragm. d. Evangelium
Nicodemi aus Michaelsbeuren ... (in: ebd. 93)
1974; P. WIEDMER, Sündenfall u. Erlösung bei
~ ..., 1977.   RM

Heinrich von Hessen d. Ä. → Heinrich Heinbuche von Langenstein.

Heinrich von Hessen (d. J., auch: Heinrich v.
Allendorf), * Allendorf/Hessen, † 12. 8. 1427
Arnheim; Studium in Paris, 1389–1400 Magister

artium (u. 1392 Rektor) an d. Univ. Köln, 1400
bis 1411 an d. Univ. Heidelberg (1400 Rektor),
1405f. Gesandter König Ruprechts in Rom, 1412
Eintritt in d. Kartäuserorden, 1417–24 Prior d.
Freiburger u. 1424–27 d. Monnikhuizenener
Kartause, seit 1418 Visitator d. Rheinprov. Verf.
asket. u. erbaul. Schr., Kommentare zu d. Sentenzen u. zu bibl. Büchern werden ihm zugeschrieben.

Schriften: Dialogus de rara seu frequenti cele-
bratione missae, 1473 (Nachdr. 1483).

Literatur: VL 2,282; ADB 11,637; 12,272;
NDB 8,412; LThK 5,192. – K. HEILIG, Krit.
Stud. z. Schrifttum d. beiden ~ (in: Röm. Quartalschr. f. christl. Alt.kunde u. Kirchengesch.
40) Rom 1932; H. CAPLAN, ~ on the Art of
Preaching (in: H. C., Of Eloquence) 1970; DERS.,
A Late Mediaeval Tractate of Preaching (tractatus
de arte praedicandi, ~ zugeschrieben) (in: ebd.)
1970.   RM

Heinrich (Offenbach) von Isny, 14. Jh.,
stammte aus Schwaben; Minnesänger, wahrsch.
Geistlicher, in d. Kanzlei d. Konstanzer Bischöfe
tätig, Notar d. v. 1334–44 amtierenden Bischofs
Nikolaus I. v. Konstanz u. s. Nachfolgers, Kanoniker an St. Stephan, auch Domherr, stand auf
Seite d. Papsttums.

Literatur: Albrecht-Dahlke 1,706. – Zimmeri-
sche Chron. (hg. K. A. Barack) ²1881 (Neuausg.:
H. Decker-Hauff. D. Chron. d. Grafen v. Zimmern, 1964f.); F. GRIMME, D. rhein.-schwäb.
Minnesänger ..., 1897.   RM

Heinrich von Kalkar → Eger von Kalkar,
Heinrich.

Heinrich von Kettenbach, † um 1524/25,
stammte wahrsch. aus Kettenbach/Taunus, viell.
ritterl. Herkunft, nicht ident. mit Hans Rot(t),
gen. Johann Locher v. München († 1524); Franziskaner, 1507f. im Kloster Kaysersberg/Elsaß,
1508–10 in Mainz; 1510/16 Praedicator in Heilbronn, 1516/19 in Mainz, 1519/20 in Freiburg/
Br. u. 1520/22 in Ulm, predigte in Ulm im
evangel. Sinn, mußte d. Stadt im Juli 1522 verlassen u. lebte dann viell. in Augsburg od. Bamberg. – V. ihm sind 9 dt. luther., v. Eberlin v.
Günsburg beeinflußte Flugschr. bekannt (Dr.
1522/23, 1523, 1525).

Ausgaben: O. CLEMEN, Flugschriften aus den

ersten Jahren der Reformation 2/1: Die Schriften
H.s v. K., 1908 (mit Biogr.); A. E. BERGER, Die
Sturmtruppen der Reformation, 1931.

Literatur: ADB 15,676; NDB 8,412; RGG
³3,1256; LThK 5,193; RE 10,265; Schottenloher 1,404; 5,139. – O. CLEMEN (vgl. Ausg.)
1908; P. KALKOFF, D. Praedikanten Rot-Locher,
Eberlin u. ~ (in: ARG 25) 1928; M. SIMON,
Evangel. Kirchengesch. Bayerns, ³1952; H.
AUPPERLE, Bildkatalog über Drucke aus d.
1. Hälfte d. 16. Jh.: Vorläufiges Verz. z. 2. Lie-
ferung, 1958.   RM

Heinrich der Klausner (Clûsenêre), 13. Jh.;
ostmitteldt. Dichter, lebte vermutl. am Hof König Wenzels II. v. Böhmen. Verf. e. bald nach
1278 entst. Marienleg. «Vom armen Schüler»
(überl. in e. im 14. Jh. in Thür. geschriebenen
Pommersfelder Papierhs.) v. 1364 paargereimten
Versen. E. armer Schüler wird am Fest Mariae
Himmelfahrt aus d. Chor ausgeschlossen, weil er
keine Schuhe besitzt. Er fleht Maria um Schuhe
an, er will sie dafür mit Kleidern beschenken u.
betet f. jedes Kleidungsstück 100 Ave Maria. Maria erscheint ihm schließlich, doch jetzt will d.
Schüler nichts mehr v. ihr haben, da sie ihm ihre
Hilfe zu lange versagte. Maria bietet ihm zwei
Gnaden zur Wahl: 30 Jahre lang Bischof zu sein
oder in drei Tagen in Heilsgewißheit zu sterben.
D. Knabe wählt letzteres u. erhält d. Auftrag,
vorher d. leibl. Aufnahme Mariens in d. Himmel
zu verkünden.

Ausgabe: K. BARTSCH, Mitteldt. Ged., 1860
(mit Einl.).

Literatur: VL 2,289; de Boor-Newald 3/1,547;
Ehrismann 2 (Schlußbd.) 371,408. – E. SCHRÖ-
DER, ~ (in: ZfdA 67) 1930; E. GIERACH, ~ (in:
Sudetendt. Lbb. 2) 1930.   RM

Heinrich von Köln, * um 1200 Mülhausen/
Sauerland (nach andern Köln od. Umgebung),
† 23. 10. 1229 Köln; stammte aus e. adeligen Geschlecht, 1218/19 Theol.-Stud. in Paris, lernte
dort Jordan v. Sachsen kennen, 1220 Eintritt in
d. Dominikanerorden, 1221 in Reims u. im gleichen Jahr erster Prior in Köln, 1222 Gründung
d. Kölner Klosters, 1225 Teilnahme am Generalkapitel in Bologna, 1229 Besuch d. Prov.kapitels
(in Trier?). Prediger, dessen Werke, nüchtern im
Stil, stark scholast. geprägt sind (Hss. in Berlin,
Prag, München, Heidelberg, Colmar).

Literatur: VL 2, 291; 5, 347; NDB 8, 413; LThK 5, 194. – J. MEYER, Liber de Viris Illustribus Ordinis Praedicatorum (hg. P. v. LOE) 1918; H. C. SCHEEBEN, Jordan d. Sachse, 1937; DERS., Beitr. z. Gesch. Jordans v. Sachsen, 1938; ~ (in: Archivum Fratrum Praedicatorum 1) Rom 1941; G. LÖHR, ~ (in: ZfdA 82) 1948/50.   RM

Heinrich von Kolmas, 2. Hälfte 13. Jh., wahrscheinl. aus e. bei Eisenach-Langensalza stammenden thüring. Geschlecht, urkundl. 1262 u. 1279 belegt. Minnesänger, v. dem ein Lied erh. ist, das sich in e. Art Weltabkehr d. ewigen Heil zuwendet u. Maria als Mittlerin anruft.
Ausgaben: HMS; W. WACKERNAGEL, Lyr. Ged. d. 12., 13. u. 14. Jh. (in: Altdt. Bl. 2) 1840.
Literatur: VL 2, 290. – A. NEBE, Drei thüring. Minnesinger (in: Zs. d. Harz-Ver. f. Gesch. u. Alt.kunde 19) 1886.   RM

Heinrich von Kröllwitz (Krolewitz), Mitte 13. Jh., stammte aus Kröllwitz b. Meißen, lebte wahrsch. als Geistlicher vermutl. am Hof d. Grafen v. Schwerin, Guncelius III. Verf. 1252–55 e. «Auslegung des Vaterunsers» in 4489 Versen (überl. in 2 vollst. Hss., wovon d. älteste aus Schwerin, Ende 13. Jh., stammt; 3 Bruchst., davon e. Übertragung ins Ndt.) D. Werk, e. lehrhafte Paraphrase d. Vater Unsers in 68 Abschnitten, scheint ohne direkte Quelle, zitiert werden u. a. Bibel u. Augustin, d. Reimpaare sind durch Dreireim abgesetzt.
Ausgabe: G. C. F. LISCH, Heinrich's von Krolewiz uz Mîssen «Vater unser», 1839.
Literatur: VL 2, 291; ADB 17, 179; Ehrismann 2/2, 57; 2 (Schlußbd.) 371. – A. HOFMEISTER, ~s Vaterunser ndt. (in: Jb. d. Ver. f. ndt. Sprachforsch. 17) 1892; C. THÜMMLER, Z. Vater Unser ~s (Diss. Leipzig) 1897.   RM

Heinrich von Lammespringe (Lamspringe), 14. Jh.; 1350 Schöffenschreiber in Magdeburg, später als Altarist Inhaber d. Pfründe zu St. Peter, siedelte später nach Salze b. Magdeburg über, wo er noch 1386 u. 1396 belegt ist. Seit 1360 Verf. d. Grundstocks d. «Magdeburger Schöffenchron.» die im 1. Tl. d. Bekehrung u. Gesch. d. Sachsen (bis zu d. Ottonen) u. im 2. Tl. d. Reichs- u. Stadtgesch. bis 1350 schildert. Spätere Schreiber setzten d. Werk fort (u. a. Hinrik van den Ronen, Engelbert Wusterwitz).

Ausgabe: Magdeburger Schöffenchronik (hg. K. JANICKE) 1869.
Literatur: VL 4, 1106; Aufriß 3, 1307. – M. JANSEN, L. SCHMITZ-KALLENBERG, Historiogr. u. Quellen d. dt. Gesch. bis 1500, ²1914; H. MASCHEK, Dt. Chron., 1936; G. KEIL, Nachtr. z. VL (in: PBB Tüb. 83) 1961; Magdeburger Schöppenchron. (in: Kindlers Lit. Lex. 5) 1969.   RM

Heinrich von Langenstein → Heinrich Heinbuche von Langenstein.

Heinrich von Lauffenberg → Lauffenberg, Heinrich.

Heinrich von Leewen → Dionysius der Kartäuser.

Heinrich von Leinau (Lînouwe; Allgäu?), 1. Hälfte 13. Jh.; gehörte wahrsch. zur schwäb. Dichtergruppe, mit der Rudolf v. Ems in Verbindung stand, H. ist erwähnt in Rudolfs «Alexander» u. «Willehalm». Verf. e. nicht erhaltenen Heldenrom. «Der Wallaere» mit e. Sperberpreisturnier.
Literatur: VL 2, 296; Aufriß 2, 617. – E. SCHRÖDER, ~ (in: ZfdA 67) 1930.   RM

Heinrich von Lettland (Henricus de Lettis), * um 1187/88 im Magdeburg. Gebiet, † nach 1259; als Knabe in Diensten Bischof Alberts I. v. Riga, ausgebildet im Augustinerstift Segeberg (?), traf 1205 in Riga ein, 1208 Priesterweihe, bis 1259 Pfarrer «an d. Ymera» (Papendorf b. Wenden). Bekehrte große Tle. d. Letten u. Esten z. röm. Christentum, Teilnahme an mehreren Heerzügen. Verf. d. 1225/26 u. 1227 niedergeschriebenen «Chronicon Livonicum vetus seu Chronicon Livoniae», das d. Christianisierung d. Letten, Liven u. Esten v. 1180–1227 schildert (überl. in 16 Abschr., beste u. älteste d. Cod. Zamoscianus v. ca. 1300) u. als älteste u. wichtigste Quelle z. frühen Gesch. d. balt. Länder gilt.
Neuausgaben: Livländische Chronik (bearb. L. ARBUSOW, A. BAUER) ² 1955; dass. (neu übers. u. hg. A. BAUER) 1959 (²1975).
Literatur: VL 2, 297; 5, 347; ADB 11, 637; NDB 8, 413; LThK 5, 195; RGG ³3, 204. – H. HILDEBRAND, D. Chron. ~s, 1867; R. HOLTZMANN, Stud. z. ~ (in: Neues Arch. d. Gesellsch. f. ältere dt. Gesch.kunde 43) 1920; L. ARBUSOW,

D. hs. Überl. d. «Chron. Livoniae» ~s (in: Acta Univ. Latviensis 15f.) 1926f.; DERS., D. entlehnte Sprachgut in ~s «Chron. Livoniae» (in: Dt. Arch. 8) 1951; V. BILKINS, D. Spuren v. Vulgata, Brevier u. Missale in d. Sprache v. ~s Chron. Livoniae, 1928; DERS., Problemet om ~ nationalitet (in: Hist. tidskrift 25,1) 1962; H. LAAKMANN, Z. Gesch. ~s u. s. Zeit (in: Beitr. z. Kunde Estlands 18) 1933; P. JOHANSEN, D. Chron. als Biogr., ~s Lebensgang u. Weltanschauung (in: Jb. f. Gesch. Osteuropas, NF 1) 1953; R. WITTRAM, Balt. Kirchengesch., 1956; U. ARNOLD, Beitr. z. VL (in: PBB Tüb. 88) 1966; J. A. BRUNDAGE, The 13th Century Livonion Crusade, ~ and the First Legatine Mission of Bishop William of Modena (in: Jb. f. Gesch. Osteuropas, NF 20) 1972.   RM

Bruoder **Heinrich von Leven** → Predigten.

Heinrich, Burggraf von **Lienz,** 13. Jh., als Amtsgraf v. 1212 bis 1258 in Lienz bezeugt. In Ulrich von Liechtensteins «Frauendienst» erwähnter Minnedichter, von dem 2 Tagelieder erhalten sind.

Literatur: E. THURNHER, Wort u. Wesen im Südtirol, 1947.   RM

Heinrich, Dichter der **«Litanei»,** Geistlicher, aber wahrsch. nicht Mönch, aus d. 12. Jh., vermutl. aus d. Steiermark; Verf. d. Ged. «letanie» (od. «letania»), welches in d. Hs. G (Grazer Univ.bibl.) u. S (Straßburg-Molsheimer Hs.) überl. ist. G (950 Verse, entst. vor 1160–70) ist die ursprüngliche, S (1468 Verse, entst. bald nach 1173 v. einem od. mehreren Verf.) e mehrfach erw. Fass., an der möglicherweise auch H. selbst beteiligt war. D. Ged. besteht aus bis zu selbständigen Gebeten ausgeformten Anrufungen an versch. Heilige, deren Gliederung u. Rangfolge nach kirchl. Muster geordnet sind. Meist Responsorien-Schlüsse.

Ausgaben: H. HOFFMANN v. FALLERSLEBEN, Fundgruben für die Geschichte deutscher Sprache und Literatur 2, 1837 (Neudr. 1969) (G); H.F. MASSMANN, Deutsche Gedichte des 12. Jh. 1, 1837 (S); M. ROEDIGER, A. E. SCHÖNBACH (in: ZfdA 19/20) 1876; C. v. KRAUS, Mittelhochdeutsche Übungsstücke 2, ²1926 (G u. S); F. MAURER, Die religiösen Dichtungen des 11. u. 12. Jh. ... 3, 1970.

Literatur: VL 2,244; RL 2,62; RE 11,524; LThK 6,598; Ehrismann 2/1,172; Goedeke 1, 38. – F. VOGT, ~ (in: PBB 1) 1874; M. RÖDIGER, D. Litanei u. ihr Verh. z. d. Dg. Heinrichs v. Melk (in: ZfdA 19) 1876; R. STROPPEL, Liturgie u. geistl. Dg. zw. 1050 u. 1300 ..., 1927; P. ASSION, Altdt. Fachlit., 1973.   RM

Heinrich von Lübeck, † n. 1336; vor 1325 lector regens am Kölner Generalstudium d. Dominikanerordens, später viell. Lehrtätigkeit in Oxford od. Cambridge, 1325–36 Provinzial d. Ordensprovinz Saxonia, 1331 Teilnahme am Generalkapitel in Vittoria/Spanien. – Verf. dreier Quodlibeta, die f. d. ältere dt. Thomistenschule v. Bed. sind (Hss. Hofbibl. Wien, Univ. bibl. Münster).

Ausgaben: Tl.ausg. bei: F. MITZKA, H. d. L. Quaestiones de mortu creaturarum et de concursu divina, Opuscula et Textus, Series Schol. XI, 1932.

Literatur: NDB 8,414; LThK 5,196. – M. GRABMANN, Ma. Geistesleben 1, 1926; G. M. LÖHR, D. Kölner Dominikanerschule v. 14. bis z. 16. Jh., 1948.   RM

Heinrich (III.) von Meißen, Markgraf (der Erlauchte), * zw. 30. 8. 1215 u. 20. 7. 1216, † vor 8. 2. 1288; Wettiner; unter s. Regierung erreichte d. wettin. Besitz v. d. Werra u. d. Thüringer Wald bis z. Oder d. größte Ausdehnung, 1237 Kreuzfahrt gg. Preußen, 1241 Abwehr d. Tataren. Tannhäuser rühmt H.s Treue z. stauf. Partei. S. Machtgebiet, dem schließl. 4 Reichsfürstentümer angehörten, teilte er 1265 mit s. Söhnen. Komponist kirchl. Musik u. Verf. v. 6 in d. Großen Heidelberger Liederhs. überl., sich d. höf. Minnesang anschließenden Liedern.

Ausgaben: HMS 1,4; C. v. Kraus, Deutsche Liederdichter des 13. Jh. 1,2, 1952/54 (2., durchges. Aufl. v. G. KORNRUMPF, 1978); K. Bartsch, Deutsche Liederdichter (Neudr.) 1964; Die große Heidelberger «manessische» Liederhandschrift (hg. U. MÜLLER) 1971 (Facs.).

Literatur: VL 2,299; 5,348; ADB 9,544; NDB 8,373; BWG 1,1094; Albrecht-Dahlke 1,707; de Boor-Newald 2,345; Ehrismann 2 (Schlußbd.) 285. – F. W. TITTMANN, Gesch. ~s, 1850; R. KÖTZSCHE, H. KRETZSCHMAR, Sächs. Gesch. 1, 1935; H. HELBIG, D. Wettin. Ständestaat, 1955; H. DE BOOR, Drei Fürsten im mittleren Dtl. (in: FS I. Schröbler) 1973.   RM

Heinrich von Meißen, gen. Frauenlob, * um
1250, † 29. 11. 1318 Mainz; stammte aus Meißen,
wo er an d. Domschule vermutl. auch s. wiss. u.
künstler. Ausbildung erhielt, unterhielt als bürgerl. Fahrender zahlr. Beziehungen zu versch.
Höfen im östl. u. nördl. Dtl. (König Rudolf I.,
Herzog Heinrich v. Breslau, 1290, Otto v. Niederbayern, 1300 u. a.), seit ca. 1312 unter Erzbischof Peter v. Aspelt in Mainz seßhaft. – In H.s
Dg. spiegelt sich d. Übergangszeit v. d. höf-
ritterl. Gesellsch. z. bürgerl.-städt. Kultur. D.
lehrhaften Sprüche behandeln theol., eth., philos. u. sozialkrit. Themen, in d. Minneliedern
wird d. minne zu e. religiös überhöhten Kult d.
Frau. H.s Werk umfaßt 448 Sprüche, 13 Minnelieder, 3 Leiche (Frauen-, Kreuz- u. Minneleich)
sowie Streit- u. Preisged. (Echtheit z. T. umstritten). D. Strophenformen sind vielfältig (insgesamt 15 Töne), häufig werden mehrere Sprüche
(meist 3) nach formalen u. inhaltl. Kritieren zu
größeren Einheiten zusammengefaßt. H.s Sprache
ist meißn. geprägt, assoziativ u. bilderreich, ihre
Kommunikationsfunktion wird oft durch Beto-
nung d. Wortklanges eingeschränkt. H.s Nachwirkung war groß, d. Meistersinger zählten H. zu
d. 12 alten Meistern u. erhoben ihn zum Dr.
theol. u. zum Mainzer Domherrn.

Ausgaben: L. ETTMÜLLER, H.s v. M. des Frauen-
lobes Leiche, Sprüche, Streitgedichte und Lieder,
1843 (Neudr. Amsterdam 1966); HMS 2,3,4;
L. PFANNMÜLLER, Der Marienleich F.s, 1913; K.
BARTSCH, Deutsche Liederdichter des 12.–14. Jh.
(8. Aufl. W. Golther) 1928 (Neudr. d. 4. Aufl. v.
1906, 1966); W. F. KIRSCH, F.s Kreuzleich,
1930; J. KLAPPER, F.-Fragmente (in: FS Siebs)
1933; C. v. KRAUS, Deutsche Liederdichter des
13. Jh., 1951 (2., durchgesehene Aufl. v. G.
KORNRUMPF, 1978); K. H. BERTAU, R. STEPHAN,
Wenig beachtete F.-Fragmente (in: ZfdA 86 u.
93) 1955/56 u. 1962/63; Gesänge von F., Reinmar von Zweter u. Alexander. Nach der Handschrift 2701 der Wiener Hofbibliothek bearbeitet
von H. RIETSCH (Neudr.) 1960. – E. neue Gesamtausg. ist in Vorbereitung.

Übertragungen: B. NAGEL, F., Ausgewählte Gedichte in versgetreuer Übersetzung, 1951; M.
LANGE, Der Minnesänger F., 1951 [Ausw.].

Überlieferung: H. THOMAS, Unters. z. Überl. d.
Spruchdg. F.s, 1939; K. STACKMANN, Probleme
d. F.-Überl. (in: PBB Tüb. 98) 1976; DERS., Berichtigung (in: ebd. 99) 1977.

Literatur: VL 1, 644; 5, 233; ADB 7, 321; NDB
5, 380; MGG 4, 850; de Boor-Newald 3/1, 334,
363, 466; Ehrismann 2 (Schlußbd.) 301; Albrecht-Dahlke 1, 701. – A. FRISCH, Unters. über
d. versch. mhd. Dichter, welche n. d. Überl. d.
Namen Meissner führen (Diss. Jena) 1887; H.
JANTZEN, Gesch. d. dt. Streitged. im MA, 1896;
J. KRON, ∼s Gelehrsamkeit (Diss. Straßburg)
1906; K. PLENIO, Strophik v. ∼s Marienleich
(in: PBB 39) 1914; F. ILLERT, Beitr. z. Chronol.
d. hist. Sprüche ∼s (Diss. Halle) 1922; H. KIESS-
LING, D. Ethik ∼s, 1926; G. ROSENHAGEN, ∼s
Marienleich (in: ZfdPh 53) 1927; O. SÄCHTIG,
Über d. Bilder u. Vergleiche in d. Sprüchen u.
Liedern ∼s (Diss. Marburg) 1930; W. F. KIRSCH,
∼s Kreuzleich (Diss. Bonn) 1931; H. KRETSCH-
MANN, D. Stil ∼s, 1933; J. KERN, D. höf. Gut
in d. Dg. ∼s, 1934 (Neudr. 1967); A. REICH, D.
vergessene Ton ∼s (in: Musikforsch. 3) 1950;
H. ENKE, D. vergessene Ton ∼s (in: ebd. 4)
1951; A. RUMMEL, Manierist. Dg. im 13. u. 19.
Jh. (Diss. Tüb.) 1951; J. SIEBERT, D. Spruch ∼s
v. d. Astronomie (in: ZfdA 83) 1951/52; M. O'C
WALSHE, ∼-Profile of a Late Mediaeval Poet (in:
GLL 5) 1951/52; B. NAGEL, D. dt. Meistersang,
1952; K. H. BERTAU, Unters. z. geistl. Dg. ∼s
(Diss. Göttingen) 1954; DERS., Genialität u. Resignation im Werk ∼s (in: DVjs 40) 1966; B.
PETER, D. theol.-philos. Gedankenwelt d. ∼,
1957; S. A. GALLACHER, ∼s Bits of Wisdom,
Fruits of his Environment (in: FS J.-G. Kunst-
mann) Chapel Hill 1959; R. KRAYER, «der smit
von der oberlande», Motivgeschichtl. Versuch z.
∼s Marienleich 2, 1–5 (in: AION(T) 2) 1959;
DERS., ∼ u. d. Natur-Allegorese. Motivgeschichtl. Unters., 1960 (Rez. H. Rupp in: Archiv. 198, 1961/62); H. DE BOOR, ∼s Streitgespräch zw. Minne u. Welt (in: PBB Tüb. 85)
1963; H. THOMAS, John of Neumarkt and ∼ (in:
FS F. Norman) London 1965; B. VÖLKER, D. Gestalt d. «Vrouwe» u. d. Auffassung d. minne in
d. Dg. ∼s (Diss. Tüb.) 1966; J. SCHÄFER, Walther v. d. Vogelweide u. ∼. Beispiele klass. u.
manierist. Lyrik im MA, 1966; R. KÖHNE, D.
beiden mhd. Lobged. auf Otto Grafen v. Ravensburg (in: Jber. d. Hist. Ver. f. d. Grafschaft Ravensburg 65) 1966/67; A. HILDEBRAND, «Uz kez-
zels grunde gât mîn kunst». Zu F. 165,7 (in:
Euphorion 61) 1967; K. STACKMANN, Bild u.
Bed. bei ∼ (in: Frühma. Stud. 6) 1972; DERS.,
«Redebluomen». Z. einigen Fürstenpreisstrophen

~s u. z. Problem d. geblümten Stils (in: FS F. Ohly 2) 1975; B. Wachinger, Sängerkrieg. Unters. z. Spruchdg. d. 13. Jh., 1973; K. Bertau, Z. wîp-vrowe-Streit ... (in: GRM NF 28) 1978. RM

Heinrich von Melk (der sog.), nach Mitte d. 12. Jh., adeliger Herkunft, war viell. Laienbruder (Conversus) in e. Kloster (Melk/Niederöst.?), sein Dialekt weist nach Öst., geistl. gebildet. – Verf. zweier geistl. Reimpaar-Ged., die erst im 14. Jh. überl. sind (Cod. unicus, Wien). «Von des tôdes gehugde» («Erinnerung an den Tod», n. Vers 450 f. auch «Vom gemeinen Leben» gen., 1042 Verse) geißelt in satir. Art Laster u. Sünden aller Stände u. folgt im 2. Tl. d. Trad. d. contemptus mundi u. d. memento mori. D. «Priesterleben» (H. zugeschrieben, wahrsch. später z. datieren) kritisiert d. sittl. Entartung d. Weltklerus. D. Stil H.s neigt z. klingenden Kadenz, Wesentliches wird häufig mit beschwerten Hebungen akzentuiert, ungewöhnl. Reimbildungen sind selten, d. Taktfüllung, abgesehen v. Auftakt, ist gemäßigt.

Einzelausgaben: Von des Todes gehugde (in: F. Massmann, Dt. Ged. d. 12. Jh. 2) 1837 (Erstabdr.); dass. (in: J. Diemer, Kleine Beitr. z. älteren dt. Sprache u. Lit. 3) 1856; Priesterleben (in: M. Haupt, Altdt. Bl. 1) 1836 (Erstabdr.)

Gesamtausgaben: R. Heinzel, ~, 1867 (verb. Neuausg. hg. R. Kienast, D. sog. H. v. M., 1946, ²1960); E. D. Mitchell, H. v. M. A Diplomatic Edition, a Translation, and a Commentary, 1969/70; Die Gedichte des «Heinrich von Melk» (in: F. Maurer, D. religiösen Dg. d. 11. u. 12. Jh. 3) 1970.

Bibliographie: de Boor-Newald, 1, 182; Albrecht-Dahlke 1, 484. – C. Soeteman, Dt. geistl. Dg. d. 11. u. 12. Jh., 1963; F. Maurer (vgl. Gesamtausg.) 1970.

Überlieferung: E. Schröder, Z. Überl. d. Ged. H.s v. M. (in: ZfdA 45) 1901; Ehrismann 2/1, 17.

Forschungsberichte: W. Schröder, D. Geist v. Cluny u. d. Anfänge d. frühmhd. Schrifttums (in: PPB 72) 1950; E. Kimmich, D. Verhältnis d. sog. H. v. M. z. mittellat. Dg. (Diss. Tübingen) 1952; P.-E. Neuser, Z. sog. ~, Überl., Forsch.-gesch. u. Verf.fragen ..., 1973.

Literatur: VL 2, 299; 5, 348; ADB 11, 632; NDB 8, 415; LThK 5, 197; Ehrismann 2/1, 186. –

K. Lachmann, Kleinere Schr. 1, 1876; M. Rödiger, D. Litanei u. ihr Verh. z. d. Dg. ~s (in: ZfdA 19) 1876; W. Wilmanns, D. sog. ~, 1885; O. Lorenz, ~, d. Juvenal d. Ritterzeit, 1886; K. Kochendörffer, «Erinnerung» u. «Priesterleben» (in: ZfdA 35) 1891; T. Baunack, Beitr. z. Erklärung ~s (in: ZfdA 54, 57, 58) 1913/20/21; M. Mackensen, ~ (in: Neue Heidelberger Jb.) 1925; E. Schweigert, Stud. z. ~ (Diss. München) 1952; E. Henschel, Z. ~ (in: Jb. d. Kirchl. Hochschule Berlin 55) 1952; E. A. Ebbinghaus, Z. ~s Priesterleben (in: MLN 71) 1956; ders., E. paar Kleinigkeiten zu d. Ged. d. ~ (in: ebd. 74) 1959; H. J. Gernentz, ~, E. Beitr. z. Analyse d. gesellsch. Kräfte u. d. lit. Strömungen in d. 2. Hälfte d. 12. Jh. (in: WB 6) 1960; H. Brackert, «Erinnerung an den Tod» (in: Kindlers Lit. Lex. 2) 1966; ders., «Priesterleben» (in: ebd. 5) 1969; F. Maurer, D. religiösen Dg. d. 11. u. 12. Jh. 3, 1970; W. Störmer, Früher Adel ..., 2 Tle., 1973; W. Freytag, Das «Priesterleben» ~s: Redeformen, Rezeptionsmodus u. Gattung (in: DVjs. 53) 1928; G. S. Williams, Against Court and School: ~ and Héliant of Fridmont as Critics of 12th Century Society (in: Neoph. 62) 1978.

Sprache und Stil: K. Wesle, Frühmhd. Reimstud., 1925; U. Pretzel, Frühgesch. d. dt. Reims, 1941; G. Hampel, Reimwörterbuch u. Beitr. z. Reimtechnik d. Ged. ~s (Diss. Wien) 1950; B. Köneke, Unters. z. frühmhd. Versbau, 1976; R. R. Anderson, U. Goebel, Wortindex u. Reimreg. z. sog. ~, Amsterdam 1976. RM

Heinrich von Merseburg, † 1276; Franziskaner, Lektor am Ordensstudium in Magdeburg, Kanoniker. – Verf. e. «Summa super V libros Decretalium» (entst. um 1242 od. gg. 1253, in versch. Hss. überl.), e. Handbuches kanon. Rechts, welches um 1260 durch d. Apparatus e. Unbekannten u. um 1290 durch Casus ergänzt wurde.

Literatur: ADB 11, 639; NDB 8, 415; LThK 5, 198. – W. M. Plöchel, Gesch. dt. Kirchenrechts 2, 1955. RM

Heinrich von Morungen, * 1155/60 wahrsch. Burg Morungen b. Sangershausen/Thür., † 1222 Leipzig (Thomaskloster); 1217 Eintritt in d. Thomaskloster Leipzig, weitere genaue biogr. Einzelheiten sind ungewiß. S. Indienfahrt ist Legende, Beziehungen z. Stauferhof sind wahrsch., vielleicht besuchte H. im Gefolge Barbarossas Burgund u. d. Provence. E. Aufenthalt am thüring. Hof, wo er Walther v. d. Vogelweide hätte kennenlernen können, bleibt Vermutung, ebenso s. Teilnahme an Dietrich v. Meissens Kreuzfahrt v. 1197. H.s Hauptschaffensperiode dürfte d. Jahre 1190–1200 umfassen, dafür sprechen d. bekannten Daten u. s. Einfluß auf d. jungen Walther. D. Große Heidelberger Liederhs. überl. v. H. 33 formal vollendete Minnelieder, d. Bildersprache ist v. d. Troubadourlyrik u. von d. Marienverehrung beeinflußt. Höchster Preis d. Frau u. Klage über d. Nichterfüllung e. in ihrem Totalitätsanspruch unerfüllbaren Liebe stehen nebeneinander. «Erlebte» Liebeserfüllung schildert v. a. das Tagelied, das Alba u. Wechsel zu neuer Einheit verschmilzt. D. Reime sind meist rein, häufig erweiterte u. Doppelreime. Daktylen u. Reimdurchflechtung sind wesentl. Formelemente, ebenso wie Wechselstrophen, Refrain u. Antithetik. D. späte MA machte aus d. «edlen Moringer» e. Balladenfigur (vgl. L. Uhland, Volkslieder, Nr. 298).

Ausgaben: MF; H.v.M. (hg. C. v. KRAUS) 1925 ([2]1950); K. BARTSCH, Deutsche Liederdichter des 12.–14.Jh. (8. Aufl. hg. W. GOLTHER, 1928; Nachdr. d. 4. Aufl. v. 1906, 1966); H. BRINKMANN, Liebeslyrik der deutschen Frühe, 1952; Die Große Heidelberger «manessishe» Liederhandschrift (hg. U. MÜLLER) 1971 (Facs.); H.v. M., Zyklische Liedgruppen. Rekonstruktion, Forminterpretation, kritische Ausgabe (hg. K. BRANDES) 1974; H.v.M., Lieder (mhd. u. nhd., Text, Übers. u. Kommentar v. H. TERVOOREN) 1975.

Übersetzungen: L. TIECK, Minnelieder aus dem schwäbischen Zeitalter, 1803; K. SIMROCK, Lieder der Minnesänger, 1856; B. OBERMANN, Deutscher Minnesang, 1891; F. WOLTERS, Minnelieder und Sprüche, 1909; R. ZOOZMANN, Deutscher Minnesang, 1910; W. FISCHER, Liedsang aus deutscher Frühe, 1939; C. v. KRAUS (vgl. Ausg.) [2]1950; H. TERVOOREN (vgl. Ausg.) 1975.

Überlieferung: H. v. M., Abbildungen z. gesamten hs. Überl. (hg. U. MÜLLER) 1971.

Literatur: VL 2,304; 5,348; ADB 22,341; NDB 8,416; de Boor-Newald 2,277,321; Ehrismann 2 (Schlußbd.) 237; Albrecht-Dahlke 1,

566. – E. GOTTSCHAU, Über ∼ (in: PBB 7) 1880; K. SCHÜTZE, D. Lieder ∼s auf ihre Echtheit geprüft (Diss. Kiel) 1890; E. LEMCKE, Textkrit. Unters. z. d. Liedern ∼s (Diss. Jena) 1897; O. RÖSSNER, Unters. z. ∼, 1898; C. v. KRAUS, Z. d. Liedern ∼s, 1916; DERS., MF, Unters., 1939; K.H. HALBACH, E. Zyklus v. ∼ (in: ZfdPh 54) 1929; A. ARNOLD, Stud. über d. hohen Mut (Diss. Frankfurt/M.) 1930; K. KORN, Stud. über Freude u. Trûren (Diss. Frankfurt/M.) 1932; H. MENHARDT, Z. Lebensbeschreibung ∼s (in: ZfdA 70) 1933; DERS., ∼ am Stauferhofe? (in: ebd. 73) 1936; DERS., ∼s Indienfahrt (in: Hist. Vjs. 31) 1937/39 (vgl. dazu R. HENNIG, Terrae incognitae, Leiden [2]1950); O. RESTRUP, ∼, Kopenhagen 1938; C. BÜTZLER, ∼ u. d. edele Moringer (in: ZfdA 79) 1942; H. SCHNEIDER, ∼, Venus u. Helena (in: Euphorion 43) 1942; C. GRÜNANGER, ∼ e il problema del Minnesang, Mailand 1948; J. KIBELKA, ∼, Lied u. Liedfolge als Ausdruck ma. Kunstwollens (Diss. Tübingen) 1949; F. MAURER, Z. Chronol. d. Lieder ∼s (in: FS J. Trier) 1965; E. J. MORRALL, ∼s Conception of Love (in: GLL 13) 1959/60; J. SCHWIETERING, D. Liederzyklus ∼s (in: J.S., Mystik u. höf. Dg. im HochMA) 1960; F. MAURER, Rhythm. Gliederung u. Gedankenführung bei ∼ (in: F.M., Dg. u. Sprache d. MA) 1963; T. FRINGS, Erforsch. d. Minnegesangs (in: PBB Halle 87) 1965; DERS., E. ∼-Portrait (in: ebd. 88) 1966; G. JUNGBLUTH, Vorzugsweise Textkritisches z. ∼ (in: FS Quint) 1964 [eig. 1965]; R. WISNIEWSKI, Narzissmus bei ∼ (in: FS H. de Boor) 1966; F. R. SCHRÖDER, ∼ (in: GRM 18) 1968; M.F. RICHEY, Essays on Mediaeval German Poetry (2., erw. Aufl.) 1969; J. SCHWIETERING, Philol. Schr. (hg. F. OHLY, M. WEHRLI) 1969; V. SCHWEIGER, Textkrit. u. chronol. Stud. z. d. Liedern ∼s, 1970; A. KIRCHER, Dichter u. Konvention. Z. gesellsch. Realitätsproblem d. dt. Lyrik um 1200 bei Walther v. d. Vogelweide u. s. Zeitgenossen, 1973; E. MANSON, Motivationen d. Minne in d. höf. Liebeslyrik (in: AG 9) 1976; B. NAGEL, Stauf. Klassik ..., 1977.

Zu einzelnen Liedern: K. RUH, D. Tagelied ∼s (in: Trivium 2) 1944; H. W. J. KROES, D. Tagelied ∼s (in: Neophil. 34) 1950; G. JUNGBLUTH, ∼ 131,8 (in: GRM 35) 1954; U. PRETZEL, 2 Ged. ∼s (in: FS Oehmann) Helsinki 1954; DERS., 3 Lieder ∼s (MF 127,1; 131,25; 136,1) (in: Interpret. mhd. Lyrik, hg. G. JUNGBLUTH) 1969;

H. DE BOOR, ~, Ich wêne nieman lebe ... (in: D. dt. Lyrik 1, hg. B. v. WIESE) 1956; E. J. MORRALL, MF 125, 19 ff. (in: MLR 52) 1957; G. BAUER, Z. ~, 139, 19 (in: Euphorion 53) 1959; F. C. TUBACH, Wechselform u. Tageliedsituation in d. Tageliedwechsel [MF 143, 22] ~s (in: ZfdPh 79) 1960; DERS., «In sô hôe swebender wunne (MF 125, 19) by ~, an Essay on Mediaeval Symbolic Structures (in: DVjs 43) 1969; P. WAPNEWSKI, ~s Tagelied (in: AION(T) 4) 1961; H. SCHNEIDER, ~s Elbenlied (in: H. S., Kl. Schr. z. germ. Heldensage ...) 1962; G. SCHWEIKLE, Textkritik u. Interpret. ~, sît siu herzeliebe heizent minne [MF 132, 19] (in: ZfdA 93) 1964; R. HARVEY, «Min arme», a Textual Crux in ~s Tagelied (in: PBBTüb. 86) 1964; T. FRINGS, E. LEA, D. Lied v. Spiegel u. v. Narziss (in: PBB Halle 87) 1965; O. LUDWIG, ~, Z. Ordnung d. Strophen in MF 138, 17 (in: GRM 15) 1965; F. R. SCHRÖDER, ~ 139, 19 (in: ebd.) 1965; D. RODEWALD, ~, Lied v. Singen (MF 133, 13) (in: ZfdA 95) 1966; A. HRUBY, Hist. Semantik in ~s Narzissuslied u. d. Interpret. d. Textes (in: Le réal dans la litt. et dans la langue ...) Paris 1967; J. A. HUISMAN, D. Strophenfolge in ~s Tagelied u. a. Ged. (in: ZfdPh 87, Sonderh.) 1968; H.-D. SCHLOSSER, ~ ... [MF 126, 8] (in: Interpret. mhd. Lyrik, hg. G. JUNGBLUTH) 1969; H. STOPP, Z. ~s Tagelied-Wechsel (in: Euphorion 64) 1970; P. BÖRNER, Zu MF 131, 25 f. (in: ZfdPh 90, Sonderh.) 1971; G. A. BOND, MF 136, 25 and the Conceptual Space of ~s Poetry (in: Euphorion 70) 1976; H.-H. RÄKEL, D. Lied v. Spiegel, Traum u. Quell d. ~ (MF 145, 1) (in: LiLi 7) 1977.

Sprache und Komposition: A. LOHMANN, Metr.-rhythm. Unters. über ~ (Diss. München) 1908; F. R. SCHRÖDER, ~s Dichtersprache (in: GRM 32) 1950/51; H. SCHEIDT, Vollst. Glossar z. d. Liedern ~s (Diss. Heidelberg) 1955; E. J. MORRALL, ~, Complete Word-Index, Durham 1957; D. FORTMANN, Stud. z. Gestaltung d. Lieder ~s (Diss. Tübingen) 1966; G. OBIARTEL, P. Rennings, ~s Sprache als Problem d. Textkritik (in: ZfdPh 87, Sonderh.) 1968; O. LUDWIG, Komposition u. Bildstruktur. Z. poet. Form d. Lieder ~s (in: ebd.) 1968; P. FRENZEL, The Beginning and End in the Songs of ~ (in: FS H. W. Nordmeyer) Ann Arbor 1973.

Literarische Beziehungen: F. MICHEL, ~ u. d. Troubadours, 1880; F. GRIMME, D. Minnesänger

Kristân v. Lupîn u. s. Verhältnis z. ~ (Diss. Münster) 1885; K. HELM, ~ u. Albrecht v. Halberstadt (in: PBB 50) 1926; E. v. PRYGALSKI, ~ u. Ovid (Diss. Göttingen) 1928; H. NAUMANN, ~, Björn u. Gunnlaug (in: PBB 72) 1950; F. R. SCHRÖDER, ~ u. Goethe? (in: GRM 15) 1965; G. SCHWEIKLE, E. ~-Parodie Walthers? Zu MF 145, 33 (in: FS H. de Boor) 1971; H. WEIDHASE, D. lit. Beglaubigung. D. Wunderbare u. s. Rezeptionsplanung in Werken v. ~, Goethe u. T. Mann, 1973; P. HÖLZLE, «Aissi m'ave cum al enfan petit», e. provençal. Vorlage d. ~-Liedes «Mirst geschên als eime kindelîne» [MF 145, 1]? (in: Mélanges offerts a C. Rostaing) 1974; W. T. H. JACKSON, Persona and Audience in Two Mediaeval Love-Lyrics [B. d. Ventadorn u. ~] (in: Mosaic 8) Winnipeg 1974/75; R. SCHNELL, Andreas Capellanus, ~ u. Herbort v. Fritslar (in: ZfdA 104) 1975.   RM

Heinrich von Mügeln, * um 1325 † nach 1393, stammte aus Mügeln/Meißen; lebte an d. Höfen König Johanns v. Böhmen, Karls IV. in Prag, Rudolfs IV. v. Öst. u. Ludwigs I. v. Ungarn. Über weitere biogr. Einzelheiten, s. Stellung an diesen Höfen u. d. Chronol. s. Werke herrscht Uneinigkeit (Neuansatz bei J. Hennig, vgl. Forschungsber.). H. gilt neben Frauenlob als wichtigster Vertreter d. späten Spruchdg. (vollständigste Hs. Univ.bibl. Göttingen, über 400 Sprüche sind krit. ed.). Verf. d. allegor. Reimpaarged. «der meide kranz» (2600 Verse) z. Ehren Kaiser Karls IV., das sich in e. Wiss.- u. e. Tugendlehre gliedert. In lat. Sprache verf. H. e. «Chronicon rhythmicum» über d. Gesch. Ungarn (Hs. Wien) u. e. Ged. über 15 Artes. Zu d. Prosaschr. gehören e. Valerius-Maximus-Paraphrase (entst. 1369, Staatsbibl. Berlin), e. Ungarnchron. (Hs. Wien) u. e. Psalmenverdeutschung unter Verwendung d. Psalmenkommentars d. Nikolaus v. Lyra (über 31 Hss.). E. Evangelienkommentar wird ihm zugeschrieben. In s. Spruchdg. schließt sich H. d. rhetor. Schultrad. an u. nimmt wiss. Inhalte u. antike Stoffe u. Motive auf. D. Meistergesang zählte H. z. d. 12 alten Meistern.

Ausgaben: Fabeln und Minnelieder H.s v. M. (hg. W. MÜLLER) 1847; W. WILMANNS, Ein lateinisches Gedicht H.s v. M. (in: ZfdA 14) 1870; De meide kranz (hg. W. JAHR) 1908; Vier Meistergesänge von H. v. M. (hg. U. KUBE)

1932; Chronicon rhythmicum (hg. A. DOMA-NOVSKY) Budapest 1938; Ungarnchronik (hg. E. TRAVNIK) Budapest 1938; Meistergesänge astronomischen Inhalts (hg. J. SIEBERT, in: ZfdA 83) 1951/52; Die kleineren Dichtungen H.s v. M., 1. Abt.: Die Spruchsammlung des Göttinger Cod. philos. 21 (hg. K. STACKMANN) 3 Bde., 1959; Politische Lyrik des deutschen Mittelalters 2 (hg. U. MÜLLER) 1974 [Teilausg., Rez. G. Scholz in: ZfdPh 97, 1978]; H. BUNTZ, H. v. M. als alchimistische Autorität [mit Texten] (in: ZfdA 103) 1974. – E. Ausg. d. Valerius-Maximus-Auslegung ist in Vorbereitung.

Überlieferung: VL 2,312; A. E. SCHÖNBACH, Miszellen aus Grazer Hss., 1898; A. BERGELER, Kleine Schr. H.s v. M. im Cod. Vind. 2846 (in: ZfdA 80) 1944; G. EIS, Altdt. Hss., 1949; J. KIBELKA, H. A. HILGERS, Unbeachtete Fragm. v. Werken H.s v. M. im Steiermärk. Landesarch. (in: ZfdPh 89) 1970; B. WACHINGER, Mhd. Bruchst. aus Landshut (in: ZfdA 101) 1972; H. A. HILGERS, D. Überl. d. Valerius-Maximus-Auslegung H.s v. M. Vorstud. z. e. krit. Ausg., 1973.

Forschungsbericht: J. HENNIG, Chronol. d. Werke H.s v. M., 1972.

Literatur: VL 2,312; 5,348; ADB 22,454; NDB 8,417; de Boor-Newald 4/1, 219,222; Ehrismann 2 (Schlußbd.) 463,548; Albrecht-Dahlke 1,707. – K. J. SCHRÖDER, D. Dg. ~s, n. d. Hss. besprochen (in: Sb. d. Wiener Akad. d. Wiss., Phil.-hist. Kl. 55) 1867; K. HELM, Z. ~ (in: PBB 21) 1896; E. MOOR, D. dt. Spielleute in Ungarn, 1922; K. BURDACH, Über ~ (in: FS E. Mogk) 1924; H. VOLLMER, D. Psalmenverdt. v. d. ersten Anfängen bis Luther, 1931 ff.; U. KUBE, Vier Meistergesänge v. ~ ... (Diss. Marburg) 1932; A. BERGELER, D. dt. Bibelwerk ~s (Diss. Berlin) 1938; H. LUDWIG, ~s Ungarnchron. (Diss. Berlin) 1938; E. GIERACH, E. Vorbild f. «der Meide Kranz» (in: PBB 67) 1944; J. SIEBERT, ~ (in: ZfdA 83) 1952; H. LUDWIG, Stud. z. Lebenslauf ~s (Habil.schr. FU Berlin) 1953; K. STACKMANN, D. Spruchdichter ~, Vorstud. z. Erkenntnis s. Individualität, 1958 (mit Bibliogr.); DERS., D. Fürstenlehre in d. Chron. d. Matthias v. Kemnat. E. Beitr. z. Wirkungsgesch. d. spätma. Spruchdg. (in: FS H. de Boor) 1971; F. W. RATCLIFFE, D. Psalmenübers. ~s ... (in: ZfdPh 84) 1965; A. ROEDER, Der meide kranz (in: Kindlers Lit.lex.

4) 1968; F. M. BARTOŠ, D. Schöpfer d. Rotlew-Bibel (in: Orbis mediaevalis) 1970; H. A. HILGERS, «und der Romer ein uss banden trante». Z. Emilius-Spruch ~s (in: Euphorion 66) 1972; DERS., D. 18 Astronomie-Strophen ~s in d. Leipziger «Renner-Hs.» (in: ZfdPh 91) 1972; P. ASSION, Altdt. Fachlit., 1973; H. BUNTZ (vgl. Ausg.) 1974; K. GRUBMÜLLER, Meister Esopus. Unters. z. Gesch. u. Funktion d. Fabel im MA, 1977.

Sprache und Komposition: P. BENEDIKT, Über d. Sprache in ~s «der meide kranz» (Progr. Smichow) 1889; DERS., D. Metrik in ~s «der meide kranz», 1890; G. HOCKE, Unters. über d. Konjunktivgebrauch bei Johann v. Olmütz u. ~ (Diss. Marburg) 1935; F. MAURER, Über d. Verhältnis v. rhythm. Gliederung u. Gedankenführung in d. Strophen ~s (in: FS Trier) 1954; K. STACKMANN, Z. Theorie u. Praxis d. Blümens bei ~ (in: Festgruß f. H. Pyritz, Euphorion-Sonderh.) 1955; J. KIBELKA, der ware meister. Denkstile u. Bauformen in d. Dg. ~s, 1963; DERS., Linguist. Überlegungen z. Typen d. Spruchdg. (in: FS H. Moser) 1974; DERS., Übersetzungsprobleme bei ~ (in: Dt. Lit. d. späten MA, hg. W. HARMS, L. P. JOHNSON) 1975; K. NYHOLM, Stud. z. sog. geblümten Stil, 1971.

Heinrich von München (von Baierlant), 1. Hälfte 14. Jh., biogr. Daten unbekannt, nicht ident. mit d. Schreiber Heinz Sentliner. Verf. e. gereimten Weltchron. (56000–100000 Verse, 16 bekannte Hss.), e. Kompilation älterer Chron. mit vielen andern, z. T. lit. Texten geschichtl. Inhalts. Unmittelbare Vorlage war vermutl. e. noch aus d. 13. Jh. stammende Verschmelzung d. Weltchron. Rudolfs v. Ems mit d. Christherre-Chron. u. Jansen Enikel. H. erw. sie u. führt d. Ber. weiter bis ins MA, er verarb. (od. übernimmt teilweise) chronikal. Texte (z. B. Kaiserchron.), d. Alexanderleben Ulrichs v. Etzenbach, d. Passional, d. Trojanerkrieg Konrads v. Würzburg, d. Marienleben d. Kartäusers Philipp, v. ihm selbst stammt d. Versifizierung d. Prosaquellen. Umfang u. Berichtszeit schwanken v. Abschr. z. Abschrift.

Ausgaben: Eine vollständige Ausg. fehlt. Zusammenhängende Abschnitte bei: J. u. W. GRIMM, D. dt. Heldensagen aus d. Weltchron. (in: Altdt. Wälder 2) 1815; C. SCHRÖDER, Hester, v. H. v. M. (in: Archiv. 27, Bd. 50) 1872;

F. WILHELM, D. Gesch. d. hs. Überl. v. Strickers
Karl d. Großen, 1904. – Zusammen mit motiv-
gleichen Stücken anderer Chron. sind einzelne
Tle. gedr. bei: H. F. MASSMANN, Der keiser und
der kunige buoch ... Tl. 3, Abschnitt 3, 1854. –
Einzelne Fragm. bei: A. E. SCHÖNBACH, Bruchst.
d. Weltchron. H.s v. M. (in: ZfdA 38) 1894;
H. MENHARDT, E. Kärnter Hs. d. Weltchron.
H.s v. M. (in: Carinthia I, 126) 1936.

Überlieferung: P. GICHTEL, D. Weltchron. H.s
v. M. in d. Runkelsteiner Hs. d. Heinz Sentliner,
1937 (17 Hss., Berichtigungen vgl. NDB 8).

Literatur: VL 2, 316; 5, 349; ADB 22, 725;
NDB 8, 418; de Boor-Newald 4/1, 146; Ehrismann 2 (Schlußbd.) 35, 65. – G. LEIDINGER,
Münchener Dichter d. 14. Jh.: ~ u. Sentliner,
1929; H. MENHARDT, Z. Weltchron.-Lit. (in:
PBB 61) 1937; B. WACHINGER, Mhd. Bruchst.
aus Landshut (in: ZfdA 101) 1972.   RM

Heinrich von der Mure, 1. Hälfte 13. Jh.,
kann nicht mit Sicherheit d. schweizer. (urkundl.
ist 1260 e. H. v. d. M. belegt) od. d. steir. (v.
Ulrich v. Lichtenstein erwähnt, 1282 e. H. v. d.
M. bezeugt) Geschlecht zugewiesen werden.
Von ihm sind in d. Großen Heidelberger Liederhs. 4 Lieder überliefert.

Ausgaben: HMS 1, 2, 4; F. PFAFF, Die große
Heidelberger Liederhandschrift 1, 1909 (Dipl.
Druck); C. v. KRAUS, Deutsche Liederdichter
des 13. Jh. 1, 2, 1952/58 (2., durchges. Aufl. v.
G. KORNRUMPF, 1978); Die Große Heidelberger
«manessische» Liederhandschrift (hg. U. MÜL-
LER) 1971 (Facs.).

Literatur: VL 2, 317; 5, 349; ADB 23, 57; de
Boor-Newald 3/1, 316; Ehrismann 2 (Schlußbd.)
268. – K. BARTSCH, Urkundl. Nachweise z.
Gesch. d. dt. Poesie, 1864; F. GRIMME, Neue
Beitr. z. Gesch. d. Minnesänger (in: Alemannia
22) 1894; A. STÖCKLI, D. Minnesänger Herr ~,
1941.   RM

Heinrich von Neustadt, 13./14. Jh., * Wiener Neustadt; Medizin-Studium wahrsch. in Italien, Arzt in Wien, wurde 1312 v. Bischof v.
Freising mit e. Haustrakt auf d. Graben in Wien
belehnt. – Verf. d. Reimpaarrom. «Appolonius
von Tyrland» (20644 Verse) u. «Von gotes
zuokunft» (8129 Verse), e. erbaul. Lehrged. mit
heilsgesch. Inhalt. Als selbständ. Dg. kann ferner
d. in «Gottes Zukunft» eingefügte «Visio Phili-

berti» (592 Verse), e. Streitgespräch zw. Körper
u. Seele n. d. Tode, betrachtet werden. Hauptquelle f. d. «Appolonius»-Bearb. war e. Misch-
red. v. 2 lat. Fass., d. Übers. ist frei, eigenes u.
Tle. aus andern Quellen sind eingefügt. D. ersten 1100 Verse v. «Gottes Zukunft» sind e.
Bearb. d. lat. Vorlage d. «Anticlaudianus» v.
Alanus ab Insulis, der rest ist rel. frei gestaltet.

Ausgaben: Appolonius, Von Gottes Zukunft
(hg. J. STROBL) 1875 [Ausz. mit Einl., Anmerkungen u. Glossar]; Die Werke H.s v. N., Appolonius von Tyrland nach der Gothaer Hs., Gottes
Zukunft und Visio Philiberti nach der Heidelberger Handschrift (hg. S. SINGER) 1906 (Neudr.
1967).

Literatur: VL 2, 318; 5, 349; ADB 11, 639;
NDB 8, 419; de Boor-Newald 3/1, 64; Ehris-
mann 2 (Schlußbd.) 93; Albrecht-Dahlke 1, 707.
– F. KHULL, Z. Überl. u. Textgestaltung v.
«Gottes Zukunft», 1886; H. BRANDES, Z. Visio
Fulberti (Progr. Potsdam) 1897; E. KLEBS, D.
Erz. v. «Apollonius v. Tyrus», e. gesch. Unters.
über ihre lat. Urform u. ihre späteren Bearb.,
1899; M. MARTI, «Gottes Zukunft» v. ~, Quel-
lenforsch., 1911; A. BOCKHOFF, S. SINGER, ~ :
Appolonius v. Tyrlant u. s. Quellen, 1911; M.
GEIGER, D. Visio Philiberti d. ~, 1912; S.
SINGER, ~ (in: S. S., Aufsätze u. Vorträge) 1912;
W. SCHÜRENBERG, Appolonius v. Tyrlant, Fa-
bulistik u. Stilwille bei ~ (Diss. Göttingen)
1934; E. OEHMANN, Italien bei ~ (in: NM 55)
1954; W. SCHOENEBECK, D. höf. Rom. d.
SpätMA in d. Hand bürgerl. Dichter, Stud. z.
Crone, z. Appolonius v. Tyrlant ... (Diss. Berlin)
1956; F. BAUER, ~s «Gottes Zukunft», e. Reim-
unters. (Diss. Wien) 1959; H. FROMM, Ungar.
Wortgut bei ~ (in: Ural-Altaische Jb. 31) 1959;
J. PEIKER, ~, «Von Gottes Zukunft» u. «Visio
Philiberti», Reim- u. Sprachunters. (Diss. Wien)
1963; R. ECKART, «Appolonius v. Tyrlant» (in:
Kindlers Lit. Lex. 1) 1965; P. OCHSENBEIN, D.
«Compendium Anticlaudiani». E. neu entdeckte
Vorlage ~s (in: ZfdA 98) 1969; H. FUCHS, Z.
Text d. Compendium Anticlaudiani (in: ebd. 99)
1970; R. ECKART, Von gotes zuokunft (in:
Kindlers Lit. Lex. 7) 1972; H.-P. KURSAWA,
Antichristsage, Weltende u. Jüngstes Gericht in
ma. dt. Dg. ... (Diss. Köln) 1976.   RM

Heinrich von Nördlingen, * um 1310 Nördlingen (?), † vor 1387 (1379?) Pillenreuth b.

Nürnberg (?); Mystiker, bis 1332 Weltgeistlicher in Nördlingen, Freundschaft mit Margareta Ebner († 1351), die er zur Aufz. ihrer Offenbarungen veranlaßte, 1334–37 Reise nach Avignon, 1338 in Augsburg u. Konstanz, 1339 bei Königin Agnes v. Ungarn im Kloster Königsfelden/ Kt. Aargau, später durch Vermittlung Taulers Geistlicher in Basel, Kaplan v. St. Peter, Bildung d. Kreises d. Basler Gottesfreunde. 1349 Wanderprediger, 1350 in Nördlingen, lebte wahrsch. seit 1356 als Nonnenseelsorger im Kloster Pillenreuth. – H.s Briefe an Margareta Ebner (Hs. Brit. Mus. London) gelten als früheste echte dt. Briefslg., sie veranschaulichen d. Leben myst. Kreise im SpätMA, sprachl. scheint u. a. Seuse v. Einfluß gewesen z. sein. D. hochdt. Übers. d. «Fließenden Lichts d. Gottheit» Mechthilds v. Magdeburg stammt wahrsch. nicht v. H. selbst.

Ausgaben: Briefe an Margareta Ebner (hg. P. STRAUCH, in: M.E. u. H. v. N., e. Beitr. z. Gesch. d. dt. Mystik) 1882 (Neudr. Amsterdam 1966). – Auswahl: W. OEHL, Dt. Mystikerbriefe, 1931. – Übersetzungen: H. WILMS, 1928; J. PRESTEL, 1939.

Literatur: VL 2,320; 5,349; ADB 24,7; NDB 8,420; de Boor-Newald 4/1, 314; Ehrismann 2 (Schlußbd.) 424. – P. STRAUCH (vgl. Ausg.); W. MUSCHG, D. Mystik in d. Schweiz, 1935; H. GÜRSCHING, Neue urkundl. Nachrichten über d. Mystiker ∼ (in: FS K. Schornbaum) 1950; A. WALZ, Gottesfreunde um Margarethe Ebner (in: Hist. Jb. d. Görres-Gesellsch. 72) 1953; R. BAUERREISS, Kirchengesch. Bayerns 4, 1953; H. Kessler, ∼ (in: D. Daniel 7) 1971.   RM

Heinrich von Ofterdingen, hist. od. myth. Minnesänger d. 13. Jh., der nach legendenhafter Überl. beim sog. «Wartburgkrieg» aufgetreten ist u. (unklare) Beziehungen z. Öst. unterhielt. Im Ged. v. «Wartburgkrieg» ist er beim Sängerstreit am Hof d. Landgrafen Hermann v. Thüringen in Eisenach Gegner v. Wolfram, Walther u. andern u. verteidigt d. Ruhm d. Herzogs v. Öst. Er unterliegt u. bittet darum, Meister Klingsor aus Ungarn zur Hilfe zu holen, was ihm durch d. Gnade d. Landgräfin gestattet wird. – Von d. Meistersängern wurde H. zu d. 12 alten Meistern gezählt. Unter s. Namen bearb. e. alemann. Schüler Konrads v. Würzburg d. Epos v. Zwergenkönig Laurin. D. hist. nicht nachgewiesene Figur H.s, v. d. Romantik wiederentdeckt, ist

d. Hauptfigur in Novalis' Rom.fragm. «H. v. O.» (1802), Wagner verschmolz sie mit d. Tannhäusers.

Ausgaben: K. SIMROCK, Der Wartburgkrieg, 1858; T. A. ROMPELMANN, Der Wartburgkrieg (krit.hg) Amsterdam 1939; F. MESS, H. v. O. und verwandte Dichtungen 1963. – (E. Ausg. u.d. T.: «D. Wartburgkrieg u. alle übrigen Ged. im Schwarzen Ton u. im Thüringer-Fürsten-Ton» ist in Vorbereitung.)

Literatur: VL 2,324; ADB 24,23; de Boor-Newald 3/1,419; Ehrismann 2 (Schlußbd.) 75. – P. RIESENFELD, ∼ in d. dt. Lit. (Diss. München) 1909; H. BAUMGARTEN, D. sog. Wartburgkrieg (Diss. Göttingen) 1934 (mit Verz. d. ältern Lit.); W. FISCHER, Textkrit. z. e. Ausg. d. Wartburgkrieges (in: PBB 64) 1940; H. NAUMANN, D. Prosaber. v. Wartburgkrieg (in: Ged. u. Gedanke) 1942; H. BECKER, D. Wartburgkrieg u. ∼ (in: WZ d. F. Schiller-Univ. Jena. Gesellsch.- u. sprachwiss. Reihe 4) 1954f.; E. M. ZIMMERMANN, ∼, a Striving Towards Unity (in: GR 31) 1956; W. KROGMANN, Stud. z. Wartburgkrieg (in: ZfdPh 80) 1961; DERS., ∼ (in: GRM, NF 15) 1965; F. MESS, D. Ent-Romantisierung ∼s (in: Ruperto-Carola 14) 1962; H. WOLF, Z. Wartburgkrieg, Überl.verhältnisse, Inhalts- u. Gestaltungswandel d. Dichtersage (in: FS Schlesinger) 1973; B. WACHINGER, Sängerkrieg. Unters. z. Spruchdg. d. 13. Jh., 1973.   RM

Heinrich von Pforzen (Pforzheim?), nennt sich im Liedersaalcod. d. Verf. d. dort überl. Schw. «Der Pfaffe in der Fischreuse», andere Hss. überl. d. Schw. anonym od. wie d. Nürnberger Hs. unter d. Namen Hans Schnepperer (d. i. Rosenplüt). D. Schw. von d. im Fischnetz gefangenen ehebrecher. Pfaffen ist vermutl. im nördl. Niederalemannien in d. 1. Hälfte d. 14. Jh. entst., Zusatzverse weisen in Richtung Ostschwaben. Es dürfte mit «Pforzen» also weniger Pforzheim in Baden, sondern eher d. heutige Pforzen b. Kaufbeuren gemeint sein. D. Nürnberger Fassung d. Schw. diente als Quelle f. Hans Sachs' «Die drey Vischrewsen».

Ausgaben: v. LASSBERG, Liedersaal … 3, 1846; A. v. KELLER, Erz. aus altdt. Hss., 1855. – (E. krit. Ausg. ersch. auf Russ. bei Sarovolskij «Sest' Švankov», Kiew 1913).

Überlieferung: KELLER-SIEVERS, Verz. altdt. Hss., 1890; H. NIEWÖHNER in: ZfdPh 65, 1940.

Literatur: VL 2,326; 5,349; Ehrismann 2 (Schlußbd.) 122. – A. L. STIEFEL, Hans-Sachs-Forsch., 1894.   RM

Heinrich von Preußen, Benediktinermönch im Kloster Melk, 1423 Bearb. u. Übers. v. Johannes Gersons «opus tripartitum de praeceptis decalogi, de confessione et de arte moriendi» (Hs. im Innsbrucker Servitenkloster).

Literatur: VL 2,327; Aufriß 2.   RM

Heinrich Rafold (Rafolt), nennt sich d. Verf. d. Schw. «Der Nußberg», der nur fragmentar. erhalten ist (78 Verse) u. d. in Schwänken beliebte Ehebruchthema aufnimmt, bei dem d. List d. Frau über d. Torheit d. Mannes siegt. H. R. verlegt d. Thema, wohl in Anlehnung an Salman u. Morolf, in d. oriental. Kreuzzugsmilieu. Auf d. Nußberg-Burg, an d. Grenze zu e. heidn. Königreich, hält d. christl. Ritter d. heidn. König gefangen u. vertraut ihn während seiner Abwesenheit seiner Frau an. Diese verliebt sich in d. Heidenkönig u. flieht mit ihm.

Ausgabe: GA 1.

Literatur: VL 5,925; de Boor-Newald 3/1,280; Ehrismann 2 (Schlußbd.) 113. – A. E. SCHÖN-BACH, Stud. z. Erz.lit. d. MA 5 ..., 1903.   RM

Heinrich von Rübenach (de Revenaco), 15. Jh.; Koblenzer Dominikaner, Theol.-Prof. an d. Univ. Köln (Immatrikulation 1450), 1455 Provinzial d. süddt. Dominikanerprov., 1456 Weihbischof v. Köln u. später v. Mainz. Zahlr. Predigten sind überl. in d. Slg. «Das ist ein gut Predigtbuch und das hat gepredigt ein großer Meister Predigerordens, Heinricus genannt, hie zu den Predigern zu Nürnberg» (Hs. d. Kathainenklosters, 1461 geschrieben, Stadtbibl. Nürnberg).

Literatur: P. v. LOË, Statist. über d. Ordensprov. Teutonia, Quellen u. Forsch. z. Gesch. d. Dominikanerordens in Dtl. 1,1907; F. BOCK, D. Nürnberger Predigerkloster ... (in: Mitt. d. Ver. f. Gesch. d. Stadt Nürnberg 25) 1924; F. W. OEDIGER, Schr. d. Arnolg v. Heymerick, 1939; G. KEIL, Nachtr. z. VL (in: PBB Tüb. 83) 1961.   RM

Heinrich von Rugge, Ende 12. Jh., Minnesänger, Ministeriale d. Pfalzgrafen v. Tübingen, zw. 1175 u. 1191 verschiedentl. urkundl. be-

zeugt, nahm vermutl. am Kreuzzug v. 1191 teil. – V. ihm überl. e. Hs. aus Benediktbeuren (jetzt Staatsbibl. München) v. Ende d. 12. Jh. e. Kreuzzugsleich auf d. Tod Friedrich Barbarossas (1190), alle übrigen Strophen, die in versch. Liederhss. aufgenommen worden waren, sind in ihrer Echtheit umstritten (Zuschreibungen auch an Reinmar d. Alten, Friedrich v. Hausen u. andere). D. Liedstrophen zeigen Neigung z. Didaktik u. Sentenz.

Ausgaben: MF; HMS 1; K. BARTSCH, Deutsche Liederdichter des 12.–14. Jh. (8. Aufl. W. GOLTHER) 1928 (Nachdr. d. 4. Aufl. v. 1906, 1966); H. BRINKMANN, Liebeslyrik der deutschen Frühe, 1952.

Literatur: VL 2,328; 5,349; ADB 24,665; NDB 8,422; de Boor-Newald 2, 262; Ehrismann 2 (Schlußbd.) 234; Albrecht-Dahlke 1, 567. – E. SCHMIDT, Reinmar v. Hagenau u. ~, 1874; K. H. HALBACH, Walther v. d. Vogelweide, ~ u. Pseudo-Reinmar (in: ZfdA 65) 1925; C. v. KRAUS, MF, Unters., 1939; H. BRINKMANN, ~ u. d. Anfänge Reinmars (in: FS P. Kluckhohn u. H. Schneider) 1948; F. W. WENTZLAFF-EGGEBERT, Kreuzzugsideen u. ma. Weltbild (in: DVjs 30) 1956; F. J. PAUS, D. Liedercorpus d. ~ (Diss. Freiburg/Br.) 1964; DERS., ~ u. Reinmar d. Alte (in: DU 19) 1967; H. INGENBRAND, Interpret. z. Kreuzzugslyrik Friedrichs v. Hausen, Albrechts v. Schansdorf, ~s, Hartmanns v. Aue u. Walthers v. d. Vogelweide (Diss. Frankfurt/M.) 1966.   RM

Heinrich von Sax, 13. Jh., stammte aus Hohensax im Rheintal, 1238–1258 urkundl. bezeugt, viell. jener H., der seinen Vater Albert mit s. 2 Brüdern 1256/57 beerbte. V. ihm sind in d. Großen Heidelberger Liederhs. 1 Tanzleich u. 4 Lieder überliefert.

Ausgaben: K. BARTSCH, D. schweizer. Minnesänger, 1886 (Neudr. 1964); D. große Heidelberger «maness.» Liederhs. (hg. U. MÜLLER) 1971 (Facs.).

Literatur: VL 2,331; HBLS 6,106; ADB 30, 457; de Boor-Newald 2,335; Ehrismann 2 (Schlußbd.) 277; Albrecht-Dahlke 1,708.   RM

Heinrich IV., Herzog v. Schlesien-Breslau, * 1253, † 23.6.1290, begraben in d. Breslauer Kreuzkirche; in Prag erzogen, Verbündeter Ottokars II. v. Böhmen, seit 1270 Herzog, Begründer d. Fürstbistums Breslau u. dessen geistl. Landeshoheit im Neiße-Ottomachauer Territorium. D. Heidelberger Liederhs. (C) enthält unter seinem Namen zwei Minnelieder.

Ausgaben: HMS 1; K. BARTSCH, Dt. Liederdichter ... (8. Aufl. hg. W. GOLTHER) 1928 (Nachdr. d. 4. Aufl. v. 1906, 1966); C. v. KRAUS, Dt. Liederdichter d. 13. Jh. 1, 1952 (2., v. G. KORNRUMPF durchges. Aufl. 1978); Die große Heidelberger «maness.» Liederhs. (hg. U. MÜLLER) 1971 (Facs.).

Literatur: VL 2, 253; 5, 344; ADB 11, 607; NDB 8, 394; de Boor-Newald 3/1, 332. – K. WUTKE, D. Minnesänger ~ in d. bisherigen Beurteilung (in: Zs. d. Ver. f. Gesch. Schlesiens 56) 1922; Gesch. Schlesiens (hg. v. d. Hist. Kommission f. Schlesien) 1961; J. GOTTSCHALK, St. Hedwig, Herzogin v. Schlesien, 1964.   RM

Heinrich von Schönensteinbach → Schönensteinbach, Heinrich.

Heinrich der tugendhafte Schreiber (Scriptor), 1. Drittel 13. Jh., Minnesänger, v. dem d. Große Heidelberger Liederhs. (C) 12 Lieder (49 Strophen, v. denen d. 5 Gawan u. Keie-Spruchstrophen als unecht gelten) überliefert. H.s Identität mit d. in thüring. Urkunden 1208–28 bezeugten Henricus scriptor (auch H. notarius od. pronotarius) ist unbewiesen. Im «Wartburgkrieg» nimmt H. für d. Landgrafen Hermann v. Thüringen gg. H. v. Ofterdingen Stellung. S. Lieder zeichnen sich durch formale Vollendung (Responsions- u. grammat. Reime, Wortspiele, vielfältiger Strophenbau usw.) aus u. dürften Ende d. 1220er Jahre entst. sein.

Ausgaben: HMS 2, 4; C. v. KRAUS, Dt. Liederdichter d. 13. Jh., 2 Bde., 1952/58 (2., v. G. KORNRUMPF durchges. Aufl. 1978); D. große Heidelberger «maness.» Liederhs. (hg. U. MÜLLER) 1971 (Facs.).

Literatur: VL 2, 332; 5, 350; ADB 11, 641; NDB 8, 423; de Boor-Newald 2, 345; Albrecht-Dahlke 1, 708. – W. SEYDEL, Meister Stolle u. d. Jenaer Hs., 1892; A. v. OECHELHÄUSER, D. Miniaturen d. Univ. bibl. z. Heidelberg 2, 1895; H. HESS, D. Mönchshof b. Manebach u. seine Beziehungen z. ~ (in: Mitt. d. Ver. f. Gothaische Gesch. u. Alt. forsch.) 1907–09; A. AMRHEIN, Magister Henricus Poëta, d. tugendhafte Schreiber, seine Dichternamen u. Dg., 1933;

A. TAYLOR, Bibliogr. of Meistergesang (in: Indiana Univ. Stud. 23) 1936.   RM

Heinrich von Stret(e)lingen (Straet(t)lingen), 13. Jh., aus d. seit d. 12. Jh. am Westende d. Thunersees bezeugten Geschlecht v. S. Welcher d. versch. Heinriche d. Minnesänger ist, ist unsicher, wahrsch. ist es d. zw. 1258 u. 1294 belegte H. (III.), Besitzer d. Herrschaft Spiez. Überl. sind 3 Minneklagen, welche d. Trad. d. Hohen Minnesangs fortführen u. v. Gottfried v. Neifen beeinflußt scheinen. D. Strophen zeigen Kanzonenbau, sind binnengereimt, 2 Lieder verwenden Refrain.

Ausgaben: HMS 1, 3, 4; K. BARTSCH, D. Schweizer Minnesänger, 1886 (Neudr. 1964); DERS., Dt. Liederdichter d. 12.–14. Jh. (8. Aufl. W. GOLTHER 1928; Neudr. d. 4. Aufl. v. 1906, 1966).

Überlieferung: F. v. D. HAGEN, Hss.-Gemälde u. a. bildl. Denkmäler d. Dt. Dichter d. 12. bis 14. Jh., 1852 f.

Literatur: VL 2, 333; ADB 36, 575; NDB 8, 424; HBLS 6, 568; de Boor-Newald 3/1, 309; Ehrismann 2 (Schlußbd.) 278; Albrecht-Dahlke 1, 708. – J. BAECHTOLD, D. Stretelinger Chron., 1877; F. GRIMME, D. Schweizer Minnesänger 5 (in: Germania 5) 1890; K. MARTIN, Minnesänger 2, ²1964; E. JAMMERS, D. kgl. Liederbuch d. dt. Minnesangs. E. Einf. in d. sog. maness. Hs., 1965.   RM

Heinrich der Taube (dictus surdus) von Selbach, † 9. 10. 1364 Eichstätt; fälschl. auch «v. Rebdorf» gen., gehörte d. Ganerbschaft v. Selbach im Siegenland an, studierte Theol. u. d. Rechte (in Bologna?), Magister, Priesterweihe, seit 1328 Prokurator am päpstl. Gericht, vertrat 1334/35 Bischof Heinrich v. Eichstätt in e. Prozeß v. diesem Gericht, erhielt 1336 e. Pfründe am Willibaldschore, Tätigkeit in d. Kanzlei d. Eichstätter Bischofs Berthold. – Verf. e. Chron. (1294–1363) zur Gesch. d. 14. Jh., bes. für d. Zeit Ludwigs d. Bayern. H. benutzte u. a. kirchenrechtl. Quellen, d. Anlage d. Chron. schließt an die d. Flores temporum an. Überl. sind ferner 8 Gründonnerstagspredigten (Hss. in Wien u. München).

Ausgaben: Kaiser- und Papstgeschichte von H. d. T. (übers. G. GRANDAUR) 1883; Die Chronik H.s d. T. v. Selbach mit den von ihm verfaßten

Biographien Eichstätter Bischöfe (hg. H. BRESS-LAU) 1922.

Literatur: NDB 8,425; LThK 5,202. – H. Bresslau (vgl. Aug.) 1922; E.E. STENGEL, ~ (in: MIÖG 71) 1963.   RM

Heinrich von Tegernsee, lebte um 1164; Mönch im Kloster Tegernsee. – Nach 1160 Verf. e. Passion über d. Schutzpatron d. Klosters, d. hl. Quirinus. Als Quellen dienten e. ältere Passio Quirini, die um 921 im Kloster Tegernsee entst., u. d. Quirinalia (106 Ged.) d. Mönches Metellus (Ps.?) v. Tegernsee (entst. zw. 1150 u. 1160). Diese 3 Werke bilden ihrerseits d. Quellen f. d. Ende d. 12. Jh. entst. Gründungsgesch. d. Klosters.

Ausgabe: Tl.dr. bei: T. MAYER, Archiv für die Kunde österreichischer Geschichtsquellen 2,2, 1849.

Literatur: Manitius 3,848; LThK 7,367 (Metellus).   RM

Heinrich der Teichner (Teichnær), * um 1310 in der Gaal/Steiermark (od. viell. in Kärnten), † vor 1377 bei Wien (?); wahrsch. bäuerl. Herkunft, geistl. gebildeter Laie, kam wohl um 1350 nach Mauerbach b. Wien, wo er Reimvorlagen f. Sonntagspredigten verfaßte. Nannte sich selbst «der Teichnær», e. Beiname, f. den versch. Deutungen (Büsser, Hüttenmann, Teichgräber usw., vgl. Karajan, Lit.) mögl. sind, viell. ist d. Bezeichnung aber auch Herkunftsname nach d. Tal d. Teich(el)baches an d. Grenze zw. Oberöst. u. d. Steiermark. H.s Lehrdg. (über 700 Ged., rund 70'000 Verse) waren weit verbreitet (über 14 Sammelhss. u. 27 Mischhss.) u. wurden auch nachgeahmt (Rosenplüt, Heinrich Kaufringer), oft übernommen wurde d. Teichner-Schluß («Also sprach der Teichnær» u. ähnl.). D. Ged. beginnen meist mit e. Frage, e. Erz. oder Leg., dann werden allg. Lebensregeln davon abgeleitet. Bedeutend sind d. kulturhist. u. volkskundl. Aspekte v. H.s Dichtungen.

Ausgabe: H. NIEWÖHNER, Die Gedichte Heinrich des Teichners, 3 Bde., 1953–56.

Literatur: VL 2,334; 5,350; ADB 37,544; NDB 8,425; de Boor-Newald 4/1,197; Ehrismann 2 (Schlußbd.) 489; Albrecht-Dahlke 1,737. – T. G. v. KARAJAN, Über ~ (in: Denkschr. d. kaiserl. Akad. d. Wiss., phil.-hist. Kl. VI) 1885; J. SEEMÜLLER, Dt. Poesie v. Ende d. 13. bis z.

Anfang d. 16. Jh. 3, 1907; I. FUNK, ~ u. d. Geistlichkeit (Diss. Wien) 1930; H. NIEWÖHNER, ~s Ged. I u. II (in: ZfdA 68 f.) 1931 f.; E. SCHRÖDER, ~ u. Muskatplüt in Fulda (in: ZfdA 74) 1937; F. RANKE, Gott, Welt u. Humanität in d. dt. Dg. d. MA, 1953; H. NEUMANN, ~ (in: AfdA 70) 1957/58 [Rezension z. Niewöhners Ausg.]; U. SCHWAB, D. bisher unveröff. geistl. Bîspelrede d. Stricker, 1959; H. KRISTOF, ~s Reimkalender in e. Zwettler Hs. u. Wurmprechts Wiener Kalendarium 1373 (in: Jb. f. Landeskunde v. Niederöst., NF 34) 1960; H. MENHARDT, D. Stricker u. ~ (in: PBB Tüb. 84) 1962; C.-M. KÖNIG, D. dogmat. Aussagen ~s (Diss. Freiburg/Br.) 1967; P. NICS, Bauerntum u. Tierwelt bei ~. Lit. Versuch e. soz. Herkunftsbestimmung d. Dichters (Diss. Wien) 1967; K. BAASCH, D. Crescentialeg. in d. dt. Dg. d. MA, 1968; E. LÄMMERT, Reimsprecherkunst im SpätMA. E. Unters. d. ~-Reden, 1970; K.O. SEIDEL, «Wandel» als Welterfahrung d. SpätMA im didakt. Werk ~s (Diss. Münster) 1973; H. BÖGL, Soz. Anschauungen bei ~, 1975.   RM

Heinrich Teschler → Teschler, Heinrich.

Heinrich von Tettingen, 2. Hälfte 13. Jh., Schweizer Minnesänger aus e. aargauischen Geschlecht, gehörte z. Kreis Walthers v. Klingen (1267 gemeinsam urkundl. belegt). D. Große Heidelberger Liederhs. überl. v. H. 2 Lieder. Charakterist. im 1. Lied d. Spiel mit d. Wort «liep» (14 Mal in 6 Zeilen).

Ausgaben: HMS 2, 3, 4; K. BARTSCH, Die Schweizer Minnesänger, 1886 (Neudr. 1964); Die Große Heidelberger «manessische» Liederhandschrift (hg. U. MÜLLER) 1971 (Facs.).

Literatur: VL 2,352; 5,350; HBLS 6,704; de Boor-Newald 3/1,309; Ehrismann 2 (Schlußbd.) 275; Albrecht-Dahlke 1,708. – F. PFAFF, D. Minnesang im Lande Baden, 1908; O. FUTTERER, D. Heimat d. Minnesängers v. Dettingen (in: Bodensee-Rundschau) 1936; K. PREISENDANZ, D. bad. Minnesänger 1, 1949; K. HOPPSTÄDTER, D. mutmaßl. Heimat d. Minnesängers ~ (in: Saarbrücker H. 2) 1955.   RM

Heinrich von dem Türlin, lebte um 1230, in Rudolf v. Ems' «Alexander» als «meister» bezeichnet, war also wohl Bürgerlicher, wahrsch. aus d. Geschlecht de Porta od. de Portula in

St. Veit a. d. Glan/Kärnten. H. beherrschte neben Franzö́s. u. Lat. wahrsch. auch Italienisch. Überl. sind v. ihm d. Artus- u. Gawan-Rom. «Diu crône» (Der aventiure Crone, 30'000 Verse, beendet um oder nach 1230, vollst. Hs. Heidelberg) u. e. Fragm. «Der Mantel» (994 Verse, Ambraser Hs., entst. vor d. «crône», wohl nicht e. Bruchst. e. Lanzelet-Rom. (vgl. WARNATSCH, Ausg.), sondern eher e. Bearb. d. «Fabliau du mantel mautaillé»). – Als erster höf. Rom.dichter gab H. seinem Hauptwerk e. eig. Werktitel, «diu crône», was im übertragenen Sinn d. Anspruch d. «Krone» d. bisherigen Artus-Dg. bezeichnen soll. H. kannte d. entspr. franzö́s. Rom.lit., sowie Wolfram, Hartmann, Gottfried, Ulrich v. Zazikofen, Heinrich v. Veldeke u. a., seine «Krone» ist e. selbständ. Verarbeitung dieser Quellen. D. Werk besteht aus 2 Hälften, d. erste Abschnitt endet mit d. Doppelhochzeit Gawan-Amurfina u. Gasozein-Sgoidamur, Artus u. Gawan sind abwechselnd d. Haupthelden d. in nach Art Hartmanns ineinander verschränkten aventiuren. D. zweite Tl. machen d. Grals- u. d. Gürtel-Gesch. aus, d. Komposition ufert aus, wesentl. Werte d. höf. Artus- u. Gralswelt werden ironisiert u. in Frage gestellt. Neben d. Tüchtigkeit d. Helden (virtus) führt d. Eingreifen d. Frau Saelde (fortuna) d. entscheidenden Wendungen herbei.

Ausgaben: Diu crône (hg. G. H. F. SCHOLL) 1852 (Erstausg., Neudr. Amsterdam 1966); Der Mantel ..., nebst einer Abhandlung über die Sage vom Trinkhorn und Mantel und die Quellen der Krone (hg. O. WARNATSCH) 1883. – E. Neuausg. v. «Der aventiure crône» ist in Vorbereitung.

Überlieferung: Beitr. z. Bücherkunde u. Philol., A. Wilmans gewidmet, 1903; F. WILHELM, R. NEWALD, Poet. Fragm. d. 12. u. 13. Jh., 1928; J. SCHATZ, Z. Hs. V der Krone (in: ZfdA 69) 1932; H. THUTEWOHL, D. hs. Überl. d. Krone ∼s (Diss. Wien) 1938; H. BECKERS, Kölner Bruchst. d. «Crone» ∼s u. d. «Väterbuchs» (in: ZfdA 103) 1974.

Literatur: VL 2,352; ADB 39,20; NDB 8,426; de Boor-Newald 2,195; Ehrismann 2 (Schlußbd.) 10; Albrecht-Dahlke 1,708. – K. REISSENBERGER, Z. Krone ∼s (Progr. Graz) 1879; W. SCHOENEBECK, D. höf. Rom. d. SpätMA in d. Hand bürgerl. Dichter. Stud. z. «Crône», z. «Appollonius v. Tyrland» z. «Reinfried v. Braun-

schweig» u. «Wilhelm von Österreich» (Diss. FU Berlin) 1956; M. O'C WALSHE, ∼, Chrétien and Wolfram (in: FS F. Norman) London 1965; H. BRACKERT, Der Aventiure Crône (in: Kindlers Lit.Lex. 1) 1965; F. J. WORSTBROCK, Über d. Titel d. «Krone» ∼s (in: ZfdA 95) 1966; D. HOMBERGER, Gawein. Unters. z. mhd. Artusepik, 1969; G. ZINK, A propos d'un épisode de la «crône» (Vers 9129–9532) (in: FS J. Fourquet) 1969; B. KRATZ, Gawein u. Wolfdietrich. Z. Verwandtschaft d. «Crône» mit d. jüngern Heldendg. (in: Euphorion 66) 1972; R. R. READ, ∼ «Diu Krône» and Wolframs «Parzival» (in: MLQ 35) 1974; H. DE BOOR, Fortuna in mhd. Dg., insbesondere in d. «Crône» d. ∼ (in: FS F. Ohly 2) 1975; L. ZILLINGS, The Abduction of Arthur's Queen in «Diu crône» (in: Nottingham Mediaeval Stud. 19) 1975; B. KRATZ, Z. Biogr. ∼s (in: ABäG 11) 1976; DERS., D. Ambraser «Mantel»-Erz. u. ihr Autor (in: Euphorion 71) 1977; F. P. KNAPP, Virtus u. Fortuna in d. «Krone». Z. Herkunft d. eth. Grundthese ∼s (in: ZfdA 106) 1977; C. CORMEAU, «Wigalois» u. «Diu Crône». Zwei Kap. z. Gattungsgesch. d. nachklass. Aventiuren-Rom., 1977; H. REINITZER, Z. Erz.funktion d. «Crône». Über lit. Exempelfiguren (in: Öst. Lit. z. Zeit d. Babenberger), 1977; A. EBENBAUER, Fortuna u. Artushof. Bemerkungen z. «Sinn» d. «Krone» ∼s (in: ebd.) 1977.

Quellenfrage: G. ROSENHAGEN, Muntane Cluse (in: ZfdPh 29) 1897; F. ÖHMANN, Z. Krone ∼s (in: PBB 48) 1924; L. L. BOLL, The Relation of Diu Krône of ∼ to La Mule sanz Frain, A Study in Sources, Washington 1929; E. K. KELLER, A Vindication of ∼, Based on a Survey of His Sources (in: MLQ 3) 1942; I. KLARMANN, ∼: Diu Krone, Unters. d. Quellen (Diss. Tüb.) 1944; H. DE BOOR, E. Spur d. «Älteren Not»? (in: PBB Tüb. 77) 1955; B. KRATZ, D. «Crône» ∼s u. d. «Enfances Gauvain» (in: GRM 22) 1972.

Sprache und Komposition: G. GRABER, ∼ u. d. Sprachform s. «Krône» (in: ZfdPh 42) 1910; E. GÜLZOW, Z. Stilkunde d. Krone ∼s (in: Teutonia 18) 1914 (mit Lit.verz.); E. PFOSER, Reim-Wb. z. Krone d. ∼ (Diss. Wien) 1929; H. SUOLAHTI, D. franzö́s. Einfluß auf d. dt. Sprache im 13. Jh. (in: Mémoires de la Société Neo-Phil. de Helsingfors X, 1) Helsinki 1933; E. KRANZMAYER, Hist. Lautgeogr. d. gesamtbair. Dialektraumes, 1956; R. E. WALLBANK,

The Composition of Diu Krône, ∼s Narrative Technique (in: Mediaeval Miscellany, hg. F. WHITEHEAD u. a.) Manchester 1965; B. KRATZ, Z. Kompositionstechnik ∼s (in: ABäG 5) 1973. RM

Heinrich von Veldeke (Henric van Veldeken), 2. Hälfte 12. Jh., aus maasländ., wahrsch. ritterl. Geschlecht. D. Überl. nennt H. «her» u. «meister», gefördert wurde er v. d. Gräfin Agnes v. Loe u. später u. a. v. Pfalzgrafen u. spätern Landgrafen Hermann v. Thüringen, auf dessen Neuenburg an d. Unstrut H. seinen Eneas-Rom. beenden konnte. Viell. nahm H. auch in seinen Diensten an Barbarossas Pfingstfest in Mainz (1184) teil. Weitere biogr. Daten fehlen, e. sichere Chronol. s. Werke kann ebenfalls nicht aufgestellt werden. H. war gebildet, beherrschte d. französ. u. wahrsch. auch d. lat. Sprache, war rhetor. geschult u. besaß gute Kenntnisse zeitgenöss. Lit. D. Sprache s. Werke ist e. n. Überregionalität strebendes Maasländ. (mittelniederfränk., altlimburg.). – H.s Lyrik verbindet limburg.-brabant. Trad. mit lat. französ. u. provençal. Einflüssen u. reicht v. Tanzlied bis z. höf. Formen mit Themen wie hohe minne u. Gesellschaft. D. n. lat. Vorbild geschriebene Servatiusleg. über Bischof Servatius v. Tongern («Sente Servas», ca 6200 Reimpaarverse) gliedert sich in 2 Tle. u. vereinigt Welt- u. Heilsgeschichte. Sprachl. zeigt sich bereits d. französ. geprägte höf. Vers mit reinem Reim, der, verbunden mit für d. dt. Lit. neuartiger Beschreibungskunst, d. Eneas-Rom. charakterisiert. H.s Eneas-Rom. (rund 13 500 hd. überl. Verse), wahrsch. begonnen im Maasland vor 1174 u. seit 1183 in Thür. vollendet, ist e. freie Übers. u. Neugestaltung d. um 1160/70 in Nordfrankreich entst. «Roman d' Eneas». H. führt d. dort begonnene Umdeutung d. antiken Stoffs im Sinne neuer höf.-idealer Wertvorstellungen weiter. D. Stoff wird damit exemplarisch f. ritterl.-vorbildl. Verhalten u. bes. auch f. d. Macht d. Minne.

Ausgaben: a) *Lieder:* MF; T. FRINGS, G. SCHIEB, H. v. V., Servatiusbruchstücke und die Lieder ..., 1947; H. BRINKMANN, Liebeslyrik der deutschen Frühe, 1952; J. NOTERMANS, H. v. V., 25 Minneliederen, 1966. b) *Sente Servas:* T. FRINGS, G. SCHIEB, Die epischen Werke des H. v. V. I: Sente Servas, Sanctus Servatius, 1956 [krit. Ausg.].

c) *Eneide:* H. v. V., Eneide, mit Einleitung und Anmerkungen (hg. O. BEHAGHEL) 1882 (Neudr. 1970); T. FRINGS, G. SCHIEB, Eneide, Bd. 1 u. 2, 1964/65.

Literatur: VL 2, 355; 5, 350; ADB 39, 565; NDB 8, 428; de Boor-Newald 2, 41, 251; Ehrismann 2, 2/1, 83; 2 (Schlußbd.) 230; Albrecht-Dahlke 1, 567. – J. v. DAM, Z. Vorgesch. d. höf. Epos. Lamprecht, Eilhart, ∼, 1923; DERS., D. ∼-Problem, 1924; H. DE BOOR, Frühmhd. Stud., 1926; J. v. MIERLO, ∼, 1929; G. HOFMANN, D. Einwirkung ∼s auf d. ep. Minnereflexionen Hartmanns v. Aue, Wolframs v. Eschenbach und Gottfrieds v. Straßburg (Diss. München) 1930; G. JUNGBLUTH, Unters. z. ∼, 1937; F. MAURER, «Rechte» Minne bei ∼ (in: Archiv 187) 1950; DERS., Leid, 1951; G. SCHIEB, D. Stadtbeschreibungen d. ∼-Überl. (in: PBB 74) 1952; DIES., ∼, 1965 (mit Bibliogr.); DIES., Zu einigen Streitpunkten d. ∼-Forsch. (in: Tijdschrift voor Nederlandse Taal- en Letterkunde 88) 1972; W. SANDERS, ∼ im Blickpunkt d. Forsch. (in: Niederrhein. Jb. 8) 1965; DERS., ∼. Portrait e. maasländ. Dichters d. 12. Jh., 1973; W. MOHR, Ma. Feste u. ihre Dg. (in: FS K. Ziegler) 1968; M. HUBY, L'adaption des rom. courtois en Allemagne au 12e et au 13e siècle, Paris 1968; W. SCHRÖDER, ∼-Stud. 1969; F. MAURER, Wolfram u. d. zeitgenöss. Dichter (in: FS M. Wehrli) 1969; ∼-Symposion Gent 23.–24. Okt. 1970 (hg. G. A. R, DE SMET) Antwerpen/Utrecht 1971; C. MINIS Z. d. Genter ∼-Symposion 1970 (in: ABäG 2) 1972; U. RUBERG, «Wörtl. verstandene» u. «realisierte» Metaphern in dt. erzähl. Dg. v. ∼ bis Wolfram (in: FS M.-L. Dittrich) 1976; W. SANDERS, «Sal es gelucke walden!» (in: ebd.) 1976; M. J. M. DE HAAN, Le «Fergunt» et le «Moriaen» comme «rom. politiques» (in: EG 32) 1977; A. WOLF, D. «adaption courtoise». Krit. Anmerkungen zu e. neuen Dogma (in: GRM 27) 1977.

Lieder: T. FRINGS, Alse dê sprenket in den snê. ∼ MF 65, 8 (in: PBB 63) 1935; DERS. u. G. SCHIEB, ∼, D. Entwicklung e. Lyrikers (in: FS Kluckhohn-Schneider) 1948; A. MORET, Les débuts du lyrisme en Allemagne, 1951; P. B. WESSELS, Z. Sonderstellung d. niederländ. Minnesangs im german.-roman. Raum (in: Neoph. 37) 1953; S. N. WERBOW, ∼s «My fool heart» (MF 56, 1): an Exercise in Ideotextural Analysis

(in: FS E.H. Sehrt) 1968; L. Schneider, ~ :
D. «Strophenpaare» MF 60,29 + 65,5 u. MF
61,18 + 61,25 (in: Interpretationen mhd. Lyrik
hg. G. Jungbluth) 1969; T. Klein, ~ u. d.
scholast. Logik. Z. d. angebl. unechten Strophen
MF 59,11 u 66,1 (in: ZfdPh 90, Sonderh.) 1971;
C. Minis, Ep. Ausdrucksweisen mit «sehen» in
~s Liedern (in: ebd.) 1971; S.J. Kaplowitt,
~'s Song Cycle of «Hohe Minne» (in: Seminar
11) 1975.

Sente Servas: F. Wilhelm, St. Servatius, 1910;
J. Schwietering, Servatius u. Eneide, 1927;
T. Frings, G. Schieb, ~ . D. Prolog. u. d.
Epiloge d. Servatius, 1948; dies., 3 Servatius-
Stud., 1949; dies., D. neuen Münchner Serva-
tiusbruchst., 1952; W. Woesler, ~ , D. Prolog
d. «Servatius» (in: LeuvBijdr 56,3) 1967; K.
Brinker, Formen d. Heiligkeit ... (Diss. Bonn)
1968; K. Walter, Quellenkrit. Unters. z. 1. Tl.
d. Servatiusleg. ~s (Diss. Münster) 1968; L.
Wolff, D. «Servatius» ~s u. d. «Oberdt. Ser-
vatius» (in: FS M.-L. Dittrich) 1976.

Eneide: Überlieferung: G. Schieb, D. hs.
Überl. d. Eneide ~s u. d. limburg. Original,
1960; P.J. Becker, Hss. u. Frühdrucke mhd.
Epen ..., 1977. – B. Fairley, D. «Eneide» ~s u.
d. «Rom. d'Eneas» (Diss. Jena) 1910; O. Gogala
di Leesthal, Stud. über ~s «Eneide», 1944; R.
Wittkopp, D. Eneide ~s u. d. «Rom. d'Eneas»
(Diss. Leipzig) 1929; D. Teusink, D. Ver-
hältnis zw. ~s Eneide u. d. Alexanderlied, 1946;
E. Comhaire, D. Aufbau v. ~s «Eneit» (Diss.
Hamburg) 1947; F. Tschirch, D. Umfang d.
Stauferpartien in ~s «Eneide» (in: PBB 71)
1949; G. Schieb, Eneide 5001–5136 ... (in:
PBB 72) 1950; L. Wolff, D. mytholog. Motive
in d. Liebesdarst. d. höf. Rom. (in: ZfdA 84)
1952; H. Sacher, ~ Conception of the
«Aeneid» (in: GLL 10) 1956/57; W. Schröder,
Dido u. Lavine (in: ZfdA 88) 1957/58; C. Mi-
nis, Textkrit. Stud. über d. «Rom. d'Eneas» u. d.
«Eneide» v. ~ , 1959; H. Brinkmann, Wege d.
ep. Dg. im MA (in: Archiv 200) 1963/64; M.-L.
Dittrich, D. «Eneide» ~s, 1. Tl., 1966;
Eneide (in: Kindlers Lit.lex. 2) 1966; A. Giese,
~s Auffassung d. Leidenschaften «Minne» u.
«Zorn» in seinem Eneasrom. (Diss. Freiburg/Br.)
1967; H. Bussmann, D. Liebesmonolog im
frühhöf. Epos ... (in: FS H. Kuhn) 1969; W.
Brandt, D. Erzählkonzeption ~s in d. «Eneide».
E. Vergleich mit Vergils «Aeneis», 1969; F.

Shaw, «Kaiserchron.» and «Eneide» (in: GLL 24)
1970/71; R.B. Schäfer-Maulbetsch, Stud. z.
Entwicklung d. mhd. Epos ..., 2 Tle., 1972; G.
J. Oonk, «Rechte Minne» in ~s «Eineide»
(Neoph. 57) 1973; D. Wenzelburger, Moti-
vation u. Menschenbild d. «Eineide» ~s als Aus-
druck d. geschichtl. Kräfte ihrer Zeit, 1974;
M. Sato, «ich minde ûch t'onmâten». Z. Dido-
Episode in d. «Eneide» ~s (in: Doitsu Bungaku
54) 1975.

Sprache: C. v. Kraus, ~ u. d. dt. Dichter-
sprache, 1899; F. Leviticius, Laut- u. Flexions-
lehre d. dt. Servatiusleg. ~s (Diss. Leipzig)
1899; E. Schröder, D. rührende Reim bei ~
(in: ZfdA 75) 1938; T. Frings, G. Schieb, D.
Fremdwort bei ~ (in: Miscell. Acad. Bero-
linensia 2,1) 1950; H. Pörnbacher, V. ~ bis
Albertinus. Beispiele sprachl. u. lit. Wirkung d.
Niederlande auf Bayern, 1968; G.D. Luster,
Unters. z. Stabreimstil in d. «Eneide» ~s, 1970;
K. Thomas, Gedehntes ā u. altes langes â in d.
Sprache ~s (in: PBB Tüb. 93) 1971; L. Wolff,
Überlegungen z. sprachl. Gestalt d. «Eneide»
~s (in: FS J. Kunz) 1973; W. Breuer, «Dietsch»
u. «duutsch» in d. mittelniederländ. Lit. (in:
Rhein. Vj.bl. 37) 1973.   RM

Heinrich der Vogler, 2. Hälfte 13. Jh.; urkundl. nicht bezeugter Dichter aus Öst., viell.
aus d. Tirol. In Vers 8000 d. mhd. Heldenepos
«daz buoch von Berne» («Dietrichs Flucht»)
nennt sich d. Verf. «Heinrîch der Vogelaere»,
e. Bezeichnung, die viell. auf e. reisenden Be-
rufsliteraten verweist. D. Überl. verband in allen
4 Hss. d. «Buch v. Bern» mit d. «Rabenschlacht»,
wahrsch. stammen d. beiden Texte aber v.versch.
Verf. Aber auch für d. «Buch v. Bern» kann
H. kaum als alleiniger Verf. gelten, d. Schlußtl.
(ab Vers 6985, wohl jünger als d. Kerntl.) kann
stilist. wie inhaltl. in Zusammenhang mit d.
«Rabenschlacht» gebracht werden u. dürfte wie
d. Vorspann (e. genealog. Einl.) v. H. stammen.
H.s Red. d. «Buchs v. Bern» ist um 1280 anzu-
setzen.

Ausgaben: E. Martin (in: Dt. Heldenbuch 2)
1866 (Neudr. 1967); K. Zwierzina, Seckauer
Bruchstücke der Rabenschlacht (in: PBB 50)
1927.

Literatur: VL 2,364; 5,361 u. 365 (Überl.);
ADB 40,787; NDB 8,429; de Boor-Newald 3/1,
147; Ehrismann 2 (Schlußbd.) 166. – E. Peters,

~, d. Verf. v. Dietrichs Flucht u. d. Rabenschlacht, 1890; K. SEVERIN, ~ u. s. Vorbilder (Diss. Halle) 1899; A. LEITZMANN, Dietrichs Flucht u. Rabenschlacht (in: ZfdPh 51) 1926; DERS., Z. Reimtechnik v. Dietrichs Flucht u. Rabenschlacht (in: PBB 50) 1927; A. GÖTZE, «Dietrichs Flucht», «Rabenschlacht» u. Wernhers «Helmbrecht» (in: ZfdPh 51) 1926; H. SCHNEIDER, German. Heldensage 1, 1928; T. STECHE, D. Rabenschlachtged., d. Buch v. Berne u. d. Entwicklung d. Dietrichsage (in: Dt. Werden 16) 1939 [vgl. dazu H. de Boor in: AfdA 59, 1940]; G. BAESECKE, Vor- u. Frühgesch. d. dt. Schrifttums 1, 1940; H. DE BOOR, D. Heldennamen in d. dt. Dietrichdg. (in: ZfdA 78) 1942; O. HÖFLER, D. german. Sakralkönigtum 1, 1952; H. BECKER, Warnlieder 2, 1953; G. PLÖTZENEDER, D. Gestalt Dietrichs v. Bern in d. dt. Dg. u. Sage d. frühen u. hohen MA (Diss. Innsbruck) 1957; R. v. PREMERSTEIN, Dietrichs Flucht u. d. Rabenschlacht. Unters. über d. äußere u. innere Entwicklung d. Sagenstoffe, 1957; G. EIS, E. Rugier im «Buch v. Bern»? (in: GRM 39) 1958; H. KUHN, Heldensage u. Christentum (in: Gedenkschr. z. 150. Wiederkehr d. Gründungsjahres d. Friedrich-Wilhelm-Univ. z. Berlin 2) 1960; DERS., Hildebrand, Dietrich v. Bern u. d. Nibelungen (in: H. K., Text u. Theorie) 1969; H. RUPP, «Heldendg.» als Gattung d. dt. Lit. d. 13. Jh. (in: FS K. Wagner) 1960; H. FROMM, D. Heldenzeitlied d. dt. HochMA (in: NM 62) 1961; J. DE VRIES, Heldenlied u. Heldensage, 1961; D. BINDHEIM, D. Dialogtechnik in Dietrichs Flucht u. d. Rabenschlacht. E. vergleichende Unters. d. beiden Epen (Diss. München) 1966; M. PORKERT, Dietrichs Flucht (in: Kindlers Lit.lex. 2) 1966; A. ROEDER, D. Rabenschlacht (in: ebd. 5) 1969; W. HAUG, D. hist. Dietrichsage. Z. Problem d. Literarisierung gesch. Fakten (in: ZfdA 100) 1971; H. J. ZIMMERMANN, Theoderich d. Große – Dietrich v. Bern. Die geschichtl. u. sagenhaften Quellen d. MA, 1971; R. R. HARTZELL FIRESTONE, Elements of Trad. Structure in the Couplet Epics of the Late Middle High German Dietrich Cycle, 1975; M. CURSCHMANN, Dg. über Heldendg., Bemerkungen z. Dietrichepik im 13. Jh. (in: Akten d. V. Germanistenkongresses 4) 1976. RM

Heinrich von Weissenburg → Vigilis, Heinrich.

Heinrich von Weissensee → Hetzbold, Heinrich, von Weissensee.

Heinrich der Wepper → Bernth, Karl.

Heinrich von Werl, * um 1400 Werl/Westf., † 10.4.1463 Osnabrück; Franziskaner, 1430 Theol.-Studium in Köln, 1435 Promotion, bis 1461 Lehrtätigkeit an d. Kölner Univ., 1432–62 Leiter d. Köln. Franziskaner-Prov., lebte zuletzt im Kloster Osnabrück. – Verf. zahlr. theol.-philos. Schriften.
  Ausgabe: Opera omnia 1 (hg. S. CLASEN) St. Bonaventure [New York] – Löwen – Paderborn 1955 [mit Lit.verz.]
  Literatur: NDB 8,430; LThK 5,203. – ~ (in: Arch. Franciscanum Historicum 44) Florenz-Quaracchi 1952; S. CLASEN, Walram v. Siegburg u. s. Dr.-Promotion an d. Kölner Univ. (in: ebd. 45) 1952. RM

Heinrich von Wittenwiler → Wittenwiler, Heinrich.

Heinrich (I.) Graf zu Württemberg, 1448–1519, Stammvater d. württ. Königshauses, 1465 Koadjutor v. Mainz, verließ 1472 d. geistl. Amt, wegen Geisteskrankheit auf Hohen-Urach bis zu s. Tod festgehalten. Er ist sehr wahrsch. jener «Heynrich Graffe zu wirttenberg», v. dem in d. Sammelhs. mgq. Berol. 719 d. Berliner Staatsbibl. 4 in d. Trad. d. ritterl. Minnedg. stehende Lieder überl. sind. D. Hs. stammt vermutl. aus d. Jahr 1464, bei H.s Liedern dürfte es sich damit um Jugenddg. handeln.
  Ausgaben: W. HOLLAND, A. KELLER, Lieder Heinrichs, Grafen zu Württemberg, 1849.
  Literatur: VL 2,366; ADB 11,627; de Boor-Newald 4/1,170. RM

Heinrich von Würzburg (auch: Heinrich der Poet), * in Schwaben, † vor 26.11.1265 Würzburg; Studium viell. in Paris, Magister artium, hielt sich lange an d. röm. Kurie auf, u. a. unter Urban IV., v. dem er e. Pfründe am Stift Neumünster z. Würzburg erhielt, wo er auch, möglicherweise als scolasticus, starb. – H.s Hauptwerk ist d. um 1263/64 entst. «liber de statu Curie Romane», e. Ged. in 513 ungereimten Distichen, das trotz positiver Einstellung zum Papsttum d. Zustände am päpst. Hof mit e. satir.

Grundtendenz in Dial.form schildert (Erstdr. in d. «Varia doctorum piorumque vivorum de corrupto Ecclesiae statu poemata» d. Matthias Flacius Illyricus). Schon vorher verf. H. e. Ged. «Lacrime ecclesie», er soll außerdem auch «Gesta Johannis apostoli» u. e. «Liber de septem Germanie Columpnis» geschrieben haben, diese Werke sind aber nicht erhalten.

Ausgabe: H. GRAUERT, Magister Heinrich in Würzburg und die römische Kurie (in: AAM 27) 1912.

Literatur: VL 5,368; NDB 8,421; LThK 5, 199. – H. GRAUERT (vgl. Ausg.) 1912; K. WENCK, D. röm. Kurie in d. Schilderung e. Würzburger Stiftsherrn aus d. Jahr 1263/64 (in: HZ 124) 1921; P. LEHMANN, O. Glaunig, Ma. Hss.bruchst., 1940; R. BADERREISS, Kirchengesch. Bayerns 4, 1953.   RM

Heinrich von Xanten (de Santis), * 1. Hälfte 15. Jh. Xanten, † 1493 Mecheln; Franziskaner, trat in d. Köln. Observanten-Vikarie ein, 1487 Guardian d. Klosters in Mecheln, Prov.vikar. – Verf. v. Predigten u. myst. Schr., beeinflußt u. a. v. Johannes Gerson, Heinrich Herp, Jan v. Ruusbroec.

Schriften (gedr.): Die Collacien van den eerwaerdigen vader broeder henricus van Santen ..., Antwerpen 1500.

Literatur: NDB 8,430; de Boor-Newald 4/1, 319. – M. VERIANS, ~ (in: Ons geestelijk Erf 4) Antwerpen 1930; ~ (in: Arch. Franciscanum Historicum 45) Florenz-Quaracchi 1952.   RM

Heinrich Göding, 16. Jh.; verf. 1585 d. Volksbuch v. Heinrich d. Löwen v. Braunschweig in 104 Hildebrandstonstrophen (später in Prosa gedr., Ausg. durch P. ZIMMERMANN in PBB 13, 1888), welches d. Schicksal Heinrichs d. Löwen schildert u. auf d. Gesch. v. dem treuen Löwen u. der Heimkehrersage aufbaut. Hist. Kern d. Sage ist d. Kreuzfahrt Heinrichs d. Löwen im Jahr 1172. D. Sage war weit verbreitet u. fand ihren Niederschlag u. a. auch im «Reinfried v. Braunschweig», in Michel Wyssenherres Ged. «Von dem edeln hern von Bruneczwigk», in 3 Ged. von Hans Sachs sowie in tschech. Volksbüchern.

Literatur: Ehrismann 2 (Schlußbd.) 88. – W. SEEHAUSSEN, Michel Wyssenherres Ged. «Von dem edeln hern von Bruneczwigk» ... u. d. Sage v. Heinrich d. Löwen, 1913.   RM

Heinrich Gutevrunt von Braunschweig, 15. Jh., stammte aus Braunschweig; Verf. im Auftrag e. Ritters Johannes Dryborch e. mdt. Übers. v. Guido de Columnas «Historia destructionis Trojae» (1436, Kirchenbibl. Liegnitz, jetzt Univ.bibl. Breslau).

Literatur: VL 1,327; Aufriß 2; de Boor-Newald 4/1,57. – H. DUNGER, D. Sage v. Trojan. Kriege in d. Bearb. d. MA u. ihre antiken Quellen (Progr. Dresden) 1869; Gräf, D. ma. Bearb. d. Troja-Sage, 1886; E. B. ATWOOD, The Rawlinson Excidium Troie. A Study of Source Problems in Medieval Troy Lit. (in: Speculum 9) 1934; K. SCHNEIDER, D. «Trojan. Krieg» im späten MA, 1968.   RM

Heinrich Heinbuche von Langenstein (auch: Heinrich von Hessen d. Ä.), * 1325 Langenstein/Hessen, † 11.2.1397 Wien; 1358 Studium an d. Pariser Univ. (später Vizekanzler), 1363 Magister artium, 1375 Magister theol., verließ 1382 Paris u. lebte bei Jakob v. Eltville, Abt d. Zisterzienserklosters Eberbach im Rheingau. Seit 1384 Lehrer u. Reorganisator an d. Wiener Univ. (1393 Rektor). Verf. v. ca. 100 Schr. theol., naturwiss., rechtsgesch. u. philos. Inhalts, v. denen nur wenige gedr. sind.

Schriften: De contractibus (in: J. Gersonis, Opera IV) 1483; Erchantnus der sund, 1494; Contra disceptationes et contrarias praedicationes fratrum mendicantium super conceptione B. Mariae V. et contra maculam B. Bernhardi, 1516; De contemptu mundi. Speculum animae, 1580.

Neuausgaben: E. MISTIAEN, Le miroir de l'âme, 1924; A. LANG, D. Katharinenpredigt ~s (in: Divus Thomas (Freiburg) 26/27) 1948/49; Erkanntnuzz der sund (hg. R. RUDOLF) 1969; T. HOHMANN, ~ «Unterscheidung der Geister» lateinisch u. deutsch ..., 1977.

Bibliographie u. Überlieferung: F. E. W. ROTH, Z. Bibliogr. d. ~ (in: Beih. z. Zentralbl. f. Bibl.wesen 1) 1888f.; K. HEILIG, Krit. Stud. z. Schrifttum d. beiden Heinrich v. Hessen (in: Röm. Quartalschr. f. christl. Alt.kunde u. Kirchengesch. 40) Rom 1932; J. LANG (vgl. Lit.) 1966; T. HOHMANN, Dt. Texte unter d. Namen ~. E. Übersicht (in: Würzburger Prosastud. 2, hg. P. KESTING) 1975.

Literatur: VL 2,292; 5,347; ADB 17,672; NDB 8,410; RE 7,604; LThK 5,190; RGG ³3,203; de Boor-Newald 4/1,405. – O. HART-

WIG, Leben d. ~, 1858; H. KNEER, D. Entstehung d. konziliaren Theorie, 1893; B. WALDE, Christl. Hebraisten Dtl.s am Ausgange d. MA, 1916; H. PRUCKNER, Stud. zu d. astrolog. Schr. d. ~, 1933; B. GILLITZER, D. Tegernseer Hymnen D. Cgm. 858, 1942; A. FASCHING, D. Stellung ~s z. unbefleckten Empfängnis Mariens (Diss. Wien) 1943; W. STAMMLER, ~ (in: ZfdPh 72) 1953; A. EMMEN, ~ über d. Empfängnis Mariens (in: FS Schmaus) 1957; W. TRUSEN, Wiener Vertragslehren d. 14. Jh., Gutachten d. Univ.-Prof. ~, Heinrich v. Oyta u. Johannes Reuter (Diss. Mainz) 1958; J. LANG, D. Christologie d. ~, 1966; R. RUDOLF, ~s «Erkanntnuzz der sund» u. ihre Quellen (in: FS G. Eis) 1968; E. SOMMERFELD, Ökonom. Denken in Dtl. vor d. frühbürgerl. Revolution: D. «Tractatus de contractibus» d. ~ (Diss. Berlin) 1969; P. PIRZIO, Le prospettive filosofiche del trattato di ~ «De habitudine causarum» (in: Rivista critica di storia della filosofia 24) Florenz 1969; T. HOHMANN, Discretio spirituum. Texte u. Unters. z. «Unterscheidung der Geister» bei ~, 1975; P. WIESINGER, Z. Autorschaft u. Entstehung d. ~ zugeschriebenen Traktats «Erkenntnis der Sünde» (in: ZfdPh 97) 1978.   RM

Heinrich Julius von Braunschweig-Wolfenbüttel

* 15.10.1564 Schloß Hessen Kreis Wolfenbüttel, † 30.7.1613 Prag; Sohn u. seit 1589 Nachfolger des Herzogs von B.-W., sorgfältige Erziehung in Gandersheim u. an d. neugegründeten Univ. Helmstedt, deren Rektorat er 1576 12-jähr. mit einer lat. Antrittsrede übernahm. 1578 Amtsantritt als Nachfolger d. Bischofs Sigismund v. Halberstadt, wo er schließlich, unter Wahrung bestehender kathol. Interessen, die Reformation durchführte. 1582–85 auch Übernahme des Bistums Minden. Bau e. prunkvollen Residenzschlosses in Gröningen. 1587 Präs. d. Obergerichts. 1589 Übernahme der Regierung des Herzogtums Braunschweig. Lernte 1590 auf e. Reise nach Kopenhagen engl. Komödianten kennen u. engagierte 1592 engl. Schauspieler, unter ihnen Johann Bradstread u. den Komiker d. Brown-Truppe, Thomas Sackville, zwecks Gründung e. professionellen Hofbühne. Angeregt v. neuen Stoffen u. dem Spielstil d. Engländer, die sich d. Figur d. Clowns bedienten, verfaßte H. J. in rascher Folge e. Reihe v. Dramen, e. Tätigkeit, die 1593–94

ihren Höhepunkt erreichte. Aufführungen in Wolfenbüttel, Gröningen u. Hessen. Regierungsgeschäfte ließen die Bühnen- u. schriftsteller. Interessen gg. Ende d. Jh. in d. Hintergrund treten. Ab 1607 in Prag, wo er mit kurzer Unterbrechung (1611–12) meist weilte. Dir. d. Geheimen Rats u. Vertrauter d. Kaisers Rudolf II. In Wolfenbüttel beigesetzt. Gelehrter, Dramatiker, Freund d. Wissenschaft u. Künste.

Schriften: Von / Der Susanna, / Wie dieselbe von zweyen al-/ten, Ehebruchs halber, fälschlich bekla-/get, auch vnschüldig verurtheilet, Aber entlich/ durch sonderliche schickung Gottes des Almech-/tigen von Daniele errettet, vnd die beiden/ Alten zum Tode verdammt worden, 1593 (Auffs new kürtzer verfasset, 1593); Von einem / Buler vñ Bu-/lerin, Wie derselben Hure-/rey vnd Vnzucht, Ob sie wol ein / zeitlang verborgen gewesen, / gleichwol entlich an den tag kom-/kem, vnd von Gott grew-/lich gestraffet wor-/den sey./ Jedermenniglich zur Lere vnd Ver-/manung, mit fleis fürgestellet, 1593; Von einem Weibe, Wie dasselbige jhre Hurerey für jhren Ehemann verborgen, 1593; Der Fleischhawer (nur in d. Hs.) o. J.; Von einem / Vngeratenen/ Sohn, welcher vnmensch-/liche vnd vnerhörte Mord-/thaten begangen, auch end-/lich neben seinem mit Con-/sorten ein erbärmlich schreck-/lich vnd grewlich ende / genommen hat, 1594; Von einer Ehebrecherin, Wie die jren Man drey mahl betreucht, aber zu letzt ein schrecklich Ende genommen habe, 1594; Von einem Wirthe oder Gastgeber, 1594; Von einem / Edelman/ Welcher einem Abt Drey / Fragen auffgegeben, 1594; Von Vicentio Ladislao Sacrapa von Mantua Kempffern zu Roß vnd Fueß, Weiland des Edlen vnd Ehrenuesten, auch manhafften vnnd streitbaren Barbarossae bellicosi von Mantua, Rittern zu Malta ehelichen nachgelassenen Sohn, 1594;

Ausgaben: Die Schauspiele des Herzogs ~ nach alten Drucken und Handschriften (hg. v. W. L. HOLLAND) 1855, 6 Bde. Photomechan. Nachdr. 1967); Die Schauspiele des ~ (hg. v. J. TITTMANN) 1880; Von einer Bule und einer Bulerin (in: DLE, Barockdr. 3, hg. W. FLEMMING) 1931; Vincentius Ladislaus (in: DLE 4, hg. W. FLEMMING) 1931; Von einem Weibe. Von Vicentio Ladislao. Komödien (hg. M. BRAUNECK) 1967.

Nachlaß: Denecke 2. Aufl.; Frels 124.

Literatur: ADB 11, 500; NDB 8, 352; Goedeke 2, 520; Albrecht-Dahlke 1, 840; Schottenloher

3,143; Theater-Lex. 1,739. – F. A. LUDWIG, ~ 1833; O. v. HEINEMANN, ~ u. d. Anfänge d. dt. Theaters, 1881; R. FRIEDENTHAL, ~ als Dramatiker (Diss. München) 1924; B. REISS, Die hd. Mundarten in den Dr. des ~. (Diss. Tübingen) 1924; F. BRÜGGEMANN, Versuch e. Zeitfolge der Dr. des ~, 1926; G. W. HARTZELL, The Verb in the Plays of ~. (Diss. Univ. Pennsylvania) 1935; W. PFÜTZENREUTER, ~ u. d. norddt. Späthumanismus (Diss. Münster) 1936; W. FLEMMING, Die beiden Bühnentypen in den Dr. des ~ (in: Lebendiges Erbe) 1936; A. H. J. KNIGHT, Zum Studium der Tr. des ~ (in: GRM 25) 1937; DERS., The Tragi-Comedies of ~. (in: MLR 41) 1946; DERS., ~, (in: Modern Language Studies³) 1948; E. SANDER, Hibeldeha, ~, der Theaterdichter auf d. Herzogthron. (in: Braunschweigische Heimat 49) 1963; C. EMMERICH, das dramat. Werk des ~ (Habil.schr. Jena) 1964; DERS., Die Darstellung von Ehe und Ehebruch in den Dr. des ~. (in: WZ der Univ. Jena 14) 1965; H. BURGER, ~: Vincentius Ladislaus. Zu e. Kontroverse der Lit.kritik (in: LitJB 9) 1968; J. WERNER, Zwischen MA u., Neuzeit: ~ als Dramatiker d. Übergangszeit 1976.   MR / IB

Heinrich, Albin, * 1.3.1785 Friedland/Mähren, † 5.4.1864 Brünn; Erzieher in Krakau u. a. Orten, seit 1814 Lehrer f. Gesch. u. Geogr. in Teschen, Leiter d. dort. Gymnasialmuseums (1815–31), 1831 Prof. in Brünn, seit 1832 Leiter d. Bibl. d. Franzens-Museums, 1836 Konservator.
Schriften (außer spezialwiss.): Versuch über die Geschichte des Herzogthums Teschen von den ältesten bis auf die neuesten Zeiten, 1818; Das Franzens-Museum beschrieben, 1853.
Literatur: Wurzbach 8,224; ÖBL 2,248; Goedeke 12,384. – J. v. MELION, ~, 1864.   RM

Heinrich, Edith, * 9.11.1909 Stettin; Schriftst. in Wien. Erz. u. Dramatikerin.
Schriften: Hendrickje (Erz.) 1943; Der Leuchtturm (Rom.) 1943; Der Uhlenbrookhof (Erz.) 1944.   IB

Heinrich, Franz → Decsey, Ernst.

Heinrich, Franz Josef, * 15.7.1930 Linz; A. Stifter-Förderungspreis 1964, Lit.preis d. Stadt Linz 1966; Förderungspreis d. Landes Oberöst.

f. Dramatik 1974, wohnt in Linz. Lyriker, vorwiegend Dramatiker.
Schriften: Die Schattenharfe (Ged.) 1957; Isolation (Ged.) 1959; Lichtzellen (Ged.) 1962; Meridiane (Ged.) 1964; Die Brandstatt (Ged.) 1969; Feldzug nach Nanda (Erz.) 1972; Ein Ort für alle (Erz.) 1976.   IB

Heinrich, Friedrich, Anf. 19. Jh.; wahrsch. Schauspieler in Stuttgart.
Schriften: Das Volksfest (Posse) 1825; Die Griechen im Krähwinkel (Posse) 1825.
Literatur: Goedeke 8,289; 11/1,213.   RM

Heinrich, Gerd, * 7.11.1896 Berlin; Forschungsreisender, wohnt in Dryden (USA). Verf. v. Reisebeschreibungen.
Schriften: Vogel Schnarch (Reisebeschreibg.) 1932 (u. d. T.: Celebes, 1943); Auf Panthersuche durch Persien (Reisebeschreibg.) 1933; Von den Fronten des Krieges und der Wissenschaft (Nov.) 1937; In Burmas Bergwäldern (Reisebeschreibg.) 1939.   IB

Heinrich, Gregor → Knoblauch, Adolf.

Heinrich, (Karl Robert) Hermann (Ps. Armin Balder), * 6.3.1852 Peitz, † n. 1917; Schlosser, dann Lehrer in Cottbus u. Peitz, seit 1875 in Berlin, 1884–90 Leiter e. Privatschule in Schöneberg, 1890 Rektor in Plaue/Havel u. seit 1891 in Spandau. Vorstandsmitgl. d. Dt. Lehrer-Schriftstbundes.
Schriften: Bileam (Tr.) 1883; Das geflügelte Rad (Rom.) 1892; Von echtem Schrot und Korn. Vier Erzählungen aus Deutschlands Vergangenheit, 1897; Überwunden und versöhnt. Zwei Erzählungen aus den Vierzigerjahren des 19. Jahrhunderts, 1900; Um Glück und Ruhm (Künstlernov.) 1904; Die Siegesallee. Erzählungen aus der vaterländischen Geschichte, I Albrecht der Bär, 1901, II Otto I., 1907; Jahresreigen (Ged.) 1907; Hans Lange von Danzig. Erzählung aus Deutschlands Vergangenheit, 1911. (Ferner ungedr. Bühnenstücke).   RM

Heinrich, Hermann → Glücksmann, Heinrich.

Heinrich, Johanna Maria, * 6.7.1869 Laibach, † 5.3.1942 Wien; Lehrerin in Wien. Erzählerin.
Schriften: Bruder Fridunand. Roman aus dem dreizehnten Jahrhundert, 1900; Unter den Sturz-

wellen der Liebe (Rom.) 1906; Im Tal von Erdenhausen (Rom.) 1911.   IB

Heinrich, Karl → Keck, Karl Heinrich; Kette, Hermann.

Heinrich, Karl Borromäus (Ps. Karl Borromäus), * 22.7.1884 Hangenham in Oberbayern, † 25.10.1938 Einsiedeln; studierte in München, Dr. phil., zeitweise Verlagsred. in München-Gladbach, lebte viel im Ausland. Erzähler.

Schriften: Karl Asenkofer. Geschichte einer Jugend, 1907; Nietzsches Stellung zur Geschichte, 1909; Karl Asenkofers Flucht und Zuflucht (Rom.) 1909; Menschen von Gottes Gnaden (Erz.) 1910; Die Tanzschule, 1912; Karl Kraus als Erzähler, 1913; Florian. Prosadichtung, 1922; Kasimir (Nov.) 1923; Das Gesicht des deutschen Katholizismus. Gesehen von einem Laien, 1925; Der heilige Johannes von Colombini und andere religiöse Erzählungen, 1927; Maria im Volk (Erz.) 1927–28; Marienlegenden, 1929; Menschen des Übergangs, (Rom.) 1931; Schloß Vierturm. (Rom.) 1932; Einsiedler Novene in Erzählung, Legende und Betrachtung, 1934; Bergwart Johannes. Blätter aus einem Tagebuch, 1942; Marienlegenden. Ausgewählt aus den beiden Legendenbüchern ›Maria im Volk‹, 1954.

Literatur: E. SCHRÖDER, ∼, 1927; G. MÜLLER, Die Form der Legende bei ∼. (in: Euphorion 31) 1930.   IB

Heinrich, Karl Friedrich, * 8.2.1774 Molschleben b. Gotha, † 20.2.1838 Bonn; Dr. phil., 1793 Privatlehrer in Göttingen, 1795 Kollaborator u. 1801 Gymnasialprof. in Breslau, Dir. d. Theaters das. (1797–99), 1804 Philol.-Prof. in Kiel u. 1818 in Bonn. Hg. antiker Autoren (Hesiod, Cicero u.a.)

Schriften (Ausw.): Musaei de Herone et Leandro carmen, recognovit et annotationibus instruxit, 1793; Über Ifland's neuestes ungedrucktes Schauspiel: das Gewissen ..., 1797; Epimenides aus Kreta ..., 1801; In Sachen der Breslauischen Theaterdirection, 1803.

Literatur: ADB 11,647; Meusel-Hamberger 3, 168; 9,544; 11,332; 14,78; 18,95; 22.2,652.   RM

Heinrich, Karl Johann → Brügmann, Karl.

Heinrich, M.W. → Kranzhoff, Wilhelm.

Heinrich, Otto Franz (Ps. Otto Franzen), * 26.7.1902 Waldenburg/Schles.; Erzähler.

Schriften: Chaplin auf der Verbrecherjagd (Jgdb.) 1932; Fahrt frei für FD 122. Geschichte eines Jungen, der mit einer Hand einen Zug aufhielt, 1932; Drei Tage ausgekratzt. Eine Sache, die schief ausgehen konnte, 1934; Die S-Kurve bei Remberg. Aus dem Leben eines Eisenbahnerjungen, 1934; Hallo, Peter ist verschwunden! Geschichte einer abenteuerlichen Fahrt, 1934; Kopf hoch, Schubsel. Die Geschichte eines Jungen, der sich die Welt erobert, 1934; Detektiv Greenspleen und seine Gehilfen. Das lustige Abenteuer zweier Jungen, 1935; Nordlandstürme. Vom Schicksal eines deutschen Jungen im Lande der Mitternachtssonne, 1935; Der Junge von Zeche «Barbara». Erzählung aus den schlesischen Bergen, 1935; Wolkenstürmer im Bärwinkel, 1935; Der Skibub vom Adlerpaß. Geschichte eines kleinen Helden, 1935; Ein Kind namens Dorothee. (Nov.) 1936; Max im Seifenschaum. Lustige Erzählung, 1936; Gut gemacht, Christa! Aus dem Leben eines tapferen jungen Mädchen, 1936; Grenzwald-Kinder. Eine Schmuggler Geschichte, 1937; Das Mädel aus Deutschland, 1938; Kleiner Ausflug in die Welt. Die Geschichte einer Kameradschaft, 1939; Die Gespenster vom Hornschloß und andere lustige Geschichten für Jungen und Mädel, die lachen wollen, 1939; Der Schießhans vom Grenzwald. Eine Erzählung aus den Bergen, 1941; Die Tormühlen-Jungen und ihre lustigen Streiche. Ein heiteres Buch für die Jugend, 1941; Die Heizer vom Bukarest-Expreß, 1942; Das geborgene Märchen (Erz.) 1942; Blühender Herbst, 1947; Was soll nun werden, Hella? Ein Mädchenroman, 1949; Kristall (Nov.) 1951.   IB

Heinrich, P. (Ps. f. Heinrich Pollak, 2. Ps. H. Klein), * 2.4.1835 Mattersdorf/Ungarn, † 19.10.1908 Wien; in Wien Red. d. «Öst. Lloyd», dann d. «Morgenpost» u. d. «Wiener Abendpost». Sekretär d. patriot. Hilfsver., Mitbegründer d. «Neuen Wiener Tagbl.» (Hg. bis 1896).

Schriften: Kleine Residenzgeschichten (Einl. N. Bechhöfer) 1884; Dreißig Jahre aus dem Leben eines Journalisten, 3 Bde., 1897. (Außerdem versch. Ztg.-Romane).   RM

Heinrich, P.W. (Ps. Heinrichs-Hohenfels) * 8.12.1860 Schönau, lebte als Red. in Berlin.

Schriften: Für und wider A. Meißner, 1890; Im Tode vereint, 1891; Lose Blätter (Nov.) 1897.

IB

Heinrich, Valentin (Ps. Lupescu Valentin) * 24. 2.1906 Karlsruhe; Red., Berlin (Ost)-Niederschönhausen. Lyriker, Verf. v. Romanen, sowie Übersetzer.

Schriften: Die Geschichte des Matthias Schmidt (Rom.) 1953; Um gleiches Recht. Roman aus dem Revolutionsjahr 1848/49 in Siebenbürgen, 1946.

IB

Heinrich, Walter → Eschbach, Walter.

Heinrich, Walt(h)er → Unus, Walther.

Heinrich, Wilhelm → Michelis, Wilhelm Heinrich.

Heinrich, Willi, * 9.8.1920 Heidelberg; wohnt in Bühlertal Baden. Verf. v. Romanen.

Schriften: Das geduldige Fleisch (Rom.) 1955; Der goldene Tisch (Rom.) 1956 (u.d.T.: In stolzer Trauer, 1969); Die Gezeichneten (Rom.) 1958; Alte Häuser sterben nicht (Rom.) 1960; Rape of Homer (USA, Rom.) 1960 (dt. u.d.T.: In einem Schloß zu wohnen, 1977); Vom inneren Leben, 1961; Gottes zweite Garnitur (Rom.) 1962; Ferien im Jenseits (Rom.) 1964; Maiglöckchen oder ähnlich (Rom.) 1965; Mittlere Reife (Rom.) 1967; Geometrie einer Ehe (Rom.) 1967; Schmetterlinge weinen nicht (Rom.) 1969; Jahre wie Tau (Rom.) 1971; So long, Archie (Rom.) 1972; Liebe und was sonst noch zählt (Rom.) 1974; Eine Handvoll Himmel (Rom.) 1976; Vermögen vorhanden (Rom.) 1977; Ein Mann ist immer unterwegs, 1978.

Literatur: Albrecht-Dahlke 2/2,296. – Rußlandkrieg: D. geduldige Papier. Zu ~ : D. geduldige Fleisch. (in: Der Spiegel 9) 1955; K. NEMO, Zwei westdt. Kriegsrom. (in: Weltbühne 17) 1955; G. CWOJDRAK, D. Mythus d. zweiten Weltkrieges (in: NDL 7) 1956; DERS., D. Krieg auf d. Spur (ebd. 12) 1957.

IB

Heinrich, Wolfgang, * 23.6.1897 Berlin; Erzähler.

Schriften: Aktenstück Nr. 113. Frei bearbeitet nach dem Roman von E. Gaboriau, 1939; In der Tarnkappe der Vernunft. Geschichtliche Merkwürdigkeiten, 1940; Meister der Kriminalistik. Tatsachenbericht, 1955; Frauen waren mein Ver-

hängnis. Das abenteuerliche Leben des Hochstaplers und Einbrechers M. Bastubbe, nach seinen Bekenntnissen aufgezeichnet, 1956.

IB

Heinrichau → Konrad von Heinrichau.

Heinrichmann (Henrich-, Hainrichmann), Jakob, * um 1482 Sindelfingen/Schwaben, † 28. 6.1561 Augsburg; Schüler Heinrich Bebels, Studium in Tübingen, Dr. theol. et iur., 1502–06 Lehrer f. Lat. u. d. Rechte an d. Univ. Tübingen, 1514 Rat d. Bischofs Heinrich v. Lichtenau in Augsburg, Generalvikar. Humanist u. lat. Grammatiker. – H. verf. e. verbreitete lat. Grammatik («Grammatice Institutiones», 1506) u. d. Spottschr. «Prognostica alioquin barbare practica nuncupata latinitate donata» auf d. Vorschr. u. Wetterprophezeihungen d. damaligen Kalender (Erstdr. 1508; 2., verb. Ausg. in H. Bebels «Opuscula» v. 1512; dt. in Bebels «Facetien» v. 1558 u. 1568; Abdruck auch in Nikodemus Frischlins «Facetiae selectiores» v. 1600). E. Brief u. e. Ged. H.s enthält J. Altenstaigs «Vocabularius» (1509), lat. «Adiga» befinden sich in Bebels «Opuscula» v. 1508.

Literatur: ADB 11,782.

RM

Heinrichs, Christa (geb. Merschberger) * 24. 12.1906 Berlin; Oberschullehrerin, wohnt in Göttingen. Erz. u. Verf. v. Fernsehspielen.

Schriften: Im Schatten zweier Weltkriege. Streiflichter aus einem deutschen Familienschicksal (Rom.) 1971.

IB

Heinrichs, Dirk * 7.5.1925 Bremen; Dr. phil., Unternehmer, wohnt in Fischerhude/Surheide.

Schriften: Das Problem der Objektsverfechtung in Hinblick auf Raum und Zeit, 1952; Am Rande der Straße, 1969.

IB

Heinrichs, Emilie (geb. Schmidt, Ps. E. v. Linden) * 1.3.1823 Schleswig, † 19.2.1901 Braunschweig; Trat 1848 mit polit. Ged. f. Schleswig-Holsteins Vereinigung mit Dtl. hervor. Erzählerin.

Schriften: Kaleidoskop (Nov., Erz. u. Ged.) 2 Bde., 1855; Norddeutsches Familienbuch (Nov.) 2 Bde., 1856; Der Maskenball oder: Die Hexe der Neustadt. Historischer Roman, 1860; Hennig Brabandt, der braunschweiger Bürgerhauptmann. Historischer Roman, 2 Bde., 1861; Bruderzwist. (Hist. Rom.) 1862; Dunkle Tage (Hist. Rom.) 2 Bde., 1863; Ein Deutscher Kaiser (Nov.) 1863;

Friedrich Wildt. Eine Erzählung nach Thatsachen aus Schleswig-Holsteins jüngster Vergangenheit, 1864; Kommerzienrath, Roman aus der Gegenwart, 1865; Dunkle Tage. (Hist. Rom.) 2 Bde., 1865; Der Stadtschreiber vonOsnabrück. Historische Erzählung aus dem dreizehnten Jahrhundert, 1865; Leibrenten. Roman aus der Gegenwart. 2 Bde., 1866; Bettler und Millionär. Roman aus der Neuzeit, 1867; Eine Räuberfamilie. Erzählung der Neuzeit nach wahren Thatsachen, 1867; Der Erbe von Grundhoff (Rom.) 1868; Auf der Menschheit Höhen. Roman aus der jüngsten Vergangenheit, 1868; Novellen 2 Bde., 1871; Im Irrenhause (Rom.) 1873; Das Geheimnis des Henkers. Eine Erzählung aus Hannovers Vergangenheit, 1878; Die Glocke von Attendorn. (Erz.) 1878; Die Tochter des Mohrenfürsten. Nach einer wahren Begebenheit, 1878; Der Weihnachtsabend eines Gefangenen. Nach einer wahren Begebenheit, 1878; Kapitain Carpfänger oder das Gastmahl der Seelöwen. Eine Erzählung aus Hamburgs Vorzeit, 1879; Über der Felsenhöhle. Eine Indianergeschichte, 1897; Das Opfer des großen Sterns, oder der Messer-Häuptling, Eine Indianergeschichte, 1879; Unter den Rothäuten oder die Mutter des Findlings. Eine Indianergeschichte, 1979; Der Zigeuner-Toni (Erz.) 1879; Im Goldlande oder die Höhle des gelben Wolfs. (Erz.) 1880; Der Jugend Lust und Leid. Epos in vier Gesängen, 1885.   IB

Heinrichs, Ernst, * 1.1.1841 Hannover, † Dez. 1905 ebd.; studierte Math., Naturwiss. u. Gesch., Dr. phil., Lehrer, später Dir. der Stadttöchterschule in Hannover.

Schriften: Der Jugend Lust und Leid (Ep.) 1885 (2. Auflg. u. d. T.: Des Tertianers Lust und Leid); Karl der Fünfte (Schausp.) 1887; Vierundzwanzig Stunden auf dem Carcer. Eine Erinnerung an Göttingen, 1887.   AS/IB

Heinrichs, Heinrich Matthias, * 30.12.1911 Amern/Krefeld; 1937 Dr. phil. Bonn, 1952 Habil., 1958 a.a. Prof., 1960 o. Prof. in Gießen, seit 1967 o. Prof. f. German. Philol. an d. FU Berlin. Hg. d. Zs. «Island» (1959–71), Mit-Hg. d. Zs. «Scandinavica» (seit 1962), d. «Beitr. z. dt. Philol.» (1964–68) u. CollGerm (seit 1967).

Schriften (Ausw.): Stilbedeutung des Adjektivs im eddischen Heldenlied, 1938; Die schönsten Geschichten aus Thule, 1961.

Herausgebertätigkeit (Ausw.): Deutsche Texte in Handschriften, 3 Bde., 1962–69; Hartmann von Aue, Iwein Hs. B, 1964; H. Hempel, Kleine Schriften, 1966.   RM

Heinrichs, O. → Hellinghaus, Otto.

Heinrico, De → De Heinrico.

Heinricus → Heinrich.

Heinricus → Summarium Heinrici.

Heinricus Francigena, Lehrer (?) anf. 12. Jh. wahrsch. im Kloster St. Salvator in Pavia; viell. Deutscher (Franke), der d. «Aurea gemma» u. möglicherweise auch d. «Summarium Heinrici» (Hs. Erlang. 396) verf. hat, dem d. «Aurea gemma» (auch: «De prosaico dictamine») mit Briefen d. 13. Jh. eingefügt ist. D. Brieflehre «Aurea gemma» entst. zw. 1119 u. 1124, d. Original ist verloren, d. Abschr. weichen stark voneinander ab.

Literatur: Manitius 3, 307. – A. Bütow, D. Entwicklung d. ma. Briefsteller bis z. Mitte d. 12. Jh., 1908; E. Schröder, ~ (in: ZfdA 66) 1929.   RM

Heinroth, Elisabeth → Rittland, Klaus.

Heinroth, Johann August Günther (Ps. Hans Sachs), * 19.6.1780 Nordhausen, † 21.5.1846 Göttingen; 1798–1802 Studium d. Theol. u. Philol. in Leipzig u. Halle, seit 1804 Gesangslehrer in Seesen/Harz u. seit 1818 Musikdir. an d. Univ. Göttingen.

Schriften: Kurzer Abriß der Jakobsohnschen Schule in Seesen, 1805; Vermischte Gedichte, 1. Bd., 1808 (²1817); Der kleine Declamator oder Lieder und Fabeln für Kinder aller Stände, 1812; Die Schicksale Napoleons des Großen nach der Feuersbrunst in Moskau. Ein satyrisches Gedicht in 4 Gesängen, 1813; Rüge einiger Irrungen und Wortverdrehungen in der von dem Herrn Cantor Bühring abgefaßten Ehrenrettung des Tonziffer-Systems ..., 1828; Sechs dreistimmige Lieder, 1. H., 1831; Gedichte, 3 H., 1832–1843; Musicalisches Hülfsbuch für Prediger, Cantoren und Organisten ..., 1833. (Außerdem versch. Schul- u. musiktheoret. Schriften).

Literatur: MGG 6, 78; Meusel-Hamberger 18, 96; 22.2, 654; Goedeke 7, 305. – G. Schünemann, Gesch. d. dt. Schulmusik, 1928.   RM

Heinroth, Johann Christian (August) (Ps. Treumund Wellentreter), * 17. 1. 1773 Leipzig, † 26. 10. 1843 ebd.; Studium d. Medizin in Leipzig, 1827 o. Prof. d. Medizin, 1842 Dekan d. medizin. Fakultät. Verf. v. viel beachteten medizinischen Werken.

Schriften (außer Fachschr.): Gesammelte Blätter, I Poesien, 1818 – II Prosaische Aufsätze, 1818 – III Prosa und Poesie, 1820 – IV Beschreibende Dichtungen, Herzensfeier häuslicher Feste, Musikalische Dichtungen, Rübezahl (Zaubersp. nach Musäus), Kleine Gelegenheitsdichtungen, Erzählungen (auch u. d. T.: Heitere Stunden) 1827.

Handschriften: Frels 124.

Literatur: ADB 11,648; NDB 8,435; Goedeke 10,115; Meusel-Hamberger 14,80; 18,97; 22/2, 654. – H. G. SCHOMERUS, Gesundheit u. Krankheit d. Person in d. medizin. Anthropologie ∼. (in: Jb. f. Psychologie, Psychotherapi u. med. Anthropologie 14) 1966.   IB

Heins, Carl (Ps. Eric N. Hals) * 5. 1. 1906 Hamburg-Nienstedten; Journalist in Hamburg. Dramatiker, Essayist, Erzähler, Theaterkritiker.

Schriften: Mit 'm Zisslaweng. Heitere Klamüstereien zum Paßlatant, 1960.   AS

Heinse, Gottlob Heinrich, * 8.4.1766 Gera, † 10.4.1813 Wien; Zuerst Buchhändler in Zeitz u. Naumburg, später freier Schriftst. in Wittenberg, Gera, Basel, Linz u. Wien. Verf. zahlr. hist. Rom. u. Unterhaltungsrom. Vielfach anonym.

Schriften: Adolph Sellwärt, eine Geschichte, wie sie die Welt aufstellen kann, 1786; Rambold und Mariane, eine Geschichte in Briefen, 1787; Gemälde und Scenen, gegründet auf ältere und neuere Geschichte, 1787; Erzählungen, zum Theil dialogisiert, 1788; Der glückliche Tanz, oder was ein Mädchen nicht kann, 1788; Lottens Leben und Ehestand, 1789; Ludwig der Springer, Graf von Thüringen; eine wirkliche Geschichte aus dem zwölften Jahrhundert, 1791; Siegfried der Däne. Graf von Orlamünde, 1791; Graf Adolph der Vierte aus Schauenburgischem Stamme, Bestätiger der Freyheit Hamburgs, 1791; Dietrich der Bedrängte, Graf von Weißenfels. Eine Geschichte in zwei Theilen, 1791; Heinrich der Eiserne, Graf von Holstein. Geschichte aus dem vierzehnten Jahrhundert, 1791;

Jakobine von Bayern, Gräfin von Holland, 1792; Ludwig der Eiserne, Landgraf von Thüringen, 1792; Das Turnier zu Prag, 2 Tle., 1792; Otto der Schütz, Junker von Hessen, Urenkel der heiligen Elisabeth; Geschichte aus dem vierzehnten Jahrhundert, 2 Tle., 1792; Der Pflegling Dianorens von Cenami, ein Zeitgenosse Ludwigs des Bayern, 2 Tle., 1792; Ida von Schwaben, Enkelin der Kaiserin Gisela. 2 Tle., 1792; Margarethe mit dem großen Maule, Erbin von Kärnthen und Tyrol, 2 Tle., 1792; Frau Sigbritte und ihre schöne Tochter; eine Geschichte aus den Zeiten Karls des Fünften, 2 Tle., 1792; Kanut der Heilige, König der Wenden, 2 Tle., 1793; Elise von Böhmen, Libussens letzter Sprößling, 2 Tle., 1793; Albrecht der Weise und seine Brüder, Erzherzoge von Östreich, 2 Tle., 1793; Herzog Othelrich von Böhmen und sein Sohn Brezislaus, 2 Tle., 1793; Encyklopädisches Wörterbuch, oder alphabetische Erklärung aller Wörter aus fremden Sprachen, die im Teutschen angenommen sind, wie auch aller in den Wissenschaften, bey den Künsten und Handwerken üblichen Kunstausdrücke (gem. m. anderen bearb. u. hg.) 1793–1803; Graf Meaupois und seine Freunde; eine französische Geschichte aus den Zeiten der Revolution, 1795; Thaten und Schicksale des Bürgers Ypsilanti, 2 Tle., 1797; Ludwig Helberg, als Jüngling und Mann, 2 Tle., 1798; Ehestandsgeheimnisse und Erziehungskünste; ein moralisch-satyrisch-comischer Roman, 1799; Trauer- und Freudentage der Familie Klinner, 1799; Klippen und Sandbänke auf der Lebensreise Adolfs und seines Steuermanns Paul, 2 Tle., 1800; Der Egoist und seine Geschwister, 1800; Die Kunst, auch in den Stürmen des Unglücks glücklich zu seyn, 2 Tle., 1800; Gideon Herrmanns Fährlichkeiten, auch angenehme Begegnisse, von ihm selbst erzählt, 1801; Die Familie Wallfeld, 1801; Patriotischer Vorschlag, wie der Handel Sachsens und Östreichs in höhern Flor, als jemahls, gebracht werden könnte, 1802; Der Russische Kolonist, oder Christian Gottlob Züge's Leben in Rußland, 2 Tle., 1802; Darstellung eines sichern Mittels, Dürftigkeit und Mangel aus jedem Staate gänzlich zu entfernen, 1803; Hängt Teutschlands und Europens Lage von Frankreichs Willkühr ab? 1803; Der Teutsche Fürstenbund nach den Forderungen des neunzehnten Jahrhunderts, 1804; Geist und Kritik der neuesten über die Theuerung der ersten Lebensbedürfnisse erschienenen Schriften; oder gesammelte und eigene Vorschläge, diese Volksnoth in Zukunft abzuwenden, 1806; Der Franzos und der Teutsche, oder Auswahl von Gesprächen zum leichtern Umgange zwischen beyden, 1807; Franz Flammer, eine Zeichnung aus Wien; Linz und seine Umgebungen, mit einem Überblicke der merkwürdigsten Städte und Gegenden von Oberösterreich, 1812.

Handschriften: Frels 124.

Literatur: Goedeke 5, 514; Meusel-Hamberger 3, 170; 14, 80; 18, 97; 22/2, 655.   IB

Heinse (urspr. Heintze, Heinze), (Johann Jakob) Wilhelm, * 15.2.1746 Langewiesen (Thüringen), † 22.6.1803 Aschaffenburg. Sohn e. Stadtschreibers u. Organisten. 1766 Beginn d. Jurastudiums in Jena, enger Anschluß an J. F. Riedel, mit diesem 1768 Übersiedlung nach Erfurt. Dort Einfluß Wielands, der auch d. Beziehung z. späteren Gönner u. Förderer Gleim herstellt. Nach e. Intermezzo als Sekretär u. Reisebegleiter (1771) seit 1772 Hauslehrer in Quedlinburg u. Halberstadt. 1774–1780 als Mithg. v. J. G. Jacobis «Iris» in Düsseldorf. Juni 1780 – September 1783 Italienreise mit längeren Stationen in Rom. Nach dreijährigem Aufenthalt bei F. H. Jacobi in Düsseldorf 1786 Ernennung z. Vorleser am Hof des Kurfürsten u. Erzbischofs v. Mainz. 1788 Hofrat u. Bibliothekar. 1793 Flucht vor d. französ. Besetzung v. Mainz zu F. H. Jacobi nach Düsseldorf. Ende 1794 Übersiedlung mit d. kurfürstlichen Bibl. nach Aschaffenburg. Bes. in d. von Anfang an höchst kontrovers beurteilten Roman «Ardinghello» erscheinen d. zentralen Themen Heinses beispielhaft vereinigt: d. Kult d. Genies – hier gespiegelt in d. italien. Renaissance-, sowie die Verbindung v. glühendem Kunstenthusiasmus u. schrankenlosem Lebensgenuß, die man mit d. Begriffen des «ästhetischen Immoralismus» oder des «Dionysischen» zu fassen versucht hat.

Schriften: Sinngedichte, 1771; Laidion oder die Eleusinischen Geheimnisse (Rom.). 1. Tl., 1774 (2., veränderte Aufl. 1799); Ardinghello und die glückseeligen Inseln. Eine Italiänische Geschichte aus dem sechszehnten Jahrhundert. 2 Bde., 1787 (2., verb. Aufl. 1794); Hildegard von Hohenthal (Rom.). 3 Tle., 1795/96; Anastasia und das Schachspiel. Briefe aus Italien (Rom.). 2 Bde., 1803; Musikalische Dialogen (hg. J. F. K. ARNOLD) 1805.

Übersetzungen/Anthologie: Begebenheiten des Enkolp. Aus dem Satyricon des Petron übersetzt. 2 Bde., Rom (d. i. Schwabach) 1773; Die Kirschen (nach Dorat) 1773; Abbé Jacques François Paul Alphonse de Sade, Nachrichten zu dem Leben des Franz Petrarca aus seinen Werken und den gleichzeitigen Schriftstellern. Bd. 1, 1774 (Bd. 2 und 3 übs. von Johann Lorenz Benzler u. Klamer Schmidt, 1776, 1778/79); Erzählungen für junge Damen und Dichter (...). Komische Erzählungen. (hg.) 2 Bde., 1775; Theorie des Paradoxen (nach André Morellet) 1778; Das befreyte Jerusalem von Torquato Tasso. 4 Bde., 1781; Roland der Wüthende. Ein Heldengedicht von Ludwig Ariost dem Göttlichen. 4 Tle., 1782/83.

Ausgaben: Sämmtliche Schriften (hg. H. LAUBE), 10 Bde., 1838, ²1857; Sämmtliche Werke (hg. C. SCHÜDDEKOPF; Bd. 8, 1–3 hg. A. LEITZMANN), 10 in 13 Bdn., 1902–1925; Wilhelm Heinse. Aus Briefen, Werken, Tagebüchern (hg. R. BENZ) 1958 (zuerst 1943: W. H. Vom großen Leben); Erzählungen für junge Damen und Dichter (hg. M. L. GANSBERG) 1967; Ardinghello und die glückseligen Inseln (krit. Studienausg. hg. M. L. BAEUMER) 1975.

Briefe: Br. zw. Gleim, W. H. u. J. v. Müller (hg. W. KÖRTE), 2 Bde., 1806; Briefw. zw. Gleim u. H. (hg. C. SCHÜDDEKOPF) 2 Bde., 1894/95; → Sämmtliche Werke Bd. 9–10; Ungedr. Br. von W. H. (hg. H. BRÄUNING-OKTAVIO in: Westf. Magazin NF 2) 1911.

Tagebücher: → Sämmtliche Werke Bd. 7–8.

Nachlaß: Stadt- u. Univ.-Bibl. Frankfurt a. M.; Schloßbibl. Aschaffenburg. – Denecke 2. Aufl.

Bibliographie: Goedeke 4, 1, 879, 1160. – SCHURIG 1912; ZIPPEL 1930; BAEUMER 1966.

Literatur
Zur Biographie: ADB 11, 651; NDB 8, 438. – R. HASSENCAMP, Beitr. z. Gesch. d. Gebrüder Jacobi. Tl. 4: D. Beziehungen ∼s zu d. Gebrüdern Jacobi (in: Beitr. z. Gesch. des Niederrheins. Jb. des Düsseldorfer Geschichtsver. 12) 1897; A. SCHURIG, D. junge ∼ u. s. Entwicklung bis 1774, 1910; A. JOLIVET, ∼. Sa vie et son oeuvre jusqu'en 1787, 1922; A. LEITZMANN (hg.), ∼ in Zeugnissen s. Zeitgenossen, 1938; E. HOCK, Dort drüben in Westfalen (...) Hölderlins Reise n. Bad Driburg mit ∼ u. Diotima, 1949; DERS., ∼ u. d. Mainzer Kurstaat (in: Aschaffenburger Jb. 1) 1952.

Zu Werk und Welt: K.D. JESSEN, ∼s Stellung z. bild. Kunst u. ihrer Ästhetik, 1901, ²1967; H. NEHRKORN, ∼ u. s. Einfluß auf d. Romantik, 1904; W. BRECHT, ∼ u. d. ästhet. Immoralismus, 1911; E. RIESS, ∼s Romantechnik, 1911; F. PETITPIERRE, ∼ in d. Schr. d. Jungdeutschen, 1915; E. KRIEGELSTEIN, Ästhetizismus u. Übermenschentum in ∼s Weltanschauung (in: Preuß. Jb. 176) 1919; W. REHM, D. Werden d. Renaissancebildes in d. dt. Dg., 1924; H.R. SPRENGEL, Naturanschauung u. maler. Empfinden bei ∼, 1930; A. ZIPPEL, ∼ u. Italien, 1930; W. MONTENBRUCK, ∼s Sprache bis zu s. italien. Reise, 1932; H. HORN, ∼s Stellung z. dt. Klassik (in: Imprimatur 7) 1937; W.K. SCHOOR, ∼ als Kunstkritiker u. Feuilletonist (Diss. Berlin) 1943; E. LIEDL, ∼s Italienerleben vergl. mit dem Goethes (Diss. Wien) 1948; K. SCHNEIDER, «Anastasia und das Schachspiel» von ∼. Rom. oder Schachlehrbuch? (Diss. Wien) 1949; E. HOCK, ∼s Urteil über Hölderlins «Hyperion» (in: Hölderlin-Jb.) 1950; R. GILG-LUDWIG, ∼s «Hildegard von Hohenthal» (Diss. Zürich) 1951; C. v. SCHRÖDER, ∼ als Kritiker d. Lit. (Diss. Freiburg/Br.) 1951; P. GRAPPIN, Ardinghello et Hyperion (in: EG 10) 1955; E.E. REED, The Transitional Significance of ∼s «Ardinghello» (in: MLQ 16) 1955; H. v. HOFE, ∼, America, and Utopianism (in: PMLA 72) 1957; M.L. BAEUMER, D. Dionysische in d. Werken ∼s, 1964; DERS., ∼-Studien. Neue Forsch. u. ∼s unveröffentlichte Schr. zur Erfindung d. Buchdruckerkunst in Mainz, 1966; DERS., ∼s lit. Tätigkeit in Aschaffenburg (in: SchillerJb 11) 1967; E.M. MOORE, D. Tagebücher ∼s, 1967; H.-W. KRUFT, ∼s italien. Reise (in: DVjs 41) 1967; H. ZELLER, ∼s Italienreise (in: DVjs 42) 1968; W.R. BRANDON, ∼ and Italian Literature (in: Comp. Lit. Studies 5) 1968; M. KOLLER, D. poet. Darst. der Musik im Werk ∼s (Diss. Graz) 1968; C. MAGRIS, ∼, 1968; H. MOHR, ∼. D. erotisch-religiöse Weltbild u. s. naturphilos. Grundlagen, 1971; DERS., ∼: Krit. Gesamtausg. Ein Bericht (in: Internat. Jb. f. Germanistik 4) 1972; O. KELLER, ∼s Entw. z. Humanität. Z. Stilwandel des dt. Rom. im 18. Jh., 1972; R. TERRAS, ∼s Ästhetik, 1972; R. GÜNDE, ∼s Novels. A Study in Development and Decline (Diss. Iowa) 1973; U.R. KLINGER, ∼s Ardinghello: a Re-Appraisal (in: LessingYb. 7) 1975; W. SINGER, Mensch u. Raum in ∼s

Romanen. Struktur u. Entwicklung (Diss. Wien) 1975; R. WIECKER, A Note on Barocci's «S. Catherine» and the Italian Diaries of ∼ (in: Text & Context 3) 1975; M. DICK, ∼ (in: B. v. WIESE [Hg.], Dt. Dichter d. 18. Jh.) 1977.

H-G D

Heinsen, Wilhelm, * 22.7.1879 Hamburg-Eidelstedt, † 10.4.1959 Bad Liebenzell/Württemberg; Lehrer. Essayist u. Erzähler.

Schriften: Heilig, heilig, bräutlich, 1929; Weihnachtliche Kurzerzählungen für Erwachsene (Dein Licht kommt – Laßt uns nach Bethlehem gehen – Die unaussprechliche Gabe – Euch ist heute der Heiland geboren) 1950; Die zweite Meile in der Liebenzeller Mission, 1951; Mein eigenes Heim hinter den Dünen, 1956.   IB

Heinsius, Daniel (eigentlich Heinse od. Heyns) * 9.6.1580 Gent, † 25.2.1655 Leiden; Prof. f. klass. Philol. ebd., Vorbild f. M. Opitz; Hg. lat. u. griech. Schriftsteller.

Schriften: Auriacus sive Libertas saucia, 1602; Elegiae libri tres, Monobiblos, Sylvae, in quibus variae, 1603; Crepundia Siciliana seu notae in Silium Italicum (Hg.) 1610; De tragoediae constitutione, 1611; Nederduytsche Poëmata, 1616; Poemata, 1617; De contemptu mortis libri IV, 1630; Exercitationum sacrarum libri XX, 1639; Poemata auctiora (hg. v. N. HEINSIUS) 1640.

Literatur: ADB 11,653; Goedeke 2,122; Jöcher 2,1455; Ersch-Gruber 2/5,14. – D.J. H.TER HORST, ∼, 1935; S. PEPPINK, ∼, 1935; E.G. KERN, The Influence of ∼ and Vossius upon French Dramatic Theory. (in: University Press 49) 1953; F.W. LENZ, D. Wiedergewinnung der v. ∼ benutzten Ovidhss. II. (in: Era 61) 1963; L. ROOSE, Kanttekeningen bij oen hernitgave van ∼' lofzangen op Bacchus en Christus. (in: Leuv.Bijdr. 55) 1966; J.C. ARENS, ∼' Christushymne. Vertaald door M. Nesselius naar M. Opitz (in: Tijdschrift voor Nederlandse taalen. letterkunde 83) 1967; L.C. MICHELS, ∼, «Lof-sanck van Jesvs Christvs», vs. 163. (in: De nieuwe taalgids 61) 1968; P.R. SELLIN, Puritan and Anglican. A Dutch perspective. (in: Studies in Philology 65) 1968; H. DE LA FONTAINE VERWEY, Notes on the Début of ∼ as a Dutch Poet. (in: Quaerendo: A Quarterly Journal from the Low Countries Devoted to Manuscripts and Printed Books 3) 1973.   IB

Heinsius, Maria (geb. Stoeber) * 30.3.1893 Regensburg, Dr. theol., wohnt in Freiburg/Br., Verf. v. Ess. u. Biographien.

Schriften: Mütter der Kirche in deutscher Frühzeit, 1938; Die brennende Lampe, Frauengestalten des hohen Mittelalters, 1942; Das unüberwindliche Wort. Frauen der Reformationszeit, 1951; A. Schlatter. Eine Mutter nach Gottes Herzen, 1952; Frauen der Reformationszeit am Oberrhein, 1964; Frauen der Kirche am Oberrhein. Lebensbilder von der Reformation bis in die Neuzeit, 1978.   IB

Heintschel-Heinegg, Hanns Georg, * 5.9. 1919 Kněžitz in Böhmen, † 5.12.1944 Wien. Teilnehmer d. öst. Widerstandsbewegung, hingerichtet. Lyriker.

Schriften: Vermächtnis (Ged.) 1948.

Literatur: ÖBL 2,251. − I. Ch. Kühmayer, Auferstehung, 1947.   IB

Heintz, Jakob, * 10.4.1833 Alzey/Rheinhessen, † 14.9.1901 New York; 1849 Auswanderung n. New York, Schreinerlehre, 1873 Gründung e. Möbelgeschäfts. Verf. zahlr. Turnerlieder.

Schriften: Aus Mußestunden (Ged. u. Lieder) 1888.   RM

Heintz, Karl, * 25.4.1906 Kempfenhausen b. Starnberg; Dr. phil., Ob. Regierungsdir. i. R., wohnt in München. Jugendautor.

Schriften: Zauberflug nach China, 1956; Der fremde Zauberer, 1956; Die Fußballzauberstiefel, 1956; Käfig − Kafig oder Die vertauschten Tüpfelchen, 1957; Sternchen 334a, 1957; Spatz Pepperl, 1958; Vom Kamin, der ein Aussichtsturm werden wollte, 1958; Wenn der Vater Märchen erzählt, 1961; Der Räuber Bim, 1962; Mein Sohn und ich. Mit Töchtern ist's nicht anders, 1965; Die seltsamen Geschichten vom Zauberer Wurzelsepp, 4 Bde., 1966–67; 's boarische Märchenbüachel, 1968; Die Wolke Plum, 1968; Mit dem Finanzamt leben, 1969; Der Elefant von Lenggries, 1970; Der boarische Zauberer, 1971; Von der Stadt, die den Drachen fing, 1972; Billerdix, der Sonntagszauberer, 1975; Es stand in der Zeitung. Vergnügliche Tiergeschichten, 1977.   IB

Heintze, Albert, * 30.3.1831 Naugard/Pommern, † 20.3.1906 Stolp; Theol.- u. Philol.-

Studium in Halle, Gymnasiallehrer in Treptow/Ruhr u. Stolp (1889 Prof.), lebte seit 1895 im Ruhestand.

Schriften: Dramatische Bilder. Zur Darstellung in höheren Schulen, 1874; Ehrenpreis. Vaterländische Schauspiele für Deutschlands Töchter ..., 1894. (Ferner versch. Schulschriften).   RM

Heintze, Susanne → Hoerner-Heintze, Susanne.

Heintzelmann, M. Johann, * 29.1.1626 Breslau, † 27.2.1687 Salzwedel; 1645 Magister d. Philos., 1651 Rektor am Grauen Kloster Berlin, seit 1660 Superintendent u. Schulinspektor in Salzwedel.

Schriften: Die Gnaden-Archa Noä und aller Creaturen ..., 1646; Panegyricus pro Erasmus Seidel, 1657; Historia Exemplaris ..., 1658. (Ferner Disp., Predigten; Ged. u. a. in d. Slg. Stolberg-Stolberg, 1927–32).

Literatur: Jöcher 2,1459; Neumeister-Heiduk 372. − G. Kawerau, D. Berliner Kirchenlieddichter ∼ (in: Jb. f. Brandenburg. Kirchen-Gesch. 7 u. 8) 1911.   RM

Heinz der Kellner, wahrsch. 2. Hälfte d. 14. Jh. im südl. Alemannien; Verf. e. weit verbreiteten Schw., dem F. v. d. Hagen d. Titel «Turandot» gab. E. Tölpel gewinnt durch Lösung dreier Aufgaben e. Königstochter. D. Schw. rückt mit seinem derben Naturalismus in d. Nähe d. Fastnachtsspiels.

Ausgabe: GA 3.

Literatur: VL 2,370; de Boor-Newald 3/1,274; Ehrismann 2 (Schlußbd.) 117. − A. L. Stiefel, Über d. Quelle d. Turandot-Dg. ∼s (in: Zs. f. vgl. Lit.gesch., NF 8) 1895; M. Landau, ∼ (in: ebd. 9) 1896.   RM

Heinz, Carl (Ps. Carl-Heinrich Saxen-Hausen), * 13.4.1841 Frankfurt/M., Todesdatum u. -ort unbekannt; n. kaufmänn. Ausbildung zus. mit s. Bruder Fabrikbesitzer in Sachsenhausen.

Schriften: Wandergrüße, 1888; Herzensklänge (Ged.) 1897.   RM

Heinz, Franz, * 21.11.1929 Perjamosch Kreis Temesch; Journalist, wohnt in Bukarest. Erzähler.

Schriften: Husaren der Äcker, 1962; Vom Wasser, das flußauf fließt, 1962; Das blaue Fenster und andere Skizzen, 1965; Acht unter einem

Dach (drei Erz.) 1967; Sorgen zwischen 9 und 11 (Kurze Prosa) 1968; Vormittags (Kurzrom.) 1970; Erinnerung an Quitten (Kurzgesch.) 1971.
IB

Heinz, Friedrich-Wilhelm, * 7.5.1899; lebte in Berlin.

Schriften: Sprengstoff (Rom.) 1930; Kameraden der Arbeit. Deutsche Arbeitslager: Stand, Aufgabe und Zukunft, 1933; Die Nation greift an. Geschichte und Kritik des soldatischen Nationalismus, 1933; Mensch Unbekannt. Begegnung und Erinnerung (mit andern) 1935. AS

Heinz, K. (Ps. für Heinrich Kipp, anderes Ps.: Lucifer), * 19.11.1881 Lengerich/Westf.; war einige Zeit Lehrer in China, dann Realschullehrer in Bremen.

Schriften: Schlichte Lieder (Ged.) 1904; Ein Jahr in Dunkelhausen. Eine Lehrer- und Pastorengeschichte aus dem modernen Schilda, 1910; Der Sündenfall und andere humoristische Satiren, 1913; Von Häckel zur Theosophie, 1913; Der Krieg im Lichte der okkulten Lehren. Ein Wort an die weiße Rasse, 1915; Unsere Toten leben. Eine klare Lösung auf Grund eines reichen Erfahrungs- und Beweismaterials, 1918; Der Weg zum Frieden! Eine Abhandlung im Lichte der Entwicklungs- und Wiederverkörperungslehre, 1918; Geisteswissenschaft, Weltkrieg, Revolution? Deutsche Wiedergeburt, 1919; Goethes Faust als Weltanschauung und Geheimlehre. Einführung auf Grund theosophischer Forschung, 1921; Der Ring des Nibelungen als Weltanschauung, 1921; Die Malerprinzeß (Operette) 1934. AS

Heinz, K. → Berger, Karl Heinz.

Heinz, Karl → Hill, Karl Heinz; Lämmel, Josef Otto.

Heinz, Kurt (Ps. für Emmy Mau), * 17.7.1868 Kiel, lebte als Gattin eines Prof. in Altona.

Schriften: Napoleon und Josephine. Geschichtliches Schauspiel in 5 Akten, 1907. AS

Heinz, Maria (Ps. f. Gertrud Friedländer, geb. Grelling), * 18.3.1856 Berlin; lebte in Berlin, e. langjähriges Leiden gab ihr Muße f. lit., naturwiss. u. philos. Studien.

Schriften: Durch dunkle Stunden (Rom.) 1909. AS

Heinz, T. von (Ps. f. Henny von Tempelhoff), * 7.8.1851 Berlin, † 1929 Vietz/Neumark; entstammt e. alten Berliner Patriziergeschlecht, Tochter e. Justizrats, früh verwaist; längere Zeit in Berlin als Lehrerin tätig, lebte seit 1907 in Vietz, zeitweise in München. Verf. v. Erz. für junge Mädchen.

Schriften: Lebenswege. Erzählung für junge Mädchen, 1884; Der Retter in der Noth (Lsp.) 1885; Eva. Eine Erzählung für erwachsene Mädchen, 1891; Die Cousinen. Erzählung für erwachsene Mädchen, 1891; Susis Lehrjahre. Erzählung für junge Mädchen von 12–14 Jahren, 1893; Die Wahl der Gefährtin (Lsp.) 1893; Glückskind. Erzählung für junge Mädchen, 1894; Im Waldschloß. Erzählung für erwachsene Mädchen, 1897; Ullas Geheimnis. Erzählung für junge Mädchen, 1900; Goldköpfchen. Erzählung für junge Mädchen, 1901; Pension Velden. Erzählung für erwachsene junge Mädchen, 1902; Tante Sybille. Erzählung für junge Mädchen, 1902 (neue Aufl. 1926); Jnes. Eine Erzählung für Mädchen, 1904; Unser Schloßfräulein. Erzählung für die weibliche Jugend, 1907; Komptesschen von der Walsburg. Erzählung für junge Mädchen, 1913; Mein Glück im Hause Ludendorff. Eine Familiengeschichte, 1918; Aus Ludendorffs Stamme. Erzählung für die Jugend, 1918; Jnes und ihre Freundin. Erzählung für jüngere Mädchen, 1920; Reseda. Erzählung für junge Mädchen, 1920.

Literatur: R. WREDE u. H. v. REINFELS, D. geistige Berlin, 1897. AS

Heinz-Dönges, Lisa (Ps. f. Elisabeth Heinz, geb. Dönges), * 1.4.1897 Frankfurt am Main; Sprachlehrerin. Verf. v. Jugendbüchern.

Schriften: Ursula und Lies. Erlebnisse zweier Schulmädchen (Rom.) 1932; Friede nach Streit, 1951; Monikas Gott. Nach dem Tagebuch einer Achtzehnjährigen, 1951; Ich warte auf dich, Ursula, 1955; Gefahr! – Schleuse zu! 1962; Gib acht, Christa! (zwei Erz.) 1965. IB

Heinz-Erian, Hanna (geb. Lassnig) * 7.6.1925 Seeboden am Millstätter See/Kärnten, Lehrerin, später Mitarb. in d. Arztpraxis ihres Gatten, lebt in Villach/Kärnten. Mundartdichterin.

Schriften: Denkts amol dran, 1973. IB

Heinz-Mohr, Gerd, * 28.12.1912 Rhaunen/Hunsrück; Dr. phil., Schriftst., wohnt in Rhaunen. Essayist, Verf. v. Biographien.

Schriften: Sermon, ob der Christ etwas zu lachen habe, 1956; Spiel mit dem Spiel, 1959; Weisheit aus der Wüste, 1959; Jetzt und in der Stunde unseres Todes, 1963; Das Werk des Nicolaus Cusanus (Hg.) 1963; Brüder der Welt. Orden und Kommunitäten unserer Zeit (gem. m. H.E. Bahr) 1965; Nikolaus von Kues und die Konzilsbewegung, 1963; Das Globusspiel des Nikolaus von Kues, 1965; ... lacht am besten. Christlicher Humor quer durch Deutschland, 1965; Lachen durchs Kirchenjahr. Geschichten, Berichte und allerlei fröhliches Beiwerk, 1968; Christsein in Kommunitäten, 1968; Lexikon der Symbole. Bilder und Zeichen der christlichen Kunst, 1971; Gott liebt die Esel. Vergnügliche und besinnliche Betrachtungen, 1972; Ärger mit der Wahrheit, 1972; Die Sau mit dem güldenen Haarband. Herzhafte Predigten aus alter und neuer Zeit, 1973; Das vergnügte Kirchenjahr. Heitere Geschichten und schmunzelnde Wahrheiten, 1974; Die Kunst des geöffneten Lebens, 1975; Kinder des Paradieses. Alte Geschichten heiterer Lebensweisheit, 1975.

Literatur: R. BRANDHORST, ∼-Bibliographie. (in: D. vielen Namen Gottes. ∼ z. 60. Geb. tag, hg. M. KRAUSE u. J. LUNDBECK) 1974.   IB

Heinze, Anna (geb. Voigt), * 2.5.1858 Rothenburg, † 7.3.1905 Dresden; 1892 verh. mit d. Schriftst. Paul Heinze.

Schriften: Aus Dur und Moll (Ged., gem. m. P.H.) 1897; Ausgewählte Gedichte (hg. v. P.H.) 1909.   IB

Heinze, Hartmut, * 16.1.1938 Berlin; Buchhändler. Wohnt in Berlin. Lyriker.

Slhriften: Indischer Weg. (Ged. u. Prosa) 1975.   IB

Heinze, Karl (Christian Traugott, auch: Teuthold), * 26.3.1765 Stargard/Niederlausitz, † 29.7.1813 Reinerz/Schles.; Hauslehrer in Klein-München/Pr., lebte später in Breslau, redigierte 1812f. F.D. Gräters «Idunna u. Hermode».

Schriften: Gedichte, 1792; Allgemeines Repertorium über die sechs ersten Bände von Bragur ..., 1805; Archif von und für Schlesien (Mit-Hg.) 1812.

Literatur: Ersch-Gruber II. 5,24; Goedeke 5, 420; 7,435. – T. BERNDT, ∼ im Leben u. Wirken, 1913.   RM

Heinze, Kurt → Nell, Peter.

Heinze, Paul, * 7.6.1858 Dresden, † 22.8.1912 ebd.

Schriften: Geschichte der Deutschen Literatur von Goethes Tod bis zur Gegenwart (gem. m. R. Goette) 1889; Deutsche Poetik (gem. m. R. Goette) 1891.

Herausgebertätigkeit: Im Wechsel der Tage (Anthol., vollst. neubearbeitet) 1886; Anna Heinze-Voigt, Ausgewählte Gedichte, 1909.   IB

Heinze, (Karl) Theodor (Emil), * 14.1.1793 Saabor/Niederschles., Todesdatum u. -ort unbekannt; n. militär. Laufbahn Kreis-Sekretär in Löwenberg, seit 1830 Strafanstaltsdir. in Görlitz. Hg. versch. Wochenschriften.

Schriften (Ausw.): Potpourri auserlesener Denksprüche, Sprichwörter, Aphorismen, Gnomen und Aufsätze ..., 1824; Die vier wandernden Helden. Von Kurowsky-Eichen (hg.) 1827; Sammlung gefälliger Gesellschaftslieder, 1832; Autobiographie eines vom Unglück vielfach heimgesuchten und hartgeprüften Mannes, 1834.

Literatur: Meusel-Hamberger 22.2,659.   RM

Heinze, Wenzel Sigismund, * 21.11.1738 Frankenstein/Schles., † 18.4.1830 Langhalsen/Oberöst.; studierte in Wien Theol., d. letzte Jesuit in Oberöst. nach d. vollzogenen Aufhebung d. Ordens durch Papst Klemens XIV. Übers. u. Lyriker.

Schriften: Gespräch zwischen der Muse und dem Dichter (Ged.) 1773; Ode zum Lobe des Buecher-Censur, 1780; Der deutsche Satyriker vor der lateinischen Inquisizion. Ein dramatisierter Roman, 1780; Vermischte Schriften den Oberösterreichern gewidmet, 2 Bde., 1780/81; Lyrische Gedichte den Oberösterreicherinnen gewidmet, 1780; Maria Theresia im Tempel der Unsterblichkeit (Ged.) 1781; Oda an das Verdienst, 1781; Eybel, Gesammelte kleine lateinische Schriften ins Teutsche übersetzt, 3 Bde., 1781f.; Fénelons Abhandlung über die Freyheiten der französischen Kirche (Übers.) 1782; Die Feyer der Religionsduldung am Jahrestage ihrer Einführung, 1784; Die Linzer Kirche, 1784.

Literatur: Goedeke 6,605; Meusel-Hamberger 3,177; Wurzbach 8,236; Ersch-Gruber 2/5,25.

IB

Heinze-Hoferichter, Mara (Margarete), * 6.1. 1887 Küstrin; lebte bei u. in Berlin, dann in Wasserburg/Bodensee, zuletzt auf Schloß Mittelbiberach/Riss.

Schriften: Friedel Starmatz. Der Roman eines Kindes, 1928; Zwei Menschen gehen ihren Weg (Rom.) 1930; Der heilige Berg (Rom.) 1931; Die Himmelsleiter. Die Geschichte vom Schmerzenskraut. Zwei Erzählungen, 1931; Erste Kindheit. Erinnerungen, 1931; Hansjörgs wunderbare Wanderfahrt, 1932; Ina Berghöft (Rom.) 1933 (Neuaufl. u. d. T.: Das gläserne Tor, 1944).

AS

Heinzel, Lothar, * 5.1.1903 Triest, Italien, † 7.11.1970 Graz; Lehrer.

Schriften: Der Schatzgräber von Hissarlik. Die Entdeckung von Troja durch H. Schliemann (Erz.) 1931.

IB

Heinzel, Max, * 28.10.1833 Ossig/Schles., † 1.11.1898 Schweidnitz/Schles.; Hauslehrer in versch. Orten, seit 1867 Theaterkritiker u. Journalist in Berlin, Aufenthalt in Dänemark, Journalist in versch. schles. Städten, seit 1885 Red. u. Schriftst. in Schweidnitz. Seit 1883 Hg. d. Volkskalenders «Der gemittliche Schläsinger», zeitweise Schriftleiter d. Neurodener Zs. «Der Hausfreund». V. a. Mundartdichter.

Schriften: Aus Herzensgrund (Ged.) 1867; Vägerle flieg aus! Gedichte in schlesischer Mundart, 1875 (2., verm. Aufl. 1896); Ohne Titel. Ein nordisches Buch (aus d. Dän. übers.) 1878; A schlä'sches Pukettel. Gereimtes und Ungereimtes, 1880 (verm. Neuausg. 1881, 1892, 1901); Humoristische Genrebilder ..., 1881; Ock ni trübetimplig! Schläsche Verzählsel, 1881 (verm. Neuausg. 1895, 1905); A lustiger Bruder. Neue schläsche Schnoken, 1882 (3., verm. Aufl. 1897); Mei jüngstes Kindel. Allerhand schläsche Geschichten, 1884 (2., veränd. Aufl. 1909); Fahrende Gesellen. Hochdeutsches u. Mundartliches, 1885; Der schlesische Kurort Ober-Salzbrunn ..., 1885; Maiglöckel. Dichtungen in schlesischer Mundart, 1888 (2., verm. Aufl. 1906); In Sturm und Wetter (hg. Dg.) 1888 (2., verm. Aufl. 1907); In Rübezahls Reich und andere Dichtungen, 1891; A frisches Richel. Hochdeutsches und Mundartliches, 1893 (2., veränd. Aufl. 1908); 's Julerle vum Priezelte (Schw. mit Gesang) 1906; Die drei Freier (Schausp. n. d. Dän. d. Hostrup) 1906; Das Max Heinzel-Buch. Auslese aus seinen mundartlichen Dichtungen (hg. u. eingel. H. C. Kaergel) 1931.

Literatur: ADB 50,155; NDB 8,449. – K. ROSSDEUTSCHER, D. schles. Wortschatz n. d. Dg.

v. ∼ (Diss. Breslau) 1923; A. LUBOS, Gesch. d. Lit. Schlesiens 1, 1960; D. «gemittliche Schläsinger». Aus d. Leben d. schles. Mundartdichters ∼ (in: D. Schlesier 17) 1965.

RM

Heinzel, Richard, * 3.11.1838 in Capo d'Istria (Istrien), † 4.4.1905 Wien (Selbstmord), Sohn d. Gymnasialpräfekten in Görz, studierte 1856–60 klass. u. dt. Philol. an d. Univ. Wien, 1862 Dr. phil., 1860–64 Hilfslehrer an Gymnasien zu Triest, Wien, Linz, zeitweilig Hofmeister im Haus des Fürsten Sutsos in Rumänien, 1865–68 Lehrer, dann Prof. in Graz, 1873 als Nachfolger Wilhelm Scherers zum o. Prof. d. dt. Sprache u. Lit. in Wien ernannt. K. k. Hofrat, Mitgl. der Akad. d. Wiss. in Wien u. der Société Royale des Antiquaires du Nord in Kopenhagen, d. K. Ges. d. Wiss. in Christiania, d. böhm. Ges. d. Wiss. in Prag. Germanist.

Schriften: Geschichte der niederfränkischen Geschäftssprache, 1874; Über den Stil der altgermanischen Poesie, 1875; Beschreibung der isländischen Sagen, 1880; Über die Nibelungensage, 1885; Über die ostgotische Heldensage, 1889; Über die französischen Gralromane, 1891; Über das Gedicht vom König Orendel, 1892; Über Wolframs von Eschenbach Parzival, 1893; Abhandlungen zum altdeutschen Drama, 1896; Beschreibung des geistlichen Schauspiels im deutschen Mittelalter, 1898; Kleine Schriften (hg. M. H. JELLINEK u. C. v. KRAUS) 1907.

Herausgebertätigkeit: Heinrich von Melk, 1867; Notkers Psalmen (mit W. Scherer) 1876; Saemunder Edda (mit F. Detter) 1903.

Literatur: NDB 8,450. – M. H. JELLINEK, ∼ (in: Zs. für die öst. Gymnas.) 1905; A. E. SCHÖNBACH, ∼ (in: Biogr. Jb. 10) 1907; S. SINGER, ∼ (in: S.S., Aufs. u. Vortr.) 1912.

MR

Heinzelin von Konstanz, 1. Hälfte 14. Jh. (?), urkundl. nicht bezeugter Dichter, der sich auch in s. Werken nicht selber nennt, s. Namen überl. Überschr. s. Ged. in d. Hss. H. war Küchenmeister e. Grafen Albrecht v. Hohenberg, der wahrsch. ident. mit d. spätern Bischof Albert II. v. Freising ist. H.s Ged. entst. wohl um 1320–40. D. Minnerede «Von dem Ritter und dem Pfaffen» stellt in e. Streitgespräch zweier Frauen d. Frage, welcher d. beiden die minne würdiger sei. In d. wahrsch. auf e. lat. Vorlage basierenden Ged. «Von den zwein Sanct Johansen» streiten sich zwei Nonnen, ob Johannes d. Täufer od. Johannes d. Evangelist d. höheren Rang einnehme. Sprache, Stil u. Strophenform zeigen Einflüsse Konrads v. Würzburg. H. zugeschrieben wurde früher die «Konstanzer Minnelehre», doch scheint H. nicht deren Verf. z. sein.

Ausgaben: H. v. K. (hg. F. PFEIFFER) 1852; Die kleineren Liederdichter des 14. u. 15. Jh. I (hg. T. CRAMER) 1977.

Literatur: VL 2, 371; 5, 370; ADB 4, 452; NDB 8, 451. – F. HÖHNE, D. Ged. ~s u. d. Minnelehre (Diss. Leipzig) 1894; E. SCHRÖDER, D. Berner Hs. d. Matthias v. Neuenburg (in: Nachrichten d. Göttinger Gesellsch. d. Wiss., Phil.-hist. Kl.) 1899; DERS., ~ (in: ZfdA 53) 1912; K. MERTENS, D. Konstanzer Minnelehre, 1935; A. WALLNER, ~ (in: ZfdA 72) 1935; F. E. SWEET, Von den zwein Sanct Johannsen (in: PQ 22) 1943.   RM

Heinzelmann, Karl (Ludwig), * 28.4.1799 Lychen, Todesdatum u. -ort unbekannt; Kaufmann in Berlin, Gründer d. «Elysiums» im Berliner Tiergarten.

Schriften: Elysium (Ged.) 1836; Die preußische Bureaukratie, 1845.   RM

Heinzelmann, Paul Willi Fritz → Elmann, Heinz.

Heinzelmann, Siegfried, * 17.7.1911 Göttingen; Dekan, wohnt in Baden-Baden.

Schriften (Ausw.): Er ist der Herr. Worte an unsere Konfirmanden, 1955; Mein Herze geht in Sprüngen und kann nicht traurig sein. Ein Lebensbild Paul Gerhardts aus seinen Liedern, 1957; Am Anfang war die Freude. Weihnachtliche Betrachtungen, ein Brief, eine Geschichte für die heutigen Menschen und das Weihnachtsspiel «Immer werden wir's erzählen», 1959; Wegweiser zum Glauben, 1961; P. Gerhardt, Sein Leben, seine Lieder. K. Hesselbachers P. Gerhardt, Der Sänger fröhlichen Glaubens (neu hg.) 1963; Offene Türen, gangbare Wege. Zuspruch und Wegweisung fürs tägliche Leben, 1964; Gib uns jetzt dein Wort (Ess.) 1970; Gottes Hände sind ohn' Ende, 1970; Er der Meister, wir die Brüder: Aus dem Leben des Grafen Zinzendorf, 1973; Ein Blumenstrauß aus Gottes Sonnengarten (2. Aufl.) 1974; Auf das Herz kommt es an. Kleiner Ratgeber fürs tägliche Leben, 1978.   IB

Heinzen, Karl (Peter), * 22.2.1809 Grevenbroich b. Düsseldorf, † 12.11.1880 Boston; studierte in Bonn Medizin, wegen polit. Umtriebe relegiert, Steuerbeamter, später Direktionssekretär d. rhein. Eisenbahn in Köln. Polit. tätig, geht schließl. nach Amerika. In New York Red. d. «Schnellpost», in Boston u. Louisville Red. d. «Pioniers». Publizist, Lyriker, Lsp.dichter u. Memoirenschreiber.

Schriften: Reise nach Batavia, 1841 (2. verm. Aufl. u. d. T.: Reise eines teutschen Romantikers nach Batavia, 1845); Gedichte, 1841 (3. verm. Aufl. 1867); Die Ehre. Eine Flugschrift, 1842; Doktor Nebel oder: Gelehrsamkeit und Leben (Lsp.) 1842; Die geheimen Konduitenlisten der Beamten. Eine Flugschrift, 1842; Die Preußische Büreaukratie, 1845; Steckbrief, 1845; Politische und unpolitische Fahrten und Abenteuer, I Ältere Fahrten, II Neuere Fahrten oder politische Romantik, 1846; Erst reine Luft, dann reiner Boden, 1848; Die Helden des teutschen Kommunismus. Dem Herrn K. Marx gewidmet, 1848; Über Musik und Kunst, 1848; Einige Blicke auf die badisch-pfälzische Revolution, 1849; Die Teutschen und die Amerikaner (2. Aufl.) 1860; Deutscher Radikalismus in Amerika. Ausgewählte Vorträge, 1866; Gesammelte Schriften, I Gedichte, II Lustspiele, III–V Erinnerungen, 1864–74; Die Wahrheit, 1865; Sechs Briefe an einen frommen Mann. Mit einem Vorwort an einen Jesuiten und einem Nachwort an einen «Humburger» (3. verm. Aufl.) 1866; Teutscher Radikalismus in Amerika (Vorträge u. Art.) 4 Bde., 1867–1879.

Literatur: ADB 50, 157; NDB 8, 452; Theater-Lex. 1, 742. – H. HUBER, ~ u. s. polit. Entwicklung d. publizist. Wirksamkeit, 1932; C. WITTKE, Against the Current, the Life of ~., 1945; DERS., ~'s Literary Ambitions (in: Monatshefte) 1945.   IB

Heinzenburg → Wilhelm von Heinzenburg.

Heinzinger, Walter, * 18.1.1937 Graz; Bundesrat, wohnt in Wien. Erzähler.

Schriften: Auf den Angelhaken gespießt, heitere und ernste Fischergeschichten, 1975.   IB

Heinzmann, Johann Georg, * 1757 Ulm, † 23.11.1802 Basel; war seit 1778 Buchhändler in Bern, gab große kompilat. Sammelwerke heraus, Publizist d. Helvetik, gab 1798 das offiziöse Blatt

«Eidgenössische Nachrichten» heraus, darauf bis 1799 den «Republikanischen Weltbeobachter» (=«Neue Berner Zeitung»); auch Verf. v. Handbüchern für Reisende.

Schriften und Herausgebertätigkeit: Die Feyerstunden der Grazien, 6 Bde., 1780–89 (2. verm. Ausg. 1791–92); Analekten für die Litteratur, v. G. E. Lessing, 4 Bde., 1785–87; Litterarische Chronik, 3 Bde., 1785–88; Gemälde aus dem aufgeklärten achtzehnden Jahrhundert, 2 Tle., 1786; Albrecht von Hallers Tagebuch seiner Beobachtungen über Schriftsteller und über sich selbst, 1787 (photomech. Nachdr. 1971); Wünsche an meine Vaterstadt (Ulm) 1790; Schweizer Bürger-Journal, 1790; Historisches Bilderbuch des Edlen und Schönen aus dem Leben würdiger Frauenzimmer, 1790; Briefe eines Schweizer-Jünglings an seine Braut. Unverändert abgedruckt, 1791; Die Feyerstunden des Geschäftsmannes, 1792; Bürger-Journal oder kleine Familienbibliothek für Schweizer, 3 Bde., 1791/92 (1795 u. d. T.: Lesebuch zur Erweiterung der gemeinnützigen Aufklärung unter Staatsmännern und Bürgern in Städten); Rathgeber für junge Reisende, 1793; Beschäftigung für Kranke. Vorbereitung auf die Leidens- und Sterbetage. Ein Handbuch für jedermann der mit einem festen Sinn selbst dem Tode froh entgegen gehen will, 2 Bde., 1794 (2. verb. Ausg. 1812); Beschreibung der Stadt und Republik Bern, nebst vielen nützlichen Nachrichten für Fremde und Einheimische, 2 Bde., 1794/96; Kleine Chronick für Schweizer. Ein neues feines Schweizer-Kroniklein voll auserlesener und schöner Geschichten ... Zu Nutzen und Frommen der lieben Bauersame ... zusammengelesen von einem Freund des Landmanns, 1795 (Tl. 2 dazu u. d. T.: Kleine Schweizer-Chronik. Enthält die Ereignisse seit 1700 bis 1801 mit Einschluß der Revolutionsgeschichte von Helvetien, 1801; Tl. 3: Enthält die Ereignisse von 1801 bis 1804 samt dem Vermittlungs-Akt ... für die Schweiz, 1804); Betrachtungen über die Bevölkerung im Kanton Bern, 1795; Über die Pest der deutschen Literatur. Appel an meine Nation, über Aufklärung und Aufklärer; über Gelehrsamkeit und Schriftsteller; über Büchermanufakturisten, Rezensenten, Buchhändler; über moderne Philosophen und Menschenerzieher; auch über mancherley anderes, was Menschenfreyheit und Menschenrechte betrifft, 1795 (reprogr. Druck 1977, hg. v. R. WITTMANN); Le petit dictionnaire des voyageurs

français-allemand et allemand-français, 1795; Nachrichten für Reisende in der Schweiz ..., 1796; Avis aux voyageurs en Suisse ..., 1796; Kleine Schweizerreise im August 1796, 1797; Neues ABC- und Lesebuch für die Schweizerjugend von fünf bis acht Jahren, 1797; Akademie junger Schweizer. Deutsch und Französisch. Auswahl von Lesestücken zur Bildung des Herzens und Geistes, und Kentniss der Welt, 2 Tle., 1797 (neue Ausg. 1825); August Burkhardts Anleitung zur Bücherkunde in allen Wissenschaften. Grundlage zu einer auserlesenen Bibliothek in allen Fächern, 1797; Eidgenössische Nachrichten oder merkwürdige Ereignisse im Zeitpunkt der Revolution (Ztg.) Januar–Mai 1798 (Fortsetzung u. d. T.: Neue Berner-Zeitung. Republikanischer Weltbeobachter. Oder Proben einer gemeinnützigen Zeitung ..., Juni 1798–März 1799); Freymüthige und ernsthafte Prüfung und Widerlegung der sogenannten aktenmäßigen Darstellung des Magistrats der Reichsstadt Ulm, betreffend die Landes-Verweisung des Ulmischen Bürgers und Buchhändlers J. G. H. Von einem Reichsstädtischen Bürger, 1798; Vorläufige Replik auf ein magistratliches Entschuldigungsblatt ..., 1798; Auch etwas über die Verweisung des Bürgers Heinzmann aus Ulm, das Benehmen des dortigen Magistrats und den Rathskonsulent D. Härlin. Herausgegeben von einem Weltbürger, 1799; Meine Frühstunden in Paris. Beobachtungen, Anmerkungen und Wünsche Frankreich und die Revolution betreffend. Nebst Fragment einer kleinen Schweizer-Reise, 1800 (auch u. d. T.: Reise nach Paris und Rückkehr durch die Schweiz); Kleines Dorflexikon von einem Theil der Schweiz, dem vormals deutschen Kanton Bern, 1801; Kleines Wörterbuch der Ortschaften des schweizerischen Cantons Bern, 1816.

Literatur: ADB 36, 131 (im Artikel über A. L. Stettin); HBLS 4, 131; Goedeke 12, 100. – G. SAUDER, Gefahren empfindsamer Vollkommenheit f. Leserinnen u. d. Furcht vor Rom. in e. Damenbibl. Erläuterungen z. ∼s «Vom Lesen d. Romanen» u. «Einl. u. Entwurf zu e. Damenbibl.» ... (in: Leser u. Lesen im 18. Jh.) 1977.

AS

Heipp, Jakob → Allweg, Traugott.

Heiric (Heric) von Auxerre, * 841, † wahrsch. bald nach 876; Oblate d. Klosters d. hl. Germanus, 849 Tonsur, 859 Subdiakon, Studium in

Ferrières, Laon u. Soissons, in Auxerre Schüler Haimos, dann Lehrer an d. Klosterschule. – H. legte Kollaktenaeen an (Valerius Maximus, Suetonius, Petronius u. a.), Verf. zahlr. Kommentare od. Glossen z. Horaz, Juvenal u. a., z. Schr. z. Logik unter d. Namen Augustins; als selbst. Werk schrieb er e. «Vita sancti Germani» (6 Bücher, 2930 Hexameter), Vorlage war e. um 480 v. Constantius verf. Prosa-Lebensbeschreibung d. Bischofs Germanus.

Ausgaben: Vita sancti Germani (krit. hg. L. TRAUBE in: MG Poetae 3) 1896 [dazu 2 Bücher Miracula Germani in: MG SS 13 u. Migne PL 124]; R. QUADRI, I Collectanea di Eiricio di Auxerre, Freiburg/Schweiz 1966; Dans le sillage de l'Erigène: une homélie d'H. d. A. sur les Prologes de Jean (hg. E. JEAUNEAU in: Stud. medievale 3² serie 11) 1970.

Literatur: Manitius 1,499; 2,807; 3,182. – J. WOLLASCH, ~ (in: Dt. Arch. f. d. Erforsch. d. MA 15) 1959; J. SZÖVÉRFFY, Weltl. Dg. d. lat. MA 1,1970; F. BRUNHÖLZL, Gesch. d. lat. Lit. d. MA 1,1975.   RM

Heisch, Peter, * 10. 11. 1935 Offenburg/Baden; Schriftsetzer, wohnt in Schaffhausen. Lyriker.

Schriften: Stille Ufer. Herbstliche Skizzen von Untersee und Rheinische Lyrik, 1968; Schelme, Schmuggler, Sünder, Schnurrpfeifereien vom Bodensee zum Oberrhein, 1969.   IB

Heise, Annemarie → Zornack, Annemarie.

Heise, Dieter, * 5. 10. 1936 Berlin; Texter, Verf. v. Kinderbüchern.

Schriften: Wenn du den Fluß wegnimmst (gem. m. E. Schober) 1968; Herr Ernst, Frau Fröhlich und die Sonnenblume (gem. m. H. A. Popp) 1972.   IB

Heise, Edgar, * 17. 1. 1912 Danzig, † 14. 4. 1942 (gefallen). Erzähler.

Schriften: Die Maske fällt (Rom.) 1937; Wer ist Troges (Kriminalrom.) 1938.   IB

Heise, Friedel → Loeff, Friedel.

Heise, Hans, * 3. 8. 1895 Lübeck, † 13. 5. 1971 ebd.; Erzähler.

Schriften: Christian Heinrich Heineken. Das Lübecker Wunderkind, 1925; In Kemi lag das Hochzeitskleid, 1937.   IB

Heise, Hans Jürgen, * 6. 7. 1930 Bublitz/Pommern; Lektor, Kieler Kulturpreis 1974, Kulturpreis v. Malta 1976, wohnt in Kiel. Essayist, vorwiegend Lyriker.

Schriften: Vorboten einer neuen Steppe (Ged.) 1961; Wegloser Traum (Ged.) 1964; Beschlagener Rückspiegel (Ged.) 1965; Worte aus der Zentrifuge (Ged.) 1966; Ein bewohnbares Haus (Ged.) 1968; Küstenwind (Ged.) 1969; Uhrenvergleich (Ged.) 1971; Drehtür. Parabeln, 1972; Besitzungen im Untersee (Ged.) 1973; Das Profil unter der Maske (Ess.) 1974; Vom Landurlaub zurück (Ged.) 1975; Der lange Flintenlauf zum kurzen Western. Satirische Texte, 1977; Nachruf auf eine schöne Gegend. Gedichte und Kurzprosa, 1977; Ariels Einbürgerung im Land der Schwerkraft, 1978; Ausgewählte Gedichte 1950–1978, 1979.

Literatur: E. OSERS, Zu ~s Gedichten (in: Universitas 28) 1973; H. PIONTEK, ~s neue Gedichte (ebd.).   IB

Heise, Johann Christoph, * 9. 5. 1761 Oppenrode/Anhalt-Bernburg, † 3. 12. 1834 (Hamburg?), Lehrer. Lyriker.

Schriften: Lieder der Religion und Tugend, ein Weyhnachts- oder Neujahrsgeschenk für liebenswürdige Kinder (auch u. d. T.: Lieder der Religion und Tugend, für meine Eleven) 1793; Kleine Liedersammlung für Bürgerschulen und zum häuslichen Gebrauch, 1802; Kleine ländliche Gemählde und Lieder. Zum Besten einer armen Familie, 1803; Religiöse und moralische Lieder, 1810.

Literatur: Meusel-Hamberger 3,181; 14,87; Goedeke 5,422; 7,379.   IB

Heise, Karl (Paul Hermann), * 27. 11. 1872 Laucha a. d. Unstrut; lebte in Zürich; Verf. von Schr. zu Politik, Kulturgesch., Theosophie, Okkultismus.

Schriften (Ausw.): Passionslegende und Osterbotschaft im Lichte der occulten Forschung (Vorträge) 1907; Das Alter der Welt im Lichte der okkulten Wissenschaft. Eine Studie aus der Geheimlehre, 1910; Die astrale Konstitution des Menschen vom Standpunkte der okkulten Wissenschaft aus dargelegt, 1911; Okkultes Logentum, 1921; Parsifal. Ein Bühnenweih-Festspiel Richard Wagners in okkult-esoterischer Beleuchtung, 1924; Die esoterische Bedeutung der Tel-

lensage, 1930; Wie aus Traum und andern übersinnlichen Tatsachen Weltgeschichte wurde,
1931.　　　　　　　　　　　　　　　　　　　AS

Heise, Karl Albert (Ps. Karl Alberti), * 29. 10.
1868 Schwedt a. O.; lebte in Berlin, Verf. von
Schr. zu Länder- u. Völkerkunde, Relig., Spiritismus; 1899–1901 Hg. u. Red. d. «Internat Bl.
für Spiritismus».
　　Schriften: Mitteilungen aus dem Jenseits. Sammlung interessanter Trancereden, 1900; W. Dan-
mar, Leben und Tod, oder die neue Theorie der
Geister. Empirisch-philosophische Abhandlung
(Hg.) 1901; Japanische Märchen. Eine Sammlung der schönsten Märchen, Sagen und Fabeln
Japans für die deutsche Jugend ausgewählt und
frei ins Deutsche übersetzt, 1913; Jung Japan
beim Spiel, 1913; Die Geisha (Rom.) 1924.　AS

Heise, Karl Johann, * 6. 10. 1744 Hamburg,
† 19. 9. 1826 ebd.; Medizinstudium in Göttingen,
1767 Dr. med. (Leyden), dann prakt. Arzt in
Hamburg.
　　Schriften: Philosophische Aufsätze und Gedichte, 1783; Kleine Aufsätze und gelegentliche Gedichte, 1826.
　　Literatur: Goedeke 7, 364.　　　　　　　RM

Heise, Lisa, * 10. 2. 1893 Hersfeld, † 17. 4. 1969
Ravensburg.
　　Schriften: Briefe an R. M. Rilke, 1934 (später
u. d. T.: Briefe einer jungen Frau an R. M. Rilke);
Der Brunnen, 1950.　　　　　　　　　　　IB

Heise, Walter (Max Walthari) * 6. 4. 1881; war
Red. d. «Cuxhavener Tagebl.», dann Red. am
«Wandsbeker Boten», lebte in Hamburg.
　　Schriften: Vaterländische Gedichte, 1914; Die
Sühne. Vaterländisches Bühnenspiel in einem
Akt, 1924; Der große William. Ein Spiel um
Shakespeare, 1930.　　　　　　　　　　　AS

Heiseler, Bernt von, * 14. 6. 1907 Brannenburg/
Inn, † 24. 8. 1969 ebd.; Sohn d. Dichters Henry
v. H., studierte Gesch. u. Theol. zu München u.
Tübingen, dann ließ er sich nach kurzem Militärdienst in Vorderleiten bei Brannenburg als Lit.-
Kritiker u. freier Schriftst. nieder, zwischendurch
unternahm er ausgedehnte Reisen durch Europa
u. Nordamerika. Seit 1943 Hg. der v. Martin
Bodmer gegründeten Zs. «Corona». Erzähler, Lyriker, Dramatiker, Essayist.

　　Schriften: Die Schwefelhölzer (Leg.sp.) 1931;
Der Gasthof in Preußen (Vorsp.) 1932; Henry
von Heiseler. Sein Weg in den Werken, 1932;
Kyffhäuserspiel, 1934; Wanderndes Hoffen (Ged.)
1935; Schach um die Seele (Sp.) 1935; Stefan
George (Biogr.) 1936; Die Unverständigen (Erz.)
1936; Das laute Geheimnis (Lsp. nach Calderon)
1937; Schill (Schausp.) 1937; Des Königs Schatten (Kom.) 1938; Die gute Welt (Rom.) 1938;
Ahnung und Aussage (Ess.) 1939; Kleist (Biogr.)
1939; Appolonia (Erz.) 1940; Gedichte. Kleines
Theater, 1940; Cäsar (Tr.) 1942; Erzählungen,
1943; Das Neubeurer Krippenspiel, 1946; Der
Bettler unter der Treppe (Dr.) 1947; Gespräche
über Kunst (Aufs.) 1947; Der persönliche Gott,
1947; De profundis (Ged.) 1947; Das Ehrenwort
(Erz.) 1948; Der Friede Gottes im Streit der Welt
(Vortr.) 1948; Hohenstaufentrilogie (Dr.) 1948;
Philoktet (Dr. nach Sophokles) 1948; Semiramis
(Tr.) 1948; Das Stephanus-Spiel, 1948; Über den
Dichter (Aufs.) 1949; Schauspiele. 3 Bde., 1949/
1951; Briefe aus Rom, 1950; Vera Holm (Erz.)
1950; Spiegel im dunklen Wort (Ged.) 1950;
Das Menschenbild in der heutigen Dichtung
(Aufs.) 1951; Emil Strauß z. 85. Geburtstag ...
(Würdigung) 1951; Das Leben der Brigitte Weil-
mann, 1951; Katharina. Das Ehrenwort (Erz.)
1952; Gebete nach den Psalmen, 1953; Versöh-
nung (Rom.) 1953; Der Dichter als Tröster
(Aufs.) 1954; Das Fläschchen mit goldenem Saft,
1954; Das Haller Spiel von der Passion, 1954;
Tage (Erinn.) 1954; Allerleirauh (Märchen, Balladen, Erz. Ged.) 1955; Eines Nachmittags im
Herbst, 1955; Stunde der Menschwerdung,
1955; Der Tag beginnt um Mitternacht, 1956;
Ist Vertrauen noch möglich? Eine politische Chri-
stenfibel, 1956; Gedichte, 1957; Die Malteser
(Dr. nach Schiller) 1957; Lebenswege der Dichter, 1958; Philemon, der fröhliche Martyrer
(Kom. nach Bidermann) 1958; Sinn und Wider-
sinn (Nov.) 1958; Schiller, 1959; Sieben Spiegel
(Erz.) 1962; Reise nach Übersee (Reiseber.)
1963; Vom Schicksal der Kreatur (Erz., Ged.)
1963; Vaterland – nicht mehr Mode? (Rede)
1965; Evangelisches Marienlob (Ged.) 1966; Gesammelte Essays zur alten und neuen Literatur. 2
Bde., 1966/67; Fragment einer Zeit- und Lebensgeschichte (in: Der Kranich 8) 1966; Leben, Zeit
und Vaterland (Bericht) 1967; Bühnenstücke. I:
Chorische Dramen, II: Historien, 1969; III: Komödien, 1970; Haus Vorderleiten (Erinn.) 1971.

Herausgebertätigkeit: Werke von H. v. Heiseler: Verse, 1935; Die Werbung, 1936; Ges. Werke, 3 Bde., 1937/38; Russische Erzähler, 1939; A. Puschkin, Sämtliche Dramen (übs. H. v. Heiseler) 1940; Corona (Zs., mit A. v. Müller) 1943/1944; A. Puschkin, Gedichte (übs. H. v. Heiseler) 1946; J. W. Goethe, Gedichte in Auswahl, 1947; Abendländische Heimat, 1947; E. Mörike, Gedichte, 1948; J. W. v. Goethe, Gedichte und Briefe, 1949; H. v. Heiseler, Ausgew. Werke, 1949; Lebendiges Gedicht, 1952; Die Lampe der Toten (Ged., mithg. R. Schneider) 1952; J W. v. Goethe, Ges. Werke. 7 Bde. 1953/54; Die heilige Zeit (Gesch.) 1958; Der Kranich (Jb. für dr., lyr. u. ep. Kunst, mit H. Fromm) 1959/60; Das Erlebnis der Gegenwart (Erz. mit H. Fromm) 1960; J. Gotthelf, Gottes dunkle Gerechtigkeit, 1960.

Briefe: R. Schneider u. B. v. H., Briefw. 1965.
Schallplatte: B. v. H. liest, 1959/60.
Nachlaß: Denecke 2. Aufl.

Literatur: HdG 1, 290. – P. GERHARDT, Dg. im Dienst d. Ordnung (in: Zeitwende 20) 1948/49; G. WÜRTENBERG, ~ u. s. Dr. (in: Lit. d. Ggw. 2) 1948; R. BOCHINGER, Möglichkeiten e. christl. Dichtung (in: Zeitwende 21) 1949/50; A. LUTHER, ~ u. d. christl. Dr. (in: Almanach auf d. Jahr 1949) 1949; E. C. WUNDERLICH, ~. Sonntags-Ansprache (in: GQ 24) 1951; R. v. HONSELL, ~s «Philoktet» (in: Sammlung 7) 1952; A. CLOSS, ~ Reconcilation. ~s «Versöhnung» (in: A. C., Medusa's Mirror) 1957; H. ANDREAS, ~ (in: NDH 12) 1965; D. BRÜGGEMANN, ~. D. Trost der Trivialität (in: Tribüne 6) 1967; O. HEUSCHELE, ~ (in: Schweiz. Monatsh. 49) 1969; R. NETOLITZKY, ~ (in: Der Kranich 11) 1969; E. VÖLKER, ~ als Novellendichter (in: Vierteljahresbl. 19) 1970.　　　　　　　　　　PG

Heiseler, Henry (August Kaspar) von, * 23. 12. 1875 St. Petersburg, † 25. 11. 1928 Vorderleiten bei Brannenburg/Inn, Sohn d. Versicherungsdir. Paul v. H., d. russ. Adel angehörig, studierte russ. Gesch. an d. Univ. Petersburg, 1896–97 russ. Militärdienst, 1898 Studium d. Versicherungswesens zu München, 1901–02 Begegnung mit Stefan George in München, Anknüpfung vielseitiger Beziehungen zu Hauptvertretern moderner Lit. u. Kunst auf s. Reisen. 1910 Niederlassung in Vorderleiten. Auf e. Reise nach Petersburg anläßlich d. Todes s. Vaters 1914 v. Ausbruch d. 1. Welt-

kriegs in Rußland überrascht, wurde er als Offizier zur russ. Armee eingezogen, nach d. Revolution 1918–21 Stabsdienst bei d. Roten Armee, Herbst 1922 Flucht nach Deutschland, wo er den Rest s. Lebens zurückgezogen in Brannenburg verbrachte. Lyriker, Dramatiker, Übersetzer.

Schriften: Peter und Alexéj (Tr.) 1912; Der Begleiter (Erz.) 1919; Grischa (Tr.) 1919; Die magische Laterne (Lsp.) 1919; Die drei Engel (Ged.) 1926; Die Nacht des Hirten (Adventsp.) 1927; Der junge Parzival (Hochzeitssp.) 1927; Aus dem Nachlaß, 1929; Hochzeitsspiel, 1930; Die jungen Ritter vor Sempach (Dr.) 1930; Wawas Ende (Erz.) 1933; Stefan George (Ess.) 1933; Die Legenden der Seele (Ged.) 1933; Iskender (unvoll. Dg.) 1935; Alexander S. Puschkin als dramatischer Dichter, 1935; Verse (hg. B. v. HEISELER) 1935; Die Werbung (Fragment hg. B. v. HEISELER) 1936; Gesammelte Werke (hg. B. v. HEISELER) 3 Bde., 1937/38; Die Kinder Godunófs (Tr.) 1938; Russische Erzähler (hg. B. v. HEISELER) 1939; Die Botschaft (Ged.) 1940.

Übersetzertätigkeit: R. Browning, Pippe geht vorüber, 1903; A. Puschkin, Sämtl. Dramen (hg. B. v. HEISELER) 1940; A. Puschkin, Gedichte (hg. B. v. HEISELER) 1946; N. S. Leskov, Ausgew. Erzählungen, 1949.

Ausgaben: Ges. Werke, 3 Bde., (hg. B. v. HEISELER) 1937/38; Ausgew. Werke (hg. B. v. HEISELER) 1949; Sämtl. Werke, 1965.

Briefe: Zwischen Deutschland und Rußland. Briefe 1903/28 (hg. B. v. HEISELER) 1969.

Nachlaß: In Privatbesitz; Slg. im Dt. Lit.arch./Schiller-Nat.mus. Marbach. – Denecke 2. Aufl.

Literatur: NDB 8, 254; HdG 1, 291. – F. ENDRES, ~ (in: Dt. Jb. 10) 1928; R. v. WALTER, ~ (in: Hochland 26) 1928/29; F. ENDRES, ~ (in: Das Nationaltheater 2) 1929/30; L. HERMANN, ~ als Dramatiker (in: Zeitwende 1) 1929; F. LEDERMÜLLER, Z. Tode ~s (in: Süddt. Monatsh.) 1929; H. RIAN, Über ~ (in: Kunstwart) 1930; S. LANG, ~ (in: NSR 11) 1931; J. SPENGLER, D. Dramatiker ~ (in: Hochland 29) 1931/32; B. v. HEISELER, ~, 1932; F. DÜLBERG, ~ (in: Preuß. Jb. 231) 1933; B. v. HEISELER. Die Übersetzungen ~s (in: Mitt. der Dt. Akad. München 12) 1938; A. v. GRONICKA, ~, A Russo-Germanic Writer, New York 1944; B. v. HEISELER, Gestalt aus d. alten Europa (in: D. Furche 47) 1948; A. LUTHER, Rußland im Schaffen ~s (in: Neues Europa

3) 1948; H. HENNECKE, Dg. u. Dasein, 1950; B. v. HEISELER, Ahnung u. Aussage, 1952; E. SALGALLER, The Demetrius-Godunof Theme in the German and Russian Drama of the 20th Century (Diss. New York Univ.) 1956; B. v. HEISELER, Lebenswege d. Dichter, 1958; G. BELL, ∼ as a Translator of English Poetry (in: Monatshefte 60) 1968; H. FLEISS, Traum u. Wirklichkeit bei ∼ (Diss. Graz)1970.   PG

Heisen, Fr. von → Friesen, Hermann von.

Heisenberg, Werner (Karl), * 5.12.1901 Würzburg, † 1.2.1976 München; Privatdoz. in Göttingen, 1926 Univ.lektor in Kopenhagen, 1927 0. Physikprof. an d. Univ. Leipzig, 1941–45 Prof. u. Dir. am Kaiser-Wilhelm-Inst. f. Physik in Berlin, dann Honorarprof. u. Dir. d. Max-Planck-Inst. f. Physik in Göttingen, seit 1958 Dir. am Münchener Max-Planck-Inst. f. Physik u. Astrophysik. Neben zahlr. weiteren Auszeichnungen 1932 Nobel-Preis f. Physik.

Schriften (außer fachwiss.): Physik und Philosophie, 1959 (²1972); Der Teil und das Ganze [Autobiogr.] 1969; Schritte über Grenzen. Gesammelte Reden und Aufsätze, 1971 (⁴1977); Die Evolution ist kein Betriebsunfall [beigedr.: A. Mitscherlich, Neue Städte, Utopie oder Wirklichkeit?] 1972; Tradition in der Wissenschaft. Reden und Aufsätze, 1977.

Schallplatte: Die Abstraktion in der modernen Naturwissenschaft, 1962.

Literatur: J. G. LEITHÄUSER, ∼, 1957; H. CUNY, ∼, Paris 1966; H. HÖRZ, ∼ u. d. Philos., 1966; A. HERMANN, ∼ in Selbstzeugnissen u. Bilddokumenten, 1976; Denken u. Umdenken. Z. Werk u. Wirkung v. ∼ (FS, hg. H. PFEIFFER) 1977.   RM

Heiser, Karl Peter, * 6.3.1903 Linz; Intendant a. D., wohnt in Maria Schmolln/Oberöst. Dramatiker.

Schriften: Der neue Herr (Kom.) 1950; Die dionysische Göttin, 1951.   IB

Heisinger, Hilde, * 23.10.1898 Bocholt/ Westf.; lebt in Berlin. Erzählerin.

Schriften: Die Schuhe aus Seehundsfell, 1963; Unsere Tilla Eulenspiegel, 1964; Tim und die Unsichtbaren, 1969; Wiesenzirkus (gem. m. Jörg) 1969.   IB

Heisler, August (Gustav), * 12.9.1881 Mannheim, † 7.2.1953 Tübingen; studierte Medizin in Kiel, Freiburg, Heidelberg u. München, Praxis in Königsfeld im Schwarzwald, Hg. d. Zs. «Der Landarzt», Freund A. Schweitzers.

Schriften (außer Fachschr.): Dennoch Landarzt, Erfahrungen und Betrachtungen aus der Praxis, 1928; Landarzt und Naturheilverfahren, 1938; Vom Naturbeobachten zum Naturforschen, 1939; Aus dem Leben eines Landarztes, 1949; Der Arzt als Diener der Natur, 1950.

Herausgebertätigkeit: Zeitliches und Überzeitliches. Aus dem Werke von Albert Schweitzer, 1948.

Literatur: NDB 8, 457. – W. ZABEL, ∼ z. Gedächtnis (in: Hippokrates 24) 1953; H. BOHNENKAMP, Dennoch Landarzt! In memoriam ∼ (in: Der Landarzt 30) 1954.   IB

Heismann, Alma, * 14.11.1885 Flensburg, † 5.7.1943 Schleswig; Lehrerin, lebte meist in Schleswig.

Schriften: Sonette einer Liebenden (Geleitwort W. Lehmann) 1957.

Nachlaß: Tle. in d. Stadtbibl. Flensburg.   RM

Heiß, Julius, * 18.2.1887 Walldürn/Baden; war Studienrat in Köln; Verf. von Jugendspielen.

Schriften: Der arme Heinrich. Ein altdeutsches Spiel nach dem Gedicht von Hartmann von Aue, 1924; Gudrun. Ein altdeutsches Spiel nach dem Lied bearbeitet, 1924; Bismarck zu Hause. Aus eigenem Erleben erzählt, 1936.   AS

Heiss, Lisa (Ps. f. Elisabeth Heiss), * 2.2.1897 Stuttgart; wohnt in Stuttgart. Erzählerin.

Schriften: Die große Kraft, 1939; Cornelia, Mädelroman, 1940; Cornelia und das Kind Nell, 1941; Der Schwefelkönig von Louisiana. Ein Deutscher erkämpft ein Weltmonopol, 1942; Sommerwolken überm Tegernsee, 1949; Große Welt – Kleine Welt. Ein Mädel erlebt Amerika, 1949; Hirth, Vater, Hellmuth, Wolf. Erfinder, Rennfahrer, Flieger, 1949; July am Start, 1951; Sepp, das Adlerauge, 1952; Das blaue Taftkleid, 1953; Georgia Falck, 1953; Die seltsame Geschichte von Veronika, die zwei Mütter hatte, 1954 (2. Aufl. u. d. T.: Veronika oder Die vertauschten Zwillinge, 1957); Kathrin bleibt in Afrika, 1955; Helis großes Camping. Roman für junge Mädchen, 1955; Margot in Amerika. Erzählung für junge Mädchen, 1957; Anruf aus Alaska, 1958; Rosen für Angelika. Die Geschichte der Angelika Kauffmann, 1959; Das Kopftuch mit den roten Tupfen, 1959; Plötzlich jagt ein Sturm daher. Die Schicksale eines Geschlechts, 1960 (u. d. T.: Das Paradies in der Steppe. Der abenteuerliche Weg nach Askania Nova, 1970); Der Frühling beginnt im Herbst, 1961; Sundri, ein indisches Mädchen zwischen gestern und morgen, 1962; Das Bild mit dem blauen Rahmen, 1963; Das Mädchen im Feuer, 1964; Satya, 1965; Simone und der Leopardenmantel, 1965; Morgen blüht der Lotos. Ein indisches Mädchen zwischen gestern und morgen, 1966; Simone und der Mandarin, 1967; Uns bläst der Wind so schnell nicht um, 1968; Ein Glück, daß sie so lustig ist, 1970 (u. d. T.: Michaela setzt sich durch, 1976); Zum Frühstück eine rote Nelke, 1972; Das Paparuda-Lied: Vom Zigeunermädchen zur Schlagersängerin, 1973; Die Entscheidung auf Bahn eins, 1974; Der Wurm im Apfel, 1974; Der Schlußstrich, 1976; Ein Schäferhund für Claudia, 1976; Beweisen sie, daß sie ein Genie sind. Schillers Jugendjahre 1773–1782, 1977; Der erste Fall für Nicole. Die gestohlenen Leopardenfelle, 1978; In den Händen der Guerillas, 1978; Das Kaninchen auf der Autobahn, 1978; Der zweite Fall für Nicole. Die Spur führt nach Hongkong, 1978.   IB

Heiss-Heerdegen, Else, * 4. 4. 1904 Nürnberg; wohnt in Königsberg/Bayern. Lyrikerin sowie Verf. v. Hörspielen.

Schriften: Stunden im Licht (Ged.) 1965.   IB

Heißenbüttel, Helmut, * 21. 6. 1921 Rüstringen b. Wilhelmshaven; Kriegsteilnahme bis zu e. schweren Verwundung, 1942–45 Studium d. Architektur, Germanistik u. Kunstgesch. in Dresden u. Leipzig, nach d. Krieg in Hamburg. Später Lektor u. Werbeleiter, seit 1959 Red. d. Rundfunkabteilung «Radio-Essay» in Stuttgart, wohnt ebd., Lessingpreis d. Stadt Hamburg 1956, Hugo-Jacobi-Preis 1960. Lyriker u. Essayist.

Schriften: Kombinationen, Gedichte 1951–54, 1954; Topographien, Gedichte 1954–55, 1956; Ohne weiteres bekannt. Kurzporträts, 1958; texte ohne komma, 1960; Textbuch 1 (Ged.) 1960; Textbuch 2 (Prosa) 1961; Textbuch 3, 1962; Textbuch 4, 1964; Mary MacCarthy. Versuch eines Autorenporträts, 1964; Textbuch 5, 3 × 13 mehr oder weniger Geschichten, 1965;

Über Literatur, 1966; Textbuch, 1967; Briefwechsel über Literatur (gem. m. H. Vormweg) 1969; Was ist das Konkrete an einem Gedicht, 1969; Auseinandersetzen (gem. m. T. Lenk) 1970; Das Textbuch, 1970; Projekt Nr. 1, d'Alemberts Ende, 1970; Die Freuden des Alterns, 1971; Allerneueste Abhandlungen über den menschlichen Verstand, 1971; Gelegenheitsgedichte und Klappentexte, 1973; Das Durchhauen des Kohlhauptes: Dreizehn Lehrgedichte, 1974; Der fliegende Frosch und das unverhoffte Krokodil. Wilhelm Busch als Dichter, 1976; Eichendorffs Untergang und andere Märchen, 1978; Texte und Gelegenheitsgedichte, 1978; Wenn Adolf Hitler den Krieg nicht gewonnen hätte. Historische Novellen und wahre Begebenheiten, 1979.

Herausgebertätigkeit: R. Borchardt, Auswahl aus dem Werk. Zusammengestellt und mit einem Nachwort versehen, 1968; Ch. Hofmann von Hofmannswaldau, Gedichte (ausgew.) 1968.

Schallplatte: Texte und Gelegenheitsgedichte, 1978.

Bibliographie: R. DÖHL (in: Dt. Lit. seit 1945) 1968; S. VIETTA (in: Sprache u. Sprachreflexion in d. modernen Lyrik) 1970.

Literatur: HdG 1, 292; Albrecht-Dahlke 2/2, 297. – A. SCHOLL, D. gestundete Zeit, Junge dt. Lyrik nach d. Kriege (in: Schweizer Rundschau 54) 1954/55; V. KULTERMANN, Auf d. Wege z. absoluten Gedicht. Z. Stil ~s (in: Augenblick 4) 1955; C. HOHOFF, Wirklichkeit u. Traum in dt. Gedicht (in: Merkur 10) 1956; K. A. HORST, (Zu Textbuch 1 und 2) (in: ebd. 15) 1960; J. P. WALLMANN, (Zu Textbuch 3) (in: NDH 10) 1963; P. HORN, Topographie e. Interpretation (in: ebd. 11) 1964; K. A. HORST, Spekulationen über ~s Texte (in: Merkur 18) 1964; R. DÖHL, ~. E. Versuch (in: Wort in d. Zeit 12) 1964; P. K. KURZ, Skelette d. Sagbaren – Demonstrationen e. Welt. Zu d. Vers-Texten v. ~ (in: SdZ 179 [92]) 1967; K. BARK, Lit. u. Grammatik. Zu Texten v. ~ (in: Westermanns pädagogische Beitr. 21) 1969; K. KROLOW, ~s Projekt Nr. 1 (zu: D'Alemberts Ende) (in: Bücherkommentare 4) 1970; H. E. NOSSAK u. I. FRENZEL, Für u. wider ~ (in: Merkur 24) 1970; R. R. RUMOLD, Verfremdung u. Experiment. Z. Standortbestimmung der Demonstrationen ~s (Diss. Stanford) 1971; E. D. MEYER, ~ krit. betrachtet (in: AULLA 15) 1973; L. BORNSCHEUER, Wahlverwandtes? Zu Kants ‹Aula› und ~s ‹D'Alemberts Ende› (in: Basis 4) 1973; A. MALER, Aleatorische Epik. Bemerkungen z. romant. Reminaszenz im zeitgenöss. Roman: Kühn, Kieseritzky, ~, Wiener (in: Positionen im dt. Rom. d. sechziger Jahre) 1974; R. RUMOLD, Sprachl. Experiment u. lit. Tradition. Zu d. Texten ~s, 1975; H. PÄTZOLD, Theorie u. Praxis moderner Schreibweisen. Am Beispiel v. S. Lenz und ~, 1975.   IB

Heissing, Hermann (Ps. Hermann von der Lippe), * 12.9.1870 Dorsten/Westf.; freier Schriftst. in Wilhelmshaven-Rüstringen.

Schriften: Fürchte nichts! Flottenlieder und Marine-Gedichte, 1910; Eala freya Fresena! Vaterländische Dichtung aus der ostfriesischen Heimats-Geschichte, 1911 (2. vergr. Aufl. 1912); An der Back. Marine-Episoden und -Garne aus dreieinhalb Jahrhunderten, 1938.

Literatur: Theater-Lex. 1,743.   IB

Heissler, Franz Georg → Edmund, Pater.

Heister, Helge von (Ps. f. Helle von Heister). * 31.7.1917 Berlin, wohnt in Frankfurt/Main. Verf. v. Romanen.

Schriften: Geliebte Unbekannte. (Rom.) 1949.
  IB

Heisterbach → Caesarius von Heisterbach.

Heisterbach, Frank → Hoffmann, Max.

Heisterbergk, Constanze von (Ps. f. Marie Constanze Freifrau von Malapert-Neufville, geb. Hoch) * 25.11.1840 Pirna, † 9.11.1914 Dresden.

Schriften: Ein tapferes Herz (Erz.) 1879; Schottische Landschaftsbilder in Verbindung mit Geschichte und Sage. Blätter aus einem Reisetagebuch, 1883; Maria und Magdalena (Erz.) 1895; Malergeschichten (9 Nov.) 1902; Schlichte Geschichten aus dem Volke und für das Volk, 1903; Aus Nord und Süd. Neue Folge von Novellen und Skizzen nach dem Leben, 1905; Harfenklänge. Eine Sammlung geistlicher Lieder, 1905; Samenkörner. Eine Gabe für jung und alt, 1906; Sāwitri. (Dr., nach einer Episode des Māha-Bhārata frei bearb.) 1907; Walther von der Vogelweide, Eine Gabe für das deutsche Haus, 1910; Schatzkästlein. Spruchdichtung, neue Folge, 1910; Feierstunden der Seele. Neue Folge, religiöse Gedichte, 1911.   IB

Heitefuß, Clara, * 20.8.1867 Korbach (Hessen), † 19.2.1947 Marburg; Verf. v. Rom. meist religiösen Inhalts.

Schriften: Ich suchte Ihn, den meine Seele liebet. Erzählung eines Lebens 1908; HErr, lehre uns beten!, 1909; Rosen und Lilien aus Gottes Garten, 1909; Seiner Mutter Sohn. Streiflichter auf das Werden und Wirken des Timotheus, 1910; Den Weg entlang (Rom.) 1913; Mutter und Kind, 1913; Berta Strattmann (Erz.) 1914; Mit der andern Welt. Lichter und Schatten aus großer Zeit, 1915; In des Königs Heerbann, 1915; Lebendige Opfer (Erz.) 1916; Das Wesen des Reiches Gottes nach den Gleichnissen Jesu. Eine Bibelbetrachtung für schlichte Leute, 1916; So tröstet euch nun unter einander! Worte an Kriegs-Trauernde, 1916; Wir Pfarrfrauen. Zwölf Leitsätze über Beruf und Aufgabe der evangelischen Pfarrfrau. Den Pfarrschwestern gewidmet, 1917; Die Bekehrung und ihre Hindernisse. Ein Wegweiser für Zeiten der Erweckung, 1918; Meine Bibel, 1918; Die Weinands (Erz.) 1919; Das Salz der Erde. Eine Erzählung nach dem Leben, 1920; Von Menschen die unterwegs waren (Erz.) 1921; Steine auf dem Wege des Gottfindens. Eine Handreichung für solche, die Frieden suchen, 1921; Eva, Maria und Du. Ein Buch vom Leben für Frauen und Töchter, 1922; Der goldene Ring (Erz.) 1925; Durchs goldene Tor. Skizzen, 1927; Das Haus im Schatten. Bilder aus meinem Leben (Rom.) 1927; Gottes Gesetz im Lichte des Evangeliums, 1930; An des Meisters Hand. Lebenserinnerungen, 1939; Die Mannkopfs. Eine Familiengeschichte aus dem vorigen Jahrhundert, 1940; Der Herr Rat und seine Töchter, 1949.   IB

Heitemeyer, Ferdinand, * 10.2.1828 Paderborn, † 24.1.1892 Beverungen; Pfarrer ebd. Geistl. Lyriker, Epiker u. Dramatiker.

Schriften: Gedichte, 1874; Der Missionär und der Geheimbündler, zw. 1875–1879; Ehrenpreis für Papst Pius IX. (Ged.) 1877; Harfe der Liebe zum allerheiligsten Altarssacramente (Ged., 2. Aufl.) 1880; Deutsche Sagen, 1885; Clodoald (Dr.) 1888; Abendglocken (Ged.) 1889; Die Heiligen Deutschlands, 1888; Sagen und Legenden aus fernen Landen, 1892.   IB

Heiter, Amalie → Amalie Friederike Auguste Prinzessin von Sachsen.

Heiter, Ernst → Glaß, Gabriel.

Heiter, Lachmundus → Cremann, Bernard.

Heitgres, Franz → Franz, Richard.

Heitmann, Barthold, * 9. 1. 1809 Ochsenwerder, † 24. 7. 1862 Hamburg; Sohn armer Landleute, arbeitete als Hilfslehrer in Hamburg u. Wandsbeck, gründete später e. Knabenschule in St. Pauli, die er nach 3 Jahren wieder aufgab, um sich ganz lit. Arbeiten zu widmen; Mitbegründer d. Hamburger Bildungsvereins f. Arbeiter. Verf. von Dramen (meist ungedr.), Erzähler.

Schriften: Sturm und Stille. Lyrisch-Politisches und Dramatisches, 1850; Die Proletarier (Erz.) 6 Bde., 1851.

Schriften: Goedeke 10,439; Theater-Lex. 1, 743; R. ECKART, Lex. d. niedersächs. Schriftst., 1891.   **AS**

Heitmann, Hans, * 5. 1. 1904 Großflintbeck bei Kiel, † 4. 9. 1970 Lübeck; Lehrer. Dramatiker, Erz., vorwiegend Mundartdichter.

Schriften: Grise Wulf. Glicknishaft Speel, 1937; Schimmelrieder. Speel, 1938; Swarten Meelbüdel. En vergnöögt Speel, 1938; Staan un strieden (Ball.) 1939; Carsten Wulf. En Weg in't Riek (Rom.) 1938; Die Fehde (Nov.) 1939; Fockenstedt. Komödi, 1939; Theodor Storm (Biogr.) 1940; Die Flut (Rom.) 1942; Beenholm und Bostel (Erz.) 1943; Isern Hinnerk, 1947; Olenklinten (Rom.) 1948; Die Oktoberflut 1634, 1949; Blauen Maandag, 1952; Recht und Gerechtigkeit. I Der Walfisch, II Die Höchsten von Bargenstedt, III Das helle Stündlein, 1953; Stacheldraht und Nesselkraut. Ein Spiel um das Schicksal von Menschen, die eine neue Grenze trennt, 1961.

Literatur: Theater-Lex. 1,744. – R. RAUTENSTRAUCH, ∼. (in: Niederdt. Warte) 1938; C. TRÄNCKNER, ∼. Vom Anstieg eines jungen Dichters (in: NLit 42) 1939; K. WITT, ∼ (in: Nordelbingen 17/18) 1942; G. BEHRENS, ∼. (in: Lübeckisches Jb.: Der Wagen) 1943; Das Porträt: ∼ (in: Die Muschel 3) 1949; G. CORDES, ∼ u. d. Frage d. Heimatdg. (in: Jahresgabe d. K. Groth-Gesellsch.) 1970; H. A. WIECHMANN, Schipp op Strand v. ∼. E. Betrachtung. (ebd.)   **IB**

Heitmann, Karl Friedrich, * 9. 6. 1875 Hamburg; lebte bei, später in Berlin.

Schriften: Madonna der Sünde und anderes. Seelenskizzen, 1898; Rungholt (Schausp.) 1902.   **AS**

Heitmüller, Franz Ferdinand, * 16. 3. 1864 Hamburg, † 30. 3. 1919 Berlin; Dr. phil., Mithg. d. Weimarer Goethe-Ausg. Erz. u. Dramatiker.

Schriften: Blondel. Eine Aventiure, 1889; Im Banne der Aphrodite (3 Nov.) 1890; Das Medeabild (Dr.) 1890; Hamburgische Dramatiker zur Zeit Gottscheds und ihre Beziehungen zu ihm. Ein Beitrag zur Geschichte des Theaters und Dramas im achtzehnten Jahrhundert, 1891; F. W. Riemer, Aus dem Goethehause. Briefe F. W. Riemers an die Familie Frommann in Jena (1803–24). Nach den Originalen herausgegeben, 1892; A. G. Uhlich. Holländische Komödianten in Hamburg (1740 u. 1741) 1894; Tampete (Nov.) 1899; Der Schatz im Himmel (Nov.) 1900; O. E. Hartleben, Briefe (hg. u. eingel.) 2 Bde., 1912.

Literatur: Theater-Lex. 1,744.   **IB**

Heito (Hatto, Hetto, Haito, Ahito, Otto), * 763, † 17. 3. 836 Reichenau; aus schwäb. Grafengeschlecht, erzogen im Kloster Reichenau, Vorsteher d. Klosterschule, 802 Bischof v. Basel, 806 auch Abt d. Reichenau. Vertrauter u. Diplomat Karls d. Großen, Bauherr d. Münsters in Reichenau-Mittelzell, seit 822 Lebensabend als einfacher Mönch auf d. Reichenau. – Verf. d. «Basler Kapitel» (überl. als Tagesordnung e. Bistumssynode), d. sog. Murbacher Statuten (Ausführungen zu d. Aachener Reformplänen v. 816 f. d. Reichenau). Als Augenzeuge beschrieb H. nach d. Niederschriften d. anwesenden Mönche in e. Prosaber. d. Vision (824) s. Schülers Wetti (dessen Versbearb. später durch Walahfrid Strabo).

Ausgaben: Haitonis Episcopi Basileensis Capitula Ecclesiastica (hg. A. BORETIUS in: MG LL II, 1) 1881; Capitulare Monasticum [Murbacher Statuten] (hg. DERS. in: ebd.) u. in: B. ALBERS, Consuetudines monasticae 3, 1907; Visio Wettini (hg. E. DÜMMLER in: MG Poetae 2) 1884 [mit Walahfrids Bearb.]

Literatur: ADB 11,677; NDB 8,59; RE 7, 351; LThK 5,27. – R. THOMMEN, Basler Ann. (in: Beitr. z. vaterländ. Gesch., NF 5) 1901; D. Kultur d. Abtei Reichenau (hg. K. BEYERLE) 1925; P. SCHMITZ, Gesch. d. Benediktinerordens 2, 1948; H. JÄNICHEN, Warin, Ruthard u. Scrot (in: Zs. f. württ. Landesgesch. 14) 1955;

A. Knoepfli, Kunstgesch. d. Bodenseeraums 1, 1969; D. Abtei Reichenau (hg. H. Maurer) 1974; F. Brunhölzl, Gesch. d. lat. Lit. d. MA 1, 1975.   RM

Heitzenröther, Charlotte → Hermerschmidt, Charlotte.

Heitzer, Lorenz (Ps. Gottlieb Lehrreich), * 30. 1. 1858 Grebben b. Heinsberg, † 29. 5. 1919 Altenessen im Rheinld.; Rektor ebd. Dialektdichter u. Jugendschriftsteller.

Schriften: Des Kindes Opfer. In die Welt hinaus. Erzählung für die deutsche Jugend, 1897; Des Geigers Enkelkind. Am Weihnachtabend. Das Sparbuch (Erz.) 1897; Seines Glückes Schmied (Erz.) 1898; Die Tochter des Bergmanns (Erz.) 1898; Die Goldsucher. Die Pfändung. Eines Künstlers Jugendzeit. Nach wirklichen Begebenheiten der deutschen Jugend erzählt, 1899; Zur Lehr und Wehr. Erzählung für die Jugend in Schule und Haus. Besonders den lieben Erstkommunikanten, 1899 (2. durchgeseh. Aufl. 1911); Am Hexenkessel. Erzählung aus der Jugend eines Eigensinnigen, 1899; Der rote Franzis (Erz.) 1899; Der Räuber vom Eichenhofe. Erzählung aus dem Volksleben, 1900; Märchen aus der fliegenden Welt, 2 Bde., 1900; Robinson Crusoe (bearb.) 1901; Seines Vaters Schutzengel. Erzählung aus dem Volksleben für die Jugend, 1903; Der Schützling des Soldaten, – Sparpfennige (zwei Erz.) 1905; Schlagende Wetter. – Empor um jeden Preis! und andere Erzählungen aus dem Volksleben, 1909; In harter Schule, 1910; St. Elisabeth. Die Werke der Barmherzigkeit. Festspiel. Gedicht-Vorträge und Lieder nach bekannten Kirchenmelodien zu lebenden Bildern nach den Fresken auf der Wartburg von M. v. Schwind, 1911; Unter dem Beichtsiegel und andere Erzählungen aus dem Volksleben, 1913.   IB

Heitzler, Karl (Ps. Karl Benedikt), * 7. 5. 1839, St. Pölten Niederöst., † 2. 5. 1923 ebd.; Advokat, 1917–19 Bürgermeister d. Stadt u. Gründer d. Stadtmuseums. Seine Dr. liegen nur im Manuskript vor.

Schriften: Ein Vermächtnis (Erz.) 1898.

Literatur: ÖBL 2, 254.   IB

Heiwik, Hans (Ps. f. Hans Schultze-Heiwik) * 3. 1. 1916 Küstrin; Leitender Red., wohnt in München.

Herausgebertätigkeit: Boten aus aller Welt, 1952; Er liebte seine Kirche. In memoriam D. Hans Meiser, 1956.   IB

Heizmann, Adolf, 20. 9. 1911 Thalwil/Kt. Zürich; Lehrer, Anerkennungspreis d. Schweizer Jgd.schriftenwerkes 1955, wohnt in Basel. Verf. v. Hörspielen, Erzähler.

Schriften: Eine Tür geht auf (Rom.) 1946; Kampf um Augusta Raurika. Bewegte Tage in der Römerstadt, 1949; Ro-Mi-Hei-Ruuu! Ferienerlebnisse der Rossmattbuben, 1951; Überfall am Hauenstein; eine Erzählung aus dem Jahre 1295, 1951; Es begann mit Lumpi, eine Erzählung, 1954; Jans große Wende. Eine Geschichte vom holländischen Nordseestrand, 1955; Das Gelübde. Eine Erzählung aus Basels großer Notzeit, 1956; Hendrik und seine Freunde. Eine Erzählung aus Holland, 1956; Das Gelübde, 1956; Kopf hoch, Gunnar! Eine Erzählung aus Jütland, 1958; Leuchtfeuer. Eine Erzählung vom holländischen Nordseestrand, 1958; Treffpunkt Salling. Eine Geschichte aus Jütland, 1962; Alexander bewacht alles. Eine Erzählung aus den bewegten Tagen des Jahres 1813, 1963; Wirbel um Anita. Erzählungen von Mädchen und Freundschaften, 1969; In Grado fing es an, 1969; Die Fische sind an allem schuld; Eine Erzählung aus Südportugal, 1971; Flug in die Vergangenheit (Erz.) 1973; Der Kaiser braucht Soldaten. Eine Erzählung aus der Zeit Napoleons, 1977; Das Vermächtnis der Mauren (n. W. Irving) 1977.   IB

Heizmann, Gertrud (Mädchenname u. Ps. f. Gertrud Heimann), * 10. 11. 1905 Bern; war Buchhändlerin, dann Jugendbuchautorin; verheiratet mit Erwin Heimann, lebte in Bern, jetzt in Heiligenschwendi. Mehrmals ausgezeichnet durch Stadt u. Kanton Bern, Schweiz. Jugendbuchpreis 1975.

Schriften: Sechs am Stockhorn, 1939; Die Sechs am Niesen. Eine Feriengeschichte für Kinder von 8 bis 12 Jahren, 1941 (beide Bde. zus. u. d. T.: Sechs in den Bergen, 1947); Xandi und das Wunderkraut. Eine Geschichte für Kinder, 1943; Christjohann und Kessler-Gret. Eine Kindergeschichte aus den Bündnerbergen, 1946; Munggi. Eine Geschichte von Murmeltieren und einem kleinen Mädchen, für die Kinder erzählt, 1950; Fünf Kinder und drei Geißen, 1953; Enrico. Die Geschichte eines Italienerbuben in der

Schweiz, 1954; Unter der Brücke, 1958; Wir haben noch Wind in den Haaren, 1960; Um zehn Uhr auf der Concorde, 1963; Das vorwitzige Rötelein. Eine Geschichte von zwei großen und fünf kleinen Füchsen für die Kinder erzählt, 1966; Zwischen Firn und Asphalt, 1970; E Spatz flügt i Himmel. Bärndütschi Gschichte zum Vorläse, 1972; Mutter Jolie, 1976.   AS

Heizmann, Kurt Heinrich, * 12.5.1912 Konstanz, † 1.10.1958 Lörrach; Verf. v. Jugendbüchern.

Schriften: Der Schlucker und der Hungerturm. Eine aufregende Geschichte von einer Ferienfahrt, 1953; Wildwasser. Eine Erzählung aus den Bergen, 1954; Fünf Mädchen und ein Papagei oder Wie kleine Leute eine große Sorge aus der Welt schaffen, 1954; Diebsjagd mit Hindernissen. Eine spannende Geschichte für Mädchen, die auch den Titel haben könnte «Ein Huhn ist keine Nachtigall», 1955; Alarm auf Revier XII oder Wo sind Bruno und Karle nur geblieben? 1956; Das Kind im Stall. Eine Weihnachtsgeschichte aus unseren Tagen, 1956; Regina und die Feuerwehr, 1956; Die Verschwörung aus York. Das abenteuerliche Leben der Maria Ward, 1957; Auch du wirst keine Ruhe finden ... Roman einer Christenbegegnung, 1958; Roter Hahn und weiße Taube. Die fröhliche Geschichte vom Sieg der Familie Miller über die Tücken der alten Vogtei, 1960.   IB

Hekethusen, Hans von, (Ps. für Elisabeth von Müllern, geb. von der Lühe), * 28.3.1866 Berlin; lebte als Gattin e. Obersten in Kolberg/ Pommern, seit 1909 in Stettin. Erzählerin.

Schriften: Erlauschtes. Novellen und Erzählungen, 1904; Freunde (Rom.) 1909; Auf gleicher Höhe (Rom.) 2 Bde., 1910; Ich finde den Weg (Rom.) 1911; Seines Bruders Frau (Rom.) 1912; Im Kampf um's «Ich» (Rom.) 1912.   AS

Heksch, Alexander Franz, * 29.11.1836 Ofen-Pest, † 9.1.1885 Wien; Kaufmann, später Journalist in Preßburg. Erz. u. Übers., Verf. v. Reiseführern.

Schriften: Die Donau von ihrem Ursprung bis an die Mündung. Eine Schilderung von Land und Leuten des Donaugebietes, 1880; Lose Blätter (Erz., Nov. u. Skizzen) 1880; Blüten aus dem Osten. Ein Strauß für den Weihnachtstisch ge-

bunden, 1884; Aus Ungarns Novellenschatz. Ein Geschmeide für deutsche Leser gefaßt (übers.) 1884.   IB

Hektor, Enno Wilhelm, * 21.11.1820 Dornum/Ostfriesland, † 31.1.1874 Nürnberg; war Schreiber, daneben Schriftst., gab 1844–48 das «Ostfries. Unterhaltungsbuch» heraus u. 1849 die humorist.-satirische Mschr. «Der Vagabund», danach holte er die Gymnasialbildung nach u. besuchte in München die Univ.; seit 1857 Sekretär beim German. Museum in Nürnberg.

Schriften: Lieder aus Schilda (anon.) 1847; Harm un d'dür Tied. 'n Kummedistück, 1857; Harm auf Freiersfüssen. Ostfriesisches Landschaftsbild, 1859; Eine Ballscene, 1860; Geschichte des germanischen Museums von seinem Ursprunge bis zum Jahre 1862. Festschrift zur Feier seines 10jährigen Bestehens, 1863; Die Tannengeister. Ein Silvestermärchen, 1870; Harm Düllwuttel un all, wat mehr is. Mit einem Lebensbild des Dichters von F. v. Harslo (hg. F. W. v. NESS) 1905 (2., erw. Aufl. 1906).   AS

Hel, Erhard (Gerhard) → Predigten.

Hela, Friedrich → Pudor, Fritz.

Hel(l)bach(ius), Wendelin(us) von, 16. Jh., * Mühlberg/Thür.; Prediger in Eckhardtshausen/ Büdingen, übers., bearb. u. verm. d. «Grobianus» F. Dedekinds u. gab Caspar Scheits «Grobianus»-Übers. heraus.

Schriften: Epicedion Johannis ..., 1544; Epithalamion juvenis Theophili Halae ..., 1559; Grobianus und Grobiana ... Von unfletigen, groben, unhöflichen sitten und Bäwrischen gebärden ... in künstliche Reimen gestellet ... und mit sonderm fleiss gemehrt und von newem zugericht, 1572 (Neuausg. 1586); De caussis nigredinis ..., 1593; Artzt-Gärtlein ..., 1608.

Ausgabe: Grobianus und Grobiana ... (Neuausg. nach d. Übers. v. Caspar Scheidt u. W. H., hg. W. MATTHIESSEN) 1921.

Literatur: Goedeke 2, 112, 456, 480.   RM

Helberg, Karl Thomas → Fleischmann, Maximilian.

Helbig, Friedrich, * 1.12.1832 Jena, † 8.8. 1896 ebd.; Studium in Jena u. Heidelberg, 1879–92 Landesgerichtsrat in Gera. Dramatiker.

Schriften: Babel (Tr.) 1873; Die Sage vom «Ewigen Juden» 1874; Gregor VII. (Tr.) 1878; Nach Goethe (Lsp.) 1878; Die Wacht am Osterstein. Festspiel in einem Akte, 1883; Die Brautfahrt. Dramatisches Festgedicht, 1884; Ein Küßchen. Schwank in einem Akt, 1887; Nikolaus de Smit. Historisches Schauspiel in fünf Akten nebst einem Vorspiel: Das Marktrecht, 1898.

Literatur: Theater-Lex. 1, 744.   IB

Helbig, Heinrich, * 1.1.1774 Braunschweig, † 7.6.1847 Riga; Druckereiangestellter, später Kanzlist, leitete seit 1814 e. v. ihm begründete Elementarschule in Riga. Lyriker.

Schriften: Vermischte Gedichte, 1804; Neue Sammlung Vermischte Gedichte, 1821.   IB

Helbig, Helena (geb. Tränker), * 16.1.1878 Dresden, lebt in Tirol; Studium d. Malerei u. Sprachen, Auslandsreisen, 1902 Feuilletonred. d. «Dresdner Kunst- und Theaterztg.» Erzählerin.

Schriften: Philisterland (Rom.) 1911; Hinaus ins Leben! Ein Geleitwort für die weibliche Jugend, 1913; Kriegsklänge in deutschen Frauenseelen, 1917; Schwester Margarete (Rom.) 1918; Der Sonnenwinkel (Rom.) 1919; An Kindes Statt (Rom.) 1924; Das Gnadenhaus (Rom.) 1926; Ein Boot fährt über den See (Rom.) 1930; Das Glück am Brunnenrand (Rom.) 1931; Am Weg zu den Sternen (Rom.) 1934; Die Frauen von Arvenhof (Rom.) 1934; Die von der Nordseite, 1935; Vier bauen ein Haus (Rom.) 1936; Ich wußte, daß du kommst, 1937; Kennst Du das alte Lied? (Rom.) 1937; Regina Maria (Rom.) 1937; Es ist ein weiter Weg zu Dir (Rom.) 1938; «Wenn ich dich rufe, Claudia ...» (Rom.) 1938; Vier aus einem Nest (Frauenrom.) 1938; Die Töchter der Sibylle Degenhardt, 1938; Heide reist in die Welt (Rom.) 1938; Ich helfe dir, Franzl, zw. 1938–40 (sowie alle folgenden); Carina und ihre drei; Ich siege mit dir; Und am Ende steht das Glück; Bergstürme um Claudia; Einmal kehrst du zu mir zurück; Frau Magdas Opfergang; Das Haus auf der Höhe, 1939/40; Start ins Leben, 1940; Ursula und ihre Heimat, 1940; Mein Leben für Monika, 1940; Sorge dich nicht, Hansel, 1940; Das Opfer der Ute Wackerlin, 1941; Wir suchen Madeln, 1947; Auf der anderen Bergseite, 1963.

Literatur: B. REICHARD, ∼ (in: Oberlausitzer Rundschau) 1928.   IB

Helbig, Karl (Martin) * 18.3.1903 Hildesheim; Dr. phil., Geograph, wohnt in Hamburg-Altona. Reise- u. Jgdb.schriftsteller.

Schriften (in Ausw.): Batavia. Tropische Stadtlandschaftskunde im Rahmen der Insel Java, 1932; Tuan Gila, ein «verrückter Herr» wandert am Äquator, 1934; Levantepott im Mittelmeer. Kurt Immes abenteuerliche Seefahrt mit Mustafa, Krischan und den Dalmatinern, 1934 (u. d. T.: Trampfahrt in die Levante. Erlebnisse und Abenteuer mit allerlei Schiffsvolk auf blauem Wasser und an sonnigen Küsten, für die Jugend erzählt, 1950); Nordkap in Sicht, 1935; Kurt Imme fährt nach Indien. Die Geschichte von der ersten Seereise eines Hamburger Schiffsjungen, 1935; Til kommt nach Sumatra. Das Leben eines deutschen Jungen in den Tropen, 1939; Urwaldwildnis Borneo. 3000 km Zick-Zack-Marsch durch Asiens größte Insel, 1940; Ferne Tropeninsel Java. Ein Buch vom Schicksal fremder Menschen und Tiere, 1946; Indonesiens Tropenwelt, 1947; Von den Ländern und Meeren der Welt, 1947; Paradies in Licht und Schatten. Erlebtes und Erlauschtes in Inselindien, 1949; Zu Mahamerus Füßen. Wanderungen auf Java, 1954; Antiguales (Altertümer) der Paya-Region und die Paya Indianer von Nordost-Honduras, 1956; Von Mexiko bis zur Mosquitia, kleine Entdeckungsreise in Mittelamerika, 1958; So sah ich Mexiko, 1962.   IB

Helbig, Karl Gustav (Ps. K. G. Freimund, Severin Anselmus), * 20.7.1808 Dresden, † 19.3.1875 ebd.; Dr. phil., 1833 Kollaborator, 1835 Oberlehrer u. 1868 Prof. u. Konrektor an d. Kreuzschule Dresden.

Schriften: Der Erdbeerkönig. Ein Kindermärchen, 1834; Die sittlichen Zustände des griechischen Heldenalters ..., 1839; Die Macht der Ähnlichkeit ..., 1842; Grundriß der Geschichte der poetischen Literatur der Deutschen, 1843 (6., verm. u. verb. Aufl. 1862); Christian Ludwig Liscow ..., 1844; Wallenstein und Arnim 1632–1634 ..., 1850; Esaias Pufendorf ..., 1862.

Literatur: ADB 11, 677.   RM

Helbing, Lothar → Frommel, Wolfgang.

Helbling, Carl, * 16.12.1897 Rapperswil/Kt. St. Gallen, † 17.6.1966 Zürich; Dr. phil., war Gymnasiallehrer, dann ao. Prof. an d. ETH in Zürich.

Schriften: Die Gestalt des Künstlers in der neueren Dichtung. Eine Studie über Thomas Mann, 1922; Gottfried Keller in seinen Briefen, 1939; Adalbert Stifter. Aufsätze, 1943; Arbeit an der Gottfried Keller-Ausgabe, 1945; Mariafeld. Aus der Geschichte eines Hauses, 1951; General Ulrich Wille (Biogr.) 1957; Vom Beruf des Mittelschullehrers, 1959.

Herausgebertätigkeit: Gottfried Keller, Sämtliche Werke (Bde. 9, 10, 12, 15², 20, 21, 22 der von J. Fränkel begonnenen Ausg.) 1944–48; G. Keller, Ges. Briefe, 5 Bde., 1950–54.   AS

Helbling, Hanno, * 18.8.1930 Zuoz/Engadin; Dr. phil., Sohn v. Carl H.; Red. d. Neuen Zürcher Ztg., wohnt in Zürich. Essayist u. Übersetzer.

Schriften: Leopold von Ranke und der historische Stil, 1953; Goten und Wandalen. Wandlung der historischen Realität, 1954; Saeculum Humanum. Ansätze zu einem Versuch über spätmittelalterliches Geschichtsdenken, 1958; Schweizer Geschichte, 1962 (franz. 1963); Tage in Venedig (gem. m. G. Schuh) 1965; Das zweite Vatikanische Konzil. Ein Bericht, 1966; Umgang mit Italien. Gestalten und Gedanken, 1966; Kirchenkrise. Eine Skizze, 1969; Der Mensch im Bild der Geschichte, 1969; Römerstraßen durch Helvetien (gem. m. B. Moosbrugger) 1972; Dauerhaftes Provisorium. Kirche aus der Sicht eines Weltchristen, 1976; Kaiser Friedrich der Zweite, 1977.

Herausgebertätigkeit: L. von Muralt, Der Historiker und die Geschichte. Ausgewählte Aufsätze und Vorträge (gem. m. anderen) 1960; Die Großen der Weltgeschichte (gem. m. anderen) 1971; J. Burckhardt, Staat und Kultur. Eine Auswahl, 1972; Kanzeltausch. Predigt und Satire im Dritten Reich. Eine Anthologie (gem. m. I. Buhofer) 1973; Otto von Bismarck, Aus seinen Schriften, Briefen, Reden und Gesprächen (Ausw.) 1976; Religionsfreiheit im zwanzigsten Jahrhundert, 1977.

Übersetzungstätigkeit: (Ausw.) Ekkehard IV, Die Geschichte des Klosters St. Gallen, 1957; C.F. Ramuz, Werke, 1972f.   IB

Helbling, Margrit, * 13.4.1922 Zürich; Innendekorateurin, später versch. Gelegenheitsarbeiten, verheiratete sich mit e. Landwirt, wanderte mit ihm nach Südafrika aus; später Rückkehr, wohnt in Jona/Kt. St. Gallen. Erzählerin.

Schriften: Bunte Scherben (Rom.) 1960; Tshakhuma. Mein afrikanisches Tagebuch, 1961; 13 Bäume (Rom.) 1962; Barbi fliegt nach Afrika, 1965; Kleines Haus im Dschungel. Reiseerzählung, 1965; Romi und Tin-Tin. Eine Geschichte aus Knies Kinderzoo, 1967; Tina, das Mädchen aus der Wüste. Ein Jugendroman, 1969.   AS

Helbling, Seifried (auch: Seifried Helbling), Zyklus v. 15 Ged. aus d. 90er Jahren d. 13. Jh. D. aus niederöst. Landadel stammende Verf. (* vor 1240, † vermutl. bald n. 1300) war verheiratet u. wahrsch. Lehensmann d. Kuenringe-Geschlechts, sein Name u. nähere biogr. Einzelheiten sind unbekannt. – Roter Faden d. Zyklus ist d. wechselhafte Verhältnis d. Ritters z. Knappen; z. T. durch d. Mund d. Knappen wehrt sich d. Dichter gg. d. Nachahmung fremder Sitten. D. satir. Kritik wird anhand realist. Detailbeobachtungen vorgebracht. Beeinflußt ist d. Verf. v. Konrad v. Haslaus «Jüngling», Neidhart, Werner d. Gärtner, Stricker u. a., Freidank zitiert er als Autorität.

Ausgabe: Seifried Helbling (hg. J. SEEMÜLLER) 1886.

Literatur: VL 2,372; NDB 8,461; de Boor-Newald 3/1,398; Ehrismann 2 (Schlußbd.) 335. – J. SEEMÜLLER, Stud. z. kleinen Lucidarius (in: Sb. d. phil.-hist. Klasse d. Akad. d. Wiss. Wien 102) 1882; A. WALLNER, ~ (in: ZfdA 72) 1935; R. SCHMIDT, A e i o u. D. ma. «Vokalspiele» ... (in: FS F. Tschirch) 1972; B. THUM, Politik u. soz. Handeln im MA ..., 1976.   RM

Helck, Johann Christian, * um 1730, † 1770 Warschau; Moral-Prof. b. Kadettenkorps in Dresden, Subrektor, später Prof. f. Mathematik in Warschau.

Schriften: Fabeln, 1751 (verm. u. verb. Aufl. 1755); Abhandlung von der Kunst, alt zu werden, 1751; Gott in seinen Werken, 1758. (Ferner zwei Schulprogramme.)

Literatur: Goedeke 4/1,93.   RM

Held, August, * 23.3.1793 Magdeburg, Todesdatum u. -ort unbekannt; Privatlehrer in Ratibor, 1836 Gründung e. Schule in Preiskretscham, seit 1838 Schuldir. in Gleiwitz.

Schriften: Erato. Opfer der kindlichen Liebe und des Dankes ... nebst einem Anhange vermischter Dichtungen ..., 1833; Thalia. Allego-risch-dramatische Spiele, 1834; Der Blüthen-kranz. Ein poetisches Allerlei, bestehend aus Ge-dichten ... vermischten Dichtungen ... und Cha-raden, 1835.   RM

Held, Christa → Flensburg, Ruth.

Held, Franz→ Herzfeld, Franz; von der Heyden, Friedrich.

Held(t), (Johann) Friedrich Wilhelm (Franz, auch: Alexander), * 11.8.1813 Neiße/Ober-schles., † 26.3.1872 Berlin; im Waisenhaus Potsdam erzogen, Offizier in Saarbrücken, dann bei versch. Theatern tätig, seit 1842 Hg. d. zu-erst in Leipzig ersch. «Locomotive. Allgem. Intelligenzztg. f. Dtl.» (1843 verboten, verb. Ausg. unter neuen Titeln, Neugründung 1848 in Berlin), 1848 Hg. versch. gemäßigt-liberaler Berliner Zs., Redner u. Verf. zahlr. Plakate, dann königl. Torfinspektor in Ryno b. Freien-walde, seit 1863 Red. d. Berliner «Staatsbürger-Zeitung».

Schriften: Johanna d'Arc (Tr.) 1836; Preußens Helden. Biographische Monumente für Preußens brave Soldaten, 6 Bde., 1841; Liebe (Tr.) 1841; 1813, 1814, 1815. Vaterländische Schauspiele mit Gesang, 1841; Irrfahrten eines Komödianten (hg.) 1842; Freundschaft (Tr.) 1842; Censuriana oder Geheimnisse der Censur, 1844; Deutsch-land, wie es fortschreitet und einig – isst, 1. H.: Die Vereine, 1844; Aufruf zu einer Revolution der deutschen Rechtschreibung, 1844; Illu-strirte Weltgeschichte (mit O. v. Corvin (-Wiers-bitzki)) 8 Bde., 1844–52; Dem deutschen Volke, 1846; Volksvertreter, 12 H., 1847; Flugblätter, I Republik, 1848; Die Pariser Revolution vom Februar 1848, 1848; Berlin von der Revolution bis zur Verfassung oder Geschichte der Berliner Revolutions-Epoche, 1849; Die Contre-Revo-lution ..., 1849; Das Buch des Gesetzes für das Preußische Volk (hg.) 1849; Die Portefeuille-Jagd ..., 1849; Der Volksvertreter, seine noth-wendigen Eigenschaften und Pflichten ..., 1849; Der Wahlkampf oder Volk, Verfassung und Par-tei ..., 1849; Der Justizmörder (polit. Rom.) 3 Bde., 1867.

Literatur: ADB 11,679; NDB 8,462. – H. Wuttke, D. dt. Zs. u. d. Entstehung d. öffentl. Meinung ..., 1866; K. Griewank, ~ u. d. vul-gäre Liberalismus u. Radikalismus ... (Diss. Ro-stock) 1922; K. Schottenloher, Flugbl. u.

Ztg., e. Wegweiser durch d. gedruckte Tages-schrifttum, 1922; R. Springer, Berlins Straßen, Kneipen u. Clubs im Jahre 1848, 1950; J. Droz, Les Révolutions Allemandes de 1848, Paris 1957; K. Koszyk, D. Bild d. Demagogen im Berliner tollen Jahr. ~s publizist. Tätigkeit während d. Märzrevolution (in: Publizistik 5) 1960 [mit Lit.verz.]; W. Haacke, D. polit. Zs. I–II, 1968f.   RM

Held, Fritz, * 25.5.1920 Sindelfingen Württ.; Arzt in Stuttgart. Lyriker.

Schriften: Gedichte, 1958; Jugendpsychiatrische Studien, 1966.   IB

Held, Hans (Heinrich Ludwig) von (Ps. Hans Deutschmann, Innocenz), * 15.11.1765 Auras bei Breslau, † 30.5.1842 Berlin (Selbstmord); studierte in Frankfurt/Oder, Halle u. Helmstedt Rechts- u. Staatswiss. 1802 Festungshaft, später Freilassung u. Staatsanstellung als Salzfaktor in Berlin. Publizist, Übers. u. Dichter.

Schriften: Gedicht zur Feier des königlichen Geburtstages, 1797; Die wahren Jakobiner im Preussischen Staate oder aktenmässige Darstellung der bösen Ränke und betrügerischen Dienstfüh-rung zweyer Preussischer Staatsminister, 1800; Über Preußens Vergrößerung im Westen (von Innocenz) 1801; God dam! Ein Heldengedicht in vier Gesängen von einem Frenchdog (übers.) 1804; Patriotenspiegel für die Deutschen in Deutschland, 1804; Struensee. Eine Skizze für diejenigen, Jenen sein Andenken werth ist, 1804 od. 1805; Gedicht im Freimüthigen, 1806; Über und für die vertrauten Briefe und Feuerbrände des Preussischen Kriegsraths von Cölln, 1808.

Literatur: Meusel-Hamberger 9,552; 11,335; 14,89; 18,103; 22/2,662; Goedeke 7,412. – C. Grünhagen, ~ als Ankläger Hoffs u. «d. gepriesene Preußen» (in: Zs. d. Vereins f. Gesch. u. Altertum Schles. 30) 1896.   IB

Held, Hans → Büttner, Alexander.

Held, Hans Ludwig, * 1.8.1885 Neuburg/Do-nau, † 3.8.1954 München; 1919–21 Dir. d. Afrika-Bibl. v. L. Frobenius, ab 1921 Dir. d. Stadtbibl. in München. Kulturhistoriker, Lyriker u. Erzähler.

Schriften: Dämmerstunden (Ged.) 1906; Ja-kobus. Aus dem Leben eines jungen Priesters, 1907; Salome. Ein Mysterium, 1908; Maria-Fried. Ein Roman aus der Holledau, 1910; Tamar (Tr.) 1911; Buddha. Sein Evangelium und seine Auslegungen, 1912; Talmud-Legenden. Dem Talmud nacherzählt und eingeleitet, 1912; Deutsche Bibliographie des Buddhismus ..., 1912; Brautmesse (Ged.) 1913; Die Idee des Buddhismus. Eine Betrachtung, 1913; Kriegs Hymne (Ged.) 1914; F. Schwimbeck, Phantasien über ein altes Haus, 1918; Werden und Vergehen, 1919; Das Gespenst des Golem. Studie aus der hebräischen Mystik mit einem Exkurs über das Wesen des Doppelgängers, 1927; Aphoristisches zur Bildung, Volksbildung und Kultur, 1929; Festliches Spiel auf Worte von Goethe, 1932; Gedichte. Dem Gedenken an Prof. Dr. h. c. ~, † 3. August 1954, 1955.

Herausgebertätigkeit (Ausw.): Lucian von Samosata, Hetärengespräche und die Dialoge vom Tanze, übersetzt von C.M. Wieland (neu hg. u. eingel.) 1912; Die religiöse Kultur. Ein volkstümliches Archiv für Religions-Kunde, 1912/13; Kritische Rundschau. Halbmonatszeitung für deutsche Kultur, 1919–20; Die Groschenbücher, 1924; Volk und Heimat. Bayerische Volksbildungszeitung, 1927–30; Münchner Schriften (gem. m. O. Groth) 1941–50; München. Ein kurzer Ausflug durch acht Jahrhunderte (gem. m. M. Wiedmann) 1949; Angelus Silesius, Sämtliche poetische Werke, 3 Bde. (eingel., neu bearb., 3. Aufl.) 1949; F. Rapp, Goethe und München. Die Bedeutung unserer Stadt nach Goethes Tagebüchern und Briefen und nach Mitteilungen seiner Freunde, zusammengestellt, 1949;

Nachlaß: Stadtbibl. München. – Denecke 2. Aufl.

Literatur: FS f. ~, hg. A. BAUER, 1950.   IB

Held, Heinrich, * 21.7.1620 Guhrau/Schles., † 16.8.1659 Stettin; Rechtsstudium, Hauslehrer, lic. iur. Greifswald, Reisen n. Holland, Frankreich u. England (1650), 1651 Rechtsanwalt in Fraustadt, 1657 Stadtsekretär in Altdamm/Stettin, Kämmerer u. Ratsherr (1658).

Schriften: Deutscher Gedichte Vortrab, 1643; Lucretie, Leyden 1649; Poetische Lust und Unlust, 1650; Hinterlassene neuerfundene Prosodie, o. J. (ersch.?)

Literatur: ADB 11,680; Goedeke 3,58, 164; FdF 1,410; Neumeister-Heiduk 372. – E. KRAUSE, Z. Lebensgesch. ~s (in: Mschr. f. Gottesdienst u. kirchl. Kunst 4) 1899; H.H. BORCHERDT, A. Tscherning, 1912.   RM

Held, Hubert, * 19.10.1926 Schuttern; Dipl. Volkswirt, wohnt in Tübingen-Weilheim. Lyriker.

Schriften: Klagende Gitter (Ged.) 1974; Fallende Engel (Ged.) 1976; Die schwarze Nachtigall (Ged.) 1977.   IB

Held, Julius, * 19.3.1803 Oppeln, † 1864 Schweidnitz; Philol.-Studium in Breslau, Dr. phil. (1826), 1831 Privatdoz. in Breslau, seit 1834 Rektor d. Schweidnitzer Gymnasiums.

Schriften (Ausw.): Incerti auctoris ad Calpurnium Pisonem carmen ... (hg.) 1831; Über den Werth der Briefsammlung des jungen Plinius ..., 1833; De Saleio Basso poeta commentatio, 1834.   RM

Held, Kurt (Ps. f. Kurt Kläber) * 4.11.1897 Jena, † 9.12.1959 Carona/Kt. Tessin; Schlosser, Mechaniker, später Bergarbeiter im Ruhrgeb., 1924 Ehe mit Lisa Tetzner, polit. tätig; seit 1933 in d. Schweiz, seit 1948 Schweizer Bürger. Erz., Lyriker, Verf. v. Jugendbüchern.

Schriften: Die rote Zora und ihre Bande. Erzählung aus einem Fischerdorf in Dalmatien, 1941; Der Trommler von Faido. Historische Erzählung aus der Levantina, I 1947, II 1949; Matthias und seine Freunde, 1950; Alles für zwanzig Rappen, 1951; Die schwarzen Brüder (gem. m. L. ~-Tetzner); Giuseppe und Maria I Die Reise nach Neapel, II Von Schmugglern, Zöllnern und Soldaten, III Kinderstadt, IV Der Prozeß, 1955; Direktor Malsch, 1956; Der Zinnsoldat, 1956.

Literatur: LexkJugLit 1,535. – H. SCHÖNHORST, ~: D. Trommler v. Faido. (in: Stud. z. Jgd.lit. 2) 1956; K. DENK, Z. Stil d. Roten Zora ~s. (ebd.); L. TETZNER, Das war ~, 1961; W. HUMM, Erinnerungen an ~. (in: Jgd.lit. 4) 1961; H. ALFKEN, ~ z. Gedächtnis. (ebd.); A. KRÜGER, ~: D. Rote Zora u. ihre Bande. (in: Kinder- u. Jgd.bücher als Klassenlektüre) 1963; C. WINTHER, Lisa Tetzner & ~, 1969.   IB

Held, Ludwig, * 14.4.1837 Regensburg, † 2.3.1900 Wien; Sekretär d. Wiener Stadttheaters, dann Theaterreferent beim «Neuen Wiener Tagbl.». Verf. v. Operettentexten, Dramatiker.

Schriften: Der Vogelhändler, 1891; Der Obersteiger (gem. m. M. West) 1894; Der Zimmerherr, 1901; Die Näherin, 1901.

Literatur: ÖBL 2,255.   IB

Held, Maria (geb. May) * 11.12.1898 Essen; wohnt in Essen-Bredeney. Lyrikerin.

Schriften: Hüte die Flamme (Ged.) 1940.   IB

Held, Martin, * 27.9.1882 Pardisla bei Seewis/Kt. Graubünden; lebte als Beamter d. Zentralbibl. in Zürich.

Schriften: Auf goldenen Spuren. Der Schauplatz von Gottfried Kellers Novellen «Die Leute von Seldwyla», 1920; Sternstunden (Ged.) 1938; Bunte Ernte. Aufsätze und Erzählungen, 1939.

         AS

Held, Theodor, * 13.6.1822 Neumarkt b. Halle, † 4.2.1908 Eulau/Böhmen; Folklorist u. Lyriker.

Schriften: Lieder und Sprüche aus dem deutschböhmischen Elbetale, 1890; Deutsch-böhmische Wander-, Wunder- und Weinkarte, 1891.   IB

Held, Wolfgang, * 15.8.1933 Freiburg/Br.; Dr. phil., Doz., wohnt in London. Erzähler.

Schriften: Die im Glashaus (Rom.) 1965; Die schöne Gärtnerin (Erz.) 1979; 79 – ein Brief des jüngeren Plinius, 1979.   IB

Held-Marbach, Klara, * 24.11.1824 Breslau, † 17.11.1893 ebd.; Kaufmannstochter, 1844 Heirat mit d. späteren Breslauer Physik-Prof. Marbach.

Schriften: Leidvoll und freudvoll (Ged.) 1876.

         RM

Heldenberg, Franz Xaver Georg (Ps. Florbach, Fromm, Kunz, Kümmer), * 14.10.1765 Reichenhall, Todesdatum u. -ort unbekannt; Förster und Jagdinspektor in Ruhpolding/Obb., Hg. d. «Förster ...» (1797 ff.). Lyriker, s. Ged. ersch. in Almanachen.

Schriften: Am Vermählungstage des Fräulein Sabina von Heppenstein mit ... Joseph von Thoma, 1791.

Literatur: Meusel-Hamberger 9,552; 11,335.

         RM

Heldenbuch (Bezeichnung d. 15./16. Jh.), Titel v. «Heldenepik»-Sammlungen in mhd. Fassungen. → Ambraser H., Kaspar von der → Rhön (Dresdner H.), H. Lienhart → Scheubels, Gedrucktes oder → Straßburger H. (mit «Anhang»). Verschollen, aber 1502 urkundl. erwähnt, ist d. *Heldenbuch* (helldenpuch) *an der Etsch*, das nach herrschender Meinung sicher d. Mittelteil d. Ambraser H. als Vorlage diente; e. Blattfragm. könnte

e. letzte Spur sein. D. Angaben über s. Entstehungszeit schwanken zw. «Anfang 13. Jh.», «erste Hälfte 14. Jh.» und «15. Jh.».

Literatur: VL ²1, 323 (Ambraser H.). – O. ZINGERLE, Das H. a. d. E. (in: ZfdA 27) 1883; H. MENHARDT, Das H. a. d. E. (in: Der Schlern 32) 1958; F. H. BÄUML, Some Aspects of Editing the Unique Manuscript: A Criticism of Method (in: Orbis Litterarum 16) 1961; F. UNTERKIRCHNER, Ambraser H. (Facs.), Kommentar, 1973.

D. barocke *Christliche Heldenbuch* (gedr. 1629) schildert Leben u. Taten v. Heiligen (nicht v. weltl. Helden) u. geht auf d. «Legenda aurea» d. italien. Dominikaners Jacobus a Voragine zurück.

Literatur: Aufriß 2.

Heldenbuch wurde im 19. Jh. Titel f. versch. Unternehmen mit d. Ziel, d. «Heldenlieder» d. zeitgenöss. Forscher u. Leser wieder zugängl. zu machen, so f. Ausg. einzelner H. (F. H. V. D. HAGEN, A. PRIMISSER: *Der Helden Buch in der Ursprache* = Dresdner H. u. a.; A. V. KELLER: *Das deutsche H.* = Straßburger H.), f. nach Sagenkreisen zusammengefaßte Sammlungen aus versch. H. (V. D. HAGEN: *Heldenbuch*), dies auch in Übers. u. Nachdg. (K. SIMROCK: *Das kleine H.*; E. HENRICI: *Das deutsche H.*).

Ausgaben u. Literatur: s. bei den einzelnen Art.

Das *Deutsche* oder *Berliner Heldenbuch* ist d. Versuch von K. MÜLLENHOFF und s. Nachfolgern, alle Heldenbuch-Rezensionen in einer krit. Gesamtausg. zusammenzufassen.

Ausgaben: Deutsches Heldenbuch, I (hg. O. JÄNICKE) 1866, II (hg. E. MARTIN) 1866, III+IV (hg. A. AMELUNG u. O. JÄNICKE) 1871 u. 1873, V (hg. J. ZUPITZA) 1870; Ndr. 1967.

Literatur: s. bei d. einzelnen Art., ferner: RL ²1, 642, 646; de Boor 3/1, 136, 180; 4/1, 63, 736. – W. HOFFMANN, Mhd. Heldendg., 1974.   ES/RM

Helding (Sidonius) Michael, * 1506 Langenenslingen/Hohenzollern, † 30.9.1561 Wien; 1529 Magister artium Tübingen, 1531 Domschulmeister, 1533 Domprediger, 1537 Weihbischof in Mainz, 1543 Dr. theol., kathol. Vertreter an Religionsgesprächen in Worms (1540), Regensburg (1546), Augsburg (1547); 1548 u. 1549 Leiter d. Mainzer Synode, 1549 Bischof v. Merseburg, 1555 Teilnahme am Augsburger Reichstag, 1558 Präs. d. Reichskammergerichts in Speyer, 1561 Vorsitzender d. Reichshofrates in Wien.

Schriften (Ausw.): Catechismus, das ist Christliche Underweisung und gegrundter Bericht nach warer Evangelischer und Catholischer lehr über die Furnembste Stucke unsers heiligen Christlichen Glaubens, 1549 u. 1558; Predigten über den Propheten Jonas, 1558; Postille, 1565; Ein «Vergißmeinnicht» oder Von der heiligen Messe (15 Predigten, hg. V. Hasak) 1884.

Literatur: Jöcher 2, 1463; ADB 34, 164 (Sidonius); NDB 8, 466; RE 7, 610; LThK 5, 207; RGG ³3, 207; Schottenloher 1, 334. – N. Paulus, ∼ (in: D. Katholik 74, 2) 1894 (mit Schr.-verz.); A. P. Brück, Drei Briefe ∼s v. Tridentinum (in: Arch. f. mittelrhein. Kirchengesch. 2) 1950; L. Lenhart, D. Mainzer Synoden v. 1548 u. 1549 ... (in: ebd. 10) 1958; E. Feifel, D. Mainzer Weihbischof ∼ ..., 1962.   RM

Heldmann, Friedrich, * 24. 11. 1776 Margetshöchheim b. Würzburg, † 1838 Darmstadt; Dr. phil., Prof. in Würzburg, 1807 in Aarau u. 1817–21 in Bern, lebte seit 1823 in Darmstadt, 1830 Gründung e. Pensionsanstalt.

Schriften (Ausw.): Die drey ältesten Denkmahle der Teutschen Freymaurer Brüderschaft, nebst Grundzügen zur Geschichte der Freymaurerei, 1819; Gallerie der neuen Chamäleone oder Leben, Thaten und Meinungen aller Personen, die in der französischen Revolution ... eine Rolle gespielt haben (aus d. Französ.) 1816; Akazienblüthen aus der Schweitz, ein Taschenbuch für Freymaurer, 1819; Aufklärungen über Begebenheiten der neueren Zeiten. Übersetzungen und Auszüge aus Werken des Auslandes, 4 Bde., 1826 f.; Neue Kinderbibliothek ..., 12 Bde., 1827; Neue Jugendbibliothek ..., 12 Bde., 1827 f.; Bibliothek merkwürdiger Criminal- und Rechtsfälle der älteren und neueren Zeiten und aller civilisirten Völker (mit T. v. Haupt) 1830.   RM

Heldmann, Karl (Ps. Ederanus), * 19. 9. 1869 Viermünden in Hessen-Nassau, † 12. 3. 1943 Kassel-Wilhelmshöhe; studierte in Marburg, Bibl.-beamter in Kassel u. Göttingen, 1903 Prof. f. Gesch. in Halle; Begründer d. «Thüring.-Sächs. Zs. f. Gesch. u. Kunst» (1911 f.)

Schriften (Ausw.): Die Rolandsbilder Deutschlands in dreihundertjähriger Forschung und nach den Quellen. Beiträge zur Geschichte der mittelalterlichen Spiele und Fälschungen, 1904; Mittelalterliche Volksspiele in den thüringisch-sächsischen Landen, 1908; Das deutsche Deutschland, 1919 (3. verb. u. verm. Aufl. m. e. Anhang 1921); Zwei Menschenalter deutscher Geschichte in deutscher Beleuchtung, 1920; Kriegserlebnisse eines deutschen Geschichtsprofessors in der Heimat, 1922; Hessische Heimatpflege an den Universitäten Marburg und Gießen, 1924; Das Kaisertum Karls des Großen, 1928.   IB

Heldt, Alexander, 16. Jh.; Verf. e. in Metrik u. Melodie d. Meistergesang folgenden Liedes «Von der Ruten und Kinderzucht» (aufgenommen in W. Sarcerius, Geistl. Herbarius, 1573).

Literatur: Goedeke 2, 263.   RM

Heldt, Andreas → Pfeiffer-Belli, Erich.

Heldt, E. (Ps. f. Bertha Nölting) * 11. 1. 1848 Allermöhe b. Hamburg, † 1. 1. 1921 Gießen; lebte als Erzählerin, Pflegerin u. später als Lehrerin in Pinneberg/Holstein, Hamburg, Helmstedt, Karlsruhe, Gießen u. Riga.

Schriften: Ewige Liebe. Novelle in Versen, 1881; Verwehte Spuren. Drei epische Dichtungen, 1884; Zurück ins Leben. Novelle in Versen und andere Dichtungen, 1889.   AS

Heldt, Karlheinz, * 28. 2. 1921 Allenstein/Ostpr.; studierte Medizin, Kriegsteilnahme, dann Fortsetzung d. Medizinstud. sowie Philos. u. Kunstwissenschaft. Prakt. Arzt in Köln, seit Mitte 1978 Aufgabe d. Arzttätigkeit. 1978 Gründer e. «Literatur-Werkstatt» aus d. er sich dann zurückzog.

Schriften: Schönheit und Schicksal. Spätpubertäre Lyrik, 1977; Der Mann, der eine Ratte laufen ließ. Prosa, 1978; Allegro majestuoso. Außenseiterroman, 1979.   IB

Helduaderus, Nicolaus → Hansen, Niels.

Heldwein, Siegfried, * 31. 1. 1922 Amberg, † 18. 9. 1975 Aschau/Chiemgau; Dr. phil., Psychologe. Lyriker u. Erzähler.

Schriften: Frührot. Skizzen, 1946; Zu dieser Stunde (Ged.) 1947; Der Gigant und andere Märchen, 1948; Der Doppelgänger (Erz.) 1949.   IB

Die geduldige Helena, Volksbuch, Stoff ist d. späthellenist.-oriental. Gesch. v. König, der als Witwer d. eigene Tochter heiraten will. Diese flüchtet, wird Königin, verleumdet u. mit ihrem Sohn ausgesetzt. Sie gelangen nach Rom, leben unter d. Schutz d. Papstes, später erfolgt d. Versöhnung mit d. Gatten u. Vater. Dieser Stoff wurde v. Alexander de Bernay z. ersten Mal dichter. gestaltet, auf s. Version beruhen u. a. französ. Prosaauflösungen, Hans v. Bühels «Königstochter v. Frankreich», «Mai und Beaflor», d. Volksbuch v. der geduldigen H. Die Sage v. d. unschuldig verstoßenen Frau begegnet u. a. auch in d. Genovefa- u. Crescentia-Legende.

Literatur: de Boor-Newald 4/1, 56. – L. MAK-KENSEN, D. dt. Volksbücher, 1927.   RM

Helena, Dilia (Ps. f. Thelyma Nelly Helene Branco, geb. Roedlich), * 13.10.1816 Düsseldorf, † 28.2.1894 Bernau; Tochter d. Generals Hieronymus Franz R., 1840 Heirat mit d. spätern Generalarzt Friedrich Wilhelm Branco.

Schriften: Gedichte (Vorwort L. Tieck) 1848 (3., verm. Ausg. 1868).   RM

Helene → Hülsen, Helene von.

Helene, Marie (Ps. f. Elisabeth Marie Helene Estienne Le Maître, geb. Benecke v. Gröditzberg), * Juli 1810 (nicht: 1812) Charlottenburg, † 1899 Dresden; Reisen n. Paris u. Rom, lebte in Schlesien u. Berlin u. seit ihrer Heirat (1834) vorwiegend in Dresden.

Schriften: Der spanische Student (Schausp. n. Longfellow, übers.) 1860; Bilder aus dem Leben (Nov.) 1863; Gräfin Ida Hahn-Hahn (Lb.) 1869.   RM

Helfenstein, Ludwig (Ps. f. Ludwig Karl James Aegidi) * 10.4.1825 Tilsit, † 20.11.1901 Berlin; studierte Jus, Dr. phil., Habil., Doz. in Göttingen, später Univ.-Prof., Verf. v. polit. u. jurist. Schriften, aber auch Dramatiker.

Schriften: Der Rotbart (Tr.) 1871; Allerseelen. Ein Vorspiel, 1885.

Nachlaß: Staatsbibl. Preuß. Kulturbesitz Berlin. – Denecke 2. Aufl.

Literatur: Biogr. Jb. 6, 264 (unter Aegidi)   IB

Helfenstein, Lydia, * 27.3.1910 Wil/Kt. St. Gallen; Pens. Kantonale Beamtin, wohnt in Luzern. Lyrikerin.

Schriften: Läbeszeiche, Lozärner Dialäktvärs, 1972.   IB

Helfenstein-Zelger, Lina, * 26.4.1905 Stans/Kt. Nidwalden; aufgewachsen ebd., arbeitete als Postgehilfin u. Telephonistin, lebt jetzt in Lu-

zern. Verf. v. Jugendschriften, Radio- u. Zeitungsmitarbeit.

Schriften: Susi, das Krüppelchen, 1954; Elsbeths Erwachen, 1958; Mariettas Lieder, 1961; Lottis Tagebuch, 1966; Der Weihnachtsstern. Legenden für Kinder, 1971; Unterwegs im Nidwaldnerland. Skizzen, 1972; Von einer Pilgerfahrt ins Heilige Land, 1972; Aawasser-Gischt. Nidwaldner-Blätter, 1976.   AS

Helfert, Josef Alexander von (Ps. G. v. S., Dr. Guido Alexis), * 3.11.1820 Prag, † 16.3.1910 Wien; studierte in Prag, Dr. iur., 1848–63 Unterstaatssekretär f. Unterricht, Förderer d. öst. Gesch. wiss.; Geschichtsschreiber.

Schriften (Ausw.): Hus und Hieronymus, 1853; Geschichte Österreichs vom Ausgang des Wiener Oktoberaufstandes (1848) 4 Bde., 1869–86; Aus Böhmen und Italien, März 1848, 1872; Die Wiener Journalistik im Jahre 1848, 1877; Joachim Murat, seine letzten Kämpfe und sein Ende, 1878; Bosnisches, 1878; Der Wiener Parnass im Jahre 1848, 1882; Gregor XVI. und Pius IX., 1895; Österreichische Geschichtslügen, 1897; Aufzeichnungen und Erinnerungen aus jungen Jahren, 1904; Geschichte der österreichischen Revolution, 1907.

Literatur: ÖBL 2, 256; NDB 8, 469; Wurzbach 8, 254; Biogr. Jb. 16, 346. – J. HLAVACEK, ~, s. Jugend u. s. polit. Tätigkeit bis z. Ernennung z. Unterstaatssekretär (Diss. Wien) 1936; F. PISECKY, ~ als Politiker u. Historiker (Diss. Wien) 1949.   IB

Helffenstein, Samuel, * 17.4.1775 Germantown/USA, † 17.10.1866 North Wales/USA; 1796–99 Pastor in Montgomery, 1810 Gründung e. theol. Seminars in Philadelphia, 1827 Präs. e. ref. Missionsgesellsch., 1837 Superintendent, 1856 Präs. d. Easter Synode, 1863 Vizepräs. d. «Tercentary Convention» in Philadelphia.

Schriften (dt.): Lieder zur Erbauung, Philadelphia 1810; Kurze Anweisung in der christlichen Religion ..., ebd. 1810; Das Evangelische Magazin der Hochdeutschen Reformirten Kirche in den Vereinigten Staaten ... (hg.) 1. Bd., ebd. 1829.

Literatur: Goedeke 15, 567. – O. SEIDENSTRIKKER, Gesch. d. Dt. Gesellsch. v. Pennsylvanien, Philadelphia 1876; D. CUNZ, The Maryland

Germans, Princetown 1948; J. J. STOUDT, Pennsylvania German Poetry 1685–1830, Allentown 1956.   RM

Helfgen, Heinz, * 7.3.1910 Friedrichsthal; Politologe, wohnt in Völklingen bzw. Düsseldorf. Verf. v. Rom., sowie Reise- u. Erlebnisberichten.

Schriften: Ich radle um die Welt I 1954, II 1955; Ich trampe zum Nordpol. Abenteuerlicher Bericht einer Ein-Mann-Expedition mit Auto, Buschflugzeug, Hundeschlitten und Schlauchboot, 1956; Zwischen Gefahr und Geheimnis. Bericht einer abenteuerlichen Reise vom Eisernen zum Bambus-Vorhang, 1960; Spur entlang der Wüste. Abenteuer in Nordafrika, 1961; Höllenfahrt ins Paradies, 1963; Gelber Monsum. Tatsachen-Roman, 1965.   IB

Helfrecht (Helfrich), Johann Theodor Benjamin, * 7.3.1752 Hof, † 1819 Höchstädt b. Wunsiedel; Theol.-Studium in Erlangen u. Leipzig, Lehrer u. Organist in Hof, 1795 Rektor, seit 1808 Prediger in Höchstädt.

Schriften: Eutropii breviarum historiae romanae, 1786; Carmen Hardebergio summam rerum gratulatorium ..., 1791; Über die Hoefer Schulbibliothek, 4 St., 1795–97; Tycho Brahe, geschildert nach seinen Leben, Meynungen und Schriften, ein kurzer biographischer Versuch, 1798; Shakal, der schöne Geist. Fragment einer Biographie aus dem vierzehenden Jahrhundert, von dem Araber Albezor (hg., übers. v. H. Goerge) 1799 (verm. Neuausg. 1801); Das Fichtelgebirge, nach vielen Reisen auf demselben beschrieben, 2 Tle., 1799f. (Außerdem Schulprogr. u. -schriften.)

Literatur: Meusel-Hamberger 3, 187; 9, 553; 11, 336; 14, 90.   RM

Helfrich, Gerhard → Preuschen, Albert.

Helfrich, Johann Heinrich, * 1730 Erfurt, † 1794 Hamburg; lebte seit 1769 in Hamburg, 1790 Mitgl. d. Buchdrucker-Sozietät.

Schriften: Lieder und Gedichte zur Erbauung, zur Ermunterung und zum Vergnügen, 1790.

Literatur: Goedeke 7, 375.   RM

Helfritz, Hans, * 25.7.1902 Hilbersdorf b. Chemnitz; wohnt auf Ibiza. Verf. v. Reisebeschreibungen.

Schriften: Mexiko früher und heute, 1939; Im Quellgebiet des Amazonas, 1942; Arabien. Die

letzten Wunder der Wüste, 1944; Chile, gesegnetes Andenland, 1951; Im Land der Königin von Saba, 1952; Im Land der weißen Kordillere. Auf Indopfaden und Urwaldflüssen durch Bolivien, 1952; Die Osterinsel, 1953; Mexiko, Land der drei Kulturen, 1954; Mexiko und Mittelamerika, 1954 (u. d. T.: Zentralamerika 1963); Glückliches Arabien. Abenteuerliche Reise zwischen dem Teufel und dem Roten Meer, 1956; Zwischen Atlantik und Pazifik. Streifzüge durch Zentralamerika, 1956; Durchs Reich der Sonnengötter, 1957; Schwarze Ritter zwischen Niger und Tschad, 1958; Balearen, 1959; Kanarische Inseln, 1961; Chile, 1961; Amerika. Land der Inka, Maya und Azteken, 1965; Die Götterburgen Mexikos, 1970; Marokko – Berberburgen und Königsstädte des Islam. Ein Reiseführer zur Kunst Marokkos, 1970; Äthiopien. Kunst im Verborgenen. Ein Reiseführer ins Land des Löwen von Juda, 1972; Südamerika: Präkolumbianische Hochkulturen. Ein Reisebegleiter zu den indianischen Kunststätten in Peru, Bolivien und Kolumbien, 1973; Indonesien. Ein Reisebegleiter nach Java, Sumatra, Bali, Sulawesi, 1977; Guatemala, Honduras, Belize. Ein Reisebegleiter ins Land der Maya, 1977; Entdeckungsreisen in Süd-Arabien. Auf unbekannten Wegen durch Hadramand-Yemen, 1977; Amerika. Inka, Maya und Azteken, 1979.   IB

Helfta → Gertrud von Helfta.

Helgaud (Helgald), † 1045, Mönch in Fleury, Vorsänger d. Klosters. Verf. e. «Vita Rotberti regis», die auf e. älteren Vorlage beruht u. e. Lebensbeschreibung d. Königs Robert gibt, welche weniger hist. Fakten als d. Figur Roberts verklärende, z. T. wunderbare Ereignisse schildert.

Ausgabe: Migne PL 141.

Literatur: Manitius 2, 367. – R.-H. BAUTIER, L'Epitoma vitae regis Rotberti Pii ... (in: Comptes rendus des séances. Acad. des inscriptions et belles lettres) Paris 1963; G. CRACCO, Spunti storici e storiographici in Elgaldo di Fleury (in: Rivista storica italiana 81) Neapel 1969.   RM

Helgrö → Grömmer, Helmut.

Heliand (altsächs.; Heiland), stabgereimte Evangelienharmonie e. unbek. Verf., entst. zw.

822 u. 840. D. Verf. dürfte e. gelehrter Geistlicher gewesen sein u. schrieb d. Werk im Auftrag Ludwigs d. Frommen (überl. in 2 fast vollst. Hss. aus d. 9. u. 10. Jh., 2 Fragm. aus d. 9. Jh.). D. Entstehungsort ist unsicher, in Frage kommt wohl d. ostsächs. Gebiet Niederdtl.s, vermutet werden auch d. Kloster Fulda u. d. Kloster Werden an. d. Ruhr. – Inhalt d. «H.» ist d. Lebensgesch. Jesu, Vorlage war d. lat. Evangelienharmonie d. Syros Tatian (2. Jh.), außerdem benutzte d. Verf. zeitgenöss. Kommentare (Beda, Alcuin), bes. denjenigen d. Hrabanus Maurus z. Matthäusevangelium (820/21). Hrabanus verf. viell. auch d. Praefationen. – D. «H.» gilt als bedeutendste überl. Dg. in altsächs. Sprache, er besteht aus knapp 6000 alliterierenden Langzeilen mit sog. Schwellversen und lehnt sich in d. Gestaltung an d. angelsächs. Dg. an. D. Dichter überträgt d. im Epos entwickelten Stilmittel und z. T. den Wortschatz auf sein christl. Thema.

Ausgaben: H. und Genesis (hg. O. BEHAGHEL) 1882 (8. Aufl. v. W. MITZKA, 1965, mit Bibliogr.); H. (übertr. W. STAPEL) 1953 [Prosaübers.]; H. und die Bruchstücke der Genesis (nhd. Übertr. F. GENZMER) 1956 (Neuausg. 1961); H. (nhd. Übertr. K. SIMROCK [1856], Emil A. HEUSLER) 1959.

Bibliographie: W. MITZKA (vgl. Ausg.); J. BELKIN, J. MEIER, Bibliogr. z. Otfrid v. Weißenburg u. z. altsächs. Bibeldg. [Heliand u. Genesis] 1975.

Wörterbücher: E. H. SEHRT, Vollst. Wörterbuch z. «H.» u. z. «Altsächs. Genesis», 1925 (2., durchges. Aufl. 1966); F. HOLTHAUSEN, Altsächs. Wörterbuch, 1954 (²1967); S. BERR, An etymological Glossary to the Old Saxon H., 1971, G. KÖBLER, Verz. d. Übersetzungsgleichungen v. H. u. Genesis, 1972.

Forschungsbericht: A. CONRADI, Der jetzige Stand d. H.-Forsch., 1909; H. RUPP, Forsch. z. ahd. Lit. 1945–1962, 1965 (= DVjs Sonderdr.).

Literatur: VL 2, 374; 5, 370; de Boor-Newald 1, 58; Ehrismann 1, 150; Albrecht-Dahlke 1, 440. – O. BEHAGHEL, D. Syntax d. ~, 1897 (Neudr. 1966); DERS., D. ~ u. d. altsächs. Genesis, 1902; A. HEUSLER, ~, Liedstil u. Epenstil (in: ZfdA 57) 1920; C. A. WEBER, D. Dichter d. ~ im Verhältnis zu s. Quellen (in: ZfdA 64) 1927; E. SIEVERS, ~, Tatian u. Hraban (in: PBB 50) 1927; W. BRUCKNER, ~ u. d. Genesis, d. Werk eines Dichters, 1929; G. BERRON, D. ~ als Kunstwerk, 1940; H. SCHNEIDER, Heldendg.,

Geistlichendg., Ritterdg. (verm. Neuausg.) 1943; G. BAESECKE, Fulda u. d. altsächs. Bibelepen (in: Ndt. Mitt. 4) 1948; W. MITZKA, D. Sprache d. ~ u. d. altsächs. Stammesverfassung (in: Jb. d. Ver. f. ndt. Sprachforsch. 71/73) 1948/50; R. DRÖGEREIT, ~, 1951; W. HENSS, Z. Quellenfrage im ~ u. ahd. Tatian (in: Jb. d. Ver. f. ndt. Sprachforsch. 77) 1954; E. R. FRIESE, The Beginning of the ~ (in: MLR 50) 1955; M. OHLY-STEIMER, «huldi» im ~ (in: ZfdA 86) 1955/56; E. ROOTH, Über d. ~-Sprache (in: Festgabe f. T. Frings) 1956; H. RUPP, ~. Hauptanliegen s. Dichters (in: DU 1) 1956; DERS., Leid u. Sühne im ~ u. in Otfrieds «Evangelienbuch» (in: PBB Halle 78/79) 1956/57; DERS., D. Lit. d. Karolingerzeit (in: Dt. Lit.-gesch. in Grundzügen, hg. B. BOESCH) 1961; H. KLINGENBERG, Terminol. u. Phrasol. z. Bezeichnung v. Machtverhältnissen im ~ (Diss. Freiburg/Br.) 1959; G. BOCKWOLDT, Z. Frage nach d. speziellen Hauptquelle im ~ (in: Jb. d. Ver. f. ndt. Sprachforsch. 84) 1961; H. SPAARNAY, Z. Wortschatz d. ~ (in: H. S., Z. Sprache u. Lit. d. MA) 1961; DERS., D. sprachl. Problem d. ~ (in: ebd.) 1961; H. BEYER, D. bäuerl. Wortschatz d. ~ u. s. Bed. f. d. Heimatfrage (Diss. Köln) 1962; G. MANGANELLA, Le Formule dell'Antica Poesia Sassone (in: AION (T) 5) 1962; W. KROGMANN, Crist III u. ~ (in: FS L. Wolff) 1962; DERS., Absicht od. Willkür im Aufbau d. ~? 1964; J. RATHOFER, D. ~, Theol. Sinn als tekton. Form, Vorbereitung u. Grundlegung d. Interpret., 1962; DERS., Z. Aufbau d. ~ (in: ZfdA 93) 1964; DERS., Hraban u. d. Petruslied d. 37. Fitte im ~ (in: FS J. Trier) 1964 [eig. 1965]; J. QUINT, Textkrit. z. Verspraefatio d. ~ (in: PBB Tüb. 85) 1963; J. F. WERINGHA, ~ and Diatessaron, 1965; W. SIMON, Z. Sprachmischung im ~, 1965; F. P. PICKERING, Wieder «Apokryphes im ~» (in: ZfdA 95) 1966; P. ILKOW, D. Nominalkomposita d. altsächs. Bibeldg. E. semant.-kulturgesch. Glossar (hg. W. WISSMANN, H.-F. ROSENFELD) 1968; W. HUBER, ~ u. Matthäusexegese ..., 1969; B. TAEGER, Zahlensymbolik bei Hraban, bei Hincmar – u. im ~? Stud. z. Zahlensymbolik im FrühMA, 1970; U. SCHWAB, Z. zweiten Fitte d. ~ (in: FS H. de Boor) 1971; ~ (hg. J. EICHHOFF, J. RAUCH) 1973 [18 Beitr. aus d. Jahren 1939–1970]; K. H. SCHIRMER, Antike Trad. in d. Versus-Vorrede z. ~ (in: FS

G. Cordes) 1973; A. HAGENLOCHNER, Theol. Systematik u. ep. Gestaltung ... (in: PBB Tüb. 96) 1974; DERS., Schicksal im ~ ..., 1975; W. HAUBRICHS, Veriloquium nominis. Z. Namensexegese im frühen MA. Nebst e. Hypothese über d. Identität d. ~ -Autors (in: Verbum et signum 1, FS F. Ohly) 1975; D. KARTSCHOKE, Bibeldg. Stud. z. Gesch. d. ep. Bibelparaphrase v. Juvencus bis Otfrid v. Weißenburg, 1975; H. POLLAK, Z. altsächs. ep. Sprache (in: ZfdA 104) 1975; A. WOLF, Beobachtungen z. ersten Fitte d. ~ (in: Ndt. Jb. 98/99) 1975/76; B. DSHONOV, D. «gesun-fader» d. ~ (in: PBB Halle 96) 1976; P. MARCQ, Système des prépositions spatiales dans le ~ (in: EG 31) 1976; P. LENDINARA, L'eroe sulla spiaggia (in: AION 20) 1977; B. TAEGER, E. vergessener hs. Befund: D. Neumen im Münchener «H.» (in: ZfdA 107) 1978.   RM

Heliogabal → Fischer von Thal, Wilhelm.

Heliophilus, Philochemicus → Egli(nus), Raphael.

Helios → Ettlinger, Karl.

Helios, Alexander → Herden, Herbert.

Helke, Fritz (Ps. Ruby Cross), * 1. 5. 1905 Biesenthal/Mark, † 13. 9. 1967 Kriftel. Erzähler, Übers., Bearbeiter v. Jugendbüchern.

Schriften: Degen und Scholle. Geschichten von Bauern und Soldaten, 1935; Wollt ihr wohl! Fünf Geschichten aus dem Preußen Friedrichs Wilhelm I, 1935; Der Soldat auf dem Thron. Bericht aus dem Leben des zweiten Preußenkönigs, 1935; Preußische Rebellion. Die entscheidende Tat des Generalleutnants von Yorck, 1935; Fehde um Brandenburg. Geschichte eines Rebellen, 1936; Der Prinz aus Frankreich. Ein Schicksal um Bonaparte, 1936; Jürgen Holle. Eine Jungengeschichte aus Brandenburgs frühen Tagen, 1937; Die Kietzmühle (Erz.) 1937; Das Ehrenwort (Erz.) 1938; Der Herzog von Enghien (Tr.) 1938; Preußische Rebellion (Erz., auch u. d. T.: Aufbruch in Preußen) 1938; Der Schöppenmeister (Schausp.) 1939; Die große Stunde (Erz.) 1941; Die Nacht von Queretaro. Geschichte eines Verrates, 1941; Der Ring des Kurfürsten, 1941; Die Quitzows. Erzählung aus Brandenburgs frühen Tagen, 1942; Dunkle Nächte, helle Sterne, 1942; Maximilian von Mexiko (Schausp.) 1942; Der Hansel vom Moorhof. Ein Jungen-

schicksal aus dem dreißigjährigem Krieg, 1942; Der Sumpfreiher, 1950; Das Blockhaus am Biberfluß, 1953; Das kalifornische Abenteuer, 1954; Der weiße Biber, 1954; Die letzte Bastion, 1954; Aufruhr im Dschungel. Eine Geschichte aus Java, 1955; Gold am Sacramento, 1955; Biberjohn, 1955; Die letzte Stunde (Rom.) 1955; In allen vier Winden. Das große Buch der Abenteuer, 1955; Die Biber-Söhne, 1956; Die Federschlange. Eine Traum vom Mayareich, 1956; Hiawatha. Die Geschichte eines Indianermädchens, 1956; stud. med. Hiawatha, 1957; Wo alle Straßen enden (3 Erz.) 1957; Abends um neun. Das große Mädchenerzählbuch, 1958; Gefangen – entronnen. Das große Buch der Fluchtgeschichten, 1959; Die grünen Götter. Auf den Spuren aztekischer Kultur, 1959; Flammenkreuz am Potomac. Eine Erzählung aus dem amerikanischen Bürgerkrieg, 1960; Der Klassentag, 1960; Juanita, 1961; Juanita und Miguel, 1962; Das ferne Licht, 1963; Das Gesetz von Oaksville. Erzählung aus dem alten Kansas, 1964.

Literatur: LexKJugLit 1, 537; Theater-Lex. 1, 746. – E. WEISSER, D. Bedeutung d. Dichters f. d. nationalpolit. Bildung (in: Zs. f. dt. Bildung 6) 1939.   IB

Hell, Camillo (Ps. f. Camillo Franz Karl Adam Schlechta von Wschehrd), * 24. 12. 1822 Wien, † 3. 2. 1880 ebd.; studierte Rechte in Wien, verließ nach kurzer Anstellung d. Staatsdienst, um unter d. Namen C. H. sich schriftstellerisch zu betätigen; wegen Beteiligung an d. Wiener Oktoberrev. z. Tode verurteilt, nach 6 Jahren Haft begnadigt; seit 1855 lebte er als Schriftst. in Wien, später Hamburg u. Berlin, zuletzt wieder in Wien.

Schriften: Die Freunde. Trauerspiel in 2 Aufzügen, in freien Versen, 1844; Die beiden Wolsey oder Licht und Schatten. Dramatisches Gedicht in 5 Aufzügen, 1857; Neueste Schule. Erzählung der Erzählungen, mitgetheilt aus dem Bundesbuche, 3 Tle., 1856.

Literatur: Wurzbach 29/30, 59.   AS

Hell, Hellan → Hanstein, Wolfram von.

Hell, Petra → Hanssen, Clara.

Hell, Theodor (Ps. f. Carl (Gottfried Theodor) Win(c)kler, 2. Ps.: Guido), * 7. 2. 1775 Waldenburg/Sachsen, † 24.9.1856 Dresden; Studium d. Rechte u. Gesch. in Wittenberg, lebte seit 1801 in Dresden, Kanzlist, dann russ. Hofrat, 1814 Theaterintendant, 1816 Sekretär d. Akad. d. bildenden Künste, 1824 sächs. Hofrat, 1825–1832 Regisseur d. italien. Oper, 1841 Vizedir. d. Hoftheaters. Red. d. «Generalgouvernementsbl.», Hg. d. Taschenbücher «Penelope» (1811–13, 1815–1848), «Komus» (1815, 1817, 1818), d. «Tagebuchs d. dt. Bühnen» (1816–35), d. «Weimar. Dramat. Taschenbuchs» (1823) u. d. «Dramat. Vergißmeinnicht» (1823–49), Hg. d. «Abendztg.» (1817–26 mit F. Kind, 1827–43 allein).

Schriften u. Bearbeitungen (Ausw.): Lottchen (Erz.) 1803; Kleine Romane und Erzählungen (aus d. Franz. d. Frau v. Genlis) 16 Bde., 1803–1806; Lustspiele, 2 Bde., 1805f.; Der Beruf (Lsp.) 1805; Makaria (Dr.) 1806; Lieder der Sehnsucht, Erinnerung und Hoffnung, 1806; Der Schwätzer (Posse n. d. Franz.) 1807; Bianca von Toredo (dramat. Dg.) 1808; Neue Lustspiele, 5 Bde., 1807–17; Zulima (Tr. n. Voltaire) 1811; Neue Erzählungen für häusliche Cirkel (hg.) 6 Bde., 1811–17; Sängers Reise (Ged.) 1816; Germanikus (Tr. aus d. Franz. d. A. v. Arnault, metr. übertr.) 1817; Die Makkabäer (Dr. n. d. Franz., metr. bearb.) 1818; Theodor und Zoe oder Constantinopels Fall (Tr.) 1818; Das Haus Anglade … (Schausp., n. d. Franz. bearb.) 1818; Der 29. Januar 1819 (Dr.) 1819; Die Burg Alphausen … (kom. Rom., aus d. Engl. übers. u. bearb.) 1819; Bühne der Ausländer, 3 Bde., 1818f.; Der weiße Ritter (Schausp., n. e. engl. Erz.) 1820; Evadne oder Die Bildsäule (Tr. n. d. Engl. d. R. Sheil, metr. bearb.) 1822; Lyratöne (Ged.) 2 Bde., 1821; Die alten Freunde (Lsp. n. Picard) 1822; Kampf und Versöhnung (dramat. Dg.) 1823; Maurers Leben (Ged.) 1825; Neue Lyratöne (Ged.) 2 Bde., 1830; Der Erde reinstes Glück (Festsp.) 1833; Salmigondis oder Novellistische bunte Reihe des Auslandes … (Mit-Übers.) 24 H., 1833f.; Exoteren oder Das Neueste und Anziehendste aus der Unterhaltungslitteratur des Auslandes in freien Übertragungen (Mit-Übers.) 24 H., 1835f.; Der Uskoke. Historischer Roman von George Sand (übers.) 1839; Das Liebhabertheater. Eine Sammlung der neuesten und besten … Theaterstücke … (hg.) 6 H., 1846. (Ferner zahlr. weitere Übers. u. Bearb. franz. u. engl. Prosatexte u. Bühnenstücke).

Nachlaß: Landesbibl. Dresden. – Nachlässe DDR 3, Nr. 941; Denecke 2. Aufl.

Literatur: ADB 11,693; Meusel-Hamberger 14, 90; 16,240; 18,105; 21,608; Goedeke 9,278; 11/1,344. – H. A. KRÜGER, Pseudoromantik, 1904; H. FLEISCHHAUER, ~ u. s. Tätigkeit als Journalleiter, Hg., Übers. u. am Theater (Diss. München) 1930.   RM

Hellborn, Klaus → Rhein, Eduard.

Helldorf, Ilse von, * 23.3.1862 Gera; lebte in Berlin, auf Schloß Pretzsch b. Wittenberg und später in Wernigerode.

Schriften: Schloß Pretzsch. Leben und Leiden am Hofe der Gemahlin August des Starken, 1899.   RM

Helldorff, Friedrich August von, * 1789 Nedlitz b. Zeitz, † 22.3.1833 Pegau; sächs. Offizier, 1827 Hauptmann, seit 1830 im Ruhestand.

Schriften: Der Zwischenakt. Zwischenspiel, 1828.

Literatur: Goedeke 11/1,301.   RM

Helle, Friedrich Wilhelm (eigentlich in der Hellen), * 28.10.1834 Böckenförde/Westf., † 4.8.1901 München; studierte klass. u. oriental. Philol. in Münster, München u. Wien, später Hauslehrer, 1869/70 in Rom, ab 1871 Red. kathol. Ztg. an versch. Orten. Epiker.

Schriften: Maria Antoinette (episch-lyrische Dg.) 1866; Mahnrufe an das deutsche Volk. Gedichte aus den Jahren 1857–66, 1866; Minneleben. Romantische Dichtung, 1867; Jesus Messias. Katholische Epopöe, Gesang 1–14, 1870; Marien-Preis. Lieder zur Verherrlichung der allerseligsten Jungfrau. Eine Festgabe zum fünfundzwanzigjährigen Jubiläum des Dogmas der Unbefleckten Empfängnis Mariä, 1879; Christkindleins Wanderung. Christliches Weihnachtsmärchen, 1882; Golgotha und Ölberg. Christologisches Epos, 1886; Kalanya's Völkersang. Mittelafrikanischer Schöpfungsmythos (Ep. Dg.) 1894; Jesus Messias. Eine christologische Epopöe, 3 Bde. (I Bethlehem und Nazareth, II Jordan und Kodron, III Golgatha und Ölberg) 1896; Die Schöpfung (Ep. Dg.) Prolog zu «Jesus Messias», 1899.

Literatur: Biogr. Jb. 6,252. – W. KREITEN, ~ Jesus Messias (in: SdZ 51) 1896; F. ROTHENFELDER, ~ kathol. Messiasdg. (Diss. München) 1909; L. WEISER, ~ u. s. ep. Dg., 1916; H. L.

MÜLLER, ∼. E. vergessener relig. Dichter und Glaubenskämpfer (in: Allg. Rundschau 22) 1925; L. WEISER, ∼ (in: Westfäl. Lbb. 3) 1934; W. LOBREYER, ∼, 1834–1901 (in: Heimatbl. 40) 1959.   IB

Hellefiur –→ Höllenfeuer.

Hellemann, Willy (Ps. Hans Boeglin), * 22.4. 1893 Straßburg, † 1969 Tessin; Dr. phil., Lyriker u. Erzähler.

Schriften: Die Stimme der Stunde. Versbuch, 1921; Die Neugeburt der menschlichen Gemeinschaft. Ein Wort zur Frage der Erziehung, 1922; Jugend und Welt. Ein Versuch ihrer Deutung, 1925; Die Stufe Welt, Terzinen, 1928; Dämmerndes Reich (Ged.) 1928; Gesichte im Abend (Erz.) 1928; Die Pforte. Märchen und Sinngebilde, 1931; Die Edelsteine, 1939; Die Welt unter dem Monde (Ged.) 1940; Der Umriß. Gedichte und Sprüche, 1953.

Literatur: (hg. M. FIDES) FS zu ∼s 70. Geb.tag, 1963.   IB

Hellen, C. von (Ps. f. Helene von Krause, geb. Boddien), * 13.1.1841 Brandenburg, † 14.4. 1915 Ludwigslust; Erzählerin.

Schriften: Der Herr Diakonus (Nov.) 1884; Ursula (Nov.) 1885; Um der Andern willen (Erz.) 1892; Hanna. Erzählung aus den Befreiungskriegen, 1894; Der Grenadier. Erzählung aus dem achtzehnten Jahrhundert, 1894; Meister Wieberts Tochter (Erz.) 1894; Der Kalandsturm. Historische Novelle, 1894; Im Sturm der Großstadt (Erz.) 1894; Echtes Gold (Erz.) 1894; Godalav (Erz.) 1894; Hittebarn. Erzählung aus dem siebzehnten Jahrhundert, 1894; Freiheit, 1895; Neue Märchen I 1895, II 1900; Königin Luise von Preußen, 1895; Zum Licht. Erzählung aus der Zeit der Reformation, 1895; Und dennoch (Erz.) 1895; Zwei Miniaturen (Nov.) 1897; Wort und Waffen. Roman aus der Zeit der Reformation, 1898; Das tiefe Wasser (Erz.) 1898; Er kommt. Volksbuch, 1898; Kleiner Krieg, 1899; Das Testament des Kaisers (Rom.) 1901; Tina. Volksbuch, 1903; An der Schwelle. Eine Hofgeschichte, 1903; Der Schatz des Pfarrers zu Poppenburg. Volksbuch, 1904; Dorothees Geheimnis (Nov.) 1905; Eine gefangene Seele (Rom.) 1906; Fritz von Jürgas (Rom.) 1909; Wir und das beste in der Welt, 1909; Klara. Eine Geschichte

aus der Biedermeierzeit, 1911; Unter der wendischen Krone, Wanderungen durch Mecklenburg, 1912; Aus einem stillen Eckchen, 1912.   IB

Hellen, Eduard von der, * 27.10.1863 Gut Wellen/Hannover, † 17.12.1927 Stuttgart; Dr. phil., Archivar am Goethe-Schiller-Arch. Weimar, Mitwirkung an d. Einrichtung d. Nietzsche-Nachl.-Arch. u. an d. ersten Gesamtausg. v. Nietzsches Werken, 1900–1923 lit. Beirat d. Cotta'schen Verlags in Stuttgart, Aufsichtsrat (seit 1910) u. Vorsitzender (seit 1920) d. «Union Dt. Verlagsgesellsch.». Haupt-Hg. u. a. der Jubiläumsausg. v. Goethes Werken (40 Bde. u. Registerbd., 1902–12) u. d. Säkular-Ausgabe v. Schillers Werken (16 Bde., 1904 f.), Mit-Hg. d. Mschr. «D. Greif».

Schriften (Ausw.): Das rote Programm ..., 1892; V. Hehn, Über Goethes Gedichte (hg.) 1912; O. Bismarck, Briefe an seine Braut und Gattin (ausgew. u. mit e. Anh. hg.) 1912; Die Sünden der Väter (Dr.) 1917; Hyazinth (dramat. Utopie) 1918; Heinrich von Plate. Der Roman eines Privilegierten, 1921; Höhere Kindschaft (Erz.) 1925; H. C. Andersen, Märchen (ausgew. u. eingel.) 1926.   RM

Hellenbach, Lazar, von, * 3.9.1827 Schlosz Paczolaj Obsolovce/Slowakei, † 24.10.1887 Nizza; Parlamentarier, Philosoph, von Schopenhauer ausgehend, zum Okkultismus neigend.

Schriften (Ausw.): Eine Philosophie des gesunden Menschenverstandes. Gedanken über das Wesen der menschlichen Erscheinung, 1876; Der Individualismus im Lichte der Biologie und der Philosophie der Gegenwart, 1878; Die Vorurteile der Menschheit, 3 Bde., 1879 (neue Ausg. 1884); Aus dem Tagebuch eines Philosophen, 1881; Die Magie der Zahlen, 1882; Die antisemitische Bewegung, 1883; Die Logik der Tatsachen, 1884; Geburt und Tod als Wechsel der Anschauungsform und die Doppelnatur des Menschen, 1885; Das neunzehnte und zwanzigste Jahrhundert (hg. v. K. du Pret) 1888.

Literatur: ÖBL 2, 258; NDB 8, 476. – W. HÜBBE-SCHLEIDEN, ∼, d. Vorkämpfer f. Wahrheit u. Menschlichkeit, 1891.   IB

Hellenthal, K. A. –→ Lübeck, Johann Karl.

Heller, Alfred, * 7.1.1885 Linz/Donau, Ingenieur in Wien, Verf. v. Unterhaltungsromanen.

Schriften: Der Goldsturz, 1920; Das Zelt. Zeitschrift für die jüdische Jugend (hg. gem. m. J. Seide, unter Mitwirkung v. A. Schaalmann) 1928/1929; Mädel in Not (Rom.) 1935; Symphonie der Jugend, 1936; Sprung ins Paradies, 1937; Diana von Milo. Abenteuerlicher Forscher-Roman, 1937; Wirklich eine reizende Frau, 1938; Zwischenspiel in heißer Zone, 1939; Verzauberte Woche, 1940; Ein Mann kommt ans Licht. Roman einer Erfindung, 1941; Das Catrin-Quartett, 1941; Theater, 1943; Die heimliche Prinzessin. Roman um einen Künstler, 1948; Die Meinrads, 1949; Hannes und die Mädchen, 1950; Kleines Fräulein, großes Abenteuer, 1951; Was sagen Sie dazu? 1951; Beate reist ins Glück, 1951; Zwischen Gott und Teufel. Roman um Atomspionage, 1952; Eva auf Abwegen, 1954; Dossier R – Europe W. (Kriminalrom.) 1954; Kampf um Britta, 1954; Eine Handvoll Glück. Der Aufstieg eines Filmsterns, 1955; Begegnung unterwegs, 1955; ... der werfe den ersten Stein, 1956; Sibylle sucht das Glück, 1956; Vergiß, was ich dir tat, 1957; Mordsache Reiningen, 1957; Terra, Feind des Friedens, 1959; Atomspione, 1959; Hyänen und Spione, 1960.

Literatur: H. MAYER, ~ (in: Das Münster 4) 1951.

IB

Heller, André, * 22.3.1947 Wien; anfänglich Verf. v. Liedern, d. er selbst komponiert u. vorträgt, 1976 Tournee mit d. «Zirkus Roncalli», d. er gemeinsam mit B. Paul gegründet hat.

Schriften: Padamme, 1967; Ein Stück Theater. King-Kong-King-Mayer-Mayer-Ling, 1972; Sie nennen mich den Messerwerfer. Lieder, Worte, Bilder, 1974; Die Ernte der Schlaflosigkeit, 1975; Auf und davon. Erzähltes, 1979.

Literatur: Wirklichkeiten v. ~ (in: du. Die Kunstzs. 7) 1979.

IB

Heller, Arthur, * 4.8.1891 Prag; Dr. med., war Arzt in Prag. Lyriker, Erzähler, Essayist.

Schriften: Teile eines Ganzen (Ess.) 1923; Meister Unruhig (Rom.) 1930; 13 Gedichte und 7 Federzeichnungen, 1931; Guttmann. Psychologische Studie über den Maler Robert Guttmann, 1932; Glauben und Wissen. Versuch einer kritischen Betrachtung der Unzulänglichkeit des menschlichen Erkenntnisvermögens, 1936; Politisches und Persönliches. Gedichte unserer Zeit, 1937.

AS

Heller, Erich, * 27.3.1911 Komotau/Böhmen; Studium d. Rechte u. Philol. in Prag, Dr. iur. et phil., exilierte 1939 nach England, 1941 Doz. an d. London School of Econ., 1948 Prof. am Univ.-College in Swansea/England, seit 1960 Prof. f. dt. Sprache u. Lit. an d. Northwestern Univ. Evanstone/Illinois, Hg. d. «Stud. in Mod. Europe Lit. and Thougt».

Schriften (dt., Ausw.): Die Flucht aus dem 20. Jahrhundert. Eine kulturkritische Skizze, 1938; Enterbter Geist. Essays über modernes Dichten und Denken, 1954; Thomas Mann, der ironische Deutsche, 1959 (Neuausg. 1975); Studien zur modernen Literatur, 1963; Franz Kafka (übers. G. Kindl) 1976; R.M. Rilke, Ausgewählte Gedichte (mit Nachwort hg.) 1976; Die Wiederkehr der Unschuld und andere Essays, 1977; Die Reise der Kunst ins Innere und andere Essays, 1977.

Literatur: W. HINDERER, V. Don Juan d. Erkenntnis. D. Essayist ~ (in: D. Monat 19) 1967.

RM

Heller, Erna (Mädchenname u. Ps. f. Erna Goossens), * 28.1.1913 Samedan/Kt. Graubünden; seit 1949 verh. mit d. Grafiker u. Maler Gogo Goossens, lebt in Karlsruhe; Lyrikerin, Erzählerin. Literaturpreis der Stadt Karlsruhe 1957, 1960.

Schriften: Das Saitenspiel (Ged.) 1950; Tropfen im Meer (Ged.) 1957.

AS

Heller, Ernst, * 9.5.1856 Bern, † 23.12.1913 Vevey; war zuerst Kaufmann, nach akadem. Studien in Bern u. München lebte er seit 1898 als freier Schriftst. meist in Clarens/Genfersee.

Schriften: Rudolf von Erlach und die Schlacht bei Laupen. In drei Gesängen, 1877; Ein Sonettenkranz, 1877; Frühlingsboten (Ged.) 1878; Sänger aus Helvetiens Gauen. Album deutsch-schweizerischer Dichtungen der Gegenwart, 1880 (neue Ausg. 1882); Im Atelier (Lsp.) 1882; Verfehlte Spekulationen (Lsp.) 1882; Der letzte Zäringer (Trauersp.) 1884; Die Schweizer-Garde in Paris am 10. August 1792. Gedicht, 1887; Ein Cäsarentraum. Historische Tragödie, 1897.

Literatur: HBLS 4, 135.

AS

Heller, Franz Josef, * 19.6.1883 Wien, † 15.2.1962 ebd.; Industriebeamter. Lyriker u. Dramatiker.

Schriften: Oanhaxl (Bauernst.) 1912; Der Dorflump (Dr.) 1913; Liebesklagen (Ged.) 1943; Alt-
Wiener-Leut (Singsp.) 1943; Pepperl (Volksst.)
1945; Der Kirta in Stangelbrunn (Singsp.) 1946.
Literatur: Theater-Lex. 1, 747.   IB

Heller, Fred, * 16.4.1889 Ober-Siebenbrunn/
Niederöst., † 12.4.1949 Montevideo; Journalist
in Wien, emigrierte 1938 nach Uruguay. Verf. v.
Romanen.
Schriften: Österreichische Miniaturen. I Der
Franzl und andere Habsburger Anekdoten, 1925;
Trocadero (Kriminalrom.) 1931; Die kleine
Freundin eines großen Herrn, 1940; Das Leben
beginnt noch einmal, 1945; Familienalbum einer
Stadt, 1948; Der Kurpfuscher, 1948.
Literatur: Theater-Lex. 1, 747.   IB

Heller, Friedrich, * 2.4.1932 Groß-Enzersdorf;
Druckereifaktor, Theodor-Körner-Preis, wohnt
in Groß-Enzersdorf. Lyriker, Erz. u. Verf. v. Hör-
spielen.
Schriften: Neun aus Österreich. Erlebnisse im
Dschungel, in der Steppe, im Urwald und in der
Eiswüste unserer Heimat, 1971; Fast unmögliche
Geschichten von übermorgen, Glossen, 1972;
Die Lobau. Führer durch Geschichte und Land-
schaft der Lobau. Landschaftsbilder, 1975.   IB

Heller, Gisela, * 6.8.1929 Breslau; arbeitet vorwiegend für den Rundfunk.
Schriften: Märkischer Bilderbogen. Als Reporterin zwischen Spreewald und Stechlin, 1976.   IB

Heller, Heinrich Ferdinand, * 29.9.1859 Han-
noversch Münden; studierte in Göttingen Theol.,
war dann Pastor in Diemarden/Reinhausen b.
Göttingen.
Schriften: Wittekind. Sang und Sage aus dem
Wesergau, 1902; Johannes der Täufer. Biblische
Dichtung, 1903; Christophorus. Eine christliche
Sage. Dichtung nebst Anhang, 1903.   AS

Heller, Heinrich Justus, * 11.11.1812 Ebers-
walde, † 13.12.1902 Berlin; Oberlehrer an d.
Realschule ebd., Lehrer d. späteren Kaiser Fried-
richs III. Erz. u. Lyriker.
Schriften: Gedichte, 1856; Schillers Leben und
Werke, 1902.   IB

Heller, Heinrich Wilhelm, * 8.10.1746 Stuttgart, † 3.2.1812 Altdorf; Regierungsratssekretär
in Stuttgart.

Schriften (Ausw.): Geschichte des Klosters
Anhausen, 1775; Über den Selbstmord in
Deutschland, 1787.
Literatur: Meusel-Hamberger 3, 189.   RM

Heller, Hermine, * 10.3.1921 Wien, wohnt
ebd., schreibt f. Funk u. Fernsehen.
Schriften: Handzeichnungen Hermann Heller.
Strukturen in Anatomie und Landschaft, 1970. IB

Heller, Isidor, * 5.5.1816 Jungbunzlau/Böhmen,
† 29.12.1879 Arco; Mitarbeiter am Unterhal-
tungsbl. «Ost und West», 1846 Red. in Pest,
1859 Gründer d. Zs. «Fortschritt». Erzähler.
Schriften: Sendschreiben eines Österreichers an
die deutsche Nation, 1852; Ghettogeschichten,
1852 (?); Jüdische Sagen, 1852 (?); Die Alliierten
der Reaktion (Rom.) 2 Bde., 1852; Österreichs
Lage und Hülfsmittel. Denkschrift, 1859.
Literatur: ÖBL 2, 259.   IB

Heller, Johann(es), * Korbach, † 5.2.1537
Brühl; Angehöriger d. Köln. Prov. d. Franzis-
kanerobservanten, Domprediger, 1527 Religionsgespräch mit d. luther. Wanderprediger
Myconius, 1532–34 Guardian d. Franziskaner-
konvents in Siegen. Kontroverstheologe u. -pre-
diger.
Schriften: Antwort broder J.H.s von Corbach
observant uff eyn unwarhafftig smeychbuechlen
das yn der letsten Francfurder messe wydder en
ys usszganghen, 1527; Bericht und Antwort
broder J.H. von Corbach barfuesser's ordens,
auf etzliche falsche artickel die vur waer gelernt
werden tzu groissem schaden des eynfeltigen
Christen, 1533; Malleolus Christianus, vera
piaque excludens ac confirmans orthodoxa, 1534;
Contra anabaptistas unici baptismatis assertio,
1534.
Literatur: NDB 8, 479; LThK 5, 222. – P.
SCHLAGER, Gesch. d. Köln. Franziskaner-Ordensprov. während d. Reformationszeitalters,
1909; C. SCHMITZ, D. Observant ∼ ..., 1913
(mit Texten).   RM

Heller, Leo, * 18.3.1876 Wien, † um 1949;
Red. in Berlin. Verf. v. Ged. u. Plaudereien, Erzähler.
Schriften: Volkslieder in modernem Gewande,
1902; Bunte Lieder, 1903; «Garben» Neue Gedichte, 1906; Präludien der Liebe. Neue Ge-

dichte und Lieder, 1908; Neue Lieder, 1908; Die Wiese (Ged.) 1914; Gott erhalte, 1916; Das schwarzgelbe Buch, 1917; Lieder vom Frühling (Ged.) 1921; Aus Pennen und Kaschemmen. Lieder aus dem Norden Berlins, 1921; Berlin, Berlin, wat macht et? Mit eenem Ooge weent et, mit eenem Ooge lacht et. Neue Lieder aus dem Berlin des Nordens, 1924; Chantant (Chansons) 1924; Aus Ecken und Winkeln. Düstere und Heitere Großstadtbilder, 1924; Rund um den Alex. Bilder und Skizzen aus dem Berliner Polizei- und Verbrecherleben (Detektivrom.) 1924; G. Boccaccio, Der Decamerone (bearb.) 1924; Berliner Razzien (gem. m. E. Engelbrecht) 1924; Verbrecher. Bilder und Skizzen aus dem Verbrecherleben (gem. m. E. Engelbrecht) 1924; Kinder der Nacht. Bilder aus dem Verbrecherleben (gem. m. E. Engelbrecht) 1926; So siehste aus – Berlin! Skizzen und Bilder aus dem Berlin von heute, 1927; Mein interessantester Fall. Aus den Erlebnissen Berliner Kriminalkommissare (hg.) 1927; Lieder der Straßenmädchen und Anderes, 1930; Der Liebesrentner. Der Lebensroman eines Berliner Zuhälters, um 1933; Die Ritter vom grünen Tisch. Enthüllungen eines Croupiers, um 1933; Der Erntewagen (Ged.) 1938.   IB

Heller, Leopold, * 10.7.1853 Hirschkow/Böhmen; kam mit 12 Jahren nach Prag, kaufm. Lehrling, bildete sich daneben autodidaktisch weiter, beschäftigte sich mit sozialen Fragen; seit 1879 Reisender f. e. Wiener Handelshaus.

Schriften: Elend und Zufriedenheit. Über die Ursachen und Abhilfe der wirthschaftlichen Noth, 1890; Selbsthilfe. Ein Roman der Sparsamkeit und Lebenskunst. Real-socialistisches Zukunftsbild, 1894.   AS

Heller, Ludwig, * 9.6.1872 Nürnberg, † 1.10.1919 München; Schauspieler u. Regisseur am Münchner Schauspielhaus.

Schriften: Armer Heinrich, 1902; Frau Liebegott, 1903; Im Clubsessel (gem. m. L.W. Stein) 1909; Die Ahnengalerie (gem. m. dems.) 1911.

Literatur: Theater-Lex. 1, 747.   IB

Heller, Ottilie, * 7.8.1849 Berlin; seit 1879 literar. tätig, Mitarb. d. «Magazins f. d. Lit. d. Auslandes», lebte in Berlin.

Schriften: Stephan Broda (Rom.) 2 Bde., 1884; Kathinka. Roman aus dem Berliner Leben, 1884;

Paula (Rom.) 1888; Unter genialen Menschen (Rom.) 1893; Der Weg zum Frieden (Rom.) 1895; Baumeister Robert. Berliner Roman, 1897; Auf dem Pfade zum Ruhm (Rom.) 1901; Primadonna (Erz.) 1903; Gertruds Freund. Künstlerblut (2 Nov.) 1904; Die Frau des Virtuosen (Erz.) 1905; Luigia Merelli (Erz.) 1906.
                                                          RM

Heller, Otto, * 14.12.1897 Brünn, † 24.2.1945 Lager Mauthausen; Teilnahme an d. Sozialwiss. Arbeiterbewegung. Verf. v. Reisereportagen.

Schriften: Sibirien, ein anderes Amerika (Reiseber.) 1930; Der Untergang des Judentums. Die Judenfrage, ihre Kritik, ihre Lösung durch den Sozialismus, 1931; Wladiwostok: Der Kampf um den fernen Osten, 1932; Die rote Fahne am Pazifik. Zehn Jahre Sowjetmacht im fernen Osten, 1933; Auf zum Baikal! Der sozialistische Aufbau in Ostsibirien und die Fantasien des Herrn Kamaitzi, 1933; Steine, die dem Feuer trotzen. Ein Bildbericht, 1941.

Literatur: Albrecht-Dahlke 2/2, 298. – K. HANZLIČEK, ~ «Sibirien» (in: D. Kämpfer 64) 1930; E. FROMM, ~ «D. Untergang d. Judentums» (in: Zs. f. Sozialforschung 2) 1932; W. KÖHLER, Sibirien, e. anderes Dtl. (in: Neues Dtl. 9) 1967.   IB

Heller, Peter, * 11.1.1920 Wien; 1951 Dr. phil., Commonwealth Prof. an d. Univ. of Massachusetts, 1968–71 Chairman, dann Prof. f. Germanistik u. Komparatistik an d. State Univ. of New York, Buffalo.

Schriften (Ausw.): Dialectics and Nihilism. Essays on Lessing, Nietzsche, Mann and Kafka, 1966; «Von den ersten und letzten Dingen». Studien und Kommentar zu einer Aphorismenreihe von Friedrich Nietzsche, 1972.   RM

Heller, Seligmann, * 8.7.1831 Raudnitz/Böhmen, † 8.1.1890 Wien, Prof. an d. Handelsakademie in Prag u. Wien, Übers., Lyriker, Epiker u. Dramatiker.

Schriften: Die Wanderungen des Ahasver, 1865; Die letzten Hasmonäer (Dr.) 1865; Ahasver. Ein Heldengedicht, 1866; Gedichte, 1872; Astern. Ein Büchlein zur Belehrung und Unterhaltung der Jugend (gem. m. A.C. Jessen) 1872; Bunte Blätter, 1872; Blütenkranz, 1872; Knospen, 1872; Bibliothek für die Jugend. Nach pädagogischen Grundsätzen herausgegeben, 1876–87; Die echten he-

bräischen Melodien (übers., hg. v. Kaufmann)
1893.

Literatur: ÖBL 2,261; NDB 8,480.   IB

Heller, Vitalis, * 16.8.1778 Wien, † 13.1.
1822 Benediktinerstift z. d. Schotten; seit 1801
Benediktiner.

Schriften: Lobrede auf den heiligen Gregorius
in Gaunersdorf, 1806; Lobrede auf den heiligen
Florianus, 1810; Syllabus Chronologicus ...,
1811.

Literatur: Goedeke 6,587.   RM

Heller, Wilhelm, * 12.1.1880 auf Gut Kieselhof
b. Marienbad/Böhmen; aufgewachsen in Leit-
meritz/Böhmen, kam 1899 nach Berlin, begann
nach der Berührung mit d. «Dramat. Gesellsch.
Josef Kainz» Dramen zu schreiben; ließ sich später
wieder in Leitmeritz nieder; tätig f. d. Esperanto-
bewegung.

Schriften: Von heut auf gestern (Ged.) 1902;
Das Märchen vom «süßen Mädel». Skizzen und
Novellen, 1905. (Ferner ungedr. Bühnenstücke.)

Literatur: Theater-Lex. 1,747.   AS

Heller, Wilhelm Friedrich, * 1756 Stuttgart,
† nach 1790 ebd.; Magister u. Privatlehrer. Erzähler.

Schriften: Kardonens Vermächtnis und Lieder
von Selima. Zum Vorlesen für Mütter und Töchter, 1781; Ode an Genf, 1782; Geschichte der
Kreuzzüge nach dem heiligen Lande, 3 Tle.,
1784; Deutliche Vorstellung der Rechte der Fürsten Aloysius Gonzaga auf das Herzogthum Mantua (übers.) 1790; Socrates, 2 Bde., 1790; Briefe
des Ewigen Juden über die merkwürdigsten Begebenheiten seiner Zeit, 2 Bde., 1791; Kayamote,
der große Stier unserer Zeiten. Ein historisches
Gemählde von den Vorzügen und Fehlern des
achtzehnten Jahrhunderts, 1792 (Neuausg. u. d.
T.: Das achtzehnte Jahrhundert, 1794); Fritz von
Elmenau. Eine Geschichte aus unserem Jahrhundert, 1792; Karl Theodors Jubelfeyer; ein Aufruf
an die Sänger des Vaterlandes, 1793; Wallensteins Leben und Thaten, 1793.

Literatur: Meusel-Hamberger 3,189; 9,554;
11,336; Goedeke 4/1,625.   IB

Heller, Wilhelm Robert, * 24.11.1814 Groß-
Drebnitz/Sachsen, † 7.5.1871 Hamburg; stu-
dierte Jus in Leipzig, Notar, Begründer d. Zs.
«Rosen» (1838), d. Taschenbuches romantischer

Erz. «Perlen» (1843–46), trat 1849 in d. Red. d.
«Dt. Ztg.» ein, 1851 in die d. «Hamburger Nachrichten». Erzähler.

Schriften: Bruchstück aus den Papieren eines
wandernden Schneidergesellen, 1836; Der Wen-
de (Erz.) 1837; Der Schleichhändler (Rom.) 2
Bde., 1838; Das schwarze Brett (Rom.) 2 Bde.,
1838; Alhambra. Spanische Novellen (Die
Schlacht von Tolosa. – La Miña) 1838; Novellen.
I Die Eroberung von Jerusalem, 1837 (auch u. d.
T. ersch.), II Der Treulose und der Bettler. Der
Finkensteller, 1838 – III Der Guerillahäuptling.
Die Liebe zweier Kinder. Die Maulthiertreiber
von St. Pierre. Die Fabrikarbeiterin, 1840; Eine
Sommerreise, 1840; Novellen aus dem Süden, 3
Bde., 1841/42; Eine neue Welt, 2 Bde., 1842;
Der Prinz von Oranien. (Hist. Rom.) 3 Bde.,
1843; Das Erdbeben von Caraccas (Rom.) 1844
(2. Aufl. u. d. T.: I Der Aufstand, II Die stille
Woche, 1846); Der Albanese, 1844; Die Kaiser-
lichen in Sachsen. Roman aus der Zeit des sieben-
jährigen Krieges, 2 Bde., 1845; Das enthüllte
Rußland, oder Kaiser Nikolaus und sein Reich.
Nach dem englischen Originalwerk (bearb.) 2
Tle., 1845; Sieben Winterabende (Nov.) 1846;
Eine Steppenreise. Eine romantische Erzählung,
1846; E. Suse, Martin der Findling, oder: Memoiren eines Kammerdieners (übers.) 4 Bde.,
1846; Florian Geyer (Hist. Rom.) 1848; Brust-
bilder aus der Paulskirche, 1849; Ausgewählte
Erzählungen (auch u. d. T.: Der Reichspostreiter
von Ludwigsburg. Novelle auf geschichtlichem
Hintergrunde) 1857. – II Das Geheimniß der
Mutter, 1859; III Hohe Freunde, Novelle aus der
Jugendzeit des klassischen Weimar, 1857; Posen-
schrapers Thilde. Roman aus Hamburgs Vergangenheit, 1863; Primadonna. Roman aus der kur-
sächsischen Vergangenheit, 1871; Nachgelassene
Erzählungen, 5 Bde. (hg. v. H. LAUBE) 1874.

Literatur: ADB 11,695.   IB

Heller von Hellwald, Ferdinand, * 22.9.1843
Wien, † 28.6.1884 Clarens/Genfersee; Beamter
d. Hofbibl. in Wien, später Sekretär d. Malteser-
ordens in Rom. Kultur- u. Lit.historiker.

Schriften: Erinnerungen aus den Freiheitskriegen (Hg.) 1864; Geschichte des holländischen
Theaters, 1874; Geschichte der niederländischen
Literatur. Mit Benutzung der hinterlassenen Arbeit von F. H. v. H. verfaßt und durch Proben ver-
anschaulicht (hg. L. SCHNEIDER) 1887.   IB

Heller von Hellwald, Friedrich Anton, * 29. 3. 1842 Padua, † 1. 11. 1892 Bad Tölz; Offizier u. a. in Wien, Teilnahme am Krieg v. 1866, Schriftst. in Wien, später in Stuttgart Red. d. Zs. «Das Ausland» (1872–81). Kulturhistoriker.

Schriften (Ausw.): Maximilian der erste. Kaiser von Mexico. Sein Leben, Wirken und Tod ..., 1869; Culturgeschichte in ihrer natürlichen Entwicklung von den ältesten Zeiten bis zur Gegenwart, 2 Bde., 1874; Centralasien, 1875; Hinterindische Länder und Völker, 1876; O. Peschel, Sein Leben und Schaffen, 1876; Die heutige Türkei (gem. m. H. Beck) 2 Bde., 1878/79; Im ewigen Eis. Geschichte der Nordpolfahrten von den ältesten Zeiten bis zur Gegenwart, 2 Bde., 1879 bis 1881; Naturgeschichte des Menschen, 2 Bde., 1882–84; Amerika in Wort und Bild, 2 Bde., 1883–85; Frankreich in Wort und Bild, 2 Bde., 1884–87; Die menschliche Familie, 1889; Die Welt der Slawen, 1890; Die Magiker Indiens, 1890; Ethnographische Rösselsprünge. Kultur- und volksgeschichtliche Bilder und Skizzen, 1891; Zauberei und Magie, 1901; E. Haeckel und F. A. H. v. H. Briefwechsel mit Vorwort von E. Haeckel, 1901.

Literatur: ADB 50, 173; ÖBL 2, 262.   IB

Hellermann, Helma von, * 24. 3. 1884 San Luis Obispo/Kalif., USA; lebte in Dresden; Roman-Autorin.

Schriften: Mara v. Herders indische Ehe, 1920; Aber die Liebe ist die größte unter ihnen ..., 1932; Irrwege des Herzens, 1932; Der Weg in den neuen Tag, 1932; Margret Mervius und ihre Kinder, 1933; Zwei Schwestern werden glücklich, 1933; Das Bild der Unbekannten, 1936; Durch Leid zum Licht, 1937; Sturm, 1938; Launen des Lebens, 1960.   AS

Hellerwertwitz → Fressant.

Hellferich, Adolf, * 8. 4. 1813 Schafhausen/Württ., † 26. 5. 1895 Kenneberg b. Stuttgart; Lehrer in Frankfurt/Main u. in Paris, seit 1842 akad. Lehrer in Berlin, zuletzt Prof. d. Philos. an d. Univ. ebd., seit 1873 geisteskrank. Philos. Schriftst., Kulturhistoriker, Novellist.

Schriften (Ausw.): Deutsche Briefe aus Paris, 1848; Briefe aus Italien (auch u. d. T.: Briefe aus Triest, Venedig, Piemont, Genua, Florenz im Spätjahre 1849); Engländer und Franzosen, 1852

(2., verm. Ausg. 1859) 1852; Kunst und Kunststyl, 1853; Skizzen und Erzählungen aus Irland, 1858; Raymund Lull und die Anfänge der catalonischen Literatur, 1858; Deutsche Kunstbriefe, 1859; Schiller-Rede, 1859; Der Westgothische Arianismus und die Spanische Ketzer-Geschichte, 1860; Der culturgeschichtliche Sinn der altböhmischen Sagenwelt, 1865; Zum Verständnis der deutschen Mythologie, 1865; Das Wurzelwort, 1865; Geschichtliche Forschungen, 2 Tle., 1871.

Literatur: L. HARTMANN, Blätter der Erinnerung an ∼, 1894.   IB

Hellinden, Martin von, * 31. 10. 1862; lebte in München.

Schriften: Der Stern von Halatat (Rom.) 1903; Loreleys Ende (Rom.) 1931.   AS

Helling, Eva → Holst, Liane.

Helling, F. L., † wahrsch. 1828 Aurich; Kollaborator, Lehrer d. französ. Sprache am Gymnasium Aurich.

Schriften: Julius und Theodors Verirrungen oder Das Todesurteil (Schausp.) 1818.

Literatur: Goedeke 11/1, 357.   RM

Helling, Karl, * 18. 12. 1877 Pfaffendorf bei Koblenz; lebte daselbst.

Schriften: Wieder die Liebe (Ged.) 1904; Allerlei Buntes, 1907.   AS

Helling, Victor (Ps. für Curt-Wilhelm Schmidt; andere Ps.: Wilhelm Laurin, Victor Helling Schmidt) * 27. 11. 1875 Freiberg/Sachsen; studierte Jura u. Kunstgesch., trat dann ins sächs. Heer ein, Offizier; lebte in Dresden, dann in Berlin. Humor. Arbeiten u. Rom. erschienen auch in der «Frankfurter Ztg.» u. in d. «Lustigen Blättern».

Schriften: Spindel und Schwert. Deutsches Liederjahr, 1895; Der Fähnrich (Rom.) 1901; Der Roman eines Modells. Künstlermappe (mit E. Heilemann) 1910; Der Meldereiter. Humoristischer Roman, 1913; Der letzte Schreckenbach. Humoristischer Roman, 1913; Eisern fallen die Würfel ... Roman aus dem Weltkriege 1914, 1914; Deutschland über alles. Roman aus dem Völkerkriege unserer Tage, 1914; Vielliebchen (Nov.) 1914; Mayer mit ay. Humoristischer Roman, 1915; Die eherne Saat. Roman aus dem Weltkriege, 1915; Das gebrauchte Herz (Rom.) 1916; Die um's Leben spielen (Rom.) 1917;

Die vierten Schlesischen Nr. 7 (Rom.) 1918; Dschömcks Bekehrung (Rom.) 1918; Die Rothenhorster. Gesellschafts-Roman, 1918; Die Brillanten der Frau v. Orenstein. Humoristischer Rom. 1, 1918; Der Chauffeur. Ein Roman von der Riviera, 1918; Exotische See- und Reiseerlebnisse, 1919; Schön Ulla (Rom.) 1919; Prinzessin ohne Land (Rom.) 1919; Der Becher von Benepartus. Detektiv-Roman, 1920; Glieder einer Kette (Krim.rom.) 1920; Die Pirateninsel. Erzählung aus Indo-China, 1920; Schatten über Schloß Dürnitz (Krim.rom.) 1920; Das Schloß der Zweitgeborenen (Rom.) 1920; Unter Indiens Sonne. Abenteuer zweier deutscher Knaben, 1920; Das Testament des Hoheit i. V. Humoristischer Roman, 1920; Aus hartem Holz. Roman von der Wasserkante, 1920; Das Kohlenstäubchen, 1920; Das Testament des seligen Eusebius (Rom.) 1920; Der Bursche des Prinzen Christian (Rom.) 1921; Droschke Nr. 90 (Rom.) 1921; Der verschwundene Familienschmuck. Detektiv-Roman, 1921; Das Geheimnis der Villa Aletta. Detektiv-Roman, 1921; Das Geheimnis der Kazikengräber, 1921; Der Stern von Moabit (Rom.) 1922; Der Jäger von Los Angeles. Reiseerzählung aus der Sierra Nevada, 1922; Der Wahn ist kurz ... (Rom.) 1923; Der Zauberpfeifer und andere Erzählungen, 1923; Die Geißel der Fünfhundert (Rom.) 1923; Hubertusallee 113 (Krim.rom.) 1923; Das Opfer der Helge Lüningen (Rom.) 1924; Der gelbe Haifisch, 1924; Die Kartause am Amazonas, 1926; Die Perlenfischer von Bombay, 1926; Im Banne des Urwalds. Zwei abenteuerliche Erzählungen, 1929; Der Reiter vom Gran Chaco. Erzählung aus den Freiheitskämpfen der Inkas, 1930; Die Schwinge Preußens. Roman um Prinz Louis Ferdinand, 1935; Tarabagan, der Spion. Erzählung aus den Bandenkämpfen in der Mandschurei, 1935; Der Schatzwächter des Radjah, 1936; Das Ohr des Dionys. Ein humoristischer Roman mit viel Liebe zwischen Monte Carlo und Ohio, 1940; Golga-ton-lok. Das Geheimnis der Sternwarte von Malakka, 1941; Als Erster quer durch Australien. Das Schicksal des deutschen Forschers Ludwig Leichhardt, 1941; Im Donner der Viktoriafälle. Die Reisen des deutschen Arztes und Forschers Emil Holub, von Kapstadt zum Sambesi. Tatsachenbericht nach authentischen Quellen, 1941; Im Fiebersumpf der Orchideen. Forscherschicksal am Amazonas, 1941; Unter

Flußpiraten am Jang-tse. Auf der Spur einer chinesischen Falschmünzerbande, 1941; Gold in Alaska! Unter Trappern im hohen Norden von Amerika, 1941; Schüsse in Gandria (Rom.) 1941; Zwei Verliebte und ihr Detektiv. Humoristischer Roman, 1942; Die Dschunke des großen Ah-Wong (Erz.) 1942.   AS

Hellingen, Erika (Ps. f. Elsbeth Montzheimer), * 5.4.1858 Berlin, † 10.9.1926 Rahden.

Schriften: Tropfen aus dem Märchenborn, 1903.
IB

Hellinghaus, Ida (Ps. H. Lingus), * 6.10.1856 Drolshagen, † 3.5.1930 Münster; Oberschullehrerin. Erz. sowie Übersetzerin.

Schriften: Sedes sapientiae. Gebetbuch für die gebildete weibliche Jugend, insbesondere für Schülerinnen höherer Bildungsanstalten, 1910; Hehre Frauengestalten aus allen Jahrhunderten der Kirche (ausgew.) 1911; Der heilige Franziskus Solanus. Apostel von Peru und Tucuman (1549–1610) 1912; Aus alter und neuer Zeit. Ausgewählte Erzählungen, 1912; Irrwege und Höhenpfade. Ausgewählte Erzählungen aus alter und neuer Zeit (Hg.) 1917; Sei getrost! Gebetbuch für die lieben Kranken vorzüglich aus den Gebetschätzen der Kirchen und der Heiligen Gottes, 1924; Die heilige Ida von Herzfeld. Ein Lebensbild, 1925.   IB

Hellinghaus, Otto (Ps. O. Heinrichs u. O. Lingau), * 23.3.1853 Drolshagen/Westf.; studierte in München, Halle u. Leipzig, Dr. phil., Lehrer, später Prof. u. Gymnasialdir. in Wattenscheid, seit 1916 im Ruhestand in Münster. Hg. d. Klassiker-Auslesen im Verlag Herder. Literarhistoriker.

Schriften und Herausgebertätigkeit (Ausw.): Freudvoll und leidvoll. Neuere deutsche Lyrik (ausgew. u. hg.) 1882; Briefe F. Leopold's Grafen zu Stolberg und der Seinigen an J.H. Voß. Nach den Originalen der Münchner Hof- und Staatsbibliothek ..., 1891; Bibliothek wertvoller Denkwürdigkeiten, 7 Bde. (hg.) 1913 ff.; Die kirchlichen Hymnen in den Nachbildungen deutscher Dichter. Mit den lateinischen Texten (hg.) 1919; F. Leopolds Grafen zu Stolberg erste Gattin Agnes, geb. v. Witzleben. Lebensbild aus der Zeit der Empfindsamkeit, 1919; Hundert lateinische Marienhymnen mit den Nachbildungen deutscher Dichter, 1921; Lateinische Hymnen des christlichen Altertums und Mittelalters, 1922; Prinz F. zu Salm-Salm, Maximilian von Mexiko. Das Ende eines Kaisers. Blätter aus dem Tagebuch des Prinzen Felix zu Salm-Salm (Hg.) 1928.   IB

Hellingrath, (Friedrich) Norbert (Theodor) von, * 21.3.1888 München, † 14.12.1916 auf dem Schlachtfeld bei Verdun, Sohn d. bayer. Gen.-Majors Maximilian v. H., studierte seit 1906 an d. Univ. München griech. u. dt. Philologie, oriental. u. ind. Sprachen, Naturwiss. u. Mathematik, Beziehungen zum Stefan George-Kreis, promovierte mit e. Diss. über Hölderlin. Arbeitete gemeinsam mit Friedrich Seebaß an d. ersten hist.-krit. Hölderlin-Ausgabe. 1913 Bekanntschaft mit Friedrich Gundolf u. Alfred Weber in Heidelberg. S. Habil.vorhaben kam durch die freiwillige Meldung zum Wehrdienst nicht mehr zustande. Literaturhistoriker.

Schriften: Hölderlins Pindarübertragungen, 1910; Pindarübertragungen von Hölderlin, 1911 (hg. mit F. Seebaß) Hölderlin, Sämtliche Werke, 1913/23; Hölderlin (Vortr.) 1921; Hölderlin-Vermächtnis (Gedenkbuch) 1936.

Nachlaß: Landesbibl. Stuttgart. – Denecke 2. Aufl.

Literatur: NDB 8,281. – H. WOCKE, Zwei Früh-Vollendete: B. v. d. Marwitz/∼, 1949; F. v. D. LEYEN, ∼ u. Hölderlins Wiederkehr (in: Hölderlin-Jb. 11) 1958/60; J. SCHMIDT, D. Nachlaß ∼s (ebd. 13) 1963/64; A. KELLETAT, ∼s Briefw. mit W. Böhm (ebd. 15) 1967/68; DERS., Nachtr. zu ∼s Briefw. mit W. Böhm (ebd. 16) 1969/70.   UF

Hellmann, Arnold, * 30.10.1870 Hamburg, † 28.2.1929, letzter Wohnort Hamburg. Schiffsoffizier.

Schriften: Meeresklänge. Lieder und Gedichte eines Seefahrers, 1904; Des Waldes und des Meeres Rauschen. Lieder und Gedichte eines Seefahrers, 1908.   IB

Hellmann, Oskar, * 29.9.1869 Ostrog bei Ratibor/Oberschles.; Buchhändler in Jauer, später in Glogau, 1901–03 redigierte er die lit. Mschr. «Janus». Schriften über d. öst. Lit.- u. Kulturgeschichte.

Schriften (Ausw.): J. Chr. Freiherr von Zedlitz, ein Dichterbild aus dem vormärzlichen Österreich, 1910; Napoleon im Spiegel der Dichtung,

1914; Die Hellmann. Das Bild einer deutschen Familie, 1931–33; Glogau. Wegweiser durch die Heimat, 1933; Ahnenreihe und Stammtafel Herfarth, 1937.

Literatur: J. MOSLER, ∼, e. schles. Biograph u. Historiker (in: Der Ratiborer 6) 1959; DERS., ∼, d. Historiker u. Biograph (in: D. Schlesier 11) 1959.   IB

Hellmer, Edmund, * 28.6.1873 Wien, † 28.11.1950 ebd.; studierte in Wien Jus, 1898 Eintritt in d. Gerichtsdienst, an versch. Orten als Richter tätig, Mitarb. an versch. Ztg., u.a. bei d. «Neuen Freien Presse» (1911–38). Erzähler.

Schriften: Fenster. Plaudereien und kleine Geschichten, 1920; Hugo Wolf, Erlebtes und Erlauschtes, 1921.

Literatur: ÖBL 2,265.   IB

Hellmert, Wolfgang, * 15.8.1906 Berlin, †1935 Paris (Selbstmord); war freier Schriftst. in Berlin, emigrierte nach Paris, war Mitarb. d. «Sammlung», Amsterdam. Lyriker, Erzähler.

Schriften: Fall Vehme Holzdorf (Nov.) 1928.   AS

Hellmund, Egidius Günther, * 6.8.1678 Nennheiligen/Kr. Langensalza (?), † 6.2.1749 Wiesbaden; luther. Geistlicher u. Pietist, Studium in Jena u. Halle, 1700–1707 Feldprediger, seit 1708 Pfarrer in Daden/Westerwald, Gründer e. Lateinschule, 1711 Berufung n. Wetzlar, 1713 Amtsentsetzung, 1721 Berufung n. Wiesbaden, Gründer e. Waisenhauses u.a. sozialer Institutionen.

Schriften (Ausw.): Der Enthusiast und Syncretist oder Gründliche und erbauliche Erklärung des so genannten Enthusiasmi und Syncretismi, 1720; Das Leben des Mannes Gottes Martin Luther, 1730; Luther purificatus, 1730; Decalogus Christianus oder Summa der Christlichen Lehre, o.J.; Unerkannte Gerichte Gottes, 1737.

Literatur: NDB 8,486; Adelung 2,1893; RGG ³3,212. – A. RITSCHL, Gesch. d. Pietismus, 1884; L. CONRADY, ∼, e. Lb. nach d. Quellen gezeichnet (in: Nass. Ann. 41) 1910/11 (mit Werksverz.); M. SCHMIDT, Pietismus, 1972.   RM

Hellmuth → Ritter, Paul.

Hellmuth, Ernst → Schmidt-Weißenfels, Eduard.

Hellmuth, Fritz, * 12.3.1878 Zwěstow, † 26. 12.1939 Wien; im höheren Schuldienst in Wien tätig. Dramatiker u. Lyriker.

Schriften: Aus dem Reiche der Leiden. Einakter-Zyklus, 1905; Das große Sterben. Aus den Erlebnissen eines österreichischen Landsturmmannes im Weltkrieg 1914/18 (Ged.) 1918.   IB

Hellmuth, Just(us) Heinrich (Henry) Christian, * 15.5.1745 Helmstedt, † 5.2.1825 Philadelphia; Theol.-Studium in Halle, 1769 Pastor in Lancaster u. seit 1779 in Philadelphia. Dt.-Lehrer an d. Univ. of Pennsylvania, Dr. h. c., Mitgl. d. «American Philos. Soc.», 1811 Gründer u. Hg. d. «Evangel. Magazins» (4 Bde., 1812–17).

Schriften (Ausw.): Empfindungen des Herzens in einigen Liedern, Philadelphia 1781; Kurze Andachten einer Gottsuchenden Seele ..., Germantown 1786; Denkmahl der Liebe und Achtung ..., Philadelphia 1788; Kurze Nachricht von den sogenannten gelben Fieber ... für die nachdenkenden Christen, ebd. 1793.

Nachlaß: 90 Bde.: Mount Airy Seminar u. Lutheran Theol. Seminary Library Philadelphia; Lutheran Hist. Soc. Library Gettysburg. – P. M. HAMER, A Guide to Arch. and Mss. in the United States, New Haven 1961.

Literatur: Goedeke 15,569. – O. SEIDENSTIK-KER, Gesch. d. Dt. Gesellsch. v. Pennsylvanien, Philadelphia 1876; H. A. RATTERMANN, Dt.-Amerikan. Dichter u. Dg. d. 17. u. 18. Jh. (in: Dt.-Amerikan. Gesch.bl. 14) 1914; H. A. POCHMANN, German culture in America ... 1600–1900, Madison 1957.   RM

Hellmuth, Maria (Ps. f. Maria Albrecht, geb. Wenzel), * 14.2.1850 Eggebrechtsmühle/Westpr., † 16.7.1923 Görlitz. Erzählerin.

Schriften: Arme Mädchen (Rom.) 1905; Ihre beste Idee. Fahnenflüchtig (Nov.) 1907; Herzensadel (Erz.) 1910; War's Mitleid? (Rom.) 1910; Geborgen (Nov.) 1911; Die Krone des Lebens (Nov.) 1911; Ein verhängnisvolles Vermächtnis (Erz.) 1911; In zwölfter Stunde (Rom.) 1911; Übers Jahr (Erz.) 1912.   IB

Hellmuth, Martha (Ps. f. Martha Schlesinger), * 8.2.1854 Berlin; Kaufmannstochter, 1874 Heirat mit d. Bankier Emil Schlesinger.

Schriften: Gedichte, 1882; Kirke. Das Spiel der Verwandlungen, 1905.   RM

Hellmuth, Paul → Fischer, Johann Heinrich Ludwig.

Hellpach, Willy (Hugo) (Ps. Ernst Gystrow), * 26.2.1877 Oels in Schles., † 6.7.1955 Heidelberg; studierte in Greifswald u. Leipzig, 1899 Dr. phil., 1903 Dr. med., Nervenarzt in Berlin u. Karlsruhe, 1930 Prof. in Karlsruhe, auch in d. Politik tätig, 1924 bad. Staatspräs. In s. Jugend Mitarb. d. «Sozialistischen Monatshefte».

Schriften (Ausw.): Der Katholizismus und die moderne Dichtung, 1899; Nervosität und Kultur, 1902; Die geistigen Epidemien, 1907; Die Naturgesetze der menschlichen Arbeit, 1908; Das Pathologische in der modernen Kunst, 1911; Die Geopsychischen Erscheinungen, 1911 (6. Aufl. u. d. T.: Geopsyche. Die Menschenseele unter dem Einfluß von Wetter und Klima, Boden und Landschaft, 1950); Physiognomik der deutschen Volksstämme, 1925; Familie und Volk, 1930; Zwischen Wittenberg und Rom. Eine Pantheodizee zur Revision der Reformation, 1931; Elementares Lehrbuch der Sozialpsychologie, 1933 (2. Aufl. u. d. T.: Sozialpsychologie, 1951); Heilkraft und Schöpfung. Aus der Welt des Arztes und vom Geheimnis des Daseins, 1934; Schöpferische Unvernunft? Rolle und Grenze des Irrationalen in der Wissenschaft, 1937; Einführung in die Völkerpsychologie, 1938; Deutsche Physiognomik. Grundlegung einer Naturgeschichte der Nationalgesichter, 1942; Sinne und Seele. Zwölf Gesänge in ihrem Grenzdickicht, 1946; Te Deum. Laienbrevier einer Pantheologie, 1947; Wirken und Wirren. Lebenserinnerungen. Eine Rechenschaft über Wert und Glück, Schuld und Sturz meiner Generation, 3 Bde., 1947/49; Pax futura. Die Erziehung des friedlichen Menschen durch eine konservative Demokratie, 1949; Grundriß der Religionspsychologie (Glaubensseelenkunde) 1951; Universelle Psychologie eines Genius. Goethe. Der Mensch und Mitmensch. Das Geschöpf im Schöpfer, 1952; Kulturpsychologie. Eine Darstellung der seelischen Ursprünge und Antriebe, Gestaltungen und Zerrüttungen, Wandlungen und Wirkungen menschheitlicher Wertordnungen und Güterschöpfungen, 1953; Soma und Psyche, 1954; Erzogene über Erziehung, 1954; Der deutsche Charakter, 1954.

Nachlaß: Mommsen Nr. 1560.

Literatur: NDB 8,487. – B. DE RUDDER, C. OEHME, A. WELLEK u. W. WITTE, ~ (in: Universita litterarum) 1947; B. DE RUDDER, Nachruf auf ~ (in: Jb. d. Akad. d. Wiss. u. d. Lit.) 1955; Der Schlesier ~ † (in: Grafschaft. Glatzer Heimatbl. 7) 1955; H. KLAUSING, ~, ein aufrechter Demokrat (in: Geist und Zeit 5) 1956; W. WITTE, ~. Zu s. 80. Geb.tag am 26. Februar 1957 (in: Psychologische Beitr. 3) 1957; K. SCHINDLER, Eine Eichendorffsche Gedenkrede u. ihr Echo. Staatspräs. Prof. Dr. ~ am Grabe d. Reichspräs. Ebert (in: Aurora 25) 1965; A. SCHWECKENDIEK, Pantheologie u. Psychobiologie. Bemerkungen zu ~s «Tedeum» (in: Psychobiologie 16) 1968.   IB

Hellwig, Bernhard, * 26.2.1845 Deifeld b. Brilon, † nach 1905; studierte in Münster u. Paderborn, 1870 Kaplan in Hemer bei Iserlohn, seit 1871 Erzieher, unternahm in s. Tätigkeit viele Reisen, Missionsvikar in Zappendorf bei Halle/ Saale, 1892 Dechant u. Kreisschulinspektor in Nordhausen, 1896 Domkapitular ebd. Erz. und Historiker.

Schriften: Die vier Temperamente bei Kindern ..., 1872; Der Alchimist (Erz.) 1886; Die vier Temperamente bei Erwachsenen..., 1888. IB

Hellwig, Ernst (Ps. Ernst Wilhelm Nyssen, Rex Albert Aladin), * 4.6.1916 Frankfurt/M.; wohnt ebd., Erzähler.

Schriften: Rauhe Männer unter tropischem Himmel, (Jgdb.) 1961; Der goldene Dämon (Jgdb.) 1975; Die schwarze Galerie (Jgdb.) 1976.   IB

Hellwig, Friedrich Karl, * 9.7.1898 Ort unbekannt, † 27.11.1954 Frankfurt/Main; Spielleiter u. Schauspieler. Dramatiker, Verf. v. Hörspielen.

Schriften: Die Wiedergeburt der Bühne (gem. m. Fußhoeller u. Goetsch) 1923; Wer den Hut hat, sagt die Wahrheit, oder Tschitt, der Räuber von der feuchten Insel, 1940; Die gefährliche Brücke, oder Die vertauschten Hüte. Ein heiteres Spiel für Handpuppen, 1949; Die Gänsehirten am Brunnen. Nach dem gleichnamigen Märchen der Brüder Grimm für Laien bearbeitet, 1951.

Literatur: Theater-Lex. 1, 749.   IB

Hellwig, Hans, * 12.12.1904 Darmstadt; Dr. phil., Dramaturg, wohnt in Lübeck. Essayist, Übers. f. Film u. Rundfunk.

Schriften: Künstler der Lübecker Bühnen (Ess.) 1946; Romain Rolland (Biogr.) 1947; Honoré Daumier (Ess.) 1947; Stefan Zweig (Biogr.) 1948.
                                                          IB

Hellwig, Hilmar Alfred, * 3.5.1917 Berndorf/ Niederöst.; Dr. phil., Emigration nach Südamerika, im Exil keine Veröffentlichungen.

Schriften: Als Gringo quer durch Peru, 1937. IB

Hellwig, Karl, * 3.6.1884 Berlin, † 13.3.1965 ebd.; Dr. phil.; Vorwiegend Übersetzer.

Schriften: Schlaraffenhochzeit, Oper 1936; Kurs Murmansk, Die Schicksalsfahrten des alliierten Eismeer-Konvois (gem. m. C. Bekker) 1957.

Herausgebertätigkeit: M.L. Schuster, Die Welt im Brief. Urkunden menschlicher Größe und menschlicher Leidenschaft vom Altertum bis zur Gegenwart, 1949.

Übersetzungstätigkeit: (Ausw.) J.P. Jacobsen, Den Göttern zum Trotz, 1941; C. Branchi, Inseln des Grauens, 1942; N. Fredricson, Reise ohne Ende, 1943; G. Rasmussen, Kläffende Hunde, 1943; S. Togeby, Der Doppelvater (hist. Rom.) 1945; Melville, Die verzauberten Inseln, 1947; N. Waln, Der Griff nach den Sternen, 1948; A. Hauge, Das Jahr hat keinen Frühling, 1952; Ders., Kreuzweg der Liebe, 1953; Forster, Sturmwolke, 1956; G. Blond, Ewiger Wanderzug, 1957; F. Havrevold, Gefahrvolle Reise, 1961; J. Arundel, Abenteuer in der Serengeti, 1961.   IB

Hellwig, Robert → Zimmermann-Reber, Hedwig.

Helm, Clementine (Mädchenname u. Ps. f. Clementine Beyrich), * 9.10.1825 Delitzsch/Sachsen, † 26.11.1896 Berlin; Kaufmannstochter, in Merseburg u. Berlin erzogen, 1848 Heirat mit d. Geologieprof. Ernst Beyrich. Jugendschriftstellerin.

Schriften: Mädchen ..., 1859 (3., durchges. Aufl. u.d.T.: Mädchenbuch, 1897); Kinderlieder, 1861; Backfischchens Leiden und Freuden. Eine Erzählung für junge Mädchen, 1863 (78. Aufl. bearb. u. hg. L. Glass, 1918); Licht- und Schattenbilder, 1864 (2., verm. Aufl. 1881); Schloß Herzberg. Ein Harzgedicht, 1869; Kunst fürs Haus ..., 1870; Lilli's Jugend. Eine Erzählung für junge Mädchen, 1871; Die Brieftaube ...,

1871; Drei Erzählungen für junge Mädchen, 1873; Das Kränzchen ..., 1873; Prinzesschen Eva ..., 1875; Frau Theodore. Ein Familienbild, 1875; Dornröschen und Schneewittchen ..., 1877; Vater Carlett's Pflegekind. Nach J. Colomb's Werk La fille de Carilés ... bearbeitet, 1877; Das vierblättrige Kleeblatt ..., 1877; Siebenmeilenstiefel, 1878; Doris und Dora ... Bearbeitung der französischen Erzählung Chloris et Jeanneton von Josephine Colomb, 1879; Unter'm Schnee erblüht (Erz.) 1880; Der Weg zum Glück. Nach J. Colomb's Werk: Deux mères ... frei bearbeitet, 1881; Leni von Hohenschwangau (Erz.) 1882; Unsere Selecta, 1882; Elschen Goldhaar ..., 1883; Treu Hannchen und andere Erzählungen, 1883; Professorentöchter ..., 1884; Unsere Dichter. Liederstrauss, 1885; Röschen im Moose ..., 1885; Die Stiefschwestern. Erzählung für junge Mädchen, 1887; Die Glücksblume von Capri, 1887; Klein Dina's Lehrjahr. Erzählung für jüngere Mädchen, 1888; Vom Backfisch zur Matrone ..., ²1889; Seines Glückes Schmied ..., 1890; Elfriede. Erzählung für die Jugend (n. d. Französ. bearb.) 1890; Die Geschwister Leonhard ..., 1891; Auf Irrwegen und andere Erzählungen für junge Mädchen, 1891; Tante Regine ..., 1892; Friedas Mädchenjahre und andere Erzählungen für junge Mädchen, 1892; Das Heimchen ..., 1894; Hans und Hanna. Erzählung für die heranwachsende Jugend, 1895; Die kleine Herrin ... (n. d. Französ. bearb.) 1895; Unser Sonnenschein. Erzählung für junge Mädchen, 1897.

Literatur: ADB 46, 535; Biogr. Jb. 1, 247.   RM

Helm, Ernst → Asbeck, Wilhelm Ernst.

Helm, Feodor → Heine, Anselma.

Helm, Friedrich → Conard, Julius.

Helm, Georg, * 13.2.1825 Schlada b. Eger, † 28.4.1877 Innsbruck; studierte in Wien, Militärauditor, Dramatiker.

Schriften: Olden-Barneveldt (Tr.) 1868; Die Hegelingenrose (Schausp.) 1877.

Literatur: Theater-Lex. 1, 749.   IB

Helm(esius), Heinrich, † 6.2.1560 (?), stammte aus Halberstadt; Franziskanerobservant in Brühl, Provinzial d. Sächs. Franziskanerprov. (1545–51), Kontroverstheologe.

Schriften: Tomi quinque Homiliarum ..., 1550; De verbo Dei libri tres, Paris 1553; Captivitas Babylonica Martini Lutheri dissoluta, 1553; Enchiridion de vera et perfecta impii iustificatione, 1554; In Evangeliarum Quadragesimalia, Paris 1556; Passio Jesu Christi ..., 1557.

Literatur: NDB 8, 491; Adelung 2, 1896; LThK 5, 223. – P. SCHLAGER, Gesch. d. Köln. Franziskaner-Ordensprov. während d. Reformationszeitalters, 1909.   RM

Helm, Karl (Hermann Georg), * 19.5.1871 Karlsruhe, † 9.9.1960 Marburg/Lahn; Philol.-Stud. in Heidelberg, 1895 Promotion, 1899 Habil. u. 1904 a.o. Prof. in Gießen, 1919 Prof. in Würzburg, 1920 in Frankfurt/M. u. seit 1921 in Marburg (1929/30 Rektor). Betreuer u. Bearb. v. W. Braunes Grammatiken u. ahd. Lesebuch, 1901 Mitbegründer d. Hess. Ver. f. Volkskunde u. Hg. ihrer Zs. (1906–19). Brüder Grimm-Preis d. Univ. Marburg (1943), Dr. sc. rel. (Marburg 1951), Ehrenmitgl. d. Mod. Language Assoc. of America (1959).

Schriften (Ausw.): Zur Rhythmik der kurzen Reimpaare des 16. Jahrhunderts (Diss. Heidelberg) 1895; Altgermanische Religionsgeschichte, 2 Bde., 1913–53; Wodan, Ausbreitung u. Wanderung seines Kultes, 1946; Die Literatur des Deutschen Ritterordens (mit W. Ziesemer) 1951.

Herausgebertätigkeit (Ausw.): Heinrich v. Hesler, Das Evangelium Nicodemi, 1902; Das Buch der Macchabäer in mitteldeutscher Bearbeitung, 1904; Die Apokalypse Heinrichs v. Hesler, 1907.

Nachlaß: Univ.bibl. Gießen. – Denecke 2. Aufl.

Bibliographie: E.-A. EBBINGHAUS in: Festgabe für K. H., 1951.

Literatur: NDB 8, 491. – J. TRIER, ∼ (in: Mitt. d. Dt. Germanistenverbandes 7) 1960; B. MARTIN, ∼ (in: Hess. Bl. f. Volkskunde 51/52) 1961; W. HENSS, ∼, Germanist u. Religionswissenschaftler in Gießen u. Marburg (in: Alma Mater Philippina) 1972/73.   RM

Helm, Lambert Ludolf (Ps. Pithopoeus), * 21.3. 1535 Deventer, Niederlde., † 20.1.1596 Heidelberg; studierte in Rostock u. bei Melanchthon in Wittenberg, 1563 Lehrer u. Dir. d. Gymnasiums ebd., später Prof. d. klass. Sprachen an d. Univ. Heidelberg. Lat. Dichter.

Schriften: Tobias carm. eleg. redd., 1565; Musae Palatinae, 1580; Paraphrasen zu des Horaz

«Ars poetica», 1581; Commentare des Ursinus (Hg.) 1585; Odae, 1587.

Literatur: ADB 11,700; Jöcher 2,1469; Ersch-Gruber 2/5,179.   IB

Helm-von Wolff, Johanna (Ps. Andrea), * 17.10.1883 Saargemünd, † 10.6.1973 Hannover; Erzählerin.

Schriften: Anne Marie (Gesch.) 1949; Erlebnisse auf einer Eisscholle, 1949.   IB

Helmann, H. W. (Ps. f. Heinrich Wilhelm Lehmann), * 13.8.1803 Barby/Anhalt, Todesdatum u. -ort unbekannt; Theol.-Student in Halle.

Schriften: Neue Charaden und Räthsel im poetischen Gewande, 1826; Die Zweihundert und Einundzwanzig; nicht die Deputirten Frankreichs, sondern 221 Räthsel-Aufgaben aller Gattungen, in einen Kranz zur Unterhaltung geselliger Kreise geflochten, 1832 (2. Aufl. u. d. T.: Räthsel-Kranz, 1833).

Literatur: Goedeke 13,195.   RM

Helmar, Käthe → Heilmann, Margarete.

Helmbold, Ludwig, * 2.1.1532 Mühlhausen/Thür., † 8.4.1598 ebd.; studierte in Leipzig u. Erfurt, zuerst im Schuldienst tätig, dann Diakonus u. Superintendent. 1566 von Kaiser Maximilian II. z. Dichter gekrönt. Verf. lat. Oden u. dt. geistl. Lieder, darunter d. bekannten «Von Gott will ich nicht lassen», «Ich weiß, daß mein Erlöser lebt».

Schriften: Odae Ludouici Helboldi, Latinae et Germanicae ... New Gesänglein auff der Schüler Fest an S. Gregorijtag, 1574; Crepundia sacra, Christliche Liedlein, an S. Gregorij, der Schüler Festag vnd sonsten zu singen, mit vier Stimmen zugericht, 1578; Zwantzig Christliche Gesäng, 1574; Zwantzig teutsche Liedlein mit vier Stimmen, auff Christliche Reimen ~, lieblich zu singen, 1575; Einundzwantzig Geistliche Lieder, den Gottseligen Christen zugerichtet, 1575; Ein new Christlich Vermanlied, aus dem dritten Gebot, zu vnuergeszlicher heyligung des Feyertags, im Thon: Disz sind die heyligen Zehn Gebot ..., 1576; Eine neue Zeitung gegen die Jesuiten zu Heiligenstadt, 1576; Vom H. Ehestand; Viertzig Liedlein, inn warhafftige, tröstliche, freudenreiche, vnd denckwirdige Reimen, ausz Gottlicher Warheit von ~

gefasset, 1583; Vom H. Ehestand. Einundviertzig Liedlein ... Discantus libri secundi, 1596; Der Jesuiter-Orden, auszer welchem Niemand kan selig werden. Reimweise beschrieben durch ~, 1583; Sepultura Lutheri. Begrebnisz D. M. Lutheri, 1584; Dreyssig Geistliche Lieder auff die Fest durchs Jahr auch sonsten ... zu singen gestalt, 1584; Monosticha in singula sacrorum bibliorum capita, memoriae Theologorum inservire iussu. Item Disticha Epistolis et Evangeliis ordinariis accomodata, 1588; Offenbarung der Jesuiter, durch ihre eigene antichristliche (zu Gratz zusammengekratzte vnd im Jahr 1587 zu Mainz in Druck gemeunschte) Verfälschung des Christlichen Catechismi D. M. Lutheri ... sampt etlichen Christlichen Liedern, 1593.

Ausgaben: Lateinische Texte in Auswahl (Das dt. Kirchenlied 1, hg. v. PH. WACKERNAGEL) 1864; Deutsche Texte (ebd. 4) 1874.

Literatur: ADB 11,701; NDB 8,492; Jöcher 2, 1469; Goedeke 2,111; 195; RGG 3,214; Ersch-Gruber 2/5,179; de Boor-Newald 4/2,261; 297; MGG 6,122; Schottenloher 5,117. – W. THILO, ~ nach Leben u. Dichten, 1851; K. LÖFFLER, ~ (in: Mühlhauser Gesch.bl. 5) 1904; F. FISCHER, ~ (in: ebd. 31) 1932.   IB

Helmbrecht, Meier → Wernher der Gartenaere.

Helmer, Eduard → Koch, Ernst.

Helmer, Franz Alfons, * 2.8.1876 Quabl/Tirol, † 9.11.1945; Journalist. Erzähler.

Schriften: Der Roman eines Strolches. Aus den hinterlassenen Papieren eines Arztes. Eine physiologische und psychologische Studie, 1909; Antoniens Erlebnisse (Rom.) 1912; Der Pfarrer von Gomorrha. Der Roman eines freidenkenden katholischen Priesters, 1924.   IB

Helmerding, Carl (Heinrich), * 29.10.1822 Berlin, † 20.12.1899 ebd.; Sohn e. Schlossers, Ausbildung z. Lithographen, dann Schlosserlehre, 1847 Schauspieler in Meißen, seit 1848 meist in Berlin, Komiker (Berliner Lokalposse) v. a. an Franz Wallners Bühnen.

Schriften: Aus einer Verlegenheit in die andere (Schw., n. d. Französ.) 1861; Eine Weinprobe (Posse) 1869; Ein vergessener Ballgast (Schw.) 1870; So muß es kommen (Schw.) 1872; Drei

Zeitungs-Annoncen (Posse) o. J. (ferner zahlr. ungedr. Bühnenstücke).

Literatur: ADB 50, 181; NDB 8,495; Theater-Lex. 1,750; Biogr. Jb. 4,321. – A. KOHUT, ~, e. Lebens- u. Künstlerbild, 1892; J. Stettenheim, ~ (in: Theater-Kalender auf d. Jahr 1911 ..., hg. H. LANDSBERG, A. RUNDT) 1911. RM

Helmerking, Heinz, * 5.3.1901 Mühlhausen/Thür., † 5.1.1964 St. Gallen; Dr. phil., Gymnasiallehrer. Essayist u. Lyriker.

Schriften: Die wichtigsten sippenkundlichen Quellen der zürcherischen Landschaft im öffentlichen Besitz (gem. m. W.H. Ruoff) 1937; Ewiges Ligurien (Ged.) 1945; Hermann und Dorothea. Entstehung, Ruhm und Wesen, 1948; Gedichte, 1951; Der Erntekranz. Henry Tschudy zum Siebzigsten (FS, hg. gem. m. W. Frischknecht) 1952; Südlicht und Gestalt (Ged.) 1955; Lyriker der deutschen Schweiz, 1850–1950 (Auswahl) 1957; Dankbares Dasein, 1959; Ewiger Augenblick. Gezeiten des Jahres in der Form der japanischen Heiku-Gedichte, 1961. IB

Helmers, Heinrich, * 1.12.1847 Bremen, † 3.4.1908 ebd.; Kaufmann, seit 1884 freier Schriftst., Lyriker u. Dramatiker.

Schriften: Hermann der Deutsche (Ged.) 1875; Das Buch der Prologe (Ged.) 1876; Am Tage von Sedan, 1876; Vergangene Zeiten (hist. Schausp.) 1876; Das Bild des Kaisers (Festsp.) 1876; Das Liebhabertheater. Ein unentbehrliches Handbuch für alle Dilettanten der Schauspielkunst ..., 1885.

Literatur: Theater-Lex. 1,751. IB

Helmers, Hermann, * 14.8.1923 Varel; Dr. phil., Doz. an d. Päd. Hochschulen Göttingen, Bonn, Oldenburg, seit 1973 Germanistik-Prof. an d. Univ. Oldenburg. Mit-Hg. d. «Deutschunterrichts» (1970–73).

Schriften (Ausw.): Sprache und Humor des Kindes, 1965 (2., veränd. u. erw. Aufl. 1971); Didaktik der deutschen Sprache ..., 1966 (9., veränd. Aufl. 1976); Wilhelm Raabe, 1968; Geschichte des deutschen Lesebuchs in Grundzügen, 1970; Lyrischer Humor. Strukturanalyse und Didaktik der komischen Versliteratur, 1971; Fortschritt des Deutschunterrichts ..., 1974. RM

Helmes, Werner, * 2.5.1925 Mayen/Rheinld.; wohnt in Koblenz. Erz., sowie Rundfunktätigkeit.

Schriften: Die Scherbe des Bacchus (Rom.) 1957; Der falsche Mijnheer (Rom.) 1957; Ikarus Ikarus ... (Rom.) 1959; Am Rhein. Von Rüdesheim bis Koblenz (gem. m. J. Jeiter) 1964; Die Mosel. Von Trier bis Koblenz (gem. m. J. Jeiter) 1965. IB

Helmi, Peter → Herzog, Wilhelm Peter.

Helmold von Bosau, * um 1120, † nach 1177; stammte wahrsch. aus d. nordwestl. Vorland d. Harzes, kam dann nach Holst., lebte ca. 1134–38 bei Segeberg, 1143 Eintritt in d. Augustinerchorherrenstift Neumünster/Holst., 1150 Diakon, nach 1156 Pfarrer in Bosau/Plöner See. – Verf. d. «Cronica Slavorum» (älteste Hs. um 1300), die 1167–72 entst. u. d. Missionierung d. östl. d. unteren Elbe beheimateten Westslawen (begonnen durch Karl d. Großen) bis um 1170 u. d. dt. Kolonisation Ost-Holst. bis zu Heinrich d. Löwen schildert. Wichtig ist d. Werk als Quelle f. d. Anfänge d. ostdt. Siedlung u. f. d. Reichsgesch. d. 12. Jahrhunderts.

Ausgaben: Helmoldi presbyteri Bozoviensis «Cronica Slavorum» ... (hg. B. SCHMEIDLER in: MG SS) ²1937; Dt. Übers. v. dems. in: D. Gesch.schreiber d. dt. Vorzeit 56, 1910; Neuausg. mit Übers. v. H. STOOB in: Ausgew. Quellen z. dt. Gesch. d. MA 19, 1963 (mit Bibliogr.). – Tle. übers. in: Chron. d. MA. Widukind – Otto v. Freising – Helmold (übers. v. E. METELMANN, Einf. A. RITTHALER) 1964.

Literatur: VL 2,389; ADB 11,702; NDB 8,502; BWG 1,1104. – P. REGEL, ~ u. s. Quellen (Diss. Jena) 1883; H.F. SCHMID, D. slav. Altkunde u. d. Erforsch. d. Germanisation d. dt. Nordostens (in: Zs. f. slav. Philol. 1/2) 1924/25; D.N. JEGEROV, D. Kolonisation Mecklenburgs im 13. Jh., Moskau 1915 (russ.; dt. Ausg., 2 Bde., 1930); H. WITTE, Jegorovs «Kolonisation Mecklenburgs ...», e. krit. Nachwort, 1932; B. SCHMEIDLER, Über d. Glaubwürdigkeit ~s u. d. Interpretation u. Beurteilung ma. Gesch.schreiber (in: Neues Arch. d. Gesellsch. f. ältere dt. Gesch.kunde 50) 1935; L. ARBUSOW, Liturgie u. Gesch.schreibung im MA ..., 1951. RM

Helmolt, Hans (Ferdinand) * 8.7.1865 Dresden, † 19.3.1929 Berlin-Charlottenburg; studierte in Bonn u. Leipzig, 1899 Begründer d. v. zahlreichen Mitarb. unterstützten mehrbdg. Weltgeschichte (9 Bde., 1899–1907), später Red., ab 1922 Chefred. d. Frankfurter Nachrichten. Historiker u. polit. Publizist.

Schriften (Ausw.): Ranke-Bibliographie, 1895; Die geheime Vorgeschichte des Weltkrieges. Auf Grund urkundlichen Stoffes übersichtlich dargestellt, 1914; L. Ranke, Leben und Wirken, 1920; Napoleon-Brevier, 1922; Friedrich der Große und seine Preußen, 1925; Hindenburg. Das Leben eines Deutschen, 1926.

Herausgebertätigkeit: Die Hohenzollern und das Deutsche Vaterland (bis auf d. Ggw. ergänzt, 6. Aufl.) 1901; Elisabeth Charlotte Herzogin von Orleans. Briefe (in Ausw.) 2 Bde., 1908; Hertslet, Treppenwitz der Weltgeschichte (Neuausg.) 1911;

Nachlaß: Denecke 2. Aufl.; Mommsen Nr. 1562.

Literatur: Biogr. Jb. 11,353; NDB 8,502.   IB

Helmont, Johann Baptist van, * 1577 Brüssel, † 30.12.1644 Vilvorden b. Brüssel; Studium d. Medizin, Philos., Naturwiss. usw., 1599 Dr. med., seit 1602 auf Reisen, lebte u.a. in London, dann in Vilvorden. Arzt, Philosoph, Mystiker.

Schriften: Dagereat ef de niuwe opkompft der Geneeskost in verborgen Grond-Regeln der Nature, Leyden 1615; De febribus, Paris 1643; De ortu medicinae, 1643; Tumulus Pestis, 1643. – Dt. Gesamtausg., hg. KNORR V. ROSENROTH, 1683.

Literatur: ADB 11,703. – F. STRUNZ, ~, 1907; F. GIESECKE, D. Mystik ~s (Diss. Erlangen) 1908; W. PAGEL, ~, 1930; P.H. NIEBYL, Sennert, ~, and Med. Ontology (in: Bull. of the Hist. of Med. 45) Baltimore 1971; A.G. DEBUS, The Chemical Philosophers: Chemical med. from Paracelsus to ~ (in: Hist. of Science 12) Cambridge 1974.   RM

Helmreich, Fritz, * 12.10.1908 Arnstadt; Gymnasialprofessor.

Schriften: Allgäuer Jahre (Erz.) 1970.   IB

Helmreich (eigentl. Helmreichen zu Brunfeld) Wenzel von, * 18.9.1841 Salzburg, † 5.11.1912 ebd.; Oberlt. d. Reserve, später Advokaturskanzlist.

Schriften: Lose Tagebuchblätter, 1880; Wolf Dietrich (Dr.) 1881.

Literatur: M. FEICHTLBAUER, ~. (in: Mitt. d. Gesellsch.f. Salzburger Landeskunde 57) 1918.   IB

Helmrich, Kurt, * 8.6.1904 Serkowitz/Dresden; lebte in Zürich, später in Wien.

Schriften: Ponte alle Grazie (Rom.) 1928.   AS

Helms, Albert, Hamburg, † Okt. 1916 München. Erzähler.

Schriften: Chaos (Rom.) 1909; Die Zeitschrift. Halbmonatsschrift, 1910–13.   IB

Helms, Friedrich, * vor 1810 Dannenberg, † um 1867 Pattensen b. Harburg (?); Pastor in Heinsen/Weser, Archidiakonus in Lüchow (1827), dann Prediger in Wilhelmsburg/Elbe.

Schriften: Über den weisen Genuß der Jugendfreuden. Ein Lehrgedicht ... allen edlen Jünglingen Deutschlands gewidmet ..., 1827; Zwölf geistliche Reden, 1836.

Literatur: Goedeke 10,626.   RM

Helms-Liesenhoff, K.H. (Ps. f. Karl Heinz Helms, weiteres Ps. Ats Valtna), * 5.6.1912 Duisburg; Journalist, wohnt in Worb/Kt. Bern. Erzähler.

Schriften: Abenteuer in Siam (Rom.) 1930; Eine Armee Gretchen (Rom.) 1946; Der Kapitalist (Rom.) 1947; Die Demobilisierung der Gretchen-Armee (Rom.) 1948; Die Luxemburger Sonate (Rom.) 1948; Die Moral der Roten Armee. Dokumentarbericht, 1948; Syrie der Engel (Erz.) 1950; Die Hinterbliebenen (Rom.) 1951; Alle Engel sind tot (Rom.) 1952; David Gnaden (Rom.) 1953; Krupp & Krause (Rom.) 1965; Sowjetischer Honig (Erz.) 1969; Wehe Ihnen, Herr Kishon (Erz.) 1978.   IB

Helmschmid, Alexander, 15. Jh.; übers. 1473 e. Abschr. d. «Grossen burgund. Ordonanz», die Maximilian I. nach s. Heirat mit d. Tochter Karls d. Kühnen v. Burgund, Maria, herstellen ließ. Überl. ist H.s Text dieser kriegswiss. interessanten Heeresordnung im Cod. 10.900 (entst. n. 1550) d. Wiener Nat.bibliothek.

Literatur: G. EIS, Nachtr. z. VL (in: PBB Tüb. 83) 1961/62; P. ASSION, Altdt. Fachlit., 1973.   RM

Helmschmid, Christof, * 23.3.1885 Fürth/ Bayern, Dramatiker.

Schriften: Judas Ischarioths letzter Sieg, 1923; Drei Skizzen: Die Maschine – Hart an der Schwelle – Der Herrscher der Gasse, 1924; Die Berghoferin (Schausp.) 1937; Maria lauscht dem Schwur. Florentinische Komödie, 1938; Dagoas Weg zur Heimat. Eine tragische Komödie, 1938;

Schreiberlein Himmelssturm. Ein abenteuerliches Märchen, 1948; Goldraub auf der Santa Anna, 1949.   IB

Helmschrott, Joseph Maria, * 14.6.1759 Dillingen/Donau, † 29.6.1836 Marktoffingen b. Nördlingen; 1784 Priesterweihe, Bibliothekar u. später Prof. im Benediktinerstift St. Magnus Füssen, n. Aufhebung d. Klosters Prediger in versch. Orten, zuletzt Benefiziat in Marktoffingen.

Schriften: Verzeichniss aller Druckdenkmale der Bibliothek des uralten Benediktinerstiftes zum heiligen Mang ... mit litterarischen Bemerkungen begleitet, 1790; Der gerechte Fürst, ein Schauspiel ... und Joseph, der Unterkönig in Egypten, von seinen Brüdern erkannt, ein Singspiel, 1795. (Außerdem versch. Schulschriften.)

Literatur: ADB 11,708; Meusel-Hamberger 3, 194; 9,556; 11,338; 22.2,669.   RM

Helmsdorf → Konrad von Helmsdorf; Ludwig von Helmsdorf.

Helmstädter, Der → Raminger, Hans.

Helmstädter Theophilus → Theophilus.

Helmuth, Arnold, * 1.5.1837 Stadtollendorf in Braunschweig, † 12.8.1878 Karlsbad; Offizier d. preuß. Armee, Teilnahme an d. Feldzügen 1866 u. 1871; Mitarb. an d. v. Preuß. Generalstab hg. Gesch. d. Dt.-Frz. Kriegs. Militärschriftsteller.

Schriften: Geschichte des vierten Magdeburgischen Infanterie-Regiments Nr. 27, 1869; Militärische Traditionen der Garnison Burg, 1870; Aus alten Tagen der Stadt Burg und militärische Traditionen der Garnison Burg; ein militärisch-bürgerliches Lebensbild aus dem vorigen Jahrhundert, 1870; Die Schlachten von Vionville und Mars la Tour, 1872; Drei Vorträge über die Schlacht bei St. Privat-Gravelotte, 1873; Die Garden am 18. August 1870, 1873; Sedan, 1874; Geist und Form. Ein Wort über Truppenführung und Truppenleitung, 1875.

Literatur: ADB 11,709.   IB

Helperic(us) von Auxerre, Mitte 9. Jh.; Lehrer f. Grammatik u. Kompustik in Auxerre, verließ später d. Kloster u. lebte in Grandval. Verf. e. «Computus Helperici» (Hs. Stadtbibl. Augsburg), e. Lehrbuchs d. kirchl. Zeitrechnung

in 37 Kapiteln, welches z. T. auch → Heiric zugeschr. wurde.

Ausgaben: Computus Helperici (in: Migne PL 137); Quaestio (in: Migne PL 101). – Brief an Abt Asper (hg. DÜMMLER in: MG Epistolae 6, mit Prolog u. Epilog d. Computus).

Literatur: Manitius 1,446; 3,216. – L. Traube, Computus Helperici (in: Neues Arch. d. Gesellsch. f. ältere dt. Gesch.kunde 18) 1893; W. WATTENBACH, Dtl.s Gesch.quellen im MA 7 1, 333; J. WOLLASCH, ~ (in: Dt. Arch. 15) 1959; F. BRUNHÖLZL, Gesch. d. lat. Lit. d. MA 1, 1975.   RM

Helt(us) (auch: Forchheim), Georg, * um 1485 Forchheim b. Bamberg, † 6.3.1545 Dessau; Humanist, Studium in Leipzig, 1505 Magister, 1515 Sententiarius theol., Lehrer u. Erzieher (u.a. des Fürsten Georg v. Anhalt, seit 1518 dessen Mentor), 1520 niedere Weihen, Konversion, lebte häufig in Wittenberg u. stand in Verbindung mit d. dort Reformatoren.

Briefe: G. KAWERAU, Der Briefwechsel des Justus Jonas, 2 Bde., 1884 f.; Briefe (in: Theol. Stud. u. Kritiken 59) 1886; O. CLEMEN, ~s Briefwechsel, 1907; Weimarische Lutherausgabe, Briefe, 10,11.

Literatur: NDB 8,507; Jöcher 2,1461; ADB 11,713; RGG ³3,217. – G. BUCHWALD, ~s Wittenberger Predigttagebuch (in: ARG 17) 1920.   RM

Heltauer Marienlied, entst. in d. 2. Hälfte d. 15. Jh., d. Hs. wurde in e. Cod. d. Kirchenbibl. in Heltau/Siebenb. gefunden, d. Verf. ist unbekannt. D. Lied umfaßt 7 reimlose Strophen, d. Sprache zeigt starke mundartl. Einflüsse.

Ausgaben: Ein Marienlied. Mitgeteilt von H. WITTSTOCK (in: Arch. d. Ver. f. Siebenbürg. Landeskunde, NF 10) 1872; R. CSÁKI, Anthologie siebenbürgisch-deutscher Dichtungen, 1915.

Literatur: VL 3,250; de Boor-Newald 4/1,179. – A. SCHULLERUS, Prolegomena zu e. Gesch. d. dt. Schriftsprache in Siebenbürgen (in: Arch. d. Ver. f. Siebenbürg. Landeskunde, NF 34) 1907; A. SCHEINER, D. «Saxonismen» d. ~ (in: Zs. f. dt. Mundarten 1923) 1923; K.K. KLEIN, Lit.-gesch. d. Deutschtums im Ausland, 1939; M. BINDSCHEDLER, Ma. Marienlyrik (in: DU 9) 1957.   RM

Helveticus → Aellen, Hermann.

Helveticus, Theodorus → Schüler, August.

Helvig, Amalie von (geb. von Imhof) * 16.8.
1776 Weimar, † 17.12.1831 Berlin; Reisen
durch Frankreich, Engld. u. Holland, seit 1800
Hofdame in Weimar, durch ihre Tante Frau von
Stein mit Schiller und Goethe bekannt, 1803
Heirat mit d. schwedischen Oberst K. G. v. Hel-
vig, nach e. mehrjährigen Aufenthalt in Stock-
holm mit ihrem Gatten kehrte sie allein nach
Dtl. zurück, Beschäftigung mit Poesie, Malerei
u. altdt. Kunst, seit 1815 gemeinsam mit ihrem
Gatten in Berlin. Veröffentlichung v. Ged. in d.
«Horen», ebenso im «Musenalmanach».

Schriften: Die Schwestern von Lesbos. Episches
Gedicht, 1801; Die Tageszeiten. Ein Zyklus
griechischer Zeit und Sitte, in vier Idyllen, 1812;
Dramatische Idyllen, 1812; Die Schwestern auf
Corcyra. Dramatische Idylle, 1812; Taschenbuch
der Sagen und Legenden (gem. m. de la Motte
Foqué) 2 Bde., 1812 u. 1817; Die Sage vom
Wolfsbrunnen, 1814; An Deutschlands Frauen,
1816; Helene von Tournon, 1824; Gedichte
zum Besten der unglücklichen Greise, Witwen
und Waisen in Griechenland, 1826; Tegnér,
Frithiofs Sage (übers.) 1826.

Briefe: Briefe an ihren Vetter Fritz von Stein,
1911; Bref til Atterbom utgivna af Hedwig
Atterbom-Svenson, 1915.

Handschriften: Frels 125; Nachlässe DDR 3,
379.

Literatur: ADB 11,714; NBD 8,508; Goedeke
5,452; 7,310; 8,79; 80; 703; Meusel-Hamberger 14,238; 18,269. – H. DÜNTZER, D. Dichterin ∼ zu Weimar (in: Westermanns illustr.
dt. Monatsh. 61) 1886/87; O. WALZEL, ∼.
(in: Zs. f. d. öst. Gymnasien) 1890; H. v.
BISSING, D. Leben d. Dichterin ∼, 1899; M.
HECKER, ∼. (in: Preuß. Jb. 107) 1902; K.T.
GAEDERTZ, Was ich am Wege fand, NF, 1905;
O. WALZEL, V. Geistesleben d. 18. u. 19. Jh.
(in: Zs. f. d. öst. Gymnasien) 1911; M. HOLM-
STRÖM, Från Goethes Weimar till Geijers Upp-
sala, Ur H. v. H. s. liv, 1934; A. LUDWIG, Lit.
Liebeswirren im 18. Jh.: A. v. Imhoff u. A.
Kauffmann (in: Archiv 171) 1937; R. SCHIR-
MER-IMHOFF, «Unsere liebe kleine Freundin».
A. v. Imhoff, Nichte d. Frau v. Stein, 1952; A.
OBERREUTER, A. v. Imhoff als Mittlerin zw.
Schweden u. Deutschland. (in: FS L. Magon)
1958.						IB

Helwala → Malter, Wilhelm.

Helwicus (Helwich, Helwig, auch: Bruder
Helwich) von Magdeburg, † 28.9.1252 Erfurt;
Franziskaner u. Mystiker, Lektor in Erfurt u.
Magdeburg. S. Verf.schaft an e. «Lombardus
metricus» ist unsicher.

Ausgabe: Denarius sive decacordum sive li-
bellus de beneficiis acceptis (hg. F. DOELLE,
Beitr. z. Gesch. d. sächs. Franziskanerprov. v.
Hl. Kreuze 1) 1908.

Übertragung: W. MEYER, Das Büchlein von
den göttlichen Wohltaten, 1926.

Literatur: VL 2,395; LThK 5,226.		RM

Helwie → Wiele, Helmut.

Helwig (hieß wahrsch. Helwig von Waldirstet
od. Wolferstedt), 1. Hälfte 14. Jh.; vermutl.
Geistlicher aus Thüringen, nennt als Gönner
Friedrich v. Baden, der ident. sein dürfte mit
Friedrich III. († 1353) oder mit Friedrich v. Ba-
den-Hachberg, der z. Anfang d. 14. Jh. in d. Dt.
Orden eintrat. – Verf. d. Reimleg. «Des heiligen
cruzes mer» (Märe v. hl. Kreuz, ca. 1000 Zeilen,
überl. in e. 1459 geschr. Hs., Nat.bibl. Wien),
deren 1. Tl. auf e. unbek. lat. Leg. u. deren
2. Tl. auf d. «legenda aurea» zurückgeht. D. Verf.
kannte viell. d. «Passional» u. d. Kreuzleg. Heinrichs v. Freiberg.

Ausgabe: Helwigs Märe vom heiligen Kreuz
(hg. P. HEYMANN) 1908.

Literatur: VL 2,393; de Boor-Newald 3/1,546;
Ehrismann 2 (Schlußbd.) 383. – E. SCHRÖDER,
∼ (in: ZfdA 69) 1932; K. HELM, W. ZIESE-
MER, D. Lit. d. Dt. Ritterordens, 1951.		RM

Helwig von Germar, um 1300, Mystiker u.
Schüler Meister Eckharts, stammte aus d. im
13. Jh. in Germar b. Mühlhausen/Thür. ansässigen Geschlecht v. Germar. H. war Lektor d. Erfurter Dominikaner, viell. ist er ident. mit Helwicus Theutonicus (vgl. NDB 8,510). Überl.
sind 2 dt. Predigten, v. denen «Qui videt me ...»
v. Thomas v. Landau teilweise wörtl. in sein
«vocatus est Jhesus» übernommen wurde.

Ausgaben: Paradisus anime intelligentis (bei
W. PREGER, Gesch. d. dt. Mystik 2) 1880; Des
Nikolaus von Landau Sermone (hg. P. ZUCH-
HOLD) 1905.

Literatur: VL 2,394; 5,370; LThK 5,226. –
M. GRABMANN, Ma. Geistesleben 2,1936; A.

DONDAINE, ~ (in: Arch. Fratrum Praedicatorum 9) Paris 1939.   RM

Helwig, Johann, * 29.7.1609 Nürnberg, † 24.5.1674 Regensburg. Studierte in Altdorf, Straßburg u. Montpellier. Leibarzt d. Kardinals v. Wartenberg in Regensburg, Mitgl. d. Pegnesischen Blumenordens.

Schriften: Ormvnd Das ist, Lieb- und Helden-Gedicht, In welchem desz Hof-Lebens Sitten, Gefährligkeit und unvermuthliche Begebenheiten eigentlich abgebildet und verfasset von Francisco Pona, dem weitberühmten Italiäner, Durch einen Liebhaber der Hochteutschen Sprache übersetzet, 1648; Die Nymphe Noris In Zweyen Tagzeiten vorgestellet; Darbey mancherley schöne Gedichte, und wahrhaffte Geschichte, nebenst unterschiedlichen lustigen Rätzeln, Sinn- und Reimenbildern, auch artigen Gebänden mitangebracht Durch einen Mitgenossen der Pegnitz Schäfer, 1650; Severini Boethii Christlich vernünftiges Bedenken, Wie man sich bey vordringendem Gewalt und Wohlergehen der Gottlosen, auch unrechtmäßigem Leiden und Ubelgehen der Frommen zu trösten habe, In fůnf Bucher verfasset, Dem Liebhaber der Teutschen Sprache zu Nutzen aus dem Latein übergesetzt; benebenst richtiger Beschreibung des Boethii Lebenslaufes, 1660.

Literatur: Jöcher 2,1480; Goedeke 3,112; 3,247; Ersch-Gruber 2/5,254.   IB

Helwig, Paul, * 27.5.1893 Lübeck, † 7.8.1963 München; Dr. phil., Erz. u. Dramatiker, Übers. aus d. Engl. (J. B. Priestley u. a.).

Schriften: Götter auf Urlaub (Kom.) 1940; Der Barbar. Eine historische Tragikkomödie, 1941; Des Ruhmes und der Liebe Schwert (dramat. Romanze) 1942; Am hellichten Tage (Kom.) 1942; Jerika (Rom.) 1942; Lucile und Orleans. Eine dramatische Romanze, 1942; Schwarze Magie (Lustsp.) 1942; Die schöne Maria (Hist. Kom.) 1942; Krampus und Angelika (Kom.) 1943; Ernst beiseite! (Lustsp.) 1949; Flitterwochen (Lustsp.) 1949; Pan-Pan-Potiphar. Die abstrakte Lyrik meines Vetters Alois Zeitvogel, 1962; Liebe und Feindschaft, 1964.   IB

Helwig, Werner (Ps. Einar Halvid) * 14.1.1905 Berlin, lebt in Moillesulaz b. Genf; studierte Ethnologie, spez. Sinologie in Hamburg u. Frankfurt/Main, lebte in den vergangenen Jahren als freier Schriftst. in mehreren Orten im Ausland. Vorwiegend Erzähler.

Schriften: Die Aetna-Ballada, 1934; Aufgang der Arbeit. Ein chorisches Spiel, 1935; Nordsüdliche Hymnen, 1935; Der große Krieg. Requiem chorisch, 1935; Strandgut. Sieben Novellen, 1935; Raubfischer in Hellas (Rom.) 1939; Der gefangene Vogel. Baskische Novelle, 1940 (Neuflg. u. d. T.: Der siebente Sohn, 1959); Im Dickicht des Pelion (Rom.) 1941; Gegenwind. Hellas-Roman, 1945; R. Kipling, Dschungel-Gedichte. Übertragen und nachgedichtet, 1945; Wortblätter im Winde. Deutsche Nachdichtung japanischer Texte (übers.) 1945; Gezeiten der Liebe, 1946; B. A. Pil'njak, Maschinen und Wölfe. Roman aus den Jahren der russischen Revolution (übers. m. M. Schillskaja) 1946; Trinakria oder Die wunderliche Reise, 1946; Café Gommorra. Sechs Phantasiestücke, 1948; Das Wagnis (Rom.) 1948; Isländisches Kajütenbuch (Rom.) 1950; Die Hellas-Trilogie. 2 Bde., 1951; Auf der Knabenfährte. Ein Erinnerungsbuch, 1951; Mit Harpune und Dynamit, 1952; Die Widergänger (Rom.) 1952; Die Bienenbarke. Weltfahrten nach außen und innen, 1953; Der brigant giuliano, 1953; Reise ohne Heimkehr, 1953; Die Stiefsöhne der schönen Helena, 1954; Neuer Lübecker Totentanz (gem. m. H.H. Jahnn), 1954; Geheimnisse des Baybachtales, 1955; Nachtweg durch Lappland (Erz.) 1955; Die singenden Sümpfe (Nov.) 1955; Waldregenworte, 1955; Die großen Klagen des Tu Fu. Nachdichtungen (bearb.) 1956; Der Traum des Gefangenen, 1956; Das Steppenverhör. (Rom.) 1957; Das Affenregenmäntelchen. Japanische Sprichwörter (übers.) 1958; Auf der Mädchenfährte. Poetischer Liebebriefsteller nebst Unterweisung im Schimpfen bei Bedarf, 1958; Briefe um ein Werk (gem. m. H.H. Jahnn) 1959; Capri. Lieblicher Unfug der Götter, 1959; Die Waldschlacht. Eine Saga, 1959; Die Blaue Blume des Wandervogels. Vom Aufstieg, Glanz und Sinn einer Jugendbewegung, 1960; Capri, 1960; Der smaragdgrüne Drache, 1960; Lapplandstory, 1961; Erzählungen der Windrose, 1961; ... und Janni lacht! (Erz.) 1961; Hellenisches Mosaik. Prosastücke, 1962; Die Geheimnisse eines Zöllners – H. Rousseau. Betrachtungen (übers.) 1962; Der Gerechtigkeitssattel. Eine marokkanische Erzählung, 1962; Hymnen an die Sprache, 1964; Das Paradies der Hölle

(Rom.) 1965; Nachtweg durch Lappland (Erz.) 1968; Capri. Magische Insel, 1979.

Literatur: HdG 1,293; Albrecht-Dahlke 2/2, 298. – E. v. SCHENCK, ∼s Hellas-Romane (in: Schweizer Ann.) 1945; H. SCHÖFFLER, ∼, e. Schriftst.porträt. (in: Weltstimmen 23) 1954; H. AHL, Unter Fischern u. Hirten ∼ (in: H. A., Lit. Portraits) 1962; W. H., Wie ich an Bücher geriet (in: Librarium 21) 1978.   IB

Hemeling, Johann, erste Erwähnung 1378, † 27. 3. 1428 Bremen; Sohn d. Bremer Bürgermeisters Nicolaus H., nahm 1381 an d. Fehde d. Stadt gg. d. Herren v. Mandeslo teil, 1382 in d. Rat gewählt, 1390 Dombaumeister, 1405–10 Bürgermeister. Mit-Verf. u. Fortsetzer d. ersten ndt. Bremer Chron. d. zwei Geistlichen Herbord Schene u. Gerd Rynesberch. D. Chron. beginnt 788, endet 1430 u. ist nach d. Bremer Erzbischöfen gegliedert (spätere Überarb. u. Fortführungen bis 1547 u. a. im Bremer Staatsarch.). H. verf. ferner um 1420 e. «Diplomatarium fabricae ecclesiae Bremensis» (mit Vorrede) über d. Kirchenschatz, gottesdienstl. Einrichtungen usw.

Ausgabe: J. M. LAPPENBERG, Geschichtsquellen des Erzstiftes Bremen, 1841 [Teildr. d. Hamburger Hs.]

Literatur: VL 4, 50; de Boor-Newald 4/1, 156. – K. KOPPMANN, Z. d. Chron. v. Rynesberch u. Schene (in: Brem. Jb. 6) 1872; W. v. BIPPEN, D. Verf. d. ältesten Brem. Stadtchron. (in: ebd. 12) 1878; W. Stein, D. brem. Chron. v. Rynesberch u. Schene (in: Hans. Gesch.bl. 12) 1906.   RM

Hemeling, Johann, * um 1625 Hannover, † Dez. 1684 ebd.; 1641 in Hamburg, seit 1646 Schreib- u. Rechenmeister in Hannover.

Schriften: Ein Dutzend Arithmetrisch- und Geometrisch – Nach Poetischer Ahrt Entworfene Auffgaben, 1647; Vier Dutzend Arithmetrisch- und Geometrisch – Nach Poetischer Ahrt Entworfene Auffgaben, 1652; Anagramma oder Letterwechsel ..., 1652; Arithmetische Letter- oder Buchstab Wechslung ..., 1653; Selbst Lehrende Rechne-Schuel, 1655 (Neuausg. 1753); Hannoverisch-Arithmetische Anfang ..., 1656 u. ö.; Arithmetisch-poetisch- und Historisch-Erquick Stund, 1660; Anfengliche Anweisung zur Schreibkunst, 1666 (Fortsetzung 1674); Arithmetica Historica, 1667; Anfängliche Versal- und Zug-Buchstaben, 1670 (?); Allerhand keusche Lust- und Liebeslieder, 1671; Arithmetischer Trichter, 1677; Der Vollkommene Schreibe-Meister, um 1680; Neugemehrt Christlich Poetische Seelen-Ergetzung ..., 1680; Huldigungs-Lied an den Hochwürdigsten Fürsten und Herrn, 1680; Singendes Ballett, 1682; Hundert und sechs theils sonderlich und sehr künstlich Quaestionen ..., o. J.

Literatur: Adelung 2, 1905; Neumeister-Heiduk 372. – H. GROSSE, Hist. Rechenbücher ..., 1901; H. ECKELMANN, ∼, 1971.   RM

Hemleben, Johannes, * 23. 4. 1899 Hamburg; Studium d. Naturwiss. in Rostock, Berlin u. a. Orten, 1922 Promotion, 1928 Pfarrer in Hamburg, seit 1949 Leiter d. Christengemeinschaft in Nord-Dtl. Zahlr. Vortragsreisen in Mitteleuropa u. Skandinavien.

Schriften (Ausw.): Symbole der Schöpfung, 1930; Rudolf Steiner und Ernst Haeckel, 1965; Pierre Teilhard de Chardin in Selbstzeugnissen und Bilddokumenten, 1966; Biologie und Christentum, 1971; Johannes Kepler, 1971 (Neuausg. 1976); Paracelsus. Revolutionär, Arzt und Christ, 1973; Urbeginn und Ziel. Der gemeinsame Weg von Erde und Mensch, 1976; Niklaus von Flüe, 1977.   RM

Hemlin → Heynlin.

Hemmann, Friedrich, * 29. 12. 1831 Brugg, † 1895; war ref. Pfarrer in Solothurn, zuletzt in Herrliberg/Kt. Zürich. Erzähler.

Schriften: Die reformierte Gemeinde in Solothurn zur Zeit der Reformation und seit ihrer Neustiftung im Jahre 1834, 1863; Erzählungen, 3 Bde., 1889–91; Emil Faller. Der Flüchtling, 1898.   AS

Hemmel, Sigmund, *wahrsch. vor 1520, † Ende 1564 Tübingen (?); 1544 Tenorist d. Stuttgarter Hofkapelle, 1551 Hofkapellmeister, wirkte mit d. Hofkapelle in Stuttgart u. Tübingen.

Schriften: Der gantz Psalter Davids, wie derselbig in Teutsche Gesang verfasset, mit vier Stimmen kunstlich und lieblich von newem gesetzt, 1569.

Literatur: ADB 11, 720; NDB 8, 510; MGG 6, 139; Goedeke 2, 208. – G. Uebele, Anfänge d. protestant. Kirchenmusik in Württ. u. ∼s Psalter (in: Württ. Bl. f. Kirchenmusik) 1934.   RM

Hemmer, Günter, * 8. 11. 1923 Stettin; wohnt in Hamm/Westf., Lehrer.

Schriften: Polly findet ein Zuhause, 1956.   IB

Hemmer, Johann Jacob, * (od. getauft) 13. 6. 1733 Horbach/Rheinpfalz, † 3. 5. 1790 Mannheim; studierte Philos. u. Mathematik, später Theol. im Jesuitenkollegium Köln, Hauslehrer, Hofkaplan in Mannheim, 1768 Kanonikus in Heinsberg, 1776 Geistl. Rat u. Dir. d. kurfürstl. physikal. Kabinetts in Mannheim, 1788 Geistl. Geheimrat. Mitgl. d. kurpfälz. Akad. d. Wiss., Physiker, Meteorologe u. Sprachforscher.

Schriften (Ausw.): Abhandlung über die deutsche Sprache, 1769 [Verteidigung dieser Abh. 1771]; Deutsche Sprachlehre zum Gebrauch der kurpfälzischen Lande, 1775; Kern der deutschen Sprachkunst und Rechtschreibung, 1780; Verhaltungsregeln ... zur Gewitterzeit, 1789.

Literatur: ADB 11,721; NDB 8,510. – A. KISTNER, Z. Lebensgesch. v. ~ (in: Mannheimer Gesch.bl. 19) 1918; DERS., D. Pflege d. Naturwiss. in Mannheim z. Zeit Karl Theodors, 1930.   RM

Hemmerde, Karl (Ps. Joachim Inconnu), * 1752 Dodendorf, † 25. 12. 1808 ebd.; Buchhändler. Lyriker u. Dramatiker.

Schriften: Gedichte zur Probe; nebst einer Epistel an Menschenfreunde zum Besten der abgebrannten Salzunger, 1787; Briefe von und über Augsburg, 1789; Ottokar, König von Böhmen, 1790; Jahrbuch zur Beförderung der Glückseligkeit der Liebenden vor und in der Ehe, für das Jahr 1800, 1799 (unter Ps.).

Literatur: Meusel-Hamberger 3,197; 9,557; 11,338.   IB

Hemmerich, Karl Georg, * 29. 5. 1892 München; wohnt in Genf. Verf. v. Ess. u. Lyriker.

Schriften: Wirklichkeit und Überlieferung (4 Aufsätze) 1930; Gedichte, 1931; Das ist der Mensch (Ess.) 1936.   IB

Hemmerle, Rudolf, * 3. 10. 1919 Sebastiansberg; Red., wohnt in München. Erz., vielfach auch f. d. Rundfunk tätig.

Schriften: Franz Kafka. Eine Bibliographie, 1958; Deiner Heimat Antlitz (gem. m. S. Seifert) 1959.   IB

Hemmerlin (Hemerli(n), Hämmerlin, Malleolus), Felix, * um 1388/89 Zürich, † um 1458/59

wahrsch. Luzern; stammte aus e. alten Zürcher Zunftmeistergeschlecht, Besuch d. Stiftsschule am Großmünster, Studium kanon. Rechts in Erfurt u. um 1408 in Bologna, 1424 Dr. iur., seit 1412 Chorherr in Zürich, 1421 Propst in Solothurn, 1428 Kantor in Zürich u. 1429 auch in Zofingen, Teilnahme am Konstanzer u. Basler Konzil, 1454 Verhaftung u. Einweisung in d. Franziskanerkloster Luzern. Frühhumanist u. Vorläufer d. Reformation. Es sind mind. 39 Schr. nachweisbar (Hss. in Zürich, München, Bamberg, Valenciennes, Basel, Prag), Überlieferer d. Werke Conrads v. Mure.

Ausgaben (Ausw.): Von warmen Bädern (übers. J. Hartlieb) 1467; ... Opuscula et tractatus (hg. Sebastian Brant) 1497 [enth. 26 Werke, ohne d. «Liber de nobilitate» u. «Processus iudiciarius», wenig später 3. Abdr., o. J., mit d. «Liber de nobilitate»]; De nobilitate et rusticitate dialogus, Straßburg 1499 (?) [Neuausg. in Vorbereitung]; N. v. Wyle, Translation ... etlicher bücher von ... F.H., 1536; Dialogus de Suitensium ortu ..., 1737; Fel. Malleoli nonnulla ad historiam Helveticam pertinentia (in: Thesaurus hist. Helvet.) 1738 [Auszüge]; Passionale. Registrum querele. De misericordia. Drei Klagelieder (in: B. REBER, F.H.) 1846 [mit Ausz. u. Besprechungen auch anderer Schr.]. – E. ihm zugeschr. hist. Volkslied bei Liliencron 1, Nr. 80.

Literatur: VL 2,395; 5,370; HBLS 4,181; ADB 11,721; NDB 8,511; de Boor-Newald 4/1, 477; Aufriß 2,1678. – B. REBER, ~ v. Zürich, 1846; H. H. VÖGELI, Z. Verständnis v. Meister ~s Schr., 1873; A. SCHNEIDER, D. Zürcher Canonicus u. Cantor ~ an d. Univ. Bologna, 1888; A. WERMINGHOFF, ~, e. Schweizer Publizist d. 15. Jh. (in: Neue Jb. f. d. klass. Alt.-wiss. 13) 1904; H. WALSER, Meister ~ u. s. Zeit, 1940; P. BÄNZIGER, Beitr. z. Gesch. d. Spätscholastik u. d. Frühhumanismus in d. Schweiz, 1945; L. MOHLBERG, Katalog d. Hss. d. Zentralbibl. Zürich 1, 1951; R. FELLER, E. BONJOUR, Geschichtsschreibung der Schweiz ... 1, 1962; F. WEHRLI, V. eidgenöss. Humanismus in Zürich (in: F. W., Theoria u. Humanitas ...) 1972.   RM

Hemmo von Auxerre → Haimo von Auxerre.

Hempe, Hans, * 22. 9. 1911 Czersk/Westpr.; Dipl.-Volkswirt, Pressereferent, wohnt in Bad Homburg. Verf. v. Jgdb., Erzähler.

Schriften (Ausw.): Fräulein Stewardess, 1961; Dr. Dreier mal drei. Roman für fröhliche junge Menschen, 1961; Claudia erobert ihr Pony, 1962; Start frei für Bernd und Uta, 1964; Bernd wird Flugkapitän, 1964; Hals- und Beinbruch, Bernd! 1964; Reporterin Irene, 1964; Der rätselhafte Fluggast, 1964; Uta geht in die Luft, 1965; Ich bin gern Stewardess, 1965; Die Bürger von Kronin, 1965; Mit neunzehn in die Welt, 1966; Mit Vollgas in die Ferien, 1968; Komm wieder, Ulla, 1969; Ulla lernt die Welt kennen, 1969; Pritzelchen. I Pritzelchen hat kein Heimweh – II Pritzelchen macht sich nützlich. – III Pritzelchen und sein Strupsi, 1969; Keine Spur von Michael, 1971; Ein gewisser Meisenkotten (Rom.) 1971; Freundschaft im Feuer, 1972.   IB

Hempe, Lothar, * 10.2.1896 Leipzig, † 11.2.1967 Witzenhausen; Verlagsbuchhändler, Chefantiquar, Verf. v. Ess., Biogr. u. Erzähler.

Schriften: Von Trennung und Schmerz. Ein Abschiedsgruß, 1932; Schiller. Deutschlands Nationaldichter. Als Versuch einer Würdigung für unsere Jugend dargestellt, 1933; Arabeske um Claudia. Brief-Novelle, 1944; «uf der Wartmuren», 1958; Die Stadtgemeinde Heimsheim, Kreis Leonberg in Vergangenheit und Gegenwart. Eine Bilderchronik, 1959; Die Ockenheimer Hufnagelkantate oder Das Ärgernis Lothar Hempe, 1964.

Herausgebertätigkeit: Hugo von Hofmannsthal, Dem Gedächtnis des Dichters Theodor Storm, 1951; Arnoldus de Villa Nova, Der Weintraktat, 1956.   IB

Hempel, Arno, * 10.10.1843 Leipzig, † 2.12.1876 Bremen; Kaufmann, dann Schauspieler am Dt. Theater New York u. an versch. Bühnen Dtl.s, Regisseur am Stadttheater Bremen.

Schriften: In den Fesseln Rom's, 1875.   RM

Hempel, Christian Gottlob, * 1.11.1748 Horburg b. Merseburg, † 11.2.1824 Leipzig. Magister u. Privatgelehrter ebd., Lyriker.

Schriften: Epigrammatische Gedichte, 1776 (verb. Ausg. u. d. T.: Versuche in Sinngedichten, 1777); Der Lehrmeister nach der Mode wider B(asedow) und andere neuere Erzieher. Lustspiel in Versen, 1778; Peter der Große, Kaiser von Rußland. Musikalisches Drama, 1780; Zwo Satyren über den Geschmack und die Göttin der Gerechtigkeit, 1782; Von den bösen Geistern und der Zauberey, 1783; Beytrag zur richtigen Erklärung des Kryptopelagianismus, 1783; Sendschreiben an Haubold, von den bösen Geistern in der Zauberei, 1783; Kurzer Abriß neuer europäischer Denkwürdigkeiten, 1788; Derodon, Das Grab der Messe, oder Widerlegung der Meßirrthümer (übers.) 1789; Irrlichter und ihre Irrgänge, oder Irrthümer, zu welchen eine falsche Bescheidenheit und Nachgiebigkeit die Lehrer des Christenthums verleiten könne, 1790; Über die Thorheiten meiner Zeitgenossen, 1792; Geistliche Volkslieder und Kirchenmelodien, 1795; Unterredungen im Reiche der Geister, hauptsächlich über theologische Gegenstände, 1802; Was versteht man unter dem Glauben an Christum zu Anfange des neunzehnten Jahrhunderts? Und was ist die Lehre der Schrift davon? 1802; Pestalozzis Menschenlehre, aus seinen Nachforschungen über den Gang der Natur, die Entwicklung des Menschengeschlechts gezogen und mit kritischen Anmerkungen dialogisiert (bearb.) 1803; Abgenöthigte Herzenserleichterungen in zwo Sendschreiben an den Jenaischen Recensenten, 1803; Pestalozzi, Religionslehre, aus seinen Schriften gezogen und dialogisiert (bearb.) 1804; Napoleon Bonaparte oder: Lebens- und Heldengeschichte des vormaligen Kaisers von Frankreich und König von Italien, poetisch beschrieben in einer Reihe von Bardengesängen, 1815; Neue geistliche Lieder, 1817; Rechte eines deutschen Kaisers oder Königs von Italien über den Papst und über Rom, aus authentischen Urkunden und den unverwerflichen Zeugnissen des Alterthums, 1818; Über den sogenannten Hundeschlag. Ein Beitrag zur Beförderung der Geistebildung und des göttlichen Gefühls in Hinsicht auf unsere thierische Mitgeschöpfe, 1819.

Handschriften: Frels 126.

Literatur: Ersch-Gruber 5/2, 284; Goedeke 4/1, 114; 7, 266; 10, 550; Meusel-Hamberger 3, 197; 14, 94; 18, 110; 22/2, 670; Theater-Lex. 1, 752.   IB

Hempel, Eva → Hoffmann-Aleith, Eva.

Hempel, Frieda, * 26.6.1885 Leipzig, † 17.10.1955 Berlin; Konzert- u. Opernsängerin, Verf. v. Memoiren.

Schriften: Mein Leben dem Gesang, 1955.

Literatur: KUTSCH-RIEMENS, Unvergängl. Stimmen, 1975.   CLL

Hempel, Friedrich Ferdinand (Ps. Dr. Hanack, Simplicissimus, Spiritus Asper, Peregrinus Syntax, Nestorius, Cebes, usw.), * 6.9.1778 Treben b. Altenburg, † 4.3.1836 Pest; Rechtsanwalt u. Notar in Altenburg, verließ 1819 s. Heimat, freier Schriftst. in Odessa u. Pest. Hg. d. «Taschenbuchs ohne Titel» 1822, 1830 u. 1832.

Schriften: Nachtgedanken über das A-B-C-Buch, 2 Bde., 1808; Aphorismen über den Kuß, 1810; Politische Stachelnüsse, gereift 1813, 2 Bde., 1815; Neue mercantilische Stachelnüsse, 1816; M. A. v. Thümmel, Der heilige Kilian und das Liebespaar (Hg.) 1819; Herzog August von Altenburg und seine Bauern, 1819; Osterländische Blätter, 1819; Symposion. Liederkranz für Freunde einer fröhlichen Tafel von Spiritus Asper und Nestorius, 1825; Allgemeines Deutsches Reimlexikon, 2 Bde., 1826; Voltaire, Henriade, nebst Noten des Autors, frei übersetzt von Peregrinus Syntax, 2 Bde., 1828.

Handschriften: Frels 126.

Literatur: Goedeke 6, 395; 8, 32; 105; 285; 10, 594; ADB 11, 726.   IB

Hempel, Gottlob Ludwig, * 1736 Merseburg, † 23.7.1786 Prag; Schauspieler. Erz. u. Dramatiker.

Schriften: Hans kömmt durch seine Dummheit fort! (Lustsp.) 1782; Spielwerke des Glücks, 2 Bde., 1783; Karl und Luise oder Nur einen Monat zu spät. Bürgerliches Trauerspiel, 1785; Schwärmereien des Hasses und der Liebe. Bürgerliches Trauerspiel, 1785; Die Inkas. (Schausp.) 1786; Nettchen Freundlich (Rom.) 2 Bde., 1786; Karl Altmann. Eine vaterländische Geschichte, 1787.

Handschriften: Frels 126.

Literatur: ADB 11, 726; Goedeke 5, 390; Meusel-Hamberger 5, 355; Ersch-Gruber 2/5, 285; Theater-Lex. 1, 752.   IB

Hempel, Johann Christian Friedrich (Ps. Menschenlieb Nächstenfreund, D. H. Finsterwald), * 18.3.1767 Groß-Methling in Mecklenburg/Schwerin, † 29.8.1809 Dömitz; Privatlehrer, später Pastor. Erz. u. Lyriker.

Schriften: Gedichte von einem Mecklenburger, 1793; Die Walkendorfer Spukgeschichte, den lieben Bürger- und Bauersleuten in Mecklenburg zur Lehre und Warnung beschrieben von Menschenlieb Nächstenfreund, 1794; Von der Fortsetzung des Schneiderischen Wörterbuchs über die gemeinnützigsten Belehrungen der Bibel u.s.w., 1803.

Literatur: Goedeke 7, 381; Meusel-Hamberger 9, 557; 14, 95; 22/2, 673.   IB

Hempel, Thekla, * 4.7.1840 Rünzhain/Sachsen-Altenburg, † 15.11.1896 Reudnitz b. Leipzig; war Lehrerin u. Jugendschriftst., lebte seit 1888 in Reudnitz.

Schriften: Nach drei Jahren, 1884; Der Herr unser Halt (Erz.) 1891; Der Frauen Beruf (Erz.) 1891; Was aus der bösen Grete geworden ist, 1895; An Kindes Statt (Erz.) 1896.   AS

Hempel, Tobias, * 29.2.1738 Schönfels b. Zwickau, † 20.10.1820 Zwickau; Bürgermeister v. Zwickau.

Schriften (Ausw.): De Diis Laribus, 1797 (Neuausg. 1816); Visionen eines alten Erzgebirgers, bey Zwickau's erster Jubelfeyer des 19. Octobers 1814, 1814.

Literatur: Meusel-Hamberger 9, 558; 18, 113; 22.2, 674; Goedeke 13, 123.   RM

Hempfing, Karl (Friedrich Ernst) (Ps. Karl Waldheim), * 16.12.1848 Ippinghausen, † 13.3.1915 Allendorf/Kr. Wetzlar. Pastor. Erzähler.

Schriften: Gnadenwege im Dunkeln (Erz.) 1897; Weihnachten in schwerere Zeit. Martha (2 Erz.) 1898; Aus stürmischer Zeit. Drei Erzählungen aus dem dreißigjährigen Krieg, 1898; Ein treuer Knecht, Um eine himmlische Krone, Zigeunerliese, 1901; Der Flüchtling. Eine Erzählung aus der westfälischen Zeit, 1906; Der schwarze Graf (Erz.) 1910; Stimmungsbilder aus dem hessischen Werratal. In zwanglosen Reimen besungen, 1912; Nacht und Morgen. Die Geschichte eines Ausgewiesenen, 1914.   IB

Hemsen, Theodor, * 3.6.1826 Göttingen, † 6.4.1891 Wien; Buchhändler, dann Privatlehrer in Venedig, seit 1856 Journalist in Wien, zuletzt Red. d. «Öst. Volkszeitung».

Schriften: Des Königs Beichtvater (hist. Rom.) 2 Bde., 1863; Des Ministers Sündenbuch (Rom.) 3 Bde., 1864; Die Czarentochter (Rom.) 2 Bde., 1866 (Neuausg., 4 Bde., 1868); Die Prinzessin von Ahlden (hist. Rom.) 6 Bde., 1869; Venus in Versailles (gesch. Rom.) 4 Bde., 1874.   RM

Henckell, Jürgen A. (Ps. Tilo Tilmann, Laura Saint-Pierre, Nicole Monti); * 2.8.1915 Hamburg; Schriftst., Kabarettist, Maler u. Graphiker, wohnt in Blumberg/Baden. Erz. sowie Verf. v. Hörsp. u. lit. Kabaretts.

Schriften: Taube mit schmutzigen Flügeln (Rom.) 1959; Heimkehr ins Paradies, 1959; Unkraut des Himmels. Mattanza siciliana (Rom.) 1968.

Literatur: W. SCHUMANN, Unsterbliches Kabarett, 1948.　　　　　　　　　　　　　　　IB

Henckell, Karl (Friedrich), * 17.4.1864 Hannover, †30.7.1929 Lindau/Bodensee, Sohn d. Kaufmanns, Landwirts u. Bergmanns Arnold Heinrich H., studierte neuere Sprachen, Lit., Philos. u. Nationalökonomie in Berlin, Heidelberg, München u. Zürich. Wegen s. frühen polit. Aktivismus fielen s. Bücher unter das Sozialistengesetz u. wurden zeitweilig verboten. Nach dreijährigem Aufenthalt in Mailand, Wien u. Brüssel, 1890–1902 Rückkehr nach Zürich, wo er s. eigenen Verlag gründete. Schloß bereits in d. Schweiz Bekanntschaft mit d. Brüdern Hauptmann. Wohnte seit 1902 in Berlin, wo er d. Kreis d. jungen Dichter d. Naturalismus nahestand, übersiedelte 1908 als freier Schriftst. nach München u. lebte später in Muri b. Bern. Lyriker, Schriftst., Herausgeber.

Schriften: Umsonst (Ged.) 1884; Poetisches Skizzenbuch (Ged.) 1885; Strophen (Ged.) 1887; Amselrufe (Ged.) 1888; Diorama (Ged.) 1890; Trutznachtigall (Ged.) 1891; Aus meinem Liederbuch (Ged.) 1892; Zwischenspiel (Ged.) 1894; Moderne Dichterabende, 1895; Ada Negri (Vortr.) 1896; Widmungsblatt an Arnold Böcklin, 1897; Gedichte, 1898; Neues Leben (Ged.) 1900; Gedichte für das Volk, 1901; Aus meinen Gedichten, 1902; Ausgewählte Gedichte: I Mein Liederbuch, II Neuland, 1903; Gipfel und Gründe (Ged.) 1904; Mein Lied (mit R. Strauss) 1906; Schwingungen (Ged.) 1906; Weltlyrik (Nachdg.) 1910; Ein Lebenslied (Ged.) 1911; Im Weitergehn (Ged.) 1911; Hundert Gedichte, 1914; Lyrik und Kultur (Vortr.) 1914; Weltmusik (Ged.) 1918; Ausgewählte Gedichte, 1920; An die neue Jugend (Ged.) 1923.

Herausgebertätigkeit: Quartett (Dg. hg. mit A. Gutheil, E. Hartleben, A. Hugenberg) 1886; Buch der Freiheit. 2 Bde., 1893; Sonnenblumen (Zs., Jg. 1–4) 1895/99; L. Jacoby, Cunita, 1896; Deutsche Dichter seit H. Heine (Ged.) 1906; G. Pfander, Helldunkel, 1908.

Ausgaben: Gesammelte Werke, 4 Bde., 1921, 2. erw. Aufl. 5 Bde., 1923.

Nachlaß: Stadt- u. Landesbibl. Dortmund; Stadtbibl. Hannover. – Denecke 2. Aufl.

Literatur: NDB 8, 519. – F. DROOP, ~-Brevier, 1924; K.F. SCHMID, (Hg.) ~ im Spiegel s. Umwelt, 1931; F. BLEI, ~, E. moderner Dichter, 1895; M. JANSSEN, ~, 1911; A. KUTSCHER, ~ (in: Dt. Jb. 11) 1932.　　　　　UF

Henckell von Donnersmarck, Graf Wilhelm (Ludwig) Viktor, * 30.10.1755 Potsdam, † 1849; im preuß. Heer tätig, nahm 1821 als Generalleutnant s. Abschied.

Schriften: Erinnerungen aus meinem Leben, 1846.

Literatur: ADB 11,733.　　　　　　　　　IB

Henckels, Paul, * 9.9.1886 Hürth/Rheinld., † 27.5.1967 Schloß Hugenpoet b. Kettwig; Schauspieler, 1920–22 Dir. d. Schloßparktheater in Berlin-Steglitz, 1922–24 Spielleiter u. Schauspieler an d. Volksbühne in Berlin, in d. Folge an versch. Bühnen.

Schriften: Ich war kein Musterknabe, 1956; Heiter bis wolkig. Ein Lebens-Wetterbericht, 1960.　　　　　　　　　　　　　　　　　IB

Hendel, Helmuth, * 9.5.1900 Hamburg, † 22.12.1973 ebd.; Dr. phil., Journalist. Erzähler.

Schriften: Zwischen Kiefern und Wacholder. Jagd- und Fischwaid in Hinterpommern und Ostpreußen, 1960.　　　　　　　　　IB

Hendel, Wilhelm, * 2.7.1889 Straßburg, † 20.4.1961 Wiesbaden (?); Feuilletonist u. Musikkritiker, auch Verf. v. Rom. u. Novellen.

Schriften: Musik im Weltall (Dg.) 1928; Das Erbe des Li Tai Pe (Rom.) 1938; B. de Spinoza, Das Endliche und Unendliche. Eine freie Auswahl aus «Von Gott, dem Menschen und dessen Glückseligkeit», «Der theologisch-politische Traktat» und sein «Briefwechsel» nach der Übersetzung von J. v. Kirchmann (hg.), 1947; G.W. Leibniz, Welträtsel und Lebensharmonie. Erkenntnis und Weisheit im Spiegel seiner Werke. (ausgew., übers., bearb.) 1949; Die Anatomie des Dr. Tulp. Eine Rembrandt-Novelle, 1950.

　　　　　　　　　　　　　　　　　IB

Hendrik, Abbo → Abeßer, Rudy.

Henel, Hans Otto, * 29.12.1888 Leipzig; lebte ebd. als Film- u. Theaterkritiker, Schriftsteller.

Schriften: Schuldige? Geschichten armer Schächer, 1924; Die rote Jule. Dramolett in zwei Aufzügen, 1926; Thron und Altar ohne Schminke. Vergessene Historien und Histörchen, 1926; Eros im Stacheldraht. 17 Liebes- und Lebensläufe, 1926; Der Mann der Stunde. Kleine Erzählungen, 1928; Vierhundert Jahre Schindluder. Historische Kleinbilder, von Untertanen und ihren Herren, 1928; Die Kellnerin Molly (Rom.) 1933; Der Ehespiegel. Ein nützliches und ergötzliches Spruchbüchlein, 1941; Die Frau ohne Jahre. Meinungen, Erzählungen und Taten Frau Mögemanns und ihrer vier Junggesellen, 1942. AS

Henel, Heinrich, * 18.4.1905 Saigon; Studium d. Germanistik u. Anglistik in Frankfurt u. München; Promotion 1927; Lehrtätigkeit: Aberdeen, Cambridge, Queens (Ontario, Kanada), Wisconsin u. Yale Universität (USA).

Schriften: Der geschichtliche deutsche Prosastil bei J. v. Müller, 1928; Studien zum altenglischen Computus, 1934; Aelfric's De temporibus anni, Oxford 1942; The Poetry of C.F. Meyer, Madison 1954; Goethezeit. Gesammelte Aufsätze, 1979. MR

Henel von Hennenfeld, Nikolaus, * 11.1. 1582 Neustadt/Schles., † 23.7.1656; studierte in Jena u. Basel, Dr. iur., später in Leipzig Reisebegleiter junger Adeliger, 1613 Rechtsanwalt in Breslau.

Schriften: Breslographia, 1613 (Breslographia renovata, Manuskript in mehrfacher Abschrift); Silesiographia, 1613 (ergänzte Aufl. u.d.T. Silesiographia renovata v. Fibiger 1704); Silesia togata (nur handschrift., 1. schles. Gelehrtenhistorie).

Literatur: ADB 11,737.   IB

Henelin, Henelyn, Henlin → Heynlin.

Henetus, Theodor → Flacius Illyricus, Matthias.

Henggeler, Paul, * 10.6.1773 Unter-Aegeri/ Kt. Zug, † 21.10.1864 Nuolen/Kt. Schwyz; war kath. Pfarrer ebd.

Schriften: Gedichte humoristischen Inhalts, in hochdeutscher Sprache und im Schwyzer Dialect, 1836.

Literatur: HBLS 4,183. – H.A. KAISER, ~ (in: Zuger Neujahrsbl.) 1903.   AS

Hengstenberg, Ernst, * 3.11.1891 Romscheid/ Rheinld.; studierte in Leipzig u. Bonn, Doz. an d. Schauspielschule in Meiningen u. Theaterkritiker. Später im höheren Schuldienst tätig, 1947/48 Leiter d. Volksbühne d. Bayer. Roten Kreuzes. Freier Schriftst. in Thüngersheim bei Würzburg. Erzähler.

Schriften: Hindustan, 1908; Geographische Schachtelhalme, 1909; Eifersucht. Das Weinen des Grafen Marke (zwei Nov.) 1920; Gestalten und Probleme der rheinischen Dichtung der Gegenwart, 1925; Die Jüdin (Nov.) 1925; Stella (Erz.) 1925; Die Sphinx (Erz.) 1925; Kampf um Domäne Goslin (Rom.) 1940; Herz auf Reisen, 1950; Unruhe des Herzens, 1958.

Literatur: Theater-Lex. 1,752.   IB

Hengstenberg, Ernst Wilhelm, *20.10.1802 Fröndenberg in Westfalen, † 28.5.1869 Berlin; studierte in Bonn Philol., Philos. u. Theol., Lehrer in Basel, habilitierte sich 1824 für oriental. Sprachen in Berlin, später an der theol. Fakultät, gründete 1827 die «Evangel. Kirchenztg.», 1828 Prof. in Berlin. Vorwiegend theol. Schriften.

Schriften (Ausw.): Aristoteles, Metaphysik (übers). 1824; Christologie des Alten Testaments, 2 Bde., 1829–35; Beiträge zur Einleitung ins Alte Testament, 3 Bde., 1831–39; Commentar über die Psalmen, 4 Bde., 1842–47; Die Offenbarung des heiligen Johannes für solche die in der Schrift forschen erläutert, I 1849, II 1851; Die Opfer der heiligen Schrift. Die Juden und die christliche Kirche, 1852; Das Hohelied Salomonis, 1853; Die Freimaurerei und das Evangelische Pfarramt, 3 Tle., 1854 u. 55; Der Prediger Salomonis ausgelegt, 1859; Das Evangelium des heiligen Johannes erläutert, 3 Bde., 1861–62; Die Weissagungen des Propheten Ezechiel, 2 Tle., 1867–68; Die Offenbarungen des Johannes, 2 Bde., 1849–51; Die Geschichte des Reiches Gottes im Alten Testament, 2 Bde., 1869–71; Vorlesungen über die Leidensgeschichte, 1875; Das Buch Hiob, 2 Bde., 1870–75.

Nachlaß: Staatsbibl. Preuß. Kulturbesitz Berlin. – Denecke 2. Aufl.; Nachlässe DDR 1, Nr. 270.

Literatur: ADB 11,737; LThK 5,230; RE 7, 670f.; RGG 3,219f. – A. MÜLLER, ~ u. d. Evangel. Kirchenztg., 1857; KAHNIS, Zeugnis v. d. Grundwahrheiten des Protestantismus gegen ~, 1862; HAUNE, Anti-Hengstenberg, 1866;

G. Bachmann u. T. Schmalenbach, ∼, 1876–
1892; Aus vierzig Jahren dt. Kirchengeschichte.
Briefe an ∼. (hg. Bonwetsch 2 Bde., in: Beitr.
z. Förderung christl. Theol. 22 u. 24) 1917 u.
1919; ders., H. Leo in s. Briefen an ∼ (in:
Nachrichten v. d. Gesellsch. d. Wiss. zu Göttingen) 1917; A. Kriege, Gesch. d. Evangel. Kir-
chen-Ztg. unter d. Red. ∼s. (Diss. Bonn) 1958;
H. Wulfmeyer, ∼ u. s. Nachlaß in d. Staatsbibl. d. Stiftung Preuß. Kulturbesitz (in: H.-J.
Schoeps) 1969.   IB

Hengstenberg, (Johann Heinrich) Karl, * 3.9.
1770 Ergste/Westf., † 28.8.1834 Wetter/Ruhr;
Theol.-Studium in Marburg, Hauslehrer in Darmstadt u.a. Orten, 1795 Gymnasiumsdir. in
Hamm, später Pfarrer in Fröndenberg/Mark u.
seit 1808 in Wetter.

Schriften: Gemeinschaftliche Feier des Dank-
festes (mit F. Mohn) 1802; Vorfeier des dritten
Jubiläums der Kirchenverfassung, 1818; Geo-
graphisch-poetische Schilderung sämtlicher Deutschen Lande ..., 1819; Jesus Christus oder Die
welterlösende Liebe und Treue. Drey Gesänge
nach den Evangelien, 1820; Psalterion oder Erhebung und Trost in heiligen Gesängen, 1825.

Literatur: ADB 11,737; Meusel-Hamberger
22.2,676; Goedeke 10,581; 13,448. – O.
Wetzstein, D. religiöse Lyrik d. Deutschen im
19. Jh., 1891; F. Nippold, D. dt. Christuslied
d. 19. Jh., 1903.   RM

Hengstler, Wilhelm, * 3.1.1944 Graz, Hoch-
schulassistent, wohnt in Bruck/Mur.

Schriften: Aha! Mhm! Sehr gut! oder Ten
little imbeciles, 1973.   IB

Henhöfer, Alois (auch: Aloysius), * 11.7.1789
Völkersbach b. Ettlingen, † 5.12.1862 Spöck b.
Karlsruhe; studierte in Freiburg/Br., 1817 kathol. Pfarrer, wegen d. weitgreifenden Erwek-
kung d. kathol. Bauern durch s. Predigten 1862
aus d. kathol. Kirche ausgeschlossen, konvertierte mit vielen seiner Anhänger z. evangel.
Glauben, Pastor in Graben, später in Spöck.

Schriften: Christliches Glaubensbekenntniss sei-
ner Gemeinde und seinen ehemaligen Zuhöreren
und Freunden gewidmet, 1821; Religiöse
Schwärmereien und Schicksale, 1823; Der neue
Landeskatechismus, 1831; Die Belehrung des
Apostels Paulus. Eine Predigt, 1845; Die wahre

katholische Kirche und ihr Oberhaupt. Ein
Zeugnis für Priester und Volk, 1845; Baden und
seine Revolution, 1850; Das Abendmahl des
Herrn oder Die Messe, Christentum und Papsttum, Diamant oder Glas, 1852; Das Abendmahl
des Herrn. Ein Geschenk für Konfirmanden,
1859; Der Kampf des Unglaubens mit Aberglauben und Glauben. Ein Zeichen unserer Zeit,
1861; Von dem Heilswege. Predigten. Nebst
dessen Lebenslauf von Karl Friedrich Ledderhose, 1863.

Literatur: ADB 11,747; NDB 8,523; Meusel-
Hamberger 22/2,677; RGG 3,220; RE 7,674. –
E. Frommel, Aus d. Leben des Doktors ∼,
1865; F. Hauss, Erweckungspredigt u. -prediger
d. 19. Jh. in Baden u. Württ., 1924; W. Heinsius, ∼ u. s. Zeit, 1925; F. Hauss, ∼, 1939;
O. Frommel, ∼, 1953.   IB

Henisch, Georg (Ps. Chariander Georgius, He-
nischius Bartphanus, auch Bartfeldensis), * 24.
4.1549 Bartfelden/Ungarn, † 31.5.1618 Augsburg; studierte Philol. u. Medizin in Wittenberg, Leipzig u. Basel (1566–70). Rektor u.
Arzt in Augsburg. Späthumanist. Sammler v.
Sprichwörtern. Lat. Dichter.

Schriften: (Ausw.) Tabulae Institutionum Astro-
nomicarum, 1575; Eine Kurtze Erinnerung von
dem Cometen, welcher im October dises LXXX
Jars erstlich erschinen vund noch am Himmel zuse-
hen ist, 1580; De asse et partibus eius, 1606; Teutsche Sprach und Weißheit, Thesaurus linguae et
sapientiae Germanicae, I A-G (unvollendet) 1616.

Literatur: ADB 11,750; NDB 8,524; Jöcher
2,1489; Schottenloher 1,336; 4,379; 5,117. –
K.F.H. Marx, Z. Anerkennung d. Arztes u.
Schulmannes ∼, 1875; M. Radlkofer, D. humanist. Bestrebungen d. Augsburger Ärzte im
16. Jh. (in: Zs. d. Hist. Ver. f. Schwaben 20)
1938; A. Hudak, E. Vorläufer d. Brüder
Grimm. ∼ aus Bartfeld. (in: Karpatenpost 11)
1960; L. Lenk, Augsburger Bürgertum im Späthumanismus und Frühbarock (1580–1700) 1968.
     IB

Henisch, Karl Franz (Xaver Leo) * 29.6.1745
Wien, † 13.12.1776 Potsdam; Schauspieler, vor
allem Komiker, Mitgl. d. Brunianischen Gesellsch. in Prag. Verf. v. Operettentexten u. Theaterstücken.

Schriften: Der lustige Schuster oder der zweyte
Theil vom Teufel in allen Ecken, nach dem

Englischen des Coffey, 1770; Das Gespenst auf dem Lande (Lustsp.) 1772; Der Zauberer. Komische Operette, 1774; Das Schnupftuch. Komische Operette, 1774; Der Bassa von Tunis. Komische Operette, 1774.

Handschriften: Frels 126.

Literatur: ADB 11,751; Goedeke 5,347; Theater-Lex. 1,752. IB

Henisch, Peter, * 27.8.1943 Wien; Öst. Staatsstipendium f. Lit. 1970, Lit.preis d. Wiener Kunstfonds, 1971, wohnt in Wien. Lyriker u. Erzähler.

Schriften: Hamlet bleibt Prosa. Mit lyrisch-aphorischem Anhang, 1971; Vom Baronkarl. Peripheriegeschichten und andere Prosa (Slg.) 1972; Die kleine Figur meines Vaters (Erz.) 1975; Wiener Fleisch & Blut, 1975; Lumpazimoribundus. Antiposse mit Gesang, 1975; Der Mai ist vorbei, 1978. IB

Henk, Michael (Ps. f. Jo Schulte) * 8.3.1937 Hagen; Buchhändler, wohnt in München. Erzähler.

Schriften: Die Trompete, 1963. IB

Henke, Heinrich Philipp Konrad, * 3.7.1752 Hehlen/Braunschw., † 2.5.1809 Helmstedt; Studium d. Philol. u. Philos. in Helmstedt, 1777 a.o. Prof. f. Philos., 1778f. Theol., 1780 o. Prof. f. Theol. das., 1786 Abt v. Michaelstein, Vorsteher d. dort. Predigerseminars, 1803 auch Abt v. Königslutter. Hg. mehrerer wiss. Zeitschriften.

Schriften (Ausw.): Allgemeine Geschichte der christlichen Kirche, 6 Bde., 1788 ff. (5. Aufl. d. 1. u. 2. Bd.: 1818; 2. Aufl. d. 5. Bd.: 1820, hg. u. erg. durch Bd. 7 u. 8 v. J. S. Vater); Grundriß einer historisch-kritischen Unterweisung der christlichen Glaubenslehre, 1802; Opuscula academica, 1802.

Nachlaß: Staatsarch. Wolfenbüttel; Herzog-August-Bibl. Wolfenbüttel; Landesbibl. Dresden. – Mommsen Nr. 1567; Denecke 75; Nachlässe DDR II, Nr. 195; III, Nr. 380.

Literatur: ADB 11,754; NDB 8,526; RE 7, 680; RGG ³3,221. – G. K. BOLLMANN, H. W. J. WOLFF, ~, 1816; K. VÖLKER, D. Kirchengesch.schreibung d. Aufklärung, 1921; H. STEPHAN, Gesch. d. ev. Theol., 1938. RM

Henke, Herbert, * 1913 Dorf Annette/Kiew; Ausbildung a. d. Arbeiterfakultät in Saratow,

1937 Absolvent d. PH Engels, Red.arbeit an dt.sprachigen Zs., dann Mittelschullehrer im Dorf Tambor/Kemerowo, seit 1968 wohnhaft in Alma-Ata/Kasachstan; Lyriker, Erzähler.

Schriften: Freie Wolga (Ged.) Engels 1938; Der grüne Widerhall (Ged.) Alma-Ata 1970. AS

Henke, Theodor, * 1848 Schirgiswalde/Sachsen; kaufmänn. Tätigkeit, seit 1868 Soldat, fiel 1870 vor Paris. Verf. vaterländ. Lieder.

Schriften: Marienblätter (Ged.) 1865. AS

Henkel, Ambrose, * 11.7.1786 Shenandoah County/USA, † 6.1.1870 New Market; nach Buchdruckerlehre Buchdrucker in New Market, Hg. d. «Virgin. Volksberichters ...» (1807–09).

Schriften (dt., Ausw.): Die Fromme Zwillinge ... Das erste deutsche Virginische Kinderbuch, New Market 1807; Die Unterredung ... Das zweite deutsche Virginische Kinderbuch, ebd. 1807; ABC- und Bilderbuch, ebd. 1817; Eine Sammlung auserlesener Gebeter und Lieder zum Gebrauch der Jugend ... (hg.) ebd. 1824.

Literatur: Goedeke 15,573. – A.S. EDMONDS, The Henkels Early Printers in New Market ... (in: William and Mary College Quart. Hist. Mag. Ser. 2, Vol. 18) 1938 (mit Bibliogr.) RM

Henkel, Arthur, * 13.3.1915 Marburg; 1941 Dr. phil. Graz, 1952 Habil. Marburg, Doz. in Marburg u. Göttingen, seit 1958 o. Prof. f. neuere dt. Lit.gesch. u. Mitdir. d. germanist. Seminars an d. Univ. Heidelberg. Hg. d. Reihe Goethezeit d. «Dt. Neudrucke» (seit 1966), Mit-Hg. d. «Euphorion» (seit 1962) u. d. «Germanistik» (seit 1962), Mitgl. d. Heidelb. Akad. d. Wissenschaften.

Schriften (Ausw.): Entsagung. Eine Studie zu Goethes Altersroman, 1954; Johann Georg Hamann, Briefwechsel (hg., mit W. Ziesemer) 6 Bde., 1955–75; Emblemata. Handbuch für Sinnbildkunst d. 16. und 17. Jahrhunderts (mit A. Schöne) 1968 (Neuausg. 1976; Suppl. d. Erstausg. 1976); Johann Heinrich Merck, Werke (hg.) 1968.

Literatur: Geist und Zeichen (FS z. 60. Geb.-tag A. H.s) 1977. RM

Henkel, Christian Heinrich (Ps. Friedrich Ansarius), * 14.2.1790 Themar, † 22.12.1848 Coburg; Theol.-Studium in Jena, 1811 Hauslehrer, 1814 Schulrektor in Rodach; 1817 Diakon, 1821 Seminarleiter, 1826 Archidiakon u. 1845 Hofprediger in Coburg.

Schriften: Nebel- und Lichtstreifen, 1820 (2. Aufl. u. d. T.: Der rothe Bund. Romantische Scenen aus dem Leben Benedicts, 1823); Christliche Vorträge nach Anleitung verschiedener Texte, 1826.

Literatur: Meusel-Hamberger 18, 119; 22.2, 678; Goedeke 10, 304. – G. HEUSINGER, ~, e. edles Charakterbild, 1852.									RM

Henkel, Franz Hermann, * 16. 11. 1868 Schermcke/Sachsen; studierte Gesch. u. Philol., war Oberlehrer am Wilhelms-Gymnasium in Hamburg, dann in Jever/Oldenburg, seit 1903 an der Oberrealschule in Göttingen, später Gymnasialdir. in Aurich.

Schriften: Aus dem Burenkriege. Erlebnisse und Beobachtungen eines deutschen Mitkämpfers, 1901; Hermann der Cherusker. Ein deutsches Trauerspiel in 5 Aufzügen, 1906; Der Kampf um Südwestafrika, 1908.									AS

Henkel, Friederike (geb. Arnold), * 25. 12. 1826 Berlin, Todesdatum u. -ort unbekannt; Fabrikantentochter, 1850 Heirat mit d. spätern Hofrat d. dt. Gesandtschaft in Bern, W. Henkel, 1868 Übersiedlung n. Bern, lebte seit 1872 in Berlin, Eisenach u. a. Orten, zuletzt in Weimar.

Schriften: Sommermährchen, 1869; Aus Langeweile (Rom.) 2 Bde., 1875; Der Liebe Licht und Schatten (Rom.) 1878; Die Herren von Ibichstein (Rom.) 2 Bde., 1879; Wenn Frauen hassen (Rom.) 2 Bde., 1880; Die Stiefschwestern (Rom.) 1880.									RM

Henkel, Heinrich, * 12. 4. 1937 Koblenz; freier Schriftst., Gerhart-Hauptmann-Förderpreis 1970, Dramatiker, Verf. v. Hörsp. u. Filmen.

Schriften: Eisenwichser (Stück) 1970; Spiele um Geld, 1971; Olaf und Albert, 1973; Die Betriebsschließung, 1974.									IB

Henkels, Walter, * 9. 2. 1906 Solingen; Journalist, wohnt in Wachtberg über Bonn.

Schriften: Zeitgenossen. 50 Bonner Köpfe, 1953; Bonn für Anfänger. Die deutsche Bundeshauptstadt zwischen Monumentalität, Idylle und wohltemporierter Ironie, 1963; 99 Bonner Köpfe, 1963; ... gar nicht so pingelig, meine

Damen und Herren, 1965; Doktor Adenauers Gesammelte Schwänke, 1966; Ganz das Gegenteil, 1967; Lokaltermin in Bonn. Der «Hofchronist» erzählt, 1968; Kohlen für den Staatsanwalt. Die sagenhafte Stunde Null, 1969; Jagd ist Jagd & Schnaps ist Schnaps, 1971; Bacchus muß nicht Trauer tragen. Eine Moselreise ohne Liebeskummer, 1972; Deutschland deine Rheinländer. Da braust kein Ruf wie Donnerhall, 1973; ... aber der Wagen der rollt. Walter Scheel anekdotisch, 1974; Neue Bonner Köpfe, 1975; Neues vom Alten. Adenauer-Anekdoten, 1975; Wer einen Treiber erschießt, muß die Witwe heiraten, 1976; Keine Angst vor hohen Tieren, 1977; Ja Ja, sagte der alte Oberförster. Erinnerungen eines Vierzehnenders, 1979.

Literatur: A. OPITZ, ~: Bonner Köpfe f. d. Buchhandel (und die «FAZ») (in: Börsenbl. Frankfurt 33) 1977.									IB

Henkl, Hans → Hanff, Josef.

Henkl, Rolf (Ps. Albin Eiger, Rolf Hennequel) * 14. 12. 1895 Wien; Studium an d. philos. Fakultät, Journalist in Wien, später Verlagsbeamter in Rom, Red. in Paris, dann Aufenthalte in Asien.

Schriften: Das Lied von der Ewigkeit (Ged.) 1916; Ich bin es. Verse von Vererbung und Dekadenz, 1916; Neue Sonette auf Venedig, 1917; Uriel Birnbaum. Ein Versuch, 1919; Asketen, 1935; Fernostfahrt. Eine Hymne, 1928–1932, Tokjo 1938.									AS

Henle, Elise (Mädchenname u. Ps. f. Elise Levi), * 10. 10. 1832 München, † 18. 10. 1892 Frankfurt/M.; Schwester d. Dichterin Henriette Ottenheimer, 1853 Heirat mit d. Fabrikanten Leopold L. in Eßlingen/Württ., lebte seit 1879 in München u. seit 1889 in Frankfurt.

Schriften: Ein Duell (Lsp.) 1869; Der 18. Oktober (Schausp.) 1871; Aus Göthes lustigen Tagen (Lsp.) 1878; Durch die Intendanz (Lsp.) 1878; Die Wiener in Stuttgart (Lsp.) 1879; Entehrt (Schausp.) 1879; Was soll ich deklamieren? ... Den deutschen Mädchen und Frauen gewidmet, 3 Bde., 1885–89 (6., verm. u. verb. Aufl. 1903); Der Erbonkel (Lsp.) 1887; Backfischchens Theaterfreuden. Ein Geschenk für große und kleine Fräuleins (Lsp.) 1887; Zeitgemäß. Excentrisch. Ruhebedürftig. Drei Bühnenwerke, 1890 (Neuausg. 1891); Rosa von Tannenburg. Der Ring. Das Johanniskäferchen. Drei Schauspiele für die Jugend (frei n. C. v. Schmid ... bearb.) 1891; Wer will Französisch lernen? Eine Gabe für unser Kleinen, 1893.

Literatur: Theater-Lex. 2, 1228.   RM

Henn Schmuttermaier, Emma Maria (Ps. f. Emma Maria Schmuttermaier, weiteres Ps. E. M. Henn), * Cansas/USA, wohnt in Darmstadt. Erzählerin.

Schriften: Wie «sie» es sehen ... Erlebtes und Erlauschtes unter Hunden, 1938; 13. Juni 1847. Mordprozeß Staff/v. Görlitz. Ein Roman über das Werden der Demokratie in Deutschland, 1955.

IB

Henne, Helmut, * 5.4.1936 Braunschweig; 1964 Dr. phil. Hamburg, 1970 Habil., o. Prof. f. Germanist. Linguistik u. Philol. an d. Techn. Univ. Braunschweig, seit 1971 Seminardir. Hg. d. «Documenta Linguistica ...» (1968ff.), Mit-Hg. d. «Lex. d. Germanist. Linguistik» (1973) u. d. Reihe «Germanist. Linguistik» (seit 1975).

Schriften (Ausw.): Hochsprache und Mundart im schlesischen Barock, 1966; Semantik und Lexikographie, 1972; Sprachpragmatik ..., 1975; Interdisziplinäres deutsches Wörterbuch (Mit-Hg.) 1978.   RM

Henne, Josef Anton, * 22.7.1798 Sargans, † 22.11.1870 Haslen b. Wolfhalden/Kt. Appenzell; Sohn e. Schneiders, studierte Sprachen u. Gesch. in Heidelberg u. Freiburg/Br., Dr. phil., Anhänger d. Romantik, war 1823–26 Lehrer am Fellenberg'schen Inst. in Hofwil, 1826–34 Stifts- u. Staatsarchivar in St. Gallen, 1834–41 Lehrer an der Kantonsschule St. Gallen, 1841–55 Prof. d. Gesch. an d. Univ. Bern, 1855–61 wieder Stiftsbibliothekar in St. Gallen, 1861–70 Sekretär d. Erziehungsdepartements d. Kantons. Verf. zahlr. poet., geschichtl., kulturhist. u. polit.-polem. Schriften. Gab 1830–38 die Ztg. «D. Freimüthige» heraus, 1833–34 die schweiz. Schul- u. Kirchenztg. «Der Gärtner».

Schriften (Ausw.): Schweizerische Lieder und Sagen, 1824 (2. verm. u. verb. Aufl. u. d. T.: Lieder und Sagen aus der Schweiz, 1927); Diviko und das Wunderhorn oder die Lemanschlacht. Ein deutsches National-Heldengedicht, 1826; Neue Schweizerchronik für's Volk, aus den Quellen untersucht und dargestellt, 3 Bde., 1828–

1834 (2., umgearb. u. verm. Aufl. in 4 Bden, 1840; 4. völlig neue Bearb. 1857); Ansichten eines Obskuranten über Katholizismus und Protestantismus ..., 1829; Die Schweizerische Revolution 1798–1834. Ein historischer Umriß, 1834; Sendschreiben ans Zürchervolk, 1839; Dr. Henne's Vertreibung von der kath. Kantonsschule in St. Gallen ..., 1841; Allgemeine Geschichte von der Urzeit bis auf die heutigen Tage, 1845/46; Das Dasein alteuropäischer eigenthümlicher Bevölkerung und Kultur ... und ihr Verhältniss zur ägüptischen, assürischen und persischen ..., 1847; Der Sonderbund und dessen Auflösung durch die Tagsazung im November 1847, 1848; Die Maikäfer. Ein offener Brief an's Berner Volk, 1850; Geschichtliche Darstellung der kirchlichen Verhältnisse der Katholischen Schweiz, Bd. 3, 1854; Klingenberger Chronik (Hg.) 1861; Der letzte Dominikaner in Bern. Novelle aus dem Jahre 1528, 1863; Manethos, die Origines unserer Geschichte und Chronologie, 1865; Die Rache in Gonten. Volksgemälde aus den Appenzeller-Bergen. Nach einer wahren Begebenheit vom Jahre 1849, 1867; Das rothe Büchlein. Antwort der St. Galler Freisinnigen auf den Brief des Herrn Bischofs Greith an Nationalrath Fr. Bernet, 1868; Des heiligen Gallus Zelle an der Steinach im Jahre 614 (Nov.) 1868; Die geschriebene Offenbarung und der Menschengeist, 1870.

Literatur: ADB 11,763; Goedeke 10,616,15, 822; HBLS 4,183. – O. HENNE AM RHYN, E. Autobiogr., 1890; Briefe an Dr. Anton Henne, 1818–1850 (in: J. Dierauer [Hg.], St. Gallische Analekten) 1902; K. H. REINACHER, Erinnerungen an Prof. ~ (in: Bl. für Bernische Gesch., Kunst u. Alt.kunde 13) 1917; K. H. REINACHER, ~. D. Dichter d. «Luaged vo Bergen u Thal». S. Leben u. s. Jugendwerke (Diss. Freiburg/ Schweiz) 1916; TH. HOLENSTEIN, ~. E. Radikaler d. Regenerationszeit, Apologet d. Katholizismus (in: SR 40) 1940/41; W. RÜSCH, ~ v. Sargans u. d. Mundartdg. d. schweizer. Romantik (in: Nationale Hefte Jg. 9) Juli 1942.   AS

Henne am Rhyn, Otto, * 26.8.1828 St. Gallen, † 1.5.1914 Weiz/Steierm.; Sohn v. Josef Anton H., war 1859–72 u. 1885–1912 Staatsarchivar d. Kantons St. Gallen; 1872–77 in Leipzig als Red. v. Ritter's Geographisch-statistischem Lexikon, d. Freimaurerztg. u.a., 1877

Red. in Hirschberg/Schles., 1897–82 Red. f. d. Auswärtige an d. NZZ; kulturhist. Schriftst., Dr. phil. h. c.

Schriften (Ausw.): Geschichte des Kantons St. Gallen von seiner Entstehung bis zur Gegenwart, 1863; Geschichte des Schweizervolkes und seiner Kultur von den ältesten Zeiten bis zur Gegenwart, 3 Bde., 1865–66 (3., verb. u. erg. Aufl. 1878); Das Buch der Mysterien. Leben und Treiben der geheimen Gesellschaften aller Zeiten und Völker, 1869 (3. erg. Aufl. 1891); Neues Volks-Konversations-Lexikon. Unentbehrliches Nachschlagebuch für Jedermann über sämmtliche Zweige des menschlichen Wissens (Hg.) 1869; Kulturgeschichte der neueren Zeit ..., 3 Bde., 1870–72; Die Deutsche Volkssage. Beitrag zur vergleichenden Mythologie mit eingeschalteten tausend Original-Sagen, 1874 (2., neu bearb. Aufl. u. d. T.: Die Deutsche Volkssage im Verhältniss zu den Mythen aller Zeiten und Völker ..., 1879); Allgemeine Kulturgeschichte von der Urzeit bis auf die Gegenwart, 8 Bde., 1877–1908; Filibert Berthelier. Historisches Drama in fünf Akten mit einem Zwischenspiele: «Reinold von Montalban», 1878; Kulturgeschichte des Judentums von den ältesten Zeiten bis zur Gegenwart, 1880; Das Jenseits. Kulturgeschichtliche Darstellung der Ansichten über Schöpfung und Weltuntergang, die andere Welt und das Geisterreich, 1881; Gottfried Kinkel. Ein Lebensbild, 1883; Kulturgeschichte des Deutschen Volkes, 2 Tle., 1886 (2. bearb. Aufl. 1892/93); Die Freimaurer, deren Ursprung, Geschichte, Verfassung, Religion und Politik, 1889; Die Jesuiten, deren Geschichte, Verfassung, Moral ..., 1889; Kulturgeschichtliche Skizzen, 1889; Die Kultur der Vergangenheit, Gegenwart und Zukunft in vergleichender Darstellung, 2 Bde., 1890; Otto Henne am Rhyn. Eine Autobiographie (Hg. O. Wilda) 1890; Die Frau in der Kulturgeschichte, 1892; Der Teufels- und Hexenglaube, seine Entwicklung, seine Herrschaft und sein Sturz, 1892; Aria. Das Reich des ewigen Friedens im zwanzigsten Jahrhundert. Ein Zukunftsbild auf der Grundlage der Geschichte, 1895; Anti-Zarathustra. Gedanken über Friedrich Nietzsches Hauptwerke, 1899; Handbuch der Kulturgeschichte in zusammenhängender und gemeinfaßlicher Darstellung, 1900; Übermenschen und Edelmenschen. Erzählung aus der modernen Welt, 1900; Kurzge-

faßte Symbolik der Freimaurerei, 1907; Illustrierte Religions- und Sittengeschichte aller Zeiten und Völker, 1911; Illustrierte Kultur- und Sitten-Geschichte des deutschen Sprachgebietes, 1918.

Literatur: NDB 8,535; HBLS 4,184. – R. FELLER, D. schweiz. Gesch.schreibung im 19. Jh., 1938.   AS

Henneberg, Claus, * 16.7.1928 Hof/Saale; wohnt in München, Erz. u. Lyriker.

Schriften: Texte und Notizen, Gedichte und Kurzprosa, 1962; Monologe. Prosa, 1963; Wörterbuch zu Homer und andere Siebtexte, 1970. IB

Henneberg, Ludwig, * 26.12.1797 Blankenburg/Harz, † 20.5.1872 Braunschweig; Rechtsstudium in Göttingen u. Jena, Freundschaft mit Hoffmann v. Fallersleben, Auditor in Blankenburg, 1826 Ministerialsekretär in Braunschweig, Hofrat. Liederdichter (gedr. in: Hoffmann v. Fallersleben, Mein Leben 1).

Literatur: Goedeke 7,853; 13,416.   RM

Henneberger, der (Hynnenberger), 2. Hälfte 13. Jh., fahrender Meister, v. dem d. Jenaer Hs. 11 Sangsprüche überl. Behandelt werden relig. (Wunder d. Menschwerdung, gg. d. Zweifel usw.) u. moral. (Ritter- u. Fürstenpflicht usw.) Themen.

Ausgabe: HMS 3. – Facs. u. Dipl. Druck d. Jenaer Hs. → Friedrich von Sonnenburg.

Literatur: VL 2,401; de Boor-Newald 3/1,431; Ehrismann 2 (Schlußbd.) 298. – K. BURDACH, Reinmar d. Alte, ²1928.   RM

Henneberger, August, * 21.6.1821 Meiningen, † 9.10.1866 ebd.; Gymnasialprof. Literarhistoriker.

Schriften (ohne Schulbücher): Das deutsche Drama der Gegenwart, 1853; Jahrbuch für deutsche Literaturgeschichte, 1855; Jean Pauls Aufenthalt in Meiningen 1753–82, 1863; Griechische Geschichte in Biographien. Nach den Quellen bearbeitet, 1864; Briefe von Uz an einen Freund. Ein Erinnerungsblatt zu seinem hundertsten Geburtstag, 1866.

Literatur: ADB 11,769.   IB

Hennecke, Hans, * 30.3.1897 Betheln, † 21.1.1977 Gröbenzell/Obb.; Philol.-Studium in Berlin, Heidelberg u. Göttingen, Schriftst. u.

Publizist in Berlin (bis 1945) u. seither in München. Hg. d. «Fähre» (1946–48), Übers. u. Hg. engl. Lyrik u. Prosa.

Schriften u. Herausgebertätigkeit (Ausw.): Dichtung und Dasein. Essays, 1950; T. S. Eliot, Ausgewählte Essays (übers.) 1950; Gedichte von Shakespeare bis Ezra Pound (Einf., Urtexte u. Übertragungen) 1955; Kritik, Gesammelte Essays zur modernen Literatur, 1958; Die Literatur des Abendlandes, 1960.   RM

Hennecke, Jost, * 19.1.1873 Remblinghausen b. Meschede/Westf.; erlernte d. Schusterhandwerk, später Fabrikarbeiter. Mundartdichter.

Schriften: Wille Diuwen, Föddere Snürekes, Glossen, Satyreches, Witz' un Histürekes, 1911 (2., geänderte Aufl. 1942); Versunkene Glocken (Ball. u. Sagen) 1925; H. J., der Arbeiter und Dichter, I Mescheder Wind. Schnurren und Erzählungen aus Meschede, 1942 – II Galläpfel. Satiren und Glossen, 1942 – III Wille Diuwen, 1942 – IV Arbeiter und Dichter. Aus dem Leben und Schaffen ∼. Gesammelt und zusammengestellt v. F. Wagener, 1942.

Literatur: ∼ (in: Herwacht, Zs. d. Sauerländer Heimatbundes 12) 1930.   IB

Henneke Knecht, ndt. Volkslied, entst. wohl im späteren 15. Jh. im Calenbergschen Gebiet, siebenfach hs. u. gedr. zw. 1603 u. 1679 überl. In 14 (resp. 15) Lindenschmidtstrophen schildert d. Lied d. Weg e. überhebl. Bauernknechts, der s. Heimat u. s. Beruf verläßt, um Seemann zu werden, dabei aber klägl. scheitert. Gesungen wurde d. Spottged. z. feierl. Melodie d. Jakobs-Pilgerliedes. Wahrsch. ist d. Lied e. Verschmelzung d. Liedes v. Bauernsohn, der unter d. Soldaten geht, u. desjenigen v. Henneke, der sich im Winter einschmeichelt, daß man ihn im warmen Haus behält, u. im Sommer, wenn er f. d. Arbeit unentbehrl. wäre, verschwindet.

Ausgaben: L. UHLAND, Alte hoch- und niederdeutsche Volkslieder, 2 Bde., 1844/45; P. ALPERS, Alte niederdeutsche Volkslieder mit ihren Weisen (Neudr.) 1960.

Literatur: VL 2,409; Aufriß 2,409. – F. GOEBEL, ∼ (in: Ndt. Jb. 31) 1905; P. ALPERS, ∼ (in: ebd. 38) 1912; W. STAMMLER, ∼ (in: Hans. Gesch.bl. 45) 1919.   RM

Hennemann, Otto, * 16.4.1893 Thüste; Lehrer i. R., wohnt in Kamen. Erzähler.

Schriften: Pflug und Schwert. Bilder zur Geschichte der alter (sic!) Aemter Stolzenau, Uchte, Steyerberg und Diepenau, 1932.   IB

Hennenberger, Kaspar, * 1529 «Erlich» (?) Franken, † 29.2.1600 Königsberg; Theol.-Studium in Königsberg, seit 1560 Pfarrer in Mühlhausen, 1590 Hospitalpfarrer in Königsberg-Löbenicht. Kartograph u. Gesch.schreiber.

Schriften: Kurtze und warhafftige Beschreibung des Landes zu Preussen, 1584; Erclerung der preussischen größern Landtaffel, 1595 [Erläuterungsbd. z. 2. Aufl. s. Karte Preußens].

Literatur: ADB 11,769; NDB 8,542. – W. HORN, Unters. z. Preuß. Landtafel d. ∼ (1576) (in: Petermanns Geograph. Mitt. 89) 1943; H. LINGENBERG, Nachstiche d. Großen Preußenkarte v. ∼ (1576) (in: West-Preußen-Jb. 21) 1971.   RM

Hennequel, Rolf → Henkl, Rolf.

Hennes, Gerhard, * 5.3.1869 Köln; war Lehrer b. Köln, später Hauslehrer u. Rektor in Köln-Ostheim. Vorwiegend Erzähler.

Schriften: Das Volk steht auf (1813–15) 1910; Die Kreuzzüge, 1910; Das Glück der kleinen Amy, 1913; Wider den heißen Tod. Erzählung aus der Zeit des Hottentottenaufstandes, 1914; Parzival der Gralssucher (nach Wolfram v. Eschenbach) 1914; In der Feuerpause, 1915; Die Sklaven der Mariane. Erlebnisse eines Fremdenlegionärs, 1915; Mein erstes und letztes Auftreten im Zirkus, 1915; Der erste Eindruck (Erz.) 1915; Der ehrliche Finder (Erz.) 1915; Das rote Häuschen (Erz.) 1915; Der bucklige Heidemann (Erz.) 1915; Geheilter Liebeswahn. Im Dämmerlicht (Erz.) 1915; Sühne (Erz.) 1915; Der verhängnisvolle Zylinder. Hochwasser (Erz.) 1915; Bundestreue (Chronik der Weltkriegsjahre 1914–15) 1916; Johannes und sein Reisekamerad (Märchenspiel nach Andersen, gem. m. B. Schneider) 1919; Der gute Gerhard von Köln (Erz. aus d. 10. Jh.) 1926; Köln, du schöne Stadt am Rhein (FS) 1927; Das Tal der Geächteten. Kulturgeschichtliche Erzählungen aus der letzten Zeit der Stuarts, 1928.   IB

Hennies, Herbert (Ps. E. Maruhn), * 18.7.1900 Breslau; Schauspieler, Spielleiter. Erz., sowie Verf. v. Hörsp. u. Textbüchern.

Schriften: Die Sternreiter. Märchen, 1947; Das Warn-Engelchen. Ein Hörspiel für Jungens und Mädels, 1954. 　　　　　　　　IB

Hennig, Alfred, * 30. 7. 1868 Zerbst/Anhalt; war Red., Musik- u. Theaterkritiker in München. Erzähler.

Schriften: Timopht. Erzählung aus dem alten Ägypten, 1896; Nitokris. Roman aus dem alten Ägypten, 1898; Liebesfrühling von heutzutage, 1900; Um eine blonde Sünderin. Novelle aus Isarathen, 1901; Die da hungern nach Glück und Liebe. Roman aus dem Hochgebirge, 1902; Die Schwester, 1904 (2. Aufl. u. d. T.: Die Schwester vom roten Kreuz, 1905); Münchener Humor!, 1905; Leute vom roten Kreuz, 1906. 　AS

Hennig, (Abraham) Ernst, * 11. 11. 1771 Tharau/Pr., † 23. 5. 1815 Zanzhausen; Studium d. Theol., Gesch. u. Philol. in Königsberg, Oberlehrer das., 1800 Prediger in Schmauch, Dr. phil. (1805), Lehrer in Goldingen, 1811 Archivdir., Bibliothekar u. Univ.prof. in Königsberg.

Schriften: Historisch-topographische Beschreibung von Insterburg, 1794; Reise in Schlesien und Sachsen, in Briefen an einen Kurländer und einen Preußen, 1. Tl., 1799; Chronologische Übersicht des 18. Jahrhunderts, 1801 (2., verm. Aufl. 1805); Die Statuten des Deutschen Ordens (mit Anmerkungen u. Glossar hg.) 1806; Kurländische Sammlungen, 1809 (auch u. d. T.: Geschichte der Stadt Goldingen ...); Historischkritische Würdigung einer hochteutschen Übersetzung eines ansehnlichen Theils der Bibel, aus dem 14. Jahrhundert ..., 1812; M. Lucas David's ... Preußische Chronik (hg.) 8 Bde., 1812–1817 (8. Bd. hg. D. F. Schütz). (Ferner Reden, Predigten u. Schulschriften.)

Literatur: Meusel-Hamberger 9, 561; 14, 101; 18, 120. 　　　　　　　　RM

Hennig, Georg Ernst Sigismund, * 1. 1. 1746 Jauer in Schles., † 23. 9. 1809 Königsberg/Pr.; studierte in Königsberg, 1770 Pfarrer in Tharau, 1776 in Königsberg, 1802 Prof. d. Theol. ebd., seit 1788 Präs. d. kgl. Dt. Gesellsch. in Königsberg.

Schriften (Ausw.): Von den Vorzügen und Mängeln der teutschen Sprache, in Vergleichung mit der französischen, 1768; Joseph, in acht Gesängen; ein biblisch-episches Gedicht in Prosa, 1771; Glaubensbekenntnis des Fräulein von B.,

nebst der dabey gehaltenen Rede und Predigt, 1775; Standrede über die Verheißungen, die Gott frommen Alten gibt, 1777; Sammlung von Predigten über verschiedene Texte der heiligen Schrift, I 1777, II 1779, III 1781, IV 1786, V 1789; Preußisches Wörterbuch, worinnen nicht nur die in Preußen gebräuchliche eigenthümliche Mundart und was sie sonst mit der niedersächsischen gemein hat angezeigt, sondern auch manche in preußischen Schriftstellern, Urkunden, Documenten und Verordnungen vorkommende veraltete Wörter, Redensarten, Gebräuche und Alterthümer erklärt werden, 1785; Reisetaschenbuch durch die Gegenden um Dresden, Meißen, durch die Sächsische Schweitz ..., 1820.

Handschriften: Frels 126.

Literatur: Meusel-Hamberger 3, 213; 9, 561; 11, 339; 14, 401; 18, 122; Goedeke 4/1, 214; Ersch-Gruber 2/5, 335. 　　　　　IB

Hennig, Gustav, * 5. 1. 1868 Seifersdorf; war Bibliothekar u. Parteisekretär in Leipzig, gab 1909–21 die Mschr. für Arbeiterbibl. «Der Bibliothekar» heraus, später Leiter d. Volkshochschule Reuss in Gera.

Schriften: Zehn Jahre Bibliotheksarbeit. Geschichte einer Arbeiterbibliothek, 1908; Sonntagsspaziergänge in Leipzigs weiterer Umgebung, 3 Tle., 1910–13; Neun Prologe zu festlichen Veranstaltungen mit Anweisung zum Vorlesen sowie Angabe humoristischer Werke, die sich zum Vortrag eignen, 1913; Gottfried Seume, der deutsche Republikaner. Politisches aus Seumes Werken, 1924; Erzählstücke – Lustiges und Ernstes für einsame Stunden und für gesellige Kreise, 1930. 　　　　　　　　AS

Hennig, Johann Gottfried, * 20. 5. 1703 Zittau, † 19. 11. 1762 ebd.; Rechtsstudium in Zittau u. Leipzig, 1760 Senator in Zittau.

Schriften: Fabeln und vermischte Nachrichten, 12 St., 1762. 　　　　　　　　RM

Hennig, Martin, * 8. 5. 1951 Basel; lebt als Filmer, Regisseur u. Autor in Basel.

Schriften: Die sanften Schatten der Reise nach Glasgow (Erz.) 1975; Spuren aus der Nacht (Erz.) 1978. 　　　　　　　　AS

Hennig, Richard, * 12. 1. 1874 Berlin, † 22. 12. 1951 Düsseldorf; Sohn e. Kaufmanns, studierte Naturwiss. (v. a. Meteorolog.) in Berlin, Dr. phil., seit 1909 Privatgelehrter, gründete 1911

d. Mschr. «Weltverkehr» (später «Wdltwirt-schaft»), 1919 als Prof. für Verkehrsgeogr. an die Verkehrshochschule nach Düsseldorf berufen. Verf. von Schriften v. a. zu Verkehrswiss. u. hist. Geographie.

Schriften (Ausw.): Die Charakteristik der Tonarten, 1897; Jugend und Natur. Unmoderne Gedichte, 1902; Wunder und Wissenschaft. Eine Kritik und Erklärung der okkulten Phänomene, 1904; Buch berühmter Ingenieure. Große Männer der Technik, ihr Lebensgang und ihr Lebenswerk. Für die reifere Jugend und für Erwachsene geschildert, 1911; Alfred Nobel, der Erfinder des Dynamits und Gründer der Nobelstiftung. Eine biographische Skizze, 1912; Von rätselhaften Ländern. Versunkene Stätten der Geschichte, 1925; Das Rätsel der Atlantis, 1925; Geopolitik. Die Lehre vom Staat als Lebewesen, 1928 (2., verm. Aufl. 1931); Abhandlungen zur Geschichte der Schiffahrt, 1928; Die Geographie des Homerischen Epos. Studie über die erdkundlichen Elemente der Odyssee, 1934; Wo lag Vineta? Versuch einer Klärung der Vineta-Streitfrage durch geographisch-historische, verkehrswissenschaftliche und textkritische Untersuchungen, 1935; Terrae incognitae. Zusammenstellung und kritische Bewertung der wichtigsten vorkolumbianischen Entdeckungsreisen an Hand der Original-Berichte, 4 Bde., 1936–39 (2. verb. Aufl. 1944–56); Columbus und seine Tat. Eine kritische Studie über die Vorgeschichte der Fahrt von 1492, 1940; Wo lag das Paradies? Rätselfragen der Kulturgeschichte und Geographie, 1950; Phantastische Meerfahrt. Die schönsten Seefahrersagen aus aller Welt. Nach alten Sagenstoffen zusammengestellt und erläutert (bearb. K. Helbig) 1951.

Literatur: NDB 8, 544.   AS

Hennig, Ursula, * 28. 3. 1930 Königsberg; 1959 Dr. phil. Berlin, 1967 Habil., seit 1969 Wiss. Rat u. Prof. f. German. Sprachen u. Lit. an d. FU Berlin.

Schriften (Ausw.): Deutsche Namen in altrussischen Urkunden und Chroniken vom 12. bis zum 16. Jahrhundert, 1958; Untersuchungen zur frühmittelhochdeutschen Metrik am Beispiel der «Wiener Genesis», 1968; Mediaevalia lirteraria (FS H. de Boor, Mit-Hg.) 1971; Das Nibelungenlied nach der Handschrift C (hg.) 1977.
                                                RM

Henniger, Gerd, * 26. 6. 1930 Chemnitz; Dr. phil., Lyriker u. Übersetzer (P. Eluard, A. Artand, R. Char u. a.).

Schriften: Rückkehr vom Frieden (Ged.) 1969; Irrläufer (Ged.) 1972; Bei lebendigem Leib (Ged.) 1978.

Herausgebertätigkeit: Das Neue Lot. Schriftenreihe für Literatur, 1959–63; C. D. von Lohenstein, Gedichte, 1961; Brevier des schwarzen Humors, 1966; F. Ponge, Stücke, Methoden (ausgew. Werke) 1968; G. Apollinaire, Ausgewählte Gedichte, 1968; Beispiele manieristischer Lyrik, 1970.   IB

Henniger, Karl, * 30. 9. 1874 Adenstedt/Kr. Alfeld; war Lehrer in Hannover; gab zahlr. Volksu. Jugendschr. heraus, v. a. in der Reihe «Schaffsteins Blaue Bändchen» (später «Blaue Bändchen) 1910–50.

Schriften (Ausw.): Neues Wunderhorn. Die schönsten deutschen Volkslieder aus alter und neuer Zeit, 1906; Niedersachsens Sagenborn. Eine Sammlung der schönsten Sagen und Schwänke aus dem südlichen Niedersachsen (mit J. v. Harten) 2 Bde., 1907–09; Sonnenschein fürs deutsche Haus. Alte liebe Lieder, 3 Bde., 1908–1912; Niedersächsische Volksmärchen und Schwänke (mit J. v. Harten) 2 Bde., 1908; Hundert Schwänke und Schelmenstreiche aus vier Jahrhunderten deutschen Humors (mit dems.) 1910; Niedersachsen-Liederbuch. Die schönsten niedersächsischen Volkslieder nach Wort und Weise, 1912; Niedersächsische Erzählungen (mit J. v. Harten) 1912; Anekdoten und Charakterzüge aus der preußischen Geschichte, 1913; Haltet aus! 50 Kriegs- und Soldatenlieder mit Singweisen, 1915; Aus Niedersachsens Märchenschatz. Schöne alte Volksmärchen und Schwänke aus Niedersachsen, 1919; Harz-Sagen, 1921; Niederdeutsche Volkssagen. Nach volkskundlichen Gesichtspunkten ausgewählt ..., 1925; Du Land der Niedersachsen. Ein Heimatbuch mit Schilderungen und Dichtungen aus dem Lande zwischen Harz und Nordsee, 1930.   AS

Henniges (Henning), George, stammte aus Nordheim, † 8. 10. 1580 Hannover; Prediger u. zuletzt Oberprediger an St. Georg in Hannover.

Schriften: Psalter Davids in Reimen, 1574; Sprüche Salomonis in Reimen, 1575; Jesus Sirach

in Reimen, 1575; Erklärung der Sprüche Salomonis, 1576.

Literatur: Goedeke 2,174.   RM

Henning, Ägidius, um * 1630 Herborn, † 1682
Eichen b. Hanau; Prediger ebd., studierte in
Gröningen u. Bremen. Volkstüml. geistl. Schrift-
steller.

Schriften: Mischmasch oder ... Kurzweilige
Einfälle und Betrachtungen, 1665; Dreihundert-
siebzig geistliche und sinnreiche Wahrheiten,
1667; Bauern-Anatomie, 1674.

Literatur: ADB 11,774; Jöcher 2,1492.   IB

Henning, Alexander, * 1892 Katharinenstadt/
Wolga; Jura-Studium in Dorpat/Estland, Rechts-
anwalt u. Volksrichter, seit 1962 Rentner in d.
Arbeitersiedlung Borodino/Krasnojarsk; publi-
zierte Ged. u. lit.krit. Beiträge in dt.sprachigen
Ztg.

Schriften: Für Gedeihen und Neuerblühen.
Literaturfreuden und -sorgen, Alma-Ata 1970.

                                               AS

Henning, Friedrich, * 1738 Sternberg/Meck-
lenburg, † n. 1784; Gerber u. Schuster, lebte in
Altona (1781–83), reiste 1784 n. Philadelphia u.
später n. Westindien.

Schriften: Reiner Krystallstrom, 1782; Einige
Lieder, zur Erbauung wahrer Christen, o. J.

Literatur: Meusel-Hamberger 3,215; Goedeke
7,572.   RM

Henning, Friedrich, * 26.12.1917 Weimar;
Dr. phil., Archivar, wohnt in Bonn. Essayist,
Lit.kritiker u. Biograph.

Schriften: Kleine Geschichte Thüringens, 1964;
Thüringer Heimatkalender (hg.) 1973–77.   IB

Henning, Gottfried (Ps. Erwin Sachs), * 24.6.
1829 Schäßburg/Siebenb., † 27.4.1909 Bistritz;
Jurist, Finanzrat. Übers. aus d. Ungarischen, s.
Werke liegen entweder nur im Manuskript vor,
oder sind in Zs. veröffentlicht.

Schriften: Österreichische Frühlingsfeier, 1854.

Literatur: ÖBL 2,274.   IB

Henning, Hans (Ps. H. Ernst), * 13.2.1874
Braunschweig; Dr. phil., Privatdoz. a. d. Techn.
Hochschule, später Schuldir. e. Gymnasiums in
Berlin. Lit.historiker u. Übers. ins englische.

Schriften (Ausw.): Eduard Grisebach in seinem
Leben und Schaffen. Zu seinem 60. Geburtstage
am 9.10.1905, 1905; Karl Philipp Moritz. Ein

Beitrag zur Geschichte des Goetheschen Zeitalters, 1908; Friedrich Spielhagen, 1910; Problem der Philosophie, 1914.   IB

Henning, Helga → Theuermeister, Käthe Else.

Henning, Hilarius Hartmann, * 1713, † 30.1.
1792 St. Petersburg; Prediger in St. Petersburg.

Schriften: Gedicht auf den Frieden, 1774;
Sammlung erbaulicher Lieder als ein Auszug aus
dem Hallischen Gesangbuche (hg.) 1774.

Literatur: Goedeke 4/1,127.   RM

Henning, Karl, * 14.2.1860 Broos/Siebenbür-
gen, † 3.6.1917 Wien; Sohn v. Gottfried H.,
Dr. med., war Chef d. Univ. inst. für Moulage in
Wien.

Schriften: Aus Herzenstiefen. Ernste und heitere Klänge, 1897; Freilicht. Lyrisch-lehrhaft-
launische Reimbilder, 1909.

Literatur: ÖBL 2,274. – F. SCHULLER, Schrift-
steller-Lex. d. Siebenbürger Deutschen, 1902. AS

Henning (gen. v. Schönhoff), Leopold (August
Wilhelm Dorotheus) von, * 4.10.1791 Gotha,
† 5.10.1866 Berlin; Studium d. Rechte, Gesch.
u. Philos. in Heidelberg, d. Nationalökonomie
in Wien, 1815 Referendar in Königsberg/Neu-
mark, 1820 öff. Repetent f. d. Hegelsche Philos.
in Berlin, 1821 Promotion; 1825 a.o., 1835
o. Prof. d. Philos. in Berlin, 1836 Lehrer f. Logik an d. Allgem. Kriegsschule, 1827–47 Red.
d. «Jb. f. wiss. Kritik» («Berliner Jb.»), Mitarb.
d. Gesamtausg. v. Hegels Werken.

Schriften (Ausw.): Einleitung zu öffentlichen
Vorlesungen über Goethe's Farbenlehre, 1822;
Principien der Ethik in historischer Entwick-
lung, 1824; Verständigung über die preußische
Verfassungsfrage, 1845.

Literatur: ADB 11,777; NDB 8,546. – M.
LENZ, Gesch. d. Univ. Berlin, 1910–18 [Bd. 2/1
u. 2/2]; F. SCHLAWE, D. «Berliner Jb. f. wiss.
Kritik», e. Beitr. z. Gesch. d. Hegelianismus (in:
Zs. f. Rel.- u. Geistesgesch. 11) 1959.   RM

Henning, Ludwig Friedrich, * 2.1.1812 Segeberg, † 17.1.1888 St. Peter (-Ording)/Schles-
wig-Holst.; Theol.-Studium in Kiel, Pastor u.
Lehrer in versch. Orten, seit 1863 Pastor in d. v.
ihm mitbegründeten Nordseebad St. Peter.

Schriften: Der Zweifler (dramat.-relig. Ged.)
1843; Rosen aus dem Garten Gottes. Christliche
Erzählungen, 1866.   RM

Henning, Max, * 18.12.1861 Ruda/Posen, † 21.9.1927 Neuhaldensleben.

Schriften: Römische Afterreligion, oder «Frankfurter Lümmeleien?» Offener Brief an Herrn Dr. Armin Hausen in München, 1909; Amulettkatholizismus, 1910; Der Koran (übers.) 1919; Der Teufel. Sein Mythos und seine Geschichte im Christentum, 1921.

Herausgebertätigkeit: «Das freie Wort». Halbmonatsschrift, 1908; Der ‹rote› Kaplan. Zum Andenken an H.V. Sauerland. Eine Auswahl seiner im «Freien Wort» pseudonym erschienenen Arbeiten, 1910; Handbuch der freigeistigen Bewegungen Deutschlands, Österreich und der Schweiz, 1914; Eine Akademie des freien Gedankens, 1916.   IB

Henning, Roland, * 10.7.1896 Wien, † 29. 10.1927 ebd.; Jurist, Lyriker.

Schriften: Holdselige Wachau, 1920; Am Nibelungenweg, 1921.

Literatur: ÖBL 2,274.   IB

Henning, Salomon (seit 1566: von), * 1528 Weimar, † 29.11.1589 Wahnen/Livland; Theol.-Studium in Wittenberg, Jena u. andern Orten, wandernder Schreiber u. Poet, 1554 Sekretär u. 1559 Privatsekretär u. Geheimdiplomat d. Dt.-Ordensmeisters u. Herzogs Gotthard Kettler, zahlr. Gesandtschaftsreisen, 1567 oberster Kirchenvisitator Kurlands.

Ausgaben: Warhaftiger und bestendiger Bericht, wie es bisshero und zu heutiger Stunde in Religionssachen im Fürstenthum Churland und Semigaln, in Lieffland, ist gehalten worden (in: Scriptores rerum Livonicarum 2) 1848; Lifflendische Churlendische Chronica (Vorrede D.D. Cuytraeus) (in: ebd.) 1848.

Literatur: NDB 8,547. – L. ARBUSOW, Livlands Geistlichkeit v. Ende d. 12. bis ins 16. Jh., 1904.   RM

Henning, Thusnelda (geb. Hermann), * 31.5. 1877 Kronstadt/Siebenbürgen; Vortragsmeisterin in Wien, Lyrikerin u. Erzählerin.

Schriften: Der hölzerne Pflug. Roman eines siebenbürgischen Geschlechts, 1938; Der Hof. Eine Geschichte aus dem deutschen Siebenbürgen, 1962; Jahre entschwinden – Stunden verweilen (Ged.) 1962.   IB

Henninger, Aloys (Ps. Aloys der Taunide), * 30.10.1814 Stierstadt/Nassau, † 30.6.1862 Heddernheim; Theol.-Studium in Tübingen, Philol.-Stud. in Gießen, Lehrer in Dietz, 1848 Entlassung aus polit. Gründen, Gründer e. Privatschule, Red. d. Lokalbl. «D. Taunusbote» in Oberursel, dann Privatlehrer in Frankfurt/Main.

Schriften: Naussau in seinen Sagen, Geschichten und Liedern fremder und eigener Dichtung, 3 Bde., 1845; Sagen, Geschichten und Lieder aus Gießen und seiner Umgegend. Ein Gedenkbuch der Musenstadt, 1848; Die Frauen-Namen nach ihrer Wortbedeutung. Poetisches Album für das schöne Geschlecht, 1851; Marburg und seine Umgebungen, 1856 (Neuausg. 1862); Gedenkblätter aus der 9. allgemeinen deutschen Lehrerversammlung ..., 1857; Bad Ems und seine Umgebungen, 1858 (2., verb. Aufl. 1864).   RM

Hennings, August (Adolph Friedrich) von, * 19.7.1746 Pinneberg, † 17.5.1826 Rantzau/Holst.; Rechtsstudium in Göttingen, 1772 Legationssekretär in Berlin, 1783 Kammerherr, 1807 Administrator, seit 1815 Ritter von Dannebrog. Hg. d. «Genius d. Zeit» (1796–1800) u.a. Zeitschriften.

Schriften (Ausw.): Olavides ..., 1779; Philosophische Versuche, 2 Bde., 1780; Dr. Martin Luther! ..., 1792 (2., verm. Aufl. 1793); Rousseau, 1797; Asmus, ein Beitrag zur Geschichte der Literatur des 18. Jahrhunderts, 1798; Sittliche Gemählde, 1.Bd., 1798; Der Musaget, ein Begleiter des Genius der Zeit, 2 Bde., 1798f.; Resultate, Bemerkungen und Vorschläge genannter und ungenannter Schriftsteller aus dem Gebiete der Pädagogik, Religionslehre, Philosophie und Politik (hg.) 1800; Die Teutschen, dargestellt in der frühesten Vorzeit ..., 1819.

Nachlaß: Stadt- u. Univ.bibl. Hamburg. – Denecke 76; Nachlässe DDR III, Nr. 698.

Literatur: ADB 11,778; Meusel-Hamberger 3,215; 9,562; 22.2,684.   RM

Hennings, Emmy → Ball-Hennings, Emmy.

Hennings, (eigentl. Pavlowski) Fred, * 26.1. 1895 Klagenfurt; Burgschauspieler in Wien.

Schriften: Zweimal Burgtheater. Vom Michaelerplatz zum Franzensring, 1955; Und sitzet zur linken Hand. Franz Stephan von Lothringen, Gemahl der selbstregierenden Königin Maria Theresia und Römischer Kaiser (Biogr.) 1961; Ringstraßensymphonie. I Es ist mein Wille

1857–70, 1963 – II Es war sehr schön, es hat mich sehr gefreut, 1870–1884, 1963 – III Mir bleibt nichts erspart, 1884–1899, 1964 (1977 u. d. T. Die Ringstraße. Symbol einer Epoche. Trilogie in einem Band); Das barocke Wien I 1620–1683, II 1683–1740, 1965; Mir gefällt das Altsein, o. J.; Heimat Burgtheater., 3 Bde., 1974. IB

Hennings, Justus Christian, * 20. 3. 1731 Gebstedt bei Weimar, † 29./30. 8. 1815 Jena; studierte in Jena, Prof. d. Philos. ebd. Philosophische Schriften.

Schriften (Ausw.): Praktische Logik, 1764; Moralische und politische Abhandlung vom Wege zur Weisheit und Klugheit, 1766; Geschichte von den Seelen der Menschen und Thiere, pragmatisch entworfen, 1774; Kritisch-historisches Lehrbuch der theoretischen Philosophie, 1774; Neue philosophische Bibliothek, 1774–76; Von den Ahndungen und Visionen, 1777; Anthropologische und pneumatologische Aphorismen, 1777; Verjährte Vorurtheile, bestritten in fünf Abhandlungen: über die Etikette; über die Sittlichkeit der Handlungen; über das Fehlerhafte bey Begräbnissen; über die Mißgeburten deren Kopf nicht menschlich gebildet ist; und über die gerichtlich erzwungene Ehre, 1778; Die Einigkeit Gottes, nach verschiedenen Gesichtspunkten geprüft, und sogar durch heidnische Zeugnisse erhärtet, 1779; Von Geistern und Geistersehern, 1780; Sittenlehre der Vernunft, 1782; Von den Träumen und Nachtwandlern, 1784; Die Mittel, den menschlichen Leib und dessen Glieder gegen die mancherley Arten des Feuers und die nachtheiligen Folgen des Wassers zu schützen; auch Menschen und Kostbarkeiten aus diesen Gefahren zu retten, 1789.

Literatur: ADB 11,780; Ersch-Gruber 2/5, 341; Meusel-Hamberger 3,217; 9,563. IB

Hennings, Karl (Friedrich), * 2. 8. 1775 Berlin, † 12. 6. 1851 ebd.; Rechts-Studium in Halle, 1797 Auditor in Danzig, 1805 Feld-Oberauditor, seit 1816 Regierungsangestellter in Köln, seit 1826 im Ruhestand.

Schriften: Kindespflicht und Liebe (Tr., n. Corneilles Cid bearb.) 1812; Die Hofleute (Lsp.) 1815; Jugendträume (Ged.) o. J.

Literatur: Theater-Lex. 1,755; Goedeke 11/1, 301. RM

Hennings, Paul, * 13. 1. 1893 St. Annen/Holst., † 15.4. 1965 Hamburg; war Antiquar u. Buchhändler in Hamburg, plattdt. Schriftsteller.

Schriften: Mit Verlöw, sä de Bur ... En prallen Sack vull Burnsnack, opsammelt, 1928; A. Beardsley, The Ballad of a Barber (übers.) 1940; Bickerstaff (Kom.) 1947.

Literatur: C. O. FRENZEL, Abschied v. ~ (in: Börsenbl. Frankfurt 21) 1965. IB

Henningsen, Hans Jürgen, * 1804 Taarstedt b. Schleswig, † 2. 12. 1874 Eckernförde; Besuch d. Seminars in Tondern, Lehrer im Amt Hütten, dann Gastwirt u. Bierbrauer in Eckernförde.

Schriften: Gedichte. Mit einem Anhang von einem Ungenannten [Dr. J. K. G. Schütt] 1831. RM

Hennrich, Johann → Schulte vom Brühl, Walther.

Henop, Philipp, * 16. 5. 1822 Altona, † 31.7. 1861 Irrenanstalt Schleswig; Buchhändler in Altona u. a. Orten, seit 1846 in Moskau, 1849 Red. d. «Altonaer Nachrichten», später Buchhändler in Basel, Vevey, Berlin u. Prag.

Schriften: Leitfaden zur Litteratur-Geschichte sämmtlicher neueren europäischen Völker mit Ausschluß der deutschen ..., 1858; Eine Welle im Meere (Ged.) 1859. RM

Henoumont, Edmund, * 1831 Düsseldorf, † um 1899 wahrsch. ebd.; lebte n. militär. Laufbahn in Rußland u. im preuß. Heer in Düsseldorf.

Schriften: Suum cuique (Lsp.) 1869; Alicens Rache (Lsp.) 1874; Vier Theaterstücke, 1876; Erika. Düsseldorfer Malkasten-Tragödie, 1882; Barbarossa (Festsp. d. Stadt Düsseldorf) 1891; Ausgewählte Dichtungen, 1893. RM

Henri, Clemens → Driesmans, Heinrich.

Henri-Frédric → Solveen, Henri.

Henrich, Albertine → Stein, Paul.

Henrich (-Wilhelmi), Hedwig (Mädchenname u. Ps. f. Hedwig Wilhelmi), * 1838 Mainz, † n. 1913 (lebte zuletzt in Stuttgart-Degerloch); Arzttochter, Heirat mit Ferdinand W. u. Übersiedlung n. Granada/Spanien, lebte später in Amerika u. wieder in Dtl., Rednerin im Dienst freigeistiger u. frauenrechtler. Bewegungen.

Schriften: Virginia (Tr., mit e. Anh. v. Ged.) 1853; Tod u. Feuerbestattung, 1886; Der Be-

griff der Gotteslästerung ..., 1891; Das Recht
der Frauen zum Studium ..., 1894; Ist Religion
Privatsache?, 1894; Der freie Wille, 1894; Leib-
liches und geistiges Proletariat, 1895; Eine Sünderin (Dr.) 1896. (Ferner ungedr. Bühnenstücke.)   RM

Henrich, Josef, * 25.8.1879 Aberthann/Erz-
geb., † 17.5.1943 Bregenz; studierte an d.
Hochschule f. Bodenkultur in Wien, Dipl.-Ing.,
1920 Landesforstinspektor v. Vorarlberg, Fachschriftst. u. Erzähler.

Schriften (ohne Fachschr.): Eichenlaub und
Tannenzweig, 1902; Gedanken zur Erhaltung
von Wald und Wild. Skizzen aus meinem Tagebuch, 1920; Männer. Tagebucherinnerungen,
1924; Vater unser. Skizzen und Betrachtungen
aus meinem Tagebuch, 1926; Engelbert Maier.
Bilder aus dem Leben eines Waldläufers. Nach
den Tagebuchskizzen J.H.s, 1929; Wenn der
Wald stirbt. Roman aus Hochkrumbach (2. Aufl.)
1941; Wenn der Wald blüht. Roman aus dem
Leben eines Waldläufers, 1942.

Literatur: ÖBL 2,275.   IB

Henrich, Liselotte → Welskopf-Henrich, Liselotte.

Henrici, Christian Friedrich (Ps. Manlius Ul-
pianus, Picander), * 14.1.1700 Stolben b. Dresden, † 10.5.1764 Leipzig; studierte Jus in Wittenberg u. Leipzig, 1734 Oberpostkommissar u.
Steuereinnehmer in Leipzig. Verf. v. Gelegen-
heitsdg., Nachahmer Günthers.

Schriften: Sammlung erbaulicher Gedancken
über und auf die Sonn- und Festtage in gebundener Schreib Art, 1725; Teutsche Schau-Spiele bestehend in dem Academischen Schlendrian, Ertzt-
Säuffer und der Weiber-Probe, Zur Erbauung
und Ergötzung des Gemüths entworffen, 1726;
Der Meuchel-Mord. Des weyland Wohl-Ehrwür-
digen Herrn M. Hermann Joachim Hahns, Bey
der Kirche zum Heil. Creutz in Dreszden In die
14 Jahr Wohlverdienten Seel-Sorgers-Archi-Diaco-
coni, mitleidend beweinet von Picandern, 1726;
Das Betrübte Dreszden, Als daselbst Der Evangelisch-Lutherischen Prediger M. Herm. Joachim
Hanns, Von einem Catholischen Trabanten, Fr.
Laublern am 21. May 1726 grausamlich ermordet
worden ... In einem unpartheyischen Send-
Schreiben ... beschrieben und entdecket. Nebst
einem Extract aus des Superintendenten Lö-

schers ... Gedächtniz-Predigt ... Wobey annoch
angefüget ist so wohl des Sächs. Ober-Hof-Pre-
digers D. Marpergers ... Predigt, als eine auf den
ermordeten wohl gesetzte Klag- und Trost Ode,
1726; Picanders Ernst-, Schertzhafte und Satyrische Gedichte, I 1729, II 1729, III 1732, IV
1737; Gedichte über den Tod des Königs Friedrich August, 1733; Gedicht auf die Krönung
Friedrich Augusts III, 1734; Sammlung vermischter Gedichte, 1768.

Handschriften: Frels 126.

Literatur: ADB 11,784; NDB 8,549; Jördens
2,349; Adelung 2,1919; FdF 1,446; 2,161;
Goedeke 3,352; Albrecht-Dahlke 1,935; Ersch-
Gruber 2/5,344f.; Theater-Lex. 1,756. – P.
FLOSSMANN, ~ (Diss. Leipzig) 1899; H.J.
MOSER, D. Dichter d. Matthäuspassion. Z. 250.
Geb.tag v.~ am 14.1.1950 (in: Zs. f. Musik 11)
1950.   IB

Henrici, (Karl) Ernst (Julius), * 10.12.1854
Berlin, † 10.7.1915 Döbeln/Sachsen; 1878 Dr.
phil., 1887–91 Forsch.reise n. Afrika, 1892–
1902 Eisenbahningenieur in Süd- u. Plantagen-
besitzer in Mittelamerika, Maschineningenieur in
Baltimore, Begründer d. «Baltimorer Blumensp.»
(1903), Hg. d. «Blumenspielbuchs» (1904), 1906
Lehrer u. Lektor in Leipzig, lebte seit 1909 in
Maryland u. seit 1910 in Klinga/Sachsen.

Schriften (Ausw.): Reichshallen-Rede vom 17.
12.1880, 1880; Boëtius (Tr.) 1882; Der Neu-
stettiner Synagogenbrand vor Gericht. Schilderung des Processes, nebst einem Gedenkwort
und einer Schlußbetrachtung, 1883; Das deutsche Togogebiet und meine Afrikareise, 1887;
Lehrbuch der Ephe-Sprache [Ewe] Anlo-, Ane-
cho- und Dahome-Mundart, 1891; Die Azteken-
blume (Erz.) 1904.

Literatur: ~ (in: Dt.-Völkische Bl.) 1915;
Theater-Lex. 1,756.   IB/RM

Henrici, Georg, 16.Jh., stammte aus Bischofswerda; Magister, Schulmeister u. Notarius
publicus in Bischofswerda.

Schriften: Eine schöne Newe Comoedia Von
der verrätherischen, Arglistigen unnd sehr traurigen Entführung ... der beyden jungen Fürsten
Ernesti und Alberti ..., 1590.

Literatur: Goedeke 2,371.   RM

Henrici, Nicolaus, 14.Jh.; nannte sich «de
Poznancia» od. «de Poznania», stammte vielleicht

aus Posen. Studium an versch. Univ., auch in Bologna, 1349 Kleriker in d. Breslauer Diözese, 1356 Advokat, 1357 bischöfl. Notar u. Pfarrer in Grottkau, 1360 Pfarrer in Protzan b. Frankenstein, seit 1367 bischöfl. Protonotar, später Protonotar am Prager Hof Karls IV., 1371 Breslauer Domherr, 1378 Archidiakon, zuletzt 1394 bezeugt. N. H. besaß e. umfangreiche Bibl. Er verf. Briefe sehr versch. Inhalts, die als Anhang zu e. Abschr. d. Formelbuches d. Dommherrn Arnold v. Protzan überl. sind.

Literatur: VL 2,404. – M. FLIEGEL, D. Dombibl. zu Breslau im ausgehenden MA (in: Zs. d. Ver. f. d. Gesch. Schles. 53) 1919; K. BURDACH, D. Kulturbewegung Böhmens u. Schles. an d. Schwelle d. Renaissance (in: Euphorion 27) 1926; DERS., Schles.-böhm. Briefmuster aus d. Wende d. 14. Jh. (in: V. MA z. Reformation 5) 1926.   RM

Henricius vom See → Dilg, Wilhelm.

Henricks, Paul (Ps. f. Edward Hoop), * 19. 5. 1925 Rendsburg; Dr. phil., wohnt in Rendsburg-Büdelsdorf. Verf. v. Kriminalromanen.

Schriften: Sieben Tage Frist für Schramm, 1967; Der Toteneimer, 1967; Der Ameisenhaufen, 1969; Pfeile aus dem Dunkel, 1971.   IB

Henricpetri (Petri), Adam, getauft 17. 1. 1543 Basel, † 27. 4. 1586 ebd.; Rechtsstudium in Basel, Brescia u. a. Orten, 1564 Dr. iur., 1565 in Basel Prof. f. d. Institutiones, 1571 Prof. f. d. Codex, zeitweilig Dekan d. Fakultät, 1583 Sekretär (od. Syndikus). Bearb. e. Neuausg. d. Kosmographie d. Sebastian Münster (1572), arbeitete an e. Fortsetzung d. dt. Commentarii d. Johannes Sleidanus, davon gab Guarinus aus Tournay 1575 d. Tl. über d. niederländ. Aufstand heraus («Niederlendischer Ersten Kriegen, Empörungen ... Ursprung, Anfang und End ...»).

Schriften: General Historien der allernamhafftigsten unnd fürnembsten Geschichten ..., 7 Tle., 1577 (Neuausg. 1593, 1600).

Literatur: ADB 25,521 (unter Petri); NDB 8,551. – B. A. VERMASEREN, D. Basler Gesch.-schreiber Dr. ∼ u. s. Buch über d. niederländ. Aufstand gg. Spanien (in: Basler Zs. f. Gesch. u. Alt. 56) 1957.   RM

Henricus, Pater → Gossler, Friedrich Franz Theodor.

Henricus Breyell → Offermann de Breyl, Henricus.

Henricus Calcariensis → Eger von Kalkar, Heinrich.

Henriette → Hagen, Henriette Christiane von.

Henriette, Christiane → Kreutzer, Catherine.

Henriks, Al. → Buschmann, Aloys.

Henrion, Poly → Kohl von Kohlenegg, Leonhard.

Henry → Winterfeld, Henry.

Henry-Camden, Guido → Böckler, Guido.

Hensch, Aurel, * 1858, † 1921 (Orte unbekannt); Zipser Mundartdichter.

Schriften: Schmalännes lostije Geschichten. Heiteres aus dem Zipserland in Zipser Mundart, 1919.   IB

Henschel, Anna (geb. Linke) * 26. 1. 1844 Strasburg/Uckermark, † 15. 12. 1909 Pasewalk; Tochter e. Maurermeisters. Erz. u. Lyrikerin.

Schriften: Gedichte, 1894; Herbstblätter. Lyrisches und Episches, 1896; Aus allen vier Jahreszeiten (Ged.) 1897; Echo der Seele (Nov.) 1899; Feierabendgeschichten, 1901; Erzählungen am Kamin, 1904; Was ich am Wege fand (Ged.) 1907.   IB

Henschel, Erich, * 15. 11. 1888 Posen; 1922 Dr. phil. Berlin, 1947 Doz. an d. Kirchl. Hochschule Berlin, 1954 Prof., seit 1957 im Ruhestand. Mit-Hg. d. 30. Aufl. v. M. Lexers «Mhd. Taschenwörterbuch» (1961).

Schriften (Ausw.): Frauenlist, 1937; Die kleinen Denkmäler der Vorauer Handschrift (hg., mit U. Pretzel) 1963; Die Heidin (hg., mit U. Pretzel) 1957.   RM

Henschel, Gerhard, * 29. 8. 1927 Glogau; Red., Erzähler.

Schriften: Colonel Brooks (Rom.) 1953.   IB

Henschel, Robert, * 19. 6. 1900 Kassel; Dr. iur, wohnt in Brissago/Kt. Tessin.

Schriften: Nahtipu. Nach der englischen Erzählung von L. Housman, The Man who didn't pray, 1955.   IB

Henschel, Ruth-Ilona, * 23. 3. 1925 Dresden; Red., wohnt in Bremen. Verf. v. Jugendbüchern.

Schriften: Mach's gut, kleine Tippfix. Ein Mädchen wird Sekretärin, 1954.   IB

Henschel, Waltraut → Villaret, Waltraut.

Henschel, Wilhelm (auch Willem), * 13.7. 1874 Treptow/Tollense, † Sept. 1938 ebd.; Stadtamtmann. Mundartlyriker (plattdt.)
Schriften: Sammelholt ut min plattdütsch' Heimat, 1923; Knuppen ut Wisch un Busch. Plattdeutsche Gedichte, 1927.   IB

Henschke, Alfred → Klabund.

Henschke, Otto, * 24.4.1852 Sommerfeld/ Mark Brandenburg; Sohn e. Tuchfabrikanten, wurde wider Willen Kaufmann, leitete eine Tuchfabrik in Forst/Lausitz.
Schriften: «Was ich litt und was ich lebte» (Ged.) 1909.   AS

Henschke, Ulrike (geb. Benas, Ps. Clara Ulrici), * 24.11.1830 Krotoschin/Posen, † 1.11. 1897 Baden-Baden; Heirat mit d. spätern Berliner Senatspräs. Henschke, Gründerin d. Victoria-Fortbildungsschule in Berlin, aktive Frauenrechtlerin.
Schriften (Ausw.): Gertrud von Stein (Erz.) 1870; Zur Frauen-Unterrichtsfrage in Preußen, 1870; Deutsches Lesebuch für die weibliche Jugend (mit M. Henschke) 1898.   RM

Hensel, Anton Julius (Ps. Hans Werner), * 11. 5.1849 Königsberg/Pr., † Dez. 1916 ebd. Schriftleiter d. «Königsberger Hartungschen Ztg.». Übers. zahlreicher Werke.
Schriften: Masuren. Ein Wegweiser für das Seengebiet und seine Nachbarschaft, 1892; Samland. Ein Wegweiser für den Strand und das Innere, 1893; Königsberger Namen. Ernst und Scherz aus dem Königsberger Adreßbuch (neu hg. u. erw.) 1895; Fremdlinge. (Erz. aus d. franz., engl., span., russ.) 1895.   IB

Hensel, Georg, * 13.7.1923 Darmstadt; Feuilleton-Red., J.-H.-Merck-Preis, 1968, wohnt in Darmstadt. Erzähler.
Schriften: Nachtfahrt (Erz.) 1949; Etappen (Erz.) 1956; Griechenland für Anfänger (Reisebeschreibg.) 1960; Kritiken. Ein Jahrzehnt Sellner-Theater in Darmstadt, 1961; Ägypten für Anfänger (Reisebeschreibg.) 1962; Der Datterich, 1965; Spielplan, Schauspielführer von der Antike bis zur Gegenwart I 1966, II 1975; S.

Beckett, Essays, 1968; Stierkampf, in Wort und Bild (gem. m. H. Lauden) 1970; Theater der Zeitgenossen, Stücke und Autoren, 1972; Wider die Theaterverhunzer. Dreizehn polemische Predigten, 1972.   IB

Hensel, Irmgard, * 25.8.1927 Berlin; Sekretärin, wohnt in München. Verf. v. Jugendbüchern.
Schriften: Zirkuskinder haben viele Freunde. Artisten, Tiere, Zirkusluft, 1974.   IB

Hensel, Johann Daniel, * 31.12.1757 Goldberg/Schles., † 10.12.1839 Hirschberg; studierte in Königsberg, 1782–84 Rektor d. Schule in Strehlau, 1792 Gründer e. Erziehungsanstalt in Hirschberg. Hg. d. «Schles. Gebirgsbl.»(1801–1802). Verf. v. Erziehungsschr. u. Singspielen, die er selbst vertonte.
Schriften (Ausw.): Ramlers Cyrus und Cassandane in Musik gesetzt, 1786; Daphne oder die Friedensfeyer in Arkadien. Singspiel, 1790; Handbuch der schlesischen Geschichte für Liebhaber und Schullehrer, 1797; Schlesiens Huldigungsgesang bei des Königs Friedrich Wilhelm III. Regierungsantritt, 1798; Historisch-topographische Beschreibung der Stadt Hirschberg in Schlesien seit ihrem Ursprunge bis 1797, 2 Tle., 1799; Das Weltgebäude, allgemein faßlich beschrieben, zur Unterhaltung für jeden Gebildeten beider Geschlechter, aber auch besonders als Belehrung für Schullehrer in mittlern und akademischen Schulen, 1820.
Literatur: ADB 11,789; Meusel-Hamberger 3,221; 22/2, 686.   IB

Hensel, Louise Maria (Ps. Ludwiga, Louise, Luise), * 30.3.1798 Linum/Fehrbellin (Brandenburg), † 18.12.1876 Paderborn; Tochter d. Pfarrers Johann Jakob Ludwig H., nach dessen Tod die Familie 1810 nach Berlin übersiedelte, wo H., früh dichterisch tätig, als Siebzehnjährige v. ihrem Bruder Wilhelm in Künstler- u. Adelskreise eingeführt wurde. Die Begegnung mit Clemens Brentano 1816 führte zu e. auch dichterisch anregenden Verbindung. Nach der von H. 1818 angeregten Abreise Brentanos zur stigmatisierten Katharina Emmerick in Dühmen trat H. z. Katholizismus über, wurde 1819 Gesellschafterin der Fürstin Salm in Münster u. Düsseldorf, 1821 Hauslehrerin bei d. Witwe d. Grafen

Friedrich Leopold zu Stolberg, dann Kranken-
pflegerin, u. a. in Koblenz. Ab 1826 wirkte sie als
Erzieherin u. Lehrerin in d. Pensionaten Marienberg bei Boppard u. St. Leonhard bei Aachen.
1833–35 verbrachte sie im Haus d. Bruders in
Berlin. Von dort ging sie erst nach Köln, um
dann mehrere Jahrzehnte in Wiedenbrück zu
verweilen, ehe sie sich einige Jahre vor ihrem
Tode nach Paderborn zurückzog. Dichterin.

Schriften: L. u. Wilhelmine H., Gedichte zum
Besten der Elisabeth-Stiftung in Pankow (hg.
H. KLETKE) 1858; Lieder (hg. C. B. SCHLÜTER)
1869; Briefe (hg. C. B. SCHLÜTER) 1878; Auf-
zeichnungen und Briefe (hg. H. CARDAUNS) 1916;
Aus Luise Hensels Jugendzeit. Neue Briefe und
Gedichte (hg. H. CARDAUNS) 1918; Lieder.
Vollständige Ausgabe (hg. H. CARDAUNS) 1923.
Nachlaß: Univ.bibl. München; Franziskaner-
kloster Münster/Westf. – Denecke 2. Aufl.;
Mommsen Nr. 1576, 2483.
Literatur: ADB 12, 1; NDB 8, 560. – J. H.
REINKENS, ∼ u. ihre Lieder, 1877; F. BART-
SCHER, D. innere Lebensgang d. Dichterin ∼,
1882; F. BINDER, ∼, 1885 (²1904); H. CAR-
DAUNS, ∼s Nachlaß (in: Lit. Handweiser 54)
1918; P. NEYER, D. Weihnachtskrippe im Leben
u. Dichten ∼s, 1927; H. RUPPRICH, Brentano,
∼ u. L. v. Gerlach, 1927; F. SPIECKER, Brentano u. ∼ (in: JEGP 33) 1934; DERS., D. Gärt-
nerlieder ∼s aus d. Singspiel «Die schöne Mül-
lerin» (in: GR 10) 1935; DERS., ∼ als Dichterin,
1936; S. SUDHOF, Brentano oder ∼? Unters. zu
e. Gedicht aus d. Jahr 1817 (in: FS G. Weber)
1967; J. MATHES, Ein Tagebuch Cl. Brentanos
für ∼ (in: JbFDtHochst.) 1971.   HD

Hensel, Paul, * 17.5.1860 Groß-Barthen in
Ostpr., † 8.11.1930 Erlangen; studierte Gesch.
u. Philos. in Berlin, 1888 Privatdoz. in Straßburg, 1902 o. Prof. in Erlangen.
Schriften (Ausw.): Carlyles Sozialpolitische
Schriften, 3 Bde. (hg.) 1895–99; Thomas Car-
lyle, 1901; Hauptprobleme der Ethik, 1903;
Rousseau, 1907; Die neue Güterlehre, 1910;
Kleine Schriften und Vorträge (hg. E. Hoffmann)
1920; Kleine Schriften und Vorträge zum siebzigsten Geburtstag des Verfassers (hg. v. E.
Hoffmann u. H. Rickert) 1930; Religionsphilosophie (aus dem Nachlaß hg. v. F. Sauer) 1934.
Briefe: P. H., sein Leben in seinen Briefen (hg.
v. d. Witwe E. H.) 1947.

Literatur: NDB 8, 561. – H. RICKERT, ∼ (in:
Kantstud. 35) 1930; F. MEDICUS, ∼ (in: Arch.
f. Gesch. u. Philos. 40) 1931.   IB

Hensel, Paul (Ps. Paul Hensel-Haerdrich), * 5.4.
1893 Thalbürgel, † 20.4.1948 Ehrens Ostfriesld.
Dramaturg am Preuß. Staatstheater. Dramatiker
u. Verf. v. Operettentexten.
Schriften: Die graue Schwester (Schausp.) 1934;
Sonnenwende (Schausp.) 1934.   IB

Hensel, Paulrichard, * 17.4.1893 Königsberg/
Pr.; Schriftst. u. Grafiker, lebte in Berlin.
Schriften: Herzblut. Eine Anthologie neuer
Lyrik, 1918; Gespräche zur Nacht, 1921; Das
verschlossene Tor (Nov.) 1922; Gedichte, 1923;
Uschi reist nach Sorrent. Ein herrliches Ferien-
erlebnis, 1939.   AS

Hensel, Sophie Friederike (geb. Sparmann),
1738 Dresden, † 22.11.1789 Schleswig; Schauspielerin am Hamburger Nationaltheater, in erster
Ehe verh. mit d. Schauspieler Johann Gottlieb H.
(geschieden 1777), in zweiter Ehe mit d. Leiter
d. Ackermannschen Gesellsch., Abel Seyler.
Schriften: (Dramatisierung d. letzten Teiles
von:) S. Bidulph, Die Familie auf dem Lande,
1770 (umgearbeitet u. d. T.: Die Entführung,
1772); Hüon und Amande (romantisches Singsp.
n. Wielands Oberon) 1789 (u. d. T.: Oberon
König der Elfen, 1792).
Literatur: ADB 11, 788.   IB

Hensel, Wilhelmine (Minna), * 11.9.1802 Li-
num/Mark, † 4.12.1893 Charlottenburg; Schwester v. Louise u. Wilhelm H., 1851–76 Vorsteherin d. Elisabeth-Stiftes Pankow in Berlin. Lyrikerin.
Schriften: Die drei Kränze (Festsp.) 1854; Gedichte (gem. m. L. H., hg. H. KLETKE) 1857;
Gedichte (hg. Chr. B. SCHLÜTER) 1882.   IB

Henseleit, Felix (Ps. Thomas Ferber, Peter
Zweifel), * 13.8.1903 Berlin; Red. versch.
Filmfachbll., 1947–50 Verlagsleiter, 1951–54
Feuill.red. beim «Kurier», 1954–56 bei d.
«Berliner Ztg.», Hg. v. «Film in Berlin» (seit
1954) u. versch. anderen Film-Zeitschriften.
Schriften (Ausw.): Der Film und seine Welt
(hg.) 1933.   RM

Henselin → Henselynsboek

Henseling, Robert, * 19.10.1883 Hameln; wohnt in Berlin-Frohnau. Verf. astrolog. Sachbücher.

Schriften (Ausw.): Kleine Sternkunde, 1919; Sternweiser, 1922; Mars, sein Rätsel und seine Geschichte, 1925; Der neu entdeckte Himmel. Das astronomische Weltbild gemäß jüngster Forschung, 1930; Welteninseln, 1931; Kosmische Heimat. Unser Sonnensystem, 1931; Kosmische Ferne. Die Wunder der Sterne, 1932; Blick durchs Fernrohr. Ein Büchlein Sternfreude für alle Naturfreunde, 1934; Das All und wir. Weltgefühl der Gegenwart und seine Urgeschichte, 1936; Strahlendes Weltall, 1940; Die Sternbilder, 1940. IB

Henselynsboek, in d. letzten Jahren d. 15.Jh. entst. Fastnachtssp. mit d. vollen Titel «Henselin oder Von der Rechtfertigkeit», überl. in e. Druck d. Hamburger Stadtbibl. Drei Söhne ziehen aus, um d. Testament ihres Vaters zu erfüllen, jedoch suchen sie d. Gerechtigkeit vergeblich. Bei d. Rückkehr kommen sie zur Einsicht, d. gesuchte «Rechtfertigkeit» sei nur in ihnen selbst z. finden, u. zwar wenn sie ihr Leben in d. Dienst d. Pflichterfüllung stellen. D. alte Motiv d. Klage über d. verlorene Gerechtigkeit u. d. Sehnsucht nach d. besseren Vergangenheit wird ausgeweitet u. d. rückwärtsgewandte Pessimismus überwunden. – D. Namen erhielt d. Dg. v. Narren, der d. drei Brüder begleitet u. als weiser Narr ihr Führer wird (hist. viell. e. H. Sprenger od. Beyer, bezeugt in Lübeck v. 1461 bis 1500 als seiltanzender Mime).

Ausgaben: C. WALTHER, Das Fastnachtsspiel «Henselin oder von der Rechtfertigkeit» (in: Ndt. Jb. 3) 1877; C. BORCHLING, H. QUISTORF, Tausend Jahre Plattdeutsch, 1927.

Literatur: VL 2,406; 5,370. – C. WALTHER, Z. Fastnachtssp. ~ (in: Ndt. Jb. 5/6) 1879/80; H. BRANDES, D. lit. Tätigkeit d. Verf. d. «Reinke» (in: ZfdA 32) 1888; DERS., «Dat Narrenschyp» v. Hans v. Ghetelen, 1914; E. SCHAFFERUS, ~ (in: Korrespondenzbl. d. Ver. f. ndt. Sprachforsch. 46) 1935. RM

Hensler, Anna, * 14.12.1878 Bregenz; † 1955. Erzählerin.

Schriften: Die Hohenems. Eine Märe aus dem zwölften Jahrhundert, 1904; Frankreichs Lilien, die Schicksale der Kinder Ludwigs XVI. Nach ursprünglichen Quellen geschildert, 1905; Jo-

seph Sigmund Nachbaur, der Held vom Jahre Neun (Lebensbild) 1910. IB

Hensler (eigentlich Henseler) Karl Friedrich, * 1.2.1759 Vaihingen/Enz, † 24.11.1825 Wien; studierte in Tübingen, kam 1784 nach Wien u. wandte sich d. Theater zu. Vorerst Bühnendichter f. Marinelli in d. Leopoldstadt, später Dir. d. dortigen Theaters, 1817 d. Theaters an der Wien, 1822 d. Theaters in d. Josefstadt. Bühnenschriftst. (über zweihundert Werke).

Schriften: Handeln macht den Mann, oder der Freimäurer, 1785; Die Schnitterfreude mit Kasperls Lustbarkeiten, 1786; Das tapfere Wienermädchen, 1787; Kasperl der Besenbinder, 1787; Der lebendige Sack, oder Der gefoppte Dorfbarbier, 1787; Das Gallerie-Gemählde, oder Der Fürst als Ehemann und Liebhaber, 1788; Sophie Romani, oder Was vermag ein Schurke nicht? 1790; Das Sonnenfest der Braminen, 1790; Alles weiß, nicht schwarz, oder der Trauerschmaus, 1790; Marinellische Schaubühne, 1790–1791; 4 Bde., Der Schornsteinfeger, 1791 (auch u.d.T.: Kaspar der Schornsteinfeger); Der Kriegsgefangene, oder Kindesliebe kennt keine Gränzen, 1792; Der Korb aus Liebe, oder Frauenzimmerlaunen, 1792; Der Orang-Outang oder das Tigerfest, 1792; Der Großvater, oder die fünfzigjahrige Hochzeitfeyer, 1792; Die Verschwörung der Odalisken, oder die Löwenjagd, 1792; Das Judenmädchen von Prag, oder Kaspar der Schuhflicker, 1792; Zaide, oder das Weib in ihrer wahren Schönheit, 1792; Der militärische Besenbinder, 1792; Der Lüderliche, 1792; Das Donauweibchen. Ein romantisches komisches Volksmärchen mit Gesang nach einer Sage der Vorzeit, 3 Tle., 1792, 1798, 1807; Der Forstmeister, 1793 (auch u.d.T.: Der Amtmann von Bopfingen); Viel Lärmen um ein Strumpfband, 1794; Das Petermännchen, 2 Tle., 1794 (nach Spieß); Die schöne Ungarin, oder das Pasquill, 1794; Der Soldat von Cherson, 1794; Ritter Willibald, oder das goldene Gefäß, 1794; Der Feldtrompeter oder Wurst wider Wurst, 1794; Alles in Uniform für unsern König, 1795; Der Waldgeist, oder der Kohlenbrenner im Eichthale, 1795; Die Marionettenbude oder der Jahrmarkt zu Grünwald, 1795; Der Denkpfennig, oder Der Wachtmeister, 1795; Die Tochter der Finsterniß, oder Der Geisterbeschwörer, 1796; Eugen der Zweyte, der Held unserer Zeit,

1796; Der unruhige Wanderer, oder Kasperl letzter Tag, 1796; Das Fischerstechen, ein Volksfest der Vorzeit, 1796; Der braune Robert und das blonde Nandchen, 1796; Der alte Überall und Nirgends, 2 Tle., (erster Tl. nach e. Erz. v. Spieß) 1796–1800; Der österreichische Soldat in Kehl, 1797; Es ist Friede, 1797; Die getreuen Österreicher, oder das Aufgebot, 1797; Die zwölf schlafenden Jungfrauen, 1797; Der Waffenschmied, 1797; Das Schlangenfest in Sangora. Seitenstück zum Sonnenfest der Braminen, 1797; Bürgerfreuden, 1797; Das Faustrecht in Thüringen, 1797; Der Sturm, oder Die bezauberte Insel, 1798; Eugenius Skoko, Erbprinz von Dalmatien, 1798; Wer den Schaden hat, darf für den Spott nicht sorgen, 1798; Ritter Benno von Ettingen, eine Geschichte von Spieß, 1798; Der geschwätzige Barbier, 1799; Taddädl der 30jährige A B C-Schütz, 1799; Kaspar Grünzinger, 1799; Gute Menschen lieben ihre Fürsten, oder die Jakobiner in Deutschland, 1799; Der Löwenritter, 1799; Rinaldo Rinaldini, der Räuberhauptmann, I 1799, II, III 1800; Das Bergfest, 1800; Das Waldweibchen. Als Seitenstück vom Donauweibchen, nach einer Sage der österreichischen Vorzeit, 1800; Heroine, oder die schöne Griechin in Alexandria, militärisches Schauspiel, 1800; Ferrandino. Fortsetzung des Rinaldo Rinaldini, 1800; Die bleyerne Hochzeit, 1800; Der Teufelstein in Mödlingen, 1801; Die Teufelsmühle am Wienerberg. Ein österreichisches Volksmärchen, nach einer Sage der Vorzeit, 1801; Majolino, der Abentheurer, 1802; Die Waffenruhe in Thüringen, 1802; Ritter Don Quixote, 1802; Das Zauberschwert, 1802; Geistesgegenwart, 1802; Telemach, Prinz von Ithaka, 1802; Die Fledermaus, 1802; Die Nymphe der Donau, 1803; Die Lazeroni, 1803; Das friedliche Dörfchen, 1803; Die unruhige Nachbarschaft, 1803; Der Unbekannte, 1803; An dem Sarge des Biedermannes Karl Edlen von Marinelli, 1803; Der lustige Schusterfeyerabend, 1803; Bauernliebe, 1804; Das Frühstück, ein Burschenstreich in einem Act, 1807; Der Räuber aus Rachsucht, o. J.; Männerschwäche und ihre Folgen oder die Krida, o. J. (aufgeführt 1790); u. a.

Ausgaben: Das Donauweibchen, komische Volksmärchen 2 Tle., (neu hg. A. HAUFFEN, DNL 164) 1894; dass. (hg. v. O. ROMMEL, DL, Barocktradition 2) 1936.

Handschriften: Frels 126.

Literatur: ADB 12,7; ADB 45,668; NDB 8, 564; ÖBL 2,275; Wurzbach 8,314f.; Meusel-Hamberger 3,222; 9,566; 11,341; 14,103; 18,124; 22/2,688; MGG 6,172f.; Goedeke 5,327; 6,580; 11/2189; Albrecht-Dahlke 2/1, 381; Theater-Lex. 1,757. – KOMORZYNSKI, ~ (in: Jb. d. Grillparzer-Gesellsch. 23) 1913; H. GRUND, D. Leopoldstädter-Theater v. s. Anfängen bis zu Marinelis Tod 1803. (Diss. Wien) 1922; N. WILTSCH, ~ (Diss. Wien) 1926.   IB

Hensler, Peter Wilhelm, * 14.2.1742 Preetz/ Holst., † 29.7.1779 Altona; studierte Jus in Göttingen u. Kiel, Landsyndikus in Altona. S. Epigramme wurden im Göttinger u. Vossischen Musenalmanach veröffentlicht.

Schriften: Lorenz Konau (Schausp.) 1776; Über den deutschen Kanzleistyl, 1779; Gedichte (aus dem Nachlaß hg. v. seinem Bruder P.G.H. u. Voß) 1782.

Handschriften: Frels 126.

Literatur: ADB 12,7; Goedeke 4/1,671; Jördens 2,352.   IB

Hensler, Philipp Gabriel, * 11.12.1733 Oldenswort b. Husum, † 31.12.1805 Kiel; Theol.-, dann Med.-Studium in Göttingen, Arzt in versch. Orten, 1789 Med.prof. in Kiel, 1804 Vorsteher d. schlesw.-holst. Sanitätskollegiums. Mit J.H. Voss Hg. d. Ged. s. Bruders Peter Wilhelm H. (1782).

Schriften: Poetischer Glückwunsch vom Gefühle, 1758; Beitrag zur Geschichte des Lebens und der Fortpflanzung der Menschen auf dem Lande, 1767. (Außerdem versch. medizin. Schr.).

Literatur: ADB 12,8; Goedeke 4/1,671.   RM

Hensler, Wilhelm, * 28.7.1894 Obermünstertal/Schwarzwald; Oberlehrer, wohnt in Waghäusel. Erz. u. Lyriker.

Schriften: Das Brot der Wälder (Rom.) 1943; Psalm der Erde. Prosa, 1953; Liebe hat geschrieben (Erz.) 1975.

Literatur: H. REICHERT, ~, Gedanken zu s. Werk, Prosa, Lyrik (in: Jb. dt. Lehrer) 1965–69.
                                                              IB

Henslin, Bruder → Bruder Hans.

Henssen, Gottfried, * 10.6.1889 Jülich, † 26. 1.1966 Marburg/Lahn; studierte Germanistik u.

Volkskunde in Tübingen, Berlin u. Bonn, Dr. phil., seit 1936 Leiter d. Zentralarch. d. dt. Volkserzählung in Berlin u. seit 1946 Studienrat in Marburg, Leiter d. Volkskundl. Archivs.

Schriften: Neue Sagen aus Berg und Mark, 1927; Zur Geschichte der bergischen Volkssage, 1928; Volksmärchen aus Rheinland und Westfalen, 1932; Der deutsche Volksschwank, 1934; Rheinische Volksüberlieferung in Sage, Märchen und Schwank, 1934; Volk am ewigen Strom, 2 Bde., 1935; Volk erzählt. Münsterländische Sagen, Märchen und Schwänke, 1935; Volkstümliche Erzählkunst, 1936; Es war einmal. Seither unbekannt gewesene, alte Volksmärchen unserer Ahnen (hg. u. nacherz.) 1938; Märchenschatz der Jugend. Seither unbekannt gewesenes, altes Erzählgut unserer Ahnen (hg. u. nacherz.) 1938; Schelme und Narren im Volksmund. Schwänke und Schnurren, 1938; Deutsche Volksmärchen, 1938; In de Uhlenflucht. Plattdeutsche Schwänke und Märchen aus Westfalen (hg.) 1939; Überlieferung und Persönlichkeit. Die Erzählungen und Lieder d. E. Gerrits, 1951; Die güldene Kette. Schönste Volksmärchen. Aus dem Märchenschatz der europäischen Völker ausgewählt, 1957; Ungardeutsche Volksüberlieferungen. Erzählungen und Lieder, 1959; Bergische Märchen und Sagen, Volkserzählungen, 1961; Volkserzählungen aus dem westlichen Niedersachsen, 1963; Deutsche Volkserzählungen aus dem Osten. Märchen und legendenartige Geschichten aus den Sammlungen des Zentralarchivs der Deutschen Volkserzählungen (2. Aufl.) 1963.

Literatur: K. MEISEN, ~ 65 Jahre alt (in: Rhein.-westfäl. Zs. f. Volkskde. 1) 1954; G. HEILFURTH, ~ 75 Jahre alt (in: Hess. Bl. f. Volkskde. 55) 1964; J. SCHWEBE, ~ † (in: ebd. 57) 1966; W. BERS, Prof. Dr. ~, namhafter Förderer d. dt. Volkskde. (in: Heimat-Kalender f. d. Kreis Jülich 18) 1968. IB

Henthaler, Ernest (Ps. f. Ernest Holub) * 15. 10. 1889 Retz/Niederöst., Hauptmann a. D., freier Schriftst., wohnt in Retz. Verf. v. Volksst., Hörsp. u. Erzähler.

Schriften: Mein Onkel Jodok. Lustige Bauerngeschichte, 1936; Amor in Nagelschuhen. Lustige Liebesgeschichten aus den Alpen, 1940; Tod und Teufel. Lustige Bauerngeschichten, 1941; Die Glücksmühl'. Eine heitere Dorfgeschichte, 1946; Die Glücksmühle. Eine bäuer-

liche Komödie, 1946; Die Schatztruhe. Eine heitere Dorfgeschichte, 1947 (1955 als Volksstück). IB

Hentig, Hans von, * 9. 6. 1887 Berlin, † 6. 7. 1974 Bad Tölz/Obb.; Dr. iur., war Priv.doz. an der Univ. Gießen, dann o. Prof. in Kiel und Bonn, 1937–51 Gastprof. in den USA, seit 1951 wieder Prof. für Kriminalwiss. in Bonn.

Schriften (Ausw.): Aufsätze zur deutschen Revolution, 1919; Mein Krieg, 1919; Die Entartung der Revolution. Neue Aufsätze, 1920; Robespierre. Studien zur Psycho-Pathologie des Machttriebes, 1924; Machiavelli. Studien zur Psychologie des Staatsstreiches und der Staatsgründung, 1924; Die Strafe. Ursprung, Zweck, Psychologie, 1932; Der Friedensschluß. Geist und Technik einer verlorenen Kunst, 1952; Die Strafe, 2 Bde., 1954/55; Zur Psychologie der Einzeldelikte, 4 Bde., 1954–59; Der Desperado. Ein Beitrag zur Psychologie des regressiven Menschen, 1956; Vom Ursprung der Henkersmahlzeit, 1958; Der Gangster. Eine kriminalpsychologische Studie, 1959; Das Verbrechen, 3 Bde., 1961–63; Studien zur Kriminalgeschichte (hg. Ch. Helfer, mit Bibliogr.) 1962; Der Mordbrand und neun andere Verbrecherstudien, 1965; Der jugendliche Vandalismus. Vorboten und Varianten der Gewalt, 1967; Über den Zusammenhang von kosmischen, biologischen und sozialen Krisen, 1968; Terror. Zur Psychologie der Machtergreifung, 1970; Beiträge zur Verbrechenskunde, 1973.

Literatur: In memoriam ~. Reden, gehalten anläßl. d. Gedenkfeier d. Rechts- u. Staatswiss. Fak. d. Rhein. Friedrich-Wilhelms-Univ. Bonn 1975, 1976 (K. Schlaich u. a.). AS

Hentig, Hartmut von, * 26. 9. 1925 Bielefeld; Dr., o. Prof. f. Pädagogik u. wiss. Leiter d. Schulprojekte d. Univ. Bielefeld. Schiller-Preis d. Stadt Mannheim 1969, wohnt in Enger/Westf. Neben zahlreichen wiss. Abhandlungen Erz. u. Kinderbücher.

Schriften (Ausw.): Wie hoch ist die höhere Schule? Eine Kritik, 1962; Das erste Studienjahr an der Universität, 1963; Hellas und Rom, 1964; Die Schule im Regelkreis. Ein neues Modell für die Probleme der Erziehung und Bildung, 1965; Magier oder Magister? Über die Einheit des Wissens im Verständigungsprozeß, 1972; Schule als

Erfahrungsraum? 1973; Röll, der Seehund (Kinderb.) 1972; Schule als Erfahrungsraum, 1973; Paff, der Kater oder Wenn wir lieben (Erz.) 1978.

Literatur: W. Ross, Pädagogik als Gesamtwiss. Zu d. Schr. ∼s (in: Merkur 24) 1970; H. Bodensieck, Polit. Denkerziehung oder Erziehung z. Politik? Zu d. Konzeptionen v. K. Jaspers u. ∼ (in: Neue polit. Lit. 17) 1972.   IB

Hentig, Werner-Otto von, * 22.5.1886 Berlin; Dr. iur. et rer. pol., Botschafter a. D., wohnt in Seibersbach. Essayist u. Verf. v. Sachbüchern.

Schriften: Meine Diplomatenfahrt ins verschlossene Land, 1918; Ins verschlossene Land. Ein Kampf zwischen Mensch und Meile, 1928; Heimritt durch Kurdistan. Ritt und Reise zur Ostfront 1914, 1932; Der Nahe Osten rückt näher, 1940; Mein Leben – eine Dienstreise, 1961.   IB

Hentl, Friedrich von (Ps. Friedrich Dornau), * 13.4.1799 Wien, † Juni 1878 Perchtoldsdorf b. Wien; Beamter in versch. Kreisämtern, Hofkonzipist d. Hofkanzlei, niederöst. Regierungssekretär, 1848 Ministerialsekretär im Unterrichtsministerium, zuletzt Sektionsrat.

Schriften: Sympathien. Ein Bild aus dem Seelenleben, 1846; Im Halbdunkel (Erz.) 2 Bde., 1867; Gedanken über Tonkunst und Tonkünstler, 1868 (Neuausg. 1871; 2., verb. u. verm. Aufl. 1876); 1848. Episches Gedicht in zehn Gesängen, 1876; Führer durch das Leben (Dg.) 1877; Die Gott- und Weltanschauung deutscher Dichter … im Spiegel ihrer lyrischen Lehr- und Spruchdichtung .., 1877; Ein- und Umschau (Dg.) 1879.   RM

Hentsch, Wilhelm Jakob, * 27.8.1769 Berson/Livland, † 19.9.1816 Zittau; Kanzlist in Riga. Librettist, Verf. v. Gelegenheitsgedichten.

Schriften: Graziosa und Perzinet (Operette) 1794; Die ersten Kinder meiner Laune, 1795; Das Glück der Liebe (Operette) 1802; Das Fest der Fischer oder Die Liebe macht Sorgen (Operette) 1806; Die Entführung oder Die Vereinigung der Liebe (Operette) 1808.

Literatur: Goedeke 7,483; Meusel-Hamberger 18,124; 22/2,690; Theater-Lex. 1,758.   IB

Hentschel, Theresia (geb. Heine), * 6.5.1813 Wölmsdorf/Nordböhmen, † 15.6.1888 ebd.; mit d. geistl. Volksschriftst. A. Jarisch bekannt,

Autodidaktin, Verf. v. Mysteriensp., Dr. mit moral. Tendenz u. Lustsp., u. a. «Karlob Jerkel auf der Leipziger Messe», «Die Preußen kommen». Auch e. gereimte «Geschichte der Entstehung des Heilbrunnens und der Kirche von Wölmsdorf» ist v. ihr.

Literatur: J. Hille, ∼ (Diss. Prag) 1925.   IB

Hentschel-Holander, Hans Reimer → Holander, Reiner Kay.

Hentschke, Heinz, * 20.2.1895 Berlin, † 3.7.1970 ebd.; Theaterleiter, Regisseur. Verf. v. Operettentexten.

Schriften: Putzepeter. Ein Weihnachtsmärchen aus dem Erzgebirge in acht Bildern (gem. m. T. Hess) 1936; Melodie der Nacht, 1941; Die oder Keine, 1941; Frauen im Metropol. Große Ausstattungs-Operette, 1941; Maske in Blau (Rom.) 1942.   IB

Hentz von den Eichen, spätma. Dichter aus d. Schweiz, v. dem e. Ged. über d. Streit zw. Leib u. Seele fragm. überl. ist (Brit. Mus. London, Add. 32447, 1518 v. Bieler Stadtschreiber Ludwig Sterner geschrieben). Im Traum mahnt d. Seele d. im ird. Leben verstrickten Leib an s. künftiges Heil, so daß dieser sich bekehrt u. in Reue stirbt.

Ausgabe: R. Priebsch, Der krieg zwischen dem lyb und der seel (in: ZfdPh 29) 1897.

Literatur: VL 2,409.   RM

Henz, Rudolf (Ps. R. Miles), * 10.5.1897 Göpfritz/Wild, Niederöst.; studierte in Wien, Dr. phil., 1931–38 Dir. d. Öst. Rundfunks, 1945 wieder eingesetzt, 1953 Staatspreis f. Lit., 1956 Lit.-Preis d. Stadt Wien. Lebt in Wien. Glasmaler, Lyriker, Erz. u. Dramatiker.

Schriften: Lieder eines Heimkehrers (Ged.) 1920; Die Landschaftsdarstellung bei Jean Paul, 1924; Unter Brüdern und Bäumen (Ged.) 1929; Das Wächterspiel, 1931; Die Gaukler (Rom.) 1932; Die Heimkehr des Erstgeborenen. Spiel aus unseren Tagen, 1933; Eine Wiener Singmesse für das deutsche Volk (gem. m. J. Lechthaler) 1933; Dennoch Mensch … Roman von Krieg und Liebe, 1935; Festliche Dichtung. Gesammelte Sprüche und Spiele, 1935; Döblinger Hymnen (Ged.) 1935; Kaiser Joseph II. (Tr.) 1937; Begegnung im September (Rom.) 1939; Die Hundsmühle (Erz.) 1939; Der Kurier des

Kaisers. Roman aus der Zeit der Türkennot, 1941; Ein Bauer greift an die Sterne (Rom.) 1943 (Neuauflg. u. d. T.: Peter Anich, der Sternsucher, 1946); Der große Sturm (Rom.) 1943; Wort in der Zeit. Gedichte aus zwei Jahrzehnten, 1945; Pfingstspiel, 1947; Ein Spiel von der Geburt des Herrn, 1947; Die Erlösung. Passion, 1949; Die große Lüge. Ananias und Saphira, 1949; Bei der Arbeit an den Klosterneuburger Scheiben (Gedichtzyklus) 1950; Dichtung der Gegenwart (hg. gem. m. A. Weikert) 1950f.; Österreichische Trilogie, 1950; Der Turm der Welt (Ep.) 1951; Die große Entscheidung (Dr.) 1954; Das Land der singenden Hügel (Rom.) 1954; Die ungetreuen Pächter. Ein Gleichnisspiel, 1954; Die Weltreise eines Innsbrucker Schneidergesellen vor hundert Jahren. Franz Obrist. Neu aufgeschrieben und herausgegeben, 1955; Lobgesang auf unsere Zeit. Eine Auswahl neuer Gedichte, 1956; Der Büßer (eingel. v. O. M. Fontana m. Bibliogr.) 1956; Zwischen den Zeiten. Eine Auswahl aus dem Gesamtwerk. Ausgabe zum sechzigsten Geburtstag des Dichters, 1957; Österreich, 1958; Die Nachzügler (Rom.) 1961; Der geschlossene Kreis (Ged.) 1964; Der Kartonismus. Ein satirischer Roman, 1965; Wohin mit den Scherben? (Rom.) 1979.

Literatur: HdG 1,295; 3,66; Theater-Lex. 1, 759; Albrecht-Dahlke 2/2,717. – J. Eschbach, ~. D. dichter. Werk im Rahmen d. Zeit u. d. Grundzüge d. Dichterischen, 1945; E. Winkler, D. Dichter d. Zeit (Jb. d. Furche) 1947; J. Bithell, ~ u. s. Werk (in: Freude an Büchern. Monatsh. f. Weltlit. 4) 1953; Ders., ~ and the New Austrian Literature (in: GLL 6) 1952/53; V. Suchy, ~, öst. Staatspreisträger f. Dichtung (in: Die Kultur 2) 1953/54; R. Mülher, «Uns aber wird das Wort zum Weltgericht»! Gedanken z. Werke v. ~ (in: Wort in d. Zeit 1) 1955; P. Wimmer, ~ z. 60. Geb.tag (in: Wort u. Wahrheit 12) 1957; G. Busch, Weltoffenheit u. Selbstbesinnung. D. öst. Dichter ~ (in: Begegnung. Zs. f. Kultur u. Geistesleben 14, 1959); V. Suchy, Kathol. Realist zw. d. Zeiten (in: WW 17) 1962; Ders., Dichter zwischen den Zeiten. Zum Geburtstag von ~ (in: ÖGL 6) 1962; I. Letzner, D. Bedeutung d. «Wortes» im poet. Werk v. ~. E. Unters. d. Wortauffassung d. Dichters in s. Lyrik u. s. Epos (Diss. Graz) 1966; H. Vogelsang, ~' dichter. Werk (in: ÖGL 11) 1967.　　IB

Henze, Anton, * 25.9.1913 Hohehaus/Westf.; Dr. phil., Kulturkorrespondent, mehrere ital. Auszeichnungen, wohnt in Rom. Erz., Verf. v. Biogr. u. Theaterkritiker.

Schriften (Ausw.): Le Corbusier (Biogr.) 1957; P. Picasso (Biogr.) 1959; Das große Konzilienbuch. Essays über die Konzilsstädte, 1962; Reclams Kunstführer: Rom und Latium, 1962; Das christliche Thema in der modernen Malerei, 1965; E. G. Hansing (Monogr.) 1976.　　IB

Henze, Clemens Maria, * 15.3.1880 Repe b. Helden/Westf.; Dr. iur., Redemptoristen-Priester im Collegium Josephinum in Bonn, dann in Rom.

Schriften (Ausw.): Die Redemptoristinnen. Zur zweiten Jahrhundertfeier der Gründung des Ordens, 1931; Lukas, der Muttergottesmaler. Ein Beitrag zur Kenntnis des christlichen Orients, 1948; Lourdes. Quellenmäßige Geschichte der Erscheinungen und der Gnadenstätte, 1950; Anna Katharina Emmerich schaut Maria. Gesichte über Heimgang und Himmelfahrt Unserer Lieben Frau im Rahmen der Zeugnisse von 15 Jahrhunderten, 1954.　　AS

Henze, Wilhelm, * 16.2.1845 Einbeck/Hannover; Sohn eines Schumachers, arbeitete in der Maßstabfabrik in Hannover, seit 1902 lebte er ebd. als Rezitator u. Schriftsteller. Plattdt. Erzähler, Humorist.

Schriften: Datt Gesundbäen. Nach einer Humoreske aus Jan und Hinnerks gesammelten Werken, 1903; Dei Appelboom. Wer hett dei Schuld? 2 plattdeutsche Vorträge, 1904; Kunrad Barnstorf als Präsedente in'n landwirtschaftlichen Verein tau Poggenhagen (plattdt. Vortrag) 1904; Wie Jobst Biebera dat Beier erfunnen het, 1904; Dei Buer as Milljonär, 1904; Dei klauken Buerjungens. – Sihet Kinners, dat es ein Geschäft (2 Vortr.) 1904; Kristoffel Eike vor Gericht, 1904; Dat Gooseäten. Nach einem Göttinger Original umgearbeitet und ins Plattdeutsche übertragen, 1904; Hochdeutsch und Plattdeutsch. Soloscene mit Gesang, 1904; Krischan Stümpel iut Brünjehiusen bie'n Fürsten Bismarck, 1904; Eine Tell-Parodie in verschiedenen Variationen, 1904; Johann Knaak iut Warmbeuken. Seene Erlebnisse in der Residenzstadt Hannover, 1905; Madame Pinkerten aus Berlin, 1905; Pinneberg als Delegierter, 1905; Der waise Rabbi. Humoreske, 1906; Wee Kunrad Bartels ut Lütjen-Baukholte dat Scheitepulwer erfunnen hat, 1907: Jehann Drömel. Na'n ollen Döneken, 1907; Dei Weenreisende un dei Wülwe. Nach Wilhelm Schröder, 1907; Ut' ner olen Stadt. Einbecker Erinnerungen, 1908; Knartje in dei Knartjen, 1908; Stoffel Strohkopp as Rekrute, 1909; Humoristische plattdeutsche und Dialekt-Vorträge, 1909 (3., verm. Aufl. 1912); Volkshumor, vertellt, 2 H., 1910; Andreis Unverzagt un dei engelsche Boxer, 1910; Das nee'e Plaster, 1910; Die Notbremse, 1910; Dei Näsenhandel, 1910; Dei Koornsäcke, 1910; Dei Duiwel in Pattjehagen, 1910; Lögen-Meier, 1912; Schriften, 5 Bde., 1925–30.   AS

Henzen, Walter, * 5.11.1895 Brig/Kt. Wallis, † 31.8.1967 Bern; Dr. phil. (Zürich), 1933 Privatdoz. in Freiburg/Schweiz, 1945 a.o.Prof. in Freiburg u. Bern, seit 1946 o.-öffentl. Prof. in Bern. Mit-Hg. v. «Sprache u. Dg. Forsch. z. Sprach- u. Lit.wiss.» (seit 1949) u. d. «Bibl. Germanica» (seit 1951).

Schriften: Die deutsche Freiburger Mundart ..., 1927; Schriftsprache und Mundarten ..., 1938 (2., neubearb. Aufl. 1954); J. C. Mörikofers Ansichten über Sprache und nationale Eigenart in der deutschen Schweiz, 1939; Deutsche Wortbildung, 1947 (2., verb. Aufl. 1957; 3., durchges. u. erg. Aufl. 1965); Die Bezeichnung von Richtung und Gegenrichtung im Deutschen ..., 1969.

Literatur: Philologia Deutsch. FS z. 70. Geb.tag v. ~ (hg. W. KOHLSCHMIDT, P. ZINSLI) 1965; P. ZINSLI, In memoriam ~ (in: Zs. f. Mundartforsch. 35) 1968.   RM

Henzen, Wilhelm (Ps. Fritz v. Sakken), * 30. 11.1850 Bremen, † 11.9.1910 Leipzig; studierte in Jena u. Leipzig, Dr. phil., Dramaturg d. Stadttheaters in Leipzig, 1877–80 Leiter d. «Dramaturg. Bl.», Vorwiegend Dramatiker.

Schriften: Die Kypseliden (Tr.) 1874 (2. vielfach umgearb. Ausg. 1877); Bettina de Monk, ein modernes Schauspiel, 1881; Anbetung der Hirten (Weihnachtssp.) 1881; Die Geißel (Lustsp.) 1882; Die Pfalzgräfin (Schausp.) 1882; Martin Luther. Reformationsdrama, 1883; Ulrich von Hutten. Reformationsdrama, 1884; Deutsche Studenten. Ein patriotisches Spiel, 1887; Konrad von Wettin (hist. Dr.) 1888; Über die

Träume in der altnordischen Sagalitteratur, 1890; Schiller und Lotte (Lustsp.) 1890; Die heilige Elisabeth (Dr.) 1891; Deutsche Bürger. Volksbühnenspiel, 1892; Suggestion (Dr.) 1893; Der Tod des Tiberius. Drama in einem Akt mit teilweiser Benutzung der gleichnamigen Geibel'-schen Ballade, 1895; Faust in Bremen. Festspiel zum fünfundsiebzigsten Stiftungsfest des Bremer Primarvereines, 1897; Savitri. Drama mit Vorspiel: Im Todtenreiche, 1898; Veste Coburg (Volksst.) 1899; Kaiser, König und Bürger (Dr.) 1900; Der neue Frühling. Farbenfestspiel zum Fest in Roth, 1901; Mutter und Kind (Schausp.) 1901; Kleist, Amphitryon (Neubearb.) 1903; Im Escorial. Spanische Hofkomödie, 1905; Schillers Todesfeier. Festspiel zum einhundertjährigen Todestage Friedrich von Schiller, 1905; Gedächtnisrede auf H. Bulthaupt, 1905; Menschenopfer (Dr.) 1906; Hebbels Judith und Schillers Jungfrau, 1907; Turnvater Jahn (Festsp.) 1908; Großfriedrichsburg. Ein deutsches Kolonial-Festspiel, 1908; Vater Jahn. Turnfestspiel, 1909.

Literatur: Theater-Lex. 1,759.   IB

Henzinger, Luise (Ps. Perfuchser Spatz), * 15. 11.1902 Landeck/Tirol; Lehrerin, Mundartdichterin.

Schriften: Der Spotz vom Oberlond. Tiroler Mundartgedichte, 1959.   IB

Hepding, (Johann) Konrad, * 1.9.1820 Merkenfritz/Oberhessen, † 22.6.1888 Langen/Offenbach; Seminarbesuch in Friedberg, Lehrer in Usenborn u. seit 1875 in Langen.

Schriften: Uff'm Frankfurter Weg. Drollige Gespräche zwischen zwa Weibsleut' (mit G.H. W. Werner) 1863; Poetisches Allerlei (Ged.) 1879.   RM

Hephästion → Gehler, Johann Samuel Traugott.

Hepidan, Hepidan(n)us, Hepixannus→Herimann von St. Gallen.

Hepke, Marian (Ps. Ferdinand Valerius), * 17. 11.1902 Ludwigsberg; Chefred., wohnt in Münster, Verf. v. Reise- u. Tiergeschichten.

Schriften: Polesische Reise. Bilder von einer Fahrt durch Europas größtes Sumpfgebiet, 1933; Bialowiez, letzter Urwald in Europa, 1934; Durch Podolien ins Huzulenland, 1934; Wilno, Stadt zwischen Ost und West, 1935; Sandomir,

Polens zukünftiges Industrierevier, 1937; Lemberg, heitere Stadt, 1938; Krong, der Kolkrabe, 1965.   IB

Hepler, Adelheid, * 10. 11. 1914 Wien, Beamtin i. R., wohnt in Perchtoldsdorf.

Schriften: Die Welt, in der wir leben (Ged.) 1968.   IB

Hepner, Clara (Ps. f. Clara Muschner, geb. Hepner) * 9. 12. 1860 Görlitz; lebte als Jugendschriftst. in München.

Schriften: Sonnenscheinchens erste Reise. Märchen und Erzählungen für Klein und Groß, 1906; Neue Märchen, 1908; Der Himmelswagen. Eine Komödie für kleine und große Leute in vier Akten, 1909; Hundert neue Tiergeschichten, 1910; Indische Fabeln. Bodhisattava, dem Weisen nacherzählt, 1914; Auf der Kuckuckswiese, 1921; Arachne und andere Tiergeschichten, 1922; Mariannes Abenteuer mit dem Küchenvölkchen, erzählt für Mädels, die kochen wollen, 1922; Märchen-Almanach (Hg.) 1922 (1925 u. d. T.: Gulnar die Meerfrau und andere Märchen. Ein Märchen-Almanach); Was der Storch in Afrika erlebte. Märchen aus Feld, Wald und Heide nach Karl Ewald (Bearb.) 1923; M. S. Schwartz, Der Mann von Geburt und die Frau aus dem Volke (Rom., bearb.) 1923; Frauen des Morgenlandes. Die schönsten Liebesgeschichten aus 1001 Nacht (Bearb.) 1924; Seine letzte Nuß. Neue Tiergeschichten, 1926; Lux, der Leithund und andere Tiergeschichten, 1926; Das Wichtl und andere Märchen aus der Zeit nach Grimm, 1927; Rudi, Rosel und Reiß, der Hund. Abenteuerliche Ferienerlebnisse, 1932; Der bestrafte Spatz und viele andere Tiergeschichten, 1935.   AS

Hepp, Carl (Ps. Pater Profundus) * 28. 3. 1841 Koblenz, † 23. 5. 1912 Darmstadt; Kaufmännischer Beruf, seit 1888 freier Schriftst. Erzähler.

Schriften: Tochter des Dialos (dramat. Ged.) 1873; Schillers Leben und Dichten, 1885; Weißdorn (Ged.) 1890; Renate. Eine Studentengeschichte, 1890; Gerald der Krähenhöfer (erz. Dg.) 1892; Der Dämon des Kaisers (erz. Dg.) 1892; Der Prior von San Marco (Dr.) 1898; Paracelsus (Dg.) 1907.

Nachlaß: Landes- u. Hochschulbibl. Darmstadt. – Denecke 2. Aufl.; Frels 126.

Literatur: Theater-Lex. 1, 760.   IB

Heppe, Heinrich (Ludwig Julius), * 30. 3. 1820 Kassel, † 25. 7. 1879 Marburg/Lahn; 1844 Dr. phil., 1845 Lic. theol., 1850 a. o. u. 1864 o. Prof. in Marburg, Gegner August Vilmars, Gründer d. Diakonissenhauses in Treysa (heute in Kassel). Wegbereiter d. sog. Marburger Liberalismus.

Schriften (Ausw.): Geschichte der hessischen Generalsynode, 2 Bde., 1847; Geschichte des deutschen Protestantismus 1555–81, 4 Bde., 1853–59; Dogmatik der evangelisch-reformierten Kirche, 1861 (Neudr. ³1958, mit hist. Einl. v. E. Bizer); Geschichte des Pietismus und der Mystik in der reformierten Kirche, 1879; Christliche Ethik (hg. A. Kuhnert) 1882.

Literatur: ADB 16, 785; NDB 8, 570; RGG ³3, 226; RE 7, 687. – W. D. WOLFF, E. C. RANKE, Z. Erinn. an ∼, 1879; E. BIZER, ∼ (in: Lbb. aus Kurhessen u. Waldeck 6) 1958 (mit Bibliogr.)   RM

Hepperger von Tirschtenberg und Hoffensthal, Hans (Ps. Hans von Hoffensthal), * 16. 8. 1877 Maria-Himmelfahrt b. Bozen, † 9. 12. 1914 ebd.; Dr. med., Neurologe, als Arzt in Wien u. Innsbruck, seit 1905 in Bozen. Erzähler.

Schriften: Maria-Himmelfahrt (Rom.) 1905; Helene Laasen (Rom.) 1906; Das Buch vom Jäger Mart (Rom.) 1908; Lori Graff (Rom.) 1909; Hildegard Ruhs Haus (Nov.) 1910; Das dritte Licht (Rom.) 1911; Marion Flora (Rom.) 1914; Moj (Rom.) 1914; Das Herz im Walde, 1915.

Literatur: ÖBL 2, 276. – D. STEINEGGER, ∼ (Diss. Innsbruck) 1936.   IB

Heppner, Walther (Ps. Ina Linden, Uta von Holt), * 25. 5. 1896, † um 1963; Kammer- u. Opernsänger. Verf. v. Rom., vorwiegend Frauenromanen.

Schriften: Sünderin aus Liebe, 1953; Schuld war die Liebe, 1954; Erfüllte Sehnsucht, 1954; Triumph des Herzens, 1954; Das Erbe von Schloß Windsleben, 1954; Herz auf Irrwegen, 1954; Herzen finden sich, 1954; Liebe blüht an allen Wegen, 1954; Liebe am Meeresstrand, 1954; Am Ende wartet das Glück, 1954; Wenn der Vater mit dem Sohne. Heiterer Roman, 1955; Einmal leuchten Liebe und Glück, 1955; Glück in der Heide, 1955; Das Glück der Heimat, 1955; Lodernde Herzen, 1955; Lügen haben kurze Beine. ... Heiterer Roman, 1955; Das

Glück vom Brinkenhof, 1956; Verratene Liebe, 1956; Direktor Nasemann und die Frauen. Heiterer Roman, 1956; Die Liebe auf Schloß Brandenfels, 1957.   IB

Her, A. → Herwarth von Bittenfeld, Agnes.

Heraclius, 10./11.–12.Jh., wahrsch. Mönch, Verf. d. kompilator. Schr. «De coloribus et artibus Romanorum pars metrica et prosaica» in 3 Tln., Quelle war u.a. d. «Mappa clavicula» aus d. 10.Jahrhundert.

Ausgabe: A. ILG, H., Von den Farben und Künsten der Römer, 1873; Suppl. z. 2.Tl. u. Ausz. aus d. 1.Tl. bei J.C. RICHARDS (in: Speculum 15) 1940.

Literatur: J. v. SCHLOSSER, D. Kunstlit., 1924; P.E. SCHRAMM, Kaiser, Rom u. Renovatio, 1929; J.C. Richards, A new manuscript of ~ (vgl. Ausg.) 1940; P. ASSION, Altdt. Fachlit., 1973.   RM

Heraeus, Karl Gustav, * 1671 Stockholm, † Ende Nov./Anfang Dez. 1725 in der Veitsch/Steiermark; studierte in Frankfurt/Oder, Gießen u. Utrecht, kehrte 1695 n. Schweden zurück, 1701 Numismatiker in Schwarzburg, 1709 in Wien. Setzte sich für e. Wiener Sprachgesellsch. ein.

Schriften: Versuch einer neuen deutschen Reimart, in einem Glückwunsche bei Sr. Röm. K. und Cathol. Maj. Caroli VI, welterfreulichem Geburtstage, anno 1713, 1713; Vermischte Nebenarbeiten, samt einer Zugabe etlicher anderwärtig von ihm verfaßten Gedichten, 1715; Gedichte und lateinische Inschriften, 1715; Inscriptiones et symbola, 1721.

Handschriften: Frels 126.

Literatur: ADB 12,15; Ersch-Gruber 2/6, 76; Adelung 2,1930; FdF 1,433. – J. v. BERGMANN, Medaillen auf berühmte u. ausgezeichnete Männer d. öst. Kaiserstaates v. 16. bis z. 19.Jh., 1844; G. PROBSZT, D. kaiserl. Antiquitäten-Inspektor ~ als Gewerke in d. Veitsch (in: Zs. d. Hist. Ver. f. Steiermark 57) 1966.   IB

Heralth, Edith → Bitter, Edith von.

Herault (von Hautcharmoy), Ange von, * 30. 7.1872 Leobschütz/Oberschles.; lebte in Neudeck/Oberschles. u. seit 1896 in Breslau.

Schriften: Licht und Schatten (Nov.) 1896; Eine gute Partie (Rom.) 1899.   RM

Herbart, August, * 1.12.1851 Wölferbütt b. Vacha/Rhön; war Lehrer in Eisenach.

Schriften: Rhönklänge in Wölferbütter Mundart, 1887.   AS

Herbart, (Johann) Friedrich, * 4.5.1776 Oldenburg, † 14.8.1841 Göttingen; 1794–97 Schüler Fichtes in Jena, Mitgl. d. «Bundes freier Männer», 1997–1800 Hauslehrer in Bern, 1802 Privatdoz. in Göttingen, 1808 Prof. f. Philos. u. Pädagogik in Königsberg, Gründer d. «Didakt. Inst.», Mitgl. u. 1811–16 Dir. d. «Wiss. Deputation», 1833 Prof. in Göttingen. Pädagoge u. Philosoph.

Ausgaben (Ausw.): Sämtliche Werke (hg. G. HARTENSTEIN) 12 Bde., 1850–52 (²1883, Erg.bd. 1893); Dass. (hg. K. KEHRBACH, O. FLÜGEL, T. FRITZSCH) 19 Bde., 1887–1912 (Neudr. 1964). – Pädagogische Schriften (hg. O. WILLMANN) 22 Bde., 1873–75; Dass. (hg. W. ASMUS) 3 Bde., 1964 f. – Hauslehrerberichte und pädagogische Korrespondenz 1797–1807 (hg. W. KLAFKI) 1966; Kleinere Abhandlungen zur Psychologie, Amsterdam 1969 (Nachdr. d. Ausg. v. 1811–40).

Bibliographie: H. ZIMMER, Führer durch die H.-Literatur 1910; J.N. SCHMITZ, ~-Bibliogr. 1842–1963, 1964; W. ASMUS (vgl. Ausg.). – Chronol. Verz. d. Schr. H.s im 12.Bd. d. Hartenstein-Ausgabe.

Nachlaß: Briefe in d. Univ.bibl. Leipzig. – Nachlässe DDR III, Nr. 196 b.

Literatur: ADB 12,17; NDB 8,572; BWG 1, 111. – T. FRITZSCH, ~s Leben u. Lehre, 1921; H. DÖPP-VORWALD, Aus ~s Jugendschr., 1955; A. BRÜCKMANN, Pädagog. u. philos. Denken bei ~, 1961; B. SCHWENK, D. ~-Verständnis d. Herbartianer, 1963; W. ASMUS, ~, e. pädagog. Biogr., 2 Tle., 1968–69; J. KÜHNE, D. Begriff d. Bildsamkeit u. d. Begründung d. Ethik bei ~, 1976.   RM

Herbatschek, Heinrich, * 10.9.1877 Wsetin/Mähren; studierte in Wien Jus, Dr. iur., Rechtsanwalt ebd. Übers. Vrchlickys, Machars u.a., Erzähler.

Schriften (außer jurist.): Aus dem Bildersaal eines verkannten Kulturvolkes, 1909; Der Gottsfopper und andere. Kleine Erzählungen aus großer Zeit, 1915; Unser Seelenleben im Völkerkriege. Ethische Betrachtungen, 1915; Ist die Liebe tot? 1921; Skizzenbuch, 1929; Iustutia lacht! Eine Sammlung heiterer Dinge aus dem

Rechts- und Anwaltsleben, 1930; Schicksal und Zukunft unserer Jugend, 1931.   IB

Herbeck, Joseph, * 20.11.1854 Lauingen/Schwaben; Dr. med., war Arzt an versch. Orten, u.a. in Schönsee/Oberpfalz; publizierte Nov. u. lit.hist. Arbeiten in Zeitungen.
Schriften: Weltferne Geschichten, 1907.   AS

Herbener-Sprecher, Ines, * 19.12.1934; Grafikerin, Kunstgewerblerin, lebt in Basel.
Schriften: Grenzland (Ged., lyr. Essays) 1968.
          AS

Herber, Johann Georg, * 30.1.1763 Winkel/Rheingau, † 11.3.1833 Eltville; n. jurist. Stud. seit 1785 im Dienst d. Kurfürsten v. Mainz, 1808 Justizamtmann u. Justizrat in Eltville, 1815 Entlassung, 1819 Präs. d. nassau. Deputiertenkammer, 1824 Geh. Rat, 1832 wegen e. Denkschr. (gedr. als Beil. z. Hanauer Ztg.) z. 3 Jahren Festungshaft verurteilt.
Schriften: Die alte und die neue Zeit und was an jeder unser Lob oder unsern Tadel zu verdienen scheint, 1827; Der Domänenstreit im Herzogthum Nassau, 1831.
Literatur: NDB 8,576.   RM

Herberger, Valerius, * 21.4.1562 Fraustadt/Polen, † 18.5.1627 ebd.; studierte Theol. in Frankfurt/Oder u. Leipzig, Lehrer u. Prediger in Fraustadt. Dichter geistl. Lieder, darunter auch «Valet will ich Dir geben, du arge falsche Welt», 1613.
Schriften: Magnalia dei, de Iesu scripturae nucleo et medulla ..., 12 Thle., 1601–1618; Der Erste Theil Der Geistlichen Trawrbinden ... 7 Thle., 1608–1621; Gloria Lutheri et Evangelicorum. Deß seligen Herrn D. Lutheri ... Ehrenkrone, 3 Bl., 1609; Deliciae nominis Quasimodogenitorum dei patris filiorum. Die hertzliche süssigkeit des Namens der Kinder Gottes ... 5 Bl., 1610; Herzgrund quille in Mund S. Pauli und aller frommen Christen ... 4 Bl., 1610; Das Himlische Jerusalem aller rechtgleubigen Christen ... 6 Bl., 1610; Jungfraw Kräntzlin, Aus dem schönen Sprüchlin Apoc. 14 ... 40 Bl., 1610; Das geistliche Wasserkrüglin der Samaritischen Frawen ... 5 Bl., 1610; Das Newe Himlische Jerusalem aller andechtigen Himmelkinder ... 4 Bl., 1611 (verm. u. verb. Neuauflg. u. d. T.: Außerlesenen absonderliche Schrifften, Als: Das Neue Himlische Jerusalem ... Verbessert und ver-

mehrt, mit Verdeutschung des Lateins ... 8 Bl., 1667); Hertz-Postilla ... 6 Bl., 1613; Ehrliebender Frawen Hertz Glaß ... 2 Bl., 1618; Jesus omnium medicorum princeps ... Jesus Der Herr mein Artzt ... 2 Bl., 1618; Horoscopia passionis domini. Passionzeiger ... 5 Bl., 1620; De signaculo dei vivi ... Von dem Siegel des lebendigen Gottes ... 64 Bl., 1624; Hochzeitlich Blumen Feld, zugerichtet Auff den Ehrentag des Herrn Breutigams Zachariae Schüreri ... 28 Bl., 1625; Florilegium ex Paradiso Psalmorum (– Das anderer Stück Des Psalter-Paradieses. – Das dritte Stück Des Psalter Paradieses) 3 Bde., 1625–27; Epistolische Hertz-Postilla ... 2 Thle., 1693; Sirachs Hohe Weißheit- und Sitten-Schule, Oder Jesus Sirach in XCVII. Predigten deutlich erklähret ... 4 Bl., 1698; Zweiunddreißig Leichenpredigten (hg. v. K.F. LEDDERHOSE) 1854.
Handschriften: Frels 126.
Literatur: ADB 12,28; NDB 8,576; Jöcher 2, 1520; RE 7,695f.; Schottenloher 1,337; Goedeke 2,198; FdF 1,24. – S.F. LAUTERBACH, Vita, fama et fata Valerii Herbergeri. D. merkwürdige Leben ... ~s, 2 Tle., 1708; A. HENSCHEL, ~ (in: Schriften f. d. dt. Volk 4) 1889; K.F. LEDDERHOSE, Leben ~'s, Predigers am Kripplein Christi in Fraustadt in Polen, 1851; ORPHAL, ~. Ausgew. Predigten mit e. einleitenden Monographie, 1892; HARDELAND, Zu ~s Gedächtnis (in: D. alte Glaube 13) 1912; F. LÜDTKE, u. W. BICKERICH, ~ u. s. Zeit. Z. 300. Wiederkehr s. Todestages (in: Quellen u. Forsch. zur Heimatkde. d. Fraustädter Ländchens 1) 1927; F. DITTMANN, ~, d. «kleine Luther des Ostens» (in: D. Schlesier 4) 1952.   IB

Herberich, Joseph, * 17.11.1875 Filippsdorf/Böhmen; Sohn armer Eltern, arbeitete in e. Fabrik, wurde später Red. d. Ztg. «D. Niederland» in Georgswalde. Verf. v. Schauspielen, meist ungedruckt.
Schriften: Thusnelda, die Tochter des Blinden, 1906; Die Heldin der Vendée, 1907; Belohntes Vertrauen oder St. Joseph hilft in jeder Not, 1907; Karen oder Die Heimkehr des Lotsen, 1907; Das Kleeblatt der Klügsten, 1907; Die Doppelehe, 1909.
Literatur: Theater-Lex. 1,760.   AS

Herbermann, Nanda, * 29.12.1903 Münster; Red., wohnt in München. Verf. v. Jgdb., Erzählerin.

Schriften: Der gesegnete Abgrund. Schutzhäftling Nr. 6582 im Frauenkonzentrationslager Ravensbrück, 1946; In memoriam P. Friedrich Muckermann S. J. Gedenkbuch, 1948; Was Liebe erträgt (Rom.) 1949; ... Deine Angelika. Briefe an Niemand, 1962.   IB

Herbers, Gottfried, * 25.2.1863; war Pfarrer in Duisburg.

Schriften: Paul Asphe. Historische Erzählung aus der Vergangenheit Westfalens, 1898 (neue Ausg. u. d. T.: Der Mönch vom Kloster Grafschaft, 1902).   AS

Herberstein, Siegmund Freiherr von, * 23.8. 1486 Schloß Wippach/Krain, † 28.3.1566 Wien; als Gesandter besuchte er fast ganz Europa, Staatsmann u. Gelehrter. S. Bericht über s. beiden Rußlandreisen erlebte noch im 16. Jh. 10 lat. u. 7 dt. Auflagen.

Schriften: Rerum Moscoviticarum Commentarii, (lat.) 1549, (dt.) 1557; (1556, Basel: vollständige Ausgabe, mit Abhandlungen über den griechischen Glauben und Nachrichten über die Kriege Rußlands mit den Nachbarvölkern); Selbstbiographie (hg. v. KOVACHICH, 1805; neu hg. u. bekanntgemacht v. KARAJAN in: Sb. d. kaiserl. Akad. d. Wiss. in Wien, phil. hist. Klasse = Fontes rerum Austriacum I, 1 1855).

Literatur: ADB 12,35; NDB 8,579; BWG 1, 1114; Wurzbach 8,342; Jöcher 2,1522; Ersch-Gruber 2/6, 110; Schottenloher 1,337; 7,94; Albrecht-Dahlke 1,840; 2/2,990. – C. ADELUNG, ~, mit besonderer Rücksicht auf s. Reisen in Rußland geschildert, 1818; A. NEHRING, Über ~ u. Hirsfogel. Beitr. z. Kenntnis ihres Lebens u. ihrer Werke (mit Werkverz.) 1897; H. M. D. PUNZENGRUBER, D. Moskoviter, vornehml. d. 16. Jh. im Spiegel d. Reisebeschreibungen (Diss. Innsbruck) 1949; G. STÖCKL, «Rerum Moscoviticarum», Werk d. ~, 1549 (in: Wort und Wahrheit 4) 1949; E. DONNERT, ~ (in: WZ d. Univ. Jena, Sprachwiss. Reihe 7) 1957/58; A. v. ISAČENKO, Herbersteiniana. I ~s Rußlandbericht u. d. russ. Sprache d. 16. Jh. II E. Moskowiterbuch u. s. Bedeutung f. d. russ. hist. Lexikographie (in: Zs. f. Slavistik 2) 1957; R. FEDERMANN, Popen u. Bojaren. ~s Mission, 1963; B. PICARD, D. öst. u. osteurop. Gesandtschaftswesen d. 16. Jh. unters. an ~, 1967.   IB

Herbert → Doll, Herbert Gerhard.

Herbert, Johanna → Fels, Egon.

Herbert, Lucian → Gundling, Julius.

Herbert, M. (Ps. f. Therese Keiter, geb. Kellner), * 20.6.1859 Melsungen, † 5.4.1925 Regensburg. Erz. u. Lyrikerin.

Schriften: Miß Edda Brown (Erz.) 1882; Das Kind seines Herzens (Rom.) 1884; Jagd nach dem Glück, 1885; Kinder der Zeit und andere Novellen, 1886; Gemischte Gesellschaft (Nov.) 1888; Baalsopfer (Nov.) 1893; Aphorismen, 1895; Aglaë. Novelle aus dem vierten christlichen Jahrhundert, 1897; Frauennovellen, 1897; Herr Nathanael Weißmann, 1899; Die Rache der Jugend und andere Novellen, 1899; Geistliche und weltliche Gedichte, 1899; Nach dem Tode, 1899; Aus dem Buche des Lebens (Nov.) 1900; Marianne Fiedler. – Eva. – Leben und Liebe, 1900; Alessandro Botticelli. Ein Künstlerleben, 1901; Einkehr. Neue Gedichte, 1902; Von unmodernen Frauen (Nov.) 1902; Dagmars Glück und andere Novellen, 1903; Flüchtiges Glück (Erz.) 1903; Einsamkeiten (Ged.) 1903; Der schöne Ferdinand (Nov.) 1904; Unlöschbare Schrift und andere Novellen, 1904; Ein Buch von der Güte (Nov.) 1904; Oberpfälzische Geschichten, 1904; Briefe einer Häßlichen und allerhand anderes (Nov.) 1905; Ohne Steuer (Rom.) 1905; Vom Leben und Sterben (Nov.) 1905; Dr. Sörrensen (Rom.) 1906; Vittoria Colonna. Ein Lebensbild aus der Zeit der Hochrenaissance, 1907; Aus unseren Tagen, 1908; Lebenslieder, 1908; Lebensausschnitte, 1909; Die Wenderots (Rom.) 1909; Confiteor, 1909; Idealisten (Rom.) 1910; Michel-Angelo-Geschichten. Das Buch des Balthasar Brassin, 1910; Jakob im Walde und andere Geschichten, 1910; Der wilde Dorneck, 1910; Heimfahrten. Lieder und Balladen, 1910; Der Weg des Michelangelo. Erzählung aus der Renaissance, 1911; Die Schicksalsstadt (Rom.) 1912; Tröstungen. Lyrische Gedichte, 1912; Ernste und heitere Geschichten, 1912; Klostergeschichten, 1912; Die Kinder des Kilian (Rom.) 1913; Hungerbäum'. Volksgeschichten, 1913; Von vieler Liebe und mancherlei Leid. Geschichte aus dem Volke und der großen Welt, 1913; Prinz Spiro Maria (Rom.) 1914; Stirb und werde (Nov.) 1914; Verborgenheiten (Ged.) 1915; Mein Kriegsbuch (Nov.) 1915; Im Kampf um Ideale (Erz.) 1916; Im Kampf um Stille (Gesch.) 1916; Lebensbeichte, 1917; Der blutige Lehrpfennig. Erzählung aus dem Leben eines Geistlichen, 1918; Das goldene Feld, 1918; O Stern und Blume, Geist und Kleid. Verse, 1918; Sanct Erhards Haupt, 1918; Himmlische und Irdische Liebe (Nov.) 1919; Erntekranz, 1919; Das Christushaupt und andere Erzählungen und Verse, 1919; Das Erbe des Lößlyn (Erz.) 1919; Anna Jakobe Puechlin (Rom.) 1920; Verleugnetes Blut (Rom.) 1921; Die Bergwiese (Nov.) 1921; Die Bartenwetzer (Rom.) 1922; Tragödie der Macht. Erzählung aus den letzten Tagen Napoleons, 1922; Gott allein genügt (Ged.) 1923; Das fremde Leben (Nov.) 1924; Gedichte (hg. v. B. Rathsam) 1961.   IB

Herbert, M. G. → Grandjean, Moritz Anton.

Herbert(us), Petrus, * um 1535 Fulneck/Mähren, † 1.10.1571 Eibenschitz; Theol.-Studium in Königsberg u. Wittenberg, 1560 Reise in d. Schweiz z. Religionsgesprächen mit Bullinger, Calvin u. Musculus, 1562 Priesterweihe u. Pfarrer in Jungbunzlau, 1568 Nachfolger J. Jeleckys in Fulneck. Übers. 1561 d. tschech. Brüderkonfession mit Crato ins Dt., Theologe u. Kirchenliederdichter d. Brüderunität.

Schriften: Kirchengeseng ... (mit M. Tham, J. Jelecky hg. u. verf.) 2 Tle., 1566 (Neuausg. 1580).

Literatur: ADB 13,263; NDB 8,582; RGG ³3,233. – P. WACKERNAGEL, D. dt. Kirchenlied 4, 1874; J. T. MÜLLER, Hymnolog. Hdb. z. Gesangbuch d. Brüdergemeine, 1916; DERS., Gesch. d. böhm. Brüder 2 u. 3, 1931; W. BAUDERT, D. Beitr. d. Brüdergemeine z. dt. Dg., 1953.   RM

Herbert, Renate → Storch, Franz.

Herbert, Wilhelm (Ps. f. Wilhelm Mayer) * 11. 12.1863 München, † 13.4.1925 München(?); Landesgerichtspräsident. Erzähler.

Schriften: Korpus delicti und andere Humoresken, 1913; Schritte hinter ihm (Rom.) 1919; Um einen Tag (Rom.) 1920; Maus und Molli. Eine Mädelgeschichte nach W. Busch, 1920; Die Sonnenstürzer und andere Geschichten, 1921; Fünfundzwanzig Bräute. Ein Schelmenroman, 1923; Spitzwegpfeiferl und andere Altmünchner Geschichten, 1923.   IB

Herbesthal, Herbert, * 27.5.1897 Einsiedel; lebte in Leipzig.

Schriften: Die Reise des Baron François (Rom.) 1925.   AS

Herbius → Greyerz, Lina von.

Herbolzheimer, Georg, * 27.11.1895 Nürnberg; Hauptlehrer i. R., wohnt in Polsingen. Verf. v. Ged. f. Kinder, sowie v. Kurzgeschichten.

Schriften: Die drei Wünsche (Freilichtsp.) 1927; Die Rübenzieher. Und ein Spiel zum Herbstbeginn, 1932; Jungvolk beim Osterhasen. Wer ist der rechte Osterhas? (2 fröhliche Spiele) 1934; Katzntischla, 1965.   IB

Herbord (von Bamberg, auch: von Michelsberg), † 27.9.1168 Bamberg; 1145 Eintritt in d. Benediktinerabtei Michelsberg b. Bamberg, Scholaster. – Verf. um 1158/59 d. «Dialogus de Ottone episcopo Bambergensi», welcher, basierend u.a. auf d. Otto-Viten d. Prüfeninger Mönchs u. Ebos v. Michelsberg, d. Gesch. Bischof Ottos I. v. Bamberg (1102–39) schildert. Größere Verbreitung fand e. kurz n. 1189 von e. anon. Bearb. hergestellte Kurzfassung.

Ausgaben: Dialogus de Ottone episcopo Bambergensi (hg. R. KÖPKE in: MG SS 20, 1868; Separat in: MG rer. Germ. 33); dass. (hg. P. JAFFE, Monumenta Bambergensia in: Bibl. rerum Germanicarum 5) 1869.

Literatur: ADB 12,42; NDB 8,587; Manitius 3,596; LThK 5,242. – J. PETERSSOHN, Apostolus Pomeranorum (in: Hist. Jb. d. Görres-Gesellsch. 86) 1966; DERS., Überl. u. urspr. Gestalt d. Kurzfass. v. ~s Otto-Vita (in: Dt. Arch. f. Gesch. d. MA 23) 1967.   RM

Herborn → Ferber, Nikolaus.

Herbort von Fritzlar (Fritslâr), * um 1180, stammte aus Fritzlar, bezeichnete sich als Schulgelehrten, wurde gefördert v. Hermann v. Thüringen u. unterhielt Beziehungen z. Dichterkreis am Thüringer Hof. – Verf. d. ältesten dt. Dg. v. Trojan. Krieg (18458 Verse). H. verweist auf d. franzöz. Platorezeption u. d. dialekt. Theol. in Paris, kennt d. Trad. d. Stoffes; unmittelbare Vorlage war d. franzöz. «Rom. de Troie» v. Benoit de Sainte-Maure. H. geht mit s. Quelle frei um, akzentuiert d. Stoff z. T. neu u. motiviert genauer. D. Darst.form ist konservativ-schwerfällig u. hebt sich damit, möglicherweise bewußt, ab v. d. elegant-höf. Epik. Überl. ist d. Trojanerkrieg in 1 Hs. u. 2 Fragm. Unbewiesen ist d. Zuschreibung d. Pilatusleg. d. 12. Jh. an Herbort.

Ausgabe: E. krit. Ausg. fehlt; diplomat. Abdr. d. Heidelberger Hs. pal. germ. 368 bei: G. K. FROMMANN, H. v. F. «liet von Troye», 1837 (Neudr. 1966).

Literatur: VL 2, 409; 5, 371; ADB 8, 117; NDB 8, 587; Ehrismann II, 2, 1, 95; de Boor-Newald 2, 49. – W. REUSS, D. dichter. Persönlichkeit ~s (Diss. Gießen) 1896; W. BRACHMANN, Z. Reimgebrauch ~s (Diss. Leipzig) 1907; G. BAESECKE, ~, Albrecht v. Halberstadt u. Heinrich v. Veldecke (in: ZfdA 50) 1908; C. H. DIEBEL, D. Formen d. Wortwiederholung bei ~, 1922/23; H. MENHARDT, ~-Stud. (in: ZfdA 65, 66, 77) 1928/29/40; R. AUERNHAMMER, D. höf. Gesellsch. bei ~, 1939; F. J. WORSTBROCK, Z. Trad. d. Troiastoffes u. s. Gestaltung bei ~ (in: ZfdA 92) 1963; T. FRINGS, Europ. Heldendg. ... (in: PBB Halle 91) 1969; F. NEUMANN, ~ (in: F. N., Kl. Schr. ...) 1969; R. B. SCHÄFER-MAULBETSCH, Stud. z. Entwicklung d. mhd. Epos ..., 2 Tle., 1972; G. P. KNAPP, Hector u. Achill: D. Rezeption d. Trojastoffes im dt. MA. Personenbild u. struktureller Wandel, 1974; R. SCHNELL, Andreas Capellanus, Heinrich v. Morungen u. ~ (in: ZfdA 104) 1975; H. LENGENFELDER, D. «Liet von Troyge» ~s. Unters. z. ep. Struktur u. gesch.-moral. Perspektive, 1975. RM

Herboth, Hartmut Berthold, * 20. 8. 1927 Mühlhausen/Thür.; wohnt in Berlin (Ost). Übersetzer aus d. Bulgarischen.

Schriften: Onkel Dentschos Ideal. Heitere Geschichten aus Bulgarien (hg.), 1965; Der Mandelzweig. Moderne bulgarische Prosa (hg.), 1969.
IB

Herbrand-Nuelen, Aenne, * 27. 6. 1899 Duisburg; Lehrerin i. R., wohnt in Kempen/Nordrhein. Verf. v. Jugenderzählungen.

Schriften: Tu auf, mein Kind! 1933 (Neubearb. u. d. T.: Der Heiland klopft an! Lebenswahre Erzählungen und Gebete, 1941); Der heilige Vinzenz von Paul, 1934; Botin der Barmherzigkeit. Die heilige Luise von Marillac, 1935; Bleib treu! (Jgdb. gem. m. H. Schwarzmann) 1938. IB

Herbst, Adolf Heinrich (auch: Joseph), * 1767 od. 1768 Ritzenbüttel b. Delmenhorst, † 14. 5. 1798 Karlsruhe/Oberschles.; seit 1788 Schau-

spieler, 1790 in Schwerin, zuletzt Leiter e. Hoftheaters d. Prinzen Eugen v. Württ. in Karlsruhe.

Schriften: Erstlinge unserer einsamen Stunden (Ged., mit J. Kirpal) 1791; Cava von Consuegra, ein Opfer der Weiberrache (Tr.) 1794; Die Ruinen von Portici (allegor. Singsp.) 1798 [eig. 1797]; Der glückliche Zufall (Lsp.) 1798; Kleine teutsche Theaterbibliothek, 1. Bd., 1798 [eig. 1797].

Literatur: Theater-Lex. 1, 761; Meusel-Hamberger 3, 231; 9, 568; Goedeke 5, 401. RM

Herbst, Daniel (Ps. f. Hans Joachim Alpers, * 14. 7. 1943 Bremerhaven u. Ronald M. Hahn, * 20. 12. 1948 Wuppertal).

Schriften: Falsche Fuffziger, 1979; Die Burg im Hochmoor, 1979. IB

Herbst, Ferdinand (später Ferdinand Ignaz), * 20. 12. 1798 Meuselwitz/Sachsen-Altenburg, * 11. 5. 1863 München; studierte als Burschenschafter in Leipzig, Jena u. Erlangen, war dann Erzieher im Hause e. Augsburger Bankiers, 1824 als früheres Mitgl. d. staatspolit. verdächtigen «Jünglingsbundes» in Altenburg zu vier Jahren Gefängnis verurteilt, 1826 begnadigt, Übersiedl. nach München, Hg. d. «Bibliothek christl. Denker», 1832 konvertiert, theol. Ausbildg. im Seminar in Freising, 1834 Priester, Prof. d. Philos., 1839 Chorvikar an St. Kajetan in München, 1840 Schulrat f. Oberbayern, 1842 Pfarrer. Hg. d. Zs. «Eos» (1834–35), Red. d. Augsburger Zs. «Sion» (1833–44) u. d. Sonntagsbl. «Glockentöne» (1851). Relig. Schriftst. u. Erzähler.

Schriften (Ausw.): Ideal und Irrtümer des akademischen Lebens in unserer Zeit oder der offene Bund für das Höchste im Menschenleben, zunächst für die deutsche studierende Jugend, 1823; Die Jugendfreunde (Rom.) 1827; Bibliothek christlicher Denker I Hamann, F. H. Jacobi 1830 – II J. K. Lavater nach seinem Leben, Lehren und Wirken dargestellt nebst einer Beilage Joh. von Müllers Christenthum; Gesammelte Urtheile über Lavater, 1832; Die Kirche und ihre Gegner in den letzten drei Jahrhunderten, 1833; Gespräche über die christliche Liebe (auch u. d. T.: Das Priesterthum) 1834; Gottesgabe. Eine Sammlung zeitgemäßer Schriften und Berichte für Religion und Kirche ..., 2 Bde., 1840; Aus dem Leben eines Priesters (anon.) 1842; Die christlichen Schulbrüder des J. B. de la Salle,

1844; Robinson der Jüngere, 1846; Lebensbilder aus der Seelsorge (gem. m. anderen) 1848; Katholische Liebe und Treue. Christliche Lebensbilder für die reife Jugend, 1853; Augsburger Denksprüche Jesu, 1858.

Literatur: ADB 12,48; Goedeke 10,405; Meusel-Hamberger 22/2,692. – S. KNOLL, ~ als Konvertit u. kathol. Pfarrer. E. Lebensbild, 1863.   IB

Herbst, Hans, * ca. 1470 (nicht in Schwabach), † 1540 Schwabach; 1507–1540 Stadtrichter in Schwabach, Anhänger Luthers, zeitweise im Gefängnis, 1526 Gründungsmitgl. e. Eisenhandelsgesellsch. – Verf. 1524/25 fünf dt. Flugschr. in Vers (Nr. 1) u. Prosa.

Ausgaben: Dem Edlen ... Wolff Christoffel von Wissenthaw genannt ... (in: J. H. v. Falckenstein, Chron. Svabacense) 1740; Eyn Brüderliche ... ermanung ... (in: J. B. Riederer, Nachr. z. Kirchen-, Gelehrten- u. Büchergesch. 3) 1766; Eyn gesprech von den gemaynen Schwabacher Kasten (in: O. Schade, Satiren u. Pasquille aus d. Reformationszeit 3) ²1863; Dorffmayster und Gemeind zu Wendelstein ... (in: J. B. Riederer, vgl. oben, 2) 1765 (dass., in: Bl. f. Bayer. Kirchengesch. 2, 1888/89); Getrewe, Christenliche ... warnung etlicher öbrigkait (Inhaltsangabe in: Zs. f. Bayer. Kirchengesch. 22) 1953.

Literatur: NDB 8,589; RGG ³3,234. – H. CLAUSS, D. Einf. d. Reformation in Schwabach 1521–30, 1917; M. SIMON, Evangel. Kirchengesch. Bayerns, ²1952; DERS., E. unbeachtete Flugschr. z. Reformationsgesch. d. Markgrafschaft Brandenburg-Ansbach (in: Zs. f. Bayer. Kirchengesch. 22) 1953.   RM

Herbst, Hans (Ps. Georg Wallentin), * 23. 1. 1880 Stettin, wohnte in Rangsdorf. Erzähler.

Schriften: Bei Krause zu Hause (Rom.) 1934; Villa Gänseklein. Ein fröhlicher Roman, 1935; Glück und Glas (Rom.) 1936; Hannemann macht alles! 1937; Mädel mit und ohne Geld, 1937; Der nackte Spatz. Lustspielroman, 1937; Werkmeister Hartwig, 1937; Bröselmann auf Brautschau. Ein eifersüchtiger Roman, 1937; Der Herr auf Wolperode, 1937; Als Verlobte empfehlen sich ...! 1938; Am Ende steht das Glück, 1939.   IB

Herbst (gen. Autumnus), Johann Andreas, * 9. 6. 1588 Nürnberg, † 24. 1. 1666 Frankfurt/M.;

Hofkapellmeister, seit 1623 Dir. musices u. Leiter d. Kirchenmusik in Frankfurt, dazw. 1636–44 in Nürnberg. Komponist u. Musiktheoretiker.

Schriften: Theatrum amoris. Newe, Teutsche, Amorosische Gesäng ... mit schönen lustigen Texten ..., 1613; Musica practica, 1642 (erw. Neuausg. 1653 u. 1658); Musica poetica, 1643; Compendium musices, 1652; Arte prattica e poetica, 1653; Gründliche Unterweisung uff jetzige Italienische Manier zu singen, o. J.

Literatur: ADB 12,50; NDB 8,592; MGG 6, 197; Goedeke 2,76. – A. ALLERUP, D. «Musica Pratica» d. ~ u. ihre entwicklungsgesch. Bed., 1931; H. H. EGGEBRECHT, Z. Wort-Ton-Verhältnis in d. «musica poetica» v. ~ (in: Kongreßber. Hamburg 1956) 1957.   RM

Herbst, Joseph, * um 1768 Ritzbüttel, † 14. 5. 1798; Dir. d. Schauspielergesellsch. d. Prinzen Eugen v. Württemberg. Dramatiker.

Schriften: Erstlinge unserer einsamen Stunden (hg. gem. m. J. Kirpal) 1791; Cava von Conseugra, ein Opfer der Weiberrache. Ein Trauerspiel in fünf Aufzügen aus der Spanischen Geschichte des elften Jahrhunderts, 1794; Der glückliche Zufall (Lsp.) 1798; Die Ruinen von Portici. Allegorisches Schauspiel, 1798.

Literatur: Goedeke 5,401; Meusel-Hamberger 3,231; 9,568; Theater-Lex. 1,761.   IB

Herbst, Kurt, * 13. 9. 1896 Charlottenburg; Lehrer. Red. d. «Zs. f. d. ländl. Fortbildungswesen in Preußen» u. d. «Dt. Dorfzeitung».

Schriften: Gedanken über Frank Wedekinds «Frühlings-Erwachen», «Erdgeist» und «Die Büchse der Pandora». Literarische Plauderei, 1920; Alle Jahre wieder. Weihnachtsklänge für Groß und Klein, 1928; Die ländliche Mädchenfortbildungsschule, 1930; Kampf um Verderb, 1937; Brot aus Bauernhand 1939.   IB

Herbst, Paula, * 5. 4. 1818 Langendorf b. Weißenfels, † 12. 9. 1883 Leipzig; n. Heirat Übersiedlung n. Leipzig. Romanschriftst. u. Erzählerin.

Schriften: Überall zu spät (Nov.) 2 Bde., 1856; Ture Horn (Fortsetzung v. «Der Einsiedler auf der Johannisklippe» v. E. Flygare-Carléns) 2 Bde., 1856; Ein gebrochenes Herz (Rom.) 3 Bde., 1857; Der Erbe (Fortsetzung v. «Das Fideicommiss» v. E. Flygare-Carléns) 3 Bde., 1857; Olga

(Fortsetzung v. «Ein launisches Weib» v. ders.) 3 Bde., 1857; Die Sühne (Fortsetzung v. «Ein Gerücht» v. ders.) 3 Bde., 1858; Eine Stiefmutter. Roman aus der Jetztzeit, 3 Bde., 1858; Die Speculanten (Rom.) 2 Bde., 1858; Doch noch! (Fortsetzung v. «Die Romanheldin» v. E. Flygare-Carléns) 3 Bde., 1859; Der Silberhut (Fortsetzung v. «Der Jungfernthurm» v. ders.) 3 Bde., 1860; Moje und Fritze (Fortsetzung v. «Der Vormund» v. ders.) 3 Bde., 1860; Der Sohn des Schmugglers (Rom.) 3 Bde., 1861; Liebe und Schuld (Rom.) 3 Bde., 1862; Der Prügeljunge (Rom.) 3 Bde., 1863; Contraste (Rom.) 3 Bde., 1863; Ein fremdes Kind (Nov.) 3 Bde., 1864; Von Altmühl nach Sonderburg und Fridericia, 4 Bde., 1864; Eglantine Anke (Nov.) 5 Bde., 1865; Stiefmütterchen (Nov.) 1869; Cabale und Liebe (Rom.) 2 Bde., 1869; Orangenblüte (Nov.) 1870; Jena und Straßburg (Nov.) 2 Bde., 1871; Heimathlos (Rom.) 3 Bde., 1872; Novellen. Schloß Fichtelstein. Glückswechsel. Arabella, 1873; Im Sturm der Zeit (Rom.) 3 Bde., 1873; Sie hat mein Herz (Rom.) 1874; Verfolgt und gerettet (Nov.) 1875; Susanne oder Treu bis in den Tod (Nov.) 1876; Treue Herzen. Eine Liebesgeschichte, 1878.   RM

Herbst, Ruth → Kirsten-Herbst, Ruth.

Herbst, Theo, * 1.5.1902 Wien; Finanzangestellter i. R., wohnt in Graz. Lyriker u. Erzähler.

Schriften: Mit gezückter Feder. Aphorismen und Epigramme, 1955; Graz. Stadt im Grünen, 1965.   IB

Herbst, Wilhelm, * 8.11.1825 Wetzlar, * 21.12.1882 Halle/Saale; vorerst Gymnasiallehrer in versch. Orten, später Gymnasialdir., seit 1880 Prof. f. Pädagogik in Halle. Begründer d. Gothaer «Dt. Literaturbl.» (1878). Literarhistoriker.

Schriften: M. Claudius, der Wandsbecker Bote. Ein Lebensbild, 1857 (2., neu bearb. Aufl. 1857, in d. Folge mehrere verm. u. veränderte Aufl.); Friedrichs des Großen Antimacchiavel, ein Spiegel seiner Regierungsgrundsätze und seines Charakters, 1865; Karl G. Heiland. Ein Lebensbild., 1869; J.H. Voß, 3 Bde., 1872–76; Goethe in Wetzlar. Vier Monate aus des Dichters Jugendleben, 1881; Enzyklopädie der neueren Geschichte, 5 Bde., 1882–1890.

Literatur: ADB 50, 218. – R. KÖGEL, Z. Erinnerung an ~ (in: Daheim) 1884; DERS., Ein Künstlerabend in Dresden. (in: Neue Christoterpe) 1886.   IB

Herbstenberger, Toni → Bossi-Fedrigotti von Ochsenfeld, Anton Graf.

Herburger, Günter, * 6.4.1932 Isny/Allgäu; studierte Lit.- u. Theaterwiss., Soziologie, Philos. u. Sanskrit in München u. Paris. Übte dann in versch. Ländern die unterschiedlichsten Berufe aus. Rückkehr nach Dtl., Fernsehred., heute freier Schriftst. in München. Berliner Kunstpreis – Preis Junge Generation 1965, Literaturpreis der Freien Hansestadt Bremen 1973. Erz., Lyriker., Verf. v. Hörsp. sowie Filmen.

Schriften: Eine gleichmäßige Landschaft. (Erz.) 1964; Ventile (Ged.) 1966; Die Messe (Rom.) 1969; Training (Ged.) 1969; Jesus in Osaka (Rom.) 1970; Birne kann alles. Sechsundzwanzig Abenteuergeschichten für Kinder, 1971; Die Eroberung der Zitadelle. (Erz.) 1972; Helmut in der Stadt. Erzählung für Kinder, 1972; Die amerikanische Tochter. Gedichte. Aufsätze. Hörspiel. Erzählung, Film, 1973; Operette (Ged.) 1973; Hauptlehrer Hofer. Zwei Erzählungen mit einem Nachwort des Autors, 1975; Birne brennt durch. Sechsundzwanzig Abenteuergeschichten für Kinder und Erwachsene, 1975; Ziele (Ged.) 1977; Flug ins Herz, 2 Bde. (Rom.) 1977; Orchidee (Ged.) 1979.

Literatur: KLG; Albrecht-Dahlke 2/2, 298. – A. SCHIELE, Rollenprosa «Eine gleichmäßige Landschaft» (in: Der Monat 197) 1965; Y. KARSUNKE, Belanglose Belletristik. Undogmatisches über ~ (in: Kürbiskern 2) 1968; H. VORMWEG, E. unvollendeter Rom. ‹Die Messe› (in: Merkur 23) 1969; J.P. WALLMANN, ~ ‹Die Messe› (in: NDH 3) 1969; J. DREWS, ~s Trauma. ‹Die Eroberung der Zitadelle› (in: Merkur 27) 1973; H. VORMWEG, Revolutionärer Wille u. bürgerl. Existenz. D. Erz. ~ (in: Akzente) 1973; U. REINHOLD, Interview mit ~ (in: WB 12) 1976; DIES., Kritik u. Utopie in d. Prosa ~s (in: ebd.); E. HÖGEMANN-LEDWOHN, D. Aufschwung z. Handeln. Zu ~s ‹Flug ins Herz› (in: Kürbiskern) 1978.   IB

Herchenbach, Fanny, * 15.1.1889 Düsseldorf; wohnt in Büderich-Meererbusch/Düsseldorf. Verf. v. Jugendbüchern.

Schriften: Föbbchen, der alte Regenschirm und ich. Bilder aus einem Frauenleben. Erzählt für unsere weibliche Jugend, 1947; Der Ruhlandskinder neue Heimat. Eine Erzählung aus unseren Tagen für junge Mädchen, 1948.   IB

Herchenbach, Wilhelm, * 13.11.1818 Neukirchen/Rheinld., † 16.12.1889 Düsseldorf; Lehrer in Pempelfort b. Düsseldorf, 1850 Begründer e. Knabenerziehungsinstitutes mit Internat, 1849 Stadtverordneter. Volks- u. Jugendschriftsteller.

Schriften (ohne Schulbücher): Kinderlieder. Ein Geschenk für brave Kinder, zum Gebrauch in Schule und Haus, 1852; Erzählungen für Volk und Jugend, 1865–67; Deutscher Geist und deutsches Schwert. Drei Kriegsjahre gegen fremde Unterdrückung, 1866; Ritter Ernst von Gleichen und seine beiden Frauen. Eine Sage aus den Zeiten der Kreuzzüge, 1866; In's Herz getroffen. Geschichte eines Landwehrmannes im Kriege von 1866, 1866; Die Jungfrau vom Drachenfels, 1866; Der Klabautermann. Ein Seegespenst, 1866; Hans Kohlhase oder: Die Rache ist mein, ich will vergelten, spricht der Herr. Eine wahre Geschichte, 1866; Die letzten Lebenstage der unglücklichen Königin Marie Antoinette, 1866; Mathilde, die wahrhaft königliche Frau und Deutschland's Mutter. Ihre Kinder und Enkel, 1866; Rübezahl, der Berggeist in dem Riesengebirge, 1866; Die Sage von der Lurlei, 1866; Der Seeräuber, 1866; Der gehörnte Siegfried, der Drachentödter, 1866; Zar Ivan Wassiljewitsch, der Schreckliche, 1867; Vagabonden-Leben, 1867; Kaiserkrone und Herzogshut, 1867; Das Diamant-Kreuz der Erdrosselten, 1868; Die unverhoffte Erbschaft, 1868; Ein untergegangenes Grafengeschlecht, 1868; Ewald Moor, der Schiffsjunge, 1868; Ein geheimnißvoller Mord, 1868; Aus Oncle Nabor's Tagebuch. Die Geschichte eines Flüchtlings, 1868; Die Perlenfischer im rothen Meer, 1868; Der Sclavenhändler von Benguela, 1868; Durch die nubische Wüste nach Karthum, 1868; Ein Weißer unter den Wilden Afrika's, 1869; Wanda, die Zigeunerfürstin, 1869; Die Sühne des Verbrechers, 1869; Das versunkene Schloß, 1869; Rosa, die Königin der wilden Goajiros-Indianer, 1869; Der Millionär und der Straßenkehrer (2. Aufl.) 1869; Aus dem Lande der Kabylen, 1869; Der rothe Kapitain, der Pirat und Sclavenhändler, 1869; Die beiden Handwerksburschen, oder Gauner und

brave Leute, 1869; Die Goldgräber, 1869; Glückswechsel, 1869; Die Geisterburg, 1869; Das christliche Festjahr, 1869; Engelbert der Heilige, 1869; Die Elenden, 1869; Dora, die Helferin, der Engel von Ellritz, 1869; Das Büchlein vom Papste Pius IX. Zur Bekehrung für Jung und Alt dargebracht beim fünfzigjährigen Priesterjubiläum, 1869; Bruno und Lucy, oder: die Wege des Herrn sind wunderbar, 1869; Der Besuch vom Mississippi, 1869; König Almarich von Jerusalem und die beiden Pilger, 1869; Agnes Bernauer, die Tochter des Baders, Herzogin von Baiern, 1870; Eine lange Buße für eine schnelle That, 1870; Aus der Finsterniß zum Lichte, 1870; Der Gaißbub, 1870; Paul Knacker oder die Folgen einer schlechten Erziehung, 1870; Verschiedene Lebenswege. Eine Verbrechergeschichte, 1870; Maximilian, der unglückliche Kaiser von Mexico, 1870; Moorhannes und die Waisenkinder, 1870; Die Pächter vom Moorhofe, 1870; Roland und Hildegunde. Die Sage von Rolandseck, 1870; Der Schwanenritter von Cleve. Eine niederrheinische Volkssage, 1870; Der Sohn vom Eisenhammer, 1870; Von Stufe zu Stufe, 1870; Kaiser Theodorus, der Beherrscher von Abessinien und Aethiopien, 1870; Toussaint l'Ouverture, der schwarze Negerfürst auf St. Domingo, 1870; Urwaldhaus, 1870; Die Wildschützen, 1870; Aus dem Wunderlande Mexico, 1870; Die Hyänen des Schlachtfeldes, 1870; Freiherr Friedrich von der Trenck, 1871; Die Unschuld im Gefängnisse, 1871; Der Geizhals, 1871; Hobelspäne und Schmiedefunken. Ein Buch für Meister und Gesellen, sowie für Alle, welche durch einen guten Handwerkerstand ein kräftiges Bürgerthum erzielen möchten, 1871; Der fliegende Holländer, Das Märchen von einem Gespensterschiffe, 1871; Der Malaye, 1871; Diesseits und jenseits des Meeres, 1871; Oberon, König der Elfen, 1871; Der Schmuggler, 1871; Schmuggler und Seefahrer, 1871; Eine Sünde gebiert die andere, 1872; Die Geheimnisse der Familiengruft, 1872; Die Geheimnisse eines alten Koffers, 1872; Unrecht Gut gedeiht nicht, oder: Was Gott thut, das ist wohl gethan, 1872; Das eiserne Halsband, 1872; Meister Hansen der Scharfrichter von Siegburg, 1872; Die beiden Malayen-Mädchen, 1872; Wie einer Pfarrer geworden, 1872; Der Revolutionsmann, 1872; Bis auf's Schaffot, 1872; Der Trapper unter den Indianern, 1873; Die Strandfischer, 1873; Stella die Sternen-Jungfrau, 1873; Nach Spitzbergen verschlagen,

1873; Der verzauberte Berg, 1873; Der Boots-
fahrer am Golf von Neapel, 1873; Constanze die
Inselbraut, 1873; Die Fabrikarbeiter, 1873; Die
Jagd auf den Sklavenhändler, 1873; Der Mörder,
1873; Ein deutscher Ritter, 1873; Der Schlosserlehrling von Altona, 1873; Siegelinde, die verzauberte Königstochter, 1874; Der Seilermeister
von Frankenstein oder Das Paterle, 1874; Zur
See, 1874; Die Bettlerin von Rovignano, 1874;
Die drei Blutstropfen, 1874; Ritter Brömser von
Rüdesheim, 1874; Die Burgfrau von Neuenberg,
1874; Benvenuto Cellini, der Goldschmied,
1874; Der Erbe von Sigmundskron, 1874; Die
weißen Feen am Heribertsborne, 1874; Der Ga-
leeren-Sklave, 1874; In der Garnison und auf dem
Schlachtfelde, 1874; Das Geheimniß der Geburt
oder eine Sünde wird zur Mutter vieler andern,
2 Bde., 1874; Der starke Hermel, 1874; Der In-
dianerhäuptling in Minnesota, 1874; Das geraubte
Kind, 1874; Marietta, die Römerin, 1874; Der
Mohrenfürst, 1874; Negertreue und Negerrache,
1874; Die Piraten, 1874; Die Quadrone, 1874;
Das geheimnißvolle Haus, 1874; Soldatenfahrten
aus dem Dänenkriege, 1875; Die Schlüsselburg,
1875; Robinson's Colonie und ihre ferneren
Schicksale, 1875; Gesammelte Novellen, 1875;
Der Marmorpalast in der Lagunenstadt, 1875;
Das Mädchen vom Vesuv, 1875; Die Kinder des
Besenbinders, 1875; Beatrice Cenci, 1875; Geld
ist des Teufels Helfer, 1876; Das Mädchen von
Tahiti, 1876; Gesammelte Novellen, 1877; Die
Welt. Wanderungen über alle Theile der Erde,
I–IX Italien, X, XI Holland – XII–XVI Der Rhein –
XVII–XX Die Schweiz – XXI–XXV Luxemburg,
1877–82; Armin, 1878; Der Müller von Eltville,
1878; Die Spinnerinnen, 1878; Der große Zaar,
1878; Unter den Rothäuten, 1879; Der Oberhof,
1879; Nero, 1879; Die Verurtheilte von Granada, 1879; Linus, 1879; Die thebäische Legion,
1879/80; Die Krystall-Höhle, 1879; Kaatje von
Alkmaar, 1879; Der Ritter Hugo von Heringen,
1879; Der gefangene Erzbischof, 1879; Der Erbprinz, 1879; Der Edelherr von Ebroich, 1879;
Die unglücklichen Brüder, 1879; Ein Ende mit
Schrecken, 1879; Die Batave, 1879; Der Banner-
herr von Luxemburg, 1879; Die Branntweinpest,
1880; Corina, 1880; Daria und Chrysanthus,
1880; Domitian und die Todtengräber in den Kat-
komben, 1880; Der Geiger von Echternach,
1880; Das Hagelkreuz, 1880; Der Stern von Eci-
ja, 1880; Juanita, die Zigeunerkönigin von Gra-

nada, 1880; Die Nesselsteiner, 1880; Das Ver-
brüderungsfest, 1880; Die Burg Rabenstein in den
Ardennen, 1880; Das Testament, 1880; Die Reisen und Abenteuer eines Laienbruders. Erzählung
aus dem Französischen des P.F. Servais Dirhs,
1880; Der gestohlene Schatz, 1880; Der letzte
Seufzer des Mohrenkönigs, 1880; Eine neue Welt,
1880; Der Würgeengel von Köln, 1880; Tante
Rosel, 1881; Rodrich und Schwanhilde. Eine Luxemburger Sage mit historischem Hintergrund,
1881; Die Waise in Barcelona, 1881; Illustrierte
Naturgeschichte der drei Reiche (bearb.) 2 Bde.,
1881; Auf der Lüneburger Haide, 1881; Die gestohlene Uhr, 1881; Die Lügner, 1881; Ein
österreichisches Kaiserpaar, 1881; Glück im Un-
glücke, 1881; Ferdinand und Isabella, 1881;
Unter'm Christbaum, 1881; Das Brandmahl,
1881; Der Alterthümler, 1881; Christel, 1882;
Der Todtenkopf. Nach den Aufzeichnungen einer
spanischen Dame, 1882; Claas, der rothe Republikaner, 1882; Düsseldorf und seine Umgebung
in den Revolutionsjahren 1848–49, 1882; Der
Heidenthurm, 1882; Stephan Holy, 1882; Hans
Nagelfluh, 1882; Heinrich von Schöneck, 1882;
Die Verstoßenen, 1882; Jan van Werth, 1882;
Die Burg am See, 1882; Callistus, 1882; Erlebnisse eines Handelsmannes, 1882; Der Schulmeister von Hilpertshausen, 1882; Die beiden Ula-
nen, 1882; Geschichte des Limburger Erbfolge-
streites. Die Schlacht bei Worringen und die Erhebung Düsseldorfs zur Stadt (gem. m. H.A. Reuland) 1883; Woronzoff, der Nihilisten-Chef,
1883; Die Waise von Whitby, 1883; Der Waffenschmied von Solingen, 1883; Schicksale eines
Malers, 1883; Der Schatz am Brunnen, 1883; St.
Cäcilia, 1883; Die schwarze Maria, 1883; Maus-
berg und Compagnie, 1883; Der letzte Manda-
nen-Häuptling, 1883; Die Landsknechte in Rom,
1883; Die Kaiman-Töterin auf Florida, 1883;
Andreas Hofer, der Sandwirt von Passeier, 1883;
Gabriel von Grupello, 1883; Am Fährhause,
1883; Der Donnerbub, 1883; Adelung, der Zwergenkönig, 1884; Auf der Barbara-Burg, 1884;
Bilhildis, 1884; Die Felsenmühle, 1884; Der
Findling von Nürnberg, 1884; Die Franzosen in
Kaiserswerth, 1884; Geld und Sterne, 1884;
Graf Florentin von Hackhausen, 1884; Ellen
Hanny, 1884; Der Graf von Knippstein, 1884;
Harte Köpfe und fleißige Leute, 1884; Sebastian,
1884; Die Seufzerbrücke zu Venedig, 1884; Sol-
daten-Bibliothek, 1884–86; Der Sonnenbauer,

1884; Im Spreewalde, 1884; In der alten Königsstadt Toledo, 1884; Tomora, 1884; Die Trauung im Kerker, 1884; Eine Mutter und sieben Kinder, 1885; Der Handwerksmeister, 1885; Neue Erzählungen für Volk und Jugend, 1885–86; Arbeit bringt Segen, 1885; Das Glück auf dem Bausenhofe, 1886; Mutter und Sohn, 1886; Im verborgenen Thale, 1886; Folkert von Wyk, 1887; Manillo und Vairda, 1887; Johannes Ebert, 1887; Piccolo und Manila, 1888; Mac-Donnell, Nanny Murry's Enkel, 1888; Der Findling von Odessa, 1888; Ellen, eine indische Königin, 1889; Familie Henning, 1889; Toni Sorgentreu, 1889; Feuerfunken, 1890; Robinson's weitere Schicksale, 1895; Bagdad, die Königin der Wüste, 1896.

Nachlaß: H. Heine-Inst. Düsseldorf. – Denecke 2. Aufl.

Literatur: ~ (in: Herold d. kathol. Lit. 3) 1912 /1913; P. GANSEN, Lehr-, Volks- u. Jugendschriftst. ~ (in: Heimatbl. d. Seigkreises 4) 1928. IB

Herchenhahn, Johann Christian, * 31.5.1754 Coburg, † 23.4.1795 Wien; Schwager d. Erfurter Prof. H. G. Meusel, studierte in Erfurt u. Jena, redigierte 1784 d. «Wiener Realzeitung» (Organ d. Aufklärung), 1792 Reichshofratsagent. Geschichtsschreiber.

Schriften: Geschichte Österreichs unter den Babenbergern aus Quellen und quellenmäßigen Schriftstellern, 1784; Geschichte Kaiser Josefs des Ersten, 2 Bde., 1786–89; Die Belagerung von Belgrad unter Anführung des Prinzen Eugen, 1788; Geschichte Albrechts von Wallenstein, des Friedländers, Bruchstücke vom dreißigjährigem Krieg, 3 Tle., 1790/91; Fehde des päpstlichen Stuhls mit der Kaiserkrone über die Investitur, 1791; Geschichte der Entstehung, Bildung und gegenwärtigen Verfassung des kaiserlichen Reichshofrates, 3 Bde., 1792 f.

Literatur: ADB 12,51; Ersch-Gruber 2/6, 142; Wurzbach 8, 363. IB

Herchenröder, Jan (Ps. Christian G. Langen), * 5.4.1911 Langen/Hessen; wohnt in Timmendorfer Strand. Erzähler.

Schriften: Fahrt in die Heimat (Erz.) 1943; Cheerio – Gin Gin. Eine kleine Schnapsologie, 1953; Michael und Barbara, 1953; Eine kleine Ehelogie, 1954; … du mich bitte auch! Frechheiten zwischen Tür und Angel, 1955; Bücher eine

seltsame Ware. Dem Buchhändler über die Schulter geguckt, 1956; Rum ist in der kleinsten Hütte. Eine neue Schnapsologie, 1956; Um Himmelswillen, Gäste! Tips für kleine Feste, 1957; Mein Strandkorb hat ein Loch. Eine Art Taschenroman, 1957; Blumen – wann und wie (Ess., hg. v. R. Conrath) 1957; Jedem Junggesellen seine Flamme. Eine Rezeptur der angenehmen Möglichkeiten, 1958; Gefährlich sind die hellen Nächte. Roman eines schwedischen Sommers, 1959; Meine braune Geliebte. Ein Zigarrenbrevier, 1959; Die Humor-Box (Hg.) 1959; Die Hausbar im Barockaltar. Licht und Schatten der deutschen Wohnkultur, 1960; Nicht hinauslehnen! Plauderei über die Reisen, 1960; Ohne Auto gehts nicht mehr, 1961; Ella singt in der Garage, 1961; Duelle mit dem Bratspieß. Kulinarisch ausgefochten, 1963; Urlaub auf der See (Hg.) 1964; Liebeserklärung an eine kühle Blonde, 1965; Urlaub in Skandinavien. Ein Reiseführer für Menschen von heute (Hg.) 1965; Sylt kennen und lieben. Ein Führer für alte und neue Freunde der Insel, 1970; Teneriffa kennen und lieben. Ferien auf der größten Kanarischen Insel und auf La Palma, 1970; Dänemark, 1970; Andalusien, 1971; Paris kennen und lieben. Rendezvous mit einer verführerischen Stadt, 1971; Die Lübecker Bucht kennen und lieben lernen. Ferienfreuden an der Ostsee – von Travemünde bis Fehmarn, 1974; Island kennen und lieben. Eine Insel aus Eis und Feuer. Mit einem Ausflug nach Grönland (2. Aufl.) 1975; Jugoslawische Küste kennen und lieben. Weißer Karst und blaues Meer. – Unterwegs zwischen Istrien und Montenegro, 1976; Ein Mädchen läuft aus dem Ruder, Geschichten von der See, 1977. IB

Hercher, Wolfgang → Funk, Johannes.

Herda, Hellmut, * 2.5.1901 Schweidnitz; Verleger, wohnt in Berlin-Wilmersdorf. Erzähler.

Schriften: Gaben der Völker. Eine Sammlung schönster Volksmärchen (Hg.) 1952; Die Schuld der anderen, 1953; Geschäfte mit dem Tod. Vom Maxim-Gewehr bis zur Kobaltbombe, 1955. IB

Herdach, Karl → Gürtler, Josef.

Herdan, Johannes → König, Alma Johanna.

Herdan-Zuckmayer, Alice (Ps. f. Alice Zuckmayer, geb. von Herdan), * 4.4.1901 Wien; Gattin von Carl Z., wohnt in Saas Fee. Erzählerin.

Schriften: Die Farm in den grünen Bergen (Biogr.) 1949; Das Kästchen. Geheimnisse einer Kindheit, 1962; Das Scheusal. Die Geschichte einer sonderbaren Erbschaft, 1972; Genies sind im Lehrplan nicht vorgesehen, 1979.   IB

Herdegen, Johannes (gen. Amaranthes), * 21.7. 1692 Nürnberg, † 15.2.1750 ebd.; Studium in Nürnberg, Altdorf u. Jena, 1724 Diakonus, 1727 Pastor; 1720 Eintritt in den «Pegnesischen Blumenorden».
Schriften: De rarissima Thomae Murneri logica memorativa, 1739; Historische Nachricht von des löblichen Hirten- und Blumenorden an der Pegnitz und Fortgang bis auf das durch göttliche Güte erreichte hundertste Jahr, mit Kupfern geziert und verfaszt von dem Mitgliede dieser Gesellschaft. Amaranthes, 1744 (später u. d. T.: Gegründete Nachricht von gelehrten Gesellschaften zur Aufnahme guter Wissenschaften, vornemlich der teutschen Sprache und Dichtkunst).
Literatur: Ersch-Gruber 2/6, 153; Adelung 2, 1936.   IB

Herden, Herbert (Ps. Alexander Helios), * 28. 11.1906 Tiefenort/Thüringen; Ingenieur, wohnt in Lendringsen Sauerld. Erzähler.
Schriften: Weltraum-Wunder. Ein Zukunfts-Roman, 1954.   IB

Herder, Charlotte, * 24.3.1872 Wien, † 28.4. 1959 Freiburg/Br.; Tochter d. Pädagogen u. Philosophen Otto Willmann. Verf. v. Jugendbüchern u. Familiengeschichten.
Schriften: Vorfahren und Nachkommen. Eine deutsche Familiengeschichte, 2 Bde. (2. Bd. u. d. T.: Die Familien Bernhard und Biller) 1952; ... schaut durch ein farbiges Glas auf die aschfarbene Welt. Kindheit und Jugend im alten Prag, 1954; Kleine Schwester im großen Krankenhaus, 1955.   IB

Herder, Hans (Ps. Harald Westen), * 28.12. 1921 Schmiedeberg; Chefred., wohnt in Wiesbaden. Erzähler.
Schriften: Heimat, deine Zwerge. Die Kulturgeschichte der Gartenzwerge (gem. m. K. Halbritter) 1959; I Like Jazz (gem. m. H. Haëm), 1960.   IB

Herder, Johann Gottfried, * 25.8.1744 Mohrungen/Ostpreußen, † 18.12.1803 Weimar, Sohn des Küsters, Kantors u. Schullehrers Gottfried H., besuchte d. Stadtschule, deren Rektor ihn privat Lat., Griech. u. Hebräisch lehrte. Als 16-jähr. Kopist d. Diakons u. theolog. Schriftstellers Trescho. 1762 Studium d. Theol., Naturwiss. u. Philos. in Königsberg, Vorlesungen bei Kant, Freundschaft mit Hamann, Lehrer am Fridericianum, Artikel f. d. «Königsbergische Ztg.». 1764 bis 1769 Lehrer an d. Domschule in Riga, Hilfspastor u. Prediger, 1767 Beförderung z. Prediger an d. Hauptkirche. Früher Erfolg als Autor, angeregt v. d. Schriften Lessings, Nicolais, Mendelssohns u. Abbts. Entschluß z. Amtsniederlegung. Am 5.6.1769 mit G. Behrens Aufbruch z. Seereise nach Nantes, mehrmonatiger Bildungsaufenthalt in dieser Stadt u. Paris. Dort Angebot e. Position als Erzieher u. Reiseprediger d. Prinzen v. Holstein-Gottorp (Eutin). Dez. 1769 Antritt der Rückreise über Brüssel, Antwerpen u. Haag (vermutl. Begegnung mit Spinoza) nach Hamburg, wo er u. a. mit Lessing, Claudius, Bode u. Reimarius bekannt wurde. Nach mehrmonatigem Aufenthalt in Eutin 1770 Aufbruch mit d. Prinzen zu e. Italienreise, mit vorübergehendem Aufenthalt in Darmstadt, wo er H. Merck u. s. künftige Gattin, Caroline Flachsland, traf. Trennung v. d. Reisegesellschaft, erfolglose Augenoperation in Straßburg; Freundschaft mit Goethe. Folgte im Mai 1771 d. Berufung d. Gf. Schaumburg-Lippe nach Bückeburg. Amtspflichten als Hofprediger, Konsistorialrat u. Superintendent, führt Kirchen- u. Schulreform durch. Heirat mit Caroline im Mai 1773, H. nahm 1776 die von Goethe vermittelte Position als Hofprediger, Generalsuperintendent u. Oberkonsistorialrat in Weimar an, starke schriftstellerische Belebung, 1787 Ernennung zum Ehrenmitglied d. Berliner Akad. d. Wiss., Reisen nach Italien 1788–89, z. Kur nach Karlsbad 1791 u. Aachen 1792. Außer d. Wiederaufnahme s. theolog. Schriften u. herausgeberischen Tätigkeit beteiligte er sich mit Goethe u. Schiller an d. «Horen», trat jedoch bald in den Hintergrund. Nachdem s. Freundschaft mit Goethe u. Schiller abgekühlt, vertiefte sich s. Beziehung zu Wieland u. seit 1789 auch mit Jean Paul. Der Herzog erleichterte d. zeitweilige wirtschaftl. Nöte d. kinderreichen H., s. Augen- u. Leberleiden wurde jedoch auch durch zwei weitere Badereisen nach Karlsbad u. Eger nicht gebessert. 1801 v. Kurfürsten v. Bayern geadelt, reiste er 1803 noch einmal nach Eger u. Dresden, ehe er im Dez. des gleichen

Jahres tödlich erkrankte. Theologe, Philosoph, Kunst- u. Literaturtheoretiker, Dichter.

Schriften: Über die Asche Königbergs. Ein Trauergesang, 1765; Der Opferpriester. Ein Altarsgesang, 1765; Kantate zur Einweihung der Katharinen Kirche auf Bickern, 1766; Über die neuere Deutsche Litteratur, 3 Bde., 1767; Über Thomas Abbts Schriften, 1768; Kritische Wälder, 3 Bde., 1769; Abhandlung über den Ursprung der Sprache, 1772 (hg. C. TRÄGER 1959); Auszug aus einem Briefwechsel über Ossian und die Lieder alter Völker, 1773; Wie die Alten den Tod gebildet, 1774; Brutus. Ein Drama zur Musik, 1774; Auch eine Philosophie der Geschichte zur Bildung der Menschheit, 1774 (hg. H.-G. GADAMER 1967); An Prediger, 1774; Älteste Urkunde des Menschengeschlechts, 2 Bde., 1774–76; Erläuterungen zum Neuen Testament, 1775; Ursachen des gesunkenen Geschmacks bei den verschiedenen Völkern, 1775; Vom Erkennen und Empfinden der menschlichen Seele, 1778; Lieder der Liebe, 1778; Plastik. Einige Wahrnehmungen über Form und Gestalt aus Pygmalions bildendem Traume, 1778; MAPAN AΘA. Das Buch von der Zukunft des Herrn, 1779; Briefe, das Studium der Theologie betreffend, 4 Bde., 1780–81; Dissertation sur l'influence des Sciences sur le Gouvernement et du Gouvernement sur les Sciences, 1780; Händel's Meßias, 1780; Zwo heilige Reden, 1780; Osterkantate, 1781; Vom Geiste der Ebräischen Poesie, 2 Bde., 1782–83; Ideen zur Philosophie der Geschichte der Menschheit, 4 Bde., 1784–91 (hg. H. STOLPE 1965); Zerstreute Blätter. Sechs Sammlungen, 1785–97; Gott. Einige Gespräche, 1787; Persepolis. Eine Muthmaßung, 1787; Von der Auferstehung, als Glauben, Geschichte und Lehre, 1794; Von der Gabe der Sprachen am ersten christlichen Pfingstfest, 1794; Terpsichore, 3 Bde., 1795–96; Vom Erlöser der Menschen, 1796; Von Gottes Sohn, der Welt Heiland, 1797; Vom Geist des Christenthums, 1798; Von Religionen, Lehrmeinungen und Gebräuchen, 1798; Verstand und Erfahrung. Eine Metakritik zur Kritik der reinen Vernunft, 2 Bde., 1799; Kalligone. Vom Angenehmen zum Schönen, 3 Bde., 1800 (hg. H. BEGENAU 1955); Aeon und Aeonis. Eine Allegorie, 1802; Der Cid. Nach spanischen Romanzen besungen, 1805; Sophron. Gesammelte Schulreden (hg. J. G. MÜLLER) 1810; Der deutsche Nationalruhm. Eine Epistel, 1812; Denkmal Johann Winckelmann's (hg. A.

DUNCKER) 1882; Luther (hg. B. SUPHAN) 1883; Journal meiner Reise im Jahre 1769 (hist.-krit. Ausg. K. MOMMSEN) 1976.

Herausgeber-, Bearbeiter- u. Übersetzertätigkeit: Gesang an den Cyrus. Aus dem Hebräischen, 1762; Von deutscher Art und Kunst, 1773; Alte Volkslieder, 2 Bde., 1774; Neu eingerichtetes Sachsen-Weimar-Eisenach- und Jenaisches Gesang-Buch, 1778; Neuvermehrtes Weimarisches Gesang-Buch, 1778; Volkslieder, 2 Bde., 1778 bis 1779; Neuhg. H. v. MÜLLER als Stimmen der Völker in Liedern, 1807 (hg. C. KÄSCHEL 1968); A. Pope, The Dying Christian to his Soul, 1787; Briefe zu Beförderung der Humanität, 10 Sammlungen, 1793–97 (hg. H. W. SABAIS 1947); Luthers Kathechismus, 1798; Adrastea, 6 Bde., 1801 bis 1803; Kalidasa: Sakontala oder der entscheidende Ring (Ind. Schausp.) 1803; Benjamin Franklin's Rules for a Club (hg. B. SUPHAN) 1883.

Briefe: Briefe (hg. W. DOBBEK) 1959; Briefwechsel mit Nicolai (hg. O. HOFFMANN) 1877; Briefe an Hamann (hg. O. HOFFMANN) 1889 (Nachdr. New York 1975); Dresdener Reise. 10 Briefe 1803 (hg. M. SCHAUER) 1929; Unbekannte Briefe H.s und seiner Gattin an ihre Darmstädter Verwandten (in: Goethe Jb. 21) 1935; Caroline Herder und H.: Unbekannte Briefe, hg. A. GULYGA (ebd. 93) 1976; J. v. Müller, Briefwechsel mit J. G. H. und C. H., 1782–1808 (hg. K. E. HOFFMANN) 1952; H. T. BETTERIDGE, H's Letters to Klopstock (in: PMLA 69) 1954; Der Briefwechsel Jean Pauls und Karoline Richters mit H. (hg. P. STAPF) 1959; Briefwechsel zwischen Klopstock und H., 1964; G. ARNOLD, Zur wiss. Gesamtausgabe der Briefe Hs. (in: WB 21) 1975; Aus Hs. Nachlaß. Ungedr. Briefe (hg. H. DÜNTZER, 1856 bis 1857, Nachdr. 1976).

Ausgaben: Sämmtliche Werke, 45 Bde., 1805 bis 1820; Sämmtliche Werke, 60 Bde., 1827–30; Sämmtliche Werke, 33 Bde., (hg. B. SUPHAN) 1877–1909, Nachdr. 1967–68; Werke, 5 Bde. (hg. W. DOBBEK) 1969.

Nachlaß: 45 Kapseln im Depot d. ehemal. Preuß. Staatsbibl. in d. Univ.bibl. Tübingen; Freies Dt. Hochstift Frankfurt/M.; Gleim-Haus Halberstadt; Landesbibl. Dresden. – Denecke 77; Nachlässe DDR I, Nr. 274; II, Nr. 197; III, Nr. 385.

Dokumente: F. DÖPPE, ~. 1744–1803. S. Leben in Bildern, 1953; ~ im geistl. Amt (hg. E. SCHMIDT) 1956; H. D. IRMSCHER, Aus ~s Nachlaß (in: Euphorion 54) 1960; Ungedruckte Herderiana in Kopenhagen (in: Fund og Forskning 9) 1962; W. v. WRANGEL, D. Kreis Mohrungen, 1967; D. LOHMEIER, ∼ u. d. Emkendorfer Kreis (in: Nordelbingen 35) 1966; ∼. S. Leben in Selbstzeugnissen, Briefen u. Berichten (hg. H. REISIGER) 1942, 1970; Herder in Selbstzeugnissen u. Bilddokumenten (hg. F. W. KANTZENBACH) 1970.

Literatur: ADB 12,55; NDB 8,595; Goedeke 4/1, 695; 1154. – D. BERGER, ∼-Schrifttum 1916–1953 (in: Im Geiste ∼s, hg. E. KEYSER) 1953; f. d. Jahre 1953–1957 (in: ∼-Studien) 1960; Im Geiste ∼s. Ges. Aufs. (hg. E. KEYSER) 1953; ∼-Studien, hg. W. WIORA, 1960; Bückeburger Gespräche über ∼, 1971 (hg. J. G. MELTUSCH) 1973; H. D. IRMSCHER, Probleme d. ∼-Forsch. (in: DVjs 37) 1963.

Gesamtdarstellungen: K. HERDER, Erinnerungen aus d. Leben ∼s. 2 Bde., (hg. J. G. MÜLLER) 1820; E. G. HERDER, ∼s Lebensbild, 6 Bde., 1846; R. HAYM, ∼ nach s. Leben u. Werk, 2 Bde., 1880–85 (hg. W. HARICH 1954); J. G. MÜLLER, Aus d. ∼schen Hause, (hg. J. BÄCHTOLD) 1881; E. KÜHNEMANN, ∼s Persönlichkeit in s. Weltanschauung, 1895; C. SIEGEL, ∼ als Philosoph, 1907; A. BOSSART, ∼, sa vie et son oeuvre, 1916; W. GOEKEN, ∼ als Deutscher, 1926; J. NADLER, ∼-Bildnisse, 1930; B. v. WIESE, ∼s Grundzüge s. Weltbildes, 1939; E. TONNELAT, Paradoxe sur ∼ (in: EG 1) 1946; L. BÄTE, ∼, 1948; A. GILLES, ∼, d. Mensch u. s. Werk, 1949; W. DOBBEK, ∼, 1950; E. BAUR, ∼, Leben u. Werk, 1960; DERS., ∼s Weltbild, 1969; V. M. SCHIRMUNSKI, ∼. Hauptlinien s. Schaffens, 1963; M. JAKUBIETZ, ∼, e. großer Anreger u. Humanist (in: Dt. als Fremdsprache 6) 1969; H. NOHL, D. dt. Bewegung, 1970; C. MAILLARD, Pour une nouvelle approche de ∼ (in: Recherches Germaniques 1) 1971; R. T. CLARK, ∼. His Life and Thought, Berkeley 1969; K. GROB, Ursprung u. Utopie, 1976.

Kunst, Literatur und Sprache: A. KOSCHMIEDER, ∼s theoret. Sendung z. Dr., 1913; A. TREUTLER, ∼s dramat. Dg., 1915; G. WEBER, ∼ u. d. Dr., 1922; K. F. KERBER, D. Ideenwechsel in ∼s Schr. über Poesie u. Sprache von 1766–78 (Diss. Frankfurt) 1924; M. WEDEL, ∼ als Kritiker, 1929 (Nachdr. 1967); W. NUFER, ∼s Ideen z. Verbindung v. Poesie, Musik u. Tanz, 1929 (Nachdr. 1967); G. KONRAD, ∼s Sprach-

problem im Zusammenhang d. Geistesgesch., 1937 (Neudr. 1967); C. LUGOWSKI, D. junge ∼ u. d. Volkslied (Zs. f. dt. Bildung 14)1938; H. WEBER, ∼s Sprachphilos., 1939 (Nachdr. 1967); G. A. BRANDT, ∼ u. Görres (Diss. Berlin) 1939; G. ULRICH, ∼s Beitr. z. Dt.kunde, 1943; A. KLEINAU. ∼s Volksliedbegriff (Diss. Marburg) 1947; B. SCHWEITZER, ∼s Plastik u. d. Entstehung d. neuen Kunstwiss., 1948; U. SCHMITZ, Dg. u. Musik in ∼s theoret. Schr. (Diss. Köln) 1950; H. D. IRMSCHER, Bildung, Sprache u. Dichtung im Denken ∼s (Diss. Göttingen) 1955; H. BEGENAU, Grundzüge d. Ästhetik ∼s, 1956; F. J. RADDATZ, ∼s Konzeption d. Lit. (Diss. Humboldt Univ.) 1958; E. STAIGER, D. neue Geist in ∼s Frühwerk (in: SchillerJb. 6) 1962; M. JANSSENS, D. Bild d. Pflanze u. d. Organismusgedanke (in: Jb. d. Wiener Goethe-Ver. 67) 1963; E. E. REED, ∼s Primitivism and the Age of Poetry (in: MLR 60) 1965; E. B. SCHICK, Imagery of Organicism in the Works of the Young ∼ (Diss. Rutgers Univ.) 1965; DERS., Art and Science (in: GQ 41) 1968; E. A. BLACKALL, The Imprint of ∼s Linguistic Theory on His Early Prose Style (in: PMLA 76) 1961; H. PALLUS, D. Auffassung ∼s über d. Verhältnis v. Sprache u. Denken (Diss. Greifswald) 1963; J. K. FUGATE, The Psychological Basis of ∼s Aesthetics, Den Haag 1966; B. SCHNEBLI-SCHWEGLER, ∼s Abhandlung über d. Ursprung d. Sprache u. d. Goethezeit (Diss. Zürich) 1965; E. HEINTEL, ∼s Sprachphilos. (in: Rev. Int. de Philos. 21) 1967; M. KRÜGER, D. menschl.-göttl. Ursprung d. Sprache (in: WirkWort 17) 1967; F. OSTERMANN, D. Idee d. Schöpferischen in ∼s Kalligone, 1968; P. B. SALMON, ∼s Essay on the Origin of Language (in: GLL 22) 1968/69; A. KATHAN, ∼s Literaturkritik, 1969; R. S. MAYO, ∼ and the Beginnings of Comp. Lit., Chapel hill 1969; S. OYAMA, Einige Betrachtungen über d. Beziehungen zw. Lit. u. Politik in d. dt. Klassik (in: Goethe 30) 1969; R. FROMMHOLZ, Wirkungen d. Sprache u. Dg., 1971.

Geschichte, Gesellschaft, Staat: T. v. LADIGES, ∼s Aufassung v. Nation u. Staat (Diss. München) 1921; M. DOERNE, D. Religion in ∼s Gesch.-philos., 1927; R. STADELMANN, D. hist. Sinn bei ∼, 1928; DERS., Grundformen d. MAauffassung v. ∼ bis Ranke (in: DVjs 9) 1931; F. A. BRAN, ∼ u. d. dt. Kulturanschauung, 1932; R. SCHIERENBERG, D. polit. ∼, 1932; K. BITTNER, ∼s

Ideen z. Philos. d. Gesch. d. Menschheit u. ihre Auswirkung bei d. slaw. Hauptstämmen (in: Germ. Slavica 2) 1932/33; E. AUERBACH, Vico u. ~ (in: DVjs 10) 1932; A. VOIGT, Umrisse e. Staatslehre bei ~, 1939; M. A. ROUCHÉ, La Philosophie de l' histoire de ~, 1940; T. LITT, Die Befreiung d. geschichtl. Bewußtseins durch ~, 1943; R. SCHIERENBERG, D. polit. ~ als Vater d. panslaw. Gedankens, 1947; F. USINGER, ~ u. d. Geschichte (in: F. U., Das Wirkliche) 1947; W. HARICH, ~ u. die nationale Frage (in: Aufbau 7) 1951; A. O. LOVEJOY, ~ and the Enlightenment Philosophy of History (in: A. O. L., Essays in the Hist. of Ideas) 1952; W. DOBBEK, ~s Haltung im polit. Leben s. Zeit (in: Zs. f. Ostforsch. 8) 1959; L. W. SPITZ, Natural Law and the Theory of History in ~ (in: Journ. Hist. of Ideas 16) 1955; G. A. WELLS, ~s Two Philosophies of History (in: ebd. 21) 1960; H. STOLPE, Humanität, Franz. Revolution u. Fortschritte der Geschichte (in: WB 10) 1964; A. W. GULYGA, D. Geschichtsphilos. ~s (in: Kunst u. Lit. 13) 1965; F. M. BARNARD, ~s Social and Political Thought, Oxford 1965; R. R. ERGANG, ~ and the Foundations of German Nationalism, New York, 1966; C. GRAWE, ~s Kulturanthropologie, 1967; B. v. WIESE, D. junge ~ als Philosoph d. Gesch. (in: B. v. W., Von Lessing bis Grabbe) 1968; G. G. IGGES, The German Conception of History, Middletown 1968; C. KAMENTSKY, ~ u. d. Mythos d. Nordens) in: RLC 47) 1973; J. RATHMANN, ~s Methode in s. Geschichtsphilos. (in: Dt. Zs. f. Philos. 22) 1974; H. G. THALHEIM, Bauernkrieg u. frühbürgerl. Revolution beim jungen ~ u. Goethe (in: WB 21) 1975; H. B. HARDER, ~s Journal meiner Reise im Jahre 1769 (in: Zs. f. Ostforschung 25) 1976; W. HEISE, D. Entwicklungsgedanke als geschichtsphilos. Programmatik (in: Goethe-Jb. 93) 1976.

Philosophie u. Religion: D. BLOCH, ~ als Ästhetiker, 1896; H. STEPHAN, ~ in Bückeburg u. s. Bedeutung f. die Kirchengeschichte, 1905; W. HEINBORN, Natur u. Mensch bei ~, 1922; W. DE BOOR, ~s Erkenntnislehre u. ihre Bedeutung f. s. religiösen Realismus, 1929; F. KNORR, D. Problem d. menschl. Philos. bei ~, 1930; F. BERGER, Menschenbild u. Menschenbildung, d. philos.-pädagog. Anthropologie ~s, 1933; H. WILHELMSMEYER, D. Totalitätsgedanke als Erkenntnisgrundsatz u. als Menschheitsideal v. ~

zu d. Romantikern (in: Euphorion 34) 1933; I. TAYLOR, Aufklärung, Bildung, Humanität u. verwandte Begriffe bei ~, 1938; H. FLEMMING, ~ u. die Deutung des Lebens (Diss. Heidelberg) 1939; E. HACCIUS, D. pädagog. Bewegung in ~s Reisejournal, 1939; H. A. SALMONY, Die Philosophie des jungen ~, 1949; F. SPRANGER, ~: Ahnung u. Erfüllung (in: Gedächtnisschr. R. Petsch) 1949; W. DOBBEK, ~s Humanitätsidee als Ausdruck s. Weltbildes u. s. Persönlichkeit, 1949; DERS., Die coincidentia oppositorum als Prinzip d. Weltdeutung bei ~ (in: H.-Studien) 1960; P. LANGFELDER, Zu ~s Weltanschauung (in: P. L., Stud. u. Auffass. z. Gesch. d. dt. Lit.) 1961; H. LILJE, ~, Theol. im Weimarer Kreis (in: Goethe u. s. großen Zeitgenossen, hg. A. SCHAEFER) 1968; G. MEGGLE, Analogie u. progressive Erkenntnis (in: FS H. Motekat) 1970; H. B. NISBET, ~ and Scientific Thought, Cambridge 1970; DERS., ~ and the Philos. and Hist. of Science, Cambridge, 1970; T. M. SEEBOHM, D. systemat. Ort d. ~schen Metakritik (in: Kant-Studien 63) 1972; T. WILLI, ~s Auffassung v. Kritik u. Kanon in d. Bückeburger Schr. (in: Theol. Zs. 29) 1973; E. TERRAY, ~s Menschenbild (in: Int. Germ. Kongr.) 1976.

Vergleiche u. Wirkung: H. MEYER-BENFEY, ~ u. Kant, 1904; G. JACOBY, ~s u. Kants Ästhetik, 1907; G. SCHMIDT, ~ u. A. W. Schlegel (Diss. Berlin) 1917; H. TRONCHON, La fortune intellectuelle de ~ en France, 1921 (Nachdr. 1971); K. MAY, Lessings u. ~s kunsttheoret. Gedanken in ihrem Zusammenhang, 1924 (Nachdr. 1967); J. HEIMANN, Möser u. ~ (Diss. Münster) 1924; J. RICHTER, D. Einfluß ~s auf d. Religion d. jungen Goethe (in: Neue Jahrbücher 4) 1928; A. WEGNER, ~ u. d. lett. Volkslied, 1928; K. BITTNER, ~s Geschichtsphilos. u. d. Slawen, 1929; T. LITT, Kant u. ~ als Deuter d. geistigen Welt, 1930 (2., verb. Aufl. 1949); H. ISAACSEN, D. junge ~ u. Shakespeare, 1930 (Nachdr. 1967); O. v. PETERSEN, ~ u. Hehn, 1931; A. GILLIES, ~ u. Ossian (in: Neue Forsch. 19) 1933; O. GRUBER, ~ u. Abbt (Diss. Marburg) 1934; E. J. SCHAEDE, ~s Schrift «Gott» u. ihre Aufnahme bei Goethe, 1934 (Nachdr. 1967); H. SCHÖNEMANN, Pestalozzi u. ~ (in: AfK 24) 1934; G. MARTIN, ~ als Schüler Kants (in: Kant-Studien 41) 1937; H. THOST, Nachlaß-Studien zu ~, 1940; A. CLOSS, Wurzeln d. Romantik im Reifeschaffen ~s (in: Helicon 3)

1940; H. HENRY, ~ u. Lessing (Diss. Berlin) 1941; K. G. GEROLD, ~ u. Diderot, 1941; W. KAYSER, D. iber. Welt im Denken ~s, 1945; J. W. EATON, ~ in Germany (in: Queens Quart. 52) 1945; R. T. CLARK, ~, Percy and the Song of Songs (in: PMLA 61) 1946; J. DE PANGE, Les voyages de ~ en France (in: EG 1) 1946; H. BLUHM, ~s Stellung zu Luther (in: PMLA 64) 1949; M. PRAMMER, ~ u. d. MA (Diss. Wien) 1949; J. NADLER, Hamann u. ~ (in: Wir Ostpreußen) 1950; J. M. MOORE, ~ and Coleridge, 1951; H. STOLPE, D. Auffassung d. jungen ~ vom MA, 1955; A. L. WILLSON, ~ and India (in: PMLA 70) 1955; K. S. GUTHKE, D. erste Nachwirkung v. ~s Volksliedern in England (in: Archiv 193) 1956/57; G. NECCO, ~ u. d. italien. Lit. (in: Stud. z. dt.-ital. Geistesgesch.) 1959; H. DINKEL, ~ u. Wieland, 1959; G. R. MASON, ~ and Sturm u. Drang (in: G. R. M. From Gottsched to Hebbel) 1961; F. WAGNER, ~s Homerbild (Diss. Köln) 1962; J. S. STAMM, ~ and the Aufklärung (in: GR 38) 1963; H. PALLUS, D. Sprachphilos. J. G. Hamanns als e. Quelle f. ~s Anschauungen über d. Verhältnis v. Sprache u. Denken (in: WZ d. Univ. Greifswald 13) 1964; W. HÖCK, D. große Gesellerin d. Menschen. ~ u. J. Grimm (in: W. H., Zerriebene Eitelkeiten) 1965; R. JUNG, Sprachkritik bei Lichtenberg u. ~ (in: Jb. d. Wiener Goethe-Ver. 70) 1966; W. STELLMACHER, D. junge ~ u. Shakespeare (in Shakesp. Jb. 103) 1967; E. AUERBACH, Vico u. ~ (in: E. A., Ges. Aufs. z. roman. Philol.) 1967; A. R. SCHMIDT, ~ u. Amerika, The Hague 1967; R. J. TAYLOR, ~. India and the Ideals of Europ. Culture (in: Forum f. Mod. Lang. Stud. 3) 1967; H. B. NISBET, Goethe and the Natural Type (in: Pub. Engl. Goethe Soc. 37) 1967; DERS., ~ and F. Bacon (in: MLR 62) 1967; D. LOHMEIER, ~ u. Klopstock, 1968; W. DOBBEK, Im Schatten Goethes: Wieland u. ~ (in: Goethe 30) 1968; E. ADLER, ~ u. d. dt. Aufklärung, 1968; U. WERTHEIM, D. Volkslied in Theorie u. Praxis bei ~ u. Goethe (in: U. W., Goethe-Studien) 1968; E. FERRARI, ~ et Jacobi (in: Et. Philos. 23) 1968; S. S. NEBEL, The Concept of the Role of Reason in Hamann and ~'s Writings (Diss. Northwestern Univ.) 1969; R. MÜLLER-STERNBERG, ~ u. d. Ggw. (in: Dt. Studien 7) 1969; R. NÜNLIST, Homer, Aristoteles u. Pindar i. d. Sicht ~s, 1971; B. M. DREIKE, ~s

Naturauffassung in ihrer Beeinflussung durch Leibniz' Philos., 1973; F. WAGNER, D. lat. MA im Urteil ~s (in: FS K. Langosch) 1973; DERS., ~s Einfluß auf Goethes Homerbild (in: GRM 23) 1973; W. A. SCHMIDT, D. Lit.begriff bei ~ u. F. Schlegel (in: AfK 55) 1973; DERS., Mythologie u. Uroffenbarung bei ~ u. F. Schlegel (in: Zs. f. Rel.- u. Geistesgesch. 25) 1973; DERS., Berührungspunkte d. Romantheorien ~s u. F. Schlegels (in: GQ 47) 1974; H. SUNDHAUSSEN, D. Einfluß d. ~schen Ideen auf d. Nationalbildung bei Völkern d. Habsburg. Monarchie, 1973; I. BERLIN, Vico and ~, New York 1976.   HD

Herder, Natalie von, * 30.5.1802 Weimar, † 22.5.1871 ebd.; Enkelin J. G. v. H., bekannt mit A. Schopenhauer. Lyrikerin u. Erzählerin.

Schriften: Familienscenen und bunte Bilder aus Lottchens Tagebuch. Ein Weihnachtsgeschenk für Knaben und Mädchen von zehn bis vierzehn Jahren, 1837; Album für weiße und bunte Häkel- und Filetarbeiten, 1852; Gedichte, 1853; Journal für moderne Stickerei, Mode und weibliche Handarbeiten. Ein Monatsblatt (hg.) 1851–1861.   IB

Herder-Elchlep, Edeltraut (Ps. Traute Bernd, Suzette Sanders, Edit von Altenau), * 28.7.1918 Oberstein-Idar; wohnt in Stuttgart. Verf. v. Kinder- u. Jgdb., Erzählerin.

Schriften: Der rote Skarabäus (Erz.) 1948; Venus und Schlange (Rom.) 1951; Notlandung auf Trinidad. Eine Fliegergeschichte für Jungen, 1953; Wir geben unseren Strolch nicht her! 1953; Ulla macht das Rennen (Jgdb.) 1956; Aber das Leben ist anders, 1959; Ein Mund blieb stumm, 1959; Heute frage ich nicht nach morgen, 1960; Zwei scharlachrote Handschuhe, 1960; Drei Frauen um einen Mann, 1961; Ehefrau auf Zeit gesucht, 1961; In einsamen Nächten, 1962; Geheimnisse eines Sommers, 1963.
IB

Herdi, Fritz (Ps. Felix Bluntschli) * 14.10.1920 Frauenfeld; Musikstudium, Red., Pianist, Text-Musik-Programmgestalter bei Radio DRS.

Schriften: Limmatblüten. Vo Abblettere bis Zwibackfräsi. Aus dem Wortschatz der 5. Landessprache, 1955; Limmatfalter. Vo Abe-mischte bis Zwitschere. Ein Gassenwörterbuch für Fortgeschrittene, 1956; Feldgrau bis heiter. Anekdoten (mit F. Sigg) 1967; Pardon, Herr Bundesrat! Witze und Anekdoten, 1968; Schweizerwitz. Gesammelt von F. H., 1968; Kneipenpoesie. Inschriften auf Schanktischen, Biertellern, Kneipenwänden, 1972 (später u. d. T.: Kneipenphilosophie ...); Autolatein oder Vom Umgangston der Autofahrer, 1973; Lebkuchenpoesie. Denksprüche, Lebensweisheiten und Liebeserklärungen auf süßem Grund, 1974; Hüttenpoesie. Gereimtes und Ungereimtes aus Berghüttenbüchern, 1975; Autoblüten. Poesie an Heck und Kotflügeln, 1975; Edelweis(s)heiten. Aus Berghüttenbüchern, 1977; Spielerlatein in Sprüchen und Anekdoten, 1977; Haupme, Füsilier Witzig! 222 Witze vom und übers Schweizer Militär plus Kostproben aus der Soldatensprache, 1978; Das Spiel geht weiter (Spielerlatein II) 1979.   AS

Herding, Otto, * 8.6.1911 Sulzbach/Bayern; Dr. phil., o. Univ. Prof., wohnt in Bad Krozingen. Neben s. wiss. Arbeiten, Verf. v. Novellen.
   Schriften: Das andere Leben (Nov.) 1949.   IB

Herdlicka, Theodor (Ps. Theodor Taube), * 23. 2.1840 Wien, † 3.7.1904 ebd.; Mitarbeiter d. humor.-polit. Zs. «Die Geißel» u. «Kikeriki», später Red. u. Eigentümer d. Wiener Witzbl. «Figaro». Bühnendichter.
   Schriften: Miß Flora Welten (Posse) 1876; Schöne Helene (Schausp.) 1877; Gipsfigur (Posse) 1877; Seine Wirtschafterin (Posse) 1880; Vaterfreuden (Posse) 1880; Auf der Rax (Posse) 1883; Urwienerin (Singsp.) 1886; Unser Doktor, 1887; Weltschwimmerin (Posse) 1889; Herr von Kemmlbach (Posse) 1889; Gold und Blech (Volksst.) 1890; Leichtes Tuch (Posse) 1891; Schlagende Wetter (Volksst.) 1891; Die Wunderdoktorin von Hernals (Posse) 1893; Karikaturenwinkel (Posse) 1893; Die Brillantenkönigin (Oper gem. m. J. Fuchs) 1893; Kneisel und Cie (Singsp. m. J. Fuchs) 1894; Olympia, 1895; Ypsilon Zet (Schausp.) 1895; Das Wunderkind (Posse) 1896; Das Gänsemädchen (Operette) 1896; Der Rechtschaffene (Volksst.) 1897; Susanna im Wasser (Posse) 1898; Der schwarze Punkt (Posse) 1900; Muttersöhnerl, 1901.
   Literatur: ÖBL 2,282, Biogr. Jb. 10,47*; Theater-Lex. 1,762.   IB

Herdringer Sammlung → Liederhandschriften.

Herdt, Woldemar, * 1916 Seelmann/Wolga; besuchte das Marxstädter Pädtechnikum, war Dorfschullehrer, dann 20 Jahre Bohrmeister im Nordural, lebt jetzt als Lehrer in Sawjolowo/ Altai.
   Schriften: Lyrischer Widerhall, Barnaul 1972.
    AS

Herel, Johann Friedrich, * 27.8.1745 Nürnberg, † 7.4.1810 Erfurt; 1769–1771 Prof. u. später Privatgelehrter ebd. Satiriker.
   Schriften: Satyrae tres, 1766 (dt. v. D. Schubart, 1767); Alciphrones. Briefe aus dem Griechischen (übers.) 1767; Epistola critica ad J. G. Meuselium, 1767 (dt. Auszug 1768); Neue und wahrhaftige Historia von dem, was in diesen Tagen zu Nürnberg geschehen ist, 1767; Progr. Miscellae observationes criticae, 1768; Aristaenets. Briefe aus dem Griechischen (übers.) 1770; Über einige in der Gegend von Erfurt gefundene Alterthümer, mit historisch-kritischen Erläuterungen, 1787; Kritische Beobachtungen über die Römische Geschichte des Cajus Vellejus Paterculus, 1791; Denkschrift auf Herrn D. H. E. Rumpel, der Rechte öffentlicher Lehrer zu Erfurt, der kurfürstlichen Akademie nützlicher Wissenschaften daselbst und verschiedener andrer Akademien und gelehrter Gesellschaften Mitglied, 1794; Über einige Stellen in dem Werke des Tacitus: De Moribus Germanorum, Kriegskunst und Sittenpflege unserer ältesten Vorfahren betreffend 1795.
   Literatur: Ersch-Gruber 2/6, 188; Meusel-Hamberger 3, 235; 9, 570; Goedeke 4/1, 48.   IB

Heresbach (Hersbeck, Hertzbach, Hedesbach), Konrad, * 2.8.1476 Salhof Hertzbach/Düssel, † 14.10.1576 Rheininsel Lorward b. Wesel; Studium d. Theol. u. d. Rechts, 1515 Magister d. freien Künste, Begegnung mit Erasmus, 1520 in Frobens Werkstatt in Basel tätig, 1521 Griech.-Prof. an d. Univ. Freiburg/Br., Dr. iur. Univ. Ferrara, 1523 Erzieher d. Erbprinzen in Kleve u. Berater d. Fürsten, Mitarb. an d. Klev. Kirchenordnungen, 1535 Geh. Rat d. Herzogs v. Kleve. Schul- u. Rechts-Reformator, Mitbegr. d. Humanistenuniv. Duisburg (1561).
   Schriften: Theodori Gazae introductionis grammaticae libri quatuor (aus d. Griech. übers.) 1523; Strabonis geographicorum commentarii (aus d. Griech. übers. u. kommentiert) 1523; Rei rusticae libri quatuor, 1568 (Neuausg. mit dt.

Übers. v. W. ABEL, 1970); De educandis eru-
diendisque principium liberis libri duo, 1570.
(Ferner versch. philol., theol., u. pädagog.
Schriften.)

Briefe: O. R. REDLICH, Freundesbriefe ∼s an
Johann v. Vlatten (1524–1536) (in: Zs. d. Berg.
Gesch.ver. 41) 1908.

Literatur: ADB 12,103; NDB 8,606; BWG 1,
1120; LThK 5,245; Schottenloher 1,339. –
A. WOLTERS, ∼ u. d. Clev. Hof z. s. Zeit n.
neuen Quellen geschildert (mit Bibliogr.) 1867;
B. LEBERMANN, D. pädagog. Anschauungen ∼s
(Diss. Würzburg) 1905; H. PETRI, Staatsrecht u.
Staatslehre bei ∼ (Diss. Bonn) 1938.   RM

Herfeld, Paul → Spannuth-Bodenstedt, Ludwig.

Herford → Heinrich von Herford.

Herfurth, Bruno, * 25.6.1884 Breslau; aufgewachsen in Guhrau, war Volksschullehrer in
Breslau, dann in versch. schles. Dörfern, gab
1907 den Beruf auf u. lebte dann als freier
Schriftst. in Breslau.

Schriften: Des Lehrers Scheiden. Festspiel zur
Abschiedsfeier für einen Lehrer oder eine Lehrerin, 1904; Aufwärts. Geistliche und ernste Gedichte aus meinem Leben, 1908; Ranken und
Rosen (Erz.) 1909.   AS

Herfurth, Emil, * 21.6.1887 Saarburg/Lo-
thringen, † 27.12.1951 Weimar; studierte in
München u. Jena, Dr. phil., 1912–32 Studienrat
am Realgymnasium, seit 1932 Dir. am Gymnasium in Weimar. Dramatiker, Erz. u. Essayist.

Schriften: Die Stunde der Erkenntnis (Dialoge)
1917; Die blaue Mauritius und andere Humoresken (Schulgesch.) 1918; Der Reichs- und
Kaisergedanke im Wechsel der deutschen Geschichte, 1923; Wie Schmidts politisch wurden,
1925 (2. Aufl. u.d.T.: Eine politische Verlo-
bungsgeschichte aus der Zeit der Nationalversammlung, 1935); Der Streber und andere Erzählungen, 1925; Herrn Bornemanns Abstecher
ins Glück (Rom.) 1930; Bekenntnis zu Goethe
(Ess.) 1932; Sonne auf Rügen (Rom.) 1935; Das
Gewissen (Dr.) 1936; Gymnasiasten von Anno
dazumal. Bilder aus dem Schülerleben früherer
Jahrhunderte (bearb. u. zs.gestellt) 1937; Anna
auf Ithaka (Rom.) 1938; Er und Sie. Heiteres
Buch über die Schwächen der beiden Geschlechter, 1939.

Literatur: Theater-Lex. 1,762. – F.K. VOSS,
Weimarer Schattenrisse aus d. lit. Weimar v.
heute, darunter ∼, 1922; ∼ u. s. Schaffen (in:
Thüringer Theater 10) 1936.   IB

Herfurth, Franz, * 1.1.1853 Kronstadt/Sie-
benb., † 26.3.1922 ebd.; 1871–75 Studium d.
Theol. u. klass. Philol. in Berlin, Jena u. Leipzig,
1889 Pfarrer in Neustadt, 1894 Dechant d. Bur-
zenlandes, 1908 Stadtpfarrer u. Bischofsvikar v.
Kronstadt.

Schriften: Frei und stark! Zwei Reden, 1921;
Meren nd Hippeltscher. Aus dem Nolaß erous-
gegiën vn senyem Sann W. ∼. Heiteres in sieben-
bürgisch-sächsischer Mundart, 1930.

Herausgebertätigkeit: Der Siebenbürgische Volks-
freund. Ein Sonntagsblatt für Stadt und Land,
1886–92; Sächsisches Volksliederbuch, 1895;
Ordnung des öffentlichen Gottesdienstes, 1899.

Literatur: ÖBL 2,282. – ∼. (in: Korrespondenzbl. d. Ver. f. siebenbürg. Landeskde. 45)
1922.   IB

Herfurtner, Rudolf, * 19.10.1947 Wasser-
burg/Inn; wohnt in München. Erz. u. Arbeiten f.
d. Rundfunk.

Schriften: Hinter dem Paradies (Jgd.-Rom.)
1973; Die Umwege des Bertram L., 1975.   IB

Hergang, Karl (Gottlob), * 23.10.1776 Zittau,
† 14.2.1850 Bautzen; Theol.-Studium in Leipzig, 1799 Magister, Lehrer in Zittau; 1813 Katechet u. Prediger, 1819 Diakon, 1831 Archidiakon in Bautzen.

Schriften: Neue Historisch-geographische Räthsel ..., 1808; Kleine interessante Reisen, ein
unterhaltendes und lehrreiches Lesebuch für die
Jugend, 2 Bde., 1811/15; Luther und das Jubel-
fest der Reformation (Predigten) 1817; Über
den Ursprung und Werth der geistlichen Lieder
und Gesänge. Einige Worte zur Ermunterung,
1823; Sammlung alter und neuer geistlicher Lieder ... (Mit-Hg.) 1826; Stimmen der Religion
..., 2 Bde., 1828f.; Vertraute Briefe eines Vaters
an seine reifende Tochter, 1831. (Ferner theol.
u. geograph. Werke sowie Schulschriften.)

Literatur: Meusel-Hamberger 14,106; 18,128;
22.2,694; Goedeke 13,113.   RM

Hergenröther, Joseph, * 15.9.1824 Würzburg, † 3.10.1890 Mehrerau/Bodensee; schrieb

als Gymnasiast «Gregor VII» (Dr.), studierte in Würzburg, München u. Rom., 1852 Prof. in Würzburg, 1879 Kardinal u. Archivar am Vatikan. Kirchenhistoriker.

Schriften (Ausw.): Photii Constantinopolitani liber de Spiritus sancti mystagogia, 1857; Der Kirchenstaat seit der französischen Revolution, 1860; Photius. Patriach von Conastantinopel, 3 Bde., 1867–69; Monumenta Graeca ad Photium ejusque historiam pertinentia, 1869; Die Marienverehrung in den zehn ersten Jahrhunderten, 1870; Handbuch der Allgemeinen Kirchengeschichte, 3 Bde., 1876–80 (6. Aufl. 1924–26); Athanasius der Große, 1876; Kardinal Maury. Ein Lebensbild aus dem Ende des vorigen und dem Anfange des jetzigen Jahrhundert, 1878; Abriß der Papstgeschichte, 1879; Regesten Leonis X. Pontificis Maximi. Acht Hefte (unvollendet) 1884–91.

Literatur: ADB 50, 228; NDB 8, 609; RGG 3, 239; LThK 5, 245. – ~'s Abschied v. Würzburg Gefeiert v. Clerus u. Bürgerschaft, Ostern 1879, 1879; L. STEINER, Cardinal ~, 1883; HOLLWECK, E. bayer. Cardinal † (in: Hist.-polit. Bl. 106) 1890; J. B. STAMMINGER, Z. Gedächtnisse Cardinals ~'s, 1892; S. MERKLE, ~ (in: Lebensläufe aus Franken 1) 1919; DERS., D. Vertretung d. Kirchengesch. an d. Univ. Würzburg bis z. Jahre 1879 (in: Aus d. Vergangenheit d. Univ. Würzburg, FS) 1932; B. LANG, Z. 50. Todestag v. Kardinal ~ (in: Theol.prakt. Quschr. 93) 1940. IB

Herger → Kerling; Spervogel.

Herger, Franz, * 23. 8. 1919 Wassen/Kt. Uri; aufgewachsen ebd., wurde dipl. Tiefbau-Polier, in versch. Unternehmen in d. ganzen Schweiz tätig; wohnt in Glattbrugg/Kt. Zürich. Lyriker, Erzähler.

Schriften: So wie der Berg sie formte. Erzählungen und Leute aus vergangenen Tagen, 1976.

AS

Hergesell, J. Philipp, * 9. 2. 1875 Dortmund, † 8. 1. 1962 Tankerton; emigrierte 1933 nach England, 1934 Jugoslawien, 1936 Italien u. schließl. 1938 wieder nach England.

Schriften: Die dritte Generation, 1933. IB

Hergeth, Mia → Fuchs-Hergeth, Hermine Maria.

Hergetius, Friedrich August, * 1780 Wegeleben b. Halberstadt, † 12. 5. 1853 Wanzleben; n. Theol.-Studium Rektor in Loburg b. Magdeburg, Schulinspektor u. Prediger in Görzke, seit 1820 Oberprediger (später auch Superintendent) in Wanzleben.

Schriften: Luther. Poetisch-religiöse Betrachtung in einem hexametrischen Gesange und einigen geistlichen Liedern, 1817; Glaube, Hoffnung, Liebe ..., 1818; Reden und Lieder ..., 1818. Vier Gelegenheitspredigten, 1820; Der Geistliche als leiblicher und als Seelenarzt ..., 1832; Poetische Nachklänge ..., 1846. (Ferner weitere relig. Schr. u. einzeln gedr. Predigten).

RM

Hergot (Hergott, Herrgott), Hans, * Nürnberg (?), † 20. 5. 1527 Leipzig (hingerichtet); seit 1524 bezeugter Buchdrucker u. Buchführer in Nürnberg, Hg. v. mind. 75 Drucken in dt. Sprache (v. a. reformationsfreundliche Volksschr. u. Werke Luthers), stand in naher Beziehung z. sozialradikalen Strömungen (u. a. Hg. v. T. Münzer), wurde in Dresden vor Gericht gestellt u. z. Tode verurteilt.

Schriften (Verf.schaft zugeschrieben): Von der newen wandlung eynes Christlichen Lebens, 1526 od. Anfang 1527. – Facs.ausg. bei G. FREYTAG, Bilder aus der deutschen Vergangenheit III, 1, 1924; Vollst. Textwiedergabe bei A. GÖTZE, L. E. SCHMITT, Aus dem sozialen und politischen Kampf ..., 1953.

Literatur: ADB 12, 210; NDB 8, 611; MGG 6, 215 (mit Verz. d. Drucke); Schottenloher 1, 341; Albrecht-Dahlke 1, 840. – J. BENZING, D. Buchdrucker d. 16. u. 17. Jh. ..., 1963; W. FRIEDRICH, D. Buchführer ~ u. d. utop. Schr. «V. d. newen Wandlung» (in: Beitr. z. Gesch. d. Buchwesens 2) 1966; R. WEISSBACH, Bemerkungen z. ältesten gedruckten christl.-kommunist. Werk in dt. Sprache ... (in: WB 15) 1969.

RM

Hergouth, Alois (Ps. Veit Krumbach), * 31. 5. 1925 Graz; Dr. phil., wiss. Oberrat am Inst. f. Volkskunde der Univ. in Graz, Lyrikpreis d. Stadt Graz 1956, 1958, Peter-Rosegger-Lit.-Preis 1965, wohnt in Graz. Lyriker, Übers. (slowenisch), Mitarb. an zahlreichen Werken u. Herausgeber.

Schriften: Neon und Psyche (Ged.) 1953; Schwarzer Tribut (Ged.) 1958; Sladka gora –

der süße Berg (Ged.) 1965 (erw. Aufl. 1974);
Stationen im Wind. Gedichte 1953–73, 1973;
Flucht zu Odysseus, 1975.

Literatur: A. HEINZEL, ~ (in: Öst. Gegen-
wartsdg.) 1952.   IB

Herhaus, Ernst (Ps. Eugenio Benedetti), * 6.2.
1932 Ründeroth b. Köln; wohnt in Frankfurt/
Main. Erzähler.

Schriften: Die homburgische Hochzeit (Rom.)
1967; Roman eines Bürgers, 1968; Die Eiszeit
(Rom.) 1970; Notizen während der Abschaffung
des Denkens, 1970; Kinderbuch für kommende
Revolutionäre, 1970 (Neuausg. u.d.T.: Poppi
Höllenarsch, 1979); Siegfried, 1972; Kapitulation. Aufgang einer Krankheit, 1977; Der zerbrochene Schlaf, 1978; Gebete in die Gottes-
ferne, 1979.   IB

Herhold, Ludwig, * 2.10.1837 Hannover,
lebte ebd.; Dramatiker.

Schriften: Im schwarzen Frack. Lustspiel nach
Dreyfus, 1875; Station Elm. Lustspiel nach
Guillemont, 1875; Katzenjammer (Lsp.) 1883;
Sie photographiert, 1883; Lateinischer Wort-
und Gedankenschatz. Ein Hilfs- und Nachschlagebuch der hauptsächlichsten lateinischen Ausdrücke, Sprüchwörter, Citate, Devisen, Inschriften usw. nebst deutscher Übersetzung, 1887. IB

Herholz, Norbert, * 24.11.1932 Danzig; wohnt
in Hamburg, Erz., jedoch vorwiegend Rundfunktätigkeit.

Schriften: Die schwarzen Hunde (Rom.) 1968.
                                                   IB

Heribert von Eichstätt → Heribert von Rothenburg.

Heribert von Rothenburg (von Eichstätt),
† 24.7.1042 Freising; Besuch d. Domschule in
Würzburg, 1022 Bischof v. Eichstätt, Kloster- u.
Bildungsreformator, Hymnendichter (überl. bes.
in oberdt. u. öst. Brevarien), s. Kreuzes-Hymnus
wurde auch Kaiser Heinrich II. zugeschrieben.

Ausgaben: G. Dreves, Analecta hymnica 50,
1907; Migne PL 141.

Literatur: NDB 8,614; Manitius 2,555. – R.
BAUERREISS, Kirchengesch. Bayerns 2, 1950;
E. WERNER, Anonymus Haserensis v. Eichstätt
(Diss. München) 1966; J. SZÖVÉRFFY, D. Ann. d.
lat. Hymnendg. 1, 1964.   RM

Heribert von Salurn (Anton Mayer) 1637 Sa-
lurn/Südtirol, 1700 Meran; Kapuziner, Volks-
prediger.

Schriften: Concionum Pastoralium triplex An-
nuale, pro Dominicis et Festis. 3 Doppelbde.,
1693–98; Peregrinationem spiritualem ad se-
pulchrum Domini, o.J.

Literatur: Adelung 2,1938; LThK 5,247. –
H. SCHMIDT, ~ als Prediger (Diss. Innsbruck)
1946.   IB

Heric von Auxerre → Heiric von Auxerre.

Heriger von Lobbes (von Laubach), * um
950, † 1007; Mönch u. Lehrer in Lüttich, stand
in enger Beziehung zu Notker v. Lüttich, 989
Romfahrt, 990 Abt v. Lobbes u. Lehrer d. freien
Künste. – Verf. 2 Antiphone auf d. Apostel Thomas, e. Marienhymnus «Ave per quam», e. Urs-
marus-Hymnus in d. Abecedararius-Form; v. H.
stammen auch d. «Gesta episcoporum Leodien-
sium», e. Kompilation älterer Lit. z. Gesch. d.
Bistums Lüttich bis 667, sowie e. Reihe v. Heiligenleben, chronolog. u. mathemat. Werke.

Ausgaben (Ausw.): Gesta episcoporum Leo-
diensium (hg. R. KÖPKE in: MG SS 7) 1846
(Neudr. 1963/64); Vita Ursmari (hg. K. STREK-
KER in: MG Poetae 5) 1937; Epistola ad Hugo-
nem (in: Migne PL 139.)

Literatur: ADB 12,111; Manitius 2,223; LThK
5,247; RE 7,703. – A. CORDOLIANI, ~ (in:
Rév. d'hist. éccles. 44) 1949; J. SZÖVÉRFFY, D.
Ann. d. lat. Hymnendg. 1, 1964.   RM

Herimann (Hermann) von St. Gallen (Hepidan, Hepidan(n)us, Hepixannus), 11.Jh., Mönch
in St. Gallen. Verf. um 1072 e. «Vita s. Wiborodae» über d. Leben d. 926 verstorbenen Klausnerin Wiboroda, im wesentl. e. Erweiterung u.
Überarbeitung d. Vita d. Mönchs → Hartmann
v. St. Gallen III (nach 973) im Sinne legend-
hafter Ausschmückung d. hist. Kerns u. d. Vorlage. Überl. im Cod. 560 d. Stiftsbibl. S. Gallen.

Ausgaben: Erstdruck bei M. GOLDAST, Ala-
mannicarum rerum scriptores ..., 1906. – Vita
et miracula Wiborodae reclusae (in: Acta Sanctorum Mai I, hg. J. BOLLANDUS u.a., 1680)
[Hartmanns u. Hermanns Red.].

Literatur: ADB 10, 678; HBLS 4,187. – E.
IRBLICH, D. Vitae Sanctae Wiborodae, 1970. RM

Herimann aus der Zelle, (Ps. f. Hermann

Sernatinger), * 30.7.1870 Radolfszell am See; war kathol. Pfarrer in Hausen vor Wald/Baden.

Schriften: «Anno 1849». Festspiel aus Bräunlingens Vergangenheit, 1905; Blut und Blüten, 1912.   AS

Hering, Burkhard (Ps. Hari, Hari Burkhard), * 22. 7. 1903 Allenstein/Ostpr.; Journalist, Oberst a.D., wohnt in Berlin. Erzähler.

Schriften: Mit Rommel bei Tobruk (Jgdb.) 1955; SOS auf dem Mittelmeer (Jgdb.) 1955; Ärmelstreifen Afrikakorps (Jgdb.) 1957.   AS

Hering, Elisabeth (geb. Leicht, Ps. E. Acker), * 17.1.1909 Klausenburg/Siebenbürgen; Preis im Jgdb.-Wettbewerb d. Ministerium f. Kultur 1956; wohnt in Leipzig bzw. Altenhain Kr. Grimma. Erzählerin.

Schriften: Der Oriol. Zwei Liebesgeschichten aus dem alten Korea, 1951; Hong Kil Tong und andere Märchen. Frei nach koreanischen Motiven, 1952; Drei Lebensretter. Eine Erzählung aus den Tagen Behrings, 1955; Ein tapferes Herz, 1962; Der Heinzelmännchen Wiederkehr (Märchen) 1955; Li Tseh. Eine Liebesgeschichte aus dem alten Korea, 1955; Südsee-Saga, kulturhistorischer Roman, 1956; Schrieb Noah schon? (gem. m. W. ~) 1956 (u.d.T.: Rätsel der Schrift, 1962); Märchen aus Rumänien, 1956 (u.d.T.: Der goldene Birnbaum und andere Märchen aus Rumänien, gem. m. W. H. 1959); Die Magd der Pharaonen (hist. Rom.) 1958; Hansel weckt den Weihnachtsmann (Sp.) 1958; Savitri. Zwei indische Liebesgeschichten, 1959; Der Diakon von Monstab (gem. m. W. H.) 1961; Der Bildhauer des Pharao (hist. Rom.) 1964; Die Frau des Gefangenen. Eine Erzählung um Hugo Grotius, 1963; Ihm zu Bilde. Kulturhistorischer Roman, 1965; Angeklagt ist Aspasia (hist. Rom.) 1967; Wolken über Wien (hist. Rom.) 1970; Zu seinen Füßen Cordoba. Kulturhistorischer Roman, 1975.

Herausgebertätigkeit: Sagen und Märchen von Donau und Rhein, 1959; Sagen und Märchen von der Nordsee, 1961; Kostbarkeiten aus dem deutschen Märchenschatz, 3 Bd., 1963–75.   IB

Hering, Ernst (Ps. Hein Gothe), * 20.3.1888 Magdeburg; studierte in Berlin, Dr. phil., Prof. d. Pädagog. Akad. in Dortmund, dann Dir. d. Pädagog. Inst. in Eberwalde bei Berlin, Verf. v. pädagog. Schr. u. Erzähler.

Schriften (Ausw.): Grundzüge der Lehre vom Lichtsinn, 1920; Münchhausens Reisen und Abenteuer (Erz.) 1924; Meier Helmbrecht. Die älteste deutsche Dorfgeschichte, 1924; Florian Geyer. Bilder und Schicksale aus der Zeit des Bauernkrieges 1525, 1925; Vom sozialen Sinn der Schule, 1927; Chronik der Stadt Bautzen, 1936; Chronik der Stadt Hirschberg, 1936; Chronik der Stadt Magdeburg, 1936; Wege und Straßen der Welt. Von der Wildfährte zum Weltraumschiff. Eine Geschichte für jedermann, 1937; Der Mensch gestaltet das Antlitz der Erde, 1937; Die Fugger, 1938; Achtung, Olva! (Rom.) 1938; Sterne über England. Roman um Shakespeare, 1938; Das Werden als Geschichte, 1939; Die deutsche Hanse, 1940; Der deutsche Ritterorden, 1943; Leichtere Arbeit und größerer Gewinn, 1955.   IB

Hering, Ewald → Ewald.

Hering, Geo (Ps. G.H. Zogenreuth), * 8.5. 1903 Zogenreuth, † 16.11.1970 Kempten; Hg. d. Allgäuer Bauernkalender, Erz. u. Lyriker.

Schriften: Weg in die Heimat (Erz.) 1934; Flüchtling und Heimkehrer (Erz.) 1947; Die letzten vom Lindenhof (Rom.) 1948; Das Lied der Berge (Rom.) 1956; Inseln der Stille. Bildband, 1964.   IB

Hering, Gerhard F(riedrich), * 28.10.1908 Rogasen/Posen; studierte in Berlin u. Heidelberg, Dr. phil., 1934–37 Leiter d. Feuilletons u. Theaterkritiker d. «Magdeburger Ztg.», 1937–Frühjahr 1943 d. «Köln. Ztg.», jedoch wegen «polit. Unzuverlässigkeit» zur Berufsaufgabe gezwungen, nach d. Krieg Hg. u. Chefred. d. Dreimonatsschr. «Vision» u. d. Programmhefte d. «Dt. Theaters» in Konstanz, lebt in Stuttgart-Uhlbach.

Schriften: Persius. Geschichte seines Nachlebens und seiner Übersetzungen in der deutschen Literatur (Diss. Heidelberg) 1935; Der deutsche Jüngling. Selbstzeugnisse aus drei Jahrhunderten (hg.) 1939 (1951 u.d.T.: Genius der Jugend, der deutsche Jüngling in Briefen aus drei Jahrhunderten); Grabbe und Shakespeare, 1941; Verse der Nacht aus drei Jahrhunderten deutscher Lyrik (hg.) 1947; Die Macht im Spiegel der Dichtung (hg.) 1947; F.M. Klinger, Gedanken und Betrachtungen (hg.) 1947; Friedrich

Hebbel, Pariser Tagebücher, Briefe und Gedichte (hg.) 1948; Porträts und Deutungen von Herder zu Hofmannsthal (Ess.) 1948; Klassische Liebespaare (Ess.) 1948; Ein Brunnen des Lebens, 1950; Gerhard Hauptmann, 1956; Der Ruf zur Leidenschaft. Improvisationen über das Theater, 1959; Sottisen, Galantes, Mokantes, Pikantes, 1960.

Literatur: Theater-Lex. 1, 763. – F. KLEIN-
WÄCHTER, Würdigung d. ersten beiden Träger d. Grillparzer-Ringes, Dr. ~, Darmstadt u. Prof. L. Lindtberg, Zürich. Dankworte. (in: Vorträge, Forsch., Berichte. Grillparzer Forum Forchtenstein 1) 1965 (ersch. 1966). IB

Hering, Johanna → Eschenbach, Olga von.

Hering, Karl (Friedrich August), * 2.9.1819 Berlin, † 2.2.1889 ebd.; Musikausbildung in Berlin u. Dresden, 1846 Violinist in Berlin. Gründer e. Quartettver. u. e. Musikschule, zuletzt kgl. Musikdirektor.

Schriften: Leier und Herz (Ged.) 1867. (Ferner versch. musiktheoret. Schr. u. Lehrbücher.) RM

Hering, Karl Gottlieb, * 25.10.1769 Schandau/Sachsen, † 4.1.1853 Zittau; studierte in Leipzig, 1795 Lehrer in Oschatz, 1797 Konrektor u. Organist ebd., 1811 Lehrer in Zittau u. 1813 Oberlehrer ebd., Hg. d. «Oschatzer Erzähler f. d. Bürger u. Landmann» (1802–1810). Verf. zahlreicher Anleitungsschr. f. d. Klavierunterricht.

Schriften: Scherzhafte Lieder und witzige Einfälle, 2 Bde., 1794f.; Praktisches Handbuch zur Erlernung des Clavierspiels, 1796; Magazin der Tonkunst, 1797; Neue Sammlung scherzhafter Lieder und witziger Einfälle. 2 Bde., 1797; Misniado, oder Geschichte Meißens, ein scherzhaftes Gedicht, 1798; Lieder für die sächsische Armee, 1803; Beschreibung der beyden Bürger- und Schützenfeste in der Stadt Oschatz usw., mit historischen Nachrichten begleitet, 1805; Mannigfaltigkeiten für mittlere Stände zur Beförderung guter Gesinnungen I 1805, II 1812; Orthographische Lese- und Schreibe-Übungen, als ein bequemes Hülfsmittel zur Erleichterung des Lesens, einer richtigen Aussprache und besonders zur Orthographie, 1807; Musikalisches Volksgesangsbuch, 1821; Zittauer Choralbuch, oder vollständige Sammlung von Choralmelodien, 1822; Jugendfreuden in Liedern mit Melodien

und einer Begleitung des Claviers oder Fortepianos, 1822 u. 1823.

Literatur: Goedeke 5, 422; 7, 283; Meusel-Hamberger 14, 107; 18, 130. IB

Hering, Karl Wilhelm August, * 8.8.1749 Bautzen, † 23.4.1802 ebd.; Rechts-Studium in Wittenberg, 1772 Oberamtsadvokat, 1793 Senator, 1801 Stadtrichter in Bautzen.

Schriften: Das Mägden (Ws., hg.) 2 Bde., 1773; Bey der freyen Rathswahl zu Budissin. Ein Gedicht, darinnen der Verfasser das Fürchterliche und Bange des Krieges 1778–1779, und das Erfreuliche ... des Friedens 1779, besinget, 1780. (Außerdem jurist. Schr. u. Gelegenheitsgedichte.)

Literatur: Meusel-Hamberger 3, 239; 11, 342. RM

Hering, Walter, * 11.6.1895 Leipzig, † 15.5. 1972; Verf. v. Hörsp. u. Jugendbüchern.

Schriften: K. Ewald, Das Zweibein. Ein naturkundliches Märchen (Hg. u. Bearb.) 1946; Das Pferd von Leiden. – Die Stiere. Niederländische Sagen nacherzählt, 1959. IB

Her(r)ingsdorf, Johannes, * 4.5.1606 Neuenkirchen/Diözese Osnabrück, † 20.2.1665 Paderborn; 1629 Eintritt in d. Jesuitenorden, Philos.-Studium in Neuß, 1632/33 Lehrer in Hersfeld, Begegnung mit Friedrich v. Spee, Theol.-Studium in Köln, 1641–52 Katechet u. Bibliothekar an versch. Ordenskollegien, 1657–59 in Paderborn, 1663/64 Gefängnis- u. Krankenhausgeistlicher in Köln, seither wieder in Paderborn. Kirchenliederdichter u. Komponist, redigierte zahlr. Lieder Spees, Hg. u. Komponist d. Sätze d. Musikpräfekten d. Kölner Jesuiten, P. Jakob Gippenbusch.

Schriften: Psalteriolum cantionum catholicarum, 1633 (zahlr. Aufl. bis 1828, Ausz. mit Melodien 1868); Geistlich Psälterlein, 1637 (größere Ausg. mit Melodien u. d. T.: Geistlich Psalter, in welchem auserlesene alt und neu Kirchengesäng neben den lieblichen Psalmen Davids verfasset seindt, 1638).

Literatur: NDB 8, 620. – T. HAMACHER, D. Psalteriolum cantionum, d. Geistl. Psälterlein u. ihr Hg. ~ (in: Westf. Zs. 110) 1960. RM

Herke, Karl (Ps. Siegfried Michel), * 6.5.1889 Mainz; Dr. phil., war Studienassessor in Wiesbaden, dann Studienrat in Kassel.

Schriften: Hebbels Theorie und Kritik poetischer Muster. Mit besonderer Rücksicht auf die Entwicklung seiner Lyrik unter Uhlands Einfluß, 1914; Der Dreifaltigkeitsspiegel in der modernen Wissenschaft, 1921; Vom Expressionismus zur Schönheit. Versuche über Entwicklung und Wesen der modernen Kunst, 1923; Caecilia Virgo. Legendenspiel in drei Bildern, 1928; Halbblut. Rassedrama, 1928; Die Christrose (Nov.) 1942.　　　　　　　　　　　　AS

Herking, Ursula, * 28. 1. 1912 Dessau, † 17. 11. 1974 München; Schauspielerin, Kabarettistin. Schwabinger Kunstpreis 1967.

Schriften: Danke für die Blumen: Erinnerungen, 1975.　　　　　　　　　　　　　IB

Herklots, Karl Alexander, * 19. 1. 1759 Dulzen b. Eilau, † 23. 3. 1830 Berlin; studierte Rechtswiss., Referendar in Königsberg, seit 1790 am Kammergericht in Berlin, mit d. dort. Hoftheater als Verf. v. Prologen, Übers. v. französ. u. italien. Singsp., sowie als Verf. v. eigenen Lsp. verbunden.

Schriften: Operetten: Schwarz und Weiß 1792, Die böse Frau, 1792, Das Incognito, 1792, Der Mädchenmarkt, 1792; Der Proceß, oder Ehen werden im Himmel geschlossen, 1792; Die Geisterbeschwörung, 1793; Das Opfer der Treue, 1793; Elternfreude, 1793; Pygmalion oder die Reformation der Liebe, 1794; Friedensfeier, 1795; Der Theaterprincipal, 1796; Weiberlist, 1799; Falstaff, 1799; Medea, 1800; Mudurra, 1800; Hero, 1800; Frohsinn und Schwärmerei, 1801; Sulmalle, 1802; List und Liebe, 1803; Dichterlaunen, 1803; Besonnenheit und Liebe, 1803; Der Onkel, 1804; Die vertrauten Nebenbuhler, 1805; Herr und Diener in einer Person, 1806; Die Liebe im Kloster, 1808; Asträas Wiederkehr, 1814; Ifflands Denkmal, 1815; Der Traum der Erinnerung, 1815; Halt's Maul! Und: Nichts für uns, 1819; Die verfängliche Wette. Komisches Singspiel in zwei Akten mit Tanz, nach Cosi fan tutte mit Mozarts Musik neu bearbeitet, 1821.

Übersetzungstätigkeit (sowie freie Bearbeitungen nach d. Französ. u. Italien.): Die Insel der Alcina (nach Bertati) 1794; Peter der Große (nach Bouilly), 1794; Raoul von Créqui (nach Monvel) 1795; Verwirrung durch Ähnlichkeit (nach Mazzini) 1795; Kindliche Liebe (nach Demoustier) 1796; Lodoviska (nach de Filette Loraux) 1797;

Der kleine Matrose (nach Pigault-Lebrun) 1797; Oedip zu Colonos (nach Guillard) 1797; Palmer (nach Pigault-Lebrun) 1798; Dido (nach Marmontel) 1799; Elise (nach St. Cyr) 1799; Der Gefangene (nach Duval) 1800; Adolph und Clara (nach Marsollier) 1801; Alexis, 1802; Der Kalif von Bagdad (nach St. Just) 1803; Je toller, je besser (nach d. franz. Operette «Une folie» v. Bouilly) 1803; Das Geheimnis (nach Hoffmann) 1803; Aline, Königin von Golconda (nach Vial u. Faviero) 1804; Herr Müßling, oder Wie die Zeit vergeht! (nach Picard) 1805; Michel Angelo (nach Delrieu) 1805; Die freundlichen Unheilstifter (nach Picard) 1806; Tante Aurora, 1807; Zwei Worte, oder die Herberge (auch u. d. T.: Die Nacht) im Walde (nach Marsollier) 1807; Die wandernden Virtuosen (nach Balocchi) 1808; Uthal, 1808; Die Prinzessin von Guise (nach Dupaty) 1809; Ein Tag in Paris (nach Étienne) 1809; Anakreon auf Samos (nach Guy) 1809; Franca de Foix (nach Bouilly u. Dupaty) 1810; Zofenherrschaft (nach J. Agniolo Nelli, La serva Padrona) 1910; Die Vestalin (nach Jouy) 1811; Röschen, genannt Aescherling (nach Étienne) 1811; Adelheid und Althram (nach Romanelli) 1811; Der Zauberwald und Jerusalems Befreiung (nach Filistri de Caramondani) 1811; Hecuba (nach Milcent) 1812; Juliette und Romeo (nach G. Foppa) 1812; Der verlorene Sohn (nach Ribouttée u. Sourigière) 1813; Johann von Paris (nach St. Just) 1813; Gesangsucht (nach Grenier) 1813; Das Frühstück der Junggesellen (nach Creuze de Lesser) 1813; Die Heirat durch List, 1813; Die Bajaderen (nach Jouy) 1814; Agnese 1815; Die Lottonummern (nach Roger u. Creuze de Lesser) 1817; Alceste (nach Moline u. d. ital. Original v. Ranieri di Calzabigi) 1817; Nurmahal, oder Das Rosenfest von Kaschmir (lyr. Dr. nach d. Ged. «Lalla Rukh» v. Th. Moore) 1822; Der Schnee (nach Scribe u. Delavigne) 1824; Alcidor (nach Théaulon) 1825; Die Abencerragen, oder Das Feldpanier von Granada (nach Jouy) 1828.

Handschriften: Frels 128.

Literatur: ADB 12, 115; Goedeke 5, 398; 7, 860; 11/1, 496; 14, 343; Theater-Lex. 1, 763; Meusel-Hamberger 3, 240; 9, 571.　　　IB

Herkommer, Agnes, * 25. 6. 1901 Zimmern u. d. Burg; Dr. phil., wohnt in Schwäbisch Gmünd. Verf. v. Biogr., Erzählerin.

Schriften: Autorität und Freiheit bei Goethe, 1932; Erinnerungen an Franz Herwig (gem. m. L. Stütz) 1932; Die heilige Klara von Assisi (Biogr.) 1934; Die heilige Katharina von Siena (Biogr.) 1936; Der zerbrochene Ring (Rom.) 1937; Herimann der Lahme. Hermannus Contractus, 1947; Mary Ward (Biogr.) 1947; Der Engel spricht (Ged.) 1965.   IB

Herkommer, Hubert, * 17.1.1941 Schwäbisch Gmünd; 1969 Dr. phil. Bonn, 1973 Univ.-Prof. für Germanistik/Mediaevistik an d. Gesamthochschule Kassel, seit 1977 o. Prof. f. Germanische Philologie an d. Univ. Bern.

Schriften: Überlieferungsgeschichte der ‹Sächsischen Weltchronik›. Ein Beitrag zur deutschen Geschichtschreibung des Mittelalters, 1972.   RM

Herl, Margret, * 16.10.1909 Köln; Rentnerin, wohnt in Hirz-Maulsbach. Verf. v. Tiererz. u. Romanen.

Schriften: Am liebsten Cocker – Freundschaft mit Hunden, 1969; Nicht über deine Kraft. Roman nach Tagebuchaufzeichnungen aus den Jahren 1930–1945; 1969; Der Cockerspaniel. Monographie einer Hunderasse, 1977.   IB

Herleth, Annemarie (Ps. f. Annemarie Schwemmle) * 24.8.1918 Budapest; wohnt in Neuenbürg, Lyrikerin.

Schriften: Auf einer Insel (Ged.) 1946; Das fremde Kind. Fünf Märchen deutscher Dichter (Hg.) 1948.

Literatur: R. PIPER, Nachmittag. Erinnerungen, 1950.   IB

Herlin, Hans, * 24.12.1925 Stadtlohn/Westf.; Lektor, wohnt in München. Übers. u. Erzähler.

Schriften: Funkreporter Piet (Jgdb.) 1954; E. Udet, eines Mannes Leben, 1958; Verdammter Atlantik. Schicksal der deutschen U-Boot-Fahrer, 1959; Kain, wo ist dein Bruder Abel? Die Flieger von Hiroshima und Nagasaki, 1960; Kein gelobtes Land. Die Irrfahrten des «St. Louis», 1961; Die Welt des Übersinnlichen, 1965; Tag- und Nachtgeschichten, 1978; Feuer im Gras (Rom.) 1979; Die Reise der Verdammten. Die Tragödie der «St. Louis», 1979.   IB

Herlinger, Ilse (Ps. für Ilse Weber) * 11.1.1903 Witkowitz/Mähren, † 6.10.1944 Auschwitz. Verf. v. Märchen u. Kindergeschichten.

Schriften: Märchen (Jüdische Kindermärchen) 1928; Die Geschichten um Mendel Rosenbusch. Erzählung für jüdische Kinder, 1929.   IB

Herlitschka, Herbert, * 26.12.1893 Wien, † 6.6.1970, letzter Aufenthaltsort Brissago/Kt. Tessin; 1938 Emigration nach England, 1945 in die Schweiz, Essayist vorwiegend Übers. aus d. Amerikanischen, teilweise zus. mit s. Gattin Felicitas (Ps. Marlys) H. (* Wien 21.1.1905, † 26.3.1975 Zürich).

Übersetzungstätigkeit (Ausw.): T. Wilder, Die Brücke von San Luis Rey, 1928; ders., Cabala, 1929; A. Huxley, Parallelen der Liebe, 1929; ders., Kontrapunkt des Lebens, 1930; ders., Zwei oder drei Grazien, 1931; ders., Das Lächeln der Gioconda und Jung-Archimedes, 1931; ders., Nach dem Feuerwerk, 1931; T. Wilder, Die Frau von Andros, 1931; A. Huxley, Wahre neue Welt (auch u.d.T.: Welt wohin?) 1932 (1953 u.d.T.: Schöne neue Welt); Ch. Morgan, Der Quell, 1933; A. Bridge, Picknick in Peking, 1934; T. Wilder, Dem Himmel bin ich auserkoren, 1935; Ch. Morgan, Das Bildnis, 1937; A. Bridge, Frühling in Dalmatien, 1937; dies., Der gelbe Graf, 1939; A. Huxley, Nach vielen Sommern, 1944; ders., Die graue Eminenz, 1948; T. Wilder, Die Iden des März, 1948; A. Huxley, Zeit muß enden, 1949; Ch. Morgan, Die Reise, 1949; W. Faulkner, Die Freistatt, 1951; A. Huxley, Affe und Wesen, 1951; ders., Meisternovellen, 1951; ders., Themen und Variationen (Ess.) 1952; Ch. Morgan, Der Richter, 1952; A. Huxley, Geblendet in Gaza, 1953; ders., Das Bankett für Tillotson. Grüne Tunnels (2 Erz.) 1953; ders., Die Pforten der Wahrnehmung, 1954; ders., Die Teufel von Loudun, 1955; ders., Schauet die Lilien, 1955.   IB

Herlitz (Herlicius), Elias, 16./17. Jh.; Organist in Stralsund/Pommern.

Schriften: Comoedia Hidbelepihal Von Vincentio Ladislav ... jetzo in Reim gebracht ..., 1601 [Versbearb. n. d. Stück v. Heinrich Julius Herzog von Braunschweig-Wolfenbüttel; Neudr. bei W. L. HOLLAND, D. Schausp. d. Herzog Heinrich Julius ..., 1855]; Musicomastix. Eine Comoedia von dem Music Feinde ... allen Music Feinden und verächtern zur bekehrung, Reimsweise beschrieben, 1606.

Literatur: Adelung 2, 1944; Goedeke 2, 395, 521.   RM

Herlitz, Georg, * 11.3.1885 Oppeln/Oberschles., † 7.1.1968 Jerusalem; studierte Gesch., semit. Sprachen u. Philos., Dr. phil. (Halle), 1911–16 Assistent am «Gesamtarch. d. dt. Juden» in Berlin; gründete 1919 ebd. das «Arch. d. zionist. Weltorganisation», das er 1933 bei s. Emigration nach Jerusalem überführte, wo es als «Zionist. Zentralarchiv» wiedereröffnet wurde. Gründer u. zus. mit B. Kirschner Hauptred. d. «Jüdischen Lexikon» (5 Bde., 1927–30).

Schriften: Der Zionismus und sein Werk, 1933; Das Jahr der Zionisten, Jerusalem 1949; Mein Weg nach Jerusalem. Erinnerungen eines zionistischen Beamten, Jerusalem 1964.   AS

Herloßsohn (eigentl. Herloß) Borromäus Sebastian (Georg Karl Reginald) (Ps. Heinrich Clauren, Eduard Forstmann, L. Schäfer, G. Pfeffert), * 1.9.1802 Prag, † 10.12.1849 Leipzig; studierte in Prag u. Wien, Hauslehrer u. Schreiber in Prag, später Stud. in Leipzig, gründete 1830 d. Zs. «D. Komet», Hg. etlicher Taschenbücher, lebte als freier Schriftst.; Lyriker, vorwiegend Romanautor.

Schriften: Treu im Tode (Nov.) 1820; Der Bastard (Bürgerl. Tr.) 1821; Der Anfang des Aufruhres wider die Dahien (d.i. die Unterdrücker, Zwingherren. Von dem blinden serbischen Naturdichter Philipp, ‹Sliepac› genannt, im Anbeginn der serbischen Revolution** (übers.) 1823; Die Fünfhundert vom Blanik, und die Sylvesternacht (zwei Erz.) 1826; Emmy, oder der Mensch denkt, Gott lenkt, 2 Bde., 1827; Berliner Schnellpost, 1827; Der Luftballon oder die Hundstage in Schilda. Ein glück- und jammervolles Schau-, Lust- und Thränenspiel in beliebigen Acten, mit Maschinerien und Decorationen, mit Spektakeln und Überraschungen, mit Tanz und Musik, mit Wahrscheinlichkeit und Unsinn, mit Sentimentalität und Prüderie, mit Aufzügen und Verwandlungen, mit gymnastischen Künsten, Prüge- und Liebeleien, mit Mädchen in Hosen, mit Leuten in Thierfellen, mit Statisten und wirklichem Vieh, mit einem Publikum etc., 1827; Löschpapiere aus dem Tagebuch eines reisenden Teufels, 1827; Mixturen, 1828; Wien, wie es ist. Fortsetzung der Sitten- und Charaktergemälde von London und Madrid (übers.) 1827; Die Geburt Matteo Griffoni's, 1828; Der Montenegriner-Häuptling (Hist.-romant. Erz.) 1828; Vier Farben, das heißt: die deutschen Spielkarten in ihrer symbo-

lischen Bedeutung beschrieben und erklärt von Susanne Rümpler, Kartenschlägerin. An's Licht befördert, 1828; Lob der Frauen, 1829; Der Venetianer. Historisch-romantisches Gemälde, 1829; Hahn und Henne. Liebesgeschichte zweier Thiere, 1830; Sieg des Lichts, 1830; Der Ungar. Historisch-romantisches Gemälde aus der Zeit der Hunyades, 1832; Anatomische Leiden (Nov.) 1833; Mephistopheles. Ein politisch-satyrisches Taschenbuch auf das Jahr 1833, 1833; Memoiren eines preußischen Offiziers (Hg.) 1833; Der Ochs und das Vergißmeinnicht. Ein Heldengedicht, 1833; Kometenstrahlen. Eine Sammlung von Erzählungen, ernsten und humoristischen Aufsätzen, I 1837, II 1847; Der letzte Taborit oder Böhmen im funfzehnten Jahrhundert (hist.-romant. Gemälde) 1834; Damen-Conversations-Lexikon (Hg. gem. m. anderen) 1834–38; Die Thräne ‹Zerdrück› die Thräne nicht in deinem Auge: Österreichischer Musenalmanach, 1837; Die Wahnsinnige. Roman, aus den Mittheilungen eines Klosterbruders ..., 1837; Scherben (Ged.) 1838; Eine Theater-Liebschaft (Nov.) 1839; Zeit- und Lebensbilder (Nov., Humoresken, Ironien u. Reflexionen) 4 Bde., 1839–43; Allgemeines Theaterlexikon der Encyclopädie alles Wissenswerthen für Bühnenkünstler, Dilettanten und Theaterfreunde, unter Mitwirkung der sachkundigsten Schriftsteller Deutschlands (hg. m. anderen) 1839 bis 1843; Wanderungen durch das Riesengebirge und die Grafschaft Glatz, 1840f.; Böhmen von 1414–1424. Historisch-romantisches Gemälde in zwei Abteilungen, 1841 (2. verb. Aufl. u.d.T.: Die Hussiten oder Böhmen, 1843, 3. verb. Aufl. 1853); Conversations-Abende im Salon der Gräfin von S*** (Hg.) 1841; Wanderlust (Erz.) 1842; Mein Wanderbuch, 1842; Buch der Liebe. Nebst einem Anhange, 1842 (2. Aufl. u.d.T.: Buch der Lieder, 1849); Fr. Fridolin, Babinsy. Modernes Räuberbild aus Böhmens Gegenwart (Hg.) 1842; Fahrten und Abenteuer des Magister Gaudelius Enzian. Komischer Roman, 1843; Der Morgenstern. Unterhaltungsblatt für die gebildete Leserwelt (Hg.) 1844; Wallensteins erste Liebe. Historisch-romantisches Gemälde, 1844; Meine Auswanderung aus Österreich, 1845; Phantasiegemälde. Taschenbuch romantischer Erzählungen für 1846 und 1847, 1846; Die Tochter des Piccolomini, 1846; Arabella oder Geheimnisse eines Hoftheaters (Rom.), 1846; Weihnachtsbilder. Eine Festgabe für deutsche Frauen und Jungfrauen,

1847; Waldblumen (Erz., Nov., Humoresken und Phantasiestücke) 1847; Die Mörder Wallensteins (Hist. Rom.) 1847; Fantasiebilder (Romant. Erz.) 1848; Falstaff. Humoristische Einfälle und Charivaris in Westentaschenformat (hg. gem. m. Th. Drobisch) 1849; Buch der Lieder. Zweiter Teil. Reliquien in Liedern (eingel. v. A. Böttger) 1851.

Ausgaben: Gesammelte Schriften, 12 Bde., 1836/37; ~'s Historische Romane. Erste Gesammtausgabe, 16 Bde., 1863–65; ~'s Gesammelte Schriften, 12 Bde., 1856–68; ~s Gesammelte Schriften, 1872.

Handschriften: Frels 128.

Literatur: ADB 12, 118; ÖBL 2, 284; Wurzbach 8, 370; Meusel-Hamberger 22/2, 699; Goedeke 8, 292; 10, 450; 657; Theater-Lex. 1, 763. – THOMAS, ~, e. biogr. Skizze, 1850; J. REINWARTH, ~s Leben (in: Dt. Arbeit 7) 1908. IB

Herm, Friedrich → Löscher, Friedrich Hermann.

Herm, Gerhard, * 1931 Crailsheim/Württ.; Studium in München u. in d. USA, Leiter d. Zweiten Regionalprogramms beim WDR in Köln. Fernsehjournalist, Verf. kulturgesch. Sachbücher.

Schriften (Ausw.): Amerika erobert Europa, 1964; Die Phönizier, 1973; Die Kelten. Das Volk, das aus dem Dunkeln kam, 1975; Auf der Suche nach dem Erbe. Von Karl dem Großen bis zu Friedrich Krupp, 1977; Die Diadochen. Alexanders Erben kämpfen um die Weltherrschaft, 1978; Strahlend in Purpur und Gold. Das heilige Reich von Konstantinopel, 1979. RM

Herm, Heinrich (Ps für Henri Legras), * 28. 9. 1882 Rouen/Frankreich, † 1. 11. 1948 Freiburg/ Schweiz; studierte d. Rechte u. Lit.gesch. in Rennes, Caen u. Paris, Dr. iur., seit 1912 Doz. für franz., dann röm. u. schweiz. Recht an d. Univ. Freiburg/Schweiz; zahlreiche Reisen z. See. Erzähler.

Schriften (außer Fachschr.): Dome im Feuer. Werdegang eines Europäers, 1926; Dämon Meer, 1927; Moira, 1932; Begegnung im Urwald, 1934; Die Trikolore, 1937; Die Mitgift, 1941; Die Dämonen des Djemaa el Fnaa. Ein Eheroman, 1943; Kapitän Hagedoorns Fahrt ins Licht, 1947. AS

Herma, Karl Johann, * 29. 1. 1895 Bielitz; Oberlehrer, in Wapienica b. Bielsko/Schles.; Erzähler.

Schriften: Gedichte, 1922; Brautnacht und andere Novellen, 1927; Guri. Der Roman eines Doppelichs, 1928; Räuberhauptmann Klimczok. Roman aus der alten Stadt Bielitz, 1932. IB

Herman, Nikolaus, * um 1480 Altdorf b. Nürnberg, † 3. 5. 1561 Joachimsthal/Böhmen; seit 1518 Kantor u. Lehrer in Joachimsthal, Anhänger Luthers. – Verf. e. reformator. Flugschr., v. pädagog. u. theol. Werken, später v. a. auch Kirchenliederdichter. Übertrug d. «Öconomia» v. J. Mathesius in dt. Reimpaare.

Schriften u. Ausgaben (Ausw.): Eyn Mandat Jhesu Christi an alle seyne getrewen Christen, 1524 (Neudr. in: DLE, D. Ref. 2, hg. A. E. BERGER, 1931); Ein gestreng Urteil Gottes über die Kinder und ihre Eltern, 1526; Die Sonntags Evangelia und von den fürnemsten Festen uber das gantze Jar, In Gesenge gefasset für Christliche Hausveter und jre Kinder, 1560 (Neuausg. hg. R. WOLKAN, 1895); Historien von der Sintflut ..., 1562; Die Haustafel, darin eim jedem angezeigt wird, wie er sich in seinem stand verhalten sol, 1562. – Textausw. bei: N. H.s und J. Mathesius' geistliche Lieder (hg. K. F. LEDDERHOSE) 1855; P. WACKERNAGEL, Das deutsche Kirchenlied von Martin Luther bis auf N. H. und Ambrosius Blaurer, 1841; DERS., Das deutsche Kirchenlied ... 3, 1870.

Bibliographie: P. WACKERNAGEL, Bibliogr. z. Gesch. d. dt. Kirchenlieds im 16. Jh., 1855; Goedeke, 2, 167; Schottenloher 1, 340; MGG 6, 219.

Literatur: ADB 12, 186; NDB 8, 628; RGG ³3, 240; RE 7, 705.– R. WOLKAN, ~ (in: Sudetendt. Lbb. 1) 1926. RM

Hermand, Jost, * 11.4. 1930 Kassel; Studium d. Germanistik, Gesch. u. Kunstgesch., 1955 Promotion Marburg, seit 1958 am German Department d. Univ. Wisconsin/USA, 1965/66 ACLS Fellow, seit 1967 Vilas Research Prof. Hg. d. «Monatshefte» (Wisconsin), d. «Basis, Jb. f. dt. Gegenwartslit.» (seit 1970), d. Brecht-Jb. (seit 1971), Mitarb. d. Düsseldorfer Ausg. d. Werke H. Heines.

Schriften (Ausw.): Synthetisches Interpretieren. Zur Methodik der Literaturwissenschaft, 1968; Von Mainz nach Weimar 1793–1919. Studien zur deutschen Literatur, 1969; Unbequeme Literatur. Eine Beispiel-Reihe, 1971; Pop übernational.

Eine kritische Analyse, 1971; Der Schein des schönen Lebens. Studien zur Jahrhundert-Wende, 1972; Der frühe Heine ..., 1976; Stile, Ismen, Etiketten. Zur Periodisierung der modernen Kunst, 1978.

Herausgebertätigkeit (Ausw.): Das junge Deutschland, 1966; Adolf Glassbrenner, der politisierende Eckensteher, 1969; Deutsche Revolutionsdramen (Mit-Hg.) 1970; Exil und innere Emigration. Third Wisconsin Workshop (Mit-Hg.) 1972; Popularität und Trivialität. Fourth Wisconsin Workshop (Mit-Hg.) 1974.   RM

Hermann → Förster, Karl Christoph; Römpler, Hermann Friedrich.

Hermann (Hermannus Alemannus, -Teutonicus, -Germanicus), † 10.11.1272; seit 1266 Bischof v. Astorga/Spanien. – 1240–56 in Toledo als Übers. v. Werken d. Aristoteles u. s. arab. Kommentatoren aus d. Arab. ins Lat. bezeugt, übertrug auch d. Psalmen aus d. Lat. ins Kastilische.

Literatur: NDB 8,645.   RM

Hermann, Benediktiner, 12. Jh.; Schüler Peter Abaelards in Paris, wahrsch. Magister ebd., später Mönch in St. Gallen. – Verf. n. 1139 d. Sentenzenwerk «Epitome theologiae christianae» (zuerst als Schr. Abaelards ed., 1936 v. Ostlender (vgl. Lit.) H. zugeschr.) u. e. lat. Glosse zu d. Paulusbriefen. Viell. Verf. e. Glosse z. d. Kathol. Briefen.

Ausgaben: Epitome theologiae christianae (hg. F. H. RHEINWALD) 1835; Migne PL 178.

Literatur: NDB 8,645; LThK 5,254. – H. OSTLENDER, D. Sentenzenbücher d. Schule Aebaelards (in: Theol. Qschr. 117) 1936; L. OTT, Unters. z. theol. Brieflit. d. Frühscholastik, 1937.   RM

Hermann Damen → Damen, Hermann.

Hermann Fressant → Fressant, Hermann.

Hermann von Fritzlar (Fritschelar), † n. 1349; Mystiker, s. Name wird am Ende s. «Heiligenlebens» gen., wahrsch. Laie, kaum ident. mit d. 1290 an d. Univ. Bologna bezeugten Hermannus de Fri(e)sler. – H.s «Buch von der Heiligen Lebine» besteht aus ca. 90 Predigten z. Weihnachtsfestkreis u. zu versch. Heiligenfesten d. Jahres u. entst. 1343–49. Hauptquelle war e. nach 1323 an-

gelegte Predigtslg. v. Heinrich v. Erfurt, auch andere Erfurter Quellen kommen in Betracht. H.s eigene Leistung ist schwer abzuschätzen, s. «Heiligenleben» scheint aber doch v. allem e. Kompilation d. versch. Quellen zu sein. E. früher entst. Werk H.s ist d. in Sorga b. Bad. Hersfeld geschr. «blume der schowunge» (D. Blume d. Schauung), e. Traktat über d. myst. vita contemplativa.

Ausgaben: Das Heiligenleben (hg. F. PFEIFFER in: Dt. Mystiker d. 14. Jh. 1) 1845 (Neudr. 1962); Die Blume der Schauung (hg. W. PREGER in: Gesch. d. dt. Mystik im MA 2) 1881.

Literatur: VL 2,415; NDB 8,645; LThK 5, 249; Ehrismann 2 (Schlußbd.) 381; de Boor-Newald 4/1,96; Albrecht-Dahlke 1,708. – J. HAUPT, Beitr. z. Lit. d. dt. Mystiker 1: Neue Hss. zu ~ (in: Sb. d. Kaiserl. Akad. d. Wiss. Wien, phil.-hist. Kl. 76) 1874; W. PREGER, Gesch. d. dt. Mystik im MA 2, 1881; F. WILHELM, Dt. Leg. u. Legendare, Texte u. Unters. zu ihrer Gesch. im MA, 1907; A. SPAMER, Über d. Zersetzung u. Vererbung in d. dt. Mystikertexten (Diss. Gießen) 1910; G. LICHENHEIM, Stud. z. Heiligenleben ~s (Diss. Halle) 1916; W. WERNER, E. Fragm. v. «Heiligenleben» ~s in d. Salemer Slg. d. Univ.bibl. Heidelberg (in: Heidelberger Jb. 13) 1969.   RM

Hermann von Heiligenhafen (de Sancto Portu), 13. Jh.; Magister in Paris, erhielt n. 1246 d. Pfründe Heiligenhafen (Ostsee). Beendete 1284 in Paris d. im Auftrag d. Grafen Adolf V. v. Holst. geschr. Kräuterbuch «Herbarius communis» (Abschr. aus d. 15. Jh. in Erlangen) in lat. Sprache mit mnd. Einsprengseln. D. Hauptttl. behandelt in alphabet. Reihenfolge Heilwirkungen versch., bes. einheim. Pflanzen, e. diätet. Anh. enthält ernährungsphysiolog. Ausführungen.

Literatur: NDB 8,646. – H. FISCHER, Mal. Pflanzenkunde, 1929; DERS., Katalog d. Hss. d. Univ.bibl. Erlangen 2, 1936; H. EBEL, D. «Herbarius communis» d. ~ u.d. «Arzneibüchlein» d. Claus v. Metry (Diss. Berlin) 1940.   RM

Hermann von Kärnten (Hermannus Carinthia, -Dalmata, -Sclavus, -secundus), 1. Hälfte 12. Jh.; Schüler v. Thierry v. Chartres, lebte dann in Spanien (bis 1142), 1143 wieder in Frankreich. Übers. aus d. Arab. ins Lat. mathemat. u. astronom. Werke (z. B. Ptolemaeus, hg. J. L. HEIBERG, 1907), d. Koran (mit R. v. Chester, gedr. 1543 u. ö.), vollendete 1143 «De essentiis (hg. P. M. ALONSO in: Miscell. Comillas 5, Comillas/Santander 1946) u. übers. Abu Ma' Schars «Majus Introductiorum».

Literatur: NDB 8,646. – C.H. HASKINS, Stud. in the Hist. of Mediaevel Science, Cambridge/Mass. 1924; R. LEMAY, Abu Ma' Schar and Latin Aristotelianism in the 12th century, Beirut 1962; H. SCHIPPERGES, D. Assimilation d. arab. Med. durch d. lat. MA (in: Sudhoffs Arch., Beih. 3) 1964.   RM

Hermann(-us, quondam Judaeus, Juda ben David ha-Levi, auch Hermann von **Köln** od. Hermann von **Scheda**), * 1107/1108, † n. 23.12. 1181 (?); als Jude in Köln aufgewachsen, um 1128 Konversion in Köln, dann Kanoniker in Cappenberg, 1134 Priesterweihe, 1170 als Abt v. Scheda bezeugt, zuletzt viell. Kanoniker in Maria ad Gradus in Köln. – Verf. um 1136/37 e. Autobiogr., welche d. Gesch. s. Konversion schildert. D. ihm zugeschr. Vita Gottfrieds v. Cappenberg stammt v. Abt Hermann v. Cappenberg († 1173?).

Ausgaben: Opusculum de conversione sua (in: Migne PL 170 u. MG, Quellen z. Geistesgesch. d. MA 4, 1963). – Übertragung bei A. HÜSING, D. hl. Gottfried, Graf v. Cappenberg, 1882 [Anh. IV]. – Die Vita Gottfrieds v. Cappenberg (in: Roman. Forsch. 6) 1891.

Literatur: Manitius 3,592; NDB 8,646; LThK 5,252; RE 7,711. – J. GREVEN, D. Schr. d. ∼ (in: Ann. d. Hist. Ver. f. d. Niederrhein 115) 1929; J. BAUERMANN, D. Anfänge d. Prämonstratenserklöster Scheda u. St. Wiperti-Quedlinburg (in: Sachsen u. Anhalt 7) 1931; H. GRUNDMANN, D. Cappenberger Barbarossakopf, 1959; G. NIEMEYER, D. Prämonstratenserstift Scheda im 12. Jh. (in: Westf. Zs. 112) 1962.   RM

Hermann der Lahme → Hermann von (der) Reichenau.

Hermann von Lerbeck, * um 1345, † um 1410 od. später; stammte viell. aus e. nach d. Dorf Lerbeck b. Minden benannten Ministerialengeschlecht, um 1365 Eintritt in d. Dominikanerkloster St. Pauli in Minden, wo auch Heinrich v. Herford Klosterbruder war, 1391 Kaplan d. Papstes Bonifaz IX., verkehrte am Hof d. Schaumburger Grafen. – Schloß um 1380 s. «Catalogus episcoporum Mindensium», e. Mindener Bistums-

gesch. v. 780 bis 1379, ab u. beendete zw. 1400 u. 1404 s. mit d. Jahr 1030 beginnendes «Chronicon comitum Schauwenburgensium». Nichts bekannt ist über d. Abfassungszeit s. (nicht erhaltenen) Widukindchron. H. benützte für s. hist. Arbeiten Urkunden, Nekrologe, mündl. u. schriftl. Überl. sowie d. Weltchron. Heinrichs v. Herford. Seine Darst. ist sachl., Lücken werden nicht durch Gesch.fabeln ausgefüllt. H.s Autorschaft an d. «Chronicon Monasterii in Lothen Dioecis Mindensis …» (hg. H. Meibom d. J., 1688) ist nicht gesichert.

Ausgaben: Chronicon Comitum Schauenburgensium (hg. H. MEIBOM d. J. in: Rerum Germanicarum 1) 1688; Catalogus episcoporum Mindensium (hg. K. LÖFFLER in: Mindener Gesch.quellen 1) 1917.

Übersetzungen: H. v. L.s Schaumburgische Chronik in niederdeutscher Bearbeitung (hg. W. FUCHS, Progr. Bückeburg) 1872; H. RAUSCH, H. v. L.s Chronik der Grafen von Schaumburg (mit d. Anmerkungen MEIBOMS, in: Schaumburg-Lipp. Mitt. 11) 1951.

Literatur: VL 2,416; NDB 8,647; LThK 5, 250; de Boor-Newald 4/1,157. – G. v. ALTEN, Über d. Verhältnis d. 4 gedr. Mindener Chron. zueinander … (in: Zs. d. hist. Ver. f. Niedersachsen 1874/75) 1875; E. ECKMANN, ∼ (Diss. Rostock) 1879; K. LÖFFLER, D. Mindener Gesch.schreibung im MA (in: Hist. Jb. d. Görres-Gesellsch. 36) 1915; P. RENVERT, Levold v. Northof, Ertwin Ertmann u. ∼ als westfäl. Gesch.schreiber (in: 61. Jber. d. Hist. Ver. f. d. Grafschaft Ravensberg) 1960.   RM

Hermann von Linz (Lienz/Tirol ?), 15. Jh., wahrsch. Dominikaner, Verf. e. Sentenz «Bruder Hermann von Lincz sprichet daz nie kein leyden so kleines …» (überl. cgm. 116 u. Karlsruher Cod. St. Georgen 78). Darauf geht d. 8 Verse umfassende Reimpaarspruch «Bruder Hermann von Lincz der wil, was leydens ye auf ein mensch gevil …» zurück, dessen erste vier Verse in Zusammenhang mit H. gebracht werden können (überl. in d. Wolfenbütteler Hs. 2.4. Aug. 2°).

Ausgabe: G. EIS, Die Sentenz des Bruders H. v. L. (in: NM 66) 1965.

Literatur: VL 5,372. – K. EULING, Kleinere mhd. Erz. …, 1908; E. PETZET, D. Pergamenthss. Nr. 1–200 d. Staatsbibl. in München, 1920; G. EIS (vgl. Ausg.) 1965.   RM

Hermann von (der) Loveia, Mystiker, Schüler Meister Eckharts, «v. d. Loveia» meint «v. d. Thüringer Wald». H. war Dominikaner-Lektor. V. ihm überl. d. «Paradisus anime intelligentis» 3 Predigten, die im Rahmen d. Erfurter Kreises stehen u. für d. Anfänge d. Eckhart-Mystik charakterist. sind. D. Predigt «Ubi est qui natus est» übernahm Nikolaus v. Landau fast wörtlich.

Ausgabe: Paradisus anime intelligentis (hg. P. STRAUCH) 1919.

Literatur: VL 2,417. – W. PREGER, Gesch. d. dt. Mystik im MA, 3 Bde., 1874–93.   RM

Hermann von Minden (Scyne: Kloster Schinna b. Stolzenau/Weser), † n. 2. 10. 1299; Dominikaner, 1278 Vizeprovinzial, 1284 Prior in Straßburg, 1286–91 Provinzial d. Teutonia, 1293–94 Prov.vikar. Inkorporierte mehrere Frauenklöster in d. Orden. Wegbereiter d. Mystik in d. süddt. Dominikanerinnenklöstern.

Ausgaben: De interdicto (Teildr. in: Arch. d. dt. Dominikaner 3) 1941; De criminum inquisicionibus (in: ebd.) 1941.

Briefe: H. FINKE, Ungedruckte Dominikanerbriefe des 13. Jh., 1891.

Literatur: LThK 5,251; NDB 8,648. – H. FINKE (vgl. Briefe) 1891; H. GRUNDMANN, Rel. Bewegungen im MA, 1935; R. PFISTER, Kirchengesch. d. Schweiz 1, 1964.   RM

Hermann, Abt von **Niederaltaich,** * 1201/02 Altbayern, † 31.7. 1275; Mönch, Kustos u. 1242 bis 1273 Abt d. Klosters Niederaltaich. S. Schr. schildern d. Gesch. v. Niederaltaich in Vergangenheit u. Ggw. («De institutione monasterii Altahensis» [741–1271], «De spoliatione monasteriorum per Arnolfum ducem Bawariae», «De advocatis Altahensibus» [900–1273], «Genealogia Ottonis II. ducis Bavariae» [1170–1250]. Hauptwerk sind d. «Annales», welche d. Zeit v. 1137 bis 1273 behandeln u. mehrfach, u. a. v. Eberhard v. Regensburg, fortges. wurden.

Ausgaben: Gesamtausg. hg. P. JAFFE in: MG SS 17. – De spolatione monasteriorum per Arnolfum ducem Bawariae (hg. F. BÖHMER in: Fontes rerum Germanicum 3) 1853; Urbarium et Codex hirsutus (hg. S. HERZBERG-FRÄNKEL, vgl. Lit.) 1909/1928 [Ausz.]

Literatur: ADB 12,164; NDB 8,648; LThK 5, 251. – B. BRAUNMÜLLER, ~ (in: Verhandlungen d. Hist. Ver. f. Niederbayern 19) 1876; P. KEHR,

~ u. s. Fortsetzer (Diss. Göttingen) 1883; S. HERZBERG-FRÄNKEL, D. wirtschaftsgesch. Quellen d. Stifts Niederaltaich (in: MIÖG, Erg. H. 8 u. 10) 1909/1928; J. HEMMERLE, D. Benediktinerklöster in Bayern, 1951; J. KLOSE, D. Urkundenwesen ~s, 1967.   RM

Hermann von (der) Reichenau (seit 12. Jh. Hermannus Contractus, der Lahme, gen.), * 18. 7. 1013, † 24. 9. 1054; stammte aus d. schwäb. Geschlecht v. (Althausen-)Veringen, Ausbildung wahrsch. im Kloster Reichenau, um 1043 Mönch daselbst. Seit früher Kindheit gelähmt. H. war schon bei s. Zeitgenossen e. angesehener Chronist, Gelehrter u. Dichter. – Zahlr. v. H.s Schr. sind Stud. zu d. Wiss. d. Quadriviums: arithmet., astronom. u. musiktheoret. Werke. Seine geistl. Dg. ist v. geringem Umfang: meist Prosa-Historien (Offizien) u. Sequenzen. Zugeschr. werden ihm versch. Antiphone, e. Rhythmus auf d. Ungarnreise Heinrichs III. v. 1040 ist bis auf d. Anfang verloren, ebenso d. «Gesta Cuonradi et Heinrici imperatorum» u. e. Martyrologium. V. bes. Interesse ist H.s v. Christi Geburt bis 1054 reichende, in Annalen verf. Weltchron., sie ist d. erste erhaltene d. dt. Kaiserzeit. H. geht streng chronolog. vor, s. Haltung ist objektiv-sachl. u. s. Stil klar. Als Hauptquelle bis 1039 vermutet man e. verlorene «Schwäb. Weltchron.», möglicherweise war d. Werk aber auch e. früheres Stadium v. H.s Chron. selbst.

Gesamtausgabe: Migne PL, Seria I, Bd. 143 (unvollst.).

Ausgaben: a) Chronik: in: MG SS 5; dass., in: Quellen des 9. und 11. Jh. zur Geschichte der hamburgischen Kirche und des Reiches (hg. W. TRILLMICH, R. BUCHNER) 1961. – Übersetzung: K. NOBBE, 1893 (³1941).

b) Liturgische Dichtungen: G. M. DREVES in: Analecta Hymnica 50, 1907; De octo vitiis principalibus (hg. E. DÜMMLER in: ZfdA 13) 1867; An die selige Jungfrau. Gegrüß seist du Maria (in: H. KUSCH, Einf. in d. lat. MA 1) 1957; Zeit und Ewigkeit. An die heilige Afra (lat.-dt., in: W. V. D. STEINEN, E. Dichterbuch d. MA, hg. P. v. MOOS) 1975.

c) Musik: Musica (hg. L. ELLINWOOD) Rochester 1936 (²1950).

d) Arithmetik: Qualiter multiplicationes fiant in abaco (hg. P. TREUTLEIN in: Bolletino di bibliogr. e di storia delle science matemat. e fisiche

10) Turin 1877; De conflictu rithmimachiae (hg. E. WAPPLER in: Zs. f. Math. u. Physik 37, Hist. Abt.) 1892.

e) Astronomie: De mensura astrolabii; De mense lunari (hg. G. MEIER in: D. 7 freien Künste im MA 2) 1887.

Literatur: VL 5,374; ADB 12,164,796; NDB 8,649; MGG 6,228; BWG 1,1125; de Boor-Newald 1,212. – H. HANSJAKOB, Herimann, der Lahme v. d. Reichenau, 1875; W. WATTENBACH, R. HOLTZMANN, Dtl.s Gesch.quellen im MA. Dt. Kaiserzeit 1, 1939; M. W. BLOOMFIELD, The Seven Deadly Sins, East Lansing 1952; A.D. V. D. BRINCKEN, Stud. z. lat. Weltchronistik bis in d. Zeitalter Ottos v. Freising, 1957; R. BUCHNER, Gesch.bild u. Reichsbegriff ~s (in: Arch. f. Kulturgesch. 42) 1960; DERS., D. Verf. d. schwäb. Weltchron. (in: DA 16) 1960; H. OESCH, Berno u. ~ als Musiktheoretiker (in: Publ. d. Schweiz. musikforsch. Gesellsch. II, 9) 1961; J. SZÖVÉRFFY, D. Ann. d. lat. Hymnendg. 1, 1964; T. BRANDIS, Cronicon (in: Kindlers Lit.lex. 1) 1965; G. HÜBNER, De octo vitiis principalibus (in: ebd. 2) 1966; F. BRUNHÖLZL, Z. Antiphon «Alma redemptoris mater» (in: Wiss. Stud. u. Mitt. z. Gesch. d. Benediktinerordens 78) 1968; P. ASSION, Altdt. Fachlit., 1973; H. BRINKMANN, «Ave praeclara maris stella» in dt. Wiedergabe. Z. Gesch. e. Rezeption (in: FS H. Moser) 1974.   RM

Hermann von Rein (Reun), 2. Hälfte 12. Jh.; Zisterzienser im öst. Stift Rein. – Verf. v. 108 Predigten in lat. Sprache, verwendete neben d. Hl. Schrift u. d. Kirchenvätern auch lat. Klassiker. Vorbild war Bernard v. Clairvaux.

Ausgabe: Tl.ausg. bei A.E. SCHÖNBACH in: Sb. d. Kaiserl. Akad. d. Wiss. Wien, phil.-hist. Kl. 150, 1905.

Literatur: NDB 8,650; LThK 5,251.   RM

Hermann von Sachsenheim, * zw. 1366 und 1369, † 5.6.1458; stand in Beziehungen z. württ. Grafenhaus u. z. Dichterkreis um d. Erzherzogin Mechthild u. Kurfürst Friedrich v. d. Pfalz, Rat d. Henriette v. Mömpelgard (1419–42) u. ihres Sohnes Ludwig v. Württ. (1412–50), 1421 u. 1426 Vogt v. Neuenburg, 1431/32 Lehensrichter, erhielt 1431 d. Lehen Sachsenheim. – Bisher sind v. H. v. S. nur Altersdg. bekannt, sein Hauptwerk, d. Reimpaardg. «Die Mörin» (6081 Verse) entst. 1453 (erster Druck 1512) u. schildert e. Minne-

prozeß n. dt. Rechtsverfahren. Ferner sind überl. 5 weitere Reimpaardg. (dazu 3 ihm zugeschr.), zweistroph. Ged., 1 Grabschr. u. ev. Lieder. In d. «Mörin» u. im «Spiegel» parodiert H. d. Minneallegorie, unzeitgemäße ritterl. Verhältnisse stellt er häufig ironisierend dar. H.s lit. Wirkung erstreckte sich auf Hans Folz, Johann Fischart, Hans Sachs u. andere.

Ausgaben: Die Grasmetze, Grabschrift u. Lieder (hg. C. HALTAUS in: Liederbuch d. Klara Hätzlerin) 1840 (Neudr. 1966); Der Spiegel u. das Sleigertüechlin (hg. W. HOLLAND, A. V. KELLER in: Meister Altswert, Bibl. d. Lit.ver. Stuttgart 21) 1850; H.v.S., Die Dichtungen (hg. E. MARTIN in: Bibl. d. Lit.ver. Stuttgart 137) 1878; Minneturnier (in: K. MATTHEI, Mhd. Minnereden 1) 1913; Blaue Rede, Unminne, Grasmetze (in: W. BRAUNS, G. THIELE, Mhd. Minnereden 2) 1938; Die Mörin (n. d. Wiener Hs. ÖNB 2946 hg. u. kommentiert v. H.D. SCHLOSSER) 1974. – E. Ausg. d. «Goldenen Tempels» ist in Vorbereitung.

Literatur: VL 5,377; ADB 30,146; NDB 8,650; Ehrismann 2 (Schlußbd.) 456; de Boor-Newald 4/1,49; Albrecht-Dahlke 1,708. – H. HOFMANN, E. Nachahmer ~s (Diss. Marburg) 1893; F.W. STROTHMANN, D. Gerichtsverhandlungen als lit. Motiv d. ausgehenden MA, 1930; E. SCHRÖDER, ~, 1931; W. BRAUNS, Heinrich Wittenweiler, d. Ged. v. d. Bauernhochzeit u. ~ (in: ZfdA 73) 1936; DERS., ~ u. s. Schule (Diss. Berlin) 1937; L. DIETRICH, ~, e. Beitr. z. geistesgesch. Wandel im SpätMA (Diss. München) 1948; D. HUSCHENBETT, ~ (Diss. Würzburg) 1959; DERS., ~, e. Beitr. z. Lit.gesch. d. 15. Jh., 1962; H. NICOLAI, Romantisierende u. parodist. Tendenzen in d. ritterl. Dg. d. ausgehenden MA. Z. «Mörin» d. ~ (in: FS U. Pretzel) 1963; M. WIS, Z. Schleiertüchlein ~s ... (in: NM 68) 1965; T. BRANDIS (Mitverf.), Die Mörin (in: Kindlers Lit.-lex. 4) 1968; W. BLANK, Kult. Ästhetisierung. Z. ~ Architektur-Allegorese im «Goldenen Tempel» (in: FS F. Ohly) 1975; S.L. WAILES, The Character of Love in ~s «Die Mörin» (in: Coll Germ 1975) 1976; W. HAUG, Gebet u. Hieroglyphe. Z. Bild- u. Architekturbeschreibung in d. ma. Dg. (in: ZfdA 106) 1977.   RM

Hermann von Salzburg → Mönch von Salzburg, Der.

Hermann von Scheda → Hermann von Köln.

Hermann von Schildesche (de Schildicz, Scildis u. ähnl., auch H. de Westfalia), * 8.9. ca. 1290 Schildesche b. Bielefeld, † 8.7.1357 Würzburg; Lektor in versch. Augustinerklöstern, 1334 Magister in Paris, 1337–49 Provinzial d. thüring.-sächs. Prov., seit 1340 Theol.-Prof., Generalvikar u. Großpönitenziar in Würzburg. Vermittler im Streit zw. Ludwig d. Bayern u. d. päpstl. Kurie.

Schriften (Ausw.): Tractatus contra haereticos negantes immunitatem et jurisdictionem sanctae ecclesiae, 1328/32 (Ausz. bei R. SCHOLZ, Unbek. kirchenpolit. Schr. ... 2, Rom 1914); Introductorium juris, 1328/34; Speculum manuale sacerdotum, 1334/45; Postilla super Cantica, 1342/49; Compendium de quatuor sensibus Sacrae Scripturae, 1345/50; Claustrum animae, 1347/49; Tractatus de conceptione gloriosae virginis Mariae, um 1350 (hg. A. ZUMKELLER in: Würzburger Diözesan-Gesch.bl. 22, 1960).

Bibliographie: A. ZUMKELLER, Mss. v. Werken d. Autoren d. Augustiner-Eremitenordens in mitteleurop. Bibl., 1966.

Literatur: NDB 8,651; RE 7,711. – E. SECKEL, Beitr. z. Gesch. beider Rechte im MA 1, 1898; A. ZUMKELLER, ~, 1957; DERS., Schrifttum u. Lehre d. ~, 1959.   RM

Hermann von Tournai, 11./12. Jh.; 1119 als Diakon am Konzil v. Reims, 1127 Abt v. St. Martin in Tournai, 1137 Abdankung, Reisen n. Rom 1140 u. 1142, n. Spanien u. ins Hl. Land (1147). Verf. d. 1146 entst. Chron. «Liber de restauratione abbatiae s. Martini Tornacensis» f. d. Zeit v. 1022–1127, d. «Miracula s. Mariae Laudunen» (entst. um 1146) u. «De incarnatione Christi».

Ausgaben: Liber de restauratione abbatiae s. Martini Tornacensis (hg. D'ARCHERY in: Migne PL 180); dass., (hg. G. WAITZ in: MG SS 14); Miracula s. Mariae Laudunen (hg. D'ARCHERY in: Migne PL 156; Ausz. hg. PERTZ in: MG SS 12 u. G. WAITZ in: ebd. 14); De incarnatione Christi (in: Migne PL 180).

Literatur: Manitius 3,531; LThK 5,253. – G. WAITZ, Forsch. z. dt. Gesch. 21, 1881.   RM

Hermann von Vechelde, † 1420, stammte aus e. braunschweig. Familie u. gelangte 1380 nach d. Gildenaufstand in d. Rat d. Stadt Braunschweig. – Wahrsch. Verf. d. v. 1401–1406 entst. «Heme-

lik rekenskop», e. v. d. Stadt in Auftrag gegebenen Gedenkschr. über d. Gesch. Braunschweigs seit 1374. D. Werk gliedert sich in 4 Abschnitte u. beschreibt d. Verschuldung d. Stadt u. d. Stabilisierung d. Bilanz. Im 3. Tl. werden d. verbleibenden Schulden aufgezählt u. d. 4. Tl. behandelt d. Ausstände u. d. öffentl. angelegten Kapitalien. Johann (v. Honlege?), der d. finanztechn. Tle. bis 1416 ergänzte, stellte 3 Abschr. her, v. denen eine im Stadtarch. Braunschweig erh. ist.

Ausgabe: Hemelik rekenskop (hg. L. HÄNSELMANN in: D. Chron. d. dt. Städte v. 14. bis ins 16. Jh. 6) 1868 [mit Einl.].

Literatur: Dt. Chron., Reihe 4, Bd. 5 (hg. H. MASCHEK) 1936; G. KEIL, ~ (in: Nachtr. z. VL, PBB Tüb. 83) 1961/62.   RM

Hermann von Wartberg(e), * um 1330 Niedersachsen, † um 1380 Livland; seit Mitte d. 14. Jh. als Kaplan d. livländ. Landmeisters d. Dt. Ordens in Livland nachweisbar, verschiedentl. f. d. Orden diplomat. tätig (z. B. 1366 als Vertreter in Danzig, Durchsetzung d. Ordensansprüche gg. d. Bischof v. Riga, d. darüber verf. Relation stammt wahrsch. v. H.). Verf. seit ca. 1358 e. «Chronicon Livoniae», e. Gesch. Livlands v. d. Anfängen bis 1378. H. stützt sich auf ältere livländ. Quellen, aber auch auf mündl. Überl., Dokumente u. im letzten Tl. bes. auf eigene Erlebnisse. D. Chron diente d. älteren Hochmeisterchron. u. Wiegand v. Marburg als Quelle.

Ausgabe: Chronicon Livoniae (in: Scriptores rerum Prussicarum 2, Einl. E. STREHLKE) 1883 [Relation ebd.].

Literatur: VL 2,422; ADB 41,185; NDB 8, 652; LThK 5,253. – K. HELM, W. ZIESEMER, D. Lit. d. Dt. Ritterordens, 1951.   RM

Hermann von Weissenburg, stammte aus Bistritz, † bald n. 12.7.1499; stand in Diensten Stephans d. Großen, Burggraf d. Stadt Weissenburg in Ungarn, diplomat. Gesandter. – Verf. e. dt.sprach. Chron. (Original verloren, Abschr. v. Hartmann Schedel 1502), welche d. Zeitraum v. 1457–1499 umfaßt.

Ausgabe: R. Huss, Die deutsche Chronik eines Bistritzers aus dem Jahre 1499 (bezw. 1502) und die Bistritzer Kanzleisprache des 15./16. Jahrhunderts (in: Siebenbürg. Vjh. 56) 1933.

Literatur: VL 2,423; de Boor-Newald 4/1, 157. – R. Huss (vgl. Ausg.) 1933.   RM

Hermann Joseph von Steinfeld, hl., † 7.4. 1241 (1252?) Hoven b. Zülpich; Prämonstratenser in d. Abtei Steinfeld. Mystiker, Verf. geistl. Lieder, v. lat. Hymnen auf Maria u. d. hl. Ursula, schuf wahrsch. d. ältesten Herz Jesu-Hymnus («Summi regis cor aveto»).

Ausgaben: Opuscula (hg. J. v. SPILBEEK) 1899; J. BROSCH, Hymnen und Gebete des H. J. v. S. (lat. u. dt.) 1950. – Ausz. bei J. SZÖVÉRFFY (vgl. Lit.) 1965.

Literatur: NDB 8, 651; LThK 5, 253. – F. PÖSEL, D. Leben d. seligen ∼, 1916; K. KOCH, E. HEGEL, D. Vita d. ∼, 1958; J. SZÖVÉRFFY, D. Ann. d. lat. Hymnendg. 2, 1965.   RM

Hermann, Alfred → Hüffer, Alfred.

Hermann, Anton → Albrecht, Hermann.

Hermann, August, * 14.9.1835 Lehre bei Braunschweig, † 20.2.1906 ebd.; Turninspektor u. Gymnasiallehrer. Verf. v. pädagog. Schr. sowie Werken in Mundart.

Schriften: Erenst un Snack en hüttjen Pack. Plattdeutsche Gedichte in niedersächsischer Mundart, 1892.   IB

Hermann, Daniel, um 1543 (?) Neidenburg/ Ostpr., † 29.12.1601 Riga; studierte in Straßburg, Königsberg, Basel, Ingolstadt u. Wittenberg. Später in Wien Hofsekretär, trat dann in Danzigs Dienste, machte d. Feldzüge St. Bathorys mit (1579–80), Übersiedlung schließlich nach Riga.

Schriften: Danielis Hermanni, Borussi, Secretarii Poemata academica, aulica, bellica (hg. v. s. Witwe) 1614 (darin u.a. polit. Ged. z.B. Über die Pariser Bluthochzeit, sowie e. gr. Fragment in 3 Büchern «Stephaneis»).

Literatur: ADB 12, 166; Jöcher 2, 1538; Goedeke 2, 325.   IB

Hermann, Ernst (Ps. J. M. Arouet u. G. E. Walther), * 12.11.1837 Elberfeld, † 21.9.1908 Baden-Baden, Gymnasialprof., Erz., Dramatiker u. Theaterhistoriker.

Schriften (Ausw.): Woher und Wohin? Schopenhauers Antwort auf die letzten Lebensfragen, zusammengefaßt und ergänzt, 1877; Das Mannheimer Theater vor hundert Jahren, 1886; Sokrates (Tr.) 1888; Die Hexen von Baden-Baden. Nach den Original-Akten des allgemein großherzoglichen Landes-Archivs in Karlsruhe, 1890;

Kaiser Hadrian in Baden (Festsp.) 1891; Hans Sachsens Herbstglück (dramat. Szene) 1894; Sedan. Zwei dramatische Scenen für vaterländische Feste, 1895; Vor hundert Jahren. Ein kleines Festspiel zum siebzigsten Geburtstage des Großherzogs Friedrich von Baden am 9. September 1896, 1896; Kaiser Wilhelm der Erste. Dramatische Dichtung zu vaterländischen Festakten, 1897; Gespräche und Gesänge zu Schulfesten an den Badener Jubiläumstagen im September 1906, 1906.

Literatur: Theater-Lex. 1, 764f.   IB

Hermann, Eugen → Dedenroth, Eugen Hermann.

Hermann, Franz Jakob, * 23.4.1717 Solothurn, † 18.12.1786 ebd.; Sohn e. Tischlers aus d. Elsaß, Priester u. Kaplan am Ursusmünster, Stiftskantor; Gründer e. ökonom. Gesellsch., 1761 Mitbegründer d. «Helvetischen Gesellsch.» in Schinznach, 1763 Gründer d. Solothurn. Stadtbibl. u. e. Theatergesellschaft. Historiker u. Dramatiker. Eine «Vaterländische Geschichte der Stadt und Landschaft Solothurn» erschien im Solothurner Kalender 1778–1788.

Schriften: Das Gross-Muethig – Und Befreyte Solothurn. Ein Traur-Spiel In Fünf Abhandlungen, 1755.

Literatur: ADB 12, 168; HBLS 4, 194; Goedeke 5, 353. – M. LUTZ, Nekrolog denkwürdiger Schweizer aus d. 18. Jh. ..., 1812; L. GLUTZ-HARTMANN, D. Stadtbibl. E. Stück solothurn. Culturgesch. d. 18. Jh., 1879.   AS

Her(r)mann, Franz Rudolph, * 1787 Wien, † 8. 4.1823 Irrenanstalt Breslau; Dr. phil., landwirtschaftl. Beamter, später bei d. Breslauer Theatergesellsch. tätig, dann Privatgelehrter in Breslau, hielt 1820 Vorlesungen in Wien.

Schriften: Die Nibelungen, 3 Tle., 1819; Rittersinn und Frauenliebe in Erzählungen und Sagen, 1820; Karlsbrunn (Ged.) 1820; Ideen über die antiken, romanischen und deutschen Schauspiele, 1820.

Literatur: Ersch-Gruber II.6, 263; Wurzbach 8, 390; ADB 12, 167; Meusel-Hamberger 18, 145; 22.2, 714; Goedeke 6, 412, 589; 11/1, 429.   RM

Hermann, Friedrich (Ps. f. Friedrich Hermann Sonnenschmidt), * 12.11.1801 Greifswald, † 10. 11.1881 Berlin; seit 1837 Oberappellations-Gerichtsrat in Greifswald, seit 1853 Obertribunalrat in Berlin.

Schriften: Gedichte, 1876.   RM

Hermann, Friedrich Benjamin (Ps. f. Hermann Maempel), * 20.2.1829 Arnstadt in Thüringen, † 11.2.1902 ebd.

Schriften: Durch Leid zur Seligkeit. Ein Werkstück zum Tempelbau der Erlösung, 3 Bde., 1896.
                                              IB

Hermann, G. → Gelderblom, Hans.

Hermann, Georg (Ps. f. Georg Hermann Borchardt), * 7.10.1871 Berlin-Friedenau, † 19.11.1943 Auschwitz; Sohn d. Kaufmanns Hermann B., besuchte d. Askanische u. Friedrich-Werdersche Gymn. in Berlin, Einjährigen-Zeugnis erst 1890, Kaufmannslehrling u. Gehilfe in e. Krawattengeschäft, wegen Krankheit vorzeitig aus d. Militärdienst in München entlassen, Hilfsarbeiter im Statist. Amt d. Stadt Berlin, 1896–99 Hörer lit. u. kunstgeschichtl. Vorlesungen an d. Univ. Berlin, danach als freiberufl. Kunstkritiker u. Schriftst. in finanziellen Schwierigkeiten. Nach 1906 durch s. Romane bekannt. Lebte außer in Berlin zeitweilig in Neckargemünd, emigrierte 1933 nach Holland. 1943 in d. holländ. KZ Westerbork eingeliefert, im gleichen Jahr in KZ Auschwitz überführt u. dort ermordet. Romanschriftst., Erzähler, Kunstkritiker, polit. Essayist.

Schriften: Modelle. Ein Skizzenbuch, 1897; Spielkinder (Rom.) 1897; Die Zukunftsfrohen (Erz.) 1898; Aus dem letzten Hause (Erz.) 1900; Der Simplicissimus und seine Zeichner, 1900; Die deutsche Karikatur im neunzehnten Jahrhundert, 1901; Wilhelm Busch (Ess.) 1902; Skizzen und Silhouetten (Ess.) 1902; Jettchen Geberts Geschichte, 2 Bde. (Erz.) 1906–09; Rudyard Kipling (Ess.) 1909; Sehnsucht. Ernste Plaudereien, 1909; Kubinke (Rom.) 1910; Der Wüstling (Lsp.) 1911; Aus guter alter Zeit, 1911; Um Berlin (10 Lithographien mit Text) 1912; Die Nacht des Doktors Herzfeld (Rom.) 1912; Das Biedermeier im Spiegel seiner Zeit (Gesammelt u. hg.) 1913; Jettchen Gebert (Schausp.) 1913; Henriette Jacoby (Dr.) 1915; Vom gesicherten und ungesicherten Leben (Erz.) 1915; Heinrich Schön jun. (Rom.) 1915; Der Guckkasten (Erz.) 1916; Mein Nachbar Ameise (St.) 1917; Einen Sommer lang (Rom.) 1917; Kleine Erlebnisse (Erz.) 1919; Randbemerkungen (1914–1917), 1919; Doktor Herzfeld, 2 Bde., 1921–22; Frau Antonie (Schau-

sp.) 1923; Der kleine Gast (Rom.) 1925; Holland, Rembrandt und Amsterdam, 1926; Spaziergang in Potsdam, 1926; Der doppelte Spiegel (Erz.) 1926; Aus sorglosen Tagen. Ein Album, 1926; Tränen um Modesta Zamboni (Rom.) 1928; Die Zeitlupe und andere Betrachtungen, 1928; Träume der Ellen Stein (Rom.) 1929; Vorschläge eines Schriftstellers, 1929; Grenadier Wordelmann (Rom.) 1930; November achtzehn (Rom.) 1930; Ruth's schwere Stunde (Erz.) 1934; B.M. Der unbekannte Fußgänger, 1935; Der etruskische Spiegel, 1936; Kubinke (Rom.) 1974.

Ausgaben: Gesammelte Werke, 5 Bde., 1922.

Nachlaß: Leo-Baeck-Institut New York. – Mommsen Nr. 1583; Nachlässe DDR III, Nr. 386.

Literatur: NDB 8,656. – E. GOTTGETREU, ~, d. Autor d. Jettchen Gebert (in: Emuna 6) 1971; H. KAUFMANN, Fortsetzungen realist. Erzähltraditionen d. 19. Jh. bei L. Thoma, E. v. Keyserling, ~ u. d. frühen H. Hesse (in: WZ d. Univ. Jena 20) 1971; F. J. RADDATZ, Bindung, Geborgenheit oder Solidarität. ~ (in: F. J. R., Traditionen u. Tendenzen) 1972; V. I. WENTWORTH, ~ u. d. Biedermeier (Diss. Univ. Maryland) 1973; C. G. VAN LIERES, ~ Materialien z. Kenntnis s. Lebens u. s. Werkes, 1974; DERS., ~. Jüd. Aufbauformen in s. Romanwerk (in: Bull. of the Leo-Baeck-Inst. 13) 1974; P. A. JACOBI, Geschichtl. Grundlagen zu ~s Jettchen Gebert (ebd. 14) 1975.   HD

Hermann, H. (Hans) (Ps. f. Hermine Schubert), * 9.11.1866 Schloß Barrottwitz b. Breslau; erzogen im Luisenstift in Niederlößnitz, lebte 1888 bis 1891 in Görlitz, später auf Reisen u. seit 1895 in Breslau.

Schriften: Reitend-reizend (Rom.) 1893 (Neudr. 1905); Flammen im Herzen (Rom.) 1894; Märchen aus dem 19. Jahrhundert, 1895 (NF 1896, letzte Folge 1897); Gedichte, 1897; Trutz-Bathseba (Rom.) 1898; Ich hatte einst ein schönes Vaterland (Nov.) 1900; Der Ritter von Marienburg (Tr.) 1907; Krimhilde (Tr.) 1916.   RM

Hermann, Hans → Strauß-Olsen, Hermann.

Hermann, Johann, * 11.10.1585 Rauden b. Wohlau, † 27.2.1647 Lissa/Polen; studierte in Straßburg Humanist, poeta laureatus. Pfarrer zu Köben a. d. Oder, später als Flüchtling in Lissa.

Schriften (Ausw., alle o. J.): Deutsche Poemata; Epigrammata; Tauf-Sermones; Nuptialia, oder 145 Trauungs-Sermones; Poetische Erquickstunden; Erneuerte Sonn- und festtägliche Spruch-Postille; Montem Oliveti oder 22 Predigten von der blutsauren Arbeit Christi am Ölberge; Haus- und Hertz-Music; Hertzstärkung für alle Verfolgte, Weinende und Krancke; Trost-Sprüche wider das Schrecken des Todes.

Literatur: Jöcher 2, 1539.   IB

Hermann, Johann (seit 1867: von), * 17.11. 1800 Naketendörflas/Böhmen, † 17.7.1890 Wien; Privatlehrer in Wien, dann Leiter d. Erziehungsanstalt Wien-Alsergrund, Volksschulinspektor f. Steiermark, Gründer e. Erziehungsanstalt u. e. Knabenschule in Wien.

Schriften (Ausw.): Wie ich meine Zöglinge lesen gelehrt, 1835; Deutsches Lesebuch, 1859; Sprichworte und Denksprüche für unsere Schulen, 1862; Die Hausmutter in der Kinderstube, 1874; Lieder für die Volks- und Bürgerschulen, 1879. – Autobiogr. in: Erziehung u. Unterricht, März 1954.

Literatur: NDB 8, 659; Wurzbach 28, 351; ÖBL 2, 287.   RM

Hermann, Johann Karl Friedrich, * 12.10.1810 Wismar, † 13.4.1891 Berendshagen; studierte Theol. u. Philos. in Berlin, war Hauslehrer, Leiter von Privatschulen, später Konrektor in Sternberg/Schwerin, dann Rektor in Plau, seit 1860 Pfarrer in Berendshagen.

Schriften: Lieder der jüngsten Zeit, 1870; Neue Lieder, 1871; Heimatliche Klänge, 1872; Wechselnder Liederklang, 1873; Vierzehn neue Lieder und vierzehn alte Geschichten, 1878.   AS

Hermann, Johannes (Ps. f. Hermann Bartmann), * 11.3.1876 Essen; Dr. phil., wohnte in Düsseldorf. Erzähler.

Schriften: In der Kyklopenhöhle. Schulroman eines Unzufriedenen, 1908; Der Niederrhein (hg.) 1911–22; Heimatpflege, 1920.   IB

Hermann, Karl Gottlieb Melchior (Ps. Walafried), * 5.9.1767 Danzig, Todesdatum u. -ort unbekannt; Privatdoz. f. Theol. in Göttingen, Hofmeister in Rußland.

Schriften: Grundriß eines Collegii über die Christologie, 1791; Versuch einer philosophischen und kritischen Einleitung in die christliche

Theologie ..., 1. Bd., 1792; Gemählde aus den Zeiten der Väter, 2 Tle., 1792–93.

Literatur: Meusel-Hamberger 3, 246; Goedeke 5, 522.   RM

Hermann, Konrad (auch Conrad), * 30.5.1819 Leipzig, † 1897 Klosterlausnitz; Schüler Hegels, seit 1860 Prof. d. Philos. in Leipzig. Ästhetiker.

Schriften (Ausw.): Geschichte der Philosophie in pragmatischer Behandlung, 1867; Die ästhetischen Principien des Versmaßes in Zusammenhang mit den allgemeinen Principien der Kunst und des Schönen, 1865; Philosophie der Geschichte, 1870; Die Ästhetik in ihrer Geschichte und als wissenschaftliches System, 1875; Die Sprachwissenschaft nach ihrem Zusammenhange mit Logik, menschlicher Geistesbildung und Philosophie, 1875; Der Gegensatz des Classischen und Romantischen in der neueren Philosophie, 1877; Die deutschen Studenten (dramat. Ged.) 1877; Hegel und die logische Frage der Philosophie in der Gegenwart, 1878.

Literatur: Brasch, ~ (in: Leipziger Philosophen) 1894.   IB

Hermann, Michael Kajetan, * 27.9.1756 Michelsdorf/Böhmen, † nach 1835; studierte in Prag, Seelsorger, später Dechant u. Konsistorialrat in Leitmeritz. Erz. u. Erbauungsschriftsteller.

Schriften (Ausw.): Kürzere Kanzelvorträge, 1802–04; Sittenlehren in Beispielen auf alle Tage des Jahres, 1803–04; Fest- und Gelegenheitspredigten, 1803–08; Einige der gangbarsten Sprüchwörter näher erläutert und zu Predigten und Katechisationen anwendbar gemacht, als Anhang zu den Volkspredigten 1805; Heiligenlegende zum öffentlichen Gebrauche in der katholischen Kirche, 1808; Biographien verklärter Freunde Gottes ..., 2 Bde., 1808; Gespräche zur Verminderung des Aberglaubens und der gewöhnlichsten Volksirrthümer; ein sehr nützliches Volksbuch, 1809; Fastenreden, 1810; Schul- und Erziehungsreden, 1810; Interessante Wahrheiten nach den Bedürfnissen unserer Zeit, in Briefen, 1812; Briefe über wichtige Gegenstände, 1813; Briefe eines Vaters an seinen Sohn, zur Bildung des Verstandes und Herzens, 1815; Briefe eines Vaters an seine Tochter, zur Bildung des Verstandes und Herzens, 1815; Der Christ in der Einsamkeit, oder heilsame Betrachtungen über wichtige Gegenstände, 1817; Nützliches Allerley in Briefen,

1817; Interessante Geschichten und Erzählungen zur Beförderung der Religion und Tugend, 1817; Freymüthige Gespräche über interessante Gegenstände, 1818; Religionsgespräche über Gott und seine Eigenschaften, in sokratischer Lehrform, 1818; Auserlesene Geschichten, Erzählungen, Anekdoten und Gedichte, theils zur Belustigung, theils zur Warnung und Belehrung, 1818; Sophron, der erfahrene Rathgeber in den wichtigsten Angelegenheiten des menschlichen Lebens, 1819; Sprache des Herzens eines aufgeklärten Christen mit Gott und seinen Heiligen, 1820; Auserlesene Sammlung nützlicher und unterhaltender Gedichte und Aphorismen, 1823.

Literatur: Wurzbach 8, 388; Meusel-Hamberger 14,110; 18,137; 22/2,703; Goedeke 6,765; 12,345. **IB**

Hermann, Moritz, * 8.12.1869 Skala/Podolien (Ukraine); Sohn e. Kupferschmieds, Schulen in Czernowitz, arbeitete als Buchhalter u. Korrespondent in Berliner u. Wiener Handelshäusern, studierte seit 1902 an d. Univ. Wien Jus, Philos. u. Philol., wurde Mittelschullehrer.

Schriften: Passah. Erlebnisse einer jungen Seele, 1902. **AS**

Hermann, Nikolaus, * um 1480 Altdorf, † 15.5.1561 Joachimsthal/Böhmen; Lehrer u. Kantor ebd., Briefw. m. M. Luther. Dichter u. Komponist evangel. Kirchenlieder.

Schriften: Ain Mandat Jhesu Christi an alle seyne getrewen Christen ..., 1524/25; Ain neüw Mandat Jhesu Christi ..., 1546; Ein christlicher Abendreien von Leben und Ambt Johannes des Täufers, 1554; Die Sonntags-Evangelia vnd für die fürnemsten Festen vber das gantze Jar, In Gesenge gefasset, Für Christliche Hauszueter vnd jre Kinder, 1560 (Neudruck v. WOLKAN, 1895); Die Historien von der Sindfludt ..., 1562; Die Haus-Taffel, darin eim jeden angezeigt wird, wie er sich in seinem stand verhalten sol ..., 1562; Kirchen-Gesänge, Erster Theil ... (hg. v. P. EBER) 1581; Kirchen-Gesänge Ander Theil ... (hg. v. MATHESIUS) 1584.

Literatur: ADB 12,186; NDB 8,628; Jöcher 2,1541; Wurzbach 8,392; Ersch-Gruber 2/6, 268; RGG 3,240; MGG 6,219; RE 7,705; Goedeke 2,167; Neumeister-Heiduk 375; FdF 2, 116. – K.F. LEDDERHOSE, ~s u. J. Mathesius' geistl. Lieder, 1855; HOCHSTETTER, ~, E. neuer

Fund (in: Monatsschr. f. Gottesdienst u. kirchl. Kunst 34) 1929. **IB**

Hermann, Paul, * 1.2.1904 Berlin; Komponist u. Schriftst., wohnt in Berlin. Erz. u. Lyriker.

Schriften: Lokaltermine. Berliner Kneipengedichte, 1969. **IB**

Hermann, Rudolf (Ps. f. Helmut Schiering), * 27.10.1924 Radis; wohnt in Meersburg. Übers. u. Erzähler.

Schriften: Liebe, Ehe, Familie. Ein Handbuch des glücklichen Lebens, 1962; Robin Hood, Kämpfer für das Recht. König der Geächteten, 1971. **IB**

Hermann, Rudolf → Carsted, Rudolf Hermann.

Hermann, S. (Ps. f. Hermann Struschka-Hoffmann]; andere Ps.: Sigmund Hanisch, Hermann Hoffmann), * 25.11.1851 Olmütz, † 31.1.1932 Wien; war Gymnasiallehrer u. Bezirks-Schulinspektor in Kremsier/Mähren, später in Brünn; lebte seit 1899 auf s. Landsitz in Mödling bei Wien. Verf. von Lustspielen (meist ungedr.), Lyriker, Erzähler.

Schriften: Blüten und Nieten (Ged.) 1886; In Freud und Leid. Neue Gedichte, 1887; Schwarz-Gelb. Soldaten-Lieder, 1889; Zoraide (Tr.) 1890. **AS**

Hermann, Theodor, * 14.2.1862 Duisburg; war zuerst Volksschullehrer, dann Lehrer an d. höheren Mädchenschule in Unterbarmen.

Schriften: Der Engel. Weihnachtsfestspiel für Kinder, 1893; Ferdinande von Schmettau. Ein vaterländisches Festspiel für Kinder, 1895; Trochäen, 1895; Neue Lieder, 1903; Der gute Gerhard von Köln. Ein Weihnachtsfestspiel für Kinder, 1904. **AS**

Hermann, Theodor → Pantenius, Theodor Hermann.

Hermann, Wilhelm (als Journalist Ps. Arminius) * 26.6.1871 Deutsch-Weißkirch/Siebenbürgen; † 11.6.1918 Hermannstadt; studierte Philos., Germanistik u. Theol., ev. Prediger in Reps/Siebenbürgen, dann in Homorod.

Schriften: Robert Walther (Rom.) 1901; Aus meiner Heimat (Erz.) 1903; Des Berghüters Töchterlein (Schausp.) 1903; Jugendpfade (Ged.) 1905; Ave Caesar, 1911; Der rote Königsrichter (Schausp.) 1912. **AS**

Hermann, Wolfgang (gen. auch Kyriander) Geb.datum unbekannt * Oettingen im Ries, † um 1560. Nach d. Einführung d. Reformation in s. Heimat wanderte er mit s. Familie nach München aus, vermutl. Dienstmann Herzog Albrechts V. v. Bayern. Verf. v. geistl. Liedern.

Schriften: Persequutiones ecclesiae, 1541; In passionem Domini prosa rythmica. Der Passion vnd Leiden unsers Herren Jesu Christi. In Reimenweiß gestellet, 1552; Vom opffer der Heiligen Drey Khünig dem Herrn Christo Jesu, Vnd von Herodis grimmigkait wider die vnschüldigen Kindlein, 1557.

Literatur: ADB 12,188; Goedeke 2,203; 405.
IB

Her(r)mann, Zacharias, * 14.11.1640 Ulm, † 4.9.1711 ebd.; studierte Theol. u. Philos. in Straßburg, 1675 Diakon, 1678 Pfarrer z. Hlg. Dreifaltigkeit in Ulm, 1687 Münsterprediger, bekleidete mehrere Ämter. Dichter geistl. Lieder, wie z.B. «Was betrübst Du Dich mein Herze, warum grämst Du Dich in mir?».

Schriften: Geistliche Walfahrt zu dem Berge Golgatha ..., 1672; Historisches Blumen-Gepüsch ... in auserlesenen und merkwürdigen Geschichten, 1680.

Handschriften: Frels 129.

Literatur: ADB 12,220; Ersch-Gruber 2/7,24; Goedeke 3,267; 292; Neumeister-Heiduk 376; FdF 1,180.
IB

Hermann von Hermannsthal, Franz, * 14.8. 1799 Wien, † 24.6.1875 ebd.; studierte ebd. Jus, Staatsbeamter. Lyriker u. Dramatiker.

Schriften: Shakespeare, Timon von Athen (übers.) 1825; ders., Titus Andronicus (übers.) 1825; Gedichte, 1830; Die Blutrache (Dr.) 1831; Mein Lebenslauf in der Fremde (Ged.) 1837; Ziani und seine Braut (Dr.) 1847; An den Kaiser Ferdinand I. von Österreich, 1848; Der letzte Ravenswood (Tr., nach W. Scotts Braut von Lammermoor) 1860; Ghaselen, 1872.

Literatur: ADB 12,188; NDB 8,665; ÖBL 2, 288; Wurzbach 8,396; Goedeke 12,217; Theater-Lex. 1,765.
IB

Hermanns, Wilhelm (auch Willy), * 25.8.1885 Aachen † 16.10.1958 ebd.; studierte in Bonn, Dr. phil., Leiter d. Wochenschr. «Aachener Leben», Folklorist u. Mundartdichter.

Schriften: Heäsze Quelle. Oecher dütsche Rümme (Ged.) 1909 (2., verm. Auflg. 1932); Der Teufel in Aachen oder Et Schängche köllt der Krippe-kratz (gr. hist. Puppensp.) 1921; Schängchen als Heiratsvermittler oder Zwei Hong an enge Knauch. Ein lustiges Spiel in fünf Akten mit Gesang, Tanz und Keilerei frei nach Nestroys «Eulenspiegel» für die Aachener Puppenbühne bearbeitet, 1922; Der Schmied von Aachen oder Et Schängche spuckt (gr. hist. Puppensp.) 1922; Don Juans Wiederkehr oder Et Schängche ën de Pëtsch. Zauberdrama (bearb.) 1922; Wurmhexen oder Et Schängche än de Mobesenn. Ein Aachener Sagenspiel, 1922; Die Bockreiter oder Weä schnappt, deä hat (gr. hist. Puppensp.) 1922; Rumpelstilzchen oder Et Schängche hölpt. Ein Märchenspiel, 1922; Reinart der Fochs. En löstije Dierjeschichte, op Oecher Platt verzalt 1922 (3. Auflg. u.d.T.: Reinart der Fochs, singe Dued. En Dierjeschichte van de Weltkreg ën Oecher Rümme mët adije Bëldchere, 1944); Genoveva oder Fuutele krümt sich (gr. hist. Puppensp., bearb., 2, Auflg.) 1922; Doktor Fausts Höllenfahrt (Volksschausp., bearb.) 1922; Der steinerne Gast oder Don Juan der Frauenlütstrüester. Ein schauerlich.-schönes Spiel (bearb.) 1923; Die Wundergeige oder Hopp Marjännche! Ein Zauberdrama. (Nach e. Kasperlkomödie d. Grafen Pocci, frei bearb.) 1923; Kaiser Karls Heimkehr oder Et Schängche hext! (gr. hist. Puppensp.) 1924; Der Junggeselle als Ehemann oder «Vad der Schängche». Ein tolles Spiel, frei nach K. A. Görners Posse «Ein glücklicher Familienvater» (bearb.) 1924; König Drosselbart oder Et Schängche hölpt wier ens en Hängche (Märchensp.) 1924; Von des Reiches Herrlichkeit. Aachener Jahrtausendspiel, 1925; Der Oecher Uellespejjel. De Leävesjeschichte van ene Dommjroef op Oecher Platt verzahlt än met adije Beldchere verziert, 1925; Oecher Laachduuve. De hondertänellef löstigste Saache, för sich än angere dermet ze vermaache, jesöömelt uns hondert Jöhrchere Platt för jedderenge, deä Freud dra hat, 1924; Aachener Puppenspiele, 1925; Kaiser Karls Stadt. Bilder aus Aachens Vergangenheit und Gegenwart, 1928; Alfred Rethels Fresko-Gemälde im Kaisersaal des Rathauses in Aachen. Sonettenkranz, 1929; Geschichte der Aachener Mundartdichtung, 1932; Der schöne deutsche Rhein. Landschaft, Kunst und Kultur, 1933; Stadt in Ketten. Geschichte der Besatzungs- und Separatistenzeit 1918–29 in und um Aachen. Mit einem Nachwort «Aachener Nationalsozialisten», 1933; Aachener Käuze. Straßenfiguren und Stadtoriginale aus der guten alten Zeit, 1935; Viertausend Jahre Aachen. Schicksal, Verfassung, Wirtschaft, Kultur der vormals Freien Reichs- und Krönungsstadt, Heimatbuch, 1939; Der neue Führer durch Stadt und Bad Aachen mit vielen Bildern und Plänen (hg. gem. m. N. Peren) 1940; Das Rathaus zu Aachen, 1944; Erzstuhl des Reiches. Lebensgeschichte der Kur- und Kronstadt Aachen, 1951.

Ausgaben: Gesammelte Werke. (hg. A. DOE-MENS) 1974.

Literatur: Theater-Lex. 1,765.   IB

Hermannsen, Fritz (Ps. f. Friedrich Goetz), * 24.5.1887 Berlin, † 1.8.1959 ebd.; lebte in Berlin; Verf. v. Unterhaltungsromanen.

Schriften: Aber die Liebe siegt (Rom.) 1929; Fräulein Lilo. Humoristischer Roman, 1930; Liebe trotz alledem. Eine Weihnachtserzählung, 1930; Der Vetter aus Amerika. Liebesroman, 1930; Filmstar Käte Kosi (Rom.) 1931; Angst vor der Ehe. Liebesroman, 1931; Die Liebesschule (Rom.) 1931; Die verschwundene Senta (Rom.) 1931; Haupttreffer – ein Mann! Humoristischer Roman, 1932; Die Brezel-Doris. Liebesroman, 1932; Im Urlaub kam das Glück! Humoristischer Liebesroman, 1932; Pension Standesamt. Liebesroman, 1933; Vom Himmel gefallen! Liebesroman, 1933.   AS

Hermannus Contractus → Hermann von (der) Reichenau.

Hermanrich von Ellwangen → Ermenrich von Ellwangen.

Hermansgrün, Hans (nannte sich «Johannes ex Lupis Hermansgrün»), † wahrsch. 1518/20, stammte aus vogtländ. Familie; studierte in Rom, stand dann in Diensten d. Kurfürsten Friedrich III. v. Sachsen, wahrsch. Palästinareise, 1495 Gesandter am Reichstag in Worms, Humanist. – Verf. d. Denkschr. «Sommnium», die, in d. Form humanist. Reformtraktate, zur Verbesserung d. Zustände im Reich aufruft.

Ausgabe: Der Traum des H. v. H., eine politische Denkschrift aus dem Jahr 1495 (hg. H. ULMANN in: Forsch. z. Dt. Gesch. 20) 1880.

Literatur: ADB 12,189; NDB 8,665. – H. WIESFLECKER, D. Traum d. ~ ... (in: FS K. Eder) 1959; F. H. SCHUBERT, D. dt. Reichstage in d. Staatslehre d. frühen Neuzeit, 1966.   RM

Hermecke, Hermann, * 29.5.1892 (Geb.ort unbekannt), † 5.10.1961 Oberaudorf/Bayern; Dramatiker u. Verf. v. Operettentexten.

Schriften: Brüder (Schausp.) 1933; Schreck in der Abendstunde. Schwank, 1935; Liebe in der Lerchengasse. (Operette) 1936; Monica (Operette) 1937; Das Mädchen aus der Fremde (Operette) 1939; Die Rosenhochzeit (Operette) 1949.
                                                     IB

Hermenau, Regine, * 26.11.1906 Königsberg/ Pr.; Dipl.-Bibliothekarin, wohnt in Köln. Erzählerin.

Schriften: Das königliche Herz. Märchen von den vier Winden und den zwölf Monaten, 1943; Der Bote (Erz.) 1949; Der kleine Bautzkopf (Erz.) 1950; Die Märchen der Winde, 1965.   IB

Hermenrich von Ellwangen → Ermenrich von Ellwangen.

Hermerschmidt, Charlotte (Ps. f. Charlotte Heitzenröther) * 15.11.1912 Berlin; Verlagsbuchhändlerin, wohnt in Berlin-Neukölln. Verf. v. Jugendbüchern.

Schriften: Geheimnisse um den langen Hannes, 1956.   IB

Hermes, (Aemilius Conrad) Eduard, * 14.2. 1793 Königsberg, † 21.5.1845 Memel; Medizin- u. Philos.-Studium, 1815 Lehrer in Königsberg, später in Memel.

Schriften: Gedichte, 2 Bde., 1822; Geschichte der g[erechten] u[nd] v[ollkommenen] Loge Memphis im O[rient] von Memel, 1826; Religiöse Dichtungen, 1833; Die Schule in ihrem Verhältnisse zum socialen Leben, 1843.

Literatur: Goedeke 14,889.   RM

Hermes, Franz (August Wilhelm), * 2.4.1796 Zorndorf b. Küstrin, † 10.8.1866 Kant b. Breslau; n. militär. Laufbahn Schriftst. in Berlin, seit 1836 Hauptamtsassistent u. Warenrevisor in Liebau/Schles., zuletzt Steuerinspektor in Kant. Mitgl. d. Opitzgesellschaft.

Schriften: Epheuranken, 1818; Die Henriade. Ein Heldengedicht in zehn Gesängen von Voltaire (übers.) 1824; Der König und das Bündniss

(Lsp. n. d. Französ.) 1825; Etymologisch-topographische Beschreibung der Mark Brandenburg ..., 1828; Dramatische Kleinigkeiten, 1829.

Literatur: Goedeke 11/1, 502; 14, 345, 1007.

RM

Hermes, Georg, * 22. 4. 1775 Dreierwalde b. Rheine/Westf., † 26. 5. 1831 Bonn; Bauernsohn, studierte in Münster, 1799 Prof. d. Dogmatik, ebd., 1820 in Bonn.

Schriften (Ausw.): Untersuchung über die innere Wahrheit des Christentums, 1805; Einleitung in die christkatholische Theologie, I Philosophische Einleitung ... 1819f., II Positive Einleitung ... 1829; Studir-Plan der Theologie. Ein Anhang der philosophischen Einleitung, 1819; Christkatholische Dogmatik, 3 Bde. (unvollendet, hg. v. J. H. ACHTERFELDT) 1831–34.

Literatur: ADB 12, 192; NDB 8, 671; BWG 1, 1126; Meusel-Hamberger 18, 141. – E. HEGEL, ~ (in: Westfäl. Lbb. 7) 1959; F. HERMES, ~, e. Gelehrter aus Dreierwalde (in: Dreierwalde ..., hg. v. d. Gemeinde Dreierwalde) 1971. IB

Hermes, Gerhard (Ps. Gerd Franzen) * 10. 3. 1909 Hollnich/Kr. Prüm; kathol. Geistlicher, wohnt in Regensburg, Lyriker u. Erzähler.

Schriften: Das Kunstwerk Gottes und andere Erzählungen, 1953; Rosa mystica. Ein biblisches Marienspiel, 1953; Die himmlische Rechenkunst. Briefe über die Hoffnung, 1962. IB

Hermes, Johann August, * 24. 8. 1736 Magdeburg, † 6. 1. 1822 Quedlinburg; studierte Theol. in Halle, Konsistorialrat, Schulinspektor u. Oberprediger bei d. Nicolaikirche in Quedlinburg, Hg. d. «Wöchentl. Beitr. z. Beförderung d. Gottseligkeit», Verf. v. Liedern, u. a. «Ich lebe nicht für diese Erde».

Schriften (Ausw.): Grundriß der christlichen Lehre zur Unterweisung der Jugend, 1772; Handbuch der Religion, 1779 (2., stark verm. Ausg. in 2 Bden., 1780); Predigten über die evangelischen Texte an den Sonn- und Festtagen des ganzen Jahrs, zur Beförderung der häuslichen Andacht, 2 Bde., 1782; Communionbuch, 1783; Gedächtnispredigt auf Friedrich den Großen, König von Preußen, 1786; Neues verbessertes Quedlinburgisches Gesangbuch (Hg.) 1787; Allgemeine Bibliothek der neuesten teutschen theologischen Litteratur, 1784–87 (Hg. u. Mitarb.).

Literatur: ADB 12, 198; NDB 8, 668; Meusel-Hamberger 3, 254; 9, 573; 11, 347; 14, 115; 18, 141; 22/2, 708; RGG 3, 264; Ersch-Gruber 2/6, 340.

IB

Hermes, Johann Gottfried, * 8. 9. 1764 Barby/ Sachsen, † nach 1843; Stadtpfarrer in Barby. Fabeldichter u. Lyriker.

Schriften: Wiegenlieder; nebst einem Anhange einiger anderen Lieder für größere Kinder und eines Blumenbuches. Begleitet von einem Schreiben des Herrn M. Kindeling's zu Kalbe, die Bestimmung und den Werth des Kinderliedes betreffend, 1801; Beschreibung der vorzüglichsten Garten-Blumen, nach ihrer Zeitfolge betrachtet, 1801; Die Bienen und die Tauben, oder Versuch einer kleinen Naturgeschichte der Bienen und Tauben, in lehrreichen Fabeln und Erzählungen für Kinder und junge Leute, 1818; Barbyton. Sammlung geistlicher Lieder zur häuslichen Erbauung, 1839; Neue Fabeln und Naturgemälde für Kinder und Erwachsene gedichtet, 1844.

Literatur: Meusel-Hamberger 14, 115; 22/2, 709; Goedeke 7, 297. IB

Hermes, Johann Timotheus, (gen. «Sophien-Hermes», Ps. Heinrich Meister u. T. S. Jemehr, F. Bothe, Cyllenius), * 31. 5. 1738 Petznick b. Stargard, † 24. 7. 1821 Breslau; studierte in Königsberg Theol., Lehrer, Feldprediger, später Hof- u. Schloßprediger in Plesz, Pastor u. Prof. in Breslau, zuletzt Superintendent.

Schriften (Ausw.): Versuch über die Ansprüche eines Christen auf die Güter des gegenwärtigen Lebens, 1764; Sophiens Reise von Memel nach Sachsen, 5 Bde., 1769–73 (verm. Neuauflg. 6 Bde., 1774–76); Predigten an die Kunstrichter und Prediger, 2 Bde., 1771; Lieder und Arien aus Sophiens Reise, 1779; Andachtsschriften, 2 Tle., 1781–82; Für Töchter edler Herkunft. Eine Geschichte, 3 Bde., 1787; Manch Hermäon im eigentlichen Sinn des Worts, 2 Bde., 1788; Für Eltern und Ehelustige unter den Aufgeklärten im Mittelstande eine Geschichte, 5 Bde., 1789–90; Zween litterarische Märtyrer und deren Frauen, 2 Bde., 1789 (Neuaufl. u. d. T.: Meine, Herrn Grundleger und unserer Frauen Geschichte, 2 Bde., 1798); Lieder für die besten bekannten Kirchenmelodien, 1800; Anna Winterfeld, oder unsere Töchter eingewiesen in ihre gekränkten Rechte. Eine Geschichte in Briefen,

1801; Esmenard, An Bonaparte (übers.) 1802;
Verheimlichung und Eil, oder Lottchens und
ihrer Nachbarn Geschichte, 2 Bde., 1802; Einzelne mit Teilnahme gehörte Stellen aus Predigten, 1804; Predigten fürs Zeitbedürfnis, gehalten
seit Glogaus Belagerung, 1808; Sammlung von
Traureden, 1808; Briefe und Erzählungen,
2 Bde., 1808; Mutter, Amme und ihr Kind, in
der Geschichte Herrn Leopold Kerkers, 2 Bde.,
1809.

Handschriften: Frels 129.

Literatur: ADB 12,197; NDB 8,669; Goe-
deke 4/1,584; 1152; 7,424; Jördens 2,395;
Meusel-Hamberger 3,257; 9,573; 11,347; 14,
116; 18,141; 22/2,709; Ersch-Gruber 2/6,342;
Albrecht-Dahlke 1,948. – R. PRUTZ, «Sophiens
Reise», 1848; DERS., ~ (in: R.P., Menschen u.
Bücher 5) 1862; K.L. CHOLEVIUS, Die Ver-
kehrssprache in Sophiens Reise, 1873; K. Mus-
KALLA, ~ (Diss. Breslau) 1910; DERS., Die
Romane von ~ 1912; J. BUCHHOLZ, ~s Be-
ziehung z. engl. Lit. (Diss. Marburg) 1912;
A. VAN RINSUM, D. Rom. «Sophiens Reise von
Memel nach Sachsen» v. ~ als geistesgeschichtl.
u. kulturhist. Ausdruck s. Zeit (Diss. Marburg)
1949; E. T. VOSS, Erzählprobleme d. Briefrom.,
dargest. an vier Beispielen d. 18. Jh. (Diss. Bonn)
1958 (behandelt u. a. ~ «Sophiens Reise ...»);
G. SCHULZ, ~ u. d. Liebe (in: Jb. d. Schles.
Friedrich Wilh. Univ. zu Breslau 6) 1961.   IB

Hermes, Joseph, * 7. 12. 1866 Ostentorp/
Westf.; Sohn e. Landwirts, wurde Buchdrucker
in Bochum, dann in Bocholt; arbeitete auch als
Korrektor u. Redakteur.

Schriften: Eine Hasenjagd in der Kaserne und
andere Militär-Humoresken, 1897; Deutsche
Klänge (Ged.) 1899.   AS

Hermes, Karl Heinrich, * 12.2.1800 Kalisch/
Polen, † 19.10.1856 Stettin; Sohn e. preuß.
Beamten, studierte in Berlin u. Breslau, 1823 in
Holland, dann Mitarb. an W. Menzels «Morgenbl.» u. «Lit.bl.» in Stuttgart, 1825–27 Leiter
d. «Britannia», 1828 begründet er in Cottas Auftrag d. «Ausland», in der Folge in versch. Städten, später bis 1840 in Braunschweig Verf. v.
Leitartikeln bei d. «Dt. Nationalztg. aus Braunschweig u. Hannover». Dann bei d. «Köln.
Ztg.», hierauf Eisenbahndir., hernach Chefred.
d. «Neuen Bremer Ztg.», d. Berliner «Staats-

anzeigers» u. d. Stettiner «Norddt. Ztg.». Publizist.

Schriften: Über Shakespeare's Hamlet, 1826;
Tableau der großen Juliwoche des Jahres 1830
(aus dem Frz.) 1830; Die Gründe und Folgen des
Verfalls und Untergangs von Polen, 1831; Dr.
Harrison (Samuel Warren), Mittheilungen aus
dem Tagebuche eines Arztes. Aus dem Englischen, 1839; Geschichte der Entdeckung von
America durch die Isländer im zehnten und elften Jahrhundert, 1844; Blicke aus der Zeit in
die Zeit, 1845; Geschichte der letzten fünfundzwanzig Jahre (Supplement von Rottecks Allgemeiner Geschichte) 1846 (6. Aufl. u. d. T.: Geschichte der neuesten Zeit 1815–52, 1853); Geschichte der neuesten Zeit von der Stiftung des
heiligen Bundes bis zur Wahl Louis Napoleons,
5 Bde., 1855.

Literatur: ADB 12,199; NDB 8,672. – K.
BUCHHEIM, D. Stellung d. Köln. Ztg. im vor-
märzl. rhein. Liberalismus, 1914; E. DOVIFAT,
Die Zeitungen, 1925.   IB

Hermes-Gnevkow, Anna → Gnevkow, Anna.

Hermesdorff, Michael, * 4. 3. 1833 Trier, † 18.
1. 1885 ebd.; 1852 Organist u. Chorleiter in
Ettelbrück/Luxemburg, 1859 Priesterweihe, seit
1862 Domorganist u. Musikdir. in Trier, 1884
Domvikar. 1872 Gründer d. «Ver. z. Erforsch.
alter Choralhss.», Red. d. Musikzs. «Cäcilia»
(1872–78).

Schriften (Ausw.): Graduale juxta usum Ecclesiae Cathedralis Trevirensis, 1863; Harmonia
cantus choralis, 7 Bde., 1865–68; Gesangschule,
1874; Micrologus Guidonis de disciplina artis
musicae (1026) (übers. u. hg.) 1876; Graduale
ad norman cantus S. Gregorii [mit Neumen],
11 Lieferungen, 1876–82 (unvollendet); Epistola
Guidonis Michaeli Monacho (übers., erl. u. hg.)
1884.

Literatur: NDB 8,674; MGG 6,239. – H.
LONNENDONKER, ~ (in: Rhein. Musiker, hg.
K. G. FELLERER, 2. Tl.) 1962 (mit Werk- u.
Lit. verz.)   RM

Hermlin, Stephan (Ps. f. Rudolf Leder), * 13.
4.1915 Chemnitz, Gymnasialbesuch in Berlin,
dann Druckerlehrling, 1931 kommunist. Ju-
gendverband, 1933–36 antifaschist. Widerstandsbewegung Berlin, 1936 Emigration. Reisen nach

Ägypten, Palästina, England, Teilnahme am
Span. Bürgerkrieg gegen Franco. Frankreichauf-
enthalt, während des 2. Weltkriegs in der
Schweiz interniert. 1945–47 Red. am Rundfunk
in Frankfurt/M. 1947 Übersiedlung in die sowjet. Besatzungszone; aktives Mitwirken am Aufbau d. Künste d. DDR. 1961–63 Sekretär d. Sektion f. Dichtkunst d. Ostberliner Akad. d.
Künste. Fontanepreis der Stadt Berlin. Nationalpreis d. DDR, 1950 u. 1954, F.C. Weißkopf-
Preis 1958, Heinrich-Heine-Preis d. Minist. f.
Kultur, 1972. Lyriker, Nachdichtungen, Erzähler, Verf. publizist. Aufsätze.

Schriften: Zwölf Balladen von den großen
Städten, 1945; Der Leutnant Yorck von Warten-
burg (Erz.) 1946; Zweiundzwanzig Balladen,
1947; Reise eines Malers in Paris (Erz.) 1947;
Die Straßen der Furcht, 1947; Russische Eindrücke, 1948; Mansfelder Oratorium (Musik
E.H. Meyer) 1950; Die Zeit der Gemeinsam-
keit (Erz.) 1950; Die erste Reihe (Erz.) 1951;
Die Zeit der Einsamkeit (Erz.) 1951; Der Flug
der Taube (Ged.) 1952; Der Kampf um eine
deutsche Nationalliteratur (Ess.) 1952; Die Sache des Friedens. Aufsätze und Briefe, 1953;
Ferne Nähe (Rep. über China) 1954; Dichtungen, 1956; Wo stehen wir heute? (Ess.) 1956;
Nachdichtungen, 1957; Begegnungen 1954–1959
(Ess.) 1960; Scardanelli (Hörsp.) 1970; Gedichte und Prosa (ausgew. K. Wagenbach) 1965;
Erzählungen, 1966; Gedichte, 1971; Gedichte
(Ausw. B. Jentzsch) 1973; Lektüre 1960–1971
(Ess.) 1973; Städte-Balladen. Mit 8 Farbholz-
schnitten v. H.A.P. Griesbacher, 1975; Gesammelte Gedichte, 1979; Abendlicht. Prosa,
1979.

Nachdichtungen und Übersetzertätigkeit: P.Eluard,
Gedichte, 1947; B. Russell, Macht, 1947; Auch
ich bin Amerika (Dg. Am Neger) 1948; P.
Eluard, Politische Gedichte, 1949; P. Neruda,
Beleidigtes Land, 1949; P. Courtade, Helsingör,
1950; L. Aragon, Die Viertel der Reichen, 1952;
G. Mommousseau, Die Reisetasche des Jean
Brécot aus der Touraine, 1955; P. Neruda, Spa-
nien im Herzen (mit E. Arendt) 1956; H. Erni
u. A. Bonnard, Verheißung des Menschen, 1957;
V. Pozner, Der Richtplatz, 1961; V. Pozner,
Die Verzauberten, 1963; Ungarische Dichtungen
aus fünf Jahrhunderten (mit G.M. Vajda) 1970.

Literatur: HdG 1,296; Albrecht-Dahlke II, 2,
299. – K. KROLOW, D. Lyrik ~s (in: Thema 8)

1950; P. ZAK, ~s Aurora-Dg. (in: NDL Sonder-
heft) 1952; H.-W. SABAIS, Dt. Gespräch über
d. Klassiker oder ~s ‹lind u. leise› (in: Neue
Lit. Welt 3) 1952; H. MAYER, ~s «Zwölf Balla-
den v. d. großen Städten» (in: H.M., Dt. Lit. u.
Weltlit.) 1957; M. REICH-RANICKI, D. Poet ~
(in: M. R-R., Dt. Lit. in West u. Ost) 1963; R.
WEISBACH, Probleme d. Übergangszeit. Z. ästh.
Position ~s (in: Positionen, Beitr. z. marxist.
Lit.theorie, hg. W. MITTENZWEI) 1969; DERS.,
~. Menschenbild, Dichter u. Gedicht, 1972;
V. BRAUN, Zu Hermlin, Die einen u. die an-
deren (in: SuF 27) 1975; K. WERNER, ~ u. d.
lit. Tradition (in: SuF 27) 1975; M. DURZAK,
D. ‹Zwang zur Politik›: Georg Kaiser u. ~ im
Exil (in: Monatshefte 68) 1976; DERS., Versuche
über ~ (in: Akzente 23) 1976; DERS., Ambrose
Bierce u. ~ (in: Arcadia 11) 1976.   HD

Herms-Hampke, Renate → Kirchschlag, Solke.

Hermsdorf, Klaus, * 16.6.1929 Camburg/
Saale; Dr. phil., 1961–64 Lektor f. dt. Spr. u.
Lit. in Prag, 1964–67 wiss. Mitarb. am germanist. Inst. d. Humboldt-Univ. Berlin, 1968 Doz.
ebd., 1969–73 Gastdoz. Univ. Warschau, seit
1974 Prof. Univ. Greifswald.

Schriften: Kafka. Weltbild und Roman, 1961
(2. bearb. Aufl. 1966); Thomas Manns Schelme.
Figuren und Strukturen des Komischen, 1968. AS

Hermstein, (Eugenie Emilie Camilla) Gertrud,
* 29.1.1856 Schlogwitz; Besuch d. Breslauer
Lehrerinnenseminars, lebte in Breslau, seit 1882
auf Schloß Friedland/Oberschles. u. seit 1890
in Schweidnitz.

Schriften: Unter den Tannen des Schwarzwal-
des (Nov.) 1885; Die Reise nach dem Nordkap
(Nov.) 1891; Ruth Leuschner (Nov.) 1897; Der
Gespensterhund. Nach Claudia (2 Nov.) 1897.
                                                RM

Herndl, Franz, * 6.6.1866 Grein/Oberöst.,
† 23.7.1954 Wien; Sohn e. Gasthausbesitzers,
studierte Jus u. Philos. in Wien, im höheren
Schuldienst tätig, später Beamter im Finanzministerium. Begründer d. «Wiener Leseklub Sphinx»
(1907), «Karl-du-Prel-Gemeinde» (1914) u.
«Reichsbundes dt. Mundartdichter Öst.» (1913).
Erzähler.

Schriften: Grein, die Perle am Donaustrand.
Eine touristische Schilderung der lieblichen Um-

gebung Greins, 1889; Das Wörther Kreuz. My-
stisch-socialer Roman, 1901; Die Trutzburg.
Autobiographische Skizzen des Einsiedlers auf der
Insel Wörth. Social-reformatorischer Roman,
1909; D'Resl. A Liab'sgeschicht' aus'n Doanátal
beim Strum, 1913; Das Käuzerl. Eine Mundartdichtung in acht Gesängen aus dem Donautale bei
Grein, 1930; Weißt du, wo dein Glücksstein
liegt? Romantik aus dem Donautale, 1930; Aus
der Mappe eines Okkultisten. Der Orden der
selbstlosen Liebe. Die Stimme aus der vierten
Dimension, 1936; Sechs Geschichten aus dem
Strudengau, 1937.

Literatur: ÖBL 2, 289.   IB

Herneck, Friedrich, * 16. 2. 1909 Brüx (Most,
CSR); studierte in Prag Naturwiss., später Linguistik in Erlangen, Dr. phil. 1941; nach d.
Krieg u. sowjet. Gefangenschaft Lehrer an d.
Landesparteischule in Schmerwitz/Fläming, 1952
Doz. an der PH in Potsdam, ab 1954 an d. Humboldt-Univ. Berlin, 1961 Habil., seit 1969 Prof.
f. Gesch. d. Naturwiss. ebd.; Verf. auch populärwiss. Schriften.

Schriften (Ausw.): Forschen und Wirken. FS
zur 150-Jahr-Feier der Humboldt-Universität zu
Berlin, 3 Bde. (hg. mit W. Gröber) 1960; Albert Einstein. Ein Leben für Wahrheit, Menschlichkeit und Frieden, 1963 (3., erg. Aufl. 1967);
Bahnbrecher des Atomzeitalters. Große Naturforscher von Maxwell bis Heisenberg, 1965 (7.,
durchges. Aufl. 1975); Manfred von Ardenne,
1971; Abenteuer der Erkenntnis. Fünf Naturforscher aus drei Epochen, 1973; Albert Einstein, 1974 (3., erg. Aufl. 1977); Einstein und
sein Weltbild. Aufsätze und Vorträge, 1976.

                                                            AS

Hernfeld, Fred → Farau, Alfred.

Hero und Leander, späthöf. Nov. e. alemann.
Verf. D. Text basiert auf d. antiken Gesch. v.
Hero u. Leander, die nicht zueinander kommen
können, weil d. Wasser zw. ihnen zu tief ist.
D. Verf. übernimmt d. antiken Namen d. Liebenden, erz. d. Gesch. auf einfache Weise u.
bringt dazu 2 Liebesbriefe, die fast halb so viel
Raum beanspruchen wie d. eigentl. Gesch.
selbst. Er knüpft damit an Ovids Heroiden an.
In e. Anh. bekennt d. Dichter, selbst in un-
glückl. Minne verstrickt zu sein u. verbindet mit
d. Tod Leanders d. Mahnung, sich nicht v.

«tumbem muot» zu gefährl. Taten hinreißen z.
lassen.

Ausgabe: GA 1.

Literatur: de Boor-Newald 3/1, 251. – E.
MURDOCH, D. Bearb. d. ∼-Stoffes. Z. lit. Ovid-
Rezeption im späten MA (in: Stud. Medievali 18)
1977.   RM

Hero, Max → Peter, Eva Hermine.

Herold, Annemarie → Wendland, Heide.

Herold, Edmund, * 3. 5. 1901 Untereisenheim;
Pfarrer i. R., wohnt in Untereisenheim; Lyriker,
v. a. Mundartdichter.

Schriften: Der Bienen-Narr (Ged.) 1953; Das
Bienenjahr (Ged.) 1954; Lach mit. Gedichte,
meist in unterfränkischer Mundart, 1955; Heil-
werte aus dem Bienenvolk, 1970.   IB

Herold, Eduard, * 22. 3. 1885 Hof, † 15. 11.
1955 Wunsiedel; studierte in Erlangen u. Leipzig, Dr. phil., Assistent bei d. Dt. Ausgrabungen
in Spanien, 1918–30 Gymnasiallehrer, später
Privatgelehrter u. freier Schriftst. Publizist, Erz.
u. Dramatiker.

Schriften: Die Heimat Jean Pauls. Ein Beitrag
zur Psychologie des Dichters, 1921; Jean Paul
im Spiegel seiner Heimat. Festgabe zum hundertsten Todestag des Dichters, 1925; Der Kometen-
tag. Scherzspiel, um 1940; Ährenlese von der
Lebensernte, 1949; Ein Dichterfest. Heimat-
spiel in drei Aufzügen und einem Vorspiel. Zum
hundertfünfundzwanzigsten Todestag J. Paul F.
Richters am 14. 11. 1950, 1950.

Literatur: Theater-Lex. 1, 768. – A. ZECHEL,
Leben u. Werk d. Frankendichters ∼, 1949;
H. JAHN, ∼ als Lyriker (in: Ochsenkopf 5)
1954; DERS., ∼ (in: Kulturwarte 1) 1955.   IB

Herold, Franz, * 15. 2. 1845 Böhmisch-Leipa,
† 12. 8. 1943 Wien; studierte in Prag, Dr. phil.,
Gymnasiallehrer in Budweis, Kremsier u. Prag,
dann Prof. am Akad. Gymnasium in Wien. Unternahm weite Reisen, u. a. nach Nordafrika u.
Vorderasien. Reiseschriftst. u. Lyriker.

Schriften: J. C. Hilscher. Ein Dichterleben,
1888; Wachsen und Werden. Ausgewählte Gedichte, 1892; Spuren. Ausgewählte Gedichte,
1893; Fremde und Vaterland. Vermischte Dichtungen, 1895; Ein Ausflug nach Oberägypten,
1902; Ernte. (Ausgew. Dg.) 1908; Stilleben.
Neue Gedichte, 1914; Aus Einsamkeit und Zeit.

Neue Gedichte und Sprüche, 1924; Aus sonnigen Ländern. Reisebilder, 1924; Stimmen und Gestalten des Waldes (Ged.) 1934.

Literatur: ÖBL 2, 289; Albrecht-Dahlke II/2, 717. – H. THUM, ~ (in: Sudetendt. Monatsh. 2) 1939; L. TRINKL, Neuromant. Elemente bei Hugo Salus u. ~ (Diss. Wien) 1949.   IB

Herold, Gottfried, * 8. 5. 1929 Weißbach b. Pulsnitz; techn. Zeichner, Erich-Weinert-Preis 1961, Andersen-Nexö-Kunstpreis 1969, wohnt in Dresden. Vorwiegend Erzähler.

Schriften: Hoffnung kocht in den Retorten. Eine historisch-biographische Erzählung über J. v. Liebig, 1955; Entdeckung neuen Lichtes. Eine historisch-biographische Erzählung über W. C. Röntgen, 1956; Der Eselsjunge von Panayia. Eine lyrische Erzählung, 1959; Die Gewittermacher. Ein heiterer Roman, 1960; Der berühmte Urgroßvater. Kinderbuch, 1961; Der rothaarige Widerspruch, 1964; Das gläserne Rätsel. Wie die Röntgenstrahlen entdeckt wurden, 1964; Juliane und der Ferienbär, Kinderbuch, 1967; Entdeckungen eines Naiven (Ged.) 1969; Die Zauberbude. Kinderbuch, 1970; Die himmelblaue Sommerbank, Kinderbuch, 1973; Männer mit großen Ohren, Kinderbuch, 1974; Der Silvesterhund. Kinderbuch, 1975; Die Katze mit den grünen Punkten (Slg., Kinderb.) 1976; Folgen Sie mir unauffällig oder Streit um Struwelpeter (gem. m. H. Wendland) 1978.

Literatur: Albrecht-Dahlke II/2, 300. – R. SCHWACHHOFER, ~ «D. Eselsjunge v. Panayia» (in: D. Bibliothekar 10) 1959; W. KORLUSS, ~ «D. Gewittermacher» (ebd. 11) 1960; K. BATT, Herold d. heiteren Muse («Die Gewittermacher») (in: NDH 2) 1961; H. MAGER, ~ (in: Junge Kunst 1) 1962; M. NÖSSIG, «Der Liebe ist kein Wind zu kalt» v. H. Wendland u. ~ (in: Theater d. Zeit 12) 1964.   IB

Herold, Hedwig (geb. Rasmus, Ps. H. v. Dessau, Henrik Rudbeck) * 11. 4. 1865 Dessau, † 5. 3. 1900 Berlin; in erster Ehe mit E. Kluge verheiratet, Verf. d. Sammlung «Wilde Rosen», durch deren Ausgabe sie z. Veröffentlichung eigener Werke angeregt wurde. Dramatikerin u. Erzählerin.

Schriften: Gedichte, 1872; Ein Gedicht (Lustsp.) 1875; Die Sedanfeier (Dr.) 1876; Die Entführung (Lustsp.) 1886; Der Kleine und sein Stellvertreter (Rom.) 1887; Im Thale der Schlangen-Pawnees. Eine abenteuerliche Erzählung von Maj. Flesh' Kolonie, 1889/90; Der große Kuguar der Unitis-Indianer. Eine Indianergeschichte aus den Pampas, 1889/90; Gustav der Dritte (Tr.) 1894; Märchen, 1894; Nixenblumen, 1899.

Literatur: Biogr. Jb. 5, 264; Theater-Lex. 1, 768.   IB

Herold, Heinrich → Fogowitz, Andrä Heinrich.

Herold, Johann (Ps. f. Johann Adam Stupp) * 15. 5. 1927; Leiter d. Coll. Alexandrinum Univ. Erlangen-Nürnberg, Kulturpreis d. Donauschwaben 1971, wohnt in Möhrendorf. Kritiker u. Essayist.

Schriften: Welt am Freitag. Lieder und Texte, 1963.   IB

Herold(t), Johannes (Basilius, auch: Basilius Johannes, Beiname Acropolita [v. Höchstädt]), * 17. 12. 1514 Höchstädt/Donau, † 1567, vor 17. 6.; bis 1535 fahrender Scholar, Übers. u. Korrektor f. versch. Drucker in Basel, Hg. mehrerer Erstdrucke lit., historiograph. u. theol. Werke, d. ersten Gesamtausg. Petrarcas (1554) u. d. Beda Venerabilis (1563).

Schriften (Ausw.): Philopsendes sive pro Erasmo Roterodamo declamatio, 1542; De bello sacro continuata historia, 1549 [Vorgesch. u. Fortsetzung d. Kreuzzugsgesch. Wilhelms v. Tyrus].

Übersetzungen (Ausw.): Erasmus, Von der Zung, 1544; Lilio Gregorio Giraldi [u. a.], Heydenweldt und irer Götter anfängklich ursprung, 1554; Dante, Von der Monarchey, 1559 (Facs. hg. J. OESCHGER, 1965).

Bibliographie: Fast vollst. Verz. d. Schr., Übers. u. Ausg. in: Brit. Mus. General Cat. of Printed Books, ed. to 1955, Bd. 102, London 1961.

Literatur: NDB 8, 678. – W. ENGEL, D. Würzburger Bischofschron. d. Grafen W. W. v. Zimmern u. d. Würzburger Gesch.schreibung d. 16. Jh., 1952; D. Amerbachkorrespondenz V u. VI (bearb. u. hg. A. HARTMANN (V), B. R. JENNY (VI)), 1967; A. BURCKHARDT, ~. Kaiser u. Reich im prot. Schrifttum d. Basler Buchdrucks um d. Mitte des 16. Jh., 1967.   RM

Herold, Johannes (Ps. Herold von Günthersdorf) * 19. 8. 1875, Lehrer, wohnte in Breslau.

Schriften: Allein und andere Erzählungen, 1907; Vom Scheitnig und seinem Parke, dem «Fürstengarten», 1917; Gebhart Lebrecht Blücher. Sein Leben aus dem Hintergrunde seiner Zeit und sein deutsch vaterländisches Wirken, 1921. ɪʙ

Herold, Joseph, * 15.8.1829 Neckarsulm b. Heilbronn, † 30.3.1898 Würzburg; Theol.-Studium in Tübingen, 1852 Priesterweihe, Pfarrer in Braunsbach, 1872 in Hirschau u. 1890 in Apfelbach b. Mergentheim.

Schriften: Ave Maria. Maiandacht in Liedern, 1867; Ein frommes Jahr. Liederlegende, 2 Bde., 1889f.; Sabattklänge. Gedichte auf alle Sonn- und Festtage des Jahres, 1892. ʀᴍ

Herold, Karl Erdmann, * 14.1.1856 Weiad, Todesdatum unbekannt; unternahm weite Reisen, lebte 1898–1902 in Alexandrien. Erz. u. Komödiendichter.

Schriften: Auf der Alm da gibts ka Sünd (Lustsp.) 1897; Majestät Weib (Rom.) 1899; Kapitän Simic (Rom.) 1902; Die Orden des Prinzen Riza-Fatum (Nov.) 1902; Apollo (Lustsp.) 1904; Die Okella (Rom.) 1906; Ramses der Zweite (Rom.) 1908; Die Hauptprobe (Rom.) 1909; Zenab. Eine Erzählung aus dem ägyptischen Leben, 1910; Lebenswogen (Rom.) 1915.

Literatur: Theater-Lex. 1, 769. ɪʙ

Herold, Theodor, * 30.12.1871 Herzfeld/ Westf., † 1936 Düsseldorf; studierte in Münster u. Berlin, im höheren Schuldienst tätig, 1902–08 Studienrat in Düsseldorf, 1908–11 Stadtschulinspektor u. 1911–35 Stadtrat. Lit.-historiker, Epiker u. Lyriker.

Schriften: Gretchen. Ein Sang aus der Zeit der Freiheitskriege, 1895; F. A. C. Werthes und die deutschen Zriny-Dramen. Biographisch-quellenkritische Forschungen, 1898; Du und ich. Ein Brautkranz in Liedern, 1902; Moderne Literatur und Schule. Mit einem Verzeichnis literarisch wertvoller Prosabücher, 1908; Das Lied vom Kinde (Hg.) 1909. ɪʙ

Herold, Wolfgang, 2. Hälfte 16. Jh., stammte viell. aus Augsburg, Schuhmacher u. Meistersänger in Breslau.

Literatur: de Boor-Newald 4/2, 265, 275. – H. Seidel, D. Meistersingerschule in Breslau (in: Mitt. d. Schles. Gesellsch. f. Volkskunde 26) 1925; B. Nagel, Meistersang, 1962. ʀᴍ

Herold von Günthersdorf → Herold, Johannes.

Herolt, Johannes (Ps. Discipulus), * 1380–90 viell. Nürnberg, † 24.8., 31.8. od. 26.8.1468 im Regensburger Predigerkloster; Dominikaner, Beichtvater am Katharinenkloster Nürnberg, 1438 Prior d. Nürnberger Predigerklosters. – Bis jetzt sind 12 unter d. Ps. überl. lat. Werke bekannt (v. a. Predigten), in dt. Sprache ist e. Nachschr. v. Adventspredigten erhalten («Diss puch heist der rosengart ...»). H.s Predigten sind einfach u. übersichtl. gebaut (meist 3-teilig), anschaulich u. volkstümlich. Sie waren weit verbreitet u. gehören z. d. frühesten u. verbreitetsten Frühdrucken (erste gedr. Slg. 1476, e. Gesamtausg. ersch. 1612 in 3 Bdn.)

Literatur: VL 2, 424; 5, 386; LThK 5, 267; de Boor-Newald 4/1, 323. – R. Cruel, Gesch. d. dt. Predigt im MA, 1879; F. Jostes, Meister Eckhart u. seine Jünger, 1895; N. Paulus, ~ u. s. Lehre ... (in: Zs. f. kathol. Theol. 26) 1902; G. A. Weber, ~, e. Beitr. z. Bild, das N. Paulus zeichnet (in: ebd. 27) 1903; W. Fries, Kirche u. Kloster z. St. Katharinen in Nürnberg (in: Mitt. d. Ver. f. Gesch. d. Stadt Nürnberg 25) 1928; F. Bock, D. Nürnberger Predigerkloster (in: ebd.) 1928; K. Schmidt, Der lüstliche Würtzgarte ... (Diss. Greifswald) 1932; G. Eis, ~ (in: FS W. Stammler) 1953; G. Gieraths, D. dt. Dominikanermystik d. 14. Jh., 1956. ʀᴍ

Heros, Johannes, 16. Jh.; Schulmeister in Roth/ Rednitz.

Schriften: Tragedia Der jrrdisch Pilgerer genandt ..., 1562.

Literatur: Goedeke 2, 383. ʀᴍ

Herp, (Harp, Herpf, Herpius, Harphius, Citharoedus), Heinrich (Hendrik), * Anf. 15. Jh. Brabant, † 22.2.1478 (nach andern: 1477) Mecheln; 1445 Eintritt in d. Orden d. Fraterherren, seit 1450 Franziskaner in Rom. Rektor in Delft u. Gouda, 1470–73 Prov.vikar in Köln, seit 1473 Guardian d. Konvents in Mecheln. Angehöriger d. Mystiker-Schule um Ruysbroek u. Thomas v. Kempen.

Schriften: Speculum aureum decem praeceptorum Dei, 1474 (dt. Ausg. u. d. T.: Der guldin spiegel des sunders, hg. L. Moser, o. J.); Sermones de temptore et de sanctis, 1480; Spieghel der volcomenhait, 1488 (zuerst lat. u. d. T.: Directorium aureum contemplativorum); Theologia mystica (zus.gestellt u. hg. D. LOHER) 1538 (verb. Ausg. 1586).

Ausgaben: WADDING/SBARAGLIA in: Scriptores Ordinis Minorum, 1908; Tl.ausg. hg. W. OEHL in: Dt. Mystikerbriefe d. MA, 1931; L. VERSCHUEREN, ～, Spieghel der Volcomenheit 1/2, 1931.

Literatur: VL 2,427; 5,386; ADB 12,203; LThK 5,191; Aufriß 2,1508,1629; de Boor-Newald 4/1,340. – A. SCHLAGER, Beitr. z. Gesch. d. Kölner Franziskaner-Ordensprov. im MA, 1904; DERS., Blütenlese aus d. Werken rhein. Franziskaner, 1907; H. GLEUMES, ～, s. Leben u. s. Werke (in: Zs. f. Aszese u. Mystik 12) 1937; D. KÄLVERKAMP, D. Vollkommenheitslehre d. Franziskaners ～, 1940; C. JANNSEN, L'oraison aspirative chez ～ et chez ses predécesseurs (in: Carmelus 3) 1956. RM

Herr, Alfred, * 29.12.1905 Bad Grund/Harz, † 28.10.1971 Hamburg; Verf. v. Jugendbüchern.

Schriften: Es grüne die Tanne, es wachse das Erz ... Geschichten aus den Harzbergen, 1950; Kennt ihr uns? Von Kindern und Tieren für kleine Jungen und Mädchen, 1951; Udo Tack, ein fixer Junge, 1958; Moni und ihr bester Freund. In Talhausen heißen sie Schnuppje und Duttje, 1960. IB

Herr, Michael, * Speyer, † um 1550 Straßburg; 1510 Baccalaureus artium in Heidelberg, Eintritt in d. Straßburger Kartause, 1534 Arzt d. Bürgerspitals. Als Schriftst. v. a. Übersetzer.

Schriften: Gründtlicher underricht ... aller vierfüssiger Thier, 1546 (unvollst. Neudr. 1934).

Übersetzungen (Ausw.): L. Vartoman's [Luigi Barthema], Die ritterlich und lobwürdig reisz ... sagend von den landen Egypto, Syria ... India und Ethiopia ..., 1515; Simon Grynäus, Die new welt der landschaften und Insulen ..., 1534; Plutardus, Guter Sitten 21 Bücher, 1535; Seneca, Sittliche Zuchtbücher, 1536; Cassianus Bassus, Der veldtbaw, 1545 u. ö.

Literatur: ADB 12,204; NDB 8,679; Ersch-Gruber II.7,8. – F. RITTER, Répertoire bibliogr. des livres strasbourgeois, 1934ff.; E. WICKERSHEIMER, ～ (in: Bibl. d'humanisme et renaiss. 12) 1950; DERS., ～ (in: La science au 16e siècle; colloque internat. d Royaumont) 1957. RM

Herra(n)d, (auch «Stephanus» gen.), * um 1040 wahrsch. Schwaben, † 23./24.10.1102 Kloster Reinhardsbrunn; ca. 1070–90 Abt v. Ilsenburg, seit 1090 Bischof v. Halberstadt, gründete 1096 Hillersleben als Ilsenburger Propstei; um 1100 Amtsenthebung, Flucht n. Magdeburg u. n. Reinhardsbrunn. Antikaiserl. Reformator, spätere Hss. überl. einige Schr. v. ihm.

Ausgaben: Passio Burchhardi II in: MG SS 6 [Ausz. aus d. 12. Jh., Tl.übers. aus d. 17. Jh.). – Ein Streitbrief an den kaisertreuen Bischof Walram v. Naumburg v. Naumburg in: MG Libelli de lite II, 1892.

Literatur: ADB 12,206; NDB 8,681. – J. FRITSCH, D. Besetzung d. Halberstädter Bistums in d. ersten 4 Jh. seines Bestehens (Diss. Halle) 1913; Chron. Hujesburgense (hg. O. MENZEL in: Wiss. Stud. u. Mitt. z. Gesch. d. Benediktinerordens 52) 1934; H. BEUMANN, Z. Frühgesch. d. Klosters Hillersleben (in: Sachsen u. Anhalt 14) 1938; K. HALLINGER, Gorze-Kluny, 2 Bde., 1950/51; H. JAKOBS, D. Hirsauer, 1961. RM

Herrad von Landsberg (Herrat v. Landsperg), * 1125/30, † 25.7.1195 Hohenburg/Elsaß; stammte aus altem elsäss. Geschlecht, seit 1167 Äbtissin d. Kanonissinnenstiftes Hohenburg auf d. Odilienberg, vollendete d. klösterl. Reform ihrer Vorgängerin Relindis, 1178 Gründung d. Prämonstratenserstifts Truttenhausen. – Verf. seit 1159 d. «Hortus deliciarum» (Cod. 1870 in Straßburg verbrannt), e. Kompilation d. theol. u. weltl. Wissens in d. Tradition d. großen ma. Encyclopädien seit Isidor v. Sevilla. In d. übernommene Texte sind eigene Ged. eingefügt. D. Texte selbst sind z. T. mit dt. Marginal- u. Interlinearglossen versehen u. bewerten naturwiss., theol. u. eth. Lehren durch d. Mittel allegor. Auslegung unter heilsgesch. Aspekten. H.s bes. Leistung ist d. myst.-allegor. Durchdringung des Stoffes. Ob H. allein d. dazugehörigen Miniaturen (ursprüngl. ca. 344) schuf, ist ungewiß. D. Darst. zeigen neben bibl. Sz., Tugend- u. Lasterkämpfen auch geometr. Schemata (z. B. f. artes, Tugenden usw.).

Ausgaben: Hortus deliciarum (hg. A. STRAUB, G. KELLER) 1879–99; dass., Recueil de cinquante planches, suivi du catalogue complet des 344 miniatures et du commentaire iconographique (hg. J. WALTER) Straßburg u. Paris 1952. –

Hymnen in: Analecta hymnica 50, 1907. – D. Ged. u. d. dt. Glossen bei: C. M. ENGELHARDT, H. v. W., 1818.

Literatur: VL 2,429; ADB 12,205; NDB 8, 679; LThK 5,269; RGG ³3,271. – H. REUMONT, D. dt. Glossen im «Hortus deliciarum» d. ~ (Diss. Straßburg) 1900; H. FLAMM, E. Miniatur aus d. Kreis d. ~ (in: Rep. f. Kunstwiss. 37) 1915; O. GILLEN, Ikonograph. Stud. z. Hortus deliciarum d. ~, 1931; R. WACKERNAGEL, Gesch. d. Elsaß, 1940; M.-T. PONCET, Etude comparative des illustrations du moyen âge et des dessins animés, Paris 1952; X. OHRESSER, La concéption de l'enfer et de ses supplices chez ~ (in: Rapport annuel de Collège épiscopal St. Etienne) Straßburg 1952/53; DERS., La crucifixion symbolique de ~ dans le «Hortus deliciarum» (in: ebd.) 1953/54; R. B. GREEN, The Adam and Eve Cycle in the hortus deliciarum (in: Late Classical and Mediaeval Stud. in Honor of A. M. Friend jr.) Princeton 1955; F. SAXL, Illustrated Mediaeval Encyclopedies (in: F. S., Lectures) London 1957; E. WICKERSHEIMER, Le «hortus deliciarum» au temps de la Révolution française, Documents inédits (in: Lettres en Alsace) 1962; H. FRÜHMORGEN-VOSS, Text u. Illustration im MA. Aufsätze z. d. Wechselbeziehungen zw. Lit. u. bildender Kunst (hg. N. H. OTT) 1975.   RM

Herrand von Ilsenburg (als Bischof auch: Stephanus), * um 1040 wohl Schwaben, † 23./ 24.10.1102 Kloster Reinhardsbrunn; seit ca. 1070 Abt v. Ilsenburg, seit 1090 Bischof v. Halberstadt (Weihe 1094 in Rom), Gründer versch. Klöster, Reformator («Ordo Ilseneburgensis»). S. Schr. sind z. größten Tl. verloren.

Ausgaben: MG lib. de lite 2, 1892 [Streitbrief an d. kaisertreuen Bischof Walram v. Naumburg, entst. viell. um 1101/02]; Passio Burchhardi II (in: MG SS 6).

Literatur: ADB 12,206; NDB 8,680. – H. BEUMANN, Z. Frühgesch. d. Klosters Hillersleben (in: Sachsen u. Anhalt 14) 1938; K. HALLINGER, Gorze-Kluny, 2 Bde., 1950/51; H. JAKOBS, D. Hirsauer, 1961.   RM

Herrand von Wildon (je), urkundl. v. 1248–78 bezeugt, stammte aus steir. Truchsessenfamilie; sympathisierte seit 1249 mit d. Ungarnherrschaft, dann Zuwendung zu Ottokar v. Böhmen (bis 1260). 1268 v. Ottokar gefangen genommen, 1276 Anhänger Rudolfs v. Habsburg, an dessen Wiener Hof H. später erscheint. – H.s Vers-Erz. «Der nackte Kaiser» u. «Die Katze» behandeln Probleme d. Verhältnisses Adel-Landesfürstentum. Zwei andere Erz., «Die treu Gattin» u. «Der betrogene Gatte» widmen sich d. Thema ehel. Treue innerhalb d. adeligen Wert- u. Lebensordnung. Alle 4 Erz. (überl. im Ambraser Heldenbuch) enthalten e. «Lehre» u. gehören in d. Reihe d. «Exempla» u. «bîspele». Ferner überl. d. Große Heidelberger Liederhs. 3 Minnelieder v. H., der als Minnesänger v. Hugo v. Trimberg im «Renner» neben Walther v. d. Vogelweide gen. wird. Deutl. ist d. Einfluß s. Schwiegervaters Ulrich v. Liechtenstein u. Walthers, der Stricker wirkte u. a. auf s. Erzählungen.

Ausgaben: Vier Erzählungen (hg. H. FISCHER) 1959 (2., rev. Ausg. v. P. SAPPLER, 1969) [mit Bibliogr.]. – C. v. KRAUS, Dt. Liederdichter d. 13. Jh. 1, 1952 (Kommentar v. H. KUHN in Bd. 2, 1958) (2., durchges. Aufl. v. G. KORNRUMPF, 1978). – E. engl. Ausg. d. Erz. u. Lieder ersch. 1972.

Literatur: VL 2,429; 5,386; ADB 42,510; NDB 8,681; Ehrismann 2 (Schlußbd.) 109; de Boor-Newald 3/1,248; Albrecht-Dahlke 1,709. – K. F. KUMMER, D. Ministerialengeschlecht v. Wildonie (in: Arch. f. Öst. Gesch. 59) 1880; E. SCHRÖDER, ~ u. Ulrich v. Liechtenstein (in: Nachrichten v. d. Götting. Gesellsch. d. Wiss., phil.-hist. Kl.) 1923; R. C. CLARK, Two Mediaeval Scholars (in: GQ 32) 1959; A. KRACHER, ~, Politiker, Novellist u. Minnesänger (in: Bl. f. Heimatkunde, hg. Hist. Ver. f. Steiermark 33) 1959; M. CURSCHMANN, Z. lit. hist. Stellung ~s (in: DVjs 40) 1966; DERS., E. neuer Fund z. Überl. d. «Nackten Kaiser» v. ~ (in: ZfdPh 86) 1967; J. MARGETTS, Scenic Significance in the Work of ~. A Note on II. 235 f. of «der verkehrte wirt» (in: Neoph. 54) 1970.   RM

Herre, Franz, * 11.4.1926 Fischen/Allgäu; Dr. phil., Leiter Zentralprogramm Politik Dt. Welle/ Kurzwellendienst f. d. Ausland in Köln. Hg. d. «Bibliogr. z. Zeitgesch.» (seit 1955).

Schriften (Ausw.): Nation ohne Staat. Die Entstehung der deutschen Frage, 1967; Freiherr vom Stein. Sein Leben – seine Zeit, 1973; Die amerikanische Revolution. Geburt einer Weltmacht, 1976; Der vollkommene Feinschmecker. Einführung in die Kunst des Genießens, 1977; Kaiser Franz Joseph von Österreich. Sein Leben – seine Zeit, 1978.   RM

Herre, Paul, * 14.6.1876 Magdeburg, † 6.10. 1962 Rottenburg/Neckar; anfängl. kaufmänn. Tätigkeit in Jena, später Studium in Berlin u. Leipzig, unternahm mehrere Reisen, habilitierte sich 1906, 1912 Prof. in Leipzig. 1912 Reg.rat im Auswärtigen Amt in Berlin, 1921 Dir. im Reichsarchiv ebd., Hg. d. Slg. «Wissenschaft und Bildung» (1907–12) u. d. Wochenschr. «Die Geisteswissenschaften» (1913 f.) Gesch.schreiber u. Publizist.

Schriften (Ausw.): Kampf um die Herrschaft im Mittelalter, 1909; Barbara Blomberg, die Geliebte Kaiser Karls des Fünften und Mutter Don Juans de Austria. Ein Kulturbild des sechzehnten Jahrhunderts, 1909; Quellenkunde zur Weltgeschichte. Ein Handbuch (m. a.) 1910; Weltpolitik und Weltkatastrophe, 1916; Geschichtliche Schlaglichter auf den Weltkrieg (Ges. Aufsätze) 1916; Bismarcks Staatskunst, 1918; Politisches Handwörterbuch, 1923; Weltgeschichte am Mittelmeer, 1929; Fürst Bülow und seine Denkwürdigkeiten, 1931; Schöpferisches Alter: Geschichtliche Spätersleistungen in Überschau und Deutung, 1939; Deutschland und die europäische Ordnung, 1941; Kronprinz Wilhelm. Seine Rolle in der deutschen Politik, 1954.   IB

Herries, Auguste → Frey, Angelika.

Herrig, Hans, * 10.12.1845 Braunschweig, † 4. 5.1892 Weimar; studierte in Berlin u. Göttingen, Dr. iur., Gerichtsreferendar am Berliner Stadtgericht, 1881 Red. d. «Dt. Tagebl.». Vorkämpfer R. Wagners u. A. Schopenhauers. Erz., Kritiker u. Dramatiker.

Schriften: Alexander (Dr.) 1872; Kaiser Friedrich der Rothbart (Dr.) 1873; Jerusalem (Dr.) 1874; Der Kurprinz (Dr.) 1876; Die Schweine. Humoristisches Gedicht, 1876; Mären und Geschichten. Gesammelte kleinere Dichtungen, 1879; Die Meininger, ihre Gastspiele und deren Bedeutung für das deutsche Theater, 1879; Harald der Wikinger, 1881; Konradin (Dr.) 1881; Drei Operndichtungen, 1881; Nero (Dr.) 1883; Luther. Ein kirchliches Festspiel zur Feier des vierhundertjährigen Geburtstages M. Luthers in Worms, 1883; Der dicke König (Ged.) 1885;

Gesammelte Schriften, I Martin Luther, II Luxustheater und Volksbühne, III Columbus (Dr.), IV Christnacht (Weihnachtssp.) V Alexander, VI Kaiser Friedrich der Rothbart, VII Drei Jahrhunderte am Rhein (Schausp.) 1886–90; Das Kaiserbuch. Acht Jahrhunderte deutscher Geschichte, von Karl den Groszen bis Maximilian den Ersten, 1890; Über christliche Volksschauspiele, 1890; Gesammelte Aufsätze über Schopenhauer (hg. v. E. Griesbach) 1894.

Literatur: ADB 50,234; Theater-Lex. 1,769. – G. A. ERDMANN, Lutherfestspiele, 1888.   IB

Herrigau, Willibert von → Löhn, Anna.

Herrigel, Hermann, * 2.6.1888 Monakam/Kr. Calw, † 19.10.1973 Schorndorf/Württemberg. War Bibliothekar, Verf. philos. u. theol. Schriften.

Schriften: Das neue Denken, 1928; Zwischen Frage und Antwort. Gedichte zur Kulturkrise, 1930.

Nachlaß: Landesbibl. Stuttgart. – Denecke 2. Aufl.

Literatur: Bremer Volkshochschule: ∼, d. Denker u. d. dt. Erwachsenenbildung. Bibliogr. s. Schr. z. 80. Geb.tag, 1969.   IB

Herrigel, Johann Gottlob, * 29.11.1850 Neuenburg; Hauptlehrer in Heidelberg.

Schriften: Erzählungen, 1898.   IB

Herrl, Johann Joseph von, * 1739 Leitomischl/ Böhmen, † 25.2.1818 Wien; Sohn e. Bedienten, geadelt. Vizedir. d. k.k. geheimen Kabinettskanzlei, trat f. d. Hebung d. dt. Bühne ein. Mitarb. a. d. Wochenschr. «Die Welt». Dramatiker.

Schriften: Betrachtungen über die Pracht in Beziehung auf die Bevölkerung und Wirtschaft (aus d. Franz.) 1762; Der Faschingsstreich (nach Allainval) 1767.

Literatur: Meusel-Hamberger 3,263; Goedeke 5,310.   IB

Herrlau, Harry H., * 23.8.1896 Erfurt; Schifffahrts-Journalist, wohnt in Hamburg. Arbeiten, die sich mit d. Seeschiffahrt beschäftigen.

Schriften: ABC des Seeverkehrs (hg.) 1954; Moses in Luv und Lee. ∼ erzählt aus der christlichen Seefahrt von damals, 1965; Karibische Odyssee, Logbuch einer Westindienreise, 1967; Wer einmal um Kap Hoorn gesegelt. Logbuch eines faszinierenden Lebens, 1970.   IB

Herrligkoffer, Karl Maria, * 13.6.1916 Schweinfurt; Dr. med., habil., Arzt, wohnt in München. Erzähler.

Schriften (Ausw.): Willy Merkl – ein Weg zum Nanga Parbat, 1936; Der letzte Schritt zum Gipfel. Kampf und Sieg im Himalaya, 1958; Nanga Parbat. Sieben Jahrzehnte Gipfelkampf in Sonnenglut und Eis, 1967; Kampf und Sieg am Nanga Parbat. Die Bezwingung der höchsten Steilwand der Erde, 1971; Mount Everest. Thron der Götter, Sturm auf den höchsten Gipfel der Welt, 1972; Durch Pakistan zu den Achttausendern im Karakorum und Himalaya, 1975; Himalaya-Abenteuer, 1976; Mount Everest ohne Sauerstoff, 1979.   IB

Herrlinger-Ludwig, Lina, * 15.4.1849 Großgartach/Württ., † 17.6.1925 ebd.; Tochter d. Gutsbesitzers Karl Ludwig, 1870 Heirat mit d. Mühlenbesitzer Gustav H., lebte in Großgartach.

Schriften: Meine Lieder, 1894.   RM

Herrmann → Hofmann, Brünnhilde.

Herrmann, Adalbert, * 27.4.1802 Lübeck, † 20.4.1889 Celle; Studium d. Philol. u. Theol. in Leipzig u. Berlin, 1827 Rektor in Otterndorf, 1832 Konrektor in Göttingen, 1836 Dir. d. Ritterakad. in Lüneburg, 1851 Gymnasialprof. in Celle.

Schriften: Jenseits des Meeres (Tr.) 1858; Echoklänge aus Venusia. Horazische Dichtungen in deutscher Liederform. Als Anhang: Nachahmungen und Gegenstücke, 2 Bde., 1862–65; Zeitklänge. Nachtrag zu den Echoklängen aus Venusia ..., 1871; Ludwig der Bärtige, der Bayernherzog von Ingolstadt (Tr.) 1874; Der Brauttausch (Lsp.) 1881.

Literatur: Theater-Lex. 1, 769.   RM

Herrmann, Adolf, * 1.7.1910 Wien; Erzähler.
Schriften: Triumph und Tod Giacomo Puccinis. Roman eines Künstlerlebens, 1935.   IB

Herrmann, Ala (Ps. für Alma Herrmann), * 16. 11.1883 Brandenburg/Havel, † 11.9.1967 Freiburg/Br.; Kunsthandwerkerin. Übers. u. Verf. v. Kindergeschichten.

Schriften: Ein ganzer Kerl. Erzählung aus der Zeit Maria Theresias, 1929; Gerda, II Gerda und ihr Freundeskreis, 1929; Gerda am Ziel. Eine Jungmädchengeschichte, 1930; H. Horlyck, Inge wieder daheim. Von glücklichen und schweren Tagen in der neuen und alten Heimat. Nach dem dänischen neu gestaltet und erweitert, gem. m. G. E. Fauth, 1931; Köppchen. Zucker und Trara. Ein Kinderroman, 1936; Die Blume des Gefangenen. Frei nacherzählt «La Tulipe noire» von A. Dumas, 1936.   IB

Herrmann, Anton (Ps. Armin), * 30.7.1851 Kronstadt/Siebenb.; † † 15.4.1926 Szeged/Ungarn; Gymnasialprof. in Kronstadt u. Red. d. Zs. «Nemere», 1876 Prof. in Pancsowa u. Leiter d. «Banater Post» (1876–81), 1897 Privatdoz., dann a. o. Prof. an d. Univ. Klausenburg. Hg. d. «Ethnolog. Mitt. aus Ungarn» (seit 1887), Gründer d. Gesellsch. f. Völkerkunde Ungarns.

Schriften (außer Fachschr.): Armins Liebeslallen, 1871; Beiträge zur Vergleichung der Volkspoesie, 1888.

Literatur: ÖBL 2, 290.   RM

Herrmann, August Lebrecht, * 20.1.1783 Kämmerswalde/Sachsen, † 3.9.1847 Dresden; Hauslehrer in Pratau, Erzieher in Genf, 1812 Lehrer u. später Prof. an d. Militärbildungsanstalt in Dresden.

Schriften: Franz I., König von Frankreich. Ein Sittengemälde aus dem 16. Jahrhundert, 1824; Die Geschichte Rußlands, 4 Bde., 1826; Friedrich August, König von Sachsen. Eine biographische Skizze, 1827; F. Bodin, Geschichte Frankreichs (2., erw. Aufl.) 2 Bde., 1827; Frankreichs Religions- und Bürgerkriege im 16. Jahrhundert, 1828; Geschichte des Königreichs Neapel und Sicilien, 3 Bde., 1830; Die Geschichte Genuas, 1. Bd., 1832; Mehemed-Ali Pascha von Aegypten, 1833; Kurze Geschichte des Königreichs Sachsen ... für Jedermann ..., 5 H., 1845; Allgemeine Weltgeschichte ... für alle Stände (3., verm. u. verb. Aufl.) 1846. (Außerdem versch. hist. Lehrbücher).

Literatur: Meusel-Hamberger 22.2, 713; Goedeke 13, 145.   RM

Herrmann, Bernhard Anton, * 18.10.1806 Hamburg, † 29.5.1876 ebd.; Buchhändler, Leihbibliothekar u. Papierhändler in Hamburg, seit 1862 Theaterdir. in Hamburg, Riga u. zuletzt wieder in Hamburg. Hg. d. «Wandsbecker Boten» (1828) u. d. «Hamburg. Couriers» (1829),

Mitarb. versch. Zs., übers. v. 123 französ. Theaterstücken.

Schriften und Bearbeitungen: Ein Ball der vornehmen Welt (Lsp., frei n. d. Französ.) 1839; Fatalitäten (Lsp., frei n. d. Französ.) 1839; Neuestes Theater des Auslandes, für die deutsche Bühne bearbeitet, 1839; Heitere Bühnenspiele in freien Bearbeitungen und Übersetzungen nach dem Französischen, 1848; Der Ball des Gefangenen (Lsp.) 1856; Am Kamin (Lsp.) 1862, Welche? (Lsp.) 1863; Ein bengalischer Tiger (Posse) 1861; Eine Berliner Schwiegertochter (Posse) 1869; Er weiß nicht, was er will (Schw.) 1872. (Ferner ungedr. Bühnenstücke.)

Literatur: ADB 12, 217. — Selbstbiogr. im Dt. Bühnenalmanach auf 1877.   RM

Herrmann, Christine (Ps. Christine), * 2.4. 1838 Kiel, † 8.2.1888 Heidelberg; 1847 Übersiedlung n. Göttingen u. 1868 n. Heidelberg, Gründerin d. «Leidensschwesternbundes» kranker u. invalider Frauen.

Schriften: Christinens Lieder, 2 Tle., 1877f.; Für die Leidensschwestern, ²1879; Christine, 1879 (Fortsetzung: 1880); Aus dem Leben der Leidensschwestern, 1880; Marie, 1880; Briefe an die Leidensschwestern 1881 und 1882, 1883; Trost und Rath für Leidensschwestern, 1883.
                                             RM

Herrmann, Conrad, * 18.7.1817 Hanau, † 18. 2.1892 Saarbrücken; Buchdruckerlehre, Red. d. «Saarbrücker Ztg.» (1857–73).

Schriften: Ericeen (Ged.) 1867; Schlimme und hohe Tage (Sonette) 1871; Der Pfifferjakob von St. Johann-Saarbrücken (hist. Rom.) 1878; Das Forsthaus zu Erlenbronn (Nov.) 1878; Feierabendstunden (Erz.) 1884; Die Invasion der Franzosen in Saarbrücken im August 1870 ..., 1888; St. Johann-Saarbrücken und seine nähere Umgebung, 1890.   RM/IB

Herrmann, Emil Alfred, * 17.3.1871 Baden-Baden, † 23.4.1957 Heidelberg; studierte in Heidelberg, Dr. iur., Musikdramatiker u. Lyriker.

Schriften: Gedichte, 1902; Lieder, 1911; Der gestiefelte Kater, Märchenspiel, 1911; Das Rotkäppchen (Märchensp.) 1911; Das Gottes-Kind. Ein Weihnachtsspiel, 1912; Zwei deutsche Volksmärchen-Spiele. Dichtung und Musik, 1922; Gregorius auff dem stein, die maere vom Gottes Sündaere. Dichtung und Musik, 1932; Wanderer un-

ter der Wolke (Ged.) 1946; Drei Bildniss deutscher Dichter aus ihrem Lied gezeichnet. Uhland, Mörike, Eichendorff, 1951.

Literatur: Theater-Lex. 1, 770; R. BENZ, ~ (in: Lit. Dtl. 2) 1951; v. BERNUS, ~ (in: Die Kommenden 6) 1954.   IB

Herrmann, Erich, * 7.1.1882 Beuthen/Oberschles., † 28.4.1960 Fürth. Erzähler.

Schriften: Auf dem Panzerkreuzer «Seydlitz». Während der Revolution und bei der Versenkung der Hochseeflotte in «Scapa-Flow». Nach eigenen Erlebnissen geschildert, 1922; Vorher und Hernach. Die Geschichte eines Findlings, 1930; Theo Traß Trill. Der große Lügner. Deutsche Heldengeschichte, 1931; Sosenka. Grenzlandroman, 1938.   IB

Herrmann, Erich → Paetel, Erich.

Herrmann, Ernst, * 24.9.1895 Berlin, † 7.6. 1970; Dr. phil. Forschungsreisender. Reiseschriftsteller.

Schriften: Berge und Menschen im Lappland, 1932; Gletscher und Vulkane, 1934; Die mitternächtigen Länder. Fahrten durch die nordische Welt, 1935; Wikinger unserer Zeit. Nansen / Amundsen / Sven Hedin, 1936; Wege zum Nordpol. Forscher und Abenteurer im ewigen Eis, 1940; Deutsche Forscher im Südpolarmeer. Bericht von der Deutschen Antarktis Expedition 1938–1939, 1941; Mit dem Fieseler-Storch ins Nordpolarmeer, 1943; Nansen, Auf Schneeschuhen durch Grönland (hg.) 1943; Das Nordpolarmeer — das Mittelmeer von morgen, 1949; Die Pole der Erde, 1959; Die Werkstatt Vulkans, Vulkanismus und Probleme der Erdkruste und des Erdinnern, 1963.   IB

Herrmann, Friedrich Wilhelm, * 28.6.1775 Mittweida/Sachsen, † 17.1.1819 Lübeck; studierte in Leipzig, Dr. phil., 1799–1805 Konrektor in Lübben, 1805 Red. d. «Minerva» in Hamburg, 1806 Prof. am Gymnasium in Lübeck. Als Mitgl. d. «Tugendbundes» mußte er vorübergehend 1813 vor den Franzosen flüchten. Dramatiker, Erz., Folklorist, Publizist u. Lyriker.

Schriften (Ausw.): Moralische Erzählungen für Kinder von acht bis zwölf Jahren, 1796; Leben, Thaten und Schicksale der französischen Generale, welche sich während der Revolution berühmt gemacht haben, 2 Bde., 1797–99; Eduard von Bernau, eine Geschichte, aus welcher Kinder Menschen kennen lernen sollen, 1797; Alexei, Prinz Peters des Großen (Tr.) 1799; Gemählde von Ostindien in geographischer, naturhistorischer, religiöser, sittlicher, artistischer, merkantilistischer und politischer Hinsicht (m. e. Vorrede v. M. C. Sprengel) 2 Bde., 1799–1801; Blumenlese aus den vorzüglichsten Prosaikern und Dichtern Frankreichs ..., 1800; Moralische Kinderbibliothek, oder die Menschlichen Pflichten; eine Erzählung für die erwachsenere Jugend I Über die Bestimmung des Menschen, das Wesen und die Eigenschaften ächter Tugend, und das Geschäfft der sittlichen Veredelung, 1802, II Erste Abteilung der Pflichten gegen uns selbst, 1802, III Zweite Abteilung der Pflichten gegen Andere, 1804; Reise durch Thüringen, 1804; Lucio Chiaramonte (Rom.) 4 Bde., 1804; Die Familie Angely. Eine Geschichte aus den Zeiten der Französischen Revolution, 1804; Taschenbuch für Freunde und Freundinnen des Schönen und Nützlichen, besonders für edle Gattinnen und Mütter und solche, die es werden wollen, 1804–07; Der erste Morgen an Schillers Grab, Eine Dichtung, all seinen Verehrern gewidmet, 1805; M. Rainsford, Geschichte der Insel Hayti. Oder St. Domingo, besonders des auf derselben errichteten Negerreiches (übers.) 1806; Die Teutschen in Nordamerika. In drey Schilderungen, 1806; Urania. Eine Sammlung romantischer Dichtungen, 1806; Th. Thornton, Das türkische Reich in allen seinen Beziehungen (übers.) 1807; Der Nationen Fall. Ein Spiegel für Herrscher und Beherrschte, 1809; Schwarzenberg und Blücher. Deutscher Auferstehungstag. Ein Gedicht nach Klopstock, 1814; Die Ehe. Stanzen, 1814; Die Irmin-Säule. An den Bildner, den Deutschen, 1814; Appel aux puissances de l'Europe pour faire cesser les pirateries, 1816; Geschichten des großen Kampfes für die Freiheit der Völker und für das Gleichgewicht der Staaten in Europa, im ersten und zweiten Zehend des neunzehnten Jahrhunderts, I Vom Lüneviller bis Tillsitter Frieden, 1816; Magazin für die Kunde und neueste Geschichte der außereuropäischen Länder und Völker, 3 H., 1816–18; Argwohn und Unschuld (aus seinem Nachlaß) 1825.

Literatur: Meusel-Hamberger 9, 754; 11, 347; 14, 117; 18, 146; 22/2, 714; Goedeke 5, 401; 6, 421; 7, 863; 11/1, 383; 610; 13, 611.   IB

Herrmann, Fritz, * 30. 11. 1922 Wien; Dr. phil., Journalist, wohnt in Wien, Dramatiker.

Schriften: Das Monstrum (Tragikom.) 1969.   IB

Herrmann, Georg, * 1840 Württemberg, Todesdatum u. -ort unbekannt; 1862 Lehrer in Esslingen, 1867 Auswanderung in d. USA, seit 1882 Dir. d. dt.-amerikan. Seminarschule in Detroit. Auch Komponist.

Schriften: Lyrische Blätter (Ged.) o. J.; Strategie der Liebe (Lsp.) 1891.   RM

Herrmann, Georg, * 14. 4. 1892 Zwickau; Verleger, wohnt in Obersontheim/Kr. Schwäb. Hall. Biograph u. Erzähler.

Schriften: Feldblumen unterm Stacheldraht. Kriegserinnerungen, 1918 (neue Aufl. 1972); Poesie und Wirklichkeit (Ged.) 1948; Leonardo da Vinci, der italienische Faust, als Künstler, Naturphilosoph und als Lebensreformer der Renaissance, 1952; Erlebnisse und Gedanken eines Künstlers, Ein Selbstbildnis, 1952; Krishnamurti. Neue Wege zur Selbstbefreiung (Ess.) 1954; Der fahrende Sänger (Ged.) 1955; Im Wandel der Zeiten (Ged.) 1964; Auf Amors Schwingen (Ged.) 1964; Auf Straßen und Pfaden (Ged.) 1977.

Literatur: H. WOLKA, Künstlerphilosoph auf Wanderschaft, 1967.   IB

Herrmann, Gerhart → Mostar, Gerhart Herrmann.

Herrmann, Gustav, * 1807 Dresden, † 24. 10. 1831 Weimar; n. Rechtsstudium Schriftst. in Hamburg, Hg. d. «Dt. Figaro» (1829, mit F. A. Oldenburg), lebte dann in Leipzig u. Weimar.

Schriften: Moritz, Kurfürst von Sachsen (Vaterländ. Schausp.) 1831.

Literatur: Goedeke 11/1, 610.   RM

Herrmann, Gustav, * 3. 4. 1871 Leipzig, † 20. 8. 1940 ebd.; studierte in Leipzig Germanistik u. Chemie, infolge d. Todes s. Vaters wurde er Kaufmann, wandte sich später d. Lit. zu, Doz. an d. Volksakad. in Leipzig. Kritiker, Dramatiker u. Lyriker.

Schriften: Tristan und Isolde. Bayreuth 1906. Eine Studie, 1906; Der Triumph des Mannes (Schausp.) 1906; Der grosse Baal (Dr.) 1906; Vineta (Ged.) 1908; Und doch! (Ged.) 1915; Lebensfahrt (Ged.) 1918; Sakuska. Russische Brokken aus der Kaiserzeit, 1919; Gesichter und Grimassen. Grotesken, 1920; Die Kunst der politischen Rede, 1920; Der lachende Olymp. Eine Auslese aus den heiteren und lyrischen Dichtungen des sechzehnten bis zwanzigsten Jahrhundert (gem. m. F. A. Hünich) 1920; Maulwürfe. Der Spottdichter als Pionier des Fortschrittes, 1921; Der Affenspiegel. Lustiges und Lästiges aus der Zeit, 1923; ~ spricht ... Eine Sammlung zeitgenössischer Dichtung und Prosa, 1926; Dem Tode entronnen. Erlebnisse und Abenteuer in Süd-Afrika. Für die Jugend, 1927; Das Urviech mit zwei Haxen. Erlebtes, Erlauschtes und Erlogenes, 1927; Lichter überm Moor (Kurzgesch. u. Erz.) 1928; O du fröhliche ... Ein Weihnachtsbuch, 1928; Das Geheimnis des Goldgräbers. Mexikanische Erlebnisse, 1928; Einer vom Brühl (Rom.) 1930; Tragödie eines Tages, 1932; Die Kunst der Rede und des Vortrages, 1938; Hieronymus Enn (Rom.) 1938; Lache mit! Heiteres Allerlei. Witze, Scherze und Unterhaltungsspiele für fröhlichen Zeitvertreib, 1940.

Literatur: Theater-Lex. 1,770.   IB

Herrmann, Hans Peter, * 21.4.1929 Weimar; 1955 Dr. phil., 1967 Habil., 1968 Wiss. Rat u. seit 1973 Prof. f. neuere dt. Lit.gesch. in Freiburg/Breisgau.

Schriften (Ausw.): Naturnachahmung und Einbildungskraft. Zur Entwicklung der deutschen Poetik von 1670 bis 1740, 1970; Brechtdiskussion (Mit-Verf.) 1974.   RM

Herrmann, Heinrich (Henri), * 28.5.1885 Stürzelbronn; lebte in Straßburg. Erz. u. Lyriker.

Schriften: Das Tal des Morgens (Ged.) 1918; Der Turm von Nesle. Historische Nachtstücke, 1924; Karawanen um Touggourt (Rom.) 1932.   IB

Herrmann, Hugo, * 1887 Mährisch-Trübau, † 1. 1.1940 Jerusalem; emigrierte 1934 nach Palästina.

Schriften: Palästina heute, 1935; In jenen Jahren, Memoiren, 1938.   IB

Herrmann, Hugo, * 19.8.1900 Roggen/Ostpr.; wohnt in Berlin. Erzähler.

Schriften: Die zweite Front (Rom.) 1955.   IB

Herrmann, Joachim, * 19.4.1931 Tübingen; 1955–57 Leiter d. Sternwarte Reutlingen, 1957 bis 1962 Astronom an d. Wilhelm-Foerster-Stern-

warte in Berlin, seit 1962 Leiter d. Westf. Volkssternwarte u. d. Planetariums in Recklinghausen.

Schriften (Ausw.): Leben auf andern Sternen? 1963; Geburt und Tod im Weltall. Vom Werden und Vergehen der Erde und des Universums, 1964; Das falsche Weltbild. Astronomie und Aberglaube ..., 1973.   RM

Herrmann, Johann Gustav, * 27.3.1897 Frankfurt/M.; Kaufmann, wohnt in Feldafing. Erzähler.

Schriften: Die Wendlinger (Rom.) 1968.   IB

Herrmann, Josef (Ps. Bernd Carstens), * 9.3. 1915 Hundsbach/Baden, † 9.7.1970 Karlsruhe. Erzähler.

Schriften: Hauptzentrale New York (Kriminalrom., so wie alle folgenden) 1941; Im Morgengrauen lauert der Tod, 1949; Der Mann, den niemand kannte, 1949; Mister Burton hat Gäste, 1949; Mordverdacht, 1949; Triumph des Todes, 1949; Das Horoskop des Mordes, 1950.   IB

Herrmann, Julius, * 1834 Danzig, † 1902 ebd., Klempnermeister. Lyriker.

Schriften: J. H., Ein Danziger Volksdichter. Ausgewählte Lieder (hg. W. Dom) 1902.   IB

Herrmann, Karl (Ps. f. Karlherrmann Bergner, weiteres Ps. Tolmai), * 25.1.1922 Hamm/Westf.; Stud.-Ass., Red., wohnt in Nürnberg. Verf. u. Übers. v. Jugendbüchern.

Schriften: Großfahrt 45. Bericht einer gefährlichen Flucht, 1945; Am Hirschbrunnen stimmt etwas nicht. Eine Schmugglergeschichte, 1953; Signale in der Nacht. Eine spannende fast unheimliche Fahrtengeschichte aus unserer Zeit, erlebt von einer neudeutschen Gruppe und französischen Pfadfindern, 1955; Aus fernen Zeiten. Tolmai. Seine Erlebnisse beim Heer des Prokonsuls J. Caesar in Gallien, 1958; Der braune und der weiße Hai. Die Pfadfinder von Kala-Kala segeln mit dem Taifun um die Wette, 1960; Spuk am Cap Cefali. Ein unheimliches Fahrtenabenteuer auf einer Mittelmeerinsel, 1962; Alarm in der Redaktion, 1965.   IB

Herrmann, Klaus, * 4.8.1903 Guben, † 22.4. 1972 Weimar; studierte Gesch. u. Lit.gesch. in Jena u. Berlin, 1927–30 Red. d. lit. Monatsschr. «D. Neue Bücherschau», seit 1931 freier Schriftst., Erz. u. Dramatiker.

Schriften: Benjamin Potters Verbrechen (Kom.) 1931; Die geizige Mutter. Ein Komödienspiel nach Ch. de Costers Roman «Die Hochzeitsreise» (bearb.) 1936; Im Himmel und auf Erden. Ein Lustspiel für Liebende, 1940; Die Götterwitwe (Kom.) 1947; Babylonischer Sommer (Erz.) 1948; Der Guillotinen-Traum (Erz.) 1949; Jörg, der Katenjunde, 1952; Der dicke und der dünne Michel und der doppelte Regenbogen und andere Märchen, 1953; Die ägyptische Hochzeit, 1953; Die guten Jahre zählen nicht, 1953; Der Abschied. Eine Erzählung um Schiller und Charlotte von Kalb, 1954; Sturm und Drang. Ein Lesebuch für unsere Zeit (hg. gem. m. J. Müller) 1954; Der Brand von Byzanz (Rom.) 1955; Der Erbe (Rom.) 1956; Die Zauberin von Ravenna, 1957; Der Sommer nahm kein Ende, 1958; Kurt Kora verachtet Berlin, 1958; Schatten im März, 1959; Die Witwe des Propheten, 1961; Der kleine Mogul (Hist. Rom.) 1961; Orpheus im Frack (Rom.) 1963; Die dunkelblauen Hüte, 1963; Die guten Jahre, Roman einer bürgerlichen Familie, 1864 bis 1934, 1963; Kreuzfahrt ins Ungewisse (Rom.) 1964; Die siamesischen Zwillinge, 1965.

Literatur: HdG 3,67; Albrecht-Dahlke II, 2, 300; Theater-Lex. 1,771. – «Die Götterwitwe» (in: Die Bühnenkritik 2) 1947; F. HAMMER, Unser Schriftstellerporträt der Woche: ∼ (in: Börsenbl. Leipzig 121) 1954; R. SCHWACHHOFER, ∼ «Der Abschied» (ebd. 122) 1955; B. BRANDL, ∼ u. d. Dame Klio (in: ebd. 133) 1966; F. HAMMER, ∼ (in: D. Bibliothekar) 1968.   IB

Herrmann (Hermann), **Lazar** (Ps. Leo Lania), * 13.8.1896 Charkow, † 9.11.1961 München; Essayist u. Erzähler.

Schriften: Die Totengräber Deutschlands. Das Urteil im Hitlerprozeß, 1924; Gewehre auf Reisen. Bilder aus deutscher Gegenwart, 1925; Gruben, Gräber, Dividenden, 1925; Der Hitler-Ludendorff-Prozeß, 1925; Indeta, die Fabrik der Nachrichten, 1927; Nikolaus II. (Herrschaft der Weiberröcke) 1928; Der Tanz ins Dunkel. Anita Berber. Ein biographischer Roman, 1929; Land im Zwielicht (Rom.) 1949; Welt im Umbruch. Biographie einer Generation, 1954; M.B. oder Die ungehörte Melodie (Rom.) 1958; Der Außenminister (Rom.) 1960; Hemingway. Eine Bildbiographie, 1960; Willy Brandt. Mein Weg nach Berlin, 1960.   IB

Herrmann, Leni, * 23.5.1904 Brünn, † 3.10.1965 ebd.; Emigration nach London (1938).

Schriften: Max Hermann-Neiße, Letzte Gedichte. Aus dem Nachlaß (hg.) 1941; ders., Mir bleibt mein Lied (hg.) 1942; Eine Autobiographie in Gedichten (aus dem Nachlaß) 1967.   IB

Herrmann, Louis, * 3.11.1836 Schwerin a. d. Warthe, † 9.11.1915 Berlin; Buchhändler, später Red. an d. alten «Tägl. Rundschau» in Berlin, dann Dramaturg.

Schriften (neben zahlreichen ungedr. Volksstücken u. Possen): Lustige Leier. Sammlung, 1909; Berliner Singsang. Fünfundzwanzig Couplets mit Gesangsnoten in leichter Klavierbegleitung, 1910.

Literatur: Theater-Lex. 1,771.   IB

Herrmann, (Karl) Ludwig, * 1.5.1801 Leipzig, † 18.(30.)3.1836 St. Petersburg; Arzt in Dresden u. später in St. Petersburg, Dir. e. homöopath. Heilanstalt das., Bruder d. Schriftst. Henriette Emilie Hübner.

Schriften: Erinnerungen und Versuche [Ged., mit H.E. Hübner] 1824.

Übersetzungen: J.F. Cooper, Die Ansiedler ..., 3 Bde., 1824; ders., Der Spion, 3 Bde., 1825; P.J. Charrin, Der Damen-Erzähler, 1826; J.J. Virey, Das Weib ..., 1827; Ders., Die Ausschweifungen in der Liebe und ihre Folgen für Geist und Körper, 1829.

Literatur: Meusel-Hamberger 22.2,717; Goedeke 15,138. – C. BOJANUS, Gesch. d. Homöopathie in Rußland, 1880.   RM

Herrmann, Martin, * 14.12.1899; Lehrer, wohnt in Freiberg/Sachsen. Lyriker u. Erzähler.

Schriften: Unnern Starnkastel. Arzgebirgische Feierobndgeschichten, 1953.   IB

Herrmann, Max, * 14.5.1865 Berlin, † 17.11.1942 Konzentrationslager Theresienstadt; Sohn d. Schriftst. Louis H., Germanistik-Studium in Berlin, 1889 Promotion, 1891 Habil., 1919 a.o., 1930 o. Prof. f. dt. Philol. in Berlin. Begründer d. Theaterwiss. in Berlin, 1923 Eröffnung d. Theaterwiss. Inst. an d. Univ., 1933 Amtsentsetzung, 1942 Einweisung ins Lager Theresienstadt. Gründer d. «Bibl. dt. Privat- u. Manuskriptdr.» (Staatsbibl. Berlin), Vorsitzender d. Gesellsch. f. Dt. Lit. (1916–36) u. d. Gesellsch. f. Theatergesch. (1919–34).

Schriften (Ausw.): Albrecht von Eyb und die Frühzeit des deutschen Humanismus in Nürnberg,

1893; Jahrmarktsfest zu Plundersweilern, Entstehungs- und Bühnengeschichte. Nebst einer kritischen Ausgabe des Spiels und ungedruckten Versen Goethes, 1900; Forschungen zur deutschen Theatergeschichte des Mittelalters und der Renaissance, 1914 (Neuausg. in 2 Tln. v. H. Schiemann, 1955); Die Bühne des Hans Sachs. Ein offener Brief an A. Köster, 1923; Noch einmal: Die Bühne des Hans Sachs, 1924; Die Entstehung der berufsmäßigen Schauspielkunst im Altertum und in der Neuzeit (hg. R. Mövius) 1962.

Herausgebertätigkeit (Ausw.): Deutsche Schriften des Albrecht von Eyb, 2 Bde., 1890; Lateinische Litteraturdenkmale des 15. und 16. Jahrhunderts (H. 9 ff.) 1891 ff. – Jahresberichte für neuere deutsche Literaturgeschichte, 1892 ff.; Neues Archiv für Theatergeschichte, 1929 f.

Bibliographie: H. Korluss, ∼-Bibliogr. (in: WZ d. Humboldt-Univ. Berlin, gesellsch.- u. sprachwiss. Reihe 23) 1974.

Literatur: NDB 8,691. – A. Köster, D. Bühne d. Hans Sachs (in: DVjs 1) 1923; G. Witkowski, Hat es e. Nürnberger Meistersingerbühne gegeben? (in: ebd. 11) 1933; Festgabe d. Gesellsch. f. Dt. Lit. z. 70. Geb.tag ihres Vorsitzenden ∼, 1935; M. Dessoir, Buch d. Erinn., 1946; M. Corssen, Z. Gedächtnis v. ∼ (in: D. Slg. 2) 1946/47; H. Knudsen, Theaterwiss., Werden u. Wertung e. Univ.disziplin, 1950; Ders., Begründung u. Entwicklung d. Theaterwiss. an d. Friedrich-Wilhelms-Univ. (in: Stud. Berolinense) 1960; R. Münz, Z. Begründung d. Berliner theaterwiss. Schule ∼s (in: WZ d. Humboldt-Univ. Berlin, gesellsch.- u. sprachwiss. Reihe 23) 1974.
RM

Herrmann, Otto, * 1852 Berlin; freier Schriftst. (mehrere Ps.), Erzähler.

Schriften: Mein Schutzengel (Nov.) 1892. IB

Herrmann, Paul, * 10.12.1866 Burg b. Magdeburg, † 20.4.1930 Torgau/Elbe; Studium d. Theol., Philol. u. oriental. Sprachen in Berlin u. Straßburg, Dr. phil., 1894 Oberlehrer u. 1903 Prof. in Torgau. Versch. Forsch.reisen n. Island, Übers. aus skandinav. u. altsächs. Literatur.

Schriften (Ausw.): Richard Wagner und der Stabreim, 1883; Christian Schubart (Tr.) 1888; Deutsche Mythologie ..., 1898 (2., neubearb. Aufl. 1906); Nordische Mythologie ..., 1903; Island in Vergangenheit und Gegenwart (Reiseerinn.) 3 Bde., 1907–10; Inner- und Nordostisländische Erinnerungen ..., 1913; Deutscher Glaube und Brauch, 1919; Isländische Heldenromane (übers.) 1923; Deutsche und nordische Göttersagen, 1925; Dänische Heldensagen nach Saxo Grammaticus (hg.) 1925; Nordische Heldensagen nach Saxo Grammaticus (hg.) 1925; Altdeutsche Kultgebräuche, 1928. RM/HK

Herrmann, Paul, * 15.7.1905 Neustettin, † 15.8.1958; Verlagslektor.

Schriften: Das große Wagnis. 6000 Jahre Kampf um den Erdball, 1936; Sieben vorbei und acht verweht. Das Abenteuer der frühen Entdeckungen, 1952; Das Abenteuer der frühen Entdeckungen, 1954; Zeigt mir Adams Testament. Wagnis und Abenteuer der Entdeckungen, 1956; Das große Buch der Entdeckungen. Wagemut und Abenteuer aus drei Jahrtausenden, 1958; Träumen, Wagen und Vollbringen. Das Abenteuer der neuen Entdeckungen (aus dem Nachlaß) 1959. IB

Herrmann, Reinhold, * 31.3.1862 Berlin; n. abgebrochenem Rechtsstudium Schriftst. in Berlin.

Schriften: Durchs Toben (Ged.) 1886; Die neue Religion (dramat. Dg.) 1892; Enthüllungen aus dem Berliner Zuhältertum. Von einem Juristen, 1892. RM

Herrmann, Rose(marie), * 29.8.1922 Willmandingen b. Reutlingen, Dr. phil., Stud.-Ass., wohnt in Bietigheim/Enz-Metterzimmern.

Schriften: Zwischen heute und morgen (Jgd.-Rom.) 1950. IB

Herrmann, Rudolf Franz, * 1787 Wien, † 8.4.1823 Breslau (Nervenheilanstalt); studierte in Breslau, Dr. phil., Privatgelehrter, Mitarb. an d. «Urania» u. am «Gesellschafter». Epiker u. Dramatiker.

Schriften: Die Nibelungen (Dr.) I Der Nibelungen Hort, II Siegfried, III Chriemhilden's Rache, 1819; Rittersinn und Frauenliebe (Erz. u. Sagen) 1820; Ideen über das antike, romanische und teutsche Schauspiel, 1820; Karlsbrunn. Ein Gedicht, 1820.

Literatur: Wurzbach 8,390; Ersch-Gruber 2/6, 263. IB

Herrmann, Theodor Alwin, * 6.5.1848 Görlitz, † 12.3.1889 Dresden; studierte in Berlin, nahm am Krieg (1870–71) teil, Lehrer in Dresden. Vorwiegend Lyriker.

Schriften: Zur Naturgeschichte der Vereine. Humoristische und satirische Streiflichter, 1889; aus Herrmanns poetischem Nachlasse, mit einer Einleitung von C. Gurlitt, 1889.   IB

Herrmann, Therese (Ps. Hedwig Berger), * 12. 12.1880 Kleinpriesen b. Brüx/Böhmen, lebte in Mariaschein; durch Krankheit an d. Rollstuhl gefessel. Erzählerin.

Schriften: Der Hofnarr des Winterkönigs, 1906; Mohnprinzeßchen (Erz.) 1908.   IB

Herrmann, Thomas, * 26.1.1955; Groß- und Außenhandelskaufmann, wohnt in Niederwurzbach/Saar. Lyriker.

Schriften: Nonnentango. Lyrik, 1975.   IB

Herrmann-Neiße, Max (Ps. f. Max Herrmann), * 23.5.1886 Neiße/Oberschles.,   † 8.4.1941 London; Studium d. Kunst u. Lit. in Breslau u. München, 1909 in Neiße Schriftst. u. Journalist, Verbindung mit A. R. Meyer, F. Pfempfert, F. Jung und der radikalen Linken, Mitarbeit an der «Aktion», «Pan» u. den «Weißen Blättern»; 1917 in Berlin Schriftst., Theater, von A. Kerr, C. Hauptmann u. a. gefördert, 1924 Eichendorff-Preis, 1927 Gerhart-Hauptmann-Preis, 1933 Emigration über Zürich, Paris, Amsterdam nach London, dort in dürftigen Verhältnissen. Lyriker, Dramatiker, Erzähler, Kritiker.

Schriften: Ein kleines Leben. Gedichte und Skizzen, 1906; Das Buch Franziskus (Ged.) 1911; Porträte des Provinz-Theaters (Ged.) 1913; Sie und die Stadt (Ged.) 1914; Empörung, Andacht, Ewigkeit (Ged.) 1917; Joseph der Sieger (Dr.) 1919; Die Laube der Seligen (Kom. Tr.) 1919; Die Preisgabe (Ged.) 1919; Verbannung (Ged.) 1919; Hilflose Augen. Prosadichtungen, 1920; Cajetan Schaltermann (Rom.) 1920; Der Flüchtling (Rom.) 1921; Die bürgerliche Literaturgeschichte und das Proletariat, 1922; Der letzte Mensch (Kom.) 1922; Im Stern des Schmerzes (Ged.) 1924; Die Begegnung (Erz.) 1925; Selbsterlebtes im Weltkrieg 1914–1919, 1925; Einsame Stimme (Ged.) 1927; Der Todeskandidat (Erz.) 1928; Um uns die Fremde (Ged.) 1936; Letzte Gedichte. Aus dem Nachlaß (hg. Leni H.) London 1941; Mir bleibt mein Lied (hg. L. H.) New York 1942; Heimatfern (Ged.) 1945; Erinnerung und Exil (Ged.) 1946; Im Fremden ungewollt zuhaus (hg. H. Hupka) 1956; Lied der Einsamkeit. Ge-

dichte 1914–1941 (hg. F. Grieger) 1961; Noch immer klimpert das Klavier. Gedichte, Lieder und Satiren (hg. H. Bemmann) 1974; Ich gehe, wie ich kam. Gedichte (hg. B. Jentzsch), 1979.

Nachlaß: Dt. Lit.arch./Schiller-Nationalmuseum. – Denecke 2. Aufl.

Literatur: NDB 8,692; HdG 1,297; Albrecht-Dahlke II, 2,300. – ∼. E. Einführung in s. Werk (hg. F. Grieger) 1951; F. Grieger, ∼ (in: Schlesien I) 1956; H. Günther, D. schles. Dichter ∼ (in: Ostdt. Monatshefte 23) 1956/57; H. Hupka, ∼ (in: Welt u. Wort 12) 1957; A. C. Groeger, Dem Andenken v. ∼ (in: Schlesien 6) 1961; R. Lorenz, ∼, 1966.   UF

Hersch, Hermann, * 1821 Jüchen (Nordrhein-Westfalen), † 27.7.1870 Berlin; zuerst Kaufmann, studierte später in Bonn, als Dramatiker v. Dingelstedt gefördert. Dramatiker u. Lyriker.

Schriften: Gedichte, 1847; Von Westen nach Osten (Ged.) 1848; Thekla. Gesänge der Liebe, 1849; Ein Glaubensbekenntnis, Zwei Gedichte, 1849; Sophonisbe (Tr.) 1859; Die Anna-Lise (Schausp.) 1859; Maria von Burgund (Tr.) 1860.

Literatur: ADB 12,222.   IB

Herschel, Jakob → Emden, Jacob Israel.

Herschel, Max, * 25.12.1840 Bonn; lebte ebd., Lyriker.

Schriften: Im Tale Saron. Gedichte jüdisch-religiösen Inhalts, sowie hebräische Gebete, Sprüche und Bibelstücke in freier poetischer Übertragung, 1905.   IB

Herse, Albert, * 31.5.1846 Isabella/Bez. Bromberg; militär. Laufbahn, Teilnahme am Feldzug v. 1866, dann Landwirt, später unternahm er viele Reisen u. ließ sich in Klein-Glienicke b. Potsdam nieder.

Schriften: Liebe und Sport. (Nov.) 1892.   IB

Herse, Else, * 15.4.1864 Braunschweig, † Juli 1910 ebd.

Schriften: Kinder des Lichts und andere Erzählungen, 1911.   IB

Herse, Henrik, * 12.10.1895 Dessau; Student, Arbeiter, Soldat, Bauer, Gärtner, Dramaturg u. Spielleiter. Erz. u. Dramatiker.

Schriften: Das Fähnlein Rauk (Rom.) 1935; Schambok. Südafrikanische Erzählung, 1936; Engelmar und Friederun (Nov.) 1936; Die Schlacht der weißen Schiffe. Nach alten Mären, 1938; Wahr Dich Garde, der Bauer kommt! (Rom.) 1939; Wir zwei, wir gehören zusammen! Geschichten um Tod und Liebe, 1939; Die Hexe von Hemmingstedt (Schausp.) 1939; Zur Raa fuhr auf ein roter Schild (Rom.) 1940; Madrid. Eine Erzählung aus den Tagen des spanischen Freiheitskampfes, 1940; Es ruft der einsam Fliegende, 1940; Fünf Wiegen und noch eine. Vers- und Bilderbuch, 1941; Reiter für Deutsch-Südwest (Rom.) 1941; Des Reiches Brücke. Bilder aus dem Leben einer deutschen Stadt, 1942.

Literatur: Theater-Lex. 1, 773.   IB

Hersfeld → Lamprecht von Hersfeld.

Herstig, David, * 1906 Bukowina; studierte Philos. u. Soziol., Publizist, 1941 deportiert, später von der Sowjetarmee zwangsrekrutiert; 1946 Rückkehr nach Bukarest, 1949 Einwanderung nach Israel; lebt in München.

Schriften: Die Rettung. Ein zeitgeschichtlicher Bericht, 1967; Fetua, der arabisch-israelische Konflikt. Ursachen und Auswirkungen, 1969. AS

Hertel, (Anton Joseph) August, * 3.4.1801 Glogau, Todesdatum u. -ort unbekannt; lebte n. Theol.-Studium als Privatmann in Sulau b. Militsch.

Schriften: Gedichte, 1826.

Literatur: Goedeke 13, 256.   RM

Hertel, Betty, * 24.12.1865 Würzburg, Oberlehrer i. R., Erzählerin.

Schriften: Klein Elsbeth und die Welt. Geschichten aus einem Kinderleben für solche, die Kinder liebhaben, 1906; Kinder und wunderliche Leute, 1910; Friedrich Güll. Ein evangelischer Charakter, 1912; Das Geheimnis des alten Stadttores. Eine Tiergeschichte, 1919; Kleinstadtkäuze. Eine Erzählung für die reifere Jugend und für besinnliche Menschen, 1920; Lebensfahrt der Ameisenkönigin Juliana, 1920; Im Paradies-Stüblein. Eine Geschichte für besinnliche junge und alte Leute, 1924; Das alte Schulhaus und die neue Zeit, 1924; Die Sonnenkinder, Eine Erzählung für Menschen, die die Sonne lieben, 1928; Die Goldsucher (Erz.) 1929.   IB

Hertel, Eugen, * 20.3.1853 München, studierte 1872–76 german. Philol., Gesch. u. Lit.-gesch. in München, Lehrer. Dramatiker.

Schriften: Sturm und Sonnenschein. 6 Theaterstücke, 1905.   IB

Hertel, Johann Jakob, Geb.datum unbek., † 26.5.1836 Nürnberg; bayer. Hauptmann. Reiseschriftst. u. Lyriker.

Schriften: Vermischte Gedichte, 1810; Die neuesten vermischten Gedichte, 1812; Sämtliche Schriften, I Bemerkungen über Künste und Wissenschaften in Bezug des edlen Einflusses auf ein ganzes Volk, II–IV Malerische Ausflüge in die schönsten Gegenden des teutschen Vaterlandes. Mit mehreren eingestreuten Gedichten des Verfassers, 1823; Der Nachtwächter von Gerstenstein. Eine moralische Skizze, 1823; Kaiser Ludwig der Baier, 1823; Volkstöne auf die Jubelfeier Maximilian Josephs König(s) von Bayern den 16.2.1824, 1824.

Literatur: Goedeke 12, 525. – DECKER, E. Nürnberger Sammlung, die verloren ging. ~ hat sie vor 150 Jahren angelegt (in: Mitt. aus d. Stadtbibl. Nürnberg 2) 1953–54.   IB

Hertel, Ludwig, * 28.6.1859 Gräfenthal, † 19.4.1910 Meiningen; Prof. ebd., Lyriker.

Schriften: Auswahl aus seinen Gedichten, mit einem Vorwort von J. Bühring (hg. v. O. Hertel) 1912.

Literatur: Biogr. Jb. 15, 38*.   IB

Herten, Waldemar (Ps. f. Emma Kreusler, geb. Klapp) * 20.7.1838 Sachsenberg-Waldeck, lebte in Erfurt. Erzählerin.

Schriften: Hof und Herz (Rom.) 1881; Das stille Haus (Rom.) 1882.   IB

Herter, Ferdinand, * 23.9.1840 Oliva bei Danzig, † 15.11.1903 Wilhelmshaven. Stabsingenieur. Mundartdichter.

Schriften: Allerhand ut plattem Land. Plattdeutsche Gedichte heiteren Inhalts, 3 Bde., 1897 bis 1900.   IB

Herter, Hans → Mickedormel.

Herting, Marie (Ps. Marie Rething), * 13.1.1836 Einbeck/Provinz Hannover, † 6.12.1910; lebte später in Hannover u. Weimar. Verf. von Erz. u. Nov. f. Familienjournale.

Schriften: Die Tochter des Malers (Erz.) 1886.   IB

Hertling, Georg (seit 1914) Graf v. (Ps. G. F. v. Hoffweiler), * 31.8.1843 Darmstadt, † 4.1.1919 Ruhpolding; Prof. d. Philos. in München, 1912 bayer. Ministerpräs., 1917 preuß. Ministerpräs., u. dt. Reichskanzler, seit 1876 Präs. d. Görres-Gesellschaft, Hg. (gem. m. Cl. Baeumker) «Beiträge zur Geschichte der Philosophie des Mittelalters» (1891f). Übers. u. später Memoirenschreiber.

Schriften (Ausw.): Die Hypothese Darwins, 1876; Albertus Magnus. Beitrag zu seiner Würdigung. Festschrift, 1880; Aufsätze und Reden socialpolitischen Inhalts, 1884; Naturrecht und Socialpolitik, 1893; Kleine Schriften zur Zeitgeschichte und Politik, 1897; Augustin. Der Untergang der antiken Kultur, 1902; Bekenntnisse des heiligen Augustinus, 1905; Recht, Staat und Gesellschaft, 1906; Erinnerungen aus meinem Leben, 2 Bde., (hg. Karl Graf v. H.) 1919/20; Vorlesungen über Metaphysik (hg. M. Meier) 1922; Reden, Ansprachen und Vorträge des Grafen G. v. H. mit einigen Erinnerungen an ihn. Gesammelt von A. Dyroff, 1929.

Nachlaß: Univ.bibl. München. – Denecke 2. Aufl.; Mommsen Nr. 1593.

Literatur: NDB 8,702; BWG 1,1127; LThK 5, 282. – M. SCHEIDEWIN, D. kathol. Reichskanzler u. d. geistige Freiheit, 1918; H. v. GRAUERT, ~, 1920; W. POLLE, ~ als Sozialphilosoph (Diss. Würzburg) 1933.   IB

Hertling, Ludwig Maria von, * 13.2.1892 München; studierte ebd., Dr. phil., wurde in Wien Mitgl. d. Gesellsch. Jesu, später Prof. an d. Gregorianischen Univ. in Rom. Kirchenhist. u. Erzähler.

Schriften: Weißkirchen (Rom.) 1920; Antonius der Einsiedler, 1929; Priesterliche Umgangsformen, 1929; Lehrbuch der aszetischen Theologie, 1930; Das geistliche Leben, 1933; Der Himmel, 1935; Geschichte der katholischen Kirche, 1949; Die römischen Katakomben und ihre Martyrer (gem. m. E. Kirschbaum) 1950.   IB

Hertnit → Ortnit.

Hertslet, William Lewis, * 21.11.1839 Memel, † 2.5.1898 Berlin-Friedenau; Sohn d. brit. Vizekonsuls W.J.H. Im Eisenbahn- und Bankfach tätig.

Schriften (außer Fachschr.): Der Treppenwitz der Weltgeschichte. Geschichtliche Irrtümer,

Entstellungen und Erfindungen, 1882; Schopenhauer-Register. Ein Hülfsbuch zur schnellen Auffindung aller Stellen ..., 1890.

Literatur: ADB 50,254; 55,895; NDB 8,704; Biogr. Jb. 3,63.   IB

Hertwig, Hugo (Ps. Hertwig-Behringer, H. Behringer), * 23.10.1868 Dresden; Red. d. «Großhainer Tageblatts».

Schriften: Aus vergilbten Blättern, 1914; Die Sachsenfahrt nach Mittenwald, 1930.   IB

Hertwig, Hugo (Ps. Reif), * 31.3.1891 Saalfeld, † 12.4.1959 Berlin. Erz. u. Lyriker.

Schriften: Gesund durch Heilpflanzen ..., 1935; Das Liebesleben des Menschen, 1940; Schicksale ewiger Liebe, 1940; Der Arzt, der das Leben verlängerte. Das Leben und Wirken des großen Hufeland 1762–1800, 1941; Der glückliche Heim, 1949 (4. Aufl. u. d. T.: Ernst Ludwig Heim. Arzt von Gottes Gnaden 22. Juli 1747–15. September 1834, 1954).   IB

Hertwig, Paul, * 28.2.1862 Patschkau; Red. d. «Patschkauer Wochenbl.» Erzähler.

Schriften: Lotosauge, der Jünger Buddhas. Altindische Sage aus der Zeit um 400 v. Chr. Epos, 1891.   IB

Hertwig, Robert, * 11.1.1846 Leipzig, † Ende Dezember 1914 Chemnitz; Gründer v. fünf Kindergärten, Dir. e. Kindergärtnerinnenbildungsanstalt. Dramatiker.

Schriften (Ausw.): Pilgerfahrt durchs Leben (melodramatisches Festsp.) 1889; Neuer Märchenstrauß aus Fee Goldinens Wundergarten, 1889; Die Natur als Arzt (Festsp.) 1892; Chemnitzia (hist. Festsp.) 1893; In der Traumwelt (Jg.-festsp.) 1894; Herr und Frau Schweppermann (Schwank) 1896; Ein neuer Romeo (Schwank) 1896; Zwei Weihnachtsfestspiele, 1896; Aus der Soldatenzeit. Lebende Bilder, 1897; Jauchzet dem König! Vaterländisches Festspiel, 1898; Backfisch und Gouvernante (humoristische Szene) 1898; Eine diplomatische Bundesfahrt (Lustsp.) 1899; Der Burenkrieg, 1900; Die Linde im Dorfe. Festspiel, 1900; Ein fahrender Sänger, 1901; Ein Skat-Spiel. Wettstreit zwischen Kaffeekanne, Bierglas und Sektflasche. Zwei Polterabend-Scherze, 1905; Der lustige Hochzeitsgast, 1907; Das Hochzeitstheater, 1909; Märchen aus aller Herren Länder, 1912.   IB

Hertz, Emma Dina (geb. Beets), * 18.7.1803 Hamburg, † 12.1.1891 ebd.; aus Mennoniten-Familie, verh. 1822 mit Adolph Jacob H. (1800 bis 1866), Überseekaufmann u. Reeder ebd.; Verf. v. Erinn. an ihre Eltern.

Schriften: Die Urgroßeltern Beets, 1899.

Literatur: NDB 8,708. – T. Storm-P. Heyse, Briefw. (hg. C.A. BERND) 3, 1974.   HWH

Hertz, Georg, * 3.10.1867 Ulm, † 21.12.1955 ebd.; Dr. phil. Erzähler.

Schriften: So reich ist die Welt. Leben eines Schwaben, 1937; Trösterin Phantasie, 1947. IB

Hertz, Gottfried Wilhelm, * 5.3.1874 Breslau, † 15.2.1951 Friedberg/Hessen; Sohn v. Martin Julius H. (1818–1895, o. Prof. d. klass. Philol. zu Greifswald u. Breslau, Biograph Karl Lachmanns), Dr. iur., Reichsrichter beim Reichsfinanzhof in München. Goethe-Forscher, Dr. phil. h.c., Inhaber d. Leibniz-Medaille d. Preuß. Akad. d. Wissenschaften.

Schriften: Goethes Naturphilosophie im Faust, 1913; Bernhard Crespel, Goethes Jugendfreund, 1914; Natur und Geist in Goethes Faust, 1931; Erinnerungen an meinen Vater Martin Hertz, 1946.

Literatur: NDB 8,710. – Reichshdb. d. dt. Gesellsch. 1, 1930.   HWH

Hertz, Paul Julius, * 3.9.1837 Hamburg, † 22.7.1897 Benndorf/Rhld., Sohn v. Adolph Jacob u. Emma Dina H., Ingenieur, Maschinenfabrikant in Harburg, 1873 Mitgründer u. Dir. d. Stader Saline.

Schriften: Italien und Sicilien. Briefe in die Heimat, 2 Bde., 1878; Unser Elternhaus, 1895.

Literatur: NDB 8,709. – T. Storm-P. Heyse, Briefw. (hg. C.A. BERND) 3, 1974.   HWH

Hertz, Richard (Ps. Mander Cyriak), * 23.5.1898 Klein-Flottbeck b. Altona, † 2.8.1961 Mexico City. Diplomat, emigrierte 1937 in die USA, 1951 Rückkehr nach Deutschland.

Schriften: Man on a Rock, 1946; Die Metamorphosen der Macht. Über die Gültigkeit ästhetischer und moralischer Werte, 1951.   IB

Hertz, Wilhelm (Carl Heinrich), * 24.9.1835 Stuttgart, † 7.1.1902 München; Sohn e. Landschaftsgärtners. Praktikant in d. Landwirtschaft,

Abitur in Stuttgart u. Studium d. Lit. u. Philos. in Tübingen, u.a. bei Uhland, bis 1858. Übersiedlung nach München, Mitgl. d. Dichterkreises «Krokodil», Freundschaft mit Geibel, Dahn, Heyse. 1862 Habil. in München, Privatdoz. f. dt. Sprache u. Lit. an d. Univ. München, 1869 a.o., 1878 o. Prof. an der TH München, 1897 persönlich geadelt. Dichter, Nachdichter, Übers., Lit.historiker.

Werke: Die epischen Dichtungen der Engländer im Mittelalter (Diss. Tübingen) 1858; Gedichte, 1859. Rolandslied, 1861; Werwolf, 1862; Heinrich von Schwaben, 1867; Tristan und Isolde, 1877, ⁸1921, Bruder Rausch. Ein Klostermärchen, 1882 (hg. G. HAY 1967); Spielmannsbuch, 1886. Aristoteles in den Alexanderdichtungen des Mittelalters, 1890; Parzival, 1898; Gesammelte Dichtungen, 1900; Gesammelte Abhandlungen (hg. F. v. D. LEYEN) 1905; Aus Dichtung und Sage (hg. K. VOLLMOELLER) 1907.

Nachlaß: Lit. Nachlaß Dt. Lit.archiv/Schiller-Nat.mus. Marbach; wiss. Nachlaß Stadtbibl. München.

Literatur: NDB 8,715. – M. CARRIERE, ~ Bruder Rausch (in: Westermanns Illustr. Dt. Monatsh. 54) 1883; R. WELTRICH, Bruder Rausch. E. Klostermärchen v. ~, 1884; F. MUNCKER, ~ (in: Dt. Dg. 3) 1887f.; L. v. KOBELL, ~ (in: L.v.K., Münchener Portraits) 1897; H. MAYNC, ~ Ges. Dg. (in: D. lit. Echo 3) 1900f.; L. SCHIEDERMAIR, ~ (in: D. Gesellsch. 17) 1901; A. BARTELS, ~ (in: D. Kunstwart 15) 1901f.; K.E. FRANZOS, Nekrologe (in: Dt. Dg. 31) 1901f.; P. HEYSE, ~ (in: Jugend 7) 1902; H. RAFF, ~ (in: ebd.); R. WELTRICH, ~, 1902; E. PAULUS, ~ (in: Dt. Heimat 6) 1902f.; A. STERN, ~ (in: A. St., Stud. z. Lit. d. Ggw. N.F.) 1904; E. HOLZNER, Antikes u. Antikisierendes (in: D. Lit. Echo 8) 1905f.; -TH (d.i. C. MUTH), Bruder Rausch (in: Hochland 3) 1905f.; O. GUENTTER, ~ Dichter u. Lit.historiker (in: Biogr. Jb. 10) 1907; R. BORCHARDT, Z. dt. Altertum (in: Süddt. Monatsh. 5) 1908; H. RAFF, ~ (in: D. lit. Echo 16) 1913f.; K. STUTTERHEIM, ~ als Lyriker 1914.   GH

Hertz, Wilhelm Ludwig, * 26.6.1822 Hamburg, † 5.6.1901 Berlin; natürl. Sohn d. Dichters Adelbert v. Chamisso, wurde Buchhändler, seit 1847 Inhaber d. Besserschen Buchhandlung in Berlin u. d. lit.-geisteswiss. Verlags Wilhelm

Hertz ebd., 1879/80 Erster Vorsteher d. Börsenvereins d. Dt. Buchhändler; verh. 1847 mit Fanny Johanna Hertz (1826–1913), Tochter v. Adolph Jacob u. Emma Dina H., Übersetzerin.

Schriften: Adolph Jacob Hertz, 1867; An Friedrich Johannes Frommann zum 8.4.1875 (Gratulationsschr.) 1875.

Nachlaß: Dt. Lit.arch./Schiller-Nat.museum (Cotta-Arch.).

Literatur: NDB 8,712; Biogr. Jb. 6,298. – H. W. Hertz, ∼, e. Sohn d. Dichters Adelbert v. Chamisso (in: Arch. f. Gesch. d. Buchwesens 10) 1969/70.   HWH

Hertzberg, Gustav Friedrich, * 19. 1. 1826 Halle/Saale, † 16. 11. 1907 ebd.; Gymnasiallehrer, 1858–60 Red. d. «Preuß. Wochenbl.» in Berlin, später Prof. f. Gesch. an d. Univ. in Halle. Mitarb. an W. Onckens Weltgeschichte.

Schriften (Ausw.): Die Geschichte Griechenlands unter der Herrschaft der Römer, 3 Bde., 1866–75; Die Feldzüge der Römer in Deutschland, 1872; Geschichte Griechenlands seit dem Absterben des antiken Lebens bis zur Gegenwart, 4 Bde., 1875–79; Geschichte von Hellas und Rom, 2 Bde., 1877–82; Geschichte der Stadt Halle an der Saale von den Anfängen bis zur Neuzeit. Nach den Quellen dargestellt, I Halle im Mittelalter, 1889, II Halle während des sechzehnten und siebzehnten Jahrhundert (1513–1717) 1891; III Halle während des achtzehnten und neunzehnten Jahrhundert (1717–1892) 1893; Kurze Übersicht der Geschichte der Universität in Halle/Saale bis zur Mitte des neunzehnten Jahrhundert, 1894; A. H. Francke und sein Hallisches Waisenhaus, 1898.

Literatur: NDB 8,717; Biogr. Jb. 12,36*.   IB

Hertze, Johann, * 14./15. Jh. Lübeck, † 1476 ebd.; 1420 wahrsch. Immatrikulation an d. Univ. Rostock, 1433–35 am Hof d. Papstes Eugen IV. in Rom u. Florenz, 1436–54 Protonotar, seit 1460 Ratsmitgl. in Lübeck. – Verf. d. 1. Tls. (bis 1469) d. «Lübecker Ratschronik von 1401–1482» deren erster Tl. (1401–38) mehr od. weniger e. Auszug aus e. Korner-Rezension, wogegen d. zweite Tl. e. selbständige Arbeit ist, was zunächst zu Zweifeln über d. Verfasserschaft führte. Quellen waren v.a. Johann(es) Rodes «Stadeschron.» (1105–1276) u. Detmars v. Lübeck «Detmar(sche)-Chron.» (1385).

Ausgabe: K. Koppmann, Dritte Fortsetzung der Detmar-Chronik, 1.Teil von 1401–1438, 1902 (Neudr. 1968); F. Bruns, Die Ratschronik von 1438–1482, 1910f. (Neudr. 1968).

Literatur: VL 5,933; de Boor-Newald 4/1, 155. – F. Bruns (vgl. Ausg.) 1910.   RM

Hertzka, Oskar, * 27.9.1858 Wien, Bank-Beamter in Wien, 1883 auch Supplent an d. Wiener Handelsakad., seit 1901 stellvertr. Dir. d. Kreditanstalt-Filiale in Prag.

Schriften: Poetische Versuche (Ged.) 1882; Die Sonne des Lebens (Nov.) 1889.   RM

Hertzka, Theodor, * 13.7.1845 Pest, † 22. 10. 1924 Wiesbaden; studierte in Wien u. Budapest, 1872–79 Red. d. «Neuen Freien Presse» in Wien. Nationalökonom (Bodenreformer). Erzähler.

Schriften (außer Fachschr.): Das Wesen des Geldes, 1887; Freiland. Ein sociales Zukunftsbild, 1890; Eine Reise nach Freiland (Nov.) 1893; Entrückt in die Zukunft. Socialpolitischer Roman, 1895.

Literatur: ÖBL 2,294; NDB 8,718.   IB

Hertzog, Bernhard, * 26.1.1537 Weißenburg/Unterelsaß, † 1596/97 Wörth/Unterelsaß; Studium d. Rechte in Heidelberg, pfalzgräfl. Kanzleidekretär in Zweibrücken, seit 1570 in Diensten d. Grafen Philipp v. Hanau-Lichtenberg, Sekretär u. Amtmann in Wörth. Chronist.

Schriften: Chronicon Alsatiae oder Edelsasser Cronick und ausführliche beschreibung des untern Elsasses am Rheinstrom ..., 1592.

Literatur: ADB 12,251; NDB 8,719. – E. Müntz, Le chroniqueur ∼ et son gendre le poète Jean Fischart (in: Rév. d'Alsace, NF 2) 1873; H. Hahn, D. hs. Nachl. ∼s (in: Vjschr. f. Wappen-, Siegel- u. Familienkunde 24) 1896.
                                                          RM

Hertzsch, Klaus-Peter, * 25.9.1930 Jena; aufgewachsen in Eisenach, Theol.-Studium, 1959–68 Studentenpfarrer in Jena u. Berlin, 1967 Dr. theol. Halle, seit 1969 Prof. f. Prakt. Theol. in Jena.

Schriften: Wie schön war die Stadt Ninive. Biblische Balladen zum Vorlesen, 1967 (Neuausg. u. d. T.: Der ganze Fisch war voll Gesang, 1969); Es kommt ein schöner Tag in Sicht. Geschichten von Elia und Daniel, Jona und Ben Jimla, 1977.   IB

Hertzsch, Robert Hugo, * 10. 11. 1852 Remsa b. Altenburg/Thür.; Studium d. Philos. u. neueren Sprachen in Leipzig, Gründer e. Knabenpensionats in Halle.

Schriften (Ausw.): Lazarus von Bethanien (christl. Tr.) 1887; Der ontogenetisch-phylogenetische Beweis für das Dasein eines persönlichen Gottes, 1892; Prinz Heraklius oder Ein Traum (Dr.) 1896; Der Todesstoß gegen den Haeckelschen Monismus oder Den wissenschaftlichen Materialismus ..., 1915.   RM

Hervord→ Heinrich von Herford.

Herwarth von Bittenfeld, Agnes (Ps. A. Her), Lebensdaten unbek., wohnte in Breslau. Erzählerin.

Schriften: Illusionen! (Rom.) 1896; Sie liebten sich (Rom.) 1898; Frieda (Rom.) 1900; Sie muß heiraten, 1902; Die Wolke (Rom.) 1905.   IB

Herwegh, Georg (Friedrich Rudolf Theodor Andreas), * 31. 5. 1817 Stuttgart, † 7. 4. 1875 Lichtenthal b. Baden-Baden, Sohn des Gastwirts Ernst Ludwig H., besuchte d. Stuttgarter Gymnasium u. d. Lateinschule in Balingen, dann d. evangel. Klosterschule in Maulbronn. 1835 Theol.studium im Tübinger Stift wegen Disziplinarschwierigkeiten abgebrochen, Winter 1836–1837 Jurastudium in Tübingen, 1837 Rückkehr nach Stuttgart als Schriftst. u. Kritiker an A. Lewalds Zs. «Europa», 1838 Militärdienst abgeleistet, 1839 entzog er sich d. Wiedereinberufung durch Flucht nach Emmishofen in der Schweiz, dort Dichter. Fortsetzung d. in Stuttgart begonnenen Übers. e. Teils d. Werke von Alphonse de Lamartine, Mitarbeit an d. Zs. «Dt. Volkshalle». 1841 erfolgreiche Veröffentl. s. im Geist d. Vormärz geschriebenen Gedichte (in Preußen bis 1843 verboten). Bis 1842 Aufenthalt in Paris, dann Reisen durch Dtl., v. Friedrich Wilhelm IV. bei Hof empfangen, geriet er wegen seiner polit. Gesinnung in Konflikt mit d. König. 1843 Rückkehr in die Schweiz, Bürgerrecht im Kt. Basel-Land. Trat während d. Aufenthalts in Paris d. Kreis um Heine nahe, Bekanntschaft mit Marx, Begegnung mit A. Bakunin. 1848 Teilnahme an d. mißglückten Februarrevolution in Dtl. Flucht nach d. Schweiz u. Frankreich. 1866 Ernennung z. Ehrenkorrespondenten der I. Internationale, Mitgl. des revolutionären Flügels d. Sozialdemo-

krat. Arbeiterpartei, 1866 Amnestie in Dtl. Verbrachte d. letzten Jahre in Lichtenthal/Baden-Baden. In d. Schweiz begraben. Polit. Dichter, Übersetzer.

Schriften: Die deutsche Flotte. Eine Mahnung an das deutsche Volk, 1841; Gedichte eines Lebendigen, 2 Bde., 1841–43; Einundzwanzig Bogen aus der Schweiz, 1843; Gedichte und kritische Aufsätze aus den Jahren 1839 und 1840, 1845; Huldigung (Ged.) 1848; Zwei Preußenlieder (Ged.) 1848; Blums Tod (Ged.) 1848; Viertägige Irr- und Wanderfahrt mit der Pariser deutsch-demokratischen Legion in Deutschland, 1850; Die Schillerfeier in Zürich, 1860; Bundeslied für den Allgemeinen Deutschen Arbeiterverein, 1863; Neue Gedichte. Hg. nach seinem Tode, 1877; Literatur und Politik (hg. K. MOMMSEN) 1969; Morgenruf (Ged.) 1969; Frühe Publizistik. 1837–1841, 1971.

Briefe: Briefe von und an G.H. (hg. M. HERWEGH) 1896; Briefwechsel mit seiner Braut (hg. M.H.) 1966; Au printemps des dieux (Briefwechsel mit Marie d'Augoult (hg. M.H.) 1929.

Ausgaben: Werke, 3 Bde. (hg. H. TARDEL) 1909; Aus Herwegh's Nachlaß (hg. V. FLEURY) 1911; dazu: Neue Bruchstücke (in: Euphorion 20) 1913; Werke (ausgew. H.-G. WERNER) 1967.

Archiv: Dichtermuseum Liestal/Kt. Basel-Land; Sammlung im Dt. Lit.arch./Schiller-Nationalmuseum Marbach. – Denecke 2. Aufl.

Literatur: ADB 12, 252; NDB 8, 723; BWG 1, 1131. – J. SCHERR, ~, 1848; V. FLEURY, Le poète ~, 1911; W. KILIAN, ~ als Übers., 1915; K. HENSOLD, ~ u. s. dt. Vorbilder, 1916; E. BALDINGER, ~: D. Gedankenwelt d. Ged. e. Lebendigen, 1917; H.E. HIRSCHFELD, Polit. Zeitdg. in ~s Ged. e. Lebendigen (Diss. Hamburg) 1921; S. LIPTZIN, ~ u. K. Beck (in: GR 2) 1926; B. KAISER, D. Freiheit e. Gasse, 1947; DERS., ~ u. d. Lit.gesch. (in: Forum 2) 1948; G. WILSON, A Critical Introduction to the Later Lyric Poetry of ~ (Diss. Newcastle) 1948; R. KAYSER, ~s Shakespeare-Auffassung (in: GQ 20) 1947; F. MEHRING, Aufs. z. dt. Lit. v. Klopstock bis Weerth, 1961; B. KAISER, D. Akten F. Freiligrath u. ~, 1963; A. ZIEGENGEIST, D. Lit.kritik d. jungen ~ (Diss. Humboldt Univ. Berlin) 1965; W. BÜTTNER, «... dann belehren euch die Fäuste unserer Proletarier!» (in: WB 13) 1967; DERS., ~ e. Sänger d. Proletariats, 1970 (überarb. 1976); U. Püschel, Gesichtspunkte f. d. Wahl d. ~-Übers. bei d. Inszenierung v. König Lear in Dresden (in: Shakespeare-Jb 105) 1969; H. Szepe, Vom burschenschaftl. Radikalismus z. Arbeiterpathos in d. Dg. ~s (in: Monatshefte 62) 1970; H. Leber, Freiligrath, ~, Weerth, 1973; G. Farese, ~ u. F. Freiligrath, Zw. Vormärz u. Revolution (in: Demokrat.-revolut. Lit. in Dtl.: Vormärz. Hg. G. Mattenklott) 1974; F. Werner, Polit. Ged. u. revolutionärer Kampf. D. polit. Dichter ~ (in: WB 21) 1975; H. Haase, Revolutionärer Rufer u. Dichter d. Proletariats (ebd.).   HD

Herwi, B. (Ps. f. Babette Hermine Loewi, geb. Rosenfeld), * 15.9.1843 Berlin; † 2.9.1910 ebd.; 1863 Heirat u. Übersiedlung n. Königsberg/Pr., lebte seit 1895 wieder in Berlin, Mitarb. versch. Zeitschriften.

Schriften: Sonnige Geschichten, 1895; Rache (Rom.) 1902; Deklamatorisches Potpourri, ³1904.   RM

Herwig, Franz, * 20.3.1880 Magdeburg, † 15.8.1931 Weimar; Sohn e. kleinen Beamten, besuchte d. Realgymnasium in Magdeburg. Dann Journalist, Buchhändler, Lektor. Teilnahme am 1. Weltkrieg. Längerer Aufenthalt in Berlin. Ständiger Mitarbeiter am «Hochland», zw. 1922–1927 Hg. d. «Hausschatzbücherei», «Das Tor» u. d. belletrist. Zs. «Der bunte Garten». Vorwiegend Erzähler.

Schriften: Herzog Heinrich (Dr.) 1904; Die letzten Zielinski (Rom.) 1906; Wunder der Welt (Rom.) 1910; Die Stunde kommt. Ein Roman vom Gardasee, 1911; Herrn Karls Schwert (Lustsp.) 1912; Jan von Werth. Roman aus dem dreißigjährigen Kriege, 1913; Der getreue Deserteur. Erzählung aus den französischen Raubkriegen, 1913; Aus der Fremdenlegion in des Kaisers Heer (Erz.) 1915; Drei gute Kameraden (Erz.) 1916; Pinz und der heilige Krieg (Erz.) 1916; Heimat Kamerun, 1917; Friedrich Wilhelm der Erste, 1917; Der Pfarrer zu Pferd (Erz.) 1917; Das Schlachtfeld (Rom.) 1920; Dunkel über Preußen (Rom.) 1920; Das Passions- und Osterspiel, 1920; Das kleine Weihnachtsspiel, 1921; Das Adventspiel. In drei Bildern und einem Vorspruch, 1921; Das Sextett im Himmelreich. Ein altfränkischer Roman, 1921; St. Sebastian vom Wedding (Leg.) 1921; Das Begräbnis des Hasses. Eine ostmärkische

Erzählung, 1921; Die Zukunft des katholischen Elements in der deutschen Literatur, 1921; Die Zukunft des Mysterienspiels, 1922; Die feine Ingeborg. Eine weimarische Geschichte. Enthält ferner: Jabusch. Eine berliner Vorstadtgeschichte, 1922; Das märkische Herz. Ein kurzweiliger Roman, 1923; Deutsche Heldenlegende, 1923–25; Das Mitsommerspiel, 1924; Sterne fallen und steigen (Zwei Nov.) 1925; Liszts letzte Liebe, 1925; Die Eingeengten (Rom.) 1926; Willi siegt (Rom.) 1927; Hoffnung auf Licht (Rom.) 1929; Der große Bischof. (Rom.) 1930; Fluchtversuche (Rom.) 1930; Tim und Clara (Rom.) 1932; Jugenddramen (Opfer, Heinrich der Löwe, hg. aus d. Nachlaß v. H. Spee) 1938.

Literatur: NDB 8,726; HdG 1,298; 3,67; Theater-Lex. 1,774. – A.F. Binz, ~, 1922; J. Antz, ~ u. d. erste Monographie über s. Schaffen (in: Lit. Handweiser 60) 1923; K. Muth, E. Glosse zu ~s Rom. Die Eingeengten (ebd. 63) 1926; G. Schäfer, ~ (in: D. Bücherwelt 27) 1930; G. Müller, ~ (in: Schweiz. Rundschau 29) 1930; J. Mumbauer, ~ (in: Lit. Handweiser 67) 1931; C. Schröder, ~, e. Wegbereiter kathol. Dichtung (in: D. Gral 26) 1931–32; H. Kautz, D. Ende d. sozialen Frage in d. Schau ~s, 1932; A. Herkommer u. L. Stütz, Erinnerungen an ~, 1932; L. Lawnik, ~, 1933; H. Spee, ~ als Dichter u. Kritiker (in: Dt. Quellen u. Stud. 16) 1938; J. Schomerus-Wagner, ~. (in: J.S.-W., Dt. kathol. Dichter d. Ggw.) 1950.   IB

Herwig, Karlheinz, * 3.1.1932 Frankfurt/Main; wohnt in Stierstadt. Lyriker.

Schriften: Einsame Bäume heißen Allee, 1960.   IB

Herxheimer (Hergsheimer, Hex(h)amer), Bernhard, Mitte 16. Jh.; lebte in Landau u. nach s. Vertreibung als «abgesetzter Pfarrdiener u. Schulmaister» in Edenkoben/Pfalz.

Schriften: Faßnachtküchlin oder Warnung-Büchlin ..., o. J. (Neudr. in: Corpus Schwenckfeldianorum 13, 1935); Bekandtnuß christlichen Glaubens ..., o. J. (Neudr. in: ebd. 14, 1936).

Literatur: ADB 12, 257; Adelung 2, 1970; Goedeke 2, 284.   RM

Herz, Emil, * 5.4.1877 Essen, † 7.7.1971 Rochester; Verlagsdir. (vor 1933 Dir. d. Ullstein-

u. d. Propyläen-Verlags), 1937 Emigration i. d. Schweiz, später Italien, 1938 nach Kuba, 1940 USA.

Schriften: Englische Schauspieler und Englisches Schauspiel zur Zeit Shakespeares in Deutschland, 1903; Denk ich an Deutschland in der Nacht. Die Geschichte des Hauses Steg, 1951.

Literatur: Verleger ~ 75 Jahre alt (in: D. Antiquariat 8) 1952; E. Leben f. d. Buch. ~ 75 Jahre alt (in: Mitt. d. Berliner Verleger- u. Buchhändler-Vereinigung 4) 1952; C. SOSCHKA, ~ u. d. Haus Ullstein (in: Börsenbl. Frankfurt 23) 1967.   IB

Herz, Henriette, * Neustadt-Goedens a. d. Jade, (Geb.dat. unbekannt); lebte später in Hamburg.

Schriften: Im Vorübergehen. Hamburger Geschichten, 1909; Schleiermacher und seine Lieben, 1910.   IB

Herz, Hermann (Ps. Johann Driggeberger), * 19.4.1874 Weildorf/Hohenzollern, † 1946 Dettlingen b. Hechingen; Schuhmacherssohn, studierte in Freiburg/Br., 1899 Priester, Vikar, Pfarrverweser, 1902 Rektor in Koblenz-Moselweis. Volontär an d. «Koblenzer Volksztg.». Erz. u. Kritiker.

Schriften: Musterkatalog für volkstümliche Bibliotheken, 1907; Alban Stolz (Biogr.) 1908; Der Weg des Buches ins Volk, 1909; D'rr Garribaldi und zwei andere Erzählungen, 1910; Wandlung und andere Erzählungen aus geistlichem und weltlichem Leben, 1916; Peter Schwabentans Schaffen und Träumen, I Vikar und Preßhusar, 1921, II Der rote Kurat, 1926–30; Der Herr Professor. Eine kleine städtische Geschichte, 1924.   IB

Herz, Manfred → Kászony, Daniel von.

Herz, (Naphtali) Markus, * 8.2.1747 Berlin, † 19.1.1803 ebd.; Studium d. Philos. in Königsberg, Bekanntschaft mit Kant, Med.-Studium in Halle, 1774 Promotion; prakt. Arzt, 1785 waldeck. Leibarzt u. Hofrat, 1787 Prof. d. Philos. in Berlin.

Schriften (Ausw.): Betrachtungen über die speculative Weltweisheit, 1771; Freymüthige Kaffeegespräche zweier jüdischer Zuschauerinnen über den Juden Pinkus, 1772; Versuche über den Geschmack und seine Verschiedenheit, 1776 (2., verm. u. verb. Aufl. 1790); Briefe an Ärzte, 2 Slg., 1777–84.

Literatur: ADB 12, 260; NDB 8, 729; Goedeke 4/1, 492.   RM

Herz, Peter, * 18.1.1895 Wien; Prix d'Italia f. Hörsp. 1950, Theodor-Körner-Preis f. Lit. 1965; Prof., wohnt in Wien. Erz. u. zahlreiche Rundfunkarbeiten.

Schriften: Es liegt eine Krone im tiefen Rhein, 1953; Man hat's nicht leicht! 1963. Böhmische Musikanten. Zeitbilder, 1956.   IB

Herz, Roderich, * 20.9.1858 Hazienda Bâton Rouge/Brasilien, fiel 1899 als Oberst in einem Aufstand.

Schriften: In Sklavenketten. Eine Erzählung aus dem Pflanzerleben in Süd-Amerika, 1902.   IB

Herzberg, Abel Jakob, * 17.9.1893 Amsterdam; war Rechtsanwalt ebd.; im 2. Weltkrieg Verhaftung, 15 Monate Bergen-Belsen; schrieb Bühnenstücke u. versch. Bücher über die Judenverfolgung in Amsterdam, lebt in Holland.

Schriften: Haus der Väter. Briefe eines Juden an seinen Enkel, 1967.   AS

Herzberg, Grete → Litzmann, Grete.

Herzberg, Tiny geb. Fierz (Ps. Tiny Fierz-Herzberg), * 21.6.1902 Köln; Journalistin u. freie Schriftst., wohnt in Köln. Erzählerin.

Schriften: Schlamperei und andere Erzählungen, 1960.   IB

Herzberg, Wilhelm, * 30.1.1827 Stettin; Dr. phil., Dir. d. dt.-jüd. Waisenhauses in Jerusalem, später in Brüssel. Erzähler.

Schriften: Irrgänge der Seele (Erz.) 1891.   IB

Herzberg-Fränkel, Leo, * 19.9.1827 Brody/Galizien, † 5.6.1915 Teplitz-Schönau/Böhmen; kam frühzeitig nach Wien, wo er mit Bäuerle u. Saphir in Verbindg. trat, 1848–49 Reise zu d. dt. Kolonisten in Beßarabien, über d. er in «Bildern aus Rußland» («Der Lloyd» 1851) berichtete, 1849 Red. an d. «Reichsztg.», später am «Öst. Lloyd» in Wien, 1854 Sekretär d. Handelskammer in Brody, 1896 im Ruhestand. Erz. u. Folklorist.

Schriften: Polnische Juden. Geschichten und Bilder, 1866; «Abtrünnig» Ein Lebensbild aus Galizien, 1889/90; Geheime Wege (Erz.) 1895.

Literatur: ÖBL 2, 296.   IB

Herzberger, F. W., * 23.10.1859 Baltimore;
luther. Prediger in d. USA, 1889 Pastor in
Hammond/Indiana.

Schriften: Pilgerklänge (Ged.) 1889.   RM

Herzebrocker Heberolle (Heberegister), 3
Einkünfteverz. aus d. Zeit um 1100, Mitte 12. Jh.
u. v. 1396 (unveröff.) d. Frauenklosters Herze-
brock/Nordrhein-Westf.

Ausgaben: P. EICKHOFF, Die älteste H.H.
(Progr. Wandsbek) 1882; J. HARTIG, Die zweite
H.H. (in: Ndt. Jb. 94) 1971.

Literatur: P. EICKHOFF, Kurze Gesch. d. Klosters H., 1876; A. WENZEL, D. Grundherrschaft
d. Klosters H. (Diss. Münster) 1913; F. FLAS-
KAMP, D. Chron. d. Klosters H. (in: Osnabrücker Mitt. Ver. f. Gesch. u. Landeskunde v.
Osnabrück 73) 1966; DERS., D. Kopiare d. Klosters H. (in: ebd. 77) 1970; J. HARTIG, Fragen
z. Verhältnis d. beiden Hss. d. Freckenhorster
Heberegisters (in: Ndt. Mitt. 28) 1972.   RM

Herzen, Alexander (russ. Gercen, Aleksandr
Ivanovič) * 6.4.1812 Moskau, † 21.1.1870 Paris; unehelicher Sohn e. russ. Großgrundbesit-
zers u. e. Deutschen, nach deren Kosenamen
«Mein Herz» er s. Namen bildete; wegen sozialist. Propaganda nach d. Osten Rußl. verbannt, 1847 Emigration, 1852 Gründung e.
Druckerei in London, seit 1864 in d. Schweiz,
später in Frankreich. Schr. in russ., engl. u. dt.
Sprache, Erz. u. Publizist.

Schriften: Wer ist schuld? (Rom.) 1846; Erinnerungen und Gedanken, 5 Bde., 1852–55
(deutsche Ausgabe: Erlebtes und Erdachtes,
3 Bde., 1855–56); Rußlands sociale Zustände,
1854; Aus den Memoiren eines Russen. Im
Staatsgefängniß und in Sibirien, 1855; Frankreich und England. Russische Variationen über
das Thema des Attentats vom 14. Jänner, 1858;
Die russische Verschwörung und der Auffstand
vom 14.12.1825. Eine Entgegnung auf die Schrift
des Baron Modeste Korff: «Die Thronbesteigung
Kaiser Nicolaus I.», 1858; Gesammelte Erzählungen (auch u.d.T.: Unterbrochene Erzählungen) 1858.

Literatur: RGG 3, 286. – W. J. LENIN, «Steuermann des kommenden Sturmes» ~ z. Gedenken
(in: Aufbau 3) 1947; L. SAAR, Dialektik u. Materialismus in den philos. Schr. von ~ (in: WZ
d. Univ. Leipzig 1) 1951–52; M.F. SCHABAJEWA,
~ u. s. pädagog. Theorie (in: pädagogik- Beitr.

z. Erziehungswiss. 8) 1953; E. WOLFGRAMM,
~ u. d. «Dt. Mschr.» (in: Zs. f. Gesch.wiss.
1. Beih.) 1954; R. O. GROPP, ~ über d. Verhältnis v. Philos. u. Naturwiss. (in: FS E. Bloch)
1955; E. REISSNER, D. Schillerbild ~s (in:
WZ d. Humboldt Univ. 5) 1955–56; H. GRAN-
JARD, Du nouveau sur ~ (in: Cahiers du monde
russe et soviétique 5) Paris 1964; R.M. DAVI-
SON, ~ and Kierkegaard (in: Slavic Review 25)
1966; E. LAMPERT u. H. J. BLACKHAM, ~ and
Kierkegaard? The Comparison of ~ with Kierkegaard (ebd.); F. VYNCKE, L'horizon idéolo-
gique du jeune ~ (in: Annuaire de l'Institut de
philologie et d'histoire orientales et slaves 17)
Paris 1966; M. PATRIDGE, ~'s Chancing Concept of Reality and its Reflection in His Literary
Works (in: Slavonic and East European Review 46) 1968; G. PETROVA, ~ (in: Bibliothekar 47) Moskau 1970; M. CADOT, Autor des
relations françaises de ~ (in: Revue de littérature comparée 44) 1970; B. MORAND, Pour le
centenaire d'~ (in: Europe 48) 1970; E. SIL-
BERNER, Drei ~-Briefe (in: International Review of Social History 16) 1971; DERS., Verschollene ~- u. Ogareff-Briefe (mit e. Br. v.
V. Hugo) (ebd. 17) 1972.   IB

Herzenskron, Hermann Josef (eig. Herzma-
kron) * 12.7.1792 Wien, † 19.1.1863 ebd.;
v. K. F. Hensler angeregt, verf. er zahlr. Kom.,
die großen Erfolg hatten. Von Mißgeschick verfolgt, zog er sich v. lit. Leben zurück. Vorstand e.
Kinderbewahranstalt.

Schriften: Modetorheiten. Lokales Lustspiel,
1812; Der Weinhändler aus Grinzing, oder: Der
Kräutlerweiber-Pikenik, 1812; Ein Tag in
Baden, 1812; Sonst und jetzt, oder: Alt und Neu
Wien, 1812; Der Herr Johannes vom Pariser-
gassel, 1813; Faschingstreiche, 1813; Liebe zum
Fürsten, 1813; Die Jungfrau von Wien, 1813;
Apollo und der Dichter, oder: Die Fahrt nach
der verkehrten Welt, 1822; Die Heirat durch
die Pferdekomödie, oder: Die Räuber in den
Abruzzen, 1822; An Überbringer, 1824; Der
Araber, oder: Der Mord in der Kapelle, 1828;
Seltsam sind des Schicksals Wege, oder: Fünfzehn Jahre in zwei Stunden, 1831; Der Last-
träger an der Themse, Oper, 1832; Die Waffen-
rüstung, oder: Der Soldat von Tomarowa. Nach
dem Französischen von Cuvelier und Leopold
frei bearbeitet, 1833; List und Strafe, oder: Die

unversehene Wette, 1833; Was Einer gut macht,
verdirbt der Andere, 1835; Der Bräutigam in der
Klemme, 1835; Die Ruinen von Kenilworth,
oder: Der Sturz in den Abgrund, 1838; Der Me-
diciner und der Jurist, oder: Dulden und Schulden, 1839; Die verkehrte Welt. Zauberspiel mit
Gesang, 1845; Eine Überraschung. Lustspiel,
1861; Dramatische Kleinigkeiten, 6 Bde., 1826–
1839.

Literatur: ADB 12,262; ÖBL 2,296; Wurzbach 8,409; Goedeke 11/2,194; Meusel-Hamberger 22/2,721; Theater-Lex. 1,775. – H.
Wettl, ~ als Theaterschriftst. (Diss. Wien)
1935.   IB

Herzenskron, Viktor, * 23.3.1820 Wien,
† Nov. 1897 Erfurt; zuerst Offizier, später Journalist u. Theaterdir. in versch. Städten Dtl. Erz.
u. Dramatiker.

Schriften: Herbstblätter. Lebensbilder für die
Jugend, 1860; Ein Spinnstuben-Märchen, 1879;
Zwischen Hell und Dunkel (Dg.) 1886.

Literatur: ÖBL 2,296; Biogr. Jb. 4,88; Theater-Lex. 1,775.   IB

Herzer, Jakob, * 11.4.1853 Kottweiler Pfalz;
Lehrer in Zweibrücken.

Schriften: Aus Kaiser Wilhelm's Jugendtagen.
Eine vaterländisuhe Dichtung, 1887; Dichter-
klänge aus dem Altertum. Übersetzungen und
Neudichtungen zu griechischen und römischen
Dichtern, 1888.   IB

Herzfeld, Barbara (geb. Friedmann), * 19.12.
1898 Budapest; Übersetzerin in Berlin, lebte
nach d. Krieg in Ciudad Jardin Lomas del Palo-
mas/Argentinien.

Übersetzungen (Ausw.): L. Biro, Amor und
Psyche, 1924; O. Ameringer, Unterm Sternenbanner ..., 1925; F. Molnar, Die Dampfsäule,
1927.   RM

Herzfeld, Franz (Ps. Franz Held), * 30.5.1862
Düsseldorf, † 4.2.1908 Valduna/Vorarlberg; studierte in Bonn, Leipzig, München u. Berlin,
lebte ebenfalls in diesen Städten, 1890 seelisch
krank. Dramatiker u. Erzähler.

Schriften: Gorgonenhäupter. Ein realistisches
Romancero, 1887; Der abenteuerliche Pfaffe
Don Juan oder Die Ehebeichten. Das ist: Eines
Stadtbuhlers Sündniß und Läuterung. Roman in
Reimen. Auf Grund einer verlorenen Hand-
schrift des Ch. v. Grimmelshausen an Tag geben,

1889; Ein Fest auf der Bastille. Vorspiel zu der
Revolutionstrilogie «Massen», 1889; Eine Afrikareise durchs Marsfeld. Pariser Ausstellung 1889,
1890; Groß-Natur. Ausgewählte Gedichte, 1893;
Manometer auf 99! (soz. Dr.) 1893; Tanhusaere
redivivus und andere Gestalten, 1894; Trotz
Alledem! Einiges aus meinem Schatzhaus, 1894;
Don Juan's Ratskellerkneipen. Eine feucht fröhliche Weinmär, 1894; Au delà de l'eau. Geschichten und Walzertakte von Boul' Mich'.,
1898; Ausgewählte Werke (hg. E. Kreowski)
1912.

Literatur: Biogr. Jb. 13,40*; Theater-Lex. 1,
776.   IB

Herzfeld, Friedrich, * 17.6.1897 Dresden,
† 19.9.1967 Garmisch-Partenkirchen; studierte
an der Musikhochschule u. an d. Univ. München.
Kapellmeister in Dresden, Altenburg, Aachen
und Freiburg/Br., 1939–42 Leiter d. «Allg. Musikztg.», Pressechef d. Berliner Philharmoniker.
Nach d. Krieg vorwiegend Musikschriftsteller.

Schriften (Ausw.): Minna Planer und ihre Ehe
mit Richard Wagner, 1938; Wilhelm Furt-
wängler. Weg und Wesen, 1941; Königsfreund-
schaft. Ludwig II. und Richard Wagner, 1941;
Dreiklang. Haydn, Mozart, Beethoven, 1946;
Allgemeine Musiklehre, 1949; Du und die Musik. Eine Einführung für alle Musikfreunde, 1951;
Magie des Taktstockes. Die Welt der großen Dirigenten, Konzerte und Orchester, 1953; Musica
nova. Die Tonwelt unseres Jahrhunderts, 1954;
Unsere Musikinstrumente, 1954; Lexikon der
Musik, 1957; Dietrich Fischer-Dieskau, 1958;
Herbert von Karajan, 1959; Maria Meneghini-
Callas oder Die große Primadonna, 1959; Das
neue Bayreuth, 1960; Die Berliner Philharmo-
niker, 1960; Igor Strawinsky, 1961; Magie der
Stimme. Die Welt des Singens, der Oper und
der großen Sänger, 1961; Rudolf Schock, 1962;
Elly Ney, 1962.   IB

Herzfeld, Marie (Ps. H. M. Lyhne, Marianne
Niederweelen) * 20.3.1855 Güns/Ungarn, † 22.
9.1940 Mining/Oberöst.; lebte lange in Wien,
später in Jena, Mitarb. am dortigen Verlag E.
Diederichs, 1904 Bauernfeldpreis. Übers. (erste
dt. Gesamtausg. Jacobsens), Essayistin u. Herausgeberin.

Schriften: Menschen und Bücher (Ess.) 1893;
Die skandinavische Literatur und ihre Tendenzen,
nebst anderen Essays, 1898; Das Zeitalter der

Renaissance. Ausgewählte Quellen zur Geschichte der italienischen Kultur (Hg.) 2 Bde., 1910.

Übersetzungstätigkeit: Björnson, Kapitän Mansana, 1888; Lie, Der Lotse und sein Weib, 1889; J. P. Jacobsen, Novellen, 1890; O. Hansson, Parias, 1890; Garborg, Bei Mama, 1891; Lie, Drauf los! 1893; Garborg, Frieden, 1893; Lie, Großvater, 1895; Hamsun, An des Reiches Pforten, 1895; Malling, Die Frau Gouverneurin von Paris, 1896; H. B. v. Dahlerup, Memoiren, 1901–19; Leonardo da Vinci, Der Denker, Forscher und Poet. Nach den veröffentlichten Handschriften. Auswahl, 1904.

Briefe: H. v. Hofmannsthal an ∼ (hg. H. WEBER) 1967.

Literatur: ÖBL 2, 297. – O. RAUSCHER, D. Bauernfeldpreis (in: Jb. d. Grillparzer-Gesellsch. 34) 1937.   IB

Herzfeld-Wüsthoff, (Berthold) Günther, * 8. 4. 1893 Berlin, † 17. 9. 1969 Unterreitnau/Lindau; Dr. phil., wirkte als Antiquar u. Rezitator klass. dt. u. engl. Dramen; befreundet mit Th. Mann; lebte zuerst in München, dann in Unterreitnau b. Lindau/Bodensee.

Schriften: Ningal und die Katze Sun. Eine Legende, 1968; Sinn und Bedeutung der «Brücke» (Rede) 1971; Der göttliche Vogel. Märchen für alle, 1974; Gastspiele. Lindauer Theatererinnerungen, 1974; Gedichte früher Jahre, 1976; Dramen I: Der Gottsucher. Anthropos. Alexander, 1977; Dramen II: Lucia, 1977.

Literatur: H. C. HATFIELD, Drei Randglossen zu T. Manns «Zauberberg» (in: Euphorion 56) 1962; H. BRAUN, E. Shakespeare v. Innen. Zu ∼s gesprochenen Shakespeare-Interpretationen (in: Jb. d. Dt. Shakespeare-Gesellsch.) 1967; K. W. JONAS, Antiquar u. Poet: ∼ (in: Börsenbl. Frankfurt 34) 1978 (mit Bibliogr.).   AS

Herzfelde, Wieland, * 11. 4. 1896 Weggis/Kt. Luzern; Teilnahme am 1. Weltkrieg, beteiligte sich 1916 an d. Gründung d. Malik-Verlags in Berlin, wanderte 1933 aus, 1934 ausgebürgert, baute d. Malik-Verlag in London neu auf. Hg. d. Zs. «Neue Jugend» (1916–17), «D. Pleite» (1919–20), «D. Gegner» (1919–23) u. «Neue Dt. Bl.» (1933–35). Publizist u. Lyriker.

Schriften: Sulamith (Ged.) 1916; Schutzhaft. Erlebnisse vom 7.–20. 3. 1919 bei den Berliner Ordnungstruppen, 1919; Tragigrotesken der

Nacht. Träume, 1920; Gesellschaft, Künstler und Kommunismus, 1921; Die Kunst ist in Gefahr (gem. m. G. Groß) 1925; Immergrün. Merkwürdige Erlebnisse und Erfahrungen eines fröhlichen Waisenknaben, 1949; Im Gehen geschrieben. Verse aus vierundvierzig Jahren, 1956; Das steinerne Meer. Ungewöhnliche Begebenheiten, 1961; Unterwegs. Blätter aus fünfzig Jahren, 1961; J. Heartfield (d. i. H. Herzfelde). Leben und Werk. Teilsammlung, dargestellt von seinem Bruder, 1962; Blau und rot (Ged.) 1971; Zur Sache geschrieben und gesprochen zwischen achtzehn und achtzig, 1976.

Literatur: HdG 3, 67; Albrecht-Dahlke II, 2, 301. – D. Mann v. Malik-Verlag (in: Roland Von Berlin 22) 1949; A. ENDLER, «es grünt in meinem Blute ...» (in: NDL 3) 1958; W. LEHMANN, Unser Porträt: Prof. ∼ (in: Börsenbl. Leipzig 126) 1959; L. LANG, ∼ (in: Weltbühne 13) 1966; R. KRAUSPE; Lebenserinnerungen e. Schriftst. (in: Ich schreibe 4) 1967; J. H. FRASER, German Partisan and Exile Publishing: ∼ and the Malik-Verlag (in: Libri 17) Kopenhagen 1967; E. ZAK, ∼, Prof. Immergrün (in: Liebes- u. andere Erklärungen) 1972; J. H. FRASER, German Exile Publishing: The Malik Aurora Verlag of ∼ (in: GLL 27) 1973/74; W. GIRNUS, U. zwar gern. Gespräch mit ∼ (in: SuF 28) 1976; A. ROSCHER, D. Wort muß wirken. Gespräch mit ∼ (in: NDL 24) 1976.   IB

Herzfelder, Josef, * 31. 5. 1836 Obernbreit, † 11. 11. 1904 Augsburg; Dr. iur., Advokat, Justizrat. Lyriker.

Schriften: Gedichte, 1883; Goethe in der Schweiz. Eine Studie zu Goethes Leben, 1891.   IB

Herzfried, Oskar → Quincke, Ida.

Herzig, Ernst → Hearting, Erni.

Herzka, Heinz, * 1. 2. 1935 Wien; Arzt, lebt in Wallisellen/Kt. Zürich. Kinderbuchautor.

Schriften: Do in den roten Stiefeln. Bildgeschichte gemeinsam mit H. Steiner, 1969.   IB

Herzl, Siegmund (Ps. Idnum, Franz Emil von Rudolf, bes. Alfred Teniers) * 26. 5. 1830 Wien, † 9. 2. 1889 ebd.; Kaufmannssohn, vorerst auch Kaufmann, schließlich Bankbeamter, zeitweilig auch Beamter d. Französ. Botschaft in Wien, später Privatmann. Übers. aus dem Ungar. u. Französ., Lyriker.

Schriften: Liederbuch des Dorfpoeten, 1853; Lieder eines Gefangenen, 1874; Prager Elegien, 1880; Petöfi. Ein Lebensbild (unter dem Ps. A.T.) 1866; A. Teniers' Gesammelte Dichtungen (hg. G. A. Ressel) 1891.

Literatur: ADB 50, 266; ÖBL 2, 298.   IB

Herzl, Theodor, * 2. 5. 1860 Budapest, † 3. 7. 1904 Edlach/Niederöst. (Selbstmord); studierte in Wien, Dr. phil., Pariser Korrespondent d. «Neuen Freien Presse» (1851–95), später deren Feuilleton-Red. in Wien. Begründer u. Führer d. Zionismus. Erster Zionistenkongreß (1860–1904) geht auf ihn zurück. Auch Erz. u. Dramatiker.

Schriften: Neues von der Venus. Plaudereien und Geschichten, 1887; Das Buch der Narrheit, 1888; Der Flüchtling (Lsp.) 1888; Die Glosse. (Lsp.) 1895; Das Palais Bourbon. Bilder aus dem französischen Parlamentsleben, 1895; Der Judenstaat. Versuch einer modernen Lösung der Judenfrage, 1896; Der Baseler Congress, 1897; Das neue Ghetto (Schausp.) 1897; Unser Käthchen (Lsp.) 1899; Philosophische Erzählungen, 1900; Altneuland (Rom.) 1902; Feuilletons, 2 Bde., 1904; Solon in Lydien (Schausp.) 1904; Zionistische Schriften (hg. v. L. Kellner) 2 Tle. in 1. Bd., 1905; Tagebücher 1895–1904, 3 Bde., 1922–23; Gesammelte zionistische Werke, 5 Bde., 1934–35; Herzl-Briefe (hg. u. eingel. v. M. Georg) 1935; Vision und Politik: Die Tagebücher Th. H.s (Slg.) 1970.

Nachlaß: Mommsen Nr. 1600.

Literatur: NDB 8, 735; ÖBL 2, 299; BWG 1, 1131; Biogr. Jb. 10,*47; Theater-Lex. 1, 776; LthK 10, 1379; RGG 3, 287. – M. Acher, ∼. «Altneuland» (in: Zeit – Wien, 427) 1902; M. Nordau, ∼. «Altneuland» (in: Die Welt – Wien 11) 1903; R. M. Meyer, ∼s «Feuilleton» (in: Nation 22) 1904; H. Friedemann, D. Leben ∼s (2. Aufl.) 1919; L. Kellner, D. Leben ∼s (2. Aufl.) 1919; ders., ∼s Lehrjahre 1860–95, 1920; J. de Haas, ∼, 2 Bde., 1927; S. Gorelik, ∼ in s. Tagebüchern, 1929; T. Nussenblatt, Zeitgenossen über ∼, 1929; M. Georg, ∼. S. Leben u. s. Vermächtnis, 1932; T. Nussenblatt, E. Volk unterwegs z. Frieden (∼ u. B. v. Suttner) 1933; P. J. Diamant, ∼s Vorfahren, 1934; A. Bein, ∼, 1934; J. Fraenkel, ∼. D. Schöpfers erstes Wollen, 1934; J. Kastein, ∼. D. Erlebnis d. jüd. Menschen (in: Ring-Schriften 1) 1935; S. Zweig, ∼ (in: S.Z.,

Welt v. gestern) 1944; Zeitgenossen über ∼ (in: Der Weg Zs. f. Fragen d. Judentums 3) 1948; A. Fischer, E. Lebensbild ∼'s (ebd. 5) 1950; S. S. Schochet, ∼ als Journalist, Schriftst., Staatsmann (Diss. München) 1950; B. Baker, Next Year in Jerusalem, The Story of ∼, 1950; Gedenken an ∼ (in: Evangel. Welt 8) 1954; S. Ben-Chorin, Mythos u. Wirklichkeit. Z. 51. Todestag ∼s am 20. Tamus 5715 (in: Santificatio nostra 20) 1955; H. Zohn, Wiener Juden in d. dt. Lit., 1964; J. Ebner, Vision um d. (zionistischen) Kongreß (in: Zs. f. d. Gesch. d. Juden 1) 1964; Briefw. zw. ∼ u. F. Oppenheimer (in: Bulletin f. Mitglieder d. Gesellsch. d. Freunde d. Leo Baeck Institute 7) 1964; A. Bein, Erinnerungen u. Dokumente über ∼s Begegnung mit Wilhelm II. (in: Zs. f. Gesch. d. Juden 2) 1965; A. Freud, Gestalten um ∼ in Wien (ebd. 4) 1966; W. Adler, ∼ u. d. Zionismus (in: Europäische Begegnung 8) 1968; P. Henriet, La pensée politique de ∼ (in: Res publica 13) 1971.   IB

Der Herzmahner, Kurztitel e. umfangreichen Drucks aus d. 15. Jh. (228 Bl., o. J., 1 Ex. in d. Stadtbibl. Berlin), der aus e. Reihe v. Gebeten, v. denen jedes mit «Ich wolsprich und dancksag dir herr Ihesu Christe» beginnt, zusammengestellt ist. D. einzelnen Gebete knüpfen an d. Passion Christi an u. weiten sich z. Erz., Betrachtung, Gelöbnis usw. aus. Stilist. Merkmale sind Anaphern, Hyperbeln, Wiederholungen u. Paralleltechnik. D. Verf. ist unbek., e. im vollst. Titel erwähnte lat. Quelle konnte nicht gefunden werden.

Literatur: VL 2, 431.   RM

Herzmanovsky-Orlando, Fritz von, * 30. 4. 1877 Wien, † 17. 5. 1954 Schloß Rametz b. Meran; anfänglich Architekt, d. v. Vater ererbte Vermögen erlaubt es ihm, als Privatier zu leben, restaurierte Schlösser, Entwürfe skuriller Bauten, Fabeltiere, Beschäftigung mit versch. Wiss., unternahm viele Reisen, Freund Kubins, seit 1917 im Schloß Rametz ansässig. Erz. u. Dramatiker.

Schriften: Der Kommandant von Kalymnos – Ein Mysterium aus dem Rokoko der Levante, 1926; Der Gaulschreck im Rosennetz. Eine skurrile Erzählung, 1928.

Ausgaben: Gesammelte Werke (hg. F. Torberg) 5 Bde. I Der Gaulschreck im Rosennetz,

1957, II Maskenspiel der Genien, 1958, III Lustspiele und Ballette, 1960, IV Cavaliere Huscher
und andere Erzählungen, 1963, V Zeichnungen,
1965; Gesammelte Werke, 3 Bde., 1958–60;
Tarockanische Miniaturen (ausgew. u. eingel. v.
F. Torberg) 1965; Gesammelte Werke (hg. u.
bearb. v. F. Torberg) 2 Bde., 1971.

Nachlaß: National-Bibl., Wien.

Bibliographie: G. Mattiiat, Bibliogr. z. Werk
v. ~, 1966.

Literatur: NDB 8,738; HdG 1,299; 3,67;
Albrecht-Dahlke II,2,718. – K. Wolfskehl, D.
merkwürdigste Mensch, den ich im Leben traf.
(in: D. Lit. Welt 5)1933; H. Eisenreich, Bie-
dermeier-Dämonen (in: NDH 5) 1958/59; K.
Ziegler, D. Wahrheit d. dichter. Existenz. E.
Beitr. z. Leben u. Werk ~s (in: Der Schlern)
1959; F. Semrau, ~ (in: WW 14) 1959; K.
Ziegler, ~ (in: Wort i. d. Zeit 4) 1961;
ders., D. öst. Autor u. s. Werk. ~ (ebd. 7)
1961; H. Ahl, E. Dichters Chance auf Karriere.
~ (in: H.A., Lit. Portraits) 1962; J. Hösle,
~ (in: Rivista di letteratura moderne e com-
parate 15) 1962; R.-M.P. Akselrad, ~ (in:
Boot- u. Schiffbau 38) 1964; F. Torberg, D.
öst. Spirale. Am 27. Mai vor zehn Jahren starb
~ (in: Wort i. d. Zeit 10) 1964; W. Schmidt-
Dengler, Kristallhafte Vorgänge. Zu ~s Erz.
Cavaliere Huscher (ebd.); H. Eisenreich, D.
Illusionist u. s. wirkl. Seiten (in: Merkur 18)
1964; B. Bronnen, ~. Original u. Bearbeitung.
(Bibliogr. u. Verzeichnis d. Manuskripte) (Diss.
München) 1965; A. Barthofer, D. Groteske
bei ~ (Diss. Wien) 1965; G. Grunnert-
Bronnen, ~ f. Touristen (in: LK 5) 1966; F.
Torberg, In Wahrheit ist es noch schlimmer.
(ebd.); J. Ties, D. Bild Öst. bei ~ (Diss. Inns-
bruck) 1966; W. Schmidt-Dengler, Groteske
u. geordnete Wirklichkeit. Anmerkungen z.
Prosa ~s (in: ÖGL 14) 1970; W. Welzig, Ge-
staltungsmittel in ~s Der Gaulschreck im Rosennetz (in: Dg., Sprache, Gesellsch.) 1971;
M. v. Gagern, Ideologie u. Phantasmagorie ~s.
(Diss. München) 1972; R.P. Gross, Z. Textgestaltung v. ~s Maskenspiel d. Genien (Diss.
Northwestern Univ.) 1971/72.   IB

Herzog Beliand → Heidin.

Herzog Ernst, mhd. fragm. Epos e. unbek.
mittelfränk. Verf., entst. um 1180. D. Fass. A

ist in 3 Bruchst. aus d. 13. Jh. überl. u. besteht
aus vierhebigen Reimpaaren in niederrhein.
Mundart, neben reinen Reimen stehen zahlr.
Assonanzen. Unter d. gleichen Namen ist e.
vollst. erhaltene Bearb. aus d. Zeit um 1220
überl. (B), d. Autor war wohl Rheinfranke,
kannte Wolfram v. Eschenbach u. Ulrich v.
Zatzikhofen. E. weitere Bearb. d. Ged. v. 1287/
1288 (D) wird Ulrich v. Eschenbach zugeschr.
Wahrsch. z. Beginn d. 14. Jh. entstand d. stroph.
Lied im «Herzog Ernsts Ton» (G). Lat. Fass. d.
Ged. sind d. hexametr. Bearb. Odos v. Magdeburg v. 1206 (E) u. d. Prosafass. e. Geistlichen
aus d. Ende d. 13. Jh. (C), welche, seit Anfang d.
15. Jh. ins Dt. übertragen, 1480 z. 1. Mal gedr.
wurde u. darauf als Volksbuch in immer neuen
Aufl. fortlebte (F). – Thema d. Dg. ist d. Aufstand d. Sohnes gg. d. Vater u. d. Vasallen gg.
d. Herrscher, d. Stoff basiert auf d. Empörung
Liudolfs v. Schwaben gg. Otto d. Großen(953)
u. d. Erhebung Herzog Ernsts II. gg. d. Schwa-
benkaiser Konrad II. (1027). Beide hist. Ereignisse werden im «H.E.» verknüpft u. d. Geschehen wird in d. welfenfreundl. Bayern verlegt. «H.E.» berührt d. Themenkreis d. minne
nicht, dürfte vorhöf. Ursprungs u. z. Kloster-
lektüre bestimmt gewesen sein. D. neuerwachte
Interesse d. MA am Orient spiegelt d. breit an-
gelegte Schilderung d. Zuges ins Hl. Land. D.
Epos v. «H. E.» ist d. einzige bekannte, unmittel-
bar auf hist. Ereignissen beruhende Versrom. d.
Mittelalters.

Ausgaben: Herzog Ernst (in: Thesaurus novus
anecdotorum 3, hg. M. Martene, U. Durand)
Paris 1717 [E]; F.H. v. d. Hagen, Dt. Ged. d.
MA 1, 1808 [D]; M. Haupt, Herzog Ernst (in:
ZfdA 7) 1849 [C]; ders., Herzog Ernst (in:
ebd. 8) 1854 [G]; K. Bartsch, Herzog Ernst,
1869 (Neudr. 1969) [A, B, F, G, mit Bibliogr.];
Historie eines edeln Fürsten, Herzog Ernst von
Bayern und Österreich (hg. S. Rüttgers) 1913
[F]; Herzog Ernst (hg. K.C. King) 1959 [G];
La chanson du Duc Ernst … (hg. J. Carles)
Paris 1964 (mit franz. Übers.); Herzog Ernst –
Sankt Brandans Seefahrt – Schiltberger Hans:
Reisebuch [Facs.dr. n. d. Ausg. um 1476] (hg.
E. Geck) 1969.

Übersetzung: Herzog Ernst. Ein mittelalterliches Abenteuerbuch. In der mittelhochdeutschen Fassung B nach der Ausgabe von K.
Bartsch mit den Bruchstücken der Fassung A

(hg., übers., mit Nachwort u. Anmerkungen v. B. SOWINSKI) 1970.

Literatur: VL 5, 386; Ehrismann 2/2, 39; de Boor-Newald 1, 257; Albrecht-Dahlke 1, 549. – A. FUCKEL, D. Ernestus d. O. v. Magdeburg u. sein Verhältnis z. d. übrigen älteren Bearb. d. Sage v. ∼ (Diss. Marburg) 1895; L. JORDAN, Quellen u. Kompos. v. ∼ (in: Archiv 112) 1904; K. SONNEBORN, D. Gestaltung d. Sage v. ∼ in d. altd. Lit. (Diss. Göttingen) 1914; W. SCHWENN, Stilist. Unters. z. Volksbuch v. ∼ (Diss. Greifswald) 1924; H.-F. ROSENFELD, ∼ u. Ulrich v. Eschenbach, 1929 (Neudr. 1967); DERS., D. ∼-Lied u. d. Haus Andechs (in: H.-F. R., Ausgew. Schr. 1) 1974; DERS., ∼ u. d. dt. Kaiserkrone (in: ebd.) 1974; E. HILDEBRAND, Über d. Stellung d. Liedes v. ∼ in d. mhd. Lit.-gesch. u. Volkskunde (Diss. Marburg) 1937; M. WETTER, Quellen u. Werk d. ∼-Dichters, 1941; C. HESELHAUS, D. ∼-Dg. Z. Begriffsbestimmung v. Märe u. History (in: DVjs 20) 1942; G. BOENSEL, Stud. z. Vorgesch. d. Dg. v. ∼ (Diss. Tüb.) 1944; H. NEUMANN, D. dt. Kernfabel d. ∼-Epos (in: Euphorion 45) 1950; K. HOPPE, D. Sage v. Heinrich d. Löwen. Ihr Ursprung, ihre Entwicklung u. ihre Überl., 1952 [mit Texten]; E. RINGHANDT, D. ∼-Epos. Vergleich d. Fass. A, B, D, F (Diss. Berlin) 1955; K. C. KING, D. stroph. Ged. v. ∼ (in: ZfdPh 78) 1959; ∼ (in: Kindlers Lit.lex. 3) 1967; S. JÄGER, Stud. z. Komposition d. Crescentia d. Kaiserchron., d. Vorauer u. d. Straßburger Alexander u. d. ∼ B (Diss. Bonn) 1968; S. J. KAPLOWITT, ∼ and the Pilgrimage of Henry the Lion (in: Neoph. 52) 1968; M. WEHRLI, ∼ (in: M. W., Formen ma. Erz.) 1969; M. WETTER, «der weise ins riches krone» (in: FS R. Fahrner) 1969; J. L. FLOOD, Nachträgl. z. Überl. d. ∼ (in: ZfdA 98) 1969; H. BECKERS, Brandan u. ∼. E. Unters. ihres Verhältnisses anhand d. Motivparallelen (in: LeuvBijdr 59) 1970; U. PÖRKSEN, D. Erzähler in mhd. Epos ..., 1971; W. NÄSER, D. Sachbeschreibung in d. mhd. «Spielmannsepen». Unters. z. ihrer Technik, 1972; C. GERHARD, Verwandlung e. Zeitliedes. Aspekte d. dt. ∼-Überl. (in: Verführung z. Gesch., FS z. 500. Jahrestag d. Eröffnung e. Univ. in Trier ...) 1973; H. BRACKERT, «Da stuont daz minne wol gezam». Minnebriefe im späthöf. Rom. (in: ZfdPh 93, Sonderh.) 1974; M. DIEBOLD, D. Sagelied. D. aktuelle dt. Heldendg. d. Nachvölkerwanderungszeit, 1974; G. ZINK, ∼ et chansons de geste (in: EG 32) 1977; H.-J. BEHR, Lit. u. Politik am Böhmerhof: Ulrich v. Etzenbach, ∼ D u. d. sog. «Anhang» z. Alexander (in: ZfdPh 96) 1977; C. GEBHARDT, D. Skiapoden in d. ∼-Dg. (in: Lit.wiss. Jb. 18) 1977; C. LECOUTEUX, A propos d'un épisode de ∼ (in: EG 33) 1978.   RM

Herzog Friedrichs Jerusalemfahrt, n. 1436 entst. Ged. v. 380 Versen über d. 1436 v. spätern Kaiser Friedrich III. unternommene Pilgerreise n. Jerusalem. D. Verf. ist unbek., nahm wahrsch. nicht selbst an d. Reise teil sondern arbeitete vermutl. in d. Hofkanzlei. D. Ged. ist im sog. Heroldstil gehalten, beschreibt d. hl. Stätten u. gibt e. (unvollst.) Liste d. Reise-Teilnehmer.

Ausgabe: R. RÖHRICHT in: ZfdPh 23, 1891 (Nachtr. v. F. VOGT ebd.).

Literatur: VL 5, 406. – R. RÖHRICHT, Dt. Pilgerreisen, 1889; R. PRIEBSCH, Dt. Hss. in England 2, 1901; P. ASSION, Altdt. Fachlit., 1973.   RM

Herzog Friedrich von der Normandie, erhalten ist e. schwed., gereimte Übers. v. 1307/08 d. H. F., sie geht wahrsch. auf e. um 1250 unter Otto v. Braunschweig (od. schon Kaiser Otto IV.?) v. e. Niederdeutschen geschr., verlorenes dt. Ged. zurück (häufige Übernahme dt. Wörter). – D. Werk enthält e. mit d. Hugdietrichfabel verwandte Entführungsgesch., ferner zahlr. Motive d. Artusepik (bes. «Erec», «Lanzelet») u. anderer lit. Quellen (Presbyterbrief, Steinbücher). Krit. Ausg. d. schwed. Ged. durch E. NOREEN, Uppsala 1927.

Literatur: VL 2, 432; Ehrismann 2 (Schlußbd.) 98. – A. LÜTJENS, ∼, e. Beitr. z. Gesch. d. dt. u. schwed. Lit. d. MA (in: Münchener Arch. 2) 1912 (mit Lit.verz.); E. SCHRÖDER, Zwei altdt. Rittermären, ²1913; DERS., Dt.-schwed. u. schwed.-dt. Kulturbeziehungen in alter u. neuer Zeit (in: Mitt. Univ.bund Göttingen 3) 1922.   RM

Herzog, Adelaide → Gottberg-Herzog, Adelaide von.

Herzog, Albert, * 26. 3. 1867 Barmen, † 8. 8. 1955 Baden-Baden; 1893 Chefred. d. «Barmer Ztg.» u. lit. Mitarb. d. Stadtverwaltung. Ließ sich in s. Ruhestand in Baden-Baden nieder. Dramatiker, Erz. u. Lyriker.

Schriften: Jung-Wupperthal. Ein Blütenstrauß aus der Heimat, 1886; Die neuere Litteratur im Wupperthale in Biographien und Charakteristiken, 1888; Sulamith. Eine Bearbeitung des «Hohen Liedes» in acht dramatischen Gesängen auf Grund der neuersten Forschungen, 1893; Das Alexanderlied. Historischer Roman aus den Tagen Bertolds des Fünften von Zähringen, 1906; Das junge Mädchen. Seine In- und Umwelt. Ein Zeitbuch. Auf Grund einer Rundfrage gelegentlich des Wohltätigkeitsfestes zu Gunsten eines «Erholungsheimes» der Karlsruher Mädchenfürsorge (Hg.) 1908; Von München nach Strassburg, 1911; Von Freiburg und Basel nach Konstanz, 1911; Die rote Armee, 1924; Höhenwege des Lebens. Suchen und Schauen, 1927.

Nachlaß: Landesbibl. Karlsruhe; Stadtbibl. Wuppertal. – Denecke 2. Aufl.

Literatur: Theater-Lex. 1,777.   IB

Herzog, Alfred, * 9.6.1895 Elbing/Ostpr., † 15.10.1973 Berlin; Ob.Reg., Journalist, Intendant. Ostpreußen-Preis d. Preuß. Reg. 1927, Ehrenpreis d. Univ. Breslau 1929 u. weitere Auszeichnungen. Dramatiker, Erz. sowie Verf. v. Hörsp. u. Fernsehspielen.

Schriften: Blond muß mein Mädel sein, 1928; Seelen in Not. Ein Menschenschicksal, 1930; Krach um Leutnant Blumenthal (Kom.) 1930; ... und wen verurteilen Sie? (Kom.) 1931; Das Mädel von der Grenze. Volksstück mit Gesang, 1932; Kampf um Gott. Religiöses Drama, 1932; «III B»! geheim (Schausp.) 1933; Der Mann ohne Heimat. Südsee-Kolonialstück, 1934; Eine Frau verliert die Maske (Lustsp.) 1936; Die Femerichter vom Redriver. Wild-West-Roman, 1937; Die Bande Jac Hull, 1937; Mädels, Ochsen und Halunken. Australisches Abenteuer, 1937; Sperrbrecher 15 fährt geheim. Tatsachenbericht aus Deutsch-Ostafrika, 1938; Die Dame mit den Glücksfingern (Kriminal-Rom.) 1938; Warnung vor Madeleine (Kriminal-Rom.) 1938; Spiel mit dem Tode (Kriminal-Rom.) 1939; Der Karneval von Nicolsburg, 1950.   IB

Herzog, Annie, * 1.6.1881 Stein/Kt. Aargau, † 15.4.1972 Zürich; Studium d. Gesch., Dr. phil.; lebte vorwiegend in Davos.

Schriften: Die Frau auf den Fürstenthronen der Kreuzfahrerstaaten (Diss. Freiburg / Schweiz) 1919; Die Eine Liebe. Geschichten vom Haus am Rhein, 1920; Großtante Maria. Eine stille Geschichte, 1921; Isabella, Königin von Jerusalem (Dr.) 1926; Sagas, 1928; Felix und Regula. Märtyrer ihres Glaubens (Erz.) 1952.   AS

Herzog, Bert, * 8.9.1903 Zürich; 1927–31 Programmleiter u. Sprecher v. Radio Zürich, 1931 bis 1935 Chefred. d. Schweiz. Radioztg., seither freier Schrifst. u. Journalist. Wohnt in Echenz/ Kt. Thurgau.

Schriften: Wappenschild und Helmzier. Einführung in Wappenkunst und Wappenkunde, 1937; Der Gott des Jugendstils in Rilkes «Stundenbuch», 1971.   IB

Herzog, Christian August, * 23.12.1737 Zittau, † 15.8.1803 Ebersbach b. Löbau; studierte in Wittenberg, 1767 Pastor in Ebersbach, Hg. d. Ws. «Der Müßiggänger» (aus dem Englischen), vorwiegend Übersetzer.

Schriften: Daß die Pflichten eines Geistlichen die schönsten Wissenschaften nothwendig machen, 1758; Gedächtnisrede auf den Tod des Herrn Brauns, 1759; D. de identitate corporis per omnen hanc vitam gestati et olim resurrecturi numerica, 1760; D. de vi elementorum repraesentativa, 1761; Cleon und Elvire (zwei Tr. aus d. Engl.) 1764; Geschichte der Eliza (aus d. Engl.: Neue Bibliothek der Damen) 1769.

Handschriften: Frels 130.

Literatur: Ersch-Gruber II.7, 132; Meusel-Hamberger 3, 277; 11,348; Goedeke 4/1, 149.   IB

Herzog, Franz Alfred, * 24.3.1880 Sursee/Kt. Luzern, † 17.6.1962 Luzern; Dr. theol., Doz. für alttest. Wiss. an d. theol. Fakultät Luzern, Probst am Stift St. Leodegar ebd.

Schriften (Ausw.): Wüstensteine (Ged.) 2 H., 1912/1930; Jahr und Tag (Ged.) 1921; Hört sein Gericht! Predigtentwürfe aus Michäas, 1929; Im Siegeszuge des Auferstandenen. Mailesungen, 1930; Die Tagzeiten des Alamannen Dietlieb, des Mönchs von St. Johannestal. In hochdeutschen Versen, 1930; Isaia, sein Leben und Werk im Rahmen der Zeitgeschichte, 2 Tle., 1930/32; Hans Salat, Der verlorene Sohn ... (Bearb. mit andern) 1931; Der Herold seines Herrn. Leben und Lob Johannes des Täufers in Stab- und Endreimen, 1931; Israels Profeten. Wüstensteine (Ged.) 1932; Festspiel mit Musik, Gesang und Tanz. Luzerner kantonaler Musiktag in Beromünster, 1947; Bundesfeier-Festspiel zur Erinnerung an «100 Jahre Bundesverfassung», 1848–1948, und zum Andenken an Prof. Dr. Ignaz Paul Vital Troxler, Arzt, Philosoph und Politiker, von Beromünster, 1780–1866, 1948; Anfänge und Schicksale des Benediktinerklosters von St. Leodegar im Hof zu Luzern. Die Äbte und Pröbste 750–1450, 1953.   AS

Herzog, G. H. (Ps. Gerhard Hertz Herzog), * 25.2.1927 Karwina/Tschechoslowakei, wohnt in Frankfurt/Main, Übers. tschechoslowak. Werke, Erzähler.

Schriften: Kilroy war hier. Kein Roman, 1962; Geschichten für den kleinen Moritz, 1964.

Herausgebertätigkeit: Neue tschechoslowakische Erzähler, 1964; Scherz beiseite. Eine Anthologie deutschsprachiger satirischer Prosa von 1900 bis zur Gegenwart (gem. m. E. Heinold) 1966; Sonnenquadrate auf winterlichem Strand, Junge bulgarische Erzähler (gem. m. L. Dilov) 1969.   IB

Herzog, Greti → Hearting, Erni.

Herzog, Heinrich, * 16.1.1822 Rekingen/Kt. Aargau, † 7.1.1898 Aarau; war 1851–95 Lehrer in Aarau; Mitred. d. «Schweizer Jugendbl.». Vf. von Jugendschriften.

Schriften (außer Schulbüchern): Kleine Erzählungen aus der Schweizergeschichte. Ein Lesebuch für Kinder von 10 bis 14 Jahren, 1855 (4. bearb. Aufl. 1879, 5. verm. Aufl. 1893); Das Sprichwort in der Volksschule, 1868; Schweizersagen. Für Jung und Alt dargestellt, 1871 (2. Teil 1882); Erzählungen aus der Weltgeschichte, für die Jugend dargestellt, 4 Tle., 1877–90; Geschichten zum Vor- und Nacherzählen, 1878; Charakterzüge. Beispiele aus der Geschichte und dem Leben für Schule und Haus, 1881; Deutsche Sprichwörter. Gesammelt für Jung und Alt, 1882; Schweizerische Volksfeste, Sitten und Gebräuche. Für Jung und Alt dargestellt, 1884; Alemannisches Kinderbuch. Dargestellt von ∼, 1885; Menschenwert in Beispielen aus der Geschichte und dem Leben, 1889; Das Jugendleben ausgezeichneter Männer. Für die reifere Jugend dargestellt, 1892; Die heimischen Stätten nationaler Erinnerung. Volks- und Jugendschrift, 1894; Bilder aus den Kriegsjahren in der Schweiz 1798–1800. Für die Jugend und das Volk dargestellt, 1895; Frauenleben. Gabe für Töchter und Mütter, 1897; Die schweizerischen Frauen in Sa-

ge und Geschichte. Dargestellt für die Jugend und das Volk, 1898; Kinderbuch. Für das Alter von 6 bis 12 Jahren ..., 1900.

Literatur: HBLS 4,204; Biogr. Jb. 3,147; Biogr. Lex. d. Aargaus, 1803–1957, 1958.   AS

Herzog, Jakob, * 17.6.1842 Mißlitz/Mähren, † 9.4.1915 Wien; studierte in Graz, Wien u. Brünn, Mitbegründer u. Hg. d. «Montags-Revue» (1870–1915). Journalist u. Dichter.

Schriften: Die Rose. Studie, 1889; Der Kaufmann aus Tirol (Lsp.) 1892; Der Prinz von Asturien (Tr.) 1894.

Literatur: Theater-Lex. 1,777.   IB

Herzog, Johann Adolf (Ps. Viktor Frey, Hansel Truth), * 12.4.1850, † 30.12.1915 Wettingen, studierte alte Sprachen, Gesch. u. Deutsch in Basel. Studienaufenthalt an d. Akad. Lausanne. 1872 Lehrer Bezirksschule Laufenburg, 1874 f. dt. Sprache u. Lit. am Seminar Wettingen, 1898 Prof. f. dt. Sprache u. Lit. am Gymnasium Aarau, 1901 Dir. d. Seminars Wettingen.

Schriften (nur lit.): Am Ende des Jahrtausends. Ein Roman, 1891; Die Frage der Katharsis in der Poesie und der bildenden Kunst, 1894; Wie sind Gedichte zu lesen? Eine Vorschule der Poetik, 1895; Was ist ästhetisch? Ein Beitrag zur Lösung der Frage, 1900; Das Schweizerdorf. Ein Roman, 1907; Poetik, 1914.

Literatur: D. Reden bei d. Trauerfeier f. Herrn Dir. H. am 2. Januar 1916 (in: Jber. über d. Aargau. Lehrerseminar Wettingen. Schuljahr 1915 bis 1916) 1916.   HB

Herzog, L. → Enckhausen, Malwine.

Herzog, Paulus → Müller, Gottfried.

Herzog, Peter (tw. auch Lorenz), * 25.6.1876 Annaberg/Niederöst., † 21.9.1957 Mödling; bäuerl. Herkunft, Lehrer, zuletzt Hauptschuldir., Heimaterzähler.

Schriften: Sankt Johann in der Wüste (Rom.) 1935; Die Türnitzer Klause. Roman aus der Franzosenzeit, 1938; Unsere Holzknechte, 1942; Im Schatten des Ötschers. Roman aus dem Alpenlande, 1943; Die Schwarzen Reiter (Rom.) 1948; Bucki, der Rehbock. Tiergeschichte für die Jugend, 1949; Und wieder grünten die Wiesen. Ein historischer Roman um die Türnitzer Klause, 1952.

Literatur: F. J. SCHICHT, ∼ (in: Heimatbuch f. d. Bezirk Mödling) 1959.   IB

Herzog, Peter (Joseph), * 14.3.1905 Köln; Dr. phil., Chefdramaturg, wohnt in Remagen. Erzähler.

Schriften: Die stählerne Straße. Roman der Eisenbahn, 1955.   IB

Herzog, Rudolf, * 6.12.1869 Barmen, † 3.2. 1943 Rheinbreitbach/Rhein, Sohn d. Buchbindereibesitzers Albert H., Kaufmannslehrling u. Farbentechniker in Düsseldorf u. Elberfeld, 1890 Berlin als freier Schriftst., 1891–93 Philosophiestudium an d. Berliner Univ., 1894 in Darmstadt Feuilletonred. d. Mschr. «Schwarz-Rot», 1897 Chefred. d. «Hamburger Neuesten Nachrichten», 1899–1903 Feuilletonred. d. «Berliner Neuesten Nachrichten». 1907–08 Erwerb d. Oberen Burg in Rheinbreitbach, dort schriftstellerisch tätig. Teilnahme am 1. Weltkrieg bis 1917. Aktiv im «Rhein. Heimatbund», begrüßte er d. Aufstieg d. national-sozialist. Bewegung. Für d. Kolonialgedanken werbend, besuchte er 1936–37 die ehemal. dt. Kolonien. 1939 Goethe-Medaille für Kunst. u. Wiss. Romanschriftst., auch Lyriker u. Dramatiker.

Schriften: Vagantenblut (Ged.) 1893; Protektion (Schausp.) 1893; Frau Kunst (Rom.) 1893; Herrenmoral (Schausp.) 1894; Der ehrliche Name (Dr.) 1896; Esther Maria (Schausp.) 1896; Nur eine Schauspielerin (Rom.) 1897; Zum weißen Schwan (Rom.) 1897; Das goldene Zeitalter (Rom.) 1897; Das Recht der Jugend, 1898; Der Adjutant (Rom.) 1899; Der Graf von Gleichen (Rom.) 1901; Die vom Niederrhein (Rom.) 1903; Gedichte, 1903; Das Lebenslied (Rom.) 1904; Die Wiskottens (Rom.) 1905; Die Condottieri (Dr.) 1905; Der alten Sehnsucht Lied (Erz.) 1906; Auf Nissenskoog (Schausp.) 1907; Der Abenteurer (Rom.) 1907; Hanseaten (Rom.) 1909; Der letzte Kaiser (Dr.) 1909; Es gibt ein Glück (Nov.) 1910; Die Burgkinder (Rom.) 1911; Herrgottsmusikanten (Lsp.) 1912; Siegfried, der Held (Erz.) 1912; Der Nibelungen Fahrt ins Hunnenland (Erz.) 1912; Die Nibelungen (Erz.) 1913; Preußens Geschichte, 1913; Die Welt in Gold (Nov.) 1913; Wir sterben nicht, 1913; Das große Heimweh (Rom.) 1914; Ritter, Tod und Teufel (Ged.) 1915; Vom Stürmen, Sterben, Auferstehen (Ged.) 1916; Stromübergang (Dg.) 1916; Die Stoltenkamps u. ihre Frauen (Rom.) 1917; Jungbrunnen (Nov.) 1918; Germaniens Götter, 1919; Windzeit und Wolfszeit

(Ged.) 1919; Die Buben der Frau Opterberg (Rom.) 1921; Kameraden (Rom.) 1922; Wieland der Schmied (Rom.) 1924; Das Fähnlein der Versprengten (Rom.) 1926; Komödien des Lebens, 1928; Kornelius Vanderwelts Gefährtin (Rom.) 1928; Wilde Jugend (Rom.) 1929; Liedklang vom Lebensweg (Ged.) 1929; Der Freiherr u. die Altstadt (Rom.) 1931; Deutschland, mein Deutschland (Städtebilder) 1932; Horridoh Lützow! (Rom.) 1932; Die Tänzerin u. ihre Schwester (Rom.) 1933; Geschichte des deutschen Volkes und seiner Führer, 1933; Über das Meer Verwehte (Rom.) 1934; Mann im Sattel (Rom.) 1935; Ich sehe die Welt (Erz.) 1937; Elizabeth Welsens Weggenossen (Rom.) 1938.

Ausgaben: Gesammelte Werke, 6 Bde., 1920, 1923; Gesammelte Werke, 12 Bde., 1925–27.

Literatur: NDB 8,741. – J. G. Sprengel, ~s Leben u. Dichten, 1919; F. L. Goeckwitz, ~, 1919; P. Lindenberg, ~ als Journalist (in: Zeitungswiss. 18) 1943; W. Ottendorff-Simrock, Von O. Hahn bis M. Liebermann, 1970.   UF

Herzog, Thomas → Baumhauer, Hermann.

Herzog, Werner (Ps. f. Werner H. Stipetic), * 5.9.1942 München; studierte Gesch. u. Lit. in München u. Pittsburgh. Seit 1962 Hersteller v. Kurz- u. Spielfilmen in eigener Produktion.

Schriften: Vom Gehen im Eis, 1978; Stroszek. Nosferatu. Zwei Filmerzählungen, 1979.   IB

Literatur: ~ (Reihe Film 22), 1979.

Herzog, Wilhelm, * 12.1.1884 Berlin, † 18.4. 1960 München; studierte in Berlin, Mitarb. an Th. Barths «Nation», Mitbegründer d. Zs. «Pan» (1900), 1911 ging er nach Paris, nach seiner Rückkehr Red. d. Münchner Zs. «März». S. eigene Zs. «Das Forum» wurde 1915 verboten. Gründete mit W. Hirth 1916 die wöchentl. erscheinende «Weltliteratur» e. Slg. d. «bekanntesten Romane und Novellen aller Völker und Zeiten». In der Folge Stud.reisen, emigrierte 1933 nach Frankreich, später in d. Schweiz, Mitarb. an versch. Ztg., einige Zeit in den USA, 1947 Rückkehr in d. Schweiz u. 1952 nach München. Hg., Publizist u. Dramatiker.

Schriften: G. Ch. Lichtenberg, Schriften, 2 Bde. (Hg.) 1907; H. v. Kleist, Sämtliche Werke und Briefe, 6 Bde. (Hg.) 1908–11; Im Zwischendeck nach Südamerika, 1924; Rund um den Staatsanwalt, 1928; Die Affaire Dreyfus. Eine historisch politische Revue mit einem Vorspiel: Die letzten Tage des kaiserlichen Deutschlands (Schausp. gem. m. Rehfisch) 1929; Panama, 1931; Der Kampf einer Republik: Die Affaire Dreyfus, 1933; Bombengeschäfte mit dem Tod, 1936; Barthou (Biogr.) 1938; Hymnen und Pamphlete. Dreißig Jahre Arbeit und Kampf, 1939; Der Weltweg des Geistes. Dargestellt in synchronistischen Tabellen, 1954; Menschen, denen ich begegnete (mit einer Bibliogr.) 1959; Große Gestalten der Geschichte, I Altertum und Renaissance, 1959, II Sechzehntes und achtzehntes Jahrhundert, 1960, III Neunzehntes Jahrhundert, 1961, IV Zwanzigstes Jahrhundert, 1961.

Nachlaß: Nachlässe DDR III, Nr. 395.

Literatur: NDB 8,742; HdG 2,346; 3,67; Albrecht-Dahlke II, 2, 302; – A. EGGEBRECHT, Auf d. Auswandererschiff (in: Das Wort 121) 1924; M. HERRMANN-NEISSE, ~. Im Zwischendeck nach Südamerika (in: Aktion 14) 1924; A. EGGEBRECHT, ~. Rund um d. Staatsanwalt (über eine Matinee in der «Arbeiterbühne») (in: D. Lit. Welt 4) 1928; T. MANN, Über ~s «Der Weltweg des Geistes» (in: Münchner Merkur 108) 1955.   IB

Herzog, Wilhelm Peter (Ps. Peter Helmi, Peter Duka), * 18.1.1918 Köthen; Verlagsleiter, wohnt in Essen. Erzähler.

Schriften: Jochens Flug in den Weltraum, 1958; Fahrt zu den Sternen, 1959; Bim und sein kleiner Tick, 1961.   IB

Herzog, (Franz) Xaver, * 25.1.1810 Münster/ Kt. Luzern, † 22.12.1883 ebd.; Priester, war seit 1841 Pfarrer in Ballwil/Kt. Luzern, zuletzt Chorherr in Münster. Volksschriftsteller, 1853 bis 1871 Hg. der Zs. «Der katholische Luzernerbieter».

Schriften (Ausw.): Achtzehn neue, lustige Briefe, gewechselt zwischen einem katholischen und reformirten Geistlichen. Zur gegenseitigen Verständigung herausgegeben, 1845; Johann Heinrich Zülli, Sextar und Pfarrer in Eich, Kanton Luzern. Eine biographische Idylle, 1849; Der Beruf. Eine Novelle aus der Neuschweiz, 1857; Der Idealist, oder eine Pastoral aus dem Leben in Form einer Novelle, 1859; Marie die Büsserin (Nov.) 1860; Geistlicher Ehrentempel oder Pyramide der Unsterblichkeit, das ist Lebensbeschreibun-

gen etwelcher Geistlichen aus dem katholischen Luzernerbiet, 5 Tle., 1861–68; Fridolin, ein Vicar, 1862; Der Götti. Eine Novelle, 1862; Der Leütenant. Eine Erzählung in fünf Tempo, 1862; Der Melankoliker. Der Pfarrer Isidor und wie es ihm mit dem «Bauern» ergangen. Zwei Erzählungen, 1863; Neueste Dränirmethode, oder probates Mittel gegen die Trunkenheit, 1863; Die fünf Kirchengebote, einer deutschen Nation erklärt und mundrecht gemacht. Mit einem Anhang von allerlei Lustigem und Unlustigem, 1865; Peter Schlänggi der Rathsherr oder Freiheit und Religion. Eine Erzählung aus der Schweiz, 1867; Vermauert (Erz.) 1867; Stöffeli, der Pfistergeselle (Erz.) 1870; Wallfahrt nach Lourdes und zum göttlichen Herzen Jesu sammt Anderm, Katholischem und Altkatholischem, 1874 (2. Aufl. u. d. T.: Louise oder eine gemischte Ehe. Wallfahrt ..., 1874); Von der religiösen Souveränität, 1878; Ausgewählte Werke, hg. von Ignaz Kronenberg, 6 Bde. (mit Bibliogr.) 1913–21.

Literatur: HBLS 4, 205. – M. ESTERMANN, ~ (Nekrolog) 1886 (mit Bibliogr.); E. EGLI, D. alte Balbeler Pfarrer ~ v. Ballwil u. s. Anteil an d. Luzerner Publizistik d. 19. Jh. (Diss. Freiburg/ Schweiz) 1946.   AS

Herzog-Toms, Alfred, * 9.6.1895 Elbing, † 15.10.1973 Berlin.

Schriften: Hühnchen. Der Roman einer Liebe, 1921.   IB

Hesdin, Heinz → Nitsch, Harry.

Hesekiel, Friedrich, * 27.9.1794 Rehsen/Anhalt, † 14.4.1840 Altenburg; Pfarrerssohn, studierte in Leipzig u. Halle, wo er d. geistl. Laufbahn betrat u. mehrere theol. Bl. leitete. Vorkämpfer d. luther. Richtung. Generalsuperintendent. Rel. Lyriker, Erz. u. Erbauungsschriftsteller.

Schriften (Ausw.): Gottlieb Sonntag. Bilder aus dem Leben eines Studierenden, 2 Bde., 1822; Die Nachbarskinder. Erzählung aus dem Kindesalter für dasselbe, 1824; Das Christkind. Eine Geschichte, guten und frommen Kindern erzählt, 1824; Gedichte, 1824; Blicke auf Halle und seine Umgebungen. Ein Wegweiser für Reisende, und zur freundlichen Erinnerung für ehemals akademische Bürger, 1824; Blüthen heiliger Dichtung, 1. und 2. Kranz, 1827; Timotheus. Reden an Geistliche ... , 1837; Lehrsprüche des Glaubens. Ein Weihe-Geschenk für die christliche Jugend, zum Konfirmationstage, 1840. (Außerdem eine Reihe von Predigten.)

Literatur: Goedeke 10, 569; 13, 125.　　IB

Hesekiel, (Johann) George (Ludwig) * 12.8. 1819 Halle/Saale, † 26.2.1874 Berlin; studierte in Jena, Halle u. Berlin, von Fouqué angeregt, leitete in Altenburg d. Zs. «Die Rosen», Begründer d. «Patriot. Hausfreundes» u. übernahm 1849 d. Leitung d. «Neuen Preuß. (Kreuz-) Ztg», 1855 Mitbegründer d. sozialpolit. Wochenschr. «Berliner Revue», wo s. Rom. erschienen. Später ebenfalls Mitarb. an d. «Romanztg.» u. am «Daheim». Lyriker, Erz. u. Dramatiker.

Schriften: Der Saga-Saal. Nordische Dichtung, 1839; Der Winternachtstraum. Eine Arabeske. (Ged.) 1842; Der Kampf der Kirchen. (Ged.) 1843; Novellen, 1843; Silhouetten von Berlin und der Umgegend, 1843; Aus dem Leben des Schlosses zu Altenburg, 1843; Die Bastardbrüder, oder Geheimnisse von Altenburg. Aus dem Nachlaß eines Criminalbeamten. (Rom.) 2 Bde., 1845; Maria Mancini. Aus den Jugendtagen Ludwig des Vierzehnten. Historischer Roman. Nach dem Englischen des Sir H. Freemantle, 3 Tle., 1845; Royalisten und Republikaner. Roman aus der Zeit der französischen Republik. I Paris im Jahre 1793, II Graf Larochjacquelein oder der Kampf in der Vendée, III Marguerite, oder die Landung von Quibéron, 1845; IV Major von Schill – Blücher in Lübeck, 1847; Schwaning oder Die Jesuiten und ihre Ränke in unseren Tagen. Eine Zeitgeschichte, 1845; Deutsche Helden in deutschen Erzählungen, (auch u. d. T.: I Der deutsche Michel. Aus den Zeiten des dreißigjährigen Krieges, II Prinz Eugen, der edle Ritter. Hist. Rom.) 1846; Berlin und Rom, oder Frömmler und Pfaffen (Rom.) 2 Bde., 1846; Faust und Don Juan. Aus den weitesten Kreisen unserer Gesellschaft. (Rom.) 3 Bde., 1846; Die Tochter des Frömmlers. Ein Beitrag zur Sittengeschichte unserer Tage. (Erz.) 1846; Karlsbad, 1846; Fräulein Therese, 1846; Neues Fabel-Buch für folgsame Kinder (gem. m. E. Foerster) 1846; Preußenlieder, 3 H., 1846–49; Anna Ansbach und die emancipirten Weiber. Aus der Gegenwart, 2 Bde., 1847; Menschen und Priester. Eine Geschichte, 2 Bde., 1847; Georginen.

Taschenbuch, 1848; Morsen. Königlich dänische Hofgeschichte, 1848; Geschichten, wie man sie sich im Bivouac – erzählt, 1848; Adolf Hofmeister in Gera und sein Gegner, 1848; Rechelieu. Lebensbilder aus dem achtzehnten Jahrhundert, 2 Bde., 1848; Der Prinz von Preußen in Baden. Drei Gedichte. Am Geburtsfeste Sr. K. Hoheit, vorgetragen von R. Schramm, 1850; Damerones, oder Der Dreiständekampf im zwölften Jahrhundert, 1850; Der große Churfürst. Kleine Lieder, 1851; Soldatengeschichten, 1851; Das liebe Dorel, die Perle von Brandenburg. Eine Geschichte für's Preußische Volk, 1851; Der 18. Januar. Gedichte zum dreihundertfünfzigjährigen Jubelfeste der Aufrichtung des Königreich Preußen, 1851; Neues Berlinisches Historienbuch. Erzählungen, Sagen, Legenden, Skizzen und Bilder aus der Geschichte Berlins. Eine Chronik der Hauptstadt, 1851; Otto Theodor Freiherr von Manteuffel. Ein Preußisches Lebensbild, 1851; Das Capitel im Ordenspalais. Zum silbernen Hochzeitsfeste J.K. Hoheit des Prinzen und der Frau Prinzessin Carl von Preußen am 26.5.1852. Gedicht, 1852; Enguerrand von Lamalgue, der letzte Troubadour der Provence, 1852; Maurin und Jüdin. (Hist. Rom.) 1852; Der seuchsundzwanzigste Mai 1853. Zum Hochzeitsfeste J. K. Joh., der Prinzessin Anna von Preußen und Sr. hochfürstlichen Durchlaut des Prinzen Friedrich von Hessen, Gedicht, 1853; Nachrichten zur Geschichte des Geschlechts der Grafen Königsmark. (zus.gestellt) 1854; Neue Soldatengeschichten aus alter Zeit, 1854; Patronentaschenbuch. Neue Soldatengeschichten, 1854; Zwischen Hof und Garten. (Gesch. u. Nov.) 2 Bde., 1854; Nicolaus Pawlowitsch, Kaiser von Rußland. Eine biographische Notiz, 1855; Alexander II. Nicolajewitsch, Kaiser von Rußland. Eine biographische Notiz, 1855; Compendium der Heraldik. Zum Selbstunterricht für Freunde der Wappenkunde zusammengestellt, 1856; Königliches Martyrthum. Geschichte der Gefangenschaft der Königin Maria Antoinette des Königs Ludwig XVII, der Dauphine Maria Theresia, 1856; Von Turgot bis Babeuf. Ein socialer Roman, 3 Bde., 1856; Graf d'Anethan d'Etrangues (Rom.) 1856; Drei Jahre (Rom.) 3 Bde., 1857; Alte Stadt, I Die Stadtjunker, II Die Zunftgenossen, 1857; Aus den Mittheilungen eines Gourmands, Aufzeichnungen, Erfahrungen und Notizen eines alten Diplomaten,

1858; Ein nachgeborener Prinz. (Hist. Rom.) 3 Bde., 1858; Drei kurze Geschichten, 1858; Französische Hofgeschichten, 1859; Vor Jena. Nach den Aufzeichnungen eines Königlichen Offiziers vom Regiment Gensd'armes, 2 Bde., 1859; Lilienbanner und Trikolore. Kleine Geschichten aus Frankreich 1859; Ein Graf von Königsmark. (Rom.) 3 Bde., 1860; Von Jena nach Königsberg, 3 Bde., 1860; Schmal geweckt. (Gesch. u. Nov.) 2 Bde., 1860; Krummensee, I Über'n Rhein nach Paris, 3 Bde., II Heimkehr und Wiederkunft, 3 Bde., 1861; Bis nach Hohen-Zieritz, 3 Bde., 1861; Lux et Umbra. Ein großer Liebeshandel im sechzehnten Jahrhundert. Aus den hinterlassenen Schriften des Magisters N. Longinus und andern zuverlässigen Mittheilungen (hg.) 3 Bde., 1861;Der Patrizier und sein Haus, (Erz.) 1861; Aus drei Kaiserzeiten. I Bei Kaiser Carl's Leben,2 Bde., II Unter Maria Theresia, 2 Bde., III In Kaiser Joseph's Tagen, 2 Bde., 1862; Stille vor dem Sturm, 3 Bde., 1862; Abenteuerliche Gesellen (Rom.) 2 Bde., 1862; Fünf Bücher deutscher Gedichte, 1862; Die Kurprinzenbraut. (Hist. Rom.) 2 Bde., 1863; Schlichte Geschichten, 2 Bde., 1863–65; Zwischen Sumpf und Sand. Vaterländische Dichtungen, 1863; Preußisches Krönungsbuch, 1701 und 1861, 1863; Aus dem Dänenkriege. Neue Preußenlieder, 1864; Die Dame von Payerne. Sittenroman aus dem siebzehnten Jahrhundert, 1864; Unter dem Eisenzahn. Brandenburgischer Roman, 3 Bde., 1864; Frau Schatz Regine. Eine Geschichte aus dem dreißigjährigem Kriege. Nach einer handschriftlichen Familienchronik, 2 Bde., 1864; Vier Junker (Rom.) 3 Bde., 1865; Aus dem Leben des Todes. Zweimal sieben Abenteuer, 2 Bde., 1865; Wappensagen, 1865; Neue Gedichte, 1866; Preußische Hochsommerzeit. Neue Kriegslieder, 1866; Diemannshof und ein halbes Jahrtausend. Familiengeschichte, 3 Bde., 1866; Essendische Leute. (soz. Rom.) 2 Bde., 1866; Absonderliche Menschenkinder. Porträts, 1867; Land und Stadt im Volksmunde. Beinamen, Sprüche und Spruchverse, 1867; Zwei Königinnen und ein Simolin, Historische Erzählung, 1868; Das Buch vom Grafen Bismarck, 1869; Schellen-Moritz. Deutsches Leben im achtzehnten Jahrhundert, (Hist. Rom.) 3 Bde., 1869; Refugirt und emigrirt. Eine brandenburgisch-französische Geschichte in drei Büchern, 1869; Gegen die Franzosen. Preußische Kriegs- und Königslieder, 1870; Gemischte Gesellschaft. Biographische Skizzen, 1870; Speise und Trank. Ein deutsches Kochbuch (gem. m. s. Tochter L. ~) 1870; Der Capitain der Königin. (Rom.) 3 Bde., 1871; Neue schlichte Geschichten, 2 Bde., 1871; Deutsche Kriegs- und Siegeschronik 1870–71, 1871; George, der Buchführer von Lemgo. Roman aus dem deutschen Leben im siebzehnten Jahrhundert, 3 Bde., 1873; Fürst Christian der Andere. Ein Anhalt. (Rom.) 3 Bde., 1873; Gefangene Frauen. Alte Bilder in neuem Rahmen, 1874; Das Siebenkönigbuch. Die Könige von Preußen, 1874; Der Schultheiß von Zeyst. (Rom.) 1875.

Handschriften: Frels 130.

Literatur: ADB 12,270; Albrecht-Dahlke II, 1,635; II, 2,1067; Th. Fontane, ~. (in: Dt. Rundschau) 1896; O. Neuendorff, ~ (Diss. Berlin) 1932 (Nachdr. 1967).   IB

Hesekiel, Ludovika, * 3.7.1847 Altenburg, † 6.4.1889 Neustadt b. Coburg; Tochter v. George H., bereiste viele Länder in Europa, 1887 Heirat m. d. Diakonus Johnson in Neustadt b. Coburg. Übers. u. Romanschriftstellerin.

Schriften: Eine brandenburgische Hofjungfer, Historischer Roman aus J. Nestor's Tagen, 3 Bde., 1868; Barackenleben. Skizzen aus dem Berliner Militair-Lazareth 1870–71, 1871; Lenz Schadewacht. Historischer Roman aus der brandenburgischen Geschichte. 4 Bde., 1871; Von Brandenburg zu Bismarck. (Rom.) 2 Bde., 1873; Unter'm Sparrenschild. (Rom.) 3 Bde., 1877; Die Exulanten. (Erz.) I Die Vertriebenen, II Medica, III Der kleine Hugenott, zw. 1878–82; Deutsche Träumer. (Rom.) 3 Bde., 1879; Elisabeth Luise, Königin von Preußen, Gemahlin König Friedrich Wilhelm IV, ein Lebensbild, 1881; Zünftig. (Rom.) 3 Bde., 1881; Lottchen Lindholz. Eine Berliner Geschichte aus dem siebzehnten Jahrhundert, zwei Teile in einem Band, 1882; Gott mit uns! Vaterländische Erzählungen, 1883; Jesus meine Zuversicht! Aus dem Leben der Kurfürstin Louise Henriette, 1883; Des Kaisers Gast. Vaterländische Erzählungen aus dem Kriege 1870/71, 1883; Prinz Wilhelm. Eine Erzählung aus stiller Zeit, 1883; Alaaf Köln. (Rom.) 2 Bde., 1884; Aus Dur und Moll. (Erz.) 3 Bde., 1886; Excellenz. (Erz.) 1886; Fromm und Feudal. (Rom.) 3 Bde., 1886;

Die Frau Kriegsräthin. (Erz.) 1886; Agnes Fürstin Reuß j. L., geb. Herzogin zu Württemberg.
Ein Lebensbild, 1887; Reiche Leute. (Erz.)
1887; Templer und Johanniter. (Rom.) 2 Bde.,
1887; Salz und Wein. (Rom.) 2 Bde., 1888;
Nürnberger Tand. Eine Geschichte aus dem
fünfzehnten Jahrhundert, 2 Bde., 1888; Der
Musterschreiber. (Erz.) 1889; Die Steinschleifer
von Golling. Neue Häuser. (2 Erz.) 1890; An-
dernach-Clairvaux. (Rom.) Zwei Teile in einem
Band, 1890; Augusta. Kaiserin und Königin.
Ein Lebensbild aus ihrem Nachlaß herausgegeben
und ergänzt, 1890.

Nachlaß: Mommsen Nr. 1602.

Literatur: ADB 50, 273.   IB

Hesekiel, Toska (geb. Schultze), * 7.7.1912
Braunschweig; Dr. med., Leiterin d. Telephon-
seelsorge in Lübeck. Schr. auf d. Gebiet d. Se-
xualpädagogik u. d. Erwachsenenbildung.

Schriften: Mädchen fragen ... Ein Wort zur
Liebe der Geschlechter, 1954; Eltern antworten. Eine Hilfe zur Aufklärung unserer Kinder,
1955; Liebe Frau Doktor! Gespräche um Liebe
und Ehe, 1957; Christsein in Ehe und Familie.
Briefe an eine junge Frau, 1963; Das Thema liegt
in der Luft: Mit der Kirche bin ich fertig, 1968.
                                                    IB

Hesel, Erhart, spätma. Verf. e. Arzneibuches
im Norden d. bair. Mundartgebietes. D. Werk
ist überl. in d. Leiths. Cod. pal. germ. 558 aus
d. 15./16. Jh. u. wurde 1956 v. G. Eis entdeckt.

Ausgabe: Das Arzneibuch des E.H. (hg. u.
eingel. B.D. HAAGE) 1973.   RM

Heselhaus, Clemens, * 18. 7. 1912 Burlo/
Westf.; Lektor in Pisa u. Mailand, 1944 Ger-
manistikdoz. in Halle/S. u. 1946 in Münster/
Westf., Wiss. Rat 1957, seit 1961 o. Prof. f.
dt. Sprache u. Lit. in Gießen (1966/67 Rektor),
Dir. d. Neuen Abt. d. Germanist. Seminars,
Mitleiter d. Inst. f. Poetik u. Hermeneutik. Hg.
d. Jb. d. Droste-Gesellsch. (1947 ff.)

Schriften (Ausw.): Anton Ulrichs Aramena ...,
1939; Annette von Droste-Hülshoff. Die Entdeckung des Seins in der Dichtung des 19. Jahrhunderts, 1943; Annette von Droste-Hülshoff,
Werk und Leben, 1971.

Herausgebertätigkeit (Ausw.): A. v. Droste-
Hülshoff, Sämtliche Werke in zeitlicher Folge,
1952 (²1955); Die Lyrik des Expressionismus ...,

1956; Gottfried Keller, Sämtliche Werke und
ausgewählte Briefe, 3 Bde., 1956/57; Deutsche
Lyrik der Moderne von Nietzsche bis Yvan
Goll ..., 1961 (²1962). − Gestaltprobleme der
Dichtung (Mit-Hg.) 1957; Nachahmung und
Illusion. Kolloquium Gießen (Mit-Hg.) 1963;
Vieldeutigkeit und Reflexion (Mit-Hg.) 1965. RM

Heselloher, Hans, * Anfang 15. Jh. vermutl.
Wolfratshausen/Obb., † vor 1486; Sohn e. Land-
richters, seit 1453 mit Bruder Andreas Pfleger v.
Pähl, 1465 Stadt- u. Landrichter v. Weilheim,
1468 Forstmeister zu Peissenberg. D. Ident. d.
Dichters ist nicht mit Sicherheit erwiesen, in
Betracht kommt auch Hans' Bruder Andreas. −
Überl. sind vier als echt geltende Lieder v. Typus d. Bauernsatire, in denen H. sich selbst mit-
darstellt. Bestimmender Einfluß ist derjenige v.
Neidhart u. s. Schule. Starke Nachwirkung, bes.
d. mehrfach überl. Liedes Nr. IV («Von yppikli-
chen dingen»).

Ausgaben: A. HARTMANN, H.H.s Lieder (in:
Roman. Forsch. 5) 1890 [Nr. IV, mit 3 Bearb.,
bzw. Nachahmungen]; Der Bauer im deutschen
Liede (hg. J. BOLTE) 1890 [Nr. I–III]; Lyrik des
späten Mittelalters (hg. H. MASCHEK) 1939
(Neudr. 1964); M. CURSCHMANN (vgl. Lit.)
1970 [krit. Ausg. v. Nr. IV, mit Melodien].

Literatur: VL 5,407; ADB 12,271; 50,276;
NDB 8,745; de Boor-Newald 4/1,178; Ehrismann 2 (Schlußbd.) 486. − R. BRILL, D. Schule
Neidharts, 1908; E. SCHRÖDER, Pfarrer v. Kah-
lenberg u. Neithart Fuchs (in: ZfdA 73) 1936;
H. FISCHER, E. vergessene schwäb. Liederslg. d.
15. Jh. (in: ebd. 91) 1961/62; M. CURSCH-
MANN, Texte u. Melodien z. Wirkungsgesch. e.
spätma. Liedes ..., 1970 (mit Bibliogr.)   RM

Heser, Albert → Gricius, Albert.

Heske, Oswald, * 19.11.1908 Dobrogosch,
Kr. Berent/Westpr.; Werbeberater, wohnt in
Bochum. Verf. v. Werbefilmen sowie Erzähler.

Schriften: Jener schöne Traum (Rom.) 1947;
Reit' und vergiß (Rom.) 1949; Wohin dein
Schatten fällt (Rom.) 1957.   IB

Heski, J.M. → Schön, J.M.

Hesler → Heinrich von Hesler.

Hesler, Ernst Friedrich, * 4.8.1771 Dettingen/
Württ., Todesdatum u. -ort unbekannt; Magi-

ster d. Philos., seit 1796 Hofrat in Vaihingen/Württemberg.

Schriften (Ausw.): Der Process (Schausp.) 1792; Das Wiedersehen (Schausp.) 1793; Die schöne Sünderin (Schausp.) 1794.

Literatur: Meusel-Hamberger 3,280; 9,577; Goedeke 6,439.   RM

Hespe, Justus Jakob, † 16.11.1842 Hannover; Uhrmacher in Hannover.

Schriften: Ideale aus dem Gebiet der Natur geschöpft, 1828.

Literatur: Goedeke 11/1,357; 13,413.   RM

Hespe, Ludwig Adalbert, * 24.10.1877 Frankfurt/M.; Maurer, dann Besuch d. Bauschule in Holzminden u. später Kaufmann. Gründer u. Leiter d. Frankfurter «Vereins-Anz.» (1909), 1911 Gründer d. Schriftst.ver. «Jung-Frankfurt» u. d. lit. Mschr. «Jungbrunnen».

Schriften: Fabrikleute (Rom.) 1909; Ein Sklave des Kapitals (Schausp., mit H.B. Volke) 1919 (2., verb. Aufl. 1920; 3. Aufl. u.d.T.: Ein Opfer des Kapitals, 1925); Der Volkstribun (Schausp., mit H. Rother) 1920; Familienpolitik (Lsp.) 1928. (Ferner ungedr. Bühnenstücke.)   RM

Hess, David, (Ps. Daniel Hildebrand) * 29.11. 1770 Zürich, † 11.4.1843 ebd.; Sohn e. Gutsbesitzers, war Garde-Offizier in holländ. Diensten, 1796 Rückkehr in d. Schweiz, Gegner der Revol., Freund v. Ulrich Hegner u. J. Usteri, 1811–20 zeitweilig in Paris, 1815–30 Mitgl. d. Zürcher Großen Rats. Schriftst. (ca. 400 Ged. in Almanachen, Kalendern etc.), Zeichner (polit. Karikaturist), auch Komponist.

Schriften: Hollandia regenerata. Recueil de caricatures gravées par William Humphrey et relatives a la Révolution française, London 1796; Kleine Gemählde, Reminiszenzen und Abgebrochene Gedanken. Von einem Dilettanten, 1802; Scherz und Ernst in Erzählungen, 1816; Die Badenfahrt, 1818; Die Rose von Jericho. Eine Weihnachtsgabe, 1819; Salomon Landolt. Ein Charakterbild nach dem Leben ausgemalt, 1820 (neu hg. 1912); Das Leben und die Charakteristik Salomons Landolts von Zürich 1741–1818, 1820; Das Leben und die Charakteristik Johann Martin Usteri's von Zürich (1763–1827) 1830; J.M. Usteri, Dichtungen, 3 Bde. (Hg.) 1831; Das Leben des Kupferstechers Johann

Heinrich Meyer von Zürich (1755–1829) 1833; Der Scharringgelhof oder Regeln der guten Lebensart beym Abschiednehmen von der Stubenthüre bis zur Hausthüre und auf der Gasse. Zu Nutz und Frommen junger Herren und Bürger, die sich züchtiglich gebärden wollen, 1835; Johann Caspar Schweizer. Ein Charakterbild aus dem Zeitalter der französischen Revolution (Hg. J. Baechtold) 1884; Elly und Oswald, oder die Auswanderung von Stürvis, 1894 (zuerst 1820); Die Geschichten und Schwänke vom Landvogt von Greifensee. Nach dem Leben aufgezeichnet von D.H., 1920; Johann Caspar Schweizer und seine Gattin Anna Magdalena Hess, 1940 (zuerst 1822).

Briefe: F.O. PESTALOZZI, ∼ u. Ulrich Hegner. Mitteilungen aus ihrem Briefwechsel in den Jahren 1812–39 (in: Zürcher Taschenbuch 12 u. 13) 1889/1890; DERS., Aus dem Briefwechsel des Berner Kunstfreundes Sigmund von Wagner mit D.H. (in: Neujahrsbl. d. Künstlergesellsch. Zürich) 1889 u. 1890; R. ISCHER, Aus dem Briefwechsel zwischen J.R. Wyss dem Jüngeren und ∼ (in: Neues Berner Taschenbuch) 1913.

Nachlaß: Zentralbibl. Zürich

Literatur: ADB 12,273 (u. Nachtrag Bd. 15); NDB 9,1; HBLS 4,209; Goedeke 6,498, 811; 12,91. – J.H. MEYER-OCHSNER, Lebensbeschreibung v. ∼ (mit Bibliogr.; in: Neujahrsbl. d. Künstler-Gesellsch. Zürich) 1844; E. ESCHMANN, ∼. S. Leben u. s. Werke (Diss. Zürich) 1910; R. FAESI, D. poetische Zürich, 1913; E. KORRODI, Schweizer Biedermeier, 1936   AS

Heß, Eduard, * 30.10.1868 Tauberbischofsheim; studierte Med. an versch. Orten, 1893 Dr. med., als Nervenarzt tätig.

Schriften: Kollegen (Schausp.) 1902.   IB

Hess, Fritz, * 2.10.1901 Engelberg/Kt. Obwalden; wurde nach Banklehre u. -praxis Buchhändler, war 1937–67 Dir. d. Schweiz. Vereinssortiments in Olten, lebt ebd. im Ruhestand.

Schriften: Auf heimlichen Fährten. Eine Auslese jagdlicher Erzählungen (hg.) 1965; Vom frohgemuten Jagen. 30 Jahre Waidwerk im Wald und auf den Bergen, 1967; Menschen, Bücher und bewegte Zeiten. Ein halbes Jahrhundert Schweizer Buchhandel, 1970.   CLL

Heß, Georg, * 28.9.1832 Pfungstadt/Hessen, Todesdatum u. -ort unbekannt; Klempnerlehre in Darmstadt, 1850 Auswanderung n. Amerika, Holzbildhauer, 1857 Rückkehr, Bildhauerausbildung an d. Münchner Akad., lebte 1863–77 wieder in Amerika u. seither in Pfungstadt.

Schriften: Die Macht der Kunst (allegor. Festsp.) 1870; Lippmann Zeidel und sein Sohn Manassar, 1876; Kirchweihfreuden. Humoristische Dichtung in hessischer Mundart, 1878.

Literatur: Thieme-Becker 16, 578.　　RM

Hess, Gottfried, * 3.2.1894 Heimigen b. Dürrenroth/Kt. Bern; Bauernsohn, war Primarlehrer in Kurzenei/Wasen, dann in Zollikofen b. Bern. Erzähler, auch in Mundart, Verf. v. Schultheaterstücken.

Schriften: Der Heimatschein (Ged.) 1923; Die Gewissenssache Presse, 1930; Damals, 1931; Das Spiel vom Kornfeld. Ein Jugendtheater, 1940; Das Spiel vom Apfelbaum. Ein Schultheater, 1943; Das Berner Brunnenspiel (mit H. Buchli) 1944; Vreneli. Ein Singspiel in zwei Aufzügen für Frauenchor oder Gemischtenchor, 1945; Simon Gfeller, 1946; B. Valloton, Freiheit …? Ja, Freiheit! Die wahre Lebensgeschichte des Paul Routal (Übers.) 1947; Anna Seiler. Die Begründerin des Inselspitals in Bern, 1956; Helene Gasser lachte, 1958; Der Fäldwäg us. Erzälige, 1967; Am Kaminfüür im Höreli, 1969; Der Sichletemeje (Erz.) 1970; Bärn, du edle Schwyzerstärn (Singsp.) 1971; Ougetroscht, 1973; Ein schönes Hobby … Alpengarten «Höreli» über Adelboden …, 1973; Farbigi Alpeluft. Die Vielfarbigkeit im «Höreli»-Gebiet, 1975; Nume gäng hü! Kurzgeschichten in einer Berner Mundart, 1975.　　AS

Hess, Grete, * 4.7.1894 Stans, † 26.10.1976 ebd.; war kaufm. Angestellte in Zürich, dann Zeichenlehrerin am Institut St. Klara in Stans. Radiomitarbeiterin (Kinder- u. Krankenstunden etc.).

Schriften: Schon damals. Lebensbild einer Schweizer-Söldnerfamilie in Briefen, 1947; Kunstmaler Theodor Deschwanden, 1826–1861, 1951; Peter Anton Ming, 1851–1924. Lebensbild, 1956; Der Bildhauer Eduard Zimmermann, 1872–1949, 1966.　　AS

Heß, Heinrich, * 1788 Hasel/Baden, † 1850 Karlsruhe; Sohn e. Geistl., studierte in Heidelberg, Kameralbeamter in Konstanz, Offenburg u. Karlsruhe, Geheimrat. Lyriker.

Schriften: Lieder, 1829; Liebeslieder. Bearbeitung von Volksliedern, 5 H., 1832; Liebeslieder von unbekannten Verfassern. Nach der Handschrift H. H.s herausgegeben von seinem Enkel H. Funk, 1911.

Nachlaß: Landesbibl. Karlsruhe. – Denecke 2. Aufl.; Mommsen Nr. 1603.　　IB

Heß, Heinrich, * 11.6.1837 Brunswiek b. Kiel, Literat u. Konzipient in Kiel.

Schriften: Giulio. Eine Tragödie und Gedichte, 1863.　　IB

Hess, (Johann) Jakob, * 21.10.1741 Zürich; † 29.5.1828 ebd.; Theologe, Freund Lavaters, 1760 Vikar in Neftenbach bei Winterthur, wo er wiederholt mit Klopstock zusammenkam, seit 1777 Diakon am Fraumünster in Zürich, seit 1795 Antistes der Zürcher Kirche. Ehrendoktor der Univ. Tübingen, Jena, Kopenhagen. Verf. theol. Schriften, Lyriker, Epiker.

Schriften (Ausw.): Zwei Elegien auf den Tod eines Jünglings, 1760; Der Tod Moses. Ein Gedicht, 1767; Geschichte der drey letzten Lebensjahre Jesu, 6 Tle., 1768–73 (3. verb. Aufl., 3 Bde., 1774); Gedanken eines Geistlichen …, 1769 (neu bearb. 1774 u. d. T.: Über die besste Art die göttlichen Schriften zu studieren); Erste Jugendgeschichte Jesu, 1773; Biblische Erzählungen für die Jugend. Altes Testament, 1772 (Neues Testament, 1774); Von dem Reiche Gottes … 2 Tle., 1774; Geschichte und Schriften der Apostel Jesu, 2 Bde., 1775 (3., bearb. u. verm. Aufl., 3 Bde., 1809–12); Geschichte der Israeliten vor den Zeiten Jesu, 12 Bde., 1776–88; Lebensgeschichte Jesu, 1780 (8., neu bearb. Aufl., 3 Bde., 1822 f.); Über die Lehren, Thaten und Schicksale unsres Herrn, 1782; Fünf Lieder. Zur Ehre Unsers Herrn. Am Feste seiner Ankunft, 1782 (2., verm. u. verb. Aufl. 1814); Die Hoffnungs-Insel. Eine Parabel, 1783; Das Leben Jesu auf Erde. Ein Pilgrimsgesang. Samt einem Auferstehungs-Liede, 1783; Zwey Lieder auf die Feste der Erhöhung des Herrn und der Geistes-Sendung, 1783; Lieder zur Ehre unsers Herrn. Samt einige andre kleine Gedichte im Angesichte der Alpen, 1785; Die Reise. Eine zweyte allegorische Erzählung, 1789 (verb. Ausg. 1825); Christliches Übungsjahr …, 2 Bde., 1791; Über die Volks- und Vaterlandsliebe Jesu. Zwölf Predigten, mit Hinsicht auf gegenwärtige Zeitumstände, 1793; Der Christ bey Gefahren des Vaterlandes. Predigten, zur Revolutionszeit gehalten, 3 Bde., 1799–1800; Die vaterländische Kirche an die Gesezgeber Helvetiens (Ged.) 1800; Meine Bibel. Ein Gesang Freunden der Bibelanstalten gewidmet, 2 Tle., 1815 (3. verm. u. verb. Aufl. 1822).

Nachlaß: Staatsarch. u. Zentralbibl. Zürich. – Schmutz-Pfister Nr. 929.

Literatur: ADB 12,284; Meusel-Hamberger 2,123; HBLS 4,208; RGG ³3,288; RE 7,793; Goedeke 4/1, 22 u. 1117; 6,497f. u. 811; 12, 43. – G. Gessner, Blicke auf d. Leben u. Wesen d. verewigten ~, Antistes d. Kirche Zürich, 1829; H. Escher, ~, Dr. theol. u. Antistes d. Zürcher Kirche. Skizze s. Lebens u. s. Ansichten ..., 1837; F. v. Orelli, ~, Antistes, 1741–1828, 1845; J. Pestalozzi, Lebensbild v. ~, 1859; P. Wernle, D. schweizer. Protestantismus im 18. Jh. 3, 1925; E. Hirsch, Gesch. d. neuern evangel. Theol. 4, 1925; E. Staehelin, D. Verkündigung d. Reiches Gottes in d. Kirche Jesu Christi 6, 1963.   AS/RM

Heß, Johann, * 23. 9. 1490 oder 1491 Nürnberg, † 6. 1. 1547 Breslau; studierte 1506–10 in Leipzig, 1513 Notar d. bischöfl. Kanzlei in Breslau, 1515 Kanonikus in Neiße, 1517 in Öls, unternahm 1518 e. Italienreise (röm. Dr.) dann in Wittenberg, seit 1523 in Breslau. Mit Luther u. Melanchthon befreundet. Erster evangelischer Pfarrer in Breslau. Geistl. Lyriker, u. a. Verf. v. «O Welt, ich muß dich lassen».

Literatur: ADB 12,283; Schottenloher 1,342; 7,95; Ersch-Gruber II. 7,152; Jöcher 2,1751; de Boor-Newald 4/2,448; RE 7,787f.; LThK 5,304; RGG 3,288. – C. A. J. Kolde, ~ schles. Reformator, 1846; A. Henschel, ~ d. Breslauer Reformator, 1901; W. Bellardi, ~. (in: Schles. Lbb. 4) 1931; U. Bunzel, ~, d. Reformator Breslaus, 1940; P. Lehmann, D. Reformator ~ als humanist. gerichteter Büchersammler. (in: Mediae valia et Humanistica 5) 1948; Ders., Aus d. Bibliothek des Reformators ~. (in: Zentralbl. Berlin 75) 1950; W. Schwarz, ~ d. Reformator in Breslau (in: D. Schlesier 6) 1954; W. Lang, ~ u. d. Disputation in Breslau v. 1524. (in: Jb. f. schles. Kirchengesch. NF 37) 1958.   IB

Hess(e) (Hessius), Johannes Dominicus, Ende 16. Jh., Franziskaner, Prediger in Wien. Verf. d.

gegenreformator., halbdramat. Satire «Synodus oecumenica theologorum protestantium ...» (1593).

Literatur: Adelung 2, 1971; Goedeke 2, 112.   RM

Heß, Johann Rudolf (gen. «vom Florhof») * 1777 Zürich, † 1836 ebd.; Kaufmann u. Fabrikant, lebte in Zürich, Basel u. Livorno.

Schriften (Ausw.): Über die Mittel, einen dauerhaften Frieden ... vorzubereiten, 1806; Früchte einsamer Stunden. Bilder in abgebrochnen Linien, 1806; Früchte müssiger Stunden, 1807; Drey verschiedene Handlungsweisen Folgen von verschiedenem Charakter oder Der Brand (Erz.) 1811.

Literatur: Meusel-Hamberger 14,123; 18,151; 22.2,725; Goedeke 12,74.   RM

Heß, Johannes, * 24. 3. 1875; lebte in Berlin, Bühnen- u. Roman-Autor.

Schriften: Der Rabbiner von Prag. Kabbalistisches Drama in vier Akten, nach einer Prager Legende, 1914; Tobias Knorke. Volksschwank mit Gesang in drei Akten (Musik, J. Hess u. K. Tschope) 1928. (Ferner ungedr. Bühenstücke.)

Literatur: Theater-Lex. 1,778.   AS

Hess, Josef Hermann, * 2. 2. 1897 Engelberg/ Kt. Obwalden, † 22. 10. 1968 Zug; Dr. phil., Verleger u. Literat, Erziehungsdir. d. Kt. Obwalden. Verf. v. Volksstücken, Lyriker, Essayist.

Schriften: Junges Heldenblut. Romantisches Trauerspiel, 1917; P. Marianus Rot. Ein Kapitel schweizerischer Theatergeschichte (Diss. Freiburg/Schweiz) 1927; Das Buch vom Bruder Klaus (mit R. Durrer u. H. Federer) 1942; G. K. Chesterton, Was unrecht ist an der Welt (Hg.) 1945; Christliche Bildung und Erziehung (Hg.) 1945; Rütli (Hg.) 1954.   AS

Heß, Joseph, * 14. 3. 1889 Simmer/Luxemburg; studierte Germanistik u. Gesch. in Paris, München, Freiburg/Br., Freiburg/Schweiz, u. in London; später im luxenburg. Schuldienst. Vorwiegend Folklorist.

Schriften: Luxemburger Volkskunde, 1929; Luxemburger Volksleben in Vergangenheit und Gegenwart. Beitrag zur Luxemburger Volkskunde, 1939; Die Sprache der Luxemburger, 1946; Stimmen im Eischtal, 1958; Altluxemburger Denkwürdigkeiten. Beitrag zur Luxemburger Kultur und Volkskunde, 1960.   IB

Hess, Katharina (Mädchenname u. Ps. f. Katharina Müller-Hen) * 22.10.1935 Solothurn, wohnt in Chur. Erzählerin.

Schriften: Nebel im November (Rom.) 1966; Wer ist Alexander Hirt? (Rom.) 1970; Einer von uns. Erzählungen aus dem heutigen Graubünden, 1971; Die Gegenspieler. Roman aus Graubünden, 1975. Ein herbes Kraut. Geschichten aus Graubünden, 1978.   IB

Hess, Moses, * 21.1.1812 Bonn, † 6.4.1875 Paris; urspr. d. Kreis um Marx u. Engels nahestehend, später Lasalle, Versuch, e. eigenes wiss. System d. Sozialismus zu begründen, Vorläufer Th. Herzls.

Schriften: Heilige Geschichte der Menschheit (anon.) 1837; Sozialismus und Kommunismus, 1843; Die letzten Philosophen, 1845; Die gesellschaftlichen Zustände der civilisirten Welt. (hg.) 1846; Rom und Jerusalem, die letzte Nationalitätenfrage. Briefe und Noten, 1862; Ein Brief an Dr. A. Geiger, Rabbiner an der Synagogengemeinde zu Breslau, 1863.

Literatur: NDB 9,11; BWG 1,1133. – TH. ZLOCISTI, ~, 1921; K. MIELCKE, Dt. Frühsozialismus: Gesellsch. u. Gesch. in d. Schr. v. Weitling u. ~, 1931; I. GOITEIN, Probleme d. Gesellsch. u. d. Staates bei ~, 1931; A. CORNU, ~ et la Gauche Hégelienne, 1934; E. SILBERNER, ~. Gesch. s. Lebens, Leiden 1966; H. LADEMACHER, ~ in s. Zeit, 1977; B. FREI, Im Schatten v. K. Marx; ~, 100 Jahre nach s. Tod, 1977.   IB

Heß, Robert, * 27.4.1927 Groß-Umstadt; Lehrer, wohnt in Darmstadt-Eberstadt. Erzähler.

Schriften: Der geheimnisvolle Dachboden (Rom.) 1962; 2085. Der Zukunftsroman aus der Welt des Sports, 1966; Die Abenteuer von Pit und Pat: Erlebnisse mit dem Zauberer Zumzidum, 1976.   IB

Hess, Walter, * 29.7.1926 Karlsbad/CSR; Verwaltungsangestellter in Wiesbaden; Jugendbuchautor.

Schriften: Die Vier von der Insel bauen eine Rakete, 1965; Die Vier von der Insel gründen eine Filmgesellschaft, 1965.   AS

Heß von Wichdorff, Ernst Wolfgang, * 30.5.1860 Langenburg, † 6.12.1919 Geislingen/Steige; Hofrat. Lyriker.

Schriften: Gedichte, 1893.   IB

Hess-Englert, Mary (Ps. f. Mary Hess, geb. Englert), * 21.9.1897 Würzburg, lebt in USA. Lyrikerin.

Schriften: Mir Franke. Gedichte in Fränkischer Mundart, 1960; 's Fräle, Geschichten in Fränkischer Mundart, 1965.

Literatur: E. SAFFERT, D. dt.-amerikan. Schriftst. ~. (in: Frankenland, NF 28) 1976.   IB

Hesse, Hessus → Eobanus Hessus.

Hesse von Reinach (Hesso v. Rînach), spätes 13. Jh., Schweizer Minnesänger aus aargauischem Ministerialengeschlecht, bezeugt zw. 1239 u. 1275 als Geistlicher, Chorherr d. Beromünster Stiftes, Leutpriester v. Hochdorf/Kt. Luzern, seit 1265 Propst in Schönenwerd. D. Identität dieses Geistlichen mit d. Minnesänger gleichen Namens ist allerdings umstritten. V. H. überl. d. Große Heidelberger Liederhs. C 2 Lieder (entst. vor 1250?).

Ausgaben: HMS 1, 3, 4; K. BARTSCH, Die Schweizer Minnesänger, 1886 (Neudr. 1964); Die große Heidelberger «manessische» Liederhandschrift (hg. U. MÜLLER) 1971 (Facs.).

Literatur: VL 2,433; ADB 28,620; HBLS 5, 575; de Boor-Newald 3/1,309; Ehrismann 2 (Schlußbd.) 279. – F. PFAFF, D. große Heidelberger Liederhs. 1,1909.   RM

Hesse, August Wilhelm (Ps. J.C.H. Wages [«Ich wag' es»]), * 3.11.1805 Straßburg, † 16.7.1864 Berlin; Lithographenlehre, dann Schauspieler u.a. in Wien, Hamburg, Berlin (1849), Riga (1854), Oberregisseur in Königstadt (1852), Breslau u. seit 1859 in Berlin.

Schriften: Eine homöopathische Kur (Lsp. n.d. Französ.) 1862; Das Lorle oder ein Berliner im Schwarzwald (Liedersp.) 1866; Weihnachten (dramat. Gemälde) 1868; Ein Arzt (Lsp.) 1869. (Außerdem versch. ungedr. Bühnenstücke.)

Literatur: Theater-Lex. 1,778.   RM

Hesse, Charlotte → Wachsmuth, Gerda.

Hesse, Eva, * 2.3.1925 Berlin; wohnt in München. Übersetzerpreis, Akad. f. Sprache u. Dg. 1968, Verf. v. Ess., Hörsp., Lit.kritiken u. Übers. aus d. Engl. u. Amerikanischen.

Schriften: T.S. Eliot und Das wüste Land. Eine Analyse, 1973; Die Wurzeln der Revolution. Theorien und kollektive Freiheit, 1974.

Übersetzungstätigkeit: E. Pound, Dichtung und Prosa, 1953; Meine dunklen Hände. Negerlyrik, (gem. m. P. v. d. Knesebeck) 1953; E. Pound, Fisch und Schatten (Ged.) 1954; M. Moore, Gedichte. (gem. m. W. Riemerschmidt) 1954; E. Pound, Die Pisaner Gesänge 1956 (erw. Auflg. u. d. T.: Pisaner Cantos 1969); ders., ABC des Lebens, 1957; ders., motzel son: Wort und Weise. Eine Didaktik der Dichtung, 1957; E. E. Cummings, gedichte, 1958; A. MacLeish, Spiel um Job, 1958; E. Pound, Über Zeitgenossen, 1959; R. Jeffers, Dramen, 1960; E. Pound, Cantos I–XXX, 1964; ders., Cantos 1916–1962. Eine Auswahl, 1964; J. Laughlin, Die Haare auf Großvaters Kopf (Ged.) 1966; E. Pound, Die Revolution ins Lesebuch (Ged.) 1969.   IB

Hesse, Ferdinand, * 6.8.1882 Braunschweig; 1904–05 Red. in Döbeln, später in Zittau, bereiste als Korrespondent d. Berliner Ztg. d. Balkan, schließl. journalist. u. verleger. Tätigkeit in Hirschberg. Freier Schriftst. u. Gründer d. Oybiner Waldtheaters (1911). Erz., Lyriker u. Dramatiker.

Schriften: Jugend (Ged.) 1903; Reise des Königs Friedrich August von Sachsen in der Oberlausitz am 29., 30 und 31. Mai 1905 ..., 1905; Die weißen Berge. (Rom.) 1928; Der Heimatapostel (Rom.) 1932; Die Silberhaube (Lustsp.) 1939.

Literatur: Theater-Lex. 1, 779. – O. HOLLSTEIN, D. Waldtheater u. s. Begründer. (in: Bühnen-Roland, Dresden 9) 1914.   IB

Hesse, Hermann (Ps. Emil Sinclair), * 2.7.1877 Calw/Württ., † 9.8.1962 Montagnola/Kt. Tessin; Vater Missionar, Klosterschule Maulbronn, dann Mechaniker, Buchhändler u. Antiquar in Tübingen u. Basel; seit 1904 freier Schriftst. in Gaienhofen, 1907 Mithg. d. Zs. «März» u. Mitarbeiter an «Simplizissimus», «Rheinland», «Neue Rundschau» u. a.; ab 1919 in Montagnola, 1923 Schweizer Staatsbürger. Fontane-Preis 1919 (abgelehnt), Nobelpreis 1946, Ehrendoktor der Universität Bern 1947, Wilhelm-Raabe-Preis 1950, Friedenspreis d. Dt. Buchhandels u. Aufnahme in die Friedensklasse des Ordens Pour le mérite 1955. Lyrik, Märchen, Novellen, Romane, Aufsätze, Kritiken.

Schriften: Romantische Lieder (Ged.) 1899, Eine Stunde hinter Mitternacht (Erz.) 1899; Hinterlassene Schriften und Gedichte von Hermann Lauscher, 1901; Gedichte, 1902, Boccaccio

(Biogr.) 1904; Peter Camenzind (Rom.) 1904, Franz von Assisi (Biogr.) 1904; Unterm Rad (Rom.) 1906; Diesseits (Erz.) 1907; Nachbarn (Erz.) 1908; Gertrud (Rom.) 1910; Unterwegs (Ged.) 1911; Umwege (Erz.) 1912; Aus Indien. Aufzeichnungen von einer indischen Reise, 1913, Der Hausierer, 1914; Die Heimkehr (Erz.) 1914; Der Lateinschüler (Erz.) 1914; Anton Schievelbeyn's ohnfreywillige Reisse nacher Ost-Indien, 1914; Roßhalde (Rom.) 1914; In der alten Sonne (Erz.) 1914; Knulp (Erz.) 1915; Musik des Einsamen (Ged.) 1915; Am Weg (Erz.) 1915; Brief ins Feld, 1916; Hans Dierlamms Lehrzeit. Vorfrühling (Erz.) 1916; Die Marmorsäge (Erz.) 1916; Schön ist die Jugend (Erz.) 1916; Alte Geschichten (Erz.) 1918; Zwei Märchen, 1918; Demian. Die Geschichte einer Jugend von Emil Sinclair (Rom.) 1919; Kleiner Garten. Erlebnisse und Dichtungen, 1919; Märchen, 1919; Zarathustras Wiederkehr. Ein Wort an die deutsche Jugend. Von einem Deutschen, 1919; Im Pressel'schen Gartenhaus (Nov.) 1920; Gedichte des Malers, 1920; Klingsors letzter Sommer (Erz.) 1920; Wanderung. Aufzeichnungen, 1920; Elf Aquarelle aus dem Tessin (Aquarelle) 1921; Blick ins Chaos (Aufs.) 1921; Ausgewählte Gedichte, 1921; Siddhartha. Eine indische Dichtung (Erz.) 1922; Italien (Ged.) 1923; Sinclairs Notizbuch (Aufs.) 1923; Psychologia Balnearia oder Glossen eines Badener Kurgastes (Prosa) 1924; Die Verlobung (Erz.) 1924; Kurgast. Aufzeichnungen von einer Badener Kur, 1925; Piktors Verwandlungen (Märchen) 1925; Aufzeichuungen eines Herrn im Sanatorium (Rom. fragment) 1925; Bilderbuch. Schilderungen (Erz.) 1926; Die Nürnberger Reise (Prosa) 1927; Der Steppenwolf (Rom.) 1927; Verse im Krankenbett, 1927; Der schwere Weg (Märchen) 1927; Betrachtungen (Prosa) 1928; Krisis. Ein Stück Tagebuch (Ged.) 1928; Eine Bibliothek der Weltliteratur (Aufs.) 1929; Kurzgefaßter Lebenslauf, 1929; Trost der Nacht (Ged.) 1929; Narziß und Goldmund (Erz.) 1930; Jahreszeiten (Ged.) 1931; Weg nach Innen (Erz.) 1931; Die Morgenlandfahrt (Erz.) 1932; Mahnung (Erz., Ged.) 1933; Kleine Welt (Erz.) 1933; Vom Baum des Lebens (Ged.) 1934; Fabulierbuch (Erz.) 1935; Das Haus der Träume. Eine unvollendete Dichtung, 1936; Stunden im Garten (Idylle) 1936; Tragisch (Erz.) 1936; Gedenkblätter (Prosa) 1937; Der lahme Knabe

(Erinn.) 1937; Neue Gedichte, 1937; Zehn Gedichte, 1939; Der Novalis (Erz.) 1940; Kleine Betrachtungen (Aufs.) 1941; Die Gedichte, 1942; Das Glasperlenspiel (Rom.) 2 Bde. 1943; Berthold (Rom.fragment) 1945; Der Blütenzweig (Ged.) 1945; Der Pfirsichbaum und andere Erzählungen, 1945; Rigi-Tagebuch 1945, 1945; Traumfährte (Erz., Märchen) 1945; Späte Gedichte, 1946; Dank an Goethe, 1946; Feuerwerk (Aufs.) 1946; Spaziergang in Würzburg (Erz.) 1947; Der Europäer (Aufs.) 1946; Gedichte, 1946; Krieg und Frieden. Betrachtungen zu Krieg und Politik seit dem Jahre 1914, 1946; Haus zum Frieden. Aufzeichnungen eines Herrn im Sanatorium, 1947; Heumond. Aus Kinderzeiten (Erz.) 1947; Stufen der Menschwerdung (Aufs.) 1947; Legende vom indischen König, 1948; Frühe Prosa, 1948; Musikalische Notizen, 1948; Aus vielen Jahren (Erz., Ged.) 1949; Gerbersau (Prosa) 2 Bde., 1949; Gartenfreuden (Bilderfolge hg. K. JUD) 1950; Späte Prosa, 1951; Erinnerung an André Gide, 1951; Zwei Idyllen, 1952; Glück (Prosa) 1952; Engadiner Erlebnisse. Ein Rundbrief (Prosa) 1953; Beschwörungen (Prosa) 1954; Aquarelle aus dem Tessin, 1955; Beschwörungen. Späte Prosa, 1955; Der schwarze König (Aufs.) 1955; Abendwolken (Aufs.) 1956; Zwei jugendliche Erzählungen, 1956; Weihnachtsgaben und anderes (Prosa) 1956; Freunde (Erz.) 1957; Der Trauermarsch. Gedenkblatt für einen Jugendkameraden, 1957; Chinesische Legende, 1959; Sommerbrief (Prosa) 1959; Rückgriff (Prosa) 1960; An einen Musiker (Aufs.) 1960; Ein paar Aufzeichnungen und Briefe, 1960; Bericht an die Freunde. Letzte Gedichte, 1960; Aus einem Tagebuch des Jahres 1920, 1960; Zen (Prosa) 1961; Stufen (Ged.) 1961; Prosa aus dem Nachlaß, 1965.

Herausgebertätigkeit: März (Jg. 1–6 Mithg.) 1907–12; Der Lindenbaum, Deutsche Volkslieder (mit M. Lang, E. Strauß) 1910; E. Mörike, Ausgewählte Gedichte, 1911; L. A. Arnim, C. Brentano, Des Knaben Wunderhorn, 1913; J. Frh. v. Eichendorff, Gedichte und Novellen, 1913; J. Paul, Titan, 2 Bde., 1913; Das Meisterbuch, 1913; C. Wagner, Gedichte, 1913; Der Zauberbrunnen. Die Lieder der deutschen Romantik, 1913; (Mithg.) J. G. Herder, A. J. Liebeskind, Morgenländische Erzählungen (Palmblätter) 1914; Lieder deutscher Dichter, 1914; Für Freunde guter Bücher, H. 1–3, 1915–

1917; Gesta Romanorum, 1915; M. Claudius, Der Wandsbecker Bote, 1916; Deutsche Internierten-Zeitung, H. 1–62 (mit R. Woltereck) 1916–17; Der Sonntagsbote für die deutschen Kriegsgefangenen Jg. 1–3 (mit O. Schulthess, R. Woltereck) 1916–18; Bücherei für deutsche Kriegsgefangene, 22 Bde. (mit R. Woltereck) 1918–1919; Alemannenbuch, 1919; A. Furst, A. Moszkowski, Das kleine Buch der Wunder (Mithg.) 1918; Aus dem Mittelalter, 1918; Ein badisches Buch (mit R. Woltereck) 1919; Ein Schwabenbuch für die deutschen Kriegsgefangenen (mit W. Stich) 1919; Vivos voco. Jg. 1–2 (mit R. Woltereck) 1919–22; Ein Luzerner Junker vor hundert Jahren, 1920; Geschichten aus Japan, 1922; Merkwürdige Geschichten, 5 Bde., 1922–24; S. Gessner, Dichtungen, 1922; J. Paul, Die wunderbare Gesellschaft in der Neujahrsnacht, 1922; Mordprozesse, 1922; Novellino, 1922; Aus Arnims Wintergarten, 1922; Die Geschichte von Romeo und Julia, 1925; Merkwürdige Geschichten und Menschen, 7 Bde., 1925–27; Geschichten aus dem Mittelalter, 1925; Hölderlin. Dokumente seines Lebens (mit K. Isenberg) 1925; (Mithg.) Novalis. Dokumente seines Lebens und Sterbens, 1925; Sesam. Orientalische Erzählungen, 1925; Blätter aus Prevorst, 1926; Märchen und Legenden aus den Gesta Romanorum, 1926; Schubart. Dokumente seines Lebens (mit K. Isenberg) 1926; J. W. v. Goethe, Dreißig Gedichte, 1932; Eichendorff, Aus dem Leben eines Taugenichts und anderes, 1934; Ernst Morgenthaler, 1936; Eichendorff, Novellen und Gedichte, 1952.

Briefe: H. H.-Romain Rolland, Briefe, 1954; E. Ball-Hennings, Briefe an H. H. (hg. A. SCHÜTT-HENNINGS) 1956; H. BALL, Briefe. 1911–1927 (hg. A. SCHÜTT-HENNINGS) 1957; E. Morgenthaler, Briefe an H. H. (in: E. M., Ein Maler erzählt) 1957; Briefe, 1964; Kindheit und Jugend vor Neunzehnhundert. H. H. in Briefen und Lebenszeugnissen. 1877–1895, (hg. NINON HESSE) 1966; H. H. – Thomas Mann. Briefwechsel (hg. A. CARLSON) 1975; H. H. – P. Suhrkamp. Briefwechsel 1945–1959 (hg. S. UNSELD) 1969; H. H. – Helene Voigt-Diederichs. Zwei Autorenporträts in Briefen. 1897–1900 (hg. I. DIEDERICHS, U. DIEDERICHS, E. MAY) 1971; H. H. – Karl Kerényi. Briefwechsel aus der Nähe (hg. M. KERÉNYI) 1972; Gesammelte Briefe, 3 Bde., 1973 ff.

Schallplatten: «Der Dichter», «Ein Märchen». Gesprochen von H.H., 1956; «Zwischen Sommer und Herbst», «Im Auto über den Julier», «Im Sand geschrieben», «Bericht des Schülers», «Skizzenblatt». Gesprochen vom Dichter, 1958; H.H. Sprechplatte (H. liest Ged.) 1971.

Archive, Sammlungen: Nachlaß im Dt. Lit.arch./ Schiller-Nationalmuseum Marbach; Sammlungen in Landesbibl. Bern, Bibl. d. Eidg. Techn. Hochschule Zürich; Wayne State Univ. Library Detroit; Univ. of California Library Berkeley; Dt. Staatsbibl. Berlin, Hss. Abt./Lit.arch. – Mommsen Nr. 1608; Denecke 2. Aufl.; Nachlässe DDR III, Nr. 396.

Bibliographien: J. MILECK, ~ and His Critics. The Criticism and Bibliography of Half a Century. Chapel Hill, North Carolina, 1958; H. WAIBLER, ~. E. Bibliogr., 1962; O. BAREISS, ~. 2 Bde., 1962–1964; H.W. BENTZ, ~ in Übersetzungen, 1965; M. PFEIFER, ~-Lit., I–X, 1964–1973; DERS., ~-Bibliogr. Primär- u. Sekundärschrifttum in Auswahl, 1973; S. UNSELD, ~, e. Werkgesch., 1973.

Forschungsbericht: R. KOESTER, ~, 1975.

Gesamtdarstellungen und Würdigungen: A. KUHN, ~. E. Essay 1907; P. WITKOP, ~ (in: DSL 28) 1927; R. BETEMPS, ~ (in: Revue d'Allemagne 3) 1929; P. SUHRKAMP, ~. Z. 60. Geb.tag (in: P.S., Ausgew. Schr. z. Zeit- u. Geistesgesch. 1) 1951; H. GROTH, ~ (in: H.G., Dichter d. Humanismus im heutigen Dtl. 1) 1939; A. GOES, Rede auf ~, 1946; O. ENGEL, ~. Dg. u. Gedanke, 1947; R.B. MATZIG, ~ in Montagnola. Stud. zu Werk u. Innenwelt d. Dichters, 1947; M. SCHMID, ~. Weg u. Wandlung, 1947; T. MANN, ~. Z. 70. Geb.tag (in: T.M., Altes u. Neues) 1953; F. STRICH, Dank an ~ (in: F.S., D. Dichter u. d. Zeit) 1947; E.R. CURTIUS, ~ (in: E.R.C., Krit. Essays z. europ. Lit.) 1950; H. HUBER, ~, 1948; H. BODE, ~. Variationen über e. Lieblingsdichter, 1948; R. BUCHWALD, ~ (in: R.B., Bekennende Dg.) 1949; J.F. v. HECKER, ~. Zwei Vorträge, 1949; W. GRENZMANN, ~. Geist u. Sinnlich (in: W.G., Dg. u. Glaube, 1950; GÖPPERT-SPANEL, ~s Werk als Spiegel s. Seelenentwicklung (in: Universitas 6) 1951; Dank an ~. Reden u. Aufsätze, 1952; Z. 75. Geb.tag. von ~ (Beitr. versch. Autoren in: NSR NF 20) 1952/53; P. BÖCKMANN, ~ (in: Dt. Lit. im 20. Jh., hg. H. FRIEDMANN, O. MANN) 1954 (5. Aufl. 1967); H. KASACK, ~ (in: H.K.,

Mosaiksteine) 1956; K. NADLER, ~. Naturliebe, Menschenliebe, Gottesliebe, 1956; O. BASLER, D. späte ~, 1957; H. UHDE-BERNAYS, «Kleine Welt?» Z. 80. Geb.tag ~s (in: DR 83) 1957; M. BUBER, ~s Dienst am Geist (in: NDH 4) 1957/58; E. HILSCHER, ~s Weltanschauung (in: WB 4) 1958; A. GOES, ~ d. Achtzigjährige (in: A.G., Wagnis d. Versöhnung) 1959; G. MAYER, ~. Myst. Religiosität u. dichter. Form (in: SchillerJb. 4) 1960; H. BECHER, ~ (in: SdZ 167) 1960/61; E. ENGEL, ~ (in: German Men of Letters 2, hg. A. NATAN) 1963; L. KÖHLER, ~ (in: Dt. Dichter d. Moderne, hg. B. v. WIESE) 1965; E. ROSE, Faith from the Abyss. ~s Way from Romanticism to Modernity. New York 1965; T. ZIOLKOWSKI, ~. New York 1966; M. BOULBY, ~. His Mind and Art. Ithaca 1967; W. GÜNTHER, ~ (in: W.G., Dichter d. neueren Schweiz 2) 1968; G. HAFNER, ~. Werk u. Leben [3]1970; G.W. FIELD, ~, New York 1970; H.J. LÜTHI, ~. Natur u. Geist, 1970; H. STOLTE, ~. Weltscheu u. Lebensliebe, 1971; P. DE MENDELSSOHN, Repräsentanz d. Außenseiters. ~ wider d. Zeit (in: P. d. M., Von dt. Repräsentanz) 1972; E.M. FLEISSNER, ~, Modern German Poet and Writer, Charlottesville, New York, 1972; V. MICHELS, ~. Leben u. Werk im Bild, 1973; S. UNSELD, ~, e. Werkgesch., 1973; F. BÖTTGER, ~. Leben, Werk, Zeit, 1974; C. WILSON, ~, London 1974; W. SORELL, ~. The Man who Sought and Found Himself. London 1974; A. HSIA (hg.), ~ im Spiegel d. zeitgenöss. Kritik, 1975; E. MIDDELL, ~. D. Bilderwelt s. Lebens, 1974; S. UNSELD, Begegnungen mit ~, 1975; G.W. FIELD, ~. Kommentar zu sämtl. Werken, 1977.

Hesse als Erzähler: R. FREEDMAN, Romantic Imagination: ~ as a Modern Novelist (in: PMLA 73) 1958; DERS., The Lyrical Novelist. Studies in ~, A. Gide, and V. Woolf. Princeton 1963; T. ZIOLKOWSKI, The Novels of ~. Princeton 1965; L. FIETZ, Strukturmerkmale d. hermetischen Romane T. Manns, ~s, H. Brochs u. H. Kasacks (in: DVjs 40) 1966.

Hesse als Lyriker: I. ERHART, D. Lyrik ~s (Diss. Wien) 1936; A. BECK, «Dienst» u. «reuelose Lebensbeichte» im lyr. Werk ~s (in: FS P. Kluckhohn u. H. Schneider) 1948; R.C. ANDREWS, The Poetry of ~ (in: GLL NS 6) 1952/53; J. MILECK, The Poetry of ~ (in: Monatshefte 46) 1954; E. HILSCHER, D. Lyriker ~ (in: NDL 4)

1956; D. K. Ansorge, D. Versuche d. Zeitüberwindung in d. Lyrik ~s (Diss. Hamburg) 1959; U. Hertling, ~s Lyrik als Widerspiegelung persönl. und gesellschaftl. Erlebens (in: WZ der F.-S. Univ. Jena, ges.- u. sprachwiss. Reihe 9) 1959/60; K. Maronn, Verskundl. Stud. z. Lyrik ~s unter Einbeziehung d. musikal. Bildwahl d. Prosa (Diss. Hamburg) 1965.

Studien: P. Böckmann, D. Welt d. Geistes in ~s Dichten (in: Sammlung 3) 1948; O. Seidlin, ~. The Exorcism of the Demon (in: Symposium 4) 1950; J.-F. Angelloz, D. Mütterliche u. d. Männliche im Werke ~s, 1951; M. Jehle, The «Garden» in the Works of ~ (in: GQ 24) 1951; S. Debruge, L'oeuvre de ~ et la psychoanalyse (in: EG 7) 1952/53; B. Herzog, ~ u. d. Gestalten s. Introspektion (in: SR 52) 1952/53; H. Mayer, ~ u. d. «feuilletonistische Zeitalter» (in: H. M., Stud. z. dt. Lit.gesch.) 1954; H. Lorenzen, Pädagog. Ideen bei ~, 1955; W. Dürr, ~. V. Wesen d. Musik in d. Dg. 1957; R. Kilchenmann, ~ u. d. Dinge (in: GQ 30) 1957; H.-M. Plesske, ~ u. d. Musik (in: Aufbau 13) 1957; H. Prang, D. Lebensalter in ~s Dg. (in: Vita humana 1) 1958; H. Berger, D. Angst im Werke ~s (in: Germanist. Abh. Innsbruck) 1959; F. Hirschbach, Traum u. Vision bei ~ (in: Monatshefte 51) 1959; J. Mileck, Names and the Creative Process. A Study of Names in ~s «Lauscher», «Demian», «Steppenwolf», and «Glasperlenspiel» (ebd. 53) 1961; A. L. Willson, ~s «Veil of Isis» (in: Monatshefte 55) 1963; P. B. Gontrum, Oracle and Shrine, ~s «Lebensbaum» (in: ebd. 56) 1964; E. Neumann, D. Bedeutung d. spätbürgerl. Philos. u. der Tiefenpsychol. f. ~ bis z. Entstehung d. Erz. Siddhartha (in: WZ Potsdam 9) 1965; R. Koester, The Portrayal of Age in ~s Narrative Prose (in: GR 41) 1966; R. C. Norton, ~s Criticism of Technology (in: GR 43) 1968; J. Mileck, ~ as an Editor (in: Studies in German Lit. of the 19th and 20th Centuries, hg. S. Mews) 1970; E. Beaujon, Le métier d'homme et son image mythique chez ~, Genf 1971; C. I. Schneider, D. Todesproblem bei ~, 1973; V. Ganeshan, D. Indienerlebnis ~s, 1974; A. Hsia, ~ u. China, 1974; H. Winter, Z. Indien-Rezeption bei E. M. Forster u. ~, 1976.

Zu einzelnen Werken: M. Overberg, D. Bedeutung d. Zeit in ~s Demian (Diss. Bonn) 1949; M. Dahrendorf, ~s D. u. C. G. Jung (in:

GRM NF 8) 1958; G. Bergsten, Abraxa: Ett motiv hos ~ och G. Ekelöf (in: Samlaren 85) 1964; E. Neumann, ~s Roman D. (1917). E. Analyse (in: WZ Päd. HS Potsdam 12) 1968; I. Kirk, ~ D. Paradise Lost and Regained (in: FS N. Fuerst) 1973; T. Ziolkowski, The Mythic Jesus (in: T. Z. Fictional Transfigurations of Jesus) Princeton 1972; ders., The Quest of the Grail in ~s D. (in: GR 49) 1974; F. Baron, Who was D.? (in: GQ 49) 1976; R. Faesi, ~s Glasperlenspiel (in: NSR NF 11) 1943/44; A. Carlson, ~s G. in s. Wesensgedanken (in: Trivium 4) 1946; O. Engel, Das G. Darst. u. Deutung (in: O. E. ~, Dg. u. Gedanke) 1947; E. Ruprecht, Wendung z. Geist? Gedanken zu ~s G. (in: E. R. D. Botschaft d. Dichter) 1947; M. Rychner, ~, «Das G.» (in: M. R., Zeitgenöss. Lit.) 1947; C. v. Faber du Faur, Zu ~s «G.» (in: Monatshefte 40) 1948; L. Hänsel, ~ u. d. Flucht in d. Geist, Gedanken z. «G.» (in: Wort u. Wahrheit 3) 1948; O. Seidlin, ~s «G.» (in: GR 23) 1948; E. v. Vietsch, Wahrheit u. Wirklichkeit im «G.» (in: Neues Europa 3) 1948; K. Schilling, ~, D. G. (in: Zs. f. philos. Forsch. 3) 1948/49; W. Kramer, ~s «G.» u. s. Stellung in d. geist. Situation unserer Zeit, 1949; H. D. Cohn, The Symbolic End of ~s «G.» (in: MLQ 11) 1950; M.-L. Blumenthal, D. pädagog. Provinz u. das Schicksal d. Mag. Ludi J. Knecht (in: Sammlung 8) 1953; G. Schneider, ~ u. d. «G. (in: WZ Humboldt-Univ. Berlin 3) 1953/54; S. M. Johnson, The Autobiographies in ~s G. (in: GQ 29) 1956; K. Schmid, Über ~s «G.» (in: K. S., Aufs. u. Reden) 1957; I. D. Halpert, The Alt-Musikmeister and Goethe (in: Monatshefte 52) 1960; K. Negus, On the Death of J. Knecht in ~s «G.» (in: Monatshefte 52) 1961; H. Mayer, ~s G. oder D. Wiederbegegnung (in: H. M., Ansichten) 1962; O. Bollnow, ~s Weg in d. Stille (in: O. B., Unruhe u. Geborgenheit) 1953; G. Schneider, Bemerkung zu ~s Spätwerk (in: NDL 10) 1962; G. W. Field, Goethe and D. G. Reflections on Alterswerke (in: GLL 23) 1969/70; A. Hsia, ~s esoter. G. (in: DVjs 44) 1970; S. C. Bandy, ~ s G. in Search of J. Knecht (in: MLQ 33) 1972; V. Michels, Materialien zu ~s D. G. Bd. 1 Texte v. ~, 1973, Bd. 2 Texte über D. G., 1974; R. C. Norton, ~s Futuristic Idealism. The Glass Bead Game and its Predecessors, 1973; I. Müller, D. Problem d. Elitebildung. Dargest. an ~s G., 1975; E.

FRIEDRICHSMEYER, The Bertram Episode in ～s Glass Bead Game (in: GR 49) 1974; U. CHI, D. Weisheit Chinas und D.G., 1976; W. KOHL-SCHMIDT, Meditationen über ～s G. (in: W.K., Konturen u. Übergänge) 1977; L.A. FURST, A Dead-End. ～s «Haus der Träume» (in: NM 59) 1958; K.J. FICKERT, Symbolism in ～s «Heu-mond» (in: GQ 34) 1961; H.J. LÜTHI, Klingsor in Montagnola (in: FS W. Kohlschmidt) 1969; J. BENGESER, ～, Knulp (in: J.B., Schuld u. Schicksal) 1959; H. STIEHLAN, Vorschläge z. Behandlung v. ～s K. im Unterricht (in: Dt.unterricht in Südafrika 2) 1971; S.E. KARR, ～s Fairy Tales (Diss. Univ. of Washington) 1972; J. PFEIF-FER, ～, D. Morgenlandfahrt. Zw. Erz. u. Meditation (in: J.P., Wege d. Erzählkunst) 1953; W. ZIMMERMANN, ～, M. (in: W.Z., Dt. Prosadg. d. Gegenwart, T. 1) 1956; J.C. MIDDLETON, ～s M. (in: GR 32) 1957; S. WRASE, Erläuterungen zu ～s «M.» (Diss. Tüb.) 1959; K.O. CREN-SHAW, R. LAWSON, Technique and Function of Time in ～s M. (in: Mosaic 5) 1971/72; J. DER-RENBERGER, Who is Leo? Astrology in ～s D.M. (in: Monatshefte 67) 1975; V.A. RUDEBUSCH, A Thematic Analysis of ～s Narciß u. Goldmund (Diss. Univ. of Cincinnati) 1973; R. NEUSWAN-GER, Names as Glass Beads in ～s N. u. G. (in: Monatshefte 67) 1975; G. DEDEKIND, Kunst und Dämonie in ～s Roßhalde (in: AG 7) 1972; J. STRELKA, ～s R. psychoanalyt. gesehen (ebd. 9) 1974; J. KUNZE, Lebensgestaltung u. Weltanschauung in ～s «Siddhartha», 1946; J. MALTHA-NER, ～: S. (in: GQ 25) 1952; R. PANNWITZ, ～s west-östl. Dg., 1957; L.R. SHAW, Time and the Structure of ～s S. (in: Symposium 11) 1957; B. MISRA, An Analysis of Indic Tradition in ～s S. (in: Indian Lit. 11) 1968; E. TIMPE, ～s S. and the Bhagavad Gita (in: CL 22) 1970; C. BUTLER, ～s S.: Some Critical Objections (in: Monatshefte 63) 1971; G. v. MOLNAR, The Ideological Framework of ～s S. (in: Unterrichtspraxis 4) 1971; R. PASLICK, Dialectic and Non-Attachment: The Structure of ～s S. (in: Symposium 27) 1973; V. MICHELS (hg.), ～ u. d. Ferne Osten, 1973; DERS. (hg.) Materialien zu ～s S. Bd. 1 Texte von ～, 1975, Bd. 2 Texte über S., 1976; M. BROWN, Toward a Perspective for the Indian Element in ～s S. (in: GQ 49) 1976; R.B. MATZIG, Der Dichter u. die Zeitstimmung. Betrachtungen zu ～s Steppenwolf, 1944; S. FLAX-MAN, Der S. ～s. Portrait of the Intellectual (in:

MLQ 15) 1954; D. COHN, Narration of Consciousness in D.S. (in: GR 44) 1969; L. VÖLKER, D. Gestalt d. Hermine in ～s S. (in: EG 25) 1970; M. LANGE, «Daseinsproblematik» in ～s S. Brisbane 1970; E. WEBB, Hermine and the Problem of Harry's Failure in ～s S. (in: Modern Fiction Studies 17) 1971; D. ARTISS, Key Symbols in ～s S. (in: Seminar 7) 1971; V. MICHELS (hg.), Materialien zu ～s D.S., 1972; L. DHORITY, Who Wrote the Tractat vom S.? (in: GLL 27) 1973/1974; L.W. TUSKER, The Question of Perspective in ～s S. (in: FS G. Loose) 1974; L. DHO-RITY, Toward a Revaluation of Structure and Style in ～s S. (ebd.); R. FREEDMAN, «Person» and «Persona». The Magic Mirrors of S. (in: ～. A Collection of Critical Essays, hg. T. ZIOLKOW-SKI) 1973; H. MAYER, ～. S. (in: D. dt. Rom. d. 20. Jh. 1, hg. M. BRAUNECK) 1976.

Wirkung: K.W. JONAS, ～ in Germany, Switzerland, and America (in: AION(T) 12) 1969; T. ZIOLKOWSKI, Saint ～ among the Hippies (in: American-German Rev. 35) 1969; E. SCHWARZ, ～, d. amerikan. Jugendbewegung u. Probleme der lit. Wertung (in: Basis 1) 1970; H.J. BERN-HARD, ～-Pflege u. ～-Kult (in: NDL 21) 1973; G. MAHR, Demontage e. Bildes oder Ein lit.krit. Dilemma. 3 Kapitel z. ～-Rezeption d. Ggw. (in: Akzente 23) 1976; H. FUII, D. Rezeption v. ～ in Japan (in: Rezeption d. dt. Gegenwartslit. im Ausland, hg. D. PAPENFUSS, J. SÖRING) 1976.   PG

Hesse, Johann Ludwig, * 20.7.1743 Dölstedt/Schwarzburg, † 21.8.1810; Dir. d. Gymnasiums in Rudolstadt, Konsistorialrat ebd.; Biograph u. Lyriker.

Schriften (Ausw.): Das wüste Schloß (in drei Gesängen) 1769; Lichtstedt, das Ketelholdtische Tuskulum besungen, 1773; De libris rarioribus bibliothecae aulicae inferioris, quae Rudolstadii est, 1782–84; Über den Charakter Kaiser Günthers, Graf von Schwarzburg, 1784; 1790; Lebensbeschreibung des Fürsten Ludwig Günther zu Schwarzburg-Rudolstadt, 1790; Lebensgeschichte des Fürsten Friedrich Karl zu Schwarzburg-Rudolstadt, 1793; Die befreite Burg. Ballade. Nebst einigen Liedern, 1793; Neu verbesserter Schwarzburg-Rudolstädter Landeskatechismus, 1798; Neues Rudolstädter Gesangbuch (hg.) 1801; Verzeichniß gebohrner Schwarburger, die sich als Gelehrte oder als Künstler durch Schriften bekannt machten. (fortgesetzt v. s. Sohn L.F.

H.) 1805f.; Lebensbeschreibung des Ludwig Friedrich den Zweiten von Schwarzburg-Rudolstadt, 1807.

Literatur: Meusel-Hamberger 3, 286; Goedeke 7, 258.   IB

Hesse, Kurt, * 6.12.1894 Kiel, † 19.1.1976 Bad Homburg v. d. H.; Dr. phil., Wirtschaftswissenschaftler, Oberst, Kriegshistoriker, lebte in Potsdam, seit 1934 Doz. an der Univ. Berlin, 1954 Vorsitzender d. Akad. f. Welthandel in Frankfurt/Main, seit 1957 Lehrbeauftr. an der Univ. Marburg (Wirtschaftswiss., bes. Entwicklungsländer), seit 1963 Honorarprof.; lebte in Bad Homburg.

Schriften (Ausw.): Das Marnedrama des 15. Juli 1918. Wahrheiten aus der Front, 1919; Der Feldherr Psychologus. Ein Suchen nach dem Führer der deutschen Zukunft, 1922; An den Straßenecken der Welt (Reisebuch) 1925; Der Reichswehrsoldat (Erz.) 1927; Der Patrouillengänger und andere Erlebnisse aus dem Großen Kriege, 1930; Die soldatische Tradition. Zeugnisse deutschen Soldatentums aus fünf Jahrhunderten, 1936; Mein Hauptmann. Bildnis eines Soldaten, 1938; Der Geist von Potsdam, 1967; Das System der Entwicklungshilfen, 1969. AS

Hesse, Maria Luise (vereh. Risch), * 11.3.1882 Marburg, beschäftigt sich mit d. bayer. u. pfälz. Gesch., Dramatikerin.

Schriften: Der Reichstag von Speyer 1529. Volksschauspiel, ein Baustein zur Gedächtniskirche der Protestation, 1900.   IB

Hesse, Max René, * 17.7.1885 Wittlich/Mosel, † 15.12.1952 Buenos Aires, Argentinien; Sohn d. preuß. Oberkontrolleurs in Wittlich; Studium: Medizin, Geisteswiss., Jura. Aufenthalt in Köln u. Berlin. 1910–27 Arzt in Argentinien, dann freier Schriftst. in Dtl., Wien u. Madrid. 1944 kehrte er nach Argentinien zurück. Schriftsteller.

Schriften: Partenau (Rom.) 1929; Morath schlägt sich durch (Rom.) 1933; Morath verwirklicht einen Traum (Rom.) 1933; Der unzulängliche Idealist (Rom.) 1935; Dietrich und der Herr der Welt (Rom.) 1937; Jugend ohne Stern (Rom.) 1943; Dietrich Kattenburg. 3 Bde. (Rom.) 1949–50; Liebe und Lüge (Rom.) 1950.

Literatur: NDB 9, 20; HdG 1, 302; Albrecht-Dahlke II, 2, 314. – R. G. BINDING, Begegnung u.

Blickwechsel mit ∼ (in: NR 44) 1933; H. D. KENTER, ∼ (in: D. Lit. 36) 1933–34; W. HEYNEN, ∼ (in: Preuß. Jb. 235) 1934; F. COURTET, ∼, témoin de la Reichswehr (in: Allemagne d'aujourd'hui 1) 1952; F. THIESS, ∼ (in: Neue lit. Welt 3) 1952.   UF

Hesse, Meister → Meister Hesse.

Hesse, Otto Ernst (Ps. Michael Gesell), * 20.1. 1891 Jeßnitz/Anhalt, † 16.5.1946 Berlin, Studium d. Philos., Gesch., Lit. u. Rhetorik Freiburg/Br., München u. Leipzig, 1915 Dozent für Vortrags- u. Redekunst an d. Univ. Königsberg, 1917 Feuilletonred. «Königsberger Allg. Ztg.», 1925 Feuilletonred. «Vossische Ztg.» Berlin, 1932 Feuilletonchef u. Theaterkritiker der «B. Z. am Mittag» ebd., seit 1941 in Berlin als freier Schriftst. tätig. Dramatiker, bes. Komödienautor, Erzähler, Lyriker.

Schriften: Mörderin und Mutter Zeit (Ged.) 1915; Zweisamkeit (Ged.) 1918; Elegien der Gelassenheit (Ged.) 1920; Kämpfe mit Gott. Biblische Köpfe. Sonette zu Holzschnitten von K. Elert, 1920; Das Privileg (Kom.) 1921; B. G. B. § 1312 (Kom.) 1923; (Hg.) Das Ruhrrevier in der deutschen Dichtung, 1923; Symphonie des Greisenalters (Kant-Novellen) 1928; Hans Friedrich Blunck, 1929; Hans Carossa. Ein Bekenntnis, 1929; (mit M. Alsberg) Voruntersuchung (Schausp.) 1930; Isolde Kurz. Dank an eine Frau, 1931; Die schöne Jugend und die späte Zeit (Nov.) 1942; Regina spielt Fagott (Nov.) 1942; Die Panne (Erz.) 1943.   UF

Hesse, Wohlgemuth → Mohr, Ludwig.

Hesse-Wartegg, Ernst von, * 21.2.1851 Wien, † 19.5.1918 Triebschen b. Luzern; Geheimer Hofrat u. Generalkonsul, unternahm zahlreiche Fahrten in alle Länder d. Erde. Volkstüml. Verf. v. Reiseberichten (vielfach f. d. «Köln. Volksztg.») auch in engl. Sprache.

Schriften (Ausw.): Prärie-Fahrten. Reise-Skizzen aus dem nordamerikanischen Prairien, 1878; Atlantische Seebäder (Skizzen) 1879; Nordamerika. Seine Städte und Naturwunder, sein Land und seine Leute (gem. m. anderen) 4 Bde., 1879; Mississippi-Fahrten. Reisebilder aus dem amerikanischen Süden (1879–80) 1881; Tunis. Land und Leute, 1882; Kanada und Neu-Fundland. Nach eigenen Reisen und Beobachtungen, 1888;

Mexiko, Land und Leute. Reisen auf neuen We-
gen durch das Aztekenland, 1890; Tausendundein
Tag im Occident. Kulturbilder, Reisen und Er-
lebnisse im nordamerikanischen Kontinent, 2
Bde., 1891; Andalusien. Eine Winterreise durch
Spanien und ein Ausflug nach Tanger, 1894; Ko-
rea. Eine Sommerreise nach dem Land der Mor-
genruhe, 1894; China und Japan. Erlebnisse,
Studien, Beobachtungen auf einer Reise um die
Welt, 1897; Siam, das Reich des weißen Elefan-
ten, 1899; Indien und seine Fürstenhöfe, 1906;
Mazedonien, Serbien und Montenegro, 1909; Die
Wunder der Welt. Hervorragende Naturschöp-
fungen und staunenswerte Menschenwerke aller
Zeiten und Länder in Wort und Bild. Zum größ-
ten Teil nach eigener Anschauung geschildert, 2
Bde., 1912–13; Die Balkanstaaten und ihre Völ-
ker, 1917.

Literatur: ÖBL 2,305.   IB

Hessel, Franz, * 21.11.1880 Stettin, † 6.1.1941
Sanary-sur-mer; Kaufmannssohn, studierte in
Freiburg/Br., Berlin, München u. Paris. Teilnahme am 1. Weltkrieg, emigrierte 1938 nach
Paris (zeitweise interniert) keine Veröffentlichungen im Exil. Übers. (Stendhal, Balzac) Erz.
u. Lyriker.

Schriften: Verlorene Gespielen (Ged.) 1905;
Laura Wunderl. Münchner Novellen, 1908; Der
Kramladen des Glücks (Rom.) 1913; Pariser Romanze. Papiere eines Verschollenen, 1920; Von
den Irrtümern der Liebenden – Eine Nachtwache,
1922; Sieben Dialoge (Dg.) 1924; Die Witwe
von Ephesos (dramat. Ged.) 1925; Teigwaren,
leicht gefärbt (Erz.) 1926; Heimliches Berlin
(Rom.) 1927; Spazieren in Berlin, 1929; Nach-
feier (Nov.) 1929; Marlene Dietrich, 1931;
Zwei Berliner Skizzen. Für den Fontane-Abend
zum 14.11.1933, 1933; Ermunterungen zum
Genuß (Nov.) 1933.

Literatur: W. BENJAMIN, Die Wiederkehr des
Flaneurs (in: W. B. Ges. Schr. 3) 1972.   IB

Hessel, Karl, * 25.8.1844 Kreuznach, † 30.5.
1920 Koblenz; Dr. phil., Dir. d. Hildaschule.
Dramatiker u. Verf. heimatkundl. Schriften.

Schriften: Die ältesten Mosellieder. Die Mo-
sella des Ausonius und die Moselgedichte des
Fortunatus. Deutsch in den Versmaßen der Um-
schrift, 1884; Deutsches Lesebuch, 1886;
Schneeglöckchen, 1887; Kreuznach ist Trumpf.

Lokal-Schwank. Mit einer Abhandlung über
Kreuznacher Art und Mundart und ein Wörter-
buch, 1888; Die Nordsee. Heinrich Heine als
Dichter des Meeres, 1893; Rheinlieder, 1894;
Sagen und Geschichten des Nahetales, 1894; Sa-
gen und Geschichten des Moseltales, 1896; Sagen
und Geschichten des Rheintals von Mainz bis
Köln, 1904; Ernst und Spiel (Dg.) 1907; Von
Mainz bis Köln auf Rheines Wellen, 1907; Zur
Geschichte Kreuznach, 1908; Altdeutsch. Von
Ulfila bis Leibnitz, 1910.   IB

Hessel, Peter (Petrus Hesselius), * 15.12.1639
Hamburg, † 26.12.1677 ebd.; 1662–64 Theol.-
Studium in Gießen, Magister, Kandidat d. Pre-
digtamtes u. seit 1671 Prediger, Kranken- u.
Armenpfleger in Hamburg. Mitgl. d. «Lilien-
zunft» d. Dichtergesellsch. Philipp v. Zesens
(«Der Fließende»).

Schriften (Ausw.): Herzfließende Betrachtungen
vom Elbestrom, 1. Tl., 1675 (m.n.e.);
Sancta Amatoria, 1676.

Literatur: ADB 12,308; Jöcher 2,1573.   RM

Hesselbacher, Karl, * 19.5.1871 Mückenloch
b. Heidelberg, † 11.1.1943 Baden-Baden; Pfarrerssohn, Enkel v. K.F. Ledderhose (Biograph),
studierte in Halle u. Heidelberg, Vikar in Hei-
delsheim, Schwetzingen u. Karlsruhe, hierauf
Pfarrer in versch. Orten, zuletzt in Baden-Baden.
Folklorist u. volkstüml. Erzähler.

Schriften: Aus der Dorfkirche. Zehn Predigten,
1905–13; Glockenschläge aus meiner Dorfkirche. Religiöse Betrachungen aus dem Bauernleben (ges. u. hg.) 1906; Seelsorge aus dem Dorf,
1909; Silhouetten neuerer badischer Dichter,
1910; Mit güldener Waffe. Eine Dorfgeschichte,
1911; Unsere Dorfheimat – unser Stolz (3 Vorträge) 1912; Vom Vaterland der Treue. Schlichte
Lebensbilder, 1912; Mutter und Kind, 1914;
Sieger über die Not, 1915; Pfingstgruß an unsere
Feldgrauen, 1915; Heiliges Brausen. Geschichten
und Skizzen. (gem. m. anderen) 1915; Im Flam-
menglanz der großen Zeit. Erlebnisse von Kriegs-
teilnehmern (hg.) 4 Bde., 1915–17; Die Kirch-
nerin (Erz.) 1917; Daheimgeblieben. Aufzeichnungen aus dem Tagebuch des Pfarrers H. Lorenz
aus Eichberg, 1917; Treu auf dem Posten (Erz.)
1918; Das Marienkind und andere Erzählungen,
1919; Vorübergegangen, 1919; An den Brünn-
lein der Gottesstadt, 1919; Wege zur Freude
(Skizzen) 1919; Ohne Religionsunterricht. Eine

kleine Geschichte, 1920; Am unsichtbaren Gold-
faden, (Erz.) 1922; Die Frau – das Herz des Hauses, 1922; Stärker als der Tod. Schlichte Lebensbilder, 1922; Ein Taufbüchlein. Aphorismen
über Kindererziehung, 1924; Was erwarten die
heranwachsenden Kinder von ihrer Mutter?,
1925; Glückskinder. Gedanken und Gestalten
aus meiner Arbeit, 1925; Das Russen-Räpple und
andere Tiergeschichten, 1925–27; Herr auf dein
Geheiß. Ein Jahrgang Predigten, 1926; Wir Eltern, 1926; Der Heinerle und andere Erzählungen, 1926; Der Stadtschreiber von Straßburg und
andere Erzählungen aus vergangenen Tagen, 1927
bis 1930; Der Blick aus der Höhe. Worte für den
Gang durch den Alltag, 1928; Ein Goldjunge (u.
a. Gesch.) 1929; Immer nach Hause (Skizzen)
1929; Aus der Heimat kommt der Schein, 1929;
Lebensfahrten. Ein Büchlein für Werdende, 1929;
Mutterfreude, Mutterpflicht, 1929; In deinem
Lichte sehen wir das Licht. Reden bei Taufen,
Trauungen, Beerdigungen, 1930; Das Buch. Segen und Fluch für Volk und Haus. Ein Vortrag,
1930; Weihnachtsfreude, 1931; An Gottes
Hand – in Gottes Land. Wegweiser zur Freude,
1931; Der silberne Anhänger (u. a. Gesch.)
1931; Geschichten vom Großvater Ledderhose,
1932; Der Steinadler. Eine merkwürdige Geschichte, 1932; Der Lieblingsspruch und andere
Geschichten aus vergangenen Tagen, 1932; Protestantismus und Kirche, 1932; Übers Weltmeer
hinaus, 1932; Der Becher der Hugenottin. Weihnachtsgeschichte aus alten Tagen, 1932; Die
Birke und anderer Geschichten, 1933; Ein Weihnachtsabend bei L. Richter, 1933; Die Bibel des
Salzburgers. Weihnachtserzählung, 1933; M.
Luther, der Held Gottes. (Biogr.) 1933; Der alte
Erkeling, 1933; Vom Hausbrot des Lebens,
1933; Der Heiner von Mettenhausen, 1933;
Deutschlands Dank an seine gefallenen Reserve-
offiziere. Zeitgeschichtliches Dokument aus den
Jahren 1920–32 in persönlichen Briefen und
Schilderungen ihrer Witwen. (mit e. Geleitwort
v. K.-H. u. e. Nachwort v. H. Grimm) 1933;
Der fünfte Evangelist. Das Leben von J. S. Bach
dem Volk erzählt, 1934; Ein Held, 1934; Lu-
thers Käthe. Leben der Katharina von Bora un-
serem Volk erzählt, 1934; Das Weihnachtslied
des Waisenkindes (Erz.) 1934; Mit dem weißen
Segel, 1934; Herr, ich warte auf dein Heil, 1935;
Haltet stand! (u. a. Gesch.) 1935; Das Kreuz in
Rosen. Eine Weihnachtsgeschichte aus dem

dreißigjährigem Kriege, 1935; Der Schnorr-
giggel und das Paulale. (Erz.) 1935; Euch ist ein
Kindlein heut geboren! Die Weihnachtsgeschichte nacherzählt, 1935; Haltet fest, gib her!
Wegweiser für junge Christen, 1935; In der
Sonntagsstille, 1936; P. Gerhardt, der Sänger
fröhlichen Glaubens, 1936; Unter Adventsstern
und Weihnachtsbaum, 1936; Die Fußspuren des
lebendigen Gottes, 1936; Der Schutzengel.
(Erz.) 1936; Wandergenossen. (Erz.) 1936;
Friedensmenschen. (Erz.) 1936; Die hölzernen
Leuchter der Recklingsberg. (Weihnachtserz.)
1936; Er kommt, er kommt! Geht ihm entgegen! Ein Advents- und Weihnachtsbüchlein,
1937; Freut euch, ihr lieben Christen. (Erz.)
1937; Wir Eltern und unserer Kinder, 1938;
Empor die Herzen. Betrachtungen, 1938; Der
neue Lebenstag der Maria Lachenmann. Weihnachtsgeschichte aus Kaiserswerth, 1938; Um
die Meisterschaft. Vom Kämpfen und Ringen
um das höchste Ziel, 1938; Der Ruf des Meisters, 1938; Der Flüchtling. Eine Weihnachtsgeschichte aus dem Hause Luthers, 1939; Gott,
laß uns dein Heil schauen. Leben und Schaffen
des Wandsbeker Boten, M. Claudius, 1940; Der
Bubenmüller, 1940; O. Funcke, ein fröhlicher
Wanderer, 1940; Die Helferin im Gängeviertel.
Eine Weihnachtsgeschichte, 1940; Wie Doktor
Grunelius den Frieden fand, 1940.
Aus seinem Nachlaß: Licht aus der Heimat, 1944;
Der Wandsbeker Bote. Leben und Schaffen von
M. Claudius, 1948; An der Lebensquelle. Be-
trachtungen, 1951; Der Friedebringer, (u. a.
weihnachtl. Gesch.) 1952; In der Höhle der
Camisarden, 1953; Der Kurrendsänger von
St. Nikolai. Eine Weihnachtserzählung aus dem
Leben P. Gerhardts, 1957; Der Ankunft des
Andreas Bodenstein. Weihnachtserzählung aus
den Tagen Luthers, 1960.

Nachlaß: Landesbibl. Karlsruhe. – Denecke
2. Aufl.

Literatur: H. H. GAEDE, Kreuz und Lorbeer.
(FS ∼) 1931; D. Theologen u. Dichter ∼ z. Gedenken. (in: Dt. Pfarrbl. 51) 1951.   IB

Hessemer, Friedrich Maximilian, * 24. 2. 1800
Darmstadt, † 1. 12. 1860 Frankfurt/Main; zu-
nächst Soldat, studierte später Naturwiss. u.
Philos. in Gießen, Auslandsaufenthalte, Prof.
am Städelschen Institut in Frankfurt, trat f. d.
Dt. Katholizismus ein, Freimaurer. Epiker.

Schriften: Turnlieder, 1816; Arabische und Alt-Italienische Bauverzierungen, 1836–39; Deutsch-christliche Sonette, 1945; Jussuf und Nasisse. Gedicht, 1847; Lieder der unbekannten Gemeinde, 1854; Neckische Tanzgespräche. Ein Poetisches Frag- und Antwortspiel, 1858; Ring und Pfeil. Ein Gedicht in zehn Gesängen, 1859.

Nachlaß: Landes- u. Hochschulbibl. Darmstadt; Stadt- u. Univ.bibl. Frankfurt/M. – Denecke 2. Aufl.

Literatur: ADB 50, 281. – A. v. GROLMAN, ~ (in: Frankfurter Lbb. 1) 1920.   IB

Hessen → Heinrich von Hessen.

Hessen, Johannes, * 14.9.1889 Lobberich am Niederrhein, † 28.8.1971 Bad Honnef; studierte in Münster (Dr. theol.) u. Würzburg (Dr. phil.), habilitierte sich in Köln, 1927 Prof. f. Philos., während d. nationalsozialist. Regimes keine Tätigkeit, seit 1945 wieder eingesetzt.

Schriften (Ausw.): Die Religionsphilosophie des Neukantismus, 1918; Der augustinische Gottesbeweis, historisch und systematisch dargestellt, 1920; Patristische und scholastische Philosophie, 1922; Die philosophischen Strömungen in der Gegenwart, 1923; Gotteskindschaft, 1924; Die Weltanschauung des Thomas von Aquin, 1926; Erkenntnistheorie, 1926; Der Sinn des Lebens, 1933; Von der vollkommenen Freude. Zwei Franziskuslegenden, 1934; Der deutsche Genius und sein Ringen um Gott, 1936; Briefe an Suchende, Irrende, Leidende, 1936; Wertphilosophie, 1937; Die Geistesströmungen der Gegenwart, 1937; Platonismus und Prophetismus, 1939; Das Herrngebet. Ausgelegt in Gebeten, 1940; Gott im Zeitgeschehen, 1946; Der geistige Wiederaufbau Deutschlands, 1946; Max Scheler. Eine kritische Einführung in seine Philosophie, 1948; Religionsphilosophie, 2 Bde., 1931–1948; Existenz-Philosophie, 1948; Lehrbuch der Philosophie, 3 Bde., 1948–50; Die Philosophie des zwanzigsten Jahrhundert, 1951; Ethik. Grundzüge einer personalistischen Wertethik, 1954; Thomas von Aquin und wir, 1955; Geistige Kämpfe der Zeit im Spiegel eines Lebens (mit Bibliogr.) 1959; Der Absolutheitsanspruch des Christentums. Eine religionsphilosophische Untersuchung, 1963.

Literatur: D. Rolle d. Werte im Leben. FS f. ~ zu s. 80. Geb.tag, 1969.   IB

Heßhaimer, Ludwig, * 10.3.1872 Kronstadt/ Siebenbürgen, † 10.1.1956 Rio de Janeiro; k. u. k. Offizier, Radierer u. Maler, lebte in Wien. Erz. u. Lyriker.

Schriften: Heil und Sieg (1914–15) 1915; Der Weltkrieg. Ein Totentanz. Eine Dichtung in Radierungen, 1921; Der nackte Fuß, und andere Künstlergeschichten, 1928.

Literatur: C. FLECHTENMACHER, ~. E. südostdt. Künstlerschicksal. (in: Südostdt. Vierteljahresbl. 15) 1966.   IB

Hesshus(en) (Heshusen, Hes(s)husius), Tilemann, * 3.11.1527 Niederwesel/Cleve, † 25.9. 1588 Helmstedt; 1550 Magister in Wittenberg, 1556 Prof. u. Pastor in Rostock, 1560–62 Superintendent in Magdeburg, 1565 Hofprediger u. Visitator in Neuburg/Donau; 1569 Prof. in Jena, 1571 Bischof in Samland, 1577 Prof. primarius in Helmstedt.

Schriften (Ausw.): Von Amt und Gewalt der Pfarrherren, 1561 (Neuausg., hg. F. A. SCHÜTZ, 1854); De servo hominis arbitrio, 1562; Hauptartikel christlicher Lehre, 1584; 600 Irthumb und Gotteslästerung, 1588; Postilla ..., 1878 (Neuausg. 1901).

Literatur: ADB 12, 314; NDB 9, 24; RE 8, 8; LThK 5, 307; RGG ³3, 298; Schottenloher 1, 343. – K. v. HELMOLT, ~ u.s. 7 Exilia, 1859; G. HERTEL, Z. Gesch. d. Heshusian. Bewegung in Magdeburg (in: Gesch.bl. f. Stadt u. Land Magdeburg 34) 1899; G. FROTSCHER, ~, e. Leben im Dienste d. Lehre Luthers ..., 1938; P. F. BARTON, ~ u.d. öst. Protestantismus – e. Modellfall (in: Jb. d. Gesellsch. f. d. Gesch. d. Protestantismus in Öst. 82) 1966; DERS., Um Luthers Erbe, 1972.   RM

Hessisches Bruchstück → Fritzlarer Passionsspiel.

Hessisches Weihnachtsspiel, 870 Verse, d. überl. Text stammt aus einer einzigen Hand aus d. 2. Hälfte d. 15. Jh. u. ist nach e. älteren Vorlage kopiert. Wahrsch. entst. d. «H. W.» um 1450 im Franziskanerkloster z. Friedberg, es zeigt Beziehungen z. Friedberger Prozessions- u. d. Alsfelder Passionssp., sowie z. Sterzinger od. Eisackthaler Weihnachtssp. Verbindungen mit d. Bozener Barfüßern sind wahrsch. – D. Bühnenanweisungen sind lat., d. Text ist dt., an-

stelle d. lat. Hymnen, Antiphonen u. Responso-
rien treten dt. Strophen, breit ausgeführt ist d.
«Kindelwiegen»-Sz., stark ausgebaut sind auch d.
Teufelsszenen.

Ausgaben: K.W. PIDERIT, Ein Weihnachtsspiel, 1869; R. FRONING, Das Drama des Mittelalters 3, 1891; Ein hessisches Weihnachtsspiel aus dem 15.Jh., 1922.

Übertragungen: A. PÖLLMANN in: Gottesminne
2 u. 3, 1904/05; K. AMELN in: Münchner
Laienspiele 26, 1926 [mit Musikbeilage].

Literatur: VL 4, 871; de Boor-Newald 4/1,
259. – R. JORDAN, D. ~ u. d. Sterzinger Weihnachtssp. v. Jahr 1511 (Progr. Krumau) 1902/03;
E. REINHOLD, Über Sprache u. Heimat d. ~
(Diss. Marburg) 1911; H. HECKEL, D. dt. Weihnachtssp., Dichter u. Bühne, 1922; H. MAL-
BERG, Wechselbeziehungen zw. Weihnachtssp.
u. Weihnachtsbild im MA (Diss. Jena) 1922; G.
BENKER, D. dt. Weihnachtssp. (Diss. Greifswald) 1933; U. MÜLLER, Bemerkungen zu e.
Tonbandaufnahme d. ~ (in: Tiroler Volkssp. ...,
hg. E. KÜHEBACHER) 1976.   RM

Hessius, Johannes (Johann Hess, Hesse), * 23.
9. 1490 Nürnberg, † 5. 1. 1547 Breslau; Studium
in Leipzig u. Wittenberg, 1513 Sekretär d. Bischofs v. Breslau in Neiße, 1519 Dr. theol. (Bologna), 1520 Priesterweihe, seit 1523 Pfarrer d.
Magdalenenkirche in Breslau. Luther. Reformator Breslaus. – Verf. d. Schr. «Silesia Magna»
(gesch. Sammelwerk über Schles., nicht erhalten)
sowie zahlr. Briefe (Bestand verstreut, nicht ed.).
Viell. verf. H. auch d. Kirchenlieder «O Mensch,
bedenk zu dieser Frist» (1540 in Zwicks Gesangbuch gedr.) u. «O Welt, ich muß dich lassen»
(gedr. zuerst im Nürnberger Gesangbuch v.
1569).

Literatur: ADB 12, 283; NDB 9, 7; Jöcher 2,
283; RE 7, 787; LThK 5, 304; RGG ³3, 288;
Goedeke 2, 236. – J. KÖSTLIN, ~ (in: Zs. d.
Ver. f. Gesch. u. Alt. Schles. 6) 1864; P. LEH-
MANN, D. Reformator ~ als humanist. gerichteter Büchersammler (in: Mediaev. et Humanist. 5) 1948; DERS., Aus d. Bibl. d. Reformators ~ (in: FS G. Leyh) 1950; W. LAUG, ~ u.
d. Disputation in Breslau v. 1524 (in: Jb. f.
schles. Kirche u. Kirchengesch., NF 37) 1958;
G. KRETSCHMAR, D. Reformation in Breslau 1,
1960; J. PFLUG, Correspondance 1 (hg. J.V.
POLLET) 1969.   RM

Heßlein, Bernhard (Ps. Bernhard Heß), * 30.
5.1818 Hamburg, † Frühling 1882 Friedrichshagen b. Berlin; n. Rechtsstudium Schriftst.,
meist in Berlin. Red. d. Berliner «Gasthaus» u.
d. «Vaterland», Gründer d. «Dt. Gasthauszei-
tung».

Schriften: St. Domingo. Historisch-romantisches Gemälde aus den Zeiten der Neger-Revo-
lution, 1837; De Braha und sein Schwert. Historischer Roman ..., 2 Tle., 1841 f.; König und
Narr (Rom) 1846; Berlin's berühmte und berüchtigte Häuser (mit C. Rogan) 12 H., 1847 f.
(fortgesetzt v. C. Rogan; 2., umgearb. Aufl.,
15 H., 1857); Der neue deutsche Kaiser mit dem
alten Zopf, 1848; Freiheits-Catechismus für das
... Deutsche Volk, 1848 (2., verb. Aufl. 1863);
Der Schatten Napoleons, 1848; Hamburgs berühmte und berüchtigte Häuser, 2 Bde., 1849 f.;
Die Revolutionade (Ged.) 1851; Deutschland's
und Preußen's Volks- und Fürstenspiegel ...,
1852; Lustige Illustrirte Berliner Chronick ...,
1852 f.; Chronik berühmter Gebäude, Schlösser
und Ruinen ... Romantische Geschichten der
Vorzeit, 1853; Der Kurfürst und der Gauner
(Nov.) 2 Tle., 1853; Ein Schreckensjahr in Prag
(Nov.) 1853; Preußens Tausend und Eine Nacht
(Erz.) o. J.; Berliner Pickwickier ..., 3 Bde.,
1854; Kaiser Nikolaus I. ..., 1855; Der Teufel
des Goldes ..., 2 Tle., 1856; Unter dem Schleier
der Nacht. Sittenbild aus Berlins Gegenwart,
4 Bde., 1857; Des Teufels Großmutter oder
Berlin Oben und Unten. Sittenbild aus der Ge-
genwart, 2 Bde., 1858; Berlins kleine Tyrannen.
Ein Volksgemälde aus der Gegenwart, 1859;
Berlin um Mitternacht ..., 1860; Wucherer und
Halsabschneider ..., 1861; Englands Freiheit und
Verfassung, ein Vorbild für alle Völker, 1863;
Polens Untergang und Teilung ..., 1863; Von
Gottes Gnaden (Rom.) 2 Bde., 1863; Volks-
wirtschaftlicher Arbeiter-Catechismus, 1865;
Jefferson Davis. Social-politischer Roman aus
dem amerikanischen Bürgerkriege, 3 Bde.,
1866 f.; Gesammelte Werke, 9 Bde., 1867; Die
gnädige Frau (Rom.) 5 Bde., 1867; Das Gold-
macherhaus (Nov.) 1867; Das Haus Jerusalem
(Nov.) 1867; Der Todtengräber. Der Rothkopf
(Nov.) 1867; Der rote Husar oder Das Gespenst von St. Helena ..., 1870; Anno 78 ...,
2 Bde., 1871; Der Seelenverkäufer ..., 24 H.,
1871–73; Fünf Milliarden. Socialpolitischer Roman aus Berlins Gegenwart, 2 Bde., 1875; Jü-

dische Geschichten, 1876 (2., verm. Aufl.
1879); Nona. Höhen und Tiefen aus dem Leben
der Weltstädte, 1880.   RM

Heßler, Friedrich Alexander, * 16.7.1833 Torgau, † 9.2.1900 Straßburg; 1872 Dir. d. Dt.-
Franz. Theaters in d. Reichslanden, später an
anderen Bühnen, zuletzt Dir. d. Stadttheaters
Straßburg. Lyriker u. Dramatiker.

Schriften: Die beiden Mütter oder Schuld und
Sühne (Dr.) 1866; Annunziata. Ein Gedicht,
1867; In Feindes Land. (Schausp.) 1874; Verliebt, verlobt, verloren (Dr.) 1874.

Literatur: Biogr.-Jb. 5,176.   IB

Hessler, Herbert, * 15.12.1904 Wien, † 12.
11.1976 Mödling b. Wien; war Mittelschullehrer, lebte in Mödling. Erzähler.

Schriften: Wie soll man einen Klassiker lesen?
Philologische Satire, 1932; Der Witz mit Zeit-
zündung und andere Erzählungen, 1964; «Ich
muß den Herrn Direktor grüßen» und andere
Erzählungen, 1969; Der Teufel, der Quer-
schüsse feuert, und andere Erzählungen, 1971.   AS

Hessling, Max (August Quirinus) von * 9.10.
1820 Lauchstädt b. Merseburg, † 11.1.1867
Wesel; Regisseur u. Schauspieler, Dir. kleinerer
Theater.

Schriften: Eine Posse per Dampf oder Narren-
streiche am Himmel und auf der Erde, 1859.   RM

Hesso, † n. 1119; 1105 u. 1116–19 bezeugter
Straßburger Scholaster, stand im Investiturstreit
zunächst auf kaiserl. Seite, erbat aber nach d.
Konzil v. Reims (1119) d. Absolution. – H.
schrieb aus unmittelbarer Teilnahme heraus u.
gestützt auf Urkunden u. Akten e. Prosabericht
über d. Konzil u. d. Verhandlungen zw. Unter-
händlern Heinrichs V. u. Calixtus' in Mouzon,
Straßburg u. Reims (später aufgenommen in d.
«Cod. Udalrici»).

Ausgaben: Qualiter nuper inter regnum et
domnum papam causa coeperit ac processerit,
breviter descriptum (in: MG SS 12; hg. WAT-
TENBACH in: MG lib. de lite 3; hg. P. JAFFÉ
in: Bibl. rerum Germanicarum 5, 1869; E.
BERNHEIM, Quellen z. Gesch. d. Investitur-
streits 2, 1907). – Über e. neu aufgefundene Ad-
monter Hs. aus d. 2. Hälfte d. 12. Jh. vgl. F.
MARTIN in: Neues Arch. d. Gesellsch. f. ältere
dt. Gesch.kunde 41, 1919.

Literatur: Manitius 3,56; ADB 12, 316; NDB
9,25. – A. FAUSER, D. Publizisten d. Investitur-
streits, Persönlichkeiten u. Ideen (Diss. München) 1935; J. HALLER, D. Verhandlungen v.
Mouzon (1119) ... (in: J.H., Abh. z. Gesch. d.
MA) 1944; T. SCHIEFFER, Nochmals d. Verhandlungen v. Mouzon ... (in: FS E.E. Stengel)
1952.   RM

Hessus, Helius Eobanus → Eobanus Hessus,
Helius.

Hester → Esther.

Hester, Johann Georg → Estor, Johann Georg.

Hetmanek, Berta → Hayde, Bertl.

Hetmann, Frederik → Kirsch, Hans Christian.

Hettauer → Schuldes, Julius.

Hetti, † 27.5.847; Abt in Mettlach, seit 814
Erzbischof v. Trier (als Nachfolger Amalarius'),
Vertrauter Ludwigs d. Frommen, 827–38 Inhaber d. Abtei Echternach, Gründer d. Kolle-
giatsstifts St. Castor in Koblenz, – Verf. d.
moraltheol.-katechet. Schr. «Interrogationes ...»

Ausgabe: Interrogationes quas H. archiepisco-
pus suis proposuit auditoribus (hg. K. HAMPE in:
MG Epistolae 5) 1899.

Literatur: Jöcher 2,1426 (unter Hectus); ADB
12,321; NDB 9,29. – F.J. HEYEN, Unters. z.
Gesch. d. Benediktinerinnenklosters Pfalzel b.
Trier, 1966; F. ILLERT, D. Erzbischöfe v.
Trier ... (in: FS A. Thomas) 1967; F. PADLY,
Aus d. Gesch. d. Bistums Trier 2, 1969.   RM

Hettinger, Franz, * 13.1.1819 Aschaffenburg,
† 26.1.1890 Würzburg; studierte in Würzburg,
seit 1841 am Dt. Kolleg in Rom, 1845 Dr.
theol., dann Kaplan in Alzenau, 1847 Assistent,
1857 o. Prof. an der Univ. Würzburg, 1879
päpstl. Hausprälat. Religions- u. Reiseschriftsteller.

Schriften (Ausw.): Das Priestertum der katholischen Kirche. Primizpredigten, 1851; Die
Idee der geistlichen Übungen und dem Plane des
heiligen Ignatius von Loyola, 1853; Die Liturgie
der Kirche und die lateinische Sprache, 1856;
Organismus der Wissenschaft und die Stellung
der Theologie, 1862; Apologie des Christentums, 2 Bde., 1863–67; Die Kunst im Christentum, 1867; Der kleine Kempis. Brosamen aus

den meist unbekannten Schriften des Thomas von Kempis, 1874; David Friedrich Strauß; ein Lebens- und Literaturbild, 1875; Lehrbuch der Fundamentaltheologie oder Apologetik, 2 Bde., 1879; Die Göttliche Komödie von Dante Alighieri nach ihrem wesentlichen Inhalt und Charakter dargestellt, 1880; Thomas von Aquin und die europäische Civilisation, 1880; Die Krisis des Christentums, Protestantismus und der katholischen Kirche, 1881; Dante und Beatrice, 1883; Aus Welt und Kirche, 2 Bde., 1885; Dante's Geistesgang, 1888; Aphorismen über Predigt und Prediger, 1888; Timotheus. Briefe an einen jungen Theologen, 1890.

Literatur: ADB 50, 283; NDB 9, 30. – TH. HENNER u. G. WUNDERLE, ∼. (in: Lebensläufe aus Franken 2) 1922.   IB

Hettlingen, Heinrich, * 1878 in Brasilien; in Hamburg aufgewachsen, Studium der Naturwiss. u. Gesch. in Hamburg, Zürich u. Leipzig; Hauslehrer, dann Oberlehrer in Hamburg.

Schriften: Johann Klaßen (Tr.) 1910.   RM

Hettner, Alfred, * 6.8.1859 Dresden, † 31.8. 1941 Heidelberg; studierte in Halle, Bonn u. Straßburg, seit 1894 Prof. in Leipzig, Tübingen u. Heidelberg, bereiste wiederholt Süd-Amerika. Geograph u. Reiseschriftst., Hg. d. «Geograph. Zeitschrift».

Schriften (Ausw.): Reisen in den columbianischen Anden, 1888; Das Deutschtum in Südbrasilien und Südchile, 1903; Grundzüge der Länderkunde, 2 Bde., 1907–24; Der Gang der Kultur über die Erde, 1923; Die Geographie, ihre Geschichte, ihr Wesen und ihre Methoden, 1927; Die Klimate der Erde, 1930; Vergleichende Länderkunde, 4 Bde., 1933–35; Allgemeine Geographie des Menschen. (unvollendet, aus d. Nachlaß) 3 Bde., 1947–57.

Nachlaß: Mommsen Nr. 1644.

Literatur: NDB 9, 31. – Gedenkschr. zu ∼s 100. Geb.tag. (mit Bibliogr.) 1960.   IB

Hettner, Hermann, * 12.3.1821 Nieder-Leisersdorf bei Goldberg/Schles., † 29.5.1882 Dresden, Sohn d. Rittergutsbesitzers Karl Friedrich H., 1838–43 Studium in Berlin, Heidelberg u. Halle, Promotion zum Dr. phil., 1844–47 Italienaufenthalt, 1847 Privatdozent für Kunst- u. Lit.-Gesch. in Heidelberg, 1851–55 a.o.

Prof. Univ. Jena, 1855 Ernennung zum Dir. d. königl. Antikensammlung u. d. Museums d. Gipsabgüsse in Dresden, auch als Professor an d. Akad. d. Bild. Künste das., später zum o. Professor am Polytechnikum ebd. berufen. Literatur- u. Kunsthistoriker.

Schriften: Vorschule zur bildenden Kunst der Alten, 1848; Die Romantische Schule in ihrem Zusammenhang mit Goethe und Schiller, 1850; Das moderne Drama, 1852; (Hg.) Anselm Feuerbachs Schriften, 1853; Literaturgeschichte des 18. Jahrhunderts. 6 Bde. 1856–70 (Englische Literaturgeschichte, 5. Aufl. hg. A. BRANDL, 1894; Französische Literaturgeschichte, 5. Aufl. hg. H. MORF, 1894; Deutsche Literaturgeschichte. 7. Aufl. hg. E. BOUCKE, 1925); Dichtungen des Maler Müller (Hg.), 1868; Briefwechsel G. Forsters mit Sömmering (Hg.), 1877; Italienische Studien, 1879; Kleine Schriften, 1884; Schriften zur Literatur (hg. J. JAHN) 1959; Schriften zur Literatur und Philosophie (hg. D. SCHÄFER) 1967; Der Briefwechsel zwischen Gottfried Keller und H. H. (hg. J. JAHN) 1964.

Nachlaß: Univ.bibl. Heidelberg. – Denecke 2. Aufl.

Literatur: NDB 9, 32. – A. STERN, ∼, e. Lebensbild, 1885; H. SPITZER, ∼s kunstphilos. Anfänge u. Literaturästhetik 1, 1903; E. GLASER-GERHARD, Aus ∼s Nachlaß (in: Euphorion 28–30) 1927–29; R. UNGER, ∼ (in: Schles. Lbb. 3) 1928; E. GLASER, ∼ u. G. Keller (Diss. Leipzig) 1929; H. UHDE-BERNAYS, ∼ (in: H. U.-B. Mittler u. Meister) 1948; E. JOHN, Zu einigen Seiten d. Realismusbegriffs in d. Frühschr. ∼s (in: WB 7) 1967.   PG

Hetz, Hans Erich von (Ps. f. Hans Erich Tzschirner) * 24.10.1882 Demmin/Pommern; unternahm zahlr. Reisen, freier Schriftsteller.

Schriften: Ebenbürtigkeit! Nach Briefen, 1906; Des morschen Grafen Tagebuch, 1907.   IB

Hetz(e)bold, Heinrich, von Weissensee, Anfang 14. Jh., Angehöriger e. seit 1282 belegten thüring. Ministerialengeschlechts; war Kastellan in Weissensee (bezeugt 1312, 1319, 1324), viell. ident. mit e. 1345 urkundenden Heinrich Heczebolt. – D. Große Heidelberger Liederhs. überl. v. ihm 8 Minnelieder von jeweils 3 Strophen in Kanzonenform. D. Sprache weist n. Thüringen.

Ausgaben: HMS 2,4; K. BARTSCH, Deutsche Liederdichter des 12.–14. Jh. (8. Aufl. v. W. GOLTHER 1928; Nachdr. d. 4. Aufl. v. 1906, 1966); C. v. KRAUS, Deutsche Liederdichter des 13. Jh., 2 Bde., 1952/58 (mit Kommentar v. H. KUHN u. Lit.verz.) (2. Aufl., durchges. v. G. KORNRUMPF, 1978); Die Große Heidelberger «manessische» Liederhandschrift (hg. U. MÜLLER) 1971 (Facs.).

Literatur: VL 2,368; 5,369; ADB 12,322; 41,609; NDB 9,34; de Boor-Newald 3/1,331; Ehrismann 2 (Schlußbd.) 284. – E. WALTER, Verluste auf d. Gebiet d. mhd. Lyrik, 1933; K. HELM, ∼ [VII, 1,5] (in: GRM 29) 1941; E. JAMMERS, D. kgl. Liederbuch d. dt. Minnesangs. E. Einf. in d. sog. Maness. Hs., 1965. RM

Hetzel, Elisabeth, * 5.12.1835 Basel, † 1.1. 1908 ebd.; Tochter eines aus Württ. eingewanderten Fabrikanten, heiratete 1860 in Kalisch (Russisch-Polen), kehrte jedoch 1867 mit ihrer Fam. nach Basel zurück. Erzählerin, publiz. in den «Basler Nachrichten».

Schriften: Vergangene Tage. Eine Basler Familiengeschichte, 1879; Haimelig! Fir Jung und Alt, 1885; Aus tiefer Noth. Erinnerung an Mönchenstein, 14. Juni 1891, 1891; Lili und Dora unsri Zwilling. Baseldytsch fir de klaine Maiteli vorzlese, 1901; Altfränkische Leut. Eine zahme Geschichte aus bewegten Tagen, 1911.

Literatur: HBLS 4, 211.   AS

Hetzelein, Georg, * 18.10.1903 Hofstetten/ Roth; Hauptlehrer a. D., wohnt in Regelsbach. Verf. v. Hörsp., Erzähler.

Schriften: Das Jahr im Garten, 1961; Goethe reist durch Franken, 1968; Die königliche Dame von Bayreuth. Ein Lebensbild der Markgräfin Wilhelmine, der Schwester Friedrichs des Großen, 1970; Konrad von Megenberg: Ein aus seinen Quellen kurzgefaßtes Lebensbild, 1973; Die verborgenen Tränen der Henriette Feuerbach. Das Lebensbild einer großen Frau. Aus den Quellen und Briefen aufgezeichnet, 1976.   IB

Hetzer, Ludwig → Hätzer, Ludwig.

Heubel, Johann Georg, * 23.10.1722 Wien, † 6.1.1762 ebd.; Kontrollor beim Französ. Theater, Zensor d. dt. Komödie. Von s. Stücken sind einige verloren, bzw. nur in Hss. vorhanden. Verf. v. 35 Stücken (teilw. Übersetzungen).

Schriften: Telemach Auf der Insul der Göttin Calypso, Ein Trauerspiel in Versen mit Arien aus dem ersten und siebenten Buch der Benjamin-Neukirchischen Übersetzung gezogen, 1754; Adrianus in Syrien. Ein Trauerspiel, 1756; Die Zwey Zwillinge. Eine, von dem berühmten Advocaten zu Venedig, Sigr. Carlo Goldoni, verfertigte Comödie, aus dem Italiänischen desselben. Auf das Wiennerische Theater übersetzt, und eingerichtet, 1756; Telemach Anderter Theil, Ein Trauerspiel, 1758; Der Venetianische Advocat. Ein, von dem Hn. Sig. Carlo Goldoni verfertigtes Lustspiel von drey Aufzügen aus dem Italienischen desselben vor das Wienerische Deutsche Theater übersetzt und eingerichtet, 1758; Die Macht und Stärke der Freundschaft oder der Wettstreit der Großmuth zwischen einem Spanier und Engeländer, 1758; Marianna, die glücklich und unglückliche Waise, Erster Theil. Oder die Schule für alle schöne Mädgens, wie sie zu großem Glück und Ehre gelangen können, 1758; Polyphemus oder die Gefahr des Ulysses auf der Cyclopen Insul mit Hannswurst lächerlichen Unglücksfällen, 1759; Odoardo der glückliche Erbe, oder Hannswurst ein Galant d'Homme, aus Unverstand, 1760; Thakmene und Kizimirka, oder die geprüfte und obsiegende Heldenliebe, 1760.

Literatur: A. TULLA, ∼ (1721–1762). E. bibliogr. Beitr. z. Gesch. d. Wiener Stegreifkom. (in: Zs. f. Bücherfreunde, NF, 10,2) 1919.   IB

Heuberger, Johann Wilhelm, * 1767 Neuwied, † n. 1819; Hg. d. «Unparteiischen Correspondenten am Rhein» in Neuwied, später Red. d. «Westfäl. Provinzialztg.» in Wesel, schließl. 1819 Regierungsrat in Aachen. Epiker.

Schriften: Vaterfreuden und Leiden. Familienscenen, 1789; Der französische Gil Blas oder Abenteuer Heinrich Lamsons, 2 Bde., 1790/91; Maria Antoinette im Elysium, 1794; Todtenfeyer Ludwigs XVI. in Versen, 1794; Der frohe Tag. Ein Nachspiel, 1798; Meine Launen; ein Taschenbuch für Freunde des Komischen (anon.) 1799; Kurzgefaßte Geschichte des achtzehnten Jahrhunderts; ein Lesebuch für jedermann, 1801; Nothwendiges Handwörterbuch zur Erklärung aller in Teutschen Büchern und Journalen vorkommenden fremden Wörter, Chunstausdrücke und Redensarten, 1 Tl. A-H 1806, 2 T. I-Z 1807.

Handschriften: Frels 130.

Literatur: Meusel-Hamerger 9, 579; 14, 126; 18, 153; 22/2, 733; Goedeke 7, 322; 869.   IB

Heuberger, Magdalena und Maria (Zwillingsschwestern) * 17.4.1902 Steinebrunn, Bezirk Mistelbach/Niederöst., beide sind heute in Wien verheiratet. Mundartdichterinnen.

Schriften: Unser Bauernlond (Ged.) 1964.   IB

Heuberger (Heuperger), Matthäus, † n. 1504, stammte aus Hall/Tirol; Ratsherr, Verleger u. Buchdrucker in Wien. Mit d. Bildschnitzer W. Rollinger Leiter zweier Wiener Spiele «der Ausführung Christi» (gg. 1500).

Schriften: Wiener Heiltumbuch, 1502.

Literatur: de Boor-Newald 4/1, 253. — M. CAPRA, D. Sp. d. Ausführung Christi bei St. Stephan in Wien (in: Jb. d. Gesellsch. f. Wiener Theaterforsch.) 1945/46; J. GREGOR, Gesch. d. öst. Theaters, 1948; L. SCHMIDT, Neuere Passionssp.forsch. in Öst. (in: Jb. d. Öst. Volksliedwerkes 2) 1953; H. RUPPRICH, D. Wiener Schrifttum d. ausgehenden MA (Wiener Sb., phil.-hist. Kl. 228/5) 1954.   RM

Heuberger, Richard, * 18.6.1850 Graz, † 28. 10.1914 Wien; ursprüngl. Techniker, studierte nebenbei Musik, 1873 Ingenieur bei d. Südbahn, 1876 Übersiedlung nach Wien, 1878–80 Dir. d. Wiener Singakademie, dann Theaterkritiker beim «Wiener Tagbl.» u.d. «Neuen Freien Presse». später Prof. am Wiener Konservatorium u. Leiter d. Wiener Männergesangsvereines. Essayist u. Biograph, Komponist v. Operetten.

Schriften: Musikalische Skizzen, 1901; Franz Schubert (Biogr.) 1902; Im Foyer. Gesammelte Essays über das Opernrepetoir der Gegenwart, 1903.

Literatur: NDB 9, 37; MGG 6, 344; ÖBL 2, 308; Theater-Lex. 1, 781.   IB

Heubner, Gustav, * 10.9.1814 Plauen/Vogtl., † 19.11.1877 ebd.; Theol.-Studium in Leipzig, 1840 Diakon in Döbeln, 1845 Archidiakon in Zwickau, 1851 Amtsentsetzung aus polit. Gründen, n. 1 Jahr Gefängnis Handlungsbuchhalter in Plauen.

Schriften: Gedichte, 1851; Wittekind (Dr.) 1852.   RM

Heubner, Hermann, * 18.12.1879 Leipzig; Kaufmännische Tätigkeit.

Schriften: Ferdinand Lassalle (Schausp.) 1905. IB

Heubner, (Heinrich) Leonhard, * 2.6.1780 Lauterbach/Erzgebirge, † 12.2.1853 Wittenberg; n. Theol.-Studium Privatdoz., 1808 Diakon, 1811 a.o. Prof. u. 1832 Superintendent in Wittenberg, seit 1817 Mit-Dir. u. 1832 Ephorus d. Wittenberger Predigerseminars.

Schriften (Ausw.): Praktische Erklärung des neuen Testaments, 4 Bde., 1855–59; Christliche Topik oder Darstellung der christlichen Glaubenslehre ..., 1863.

Literatur: ADB 50, 285; NDB 9, 38; RE 8, 19; RGG ³3, 305. — A. KOCH, ~ in Wittenberg, 1885, O. DIBELIUS, D. Königl. Predigerseminar z. Wittenberg, 1917.   RM

Heubner, Otto (Leonhard) (Ps. Otto Leonhard), * 17.1.1812 Plauen, † 1.4.1893 Blasewitz b. Dresden; Bruder v. Gustav H., Rechtsstudium in Leipzig; 1838 Anwalt u. Gerichtsdir. in Plauen u. Mühltroff, seit 1843 in Staatsdiensten, 1848 Mitgl. d. dt. Nationalverslg. in Frankfurt, 1849 Teilnahme am Aufstand in Sachsen u. Mitgl. d. provisor. Regierung in Dresden, 1850 z. Tod verurteilt, n. Begnadigung Haft bis 1859; 1865 Dir. d. Hypothekenbank, seit 1867 wieder Rechtsanwalt u. Stadtrat in Dresden.

Schriften: Gedichte (hg. v. s. Brüdern) 1850; Selbstvertheidigung ..., 1850 (v. E. Sparfeld bearb. Ausg. 1850); Neue Gedichte aus der Gefangenschaft, 1850; Kleine Geschichten für die Jugend, 1852; Herr Goldschmid und sein Probirstein. Bilder aus dem Familienleben, 1852; English poets [Ausw. engl. Dichter, übers.] 1856; Klänge aus der Zelle in die Heimath 1849–59 (Ged.) 1859; Schau's an, lern' dran. Bilderbüchlein mit Versen ..., 1862.

Literatur: ADB 50, 287. — E. ISOLANI, ~, e. Lb. e. dt. Mannes, 1893.   RM

Heubner, Rudolf L., * 12.12.1867 Plauen/Vogtland, † 1.4.1967 Hofheim/Unterfranken; studierte in Leipzig, Freiburg/Br. u. Straßburg, Richter in versch. Orten, zuletzt Oberlandesgerichtsrat in Dresden. Unternahm viele Reisen ins Ausland, häufig nach Italien. Erzähler.

Schriften: Dichtungen, 1893; Der Sekretär des Königs. (Nov.) 1894; Stürme und Sterne (Nov.) 1895; Das Haar der Berenike (Nov. u. Skizzen) 1905; Napoleon. Versdichtung, 1906; Der König und der Tod. (Rom.) 1908; Karoline Kremer (Rom.) 1910; Venezianische Novellen,

1911; Juliane Rokox. Roman aus der Zeit der niederländischen Renaissance, 1913; Das Wunder des alten Fritz. (Rom.) 1915; Sankt Michels Heervolk (Nov.) 1916; Pascha und Odaliske. Orientalische Novellen, 1916; Der Heilige Geist (Rom.) I Jakob Siemering und Kompanie, 1917 – II Jakob Siemerings Erben, 1918; Ein Volk am Abgrund. (Rom.) 1919; Peter Paul, 1920; Das Lied von Rosemunde, 1921; Der verhexte Genius. Grotesker Roman, 1921; Die Hambergs (Rom.) 1922; Bambino. (Nov.) 1922; Erdgeschlecht, 1923; Katastrophen. (Nov.) 1924; Herodias. (Rom.) 1925; Belladonna. Ein Liebesroman, 1926; Die Pansflöte. (Ged.) 1927; Tage in Thule (Rom.) 1927; Narrenkirchweih. Launenhafte und besinnliche Geschichten 1928; Feuer unter der Asche. Geschichte dreier Leben, 1930; Fränkische Erde. Ein Buch Geschichten, 1833; Wolfram von Eschenbach (Rom.) 1934; Orpheus Eine Dichtung, 1935; Die Flötenbläserin von Hall, 1936; Grimbart im Kessel, 1936; Größer als die Liebe. (Erz.) 1936; Sein und Geschehen. Ein Buch vom Leben, 1937; Das alte, heil'ge Lied. Gedichte aus Italien, 1940; Der Früchtekranz. (Ged.) 1941; Prometheus, 1942.

Literatur: K. A. FINDEISEN, ~, s. Werke u. ihre Deutung, 1917; R. GLASER, ~ u. s. Dg., 1927.   IB

Heuck, Sigrid, * 11.5.1923 Köln; Ausbildung an d. Kunstakad. München, Graphikerin; wohnt in Einöd/Bayern. Verf. v. Jugendbüchern.

Schriften: Malpeter, 1972; Roter Ball und Katzendrache, 1972; Ich geh raus (2. Auflg.) 1973; Cowboy Jim, 1974; Zacharias Walfischzahn. Zacharias will unbedingt ein richtiger Seeräuber werden, 1974; Ich bin ein Cowboy und heiße Jim, 1975; Der kleine Cowboy und die Indianer, 1976; Ein Ponysommer, 1977; Petah Eulengesicht, 1977; Der kleine Cowboy und Mr. Peng-Peng, 1977; Die Reise nach Tandilan, 1979.

Literatur: LexKJugLit 1,544.   IB

Heucke, Margarethe, * 17.3.1879 Parchin; Kindergarten-Vorsteherin, lebte in Wismar; Verf. v. Jugendschriften.

Schriften: Das weiße Haus, 1908.   IB

Heuer, Albert, * 1842 † Dez. 1880 Burgdorf/ Kt. Bern; Pfarrer u. Gymnasiallehrer in Burgdorf.

Schriften: Religiöse Lieder für Schule und Haus (Hg.) 1873; Schulgeschichte von Burgdorf. Ein Beitrag zur Geschichte des schweizerischen Schulwesens, 1874; Poetik (für Schüler) 1875; Der Hausaltar. Ein Erbauungsbuch hg. aus dem Nachlasse von A.H., 1883.

Literatur: HBLS 4,212.   AS

Heuer, Luise, * 15.8.1897 Berlin; lebt in Ajijic/Mexiko.

Schriften: Der blaue Tabachin. Erzählung aus Mexico, 1949.   AS

Heuer, Walther, * 11.10.1891 Rathenow b. Berlin, † 25.5.1949 Hamburg; Journalist, später Lektor u. Dramaturg am Hamburger Rundfunk, schließlich freier Schriftst.; Erz. u. Dramatiker.

Schriften: Der Kampf um Goslar, Die Tragödie Heinrichs des Löwen (Dr.) 1923; Wellenschaum (Ged.) 1929; Lody. Vom Leben und Sterben eines deutschen Offiziers (Dr.) 1936; Gewitter über Nikolsburg (Schausp.) 1938; Der junge Adler (Schausp.) 1940; Der Freiherr und der Grandseigneur, 1949; Ruf der Sterne. Eine Schiller-Goethe-Novelle, 1949.

Literatur: Theater-Lex. 1,782. – F.H. BABENZIEN, ~s Weg u. Ziel. (in: D. Kulturwart) 1938.   IB

Heufeld, Franz, * 13.9.1731 Mainau/Bodensee, † 23.3.1795 Wien; studierte Philos. u. Jus in Wien, trat dann in d. Verwaltungsdienst, kaiserl. Rat, 1774–76 Mitgl. d. Theaterkommission. Mitarb. an d. Wiener Ws. «D. Welt» u. «Der öst. Patriot», 1772/73 Hg. d. Theateralmanachs (gem. m. C.G. Klemm). Dramatiker, Bearbeiter v. Shakespeare-Werken.

Schriften: Die Haushaltung nach der Mode (Lustsp.) 1765; Julie oder Der Wettstreit der Pflicht und Liebe (Dr. nach Rousseaus Nouvelle Héloise) 1766; Der Liebhaber nach der Mode (Lustsp.) 1766; Der Geburtstag (2. Auflg., Lustsp.) 1767; Thomas Jones (Lustsp., nach d. Roman Fieldings) 1767; Der Bauer aus dem Gebirge in Wien (Lustsp.) 1767; Die Tochter des Bruders Philipp (Lustsp.) 1771; Doctor Guldenschmidt (Lustsp.) 1782.

Handschriften: Frels 130.

Literatur: ADB 12,793; Wurzbach 8,449; NDB 9,40; Goedeke 4/1,657; Ersch-Gruber 2/7, 303; de Boor-Newald 6/1,404; Theater-Lex.

1,782. – W. KOGAN, ∼, e. Beitr. z. Gesch. d.
Wiener Sittenkom. u. d. Wiener Burgtheaters.
(Diss. Wien) 1926.   IB

Heugel, Carl von, * 5.7.1869 Trier; Buch-
händler, später Schauspieler u. freier Schriftst.
an versch. Orten.
Schriften: Entgöttlichte Seelen. Realistischer
Roman, 1902; Lachende Geschichten, 1903;
Tannhäuser-Fahrten. Lyrische Liebeskränze, 1907.
                                                      IB

Heuglin, Theodor (seit 1855) von, * 20.3.1824
Hirschlanden/Württ., † 5.11.1876 Stuttgart;
seit 1852 Sekretär d. öst. Konsulats in Khartum.
Afrikaforscher u. Reiseschriftsteller.
Schriften (Ausw.): Reisen in Nordostafrika,
1857; Reise nach Abessinien, den Galaländern,
Ostsudan und Chartum (1861–62) 1868; Orni-
thologie Nordost-Afrikas, 2 Bde., 1869–74;
Reise in das Gebiet des Weißen Nils und seiner
westlichen Zuflüsse (1862–64) 1869; Reisen
nach dem Nordpolmeer (1870–71) 1874f.;
Reise in Nordostafrika. Schilderungen aus dem
Gebiet Beni Amer und Habab nebst zoologischen
Skizzen, 2 Bde., 1877.
Literatur: ADB 12,325; 26,802; NDB 9,42;
Wurzbach 8,456. – W. BACMEISTER, ∼ (in:
Schwäb. Lbb. 5) 1950; D. PARET, D. Afrika-
forscher ∼ u. s. Ludwigsburger Vorfahren. (in:
Hie gut Württemberg [Ludwigsburg] 8/9) 1962.
                                                      IB

Heukeshowen, Karl von (Ps. f. Carl Sturs-
berg), * 3.5.1880 Hückeswagen; Schlosser in
Barmen; Lyriker, auch in berg. Mundart.
Schriften: Hammer und Harfe. Bergische Gedichte, 1911; Hüüü Käswagen! Bergische Sagendichtung, 1911; Arbeitslust und Feierabend-
freude, 1913; Öm Freiheit on Recht (Ged.)
1920.   AS

Heuler, Alo, * 30.10.1898 Kitzingen/Main,
† 2.7.1974 Würzburg; Dr. phil., Leiter d.
Inst. f. Stimm- u. Sprechheilung Würzburg-
Schweinfurt. Lyriker, Erzähler; Dauthendey-
Medaille 1964.
Schriften: Das Erlebnis in der Lyrik Johann
Christian Guenthers (Diss. Würzburg) 1924;
Wie der fromme Bruder Filuzius vom Teufel
versucht wurde, 1928; Die Unabgeschirmten.
Erzählungen und Gedichte, 1963; Babina tanzt.
Fünf moderne Erzählungen, 1968.   AS

Heumann, Christoph August, * 3.8.1681 All-
stedt/Thür., † 1.5.1764 Göttingen; Theol.- und
Philos.-Studium in Jena, 1702 Magister, 1709 Inspektor u. Collaborator in Eisenach, 1712 Inspektor u. später Rektor am Göttinger Gymnasium,
1728 Dr. theol., seit 1734 Prof. f. Lit.-Gesch. u.
Theol. in Göttingen. Luther. Theologe u. Polyhistor.
Schriften (Ausw.): Acta philosophorum das ist
Gründliche Nachrichten aus der Historia philosophica, 1715–27; Poecile, 3 Bde., 1722–31; Zeit-
und Geschichts-Beschreibung der Stadt Göttingen, 3. Tl., 1738; Erklärung des Neuen Testaments, 12 Bde., 1750–63 (Nachtr. 1764); Er-
weiss, dass die Lehre der Reformirten Kirche von
dem heiligen Abendmahle die rechte und wahre
sey (hg. A. F. W. Sack) 1764.
Nachlaß: Landesbibl. Hannover. – Denecke
2. Aufl.
Literatur: ADB 12,327; NDB 9,43; RE 8,24;
RGG ³3,306. – G. A. CASSIUS, Ausführliche Lebensbeschreibung d. ∼, 1768 (mit Bibliogr. u.
Reiseber.).   RM

Heumann, Sarah, * 27.3.1860 Köln; Studium
d. Philos .u. neueren Sprachen in Bonn u. Paris,
seit 1895 Schriftst. in Bonn.
Schriften: Die Sportstudentin, 1898; Ein
Schicksalslied (Dg.) 1898.   RM

Heun, Gottlieb Samuel Carl → Clauren, Heinrich.

Heune (Hühne), Johannes (auch: Johannes Gigas), * 22.2.1514 Nordhausen, † 12.7.1581
Schweidnitz; Theol.-Studium in Wittenberg,
1541 Schulrektor in Joachimsthal/Böhmen, 1542
in Marienburg/Meißen u. 1543 in Pforta, Pfarrer
in Freystadt/Schles. u. seit 1577 in Schweidnitz.
Schriften: De immaturo Principis Joannis, Georgii Saxoniae ducis filii, obitu, lugubre carmen ...,
1537; Klage der Kunst, 1539; Sylvarum libri IV,
1540; Postille, 1570; Catechismus Gigantis,
1577.
Literatur: ADB 9,167 (unter Gigas); Goedeke
2,110,191. – E. JACOBS, D. geistl. Liederdichter
∼ ... (in: Zs. d. Harz-Ver. f. Gesch. u. Alt.-
kunde 2) 1869; G. ELLINGER, Gesch. d. nlat.
Lit. Dtl.s ... 2, 1929.   RM

Heupold (Heupolt, Heubolt), Bernhard(t), 16./
17. Jh., aus Gundefingen; wahrsch. Schulmann in
Augsburg.

Schriften: Künstlich, lüstig Lossbüchlein sampt einer angehenckten Tafel von Träumen, darinnen zuerkündigen, was auff jeden Tag die Träum zubedeuten, 1595; Allerhand Trostreiche und in Reymen verfaßte sprüch und Gebetlein ... Colligirt, 1596; Parabolae und schöne holdselige gleichnussen ..., 1596; Dictionarium Latino-Germanicum, 1602; Manual oder Handbüchlein Fürstlicher Personen ..., 1620.

Literatur: Adelung 2,1981; Goedeke 2,201, 461. RM

Heusch, Karl, * 6.7.1894 Aachen; Dr. med., habil., Prof., Chefarzt i. R., Facharzt f. Chirurgie u. Urologie i. R., wohnt in Aachen. Lyriker.

Schriften: Aquensien im Kabarett, 1968; Hoffnung auf Gestern und andere Lieder ohne Noten, 1970; Aachener Legende. Ein Mysterienspiel, 1974.

Literatur: W. FORSSMANN, Selbstversuch, 1972. IB

Heuschele, Otto, * 8.5.1900 Schramberg/Württ., lebt in Waiblingen b. Stuttgart; Sohn e. Gärtnereibesitzers, 1919–24 Studium d. Lit.- u. Kunstgesch. sowie Philos. in Tübingen u. Berlin, dann Lektor d. Dt. Verlagsanstalt; ließ sich 1925 als freier Schriftst. in Waiblingen nieder. Lyriker, Erzähler, Essayist.

Schriften: Aus dem Tempel der Dichtung, eine Schrift für alle, die Dichter und Dichtung lieben, 1919; Fest und Festkunst (Ess.) 1923; Briefe aus Einsamkeiten, 1924; Im Wandel der Landschaft (Ess.) 1926; Geist und Gestalt (Ess.) 1927; Märchen, 1927; Maurice de Guerin (Ess.) 1927; Der weiße Weg (Ged.) 1929; Der Weg wider den Tod (Rom.) 1929; Hugo von Hofmannsthal (Ess.) 1930, erw. 1949; Dichtung und Leben (Reden, Aufs.) 1930; Licht übers Land (Ged.) 1931; Das Opfer (Erz.) 1932; Karoline von Günderode (Ess.) 1932; Schiller und die Jugend dieser Zeit (Ess.) 1933; Ein Brief an junge Menschen, 1933; Groß war die Nacht (Ged.) 1933; Kleines Tagebuch, 1936; Scharnhorsts letzte Fahrt (Erz.) 1937; Das Feuer in der Nacht (Erz.) 1937; Der deutsche Brief (Ess.) 1938; Die Sturmgeborenen (Rom.) 1938; Leonore (Erz.) 1939; Geist und Nation (Ess.) 1940; Deutsche Soldatenfrauen (Skizzen) 1940; Dank an Freunde (Aphorismen) 1940; Fragmente über das Dichtertum, den Dichter und das Dichterische, 1940; Feuer des Himmels (Ged.) 1941; Die Fürstin (Erz.) 1945; Die

Wandlung (Erz.) 1945; Manchmal mußt du stille sein (Ged.) 1945; Friedrich Hölderlin (Ess.) 1946; Herzogin Anna Amalia (Ess.) 1947; Friedrich Gundolf (Ess.) 1947; Goethes west-östlicher Divan (Ess.) 1948; Betrachtungen und Deutungen (Ess.) 1948; Wie sollen wir leben? Brief an einen jungen Freund, 1948; Begegnung im Sommer (Erz.) 1948; Zwischen Blumen und Gestirnen (Tagebuch) 1949; Die Brücke (Erz.) 1949; Waiblingen (Ess.) 1950; Ins neue Leben (Ess.) 1950; Dank an das Leben (Ausw. aus dem Werk) 1950; Der Knabe und die Wolke (Erz.) 1951; Ein Bekenntnis, 1952; Natur und Geist (Autobio.) 1954; Die Blumen in der schwäbischen Dichtung (Rede) 1954; Gaben der Gnade (Ged.) 1954; Stimme der Blumen (Prosa) 1955; Die heilige Spur (Leg.) 1956; Musik durchbricht die Nacht (Erz.) 1956; Die Gaben des Lebens (Autobio.) 1957; Weg und Ziel (Ess.) 1958; Am Abgrund (Rom.) 1961; Das Mädchen Marianne (Erz.) 1962; Schönes Württemberg (Bildband) 1963; Sternbruder (Ged.) 1963; Glückhafte Reise. Landschaften, Städte, Begegnungen, 1964; Essays (Ausw.) 1964; Inseln im Strom (Erz.) 1965; Wegmarken (Ged.) 1967; Augenblicke des Lebens (Aphorismen) 1968; Das Unzerstörbare (Ess., Betrachtungen) 1971; Immer sind wir Suchende (Erz., Betrachtungen) 1975.

Herausgebertätigkeit: Hauff, Werke, 1924/25; Die Ausfahrt. Jb. neuer dt. Dtg., 1927; Junge deutsche Lyrik, 1928; W. v. Humboldt, Kleine Schriften, 1928; Seelenhaftes Leben. Persönl. Dokumente unserer Klassiker, 1929; Renan, Meine Schwester Henriette (Übers.) 1929; C. u. M. von Clausewitz, Biogr. in Briefen, 1935; Deutsche Soldatenbriefe aus zwei Jahrhunderten, 1935; Kleine Lese junger Dichtung, 1935; Fünfundzwanzig deutsche Gedichte, 1937; Trostbriefe aus fünf Jahrhunderten, 1941; Traum und Tag. Mörikes Leben in Briefen, 1941; Brevier des Herzens, 1941; Der Deutsche, 1942; Geisteserbe aus Schwaben 1700–1900, 1943; Vom Reich der deutschen Seele, Hölderlin, 1944; Deutsches Barock, 1946; B. v. Arnim, Goethes Briefwechsel mit einem Kinde, 1948; Deutsche Dichter auf Reisen (Briefe) 1948; Französische Dichter des 19. und 20. Jahrhunderts in dt. Übertragungen, 1948; Der junge Hölderlin, 1948; Frühe Romantik, 1949; Novalis, Europa oder die Christenheit, 1951; Briefe an einen jungen Deutschen 1934 bis 1951, 1952; Lasset die Klage, 1953; Erzähler der

Romantik, 1953; Wir stehen in Gottes Hand. Gebete dt. Dichter, 1955; Heimat Baden-Württemberg (mit R. Goldschmit-Jentner) 1955; Die Schönheit, 1956; Goethe und Reinhard. Briefwechsel 1807–1832, 1957; C. Brentano, Gedichte, Erzählungen, Märchen, 1960; Mörike, Du bist Orplid, mein Land …, 1961; Das Füllhorn, Schwäbische Lyrik aus 2 Jh., 1961; Novalis, Fülle meines Herzens (Ausw.) 1961; R. Schneider, Briefe an einen Freund (=O.H.) 1961; Sie rühmen Gott (Ged.) 1962; Stifter-Brevier, 1963; Kleist, Novellen und Anekdoten, 1963; Tapferkeit des Herzens, 1964.

Literatur: HdG 1,302; Albrecht-Dahlke II,2, 314. – F. Braun, ~ (in: Preuß. Jb. 215) 1929; H. Grothe, ~ (Dt. Bücherfreund 2) 1934; E. Wezel, ~ (in: Dg. u. Volkstum 38) 1937; H. Fromm, H. Meyer (Hg.), Überlieferung u. Auftrag. ~ z. 50. Geb.tag, 1950; H. Meyer, ~ u. s. Werk (in: O.H., Dank an d. Leben) 1950; J. Dresch, ~, poète souabe (in: Allemagne d'aujourd'hui) 1955; Begegnungen mit ~. Hg. H. Bott, H. Leins, 1954; G. Hohmann, Jugenderinnerungen an ~ (in: G.H. E. Arzt erlebt s. Zeit) 1954; F.E. Hirsch, The Writer ~ (in: American-German Review 20) 1953/54; H. Helmerking, ~. Leben u. Werk (mit Bibliogr.) 1959; Auftrag u. Erfüllung. Z. 60. Geb.tag v. ~ (mit Bibliogr.) 1960; W. Mönch, Brücke über d. Zeiten. ~, s. Werk u. s. Leben für die Dg., 1960; D. Larese, ~, 1965; ~ Bibliogr., 1972. PG

Heuschen, Monika → Eschbach, Josef.

Heusenstamm zu Heißenstein und Gräfenhausen, Theodor Graf von (Ps. Theodor Stamm); * 31.3.1801 Wien, † 25.5.1889 ebd.; Sohn e. Regierungsrates, studierte in Wien, lebte meist auf Reisen, Freund u. Gönner v. Dichtern u. Künstlern, u.a. F. Raimunds. Lyriker Epiker u. Dramatiker.

Schriften: Schattenrisse aus Ginlios Leben (Rom.) 1832; Ein weibliches Herz (Ged.) 1842; Hesperus. Gedicht in drei Gesängen, 1844; Gedichte, 1845; Im Abendstrahl. Dichtungen und Betrachtungen, 2 Bde., 1880–84; Die wunderlichen Pilger. Phantastisches Lustspiel, 1884; Maske und Lyra (Schausp.) 1886.

Ausgaben: Gesammelte Werke (hg. v. O. Walzel) 6 Bde., 1897–1900.

Literatur: ADB 35,433; Wurzbach 8,460; ÖBL 2,309; Theater-Lex. 1,783. IB

Heuser, Kurt, * 23.12.1903 Straßburg, † 20.6. 1975 Ebersberg/Obb.; Pflanzer in Portugiesisch-Ostafrika, später freier Schriftst.; Erzähler.

Schriften: Elfenbein für Felicitas, 1928; Die Reise ins Innere (Rom.) 1931; Das Glück der Flibustier. Ein lustiges Stück für die deutsche Bühne frei nach R.R. Stevensons «Treasure Island», 1931; Abenteuer in Vineta (Rom.) 1933; Buschkrieg, 1933.

Literatur: A. Frise, ~ (in: Die Lit.) 1933. IB

Heuser, Olga (geb. Cohn, Ps. Olga Hiller), * 1853 Filehne/Posen; Tochter e. Sanitätsrats, Heirat mit d. Fabrikdir. H. in Stralsund.

Schriften: Ich habe verstanden (Nov.) 1897. RM

Heuser, Wilhelm Justus, * 25.3.1883 Schirgiswalde, † 6.11.1950 Berlin. Verf. v. Seegeschichten.

Schriften: Ischa doll! Erkenntnisse, Erlebnisse und Streiche aus meiner Seemannszeit, 1941; H. Minssen, Maschine Achtung! Leinen los! Zehn Jahre Führer des Reichspostdampfers «Manila» (bearb.) 1944. IB

Heusinger, Ernst (Heinrich Christian), * 1792 (1793?) Eisenach, † 25.1.1884 Braunschweig; n. militär. Laufbahn Desertion, Flucht n. Helgoland u. England, 1812 Teilnahme am Spanienfeldzug u. 1814 an d. Eroberung Genuas unter d. Herzog v. Braunschweig, später Maler und Schriftsteller in Braunschweig. Red. d. «Braunschweig. Volksfreundes» (seit 1846).

Schriften: Ansichten, Beobachtungen und Erfahrungen, gesammelt während der Feldzüge in Valencia und Catalonien …, 1825; Ducan, Roma … (aus d. Engl. übers.) 1828; Des Kriegers Feierabende …, 2 Bde., 1835; Wanderungen eines Invaliden, 2 Bde., 1838; Das Patent des Königs Ernst August …, 1838; Europäische Bilder aus den Land- und Seefahrten eines Britischen Militairs …, 2 Tle., 1841; Sagen aus dem Werrathale …, 1841; Das Hermanns-Fest im Teutoburger Walde (dramat. Fragm.) 1844; Poetische Phantasien ohne politische Färbung, 1844; Diesseits und Jenseits des Oceans, 1846; Weltbilder. Militairische Erinnerungen, 1847; Braunschweig in seiner Betheiligung an der deutschen Volkserhebung …, 4 H., 1849; Achtundvierzig Jahre. Zeichnungen und Skizzen aus der Mappe eines constitutionellen Officirs, 4 Bde., 1851 f.; Sage und Geschichte aus den Sachsenländern, 1856; Geschichte der Residenzstadt Braunschweig von 1806–1831 ..., 1861; Bilder aus den Freiheitskämpfen des 19. Jahrhunderts, 4 Bde., 1863; Novellen (mit B. v. Guseck) 1864; Zwei Kriege 1809 und 1866, 1868; Eines Königs Dank. Historischer Roman aus der Zeit des letzten spanischen Königs ..., 3 Bde., 1869; Schicksals Walten (Nov. u. Skizzen) 2 Bde., 1873; Einblick in den gegenwärtigen Zustand des türkischen Reiches ..., 1877.   RM

Heusinger, Johann Heinrich Gottlieb, * 1.8. 1767 Römhild/Meiningen, † 13.4.1837 Dresden; 1807–31 Prof. am Kadettenkorps in Dresden. Erz. u. Ästhetiker.

Schriften (in Auswahl): Ulrich Flaming. Ein lehrreiches Lesebuch für Kinder, welche gern die Geschichte erlernen möchten, 1790; Gutwills Spaziergänge mit seinem Wilhelm, 1792; Beiträge zur Berichtigung einiger Begriffe über Erziehung und Erziehungskunst, 1794; Versuch eines Lehrbuches der Erziehungskunst, 1795; Rousseau's Glaubensbekenntniß; aus dem Französischen, mit einer philosophisch-pädagogischen Abhandlung begleitet, 1796; Versuch einer Encyklöpädie der Philosophie verbunden mit einer praktischen Anleitung zu dem Studium der kritischen Philosophie vorzüglich auf Universitäten, 1796; Erzählungen in Karl Stille'ns Manier und Absicht, 1796; Über die Benutzung des bey Kindern so thätigen Triebes, beschäftigt zu seyn, 1797; Handbuch der Ästhetik. Oder Grundsätze und Beurtheilung der Werke einer jeden schönen Kunst, aus der Poesie, Mahlerey, Bildhauerkunst, Musik, Mimik, Baukunst, Gartenkunst u. s. f. für Künstler und Kunstliebhaber, 1797 bis 1800; Die Familie Wertheim (Rom.) 5 Bde., 1798–1800; Über das idealistische und atheistische System des Professor Fichte, 1799; Die Kreutzzüge; ein angenehmes und nützliches Lesebuch für die Jugend, I 1799, II 1800; Antwort auf Fichtes Erwiederung, 1800; Geographischer Handatlas über alle bekannten Theile des Erdbodens, nach einer auf Naturgrenzen beruhenden Darstellung der Länder entworfen, zum Studium der Geographie und Geschichte, 1810; Beleuchtung eines gegenwärtig in Dresden circulierenden Schreibens, 1815; Aufruf eines Teutschen an die Sachsen, 1815; Die Geschichte der Europäer, aus dem weltbürgerlichen Gesichtspunkte darge-

stellt, 1825; Die Elementar-Geographie des Erdbodens, als Grundlage jeder besonderen Geographie dargestellt und zum Schul- und Selbstgebrauche eingerichtet, 1826; Besuche bei Todten und Lebenden, 1834; Die Grundlehren der Größenkunst, 1835.

Literatur: ADB 12, 335; Meusel-Hamberger 3, 291; 9, 580; 11, 351; 14, 127; 18, 157; 22/2, 739; Goedeke 6, 420.   IB

Heusler, Andreas (d. J.), * 10.8.1865 Basel, † 28.2.1940 Arlesheim b. Basel; Sohn d. Juristen Andreas H., Germanistik-Studium in Basel, Freiburg/Br. u. Berlin, 1888 Promotion Freiburg; 1890 Habil., 1894 a. o. Prof. f. Nordistik u. 1913 o. Prof. f. Germanistik in Berlin, 1920–36 o. Prof. in Basel. Mitgl. d. Preuß. Akad. d. Wiss. (1907).

Schriften (Ausw.): Lied und Epos in germanischer Sagendichtung, 1905 (³1960); Die altgermanische Religion, 1913; Altisländisches Elementarbuch [= 2. Aufl. v. B. Kahles gleichnamiger Schr.] 1913 (³1932); Nibelungensage u. Nibelungenlied, 1921 (⁶1965); Die altgermanische Dichtung, 1923 (²1941); Deutsche Versgeschichte, 3 Bde., 1925–29 (²1956); Germanentum. Vom Leben und Formgefühl der alten Germanen, 1934; Kleine Schriften I (hg. H. REUSCHEL) 1943 (Neudr. 1969), II (hg. S. SONDEREGGER) 1969; Schriften zum Alemannischen (hg. S. SONDEREGGER) 1970.

Übersetzer- und Herausgebertätigkeit (Ausw.): J. Grimm, Deutsche Rechtsaltertümer, 2 Bde., ⁴1899 (Neudr., mit R. Hübner, 1922); Edda (übers. v. F. Genzmer) 2 Bde., 1912–20 (²1932; Neuausg. 1963); Die Geschichte vom weisen Njal, 1914 (²1922; Neuausg. mit Nachw. v. H. HEMPEL 1964); Das Nibelungenlied. Auf Grund der Übersetzung von K. Simrock bearbeitet, 1927.

Briefe: Briefe an W. Thalbitzer (hg. T. SALFINGER) 1953; G. BAESECKE, Kleine metr. Schr., nebst ausgew. Stücken seines Briefw. mit A. H. (hg. W. SCHRÖDER) 1968.

Bibliographie: Kleine Schr. I (vgl. Schr.) 1943 (Neudr. 1969); A. STAEHELIN (vgl. Lit.) 1960.

Nachlaß: Univ.bibl. Basel. – Schmutz-Pfister 938; Denecke 2. Aufl.

Literatur: HBLS 4, 213; NDB 9, 49. – F. MAURER, ~ z. Gedenken, 1940; Z. Erinn. an ~, 1940 [enthält «Mein Lebenslauf»]; H. NAU-

MANN, ~ (in: Forsch. u. Fortschritt ... 16) 1940; H. MEYER, ~ (in: PMLA 55) 1940; J. SCHWIETERING, Gedächtnisrede auf ~ (in: Jb. d. Preuß. Akad. d. Wiss. 1940) 1941; T. SALFIN-GER, Z. Sprachkunst d. Germanisten ~ (in: FS K. Schwarter) 1949; A. STAEHELIN, Prof. d. Univ. Basel aus 5 Jh., 1960; S. SONDEREGGER, ~ u. d. Sprache, 1967; W. HAUG, ~s Heldensagenmodell: Prämissen, Kritik u. Gegenentwurf (in: ZfdA 104) 1975. RM

Heuss, Theodor (Ps. Thomas Brackheim), * 31. 1.1884 Brackenheim b. Heilbronn, † 12.12. 1963 Stuttgart; Sohn d. Straßenbauingenieurs u. Regierungsbaumeisters Ludwig H., 1902–05 Studium d. Kunst- u. Lit.-Gesch. u. Volkswirtschaft in München u. Berlin, promovierte 1905 zum Dr. d. Staatswiss., 1905–12 Red. d. Naumannschen «Hilfe» in Berlin, 1912–17 Chefred. der «Neckar-Ztg.» in Heilbronn, 1913 Schriftleitung d. bislang v. München aus redigierten Ws. «März», 1920 bis 1933 Doz. an d. Dt. Hochschule f. Politik in Berlin, 1924–28 u. 1930–33 Mitgl. des Dt. Reichstags (Demokrat), ab 1936 freier Schriftst. in Berlin, 1943 Übersiedlung nach Heidelberg, 1945–46 Kultusminister Württ.-Baden, 1945–49 Mithg., Lizenzträger u. Chefred. d. «Rhein-Nekkar-Ztg.» in Heidelberg, 1949 z. Bundespräs. der Bundesrepublik Dtl. gewählt, lebte er nach dem Ende s. Amtszeit am 8. 9. 1959 in Stuttgart. Friedenspreis des Dt. Buchhandels. Publizist.

Schriften: Weinbau und Weingärtnerstand in Heilbronn, 1906; Schwaben und der deutsche Geist, Kriegssozialismus, 1917; Die Bundesstaaten und das Reich, 1918; Die neue Demokratie, 1920; Das Haus der Freundschaft, 1919; Volk und Staat, 1926; Politik, 1926; Führer aus deutscher Not, 1927; Hitlers Weg, 1932; Friedrich Naumann, 1937; Hans Pölzig, 1939; Anton Dohrn in Neapel, 1940; Justus von Liebig. Genius der Forschung, 1942; Die deutsche Nationalidee im Wandel der Geschichte, 1946; Robert Bosch, 1946; Der Reutlinger F. List, 1946; Schattenbeschwörung, 1946; Die Lehrerschaft im Spiegel des Zeitgeistes, 1947; Deutsche Gestalten. Studien zum 19. Jh., 1949; Das Bismarckbild im Wandel, 1951; J.P. Hebel, 1952; Sichtbare Geschichte, 1952; Brüderlichkeit, 1953; Vorspiele des Lebens (Jugenderinnerungen) 1953; Hugo v. Hofmannsthal, 1954; Zur Ästhetik der Karikatur, 1954; Schiller, 1955; Reden an die Jugend,

1956; (Mhg.) Die großen Deutschen. Deutsche Biographie. 5 Bde., 1956/57; Zur Kunst dieser Gegenwart, 1956; Würdigungen (Reden, Aufs., Briefe 1949–1955) 1956; Von Ort zu Ort. Wanderungen mit Stift und Feder, 1959; Lust der Augen, 1960; Betrachtungen zum Schwäbischen, 1961; Vor der Bücherwand. Skizzen zu Dichtern und Dichtung (hg. F. KAUFMANN, H. LEINS) 1965; Erinnerungen 1905–1923, 1963; An und über die Juden. Aus Schriften u. Reden 1906–63, 1964; Die großen Reden, 2 Bde., 1965; T.H., Lulu v. Strauß u. Torney. Ein Briefwechsel, 1965; Aufzeichnungen 1945–1947 (hg. E. PIKART) 1966; Die Machtergreifung und das Ermächtigungsgesetz (hg. E. PIKART) 1967; Schwaben. Farben zu einem Porträt, 1967; Tagebuchbriefe an Toni Stolper 1955–1968, 1978.

Nachlaß: Dt. Lit.arch/Schiller-Nationalmuseum Marbach; ~-Arch. Stuttgart; Denecke 2. Aufl.; Mommsen Nr. 1648.

Literatur: NDB 9, 52; HdG 1, 304. – E. GLAESER, D. Schriftst. ~ (in: Lit. Dtl. 2) 1951; H.H. WELCHERT, ~, e. Lb., 1953; ~. M. BOVERI. D. lit. Gestalt, W. PRINZING, Bibliogr. der Schriften u. Reden v. ~ u. Elly H.-Knapp, 1954; Begegnungen mit ~, hg. H. BOTT u. H. LEINS, 1954; C. J. BURCKHARDT, Begegnung mit ~ (in: C. J. B., Begegnungen) 1958; L. CURTIUS, Erinnerungen v. u. an ~ (in: L. C., Torso) 1957; R. SCHNEIDER, ~ (in: R. S., Pfeiler im Strom) 1958; B. REIFENBERG, ~ (in: Friedenspreis d. Dt. Buchhandels) 1961; K. IHLENFELD, D. Schriftst. ~ (in: K. I., Zeitgesicht) 1961; H. AHL, Talent d. Reisens, ~ (in: H. A., Lit. Porträts) 1962; C. J. BURCKHARDT, ~ (in: Schweiz. Monatshefte 43) 1963/64; O. HEUSCHELE, In memoriam ~ (in: O. H., Ess.) 1964; H. EISENREICH, Biedermeier Dämonen (in: H. E., Reaktionen) 1964; T. ESCHENBURG, ~ als polit. Schriftst. (in: SchillerJb. 8) 1964; H. WENKE, ~. Staat u. Kultur in s. Leben u. Denken (in: Universitas 19) 1964. PG

Heuss-Knapp, Elly, * 25. 1. 1881 Straßburg, † 19. 7. 1952 Bonn; Lehrerin, wandte sich Frauen- u. Sozialfragen zu, unterstützte ihren Mann Theodor H. in s. publizist. u. redaktionellen Tätigkeit. 1949/50 Gründung d. Dt. Mütter-Genesungswerkes.

Schriften: Ausblick vom Münsterturm. Erlebtes aus dem Elsaß und dem Reich, 1934; Schmale

Wege, 1946; Bürgerin zweier Welten, ein Leben in Briefen und Aufzeichnungen (hg. v. M. Vater) 1961.

Herausgebertätigkeit: G. F. Knapp, Aus der Jugend eines deutschen Gelehrten, 1927; F. Rükkert, Gedichte, 1948.

Ausgaben: Im Dienst der Stunde. Aus Lebensweg und Lebenswerk (ausgew. u. eingel. v. CH. TEUSCH) 1953; Zeugnisse ihres Wirkens (Ausw. u. Einleitg. v. A. PAULSEN) 1959; Rat und Tat (Teilslg.). Nachklang eines Lebens (hg. F. KAUFMANN) 1964; Alle Liebe ist Kraft (Teilslg.) Aufsätze und Vorträge (hg. u. m. e. biograph. Einleitg. v. A. PAULSEN) 1965.

Bibliographie: W. PRINZING, Bibliogr. d. Schr. u. Reden v. Theodor H. u. ~ (in: M. BOVERI, Th. Heuss. D. lit. Gestalt) 1954.

Literatur: NDB 9, 56. – ~ z. Gedächtnis (hg. H. BOTT) 1952.   IB

Heusser-Schweizer, Meta, * 6. 4. 1797 Hirzel/Kt. Zürich, † 2. 1. 1876 ebd.; Tochter e. evangel. Landpfarrers, Gattin e. Arztes, Mutter v. Johanna Spyri; schrieb geistl. Lieder.

Schriften: Kein Sperling fällt Herr ohne Deinen Willen. Zum Andenken an das Jahr 1817 (Ged.) 1818; Lieder einer Verborgenen (Hg. A. Knapp) 1858; Gedichte. 2 Sammlungen, 1863–67 (neue Ausg. 1898).

Literatur: ADB 12, 339; NDB 9, 57; HBLS 4, 214. – A. SCHLATTER, Leben u. Nachlaß, Bd. 2, Briefe an ihre Freunde, 1865; P. SUTERMEISTER, ~, Lb. e. christl. Dichterin, 1898; L. PESTALOZZI, ~. Lb. e. christl. Dichterin, 1927; A. STUCKI, ~. D. christl. Dichterin, 1949; V. BODMER-GESSNER, D. Zürcherinnen, 1966.   AS

Heußner, (Johann Heinrich) Wilhelm, * 23. 5. 1801 Ohrdruf/Thür., Todesdatum u. -ort unbekannt; lebte um 1830 in Ratzeburg u. leistete dort 1839 als «Kopiist» d. Bürgereid.

Schriften: Winterblüthen. Eine Sammlung Gedichte des Ernstes und der Laune, 1830.

Literatur: Goedeke 13, 615.   RM

Heutschi, Peter, * 27. 4. 1939 Zürich; Ausbildung Abendgymnasium, Handelsschule, Wirtefachschule; Reiseleiter, Schauspieler; lebt in Zürich. Verf. v. Kindergeschichten in Dialekt.

Schriften: Es dutzed Bett-Mümpfeli. Gschichtli (mit W. Hofmann) 1975; Max & Moritz, hüt.

Gschicht (mit dems.) 1977; Neui Bett-Mümpfeli. Gschichtli (mit dems.) 1977 (alle auch auf Platten).   AS

Hevesi, Ludwig (Ps. Onkel Tom), * 20. 12. 1843 Heves/Ungarn, † 27. 2. 1910 Wien (Selbstmord); Arztsohn, studierte in Wien klass. Philol. u. Medizin, 1865 Journalist, seit 1866 am «Pester Lloyd» u. seit 1875 am Wiener «Fremdenbl.». Humorist, Reise- u. Jugendschriftsteller.

Schriften: Sie sollen ihn nicht haben. Heiteres aus ernster Zeit, 1871; Des Schneidergesellen Andreas Jelky Abenteuer in vier Welttheilen. Nach historischen Quellen zum ersten Male ausführlich dargestellt und der reiferen Jugend gewidmet, 1875; Auf der Schneide. Ein Geschichtenbuch, 1884; Neues Geschichtenbuch, 1885; Auf der Sonnenseite. Ein Geschichtenbuch, 1886; Almanaccando. Bilder aus Italien, 1888; Buch der Laune. Neue Geschichten, 1889; Ein englischer September. Heitere Fahrten jenseits des Kanals, 1891; Regenbogen. Sieben heitere Geschichten, 1892; Von Kalau bis Säkkingen. Ein gemütliches Kreuz und Quer, 1893; Zerline Gabillon. Ein Künstlerleben, 1894; Glückliche Reisen, 1895; Tilgner, Ausgewählte Werke (Hg.) 1896; Wilhelm Junker. Lebensbild eines Afrikaforschers, 1896; Die Althofleute. Ein Sommerroman, 1897; Blaue Fernen. Neue Reisebilder, 1897; Das bunte Buch. Humoresken aus Zeit und Leben, Literatur und Kunst, 1898; Wiener Totentanz. Gelegentliches über verstorbene Künstler und ihresgleichen, 1899; Der zerbrochene Franz nebst anderen Humoresken und Geschichten, 1900; Die bildende Kunst in Österreich (1848–98), 1900; Mac Eck's sonderbare Reisen zwischen Konstantinopel und San Francisco, 1901; Ewige Stadt, ewiges Land Frohe Fahrten in Italien, 1903; Österreichische Kunst im neunzehnten Jahrhundert, 2 Tle., 1903; Schiller und Lenau. Zwei Concordia-Reden, 1905; Rudolf von Alt. Variationen, 1905; Sonne Homers. Heitere Fahrten durch Griechenland und Sizilien 1902–04, 1905; Acht Jahre Secession (März 1897–Juni 1905). Kritik – Polemik – Chronik, 1906; Die fünfte Dimension. Humore der Zeit, des Lebens ,der Kunst, 1906; Der Zug um den Mund. Neue Humore, 1907; Altkunst – Neukunst, Wien 1894–1908, 1909; Flagranti und andere Heiterkeiten, 1909; Gut munkeln. Neue Humore der neuen Zeit, 1909; F. X. Messerschmidt, Werke. Mit biographisch-kritischer Einleitung, 1909; Ludwig Speidel. Eine literarisch-biographische Würdigung, 1910.

Nachlaß: Mommsen Nr. 1649.

Literatur: ÖBL 2,310; Biogr. Jb. 15,*38; Theater-Lex. 1,784. – W. HANDL, ~ (in: Die Schaubühne 10) 1910; A. RÖSSLER, Speidel u. ~, 1923.   IB

Hewen, Georg (Ps. f. Anton Trunz), * 1875 Pforzheim; studierte in Freiburg/Br., Dr. phil., Kaplan, später Pfarrer in Andelshofen u. Wangen. Päpstlicher Geheimkämmerer.

Schriften: Aus Alt-Birnaus Tagen. Eine Erzählung aus der Zeit des dreißigjährigen Krieges, 1921; Gerwigs Jüngste. Erzählung aus dem Seegau, 1924.   IB

Hey, Johann Wilhelm, * 26.5.1789 Laucha b. Gotha, † 19.5.1854 Ichtershausen b. Erfurt; Pfarrerssohn, studierte in Jena u. Göttingen Theol., Hauslehrer in Holland, 1818 Pfarrer, später Hofprediger in Gotha, 1832 Superintendent in Ichtershausen. Verf. v. Fabeln u. Liedern, vorwiegend f. Kinder.

Schriften: Gedichte, 1816; Auswahl von Predigten I 1829, II 1832; Fünfzig Fabeln für Kinder mit Bildern von O. Speckter, 1833; Noch fünfzig Fabeln für Kinder, 1837; Erzählungen aus dem Leben Jesu für die Jugend dichterisch bearbeitet, 1838; Das Kind von der Wiege bis zur Schule. Gezeichnet und radiert von H. J. Schneider, mit begleitendem Text von ~, 1850.

Literatur: ADB 12,344; NDB 9,62; Goedeke 13,159; LexKJugLit 1,545. – J. BONNET, D. Fabeldichter ~, e. Freund unserer Kinder,1885;~ nach s. eigenen Briefen u. Mitteilungen s. Freunde dargestellt, 1886; A. BÜLOW, ~ e. Bild s. Lebens u. Dichtens, 1889; N. KNAUF, ~ u. s.Bedeutung f. d. Schule, 1889; Vom Fabeldichter ~ (in: Insel-Almanach) 1956.   IB

Hey, Julius, * 29.4.1831 Irmelshausen b. Königshofen, † 22.4.1909 München; nach Kupferstecherlehre Besuch d. Münchner Malerakad., dann Musiklehrer u. Gesangspädagoge in München u. Berlin. Auch Komponist.

Schriften (Ausw.): Deutscher Gesangs-Unterricht ..., 4 Bde., 1885–87 (Kurzfass. als «Kleiner Hey», 1912; Neuausg., bearb. u. erg. v. F. Reusch, 1956); Richard Wagner als Vortragsmeister (Erinn., hg. H. Hey) 1911.

Literatur: MGG 6,358; NDB 9,62.   RM

Hey, Richard, * 15.2.1926 Bonn; Regisseur, Gerhart-Hauptmann-Preis 1960, Schiller-Gedächtnispreis 1955, Hörspielpreis d. Kriegsblinden 1965, wohnt in Wuppertal. Verf. v.Hörsp., Fernseh-Filmen, Erz. u. Dramatiker.

Schriften: Thymian und Drachentod. Ein Stück in zwei Teilen, 1956; Kein Lorbeer für Augusto, 1961; Weh dem, der nicht lügt (Kom.) 1962; Kandid 2. Akte nach Voltaire, 1972; Ein Mord am Lietzensee, 1973; Auf Anhieb Mord, 1974; Engelmacher & Co (Kriminal-Rom.) 1975; Das Ende des friedlichen Lebens der Else Reber. Schau- und Hörstück, 1976; Ohne Geld singt der Blinde nicht (Kriminal-Rom.) 1979.

Literatur: Albrecht-Dahlke II,2,314; M. KESTING, Panorama d. zeitgenöss. Theaters, 1962.

IB

Heyck, Eduard, * 30.5.1862 Doberan/Mecklenburg, † 11.7.1941 Ermatingen/Kt. Thurgau; studierte in Leipzig, Jena u. Heidelberg, 1887 Privatdoz. d. Gesch., 1890 a.o. Prof. in Freiburg/Br., 1892 in Heidelberg, 1896 Archivrat u. Vorstand d. fürstl. Fürstenbergischen Bibl. u. Kunstslg. in Donaueschingen, 1898 Übersiedlung in d. Schweiz, Privatgelehrter. Schriftleiter d. «Allg. Dt. Kommersbuches» u. d. student. Zs. «Fortunatus», Hg. d. «Monographien z. Weltgesch.», Erz. u. Lyriker.

Schriften (Ausw.): Heidelberger Studentenleben zu Anfang unseres Jahrhunderts. Nach Briefen und Acten, 1886; Geschichte der Herzoge von Zähringen, 1891; Bismarck, 1898; Kaiser Maximilian der Erste, 1898; Die Allgemeine Zeitung (1798–1808) 1898; Die Kreuzzüge und das heilige Land, 1900; Der Große Kurfürst, 1902; H. von Bartels, 1903; A. Feuerbach, 1905; Maria Stuart, Königin von Schottland, 1905; Deutsche Geschichte. Volk, Staat, Kultur, Geistiges Leben, 1906; Johanna von Bismarck, 1907; Lukas Cranach, 1908; Luther, 1909; Das Ende der Flittermonde des Hei-ho (Nov.) 1927; Gaja, Sinne und Sitten des Naiven in vier Jahrtausenden, 1928; Der Sieg ist erstritten. Lieder der neuen Zeit, 1934.

Nachlaß: Landesbibl. Kiel. – Denecke 2. Aufl.

IB

Heyck, Hans (Ps. Harro Loothmann), * 19.9.1891 Freiburg/Br., † 24.6.1972 Starnberg; kaufmänn. Lehre in Hamburg, ging 1913 nach Südamerika, 1914 Rückkehr, während d. 1.

Weltkrieges Flugzeugführer, später in versch. Berufen tätig. Erz. u. Dramatiker.

Schriften: Der Zeitgenosse (Rom.) 1925; Die Halbgöttin und die Andere (Rom.) 1926; Der Außenseiter (Rom.) 1928; Deutschland ohne Deutsche. Ein Roman von übermorgen, 1929; Der Strudel (Rom.) 1930; Der Glückliche. Roman einer Diktatur, 1931; Armin der Cherusker. Ein deutscher Roman, 1932; Kleist (Tr.) 1933; Befreier Armin, 1933; Deutschlands Befreiungskampf 1918–1933; Robinson kehrt heim. Roman zwischen Gestern und Morgen, 1934; Durch feindliche Sperre ins Vaterland, 1934 (1942 u. d. T.: Den Engländern durchs Netz geschlüpft); Friedrich Wilhelm I. Amtmann und Diener Gottes auf Erden, 1936; Liebesspiel in Rom (Nov.) 1936; Der Große Kurfürst von Brandenburg (Rom.) 1938; Brandenburgs Aufstieg zur Macht. Urkundliche Zeugnisse, Briefe, Berichte aus den Tagen und von den Taten der Großen Kurfürsten, 1939; Der Große König. Ein Lebens- und Zeitbild, 2 Bde., 1940; Das Welpennest, ein Buch von Siedlern, Tieren und Kindern, 1943 (u. d. T.: Pegasus im Paradies). Von den Wonnen des einfachen Lebens, 1952); Nordlicht. Gedichte eines Lebens, 1956; König zwischen Tod und Sieg, Friedrich der Große im Siebenjährigen Krieg, 1958; Dreimal Clausewitz. Historische Skizzen, 1965.

Nachlaß: Landesbibl. Kiel. – Denecke 2. Aufl.

Literatur: ∼ (in: Dt. Annalen 2) 1973; Rückblick auf ein langes Leben (ebd. 3) 1974.   IB

Heyd, Günther, * 3. 12. 1900 Darmstadt; lebt als Privatgelehrter (Kulturgesch., Goethe) in Hamburg.

Schriften (Ausw.): Ein Wortweiser im Faustwerk, 1936; Goethe als Mensch und Deutscher, 1936; Was Goethe dir noch sagen wollte, 1936.
                                                        AS

Heyd, Kurt, * 20. 3. 1906 Darmstadt; Journalist, Red. ebd.; Erzähler, Verf. v. Hör- u. Fernsehspielen. Joh. Heinrich Merck-Ehrung d. Stadt Darmstadt 1962.

Schriften: Christophs Abenteuer in Australien. Eine Erzählung aus der Goldgräberzeit, 1935; Flegeljahre im Busch. Christophs Abenteuer in Neu-Seeland, 1938.   AS

Heyd, Werner (Paul), * 31. 10. 1920 Stuttgart; Dr. phil., Journalist, wohnt in Oberndorf. Volkskundl. Arbeiten, Essayist.

Schriften: Der Korrektor. Versuch eines Berufsbildes, 1971; Bauernweistümer (ges. u. bearb., Hg.) 1971; Nicht ärgern. Ein Trost- und Schmunzelbüchlein für Druckfehlergeschädigte, 1973; Masken unserer Stadt: Oberndorf, 1973. IB

Heyda, Ernst (Ps. Ernst Albert, Frank O. Bach, Rex Dryden, Ernst Walter), * 27. 5. 1910 Frankfurt am Main; wohnt in Rastatt. Erzähler.

Schriften: Von der Herzen Sehnsucht (Gesch.) 1938; Er, Sie, Es. Heitere Geschichten, 1938; Michael Panten (Erz.) 1943; Stabwechsel mit Petra. Eine heitere Sporterzählung für Mädchen, 1957; Bongos lustige Streiche. Eine heitere Affengeschichte. 1959; Peter fährt zum Endspiel, 1962; Er, Sie und die Umwelt, 1961; Mein Sohn, die Weiber sind gefährlich (satir. Rom.) 1963; Man muß auch verlieren können, 1964; Sein großes Spiel, 1965; Spielen, kämpfen, siegen. Ernste und heitere Sportgeschichten, 1965; Ich sammele Briefmarken, 1965; Ich sammele mit Köpfchen, 1966; Große Freude an kleinen Marken, 1966; Inspektor Morris behält die Ruhe, 1966; Inspektor Morris erzählt, 1966; Inspektor Morris hat Humor, 1966; Privatdetektiv Slim Shatter, 1967; Slim Shatter greift ein, 1967; Slim Shatters großer Fall, 1967 (auch u. d. T.: Privatdetektiv Slim Shatters großer Fall); Die große Jagd um Punkte und Tore, 1968; Der Sommersprossen-König, 1969; Sport, Spiel, Spannung, 1971; Er kam, sah und bumste (Rom.) 1974; Uwe findet zum Fußball, 1975.   IB

Heydecker, Joe J., * 13. 2. 1916 Nürnberg; Ausbildung als Photograph, ab 1933 Journalist in Ost- u. Südeuropa, ab 1945 süddt. Korr. d. Berliner Ztg. «Der Kurier», später Hg. d. Zs. «D. Weltstaat», Gründer d. dt. Zweigs d. «Weltstaat-Liga»; Journalist in München.

Schriften: Coup. Der Roman eines Revuestars, 1933; Kronprinz Rupprecht von Bayern. Ein Lebensbild, 1953; Wettlauf zum Ende der Welt, 1957; Der Nürnberger Prozeß. Bilanz der 1000 Jahre (mit J. Leeb) 1958.   AS

Heydecker-Langer, Olga (Ps. für Olga Langer, geb. Heydecker), * 19. 1. 1880 Memmingen; württemb. Hofschauspielerin, lebte u. a. in München.

Schriften: Lebensreise im Komödiantenwagen. Erinnerungen einer Schauspielerin, 2 Bde., 1928.

Literatur: Theater-Lex. 2, 1165 (unter Langer).
                                                        AS

Heydel, Hugo, * 10. 1. 1907 Kiel; Fregattenkapitän a. D., Filialdir. e. Versicherungs-Gesellsch., wohnt in Hamburg. Erzähler.

Schriften: Pfeifen und Lunten. Neue heitere Marinegeschichten. Erlebt und erlauscht, 1960. IB

Heydemann, Elisabeth → Möhring, Elisabeth.

Heydemarck, Georg (d. i. Wilhelm Haupt) * 27. 10. 1891 Magdeburg, wohnt in Leipzig.

Schriften: Die Landser. Sachsens Soldatenlieder gesammelt, 1915; Die Leuchtkugel in der Champagne pouilleuse, abgeschossen von H., 1916; Doppeldecker «C 666». Als Flieger im Westen, 1916; Balladen aus meinem Leben, 1920; Erste Gedichte, 1920; Soldatenlieder, 1929.   IB

Heyden, August (Jakob Theodor) von, * 13. 6. 1827 Breslau, † 1. 6. 1897 Berlin; Sohn v. Friedrich August v. H., zuerst Bergbeamter, dann Besuch d. Berliner Akad., Studienaufenthalte in Paris (1861–63) u. Italien, 1882–93 Prof. f. Kostümkunde an d. Berliner Kunstakad., 1890 preuß. Staatsrat. Hg. d. «Bl. f. Kostümkunde».

Schriften: Aus der Teufe (2 Märchen) 1879; Die Perlen (Märchen) 1881; Tracht der Kulturvölker Europas, 1892; Aus eigenem Rechte der Kunst. Ein Wort zur Abwehr, 1894.

Literatur: ADB 55, 782; Thieme-Becker 17, 20.
                                                                        RM

Heyden, Camillo → Anthony, Wilhelm.

Heyden, Friedrich von der (Ps. Franz Held), * 8. 2. 1886 Köln; Rechtsanwalt, lebte u. a. in Niederbayern, in Langenfeld/Rhl., zuletzt in Berlin. Verf. v. Bühnenstücken, Hörspielen, Romanen.

Schriften: Der falsche Prinz. Leben und Abenteuer von Harry Domela, im Gefängnis zu Köln von ihm selbst geschrieben, 1927; Um Volk und Reich. München oder Weimar?, 1946. (Ferner ungedr. Bühnenstücke.)   AS

Heyden, Friedrich August von, * 3. 9. 1789 Nerfken b. Heilsberg/Ostpr., † 5. 11. 1851 Breslau; studierte in Königsberg, Berlin u. Göttingen, 1826 Regierungsrat, 1851 Oberregierungsrat in Breslau. Dramatiker, Epiker u. Lyriker.

Schriften: Renata. Romantisches Drama, 1816; Conradin (Tr.) 1818; Dramatische Novellen, 2 Bde., 1819; Dichtungen, 1820; Die Gallione. Gedicht in sechs Gesängen, 1825; Der Kampf der Hohenstaufen (Tr.) 1828; Reginald. Romanti-

sches Gedicht in fünf Gesängen, 1831; Die Intriguanten (Rom.) 2 Bde., 1840; Randzeichnungen. Eine Sammlung von Novellen und Erzählungen (2 Bde.) 1841; Theater 3 Bde., 1842; Das Wort der Frau. Eine Festgabe, 1843; Der neue Hyacinth, 1844; Der Schuster zu Isphahan. Neupersische Erzählung in Versen, 1850; Die Königsbraut. Gedicht in fünf Gesängen, 1851; Gedichte. Mit einer Biographie des Dichters (hg. v. Th. Mundt) 1852.

Nachlaß: Staatsbibl. Preuß. Kulturbesitz Berlin. – Denecke 2. Aufl.

Literatur: ADB 12, 351; NDB 9, 67; Meusel-Hamberger 18, 158 f.; 22/2, 741; Theater-Lex. 1, 784. – A. GABRIEL, ~ mit bes. Berücksichtigung d. Hohenstaufen-Dg. (Diss. Breslau) 1900; W. MÜLLER, ~s Nov. u. Erz. (Diss. Breslau) 1920; F. BUCH, ~s Dramensammlungen (Diss. Breslau) 1921; H. W. SATTLER, Der unveröff. dramat. Nachlaß ~s (Diss. Breslau) 1921.   IB

Heyden, Julius (August Leopold Friedrich) von (der) (Ps. Emerentius Scävola), * 31. 1. 1786 Mölschow auf Usedom, † März 1867 Melchowitz/Schles.; Sohn e. Gutsbesitzers, Teilnahme an mehreren Feldzügen, 1813 schwer verwundet, erhielt als Zivilversorgung e. Postmeistersstelle in Wriezen/Oder, 1823 Postmeister in Königsberg i. d. Neumark, später Postdir., 1836 ging er auf einige Zeit nach Venedig, 1838 Rückkehr nach Schlesien. Lyriker u. Verf. v. Rom. u. Novellen.

Schriften: Poetische Versuche, 2 Tle., 1810–11; Hymnus nach den Schlachten an der Katzbach gesungen, und ... dem Fürsten Blücher von Wahlstadt ... zugeeignet von einem unter Seinem Befehl gedienten Ulanen-Veteranen, 1814; An mein Schwert. Drei Lieder. Seinen tapfern Waffenbrüdern am Tage des größten Volksfestes den 3. August 1814 gewidmet, 1814; Liederkränze, Kranz 1–5, I Lieder aus dem Zeitraum der Schmach, II Lieder aus dem Zeitraum der Erhebung, III Lieder aus dem Zeitraum der Siegesfreude, IV Lieder aus dem Zeitraum der Ruhe, V Schwanenlieder, 1823; Genossen der Mitternacht (Nov.) 2 Tle. (1. Tl.: Die Mumie – Der Sünderin Engel – Der Todtenboten – Va banque – Der Todtenerwecker – Der Gruß aus dem Grabe, 2. Tl.: Zwangeid und Eidzwang oder Glaube und Aberglaube – Der Theezirkel auf dem Schlosse Aarweiler – Der seliggesprochene Verdammte) 1832; Cameraobscura-Bilder (Nov.: Das Geheimniß der Reminiscenz – Die Fesseln der Erde – Die Gattin und das Campagnepferd) 1832; Adolar, der Weiberverächter (Nov.) 2 Tle., 1833; Die Erbsünde, 2 Tle. (Nov.: Die Erblasser –Die Erben) 1834; Learosa, die Männerfeindin (Rom.) 3 Tle., 1835; Leonide (Rom.) 4 Tle., 1835; Die Kreolin und der Neger. Galerie romantischer Bildwerke (Der Königsenkel – Die Kreolin – Dessalines – Die Blutsfreundin – Die Kaperbeute – Hayti) 1836; Andronika (Rom.) 3 Tle., 1836; Der Veteran und sein Sohn (Nov.) 2 Tle., 1837; Briefe eines Flüchtlings, 4 Bde., 1838.

Handschriften: Frels 130.

Literatur: Meusel-Hamberger 22/2,741; Goedeke 7,847; 10,609; 11/1,503; 14,346,1008.

IB

Heyden, Ludwig Jakob Christoph, * 1728 Neustadt/Aisch, † 2.12.1761 Wien; Erzbischöfl. Sekretär, um d. Hebung d. dt. Bühne in Wien bemüht. Übers. frz. Stücke, sowie Verf. dramaturg. Schriften.

Schriften: Penelope, 1761.   IB

Heyden, Marcus, * 16.11.1596 Coburg, † 30.8.1667 Weimar; Kunstdrechsler, Büchsenmacher, Feuerwerker u. Poeta Laureatus.

Schriften: Beschreibung eines von Helffenbein gedreheten Kunst-Stücks, in Gestalt eines doppelten Trinck-Geschirrs, an welchem vielerley künstlich Drehwerk ..., 1639.

Literatur: Neumeister-Heiduk 377.   RM

Heyden (auch Haiden, Heiden u. Heyd, bzw. -ei-) Sebald, vermutl. * 8.12.1499 Bruck b. Erlangen, † 9.7.1561 Nürnberg; studierte in Ingolstadt, kurze Zeit in d. Steiermark im Schuldienst tätig, Rückkehr in d. Heimat, 1519 Übernahme d. Kantorats d. Spitalschule z. Heiligen Geist in Nürnberg, 1521 Rektor ebd., 1525 bis zu s. Tode Rektor d. Schule v. St. Sebald.

Schriften: Adversus Hypocritas calumniatores, 1524; O mensch bewain dein sünden groß, 1531 (1.Ausg. verloren); Musicae stoicheiosis, 1532; De causis, rem literariam tum conservantibus tum pessundantibus ad Optimates Germanicae carmen hexametrum Sebaldi Heyden, 1534; Musicae, id est artis canendi, libri duo, 1537; Wer in dem Schirm des höchsten ist, 1544; Ich glaub an den allmechtigen got. Der Christliche Glaub, in Gesangsweyß gestelt, Durch H. Im Thon des Vatter vnser D. Lutheri, 1545.

Literatur: ADB 12,352; NDB 9,70; MGG 6, 361; Ersch-Gruber II.7,363f.; Schottenloher 1, 344; 7,95; Goedeke 2,94; 181; Jöcher 2,1582. – G. ZELTNER, Kurtze Erläuterung d. Nürnberger Schul- u. Reformations-Gesch. aus dem Leben und Schrifften d. berühmten ~, Rectoris bey S. Sebald ..., 1732; J. CH. SIEBENKEES, Zusätze zu D. G. G. Zeltners Leben u. Schr. ~ s. (in: J. Ch. Siebenkees, Materialien z. Nürnberg. Gesch. 2) 1792.

IB

Heydenau, Friedrich (Ps. f. Friedrich Oppenheimer) * 4.7.1886 Wien, † 10.8.1960 ebd.; bis 1918 Offizier, dann freier Schriftst., ging 1939 nach Schweden und in d. USA, 1947 Rückkehr nach Wien. Erzähler.

Schriften: Wuk der Wolf. (Erz.) 1934; Der Leutnant Lugger. (Rom.) 1934; Hejo und Hila (Rom.) 1935; Österreichische Rhapsodie (Rom.) 1951; Roman, 1952; Auf und ab (Rom.) 1953; Gouvero. (Rom.) 1953; Jenseits von gestern oder Der unheilige Franziskus (Rom.) 1955.   IB

Heydenreich, Johann Christian Heinrich (Ps. Gustav Schmidt); * 1776 Stolpen/Sachsen, † um 1808 Querfurt; Amtsaktuar ebd., Bruder von Karl Heinrich H. Erzähler.

Schriften: Moritzens Liebschaften und Schwänke (Rom.) 1800; Launige Erzählungen und Mährchen, 1803; Amors Larven und Spielereien 2 Tle., 1806 (Neuausg. u. d. T.: Bilder der Vergangenheit, 1816 u. Sieben Louisdor und eine Alkoventür 1816); Louis Reinwald oder Das schöne Geheimniß, 1807; Theodore oder Der weinende Bettler, 1808; Egwia oder Buhlerin und Mannesfluch, 1808; Panorama der wirklichen Welt. Ein Bilderbuch für die deutsche Jugend, 1808.

Literatur: Meusel-Hamberger 15,335; 22/2, 743.

IB

Heydenreich, Karl Heinrich, * 19.2.1764 Stolpen/Sachsen, † 26.4.1801 Burgwerben b. Weißenfels; Pfarrerssohn, studierte Philol. u. Philos. in Leipzig, 1789–98 Prof. in Leipzig. Ästhetiker u. Dichter.

Schriften: Betrachtungen über die Philosophie der natürlichen Religion, 2 Bde., 1790/91; System der Ästhetik, 1790; Grundsätze der moralischen Gotteslehre, nebst Anwendungen auf geistliche Rede- und Dichtkunst, 1792; Ideen über Menschheit, Gott und Ewigkeit von Pascal, mit Betrachtungen, 1793; Originalideen über die interessantesten Gegenstände der Philosophie, nebst einem kritischen Anzeiger der wichtigsten philosophischen Schriften, 3 Bde., 1793–1795; Propädeutik der Moralphilosophie nach Grundsätzen der reinen Vernunft, 3 Tle., 1794; Versuch über die Heiligkeit des Staates und die Moralität der Revolution, 1794; System des Naturrechts nach kritischen Principien, 2 Tle., 1795; Briefe über den Atheismus, 1796; Über das menschliche Elend, zum Nachdenken und zur Beruhigung für Leidende, 1796; Mann und Weib, ein Beitrag zur Philosophie über die Geschlechter, 1797; Über die durch gesetzwidrige Wirkung äußerer Sinne entstehenden abergläubischen Täuschungen, 1797; Vesta. Kleine Schriften zur Philosophie des Lebens, besonders des häuslichen, 5 Bde., 1798–1801; Joseph, ein Gedicht in neun Gesängen. Nach dem Französischen des Herrn Bitaubé ..., 1800; Betrachtungen über die feine Lebensart. Nach dem Französischen des Abbé Bellegarde ..., 1800; Maximen für den geselligen Umgang. Ein Taschenbuch für junge Personen, 1801; Das Naturrecht nach den Grundsätzen der Vernunft, 2 Tle., 1801; Gedichte. (Hg. v. s. Bruder A. H. H.) 1802.

Handschriften: Frels 131.

Literatur: ADB 12,355; Ersch-Gruber II. 7, 364; Jördens 6,819; Meusel-Hamberger 3,295; 9,582; 11,352; 14,130; Goedeke 4/1,6; 7, 274; K. H. SCHELLE, Charakteristik ~'s, 1802; WOLLFAHRT, D. letzten Lebensjahre ~s, 1802.   IB

Heydenreich, (August) Ludwig (Christian), * 25.7.1773 Wiesbaden, † 26.9.1858 ebd.; Theol.-Studium in Erlangen, 1792 Magister, 1818 Prof. am Evangel.-Theol. Seminar in Herborn (1825–37 Dir.), seit 1837 Landesbischof v. Nassau. Theologe u. Kirchenliederdichter.

Schriften (Ausw.): Die eigenthümlichen Lehren des Christenthums ... rein biblisch dargestellt, 4 Bde., 1833–39. – 57 Lieder im nassau. Gesangbuch v. 1840.

Literatur: NDB 9,72; RGG ³3,310. – E. KNODT, FS z. Hundertjahr-Feier d. Königl. Theol. Seminars in Herborn, 1918 (mit Schr.-Verz.); A. ADAM, D. Nassau. Union v. 1817 (in: Jb. d. Kirchengesch. Ver. in Hessen u. Nassau 1) 1949.   RM

Heydevogel, Ernst, * 18.11.1749 Riga, † 13.3.1787 ebd. (Freitod); nach Studium in Göttingen Kanzleiverwalter in Riga.

Schriften: Meinen zurückbleibenden Freunden gewidmet, 1771; Das Trentleva. Ein Nachspiel, 1773.

Literatur: Goedeke 4/1,150.   RM

Heydorn, Ellen (Ps. f. Margit Höss), * 7.2.1911 St. Pölten/Niederöst.; Lehrerin in Herdecke im Ruhrgeb. Erz. u. Lyrikerin.

Schriften: Das Schloß in der Ferne, 1954; Heimkehr nach Schloß Borkenfeld, 1954; Ein Mann, ein Traum, ein Mädchen, 1954; Spiel mir dein Lied, Zigeuner! 1954; ... und es blieb die große Liebe, 1954; Die Versuchung des Stefan, 1954; Traum oder Wirklichkeit? 1955; Ein Mädchen wartet ... 1955; Herzen im Sturm, 1955; Die Frau aus den schwarzen Bergen. Spiel des Schicksals, 1955; Angelika, 1955; Es ist dein Sohn, Elga, 1970.   IB

Heydorn, Heinz Joachim, * 14.6.1916 Hamburg, † 15.12.1974 Frankfurt/Main; studierte Philos. u. Sinologie; Dr. phil., Doz. an d. PH in Kiel, dann am Hess. Inst. f. Lehrerbildung in Darmstadt, seit 1959 o. Prof. für Erziehungs- u. Bildungswesen in Frankfurt.

Schriften (Ausw.): R. Aldington, Bilder (Übers.) 1947; Julius Bahnsen. Eine Untersuchung zur Vorgeschichte der modernen Existenz, 1953; Wache im Niemandsland. Zum 70. Geburtstag von Alfred Kantorowicz (Hg.) 1969; Unser Satz endet mit einem Komma (Ged.) 1969; Über den Widerspruch von Bildung und Herrschaft, 1970; Jan Amos Comenius, Geschichte und Aktualität 1670–1970 (Hg.) 2 Bde., 1971; Zu einer Neufassung des Bildungsbegriffs, 1972; Studien zur Sozialgeschichte und Philosophie der Bildung (mit G. Koneffke) 2 Bde., 1973.   AS

Heydrich, Gustav Moritz, * 13.3.1820 Dresden, † 27.1.1885 Loschwitz b. Dresden; studierte in Leipzig u. Berlin Philol., Gesch. u. Lit., führte e. zurückgezogenes Leben. Freund O. Ludwigs, dessen Nachlaßbde. er betreute. Lyriker, jedoch vorwiegend Dramatiker, Dramaturg.

Schriften: Schwarz – gold – roth! Deutsches Bannerlied, 1848; Leonore von Portugal. (Tr,) 1851; Tiberius Gracchus (Tr.) 1861; Prinz Lieschen. Posse, 1861; Die schöne Magelone. Zaubermärchen, 1861; Der Pastetenbäcker.

Operette, 1861; Der Schatz (Liedersp.) 1861;
Dramaturgische Skizzen, 1864; Sonnenschein
auf dunklem Pfade (Ged.) 1870; O. Ludwig,
Shakespeare-Studien (hg.) 1871; Goldene Hoch-
zeit (Festsp.) 1872; O. Ludwig, Skizzen und
Fragmente (hg.) 1874.

Handschriften: Frels 130.

Literatur: ADB 50, 310; Theater-Lex. 1, 785.   IB

Heydt, Karl von der, * 1858 Elberfelde; studierte Philos. in Rom u. Berlin, wandte sich dem
Bankfach zu. Dramatiker.

Schriften: Rhythmen vom Leben, von der
Liebe und vom Tode. Variationen über das
Thema Weib. (5 Dialoge) 1903; Johanne Arc
(Schausp.) 1904; Aphrodite (Dr.) 1907.   IB

Heyduck, Hilde (Ps. Hilde Heyduck-Huth)
* 18.3.1929 Niederweisel; wohnt in Baben-
hausen. Verf. v. Kinderbüchern.

Schriften: Wenn die Sonne scheint, 1961; Im
Kinderland. Petit Monde. Children's World,
1963; Kommt in den Wald, 1964; Drei Vögel,
1966; Thomas im Dorf, 1967; Fahrzeuge, 1967;
Jahreszeiten-Bilderbuch, 1968; Weihnachten,
1971; Die Vögel, 1973; Der Bach, 1973; Der
Maikäfer, 1973; Laternenfest, 1973; Schau, was
ich gefunden hab, 1973; Ein Käfer in der Wiese,
1976.   IB

Heye, Arthur, * 4.11.1885 Leipzig, † 1.11.
1947 Ascona; entfloh mit vierzehn Jahren s.
Stiefvater, Schiffsjunge u. Heizer auf e. Amerika-
dampfer, später Weltreisender e. dt. Ws., Tier-
photograph in Britisch-Ostafrika, dt. Afrikasoldat
im 1. Weltkrieg, lebte dann zeitweilig in Berlin,
ging aus polit. Gründen 1933 in die Schweiz.
Übers. u. Reiseschriftsteller.

Schriften: Vitani. Kriegs- und Jagderlebnisse in
Ostafrika 1914–1916, 1921; Hatako. Das Leben
eines Kannibalen, 2 Bde., 1921; Wanderer ohne
Ziel. Von abenteuerlichen Zwei- und Vierbei-
nern, 1922; Unterwegs. Lebensfahrt eines romantischen Strolches, 1925; Allah hu akbar.
Unterwegs im Morgenlande, 1926; Meine Brüder. Bilderbuch einer langen Fahrt durch be-
fremdliche Länder und Zeiten, 1926; Unter
afrikanischem Großwild, 1927; Pech. Afrikanische Zufälle, 1927; Brennende Wildnis, 1927;
Filmjagd auf Kolibris und Faultiere. Nach brasilianischen Tagebuchblättern eines Kurbelman-
nes, 1929; Millionen am Amazonas, 1930; Befreite Sklaven. Ostafrikanischen Erzählungen,

1931; Tiere wie ich sie sah. Aus Urwald und
Steppe, 1933; Wilde Lebensfahrt, 6 Bde., 1939f.;
Im letzten Westen. Mit Trappern, Fischern,
Goldsuchern in Alaska, 1939; Die Löwen kommen, 1939; In Freiheit dressiert, 1940; Hinein
nach Afrika, 1941; Allahs Garten. Erlebnisse
im Morgenlande, 1941; Die Wildnis ruft, 1941;
Ewige Wanderschaft, 1942; Steppe im Sturm,
1942; Amazonasfahrt, 1944; Ein Leben unterwegs, 1948; Meine Brüder im stillen Busch. Erlebnisse mit Tieren. (auch u. d. T.: Meine Brüder
im stillen Busch, in Luft und Wasser) 1951.   IB

Heye, Günther, * 8.8.1881 Delmenhorst/Ol-
denburg, lebte 1934 in Stuttgart; Offizierssohn,
humanistisch gebildet, bibliothekarisch tätig,
später freier Schriftsteller.

Schriften: Adolf Heye. Ein Lebensbild, 1919;
Dichtungen und Aufsätze nebst Nachzüglern und
Erinnerungen, 1919; Politische und religiöse
Aufsätze, 1920; Bunter Blätter, 1920; Neue
Schriften, 1922–27.   IB

Heye, Ilse (Ps. für Falvella, Teresia Ilse Gräfin
geb. Heye; auch Ilse Röchling) * 12.3.1895
Düsseldorf; lebte auf Capri und in Rom. Lyrikerin, Erzählerin.

Schriften: Von fremden Sternen (Ged.) 1916;
Lieder der Sehnsucht, 1921; Das goldene Arm-
band (Nov.) 1922; Der Dolch (Nov.) 1925; Gedichte, 1925.   AS

Heyer, Franz, * 14.10.1842 Marggrabowa/
Ostpr., † 23.12.1926 Wiesbaden; Studium d.
Gesch. u. alter Sprachen in Königsberg, 1867
Dr. phil., Hilfs- u. 1870 Oberlehrer in Barten-
stein, 1881 Gymnasialdir. in Bischweiler/Elsaß
u. 1901 in Weißenburg, lebte seit 1908 in Wiesbaden. Geh. Regierungsrat.

Schriften: (Ausw.): Aus dem alten deutschen
Reiche. Historische Erzählungen in romantischer
Form aus dem Mittelalter, 12 Bde., 1887–90;
Aus dem neuen deutschen Reiche. Historische
Romane für die deutsche Jugend, 3 Bde., 1893–
1895; Durch! Vaterländisches Schauspiel zur
Jahrhundertfeier 1813, 1912.   RM

Heyer, G. L., * 21.2.1768 Helstorf b. Neustadt, † 4.4.1833; Hauptmann in Latferde b.
Hameln.

Schriften: Lieder für den hannoverschen Landsturm, 1814.

Literatur: Goedeke 7, 851.   RM

Heyer, Horst-Gerhard, * 22. 2. 1911 Tilsit/
Ostpr.; war Spielleiter am Reichssender Leipzig,
später Regisseur, lebte in Borkum, dann Red. in
Wiesbaden. Verf. von Unterhaltungsrom. u.
Laienspielen.

Schriften: Um einen Erben (Schausp.) 1936;
Gefährliche Begegnungen mit Evelyne (Rom.)
1949.   AS

Heyer, Kurt, * 15. 1. 1921 Stolp/Pommern;
lebt in Berlin (Ost).

Schriften: Wind nach Kalikut. Die Fahrt des
Pedro Alvarez Cabral nach Brasilien und Indien
(Rom.) 1956.   AS

Heyking, Elisabeth Freifrau von (geb. Gräfin
Flemming) * 10. 12. 1861 Karlsruhe, † 4. 1. 1925
Berlin; in 1. Ehe 1881 mit Stephan Gans Edler
Herr zu Putlitz, in 2. Ehe mit d. preuß. Diplo-
maten Edmund v. H. verheiratet, begleitete die-
sen auf s. weiten Reisen. Enkelin v. Bettina v.
Arnim.

Schriften: Briefe, die ihn nicht erreichten,
1903; Der Tag Anderer. Von der Verfasserin der
«Briefe, die ihn nicht erreichten», 1905; Ille
mihi. (Rom.) 2 Bde., 1912; Tschun. Eine Geschichte aus dem Vorfrühling Chinas, 1914; Die
Orgelpfeifen. Aus dem Lande der Ostseeritter.
(2 Erz.) 1918; Liebe, Diplomatie und Holzhäu-
ser. Eine Balkanphantasie von einst, 1919; Das
vollkommene Glück. (Erz.) 1920; Weberin
Schuld. (Nov.) 1921; Tagebücher aus vier Welt-
teilen, 1886–1904, 1926.

Literatur: NDB 9, 81. – J. HART, ∼ (in: D.
Lit. Echo 8) 1905–06; M. v. BUNSEN, ∼ (ebd.
27) 1924–25; P. LINDENBERG, ∼. (Es lohnte
sich gelebt zu haben) 1941; H. MERCK, E.
Schriftst.: ∼. (in: H. M., Begegnungen und
Begebnisse) 1958.   IB

Hey'l (Heyl), Ferdinand, * 7. 10. 1830 Koblenz,
† 21. 8. 1897 Wiesbaden; Schauspieler, dann
Leiter d. Kurvereinbüros u. seit 1870 Kurdir. in
Wiesbaden. Gründer u. Leiter d. Karnevalsgesellsch. «Sprudel».

Schriften: Humoristische Original-Vorträge in
Prosa, 2 H., 1863 f.; Vom deutschen Strom,
1875. (Außerdem versch. Reiseführer, topograph. Werke u. ungedr. Bühnenstücke.)

Literatur: Theater-Lex. 1, 786.   RM

Heyl, Johann Adolf (Ps. Johann Schill), * 11. 2.
1849 Brixen, † 13. 5. 1927 Innsbruck; studierte

Philos., Gesch. u. Germanistik in Innsbruck, an
versch. Orten als Lehrer tätig, seit 1886 Prof.
am Pädagogikum in Innsbruck, zuletzt Schulrat.
Memoirenschreiber, Folklorist u. Lyriker.

Schriften: Das Gerichtswesen und die Ehehaft-
Tädigungen des Gerichtes zum Stein auf dem
Ritten, 1886; Gestalten und Bilder aus Tirols
Drang- und Sturmperiode. Größtentheils nach
ungedruckten Quellen bearbeitet, 1890; Hei-
matglocken. Gedichte aus den Tiroler Bergen,
1893; Volkssagen, Bräuche und Meinungen aus
Tirol (ges. u. hg.) 1897; Auf stürmischer Fahrt.
Bilder und Geschichten für die reifere Jugend
und das Volk aus dem Leben eines deutschen Ti-
rolers gesammelt und herausgegeben, I In
schwankendem Kahn durch brandende Wellen –
II An Bord der Argo durch schäumende Wogen –
III Sturmfluten, 1903.   IB

Heym, Georg, * 30. 10. 1887 Hirschberg/Schles.,
† 16. 1. 1912 Berlin, Sohn d. preuß. Staatsanwalts Hermann H., 1907–1911 Jurastudium in
Würzburg, Jena u. Berlin, nach kurzer, für ihn
unbefriedigender Referendarzeit Studium oriental. Sprachen u. d. Chinesischen in Berlin im
Hinblick auf e. geplante diplomat. oder Offi-
zierslaufbahn. Beim Schlittschuhlaufen in d. Havel ertrunken, beim vergebl. Versuch, das Leben
seines Freundes, des Dichters Ernst Balcke, zu
retten. Lyriker, Erzähler, Verf. einiger Dramen.

Schriften: Der Athener Ausfahrt (Tr.) 1907;
Der ewige Tag (Ged.) 1911; Umbra vitae (Ged.
aus dem Nachlaß) 1912; Der Dieb (Nov.) 1913;
Marathon (Son. hg. B. MÖLLHAUSEN) 1914,
(nach der Hs. hg. K. L. SCHNEIDER) 1956.

Ausgaben: Dichtungen (hg. E. LOEWENSON u.
K. PINTHUS) 1922; Gesammelte Gedichte (hg.
C. SEELIG) 1947; Dichtungen u. Schriften. Ge-
samtausgabe (hg. K. L. SCHNEIDER) 6 Bde., 1960 ff.

Nachlaß: Staats- u. Univ.-Bibl. Hamburg. –
Denecke 2. Aufl.

Bibliographie: K. MAUTZ, (in: K. M., Mythologie u. Ges. im Expressionismus) 1961; Dg. u.
Schr. Gesamtausgabe IV (in Vorbereitung).

Literatur: NDB, 9, 85; HdG, 1, 305. – H.
GREULICH, ∼ (1887–1912). Leben u. Werk.
1931, Nachdr. 1967; K. MAUTZ, ∼ (in: Dg. u.
Volkstum 38) 1937; H. URNER, ∼ (in: Sammlung 2) 1947; C. F. W. BEHL, Große Stadt ver-
sank im gelben Rauch. ∼ z. Gedächtnis (in:
Aufbau 4) 1948; N. ERNÉ, ∼ (in: WW 4) 1949;

E. Schulz, D. Problem d. Menschen bei ∼
(Diss. Kiel) 1953; W. Kohlschmidt, Der dt.
Expressionismus im Werke ∼s u. G. Trakls (in:
OL 9) 1954; H. Lange, ∼. Bildnis e. Dichters
(in: Akzente 1) 1954; F. Martini, ∼. D. Sek-
tion (in: F.M., Wagnis der Sprache) 1954;
K.L. Schneider, Der bildhafte Ausdruck in d.
Dg. ∼s, G. Trakls u. E. Stadlers, 1954; I.
Maione, ∼ (in: I.M., La Germania espressio-
nista) Neapel, 1955; F. Martini, ∼. D. Krieg
(in: B. v. Wiese [Hg.] D. dt. Lyrik) II, 1956;
J. Pfeiffer, D. Krieg (in: R. Hirschenauer,
A. Weber [Hg.] Wege z. Ged.) 1956; W. Wie-
singer, ∼, Robespierre (ebd.); K.L. Schnei-
der, D. Bild d. Landschaft bei ∼ u. G. Trakl (in:
H. Friedmann, O. Mann [Hg.] Expressionis-
mus) 1956; H. Motekat, ∼. Umbra vitae. In-
terpretationen. (in: Dt. Unterricht für Auslän-
der 7) 1957; U.R. Mahlendorf, ∼. Stil u.
Weltbild (Diss. Brown Univ.) 1959; C. Dimič,
D. Groteske in d. Erz. d. Expressionismus (Diss.
Freiburg/Br.) 1960; E. Krispyn, Sources and
Subject Matters in Two Short Stories of ∼ (in:
Journal of the Australasian Univ. Lang. and Lit.
Assoc. 12) 1960; H. Liede, Stiltendenzen ex-
pressionist. Prosa (Diss. Freiburg/Br.) 1960;
J. Edfelt, Tre express. lyriker: ∼, F. Werfel,
G. Trakl (in: Moderna Språk 55) 1961; W.A.
Fritz, ∼ (in: J. Peterson [Hg.] Triffst du nur
das Zauberwort) 1961; U.R. Mahlendorf,
The Myth of Evil. The Reevaluation of the Ju-
daic-Christian Tradition in the Work of ∼ (in:
GR 36) 1961; K. Mautz, Mythologie u. Ges.
im Expressionismus. Die Dg. ∼s, 1961; A.
Regenburg, Die Dg. ∼s u. ihr Verhältnis z.
Lyrik C. Baudelaires u. A. Rimbauds (Diss.
München) 1961; A.C. Groeger, D. Dichter ∼
(in: Schlesien 7) 1962; G. Grote, Wortarten,
Wortstellung u. Satz im lyr. Werk ∼s (Diss.
München) 1962; E. Loewenson, ∼ oder V.
Geist d. Schicksals, 1962; R. Recknagel, ∼.
Der den Weg nicht weiß (in: NDL 10) 1962;
R. Schweitzer, D. Kunstmittel ∼s (Diss. Graz)
1962; G. Schwarz, ∼, 1963; W. Vord-
triede, The Expressionism of ∼ (in: Wisconsin
Stud. in Contemporary Lit. 4) 1963; R. Hir-
schenauer, Tod d. Pierrots (in: Interpreta-
tionen mod. Lyrik, hg. Fachgruppe Dt.-Gesch.
im Bayr. Philologenverband) 1964; F. Leiner,
∼ D. Krieg (ebd.); U.R. Mahlendorf, ∼s
Development as a Dramatist and a Poet (in:

JEGP 63) 1964; C. Eykman, Die Funktion d.
Häßlichen in d. Lyrik ∼s, G. Trakls u. G.
Benns, 1965; G. Martens, Umbra vitae u. Der
Himmel Trauerspiegel. D. ersten Sammlungen d.
nachgelassenen Ged. ∼s (in: Euphorion 59)
1965; K.L. Schneider, ∼ (in: B. v. Wiese
[Hg.] Dt. Dichter der Mod.) 1965; H. Leh-
nert, D. romant. Erbe u. d. imaginäre Gegen-
welt. ∼: Deine Wimpern, d. langen (in: H.L.,
Struktur u. Sprachmagie) 1966; H. Röllecke,
D. Stadt bei Stadler, ∼ u. Trakl, 1966; K.L.
Schneider, D. Bild d. Landschaft bei Stadler,
∼ u. Trakl (in: Der dt. Expressionismus, hg.
H. Steffen) 1965; ders., ∼s Ged. Der Gott d.
Stadt u. d. Metaphorik d. Großstadtdg. (in:
K.L.S., Zerbrochene Formen) 1967; E. Krispyn,
∼. A Reluctant Rebel. Gainesville, Florida,
1968; L. Kuhschelm, D. Bild in d. Lyrik ∼s
(Diss. Wien) 1969; H. Röllecke, ∼ (in: W.
Rothe [Hg.] Expressionismus als Lit.) 1969;
R.E. Brown, Index zu ∼s Ged. 1910–1912,
1970; F.E. Beck Cook, The Dream Image in
the Poetry of ∼ (Diss. Univ. of Calif. Berkeley)
1970; E. Keller, D. Unbehagen in d. Zeit (in:
E.K., Nationalismus u. Lit.) 1970; R. Majut,
Erinnerungen an ∼, Erwin Loewenson u. d.
Neopathetische Cabaret (in: GLL 24) 1970/71;
G. Dammann, Unters. z. Arbeitsweise ∼s an
s. Handschriften (in: OL 26) 1971; ders.,
Theorie d. Stichworte. E. Vers. über d. lyr.
Entwürfe ∼s (in: G. Marten, H. Zeller,
[Hg.] Texte u. Varianten) 1971; P. Viereck,
Ogling through Ice. The Sullen Lyricism of ∼
(in: Books Abroad 45) 1971; J. Müller, Jah-
reszeiten im lyr. Reflex. Z. Sprachgestalt einiger
Ged. ∼s u. G. Trakls (in: Sprachkunst 3) 1972;
R. Salter, ∼s Lyrik. E. Vergleich v. Wort-
kunst u. Bildkunst, 1972; J. Bick, Cross or
Judas-tree. A Footnote to the Problem of Good
and Evil in ∼ (in: GQ 46) 1973; B.W. Seiler,
D. hist. Dg. ∼s. Analyse u. Kommentar, 1972;
E. Stegmaier, Kreis u. Vertikale als struktur-
tragende Elemente in d. Dg. ∼s (in: DVjs 47)
1973; A. Blunden, Notes on ∼s Novella Der
Irre (in: GLL 28) 1974/75; G. Lemke, ∼s
Ged. D. Krieg. D. Quelle u. d. Rezeption (in:
WirkWort 24) 1974; H. Lehnert, ∼ u. d. dt.
Bürgertum (in: Akten des V. Intern. Germani-
sten-Kongr.) 1975; I. Roebling, D. Problem
d. Mythischen in d. Dg. ∼s, 1975; R. Sheppard,
From Grotesque Realism to Expressionism. A

Linguistic Analysis of the Second Turning-point in ~s Poetic Development (in: New German Stud. 3) 1975; M. ADAMS, D. Helden in ~s Dramen. Identifikation u. Distanzierung des Autors (in: Rezeption d. dt. Gegenwartslit. im Ausland, hg. D. PAPENFUSS, J. SÖRING) 1976; P. CHIARINI. ‹Parole nel vuoto.› La lirica di ~ tra Jugendstil ed espressionismo (in: Filologia e critica) 1976; R. SALTER, ~ u. F. Hodler. Typolog. Anmerkungen z. Frühgeschich. d. Expressionismus (in: OL 31) 1976.   PG

Heym, Heinrich, * 26.3.1921 Bebra, † 12.12. 1975 Frankfurt/Main; lebte als Journalist u. Schriftst. in Frankfurt.

Schriften: Frankfurt und sein Theater (Hg.) 1963: Die Komödie, Frankfurt am Main. Ausblick, Rückblick. 13 Jahre Theater am Roßmarkt, 1963; Lebenslinien. Schicksale aus einer alten Stadt, 3 Bde., 1965–68; Lächeln hinter Glas. Große Stadt in kleinen Geschichten, 1966; Das Frankfurter Opernhaus 1880–1944 (mit H. Reber) 1969; Frankfurt – eine gute Herberge Europas (Hg.) 1970; Schwalbach, die Stadt am Taunus, 1970; Frankfurts Pracht und Herrlichkeit. Kultur- und Sittenleben in vier Jahrhunderten, 1971; Frankfurt 1822 und heute (mit W. Klötzer) 1972.   AS

Heym, Stefan, * 10.4.1913 Chemnitz; emigrierte 1933 in d. Tschechoslow., journalist. Tätigkeit, auf Einladung Studium in Chicago, 1937–39 Chefred. der dt.sprachigen antifasch. Wochenztg. «Dt. Volksecho» in New York, kam ab 1943 als amerikan. Soldat nach Frankreich u. Dtl.; nach Kriegsende Mitbegr. d. amerikan. «Neuen Ztg.» in München, bald wegen prokommunist. Haltung in d. USA zurückversetzt; übersiedelte 1952 nach Ost-Berlin, wo er seither als freier Schriftst. lebt. Erzähler, begann als Dramatiker u. Lyriker; viele s. Bücher schrieb er zuerst in engl. Sprache. Heinrich-Mann-Preis 1953, Lit.preis des FDGB 1956; Nationalpreis 1959. 1979 Ausschluß aus d. Schriftst.verband d. DDR.

Schriften: Die Hinrichtung (Dr.) 1935; Tom Sawyers großes Abenteuer (Dr., Urauff. 1934, gedr. 1952 mit H. Burger); Kreuzfahrer von heute. Roman unserer Zeit, 1950 (zuerst amerik. 1948; auch u. d. T.: Der bittere Lorbeer, 1950); Die Kannibalen und andere Erzählungen,

1953; Offene Worte. So liegen die Dinge, 1953; Forschungsreise ins Herz der deutschen Arbeiterklasse. Nach Berichten 47 sowjetischer Arbeiter, 1953; Goldsborough (Rom.) 1954 (auch u. d. T.: Goldsborough oder Die Liebe der Miss Kennedy); Reise ins Land der unbegrenzten Möglichkeiten. Ein Bericht, 1954; Im Kopf – sauber. Schriften zum Tage, 1955; Die Augen der Vernunft (Rom.) 1955 (zuerst amerik. 1951); Keine Angst vor Rußlands Bären. Neugierige Fragen und offene Antworten über die Sowjetunion, 1955; Offen gesagt. Neue Schriften zum Tage, 1955; Der Fall Glasenapp (Rom.) 1958 (zuerst amerik. 1942); Das kosmische Zeitalter. Ein Bericht, 1959; Schatten und Licht. Geschichten aus einem geteilten Land, 1960; Die Papiere des Andreas Lenz (Rom.) 2 Bde., 1963 (zuerst amerik.; auch u. d. T.: Lenz oder die Freiheit, 1965); Casimir und Cymbelinchen. Zwei Märchen, 1966; Lassalle. Ein biografischer Roman, 1969 (amerik. 1968); Die Schmähschrift oder Königin gegen Defoe. Erzählt nach den Aufzeichnungen eines gewissen Josiah Creech, 1970; Der König-David-Bericht (Rom.) 1972; Lektüre 1960–1971, 1973; Auskunft. Neue Prosa aus der DDR (Hg.) 1974; 5 Tage im Juni (Rom.) 1974; Das Wachsmuth-Syndrom, 1975; Cymbelinchen oder der Ernst des Lebens. 4 Märchen für kluge Kinder, 1975; Erzählungen (Slg.) 1976; Die richtige Einstellung und andere Erzählungen, 1977; Erich Hückniesel und das fortgesetzte Rotkäppchen, 1977; Collin (Rom.) 1979.

Literatur: HdG 1,306; Albrecht-Dahlke II, 2, 317. – O. ERNST, ~'s Auseinandersetzung mit Faschismus, Militarismus u. Kapitalismus; dargest. an d. Gestalten s. Rom. (Diss. Jena) 1965; R. WEISBACH, Menschenbild, Dichter u. Gedichte, 1972; H.P. ANDERLE, ~ (in: Dt. Dichter d. Ggw., hg. B. v. WIESE) 1973; Beitr. zu e. Biographie. E. Freundesgabe f. ~ z. 60. Geb.-tag (hg. H. KINDLER) 1973; M. REICH-RANICKI, Z. Lit. d. DDR, 1974; H.B. MOELLER, ~. D. Wagnis d. lit. Exilantentugenden u. -versuchungen in alter u. neuer Welt, 1975.   AS

Heymairin, Magdalena, Geb.datum unbekannt, † n. 1586 Grafenwöhr(?); 1566 dt. Schulhalterin in Chamb, dann in Regensburg u. schließlich in Grafenwöhr. G. Sunderreütter gab ihre Ged. heraus vermischte sie teilweise mit eigenen. Geistl. Lyrikerin.

Schrfiten: Die Sontegliche Epistel vber das gantze Jar in gesangsweis gestelt, durch H., Teütsche Schulmeisterin zu Chamb. Mit einer vorede Magistri Bilibaldi Rambstecken, Stadtpredigers zu Chamb, 1566; Das Büchlein Jesu Syrachs in Gesange verfast, durch H., Teütsche Schulmesiterin zu Regenspurg, 1572; Die Apostelgeschichte in Liedern, 1573; Das Buch Tobiae, Inn Christliche Reimen, Vnnd Gesangweise gefast ... Durch Frauen H., Jetzt aber durch einen gut Hertzigen Christen gebessert vnnd gemehret, vnd von newem mit anderen einverleibten Gesänglen in Truck verfertiget, 1586.

Handschriften: Frels 131.

Literatur: Goedeke 2,170; Adelung 2,1991; Jöcher 2,1415. – M. MAYR, M. Heymair, e. Kirchenlied-Dichterin aus d. Jh. d. Reformation (in: Jb. f. Liturgik u. Hymnologie 14) 1970. IB

Heymann (geb. Berghaus), (Anna Katharina) Friederike, * 31.7.1784 Xanten/Westf., † 9.4. 1853 Münster; 1799–1804 Erzieherin in Amsterdam, 1804 Heirat in Cleve, seit 1812 Lehrerin in e. Pensions-Anstalt in Münster.

Schriften: Aufruf zum Kampfe in acht Volksliedern. Zum Besten des hiesigen Frauenvereins, 1815.

Literatur: Meusel-Hamberger 18,163; 22.2, 745; Goedeke 7,851. RM

Heymann, Fritz, * 1898 Düsseldorf, † Auschwitz n. 1943; Dr. iur., Red.mitglied d. «Düsseldorfer Ztg.», 1933 Feuilletonred. d. antinazist. Ztg. «Westland» Saarbrücken, emigrierte 1935 nach Holland, 1940 v. d. Gestapo verhaftet.

Schriften: Der Chevalier von Geldern. Eine Chronik vom Abenteuer der Juden, Amsterdam 1937 (Neuaufl. 1963); St. H. Roberts, Das Haus das Hitler baute (Übers.) Amsterdam 1938; W.S. Churchill, Große Zeitgenossen (Übers.) 1938; V.G. Krivickij, Ich war in Stalins Dienst! (Übers.) 1940.

Literatur: Bull. of the Leo Baeck Inst. 4, 1961. AS

Heymann, Richard, * 13.2.1850 Königsberg, † 1908 ebd.(?), Oberleutnant a. D. Erzähler.

Schriften: Von Königsberg nach Kairo, 1897; Humor vom Pregelstrande (Dg.) 1900; An des Jahrhunderts Neige, 1900; Monna-Vanna (Travestie) 1903; Fröhliche Fahrten, 1907. IB

Heymann, Robert (Ps. Sir John Retcliffe, Robert Arden, Toddy Brett, Fred Roberts) * 29.2. 1879 Berlin, † 19.7.1963 ebd. Erz., vorwiegend Verf. v. Kriminal- u. Abenteuerromanen.

Schriften: Die Hölle von Sidi-Bel-Abbès. Roman eines Fremdenlegionärs, 1911; Frau Sehnsucht. Ein Künstlerroman, 1911; Mie. Münchener Roman, 1912; Lehrbuch der Liebe. Ein galantes Brevier für Damen und Herren, 1913; Der König der Revolution. Graf Mirabeau und Sophie der Monnier, 1913; Maria Stilke. Der Roman einer Lehrerin, 1913; Das flammende Land, 1914; Die Eule. Ein Gymnasiasten-Roman, 1914; Wunder, die der Krieg getan. Dokumente der Liebe aus eiserner Zeit, 1915; Der Zug nach dem Morgenlande, 1916; Das Lied der Sphinxe, 1916; Rasputin, 1917 (Fortsetzung u. d. T.: Der Gefangene von Zarskoje Selo); Don Juan und die Heilige. Roman aus dem Mysterium des verlorenen Paradieses, 1921; Der Narrentanz der Liebe, 1924; Sexualwahn, 1928; Sing-Sang der Liebe. Ein buntes Buch von Liedern, Ludern und Lastern, 1928; Fort mit der Todesstrafe, 1928; Der Film in der Karikatur, 1929; Die Hölle um Maria Giotti, 1930; Radanika. Die Gefangene des Urwalds, 1930; Panik in Chikago, 1930; Das Verbrechen. Eine Sittengeschichte menschlicher Entartung, 1930; Kampf um Gaby, 1930; Ein Weib, ein Narr, ein Mörder, 1930; Würden Sie Gerda Holl verurteilen? 1931; Das fremde Kind, 1931; Schade um dich, Alexandra! 1932; Das unersättliche Herz, 1932; Ein Fanatiker der Liebe, 1932; Das hemmungslose Mädchen, 1932; Ein Bettler baut eine Stadt, 1932; Jeder Mann liebt Ursula, 1933; Andy Bennet's Schwur, 1935; Unheimliches Land, 1935; Kid, der Cowboy, 1936; Die Männer von Rest Creek, 1936; Straße des Terrors, 1956; Es geschah im Dunkeln, 1956; Tödliche Falle, 1956; Gold in New Frisco, 1956; Hafenratten, 1956; Von Geisterhand geschoben, 1956; Viel Wind um Whisky, 1956; K(nock) o(ut) mit Folgen, 1956; Ein Nerz läuft durch Hoboken, 1956; N(umme)r 400 aus St. Quentin, 1956; Am Freitag platzt die Bombe, 1956; Buck schießt zuviel, 1956; Eine Million für Doris Kay, 1956; Vierundzwanzig Stunden Angst, 1957; Ankunft Berlin 18[15], 1957; Blutgeld, 1957; Einer singt immer, 1957; Nacht über Laramie, 1957; Nebraska-Smoky, 1957; Das Gesetz ist stärker, 1957; Wenn Steve kommt, 1957; Der Witwenmörder, 1957; Jeder gegen jeden, 1957; Ein sauberes Kleeblatt, 1957; Labinsky wird es heiß, 1957; Der Ladykiller, 1957; Ein heißer Ritt, 1957; Todes-Blüten, 1958; Stadt im Zwielicht, 1958; Kämpfen und siegen, 1958; Das Haus am Hudson, 1958; Die Herren von Brooklyn, 1958; Geheimwort Oklahoma, 1958; Razzia, 1958; Brenda Bergson weiß mehr, 1958; Du wirst nie eine Dame sein, 1958; Der rote Engel, 1958; Die Frau, die den Mörder kannte, 1958; Die Erpresserkartei, 1959; Die Hundertdollarnote, 1959; Der Kreis um Benny Lind, 1959; Der La Conga Club, 1959; Oliver Turners Spiel, 1959; Umsonst ist nur der Tod, 1960; Die Städt schläft nie, 1960; Der Schmuck der Padista, 1960; Glühender Sand, 1960; Jordan Valley, 1960; Es gibt kein Zurück, 1960; Der Mann mit der Bombe, 1960; In dieser Nacht, 1960; Nugget-Hill, 1960; Sein dunkler Punkt, 1960; Einundzwanzig Briefe, 1960; Der große Coup, 1960; East-River, 1960; Cocktails am Amazonas, 1962.   IB

Heymann, Walther, * 19.5.1882 Königsberg, † 9.1.1915 bei Soissons als Kriegsteilnehmer. Vorwiegend Lyriker.

Schriften: Der Springbrunnen (Ged.) 1906; Nehrungsbilder, 1909; Kriegsgedichte und Feldpostbriefe (aus d. Nachlaß, sowie d. folgenden) 1915; Das Tempelwunder und andere Novellen, 1916; Max Pechstein. Eine Monographie, 1916; Die Tanne. Ein deutsches Volksbuch. (Ged.) 1917; Von Fahrt und Flug. (Ged.) 1919; Hochdüne. Dichtung in vier Sätzen (2. Auflg.) 1928.

Nachlaß: Dt. Lit.arch./Schiller-Nat.mus. Marbach. – Denecke 2. Aufl.

Literatur: NDB 9,90. – F. GLUM, ~ (in: D. Lit. Echo 17) 1914/15; H. SCHUMANN, ~ als Kriegsdichter (ebd.); H. SPIERO, ~. (in: Dt. Köpfe) 1927; E. POSCHMANN, D. ostpreuß. Lyriker ~. (in: Ostdt. Monatsh. 24) 1958.   IB

Heymel, Alfred Walter (seit 1907) von, eigentlich Walter Hayes Misch (Ps. Alfred Demel), * 6.3.1878 Dresden, † 26.11.1914 Berlin; Sohn d. Witwe Charlotte Elisabeth Dwyer, geb. Misch, seit 1880 Adoptivsohn des Großkaufmanns u. Konsuls in Bremen Adolph Heymel, 1898 Studium d. Philos. u. Kunstgesch. in München, 1899 Mitbegründer d. Münchener Zs. «Die Insel» u. 1900 des Insel-Verlags in Leipzig; seit 1904 Wohnort in Bremen, ausgedehnte Rei-

sen, ab 1909 wieder in München, seit 1912 in Berlin ansässig. Sein gastliches Haus war stets Treffpunkt künstler. u. literar. führender Kreise. Schriftst., Verleger, Mäzen. Förderer der modernen Lit., Buchkunst u. Graphik.

Schriften: In der Frühe (Ged., Sprüche) 1898; Die Fischer und andere Gedichte, 1899; (Mithg.) Die Insel (Monatsschrift) 1899–1902; Ritter Ungestüm (Erz.) 1900; Der Tod des Narcissus (dram. Ged.) 1901; Zwölf Lieder an meine Frau, 1905; Zeiten (Ged.) 1907; Spiegel, Freundschaft, Spiele. Studien, 1908; Über die Förderung des Sports durch Klubhäuser, 1911; (mit H. Esswein) Moderne Illustratoren III: Henri de Toulouse-Lautrec, 1912; (Übers.) C. Marlowe, Eduard II, 1912; Gesammelte Gedichte 1895–1914, 1914.

Nachlaß: Dt. Lit.arch./Schiller-Nationalmuseum Marbach. – Denecke 80.

Literatur: NDB 9,91. – G. RAMSEGER, Lit. Zs. um d. Jh.wende mit bes. Berücksichtigung d. Insel, 1941; R. SCHARFFENBERG, ~ u. d. Anfänge d. Insel-Verlags (Diss. Marburg) 1948; R.A. SCHRÖDER, Nachruf. Nachwort zu ~s Ged. (in: R.A.S., Ges. Werke II) 1952; R. BORCHARDT, In memoriam ~ (in: R.B., Prosa I) 1957; W. VOLKE, D. Briefnachlaß ~s. Bericht u. Verzeichnis ... (in: SchillerJb. 19) 1975; DERS., Aus ~s Briefnachlaß (in: FS Rudolf Hirsch) 1975.   PG

Heymer, Ludmilla → Rehren, Ludmilla.

Heymerick, Arnold, * vor 1424, † 30.8.1491; Humanist, stammte aus klev. Beamtenfamilie, 1459 Dechant in Xanten, 1461 Kanoniker in Deventer, 1461–72 auch Kanoniker am Utrechter Dom.

Schriften (Ausw.): Registrum sophologicum, 1487.

Ausgaben (Ausw.): Schriften des A.H. (hg. F.W. OEDIGER) 1939.

Literatur: NDB 9,91. – F.W. OEDIGER (vgl. Ausg.) 1939.   RM

Heymo von Hirsau → Haimo von Hirsau.

Heyn, Hans, * 20.2.1922 Oberndorf; Journalist, wohnt in Rosenheim. Verf. v. volkskundl. Werken, Sach- u. Kinderbüchern.

Schriften (Ausw.): Der Inn. Vom Ursprung bis zur Mündung (gem. m. N. Melodovsky) 1968; Land und Leut zwischen Salzach und Inn (Anth.)

1969; Die fliegende Mooskuh. Geschichten um die Familie Guggenbichler, 1971; Lawinenhund Alf. Berichte und Bilder aus dem Leben eines Bergrettungshundes, 1972; Die bayerischen Seen zwischen Salzach und Lech, 1973; Drudenhax und Allelujawasser. Volkskunde. (gem. m. F. Hager) 1975; Liab, leb und stirb. (gem. m. F. Hager) 1976; Ach du lieber Tschok. Die Abenteuer einer Dohle in einem oberbayrischen Dorf, 1977.   IB

Heyne, Christian Gottlob, * 25.9.1729 Chemnitz, † 14.7.1812 Göttingen; Sohn e. Leinenwebers, philol. u. jurist. Stud. in Leipzig, 1753 Kopist d. Brühlschen Bibl. in Dresden, Hofmeister, 1763–1809 Prof. f. Poesie u. Beredsamkeit in Göttingen, Dir. d. philol. Seminars, Univ.-bibliothekar (Anlage d. alphabet. Nominalkataloges 1777–87), 1770 Sekretär d. Akad., Red. d. «Götting. Gelehrten Anz.», Mitgl. v. 30 gelehrten Gesellsch., Verf. zahlr. Progr., Prolusionen u. akad. Abh., Hg. antiker Autoren (Tibull, 1755, Epiktet, 1756, Apollodor 1782/87, Homer 1802, u.a.), Übers. u. Bearb. d. engl. Weltgesch. v. Guthrie u. Gray (1765–72).

Schriften (Ausw.): Einleitung in das Studium der Antike, 1772; Lobschrift auf Winckelmann, 1778; Sammlung antiquarischer Aufsätze, 2 Bde., 1778f.; Opuscula academica collecta et animadversionibus locupletata, 6 Bde., 1785–1812.

Briefe: Briefe an Lessing in: Lessings Werke (hg. K. Lachmann, F. Muncker) Bd. 19–21, 1904–07; A. Leitzmann, Aus H.s Briefen an seine Tochter … und seine Schwiegersöhne (in: Archiv 121) 1908; G. Meyer, H.s Briefwechsel mit J. v. Müller … (in: Jber. über d. Klosterschule z. Ilfeld) 1910; J. Joachim, Aus H.s Brief an J.A. Carus (in: Aufsätze, F. Milkau gewidmet) 1921; H. Ruppert, Aus H.s Briefen (in: Aus d. 18. Jh. T. Apel u. H. Seeliger z. 8.6. 1922) 1922; ders., Goethe und die Altertumswissenschaft seiner Zeit. Mit den von Goethe und H. gewechselten Briefen (in: Forsch. u. Fortschritte 33) 1959.

Nachlaß: Univ.bibl. Göttingen; Dt. Akad. d. Wiss. Berlin, Lit.arch.; Techn. Univ. Dresden; Landesbibl. Dresden. – Mommsen Nr. 1660a; Denecke 2. Aufl.; Nachlässe DDR I, Nr. 83, 280; II, Nr. 203; III, Nr. 403.

Literatur: ADB 12,375; NDB 9,93. – A.H.L. Heeren, ∼, biogr. dargest., 1813; H. Sauppe,

J.M. Gesner u. ∼ (in: Göttinger Prof.) 1872; A. Hessel, ∼ als Bibliothekar (in: Centralbl. f. d. Bibl.wesen 45) 1928; F. Klingner, ∼, 1937; E. Bonjour, J. v. Müller u. ∼ (in: Zs. f. Schweizer Gesch. 5) 1955; G.N. Knauer, D. Aeneis u. Homer, 1964 (mit Lit.verz.); C. Menze, W. v. Humboldt u. ∼, 1966; S. Borzsak, Z. ∼s ungar. Beziehungen (in: Acta class. Univ. scient. Debreceniensis 5) 1969; H. Bräuning-Oktavio, ∼s Vorlesungen über d. Kunst d. Antike u. ihr Einfluß auf J.H. Merck, Herder u. Goethe, 1971.   RM

Heyne, Christian Leberecht (gen. Anton Wall), * 1751 Leuben b. Meißen, † 13.1.1821 Hirschberg/Vogtld.; studierte in Leipzig, freier Schriftst. in Halle. Lyriker, Erz. u. Verf. v. Lustspielen.

Schriften: Kriegslieder mit Melodien, 1779; Der Arrestant und Caroline, oder: so wahr ich bin ein freyer Mann (zwei Lustsp.) 1780; Die teutsche Fürstin, ein Dialog nebst zwey Briefen, 1781; Die Expedition oder die Hochzeit nach dem Tode (nach Collé, Lustsp.) 1781; Miß Sara Salisbury, eine engländische Begebenheit, 1781; Aemilie; ein komischer Roman (nach H. Fielding) 1781; Die besten Werke der Frau M. Riccoboni; aus dem französischen frey übersetzt und zum Theil umgearbeitet, 3 Tle., 1781–82; Bagatellen I 1783, II 1785; Der Herr im Hause (Lustsp.) 1783; Dramatische Kleinigkeiten, 1783; Die gute Ehe (nach Florian) 1784; Erzählungen nach Marmontel, I. Band. Voran eine Bagatelle an Dyck, 1787; Der Stammbaum, 1790; Amathonte, ein Persisches Mährchen, 1799; Murad. Ein Persisches Mährchen, 1800; Adelheid und Aimar, 2 Tle., 1800; Das Lamm unter den Wölfen, ein Pendant zur Amathonte, 1800; Die beiden Billets (n. Florian) 1800; Körane, ein morgenländisches Mährchen, 1801.

Handschriften: Frels 131.

Literatur: Ersch-Gruber II. 7,375; Meusel-Hamberger 3,162; 9,543; 11,331; 14,133; 18,164; 21,340; 22/2,746; Goedeke 4/1,192; 619; Theater-Lex. 1,786.   IB

Heyne, Friedrich, * 1783 Kamin/Pommern, Todesdatum u. -ort unbekannt; Erzieher in Berlin.

Schriften: Hertha, Germaniens Schutzgeist (Jb., Mit-Hg.) 1811; Eubosia oder Die Jahreszeiten. Ein Lesebuch für die Jugend, 1817; Die

Weihnachtsfreude. Ein Lesebuch für kleine Knaben und Mädchen, 1817 (2., verm. u. verb. Aufl. 1822); Die sieben Abende. Ein belehrendes Unterhaltungsbuch für die Jugend, 1820; Völker und Sittengemälde ... für die Jugend bearbeitet, 1820; Die Welt im Kleinen (aus d. Französ.) 1822; Metadosion. Erzählungen aus dem würklichen Leben für die Jugend bearbeitet, 1824 [1823]; Das deutsche Buch ..., 1828.

Literatur: Meusel-Hamberger 22.2,747; Goedeke 10,204.   RM

Heyne, Kurd E., * 3.10.1906 Braunschweig, † 7.5.1961 Basel; Regisseur u. Schauspieler, seit 1938 in der Schweiz. Verf. v. Revuen u. Lustspielen.

Schriften: Ferien im Tessin, 1954.   IB

Heyne, Moritz, * 8.6.1837 Weißenfels, † 1.3. 1906 Göttingen; Sohn d. Seilermeisters Karl H., nach Erlangung d. Abiturs Justizbeamter, erst s. Heirat ermöglichte ihm ab 1860 das Studium der Germanistik in Halle, wo er 1863 zum Dr. phil. promovierte. 1869 Berufung zum a.o., 1870 zum o. Prof. d. dt. Sprache u. Lit. in Basel als Nachfolger W. Wackernagels; 1889 Dir. d. Sem. für dt. Philologie; u.a. umfangreicher Beitrag zu Grimms «Dt. Wörterbuch» u. Hg. d. «Bibl. d. ältesten dt. Lit.denkmäler». Germanist, Lexikograph, Kulturhistoriker.

Schriften: (Hg., Übers.) Beowulf, 1863; (Hg.) Heliand, 1866; (Hg.) Ulfilas, 1869; (Mitarb.) Deutsches Wörterbuch. 3 Bde., 1890–95; (Hg., Übers.) Ruodlieb, 1897; Fünf Bücher deutscher Hausaltertümer. 3 Bde., 1899–1903; (Übers.) Altdeutsch-lateinische Spielmannsgedichte des 10. Jahrhunderts, 1900; Das altdeutsche Handwerk, 1908.

Nachlaß: Staats- u. Univ.bibl. Göttingen. – Denecke 2. Aufl.

Literatur: NDB 9,95; E. Schröder, ~ (in: Biogr. Jb. 11) 1908.   MR

Heynen → Gelre.

Heynen, Walter, * 29.11.1889 Berlin, † 17.6. 1973 ebd.; studierte in Berlin, Dr. phil., Leiter d. «Preuß. Jb.». Lit.historiker u. Publizist.

Schriften: Der Sonnenwirt von Hermann Kurz, 1913; Diltheys Psychologie des dichterischen Schaffens, 1915; Mit G. Hauptmann, 1922;

Kampf um Deutschland, 1931; Das Buch deutscher Briefe, 1957; Briefe des zwanzigsten Jahrhunderts, 1961.   IB

Heynicke, Kurt, * 20.9.1891 Liegnitz/Schles., lebt in Merzhausen b. Freiburg/Br.; Arbeitersohn, Autodidakt; Büro- u. Bankangestellter, 1914–18 Soldat. Mitarb. v. «Der Sturm»; seit 1923 Dramaturg am Düsseldorfer Schauspielhaus, 1926–28 Dramaturg u. Spielleiter im Stadttheater in Düsseldorf; ab 1932 in Berlin, u.a. Drehbuchautor d. Ufa, schließlich als freiberuflicher Schriftst. in Merzhausen ansässig. 1919 Kleistpreis; 1959 Schleussner-SchüllerPreis des Hess. Rundfunks, 1968 Reinhold Schneider-Preis, 1970 Andreas Gryphius-Preis, 1972 Eichendorff-Preis. Lyriker, Dramatiker, Hörspielautor, Romanschriftsteller.

Schriften: Rings fallen Sterne (Ged.) 1917; Gottes Geigen (Ged.) 1918; Konservenwurst und Liebe (Spiel) 1918; Das namenlose Angesicht. Rhythmen aus Zeit und Ewigkeit (Ged.) 1919; Die Ehe. Ein Bühnenspiel, 1920; Der Kreis (Sp.) 1920; Die hohe Ebene (Ged.) 1921; Der Weg zum Ich. Die Eroberung der inneren Welt (Aufs.) 1922; Eros inmitten (Erz.) 1925; Das Meer (Schausp.) 1925; Der Prinz von Samarkand (Märchenst.) 1925; Sturm im Blut (Erz.) 1925; Kampf um Preußen (Schausp.) 1926; Fortunata zieht in die Welt. Die Erinnerungen des Priesters Francesco (Rom.) 1929; Traum im Diesseits (Ged.) 1932; Der Fanatiker von Schönbrunn (Erz.) 1933; Neurode. Der Weg ins Reich. 2 Thingspiele, 1935; Das Leben sagt ja (Ged.) 1936; Herz, wo liegst du im Quartier? (Rom.) 1938; Der Baum, der in den Himmel wächst (Rom.) 1940; Rosen blühen auch im Herbst (Rom.) 1942; Es ist schon nicht mehr wahr (Rom.) 1948; Der goldene Käfig (Rom.) 1950; Der Hellseher (Rom.) 1951; Ausgewählte Gedichte, 1952; Die Insel der Verliebten (Rom.) 1953; Die Nichte aus Amerika (Lsp.) 1955; Das lyrische Werk. 3 Bde., 1974.

Handschriften: Denecke 2. Aufl.

Literatur: HdG, 1,307. – H. Saeckel, ~ (in: Ostdt. Monatshefte) 1925; W. Knevels, D. Lyrik ~s (in: Eckart 5) 1929; O. Brües, Reifes Gedicht. ~ z. 60. Geb.tag (in: Lit. Dtl. 2) 1951; H. Bieber, ~-Bibliogr. (in: ~, hg. F. Hüser) 1966; B. Berger, ~ (ebd.) 1966; J. Klein, «D. Mumie singt». Z. Lyrik ~s (in:

Welt u. Wort 25) 1970; W. MEREDIES, «Alle
Finsternisse sind schlafendes Licht». Z. Lebenswerk d. Dichters ~ (in: Schlesien 17) 1972.   UF

Heynlin (von Stein) (Heynlein, Henelyn, Henelin, Henlin, Hélin, Hemlin, Hegelin, La-
pierre, de la Pierra, Steinlin, Lapidanus, de
Lapide), Johannes, * um 1428/31 Stein b. Pforzheim, † 12.3.1496 Basel; Studium in Erfurt u.
Leipzig, 1450 Baccalaureus in Leipzig, Theol.-
Studium in Löwen (1453), d. folgenden 11 Jahre
in Paris nachweisbar, 1455 Magister d. freien
Künste, seit 1456 zwölfmal Prokurator d. dt.
Nation, 1458f. Rezeptor. 1462 als Baccalaureus
d. Theol. Mitgl. d. Sorbonne, Prof. d. Artistenfak., dann Aufnahme in die artist. Fak. d. Univ.
Basel, 1469 Rektor in Paris u. Prior d. Sorbonne, 1472 Dr. theol. Mit Fichet Einrichtung
d. 1. Druckerei in Paris u. Hg. antiker Autoren
u. Humanisten. Lehrer v. Reuchlin, Agricola
u.a., seit 1474 Prediger in Basel u. zeitweise
Ablaßprediger in Bern, Mitwirkung als Berater
u. Hg. in J. Amerbachs Basler Druckerei, 1478
Rektor d. neugegr. Tübinger Univ., Stadtpfarrer
u. Theol.-Prof., darauf Kustos u. Thesaurius d.
Chorherrenstifts Baden-Baden, 1484 Kanonikus
u. Prediger am Basler Münster, 1487 Eintritt in
d. Kartäuserkloster St. Margaretental in Basel.
Scholastiker (Vertreter d. «via antiqua») u.
Frühhumanist, Vorbild v. Brant, Geiler, Wimp-
feling u.a. Die vollst. Slg. seiner 1410 Predigten
sowie versch. Kommentare z. Aristoteles «De
anima», d. «Collectanea in totam Aristotelis
philosophiam naturalem», zahlr. Disp. u. Briefe,
Reden u. Vorlesungen befinden sich in d. Univ.-
bibl. Basel.

Schriften (gedr.): Quaestiones in libros III
Aristotelis de anima, 1452; Collectanea in totam philosophiam naturalem Aristotelis, 1454;
Compendiosus dialogus de arte punctandi (mit
Gasparius' Orthogr.) 1470 (27 Drucke); Pro-
monitio circa sermones de conceptione gloriose
virginis Mariae (mit Meffrets Predigten) 1488;
Resolutorium dubiorum circa celebrationem
missarum occurrentium, 1492 (44 Drucke bis z.
Reformation); Kommentare zur Logik des Aristoteles, des Porphyrios und des Gilbert de la
Porrée, Traktat «De propositionibus exponibili-
bius» und «De arte solvendi importunas sophi-
sticarum argumentationum fallacias», 1495.
Ausgaben: Ablaßpredigten. 28. September bis
8. Oktober in Bern (hg. H. v. GREYERZ) 1934.
Handschriften: Univ.bibl. Tübingen. – Denecke
2. Aufl.

Literatur: VL 2,434; 5,409; ADB 12,379;
NDB 9,98; LThK 5,1055; RE 8,36; RGG ³3,
311; de Boor-Newald 4/1,486; Aufriß 1,1070. –
A. CLAUDIN, The First Paris Press. An Account
of the Books Printed for G. Fichet and ~ in the
Sorbonne 1470–72, 1898; M. HOSSFELD, ~ aus
Stein (in: Basler Zs. f. Gesch. u. Alt.kunde 6,7)
1907/08; DERS., D. «Compendiosus dialogus de
arte punctandi» u. sein Verf. ~ (in: Zentralbl.
f. Bibl.wesen 25) 1908; J. HALLER, D. Anfänge
d. Univ. Tübingen 1,2, 1927/29; O. TROST, D.
Geb.ort d. ~ (in: Zs. f. d. Gesch. d. Ober-
rheins, NF 55) 1942; F. LUCHSINGER, D. Basler
Buchdruck als Vermittler italien. Geistes 1470–
1529, 1953; J. MONFRIN, Les lectures de G.
Fichet et de ~ d'après le registre de prêt de la
Bibl. de la Sorbonne (in: Bibl. d'Humanisme et
Renaissance 17) 1955; E. BONJOUR, D. Univ.
Basel v. d. Anfängen bis z. Ggw., 1960; F. SAN-
DER, ~ (in: Pforzheimer Gesch.bl. 1) 1961;
G. EIS, ~ (in: PBB Tüb. 83, Nachtr. z. VL)
1961.   RM

Heynold von Graefe, Blida (Ps. f. Blida Heynold), * 18.2.1905 Goldebee; Journalistin,
wohnt in Cannero/Novarra, Verf. v. Kunst- u.
Reisebüchern.

Schriften: Verborgenes Italien, 1965; Albrecht
von Graefe – Ein Leben für das Licht. 1969.   IB

Heynowski, Walter, * 20.11.1927 Ingolstadt;
Autor u. Regisseur, mehrere Preise u.a. Heinrich Greif-Preis d. DDR erster Klasse 1961,
E.E. Kisch-Preis d. OIRT 1967, wohnt in Berlin (Ost). Erzähler.

Schriften: Der lachende Mann. Bekenntnisse
eines Mörders, 1965; Kannibalen. Ein vaterländisches Poesiealbum in Selbstzeugnissen vorgelegt (gem. m. G. Scheumann, sowie alle folgenden) 1968; Der Fall Bernd K., 1968; Piloten im
Pyjama, 1968; Der Präsident im Exil und der
Mann ohne Vergangenheit sowie ein nachdenk-
licher Bericht über die Schlacht am Killesberg,
1970; Bye-bye Wheelus: Bericht über Aufstieg
und Fall einer Zwingburg im afrikanischen Sand,
1971; Anflug auf Chacabuco: mit Kamera und
Mikrofon in chilenischen KZ-Lagern, 1974;
Operation silencio (Sachb.) 1974.   IB

Heyse, Paul (seit 1910) von, * 15.3.1830 Berlin, † 2.4.1914 München; Sohn d. a. o. Prof. d. klass. Philol. u. Sprachwiss. Karl H., mütterlicherseits mit d. Familie Mendelssohn-Bartholdy verwandt, frühzeitige Einführung in d. Berliner Gesellsch. u. lit. Salons, 1847 Studium d. klass. Philol. an d. Univ. Berlin, 1849–51 Studium d. Romanistik u. Kunstgesch. in Bonn, 1852 Promotion zum Dr. phil. u. Italienreise, 1853 Rückkehr nach Berlin, Anschluß an d. dort. Schriftstellerkreise u. den lit. Verein «Durch»; 1854 v. König Maximilian II. nach München berufen, mit Geibel Haupt d. Münchener Dichterkreises. Als freier Schriftst. tätig, war er 1856 Mitbegründer des lit. Vereins «Das Krokodil»; 1858 Red. für d. «Literaturbl. zum Dt. Kunstbl.». S. Münchener Haus war jahrzehntelang Sammelpunkt d. geistigen Gesellichkeit d. Stadt, seit 1889 verbrachte er d. Winter in s. zweiten Haus in Gardone. 1910 erster dt. Nobelpreisträger für Lit.; Schriftst., Übers. ital. Lit., Theoretiker d. Novelle.

Schriften: Der Jungbrunnen (Mär.) 1850; Franzeska von Rimini (Tr.) 1850; Die Brüder (Nov.) 1852; Studia Romanensia I, 1852; Urica (Nov.) 1852; Hermen (Dg.) 1854; Meleager (Tr.) 1854; Die Pfälzer in Irland (Dr.) 1854; Novellen, 1855; Die Braut von Cypern (Nov.) 1856; Romanische Inedita, 1856; Neue Novellen, 1858; Vier neue Novellen, 1859; Die Sabinerinnen (Tr.) 1859; Thekla (Nov.) 1859; Ludwig der Bayer (Schausp.) 1862; Neue Novellen, 1862; Rafael (Nov.) 1863; Dramatische Dichtungen. 38 Bde. 1864–1905 (= DD); Elisabeth Charlotte (Schausp.) 1864 (DD 1); Gesammelte Novellen in Versen, 1864; Meraner Novellen, 1864; Hadrian (Tr.) 1865 (DD 3); Maria Moroni (Tr.) 1865 (DD 2); Hans Lange (Schausp.) 1866 (DD 4); Fünf neue Novellen, 1866; Novellen und Terzinen, 1867; Colberg (hist. Schausp.) 1868 (DD 5); Moralische Novellen, 1869; Die Göttin der Vernunft (Tr.) 1870 (DD 6); Der Friede (Festsp.) 1871; Ein neues Novellenbuch, 1871; Gesammelte Werke. 38 Bde., 1872–1914; Kinder der Welt (Rom.) 3 Bde., 1873; Ehre um Ehre (Schausp.) 1875 (DD 7); Neue Novellen, 1875; Im Paradiese (Rom.) 3 Bde., 1875; Elfride (Tr.) 1877 (DD 9); Graf Königsmark (Tr.) 1877 (DD 8); Skizzenbuch. Lieder u. Bilder, 1877; Zwei Gefangene (Nov.) 1878; Neue moralische Novellen,

1878; Das Ding an sich und andere Novellen, 1879; Die Madonna im Ölwald (Nov., Ged.) 1879; Verse aus Italien. Skizzen, Briefe, Tagebuchbl., 1880; Frau von F. und römische Novellen, 1881; Das Glück von Rothenburg (Nov.) 1881; Novellen und Romane. 14 Bde. 1881–86; Die Weiber von Schorndorf (hist. Schausp.) 1881 (DD 10); Troubadour-Novellen, 1882; Alkibiades (Tr.) 1883 (DD 12); Buch der Freundschaft (Nov.) 1833; Buch der Freundschaft. Neue Folge (Nov.) 1883; Don Juan's Ende (Tr.) 1883 (DD 13; Das Recht des Stärkeren (Schausp.) 1883 (DD 11); Unvergeßbare Worte und andere Novellen, 1883; Drei einaktige Trauerspiele und ein Lustspiel, 1884 (DD 14); Spruchbüchlein, 1885; Die Hochzeit auf dem Aventin (Tr.) 1886 (DD 16); Himmlische und irdische Liebe. F.U.R.I.A. Auf Tod und Leben (Nov.) 1886; Getrennte Welten (Schausp.) 1886 (DD 15); Der Roman der Stiftsdame, 1887; Die Weisheit Salomo's (Schausp.) 1887 (DD 17): Gott schütze mich vor meinen Freunden (Lsp.) 1888 (DD 18); Prinzessin Sascha (Schausp.) 1888 (DD 19); Villa Falconier und andere Novellen, 1888; Kleine Dramen. 1. Folge, 1889 (DD 21); Kleine Dramen. 2. Folge, 1889 (DD 22); Weltuntergang (Volksschausp.) 1889 (DD 20); Ein überflüssiger Mensch (Schausp.) 1890 (DD 23); Novellen. Auswahl fürs Haus. 3 Bde. 1890; Die schlimmen Brüder (Schausp.) 1891 (DD 24); Weihnachtsgeschichten, 1891; Marienkind (Rom.) 1892; Merlin (Rom.) 3 Bde., 1892; Wahrheit? (Schausp.) 1892 (DD 25); Ein unbeschriebenes Blatt (Lsp.) 1893 (DD 26); Jungfer Justine (Schausp.) 1893 (DD 27); Aus den Vorbergen (Nov.) 1893; In der Geisterstunde und andere Spukgeschichten, 1894; Wolfram von Eschenbach (Festsp.) 1894; Über allen Gipfeln (Rom.) 1895; Melusine und andere Novellen, 1895; Abenteuer eines Blaustrümpfchens, 1896; Einer von Hunderten und Hochzeit auf Capri, 1896; Die Fornarina (Tr.) 1896; Verratenes Glück. Emerenz (Nov.) 1896; Das Goethe-Haus in Weimar, 1896; Roland's Schildknappen oder Die Komödie vom Glück (dr. Mär.) 1896 (DD 28); Vanina Vanini (Tr.) 1896; Drei neue Einakter, 1897; Neue Gedichte und Jugendlieder, 1897; Männertreu. Der Sohn seines Vaters (Nov.) 1897; Das Räthsel des Lebens und andere Charakterbilder, 1897; Der Bucklige von Schiras (Kom.) 1898 (DD 31); Medea. Er soll dein Herr sein. (Nov.) 1898; Die Macht der Stunde. Vroni (Nov.) 1899; Neue Märchen, 1899; Maria von Magdala (Dr.) 1899 (DD 32); Das literarische München. Porträtskizzen, 1899; Fräulein Johann. Auf der Alm (Nov.) 1900; Jugenderinnerungen und Bekenntnisse, 1900; Das verschleierte Bild zu Sais (Dr.) 1901 (DD 33); Der verlorene Sohn (Erz.) 1901; Tantalus. Mutter und Sohn (Nov.) 1901; Gesammelte Werke. 42 Bde., 1901; Der Heilige (Tr.) 1902 (DD 34); Ninon und andere Novellen, 1902; Novellen vom Gardasee, 1902; Romane und Novellen. 1. Serie: Romane. 12 Bde. 1902–11; Moralische Unmöglichkeiten und andere Novellen, 1903; Ein Wintertagebuch. Gardone 1901–1902, 1903; Mythen und Mysterien, 1904; Romane und Novellen. 2. Serie: Novellen. 24 Bde. 1904–10; Ein Canadier (Dr.) 1905; Sechs kleine Dramen, 1905 (DD 37/38); Getreu bis in den Tod. Erkenne dich selbst (Nov.) 1905; Die thörichten Jungfrauen (Lsp.) 1905 (DD 35); Crone Stäudlin (Rom.) 1905; Victoria Regia und andere Novellen, 1906; Gegen den Strom (Nov.) 1907; Menschen und Schicksale. Charakterbilder, 1908; Die Geburt der Venus (Rom.) 1909; Helldunkles Leben (Nov.) 1909; Mutter und Tochter (Dr.) 1909; König Saul (Dr.) 1909; Das Ewigmenschliche. Erinnerungen aus einem Alltagsleben von ***. Hg. P. H. Ein Familienhaus (Nov.) 1910; Das Märchen von Niels mit der offenen Hand, 1910; Romane und Novellen. 3. Serie: Lyrische und epische Dichtungen. 4 Bde. 1911–12; Der Kreisrichter. Rita (Nov.) 1912; Plaudereien eines alten Freundespaares, 1912; Letzte Novellen, 1914; Gesammelte Werke. 15 Bde., 1924.

Herausgebertätigkeit: Spanisches Liederbuch (hg. mit E. Geibel) 1852; Italienisches Liederbuch, 1860; Antologia dei moderni poeti italiani, 1869; Deutscher Novellenschatz (hg. mit H. Kurz) 24 Bde., 1871–76; Novellenschatz des Auslandes, 7 Bde., 1872; Italienische Novellisten, 5 Bde., 1877–78; Neues Münchener Dichterbuch, 1882; Neuer deutscher Novellenschatz (hg. mit R. Laistner) 24 Bde., 1884–88; Liebeszauber. Orientalische Dg., 1889; Martha's Briefe an Maria. Beitrag zur Frauenbewegung, 1898; Novellenschatz des Auslandes (hg. mit H. Kurz) 14 Bde., 1903.

Übersetzungen: Italienisches Liederbuch, 1860; C. Gozzi, Die glücklichen Bettler (Bearb.) 1867; W. Shakespeare, Antonius und Kleopatra, 1867;

W. Shakespeare, Timon von Athen, 1868; G. Giusti, Gedichte, 1875; G. Leopardi, Werke. 2 Theile, 1878; Italienische Dichter seit der Mitte des 18. Jahrhunderts. 5 Bde., 1889–1905; Ariosto, Lorenzino de Medici, Macchiavelli: Drei ital. Lustspiele aus der Zeit der Renaissance, 1914; Italienische Volksmärchen, 1914.

Briefe: Der Briefwechsel von Jakob Burckhardt u. P. H. (hg. E. Petzet) 1916, Nachdr. 1974; Der Briefwechsel zwischen P. H. u. Theodor Storm (hg. G. J. Plotke) 2 Bde., 1917–18; P. H. u. Gottfried Keller im Briefwechsel (hg. M. Kalbeck) 1919; P. H.s Briefwechsel mit F. Lewald (in: DR) 1920; Der Briefwechsel zwischen E. Geibel u. P. H. (hg. E. Petzet) 1922; P. H.s Briefe an Otto u. Emma Ribbeck (mitget. von E. Petzet in: Euphorion 27) 1926; Briefwechsel zwischen Joseph Viktor von Scheffel u. P. H. (hg. C. Höfer) 1928; Der Briefwechsel zwischen Theodor Fontane u. P. H. 1850–1897 (hg. E. Petzet) 1929; Der Briefwechsel zwischen P. H. u. Marie v. Ebner-Eschenbach (in: Anhang zu M. Alkemade, Die Lebens- u. Weltanschauung der M. v. E.-E.) 1935; A. H. Rogers, 14 Letters by P. H. Discovered in Melbourne (in: Journal of the Australasian Univ. Lang. and Lit. Association N. 28) 1967; M. Walkhoff, Der Briefwechsel zwischen P. H. u. Hermann Kurz in den Jahren 1869–1873 aus Anlaß der Herausgabe des «Dt. Novellenschatzes» (Diss. München) 1967; T. Storm, P. H., Briefwechsel. Krit. Ausgabe (hg. C. A. Bernd) 3 Bde., 1969–1974.

Nachlaß: H.-Archiv der Bayerischen Staatsbibliothek München; Cotta-Archiv d. Dt. Lit.-arch./Schiller-Nationalmuseums Marbach; Slg. in: Landesbibl. Kiel; Landesbibl. Wiesbaden; Goethe-Schiller-Archiv Weimar, Freies Dt. Hochstift Frankfurt/M.; Dt. Staatsbibl. Berlin, Hss.-Abt./Lit.arch.; Familienarch. in d. Staatsbibl. Preuß. Kulturbesitz Berlin. – Denecke 2. Aufl.; Nachlässe DDR I, Nr. 52, 67, 281; III, Nr. 406.

Bibliographie: ∼-Bibliogr., hg. W. Martin, 1978.

Literatur: NDB 9, 100. – O. Krauss, ∼s Rom. u. Nov., 1888; Theodor Heyse, Stammtafel d. Familie H., 1898; E. Petzet, ∼ als Dramatiker, 1904; V. Klemperer, ∼, 1910; H. Raff, ∼, 1910; H. Spiero, ∼, e. dt. Lyriker, 1913; G. J. Plotke, ∼s epische u. novellist. Anfänge (Diss.

München) 1914; DERS., D. Rom. Aurika der
Duchesse de Duras u. ~s gleichnamige Versnov.
(in: Euphorion 21) 1914; R. M. B. MITCHELL, ~
and His Predecessors in the Theory of the No-
velle, 1916; E. SPORK, Italien in ~s Nov. (Diss.
Graz) 1921; H. BRASCH, D. Tragische bei ~
(Diss. Jena) 1922; K. FISCHOEDER, ~s Nov. in
Versen (Diss. München) 1924; M. QUADT, D.
Einkleidungsform der Nov. ~s (in: GR 2) 1927;
P. ZINCKE, ~s Novellentechnik, 1928; G.
KEMMERICH, ~ als Romanschriftst., 1928; E.
DAMERAU, ~s Dichterbegriff (Diss. Frankfurt)
1934; F. HAMMER, D. Idee d. Persönlichkeit
bei ~ (Diss. Tübingen) 1935; G. GELOSI, ~s
Leopardi-Übertragungen, 1936; L. FERRARI, ~
u. d. lit. Strömungen s. Zeit (Diss. Bonn) 1939;
E. PLANK, Italien bei ~, R. Voss u. I. Kurz
(Diss. Wien) 1949; I. KROPP, ~ u. d. bildende
Kunst (Diss. FU Berlin) 1952; M. SCHUNICHT,
D. Novellentheorie u. Novellendichtung ~s
(Diss. Münster) 1957; DERS., D. Falke am Wen-
depunkt. Zu d. Novellentheorien Tiecks u. ~s
(in: GRM 41) 1960; F. MEHRING, Ehrenschul-
den. Trauerspiel v. ~ (in: F. M., Aufs. z. dt.
Lit. v. Hebbel bis Schweichel) 1961; K. NEGUS,
~s Novellentheorie. A Revaluation (in: GR 40)
1965; A. v. JAN, D. zeitgenöss. Kritik an ~
(Diss. München) 1966; T. SCHMIDT, T. Storm u.
~ (in: Schr. d. T. S.-Ges. 15) 1966; G. JONAS,
~s Beziehungen zu russ. u. tschech. Lit. (in:
Zs. f. Slawistik 13) 1968; S. BONTEMPS, Stilkrit.
Bemerkungen an ~s Dramensprache (Diss.
Hamburg) 1969; G. JONAS, ~s Beitr. z. Re-
zeption russ. Nov. in Dtl. (in: Zs. f. Slawistik 16)
1971; J. A. MICHIELSEN, ~ and Three of His
Critics: T. Fontane, G. Keller, and T. Storm
(Diss. Toronto) 1970; H. N. FÜGEN, Geibel u.
~. Elemente u. Strukturen d. lit. Systems im
19. Jh. Dokumentation u. Analyse (in: H. N. F.,
Dg. in d. bürgerl. Gesellsch.) 1972; M. KRAUS-
NICK, ~ u. d. Münchener Dichterkreis, 1974. PG

Heyse, Wilhelm, * 19. 11. 1825 Leußow in
Mecklenburg-Strelitz, † 11. 2. 1911 Wesenberg;
Erz. u. Lyriker.
Schriften: Punschendörp. Plattdütsches Läns-
chens, Dichtels un Rimels in mekelnbörger
Mundart, 1861; De Mecklenbörger Burhochtid
und Rosmarin und Ringelblomen, 1862; Frische
Kamitten ut Krischaon Schulten sin Mus'kist,
1863; Klänge aus Vandalia (Ged.) 1883.   IB

Heyser, Christian, * 11. 3. 1776 Kronstadt/
Siebenbürgen, † 26. 6. 1834 Wien; studierte in
Jena, Geistlicher in Kronstadt, 1816 Pfarrer in
Wolkendorf, seit 1834 Superintendent d. evan-
gel. Gemeinden in Inner- u. Niederöst.; Lyriker
u. Dramatiker.
Schriften: Gedichte, 1828; Die Kirchenver-
fassung der Augsburgischen Confessionsverwan-
ten im Großfürstenthume Siebenbürgen, 1836;
Vaterländische dramatische Schriften, 1846;
Die gerettete Fahne oder Die Schlacht auf dem
Brodfeld, 1885.
Literatur: Wurzbach 8, 464; Goedeke 7, 159. IB

Heyßler, Max, * 19. 4. 1857 Schandau/Sachsen;
Studium an d. Dt. Techn. Hochschule in Prag,
seit 1888 städt. Rent- u. Gutsverwalter in Ben-
sen b. Tetschen, seit 1910 Red. d. «Dt. Ztg.» in
Teplitz-Schönau.
Schriften: Taschenführer von Teplitz-Schönau
und Umgebung. Ratgeber für Kurgäste und Touristen 1911. (Ferner zahlr. ungedr. Bühnenstücke.)
Literatur: Theater-Lex. 1, 788.   RM

Heyst, Ilse van, * 11. 5. 1913 Marienberg; Ver-
lagslektorin; wohnt in Baden-Baden. Verf. v.
Kinder- u. Jugendbüchern.
Schriften: Begegnung in Amsterdam, 1963;
Dally, Die Geschichte eines Hundes, 1964; Tü
Malusch und Janina, 1966; Die geheimnisvolle
Flöte. Eine Geschichte von Kindern, Tieren und
viel Musik, 1967; Der Zauber aus der Streich-
holzschachtel, 1968; Lucie oder Die Reise ins
Ungewisse, 1969; Einmaleins der Aufklärung.
Für Mädchen und Jungen von neun bis vierzehn,
1970; Nächstes Jahr 9h 13, 1970; Seifenblasen
für Veronika, 1970; Von Klaus, einem Pferd
und der Feuerwehr, 1972; Feuerwehr. Dreizehn kleine Geschichten aus dem Kinderalltag,
1972; Eulenspiegel und anderes Narrenvolk,
1973; Eine Wunderblume für Veronika, 1973;
Das riesenrunde Riesenrad. Sieben kunterbunte
Geschichten (Slg.) 1973; Myra, 1973; Die
Pferde von Gröllhof, 1974; Gabi und ihre Katze,
1974; Heike bricht aus, 1974; Kartoffelpuppen
für Veronika und Carlo, 1974; Station 4 Zimmer 11, 1975; Endstation Ich (Jgd. Rom.) 1975;
Eine Stallaterne für Veronika, 1976; Sonne,
Wind und Seifenblasen. Kurze, fröhliche Geschichten, bunt und schillernd wie Seifenblasen,

1976; Aufregung um Bobby, 1976; Alles für Karagöz, 1976; Idris: Geschichten aus Ägypten, 1977; Leselöwen. – Zoogeschichten, 1977. IB

Hibeau, Adriana (Ps. J. Adriani), Lebensdaten unbekannt; war mit d. Bankdir. u. Regierungsrat H. in Posen verheiratet, lebte seit 1899 in Baden-Baden.

Schriften: Abu Hassan (Rom.) 1897. RM

Hibeau (ursprüngl. Hibo), Karl Wilhelm Ludwig → Méron, L.

Hi(e)bner, Heinrich Bernhard, 19. Jh.; Schuldir. in St. Pölten.

Schriften: Versuch einiger Gedichte, 1820.

Literatur: Goedeke 10, 581. RM

Hichler, Leopold → Ehrlich-Hichler, Leopold.

Hick, (Johann) Georg (Christoph Konrad), * 14. 7. 1829 Köln, † 7. 5. 1872 ebd.; n. kaufmänn. Tätigkeit Mitarb. u. Berichterstatter d. «Köln. Zeitung».

Schriften: Accorde der Seele (Dg.) 1863; Shakespeare und Southampton oder Die letzten Tage der großen Königin (Schausp.) 1863; Huss und Hieronymus (Tr.) 1868; Ein Wintermärchen. Epische Dichtung nach Shakespeares gleichnamigen Schauspiel, 1869; Was mir die Stunden brachten (Dg.) 1870; Die Parias der Gesellschaft (Rom.) 3 Bde., 1872.

Literatur: Theater-Lex. 1, 788. RM

Hickel, J. Karl, * 11. 9. 1811 Böhmen, † 28. 9. 1855 Wien; Offizier, dann Dramaturg in Prag u. Wien, Begründer d. schöngeistigen Zs. «D. Salon». Lyriker u. Dramatiker (d. größte Teil s. Arbeiten ist ungedr.).

Schriften: Radetzky-Feier. Dramatisches Gedicht in zwei Abteilungen, 1850; Österreichische Kaiserlieder (Ged.) 1855; Der Minnehof. Ein Vademekum für Liebende, enthaltend eine poetische Blumendeutung, Stammbuchblätter, Liebesdevisen, 1855.

Literatur: Wurzbach 9, 4; ÖBL 2, 312. IB

Hickmann, Franz Maria (Ps. Frank Highman), * 14. 2. 1897 Wien, † 3. 2. 1960 ebd.; Journalist. Verf. v. Lsp. u. Erzähler.

Schriften: Als Industriespion in England, 1926; Schwänke aus dem Spionenleben. Frivole Skizzen aus ernster Zeit, 1927; Sergeant Flips (Rom.)

1930; Der Mann mit dem rosenroten Regenschirm (Kriminalrom.) Ein Päckchen für den Staatsanwalt (Kriminalrom.) 1954; Der Tod tanzt mit, 1951.

Literatur: Theater-Lex. 1, 788. IB

Hidigeigi → Ortner, M.

Hiebel, Friedrich, * 10. 2. 1903 Wien; aufgewachsen in Wien u. in Reichenberg/Sudetenland, Begegnung mit Rudolf Steiner u. d. Anthroposophie, Studium d. Lit. u. Gesch., Dr. phil.; Lehrer an d. Freien Waldorfschule in Stuttgart, dann an d. Steiner-Schule in Wien, 1939–45 an d. Steiner-Schule in New York, 1946–53 Lektor f. dt. Spr. an d. Princeton/ Univ., 1953–60 o. Prof. für dt. Lit. am Wagner College, New York, seit 1961 in Dornach, Vorstandsmitgl. d. Goetheanums, Leiter d. Sektion f. Schöne Wiss. ebd., Red. d. Ws. «Das Goetheanum», Vortragsreisen.

Schriften: Ikarus. Wege der Wandlung. Ein Gedichtkreis, 1927; Der Bote des neuen Bundes. Drama eines historischen Mythus, 1928 (2. Aufl. u. d. T.: ... Drama der Zeitenwende um Johannes den Täufer, 1968); Der geteilte Ton. Geschichte einer Sprachverwirrung, 1930; Die Geburt der neuhochdeutschen Sprache. Beitrag zur Pädagogik des Sprachunterrichts ..., 1931; Die Kristallkugel. Dramatische Märchen-Feier, 1931; Die letzte Bank (Erz.) 1935; Wege zweier Welten (Ged.) San Francisco 1942; Paulus und die Erkenntnislehre der Freiheit, 1946 (2. erw. Aufl. 1959); Novalis, der Dichter der blauen Blume, 1951 (2., bearb. u. verm. Aufl. u. d. T.: Novalis. Deutscher Dichter, europäischer Denker, christlicher Seher, 1972); Die Botschaft von Hellas. Von der griechischen Seele zum christlichen Geist, 1953; Christian Morgenstern. Wende und Aufbruch unseres Jahrhunderts, 1957; Bibelfunde und Zeitgewissen. Die Schriftrollen vom Toten Meer im Lichte der Christologie Rudolf Steiners, 1959; Albert Steffen. Die Dichtung als Schöne Wissenschaft, 1960; Goethe. Die Erhöhung des Menschen – Perspektiven einer morphologischen Lebensschau, 1961; Alpha und Omega. Sprachbetrachtungen, 1963; Himmelskind und Adamsbotschaft. Kunstgeschichtliche Menschheitsmotive im besonderen Zusammenhang mit Michelangelos Sixtinischer Decke, 1964; Neue Wege der Dichtuug. Zum

80. Geburtstag von Albert Steffen, 1964; Rudolf Steiner im Geistesgang des Abendlandes, 1965; Biographik und Essayistik. Zur Geschichte der Schönen Wissenschaften, 1970; Campanella. Der Sucher nach dem Sonnenstaat. Geschichte eines Schicksals, 1972; Seneca. Dramatische Dichtung um Paulus in Neros Rom, 1974; Der Tod des Aristoteles. Roman einer Menschheitswende, 1977; Im Stillstand der Stunden (Ged.) 1978.

Literatur: Schöne Wissenschaften. Für ~, 1978 (mit Bibliogr.).   AS

Hiebel, Hans, * 18.5.1941 Reichenberg; Dr. phil., wiss. Assistent an d. Univ. Erlangen.

Schriften: Individualität und Totalität. Zur Geschichte und Kritik des bürgerlichen Poesiebegriffs von Gottsched bis Hegel, 1974; Seelensatz (Ged.) 1975.   AS

Hieber, Gelasius (Taufname: Johann Melchior Joseph), * 22.9.1671 Dinkelsbühl, † 12.2.1731 München; Augustinereremit, 1695 Priesterweihe, Prediger in Ingolstadt, Regensburg u. 1707–24 am Münchner Konvent, 1724 Übernahme der Wallfahrtskirche z. Aufkirchen am Würmsee, seit 1730 wieder in München. Plante e. bayer. gel. Societät, Mitbegr. d. gel. Zs. «Parnassus Boicus ...» (6 Bde., 1722–40), Vorkämpfer d. Akad. Bewegung u. d. dt. Sprache.

Schriften (Ausw.): Leben des Hl. Augustinus, 1720; Gepredigt Religions-Historia, 3 Bde., 1726–29 u. 1735; Gepredigter Catechismus, 1732. – Werkverz. in: C.A. Baader, Das gelehrte Baiern, 1804.

Nachlaß: Bayer. Staatsbibl. München. – Denecke 2. Aufl.

Literatur: NDB 9, 106. – H. BIRLO, D. Sprache d. Parnassus Boicus (Diss. München) 1909; E. BLACKALL, The Parnassus Boicus and the German Language (in: GLL 7) 1954; L. HAMMERMAIER, Gründungs- u. Frühgesch. d. Bayer. Akad. d. Wiss., 1959; L. LENK, D. Parnassus Boicus (in: Bayer. Lit.gesch. 2) 1967; H. GRASSL, Aufbruch z. Romantik ..., 1968.   RM

Hiebsch, Herbert, * 13.6.1905 Werbitz b. Leitmeritz/CSR; Dr. iur., Musikkritiker, lebt in Prag.

Schriften: Das göttliche Finale. Ein Buch vom Erleben Bruckners (Rom.) 1931.   IB

Hiel, Ingeborg, * 15.6.1939 Graz; lebt als Innenarchitektin in Graz.

Schriften: Einundvierzig lustige Gespenstergeschichten, 1972; Einundvierzig lustige Räubergeschichten, 1973; Bunte Spuren (Ged.) 1976.   AS

Hielscher, Friedrich, * 31.5.1902 Plauen; Dr. iur., Hg. d. Zs. «D. Reich», lebt in Berlin.

Schriften: Die Selbstherrlichkeit. Versuch einer Darstellung des deutschen Rechtsgrundbegriffes, 1930; Das Reich, 1931; Fünfzig Jahre unter Deutschen, 1954; Zuflucht der Sünder, 1959.   IB

Hielscher, Kurt, * 7.1.1881 Striegau/Schlesien, † Aug. 1948; war Studienrat, u.a. in Stargard, gab dann d. Beruf auf, zog nach Berlin und unternahm zahlreiche Reisen, lebte u.a. fünf Jahre in Spanien.

Schriften: Das unbekannte Spanien. Baukunst, Landschaft, Volksleben, 1922; Deutschland. Baukunst und Landschaft, 1924 (neue Ausg. 1943); Italien. Baukunst und Landschaft, 1925 (neue Ausg. 1938, auch u.d.T.: Unbekanntes Italien); Die ewige Stadt. Erinnerungen an Rom, 1925; Jugoslavien, Slovenien, Kroatien, Dalmatien, Montenegro, Herzegowina, Bosnien, Serbien. Landschaft, Baukunst, Volksleben, 1926; Österreich. Landschaft und Baukunst, 1928; Dänemark, Schweden, Norwegen. Landschaft, Baukunst, Volksleben, 1932; Rumänien. Landschaft, Bauten, Volksleben, 1933; Siebenbürgen, Banat, Sathmar, Marmarosch. Landschaft, Bauten, Volksleben, 1936; Burgen im Bozener Land, 1938.   AS

Hielscher-Panten, Elsa, Lebensdaten unbekannt, stammte aus Panten/Schles.; lebte in Panten od. auf Vortragsreisen. Aktive Frauenrechtlerin.

Schriften: Gedichte, 1907; Die Fortbildung unsrer Landmädchen durch Wanderkurse, 1912.   RM

Hiemer, Franz Karl, * 9.8.1768 Rothenacker/ Württ., † 15.11.1822 Stuttgart; Pfarrerssohn, besuchte d. Hohe Karlsschule, wurde Beamter. Dramatiker.

Schriften: Dramatische Bagatellen (aus dem Französischen) 1801; Amor und Psyche, 1801; Dumaniand, das Kind meines Vaters (aus d. frz.) 1803; Der Toten-Schein. Lustspiel nach An-

drieny, frei bearb., 1803; Uthal, 1806; Das
Singspiel, 1806; Die Rückkehr (Lustsp.) 1807;
Vetter Jakob oder Je toller je besser (Oper) 1807;
Apollo's Wettgesang (frei n. d. frz. bearb.) 1807;
Adolph und Klara oder Die beyden Gefangenen.
Eine Oper (nach Marsollier bearb.) 1807; Die
Verkleidung (Lustsp.) 1807; Dies Haus ist zu
verkaufen (Oper n. d. frz. d. Düval) 1807; Die
Nebenbuhler (Lustsp.) 1808; Peter und Änn-
chen. Liederspiel nach Marmontel und Favart,
1809; Herr Botte oder: Onkel Botte. (Lustsp. n.
Pigault-Lebruns Rom. «Mr. Botte») 1811; Tra-
jan in Dracien (n. d. ital.) 1812; Johann von
Paris (n. d. frz.) 1812; Silvana, 1812; Die vor-
nehmen Gastwirte (n. d. frz.) 1813; Merope.
Heroisches Singspiel nach dem italienischen,
1813; Aucassin und Nicolette. Singspiel nach
Sedaine, 1813; Abu Hassan. Oper nach einem
Märchen aus 1001 Nacht, 1813; Timantes.
Große Oper, 1814; Der algerische Sklavenhändler (n. d. frz.) 1814; Telemach (n. d. frz.
d. P. Dercy) 1814; Die Eroberung von Jerusalem (n. d. ital. d. Sografi) 1814; Eugen und
Klara oder Der Gartenschlüssel (Oper) 1816;
Tancred (n. d. ital.) 1817; Das Tagebuch, oder
Welcher ist der Vetter? 1817; Frontins Morgen-
stunden (n. d. frz.) 1817; Die Macht der Liebe.
(n. d. ital.) 1817; Adeline (n. d. ital.) 1818;
Die Rosenmädchen (n. d. frz. d. Théaulon) 1818;
Der Baum der Diana (n. Da Ponte neubearb.)
1819; Der Türke in Italien (n. d. ital. d. Romani) 1819; Abbé Lattaignant, oder Die Thea-
terprobe, 1820; Die Getäuschten (Singsp.) 1820;
Sulmona, 1823.

Handschriften: Slg. in Dt. Lit.arch./Schiller-
Nat.mus. Marbach; Staatsbibl. München; Landesbibl. Stuttgart. – Denecke 2. Aufl.; Frels 132.

Literatur: ADB 12,389; Meusel-Hamberger
11,355; 14,136; 18,167; 22/2,754; Goedeke
7,221; 8,702; Ersch-Gruber II./8,15; Theater-
Lex. 1,789; R. KRAUSS, Aus ~s Leben. (in:
Württemberg. Vierteljahresh. NF 15) 1906.   IB

Hiepe, Ludwig (Lebensdaten unbekannt) Schauspieler in Bamberg, 1822–23 Regisseur in Lübeck. Dramatiker.

Schriften: Kotzebue und Sand. Versuch einer
dramatischen und mimischen Darstellung von
Kotzebue's Ermordung, 1820; Bertram Morne-
wech (Stifter und Erbauer des Heiligen Geist-
Hospitals in Lübeck) 1823; Lübecks Vorzeit,

1823; Traum und Wirklichkeit. Allegorische
Dichtung mit Gesang, 1823.

Literatur: Goedeke 11,383; 13,615; Theater-
Lex. 1,789.   IB

Hierhammer, Heinrich (Ps. Markwart, Heinz
Dörfler) * 21.2.1887 Wien; Red. ebd., Maler.
Erzähler.

Schriften: Am Strom der Güte und des Todes,
1948.   IB

Hierl, J. Georg, * 6.8.1873 Heidmannsberg/
Oberpfalz, † 22.4.1922 Jahrsdorf/Mittelfranken;
Pfarrer. Epiker u. Lyriker.

Schriften: Seifried Schweppermann. Sang aus alter Zeit, 1904; Lieder aus dem Nordgau, 1906;
Trausnitzlieder, 1907; Christoph W. v. Gluck
aus Weidenwang, 1914; Wallfahrtsbüchlein von
Maria Ort. Ein Unterrichts- und Gebetbüchlein,
1917.   IB

Hierl, Vera → Hartegg, Vera.

Hieronimus, Ekkehard (Ps. Maximilian Grolms)
* 5.1.1926 Crossen/Oder; Pastor in Hannover;
Essayist, Erzähler.

Schriften: Theodor Lessing, Otto Meyerhof,
Leonhard Nelson. Bedeutende Juden in Niedersachsen, 1964; Mondwanderungen. Einige praktische Ratschläge für die Reise und den Aufenthalt, sowie Beschreibung aller wesentlichen Se-
henswürdigkeiten beider Seiten des Erdtrabanten, 1970; Der Traum von den Urkulturen. Vorgeschichte als Sinngebung der Gegenwart?, 1975.
                                                       AS

Hieronymus → Fenyvessy, Karl; Holzschuher,
Hanns.

Hieronymus (Jeronym) von Prag (Hierony-
mus Faulfisch), * nach 1365 Prag, † 30.5.1416
Konstanz; Lehrer u. Verwandter v. Peter
→ Faulfisch, studierte in Prag, Paris u. Oxford,
lehrte 1406 in Heidelberg u. Köln, mit J. Huss
Wortführer d. Wiclifismus, 1410 Flucht aus
Wien, lehrte 1413 in Krakau, verteidigte 1415
Huss in Konstanz u. wurde z. Tod auf d. Scheiter-
haufen verurteilt. V. ihm ist ein «sermo de S.
Romualdo» überliefert.

Literatur: Jöcher 2,1592; LThK 5,331; RGG
³3,316. – R. R. BETTS, ~ (in: Hist. Journal 1)
Birmingham 1947; P. BERNARD, ~, Austria
and the Hussites (in: Church Hist. 27) Chicago
1958.   RM

Hieronymus von Wörth, (de Werdea= Donauwörth), * um 1420 Donauwörth, † 9.10.1475 Niederaltaich; als Johannes de Werdea Magister an d. Univ. Wien (1445–51), seither Benediktiner in Mondsee, 1463 Prior. E. großer Tl. s. lat. Dg., 1481/82 geschrieben v. Simon Weinhart in Mondsee, ist in d. Sammelhs. clm 4423 aus d. Kloster St. Ulrich u. Afra in Augsburg überl., darunter e. dreistroph. dt. Lied «O muoter der parmhertzikait». Spätscholastiker, starke formale Einwirkung d. Humanismus.

Ausgaben: P. WACKERNAGEL, Das deutsche Kirchenlied ..., 1864–77 [Bd. 2]; Analecta hymnica 35 u. 48. – Tractatus de profectu religiosorum (hg. B. PEZ in: Bibl. Ascetica 2) 1723.

Literatur: VL 2,440; 5,410; LThK 5,330. – L. GLÜCKERT, ~ (in: Stud. u. Mitt. z. Gesch. d. Benediktinerordens 48) 1930 (mit Bibliogr.); M. VILLER, Lectures spirituelles de ~ (in: Revue d'ascétique et de mystique 13) 1932.   RM

Hieronymus, Karl (Ernst Wilhelm), * 19.9. 1856 Kassel; Post- u. Telegraphenbeamter in Berlin, Liegnitz u. a. Orten, Oberpostinspektor in Stettin, dann Postrat in Berlin.

Schriften: Lebendige Kraft (Ged.) 1902; Der Tugendräuber (Lsp.) 1906.   RM

Hierszmann, Hans, 15. Jh.; Türhüter u. Vertrauter d. Herzogs Albrecht VI. v. Öst., 1463 bei dessen Tod in d. Wiener Hofburg bezeugt. Verf. auf Veranlassung d. Tiroler Adligen Leonhard v. Felseck e. dt. Bericht über d. Tod Albrechts, der medizin. Aspekte, Sterbevorbereitungen durch d. Priester, Sicherung d. Nachlasses usw. in naturalist. Weise schildert.

Ausgabe: T. G. v. KARAJAN, Kleine Quellen zur Geschichte Österreichs, 1859.

Literatur: de Boor-Newald 4/1, 145. – H. MASCHEK, Dt. Chron., 1936; H. RUPPRICH, D. Wiener Schrifttum d. ausgehenden MA, 1954; G. EIS, Nachtr. z. VL (in: PBB Tüb. 83) 1961/62; H. ZEMAN, Öst. Lit., Zwei Stud. (in: Jb. d. Grillparzer Gesellsch. 8) 1970.   RM

Hiesberger, Leopold, * 7.9.1758 Wien, † 22. 12.1845 ebd.; Hofkonzipist, Dramatiker.

Schriften: Im Finstern ist nicht gut tappen, 1787.

Literatur: Goedeke 5,331.   IB

Hiesel, Franz, * 11.4.1921 Wien; Bibliothekar, Dramaturg d. NDR, seit 1967 freier Schriftst. in Wien. Staatl. Anerkennungspreis f. Dramatik 1951, Staatspreis f. Hörspiele 1954. Dramatiker u. Erzähler.

Schriften: Der Anfang. Ein Akt aus dem Leben Victor Adlers, 1952; Die Dschungel der Welt, 1956; Auf einem Maulwurfshügel, 1960; Ich kenne den Geruch der wilden Kamille (Teilslg., ausgew. u. eingel. v. G. Fritsch) 1961; Das Herz in der Hosentasche (Kurzgesch.) 1964.

Bibliographie: In: V. SUCHY, Hoffnung u. Erfüllung, 1960; Albrecht-Dahlke II,2,718.   IB

Hiesgen, Carl Paul, * 22.3.1893 Mülheim/ Ruhr; lebte in Danzig u. n. d. Krieg in Oberhausen, Übers. aus d. Engl., Französ. u. Poln., Mitverf. d. 1930 ersch. Anthol. «D. Krieg».

Schriften: Mit Leib und Seele. Gedichte gegen den Krieg ,1918; Von Verdun bis Stinnes (Skizzen) 1928.   RM

Hieß, Josef (Ps. Roderich), * 3.4.1904 Wolfstal/Niederöst.; 1924–34 Wanderlehrer, später in Berlin tätig, zog sich dann als freier Schriftst. nach Oberöst. zurück. Folklorist, Erz. u. Lyriker.

Schriften: Junge Saat (Ged.) 1925; Roderich. Der letzte König der Westgoten. Geschichtliches Trauerspiel, 1928; Sternschnuppen (Ged.) 1929; Lehrer Zessinger. Ein Südtiroler Notbild (Volkst.) 2. Aufl. 1931; Fahrtenbüchlein. Tagebuchblätter eines Wanderlehrers, 1931; Vor Jahrhunderten, Geschichten aus Hainburgs vergangenen Tagen, 1930; Heilige Glut (Sonnwendspiel) 1932; Bauernsterben. Ein Totentanz, 1932; Jajado und Telingot. Ein Märchen, 1934; Die Fahne. Glaube, Kampf und Sehnsucht der deutschen Jugend Österreichs (Ged.) 1935; Der Keller zu Memel, 1935; Meine Weihnacht mit H. Löns. Eine Weihnachtsskizze, 1935; Heiß auf! Wimpel- und Lagersprüche für die junge Mannschaft, 1937; Hunger nach Deutschland. Jugendleben im österreichischen Grenzland, 1938; Die Grenzschatulle (Erz. u. Ged.) 1938; Das österreichische Treuespiel, 1939; Die Legende vom weißen Hirsch, 1939; Die Treuen (Rom.) 1940; Die goldenen Lerchen. Geschichten und Sagen aus Ober-, Niederösterreich und Burgenland, 1949; Das bulgarische Horn (Gesch.) 1951; Geburt im Nebel. Buch einer Kindheit (= 1. Tl. d. Selbstbiogr. «Der Lebensbogen») 1954; Die Jugend braust (= 2. Tl. d. Selbstbiogr.) 1955; Glasenbach. Buch einer Gefangenschaft (= 4. Tl.) 1956;

Wir kamen aus Glasenbach. Buch einer Heimkehr (= 5. Tl.) 1957; Gott knüpft den Teppich. Eine österreichische Heimaterzählung, 1957.

Literatur: Theater-Lex. 1,790. – T. LOCKER, Künder u. Wegbereiter. Bebilderte FS f. ~, 1944; B. SUPPLY, Lebende Namen (in: Kultur u. Kunst 3) 1947.   IB

Hietzig, (A.B.) Walter (Ps. W.H. Africanus), * 15.10.1894 Dresden; Journalist u. Schriftst., auch Film- u. Hörsp.autor, Übersetzer aus d. Amerikan. u. Engl., lebte zuletzt im Highlands Hospital/London.

Schriften: Buschkameradschaft. Tatsachenroman aus Südwest und Angola, 1939; Heimat Afrika. Schicksalswege eines Deutschen vom Kap zum Kongo, 1940; Blaue Klippe. Farmerroman aus Deutsch-Südwestafrika, 1941; Umbumbo. Ein Abenteuerroman aus Ostafrika, 1941; Hansjürgen erlebt Südwest. Eine echte Jungengeschichte ..., 1942; Abschied von Deutsch-Südwest. Aus den Erlebnissen eines alten Farmers, 1942; Der Farmer von Brack ..., 1942; «Farmlöwe» auf Tzatsaras ..., 1942; Farm Adlershorst. Ein deutsches Mädchen erlebt Südwestafrika, 1942; Zauberhafte Wildnis, 1943; Die Nacht der Elefanten. Ein deutscher Panzer erzählt seine Erlebnisse aus Afrika, 1943; Fabeln und Wahrheiten über Tiere (übers.) 1952.   RM

Highman, Frank → Hickmann, Franz Maria.

Hilarius → Gebhardt, Hans.

Hilarius, F. → Rast, F.

Hilarius, Frater → Albrecht, Jakob; Fentsch, Eduard.

Hilarius, Jocosus → Bürger, Gottfried August.

Hilarius, Jocosus; Hilarius, Peter → Nicolai, Karl.

Hilbersdorf, Karl → Böttcher, Karl.

Hilbert Ferd(inand), * 25.4.1929 Luxemburg; Gewerbeoberlehrer, lebt in Mamer/Luxemburg; Jugendbuchautor.

Schriften: Pitter Spatz. Eine fröhliche Lausvogelgeschichte, 1958; Das leuchtende X. Eine kriminalistische Lagergeschichte für die Jugend, 1962.   AS

Hilchen, David, * um 1561 Riga, † März 1610 Orissowo; nach Rechtsstudium Hofmeister, seit

1585 in Riga, 1589 Ratsobersekretär, diplomat. Tätigkeit während d. «Kalender-Unruhen» (Severini-Vertrag), Staatssyndikus, königl. Sekretär u. livländ. Landgerichtsnotar, 1600 Flucht n. Litauen u. in d. poln. Armee, 1609 Rehabilitierung. Humanist. u. luther Reformator, Verf. v. zahlr. hist. u. polit. Schriften.

Ausgaben: Teildr. in: E. WINKELMANN, Bibl. Livorniae hist., 1878. – Werkverz. bei J.F. RECKE, S.E. NAPIERSKY, Allgem. Schriftst.- und Gelehrtenlex. d. Prov. Livland, Esthland u. Kurland, 1827–32.

Literatur: ADB 12,394; NDB 9,117.   RM

Hild, August, * 29.9.1894 Münchhausen/Westerwald; Arbeiter in e. Eisengießerei, nach 1945 Arbeiter u. Betriebsleiter in e. Staatsbetrieb, wohnt in Premnitz/Kr. Rathenow; Erzähler.

Schriften: Ein Mann kehrt heim (Erz.) 1951; Die aus dem Schatten treten (Rom.) 1952; Das Lied über dem Tal (Rom.) 1954 (später auch u. d. T.: Reifender Sommer); Die Ehe des Assistenten (Rom.) 1957.

Literatur: Albrecht-Dahlke II, 2, 319.   AS

Hild, Emilie Marianne Helena, * 1788 Darmstadt, † 26.3.1851 ebd.; weitere biogr. Daten unbekannt.

Schriften: Gedichte, 1824.

Literatur: Goedeke 13,279.   RM

Hild, Helmut, * 23.5.1921 Weinbach/Hessen; Pfarrer in Frankfurt, seit 1969 Kirchenpräs., Vorsitzender der Evang. Kirche in Hessen-Nassau, wohnt in Darmstadt.

Schriften (Ausw.): Wer in der Liebe bleibt. Karl Ninck, ein Zeuge (Biogr.) 1956; Fjodor M. Dostojewskij. Vom Lieben und Leiden des Menschen, 1958; Leo N. Graf Tolstoi, Überwinde das Böse mit Gutem, 1959; Auf zu guter Fahrt. Vom Leben unserer Kirche (Jgdb.) 1963; Auf rechter Straße. Konfirmiert, und dann? (Jgdb.) 1964; Christentum und Atheismus (mit D. Stoodt u. M. Schmidt) 1970; Zur politischen Verantwortung der Kirche (mit E. Wilkens) 1973; Feiertage aktuell, 1973; Ökumene verändert die Kirche (mit andern) 1976; Wege in die Zukunft (mit andern) 1977.   AS

Hildebrand, Adolf (seit 1904: von), * 6.10. 1847 Marburg/Lahn, † 18.1.1921 München; Bildhauer in München u. Florenz, Ehrendr.

versch. Wiss., um e. Neubelebung d. klass. Kunst bemüht.

Schriften: Das Problem der Form in der bildenden Kunst, 1893; Gesammelte Aufsätze, 1909.

Briefe: Briefwechsel mit C. Fiedler (hg. G. JACHMANN) 1927; A. H. u. s. Welt. Briefe u. Erinnerungen (von B. Sattler) 1962.

Literatur: NDB 9, 119; Biogr. Jb. 3, 142; Thieme-Becker 17, 70. – A. HEILMEYER, ~, 1902; G. D. W. CALLWEY, ~, z. Gedächtnis, 1921; ~, hg. A. HEILMEYER, 1922; W. HAUSENSTEIN, ~, 1947; H. R. WEIHRAUCH, ~ 1847–1921 (in: Antike u. Abendland 3) 1948; B. SATTLER, Erinnerungen an meinen Großvater. (in: Zwiebelturm 5) 1950; W. BRAUNFELS, D. Kölner Hildebrand-Brunnen. E. Nachruf (in: Wallraff-Richartz-Jb. 17) 1955.   IB

Hildebrand, Alexander, * 5.6.1940 Leipzig; Dr. phil., lebt in Wiesbaden; Lyriker, Essayist, Kritiker, Übersetzer (aus dem Chines.).

Schriften: Autoren, Autoren. Zur literarischen Szene in Wiesbaden, 1974; A. Schaefer, Das Brentanohaus in Winkel, Rheingau (Bearb. d. 2. Aufl.) 1976.   AS

Hildebrand, Dietrich von, * 12.10.1889 Florenz, † 26.1.1977 New Rochelle bei New York; 1914 Konversion z. Kathol., seit 1918 Doz. u. später Prof. d. Philos. in München, 1933 Emigration, lebte in Öst., d. Schweiz, Frankreich, seit 1940 Prof. an d. Fordham Univ. in New York. Red. d. Zs. «D. christl. Ständestaat». Philosoph, Vertreter d. phänomenolog. Schule. – D. v. H.-Gesellsch. (1969).

Schriften (Ausw.): Sittliche Grundhaltungen, 1933; Die Menschheit am Scheideweg. Gesammelte Abhandlungen und Vorträge (hg. u. eingel. K. MERTENS) 1954; Christliche Ethik (aus d. Amerikan. v. K. MERTENS) 1959 (mit Bibliogr.); Mozart, Beethoven, Schubert, 1962; Das Wesen der Liebe, 1971 (= Bd. 3 d. ges. Werke); Metaphysik der Gemeinschaft, 1975 (= Bd. 4 d. ges. Werke); Was ist Philosophie?, 1976 (= Bd. 1 d. ges. Werke). – E. zehnbändige Gesamtausg. (hg. v. d. Dietrich v. Hildebrand-Gesellsch.) ist im Erscheinen begriffen.

Literatur: C. HILLEBRAND, D. Wertethik bei ~, 1959; Wahrheit, Wert u. Sein. Festgabe f. ~ z. 80. Geb.tag (hg. B. SCHWARZ) 1970.   RM

Hildebrand, Emil → Böhm, Martin.

Hildebrand, Johann(es), * 1606 Prettitz b. Querfurt, † 1684 Eilenburg; n. Studium in Leipzig 1632–37 Organist in Lössau u. seither in Eilenburg. Kurfürstl.-Sächs. Hof-Musicus.

Schriften: Geistlicher Zeit-Vertreiber, So da bestehet in funffzig Psalmen, und dergleichen Liedern, 1656; In deutsche Reime übersetzter Jesus Syrach, mit etzlichen merkwürdigen Glossen, als eine Trauer-Jahres Arbeit verfertigt ..., 1662.

Literatur: Neumeister-Heiduk 377; FdF 1, 128.
                                            RM

Hildebrand, Johann Friedrich, * 22.3.1626 Nordhausen, † 21.12.1688 Walkenried; Studium in Jena, Konrektor in Ilfeld (1645) u. Nordhausen (1651), 1663 Rektor in Nordhausen u. seit 1674 in Merseburg. Poeta Laureatus.

Schriften: Compendium geographicum in Teutschen Versen, 1652; Antiquitates Romanae a Rosino ... in compendium contractae ..., 1657 (1663 u. d. T.: Antiquitates potissimum Romanae ...); Philologia sive odae de flamma, 1660; Centuria gemina epistolarum, 1671; Oratorii discursus 67 ..., 1672; Centuria tertia epistolarum, 1673; Ara votiva, quam honori ac felicitati ... principis ... Christiani ..., 1674; Compendium geographicae Cluverianae ..., 1675; Compendium compendii antiquitatum Romanorum ..., 1677; Synopsis historiae universalis ..., 1678; Centuria quarta epistolarum, 1679; Centuria gemina (quinque ...) epistolarum, 1681; Formulas loquendi ..., 1685; Programmata et antiloquia in actibus quibusdam oratoriis ..., 1685.

Literatur: Jöcher 2, 1598; Neumeister-Heiduk 377.   RM

Hildebrand (-von Renauld), Liana → Renauld (-Kellenbach), (Maximiliana) Liana (Emilie) von.

Hildebrand, Rudolf, * 13.3.1824 Leipzig, † 28.10.1892 ebd.; Sohn d. Schriftsetzers Heinrich H., Studium d. Theol., Philos. u. Philol. an d. Univ. Leipzig, 1848–68 Lehrer an d. Thomasschule ebd., 1869 a.o., 1874 o. Prof. f. Neuere Sprachen u. Lit. an d. Leipziger Universität. Mitarbeit an Grimms «Dt. Wb.», seit 1887 mit Otto Lyon, Hg. d. «Zs. f. d. dt. Unterricht», später in «Zs. f. Deutschkunde» umbenannt. Germanist, Pädagoge.

Schriften: Über Walter von der Vogelweide, 1848 (hg. G. BERLIT) 1900; Vom deutschen Un-

terricht in der Schule, 1867; Gesammelte Aufsätze und Vorträge zur deutschen Philologie,
1890; Tagebuchblätter eines Sonntagsphiloso-
phen, 1896; Beiträge zum deutschen Unterricht,
1897; Materialien zur Geschichte des deutschen
Volksliedes (hg. G. BERLIT) Bd. 1, 1900; Gedanken über Gott, die Welt und das Ich, 1910; Briefe
(hg. H. WOCKE) 1925.

Nachlaß: Landesbibl. Karlsruhe; Univ.bibl.
Leipzig. – Denecke 2. Aufl.; Nachlässe DDR I,
Nr. 283.

Literatur: ADB 50,322; NDB 9,124. – K. BUR-
DACH, Z. Gedächtnis ∼s, 1895; G. BERLIT, ∼
(Erinnerungsbild) 1895; R. LAUBE, ∼ u. s. Schule, 1903; E. WESTERMANN, Grundlinien d. Welt-
u. Lebensanschauung ∼s, 1912; ∼. S. Leben u.
Wirken. Z. Erinn. an d. Jh.feier s. Geb.tages,
1924; J. GOEBEL, Zu ∼s 100. Geb.tag (in: JEGP
23) 1924; HEDWIG H., Persönliche Erinn. an unseren Vater ∼, 1932; F. WIPPERMANN, E. großer Schulmann u. Gelehrter (in: Dt. Philologen-
bl. 42) 1934; K. BURDACH, ∼ (in: K.B., D.
Wiss. v. dt. Sprache) 1934; A. HÜBNER, ∼ (in:
A.H., Kleine Schr.) 1940.   UF

Hildebrand, Rudolf, * 4.7.1891 Hamburg;
lebte in Westf., dann in Amerika, China, Japan,
während d. 2. Weltkrieges in d. Schweiz, dann
Geistlicher in Rom.

Schriften: Nichts Neues (Ged.) 1940; Blick in
dein Dasein. Hilfe in Versen (Nachw. M. Rychner) 1956.

Literatur: M. RYCHNER, E. Spruchdichter unserer Zeit (in: Merkur 9) [mit Textpubl.].   RM

Hildebrand(t), Theodor, * 21.1.1794 Erlangen, Todesdatum u. -ort unbekannt; Oberleutnant in Ingolstadt, seit 1824 Hauptmann. Romanschriftsteller.

Schriften: Kriegshandwörterbuch ..., 1820; Die
funfzig Psalmen. Ein schottischer Roman (frei n.
d. Engl.) 1823; Abentheuer im Schloße Brück ...,
1824 (auch u.d.T.: Die Kamisardenbraut. Aus
dem Französischen des Dinoncourt, 1825); Das
Geisterschloß oder Die Auferstehung im Todten-
gewölbe, 1824; Der Nebenbuhler oder Die
Schrecken im Schauergewölbe, 1824; Julie oder
Die Abenteuer einer schönen Wittwe (Rom.)
1825(?); Mord und Rache oder Das blutige Haupt
des Brautvaters als Hochzeitsgeschenk. Roman
aus den Ritterzeiten, 1825; Schicksalsmacht ...

und die Hütte am See (2 Nov.) 1825; Abentheuer
des Grafen von Hohenstein. Eine alte Rittergeschichte nach neuer Manier ..., 1826; Aurora
oder Das unglückliche Opfer durch Mutterleicht-
sinn. Ein Roman aus der vornehmen Welt, 1826;
Der Brillant oder Die Räuberhöhle im Schwarzwalde, 1826; Die Doppelehe oder Das Gespenst
zu Reichenstein (Rom.) 1826; Die Erscheinungen
im Schlosse Morano ..., 1826; Julie und Sophie
oder Land- und See-Abentheuer dreier Liebenden, 1826; Romolini, der furchtbare Räuberhauptmann im Appeninengebirge, 1826; Die Car-
bonari. Eine Geschichte aus der spanischen Revolution, 1827; Das unterirdische Felsengemach ...,
1827; Das Wirtshaus im Urithal, 1827; Marie
oder Das eifersüchtige Gespenst (Rom.) 1827;
Der Vampyr oder Die Todtenbraut. Ein Roman
nach neugriechischen Volkssagen, 1828; Die ge-
heimnisvollen Schlösser ... Ein spanischer Roman, 1829; Die Entführung oder Die Abenteuer
in Madrid, 1829.

Literatur: Meusel-Hamberger 18,169; 22.2,
759; Goedeke 10,510.   RM

Hildebrand, Theodor → Engels, Friedrich.

Hildebrandslied, a) Älteres: Der Dietrich-Sage
zugehöriges Heldenlied, urspr. wohl im lango-
bard. Gebiet während d. Völkerwanderungszeit
entstanden, gelangte später nach Bayern u. wurde
dort um 770/790 umgedichtet. Zu Beginn d. 9.
Jh. wurde es wohl in Fulda unter mechan. Um-
schreibung d. bereits vermischten Lautstandes
ndt. eingefärbt u. um 850 v. zwei Fuldaer Mön-
chen abwechselnd auf d. innern Deckbll. e. Gebetbuches geschrieben. Fragm., erh. sind 68 stab-
reimende Langzeilen. – Stoff d. Liedes ist d. Va-
ter-Sohn-Kampf: an d. Spitze zweier feindl. Heere
treffen der in Diensten Dietrichs v. Bern stehende
Hildebrand u. s. von ihm seit 30 Jahren getrenn-
ter Sohn Hadubrand aufeinander. Hildebrand gibt
sich als Vater zu erkennen, s. Sohn glaubt ihm
aber nicht, verhöhnt ihn u. treibt ihn in d. Konflikt zw. «Ehre», Vaterliebe u. Sippentreue. Hildebrand entscheidet sich f. d. Ehrgebot, es kommt
z. Kampf, auf dessen Höhepunkt d. überl. Text
abbricht. Nach andern, nord. Quellen, endet d.
Kampf mit d. Tod Hadubrands, v. interpretator.
Ansatz her, der d. trag. «Blindheit» d. Sohnes be-
tont, wäre auch d. Vatermord denkbar. – Neben
d. fehlenden Schluß ist auch Fehlendes in d. Mitte

d. Liedes anzunehmen, wie verwaiste Halbzeilen nahelegen. D. Lied ist in stabenden Langzeilen geschrieben. Aufteilung u. Abfolge d. Dial. ist in vielen Partien strittig. D. Stoff d. Ä. H. lebte weiter im sog.

b) «*Jüngeren Hildebrandslied*», erh. sind 2 Fass. d. 15./16. Jh., die wahrsch. ins 13. Jh. zurückgehen. Das J. H. ist im Hildebrandston, e. Abart d. Nibelungenstrophe, gehalten u. gibt d. Geschehen e. glückl. Wendung: d. trag. Konflikt wird gelöst u. d. Lied endet mit gemeinsamem Wiedererkennen im Familienkreis. Im maßvollen Verhalten d. Siegers, in d. Verwerfung kommentwidriger Schläge, in d. gewandelten Auffassung v. Sippe, Kampf u. Ehre zeigt es Einflüsse höf. Rittergesinnung, mit s. formalen Änderungen u. s. «unheroischen» Geist tendiert es zur Volksballade.

a) *Älteres Hildebrandslied:*

Ausgaben: G. Baesecke, Das H. Eine geschichtliche Einleitung für Laien, mit Lichtbildern der Handschrift, alt- und neuhochdeutschen Texten, 1945; W. Krogmann, Das H. In der langobardischen Urfassung hergestellt, 1959; H. Fischer, Schrifttafeln zum althochdeutschen Lesebuch, 1966. – Braune-Ebbinghaus (mit Bibliogr.).

Übersetzungen: G. Baesecke (vgl. Ausg.) 1945; G. Eis, Übersetzungen altgermanischer Heldenlieder (in: WirkWort 10) 1960.

Handschrift, Überlieferung: W. Luft, D. Hs. d. H. (in: ZfdA 47) 1904; J. Frank, D. Überl. d. H. (in: ebd.) 1904; H. Pongs, H., Überl. und Lautstand im Rahmen d. ahd. Lit. (Diss. Marburg) 1913; C. Selmer, Wie ich d. H. in Amerika wiederfand (in: WirkWort 6) 1955/56; W. Schoof, D. verlorene Hs. d. H. (in: Börsenbl. Frankfurt 31) 1967; L. Denecke, D. «zweite» Hs. d. H. (in: ZfdA 101) n972; H. and Willehalm Cod. back in Germany (in: GQ 46) 1973; W. F. Twadell, The H.-Ms. in the USA 1945–1972 (in: JEGP 73) 1974; L. Denecke, D. erste Niederschr. d. H. – aus mdl. Überl. auf Wachstafeln? (in: Neoph. 62) 1978; H. D. Schlosser, D. Aufz. d. H. im hist. Kontext (in: GRM 28) 1978.

Forschungsberichte: H. Rupp, Forsch. z. ahd. Lit., 1945–62, 1965 (= DVjs Sonderdr.); H. v. d. Kolk, H., e. forsch.gesch. Darst., Amsterdam 1967 (mit Bibliogr.).

Literatur: VL 2,441; 5,410; Ehrismann 1,126; de Boor-Newald 1,65; Albrecht-Dahlke 1,441. – K. Lachmann, Über d. ~ (in: K. L., Kleinere

Schr. 1) 1876; G. Ehrismann, Z. ahd. Lit. 3: Z. ~ (in: PBB 32) 1907; F. Saran, ~, 1915; A. Heusler, Vorschläge z. ~ (in: Archiv 137) 1918; ders., D. alte u. d. junge ~ (in: Preuß. Jb. 208) 1927; W. Kienast, ~, Thidrekssage u. junges ~ (in: Archiv 144) 1923; H. Rosenfeld, Z. Versfolge im ~ u. s. seel. Konflikt (in: PBB 75) 1953; W. Schröder, G. Baesecke u. d. ~ (in: WZ d. M. Luther-Univ. Halle-Wittenberg, gesellsch.- u. sprachwiss. Reihe 3) 1953/54; ders., Hadubrands trag. Blindheit u. d. Schluß d. ~ (in: DVjs 37) 1963; E. R. Friesse, Gaps in the ~ (in: MLR 49) 1954; J. de Vries, D. Motiv d. Vater-Sohn-Kampfes im ~ (in: Germ.-dt. Heldensage, hg. K. Hauck) 1961; S. Beyschlag, Hiltibrant enti Hadubrant ... Method. z. Textfolge u. Interpretation (in: Festgabe L.-L. Hammerich) Kopenhagen 1962; R. W. V. Elliott, Byrhtnoth and Hildebrand, a Study in Heroic Technique ... (in: CL 14) 1962; W. P. Lehmann, ~, e. Spätzeitwerk (in: ZfdPh 81) 1962; E. Ulbricht, ~ u. geneal. Forsch. (in: PBB Halle 84) 1962; F. Maurer, ~ u. Ludwigslied ... (in: F. M., Dg. u. Sprache d. MA) 1963; E. A. Ebbinghaus, Some Heretical Remarks on the Lay of Hiltibrant and Hadubrant (in: FS T. Starck) 1964; J. Hennig, «lk gihorta dat seggen», D. Problem d. Geschichtlichkeit im Lichte d. ~ (in: DVjs 39) 1965; K. v. See, German. Heldensage (in: GGA 218) 1966; H. de Boor, D. nord. u. d. dt. ~-Sage (in: H. d. B., Kl. Schr. 2) 1966; R. T. Giuffrida, ~: Evidence External and Internal (in: FS E. H. Sehrt) 1968; H. Kuhn, Hildebrand, Dietrich v. Bern u. d. Nibelungen (in: H. K., Text u. Theorie) 1969; ders., Stoffgesch., Tragik u. formaler Aufbau im ~ (in: ebd.) 1969; ders., Dies u. Das z. ~ (in: ZfdA 104) 1975 (vgl. dazu U. Pretzel in ZfdA 106, 1977); R. Schützeichel, Z. ~ (in: FS M. Wehrli) 1969; U. Schwab, Arbeo laosa. Philol. Stud. z. ~, 1972; A. T. Hatto, On the Excellence of the ~: a Comparative Study in Dynamics (in: MLR 68) 1973; W. Störmer, Früher Adel ..., 1973; U. Pretzel, Z. ~ (in: PBB Tüb. 95) 1973; ders., Z. Stil- u. Textinterpretation d. ~ (in: ZfdA 106) 1977; F. Norman, Three Essays on the ~ (hg. A. T. Hatto) 1973; N. Wagner, «Cheisuringu gitan». Z. Vers 33 bis 35a d. ~ (in: ZfdA 104) 1975; R. Wisniewski, Hadubrands Rache. E. Interpretation d. ~ (in: ABäG 9) 1975; S. Gutenbrunner, V. Hildebrand u. Hadubrand Lied – Sage – Mythos...,

1976; W. HOFFMANN, Z. gesch. Stellung d. ~
(in: FS M.-L. Dittrich) 1976; A. RENOIR, The
Armor of the ~ ... (in: NM 78) 1977.

Stoff, Herkunft: F. KLUGE, D. Heimat d. ~ (in:
PBB 43) 1918; G. BAESECKE, D. idg. Verwandtschaft d. ~ (in: Nachr. v. d. Gesellsch. f. Wiss.
Göttingen, phil.-hist. Kl.) 1941; H. MEYER-
FRANCK, D. Hildebrandssage u. ihre Verwandtschaft (in: PBB 69) 1947; H. ROSENFELD, ~, d.
idg. Vater-Sohn-Kampf-Dg. u. d. Problematik
ihrer Verwandtschaft (in: DVjs 26) 1952; H.
BURGHARDT, ~ u. Harz-Saale-Land. Neue For-
schungsergebnissd z. Heimatfrage ..., 1961; W.
HARMS, D. Kampf mit d. Freund od. Verwandten
in d. dt. Lit. bis um 1300, 1963; B. RIGGERS,
Fränk.-sächs. Quellen d. Sagenkreises um Hildebrand u. Dietrich v. Bern (in: Korr. bl.f. d. Ver.
f. ndt. Sprachforsch. 73) 1966; W. HOFFMANN,
~ u. d. idg. Vater-Sohn-Kampfdg. (in: PBB Tüb.
92) 1970; R.H. LAWSON, ~ Originally Go-
thic? ... (in: NM 74) 1973.

Sprache, Stil: W. LUFT, Z. Dial. d. ~ (in: FS
Weinhold) 1896; E. WALDSTEIN, D. Sprachform
d. ~, Göteborg 1920; M. SZADROWSKY, Z. ~-
Langzeile (in: PBB 67) 1943; D.R. McLINTOCK,
The Language of the ~ (in: Oxford German
Studies 1) 1966; DERS., Metre and Rhythm in the
~ (in: MLR 71) 1976; J. REIFFENSTEIN, Z. Stil
u. Aufbau d. ~ (in: FS H. Seidler) 1966; R.
SCHÜTZEICHEL, Ahd. Wortstud.: Z. ~ (in:
Frühma. Stud. 3) 1969.

b) *Jüngeres Hildebrandslied:*

Ausgaben: F.M. BÖHME, Altdt. Liederbuch,
1877 (Ndr. 1966); Denkmäler deutscher Poesie
und Prosa (hg. E. STEINMEYER) 1892; Dt. Volkslieder mit ihren Melodien 1. Balladen 1 (hg. J.
MEIER) 1935; R. KIENAST, Ausgewählte althochdeutsche Sprachdenkmäler, 1948; Deutsche Balladen vom Hildebrandslied bis zu Günter Grass
(ausgew. u. eingel. v. R. SCHAEFFER) 1966; DL
2/1, 1975.

Literatur: VL 5,413. – W. KIENAST, Altes Hildebrandslied, Thidrekssage, ~ (in: Archiv 144)
1923; J. MEIER, ~ (in: Jb. f. Volksliedforsch. 4)
1934; H. BECKER, V. Hadubrand z. Wolfhart (in:
Warnlieder 2) 1953; W.B. LOCKWOOD, D. Text-
gestalt d. ~ in jüd.-dt. Sprache (in: PBB Halle
85) 1963; H. DE BOOR, D. nord. u. d. dt. Hildebrandssage (in: H.d.B., Kl. Schr. 2) 1966; L.
WOLFF, ~ u. s. Vorstufe (in: L.W., Kl. Schr.
z. altdt. Philol.) 1967.   RM

Hildebrandt, Albert, * 26.4.1926 Wonfurt
über Haßfurt/Main; lebt als Angestellter das.;
Lyriker.

Schriften: Lichter und Schatten (Ged.) 1958;
Salomo (Ged.) 1959; In Feuer und Asche (Ged.)
1960.   AS

Hildebrandt, B. (Ps. f. Minna Gieseke), * 3.8.
1888 Hannover; Klavierlehrerin, wohnte in Lan-
genhagen b. Hannover. Erzählerin.

Schriften: Der König des Pinzgaus (Rom.) 1940.
                                                 AS

Hildebrandt, (Johann Andreas) Christoph, * 13.
4.1763 Halberstadt, † 25.11.1846 Eilsdorf;
Kollaborator in Halberstadt, dann Prediger in
Welferlingen, zuletzt in Eilsdorf. Verf. v. zahlreichen Ritter-, Räuber-, Geister- u. Schauer-
romanen.

Schriften: Auguste du Port oder Geschichte
einer Unglücklichen, 1799; Eduard Norden-
pflicht (Fam.gesch.) 1799; Adolph oder Die
glücklichen Folgen eines Fehltritts, 1801; Geschichte eines Verfolgten, 1802; Wilhelm Müller,
1805; Papiere aus meinem Feldpredigerleben,
1807; Schreckensszenen aus dem Leben der unglücklichen Rosaura Morana, 1814; Hannchens
Geschichte, oder Die Folgen mütterlicher Thorheiten, 2 Tle., 1816; Der 18. Oktober oder Das
Eiserne Kreuz, 1816; Die Colonie auf St. Helena,
2 Tle., 1817; Der Schiffbruch, 1817; Der Neger-
sclave, 1817; Der Einsiedler auf Spitzbergen,
1818; Die schwarzen Ruinen oder Das unterirdische Gefängniß, 1818; Robinsons Kolonie (Fortsetzung v. Campes Robinson) 1819; Die Geheimen des Bundes, 2 Tle., 1819; Der Husar (Rom.)
2 Tle., 1819; Die Burg Helfenstein oder Das feurige Racheschwerdt, 1819; Brömser von Rüdesheim oder Die Todtenmahnung (Ritterrom.) 3
Tle., 1820; Der Theaterschneider (Kom. Rom.)
1820; Die Familie von Manteuffel. Ein historisch-
romantisches Gemälde aus den Zeiten des Siebenjährigen Krieges, 1820; Der Bankerott, Die
Hiobspost und andere Schwänke und Erzählungen,
1821; Maria, das Mädchen der Daneilshöhle. Eine
Geschichte aus dem zwölften Jahrhundert, 1821;
Fernando Lomelli, der kühne Räuber oder Die
Höhlen der Rache, 1821; Der Schleier (Erz.)
1821; Kuno von Schreckenstein oder Die weis-
sagende Traumgestalt, 3 Tle., 1821; Der Klausner
im Schwarzwalde (Ritterrom.) 1821; Schwarze
Bilder aus der Vorzeit, 1821; Karl von Tellheim

und Minna von Barnhelm, 1822; Fodor und Athanasia oder Die Schreckensnächte in den Qualgefängnissen der sieben Türme zu Konstantinopel. Schaudergemälde aus den jetzigen Freiheitkriegen der Griechen, 4 Bde., 1822; Die Todtenhügel. Ein Schauergemälde aus dem fünfzehnten Jahrhundert, 1822; Die Sclavin in Anadolis Wüste. Eine Geschichte aus dem Freiheitskriege Griechenlands, 1822; Die Geister der Schauerhöhle oder Das Wunderblümchen, 1822; Iwan und Fedore oder Die Entführte. Eine Geschichte aus den Zeiten des Siebenjährigen Krieges, 1823; Der Ahnherr oder Das Gespenst in der Felsenkluft (Ritter- u. Geistergesch.) 1823; Die heilige Eiche und andere Erzählungen aus dem Mittelalter, 1823; Die Ursulinerinnen oder Das Geständnis in der Todesstunde, 1823; Das nächtliche Abenteuer, Treue bis zum Tode und andere Erzählungen, 1824; Erzählungen, 1824; Historisch-romantisches Gemälde merkwürdiger Begebenheiten aus der Geschichte berühmter Kriege, 1824 (1. u. 2. Tl. auch u. d. T.: Mar. v. Warkotsch u. Cäcilia v. Törreck, oder Verrath und Treue. Eine Geschichte aus den Zeiten des Siebenjährigen Krieges, 2 Tle.); Ritterrache und Vehme. Gemälde aus der Vorzeit, 1824; Rollino, der furchtbare Räuberhauptmann in den Apenninischen Felsenklüften, 1824; Das Vehmgericht oder Die unsichtbaren Oberen, 1824; Die Gemächer des Unglücks oder Die Geprüfte, 3 Tle., 1824; Der Mord am Hochaltar. Eine Geschichte aus dem fünfzehnten Jahrhundert, 2 Tle., 1825; Kunz von Kaufungen oder Der Prinzenraub. Ein Gemälde aus dem fünfzehnten Jahrhundert, 1825; Agatha oder Der Eidschwur. Eine Klostergeschichte, 1825; Tonni oder Das Zigeunermädchen, 1825; Ferdinand von Waldau und Auguste, oder Trennung und Wiedersehen. Ein Gemälde aus den Zeiten Friedrichs des Zweiten, 3 Tle., 1825; Heinrich der Vogelsteller und die Hunnen. Ein historisch-romantisches Gemälde aus dem zehnten Jahrhundert, 1826; Götz von Berlichingen, der furchtbare Ritter mit der eisernen Hand. Ein geschichtliches Gemälde des Mittelalters, 2 Tle., 1826; Berthold von der Nidda oder Die Horde im Schwarzwalde. Ein Gemälde aus der letzten Hälfte des Dreißigjährigen Krieges, 3 Tle., 1826; Die furchtbaren Kreuzritter, oder Guido von Flemmingen und Prinzessin Mathilde. Ein geschichtliches Gemälde aus dem zwölften Jahrhundert, 1826; Der Freibeuter (Hist. Rom.) 3 Tle.,

1827; Die Novize von St. Marienheim. Romantische Klostergeschichte aus der neueren Zeit, 1827; Lilenström und Nordenstern. Geschichtliches Gemälde aus den Kriegen Karls XII, 1827; Saladin, Sultan von Ägypten, oder Die deutschen Kreuzritter in der Gefangenschaft der Sarazenen. Eine Geschichte aus den Zeiten der Kreuzzüge, 1827; Fürst Scanderberg, der Unüberwindliche oder Der furchtbare Aufstand der Albanier gegen den Sultan Amureth, 1828; Gallerie romantischer Dichtungen für die erwachsene Jugend (auch u. d. T.: Der Einsiedler oder Wilhelms wunderbare Abentheuer und der Sklave. 2 Erz. zur belehrenden Unterhaltung f. d. erwachsene Jgd., 1828; 2. Bd. auch u. d. T.: Der junge Negersklave und die geraubten Kinder, 2 Erz., 1834); Interessante Abenteuer eines Türkensklaven oder Die schönen Favoritinnen des Pascha's von Caramanien, 3 Tle., 1830; Das merkwürdigste Jahr aus dem Leben eines alten Kriegers. Ein historischer Roman, 2 Tle., 1830; Ritter Franz von Sickingen oder Rittersinn und Fürstenrache. Geschichtlicher Roman aus dem sechzehnten Jahrhundert, 2 Tle., 1832; Die beiden Silowsky's. Ein Gemälde aus Polens Geschichte, 1835; Die Wunderlampe, oder Die schrecklichen Zauberbilder, 2 Bde., 1837; Das Karthäuserkloster oder Theodora, die Geprüfte (Rom.) 2 Bde., 1837; Zeichnungen merkwürdiger Abentheuer (Hist. Erz. f. d. Jgd.) 1838; Preußische Dragoner. Eine Geschichte aus dem Siebenjährigen Kriege, 1841.   IB

Hildebrandt, Dieter, * 1. 7. 1932 Berlin; Dr. phil., 1961–68 Kulturkorresp. der FAZ, Publizist, Theaterkritiker, seit 1972 Dramaturg beim Schiller-Theater Berlin.

Schriften: Voltaire, Candide (Text u. Dokumentation) 1963; Die Mauer ist keine Grenze. Menschen in Ostberlin, 1964; Lessing, Minna von Barnhelm (Text u. Dokumentation) 1969; H. Broch, Gedanken zur Politik (Hg.) 1970; Ödön von Horváth, Gesammelte Werke (Hg.) 3 Bde., 1970/71; Über Ödön von Horváth (hg. mit T. Krischke) 1972; Radio Eriwan antwortet (Sprechpl.) 1972; Deutsches Mosaik. Olympische Sommerspiele München (hg. mit S. Unseld) 1972; Deutschland deine Berliner. Ein verwegener Menschenschlag, 1973; Ödön von Horváth in Selbstzeugnissen und Bilddokumenten, 1975; Blaubart Mitte Vierzig (Rom.) 1977; Lessing. Biographie einer Emanzipation, 1979.   AS

Hildebrandt, (Karl) Gotthold (Ps. Knut Hjör-ring), * 3.11.1852 Magdeburg; seit 1887 Journalist in Berlin, Red. d. «Berliner Markthallen-kuriers», d. «Berliner Vorortsztg.» u. seit 1895 d. «Echo».

Schriften: Geschichten aus Sperlingslust, 1896. (Ferner statist. Schriften.)   RM

Hildebrandt, Guido, * 6.2.1926 Dortmund, † 25.5.1977; war Dir. in Duisburg; Verf. v. Lyrik, Bilderbüchern f. hörsprachbehinderte Kinder, Hörtexten.

Schriften: Tastgebilde. 13 Gedichte, 1967; Landschaft unter Glas (Ged.) 1969; leben ohne liebe, ohne liebe leben, 1974; entgegengesetzt. 6 legenden des verstehens, 1974; Spot und Hohn. Eine Unart Aforismen, 1977; Autoren-Patenschaften. Eine Anthologie j unger Autoren (Hg.) 1978.   AS

Hildebrandt, Hans (Ps. Gregor VII., Friedrich Günther), * 27.1.1861 Hildebrandtshof b. Stolp/ Pomm.; 1888 Gründung e. Verlags-Buchhandlung in Stolp.

Schriften: Bürgermeister Fritz, 1881; Tannhäuserlieder. Erotisches Sündenregister, 1888 (2. Folge u.d.T.: Neue Sünden, 1896); Ohne Feigenblatt (realist. Erz.) 1888; Wahre Worte und schöne Lieder (Anthol.) 1888; Komische Käuze, 1888; Das nervöse Jahrhundert. Zeitgedichte, 1892; Erinnerungen eines kassubischen Konzertarrangeurs, 1892; Bilderbuch eines Schwermütigen, 1896.   RM

Hildebrandt, Helmut, * 8.11.1902 Klein-Lindenbusch/Brandenburg;   cand. rer. pol. in Frankfurt/Main.

Schriften: Junge Dichter sprechen (Anthol., hg.) 1932; Ahasver. Ein nach Form und Inhalt unzeitgemäßes Buch, 1933.   RM

Hildebrandt, Karl (Ps. Karl Norden), * 29.3. 1796 Weferlingen b. Halberstadt, † 13.4.1861 Barnimslow b. Stettin; studierte in Halle Theol., nahm 1813 als Freiwilliger am Kriege teil, 1815 Leutnant, später Rektor d. Schule in Demmin, 1822 Pastor in Tribsow, 1832 in Barnimslow. Erzähler.

Schriften: Erzählungen, 1824; Ferdinand von Waldau und Auguste, oder Trennung und Wiedersehen. Ein Gemälde aus der Zeit Friedrich II, 3 Bde., 1825; Die Novize von St. Marienheim.

Eine romantische Klostergeschichte aus der neueren Zeit, 2 Bde., 1827; Lilienström und Nordenstern. Ein geschichtliches Gemälde aus den Kriegen Carls XII, 1827; Die Braut von Bornholm und Der Griechenfreund (2 Nov.) 1828; Die Felsen von Nivrodongk (Rom.) 1828; Erzählungen, 4 Bde., 1827–31; Francesco di Soberto. Eine romantische Geschichte aus der Zeit der neapolitanischen Revolution, 1831; Der Spielmann aus Schmagerow und Das Eiland bei Polchow (2 Nov.) 1837.

Literatur: Goedeke 10, 345; 14, 47.   IB

Hildebrandt, Kurt, * 12.12.1881 Florenz, † 20.5.1966 Kiel; Dr. med. et phil., 1906 Arzt in Berlin, 1928 Doz. Univ. Berlin, 1932 Dir. d. Heilanstalt Herzberge, 1934–45 o. Prof. in Kiel, lebte dann auf Gut Stendorf/Eutin u. zuletzt wieder in Kiel. Mitarb. versch. Jb. u. Zs., Übers.antiker Autoren.

Schriften (Ausw.): Norm und Entartung des Menschen, 1920; Wagner und Nietzsche. Der Kampf gegen das 19. Jahrhundert, 1924; Hölderlin. Philosophie und Dichtung, 1939; Goethe. Seine Weltweisheit im Gesamtwerk, 1941; Goethes Naturerkenntnis, 1947; Leibniz und das Reich der Gnade, 1953; Kant und Leibniz. Kritizismus und Metaphysik, 1955; Platon. Logos und Mythos (2., durchges. u. erg. Aufl.) 1959; Das Werk Stefan Georges, 1960; Ein Weg zur Philosophie, 1962 [mit Bibliogr.]; Erinnerungen an Stefan George und seinen Kreis, 1965.   RM

Hildebrandt, Martin, * 22.8.1854 Magdeburg, † 1925; lebte als Red., Hg. u. Geschäftsführer d. dt. Schriftstellergenossensch. in Berlin.

Schriften: Gift! Satyrische Preisschrift, 1886; Nicht gegen den Kaiser! Zur socialen Bewegung, 1890; Ohne Bismarck. Eine nüchterne Betrachtung der Lage, 1890; Die Reichsschwiegermutter kommt. Aus den Geheimnissen einer politischen Ehe geplaudert von einem Hausfreund, 1891; Ketzer-Briefe, 1891; Wider die Communisten am geistigen Eigenthum, 1899; Vater Martins Briefe an seinen kleinen Michel, 1907; Stimmungen (Ged.) 1908; Der deutsche Zorn in Versen und Liedern, 1914; Roddies Bekanntschaften (Erz.) 1915; Ins deutsche Gewissen! Zwölf Sonette, 1917; Denkzettel, 1920.   AS

Hildebrandt, Otto, * 22.11.1924 Gräfenhainichen; Bergmann, lebt in Belzig/Mark (DDR).

Schriften: Die Jäger von der hohen Jöst (Jgdb.) 1971; Begegnung mit Tieren (mit H. Hunger) 1972; Die schwarze Margret. Historische Erzählung, 1975.   AS

Hildebrandt, Paul, * 15.12.1862 Berlin; nach Apothekerlehre seit 1880 Buch- u. seit 1883 Kunsthändler in Berlin, Red. d. «Kunstsalon» u. v. Amsler u. Ruthardts «Wochenber. f. Kunst» (seit 1892).

Schriften (Ausw.): Jugendklänge. Wald- und Liebeslieder, 1888; Die Erfüllung der Siegfriedsbotschaft, 1891; Die Kunst, das Stiefkind der Gesellschaft, 1893; Lustige Chansons ..., 1904; Das Spielzeug im Leben des Kindes, 1904.   RM

Hildebrandt, Sieglinde, * 27.1.1921 Berlin; Grafikerin, lebt in Ratingen-Lintorf; Humoristin.

Schriften: Hellas und Sparta vergessen seit Quarta. Blitznachhilfe in griechischer Mythologie. Der fröhliche Pegasus reitet mit spitzer Feder in Wort und Bild, 1973; Lieber Kollege. Sah, hörte, schrieb und malte ~, 1974; Engel Adam so und so. Abgemalt in Wort und Bild, 1976; Fidel von rosig bis rostig. Lachertorte mit humorigem Schlagober, in Stücken serviert, nach Art des Hauses in Wort und Bild, 1977.   AS

Hildebrandt, (Alfred) Walter, * 29.1.1862 Schkeuditz/Sachsen; Theol.-Studium in Halle, 1890 Auswanderung nach Amerika, Pfarrer d. dt. Gemeinde v. West Turin/N.Y., seit 1904 Prediger in Greenfield/Mass. Kirchenliederdichter.

Schriften: Gedichte, 1903.   RM

Hildebrandt-Strehlen, Heinrich → Brown, Roderich.

Hildebrant, Gustaf, * 3.1.1886 Schmallenberg/Kr. Arnsberg; lebte in Berlin, dann Leiter d. dt. Vortragsbühne in Cottbus u. später in Frankfurt/Oder, Dramaturg u. Vortragsmeister in Dresden.

Schriften: Auffahrt (Dial.) 1919; Gustav Müller. Ein Orientierungsversuch, 1920 (2., erg. Aufl. 1921); Die völkisch-religiöse Weihebühne – das Theater der Zukunft, 1923; Dramatische Weiheabende. Dichter der deutschen Sendung (hg.) 1927; Martin Luther, der deutsche Reformator (Sz.) 1931; Das völkische Drama der Gegenwart ..., 1933; Das Theater des deutschen Volkes, 1934; Lutherdramen ... Literargeschichtliche Betrachtung, 1937. (Ferner ungedr. Bühnenstücke.)   RM

Hildeck, Leonie (Ps. f. Leonie Meyerhof), * 2.3.1858 Hildesheim, † 15.8.1933 Frankfurt/Main. Erzählerin.

Schriften: Der goldene Käfig und andere Novellen, 1892; Abseits vom Wege (2 Nov.) 1894; Die Mittagssonne (Rom.) 1895; Die Feuersäule. Die Geschichte eines schlechten Menschen, 1895; Das Zaubergewand. Die Beichte einer Frau, 1897; Wollen und Werden. (Rom.) 1897; Libellen (Nov.) 1898; Bis ans Ende (Rom.) 1899; Abendsturm (Schausp.) 1899; Herbstbeichte (Liebesrom.) 1900; Eigensinnige Herzen (Rom.) 1906. IB

Hildegard von Bingen, * 1098 Bermersheim b. Alzey/Rheinhessen, † 17.9.1179 auf d. Rupertsberg b. Bingen; Benediktinerin u. Mystikerin, geistl. Ausbildung unter d. Reklusin Jutta v. Spanheim auf d. Disibodenberg b. Bingen, 1136 magistra d. Frauenkonvents, gründete zw. 1147 u. 1152 d. Kloster auf d. Rupertsberg u. 1165 e. Filialkloster oberhalb Rüdesheim (heute St. Hildegardis-Abtei Eibingen), unternahm zw. 1160 u. 1170 vier große Predigtreisen. Seit Beginn d. 15. Jh. als Heilige verzeichnet, obwohl d. Kanonisationsverfahren unabgeschlossen blieb. Mystikerin u. Seherin, Ratgeberin d. Päpste, Kaiser u. Fürsten. – Begann 1141, beeinflußt v. d. Nonne Richardis v. Stade u. v. Mönch Volmar, mit d. Abfassung ihres «Liber scivias» (Erstdr. 1513), e. Glaubenslehre, welche Anthropol. u. Kosmol. mit d. Theol. verknüpft. Ihr «Liber vitae meritorum» (entst. zw. 1158 u. 1163) ist e. Lehrbuch d. christl. Sittenlehre u. gibt in d. Art d. Psychomachien Wechselgespräche zw. Tugenden u. Lastern. D. Visionen d. «Liber divinorum operum» (entst. zw. 1163 u. 1173, in d. Genter Hs. d. 12. Jh. u. d. T. «De operatione dei») zeigen e. Heilsgesch. v. d. Genesis bis z. Apokalypse. H. verf. ferner Briefe (Erstdr. 1566) u. 69 geistl. Lieder (Neumen erhalten), e. geistl. Singsp. («Ordo virtutum»), kleinere Lehrstücke, homilet. – exeget. Werke sowie natur- u. heilkundl. Lehrschr. («Physica», «Causae et curae»).

Ausgaben: a) *lat.:* E. vollst. lat. Gesamtausg. fehlt, unvollst. Ausg. in Migne PL 197 u. bei J.P. PITRA, Analecta sacra spicilegio Solesmensi parata 8, 1882. – Causae et curae (hg. P. KAISER) 1903; Ordo virtutum ... (in: P. DRONKE, Poetic Individuality in the Middle Ages) Oxford 1970.

b) *dt.-lat.:* Sequentia de Sancto Maximino (in: H. KUSCH, Einf. in d. lat. MA 1) 1957; Ordo virtutum (in: W. v. d. Steinen, E. Dichterbuch d. lat. MA, hg. P. v. Moos) 1974.

c) *Übertragungen:* Die Lieder und die unbekannte Sprache (aus d. Wiesbadener Hs. hg. F. W. E. Roth) 1880; Die Kompositionen der hl. H. (hg. J. Gmelch) 1913; Schriften (ausgew. u. übertragen J. Bühler) 1922; Der hl. ~ Reigen der Tugenden (Ordo Virtutum) (hg. M. Böckeler) 1927; Der Weg der Welt (in Ausw. übers. M.-L. Lascar) 1929; Wisse die Wege. Scivias (... ins Dt. übertragen u. bearb. M. Böckeler) 1954 (⁶1976); Heilkunde. Das Buch von dem Grund und Wesen und der Heilung der Krankheiten (übers. u. erl. H. Schipperges) 1957 (³1976); Geheimnis der Liebe ... (n. d. Quellen übers. u. bearb. v. dems.) 1957; Gott ist am Werk. Aus dem Buch «De operatione Dei» (übers. u. erl. v. dems.) 1958; Naturkunde ... (n. d. Quellen übers. u. erl. P. Riethe) 1959; Welt und Mensch. Das Buch «De operatione Dei» (aus d. Genter Cod. übers. u. erl. H. Schipperges) 1965; Briefwechsel (n. d. ältesten Hss. übers. u. n. d. Quellen erl. A. Führkötter) 1965; Lieder (hg. P. Barth u. a.) 1969; Der Mensch in der Verantwortung. Das Buch der Lebensverdienste (Liber vitae meritorum) (n. d. Quellen übers. u. erl. H. Schipperges) 1972; H. v. B., Mystische Texte der Gotteserfahrung (hg. u. eingel. H. Schipperges) 1978 [Textausw.].

Bibliographie: W. Lauter, ~ – Bibliogr. Wegweiser z. ~-Lit., 1970; H. Schipperges (vergl. Ausg.) 1978.

Forschungsbericht: J. Koch. D. heutige Stand d. ~-Forsch. (in: HZ 186) 1958.

Literatur: VL 2,443; 5,416; Manitius 1,228; ADB 12,407; NDB 9,131; RE 8,71; LThK 5, 341; RGG ³3,318; MGG 6,389; BWG 1,1156. – L. Clarus, Leben u. Schr. d. ~, 2 Bde., 1854; J. May, ~, ²1929; H. Liebschütz, D. allegor. Weltbild d. ~, 1930; B. Schmeidler, Bemerkungen z. Corpus d. Briefe d. ~ (in: FS K. Strecker) 1941; H. Schipperges, Krankheitsursache, Krankheitswesen u. Heilung in d. Klostermedizin, dargest. am Weltbild ~s (Diss. med. Bonn) 1951; ders., D. Bild d. Menschen b. ~ ... (Diss. phil. Bonn) 1952; ders., D. Schöne in d. Welt ~s (in: Jb. f. Ästhetik 4) 1958/59; ders., Anthropolog. Aspekte im Weltbild ~s (in: Trierer Theol. Zs. 74) 1965; ders., Schlüsselbegriffe um «Heil» u. «Heilig-

keit» bei ~ (in: Arzt u. Christ 19) 1973; B. Widmer, Heilsordnung u. Zeitgeschehen in d. Mystik ~s, 1955; A. Führkötter, M. Schrader, D. Echtheit d. Schrifttums d. ~, quellenkrit. Unters., 1956; M. z. Eltz, ~, 1963; J. Szövérffy, D. Ann. d. lat. Hymnendg. 2, 1965 [G. v. Disibodenberg, T. v. Echternach], D. Leben d. ~ (hg., eingel. u. übers. A. Führkötter) 1968; P. Dronke, (vgl. lat. Ausg.) 1970; A. Führkötter, ~, 1972; H. D. Rauh, D. Bild d. Antichrist im MA ..., 1973; C. Meier, Vergessen. Erinn., Gedächtnis im Gott-Mensch-Bezug. Zu e. Grenzbereich d. Allegorese bei ~ ... (in: FS F. Ohly) 1975; B. Maurmann, D. Himmelsrichtungen im Weltbild d. MA ..., 1976.   RM

Hildenbrand, Theodor, * 21.4.1852 Würzburg; 1877 Lehrer u. seit 1896 Prof. u. Rektor in Memmingen, 1910 Studienrat.

Schriften: So ist's bei'n uns in Boarnland. Gedichte in allen bayerischen Mundarten, 1887.   RM

Hildenbrandt, Fred (Alfred) (Ps. Hermann Thimmermann), * 27.4.1892 Stuttgart, † 4.3.1963 Koblenz; Volksschullehrer, dann Journalist, 1921–32 Feuill.red. d. «Berliner Tagebl.», später freier Schriftst., n. d. Krieg in Frankfurt/Main.

Schriften: Variété, 1919; Briefe an eine Tänzerin, 1922; (Judas Ischariot). Eine Legende, 1924; Tageblätter (ges. Aufs.) 1925; Hochstapler (Rom.) 1926; Kleine Chronik (ges. Aufs.) 1926; Großes, schönes Berlin, 1928; Die Tänzerin Valeska Gert, 1928; Kinder, 1929; Im Irrgarten läuft Bellarmin, 1929; Annee und ihre Leichtathleten (Rom.) 1929; Der Sand läuft falsch im Stundenglas (Rom.) 1930; Fritz Freemann wird Reporter, 1931; Gwendolin stürzt sich ins Leben (Rom.) 1931; Tänzerinnen der Gegenwart, 1931; Erschossen in Braunau. Das tragische Schicksal des ritterlichen Verlagsbuchhändlers Johann Philipp Palm aus Nürnberg, 1933; Der Sturm auf Langemarck, 1933; Olympische Siege, 1935; An die Herren Europäer! Japan arbeitet und lächelt, 1936; Verdun! Souville! Ein Tatsachenbericht, 1937; GPU-Roman. Nach dem gleichnamigen Ufa-Film, 1942; Die schwarze Serie. Eine tolle Geschichte, 1944; Nobile. Die Tragödie im Polarkreis, 1955; Ich soll dich grüßen von Berlin. Erinnerungen 1922–32, 1966 (Neuausg. 1975).

Literatur: NDB 9,133.   RM

Hilder, Gustav (Oskar), * 1.4.1836 Risinge/ Schweden, † Febr. 1888 Berlin; Sohn e. preuß. Offiziers, militär. Laufbahn in Berlin u. Preußen, 1879 Abschied als Major, lebte seither in Berlin.

Schriften (Ausw.): Ein friedlicher Feldzug. Tagebuchlätter aus dem Jahr 1866, 1870; Die Mitrailleuse. Populär bearbeitet, 1871; Im Hauptquartier des Königs von Schweden. Manöver-Skizzen, 1879; Das Duell und die Offiziere. Zeitgenössische Betrachtungen, 1887; Unsere Offiziere a. D. Ein Schattenbild aus dem socialen Leben, 1887. (Ferner versch. ungedr. Bühnenstücke.)

Literatur: Theater-Lex. 1,791.   RM

Hildesheim, Franz, * 12.10.1551 Küstrin, † 1614 Berlin; studierte Theol., Philos., Mathematik u. Poesie in Frankfurt a. d. Oder, Wittenberg u. Leipzig, Rektor in Küstrin, später Stud. d. Med. in Wien u. Padua, Begleiter e. jungen Edelmannes n. Straßburg, Paris u. London. 1585 kurfürstl. brandenburgischer Leibarzt. Historiker, Dramatiker u. Lyriker.

Schriften: Publicae commoditati vitae duorum potentissimorum principum Joachimi II. electoris et Joannis marchionis, item duorum cancellariorum Lamp. Distelmeieri et Hadriani Albini, 1592; Vita (Kom.) 1602; Religio (Tr.) 1602; Inscriptiones sepulcrales quae vulgo sunt Epitaphia electorum et marchionum Brandenburgensium, 1608; De cerebri et capitis morbis internis, 1612.

Literatur: ADB 12,410; Ersch-Gruber II/8, 153; Theater-Lex. 1,791.   IB

Hildesheimer Nikolausspiel, in e. Hildesheimer Hs. überl. lat. Spiel um d. hl. Nikolaus, der drei v. ihrem Wirt geschlachtete Kleriker wieder z. Leben erweckt.

Ausgaben: E. Dümmler (in: ZfdA 35) 1891; K. Young, The Drama of the Medieval Church 2, 1933 (²1951).

Literatur: P. Aebischer, Le miracle des trois clercs ressuscités par saint Nicolas (in: Arch. Romanicum 15) 1931; L. Schmidt, Adventssp. u. Nikolaussp. (in: Wiener Zs. f. Volksk. 40) 1935; D. Brett-Evans, V. Hrotsvit bis Folz u. Gengenbach ... 1, 1975.   RM

Hildesheimer, Israel (Esriel), * 11.5.1820 Halberstadt, † 12.6.1899 Berlin; Studium an d. Talmud-Hochschule in Altona, 1840–44 Studium d. Philos. u. semit. Philol. in Halle u. Berlin, 1851

Rabbiner in Eisenstadt/Burgenland, Gründer e. Rabbinerlehranstalt; seit 1869 Rabbiner in Berlin, 1873 Gründer u. Rektor e. Rabbinerseminars das. (sog. H.-Seminar, 1938 aufgelöst).

Ausgaben: Gesammelte Aufsätze (hg. M. Hildesheimer) 1923; Briefe (ausgew. u. hg. M. Eliav) 1965.

Nachlaß: Leo Baeck Inst. New York. – Mommsen Nr. 1667.

Literatur: ADB 50,329; NDB 9,134. – J. Wohlgemuth, Rabbi ∼, e. Gedenkrede, 1902; A. Berliner, ∼, 1903.   RM

Hildesheimer, Wolfgang, * 9.12.1916 Hamburg; wanderte 1933 nach Palästina aus, arbeitete dort als Tischler u. Innenarchitekt, 1937–39 Ausbildung in London als Maler u. Bühnenbildner, 1939–45 als engl. Informationsoffizier in Palästina, 1946–49 Dolmetscher beim Nürnberger Prozeß, zugleich Graphiker u. Journalist; seit 1950 Schriftst., viele Reisen; lebt in Poschiavo/Kt. Graubünden. Hörsp.preis d. Kriegsblinden 1954, Bremer Lit.preis 1966, Georg Büchner-Pr. 1966.

Schriften: Lieblose Legenden, 1952 (überarb. u. erw. Ausg. 1962); Floras Fauna. Eine abendländische Biologie (mit Paul Flora) 1953; Paradies der falschen Vögel (Rom.) 1953; das ende einer welt (Funk-Oper, Musik H. W. Henze) 1953; Der Drachenthron (Kom.) 1955; Begegnung im Balkanexpreß (Hörsp.) 1956; Ich trage eine Eule nach Athen und vier andere von Paul Flora illustrierte Geschichten, 1956; Spiele, in denen es dunkel wird, 1958; Herrn Walsers Raben (Hörsp.) 1960; Die Eroberung der Prinzessin Turandot, 1960; Rivalen. Ein Lustspiel in zwei Akten nach Sheridan, 1960; Die Verspätung. Ein Stück in zwei Teilen, 1961; Nocturno im Grand Hotel. Eine Fernseh-Komödie, 1961; Vergebliche Aufzeichnungen. – Nachtstück (mit Bibliogr.) 1963; Betrachtungen über Mozart, 1963; Herrn Walsers Raben. – Unter der Erde. Zwei Hörspiele, 1964; Pastorale. Eine Groteske in einem Akt, 1965; Tynset (Rom.) 1965; Das Opfer Helena. – Monolog. Zwei Hörspiele, 1965; Wer war Mozart? – Becketts Spiel – Über das absurde Theater (Teilslg.) 1966; Die Musik und das Musische (Vortrag) 1967; Begegnung im Balkanexpreß. – An den Ufern der Plotinitza. Zwei Hörspiele. Mit autobiogr. Nachwort, 1968; Interpretationen. James Joyce. – Georg Büchner. Zwei Frankfurter Vorlesungen, 1969; Zeiten in Cornwall, 1971;

Mary Stuart. Eine historische Skizze, 1971; Masante (Rom.) 1973; Hauskauf (Hörsp.) 1974; Hörspiele, 1976; Theaterstücke. Über das absurde Theater, 1976; Biosphärenklänge (Hörsp.) 1977; Mozart, 1977; Was Waschbären alles machen (mit R. Berlinger) 1979; Exerzitien mit Papst Johannes, 1979.

Übersetzertätigkeit: F.S. Chapman, Aktion Dschungel, 1952; D. Barnes, Nachtgewächs (Rom.) 1959; G.B. Shaw, Die heilige Johanna, 1965; ders., Helden, 1970; J. Joyce, Anna Livia Plurabella, 1971.

Literatur: HdG 1,309; Albrecht-Dahlke II, 2, 319. – R.H. WIEGENSTEIN, ∼ (in: Schriftst. d. Ggw., Hg. K. NONNENMANN) 1963; W. MTTENZWEI, Gestaltung u. Gestalten, 1965; O. SCHULZE, ∼. Bremer Lit.pr. 1966 (mit Bibliogr.) 1966; C. TINDEMANNS, ∼, hulpelos tegenover de desintegratie (in: Dietsche Warande en Belfort, 111) Antwerpen 1966; TH. KOEBNER, ∼ (in: Dt. Lit. seit 1945 in Einzeldarst., hg. D. WEBER) 1968 ([3]1976); R. TAENI, Drama nach Brecht, 1968; M. KESTING, Panorama d. zeitgenöss. Theaters, 1969; W. JENS, Von dt. Rede, 1969; J. GLENN, Homannsthal, Hacks and ∼: Helen in the 20th century (in: Seminar 5) 1969; Über ∼ (Hg. D. RODEWALD; mit Bibliogr.) 1971; D. RODEWALD, ∼ (in: Dt. Dichter d. Ggw., hg. B. v. WIESE) 1973; H. ISERNHAGEN, D. Hähne Attikas. L. Durrell u. ∼ (in: Arcadia 8) 1973; R.W. FASSBINDER, Siegfried Lenz, ∼, 1973; H.-J. GREIF, Z. modernen Dr., 1973; E. NEF, D. absurde Gesch., d. Fälscher, d. Häscher, d. Melancholiker. ∼s Weg v. d. absurden Gesch. z. subjektiven Erzähler (in: Schweiz. Monatsh. 55) 1975/76; CH.L. HART NIBBRIG, D. andere Ton. Z. Musikalität v. ∼s Prosa (in: Merkur 30) 1976; M. DURZAK, Gespräche über d. Rom., 1976; P.H. STANLEY, Verbal Music in Theory and Practice (in: GR 52) 1977; G.R. HOYT, Guilt in Absurdity. ∼'s Tynset (in: Seminar 14) 1978; M. REICH-RANICKI, ∼. Leider kein Striptease (in: M.R.-R., Entgegnung) 1979; H. PUKNUS, ∼, 1979. AS

Hildesia →Düker, Elsbeth.

Hildstein, Hans → Hiltstein, Johannes.

Hilgeland, Ossip → Gervais, Otto R.

Hilgendorff, Gertraud (Ps. f. Gertraud Felkl), * 26.4.1921 München; Journalistin u. Schriftst. in Wien, lebt in Bad Fischau Brunn, Erzählerin.

Schriften: Abenteuer in Griechenland, 1948; Gutes Benehmen – dein Erfolg (2. Aufl.) 1953; Iß dich jung. Ein Schlankheitsbrevier, 1953; Taschenbuch der Schönheitspflege (2. Aufl.) 1953; Eine Reise durch Italien, 1954; Plauderei über Blumen, 1955; Das Teenagerbuch. Ein Brevier für junge Mädchen, 1958; Manierlich, erfolgreich, beliebt, 1961; Harmonisch, weiblich, begehrt, 1962; Jung, schlank, schön, 1964.   IB

Hilgendorff, Hermann (Ps. f. (Hans) Kurt Müller, weitere Ps.: Jack Fenton, H.C. Müller, William H.C. Collins, W.C. Collins, William Tex, Percy Brook u.a.), * 29.9.1895 Schwerin/Mecklenb.; Verf. v. über 300 Heftrom., lebte in Idstein/Taunus.

Schriften (Ausw.): Maske gegen Maske (Rom.) 1929; Ich oder – ich? (Rom.) 1932; Dame zwischen Tod und Teufel (Kriminalrom.) 1933; Der Fassadenkletterer (Kriminalrom.) 1938; Piratenfahrt (Abenteuerrom.) 1938; Broadway-Piraten (Kriminalrom.) 1939; Der Doppelgänger (Kriminalrom.) 1939; Kampf im Dunkel (Kriminalrom.) 1940; Gefahr in Rio (Kriminalrom.) 1940; Der Schläfer (Kriminalrom.) 1941; Das seltsame Vermächtnis (Abenteuerrom.) 1942; Der Todestreck (Wild-West-Rom.) 1949; Der Ruf der Wildnis (Wild-West-Rom.) 1950; Gefährliche Tante Betsy (Kriminalrom.) 1958; Der Bettler und die Gräfin (Kriminalrom.) 1958; Der unheimliche Schrankenwärter (Kriminalrom.) 1959.   RM

Hilgenfeld, Adolf, * 2.6.1823 Stappenbeck b. Salzwedel, † 12.1.1907 Jena; Theol.-Studium in Berlin u. Halle, 1845 Dr. phil., 1848 Habil. Jena, 1850 a.o., 1869 o. Honorarprof. u. seit 1890 o. Prof. das., Hg. d. «Zs. f. wiss. Theol.» (1858 bis 1907).

Schriften (Ausw.): Die Evangelien nach ihrer Entstehung und geschichtlichen Bedeutung, 1854; Novum Testamentum extra canonem receptum, 4 Bde., 1866 (Neuausg. 1876–84); Die Ketzergeschichte des Urchristentums, 1884.

Bibliographie: [H. Hilgenfeld], Verz. d. v. A.H. verf. Schr., 1906 [Ergänzung in: Zs. f. wiss. Theol. 50, 1908].

Nachlaß: Univ.bibl. Jena. – Nachlässe DDR I, Nr. 285.

Literatur: NDB 9, 140; LThK 5, 348. – H. PÖLCHER, ∼ u. d. Ende d. Tübinger Schule (Diss. Erlangen) 1954; DERS., Briefe v. P. de Lagarde an ∼ (in: FS H.J. Schoeps) 1959.   RM

Hilgenstock, Hans (Ps. Hermann Bach), * 2. 5. 1900 Berlin; Verlagsbuchhändler in Berlin.

Schriften: Deines Lebens Weg. Ein Büchlein für Werdende (hg.) 1933; Christ ist erstanden! Osterbüchlein, 1934; Fröhlich soll mein Herze springen. Geschichten und Gedanken zum Advent, 1934; Es geht ein Freuen durch die Welt, 1935; Mit klarem Blick ... (hg.) 1935; Werdet Kinder des Lichts. Aus dem Leben für das Leben (Neuausg.) 1935; Aus des Lebens Wirklichkeit. Geschichten zum Vorlesen (hg.) 1936. RM

Hilger, Carl Gustav, * 15. 1. 1908 Bielefeld; Verlagsleiter in Bielefeld.

Schriften: Senator Berghoff (Schausp.) 1943; Tiere, die uns begegnen ..., 1962. (Ferner ungedr. Bühnenstücke.) RM

Hilger, Hans, * 22. 10. 1895 Berlin; Oberregierungs- u. Schulrat, Prof. in Aachen; Religionspädagoge.

Schriften (Ausw.): Das Büchlein vom lieben Brot, 1937 (später u. d. T.: Vom lieben Brot. Ein Kommunion-Buch); Kleine Lehre von Gottes großer Welt, 1939; Pilgerfahrt im Märchenland. Fromme Mären (Hg.) 1940; Bild und Gleichnis des dreifaltigen Gottes in einigen Geschöpfen (Ess.) 1941; Besinnliches Gartenbuch (Ess.) 1943; Biblischer Tiergarten (Ess.) 1954; Geheimnis des Baumes (Ess.) 1956; Gottes Wort und unsere Antwort. Handbuch für den Bibelunterricht, 2 Bde. (Hg.) 1966/70. AS

Hilger, Joseph, * 23. 3. 1857 Kottenheim b. Mayen, † 16. 5. 1935 Mayen; Lehrer, später Rektor in Mayen; Heimatkundl. Forscher, Lyriker.

Schriften: Gedichte, 1894; Lieder und Gedichte zur Jubelfeier des hundertsten Geburtstags Kaiser Wilhelms des Großen am 22. 3. 1897, 1897; Dichterklänge vom Laacher See und seiner Umgebung, 1897; Bunte Blätter. Neue Gedichte, 1907; Aus West, Ost und Süd. Kriegslieder aus großer Zeit, 1915; Dahut das Hohe Lied der Liebe. Ein romantisches Epos in 12 Gesängen, 1922; Eduard Philipp. Fünfundzwanzig Jahre im Dienste des Deutschen Auslandsschulwesens und des Deutschen Volkstums, 1930. IB

Hilgers, Bernhard Josef, * 20. 8. 1803 Dreiborn/ Eifel, † 7. 2. 1874 Bonn; 1827 Priesterweihe, Seelsorger d. Irrenanstalt in Siegburg, 1835 Habil. Bonn, 1840 a. o. u. 1846 o. Prof., zeitweise Rektor, gehörte z. Kreis d. Bonner Güntherianer, 1872 Exkommunikation. Mitarb. d. theol. Zs. d. Fak. (1844–49), 1855 Dir. d. wiss. Prüfungsamtes.

Schriften (Ausw.): Symbolische Theologie oder Die Lehrgegensätze des Katholizismus u. Protestantismus dargestellt u. gewürdigt, 1841; Homilien, 1874.

Literatur: ADB 12,412; NDB 9,144. – P. WENZEL, D. Freundeskreis um Anton Günther u. d. Gründung Beurons, 1965. RM

Hilgert, Anton (Ps. Anton Endersdorf), * 17. 2. 1861 Paucsova/Ungarn; Kaminfeger in versch. Orten, in Wien Gründer u. Red. d. «Neuen allgem. öst.-ungar. Rauchfangkehrer-Ztg.», autodidakt. Schriftsteller.

Schriften: Fata Morgana. Zwei Freunde (2 Erz.) 1896; Haß und Liebe (Erz.) 1899. RM

Hilgert, Elisabeth (Ps. Elisabeth Borchardt-Hilgert), * 16. 6. 1911 Berlin; arbeitete 1927–33 als Sekretärin im Malik-Verlag, 1933–45 im Exil, nach 1945 journalist. Tätigkeit bei Presse u. Rundfunk der DDR, später freischaffende Übers. (aus dem Tschech. u. Slowak.) u. Schriftst. in Berlin.

Schriften: Heißer Frühling (Erz.) 1969. AS

Hilgert, Heinz, * 8. 11. 1927 Ahaus/Westfalen; Kaufmann, lebt in Stefanskirchen/Evenhausen, früher in München.

Schriften: Versuch im Glück (Rom.) 1959; Vorspiele (Rom.) 1977. AS

Hilker, Christian, * 18. 2. 1905 Bremen; lebte in Altona, später Leiter d. Presseabt. d. Borgward-Automobil- u. Motorenwerke in Bremen.

Schriften: Die Flucht ins Glück (Lsp.) 1926; Der braune Soldat (Schausp.) 1933; Seitensprung ins Glück! (Lsp., mit H. Heuer) 1936; Zwei PS machen Karrière, 1941. RM

Hill, Anna (geb. Klees, Ps. Sans-Gene), * 21. 11. 1860 Frankfurt/M., † 13. 11. 1912 ebd.; 1879 Heirat mit d. Versicherungsinspektor Gustav H., lebte in Frankfurt.

Schriften: Diana (Lsp.) 1887; Im Feindes-Land. Scenen aus dem deutsch-französischen Krieg, 1899; Erlkönig (Schw.) 1900. (Ferner ungedr. Bühnenstücke.)

Literatur: Theater-Lex. 1,792. RM

Hill, Claude (urspr. Klaus Hilzheimer), * 28.7. 1911 Berlin; Studium in Jena, Göttingen u. Wien, 1937 Dr. phil. Jena, 1938 Übersiedlung in d. USA, seit 1946 Prof. an d. Rutgers Univ. in New Brunswick, New Jersey.

Schriften (Ausw.): Das Drama der deutschen Neuromantik, 1938; Drei Nobelpreisträger, New York 1948; Drei zeitgenössische Erzähler, ebd. 1951; The Drama of German Expressionism (mit R. Ley) Chapel Hill 1960; Zweihundert Jahre deutscher Kultur, New York 1966; Lesen mit Gewinn, ebd. 1972; Bertolt Brecht, 1978.

Literatur: Perspectives and Personalities. Studies in Modern German Lit. Honoring ∼ (hg. R. LEY, M. WAGNER u.a.) 1978 (mit Bibliogr.). RM

Hill, Karl Heinz (Ps. Karl Heinz), * 26.1.1883 Gelnhausen; an versch. Orten im Zolldienst tätig, 1941–44 im Heeresdienst, wohnt in Kassel. Hg. d. «Heimstatt, Bl. f. Lit. u. Mundartpflege». Lyriker u. Erzähler.

Schriften: Verscherchern un Lieder. Gedichte in Gelnhäuser Mundart, 1905; Lustige Verse zu den Fresken im Muschelsaal des Wiesbadener Kurhauses, 1909; Pastille gegen Grille. Hesse-Nassauer Geschichterchern un Gedichterchen, 1910; Die Liebe siegt, 1911; Kikeriki. Geschichten und Gedichte, 1912; Mit Gott zum Sieg. Kriegserlebnisse (Ged.) 1915; Geisteswissenschaft. Weltkrieg, Revolution? Deutsche Wiedergeburt, 1919; Am Karpfenteich (Vortragsfabeln) 1929; Rüdesheimer Ausles. Gedichtercher un Geschichtercher in Hesse-Nassauer Mundart, 1930. IB

Hill, Kurt (Ps. Hill Eulenspiegel), * 27.4.1902 Duisburg-Ruhrort; Red. in Angermund, Übers. aus d. Französ. u. Holländischen.

Schriften: Eine Rheinfibel. Eine Schiffsladung voll Fragen, Antworten und Geschichten um den Rhein, ²1954; Aus Netzsack und Schiffskiste. Anekdoten, Geschichten und Witze aus der Schiffahrt, 1955; Ich war, sprach er, ein Schiffersknecht..., 1958; Kleine Binnenschiffahrt (mit A. Gronarz) 1964. RM

Hill, Rudolf (Alexander), * 28.6.1825 Pasewalk/Pomm., † 21.11.1894 Prenzlau; 1857 Stadtsekretär in Pasewalk, später in Prenzlau.

Schriften: Lütte Schnurren (plattdt. Ged.) 1868 (2., verm. Aufl. 1877). RM

Hillard, Gustav (Ps. f. Gustav Steinbömer) * 24.2.1881 Rotterdam, † 3.7.1972 Lübeck; Dr. phil., 1918–22 Dramaturg u. stellvertr. Dir. d. Dt. Theater Berlin, Doz. an d. Schauspielschule u. Lessing-Hochschule ebd., lebte seit 1950 als Schriftst. in Lübeck; Romancier, Essayist, Kritiker.

Schriften: Abtrünnige Bildung. Interregnum und Forderung (Ess.) 1929; Staat und Drama, 1932; Politische Kulturlehre, 1933; Moeller van den Bruck, Armin (Hg.) 1934; ders., Freiherr vom Stein (Hg.) 1934; R. Wagner, Kunst und Revolution (Hg.) 1935; Soldatentum und Kultur. Die Wiederherstellung des Soldaten, 1936; Spiel mit der Wirklichkeit. Geschichte eines jungen Mannes in der Gesellschaft des Vorkrieges, 1938; Frankreich und das deutsche Bildungsreich, 1940; Die Nacht des Dr. Selbende (Nov.) 1942; Der Smaragd (Nov.) 1948; Der Brand im Dornenstrauch (Rom.) 1948; Herren und Narren der Welt, 1954; Gespräch im Spielsaal (Nov.) 1957; Kaisers Geburtstag. Berliner Roman, 1959; Wert der Dauer. Essays, Reden, Gedenkworte, 1961; Worte und Werte um Lübeck (Ess.) 1961; Anruf des Lebens (Erz.) 1963; Recht auf Vergangenheit. Essays, Aphorismen, Glossen, 1966.

Nachlaß: Dt. Lit.arch./Schiller-Nat.mus. Marbach. – Denecke 2. Aufl.

Literatur: HsG 1,310. – E. ROSENBAUM. E. dt. Lebenslauf (in: Merkur 15) 1961; ∼ (Bibliogr., hg. K. MATTHIAS u. E. ROSENBAUM) 1971; Herperus FS f. ∼ z. 90. Geb.tag, 1971; F. USINGER, Gedenkwort f. ∼ (in: Jb. Darmstadt) 1972. AS

Hillardt-Stenzinger (geb. Hillardt, Ps. Eichelberg), Gabriele, * 20.9.1840 Prag, † 1913 Mödling b. Wien; studierte Französisch, wurde Handarbeitslehrerin. Schr. über weibl. Handarbeit, Textilien, sowie Methoden d. Handarbeitsunterrichtes.

Schriften: Die weibliche Handarbeit in der Poesie. Ausgewählte Gedichte, der fleißigen Frauenwelt gewidmet, 1882; Wien! Du schöne Kaiserstadt! Neue Märchen für die Jugend, 1908. IB

Hille, Carl Gustav von, * um 1590 Zachan/ Pommern, † Sept. 1647 Allersheim b. Holzminden; Edelknabe bei Johann Sigismund, Kurfürst zu Brandenburg, jurist. Studium in Wittenberg (1609) u. Rostock (1612). 1637 Aufnahme in d. «Fruchtbringende Gesellschaft», 1639 Hofmeister d. Herzogin Elisabeth Sophie, d. Gemahlin Augusts v. Braunschweig-Lüneburg in Wolfenbüttel.

Schriften: Der Teutsche Palmbaum: Das ist/ Lobschrift Von der Hochlöblichen Fruchtbringenden Gesellschaft, 1647 (Neudr. 1970).

Briefe: An Fürst Ludwig von Anhalt, im Heimatmuseum Köthen, vgl. G. KRAUSE. Der Fruchtbringenden Gesellschaft ältester Ertzschrein, 1855.

Literatur: Goedeke 3, 6; Neumeister-Heiduk 378. – W. HARMS, D. angeblich altdt. Anthyriuslied in Hilles «Palmenbaum» (in: FS I. Schröbler) 1973.   MB

Hille, Hermann Adolph, * 29.6.1720 Egestorf (Friedrichsburg) b. Rinteln, † 10.3.1777; Regierungsadvokat.

Schriften: Pyrmont (Ged.) 1752; Wilhelmsthal, in einer Ode besungen, 1756.

Literatur: Goedeke 4/1, 120.   RM

Hille, Peter, * 11.9.1854 Erwitzen b. Paderborn, † 7.5.1904 Berlin-Lichterfelde; Sohn d. Lehrers u. Rentmeisters Friedrich H., vorzeitiger Abbruch d. Gymnasialbesuchs, Lehre bei e. Rechtsanwalt in Höxter, wurde 1878 Journalist in Bremen, 1879 in Leipzig als Korrektor, freier Schriftst. Gasthörer philos. u. lit. Vorlesungen an d. dortigen Univ., 1880–82 Aufenthalt in London, danach ausgedehnte Reisen. S. Freunde, unter ihnen O. J. Bierbaum, J. Schlaf, E. Lasker-Schüler, ermöglichten ihm durch geldl. Unterstützung ab 1891 d. Aufenthalt in Berlin, wo er nach längerem Lungenleiden an d. Folgen e. Blutsturzes starb. Lyriker, Romanschriftst., Dramatiker. Verf. v. Aphorismen.

Schriften: Die Sozialisten (Rom.) 1886; Des Platonikers Sohn (Tr.) 1896; Semiramis (Rom.) 1902; Cleopatra (Rom.) 1905; Nachgelassene Schriften (hg. W. SUSMAN) 1905; Aus dem Heiligtum der Schönheit (Aphorismen, Ged., hg. F. DROOP) 1909; Das Mysterium Jesu, 1921; Gesammelte Werke (hg. von seinen Freunden) 4 Bde., 1904–05, verm. Aufl. 1916; Ausgew. Dichtungen (hg. A. VOGEDES, H. D. SCHWARZE) 1961; Ich bin, also ist Schönheit. Lyrik, Prosa, Aphorismen, Essays (hg. R. BERNHARDT) 1975.

Briefe: Briefe P. H.s an E. Lasker-Schüler, 1921.

Nachlaß: Staatsbibl. Preuß. Kulturbesitz Berlin; Stadt- u. Landesbibl. Dortmund. – Denecke 2. Aufl.

Literatur: NDB 9, 146. – H. HART, ~ (in: H. H., Dichtungen 14) 1904; F. ERNST, ~ (in: D. lit. Echo 8) 1905/06; E. LASKER-SCHÜLER, Das ~-Buch, 1906; W. LENNEMANN, ~, 1908; G. HERMANN, ~ (in: D. lit. Echo 15) 1912/13; F. COAR, ~s Persönlichkeit (in: Hochland 15) 1917/18; H. ROSELIEB, ~, 1920; G. WEIGERT, ~. Unters. u. Texte, 1931; E. TIMMERMANN, ~. Persönlichkeit u. Werk (Diss. Köln) 1936; W. PFANNMÜLLER, D. Nachlaß ~s (Diss. Bonn) 1940; A. VOGEDES, ~, e. Welt- u. Gottestrunkener, 1947; A. BRINKMANN, ~. Leben u. Aphorismenwerk ~s (Diss. Marburg) 1948; R. ADOLPH, ~-Archiv (in Frankfurt) in: Börsenbl. Frankfurt 8) 1952; A. A. RUDOLPH, E. Leben im Schatten (in: Heute u. Morgen) 1953; G. H. WILK, Sokrates in Berlin. Z. 50. Todestag d. Dichters ~ (in: Monat 6) 1953/54; A. SEEHOF, ~. Vagant u. Erzpoet (in: NDL 4) 1956; E. NAUSED, ~. E. Einf. in s. Werk u. e. Auswahl (mit Bibliogr.) 1957; J. P. WALLMANN, ~ (in: Almanach f. Lit. u. Theol. 3) 1969.   MR

Hille, Richard, * 23.6.1886 Sebnitz; Studienrat in Bautzen.

Schriften: Die drei Kammacher-Gehilfen. Lustiges Spiel nach Gottfried Kellers Erzählung, 1925; Gespenster. Johannisnachts-Schwank, 1925; Die Zukunft im Lichte der Bibel, 1931; Bautzen, du alte, du feine! (Gesch. u. Erz.) 1933; Der Krieg (Ged.) 1935; Die Weberkinder (Rom) 1940. (Ausserdem Schulschriften.)   RM

Hille, Wilhelm, * 19.7.1871 Schöppenstedt/ Braunschweig; Privatlehrer u. Schriftst. in Braunschweig.

Schriften: Hermann und Thusnelda (vaterländ. Schausp.) 1898; Über das Dasein Gottes. Eine Antwort auf das Glaubensbekenntnis des Kaisers Wilhelm II., 1903; Leonatus (Tr.) 1904; Theismus oder Atheismus? ..., 1927.   RM

Hillebracht, Eberhard → Hallemann, C. Harry.

Hillebrand, Bruno, * 5.2.1935 Düren; 1963 Dr. phil., 1969 Habil. München, seit 1971 o. Prof. f. Dt. Lit.wiss. u. Dir. d. Dt. Inst. in Mainz. Auch Lyriker u. Essayist.

Schriften (Ausw.): Sehr reale Verse, 1966; Artistik und Auftrag. Zur Kunsttheorie von Benn und Nietzsche, 1966; Mensch und Raum im Ro-

man. Studien zu Keller, Stifter, Fontane ...,
1971; Theorie des Romans, 2 Bde., 1972; Reale
Verse, 1972; Über den Rand hinaus, 1977; Nietzsche und die deutsche Literatur (hg.) 2 Bde.,
1978; Versiegelte Gärten (Rom.) 1979.   RM

Hillebrand, Joseph, * 1788 Großdüngen b.
Hildesheim, † 25.1.1871 Soden; Bauernsohn,
studierte klass. Philol. u. Orientalistik in Göttingen, 1817 a.o. Prof. in Heidelberg, 1822
Prof. in Gießen, sowie Dir. d. Gymnasiums. 1847
Präs. d. hess. Abgeordnetenkammer. Philosophische Schr., Lit.ästhetiker u. Erzähler.
Schriften (Ausw.): Versuch einer allgemeinen
Bildungslehre ..., 1816; Germanikus. Der römische Feldherr (Hist. Rom.) 2 Bde., 1817;
Propädeutik der Philosophie, 2 Bde., 1819;
Paradies und Welt, oder Liebe und Schicksal,
1821; Die Anthropologie als Wissenschaft,
3 Bde., 1822f.; Lehrbuch der Literarästhetik
oder Theorie und Geschichte der schönen Litteratur mit besonderer Berücksichtigung der
deutschen ..., 2 Bde., 1827; Aesthetica literaria
antiqua classica ..., 1828; Philosophie des Geistes oder Enzyklopädie der gesammten Geistes-
lehre, 1835; Die deutsche Nationalliteratur seit
dem Anfange des achtzehnten Jahrhunderts, besonders seit Lessing bis auf die Gegenwart historisch und ästhetisch-kritisch dargestellt, 3 Bde.,
1845/46.
Literatur: ADB 12,415; Meusel-Hamberger
18,170; 22/2,761; Goedeke 10,271. – H.U.
SCHREIBER, ~. (Diss., Gießen) 1937; H. UHDE-
BERNAYS, Joseph u. Karl ~. Vater und Sohn.
(in: K.H. Unbekannte Ess.) 1955.   IB

Hillebrand, Julius → Brand, Julius.

Hillebrand, Karl (Ps. C.A. Fuxelles), * 17.9.
1829 Gießen, † 18.10.1884 Florenz; Sohn v.
Joseph H., 1848 Jurastudium als Korpsstudent in
Gießen; nahm 1848 als Freischärler an d. Kämpfen in Frankfurth/M. u. am Badener Aufstand
teil; Gefangennahme, Todesurteil, Flucht nach
Frankreich, 1850 Sekretär Heines in Paris, zeitweilig Deutschlehrer in Bordeaux, ab 1854 Studium der Philol., Gesch., klass. u. neueren Li-
teraturen, 1861 Promotion z. Dr. phil. an d.
Sorbonne, 1863 Berufung an d. Fakultät in
Douai, 1866 Übersiedlung nach Paris. Seit 1871
wohnte er in Florenz als Privatgelehrter, Mitar-

beiter dt., franz. u. engl. Zeitungen u. 1874–77
Hg. der Zs. «Italia». Essayist, Kritiker, Historiker, Publizist.
Schriften: Zeiten, Völker und Menschen. Bd. 1,
Frankreich und die Franzosen, 1874; Bd. 2,
Welsches und Deutsches, 1875; Bd. 3, Aus und
über England, 1876; Bd. 4, Profile, 1878; Bd. 5,
Aus dem Jahrhundert der Revolution, 1881;
Bd. 6, Zeitgenössisches, 1882; Bd. 7, Kultur-
geschichtliches, 1885; Geschichte Frankreichs
von der Thronbesteigung Ludwig Philipps bis
zum Fall Napoleons III. 2 Bde. 1877–79; Unbe-
kannte Essays (Aus d. Französ. u. Engl. übers. u.
hg. H. UHDE-BERNAYS) 1955.
Nachlaß: Dt. Akad. d. Wiss. Berlin, Lit.ar-
chiv. – Mommsen Nr. 1670a; Nachlässe DDR I,
Nr. 186; II, Nr. 408.
Literatur: ADB 50,333; NDB 9,147. – HOM-
BERGER, ~, 1884 (in: L. ROHNER, Hg., Dt.
Ess. 4) 1968; J. HEYDERHOFF, Aus d. Werkstatt
e. guten Europäers (in: Preuß. Jb. 226) 1931;
DERS., Briefe ~s (in: Corona 4) 1934; H. MERK,
~ (in: Neue Jb. für Wiss. u. Jugendbildung)
1937; H.W. KLEIN, Stud. z. Weltanschauung u.
Ästhetik ~s (Diss. Bonn) 1949; J. HEYDERHOFF,
Einführung (in: K.H., Geist u. Gesellsch. im
alten Europa, 3. erw. Aufl.) 1954; R. LEPPLA,
~, e. Mittler zw. Dtl. u. Frankreich (in: An-
tares 2) 1954; H. UHDE-BERNAYS, Joseph u. ~,
Vater u. Sohn (in: K.H., Unbekannte Essays)
1955; P. FECHTER, ~ (in: NDL 3) 1956/57;
W. MAUSER, ~. Leben, Werk, Wirkung, 1960;
E. WOLFFHEIM-DITTMANN, D. lit. Prinzipien
~s (Diss. Hamburg) 1961; L. ROHNER, D. Dt.
Essay, 1966.   UF

Hillebrandt, Alfred (Ps. Fritz Bonsens), * 15.
3.1853 Groß-Nädlitz b. Breslau, † 18.10.1927
Deutsch-Lissa b. Breslau; studierte Sprachwiss.
u. Sankskrit in München u. Breslau, Prof. f.
Indologie in Breslau, 1905 Stud.reise n. Indien.
Publizist u. Verf. v. fachwiss, Arbeiten.
Schriften (Ausw.): Vedische Mythologie, 3 Bde.,
1891–1902 (kleine Ausg. 1910); Vedainterpre-
tation, 1895; Ritual-Literatur. Vedische Opfer
und Zauber, 1897; Alt-Indien. Kulturgeschicht-
liche Skizzen, 1899; Lieder der Rigvida, 1913;
Über die Anfänge des indischen Dramas, 1914;
Kalidasa. Ein Versuch zu einer literarischen
Würdigung 1921; Aus Alt- und Neuindien (ges.
Aufsätze) 1922; Buddhas Leben und Lehre, 1925.

Literatur: NDB 9, 149. – B. LIEBICH, ~. (in: Zs. d. Dt. Morgenländ. Gesellsch. 82) 1928; E. KORNEMANN, ~ u. d. Univ. Breslau, 1928.   IB

Hillebrandt, Elisabeth (geb. Schumacher), * 17.2.1886 Wamckow/Mecklenb.; Jugendschriftst., lebte in Berlin-Charlottenburg.

Schriften: Astrid. Die mutige Tat eines kleinen Mädchens, 1932; Putzele ..., 1933; Ich hab' eine Kameradin. Erzählung für deutsche Mädels, 1934; Bärbele und ihre Mütter (Erz.) 1934; Die Freundin (Erz.) 1936; Gesine Larsen, 1937; Elisabeth Wulfen, 1937; Kinderkranz, 1938.   RM

Hillekamps, Karlheinz (Carlheinz, Karl Heinz), * 18.8.1903 München-Gladbach; studierte in Münster, Dr. phil., Red. in München, später Presse-Korrespondent beim Völkerbund in Genf. Essayist u. Erzähler.

Schriften: Die Geschlagenen (Nov.) 1924; Der sonderbare Gast und andere Erzählungen, 1926; Der Phantast. Geschichten von Knaben und Jünglingen, 1926; Die Welt ist schön. Reisetagebuch, 1934; Das moderne Südamerika. Argentinien, Brasilien, Chile, Uruguay. Eine Darstellung in Grundrissen, 1936; Das romantische Südamerika. Ecuador, Paraguay, Bolivien, Peru, 1939; Lateinamerika – Staaten suchen ihre Nation, 1963.   IB

Hillenbrandt, Ludwig (Ps. Lutz Starnberg) * 15.10.1910 Capellen-Erft; Red. in Düsseldorf.

Schriften (Ausw.): Mit einer Träne im Knopfloch. Kleine Sittengeschichte des Witzes, 1964; Panoptikum. Witzfiguren von Graf Bobby bis Tünnes und Schäl, 1965; Bei Casanova zu Gast. Amouren und Menüs des großen Verführers, 1966.   AS

Hiller, Eduard, * 14.12.1817 Berg b. Stuttgart, † 18.11.1902 Buoch b. Waiblingen; studierte Staatswiss. in Tübingen, später Land- u. Forstwirtschaft, Prof. a. d. landwirtschaftl. Akad. in Hohenheim. Schwer nervenkrank, lebte zurückgezogen. Lyriker.

Schriften: Stimmen vom Krankenlager (Ged.) 1861 (3. Aufl. u.d.T.: Wintergrün. Hochdeutsche und schwäbische Gedichte I, hg. u. eingel. v. L.W. Straub, 1886; Gedichte II u.d.T.: Naive Welt, 1891).

Nachlaß: Dt. Lit.arch./Schiller Nationalmuseum Marbach. – Denecke 2. Aufl.
Literatur: NDB 9, 150; Biogr. Jb. 7, 79.   IB

Hiller, Ferdinand (seit 1875: von), * 24.10.1811 Frankfurt/M., † 10.5.1885 Köln; Pianistenausbildung u.a. in Weimar (bei J.N. Hummel), Beziehungen z. Goethe u. Eckermann, lebte dann in Frankfurt, als Konzertpianist in Paris (bis 1836), später in Mailand, Rom, Leipzig u.a. Orten, seit 1847 Kapellmeister in Düsseldorf, 1850 Leiter d. Kölner Konservatoriums, Mitarb. d. «Köln. Ztg.» Pianist, Komponist u. Dirigent.

Schriften (Ausw.): Die Musik und das Publicum, 1864; Aus dem Tonleben unserer Zeit, 2 Bde., 1868 (NF 1871); Ludwig van Beethoven, 1871; F. Mendelssohn-Bartholdy, Briefe und Erinnerungen, 1874; Musikalisches und Persönliches, 1876; Briefe von Moritz Hauptmann ... [NF d. Hauptmannschen Briefe, hg.] 1876; Briefe an eine Ungenannte, 1877; Künstlerleben, 1880; Goethes musikalisches Leben, 1883; Erinnerungsblätter, 1884.

Nachlaß: Stadt- u. Univ.bibl. Frankfurt a. M.; Stadtarch. Köln. – Denecke 2. Aufl.; Mommsen Nr. 1671; R. SIETZ, M. SIETZ, D. Nachl. F.H.s, 1970.
Literatur: ADB 50, 339; NDB 9, 152; MGG 6, 399. – R. SIETZ. Z. ~s Mendelssohn-Buch (in: Mitt. d. Arbeitsgemeinschaft f. rhein. Musikgesch. 2) 1955; DERS., ~ u. Anton Schindler (in: FS Schiedermair) 1956; DERS., ~s erste Kölner Jahre (in: Jb. d. Kölner Gesch.ver.) 1957; DERS. u.a., Aus ~s Briefw., Beitr. z. e. Biogr. ~s, 7 Bde., 1958–70.   RM

Hiller, Friedrich, * 20.3.1861 Nürnberg; evangel. Dekan, lebte zuletzt in Nürnberg im Ruhestand.

Schriften (Ausw.): Blütensträußchen, gepflückt in Gottes Garten und auf der Erden Flur, 1905; Fränkische Dorfgeschichten mit einem ernsten und einem lachenden Auge, 1930; «Auf Adelers Fittichen». Vaterunser-Geschichten, 1931; Magister Thomas Junius von Suntheim ... (hist. Erz.) 1934.   RM

Hiller, Friedrich Konrad, * 1662 Unteröwisheim b. Bruchsal, † 23.1.1726 Stuttgart; studierte Jus in Tübingen, herzogl. Kanzleiadvokat. Verf. v. geistl. Liedern.

Schriften: Denkmal der Erkenntnis, Liebe und Lob Gottes in neuen geistlichen Liedern, auch Arien und Kantaten nach Anleitung des Catechismi Lutheri ..., 1711.

Literatur: ADB 12,419; RE 8,76.   IB

Hiller, Gottlieb (Ps. Bloomfield), * 15.10.1778 Landsberg/Sachsen, † 9.1.1826 Bernau b. Berlin; ursprüngl. Landarbeiter, machte durch s. Gedichte auf sich aufmerksam, durch Gönner gefördert u. zuletzt Privatmann, unternahm mehrere Reisen. Lyriker.

Schriften: Einige Gedichte, 1803; Gedichte und Selbstbiographie, 1805; Reise durch einen Theil von Sachsen, Böhmen, Östreich und Ungarn. Als zweiter Theil seiner Gedichte und Selbstbiographie, 1808.

Literatur: ADB 12,420; Meusel-Hamberger 14,140; 18,170; 22/2,761; Goedeke 5,543; 7,120; 577; 870; Ersch-Gruber II./8,178.

Nachlässe und Handschriften: Stadtbibl. Altona; Landesbibl. Dessau; Nürnberg Germ. Museum; Nationalbibl. Wien.; – Frels 132.   IB

Hiller (Hüller) Johann Adam, * 25.12.1728 Wendisch-Ossig b. Görlitz, † 16.6.1804 Leipzig; Kantor d. Thomasschule in Leipzig, Singspielkomponist u. somit Vorläufer d. Komischen Oper. Hg. fremder Werke, damit machte er d. Klavierauszug populär, Hg. d. ältesten dt. Musikztg. «Wöchentl. Nachrichten und Anmerkungen, die Musik betreffend» (1766–69).

Schriften: Anekdoten zur Lebensgeschichte französischer, teutscher, italienischer, holländischer und anderer Gelehrten, 7 Tle., 1762–64; Anekdoten zur Lebensgeschichte großer Regenten und berühmter Staatsmänner, 8 Tle., 1766–1772; Anweisung zur Singekunst in der teutschen und italienischen Sprache, zum Gebrauch der Schulen, mit ausführlichen Exempeln und Übungsstücken versehen, 1773; Musikalisches Handbuch für die Liebhaber des Gesangs und Claviers, 1773; Anweisung zum musikalisch-richtigen Gesange, mit hinlänglichen Exempeln erläutert, 1774; Exempelbuch der Anweisung zum Singen, zum Gebrauch der Schulen und andrer Liebhaber des Gesangs, 1774; Anweisung zum musikalisch-zierlichen Gesange, 1779; Über die Musik und deren Wirkung, 1781; Lebensbeschreibungen berühmter Musikgelehrten und Tonkünstler neuer Zeit, 1784; Über Metastasio und seine Werke, nebst einigen Übersetzungen aus demselben, 1786; Nachricht von der Aufführung des Händelschen Messias in der Domkirche zu Berlin den 19 May 1786, 1786; Der Messias nach den Worten der heiligen Schrift in Musik gesetzt von G. F. Händel, nebst angehängten Betrachtungen darüber; zur Ankündigung einer zweyten Aufführung in der Pauliner Kirche zu Leipzig, Freytags den 11 May 1787, 1787; Was ist wahre Kirchenmusik? 1789; Anweisung zum Violinspielen für Schulen und zum Schulunterricht; nebst einem kurzgefaßten Lexikon der fremden Wörter und Benennungen in der Musik, o. J.; Kurze und erleichterte Anweisung zum Singen für Schulen in Städten und Dörfern, 1792.

Übersetzer- und Herausgebertätigkeit: J. J. Rousseau auserlesene Gedanken über verschieden Gegenstände aus der Moral, Politik und der schönen Wissenschaften, 1764; Hrn. leBeau Geschichte des morgenländischen Kaiserthums von Constantin dem Großen an, 1765–75; Elisens geistliche Lieder, nebst einem Oratorium und einer Hymne von C. F. Neander, 1783.

Literatur: ADB 12,420; NDB 9,154; Meusel-Hamberger 3,328; 9,592; 11,356; 12,341; 14,141; Ersch-Gruber II. 8,179; Albrecht-Dahlke 1,948; Theater-Lex. 1,792; MGG 6, 410. – H. M. SCHLETTERER, D. dt. Singspiel, 1863; K. PEISER, ~, 1894; G. CALMUS, D. ersten dt. Singspiele v. Sandfuß u. ~, 1908; G. SANDER, D. Singspiel ~s. (Diss. Berlin) 1941; ~. 1728–1804. (in: Schles. Rundschau 5) 1953; S. STOMPOR, ~. Zu s. 150. Todestag. (in: Musik u. Gesellsch. 4) 1954; ~, d. Begründer d. dt. Spieloper (in: Musik-Woche 14) 1954; W. DRESSLER, D. Vater d. öffentl. Musiklebens. Z. 150. Todestag ~s. (in: Zs. f. Musik 115) 1954.   IB

Hiller, Klementine, 19. Jh., Lebens- u. biogr. Daten unbekannt.

Schriften: Die Spiele meiner Erholungsstunden im Gebiete der Wahrheit und Phantasie in einer Reihe Erzählungen und Gedichte, 1830; Erster Morgengruß am Weihnachtsfeste an alle guten Kinder, 1835.

Literatur: Goedeke 10, 532.   RM

Hiller, Kurt, * 17.8.1885, † 1.10.1972 Hamburg; Vater Kaufmann, Jurastudium in Berlin u. Freiburg/Br., 1908 Dr. jur.; Journalist, freier

Schriftst. in Berlin, 1914 Mitbegründer d. Aktivismus, 1916–1924 Hg. d. Jb. «Das Ziel», Mitarbeit an expressionist. Zss., 1926 Gründer u. Vorsitzender d. Gruppe d. revolutionären Pazifisten; 1933–1934 im Konzentrationslager, 1934 Tschechoslowakei, 1938 London, 1939–1946 Vorsitzender d. Gruppe unabhängiger dt. Autoren; 1955 Rückkehr nach Dtl., 1955 Preis d. Verbandes dt. Kritiker, 1956 Gründer d. Neusozialist. Bundes. Pamphletist, Essayist, Journalist, Kulturkritiker, Lyriker.

Schriften: Das Recht über sich selbst, 1908; Die kriminalistische Bedeutung des Selbstmordes, 1908; (Hg.) Der Kondor (Gedichtsammlung) 1912; Die Weisheit der Langeweile, 2 Bde., 1913; Ein deutsches Herrenhaus, 1918; Tätiger Geist, 1918; Das unnennbare Brudertum (Verse) 1918; Geist werde Herr, 1920; Logokratie, 1921; Der Aufbruch zum Paradies, 1922, 1952; Die Schmach des Jahrhunderts, 1922; Es werde recht! 1924; Verwirklichung des Geistes im Staat, 1925; Ist Genf der Friede? 1927; Presse und politische Kultur, 1927; Der Strafgesetzskandal, 1928; Der Sprung ins Helle (Reden) 1932; Profile, Paris 1938; Der Unnennbare (Ged.) Peking 1938; (Hg.) After Nazism – Democracy, London 1945; Geistige Grundlagen eines schöpferischen Deutschlands, 1947; Köpfe und Tröpfe, Profile aus einem Vierteljahrhundert, 1950; Rote Ritter. Erlebnisse mit deutschen Kommunisten, 1950; Radioaktiv, Reden 1914–1964, 1966; Leben gegen die Zeit (Autobiogr.) 1969 (hg. H. A. W. Müller) 1973.

Nachlaß: Teilnachlaß Staatsbibl. Preuß. Kulturbesitz Berlin. – Denecke 2. Aufl.

Literatur: ∼: (Hamburger Bibliographien 6) 1969; H. H. W. Müller, ∼, 1969; K. Fritzsche, Elite, Logos, Politik, Rationalismus als Ideologie am Beispiel ∼s (in: FH 25) 1970; T. B. Schumann, Nachruf auf ∼ (in: D. Literat 14) 1972.   MR

Hiller, Philipp Friedrich, * 6.1.1699 Mühlhausen an d. Enz/(Württ.), † 24.4.1769 Steinheim b. Heidenheim; Pfarrer. Verf. v. geistl. Liedern u. religiösen Schriften.

Schriften: Arnd's Paradiesgärtlein geistreicher Gebete in Liedern (hg.) 4 Bde., 1729–31; Gottgeheiligte Morgen-Stunden zur Poetischen Betrachtung des Thaues nach etlichen Sprüchen der Heiligen Schrifft angewendet und mit einem Probestück von dem Leben Jesu Christi unsers Herrn, nach einstimmiger Beschreibung der vier Evangelisten begleitet, 1748; Das Leben Jesu Christi des Sohnes Gottes, unsers Herrn in gebundener Schreibart nach den einstimmigen Schriften der heiligen Evangelisten, 2 Bde., 1752; Neues System aller Vorbilder Jesu Christi durch das ganze Alte Testament, in ihrer vollständigen Schriftordnung und verwunderlichen Zusammenhang nach den beiden Ökonomiezeiten zur Verehrung der göttlichen Weisheit aufgestellt in sechs Schattenstücken samt einem Anhang und Beleuchtung, 1758; Kurze und erbauliche Andachten bei der Beicht und heiligen Abendmahl aufgestellt, o. J.; Geistliches Liederkästlein zum Lobe Gottes, bestehend aus 366 kleinen Oden über so viel biblische Sprüche, Kindern Gottes zum Dienst aufgestellt, I 1762, II 1767; Beiträge zur Anbetung des Herrn, in gebundener Schreibart, nebst einigen andern Gebeten und Liedern, 1785; P. F. H.s sämmtliche Geistliche Lieder zum ersten Mal vollständig gesammelt und nebst einem Abriß seines Lebens unverändert herausgegeben von Karl Chr. Eberhard Ehmann, 1844.

Handschriften: Frels 132.

Literatur: ADB 12,425; NDB 9,151; Adelung 2,2009; Goedeke 3,316; Ersch-Gruber II. 8, 184; RGG 3,327; RE 8,76. – G. Gerber, Wer wird's lernen? Z. Monatslied «Wir warten dein o Gottes Sohn» (in: Weg u. Wahrheit 49/50) 1948; J. Günther. Dichter d. Pietismus. Z. 200. Wiederkehr d. Todestages v. G. Tersteegen u. ∼. (in: D. Christenlehre 22) 1969.   IB

Hiller, Wilhelm (William) (Ps. Kapitän Skuller, Buffalo Jack, Harry Porter), * 15.1.1884 Quedlinburg; 1899 Schiffsjunge, blieb nach e. Schiffbruch in Amerika, Reporter, dann vier Jahre in Indien, in d. Folge sieben Reisen um d. Welt, 1937 Rückkehr nach Dtl., lebt in Baden-Baden. Erz. u. Reiseschriftsteller.

Schriften: Zwischen Singapore und Kap Horn, 1937; Die sündhafte Frau (Rom.) 1937; Kapitän Skuller. Ein Seeroman, 1938; Mann ohne Zukunft, 1938; Männer in Ketten. Nach Aufzeichnungen von J.M. als Roman bearbeitet, 1939; Ich war ein Feigling, 1941; Die letzte Fahrt der Neptuna (Rom.) 1942; Das doppelte Gesicht (Kriminalrom.) 1949; Aufruhr in Badger City. Wild-West-Abenteuer-Roman (sowie alle folgenden) 1950; Grant Spencer setzt sich durch, 1950; Der Menschenjäger, 1950; Perry reitet wieder, 1950; Der Rächer von Silver Guch, 1950; Der maskierte Reiter, 1950; Ritt in die Hölle, 1950; Rivalen am Little Bear, 1950; Frischer Wind in Hells Corner, 1950; Der Untergang der Dering-Bande, 1951; Unter den Sternen Arizonas, 1951; Der Schmugglerkönig von Chihuahua, 1951; Im Schatten des Henkers, 1951; Rustler im Red Ruby Valley, 1951; Ranger Billie im Sattel, 1951; Der Rancher am Wildcat, 1951; Der Killer des Pecos, 1951; Der Kampf um den Goldschatz, 1951; Die Geisterbanditen, 1951; Der Feigling von Arizona, 1951; Die Fehde am Snake River, 1951; El Diabolo, 1951; Country-Ranger im Del Monte, 1951; Die Banditen am Rio Grande, 1951; Die Banditen von Orlando, 1952; Der Boß der Spaten-Ranch, 1952; Charles reitet nach Westen, 1952; Der Dämon des Terrapin Valley, 1952; Dämonen am Werk, 1952; Das Geheimnis von Yellow Gulch, 1952; Golddollar am Lost River, 1952; Mord im Tonto Basin, 1952; Der Rebell von San Marino, 1952; Der Reiter von Colorado, 1952; Der Retter von Baxter, 1952; Der Sheriff von Caprock, 1952; Der Sohn des Banditen, 1952; Der Texas-Lobo, 1952; Die Todesreiter im Hunchback Valley, 1952; Verräter im Cyclone Valley, 1952; Wächter der Prärie, 1953; Der Reiter aus Minnewakka, 1953; Die drei Rebellen von Texas, 1953; Ein Mann aus Arizona, 1953; Das Gold der Salazar-Ranch, 1953; Banditen an der Arizona-Grenze, 1953; Die Fehde von Thunder Creek, 1954; Jack Randall kämpft in Fairbanks, 1954; Der Killer von Rocky Forge, 1954; Piraten der Meere, 1954; Der Piratenschatz von Trinidad, 1954; Ranger Billie räumt auf, 1954; Rustler auf der Circle-Ranch, 1954; Die Schiffbrüchigen der Makassar, 1954; Tom Jennifers Schwur, 1954; Wölfe im Pecos Valley, 1954; Verwischte Spuren, 1955; Der Reiter aus Texas, 1955; Reiter in der Nacht, 1955; Blutige Prärie, 1955; Joes Kampf um das Prayer Valley, 1955; Der Kampf der Gesetzlosen, 1955; Eroberer des Westens, 1955; Die Brandmarke des Teufels, 1955; Der Sheriff von Chapparell, 1956.   IB

Hillermann, Johann Wilhelm, * 1801 Hamburg, † 17. 10. 1841 ebd.; seit 1828 Feldwebel d. Hamburger Bürgermilitärs.

Schriften: Dramatische Arbeiten, Erzählungen und Gedichte, 1836; Neueste Erzählungen, 1837.   RM

Hillern, Wilhelmine von (geb. Birch), * 11. 3. 1836 München, † 25. 12. 1916 Hohenaschau b. Prien; Tochter d. Dramatikerin Ch. Birch-Pfeiffer, Schauspielerin am Gothaer Theater, 1857 Hochzeit mit d. Hofgerichtsdir. v. H., Konversion z. kathol. Glauben. Erzählerin.

Schriften: Doppelleben (Rom.) 2 Bde., 1865; Ein Arzt der Seele (Rom.) 4 Bde., 1869; Aus eigener Kraft (Rom.) 3 Bde., 1872; Guten Abend Bluette. Dramatischer Scherz, 1873; Ein Autographensammler (Lustsp.) 1874; Die Geyer-Wally. Eine Geschichte aus den Tiroler Alpen, 2 Bde., 1875 (dramatisiert 1880); Höher als die Kirche. Eine Erzählung aus alter Zeit, 1877; Die Augen der Liebe (Lustsp.) 1878; Und sie kommt doch. Erzählung aus einem Alpenkloster des dreizehnten Jahrhunderts, 3 Bde., 1879; Jugendträume, 1881; Der Skalde. Episches Gedicht, 1882; Friedhofsblume (Nov.) 1883; Am Kreuz. Ein Passionsroman aus Oberammergau, 2 Bde., 1890; 's Reis am Weg. Geschichte aus dem Isarwinkel, 1897; Ein alter Streit. Roman aus dem bayrischen Volksleben der sechziger Jahre, 1898; Der Gewaltigste (Rom.) 1901; Ein Sklave der Freiheit (Rom.) 1903.

Literatur: NDB 9, 156; Theater-Lex. 1, 793. W. FRANKL-RANK, ~ (in: Nationale Frauenbl. 2) 1916; A. ROECK, ~ (in: Hochland 14) 1916–17; C. RIESS, Das gabs nur einmal ..., 1956 (Zur Verfilmung der Geyer-Wally).   IB

Hillers, Hans Wolfgang, * 22.4. 1901 Mönchen-Gladbach, † 1952 Düsseldorf; lebte als Red. in Berlin. Bühnenautor.

Schriften: Julchen und Schinderhannes (Volksst.) 1926; Der tolle Baron (Kom.) 1927; Mottentanz. Revue einer Jugend, 1927; Die Hammelkomödie. Nach der anonymen Original-Ausgabe des Maître Pathelin aus dem 15. Jahrhundert, 1935; Reaktion über Deutschland. Dramatische Chronik, 1935; Die 60 Thesen gegen das Elend der Literatur in Deutschland. Appell an die Dichter zwischen gestern und morgen, 1935; Ein Mädchen und ein Rebell (Volksst.) 1936; Marizzebill oder So ist halt das Leben. Volksstück für Chor und Soli (nach Petron) 1936; Der Flurschütz von Wakefield. Volkskomödie um Leben, Liebe, Kampf und Ruhm eines braven Mannes namens Georg Green. Nach einem englischen Fragment asu der elisabethanischen Zeit, 1938.

Literatur: Theater-Lex., 1, 793.   AS

Hillgenberg, Egon, * 24. 12. 1883 Stettin, * 17. 6. 1963 Hamburg; war Lehrer in Hamburg; Erz. f. d. Jugend, Verf. v. Bühnenstücken u. Hörspielen.

Schriften: Märchen für Märchenseelen, 1910; Schnurriges Märchen. 1920; Von einem, der auszog, das Glück zu suchen. Ein Märchen, 1922; Es regnet Geld! Eine geheimnisvolle Geschichte, 1928; Ramata, der Gauklerjunge. Erzählung für die Jugend, 1931; Bahnwärters Mieze. Erzählung für junge Mädchen, 1931 (1940 u. d. T.: Ein tapferes Mädel. Erzählung für junge Mädchen); Mauz. Die Geschichte eines kleinen Freundes, 1932; Helmuth, der Zirkusdetektiv. Heitere Jungendetektivgeschichte, 1939; Wem der große Wurf gelungen ..., 1950.   AS

Hillischer, Joseph Hermann (Ps. J. H. Hillisch) * 19. 3. 1825 Wien, † 23. 4. 1897 Linz; Buchdrucker, Begr. d. Organs «Öst. Typographia, Journal f. Arbeiter v. Arbeitern», dann die «Arbeiterztg.», beide gingen jedoch bald ein. Später Kur-Verwalter in Bad Hall u. schließl. Landhausinsp. in Linz. Lyriker.

Schriften: Gedichte eines deutschen Handwerksburschen (Hg.) 1851; Gesammelte Gedichte, 1851.

Literatur: Wurzbach 9, 29; ÖBL 2, 318; Biogr. Jb. 4, 88*.   IB

Hillmann, Franz (Ps. Franz Walden), * 29. 7. 1881 Erfurt; Lehrer in Erfurt u. Nordhausen, 1907 Musikstudium in Berlin, seit 1910 Musik- u. Zeichenlehrer in Neuß a. Rhein.

Schriften (Ausw.): Revanche (Lsp.) 1906; Lena S. (Lsp.) 1907; Im Hause des Tintoretto oder Künstler oder Färber? Bühnenbild aus der Zeit der Renaissance, 1912; Des deutschen Reiches Schirmherr (Festsp.) 1915; Parodien, Satiren, Humoristika, 1915; Der neue Gott (Schausp.) 1916; Die feindlichen Königinnen (Schausp.) 1916; Katharina von Alexandrien (Schausp.) 1916; Kindermund und Kinderbunt. Zwei Dutzend heitere Gedichte, 1919; Zum Ehrentage des Vereinspräses. Sammlung von 50 Festgedichten, 1919; Sankt Elisabeth (Schau-

sp.) 1920; Der Mann der Freiheit! (Schausp.) 1920; Ida von Toggenburg (Schausp.) 1920; Andreas Hofer. Historisches Schauspiel nach Immermanns historischer Tragödie, um 1921; Vom heiligen Mann ..., 1921; Der Lichtprinz von Travankor (Schausp.) 1921; Das Attentat im Wartesaal (Detektiv-Schw.) 1921; Der vermißte Adolar (Detektiv-Schw.) 1922; Silberhochzeit ... Ernste und heitere Vorträge, 1922; Ernstes und Heiteres für Hochzeitsfeiern, 1922; Hochzeitsparodien und Rezitationen, 1922; Heitere Hochzeitsvorträge, 1922; Micaela, die Zigeunerin (Schausp.) 1922; Vom Weihnachtsbaum ..., 1922; Die Lore am Tore. Volksstück mit Gesang, 1924; Die Perle von Tabora (Missionsschausp.) 1924; Brüderlein fein ... ein Volksliederspiel, 1924; Rheinlands, Weinlands Kind. Volksstück mit Gesang, 1924; Lustig ist das Zigeunerleben. Volksstück mit Gesang, 1924; Des Durstes Sieg (Vers-Schw.) 1924; Kreuz und Opferstein (Schausp.) 1925; Christgnade (Weihnachtssp.) 1925; Das Geckenberndchen. Schauspiel, nach der kulturhistorischen Erzählung des P. Diel «Der Steinmetz von Köln», 1925; Fra Diavolo. Bühnenspiel nach Aubers gleichnamiger Oper, 1926; Grenzland (Weihnachtsst.) 1926; Elmar. Schauspiel, nach Webers «Dreizehnlinden», 1926; Der Erbförster. Drama, Otto Ludwigs Trauerspiel für die Volksbühne bearbeitet, 1926; Der Sühnestein (Weihnachtssp.) 1926; Die Zigeunerin von Valencia (Schausp.) 1927; Die Heldin von Orléans (Schausp.) 1927; Anarkalli. Schauspiel aus der altchristlichen Zeit (frei n. Wisemans hist. Erz.) 1927; In der Fremdenlegion. Ernstes Spiel aus der Gegenwart, 1927; Die Susannenglocke von Augsburg. Schauspiel aus dem 15. Jahrhundert, 1927; Der Madonnengeiger von Gmünd (ma. Sp.) 1928; Das Geigenhexlein (ma. Sp.) 1928; Die Lampe der Syria (Schausp.) 1928; Hans Sachs, der deutsche Meister (ma. Sp.) 1928; Die Beatushöhle (romant. Schausp.) 1929; Die Verlorene ... Biblisches Schauspiel ... für die Mädchenbühne bearbeitet, 1930; Die Wolgaschlepper. Volksstück aus Rußland, 1931. (Ferner zahlreiche weitere Schw., Einakter, Volksstücke u. Bühnenbearbeitungen.)   RM

Hillmann, Robert, * 23. 9. 1870 Erfurt; Lehrer in versch. Orten, seit 1901 in Hochheim-Erfurt. Red. d. «Thür. Volkswacht».

Schriften: Aus Kantor Sünsens Studienjahren. Eine heitere Reimerei in neun Abenteuern, 1903; Anton Greiner (Volksst.) 1909; Das Verhängnis des 1. Mai (Schw.) 1909; Der Südpolforscher oder Ein toller Tag (Lsp.) 1909; Die Mimik, 1911; Durch Nacht zum Licht (Schausp.) 1912; Gewalt und Recht. Schauspiel aus der Zeit der Bauernkriege, 1912; Der häusliche Krieg (Schw.) o. J.; Schwankbuch, 1913; Geschichte der Liebhaberbühne, 1918; Miss Wanda, die Löwenkönigin (Schw.) 1918; Eine tolle Nacht (Schw., n. Labiche) 1920; Der Wolf und die sieben Geißlein (Märchensp.) 1920; Die Kartenlegerin (Lsp.) 1921; Die geraubte Krone (Märchensp.) 1921; Das Lied vom Kuchen. Nach einer alten Dialektdichtung, 1921; Rodelmädel (Lsp.) 1921; Herr Blase mit der langen Nase. Heiterer Vortrag mit Gesang, 1922; Frau Müller und Fräulein Schiller. Heiteres Singspiel ..., 1922; Der Alchimist von Königsstein (Schausp.) 1923; Die verhagelte Kindstaufe, 1925; Versöhnt (Weihnachtssp.) 1925; Himmlische Blüten. Kleines Festspiel, 1926; Heimgefunden (Weihnachtsst.) 1926; Dem Präses Dank (Festsp.) 1929. (Ferner zahlr. weitere Bühnenstücke u. -bearbeitungen.)

RM

Hillmer, Gottlieb Friedrich, * 21. 2. 1751 Schmiedberg/Schles. † 4. 3. 1835 Neusalz/Schles.; Lehrer in Breslau, später Geheimer Rat in Berlin. Vorwiegend Lyriker.

Schriften: Oden und Lieder moralischen Inhalts, 1781; Lieder für Herz und Empfindung, 1785–87; Bemerkungen und Vorschläge zu Berichtigung der teutschen Sprache und des teutschen Styls, 1793; Kurze Übersicht der Kirchengeschichte in Beziehung auf die Ausbreitung, Abnahme und Wiederherstellung des evangelischen Glaubens und Lebens in den verschiedenen Epochen der christlichen Kirche von J. Newton, Prediger zu London. Aus dem Englischen übersetzt und mit einigen am Schluß beygefügten Anmerkungen begleitet, 1794; Dreißig Psalmen David-Assaph nachgesungen. Ein Geschenk an die Waysenanstalt zu Bunzlau (hg. K. F. Hoffmann) 1817; Der heilige Bund, geschlossen zu Paris $\frac{15}{26}$ Septbr. 1815, 1819.

Literatur: Meusel-Hamberger 3, 332; 9, 592; 22/2, 762.

IB

Hillmer, Kurt, * 4. 2. 1905 Dortmund-Aplerbeck, † 30. 12. 1975 Stuttgart; Graphiker, Journalist, lebte in Böblingen, später in Stuttgart; Lyriker, Erzähler.

Nachlaß: Stadt- u. Landesbibl. Dortmund. – Denecke 2. Aufl.

Schriften: Paria im Lächeln der Liebe. Ausgewählte Gedichte aus drei Jahrzehnten, 1957. AS

Hilmar, Arthur E. (Ps. f. H. A. Erich Waldheim), * 25. 2. 1882 Reinbek-Schöningstedt b. Hamburg; Schriftst. in seinem Geburtsort.

Schriften: Roman zwischen zwei Briefen, 1932; Vierzehn Tage (Rom.) 1933. RM

Hilmar, J. (Ps. f. Richard Jüterbock), * 1829 Draschwitz b. Zeitz, † Juli 1897 Berlin; 1850–60 Ausland-Korrespondent versch. dt. Ztg., lebte seit 1862 in Berlin, Red. d. «Norddt. Allgem. Ztg.», später d. «Gerichtszeitung».

Schriften: Schloßgärtners Anna (Nov.) 1868; Verkannt (Nov.) 1870; Ein Ehrenritt (hist. Erz.) 1870; Die Braut aus Frankreich (Nov.) 1871; Pfaffenliebste (Nov.) 1874. RM

Hilme, Alfred, * 1. 1. 1887 Dresden; studierte in Leipzig u. Südfrankreich, privater Sprachlehrer, Oberstudienrat in Dresden, lebte dann in Freital im Ruhestand.

Schriften: Der Sonne entgegen (Ged.) 1914; Gastgeschenke, 1914; Barbarenlieder. Kriegslieder und Sonette, 1915; Schwarz-weiß-rote Epigramme. Ein Büchlein Kriegsgedanken und -erlebnisse, 1915; Die Sprüche des Maha Guru, 1919. RM

Hilpert, Heinz, * 1. 3. 1890 Berlin, † 25. 11. 1967 Göttingen; Schauspieler u. Regisseur, 1925–32 Oberspielleiter in Frankfurt/M. u. Berlin, seit 1932 Dir. d. Volksbühne Berlin, 1934–45 Intendant d. Dt. Theaters ebd., seit 1938 auch am Theater in d. Josefstadt in Wien; seit 1945 Gastregisseur an versch. Bühnen, seit 1950 am Dt. Theater in Göttingen; auch Film- u. Rundfunktätigkeit.

Schriften: Eine leichte Person. Emil Pohl's Alt-Berliner Posse in neuer Einrichtung und Bearbeitung, 1943; Formen des Theaters. Reden und Aufsätze, 1944; Vom Sinn und Wesen des Theaters in unserer Zeit, 1946; Gedanken zum Theater, 1951; Das Theater – ein Leben. Erfahrungen und Erinnerungen, 1961; Liebe zum Theater, 1963.

Nachlaß: Akad. d. Künste Berlin (West).

Literatur: Theater-Lex. 1,794. – R. BIEDRZYN-SKI, Schauspieler, Regisseure, Intendanten, 1944; E. STAHL, Shakespeare u. d. dt. Theater, 1947; H. WALDNER, D. Theater in d. Josefstadt v. Lothar bis Steinböck (Diss. Wien) 1950; FS f. ~ (Hg. J. BRINKMANN) 1960.   AS

Hilpert, J. H., 19. Jh., lebte in Erlangen.

Schriften: Nachklänge aus Dianens Reiche. Ein Kranz, Jägern und Jagdfreunden gewunden, 1823.

Literatur: Goedeke 12,530.   RM

Hilpert, Max, * 21. 1. 1891 Freistadt/Oberöst.; Volksschuldir. i. R., Preis d. Landes Oberöst. 1941, Erz. u. Dramatiker.

Schriften: Geschichten aus dem Mühlviertel, 1963.   IB

Hils, Anna, * 2. 2. 1887 Colmar/Elsaß; Erzählerin u. Lyrikerin, lebte in Stuttgart.

Schriften: Die Franzosen im Elsaß, 1918; Das Bilderbüchlein vom guten Vater Philipp (mit F. Kaiser) 1936; Zwischen Vogesen und Rhein. Kleine Geschichten aus dem Elsaß, 1942; Krippenverse, 1947.   RM

Hilsbecher, Walter, * 9. 3. 1917 Frankfurt/Main; lebt als Schriftst. u. Übers. in Frankfurt.

Schriften: Bänkelsang der Zeit (mit H. Friedrich u. W. Lohmeyer) 1948; Ernst Jünger und die neue Theologie. Fragmente, 1949; W. Herzog, Die Affäre Dreyfus (Bearb.) 1957; Wie modern ist eine Literatur? Aufsätze, 1965; Lakonische Geschichten, 1965; Schreiben als Therapie (Ess.) 1967; Sporaden. Aufzeichnungen aus zwanzig Jahren, 1969.

Übersetzertätigkeit: A. Tutuola, Der Palmweintrinker, 1955; J. Reverzy, die Überfahrt, 1956; F. Mallet-Joris, Der dunkle Morgen, 1957; J. L. Curtis, Die seidene Leiter, 1958; H. Melville, Ein sehr vertrauenswürdiger Herr, 1958.   AS

Hilscher, Christian Friedrich, * 27. 11. 1679 Altenburg, † 15. 7. 1756 Rengersdorf b. Görlitz; Theol.-Studium in Wittenberg, 1700 Magister, 1707 Pfarrer in Auerswalde b. Chemnitz u. seit 1717 in Rengersdorf.

Schriften: Commentariolus in Heermanianum hymnum: o Gott, du frommer Gott, rhythmis Latinis expressum, 1710; Lebensbeschreibung Joh. Coleri, Superintendent zu Glaucha, 1724;

Gute poetische Gedanken über einige, den Salzburgischen Emigranten an unterschiedenen Orten erklärte biblische Texte, 1734; Etwas geistliche Gabe, 1734; Sechs Sterbelieder, 1751. (Außerdem Erbauungsschr., Predigten u. philol.-hist. Werke.)

Literatur: Adelung 2,2011; Goedeke 4/1,289.
                                                     RM

Hilscher, Eberhard, * 28. 4. 1927 Schwiebus; Lit. wissenschaftler u. Schriftst. in Ost-Berlin.

Schriften: Feuerland ahoi! Mister Darwin macht eine Entdeckung (Erz.) 1961; Die Entdeckung der Liebe. Historische Miniaturen, 1962 (3., erw. u. verb. Aufl. 1977); Arnold Zweig. Brückenbauer vom Gestern ins Morgen (Monogr.) 1962 (erw. Ausg. u. d. T.: Arnold Zweig. Leben und Werk, 1968); Thomas Mann. Leben und Werk (Monogr.) 1965 (bearb. Neuausg. 1968); Gerhart Hauptmann, 1969 (2., bearb. Aufl. 1974); Der Morgenstern oder die vier Verwandlungen eines Mannes, Walther von der Vogelweide genannt (Rom.) 1976; Poetische Weltbilder. Essays über Heinrich Mann, Thomas Mann, Hermann Hesse, Robert Musil und Lion Feuchtwanger, 1977.

Literatur: A. Zweig, Briefe an ~ (in: NDL 15) 1967.   AS

Hilscher, Friedrich Daniel Rudolf, * 13. 5. 1806 Liegnitz, Todesdatum u. -ort unbekannt; 1823 stud. theol., 1825 stud. phil. in Breslau; gründete mit Reinhold → Döring d. ersten poet. Verein d. Studenten in Breslau; hier Red., seit 1839 in Elberfeld.

Schriften: Breslauer Oppositionsblatt, 1828; Lyrische Gedichte v. Paul Gottwalt (= Eduard Pohl), 1831 (neue Ausgabe hg. F. R. H.); Breslauer Theaterchronik, 1833; Neujahrsbetrachtungen eines Breslauer Theaterreferenten, 1838.
                                                     FH

Hilscher, Joseph (Emanuel), * 22. 1. 1806 Leitmeritz, † 2. 11. 1837 Mailand; Soldat in Laibach, dann Lehrer, 1832 nach Lombardo-Venetien versetzt, später Kanzlist u. Fourier, Red. d. «Dt. Mailänder Echos». Schauspieler u. Leiter v. Theateraufführungen. Übers. u. Lyriker.

Schriften: Byrons hebräische Gesänge, deutsch 1833; Dichtungen. Originale und Übersetzungen aus Byron, Moore, Goldsmith, Sonthey, Waller, Lamartine, Ariosto, Foscolo (hg. u. m. e. biogr. Vorworte v. L. A. FRANKL) 1840.

Literatur: Wurzbach 9, 29; ÖBL 2, 319; Meusel-Hamberger 3, 333; 9, 592. – F. HEROLD, ∼, e. Dichterleben, 1888; S. WUKADINOWIC, ∼, 1906; A. SCHAMS, ∼ (in: Sudetendt. Lbb. 1) 1926; H. SVOBODA, E. vergessener dt. Dichter (in: Volkswart 1) 1933.   IB

Hilsenberg, Carl Ludwig Heinrich → Erfurt, Ludwig von.

Hilsenrath, Edgar, * 2.4. 1926 Leipzig; aus orthodox jüdischer Familie, aufgewachsen in Halle, 1938 Flucht nach Rumänien, 1941 deportiert in d. Ukraine, 1944 Rückkehr nach Rumänien, später nach Palästina, 1951 Auswanderung nach Amerika, lebte bis 1975 in New York als freier Schriftst.; lebt jetzt in Berlin.

Schriften: Nacht (Rom.) 1964; Der Nazi & der Friseur (Rom.) 1977; Gib acht, Genosse Mandelbaum (Rom.) 1979.   AS

Hilt(e)bolt von Schwangau, * um 1195, † n. 1254, stammte aus urspr. welf., seit 1191 stauf. Ministerialenfamilie; stand in Diensten d. Grafen Albrecht III. v. Tirol, 1254 im Gefolge d. Grafen Gebhard v. Hirschberg z. letzten Mal erwähnt, nahm wahrsch. am 5. Kreuzzug (1217–21) als Begleiter d. Grafen Albrecht teil. – V. ihm überl. d. Große Heidelberger Liederhs. 49 Liedstrophen, 14 davon stehen auch in d. Weingartner Liederhs. (B), d. Entstehungszeit dürfte in d. Jahre 1215–25 fallen. Beeinflußt war H. v. allem v. stauf. Minnesang (Friedrich v. Hausen), Walther v. d. Vogelweide u. Ulrich v. Lichtenstein.

Ausgaben: H. v. S.s Lieder (übers. u. hg. J. SCHOTT) 1871; C. v. KRAUS, Dt. Liederdichter d. 13. Jh. 1, 1952 (Kommentar H. KUHN, 1958; 2., v. G. KORNRUMPF durchges. Aufl. 1978).

Literatur: VL 2, 453; 5, 418; ADB 33, 184; NDB 9, 162; de Boor-Newald 2, 324; Ehrismann 2/2, 271. – E. JUETHE, D. Minnersänger ∼, 1913; H. KUHN, Minnesangs Wende, 1952; H. PÖRNBACHER, ∼ (in: Lbb. aus d. Bayer. Schwaben 7) 1959; F. ZOLLHOFER, ∼, e. Allgäuer Minnesänger (in: Allgäuer Gesch.freund 67) 1967.   RM

Hiltbrunner, Hermann, * 24. 11. 1893 Biel-Benken b. Basel, † 11. 5. 1961 Uerikon/Zürichsee; Studium in Bern u. Zürich, zuerst Primaru. Sekundarlehrer, seit 1918 freier Schriftst. in Zürich, dann in Uerikon. Lyriker, Erzähler, Reiseschriftst., Übers. (K. Hamsun); 1941 Gr. Lit.-preis d. Stadt Zürich.

Schriften: Das Fundament. Eine Dichtung, 1920; Von Euch zu mir (Ged.) 1923; Nordland und Nordlicht. Träume und Erfüllungen aus meinen Wanderjahren, 1924; Winter und Wende. Eine Dichtung, 1925; Von Sommer zu Herbst. Eine Dichtung, 1925; Eismeerküste, 1926; Spitzbergen-Sommer. Ein Buch der Entrückung und Ergriffenheit, 1926; Der schweizerische Robinson auf Spitzbergen. Die Erlebnisse vier Schiffbrüchiger in der Polarnacht. Einem Tagebuch nacherzählt, 1926; Erlösung vom Gesetz, 1927; Graubünden, 3 Bde., 1927 f.; Werk der Welt. Eine Dichtung, 1928; Liebe zu Frankreich. Landschaftliche Erlebnisse zwischen Auvergne und Mittelmeer, 1935; Ein Buch vom Thunersee, 1936; Der Mensch und das Jahr. Zwölf Monatsbetrachtungen, 1939; Heiliger Rausch (Ged.) 1939; Klage der Menschheit. Eine Dichtung, 1940; Fallender Stern. Eine Dichtung, 1941; Herkommen – Hingehen (Ged.) 1941; Zürichsee. Eine Dichtung, 1942; Das Wunder der Pflanze (mit E. Köhli) 1942; Heimwärts. Eine Dichtung, 1943; Antlitz der Heimat. Betrachtungen, 1943; Trost der Natur (Ausw. d. Aufsätze) 1943; Das Hohelied der Berge, 1944; Terra ladina. Ein Bilderbuch über die Schönheit des Engadins (mit M. Wolgensinger) 1944; Wage des Jahrs (Ged.) 1945; Das Bild einer bessern Welt, 1945; Das Blumenjahr, 1945; Geistliche Lieder, 1945; Fürstentum Liechtenstein, 1946; Jahr um Jahr (Ged.) 1946; Das Jahr der Rebe (Ged.) 1947; Bäume, 1948; Glanz des Todes (Ged.) 1948; Solange die Erde steht ... Zwölf Monatsbetrachtungen, 1950; Spaziergänge (Vorträge) 1950; Auch die Ferne ist nah. Blick auf die großen Landschaften der Erde, 1951; Zürich, 1953; Flucht aus der Tiefe. Ein Bergzyklus, 1954; Gestirnter Himmel. Eine Gedichtsammlung, 1954; Stimmungen. Die Gezeiten des Herzens (Radiovorträge) 1954; Wenn es Abend wird (Ged.) 1955; Mensch im Alltag (Teilslg. mit Werkverz.) 1955; Begegnungen mit Pferden (mit H. P. Roth) 1957; Alles Gelingen ist Gnade. Tagebücher, 1958; Spätherbst. Eine Gedichtsammlung, 1958; Schönheit im Kleinen. Betrachtungen in der Natur, 1959; Gemalte Autobiographie. Über die Jubiläums-Ausstellung von Alfred Glaus, 1960; Und das Licht gewinnt. Eine Gedichtsammlung, 1960; Wege zur Stille.

Betrachtungen am Himmel und auf Erden, 1961;
Schattenwürfe. Eine Gedichtsammlung, 1962;
Letztes Tagebuch, 1963; Süße dieser Welt. Sep-
temberfahrt nach Thun, 1969.

Nachlaß: Schweiz. Landesbibl. Bern.

Literatur: NDB 9,163; Albrecht-Dahlke II,2,
845. – Geburtstagspost für ∼. Zu ∼s 60. Geb.-
tag, 1953.   AS

Hiltebrandt, Philipp, * 8.6.1879 Racot/Posen;
Dr. phil., Historiker, 1905–19 Mitgl. d. Preuß.
Hist. Inst. in Rom.

Schriften (Ausw.): Ideen und Mächte ..., 1937;
Weisheit des langen Lebens ..., 1939; Die
Grundlagen der abendländischen Kultur, 1940;
Die Kaiser-Idee, 1941; Rom. Geschichte und Ge-
schichten, 1942; Papsttum und Kirche ..., 1957.
                                                               RM

Hilten, Johann(es) (wohl Johann Herwick aus Ilten), * ca. 1425/30 wahrsch. Ilten b. Hannover,
† um 1500 Eisenach; Theol.-Studium in Erfurt,
1447 Baccalaureus, Eintritt in e. Franziskanerkloster, 1463 in Riga, Bußprediger in Reval, 1472
Lektor u. Prediger in Dorpat, seit 1477 im Weimarer Kloster in Haft. Verf. u.a. e. Danielkom-
mentar (später v. Melanchthon benutzt) u. e. Auslegung v. Texten d. Apokalypse («opera omnia»
in d. Vatikan. Bibl. Rom).

Ausgaben: Teildr. bei M. Adam, Vitae Germanorum Theologorum, 1620 u. in: Röm. Qschr.
37, 1929.

Literatur: ADB 12,431; NDB 9,164; RE 8,78;
LThK 5,351; RGG ³3,327.   RM

Hiltgart von Hürnheim, * um 1250, † nach
7.4.1299, stammte aus d. schwäb. Adelsgeschlecht v. H. mit Stammsitz Hürnheim b. Nördlingen; seit 1262 Nonne im Zisterzienserinnen-
kloster Zimmern im Ries. – Verf. 1282 im Auftrag ihres Vetters Rudolf v. H. e. dt.sprachige
Prosa-Übers. d. pseudo-aristotel., während d.
d. Kreuzzügen in lat. Hss. nach Europa gelangten
«Secretum secretorum» («Aristotilis heimlich-
keit», überl. in e. Münchner, e. seit d. 2. Weltkrieg verschollenen Berliner u. e. Wernigeroder
Hs.). In zehn Stücken wird in Form e. Briefes an
Alexander d. Gr. ein Fürstenspiegel, verbunden
mit polit., medizin., moral. usw. Lehren u. phy-
siognom. Sätzen, gegeben. Auf H.s Übers. stützen
sich mindestens teilweise e. straffende Versbearb.
e. unbek. Verf. aus d. 14. Jh. (mdt.) u. d. 1530
u. 1531 gedr. Prosa-Übers. (Johann Lochner v.

Spalt zugeschr.). Weite Verbreitung fanden v.a.
Ausz. aus d. Gesundheitsregeln.

Ausgabe: H.v.H., Mittelhochdeutsche Prosa-
Übersetzung des «Secretum secretorum» (hg. R.
MÖLLER) 1963 [synopt. mit d. lat. Text nach
Cod. lat. Berol. 70].

Literatur: VL 1,126; 5,60 (Aristotilis Heim-
lichkeit); NDB 9,744. – G. KRIESTEN, Über e.
dt. Übers. d. pseudoaristotel. «Secretum Secretorum» aus d. 13.Jh. (Diss. Berlin) 1907; W.
STAMMLER, Prosa d. dt. Gotik, 1933 [mit Ausz.
aus d. Berliner Hs.]; E. KRAUSEN, D. Klöster d.
Zisterzienserordens in Bayern, 1953; E. GEBELE,
∼ (in: Lbb. aus d. Bayer. Schwaben 7) 1959; R.
MÖLLER (vgl. Ausg.) 1963; P. ASSION, Altdt.
Fachlit., 1973.   RM

Hiltl, Franz, * 12.8.1902 Regensburg; Oberstudienrat, Geschichtsprof. ebd.; Erzähler, Essayist.

Schriften (Ausw.): Alt-Regensburger Kultur- u.
Lebensbilder, 1939; Die stillen Jahre. Regensburg zwischen Napoleon und Bismarck, 1949;
Das Gesicht der alten Stadt. Regensburger kulturgeschichtliche Spaziergänge, 1952; Auf Kunst-
fahrt in der alten Stadt, 1955; Freunde, nehmt
doch das Lachen ernst. Eine Handvoll Humor,
1962; Freude mit Tieren. Kleine Tierporträts für
große Tierfreunde, 1963; Vom Hut bis zum
Schuh. Was doch alles dem Menschenkörper «an-
getan wird»!, 1963; Hilfe, es klopft, es poltert,
es spukt. Geschichten aus der Welt des Übersinnlichen, 1964; Christen, nehmt die Freude ernst!
Kurzlesungen für die Sonntage des Kirchenjahres,
1966; Gebeugt, doch nicht gebrochen. Ein Lebensbild des Barmherzigen Bruders Eustachius
Kugler, 1971.   AS

Hiltl, (Johann) George, * 16.7.1826 Berlin,
† 16.11.1878 ebd.; Hofschauspieler in Hannover, 1845 in Berlin, Red. an d. hist.-belletrist. Zs.
«D. Bär». Verf. v. Rom. u. volkstüml. Geschichts-
werken.

Schriften: Die Kelter (Schauspiel n. G. Sand)
1865; Gefahrvolle Wege. Historischer Roman
aus der Zeit Ludwigs XIV, 4 Bde., 1865; Der
böhmische Krieg. Nach den besten Quellen, persönlichen Mittheilungen der eigenen Erlebnissen
geschildert, 1866; Der Kammerdiener des Kaisers. Eine Hofgeschichte, 1867; Die Freier der
Markgräfin (Hist. Nov.) 1868; Das Geheimnis des
Fürstenhauses (Hist. Rom.) 2 Bde., 1868; Ein Ge-

fangener der Bastille (Hist. Erz.) 1868; Unter der
rothen Eminenz (Hist. Rom.) 2 Bde., 1869; Der
Copist (Schausp. n. d. frz.) 1869; Die Bank des
Verderbens (Hist. Rom.) 4 Bde., 1870; Eine Ca-
binetts-Intrige (Hist. Rom.) 2 Bde., 1871; Der
alte Derfflinger und sein Dragoner. Lebensbilder
aus den Tagen der Franzosenkriege, von Rathenow, Fehrbellin und Stettin. Historische Erzählung für Volk und Heer, insbesondere für die vaterländische Jugend bearbeitet, 1871; Um Thron
und Leben (Hist. Rom.) 2 Bde., 1872; Historische Geschichten, 2 Bde., 1872; Der Münzthurm.
Roman in 2 Abteilungen, I Das Erzbild des Kurfürsten, 3 Bde., II Der Sturz des Meisters, 2 Bde
1872; Der französische Krieg von 1870 und 1871.
Nach den besten Quellen, persönlichen Mittheilungen und eigenen Erlebnissen geschildert,
1872; Der Hochverräther (Rom.) 2 Bde., 1873;
Das Roggenhaus-Complott (Hist. Rom.) 1873;
Historische Novellen, 2 Bde., 1873 f.; Die Damen
von Nanzig (Rom.) 5 Bde., 1874; Preußische Kö-
nigsgeschichten. Denkwürdige Tage und Ereignisse aus dem Leben des preußischen Königs. Der
Jugend und dem Volk erzählt, 1875; Auf immer
verschwunden (Hist. Rom.) 3 Bde., 1878; Unser
Kronprinz Friedrich Wilhelm Nicolaus Carl,
Kronprinz des Deutschen Reichs und Kronprinz
von Preußen. Festschrift, 1879; Der Roland von
Berlin, 1879; Ein Duell unter Robespierre (Rom.)
2 Bde., 1882.

Literatur: Theater-Lex. 1,794.   IB

Hiltprandus, Michael, 16. Jh., neulat. Dramatiker, Jesuit in Dillingen, Schüler v. Andreas Fabricius. Verf. d. «Tragicomoedia» «Ecclesia mili-
tans» (1573), e. kathol. Kirchen- u. Ketzergesch.
in allegor.-dramat. Form, welche als Gegenstück
z. Naogeorgs «Pammachius» gedacht war.

Literatur: Goedeke 2,140; de Boor-Newald
4/2,368.   RM

Hiltstein, Johannes (Hans Hildstein); protestant.
Prediger d. sechzehnten Jh.; Verf. v. geistl. Liedern.

Schriften: Römische Kirchpostill (in Reimen)
o. J.; Geistliche vnd christliche Gesenge, aus der
heiligen Schrifft gezogen vnd zusammenbracht,
1557.

Literatur: ADB 12,433; Goedeke 2,188.   IB

Hilty, Carl, * 28.2.1833 Werdenberg/Kt. St.
Gallen, † 12.10.1909 Clarens/Genfersee; Sohn

e. Arztes, studierte in Göttingen u. Heidelberg,
wurde 1855 Rechtsanwalt in Chur, 1874 Prof. f.
schweiz. Staatsrecht u. Völkerrecht an d. Univ.
Bern, Mitgl. d. Nationalrats, Chef d. Militärju-
stiz, Mitgl. des Haager Schiedsgerichtshofs; verf.
neben hist. u. jurist. Arbeiten viele relig.-sittli-
che Schriften; Hg. d. Polit. Jb. d. Schweiz. Eidgenossenschaft von 1886 bis zu s. Tod.

Schriften (Ausw.): Theoretiker und Idealisten
der Demokratie, 1868; Ideen und Ideale schweizerischer Politik, 1875; Die Neutralität der
Schweiz in ihrer heutigen Auffassung, 1881; Die
Bundesverfassungen der Schweizerischen Eidgenossenschaft, 1891; Glück, 3 Bde., 1891–99; Lesen und Reden, 1895; Der beste Weg, 1896;
Über Neurasthenie, 1897; Über die Höflichkeit,
1898; Für schlaflose Nächte, 2 Bde., 1901–19;
Briefe, 1903; Studien. Ausgewählte Aufsätze aus
dem Politischen Jahrbuch ..., 1905; Neue Briefe,
1906; Kranke Seelen. Psychopathische Betrachtungen, 1907; Sub specie aeternitatis. Ewiges Leben, 1909; Das Geheimnis der Kraft, 1909; Das
Evangelium Christi, 1910.

Nachlaß: Slg. Dt. Lit.arch./Schiller-Nat.mus.
Marbach. – Denecke 2. Aufl.; Schmutz-Pfister
Nr. 943.

Literatur: NDB 9,166; HBLS 4,223; RGG 3,
328; Lebenserinnerungen (in: Pol. Jb. d.
Schweiz. Eidgen.) 1907; Z. Erinnerung an ~,
1909; H. AUER, ~. Bl. z. Gesch. s. Lebens u.
Wirkens, 1910; C. HAAS, ~. E. Einf. in s. Schr.
mit e. Skizze s. Lebens, 1912; V. HACK, ~s Auf-
fassung v. Christentum. Darst. u. Beurteilung
(Diss. Breslau) 1914; J. STEIGER, ~s schweiz.
Vermächtnis (Diss. Zürich) 1937; E. FUETER,
Große Schweizer Forscher, 1941; A. STUCKI, ~.
Leben und Wirken eines großen Schweizers (mit
Bibliogr.) 1946; H.R. HILTY, ~, 1949; F. SEE-
BASS, ~. E. Freund Gottes, 1949; H.R. HILTY,
~ u. d. geistige Erbe d. Goethezeit, 1953; F.
SEEBASS, ~, Jurist, Historiker u. Christ, 1956;
F. FREI, Arbeit u. Gottesnähe. ~s christl. Weg-
leite, 1962; H. MATTMÜLLER, ~ (Diss. Basel)
1966; B. TRUTMANN, ~s christl. Wegweisung,
1967; J. PFEIFFER, D. Beweis d. Geistes u. d.
Kraft. Über ~, 1972; R. ZURBRIGGEN, Wirt-
schaftspolit. Auffassungen bei ~ (Diss. Bern)
1975.   AS

Hilty, Hans Rudolf, * 5.12.1925 St. Gallen;
Studium d. Germanistik u. Gesch. in Zürich u.

Basel, Dr. phil., Journalist, Red., Hg. d. Lit.zs. «hortulus» 1951–64 u. d. «Quadrat-Bücher» 1959 bis 1964; lebt in Zürich. Lyriker, Essayist, Übersetzer.

Schriften: Nachtgesang (Ged.) 1948; Früheste Poesie, 1949; St. Gallen, 1950; Die Entsagenden. Drei Variationen über ein Thema, 1951; Vadian. Eine Würdigung, 1951; Carl Hilty und das geistige Erbe der Goethezeit, 1953; Der kleine Totentanz. Spiel in 7 Bildern, 1953; Das indisch-rote Heft (Nov.) 1954; Friedrich Schiller. Abriß seines Lebens, Umriß seines Werkes, 1955; Eingebrannt in den Schnee. Lyrische Texte, 1956; Daß die Erde uns leicht sei. Lyrische Suite, 1959; Jeanne d'Arc bei Schiller und Anouilh. Skizze zu einer Geistesgeschichte des modernen Dramas, 1960; Parsifal (Rom.) 1962; Symbol und Exempel. Gedankengänge über sprachlichen und gesellschaftlichen Strukturwandel, 1966; Zu erfahren. Lyrische Texte 1954–1968, 1969; Mutmaßungen über Ursula. Eine literarische Collage, 1970; Risse. Erzählerische Recherchen, 1977.

Herausgeber- und Übersetzertätigkeit: A. X. Gwerder, Möglich, daß es gewittern wird, 1957; ders., Land über Dächer, 1959; Der goldene Griffel. Dichtungen sanktgallischer und appenzellischer Autoren von der Frühzeit bis zur Gegenwart, 3 Bde. (mit andern) 1957; J. Vadian, Hahnenkampf oder Hennen im Laufgitter. Eine Renaissance-Posse (Bearb.) 1959; Zürich zum Beispiel. Signatur einer Stadt in lyrischen Texten von heute (mit H. E. Stüssi) 1959; Erklär mir, Liebe. Liebesgedichte deutscher Sprache seit 1945 (mit W. Gross) 1959; Die dritte Generation. 42 junge Schweizer Künstler, 1960; A. Turel, Weltseite Mensch (Ged.) 1960; Der schwermütige Ladekran. Japanische Lyrik unserer Tage, 1960; H. Hilpert, Das Theater ein Leben, 1961; Leopold Lindtberg, Regiearbeit, 1962; Documenta poetica. Deutsch, 1962; Documenta poetica, englisch-amerikanisch, 1962; Ives Velan, Ich (Rom., Übers.) 1963; Dank an Kurt Hirschfeld, 1964; Modernes Schweizer Theater. Einakter und Szenen (mit M. Schmid) 1964; Doppelinterpretationen. Das zeitgenössische deutsche Gedicht zwischen Autor und Leser, 1966; J.-P. Monnier, Die Helle der Nacht (Übers.) 1967. AS

Hilz, Wolfgang → Burgvogt, Hilderich.

Hilzheimer, Klaus → Hill, Claude.

Himer, Kurt (Ps. Kurt Jussuf), * 14. 1. 1877 Berlin, † 23. 7. 1967 Hamburg; war Abteilungsleiter bei der Hamburg-Amerika-Linie in Hamburg, später Red. d. Hamburger Anzeigers. Lyriker, Verf. von Puppenspielen.

Schriften: Schiffahrt, die uns angeht. Skizzen von der Hamburg-Amerika-Linie, 1907; Die Hamburg-Amerika-Linie im sechsten Jahrzehnt ihrer Entwicklung 1897–1907, 1907; Es gibt ein Glück (Ged.) 1908; 75 Jahre Hamburg-Amerika-Linie. Bd. 1, Adolph Godeffroy und seine Nachfolger bis 1886, 1922; Bd. 2, Albert Ballin, 1927; Prinz Drosselbart. Ein Märchenspiel für die Puppenbühne, 1925; Till Eulenspiegel. Ein lustiges Spiel für die Puppenbühne, 1925; Gewordenes Wort. Auf neuen Wegen zum Verständnis der deutschen Wortschöpfung, 1947. AS

Himmel, Adolf (Ps. Gustav Adolf Himmel), * 9. 8. 1928 Moers; Dr. phil., wohnt in Poco da Areia, Albufeira/Portugal; Jugendbuchautor.

Schriften: Heimlich auf hoher See, 1959; Joaquim muß nach Casablanca, 1961; Überfahrt (Rom.) 1962; M. Twain, Zu Fuß durch Europa (Übers.) 1963; Fauler Zauber auf Schloß Fionn, 1962; Jojo und Nikolaus, 1964; Das Haus unter den schwarzen Zypressen, 1964; Jojo und Nikolaus und das Martinsfest, 1965 (1968 u. d. T.: Auf Schatzsuche in der Römerheide); Fips, Mumps und Köpfchen und der Mann mit der blauen Weste, 1965; Fips, Mumps und Köpfchen und der Perlendieb, 1966; Hubert und der Berggeist, 1966; Frederico Oktopod, 1967; Tünne Tintenfisch, 1971. AS

Himmel, Hellmuth, * 7. 2. 1919 Marburg/Drau; Studium d. Germanistik, Anglistik u. Musikwiss., Dr. phil., Prof. f. Öst. Lit. u. allgem. Lit.wiss. an d. Univ. Graz, Vorstand d. Grazer Inst. f. Germanistik. Mit-Hg. d. «Sprachkunst» (seit 1970), d. «Internat. Fiction Rev.» (seit 1974). Premio Internaz. Rainer Maria Rilke, 1974.

Schriften (Ausw.): Geschichte der deutschen Novelle, 1963; Adalbert Stifters Novelle «Bergmilch». Eine Analyse, 1973; Das unsichtbare Spiegelbild. Studie zur Kunst- und Sprachauffassung Rainer Maria Rilkes, Duino, Trieste 1975.

Herausgebertätigkeit (Ausw.): H. Kaltneker, Gerichtet! Gerettet!, 1959; R. M. Rilke, Sage dienend, was geschieht, 1964; Marginalien zur poetischen Welt (FS R. Mühlher, Mit-Hg.) 1971.

Literatur: Die Andere Welt. Aspekte d. öst. Lit. d. 19. u. 20. Jh. (FS z. 60. Geb.tag, hg. K. BARTSCH u. a.) 1979.   RM

Himmel und Hölle, d. älteste Beispiel rhythm. Prosa in dt. Sprache; überl. in e. Bamberger Hs. aus d. 12. Jh., zus. mit d. Bamberger Beichtformel. D. Stück stellt in zwei großen Abschnitten d. zwei Orte d. Ewigkeit in ihrer Gegensätzlichkeit einander gegenüber. Hauptquelle war d. Apokalypse (bes. d. 21. Kap.), es finden sich auch Anklänge an Psalmen. Als Verf. gilt d. unbek. Autor d. Bamberger Beichtformel, d. Sprache ist ostfränk. Mundart.

Ausgaben: K. MÜLLENHOFF u. W. SCHERER in: Denkmäler dt. Poesie u. Prosa (3. Aufl. hg. E. STEINMEYER) 1892 [in Versen]; F. WILHELM, Denkmäler dt. Prosa d. 11. u. 12. Jh., 1914; E. STEINMEYER, Kleinere ahd. Sprachdenkmäler, 1916; Ausgewählte ahd. Sprachdenkmäler (mit Anmerkungen u. Glossar hg. R. KIENAST) 1948.

Literatur: VL 2,455; de Boor-Newald 1,149; Ehrismann 2/1,134. – B.Q. MORGAN, Z. Form v. ~ (in: PBB 38) 1912; E. PETERS, Quellen u. Charakter d. Paradiesvorstellungen in d. dt. Dg. v. 9.–12. Jh., 1915; E. SIEVERS, ~ (in: NM 25) 1924; J. SCHRÖBLER, Z. ~ (in: FS G. Baesecke) 1941; R. ECKART u.a., ~ (in: Kindlers Lit. Lex. 3) 1965; D.R. McLINTOCK, ~ : Bemerkungen z. Wortschatz (in: Stud. z. früh-mhd. Lit., Cambridger Colloquium 1971, hg. L.P. JOHNSON, H. H. STEINHOFF, R.A. WISBEY) 1974.   RM

Himmel von Agisburg, Heinrich, * 3. 5. 1843 Mährisch-Schönberg, † 28. 3. 1915 Brixen; Teilnahme an d. Feldzügen v. 1866, 1878 u. 1882, bereiste Indien u. Südamerika, organisierte Volkswallfahrten nach d. Hlg. Lande. Reiseschriftsteller.

Schriften: Eine orientreise, 1883; Pilgerführer für Volkswallfahrten nach dem Heiligen Lande (gem. m. M. Lechner) 1905; Freundesworte eines alten Soldaten an die heurigen Rekruten, 1908.

Literatur: ÖBL 2,319.   IB

Himmelbauer, Franz, * 30.6.1871 Wien, † 14. 12. 1918 ebd.; besuchte d. Hochschule f. Bodenkultur, später Rechnungsrat. Erz. u. Lyriker.

Schriften: Gedichte, 1906; Im Stammhaus (Erz.) 1911.

Literatur: ÖBL 2,320.   IB

Himmele, Adolf (Ps. Harry Holm), * 9. 2. 1894 Schwetzingen/Baden, † 31. 3. 1967 Speyer; Kritiker, Red. u. später Verlagslektor, lebte in Mannheim, Neustadt a. d. Haardt, Speyer, Plankstadt b. Heidelberg, Dudenhofen; Lyriker, Erzähler.

Schriften: Lachender Kampf (Nov.) 1920; Die Fabrik (Skizze) 1923; Garten der Liebe. Ein Buch von Liebe und Leid (Ged.) 1926; Die Maienbraut (Nov.) 1949.   AS

Himmelgartner Bruchstücke einer Evangelienharmonie, mittelniederdt., Mitte 13. Jh., 6 Streifen Bindemakulatur aus d. Klosterbibl. H. bei Nordhausen, jetzt UB Leipzig. Die H. B. sind unabhängig v. d. auf Tatian zurückgehenden lat. u. dt. Evangelienharmonien, ihre Vorlage scheint e. sehr alte, im MA sonst wenig bekannte Variante d. Tatian-Textes gewesen zu sein.

Ausgabe: E. SIEVERS, Himmelgartner Bruchstücke (in: ZfdPh 21) 1889.

Literatur: RL 1²,411. – A. BAUMSTARK, D. ~ e. niederdt. «Diatessaron»-Textes des 13. Jh. (in: Oriens Christianus 33) 1936; G. KORLEN, D. mittelniederdt. Texte d. 13. Jh., Lund 1945.   ES

Himmelgartner Passionsspiel, 4 niederdt. Bruchstücke (Bindemakulatur aus d. Kloster H. bei Nordhausen) vielleicht e. Spiels v. Leben Jesu, entstanden um 1250 in d. Gegend um Nordhausen. Erhalten sind je 2 Szenenfragmente aus d. Weihnachtszeit u. aus d. Leben Jesu. Formal wechseln lat. Chorgesang, Erzählung (lat. oder dt.) u. dt. gespr. Dialogpartien.

Ausgabe: E. SIEVERS, H. Bruchstücke (in: ZfdPh 21) 1889.

Literatur: G. KORLEN, D. mnd. Texte d. 13. Jh., Lund 1945; R. STEINBACH, D. dt. Oster- u. Passionsspiele d. MA, 1970; W.F. MICHAEL, D. dt. Drama d. MA, 1971; R. BERGMANN, Stud. zu Entstehung u. Gesch. d. dt. Passionssp. d. 13. u. 14. Jh., 1972; D. BRETT-EVANS, V. Hrotsvit bis Folz u. Gengenbach 1, 1975.   ES

Himmelheber, Hans, * 31. 5. 1908 Karlsruhe; 1934 Dr. phil., 1949 Dr. med., Ethnologe, völkerkundl. Expeditionen n. West-, Zentralafrika u. Alaska, lebte dann in Heidelberg, 1965 Mitgl. d. Akad. d. Wiss. Heidelberg.

Schriften (Ausw.): Negerkünstler ... (Diss. Tübingen) 1934; Eskimokünstler ..., 1938; Der gefrorene Pfad. Volksdichtung der Eskimo, 1951; Aura Poku. Volksdichtung aus Westafrika ...,

1950; Die Dan. Ein Bauernvolk im westafrikanischen Urwald ... (mit Ulrike H.) 1958; Afrikanische Masken. Ein Brevier, 1960; Negerkunst und Negerkünstler ..., 1960.   RM

Himmelheber, Ulrike, geb. Roemer, * 19.2. 1920 Mannheim; verheiratet mit Hans H., lebt in Heidelberg.

Schriften: Schwarze Schwester. Von Mensch zu Mensch in Afrika, 1957; Die Dan, ein Bauernvolk im westafrikanischen Urwald. Ergebnis dreier völkerkundlicher Expeditionen im Hinterland Liberias, 1958 (mit Hans H.).   AS

Vom Himmelreich, Ged. e. unbek. Verf., entst. wahrsch. um 1160/80 in Windberg/Niederbayern, überl. in e. Hs. aus d. Kloster Oberaltaich/Niederbayern. D. Sprache deckt sich mit derjenigen d. Windberger Psalmenübers., d. Vf. war wohl ebenfalls Mönch in Windberg. – N. e. Hymnus auf Gottes Schöpfermacht schildert d. Text d. drei v. Gott beherrschten Reiche: Menschenwelt, Firmament u. bes. d. sich darüber erhebende Himmelreich.

Ausgaben: R. HÄVEMEIER, Daz himilriche ... (Diss. Göttingen) 1891; A. LEITZMANN, Kleinere geistl. Ged. d. 12.Jh., 1910; H. MEYER-BENFEY, Mhd. Übungsstücke, ²1921; F. MAURER, D. religiösen Dg. d. 11. u. 12.Jh. ... 1, 1964.

Literatur: VL 2,457; de Boor-Newald 1,192; Ehrismann 2/1,140. – E. PETERS, Quellen u. Charakter d. Paradiesesvorstellungen in d. dt. Dg. v. 9.–12.Jh., 1915; A. HEUSLER, Dt. Versgesch. 2, ²1956; F. MAURER (vgl. Ausg.) 1964; Ann. d. dt. Lit. (hg. H.O. BURGER) ²1971.   RM

Himmelsfurt → Konrad von Heimesfurt.

Himmelstein, Wilhelm (August), * 13.4.1868 Baden-Baden; studierte in Heidelberg, Würzburg u. Berlin, Lehrer. Lyriker.

Schriften: Glühen und Blühen (Ged.) 1895; Lieben und Leben (Ged.) 1896; Die Äolsharfe (Ged.) 1898; Singen und Sagen, 1904; Hochsommer, 1908; Lieblinge, 1912; Der Spiegel, 1924; Die Perlenschnur. Ein Buch Reimzeilen, Zweizeiler, Vierzeiler, usw., 1930.   IB

Himmighoffen-Habel, Hanna-Lise, * 28.2. 1887 Friedrichsgrund, Kr. Habelschwerdt/ Schles., † 29.4.1929 Freiburg/Breisgau.

Schriften: Suse Schmutzfinks Abenteuer (Erz.) 1924; Suse Schmutzfinks Abenteuer. Ein Mär-

chenspiel in fünf Bildern mit Gesang und Tanz, 1929.   AS

Das Himmlische Gastmahl, Ged. v. 240 Reimpaarversen, zus. mit d. Ged. «Die drei Blumen d. Paradieses», «Der dreifache Schmuck d. seligen Jungfrauen» u. «Die Warnung vor d. Sünde» (v. selben Verf.) in e. Hs. d. Wiesbadener Landesbibl. überl. ,im Anschluß an d. «Lilie» geschrieben v. e. niederrhein., wahrsch. Köln. Schreiber vermutlich schon im 13.Jh. Inhalt d. Ged. ist e. Predigt über d. Gastmahl Christi im Himmelreich, verbunden mit d. Ermahnung z. Gottesminne.

Ausgabe: P. WÜST, Die Lilie und andere geistliche Gedichte, 1909.

Literatur: VL 5,100.   RM

Das Himmlische Jerusalem, in d. Vorauer (u. teilw. in d. Milstätter) Hs. überl. Ged. e. unbek. öst. Verf. (wahrsch. Geistlicher), entstanden vor 1150. Geschildert wird d. ewige Stadt n. Apokalypse 21,2–25, breiten Raum beansprucht d. Beschreibung u. Deutung d. 12 Edelsteine in d. Stadtmauer (Vers 128–429), d. Schluß d. Ged. nimmt Stellung gg. d. weltl. Heldendg. Wichtigstes Anliegen d. Verf. war d. allegor. Ausdeutung d. beschriebenen Tatsachen.

Ausgaben: J. DIEMER, Dt. Ged. d. 11. u. 12. Jh., 1849; (Facs.: D. dt. Ged. d. Vorauer Hs., hg. K.K. POLHEIM, 1958); A. WAAG, Kleinere dt. Ged. d. 11. u. 12.Jh., 1890 (²1916); E. HENSCHEL, U. PRETZEL, D. kleineren Denkmäler d. Vorauer Hs., 1963; F. MAURER, D. religiösen Dg. d. 11. u. 12.Jh. ... 2, 1965.

Literatur: VL 2,580; de Boor-Newald 1,191; Ehrismann 2/1,138. – W. EHRENTRAUT, Zu d. mhd. Ged. ～ (Diss. Leipzig) 1913; E. PETERS, Quellen u. Charakter d. Paradiesesvorstellungen..., 1915; U.PRETZEL,Frühgesch. d. dt. Reims, 1941; F. OHLY, Zu ～ Vers 61 ff. (in: ZfdA 90) 1960; F. MAURER (vgl. Ausg.) 1965; H. FREYTAG, D. Bed. d. Himmelsrichtungen im ～ (in: PBB Tüb. 93) 1971; H.-F. RESKE, Jerusalem caelestis – Bildformeln u. Gestaltungsmuster ..., 1973; C. MEIER, Z. Quellenfrage d. ～ ... (in: ZfdA 104) 1975; W. HAUG, Gebet u. Hieroglyphe ... (in: ebd. 106) 1977.   RM

Himstedt, Hermann (Josef), * 24.11.1915 Verden; 1937–1945 Soldat, Dr. phil., Gymnasiallehrer. 1956–1958 Leiter d. Dt. Schule Thessalo-

niki/Griechenland. Bis 1979 Studiendirektor.
Lebt am Rhein. Dramatiker, Erzähler, Lyriker.

Schriften: Söhne (Schausp.) 1947; Hanne Wandrill (Schausp.) 1950; Rias Reise, Roman für kleine Leute, 1952; Gang und Gabe (Ged.) 1977.

RM

Hinck, Heinrich, * 22.7.1886 Frankfurt/M.;
Schriftst. u. Chefred. in München.

Schriften: Schiffbruch auf Tutupaipai. Robinsonade in 3 Aufzügen, 1934; Wegkreuz (Schausp., mit M. Vitus, [d. i. Max Ertl]) 1935; Die Uraxt (bäuerl. Schausp.) 1940.   RM

Hinck, Walter, * 8.3.1922 Selsingen; Dr. phil. Göttingen (1956), 1964 Habil. Kiel, o. Prof. f. Neue Dt. Sprache u. Lit. in Köln, Seminardir., 1974 o. Prof. d. Rhein.-Westfäl. Akad. d. Wiss. in Düsseldorf. Mit-Hg. d. Kölner «Germanist. Stud.» (seit 1965) u. d. Brecht-Jb. «Brecht heute – Brecht today» (seit 1971).

Schriften (Ausw.): Die Dramaturgie des späten Brecht, 1959 (6., durchges. Aufl. 1977); Das deutsche Lustspiel des 17. und 18. Jahrhunderts und die italienische Komödie ..., 1965; Das moderne Drama in Deutschland ..., 1973; Vom Ausgang der Komödie. Exemplarische Lustspielschüsse in der europäischen Literatur, 1977.

Herausgebertätigkeit (Ausw.): J. M. R. Lenz, Der neue Menoza. Text und Materialien zur Interpretation, 1965; Europäische Aufklärung (Tl. 1, Mit-Hg.) 1974; Die deutsche Komödie. Vom Mittelalter bis zur Gegenwart, 1977; Sturm und Drang. Ein literaturwissenschaftliches Studienbuch, 1978; Geschichte im Gedicht. Texte und Interpretationen, 1979.   RM

Hinckeldeyn, Anna, * 16.3.1862 Schenkenberg/ Holst.; Sprachlehrerin u. Erzieherin in Eutin, Mecklenburg u. in Sachsen, seit 1896 in Fretzdorf/Brandenburg.

Schriften: Auf deutschen Pfaden (Dg.) 1897.

RM

Hindenburg, Bernhard von → Burgdorff, Bernhard von.

Hindenburg, Paul von Beneckendorff u. von, * 2.10.1847 Posen, † 2.8.1934 Neudeck; Teilnahme an d. Kriegen v. 1866 u. 1870–71, 1914 Generalfeldmarschall, Feldherr d. 1. Weltkrieges, 1925 Dt. Reichspräsident. Verf. v. Memoiren.

Schriften: Aus meinem Leben, 1920; Briefe, Reden, Berichte (hg. F. Enders) 1934.

Nachlaß: Privathand. – Mommsen 1677.

Bibliographie: Bearb. v. d. Dt. Bücherei, 1934.

Literatur: NDB 9, 178; BWG 1, 1166. – E. MARCKS u. E. EISENHART-ROTHE, ∼ als Mensch, Staatsmann, Feldherr, 1932; F. J. LUCAS, ∼ als Reichspräs., 1959; E. LUDWIG, ∼, Legende und Wirklichkeit, 1962; W. HUBATSCH, ∼ u. d. Staat. Aus d. Papieren ∼s von 1878–1934, 1966.

IB

Hindenlang, Friedrich, * 1867 Hornberg/ Schwarzw., † 1937 Karlsruhe; Pfarrer in Stockach u. Sexau, seit 1906 in Karlsruhe, Kirchenrat u. Red. d. «Evangel. Gemeindeboten». Verf. v. geistl. Liedern, Ged., Dramatiker u. Erzähler.

Schriften: Die Traumbuche. Eine fröhliche Dorfgeschichte, 1911; Der Dorfgeiger. Eine fröhliche Dorfgeschichte, 1913; Die blaue Blume. Ein Märchen aus Dorf und Wald, 1914; Der heilige Krieg. Zeitgedichte, 1914; Der heilige Frühling. Zweite Folge der Zeitgedichte, 1915; Christusreute. Kleine Geschichten aus dem Oberland, 1917; Luther und die heutige Tagespresse. Eine zeitgemäße Betrachtung, 1917; Alle guten Geister, 1920; Großherzogin Luise von Baden. Der Lebenstag einer fürstlichen Menschenfreundin, 1925; Eine kleine Weihnachtsgeschichte, 1926; Der wandernde Kranz. Sommerspiel, 1926; Ambrosius Blarer. Dramatische Bilder aus der Konstanzer Reformationsgeschichte Karlsruhe, 1928; Von Gottes Wort ein Widerklang. Ein Kirchenjahr in Gedichten, 1933; Konstanzer Reformatoren und ihre Kirchenlieder, 1936.

Literatur: Theater-Lex. 1, 797.   IB

Hinderbach (auch: Hinterbach, Hindernbach, Enderbach), Johannes (von), * um 1418, † 21.9. 1481 Trient; stammte aus d. Gegend v. Rauschenberg/Kassel, 1436 Baccalaureus u. 1438–41 magister artium in Wien, dann Rechtsstudium in Padua, Eintritt in d. Dominikanerorden, 1449 Kaiserl. Rat u. päpstl. Graf, 1449–65 Pfarrer in Mödling b. Wien, Diplomat u. Gesch.schreiber Kaiser Friedrichs III., 1465 Fürstbischof v. Trient. – Humanist, Schüler u. Freund v. Enea Silvio, setzte dessen Gesch. d. Kaisers Friedrich III. bes. f. d. Zeit v. 1460–63 fort (hg. A. F. KOLLAR in: Analecta monumentorum omnis aevi Vindobonensia 2, 1761), Verf. d. ungedr. «Chronologia Friderici imperatoris III. et suae familiae ab anno 1432–70»,

Glossator v. theol. u. hist. Hss., röm. Dichter u. italien. Grammatiken, ließ durch d. Schreiber Puntschucher u. Johannes Wiser d. sechs Trienter Musikhss. anlegen (Neuausg. bei G. ADLER, O. KOLLER, Denkmäler d. Tonkunst in Öst., 1900 ff.).

Literatur: VL 2,459; 5,419; ADB 12,457; LThK 5,1042; de Boor-Newald 4/1,475. – F. WALDNER, Quellenstud. z. Gesch. d. Typographie in Tirol ... (in: Zs. d. Ferdinandeums 3,32 u. 3,34) 1888/90; V. v. HOFMANN-WELLENHOF, Leben u. Schr. d. ~ (in: ebd. 3,37) 1893; H. v. VOLTINI, E. Aufz. d. Bischofs ~ über d. Palast d. Bischöfe v. Trient in Bozen (in: ebd. 3,42) 1898; H. HAMMER, Lit. Beziehungen u. musikal. Leben d. Hofes Herzogs Siegmunds v. Tirol (in: ebd. 3,43) 1899; R. WOLKAN, D. Heimat d. Trienter Musikhss. (in: Stud. z. Musikwiss. 8) 1921; L. SANTIFALLER, Urkunden u. Forsch. z. Gesch. d. Trienter Domkapitels im MA 1,1948; A. A. STRNAD, ~s Obedienz-Ansprache vor Papst Pius II. ... (in: Röm. Hist. Mitt. 10) 1966/ 1967.   RM

Hinderer, Walter, * 3.9.1934 Ulm; Dr. phil., Verlagslektor in München.

Schriften: Mondschatten (Ged.) 1957; Die «Todeserkenntnis» in Hermann Brochs «Tod des Vergil» (Diss. München) 1961; L. Börne, Menzel der Franzosenfresser und andere Schriften (Hg.) 1969; Deutsche Reden (Hg.) 1973; Sickingen-Debatte. Ein Beitrag zur materialistischen Literaturtheorie (Hg.) 1974; Elemente der Literaturkritik. Acht Versuche, 1976; Büchner. Kommentar zum dichterischen Werk, 1977.   AS

Hinderks-Kutscher, Rotraut, * 14.12.1908 München; Graphikerin u. Jugendbuchautorin, lebt in München.

Schriften: Hänsel und Gretel. Märchenbuch, 1937; Zöpfle bei den Sommereltern, 1940; Tönjes von Null bis Drei. Tagebuch einer jungen Mutter, 1941; Der Krampus von Trollberg, 1941; Donnerblitzbub Wolfgang Amadeus. Ein Mozartbuch für die Jugend, 1943; Franzl aus dem Himmelpfortgrund. Ein Schubert-Buch für die Jugend, 1955 (auch u. d. T.: Ein Leben voll Musik ...); Kamerad Annett, 1956; Papa Haydn. Ein Jugendbuch über Joseph Haydn, 1957; Unsterblicher Wolfgang Amadeus Mozart. «Donnerblitzbub»-Finale, 1959.   AS

Hindermann, Adele (Mädchenname u. Ps. f. Adele Rassow), * 13.12.1865 Halle/Westf.; in e. Fotoatelier in Halle tätig, dann bis 1901 Schriftst. in Minden u. seit 1903 in Berlin.

Schriften: Frau contra Frau ..., 1896; Das Denkmal Kaiser Wilhelms ..., 1897; Bühnenvölkchen (Erz.) 1900; Des Lebens Bürde und andere Novellen, 1901; Glücksflüchtig (Rom.) 1907.   RM

Hindermann, Philipp Martin, * 1796 Basel, † 1884 ebd.; Schriftsetzer, seit 1831 Lehrer in Basel. Dialektdichter.

Schriften: Humor und Ernst. Gesammelte Gedichte, 4 Bde., 1856–86.

Literatur: HBLS 4,225.   IB

Hindersin, Friedrich (Wilhelm) von (Ps. F. Tiro), * 29.10.1858 Breslau, † 1936 Vienenburg b. Goslar; Referendar u. 1887 Assessor in Straßburg/Elsaß, seit 1889 Amtsrichter in versch. Orten, 1901 Landgerichtsrat in Saargemünd, lebte seit 1906 in Hannover im Ruhestand.

Schriften: V. Hugo, Tyrann von Padua (übers.) 1879; Euripides, Hekabe (übers.) 1879; Gedichte, 1. Bd., 1886; Schauspiele, 8 Bde., 1886–98; Henriette von England. Roman aus der Zeit Ludwigs XIV., 1904; Neuer Glaube (kulturhist. Nov.) 1906; Die Heiligen der Freiheit (Rom.) 1907; Die Spieler des Grafen Lester (Rom.) 1909; Napoleon (Rom.) 1909; Die Lehre vom All. Philosophisch-religiöse Betrachtungen, 1910.   RM

Hindes, J., * in d. 1. Hälfte d. 19. Jh. als Sohn e. russ. Familie; lebte seit 1849 als autodidakt. Schriftst. u. Privatlehrer in Brody.

Schriften: Wehmutslieder über die verirrte Menschenseele und Aphorismen, 2 Bde., 1904/ 1907; Torquato Tasso und die beiden Leonoren. Ein Liederkranz, 1907; Sprechende Bilder aus dem Reiche der Tonkunst, 1910.   RM

Hingenau, Otto Bernhard Freiherr von (Ps. G. Neuhain), * 19.12.1818 Triest, † 22.5.1872 Wien; studierte Jus in Wien, Mitarb. an F. Witthauers «Wiener Zs.» J. N. Vogls «Morgenbl.» u. L. A. Frankls «Sonntagsbl.», Besuch d. Bergakad. in Chemnitz, 1844 Bergpraktikant in Kuttenplan. Seit 1848 Vorstand d. mährisch-schles. Bergwerks-Substitution, Hg. d. «Brünner Polit. Wochenbl.» (gem. m. P. Chlumetzky), 1850 Berghauptmann u. Prof. f. Bergrecht an d. Univ.

Wien, 1853 begründete er die «Öst. Zs. f. Berg-
und Hüttenwesen». Neben s. Facharbeiten war er
Lyriker, Erz. u. Publizist.

Schriften (außer d. fachlichen): Die Macht der
Frauen (Sonette) 1839; Der Bergmann. Erzählung
aus dem nordungarischen Leben, 2 Bde., 1844;
Der Kampf gegen den Bonapartismus jetzt und vor
fünfzig Jahren, 1859.

Literatur: Wurzbach 9, 35; ADB 12, 459; NDB
9, 183; ÖBL 2, 321.   IB

Hingst, Traudl (Ps. f. Traude Seebauer), * 21.8.
1919 Trostberg; Dr. med., Ärztin in München.

Schriften: Durch Tage und Nächte ersehne ich
Dich (Ged.) 1948.   AS

Hinkel, Hans, * 22.6.1901 Worms; studierte in
Bonn u. München, 1924–25 Hauptschriftleiter d.
«Oberbayr. Tagesztg.», seit 1930 Red.mitgl. d.
«Völk. Beobachters», Mitgl. d. Reichstages, seit
1933 Staatskomissar im Preuß. Ministerium f.
Wiss., Kunst u. Voksbildung, 1935 Sonderbeauf-
tragter v. Goebbels, 1947 an Polen ausgeliefert.

Schriften: Das moralische Gesetz der Schule,
1930; Kabinett Hitler (gem. m. W. Bley) 1933;
Einer unter Hunderttausend. Erinnerungen,
1938.

Nachlaß: Bundesarchiv Koblenz. – Mommsen
Nr. 1679.

Literatur: R. C. Muschler, ~ (in: Ostdt.
Monatsh. 14) 1933/34.   IB

Hinkel, Karl (Gottlieb), * 15.10.1793 Chemnitz, † 22.12.1817 Leipzig; Teilnahme am Feldzug v. 1814, starb an e. sich damals zugezogenen
Leiden. S. Lieder wurden z. T. volkstümlich. Lyriker.

Schriften: Erste Saitenklänge, 1816.
Handschriften: Frels 132.
Literatur: Goedeke 8, 138.   IB

Hin(c)kelmann, Abraham, * 2.5.1652 Döbeln/
Sachsen, † 11.2.1695; Rektor in Lübeck u. Prediger in Hamburg, 1687 Oberhofprediger u. Generalsuperintendent in Darmstadt, Prof. f. Orientalistik in Gießen, Dr. theol., 1689 wieder als
Pastor in Hamburg. Als Anhänger d. Pietismus in
viele Streitigkeiten verwickelt. Verf. geistl. Lieder, ungedr. Schr. auf d. Gebiete d. Theol., Philos. u. Gesch. sowie e. arabisches Lexikons.

Schriften: Der Koran (arabische Ausgabe, Hg.)
1694.

Literatur: ADB 12, 460; Jöcher 2, 1612; Ersch-
Gruber II/8, 249; Goedeke 3, 191.   IB

Hinkhofen → Rüdeger von Hinkhofen.

Hinkmar, Erzbischof **von Reims,** (Hincmarus
Remensis), * um 806, † 21.12.882 Epernay;
Mönch v. St. Denis, Schüler u. Begleiter d. Abtes Hilduin, zeitweilig Kirchenschatzmeister im
Kloster St. Denis, Vertrauter Karls d. Kahlen,
845 als Nachfolger Ebos Erzbischof v. Reims.
Metropolit u. Kanonist, s. Verurteilung v.
Gottschalks d. Sachsen Trinitäts- u. Prädestina-
tionslehre führte z. e. großen theol. Kontroverse («De praedestinatione», 863). Gg. d. religiösen u. polit. Autoritätsanspruch H.s bildete
sich e. westfränk. Opposition hinter d. Dekre-
talien d. sog. Pseudo-Isidor (H.s Widerlegung:
Opusculum LV capitulorum»). Ferner verf. H.
d. Krönungsordo f. Ludwig II. den Stammler
(877), versch. Fürstenspiegel (bes. «De regis
persona et regis ministerio», Heiligenleben,
Briefe, sowie theol. u. rechtl. Schr., setzte d.
«Ann. Bertiniani» f. d. Jahre 861–82 fort.

Ausgaben: Vita Remigii (hg. B. Krusch in:
MG SS rer. Mer. 3) 1866; Annales Bertiniani
(hg. G. Waitz in: MG SS rer. Ger.) 1883 (mit
Übers. in: Quellen z. karoling. Reichsgesch. 2
... neu bearb. v. R. Rau, 1958, ²1969); Carmina (hg. L. Traube in: MG Poetae 3) 1896;
De ordine palatii (hg. A. Boretius, V. Krause
in: MG Leg. II, 2) 1897; Epistolae, pars prior
(hg. E. Perels, MG Epp. VIII. 1) 1939; [Briefe
bis 868]. – Weitere Ausgaben in: Migne PL 125
u. 126; MG Cap. 2; Zs. f. Kirchengesch. 10,
1889; Revue bénédictine 40 u. 46, 1928 u. 1934.

Literatur: Manitius 1, 339; ADB 12, 438; NDB
9, 184; BWG 1, 1169; RE 8, 86; LThK 5, 373;
RGG ³3, 355. – H. Schrörs, ~, 1884; E.
Perels, Denkschr. ~s (in: Neues Arch. d. Gesellsch. f. ältere dt. Gesch.kunde 44) 1922; F.
Arnold, D. Diözesanrecht nach d. Schr. ~s,
1935; A. Sprengler, D. Gebete d. Krönungs-
ordines ~s (in: Zs. f. Kirchengesch. 63) 1950/
1951; J. Devisse, ~ et la Loi, 1962; H. Bacht,
~, e. Beitr. z. Theol. d. Allg. Konzils (in: FS
L. Jaeger) 1962; C. Brühl, Hinkmariana ... (in:
Dt. Arch. f. d. Erforsch. d. MA 20) 1964; B.
Taeger, Zahlensymbolik bei Hraban, ~ – u. im
«Heliand»? Stud. z. Zahlensymbolik im MA,
1973; F. Brunhölzl, Gesch. d. lat. Lit. d. MA
1, 1975.   RM

Hinneberg, Paul, * 16.3.1862 Felchow, † 20. 6.1934 Berlin; studierte Philos. in Berlin, 1892 Eintritt in d. Red. d. «Dt. Lit.ztg.» in Berlin, entwickelte sie weiter. Wissenschaftl. Hg., u.a. des Sammelwerks «Kultur der Gegenwart».

Literatur: NDB 9, 185.   IB

Hinnerk, Otto (Ps. f. Otto Hinrichsen), * 7.7. 1870 Rostock, † 7.4.1941 Herisau/Kt. Appenzell; Dr. med., Arzt an d. Psychiatr. Klinik Basel u. Privatdoz. an d. Univ. ebd., seit 1923 Dir. der Kant. Heil- u. Pflegeanstalt in Herisau. Vorwiegend Dramatiker.

Schriften: Närrische Welt (Kom.) 1898; Gretchens Zukunft (Kom.) 1899; Pastor Kraske (Dr.) 1902; Graf Ehrenfried (Lsp.) 1903 (2. bearb. Aufl. 1906); Kläre (Trauersp.) 1905; Gedichte, 1906; Cyprian (Schausp.) 1907; Ehrwürden Trimborius (Kom.) 1911; Zur Psychologie und Psychopathologie des Dichters, 1911; Sexualität und Dichtung, 1912; Ehrsam und Genossen (Kom.) 1912; Karl Joseph Schmierlings Sonntagserlebnis (Erz.) 1913; Vor der Tür – Glück – Nacht (= Saturn, Ms., Jg. 3, H. 11; sämtl. Beiträge von O. H.) 1913; Durch! (Kom.) 1915; Nomen est omen (Lsp.) 1916; Der Liebesgarten (Lsp.) 1919; Der Umgang mit sich selbst. Zwölf Briefe an eine Freundin, 1921; Die drei Rotköpfe. Ein Idyll und keines, 1923; Triumph der Wissenschaft (Kom.) 1932; Die Flucht ins Nichts (Kom.) 1935; Gedichte zum Vortrag, 1940.

Nachlaß: Schmutz-Pfister 944.

Literatur: Theater-Lex. I, 797. – W. Heinz, ~ (in: Mecklenburg. Monatsh. 18) 1942.   AS

Hinnius, Anna → Norden, A.

Hinrichs, August, * 18.4.1879 Oldenburg, † 20.6.1956 Huntlosen/Kr. Oldenburg; Tischler, bereiste als Handwerksbursche versch. Länder, dann Tischlermeister in Oldenburg, seit 1929 freier Schriftst. in Huntlosen. Stavenhagen-Preis, 1938 u. Goethe-Medaille, 1939. Erz. u. Dramatiker in s. Mundart.

Schriften: Fest-Spiel für Turner, 1906; Tor Schlummertied. Leeder on Döntjes, 1906; Frithjof. Ein Sagenspiel, 1911; Das Licht der Heimat (Rom.) 1920; Der Moorhof (Nov.) 1920; Der Wanderer ohne Weg (Rom.) 1921; De Aukschon. Een Kummedi in een Uptog, 1922; Marie. Plattdütsch Drama in een Uptog, 1922; Das Nest in der Heide, 1922; Die Hartjes (Rom.) 1924;

Neue Jugend. Ein Festspiel für Turner, 1925; Niedersachsen (Einleitung) 1925; Gertraudis. Drei Novellen, 1927; Das Volk am Meer (Rom.) 1929; Aufruf zur Freude. Ein Sprech- und Bewegungschor für Turner, 1930; Jan is König. Litjet Wiehnachsspill, 1930; Swienskomödi. Een Buernstück in dree Ennens, 1930; Diederk schall freen. Litje Komödi, 1931; Wenn der Hahn kreiht. Buernkomödi, 1932; Ausgewählte Erzählungen, 1934; Die Stedinger. Spiel vom Untergang eines Volkes, 1934; Das Volksbuch von Jolanthe, 1935; An der breiten Straße nach West. Kriegserlebnisse, 1935; För de Katt, Buernkomödi, 1938 (Hochdt. Fassung: Für die Katz! Bauernkomödie, 1938); Tilly vor Oldenburg, Kleines Spiel im Oldenburger Schloß, 1939; Mein erstes Buch, 1941; Mein heiteres Buch. Fröhliche Geschichten, 1941; Drei Bauernkomödien, 1943; Rund um den Lappan. Oldenburger Anekdoten, 1943; Drei heitere Bühnenstücke, 1944; Die krumme Straße, (Rom.) 1949; Das Wunder der heiligen Nacht. Weihnachtsgeschichten, 1949; Kommst du heut abend? Kleine Liebesgeschichten, 1952; Krach um Jolanthe. Eine Bauernkomödie, 1952; Der kluge Heini. Kleine Komödie, 1954; Eines Nachts (Erz.) 1955; Siebzehn und zwei, Komödie, 1955; Schwarzbrot. Ausgewählte Erzählungen, 1959; Vörnehm un gering, 1959.

Literatur: NDB 9, 186; Albrecht-Dahlke 2, II, 321; Theater-Lex. 1, 797. – K. Bunje, ~ 70 Jahre alt (in: Nordwestdt. Heimath. 1) 1949; H. F. Redelfs, ~ 70 Jahre (in: Fries. Monatsh. 1) 1949; G. Grabenhorst, ~ z. 75! 18.4.1954 (in: Mitt. d. Stader Gesch.- u. Heimatvereins 29) 1954; C. Lange, ~ gestorben (in: Ostdt. Monatsh. 23) 1956; B. de Vries, ~ gestorben (in: Ostfriesld. 2) 1956; W. Gättke, ~ z. Gedenken. Anläßl. s. zehnten Todestages (in: Volksbühne 17) 1966/67.   IB

Hinrichs, Georg Wilhelm, * 7.3.1847 Wittenwurth/Norddithmarschen, † 11.11.1920 Burg/Süddithmarschen; Pastor. Dialektdichter.

Schriften: Meerumslungen. Gedichte in sin leef Modersprak, 1880; Bökelnborg. Leeder und Vertelln in dithmarscher Mundart, 1910.   IB

Hinrichs, Gertrud, * 16.5.1893 Hamburg; lebt das.; Verf. humorist. u. sat. Lyrik.

Schriften: Von der Mücke bis zum Elefanten. Heitere Zoo-Logik in Versen, 1963 (2., bearb.

Aufl. 1965); Kompaß im Sturm, 1964; Wenn hell die Amsel schlug (Ged.) 1965; Du lieber Himmel, wenn ihr wüßtet. Heitere Psychologik in Versen, 1965; Die späten Tage (Ged.) 1969; Kostproben. Gepfeffert und gesalzen, 1972.   AS

Hinrichs, Hermann Friedrich Wilhelm, * 22. 4. 1797 Karlseck/Oldenb., † 17.9.1861 Friedrichroda/Thür.; studierte in Straßburg u. Heidelberg (bei Hegel), Privatdoz., später Prof. in Breslau u. Halle.

Schriften (Ausw.): Die Religion im inneren Verhältnisse zur Wissenschaft ..., 1822; Ästhetische Vorlesungen über Goethes Faust ..., 1825; Grundlinien der Philosophie der Logik ..., 1826; Das Wesen der antiken Tragödie ..., 1827; Die Genesis des Wissens, 1835; Schillers Dichtungen nach ihren historischen Beziehungen und nach ihrem inneren Zusammenhange, 2 Bde., 1837 f.; Geschichte der Rechts- und Staatsprincipien seit der Reformation bis auf die Gegenwart in historisch-philosophischer Entwicklung, 3 Bde., 1848; Die Könige, Entwicklungsgeschichte des Königtumes von den ältesten Zeiten bis auf die Gegenwart, 1852; Das Leben in der Natur. Bildungs- und Entwicklungsstufen desselben in Pflanze, Tier und Mensch, naturhistorisch-philosophisch dargestellt, 1854.

Literatur: ADB 12,462; NDB 9,187; Meusel-Hamberger 22/2,765.   IB

Hinrichsen, Adolf, * 15.1.1859 Bützow/Mecklenb.; Gründer d. plattdt. Zs. «Husmannskost» in Güstrow, lebte seit 1885 in Berlin u. dessen Vororten. Gründer d. «Dt. Schriftst.albums» (mit E. v. Wildenbruch), d. Zs. «Für edle Frauen» (1885) u. d. «Lit. Dtl.» (1887, 2., verm. u. verb. Auflage 1891).

Schriften: Wohre Geschichten, 1883; Twei Leiws-Geschichten, 1883; Erin. Ein Kranz irischer Dichtungen, umschlungen mit Thomas Moore'schen Liedern, 1884; Er hat Glück (Nov.) 1884; Künstler-Liebe und Leben (Nov.) 1885; De Evers, 1886; Deutsche Denker und ihre Geistesschöpfungen (hg.) 5 H., 1888 f.   RM

Hinrichsen, Alwina → Rex, Ina.

Hinrichsen, Ludwig, * 21.3.1872 Kappeln am Schlei/Schlesw.-Holst., † 24.2.1957 ebd.; Erz., Dramatiker, auch in Mundart.

Schriften: Hellrider. Ein Roman aus der Heide, 1921; Der Vagabund (Rom.) 1922; Schlick im Netz. Ein Roman von der Ostsee, 1923; Jehannispöuk. Ein Spill, 1925; Jens Störtebeker (Erz.) 1925; Seenod un anner Dichtungen, 1925; Meerumschlungen. Ein Buch von eines Volkes Freiheitskampf, 1925; Verloren Spill. Ein plattdeutsches Schauspiel, 1928; Klaus Wessel. Ein Hamburger Kaufmannsroman, 1927; Am Wege. (Nov.) 1931; Schipp up Strand, ahoi! En Volksstueck in 3 Deel, 1936; Irrwege ins Leben. Ein Bekenntnisroman, 1946; Jugend an der Schlei, 1955.

Nachlaß: Staats- u. Univ.bibl. Hamburg. – Denecke 2. Aufl.

Literatur: Theater-Lex. 1,797. – K. SIEMERS, ∼ (in: Ostdt. Monatsh. 11) 1930/31; W. SCHARRELMANN, ∼ (in: Quickborn 35) 1942.   IB

Hinrichsen, Otto → Hinnerk, Otto.

Hinrik von Glandorp, 15./16. Jh.; 1470–1521 bezeugt als Vikar an St. Silvester in Quakenbrück, seit 1506 auch Stadtschreiber. – Verf. e. Stadtbuch-Chron. in ndt. Sprache, die auf lit. Quellen u. eigenem Erleben beruht.

Ausgabe: R. BINDEL (in: Progr. Quakenbrück) 1902.

Literatur: VL 2,463.   RM

Hinrik van den Ronen, 14./15. Jh.; Rechtsgelehrter u. Stadtschreiber in Magdeburg, vertrat 1394/95 in Rechtsangelegenheiten d. Stadt in Prag u. gehörte 1403 zu d. Abgeordneten, welche d. Echtheit d. Palliums d. Erzbischofs Günther prüften. – Verf. v. Aufz. über d. Stadtgesch. v. 1403 bis um 1410 in d. «Magdeburger Schöffenchronik».

Ausgabe: K. JANICKE (in: D. Chron. d. dt. Städte v. 14. bis ins 16. Jh. ...) 1869.

Literatur: H. MASCHEK, Dt. Chron., Reihe 4, Bd. 5, 1936; G. KEIL, ∼ (Nachtr. z. VL in: PBB Tüb. 83) 1961/62.   RM

Hinrik → auch Heinrich.

Hinsberg, Joseph von, * 10.2.1764 Winneweiler, † 21.1.1836 München; studierte in Wien, Sekretär, später Oberamtsrat, in d. Folge an versch. Orten als Justiz- u. zuletzt als Oberappelationsrat tätig. Übers. u. Epiker.

Schriften: Das Lied der Nibelungen. Umgebildet, 1812 (2. verb. Auflg. u. d. T.: Das Lied der

Nibelungen. Aus dem Altdeutschem Originale übersetzt, 1833); Armin der Cheruskerfürst. Ein Gedicht in vierzehn Gesängen, 1814; Die Völkerschlacht bei Leipzig, 1814, Siegeslied, 1815.

Handschriften: Staatsbibl. Berlin; Germ. Museum Nürnberg. – Frels 132.

Literatur: Goedeke 6, 370.   IB

Hinsch, Hinrich, * Stade (Datum unbek.), † 5. 5. 1712 Hamburg; studierte Theol. dann Jus, Advokat. Ver. v. Operntexten.

Schriften: Don Quixote, 1690; Wettstreit der Treue, 1694; Die Venus, 1694 (? von ihm); Basilius, 1694; Mahumet, 1696; Philipp Herzog von Mailand, 1701 (aufgeführt u. d. T.: Beatrix, 1702); Thassilo, 1701 (wurde u. nicht aufgeführt); Victor, 1702; Der Tod des großen Pans, 1702; Neues preuszisches Ballett, 1702; Berenice, 1702; Claudius, 1703; Minerva, 1703; La fedelta coronata, 1706; Dido, 1707; Florindo, 1708 (Musik v. Händel); Daphne, 1808 (Musik ebenfalls v. Händel).

Literatur: Goedeke 3, 333; Theater-Lex. 1, 798.   IB

Hinsche, Nikolaus Daniel (Ps. Theobald, Winfried, X.) * 29. 12. 1771 Hamburg, † 3. 5. 1844 Bergedorf; Kaufmann, seit 1802 auf s. Landgut Bergedorf, 1815 Ratsherr u. Bürgermeister ebd., Hg. u. Lyriker.

Schriften: Feldblumen und Disteln, 1804; Ruinen und Blüten, 1826; Poetische Versuche, 1834; Neujahrsnachttraum. Dichtung. Nebst einem Anhange kleiner Poesieen, 1834; Poetische Versuche. Neue Sammlung, 1846.

Herausgebertätigkeit: Poetische Blumenlese für das Jahr 1817, 1817; Nordischer Musen-Almanach, 1817–23; Nordalbingische Blätter, 1820 f.

Handschriften und Nachlaß: Staatsbibl. Berlin. – Frels 132.

Literatur: Meusel-Hamberger 22/2, 766; Goedeke 7, 388; 10, 586.   IB

Hinsmann, Friedrich, * 7. 1. 1876 Essen; n. kaufmänn. Ausbildung Journalist, 1903 Verlagsred. in Dresden, 1905 in Koblenz u. 1906 in München, Red. in Mainz u. seit 1909 in Saarbrücken, zuletzt Verlagsdir. d. «Hamburger Nachrichten».

Schriften: Waltende Hände (Schausp.) 1904; Was du ererbt … (Schausp.) 1906 (4., veränd.

Aufl. 1914); Und Dank für seine Gnade … Offiziers-Tragödie (Wahrheit und Dichtung) 1906 (2., veränd. Aufl. u. d. T.: Kameradschaft, 1914); Theaterelend und kein Ende? … Ein Wort zur Einkehr und Umkehr, 1916; Tempelstürmer. Schauspiel aus dem Gymnasialleben 1917.   RM

Hinterbach, Johannes → Hinderbach, Johannes.

Hinterberger, Ernst, * 17. 10. 1931 Wien; Bibliothekar, Angestellter, lebt in Wien; Erzähler, Dramatiker, Verf. v. Hör- u. Fernsehspielen.

Schriften: Beweisaufnahme (Rom.) 1965; Salz der Erde (Rom.) 1966; Wer fragt nach uns. Geschichten von kleinen Leuten, armen Hunden und Außenseitern, 1975.   AS

Hinterding, Ludwig, * 8. 10. 1838 Mesum/ Westf., Todesdatum u. -ort unbekannt; im Bergwesen tätig, seit 1866 im Staatsdienst, 1868 Sekretär d. Dortmunder Bergamtes, lebte seit 1888 in Mesum im Ruhestand.

Schriften: Auf rother Erde! (Ged.) 1881.   RM

Hinterhäuser, Hans, * 22. 2. 1919 Alzenau; 1960 Habil. Bonn, Prof. f. Roman. Philol. in Bonn u. Kiel, seit 1972 in Wien.

Schriften (Ausw.): Italien zwischen Schwarz und Rot, 1956; Utopie und Wirklichkeit bei Diderot …, 1957; Moderne italienische Lyrik, 1964; Fin de Siècle. Gestalten und Mythen, 1977.

Übersetzungen u. Herausgebertätigkeit (Ausw.): L. Pirandello, Angst vor dem Glück, 1954; ders., Humoresken und Satiren, 1956; D. Diderot, Das erzählerische Gesamtwerk, Bd. 1–3 ff., 1966; Die französische Lyrik von Villon bis zur Gegenwart. Interpretationen, 1974; Jahrhundertende – Jahrhundertwende, 2. Tl., 1976.   RM

Hinterhölzl, Hermann, * 1939 Helfenberg/ Oberöst.; Bäcker, später Arbeiter in e. Lederfabrik, lebt heute als Beamter in Rohrbach. Mundartdichter.

Schriften: Da Mittn zua, 1973.   IB

Hinterhuber, Gustav, * 30. 9. 1854 Salzburg, † 20. 5. 1932 Wien; Schauspieler, Journalist, seit 1892 b. d. Wiener «Volksztg.» tätig. Lyriker, Verf. v. Rom. (vorwiegend in Ztg.).

Schriften: Aus der schönen Heimat. Gedichte in Salzburger Mundart, 1919.   IB

Hinterhuber, Rudolf (Anton), * 17.6.1802
Stein/Niederöst., † 3.9.1892 Mondsee/Salzburg;
Apotheker u. Botaniker. S. Melodr. u. Lustsp.
nur in Hs. erhalten. Folklorist u. Erzähler.

Schriften: Der Gebirgsfreund. Ausflüge auf die
Alpen und Hochalpen Salzburgs, 1847 (2. Auflg.
u.d.T.: Die Gebirgswelt, 1854); Podromus
einer Flora des Herzogthumes Salzburg (gem. m.
J.H.) 1851; Aus den Bergen. Geschichten, Sagen, Wanderbilder, 1864; Mondsee und seine
Umgebung, 1869.

Literatur: Wurzbach 9,42; ÖBL 2,323.   IB

Hinterleithner, Herbert, * 25.11.1916 Wien,
† 12.12.1942 Athen (gefallen); studierte in
Wien, Dr. phil., Lyriker.

Schriften: Südliche Terzinen (aus d. Nachlaß)
1947; Welt die wir lieben, Gedichte, 1962.

Literatur: E. Scheibelreiter, ∼: Dem Gedächtnis e. Frühvollendeten, 1943; O. Mauer,
∼ (in: Wort und Wahrheit 9) 1947; A. Kol-
balek, Bibliograph. Nachwort in ∼, Welt die
wir lieben, 1962.   IB

Hinterleithner, Ignaz, * 18.8.1898; Hauptschuldir. in Lambach/Oberöst., Lyriker u. Erzähler.

Schriften: Frau Polt (Nov.) 1947; Nichts als
Worte? (Ged.) 1956; Fabeln, 1956.   IB

Hintersatz, Wilhelm → Harun-el-Raschid-Bey,
Wilhelm.

Hinterwaldler (Ps. f. Johann Datzberger),
* 16.4.1850 Haag b. Amstetten/Oberöst., † 8.1.
1924 Schmiedsberg-Amstetten. Bauer ebd.,
Mundartdichter.

Schriften: Der Hinterwaldler als Bauern-Poet
aus dem Mostviertel. Ein Streifzug durch seine
Poesie mit acht Bildern aus seinem Leben (bearb.
u. hg. A. Herbst) 1952.   IB

Hintmann, Friedrich, * 6.6.1858 Süderhastedt/
Dithmarschen; Lehrer in Barlt u. seit 1885 in
Neuenkirchen, zeitweilig Rektor.

Schriften: De Pflegedochter oder Heemliche
Leev (Volksst.) 1908; De Bleier (Lsp.) 1912;
Gloov und Leev ünnern Wihnachtsboom (Weihnachtsfestsp.) 1924; Blau-Weiß-Rot (Schausp.)
1924; De Brügghof oder Dütsche Bröderschöpp
(Volksst.) 1924; Daags vör de Hochtied (Lsp.)
1925; De Hölp (Volksst.) 1925; Bauernehre. Dithmarscher Volks- und Familienroman, 1927.   RM

Hintz, Werner Erich (Ps. Heinz Wertner, Onkel Tobias), * 29.4.1907 Berlin; lebt ebd., Romanautor, Verf. v. Hör- u. Fernsehspielen.

Schriften: Seine Exzellenz der Hochstapler.
Ein humoristischer Kriminalroman, 1930; Masken um Gundula, 1933; Spuk auf der Atlanta,
1933; Spionin wider Willen, 1933; Liebe,
kleine Gisela!, 1934; Alles auf eine Karte, 1934;
Die glückliche Hand. Roman eines Hochstaplers,
1935; Die letzte Seite fehlt!, 1935; Die seltsame Frau Corsignac, 1936; Der Tod lauert im
Moor, 1937; Die drei aus dem Niemandsland,
1937; Am Rande der Welt, 1938; Sturm über
Norderhöft, 1938; Harald und die Hunderttausend, 1938; Fahrt ins Niemandsland, 1938;
Schöne Frau, wer bist Du?, 1938; Das Mädchen
Tilly, 1938; Das letzte Abenteuer, 1940;
Schattenspiel im Grand-Hotel, 1940; Die Faust
des Sabatani, 1940; Das Haus gegenüber, 1940;
Der 13. Gast, 1940; Geheimnis einer Nacht,
1941; Heute machen wir Kasperletheater (mit
L. Hintz) 1952; Peter, benimm dich! Ein «guter Ton» für kleine Leute, 1954; Aus der Jugendzeit. Von Onkel Tobias, 1954; Wann hei-
rate ich meinen Chef?, 1957; Kasperlespiele.
Eine Sammlung von Stücken für die Puppenbühne mit Bastelanweisungen, 1961 (auch u. d.
T.: Kasperlespielbuch); Anschlag auf den Pa-
zifik-Expreß. Ein spannendes Hörspiel (Schallpl.)
1974.   AS

Hintz-Vonthron, Erna, (Ps. f. Erna Krell)
* 24.12.1907 Essen; lebt ebd., verheiratet mit
d. Plastiker Bruno Krell; Lyrikerin.

Schriften: Nimm nicht das Schwert (Ged.)
1953; Harfe im Wind (Ged.) 1968; Fülle des
Lebens (Ged.) 1976; Träume in Stein. Bildge-
dichte zu Plastiken von Bruno Krell, 1977.   AS

Hintze, Carl Ernst, * 5.12.1899 Wanzleben/
Bez. Magdeburg, † 11./12.12.1931 Halle; Teilnahme am 1. Weltkrieg, studierte dann Germanistik, Gesch., Kunstgesch. u. Nationalökonomie
in Halle, Heidelberg u. Kiel. Später als Journalist
an versch. Ztg. tätig. Reisen n. Frankreich, Holland u. Italien.

Schriften: Die endlose Straße (gem. m. S.
Graff) 1926; Erlebnis am Wege (Erz.) 1939;
Weg und Werk. Nachgelassene Dichtungen (Nov.,
Dr., hg. u. eingel. v. R. Miksch-Behrensdorf)
1939.   IB

Hintze, Leo, * 30.7.1900 Graz; Dr. phil., Sekretär, später Ministerialrat, seit 1939 in Wien,
Erz. u. Lyriker.

Schriften: Vom einsamen Weg (Nov.) 1920.   IB

Hintze, Otto, * 27.8.1861 Pyritz in Pommern, † 25.4.1940 Berlin; studierte Philos.,
Gesch. u. Philol., 1895 Privatdoz. f. neuere
Gesch. in Berlin, 1899 a.o. und 1909 o. Prof.
ebd. Verf. v. Fachschr. sowie Essayist.

Schriften (Ausw.): Historische und politische
Aufsätze, 4 Bde., 1908; Wesen und Verbreitung
des Feudalismus, 1929; Wesen und Wandlung
des modernen Staates, 1931; Ehr'n Dieckmann's
Lebensweg. Aus dem Leben des Eiderstedter
Pastoren vor hundert Jahren, 1931; Die Entstehung des modernen Staatslebens, 1932; Gesammelte Abhandlungen zur allgemeinen Verfassungsgeschichte, 3 Bde., 1941–43.

Nachlaß: Dt. Zentralarchiv, Abt. Merseburg,
Dte. Staatsbibl. Berlin; – Mommsen Nr. 1682;
Nachlässe DDR III, Nr. 409.

Literatur: NDB 9, 194; BWG 1, 1170. – H.
WARTENBERG, ~ als Geschichtsdenker, e. Beitr.
z. Analyse d. neuzeitl. Gesch.denkens. (Diss.,
Freie Univ. Berlin) 1952; HARTUNG, Nachruf
auf ~. (in: Jb. d. dt. Akad. d. Wiss., Berlin)
1952; M. COVENSKY, ~ and Historicism. A
Study in Transformation of German Historical
Thought. (Diss., Michigan) 1954; G. OESTREICH,
~s Stellung z. Politikwiss. u. Soziologie. (in: ~,
Ges. Abh. II) ²1964; E. KÖHLER, Bildungsbür-
gertum u. natürl. Politik. E. Studie z. polit.
Denkens ~s. (Diss., Freiburg/Br.) 1968.   IB

Hinüber, August (Ps. A.H. Nonnenholz), * 17.
7.1852 Nonnenholz b. Witzenhausen; Buchhändler in Göttingen, 1873–81 Buchhalter e.
Freiherrn, dann Rezitator Shakespeares u. Reu-
ters, 1886–91 Beamter in Göttingen, seither
Schriftst. in Leipzig.

Schriften: Dämmerungen (Lieder) 1870 (2.
Aufl. u.d.T.: Lieder und Romanzen, 1883);
Freunde und Brüder (Nov.) 1872; Das Lied vom
Genius. Eine Goethestudie, 1884; Verbesse-
rungsvorschläge. Zeitfragen, angeregt oder aufs
neue angeregt, 1892.   RM

Hinze, (Johann Georg Christian) Friedrich (Ps.
Heimbertsohn), * 4.7.11. 1804 Lübeck, † 1.9.
1857 Petersburg; Sohn v. Heimbert Paul Fried-

rich H., nach kaufmänn. Lehre Medizinstudium,
1830 Dr. med., Choleraarzt in Rußland, Spi-
talarzt in Petersburg. Hg. d. «Magazins f. dt.
Leser in Rußland» (1837–40), Mitarb. versch.
lit. Jahrbücher.

Schriften: Rußland's Trauer. Ein allegorisches
Gedicht auf den Tod des Kaisers Alexander's I.,
1826; Die Hausbälle der deutschen Familien in
St. Petersburg ..., 1843; Poetische Schriften
(mit biogr. Vorwort hg. F. Meyer v. Waldeck)
3 Bde., 1859–64 (Neuausg. d. 1. Bd.s u.d.T.:
Gedichte, 1892).

Literatur: Goedeke 15, 139.   RM

Hinze, Heimbert Paul Friedrich, * 1771 Braunschweig, † Dez. 1840 Lübeck; Schauspieler in
Amsterdam, Lübeck u. seit 1814 in Braunschweig. U.a. Mitarb. an Schillers «Neuer Thalia» (1792), an Reichards «Theaterkalender»
(1787–89), an d. «Abendztg.» (1819). Dramatiker.

Schriften: Die Erben (Lsp.) 1798; Almanach
dramatischer Spiele (Künstlers Fegefeuer – Oben
und unten – Karl und Louise – Ein Streich zum
Totlachen – Adams sieben Söhne) 1815 (auch
u.d.T.: Dramatischer Almanach für Freunde des
Scherzes und froher Laune. Ein Neujahrsgeschenk 1814, 1815); Der Fackelträger von Cre-
mona (Schausp.) 1821.

Handschriften: Frels 132.

Literatur: Meusel-Hamberger 9, 595; 14, 145;
18, 173; Goedeke 5, 386; 7, 369; Theater-Lex.
1, 798.   IB

Hinze, Rolf, * 5.2.1922 Ostur a.d. Oste/Kr.
Neuhaus; Dr. iur., Rechtsanwalt, lebt in Düsseldorf.

Schriften: Plenni dawai. Nachkriegsdrama hinter Stacheldraht. Ein Dokumentarbericht, 1974
(2., bearb. Aufl. 1975).   AS

Hinzelmann, E(lsa) M(argot) → Hauser, Margrit.

Hinzelmann, Hans-Heinz, * 3.4.1889 Lübeck,
† 25.6.1970 Berlin; studierte in Jena u. Bonn,
Theaterintendant, freier Schriftst. in Hamburg
u. später in Berlin. Librettist u. Erzähler.

Schriften: Sandro, der Narr, 1916; Die Sünder
vom Heiligen Geist. Roman einer Familie aus der
Rennaissance, 1919; Der Geliebte der Frau Ka-

stellanin. Ein Roman aus Alt-Dresden. Getreulich berichtet, 1919; Achtung! Der Otto Puppe kommt (Rom.) 1928; Der Freund und die Frau des Kriegsblinden Hinkeldey (Rom.) 1930; Im Kampf zwischen Gestern und Morgen (Rom.) 1931; Der Konzern der Galgenvögel. Ein Roman über gelehrte Herren, Industrielle, schöne Frauen und Einbrecher, 1932; Sixtus und Elisabeth, 1935; O China, Land aus alten Wegen. Wahrhaftige Entdeckungen auf einer west-östlichen Lebensfahrt, 1948; Chinesen und fremde Teufel. Der Roman von den fünftausendjährigen Geheimnissen in China, 1950.

Literatur: Theater-Lex. 1,799.   IB

Hinzpeter, Georg (Ernst), * 9.10.1827 Horst-Emscher/Westf., † 29.12.1907 Bielefeld; Studium alter Sprachen, d. Gesch. u. Geogr., 1850 Promotion, Hauslehrer in versch. Orten, seit 1866 Erzieher u. Lehrer d. spätern Kaisers Wilhelm II. in Berlin, lebte seit 1877 als Vertrauter d. Berliner Hofes in Bielefeld. Mitgl. d. Staatsrates, Wirkl. Geh. Rat, Mitgl. d. Herrenhauses (1904).

Schriften (Ausw.): Philipp der Großmütige, 1878; Kaiser Wilhelm II. Eine Skizze nach der Natur gezeichnet, 1888; Der Große Kurfürst auf der Sparrenburg, 1900.

Nachlaß: Brandenburg. – Preuß. Hausarch. Berlin-Charlottenburg (Verbleib unbekannt). – Mommsen Nr. 1685.

Literatur: Biogr. Jb. 12,184; NDB 9,198. – F. FLASKAMP, ~, e. westf. Schulmann (in: Westf. Zs. 112) 1962.   RM

Hiob, mdt. Reimparaphrase d. Buches Hiob, 1338 beendet u. d. Hochmeister Dietrich v. Altenburg gewidmet, d. Verf. ist unbek., lebte wohl im Gebiet d. Dt. Ordens. Er hat d. Bibeltext sowohl übers. als auch frei wiedergegeben, in kleine Tle. aufgegliedert u. zahlr. Erläuterungen u. popularisierende Erklärungen eingeschoben. Wichtigste Quelle f. d. Auslegungen war wahrsch. d. Postilla d. Nikolaus v. Lyra, stilist. Vorbild war Tilo v. Kulm, mit dessen «Ingesigeln» H. z.T. wörtl. Übereinstimmungen aufweist.

Ausgabe: T.E. KARSTEN, Die mitteldeutsche poetische Paraphrase des Buches Hiob ..., 1910.

Literatur: VL 2,463; de Boor-Newald 3/1, 494; Ehrismann 2 (Schlußbd.) 675. – W. MÜL-

LER, Über d. mdt. poet. Paraphrase d. Buches ~ (Diss. Halle) 1882; K. HELM, W. ZIESEMER, D. Lit. d. Dt. Ritterordens, 1951.   RM

Hiob, Eberhard, * 14.4.1914 Dresden; Verwaltungs-Angestellter, lebt in Ottobrunn b. München; Jugendbuchautor.

Schriften: Die Reise ins Glück. Eine heitere Erzählung für klein und groß, 1954; Klick und Klack. Die Geschichte zweier Wassertropfen, 1955; Schorschi – der Junge aus dem Zoo, 1963; Neues Land für wilde Tiere, 1968; Die roten Elefanten. Von wilden Tieren, ihren Freunden und Feinden, 1975.   AS

Hiob, Renate, * 8.4.1918 Neu-Ulm; Romanschriftst. in Bad Tölz.

Schriften: Ich liebe Michael (Rom.) 1955.   RM

Hippel, Hildegard von (Ps. f. Hildegard Tiessen, geb. v. Hippel), * 15.4.1872 Hannover, † 22.4. 1937 Berlin; Tochter e. preuß. Offiziers, lebte als Gattin d. Schriftst. Ernst Tiessen in Berlin. Erzählerin.

Schriften: Des Nächsten Ehre (Rom.) 1903; Schweigt und geht! Drei Novellen, 1905; Sei so wie ich (Rom.) 1907; Die kleine Angela. Schweigt und geht (Nov.) 1911; Die Geschichte einer Liebe. Scherzo e grave (Erz.) 1912; Der unbekannte Gott (Rom.) 1913; Siedler (Nov.) 1922; Raubbau (Rom.) 1926; Amor fati (Ged.) 1928.   AS

Hippel, Theodor Gottlieb von, * 31.1.1741 Gerdauen/Ostpr., † 23.4.1796 Königsberg; Vater Rektor, 1756–1760 Studium d. Theol. in Königsberg, 1760–1761 Reisebegleiter nach Petersburg, 1762–1765 Studium der Rechte in Königsberg, 1765 Advokat, danach Kommunalbeamter; 1772 Stadtrat u. Kriminalinspektor, 1780 Bürgermeister u. Polizeidirektor, 1786 Geh. Kriegsrat u. Stadtpräsident; führende Persönlichkeit in Königsberger Kreisen, Freundschaft mit Kant. Lyriker, Dramatiker, Romancier, Popularphilosoph.

Schriften: Sammlung von Gedichten, 1756; Rhapsodien, 1757; Rhapsodie, 1763; Der Mann nach der Uhr oder der ordentliche Mann (Lsp.) 1765; Freimaurerreden, 1768; Die ungewöhnlichen Nebenbuhler (Lsp.) 1768; Geistl. Lieder, 1772; Über die Ehe, 1774, (hg. W.M. Faust) 1972; Pflichten eines Maurers beim Grab eines

Bruders, 1777; Lebensläufe nach aufsteigender Linie, nebst Beilagen A.B.C. (Roman) 4 Bde., 1778–1781; Handzeichnungen nach der Natur, 1790; Zimmermann der I. u. Friedrich der II., 1790; Über die bürgerliche Verbesserung der Weiber, 1792; Kreuz- u. Querzüge des Ritters A bis Z 2 Bde., 1793–1794; Über Gesetzgebung u. Staatenwohl, 1804; Sämmtliche Werke. 14 Bde., 1828–1839.

Nachlaß: Geh. Staatsarch. Berlin; Dt. Zentralarch., Abt. Merseburg. – Mommsen Nr. 1686.

Literatur: ADB 12,463; NDB 9,202; Goedeke 4/1,686. – M. v. HIPPEL, D. Gesch. d. Familie v. H., 1899; J. ČERNY, Sterne, ~ u. Jean Paul, 1904; T. HÖNES, ~ (Diss. Bonn) 1910; H. DEITER, ~ im Urteil s. Zeitgenossen (in: Euphorion 16) 1910; F.J. SCHNEIDER, ~ (1741–1781) 1911; DERS., Stud. zu Hippels Lebensläufen (in: Euphorion 23) 1921; F. WERNER, D. Todesproblem in d. Werken ~s (Diss. Halle) 1938; M. GREINER, ~, 1958; T.C. STOCKUM, ~ u. s. Rom. Lebensläufe nach aufsteigender Linie, Amsterdam 1959; H. VORMUS, ~s Lebensläufe nach aufsteigender Linie (in: EG 21) 1966; U. SCHRÖDER, ~s Kreuz- u. Querzüge d. Ritters A bis Z (Diss. Hamburg) 1972; R. LOSNO, Satire et humeur dans l'oeuvre de ~ (in: Hommage à G. Fourrier) Paris 1973; K.H. ZINCK, ~ u. A. Stifter, 1973; R. LOSNO, Optimisme et pessimisme dans l'oeuvre de ~ (in: Hommage à M. Marache hg. P. LEPINOY) Paris 1972; G.C. LICHTENBERG, ~ u. A. Blumauer (hg. F. BOBERTAG) 1974.   HD

Hippodromus, Paul → Fabricius, Johann Friedrich.

Hirche, Elke, * 23.6.1936 Celle; Kindergärtnerin, wohnt in Vallendar; Kinderbuchautorin.

Schriften: Abdul aus den braunen Bergen, 1970; Der König der wilden Hunde, 1973; Katjas neue Welt, 1974; Lizis wunderbare Entdeckung, 1975; Töchter zählen nicht. Ein Mädchenschicksal aus Afghanistan, 1979.   AS

Hirche, Peter, * 2.6.1923 Görlitz; lebt als Schriftst. in Berlin; Verf. v. Hörspielen u. Dramen. Gerhart-Hauptmann-Preis 1956, Hörspielpreis 1956, Hörspiel-Preis d. Kriegsblinden 1965, Eichendorff-Preis 1976.

Schriften: Nähe des Todes (Hörsp.) 1958; Miserere (in: WDR-Hörspielbuch) 1965; Die

Heimkehr. Die seltsamste Liebesgeschichte der Welt. Zwei Hörspiele. Mit einer Rede des Autors über das Hörspiel, 1967; u.a. ungedr. Hörspiele (vgl. Reclams Hörspielführer, 302).

Literatur: Albrecht-Dahlke II, 2, 321. – R. LÜBBREN, Verflüchtigte Wirklichkeit (in: NR 76) 1965; W. MERIDIES, D. schles. Dramatiker ~ (in: D. Schlesier 18) 1966; K. HILDEBRANDT, Unendl. Möglichkeiten an Schönheit u. Bedeutung liegen im Hörsp. Z. 50. Geb.tag d.schles. Dichters ~ (in: Schlesien 19) 1974.   AS

Hirn, Joseph, * 10.7.1848 Sterzing in Tirol, † 7.2.1917 Bregenz; studierte Gesch. u. Geologie in Innsbruck, 1886 Prof. in Innsbruck, 1899 in Wien. Biograph u. Gesch.schreiber.

Schriften (Ausw.): Rudolf von Habsburg, 1874; Erzherzog Ferdinand II von Tirol. Geschichte seiner Regierung und seiner Länder, 2 Bde., 1885–88; Hall am Inn, 1903; Tirols Erhebung im Jahre 1809, 1909; Josef Perntner, 1909; Aus Bozens Franzosenzeit, 1910; Erzherzog Maximillian der Deutschmeister. Regent von Tirol, 1915.

Literatur: ÖBL 2,329. – M. STRAGANTZ, ~ (in: Forsch. u. Mitt. z. Gesch. Tirols 14) 1917; H. v. VOLTELINI, ~. (in: Almanach d. Akad. d. Wiss. zu Wien 67) 1917; A. v. JAKSCH, ~. (in: Carinthia 108) 1918.   IB

Hirnheim (Hirnhaim, Hirnhaym), Hieronymus, * 17.5.1637 Troppau, † 27.8.1679 Hradisch/Mähren; Jesuitenzögling, 1658 Eintritt in d. Prämonstratenserstift Strahov in Prag, 1663 Priesterweihe, Lektor u. Philos.prof. in Prag; 1670 Abt, Begründer d. neuen Klosterbibl. v. Strahov, Visitator u. Generalvikar d. böhm. Ordensprovinz.

Schriften (Ausw.): De Typho generis humani ..., 1676; Meditationes pro singulis anni diebus ex sacra scriptura excerptae, 1678.

Literatur: ADB 12,466; NDB 9,204; LThK 5,381. – J. KLITZNER, ~, Z. dt. Geist im Barock Böhmens, 1943; E. WINTER, D. Josefinismus, ²1962.   RM

Hirnkofen → Wilhelm von Hirnkofen.

Hirsch, (Franz) Arnold (Ps. Eginhard Quelle), * 12.6.1815 Horitz/Böhmen, † 24.11.1896 Wien; studierte Med. in Wien u. München, Arzt, dann freier Schriftst., Reisen in versch.

europäische Länder, Mitarb. am «Öst. Lloyd».
Unter F. Dingelstedts Direktion d. Burgtheaters
Agent b. d. frz. Dramatikern. Dramatiker, so-
wie Bearb. v. frz. Stücken.

Schriften: Der Familien-Diplomat (Schausp.)
1859; Blanca von Bourbon (Tr.) 1860; Sand in
die Augen (Lustsp.) 1861; Eine Tour aus dem
Contre-Tanz oder So paßt's (Lustsp. n. d. frz. v.
Fournier u. Mayer) 1862.

Literatur: Wurzbach 9,45; ÖBL 3,329; Biogr.
Jb. 1,341; Theater-Lex. 1,799.   IB

Hirsch, Emanuel, * 14.6.1888 Bentwisch, Kr.
Westpriegnitz, † 17.7.1972 Göttingen; Dr.
theol., seit 1921 o. Prof. für system. Theol. u.
neuere Geistes- u. Theol.gesch. an der Univ.
Göttingen; Erzähler, seit 1950 Übersetzer der
ges. Werke S. Kierkegaards.

Schriften (theolog. Schr. in Ausw.): Deutschlands Schicksal. Staat, Volk und Menschheit im
Lichte einer ethischen Geschichtsansicht, 1920
(2., erw. Aufl. 1922); Der Wille des Herrn.
Predigten, 1925; Die idealistische Philosophie
und das Christentum (Aufsätze) 1926; Kierke-
gaard-Studien, 3 Bde., 1930–33; Herzgespinste.
Deutsche Märchen, 1932; Geschichte der neuern
evangelischen Theologie. Im Zusammenhang mit
den allgemeinen Bewegungen des europäischen
Denkens, 5 Bde., 1949–53; Rückkehr ins Leben
(Erz.) 1952; Das Herz in der Truhe (Rom.) 1953;
Der Heckenrosengang (Rom.) 1954; Luther-
studien, 2 Bde., 1954; Der neugekerbte Wan-
derstab (Rom.) 1955; Nothnagel (Rom.) 1956;
Die unerbittlichen Gnaden (Erz.) 1958; Frau
Ilsebill – Hans Ungeschick, 1959; Die Braut-
fahrt und andere wunderliche Geschichten, 1960;
Zwiesprache auf dem Wege zu Gott. Ein stilles
Buch, 1960 (2., durchges. Aufl. 1971); Walde-
mar Attichs Wendejahr. Ein Brief- und Tage-
buch, 1961; Geschichten von der Markscheide
(Erz.) 1963; Das Wesen des reformatorischen
Christentums, 1963; Die Waldmagd (Erz.) 1964;
Betrachtungen zu Wort und Geschichte Jesu,
1969; Ethos und Evangelium, 1966; Wege zu
Kierkegaard, 1968.

Literatur: RGG 3,363.   AS

Hirsch, Franz, * 2.5.1844 Thorn, † 18.7.1920
Berlin; Dr. phil., Red. d. «Neuen Bl.» in Berlin.
Lit.- u. Kulturhistoriker, Epiker, Lyriker u.
Dramatiker.

Schriften: Die Oper und der Literaturgeist.
Ein Wort zur Operntextreform, 1868; Der
Freunde Lebewohl. Allegorisches Festspiel, 1869;
Vom deutschen Elsaß, 1870; Illustrierte Geschichte des deutschen Volkes. Für die deutsche
Familie erzählt, 1875; Ännchen von Tharau. Ein
Lied aus alter Zeit, 1882; Geschichte der deutschen Literatur von ihren Anfängen bis auf die
neueste Zeit, 3 Bde., 1884–85; Vagantensang
und Schwerterklang. Lieder aus deutscher Vorzeit, 1889.   IB

Hirsch, Gustav → Hartwig, Gustav.

Hirsch, Helene, * 27.11.1863 Nemoschitz b.
Padubitz, † 13.2.1937 Brünn; Lehrerin in
Brünn. Dramatikerin u. Erzählerin.

Schriften: Ein Auserwählter (Schausp.) 1901;
Im Himmelreich, (Schausp.) 1902; Ihr Wille
(Schausp.) 1906; Die Versöhnung (Volksst.)
1907; Der Anschauungsunterricht. Blätter aus
dem Tagebuch eines Lehrers, 1913; Das Griebl-
haus (Rom.) 1915; Der Pelz (Lustsp.) 1928.

Literatur: ÖBL 2,330; Theater-Lex. 1,700.   IB

Hirsch, Helmut, * 2.9.1907 Wuppertal-Barmen; Dr. phil., emigrierte über Frankreich 1941
nach d. USA, 1945–57 Prof. f. Europ. Gesch. in
Chicago, 1957 Rückkehr nach Dtl., Leiter d. Aus-
landinst. Dortmund, versch. Lehraufträge, seit
1973 Honorarprof. an d. Gesamthochschule
Duisburg. Mitarb. d. Encycl. Brit. sowie versch.
hist. Zeitschriften.

Schriften (Ausw.): Amerika, du Morgenröte.
Verse eines Flüchtlings (1939–42), New York
1947; Denker und Kämpfer. Gesammelte Beiträge zur Geschichte der Arbeiterbewegung,
1955; Ferdinand Lassalle, 1963; C. Baker, Ernest
Hemingway … (aus d. Amerikan. übers.) 1967;
Friedrich Engels, 1968; August Bebel. Sein Leben in Dokumenten, Reden und Schriften, 1968;
Rosa Luxemburg in Selbstzeugnissen und Bilddokumenten, 1969; Eduard Bernsteins Briefwechsel mit Friedrich Engels (hg.) 1970; August Bebel, Pionier unserer Zeit, 1973; Der «Fabier»
Eduard Bernstein …, 1977.

Literatur: Im Gegenstrom. Für ~ z. Siebzigsten
(hg. H. SCHALLENBERGER, H. SCHREY) 1977.   RM

Hirsch, Hermann, * 25.8.1900 Weikersheim/
Kr. Mergentheim; Historiker, stellvertretender
Hauptschriftleiter in Stuttgart.

Schriften: Gedanken zur zionistischen Kolonisation ..., 1928; Inquisitoren, Ketzer und Hexen, 1937; Auf steht das Reich gegen Rom, 1938; Der weiße Mantel fällt. Aus den Schicksalsjahren des Deutschen Ritterordens, 1940; Das friderizianische Beispiel, 1941.   RM

Hirsch, Isaak (Ps. Naftali Simon), * 14.4.1836 Oldenburg, † 1899 Hannover; Sohn e. Rabbiners, Kaufmann in Wien, Frankfurt/M., seit 1861 Geschäftsinhaber in Hannover. Red. d. Zs. «Jeschurun» (1883–90).

Schriften: Die Walldorfer (Rom.) 1882; Anna Pelzer (Rom.) 1890.   RM

Hirsch, Jenny (Ps. Fritz Arnefeldt, Franz von Busch, J.N. Heynrichs), * 25.11.1829 Zerbst, † 10.3.1902 Berlin; Tochter e. jüd. Kaufmanns, 1860–64 Red. e. Berliner Frauenzs., nachher freie Schriftst. u. Übers. in Berlin, nahm Anteil an d. Frauenbewegung, redig. 1870–81 die Zs. «Der Frauenanwalt», 1887–92 die «Dt. Hausfrauenztg.»; Romanautorin.

Schriften: J.S. Mills, Die Hörigkeit der Frau (Übers.) 1872; Haus und Gesellschaft in England (mit M. Wall) 1878; Fürstin Frau Mutter. Historische Erzählung aus einem deutschen Kleinstaate zur Zeit Friedrichs des Großen, 1881; Befreit (Nov.) 1882; Die Walldorfer (Rom.) 1882; Der Väter Schuld (Erz.) 1882; Schwere Ketten (Erz.) 1884; Die Erben (Rom.) 1889; Anna Pelzer (Rom.) 1890; Schlangenlist (Erz.) 1891; Irrtümer (Erz.) 1892; Vermißt (Rom.) 1894; Der Amerikaner (Rom.) 1894; Umgarnt (Erz.) 1895; Löwenfelde (Erz.) 1895; Der Amtmann von Rapshagen (Rom.) 2 Bde. 1896; Eine Gedankensünde (Rom.) 1897; Die Juwelen der Tante (Rom.) 1898; Schuldig (Erz.) 1899; Theresens Glück (Rom.) 1899; Märchen (Rom.) 2 Bde., 1900; Auf Umwegen (Rom.) 2 Bde., 1900; Camilla Feinberg (Erz.) 1901; Der Sohn des Sträflings (Rom.) 1902; Verspielt (Krim.rom.) 1905; Ein Opfer der Pflicht (Rom.) 1906.

Literatur: Biogr. Jb. 7, 185; *49.   AS/IB

Hirsch, Karl Ignaz, * 8.1.1893 Groß-Enzersdorf/Niederöst.; † 24.8.1968 Wien; Dr. iur., Rechtsanwalt in Wien.

Schriften: Licht und Schatten, Licht oder Finsternis. Reden und Betrachtungen eines Verteidigers, 1950; Aus der Welt der Paragraphen.

Reden und Betrachtungen, 1959; Im Schatten des Galgens. Ich erinnere mich an einen Mörder, 1960; Geschlecht und Tod. Gedanken zu einem großen Problem, 1962; Das Leben kommt nur einmal, 1964.   AS

Hirsch, Karl Jakob (Ps. Karl Böttner, Andreas bzw. Joe Gassner, Jakobus Joga), * 13.11.1892 Hannover, † 8.7.1952 München; Vater Arzt, 1909–1912 Studium d. Malerei in München, Verbindung zu H. Mann, Lotte Pritzel, ab 1912 wiederholte Aufenthalte in Worpswede, 1914 Paris; 1916–1918 bei d. Fliegertruppe; 1918–1922 Bühnenbildner an d. Berliner Volksbühne, ab 1926 bei d. Jungen Bühne im Lessingtheater; 1934 Schweiz, 1935 USA, 1942–1947 Angestellter beim Civil Service, 1948 Rückkehr nach Deutschland. Illustrator, Maler, Essayist, Kunstkritiker, Erzähler.

Schriften: Acht unveröffentlichte Holzschnitte, 1918; Revolutionäre Kunst, 1919; Zehn Original-Steinzeichnungen zu den Sinfonien G. Mahlers, 1921; Kaiserwetter (Rom.) 1931, (Neu hg. P. Raabe, 1971); Felix und Felicia (Rom.) 1933; Hochzeitsmarsch in Moll (Rom.) 1938; Tagebuch aus dem Dritten Reich (Rom.) 1939; Gestern u. Morgen (Rom.) 1940; Heimkehr zu Gott. Briefe an meinen Sohn, 1946; Es geschah in New York (Märchen) 1948; Deutsches Tagebuch, 1949.

Nachlaß: Akad. d. Künste, Berlin. – Denecke 81.

Literatur: NDB 9, 208; Albrecht-Dahlke II, 2, 221. – H. MAYER, Norddt. Provinz mit Gloria Victoria (in: H.M., Vereinzelte Niederschläge) 1973.   HD

Hirsch, Leo, * 18.1.1903 Posen; Red. am «Berliner Tagbl.», lebt in Berlin-Wilmersdorf.

Schriften: Die Elemente, 1927; Lampion, ein kleiner Roman, 1928; Elisa Radziwill. Die Jugendliebe Kaiser Wilhelm I., 1929; Vorbestraft (Rom.) 1929; Die Dackellieder, 1930; Gespräch im Nebel, 1935; Das Lichterhaus im Walde. Eine Erzählung für die jüdische Jugend, 1936; Jüdische Glaubenswelt, 1962.   IB

Hirsch, Lorenz, * 28.8.1884 Pregarten/Oberöst., † 25.4.1955 Linz/Donau; lebte als Oberlehrer i. R. in Pregarten.

Schriften: Kalchgruber der Bauernadvokat. Fünf Bilder aus dem Vormärz. Nach einer Erzählung und mündlicher Überlieferung, 1924. AS

Hirsch, Marie → Meinhardt, Adalbert.

Hirsch, Max, * 30.12.1832 Halberstadt, † 26. 6.1905 Bad Homburg vor der Höhe; Kaufmann u. Publizist in Magdeburg, 1867 in Berlin, versch. Reisen u.a. n. England u. Schottland, 1869 mit F. Duncker Gründer d. «Hirsch-Dunckerschen Gewerkvereine», Verbandsanwalt u. Hg. d. Ver.organs, 1869–93 Reichstagsabgeordneter.

Schriften (Ausw.): Die hauptsächlichen Streitfragen der Arbeiterbewegung, 1888; Die Arbeiterfrage und die deutschen Gewerkvereine, 1893; Die Entwicklung der Arbeiterbewegungsvereine in Großbritannien und Deutschland, 1896.

Nachlaß: Reichsarch. Potsdam; Dt. Staatsbibl. Berlin (z.Z. Marburg). – Mommsen Nr. 1689; Nachlässe DDR I, Nr. 288.

Literatur: NDB9,205; BWG 1,1173. – A. WEBER, D. Kampf zw. Kapital u. Arbeit, Gewerkschaften u. Arbeitgeberverbänden in Dtl., ²1954; A. CHRISTMANN, Gewerkschaftsbewegung u. Gewerkschaftstheorie, 1963; L. ROSENBERG, Vor 100 Jahren: Gründung d. dt. Gewerkver. (in: Gewerkschaftl. Monatsh. 9) 1968.   RM

Hirsch, Mendel, * 3.3.1833 Oldenburg, †März 1900 Frankfurt/M.; Dr. phil., 1855 Lehrer u. Dir. an d. israelit. Realschule in Frankfurt, seit 1883 auch Leiter d. israelit. Volksschule.

Schriften (Ausw.): Das reine Menschentum im Lichte des Judentums, 1893; Die 12 Propheten (übers. u. erl.) 1900; Gedichte (Neudr.) 1903; Die Klagelieder, 1903.   RM

Hirsch, Michael Christian, * 4.11.1743 Nürnberg, † 17.9.1796 Wien; in versch. Orten im Handel tätig, später Faktor d. Mähr. Leihbank in Brünn u. Mitarb. an mehreren Brünner Bl. (1770–74). Verf. v. kunst- u. kulturhist. Schriften.

Schriften: Das scherzende Orakel am Spieltische des Frauenzimmers, 1777; Abriß und Erklärung aller Künste und Wissenschaften, 1779; Miscellaneen, 1782; Geschichte des Hussitenkrieges und des Conciliums zu Basel von Hrn. Jac. Lenfant, mit wichtigen das Original berichtigenden Noten, wie auch dem Leben und Schriften des Verfassers vermehrt und verb., aus dem Französischen übersetzt, 4 Tle., 1783–84; Der Normännische Spion, oder merkwürdige Begebenheiten des vorgeblichen Barons von Maubert,

Kapuziners, Ritters, Schriftstellers usw. Aus dem Französischen übersetzt, 1783; Supplement zu Lenfants Geschichte des Hussitenkrieges, von J. Beausobre, aus dem Französischen übersetzt, 1785.

Literatur: Wurzbach 9,46; Meusel-Hamberger 3,343; 9,596; 12,342; Goedeke 7,11; Ersch-Gruber II. 8,414.   IB

Hirsch, Paul → Hatvani, Paul.

Hirsch, Richard, * 6.7.1865 Stettin; Dr. phil., wohnte in Berlin-Charlottenburg, Übers. v. Dantes Göttl. Kom., sowie Hg. d. Philosophen Descartes, Spinoza, Kant u. Schopenhauer.

Schriften: Mensch sollst du sein! 1920; Fernab der Straße. Bilder aus stillem Land, 1922; Bis mein Kind zur Schule geht. Verse, 1924; Bilder und Klänge (Ges. Ged.) 1927.   IB

Hirsch, Rudolf, * 1.2.1816 Napajedl/Mähren, † 10.3.1872 Wien; studierte in Wien, auch musikal. Ausbildung, 1840–43 Red. d. «Kometen» (v. K. Herloßsohn begr.) in Leipzig. Dann in öst. Staatsdiensten, 1852 Hofkonzipist in Wien, 1861 Ministerialsekretär. Epiker u. Lyriker.

Schriften: Dramatische Studien, 1.Bd. (auch u.d.T.: Rafaële. Dramatisches Gedicht in vier Abteilungen) 1836; Gallerie lebender Tondichter. Biographisch-kritischer Beitrag, 1836; Frühlingsalbum (Lieder) 1837; Balladen, 1841; Buch der Sonette, 1841; Balladen und Romanzen (Neue Folge) 1845; Soldatenspiegel (Ged.) 1848; Irrgarten der Liebe (Ged.) 1850; Reiser und Reisig (Ged.) 1850; Poetische Schriften, I Balladen und Romanzen, II Sonette und andere Werke, 1851; Balladen und Romanzen (Gesamtausg.) 1853; Stimmen des Volkes. Nachklänge des 18. Februars. Zur Feier der Genesung des Kaisers, 1853; Lieder ohne Weltschmerz, 1854; Eulenspiegel's Tagebuch, 1856; Siesta (Erz.) 2 Bde., 1856; Fresco-Sonette, 1858; Franz Graf Stadion, 1861; Staub von der Reise, 2 Bde., 1861.

Literatur: Wurzbach 9,47; ÖBL 2,331; Albrecht-Dahlke II,2,322; Theater-Lex. 1,800.   IB

Hirsch, Rudolf, * 22.12.1905 Berlin; Dr. phil., Emigration nach Holland (1933), Italien u. wieder Holland, Red. d. Holländ. Enzyklopädie, Mitarb. versch. holländ. Kulturzs., 1948 Lektoratsleiter d. Berman Fischer/Querido-Verlags, Leiter

d. S. Fischer Verlags in Frankfurt/M., 1950–63 Mit-Hg. d. NR, dann Haupt-Hg. (mit andern) d. krit. Hofmannsthal-Ausg. am Freien Dt. Hochstift.

Herausgebertätigkeit (Ausw.): Dichter über ihre Dichtungen (mit W. Vordtriede) 1969 ff.; H. v. Hofmannsthal, Sämtliche Werke (krit. Ausg., mit H. O. Burger u. a.) 1975 ff.; H. v. Hofmannsthal und R. M. Rilke. Briefwechsel 1899–1925 (mit J. Schnack) 1978.

Literatur: Für ∼ z. 70. Geb.tag, 1975.   RM

Hirsch, Rudolf, * 17. 11. 1907 Krefeld; seit 1931 Inhaber d. väterl. Schuhgeschäfts in Krefeld, 1933 Emigrat. nach Holland u. Belgien, 1934 Rückkehr nach Dtl. u. illeg.pol. Arbeit, 1937 Emigrat. nach Palästina, 1949 Rückkehr in die DDR, arbeitete als Gerichtsreporter in Berlin; Erzähler, Jugendbuch- u. Kinderstückautor.

Schriften: Herrn Louisides bittere Mandeln (Jgdb.) 1955; Das gefälschte Logbuch (Rom.) 1956; Als Zeuge in dieser Sache. Berichte aus dem Gerichtsalltag, 1958; Dr. Meyers Zaubertrick. Eine Gerichtsreportage vom Düsseldorfer Prozeß gegen Mitglieder des westdeutschen Friedenskomitees, 1960; Zeuge in vielen anderen Sachen. Aus dem Gerichtsalltag berichtet, 1962; Die Heimfahrt des Rabbi Chanina und andere Erzählungen und Geschichten aus dem Jiddischen (Hg.) 1962; Zeuge in Sachen Liebe und Ehe. Aus dem Gerichtsalltag, 1963; Zeuge mit weinendem und lächelndem Auge. Aus dem Gerichtsalltag, 1964; Zeuge in Ost und West. Aus dem Gerichtsalltag, 1965; Zeuge in neuen Liebes- und Ehesachen. Aus dem Gerichtsalltag, 1966; Ghetto. Berichte aus dem Warschauer Ghetto 1939–1945 (Hg.) 1966; Gehört – unerhört. Aus dem Gerichtsalltag, 1968; Das erste Beste. Ausgewählte Gerichtsreportagen 1950–1960, 1970; Rechtsbrecher – Rechtsprecher. Aus dem Gerichtsalltag, 1971; In Sachen Liebe und Ehe. Ausgewählte Gerichtsreportagen, 1972; Tragikomödien des Alltags. Gerichtsberichte, 1974.

Literatur: Albrecht-Dahlke II, 2, 322.   AS

Hirsch, Samson Raphael (Ps. Ben Usiel), * 20. 6. 1808 Hamburg, † 31. 12. 1888 Frankfurt/M.; 1830 Rabbiner in Oldenburg, 1841 in Emden, 1846 Oberrabbiner v. Mähren u. Öst.-Schlesien, 1849 im mähr. Landtag, seit 1851 Leiter d. Frank-furter «Israelit. Religionsgesellsch.», Gründer versch. Schulen u. jüd. Organisationen, Hg. d. Mschr. «Jeschurun», Übers. u. Kommentator d. Pentateuch (1867–78), d. Psalmen (1882) u. d. jüd. Gebetbuches.

Schriften (Ausw.): Neunzehn Briefe über Judentum, 1836; Choreb oder Versuche über Israels Pflichten in der Zerstreuung, 1838; Erste Mitteilung aus Naphtali's Briefwechsel, 1838; Zweite Mitteilung aus einem Briefwechsel über die neueste Literatur, 1844; Das Prinzip der Gewissensfreiheit, 1874.

Ausgabe: Gesammelte Schriften, 6 Bde., 1902 bis 1912.

Nachlaß: In Privathand. Mikrofilm in The Jewish Hist. General Arch. Jerusalem. – Mommsen Nr. 1691.

Literatur: ADB 50, 363; NDB 9, 210. – J. Rosenheim, D. Bildungsideal ∼s u. d. Ggw., 1935; J. Grünfeld, Three Generations, the Influence of ∼ on the Jewish Life and Thought, 1958; N. Rosenblom, The Nineteen Letters of ∼, a Hegelian Exposition (in: Hist. Judaica 22) 1960; Rabbiner ∼, s. Lehre u. s. Methode (hg. J. Emanuel) 1962.   RM

Hirsch, Samuel, * 8. 9. 1809 Thalfang b. Trier, † 11. 5. 1889 Chicago; 1838–42 Rabbiner in Dessau, 1843 Großrabbiner in Luxemburg, seit 1865 in Philadelphia, lebte zuletzt in Chicago im Ruhestand.

Schriften (Ausw.): Das System der religiösen Anschauungen der Juden und sein Verhältnis zum Heidentum, Christentum und zur absoluten Philosophie ... I, Religionsphilosophie der Juden, 1842 (m. n. e.); Das Judentum, der christliche Staat und die moderne Kritik ..., 1843; Die Humanität als Religion, 1854.

Literatur: NDB 9, 219. – E. L. Fackenheim, ∼ and Hegel (in: Stud. in the 19th Century Jewish Intellectual Hist.) 1964; J. Katz, ∼, Philosopher and Freemason (in: Rev. des Etudes Juives, Hist. Jud. 125) 1966; G. Greenberg, ∼: Jewish Hegelian (in: ebd. 129) 1970; ders., ∼s Absolute Religiosity (in: Judaism 21) New York 1972. RM

Hirschberg, Herbert, * 19. 1. 1881 Gnesen, † 11. 5. 1929 Berlin; Dr. phil. u. Prof. in Berlin. Dramatiker u. Erzähler.

Schriften: Mascha (Tr.) 1905; Fehler (Dr.) 1906; Der Frankfurter Fürstentag. Ein Beitrag zur Geschichte der deutschen Einheitsbestrebung,

1906; Aus der Mappe eines Dramaturgen, 1908; Harry Walden. Eine Würdigung seines Werdeganges. Mit einem persönlichen Beitrag des Künstlers, 1908; Geschichte der herzoglichen Hoftheater zu Coburg und Gotha, 1910; Stilicho (Dr.) 1910; Fatznarr (Dr.) 1914; Asche (Grotesker Rom.) 1915; Die Heilung der Heiligen (Hist. Rom.) 1917; Maskenrausch. Novellen und Episoden, 1920; Vater Adam. Berliner Roman, 1921.

Literatur: Biogr. Jb. 11 (1929) *354; Theater-Lex. 1,800.   IB

Hirschberg, Klara → Lothar, B.

Hirschberg, Leopold, * 6.12.1867 Posen, † 28.9.1929 Berlin; studierte Musik u. Medizin in Berlin, 1891 Dr. med., Doz. in Berlin. Hg., Kulturhistoriker.

Schriften: Erinnerungen eines Bibliophilen, 1919; Die Kriegsmusik der deutschen Klassiker und Romantiker. Aufsätze zur vaterländischen Musikgeschichte als Zeitbild zusammengestellt, 1919; Taschen-Goedeke, 1924; Reliquienschrein des Meisters C. M. v. Weber, 1927.

Herausgebertätigkeit: Rückert-Nachlese, 2 Bde., 1910f.; Das Werk der Günderode, 3 Bde., 1920 bis 1922; E. T. A. Hoffmanns Werke, 14 Bde., 1922; Daumers Werke, 4 Bde., 1924f.; H. L. Wagners Werke, 5 Bde., 1924f.

Literatur: NDB 9,221; Biogr. Jb. 11 (1929) *354.   IB

Hirschberg-Jura, Rudolf (Ps. f. (Karl) Rudolf Hirschberg, weitere Ps.: Rudolf Jura, B. Marinelli), * 31.12.1867 Meißen/Sachsen; Studium der Rechte, Besuch d. Dresdener Konservatoriums, 1893–97 Schauspieler an versch. Bühnen, dann Rezitator; Schriftst. in Straßburg, seit 1902 in Hannover u. dessen Vororten, später in München. Red. versch. Zeitungen.

Schriften: Der tote Liebhaber. Kriminalroman aus der Theaterwelt, 1902; Rechtsanwalt Lohmann (Rom.) 1902; Ein unpoetischer Mensch (Rom.) 1903; Ein großartiger Kerl (Kriminalrom.) 1904; Gehorsame Geister (Rom.) 1904; Der Liebeshandel (Rom.) 1904; Die beiden Katzen, 1904; Die Sonntagsbraut (Erz.) 1904; Hans im Glück (humorist. Rom.) 1905; Die Varietéprinzessin (Rom.) 1905; Zwei Hundertmarkscheine. Der Detektiv ..., 1906; Möblierte Zimmer (Rom.) 1907; Die wahre Kunst. Satirischer

Theaterroman, 1907; Die Villa des Gerechten (humorist. Rom.) 1907; «Sinniges Unsinniges». Cabaret-Dichtungen, 1907; Die Schwiegermutter nach Noten (Burl.) 1908; Primanerliebe (Rom.) 1909; Theatersommer. Roman eines Sommertheaters, 1909; Theaterglück! (Rom.) 1909; Philisters Kinder (Rom.) 1909; Entlarvt (Kriminal-Erz.) 1910; Unglaubliche Geschichten, 1910; «Cabaret». Vortragsdichtungen, 1910; Eine schöne Erzieherin (Erz.) 1912; Vergib uns unsere Schuld! (Rom.) 1912; Harte Liebe (Rom.) 1912; Die Erstlinge (Erz.) 1912 (als Rom. 1918); Zu viel Liebe. Die Freudengöttin, 1913; Das Brillantenfräulein, 1914; Das Ziel, 1915; Das goldene Haar (Kriminal-Rom.) 1916; Der Erbneffe (Rom.) 1917; Läuternde Flammen, 1918; Des süßen Glückes reife Frucht, 1918; Die wahre Kunst, 1918; Heddas Heirat (Rom.) 1920; Das verratene Luftschiff ..., 1920; Die Braut im Koffer (Rom.) 1921; Die giftigen Kaninchen. 78000 Mark (2 Kriminal-Erz.) 1921; Der Preis (Rom.) 1922; Das verlorene Ich ..., 1923; Die Hand des Chinesen ..., 1924; Schminke, Herz und Rampenlicht. Der Roman eines Bühnenvölkchens, 1924; Wenn du nicht kannst – laß mich mal vortragen ... Neue Brettl-Dichtungen, 1924.   RM

Hirscher, Johann Baptist (seit 1836: von), * 20. 1.1788 Alt-Ergarten b. Ravensburg, † 4.9.1865 Freiburg/Br.; studierte in Freiburg, 1817 Prof. d. Theol. in Tübingen, 1837 in Freiburg, 1850 Domdekan. Kathol. Moralphilosoph.

Schriften (Ausw.): Die christliche Moral als Lehre von der Verwirklichung des göttlichen Reiches in der Menschheit, 3 Bde., 1835; Die Geschichte Jesu Christi, des Sohnes Gottes und Weltheilandes, 1839; Katechismus der christkatholischen Religionen, 1842; Erörterungen über die großen religiösen Fragen der Gegenwart, den höheren und mittleren Ständen gewidmet, 1846; Die sozialen Zustände der Gegenwart und der Kirche, 1849; Beitrag zur Homeletik und Katechetik, 1852; Nachgelassene kleine Schriften (hg. H. Rolfus) 1869.

Handschriften u. Nachlaß: Techn. Univ. Dresden. – Nachlässe DDR II, Nr. 207.

Bibliographie: H. Schiel, 1926.

Literatur: ADB 12,470; 13,794; RE 8,145; RGG 3,364; LThK 5,383. – F. Bläcker, ~ u. s. Katechismen, 1953; E. Scharl, Freiheit und Gesetz. D. theolog. Begründung d. christl. Sittlichkeit in d. Moraltheol. ∼s, 1959; J. STELZEN-BERGER, D. Menschenbild ∼s (in: Theol. im Wandel. FS z. 150jähr. Bestehen d. Kath.-theol. Fak. an d. Univ. Tübingen 1817–1967) 1967; J. DORNEICH, D. Reformschriften von ∼ 1848–50 (in: Kurtrierisches Jb. 8) 1968; W. FERBER, ∼. Z. Problemgesch. d. kathol. Bewegung (in: Begegnung 23) 1968; A. EXELER, ∼ (in: Theolog. Quartalschr. 150) 1970; E. KELLER, Gedanken ∼s z. Reform d. Kirche (in: Kirche u. Theol. im XIX. Jh., hg. G. SCHWAIGER) 1975.   IB

Hirschfeld, Christian Kay (Cajus) Lorenz, * 16. 2. 1742 Nüchel b. Eutin, † 20. 1. 1792 Kiel; Prinzenerzieher, bereiste d. Schweiz, 1773 Prof. d. Philos. in Kiel. Reiseberichte, idyllisch-moral. Schriften.

Schriften: Das Landleben, 1767; Gedanken über die moralische Bildung eines jungen Prinzen, 1768; Versuch über den großen Mann, 2 Bde., 1768f.; Ehrengedächtniß des Hrn. Fr. W. Ellenberger von Zinzendorf, 1768; Der Winter, eine moralische Betrachtung, 1769; Briefe über die vornehmsten Merkwürdigkeiten der Schweitz, zum Nutzen junger Reisender, 1768 (neue Ausg. u. d. T.: Briefe die Schweiz betreffend, 1776); Betrachtungen über die heroischen Tugenden, 1770; Vom guten Geschmack in der Philosophie, 1770; Plan der Geschichte, Poesie, Beredsamkeit, Musik, Malerey und Bildhauerkunst unter den Griechen, 1770; Anmerkungen über die Landhäuser und die Gartenkunst, 1773; Neue Theorie der Gartenkunst, 1775; Rede von der moralischen Einwirkung der bildenden Künste, 1775; Von der Gastfreundschaft. Eine Apologie für die Menschheit, 1777; Theorie der Gartenkunst, 5 Bde., 1777–80; Neue Briefe über die Schweitz, 1785; Sammlung einiger Abhandlungen aus der Philosophie und Moral, 1786; Handbuch der Fruchtbaumzucht, 2 Tle., 1788; Kleine Gartenbibliothek, 1791.

Nachlässe und Handschriften: Staatsbibl. Berlin; Gleimhaus Halberstadt; Univ.-Bibl. Leipzig; Goethe-Schiller Archiv Weimar; Stadtbibl. Wien. – Frels 133.

Literatur: ADB 50,365; NDB 9,222; Jördens 2,415; 6,36; Goedeke 4/1,103; Ersch-Gruber II.8,425. – M. Gräfin LANCKORONSKA, «D. Landleben» v. ∼. Empfindsame Liebe z. Natur im Umkreis d. jungen Goethe (in: Jb. d. Slg. Kippenberg, NF 1) 1963.   IB

Hirschfeld, Franz (Ps. f. Franz Röhr), * 15.5. 1868 Kottbus, † 15.11.1924; war Verwaltungsbeamter, später Stadtrat u. Bankdir. in Berlin; Verf. v. Schwänken u. a. Bühnenstücken (meist ungedr.).

Schriften: Dur- und Moll-Novellen, 1896; Der Frechdachs (Schw.) 1911; Elektra (Nov.) 1923; Gedichte. Des Lebens Kreis, 1924.

Literatur: Theater-Lex. 1,801.   AS

Hirschfeld, Georg, * 11.2.1873 Berlin, † 17.1. 1942 München; Vater Fabrikant; 1890–1893 Kaufmannslehre, 1893–1894 Philos.- u. Lit.studium in München, 1905 in d. Künstlerkolonie Dachau, ab 1912 als freier Schriftst. in München-Großhadern, Verbindung zu O. Brahm, G. Hauptmann, Fontane. Dramatiker, Erzähler.

Schriften: Dämon Kleist. Novellen, 1895; Der Bergsee, 1896; Zu Hause (Dr.) 1896; Die Mütter (Schausp.) 1896; Agnes Jordan (Schausp.) 1897; Pauline (Kom.) 1899; Der junge Goldner (Kom.) 1901; Freundschaft (Nov.) 1902; Der Weg zum Licht. Salzburger Märchendrama, 1902; Nebeneinander (Schausp.) 1904; Erlebnis und andere Novellen, 1905; Der verschlossene Garten. Novellen, 1905; Das grüne Band (Rom.) 1906; Michael Lewinoffs deutsche Liebe (Nov.) 1906; Ein Requiem (Nov.) 1906; Spätfrühling (Lsp.) 1906; Das Mädchen von Lille (Rom.) 1907; Mieze und Maria (Kom.) 1907; Der Wirt von Veladuz (Rom.) 1907; Haus aus einer anderen Welt (Rom.) 1909; Die Madonna im ewigen Schnee (Erz.) 1909; Auf der Schaukel und andere Novellen, 1909; Das zweite Leben (Dr.) 1910; Die Nixe von Güldensee. Märchen der Gegenwart, 1910; Angst um Emma und andere Geschichten, 1911; Rasten und Gefahren. Novellen, 1911; Der Kampf der weißen und roten Rose (Rom.) 1912; Onkel und Tante Vantee (Rom.) 1913; Pension Zweifel (Rom.) 1913; Überwinder (Dr.) 1913; Das Wunder von Oberpurzelsheim. Das Recht auf den Tod. Zwei Novellen, 1913; Die Belowsche Ecke (Rom.) 1914; Rösickes Geist (Kom.) 1914; Nachwelt. Der Roman eines Starken, 1914; Die deutsche Prinzessin (Rom.) 1914; Der japanische Garten (Rom.) 1915; Das Kreuz der Wahrheit (Rom.) 1915; Das tote Leben (Dr.) 1915; Die geborgte Sonne (Rom.) 1916; Drei Reiche. Erzählungen, 1917; Gottfried und Hinda (Nov.) 1918; König Mooseder (Rom.) 1918; Die japanische Ente und andere Novellen, 1919; Die

Hände der Thea Sigrüner (Rom.) 1919; Der Patrizier. Ein Liebeskampf im Bürgertum (Rom.) 1919; Die Phantasiebraut (Rom.) 1919; Der Ruf im Manne (Nov.) 1919; Die Tanzseele (Rom.) 1920; Der Unmögliche (Erz.) 1920; Das hohe Ziel (Tr.) 1920; Der Herr Kammersänger (Rom.) 1921; Die Frau im Feuer (Rom.) 1922; Die Jagd auf Ubbeloh (Erz.) 1922; Das schöne Mädel (Rom.) 1922; Das Haus mit der Pergola. Ein fröhlicher Roman, 1923; Das Blut der Messalina (Rom.) 1924; Otto Brahm. Briefe und Erinnerungen, mitgeteilt, 1925; Der Mann im Morgendämmer (Rom.) 1925; Frau Rietschel das Kind (Rom.) 1925; Lord Byron, 1926; Die Bude. Ein Theaterroman, 1927; Opalritter (Rom.) 1927; Der große Teppich (Rom.) 1927; Das Heiligenblut (Rom.) 1930; Die Frau mit den hundert Masken (Rom.) 1931.

Literatur: R. STIGLITZ, D. dramat. Werk ~s (Diss. Wien) 1958.   HD

Hirschfeld, Hedwig → Hassel, Hedwig.

Hirschfeld, Hermann (Ps. Walter Vogel), * 27. 11.1842 Hamburg, † 1921 Neu-Isenburg/Hessen; Kaufmann, dann Schriftst. in Italien, 1877 in Wiesbaden, 1882 in Homburg vor der Höhe u. seit 1896 in Neu-Isenburg.

Schriften: Spätes Erkennen (Nov.) 1868; Carrière (Nov.) 1870; Novellen aus dem deutsch-französischen Kriege ..., 1871; Die Einsiedler von der Hallig (Nov.) 1872; Die von der Rhön (Nov.) 1874; Schwindelnde Bahn (Nov.) 1875; Ein Thronerbe (Rom.) 1881; Vom Ahn zum Enkel (Rom.) 1881; Cäsarenfrevel (Rom.) 1882; Salonnovellen. Gesammelte Erzählungen, 1885; Die feindlichen Brüder ... (Erz.) 1886; Die Komödiantentoni (Nov.) 1887; Die Kompagnie des Königs (hist. Rom.) 1890; Ritterliche Knaben. Gesammelte Erzählungen ..., 2 Bde., 1891 f.; Der Talisman des Inders ..., 1892; Für die Jugend. Ausgewählte Erzählungen, 1893; Königsehe (hist. Erz.) 1893; «Unser Fritz» als Gefangener und andere Geschichten für die Jugend, 1895; Geschichtenbuch für die Jugend ..., 1895; Brudertreue, Erzählung für die Jugend ..., 1899; Der Page des Königs von Navarra ..., 1899; Ein Pariser Aschenbrödel oder Durch Leid zu Ehren. Waisengrün (2 Erz.) 1899; Der goldene Stiefel. Die Sükler-Sparbücher. Das Feuerzeug (3 Erz.) 1899; Auf dem Kellingshof ..., 1900; Einfache Leute (Erz.) 1901; Die Last der Krone ..., 1902;

Grandiers Sohn. Erzählung aus der Reformationszeit, 1903; Die Ehre des Hauses. Erzählung für Mädchen, 1904; Der treue Freund oder Doktor Wunder, 1904; Ich hatt' einen Kameraden ..., 1904; Der Knabenmörder Döpcke und andere Verbrecher, 1904; Ein böser Schwur (Erz.) 1906; Am Winterfeuer (Erz.) 1906; Die Fürstin von Mirandola (Erz.) 1907; Die Polenprinzessin. Die Stickerin von Mainz (2 hist. Erz.) 1908; Herrn Fersenfels' Testament. Der Ruf. Der falsche Bosco (3 Erz.) 1909; Wer? Wohl geborgen (2 Nov.) 1909; Das Diadem des Goldschmieds und andere Erzählungen, 1910; Juda oder – Maria und andere Erzählungen, 1910; Vier Novellen, 1911; Der Pflegesohn des Waffenmeisters (Erz.) 1912; Durch Wolken zu Sonnenschein (Erz.) 1912; Sigurds Gesellenstück. Der Geburtstag des Herrn Martens (2 Erz.) 1912; Königsvermächtnis und andere Erzählungen, 1912; Onkel Knobels Zopf. Das Vermächtnis. Die Blumenkrone (3 Erz.) 1912; Jean Rousseaus Tornister und andere Erzählungen, 1912; Kaufmann und Künstler (Rom.) 1915; Wiederkehr ..., 1917; Die von Wolfshagen (Rom.) 1923; Das Geheimnis einer Nacht (Rom.) 1928.   RM

Hirschfeld, Johann Baptist, Lebensdaten unbek.; Schausp., Erz. u. Bühnenschriftst. f. d. Wr. Vorstadtbühne.

Schriften: Die Kirschen, oder: Der Fürst und der kleine Page (Lustsp. n. e. wahren Anekdote) 1806; Das Andenken, oder Lesen Sie und es wird Sie nicht reuen. Ein Abschiedgeschenk den edlen Bewohnern Oedenburgs, 1806; Die Kinder der Phantasie oder Ein halb Dutzend kleine Erzählungen, 1810; Die Belagerung von Wien im Jahre 1683, 1810; Der Landwehrist, 1810; Krakus, Fürst von Krakau, oder Frauengröße und Vaterliebe, 1811.

Literatur: Goedeke 7,37; 11/2, 198.   IB

Hirschfeld, Kurt, * 10.3.1902 Lehrte b. Hannover, † 8.11.1964 Tegernsee; Studium u. a. d. Philos., Germanistik u. Kunstgesch., dann journalist. tätig u. freier Lektor bei versch. Verlagen, 1929 Dramaturg u. Regisseur in Darmstadt, 1933 Emigration, Dramaturg am Zürcher Schauspielhaus, 1935–38 Korrespondent d. «Neuen Zürcher Ztg.» in Moskau, Initiator d. «Neuen Schausp. AG» in Zürich, 1946 Vizedir. u. 1961 Dir. d. Schauspielhauses. Hg. d. «Bll. d. Zürcher Schauspielhauses» u. d. «Beitr. z. zwanzigjährigen Be-

stehen d. Neuen Schausp. AG». Großer Niedersächs. Kunstpreis (1963).

Schriften: Bestiarium theatrale, 1943; Abschied.
Briefe und Aufzeichnungen von Epikur bis in un-
sere Tage (hg., mit W. M. Treichlinger) 1944;
Theater. Meinungen und Erfahrungen, 1945;
Schauspielhaus Zürich 1938–1958 (mit P. Löff-
ler) 1958.

Literatur: NDB 9,225; HdG 2,382. – G.
SCHOOP, D. Zürcher Schauspielhaus im 2. Weltkrieg, 1957; Theater – Wahrheit und Wirklichkeit. Freundesgabe z. 60. Geb.tag ∼s ..., 1962;
C. RIESS, Sein oder Nichtsein. D. Rom. e. Theaters, 1963; Dank an ∼, 1964; A. JOSEPH, Theater unter vier Augen, 1969.   RM

Hirschfeld, Leo → Feld, Leo.

Hirschfeld, Ludwig, * 21.5.1882 Wien, † 8.5.
1945 ebd.; war Red. d. «Neuen Freien Presse»
u. d. «Modernen Welt» in Wien; Erzähler, Verf.
von Lustspielen u. Operetten (nur z. T. gedruckt).

Schriften: Der junge Fellner. Ein junger Mensch
aus gutem Hause, 1902; Ferien in Gossensass,
1905; Paukzeit. Sechs Wochen Heldentum,
1906; Wir kennen uns. Gemütliche, gereizte und
nachdenkliche Skizzen aus Wien, 1909; Die plötz-
liche Insel (Nov.) 1912; Die klingende Stadt.
Skizzen aus dem lauten und dem stilleren Wien,
1912; Das sind Zeiten! Gut und schlecht gelaunte
Skizzen, 1913; Jupiter in der Wolke (Nov.)
1913; Die verflixte Liebe (Kom.) 1914; Der berühmte Gabriel (Operette mit E. Eysler) 1916;
Manzi und Mully. Eine junge Ehe in Humoresken,
1921; Wo sind die Zeiten ... 10 Jahre Wien in
Skizzen, 1921; Ein Jahr ohne Liebe (Operette mit
L. Ascher) 1923; Die silberne Tänzerin (Operette
mit J. Bittner) 1924; Die Dame mit den zwei
Herzen (Lsp.) 1924; Das Buch von Wien, 1927;
Tennis, Bridge und Eheglück. Die Geschichten
von Manzi und Mully, 1927; Die Frau, die jeder
sucht (Lsp.) 1928; Fernlügen. Lustspiel von morgen in drei Akten, 1929; Die verflixte Liebe. Das
schwedische Zündholz (Lsp.) 1931; Auslandsreisen. Ein Stück in drei Akten aus einer Zeit, in der
alles möglich ist (mit R. Oesterreicher) 1932.

Literatur: Theater-Lex. 1,802.   AS

Hirschfeld, Max (Ps. Max Feder, MacClown),
* 13.8.1860 Kaukehmen bei Tilsit, † 4.10.1944
Berlin; Dr. phil., lebte in Berlin, seit 1898 Hg.

d. Zs. «Die Feder», gründete 1900 d. Allg.
Schriftstellerverband; Erzähler, Verf. v. Feuilletons u. Humoresken.

Schriften: Assessor Kranichs Briefe aus dem Jenseits, 1885; Kleine Humoresken, 1890; Heern Se
mal! Humoresken in ostpreußischer Mundart,
1897; Humoresken und Burlesken, 1898; Aus
der Mappe des Arizona-Kicker, 1900; Was liegt
daran (Nov.) 1902; Aber, aber! Humoristische
Brettl-Vorträge und Aufführungen, 1902; Die
Häßliche und anderes (Nov.) 1903; Sammelbuch
deutscher Schriftsteller der Gegenwart. Proben
aus ihren Werken (Hg.) 1912; Keenichsberjer
Klops, 1917; Die Tänzerin (Rom.) 1919; Im
Zuchthaus (Rom.) 1920; Wie vertrage ich mich
mit meiner Frau? Nach den Erfahrungen eines
mehrfach Verheirateten, 1921.   AS

Hirschfeld, Pauli (Pauline) von (geb. v.
Wurmb), * 6.6.1890 Gut Porstendorf b. Cam-
burg/Saale; lebte auf d. Rittergut Porstendorf.

Schriften: Heimweg im Wetterleuchten (Rom.)
1938.   RM

Hirschfeld, Viktor → Léon, Viktor.

Hirschfelder, Bernhard, 15./16. Jh.; Schulmeister in Nördlingen. Verf. um 1500 e. mnemo-
techn. Schr. «ars memorativa» (überl. cgm.
4413), welche fast gänzlich auf Hartliebs «Kunst
des gedechtnüss» (um 1430–32) zurückgeht.

Literatur: de Boor-Newald 4/1,352. – P. AS-
SION, Altdt. Fachlit., 1973.   RM

Hirsching, Friedrich Karl Gottlob, * 21.12.
1762 Uffenheim, † 11.3.1800 Erlangen; Studium
in Erlangen, Schüler u. a. J. G. Meusels, 1792 a.o.
Prof. f. Philos. in Erlangen, 1796 Mitgl. d. Akad.
nützl. Wiss. in Erfurt. Verf. zahlr. Nachschlage-
werke.

Schriften (Ausw.): Versuch einer Beschreibung
sehenswürdiger Bibliotheken ..., 4 Bde., 1786 bis
1791; Historisch-kritisches Handbuch berühmter
und denkwürdiger Personen ..., 17 Bde., 1794
bis 1815 [ab Bd. 6 fortgef. v. J. H. M. Ernesti].

Literatur: NDB 9,228; Meusel-Hamberger 3,
345. – H. SCHREIBER, E. Erlanger Bibliotheken-
kenner d. 18. Jh., ∼ (in: Zeugnisse fränk. Kultur) 1931; Handbuch d. Bibl.wiss., ²1952–65
[bes. Bd. 2 u. 3].   RM

Hirschler, Anna → Forstenheim, Anna.

Hirschler, Ivo (Ps. f. Adolf Hirschler), * 26.10. 1931 Stadl a. d. Mur/Steiermark; Journalist in Graz, Förderungspreis – Öst. Staatspreis 1961, Erzähler.

Schriften: Tränen für den Sieger, 1961; Denn das Gras steht wieder auf, 1962; Triebholz, 1965 (Vorabdr. u. d. T.: Ein Köder für Haie, 1965); Pauschalreise in die Hölle, Spionageroman, 1966; Der Unfall des Mr. Ross (Kriminalrom.) 1968. IB

Hirschmann, Ferdinand, * 14.8.1931 Zipser Bela/CSR; freier Journalist u. Schriftsteller.

Schriften: Psalmen der Einsamkeit, 1958. IB

Hirschmann, Jakob, * 1.2.1804 Sprendlingen/ Hessen, † 12.2.1865 ebd.; Landwirt u. Bürgermeister s. Heimatgemeinde. Bauerndichter.

Schriften: Gedichte (hg. H. Sander) 1866.

Literatur: W. Hoffmann (in: Hess. Biogr. 2) 1926. IB

Hirschmann, Julie (geb. Langhoff), * 1.2.1812 Berlin, Todesdatum u. -ort unbekannt; 1831 Heirat, seit 1850 Lehrerin u. Leiterin e. Privatschule in Leer/Ostfriesl., lebte seit 1877 in Potsdam u. seit 1894 in Berlin. Kinder- u. Jugendbuchautorin.

Schriften: Blüthenjahre. Novellen für die reifere weibliche Jugend, 1856; Mädchenspiegel ..., 1858; Familienfreuden. Erzählungen und Schilderungen für die reifere weibliche Jugend, 1859; Plauderstündchen. Erzählungen für Kinder ..., 1859; Bunte Blumen ..., 1860; Guckkastenbilder ..., 1862; Histörchen ... für artige Kinder ..., 1862; Der Großonkel ..., 1863; Nach Feierabend ..., 1863; Mußestunden ..., 1864; Lebensmai. Novellen für die reife weibliche Jugend, 1866; Spiegelbilder ..., 1868; Märchenstrauß. Eine Sammlung von schönen Märchen, Sagen und Schwänken, 1876 (3., verm. u. verb. Aufl. 1880); Im Abendrot ..., 1886. RM

Hirschmann, K. A. → Lang, Friedrich Karl.

Hirschmann, Maurice, * 1.11.1876 Wilna, † 14.5.1967 Wien; Red.,lebte in Wien.

Schriften: Anton Pawlowitsch Tschechow. Leben und Werk. Nach russischen Quellen und mit einem Vorwort versehen, 1947.

Übersetzungen (Ausw.): A. Averčenko, Das russische Lachen. Ausgewählte Grotesken, 1925; ders., Was für Lumpen sind doch die Männer, 1937; V. Kataev, Ninotschka, 1946; A.P. Tschechow, Der Liebesbriefkasten, 1948. IB

Hirschner, Fritz (Ps. Friedrich Adolf Rheinau, Samo, Frank Höllger), * 1.10.1899 Bad Kreuznach; war Chefred. in Ludwigshafen, Königsberg, Essen, Koblenz; lebt jetzt das.; Essayist, Erzähler, Herausgeber einer Jgdb.-Reihe.

Schriften: Freundschaft. Ein Bekenntnis, 1920; Köpfe der Zeit, 1932; Musa ben Jussuf. Als erster Weißer am Tschadsee, 1953; Dr. h. c. Peter Altmeier und das Werden von Rheinland-Pfalz. Aus dem Chaos zum Land mit Zukunft, 1975. AS

Hirsekorn, (Karl Wilhelm) Rudolf, * 23.11. 1876 Hamburg-Uhlenhorst; Kaufmann in Dtl. u. England, seit 1900 in Hamburg.

Schriften: Gedichte, 1903. RM

Hirt, Aloys, * 27.6.1759 Behla b. Donaueschingen, † 29.6.1836 Berlin; studierte in Nancy, Freiburg u. Wien, bereiste Italien, seit 1810 Prof. d. Kunstgesch. u. Archäologie in Berlin.

Schriften: Italien und Teutschland in Rücksicht auf Sitten, Gebräuche, Litteratur und Kunst (Zs., hg. gem. m. K.F. Moritz) 1789–91; Bilderbuch für Mythologie, Altertum und Kunst, 1804; Die Baukunst nach den Grundsätzen der Alten, 1808; Der Tempel der Diana zu Ephesos, 1809; Der Tempel Salomons, 1809; Von den ägyptischen Pyramiden überhaupt und von ihrem Baue insbesondere, 1815; Versuch über den allmäligen Anbau und Wasserbau des alten Aegyptens, 1815; Die Hierodulen, 1818; Die Weihe des Eros Uranios, eine Maskerade mit Tänzen, 1819; Über das Leben des Geschichtsschreibers Q. Curtius Rufus, 1820; Geschichte der Baukunst der Alten, 3 Bde., 1820–27 (3. Bd. auch u. d. T.: Lehre von den Gebäuden bei den Griechen und Römern); Vertheidigung der griechischen Baukunst gegen H. Hübsch, 1823; Kunstbemerkungen auf einer Reise über Wittenberg und Meißen nach Dresden und Prag, 1830; Geschichte der bildenden Künste bei den Alten, 1833.

Nachlaß: Landesbibl. Dresden. – Nachlässe DDR III, Nr. 412.

Literatur: ADB 12,474; 15,795; NDB 9,234; Meusel-Hamberger 3,348; 9,596; 11,359; 14, 147; 18,175; 22/2,769. – F. DENK, ~, e. dt. Kunsthistoriker d. Goethezeit (in: Neue Jb. f.

Wiss. u. Jugendbildung 4) 1928; G. ROMMEL, ~
1759–1837 Archäologie (in: Badische Heimat 33)
1953. IB

Hirt, Bernhard J. Adam, * 18.1.1772 Jena, † n.
1830; Advokat in Zittau, 1814 Amtsaktuar in
Dreyssig b. Zeitz, um 1830 preuß. Justiz-Kommissar in Zeitz.

Schriften: Die Jagd. Ein freies Gemählde, 1820.
Literatur: Meusel-Hamberger 22.2,770; Goedeke 13,162. RM

Hirt, Karl Emerich (Ps. Austriacus, Nemesius),
* 19.12.1866 Troppau, † 24.1.1963 Innsbruck;
Vorstand d. Öst.-ungar. Bank in Innsbruck. Epiker, Dramatiker u. Lyriker.

Schriften: Der Heereszug Gottes. Das Bekenntnis eines Deutschen, 1914; Pfingsten, eine Bergandacht (Dg.) 1916; Gott bleibt Sieger. Das
Kriegstagebuch eines Deutschen (Ged.) 1919;
Menschen aus Österreich (Nov.) 1937; Gloria in
dolores. Ein Lebensbild zum fünfzigsten Todestag
der Kaiserin Elisabeth, 1948; Goethe und die
polnische Viktusza (Nov.) 1949; Achter Gesang
aus dem Epos: Der Heereszug Gottes. Zum
Goethe-Jahr 1949, 1949 (auch u.d.T.: Der heilige Krieg).
Literatur: FORMANN, ~ (in: Sudetendt. Dg.)
1961. IB

Hirt-Marszalek, Ursel Renate (Ps. Ursel Renate
Hirt), * 12.11.1903 Sulau/Militsch, † 7.7.1942
Berlin; lebte in Berlin, war Schauspielerin, Verf.
v. Bühnenstücken u. Operetten.

Schriften: Pierrot-Lieder, 1940.
Literatur: Theater-Lex. 1,802. AS

Hirte, Albert, * 20.9.1904 Berlin; Musik- und
Filmreferent, lebte in Berlin, dann in Bremen.

Schriften: Gretel (Ged.) 1921; Der Pan-Kreis
(Ged.) 1928; Träumereien am Hasenwinkeler
Kamin. Erinnerungen an gelebtes Jagen und gejagtes Leben, 1966. AS

Hirth, Friedrich, * 25.7.1878 Wien, † 20.12.
1952 Mainz; studierte in Wien u. Berlin, sowie
München u. Paris, Mittelschulprof. in Prag und
Wien, seit 1919 Prof. in Paris, seit 1946 Ordinarius f. vgl. Literaturwiss. in Mainz.

Schriften: Johann Peter Lyser, der Dichter, Maler Musiker, 1911; H. Heines Briefwechsel (Hg.)
3 Bde., 1914–20, Zensuranekdoten (Hg.) 1919;

J. G. Fichte und die Mainzer Universität, 1946;
Der junge Görres, 1947; Begriff und Ziel des
Journalismus, 1948; H. Heine und seine französischen Freunde, 1949; Vier französische Dichter
unserer Tage. O. F. Bollnow: Das Problem des
Geschichtsbewußtseins in A. Malraux' «Die Nußbäume der Altenburg», 1950; H. Heine, Bausteine zu einer Biographie, 1950. IB

Hirth, Georg, * 13.7.1841 Gräfentonna b. Gotha, † 28.3.1916 Tegernsee; Red. an d. Augsburger «Allg. Ztg.», seit 1871 Verlagsbuchhändler, dann Buchdruckereibesitzer in München,
Mitinhaber d. «Münchner Neuesten Nachrichten». Kulturschriftsteller.

Schriften (Ausw.): Das deutsche Zimmer der
Gotik und Renaissance, des Barock, Roccoco und
Zopfstils, 1880; Das deutsche Zimmer im neunzehnten Jahrhundert, 1899; Kulturgeschichtliches Bilderbuch aus drei Jahrhunderten, 6 Bde.,
1883–90 (Neuausgabe gekürzt 2 Bde., 1924);
Aufgaben der Kunstphysiologie, 1891; Meisterholzschnitte aus vier Jarhunderte 1890–93 (gem.
m. R. Muther).
Literatur: NDB 9,239. – F. C. ENDRES, ~, e.
dt. Publizist, 1921; G. MENZ, ~ (in: D. Zs.-Verleger 44) 1942. IB

Hirth, Wolfram, * 18.1.1900 Stuttgart, † 25.7.
1959; Dipl. Ing., 1931–35 Flugschulleiter, Segelflieger, seit 1940 Geschäftsführer d. Wolf Hirth
GmbH Nabern/Teck, lebte in Stuttgart.

Schriften (außer Fachschr.): Hanns wird Flieger.
Werden und Wandern eines Segelfliegers, 1935;
Wolf Hirth erzählt. Erlebnisse unseres erfolgreichen Meister-Fliegers, 1935 (Neuausg. 1952); Im
Sportflugzeug allein über drei Erdteile, 1939; Mit
Segelfliegern über Deutsch-Südwest, 1939; Flug
ins Goldland. Das Geheimnis von Ophir (Jgdb.)
1953; Wiedersehen mit einem Storch (mit P.
Supf) 1955. AS

Hirthammer, Hans, * 1.1.1901 Landshut/Bayern, † 16.8.1963 Zwiesel/Bayern; zuerst Journalist, Red. in Berlin, später Landshut, zuletzt
wohnhaft in Zwiesel; Verf. v. Unterhaltungsromanen.

Schriften: Fahrt ins Blaue, 1933; Das Mädchen
und die Häßliche, 1933; Der Mann im Havelock,
1934; Kinder der Erde, 1934; Spiel mit dem
Feuer, 1934; Jagd durch Amerika, 1935; In der

Ferne liegt das Glück, 1935; Skandal um Dr. Vandergruen, 1936; Hand in Hand mit Marlene, 1936; Razzia im «Blauen Kater», 1937; Donauwalzer, 1937; Keine Nachricht von Hamilton, 1938; Zwei hinter Gisela, 1938; Frauenraub in St. Anton, 1938; Umweg zu Margaret, 1939; Man hat so seinen Kummer mit Jul, 1939; Die Tochter des Majors, 1939; Zehn zu eins für Erika, 1939; Ins neue Leben, 1940; Zuerst wars nur ein Spiel, 1940; Der heimliche Schwur, 1940; Die Katze vom Katzenstein, 1941; Die Ruppertskinder, 1941; Das Mädchen mit den Rätselaugen, 1950; Opfergang der Liebe, 1951; Fern leuchten die Sterne, 1951; Das Los fiel auf Angelika, 1951; Gutes Aussehen Bedingung, 1952; Niemals diese Barbara!, 1953; Herz am Scheideweg, 1953; Begegnung in Paris, 1954.   AS

Hirtler, Franz, * 17.4.1885 Freiburg/Br., † 15. 7.1947 Lörrach; Volksschullehrer, u. a. in Baden-Baden, Freiburg, später Dir. d. Pädagog. Akad. in Gengenbach u. Lörrach. Hg. d. Kalender «Der Lahrer Hinkende Bote» u. «Hebels Rheinländ. Hausfreund» (1935–47). Erzähler.
Schriften: Das Spiel des Vikars (Nov.) 1920; Der Vampir (Nov.) 1923; Hermann Hartliebs letzte Ferien (Erz.) 1926; Heimkehr aus der Fremde (Erz.) 1938 (Neue Ausg. u. d. T.: Erzählungen vom Oberrhein, 1947); Jörg Wickram und der Rollwagen. Der alte oberrheinische Dichter und sein volkstümlichstes Werk. Ein Lebensbild mit Proben aus dem «Rollwagenbüchlein», 1941; Schelmuffsky, Neubearbeitung d. Reiseromans von Ch. Reuter (mit lit. Einleitung) 1944; S. Brant, Das Narrenschiff. Die erbauliche satirische Weltbibel. In neuer Übertragung und Auswahl, mit einem Lebensbild des Dichters, 1944; Nur die Liebe kann erziehen! Ein Buch für Eltern und Erzieher (Hg.) 1948.   IB

Hirtler, Karl Johann, * 16.12.1897 Endingen/ Kaiserstuhl; lebt als Regierungsdir. ebd.; Erzähler, Verf. zahlr. Funkfeuilletons.
Schriften: Erzählungen deutscher Lehrer der Gegenwart (hg. mit K.S. Hauser) 1967; E. Wiechert, Der Todeskandidat (Bearb.) 1968; Breschenmoser springt über die Klinge. Ergötzliche und bedenkliche Erzählungen, 1975.   AS

Hirtz, (d. Ä.) Daniel, * 2.2.1804 Straßburg, † 20.4.1893 ebd.; bereiste als Handwerksbursche Frankreich, Deutschland u. d. Schweiz, Drechslermeister in Straßburg, Hg. d. Kalenders «Der hinkende Bote am Rhein» (1849–84). Erz. u. Lyriker.
Schriften: Gedichte, 1838; Der Bauernkrieg. Eine vaterländische Erzählung für Kinder und Kinderfreunde, 1842; Die Reichsacht. Eine vaterländische Geschichte für Kinder und Kinderfreunde, 1843; Des Drechslers Wanderschaft. Für Jung und Alt erzählt, 1844.   IB

Hirtz (d. J.), Daniel, * 31.5.1831 Straßburg, † 1.8.1887 Bischweiler; Sohn d. Vorigen, franz. Offizier, meist in Afrika, später Beamter, Humorist. Erz. in Mundart.
Schriften: Fufzig Fawle frei nooch'm Lafontaine. Als Anhang d'rzue «Unsri Dienstbotte». Sittegemäld in zwei Akte un in Vers, mit noch etlichen andere Gedicht, Alles in Stroßburrjer Mundart, 1880.   IB

Hirtz, Matthias, 15./16. Jh.; Pritschmeister in Augsburg, verf. 1509 «Ein Lied vom Schiessen zu Augsburg» in Jörg Schillers Hofton (in Val. Holls Hs., Nürnberg).
Literatur: VL 2,466; de Boor-Newald 4/1,188.   RM

Hirtzwig(ius), Heinrich, * um 1587 Langenhain b. Bad Nauheim (Hessen), † 18.8.1635 Butzbach; studierte Theol. in Marburg/Lahn, später in Gießen, seit 1615 Rektor d. Gymnasiums in Frankfurt/Main. Lat. Dramatiker.
Schriften: De reprobatione ad aeternam damnationem, Disputatio Theologica, 1607; Jesulus, Comoedia sacra (Weihnachtssp.) 1613; Balsasar (Tr.) 1615; Lutherus (Dr.) 1617.
Nachlaß: Hinweis in Denecke 2. Aufl.
Literatur: Jöcher 2,1627; ADB 12,482; NDB 9,243; Goedeke 2,145; Theater-Lex. 1,802. – K. REINHARDT, M. Henrici Hirtzwigii Rectoris de Gymnasii Moeno-Francofurtani ratione et statu ... epistola (in: Progr. d. städt. Gymn. zu Frankfurt, Ostern) 1891.   IB

Hirundo, C. → Bomhard, Constanze von.

Hirzel, Caspar, * 11.8.1785 Zürich, † 21.1. 1823 ebd.; Pfarrer u. Lehrer, dann Privatgelehrter in Zürich, Verf. e. weitverbreiteten französ. Grammatik.
Schriften: Europa im dritten Jahrzehend des 19. Jahrhunderts. Eine philosophisch-historische

Skizze, 1821; Die beiden Ultracisten auf dem Monde oder Die Politik jenseits. Ein friedfertiges Gespräch, gehalten unter ein paar ehemaligen Erdbürgern, 1822.

Literatur: HBLS 4, 233; Meusel-Hamberger 22. 2, 772; Goedeke 12, 95.   RM

Hirzel, Hans (Johann) Caspar, * 3.9.1751 Zürich, † 10.7.1817 ebd.; 1772 Dr. med., Arzt in Zürich, 1799 Gründer d. städt. «Hülfsgesellsch.» u. deren Neujahrsbl., Mitgl. d. Großen Rates (seit 1780), d. Kirchenrates (seit 1790) u. d. helvet. Erziehungsrates. Philanthrop.

Schriften (außer medizin.): Biographische Nachrichten von Herrn Doctor Locher von Zürich, 1787; Biographische Nachrichten von Herrn Stadtarzt Meyer von Zürich, 1788; Geschichte der Arbeiten der Zürcherischen Hülfsgesellschaft, 1803; Vorlesung vor der Zürcherischen Hülfsgesellschaft, 1803–16; Schreiben an die Freunde des Vaterlandes und der Landwirtschaft ..., 1806; Über die Blinden im Canton Zürich ..., 1809; Nachrichten von neueren und älteren Anstalten zur Pflege der Armuth, Bildung der Jugend, Veredlung des Volkes in und außer der Schweiz, 1809.

Literatur: ADB 12, 488; HBLS 4, 233; Goedeke 12, 65. – A. H. WIRZ, Leben ~s ..., 1818; J. C. HUG, Biogr. ~s, 1818; F. v. ORELLI, Lb. v. ~ ..., 1866.   RM

Hirzel, Hans Kaspar, * 21.3.1725 Zürich, † 20. 2.1803 ebd.; war Oberstadtarzt in Zürich; studierte in Leiden, ging als Arzt nach Berlin, 1747 Rückkehr nach Zürich, 1761 erster Stadtphysikus, 1763 Mitglied d. großen, später d. kleinen Rats; 1762 Mitbegründer u. erster Präs. d. Helvet. Gesellsch., setzte sich als Mitglied d. Physikal. Gesellsch. für d. Förderung d. Landwirtschaft ein; Freundschaft mit Gessner, Bodmer, Klopstock, Wieland u. a.

Schriften: Empfindung bei Betrachtung der Werke des Schöpfers (Ged.) 1751; Die Seligkeit ehelicher Liebe (Ged.) 1755; Die Wirthschaft eines philosophischen Bauers (Jacob Guyer, genannt Kleinjogg) 1761 (neue verm. Aufl. 1774); Tag-Buch der Witterungs-Beobachtungen durch das Jahr 1762, 1763; Denkmal auf Laurenz Zellweger aus Trogen, 1765; Das Bild eines wahren Patrioten, in einem Denkmal Herrn Hans Blaarers von Wartensee, 1767; Der philosophische Kauf-

mann. Von dem Verfasser des philosophischen Bauers, 1775; Katechetische Anleitung zu den politischen Pflichten, 1776; Denkrede auf weiland ... Herrn Hans Conrad Heidegger, Bürgermeister der Republik Zürich, 1778; Hirzel an Gleim über Sulzer den Weltweisen, 2 Tle., 1779; Neue Prüfung des Philosophischen Bauers, nebst einigen Bliken auf den Genius dieses Jahrhunderts und andere den Menschen interessierende Gegenstände, 1785; Denkrede auf Joh. Gesner, 1790; Arist und Kleant. Über Salomon Gessners Denkmahl, 1791; Hirzel über Diogg den Mahler, einen Zögling der Natur, 1792; Auserlesene Schriften zur Beförderung der Landwirtschaft und der häuslichen und bürgerlichen Wolfahrt, 2 Bde., 1792; Hirzel, der Greis, an seinen Freund Heinrich Meister, über wahre Religiosität, mit Toleranz verbunden, 1800.

Nachlaß: Schmutz-Pfister Nr. 949.

Literatur: ADB 12, 485; NDB 9, 244; HBLS 4, 235. – J. SCHULTHESS, Erstes Wort zum Andenken ~'s, 1803; S. HIRZEL, Andenken meines Bruders, 1804; M. HÜRLIMANN, D. Aufklärung in Zürich, 1924; F. ERNST, Kleinjogg der Musterbauer, 1935.   AS

Hirzel, Heinrich, * 17.8.1766 Zürich, † 7.2. 1833 ebd.; wurde 1789 Prof. f. Kirchengesch. in Zürich, später auch Chorherr u. Erziehungsrat.

Schriften: J. Heinrich Hottinger, 1793; Über die Zeitlage an der Wende des 18. und 19. Jahrhunderts, 1801; J. H. Meister, J. K. Lavater (Übers.) 1802; ders., Schweizerische Novellen (Übers.) 1805; Reise nach Goldau, Lowerz und auf den Rigi, 1806; Eugenias Briefe an ihre Mutter, 2 Tle., 1809/11 (3. verb. Aufl., 3 Tle., 1819/ 1820); J. H. Meister, Über das Alter (Übers. u. Bearb.) 1811; Ein Blick auf einige Hauptverderbnisse unseres Zeitalters, vornehmlich in Bezug auf das Studiren und Studirende, 1814; F. L. de Chateauvieux, Briefe über Italien (Übers.) 2 Tle., 1820; Ansichten von Italien, nach neuern ausländischen Reiseberichten, 3 Bde., 1823 f.; Briefe von Goethe an Lavater (Hg.) 1833; Manuscript für Freunde (mit Nekrolog). 1833.

Literatur: ADB 12, 493; Goedeke 6, 498; 12, 78.   AS

Hirzel, Ludwig, * 23.2.1838 Zürich, † 1.6. 1897 Bern; Neffe v. Salomon H., aufgewachsen in Leipzig, studierte in Zürich, Jena u. Berlin klass. Philol. u. Sprachwiss., Dr. phil., war Gymnasiallehrer in Frauenfeld u. Aarau, seit 1874 Prof. an d. Univ. Bern; befreundet mit Herwegh, G. Keller, Vischer u. R. Wagner. Literarhistoriker.

Schriften: Über Schillers Beziehungen zum Alterthume, 1872 (neue Ausg. 1905); Karl Ruckstuhl. Ein Beitrag zur Goethe-Litteratur, 1876; Lavaters Briefe an die Marquise Branconi (Hg.) 1877; A. v. Hallers Gedichte (hg. u. eingel.) 1882; A. v. Hallers Tagebücher seiner Reise nach Deutschland, Holland und England (Hg.) 1883; Salomon Hirzels Verzeichnis einer Goethe-Bibliothek (neu hg.) 1884; Goethe's Beziehungen zu Zürich und zu Bewohnern der Stadt und Landschaft Zürich, 1888; Wieland und Martin und Regula Künzli. Ungedruckte Briefe und wiederaufgefundene Actenstücke, 1891; C. M. Wieland, Geschichte der Gelehrtheit (Hg.) 1891; Heinrich Zschokke, 1894; Wielands Beziehungen zu den deutschen Romantikern, 1904 (reprogr. Nachdr. 1974).

Literatur: ADB 50,376; Biogr. Jb. 2,401.   AS

Hirzel, Salomon, * 13.5.1727 Zürich, † 15.11. 1818 ebd.; Studium in Halle u.a. Orten, in Zürich 1755 Ratssubstitut, 1762 Stadtschreiber, Mitgl. d. Kleinen u. d. Geh. Rats, Hg. d. «Zürcher Jb.» (1814ff.), Mitbegründer d. Helvet. Gesellsch., Gründer d. Zürcher Moral. Gesellschaft.

Schriften: Junius Brutus (Tr.) 1761; Denkmahl Isaak Iselin gewidmet von seinem Freund, 1782; Dankrede auf Johannes Gesner ..., 1790; Abschied von dem Gut im Hard, 1804; Angedenken meines Bruders ... und meiner beyden Freunde ..., 1804; Denkmahl Heinrich Kilchspergers ..., 1805; Edle Züge aus der Schweizer-Geschichte, 1806; Über die Verdienste der Obrigkeit von Zürich ... Aus dem Lateinischen übersetzt. Sammt fünf ... Gesprächen, 1818 (nach andern verf. v. H. Wirz).

Literatur: HBLS 4,235; ADB 12,498; Goedeke 5,353; 12,72.   RM

Hirzel, Salomon, * 13.2.1804 Zürich, † 9.2. 1877 Halle; erlernte bei Reimer in Berlin d. Buchhandel, gründete eine eigene Buchhandlung in Leipzig, verlegte u.a. die Schriften G. Freytags u. das Grimmsche Wörterbuch, besaß e. reiche Goethe-Slg., die nach s. Tod an d. Leipziger Univ.bibl. ging; seit 1871 gab er die Ws. «Im neuen Reich» heraus.

Schriften: Verzeichniss einer Goethe-Bibliothek, 1848 (erw. Fass. ersch. 1862, 1874 und, ergänzt von L. Hirzel, 1884); Fragmente aus einer Goethe-Bibliothek, 1849; Zwölf Briefe von Goethe's Eltern an Lavater (Hg.) 1860; Briefe von Goethe an helvetische Freunde (Hg.) 1867; Der junge Goethe. Seine Briefe und Dichtungen von 1764 bis 1776, 3 Tle. (Hg.) 1875.

Nachlaß: Slg. in Dt. Lit.arch./Schiller-Nat.-mus. Marbach. – Denecke 2. Aufl.

Literatur: ADB 12,500; NDB 9,247; HBLS 4, 234. – L. Hirzel, ~ (in: AfdA 4, 1878); A. Springer, D. junge ~, 1883; R. Schmidt, Dt. Buchhändler – Dt. Buchdrucker, 1902; G. Freytag an ~ und die Seinen, mit einer Einleitung v. A. Dove, 1903; F. Schulze, ~ (in: Sächs. Lbb. 3) 1941; W. Schoof, Jacob Grimm u. ~ (in: Börsenbl. Frankfurt 11) 1955; M. Fleischer-Mucha, D. Dt. Wb. d. Brüder Grimm. Aus d. Briefw. Gustav Freytags mit d. Verleger ~ (in: Gustav-Freytag-Bl. 8) 1962.   AS

Hirzel, Stephan, * 25.7.1899 Berlin, † 21.2. 1970 ebd.; Dr. ing., Prof., Architekt, seit 1949 Leiter d. Staatl. Werkakad. in Kassel.

Schriften: Grab und Friedhof der Gegenwart (Hg.) 1927; Der Graf und die Brüder. Die Geschichte einer Gemeinschaft, 1935 (2., erg. Aufl. 1937); Des großen Königs Weg zu Gott (Ess.) 1936; 150 Taler fallen vom Himmel. Eine teils wirkliche, teils erfundene Geschichte, bei der auch der Leser zu Worte kommt, 1938; Pestalozzi. Ein Menschenleben für Menschenwürde, 1946; An einen jungen Mann, der nicht recht weiß, was er werden will, 1947; Im Zoo (mit J. Hegenbarth) 1947; Th. A. Winde (Text) 1948; Qualitätsarbeit, eine kulturelle Forderung. Offener Brief an den deutschen Wirtschaftsminister, 1948; Brücke zwischen Kunst und Volk. Briefliche Antwort auf die Frage, wie sie zu bauen sei, 1948; Heimliche Kirche. Ketzerchronik aus den Tagen der Reformation, 1952; Kunsthandwerk und Manufaktur in Deutschland seit 1945, 1953; Spielzeug und Spielware, 1956; Bildung zur guten Form, 1961.   AS

Hirzelin, * um 1270; schwäb. Fahrender aus d. Bodenseegegend, stand in Beziehungen z. Herzog Heinrich v. Kärnten, Ulrich v. Walsee u. König Albrecht I., nahm 1298 an d. Schlacht gg. Adolf v. Nassau teil u. verf. darüber d. Dg. «Die Schlacht bei Göllheim», die jedoch nur als Fragm. v. 314 Versen überl. ist.

Ausgabe: Liliencron 1.

Literatur: VL 2,466; Ehrismann 2 (Schlußbd.) 434.   RM

Hissmann, Josef, * 19.11.1907 Elsen; Major a. D., lebt in Elsen; Erzähler.

Schriften: Insch Allah (Erlebnisbericht) 1968; Anekdoten, Geschichten, alte Bilder aus Stadt u. Land Paderborn, 1977.   AS

Historia Daretis Frigii de origine Francorum → Trojadichtungen.

Historia von D. Johann Fausten, Volksbuch aus d. Jahr 1587, welches auf d. Faust-Sage zurückgeht u. aus luther. Perspektive v. Fausts Theol.- u. Medizinstudium erzählt, v. s. Beschäftigung mit d. Zauberei, v. s. Bündnis mit d. Teufel, der ihm Mephistopheles als Diener gibt. Nach Ablauf der Frist wird Faust v. Teufel erdrosselt. D. Verf. ist unbekannt, viell. war er orthodoxer luther. Geistlicher. – In diesem Volksbuch erscheint bereits d. Famulus Wagner, Helena als Buhlteufel, d. gemeinsame Sohn Justus. Faust ist gesehen als warnendes Beispiel f. d. frevelhaften Wissensdrang d. Humanismus u. d. Genußfreude d. Renaissance, er stellt e. Gegenbild Luthers dar. – Weitere Fass. d. Volksbuches stammen v. Georg Rudolf Widmann (1599), Johann Nikolaus Pfitzer (1674) u. v. «Christlich Meynenden» (1725).

Ausgaben: Das älteste Faustbuch. Wortgetreuer Abdruck der editio princeps des Spies'schen Faustbuches vom Jahre 1587 ... (mit Einl. und Anm. hg. A. KÜHNE) 1868; Faust's Leben von Georg Rudolf Widmann (hg. A. v. KELLER) 1880; Das Faustbuch des Christlich Meynenden. Nach dem Druck von 1725 (hg. S. SZAMATÓLSKI) 1891; Das Volksbuch vom Doctor Faust. Nach der ersten Ausgabe, 1587 (hg. R. PETSCH) [2]1911; Historia von D.J.F. ... (bearb. u. mit Worterklärungen hg. A. KLÖCKNER) 1955 ([2]1958); Doctor Fausti Weheklag. Die Volksbücher von D.J. F. und Christoph Wagner (n. d. Erstdr. neu bearb. u. eingel. H. WIEMKEN) 1961; Historia von D.J.F. (Neudr. d. Faustbuches v. 1587, hg. u. ingel. H. HENNING) 1963; Das Faustbuch nach der Wolfenbütteler Handschrift (hg. H.G. HAILE) 1963; Historia von D.J.F. (mit Nachwort hg. R. BENZ) 1964; Volksbücher des 16. Jahrhunderts.

Eulenspiegel, Faust, Schildbürger ... (hg. F. BOBERTAG) 1967 (Neudr. d. Ausg. v. 1887); Der Tübinger Reim-Faust von 1587/88. Aus dem Prosa-Volksbuch Historia von D.J. Fausten in Reime gebracht von Johannes Feinaug (hg. mit Nachw. u. Texterl. v. G. MAHAL) 1977.

Bibliographie: J. FRITZ, Z. Bibliogr. d. F.-Buches E (in: Euphorion 19) 1912; P. HEITZ, F. RITTER, Versuch e. Zusammenstellung d. Dt. Volksbücher d. 15. u. 16. Jh.s, nebst deren späteren Ausgaben u. Lit., 1924; K. ENGEL, Bibliotheca Faustiana. Zusammenstellung d. F.-Schr. v. 16. Jh. bis Mitte 1884, 1963; H. HENNING, Beitr. z. Druckgesch. d. F.- u. Wagner-Bücher d. 16. u. 18. Jh., 1963.

Literatur: NDB 5,34; de Boor-Newald 4/2, 190. – R. PETSCH, D. Entstehung d. Volksbuches von D.F. (in: GRM 3) 1911; H. HENNING, F. als hist. Gestalt (in: Jb. d. Goethe-Gesellsch., NF 21) 1959; W. WEGENER, D. Faustdarst. v. 16. Jh. bis z. Ggw., 1962; H. BIRREN, D. hist. Doktor F., 1963; H. HÄUSER, Gibt es e. gemeinsame Quelle z. Faustbuch v. 1587 u. z. Goethes Faust? ..., 1973; H.W. GEISSLER, Gestaltungen d. Faust ... seit 1587, 3 Bde., 1974 (Neudr.); J.W. SMEED, Faust in Lit., 1975; K. VÖLKER, Faust. E. dt. Mann. D. Geburt e. Leg. u. ihr Fortleben ... (Lesebuch) 1975; D. ASSMANN, T. Manns Rom. «Doktor Faustus» u. s. Beziehungen z. Fausttrad., Helsinki 1975; W. STADLER, Notiz über d. Faustus (in: Vom Faustus bis Karl Valentin, Der Bürger in Gesch. u. Lit.) 1976 (= D. Argument, Sonderbd. 3); U. HERZOG, Faustus – «e. böser u. guter Christ». D. Volksbuch v. 1587 (in: WirkWort 27) 1977; E. KLUSEMANN, Sprache und Stil als Mittel d. Textkritik. Unters. z. Historia v. D.F., editio princeps v. 1587, 1977; G. HOFFMEISTER, The Renaissance an Reformation in Germany, New York 1977; F. BARON, Doctor Faust, From History to Legend, 1978.   RM

Historia septem sapientium → Sieben weise Meister.

Historia von Troje → Trojadichtungen.

Historia destructions Trojae → Trojadichtungen.

Historie von Herzog Gottfried, wie er wider die Türken gestritten; Titel e. 1502 gedr. Ausg.

d. Prosa-Erz. «Gottfrieds Eroberung des Heiligen Landes» (1482 gedr.), welche wahrsch. auf e. von Jakob Püterich v. Reichertshausen erwähntes Epos «Gottfried von Brabant», das d. 1. Kreuzzug z. Hintergrund hat, zurückgeht.

Literatur: de Boor-Newald 4/1, 54.   RM

Historie von dem Schwan, im 16. entst.Prosa-Erz. (überl. Mgf. 1342 Berlin), welche e. Prosa-auflösung d. «Lohengrin» od. d. «Schwanenritters» Konrads v. Würzburg darstellt.

Literatur: de Boor-Newald 4/1, 79.   RM

Historie van der vorstorynge der stat Troye, mndt. Volksbuch über d. Stoff d. Troja-Kriegs. Hauptquelle war Guido de Columnas «Historia destructionis Trojae». Drucke um 1480 Rostock, 1487 Lübeck, 1492 Magdeburg.

Ausgabe: Historiae van der vorstorynge der stat Troye. Ein mittelniederdeutsches Volksbuch (Textbuch mit e. sprachl. Einl. v. G. KROGERUS) Helsingfors 1951.

Literatur: VL 1, 319; Aufriß 2; de Boor-Newald 4/1, 57. – K. SCHNEIDER, D. «Troyan. Krieg» im späten MA, 1968.   RM

Historien der alden ê, um 1340 entst. Ged., d. Verf. ist unbek., lebte wohl im Ordensland u. kannte d. → «Hiob» u. Tilo v. Kulms «Ingesigel», Werke, denen d. H. sprachl. u. stilist. nahestehen. Auch Petrus Comestors «Historia scholastica» diente als Quelle. Gegenstand d. Ged. sind d. «historien» d. Alten Testamentes, d. Darst. wird aber bis in d. Zeit d. Apostel fortgeführt.

Ausgabe: W. GERHARD, Historien der alden ê, 1927.

Literatur: VL 2, 467; de Boor-Newald 3/1, 495; Ehrismann 2 (Schlußbd.) 675. – K. HELM, W. ZIESEMER, D. Lit. d. Dt. Ritterordens, 1951.   RM

Historienbibel, bes. v. Anfang d. 14. bis z. Ende d. 15. Jh. weitverbreitet (rund 100 Hss. aus versch. Dialektgebieten bekannt), in volkstüml. Sprache, welche d. erzählenden Tle. d. Alten Testamentes unter Hinzufügung v. Texten aus d. Apokryphen, Leg. u. allg. hist. Werken schildert. Aus früheren Chron. entst. d. «Historia scholastica» d. Pariser Kanzlers Petrus Comestor († um 1179), deren Übers. u. Bearb. führten zur eigentl. H. Eine weitere Trad.

scheint auf Rudolfs v. Ems «Weltchronik» zurückzugehen (T. Merzdorf, vgl. Ausg.). Die «alte Ee» beschränkt sich auf d. alttestamentl. Stoff, einige H. führen aber weiter bis ins Neue Testament u. seit Beginn d. 15. Jh. gibt es ill. H., die nur über neutestamentl. Ereignisse berichten («neue Ee»). Die H. waren z. Vorlesen bestimmt, dienten d. Erbauung u. wohl auch d. Religionsunterricht.

Ausgaben: Die deutschen Historienbibeln des Mittelalters (hg. T. MERZDORF) 2 Bde., 1870 (Neudr. 1963); H. VOLLMER, Materialien zur Bibelgeschichte und religiösen Volkskunde des Mittelalters 4, 1929 [enth. d. Text e. neutestamentl. H.]

Literatur: Aufriß 2, 903, 1088; RE 8, 152; LThK 5, 391; RGG ³3, 368; Ehrismann 2 (Schlußbd.) 34. – E. REUSS, D. dt. ~ vor Erfindung d. Buchdruckerkunst, 1855; E. GLEISBERG, D. ~ u. ihr Verhältnis z. Rudolfin. u. thür. Weltchron., 1885; H. VOLLMER, (vgl. Ausg.) Bd. 1–4, 1912–29; DERS., D. Bibel im dt. Kulturleben, 1938; H. ROST, D. Bibel im MA, 1939; M. ANDERSSON-SCHMITT, Über d. Verwandtschaft d. Alexandersagen im Seelentrost u. in d. ersten niederländ. ~ (in: Münst. Beitr.) 1960; F. AVRIL, Une ~ de Charles V. (in: Jb. d. Hamburger Kunstslg. 14/15) 1970.   RM

Hitler, Adolf, *20. 4. 1889 Braunau/Inn, † 30. 4. 1945 Berlin (Selbstmord); nationalsozialist. Parteiführer, seit 30. 1. 1933 Dt. Reichskanzler. Verf. polit. Schr. u. Reden.

Schriften: Mein Kampf, 2 Bde., 1925/26; Reden (hg. Kursell) 1925; Der Weg zum Wiederaufstieg, 1927; Reden des Kanzlers, 1934; Der Großdeutsche Freiheitskampf (Reden) 1940/44; Hitlers Reden und Proklamationen 1932–45, 2 Bde., (hg. M. Domarus) 1965.

Nachlässe: Vernichtet, Splitter in: Bundesarch. Koblenz, National Archives Washington, Hauptstaatsarchiv München, Library of Congress Washington. – Mommsen Nr. 1695.

Literatur: NDB 9, 250; ÖBL 2, 335; BWG 1, 1174. – K. HEIDEN, ~, 2 Bde., 1936/37; A. BULLOCK, ~, 1951 (dt. 1953); ~s 2. Buch. E. Dokument aus d. Jahre 1928, eingel. u. komment. v. G. L. WEINBERG, Geleitwort v. H. ROTHFELS; 1961; S. FRIND, D. Sprache als Propagandainstrument in d. Publizistik d. 3. Reiches. Untersucht an ~s «Mein Kampf» ...

(Diss. FU Berlin) 1964; W. Maser, ∼s Mein
Kampf. Entstehung, Aufbau, Stil, Änderungen,
Quellen, Quellenwert, 1966; F. Heer, D.
Glaube des ∼, 1968; K. Burke, D. Rhetorik in
∼s «Mein Kampf» u. a. Ess. z. Strategie d. Über-
redung, 1971; W. Maser, ∼, Legende, Mythos,
Wirklichkeit 1971 (6., erw. Aufl. 1974); Ders.,
∼s Briefe u. Notizen, s. Weltbild in hs. Dokumenten, 1973; J. C. Fest, ∼. E. Biogr., 1973.   IB

Hittcher, Karl (Ps. Karl Hüdiger) * 20. 1. 1840
Waiwern, Todesdatum u. -ort unbekannt; 1860
Lehrer in Insterburg, 1865 in Wehlau u. 1866–96
in Königsberg.
   Schriften: Reinhold und Irene. Eine Idylle aus
Preußens Ostmark, 1887; Der Russenspuk in der
Waldschänke «Zum Ellernkrug». Der Morgen-
stern von Kurplanken … (2 Dg.) 1914.   RM

Hittorff, Alfred P. → Englaender, Alfred.

Hitz, Luise, * 13. 1. 1835 München, † 1. 5. 1906
ebd.; Lehrerin, Beschäftigung mit ind. u. bud-
dhist. Stoffen. Vorwiegend Epikerin.
   Schriften: Gedichte, 1882; Ganga-Wellen. Erzählende Dichtung nach buddhistischen Legenden und anderen indischen Sagen, 1893; Wort
und Geist des Evangeliums in Dichtungen, 1885;
Damajanti (Lyrisches Drama) 1897; Vor Sonnenuntergang (Dg.) 1902; Jugendborn. Märchen
und Festspiele für das deutsche Haus, 1903; Das
Christuskind. Erzählende Dichtung nach dem
durch göttliche Eingebung wieder hergestellten
Evangelium Jakobi, 1905.
   Literatur: Biogr. Jb. 11, *32; Theater-Lex.
1,803.   IB

Hitzig, Ferdinand, * 23.6.1807 Hauingen/Ba-
den, † 22.1.1875 Heidelberg; nach Theol.-Stu-
dium 1829 Privatdoz. in Heidelberg, 1833 Prof.
in Zürich (1858 Rektor) u. 1861 in Heidelberg,
1872 Geh. Kirchenrat.
   Schriften (Ausw.): Die Psalmen, historischer
und critischer Commentar nebst Übersetzung,
2 Bde., 1835 f.; Geschichte des Volkes Israel …,
2 Bde., 1869; Vorlesungen über biblische Theologie und messianische Weissagungen (hg. J. J.
Kneucker) 1880.
   Nachlaß: Univ.bibl. Heidelberg. – Denecke
2. Aufl.
   Literatur: ADB 12,507; NDB 9,276; RE 8,
157. – J. J. Kneucker, Z. Erinn. an ∼ …,. Le-

bens- u. Charakterskizze (in: F. H., Vorlesungen …) 1880 (mit Briefauszügen).   RM

Hitzig, (eigentl. Itzig, s. Vater Elias Daniel
Itzig nahm 1808 den Namen Hitzig an), Julius
Eduard, * 26. 3. 1780 Berlin, † 26. 11. 1849 ebd.;
studierte Jus in Erlangen u. Halle, in Warschau
tätig, dann in Berlin, Mitgl. d. «Nordsternbun-
des» u. Mitarb. am «Musenalmanach» Chamissos
u. Varnhagens, dann wieder in Warschau, nach d.
Rückkehr n. Berlin Buchhändler, 1808 Eröffnung e. eigenen Buchhandlung, 1815 Kammer-
gerichtsrat, 1824 Gründer d. «Mittwochgesell-
schaft» (Vereinigung aller namhaften Schriftst.
Berlins) Hg. u. Biograph.
   Schriften: Das Königlich Preußische Gesetz
vom 11. Juni 1837 zum Schutz des geistigen
Eigenthums, 1838; Über belletristische Schrift-
stellerei als Lebenberuf. Ein Wort der Warnung
für Jung und Alt, 1838; Vier Variationen über
ein Zeitthema, 1842.
   Übersetzungstätigkeit: J. A. C. de Chaptal, Die
Chemie in Anwendung auf Künste und Gewerbe
dargestellt, 2 Bde., 1808; G. de Stael, Aspasia.
Eine Charakterzeichnung. Aus dem Französi-
schen, 1811; dies., Deutschland (gem. m. F.
Buchholz, S. H. Catel) 3 Bde., 1814.
   Herausgebertätigkeit: M. de Cervantes Saavedra,
La Numancia. Tragedia, 1809; C. Gozzi, Le
dieci fiabi teatrali, 3 Tle., 1909–1810; L. de.
Camoens, Os Lusiadas (gem. m. C. v. Winterfeld) 1810; Aus Hoffmann's Leben und Nachlaß,
2 Bde., 1823; Lebens-Abriß Friedrich Ludwig
Zacharias Werners, 1823; E. T. A. Hoffmann.
Die letzten Erzählungen. Vollständig gesammelt
und mit Nachträgen zu dem Werke: Aus Hoffmann's Leben und Nachlaß, 2 Tle., 1825; Gelehrtes Berlin im Jahre 1825, 1826; E. T. A.
Hoffmann, Erzählende Schriften, 3 Bde., 1827;
Zeitschrift für die preußische Kriminalrechts-
pflege, 1828–1837; E. T. A. Hoffmann, Erzählende Schriften, in einer Auswahl, 18 Bde., 1831;
Adelbert von Chamisso, Leben und Briefe,
2 Bde., 1839; E. T. A. Hoffmann, Erzählungen
aus seinen letzten Lebensjahren, sein Leben und
Nachlaß, 5 Bde., 1839; Allgemeine Preßzeitung,
4 Jge., 1840–43; Der neue Pitaval. Eine Sammlung der interessantesten Criminalgeschichten
aller Länder aus älterer und neuerer Zeit (gem.
m. W. Häring) 12 Bde., 1842–47; Vollständige
Acten in der mich wider auf Denunciation des

Criminalgerichts zu Berlin eingeleiteten fiscalischen Untersuchung wegen angeblicher Beleidigung dieses Gerichts durch öffentliche Kritik einer von ihm in der Schelling-Paulus'schen Angelegenheit erlassenen Verfügung, 4 Bde., 1844–1845; E. T. A. Hoffmann, Briefe an Friedrich de la Motte Fouqué. Mit einer Biographie Fouqué's (gem. m. H. Kletke) 1848.

Nachlaß und Handschriften: Dt. Zentralarch. Abt. Merseburg; Märk. Museum Berlin; Bayer. Staatsbibl. München; Dt. Staatsbibl. Berlin; u. an and. Orten. – Mommsen Nr. 1697; Denecke 2. Aufl.; Nachlässe DDR II, Nr. 209; III, Nr. 414; Frels 133.

Literatur: ADB 12, 509; NDB 9, 274; Meusel-Hamberger 22/2, 773; Goedeke 9, 431; 552; 14, 350; 1008.   IB

Hitzler, Daniel, getauft 16.1.1575 Heidenheim/Brenz, † 6.9.1635 Straßburg; Studium d. Theol., Astronomie u. Musik in Tübingen, 1597 Magister, Prediger in versch. Orten, führte d. Reformation im Benediktinerstift Kloster-Reichenbach ein, Pfarrer in versch. Orten, seit 1611 in Linz/Donau, Visitator d. städt. Bibl., 1625 Pfarrer in Kirchheim/Teck, Generalsuperintendent u. Abt d. Klosters Bebenhausen, 1632 Generalsuperintendent u. herzogl. Rat v. Stuttgart, 1634 Flucht n. Straßburg. Kirchenliederdichter u. Musiktheoretiker.

Schriften (Ausw.): Sprüche Heiliger Schrifft ..., 1615; Newe Musica oder Singkunst, 1628; Christliche Kirchen Gesäng, Psalmen und Geistliche Lieder, 1634.

Literatur: ADB 12, 512; NDB 9, 276; MGG 6, 493. – W. Schneider, ~, Tobias Wagner, David Steudlin. Drei bed. Theologen d. 17. Jh. (in: Heimatbl. Heidenheim 3) 1955.   RM

Hjörring, Knut → Hildebrandt, Gotthold.

Hladny, Ernst, * 1.4.1883 Sollenau/Niederöst., † 11.2.1916 im Feldspital zu Komen; Dr. phil., Gymnasiallehrer in Wien, Salzburg, dann Leoben/Steiermark. Erzähler.

Schriften: Das hohe Amt (Nov.) 1909; Deutscher Glaube (Rom.) 1911; Der heilige Judas (Rom.) 1912.   AS

Hlatky, Eduard, * 21.2.1834 Brünn, † 21.2.1913 Wien; studierte Theol. u. später Ingenieurwiss. in Brünn, im ungar. Eisenbahndienst tätig.

Schriften: Weltenmorgen. Dramatisches Gedicht in drei Handlungen-I Im Himmel: Sturz der Engel, II Im Paradiese: Der Sündenfall, III Auf der Erde: Das erste Opfer, 1896 f.; An der Schwelle des Gerichts. Streitgedicht ohne Ende, 1902; Gedichte, 1905.

Literatur: ÖBL 2, 340; Theater-Lex. 1, 804. – K. Muth, ~. (in: Hochland 1) 1903–04.   IB

Hlauschka-Steffe, Barbara, * 20.4.1920 Woischnitz b. Breslau; Journalistin, lebte in Schweinfurt, dann in Kleinbottwar/Württ., jetzt in Steinheim/Murr; Verf. v. Kinderbüchern u. vielen Hörfolgen.

Schriften: Hannele wird ein Stadtkind, 1954; Roswitha und das Traumschiff, 1960; Nicht wie andere Kinder, 1975.   AS

Hlawacek, Eduard → Edward.

Hlawna, Franz, * 30.9.1887 Lungötz/Salzburg, † 4.7.1965 Salzburg; Wanderlehrer u. später Journalist in Salzburg. Lyriker.

Schriften: Wanderer im Herrn (Ged.) 1929; Salzburger Dolomiten (Ged.) 1934; Wandern und Träume. Neue Gedichte, 1937.   IB

Hnidek, Leopold (Ps. F. A. Schwab, Leopold Keller, A. Svitavsky, Hanna Seyringer), * 26.10.1924 Wien; Journalist, Chefred. in Wien; Erzähler.

Schriften: Sie waren 17 Jahre (Rom.) 1947; Drei auf eiserner Spur. Ein Eisenbahnbuch für die Jugend, 1956; G'schichten von der Omama, 1956 f.; Eva küßt nur Direktoren (Rom.) 1958; Inspektor Pinagls Abenteuer, 1959.   AS

Hobe, Charlotte von, * 29.11.1792 Chemnitz/Mecklenb.-Schwerin, † 11.4.1852 Malchow; Tochter d. Hofmarschalls Friedrich Eugen v. H., Schriftst. in Neu-Strelitz, lebte zuletzt als Stiftsdame in Malchow.

Schriften: Nordische Blüthen (Ged.) 1818; Dramatische Dichtungen, 1822.

Literatur: Goedeke 11/1, 384; 14, 25. – K. Schröder, Mecklenb. u. d. Mecklenburger in d. schönen Lit., 1909.   RM

Hobe, Marie von → Hanoum, Kerimée.

Hobein, Eduard, * 24.3.1817 Schwerin, † 28.5.1882 ebd.; seit 1845 Advokat in Schwerin.

Konsulent d. Hoftheaters, Bankkommissar, 1875 Hofrat.

Schriften: Ulrich von Hutten (Tr.) 1847; Mazarins Pate (Lsp.) 1858; Blömings un Blomen ut frömden Gor'n. Plattdeutsche Gedichte, 1861 (2., verm. Aufl. 1862); Gedichte, 1863; Buch der Hymnen. Ältere Kirchenlieder (aus d. Lat. übers.) 1864 (2., verm. Aufl. 1870; Neuausg. 1881); Über Klaus Groth und seine Dichtungen ..., 1865; Byron-Anthologie ..., 1866; Vom Ostseestrande. Belletristisches Jahrbuch aus Mecklenburg, 2 Bde., 1866–68; Feldflüchters. Plattdütsch Leeder un Läuschen in Mecklenbörger Mundort, 1875.

Literatur: Theater-Lex. 1, 804.   RM

Hobein, Eugen (Ps. Tom Scott, Jim Carney, Hal Wilson, Roy Parnass, Axel Arndt, Glenn Drake), * 19.4.1894 Mandel/Kr. Kreuznach; Buchhändler in Essen/Ruhr, dann wohnhaft in Minden/Westf.; Verf. zahlr. Unterhaltungsromane.

Schriften (Ausw.): Ungeschminktes Afrika. Ernste und heitere Erlebnisse als Diamantensucher und Kaffepflanzer, 1938; Dein Schicksal erfüllt sich in Südwest, Sylvia!, 1940; Als Digger bei Port Nolloth. Das Schicksal eines deutschen Diamantensuchers, 1942; Heliodore in Erongo. Abenteuer-Roman, 1943; Dämon Diamant. Der abenteuerliche Roman eines edlen Steines, 1949; Singa (Rom.) 1950; Das andere Gesicht des Albert Wester (Rom.) 1951; Fritzchen Seidenbast Frohe Geschichten aus einem kleinen Weindorf, 1952; Brücke der Herzen (Rom.) 1953; Mara in Paris (Rom.) 1953; Die würgende Faust. Wildwest-Roman, 1956; Leiche ohne Kopf (Krim.-rom.) 1956; Massenmörder in Blau (Krim.rom.) 1956; Cagliostro, 1956; Welttod in Schurkenhand, 1956; Der Teufel mit der weißen Weste, 1956; Ein Teufel sitzt im Paradies, 1956; Der Mann mit der goldenen Trompete, 1958; Der Mörder strickt Strümpfe, 1958.   AS

Hobein, Ludwig, * 1780 Wolfenbüttel, † 30. 12.1831 Schwerin; studierte in Helmstedt, im Verwaltungsdienst in Schwerin tätig, seit 1807 Rechtsanwalt ebd. Lyriker u. Epiker.

Schriften: Rosenknospen. Opfer, Apoll und den Musen geweiht, 1800; Vermischte Gedichte, 1803; Die Magier. Allegorisch-episches Gedicht in drei Gesängen, 1804; Die Geburtstags-Feyer S. Kais. Maj. des Herrn Alexander I. Selbstherr-

schers aller Russen ... geweiht, 1805; Gedichte, 1806; Gedichte zum neuen Jahre, 1830.

Handschriften: Frels 134.

Literatur: Goedeke 7, 394; 14, 26.   IB

Hoberg, Marielis (Ps. Marielis Robert, geb. Hoberg; anderes Ps.: Mäti Robert), * 4.4.1909 Osnabrück; Jgdb.-Autorin, lebt in Sudmühle über Münster/Westfalen.

Schriften: Heiner und Elsie fahren nach Afrika, 1953; Winnie im Baum oder Das weiße Kleid, 1954; Heiner und Elsie auf Mallorca, 1955; Einer kam nachts an Bord, 1956; Peter und Francesca und die große Stadt Rom, 1958; Ein Pferd im Wappen, 1959; Mit Kindern glücklich. Erfahrungen und Anregungen aus dem Leben einer Mutter, 1960; Ginetta und das Kamel, 1961; Der Kinderfelsen. Eine Feriengeschichte, erzählt von Barbara, aufgeschrieben von M.H., 1963; Das Mäuslein und der Elefant (mit F. Wolf) 1964; Katze im Keller, 1965; Dirk und die Spitzmaus, 1966; Parkhotel, 1967; Das alte Haus von Hurre Burre, 1969.   AS

Hobiger, Sepp, * 1.3.1920 Eichberg b. Gmünd/Niederöst.; Landwirt ebd., Niederöst. Mundartdichter.

Schriften: Bauernbluat. Niederösterreichische Heimatdichtung. Poesie und Prosa des Waldviertler Bauerndichters, 1949; Hinter Pflug und Egge (Mundartged.) 1953; Bauernliab und Bauernleb'n (Mundartged.) 1953.   IB

Hobl, Karl, * 24.8.1883 Altmünster/Oberöst., † 1965 Wels; Dr. phil., Mittelschulprof. in Wien. Lyriker u. Bühnenautor.

Schriften: D' Schwammerlsupp'n. Mit Benützung der gleichnamigen Erzählung von R. Greinz [Kom.] 1949; Da Ausreißer. Bäuerliche Tragikomödie, 1949; Für meine Landsleut. Gedichte in oberösterreichischer Mundart, 1957; Weihnacht beim Schloßwirt. Ein Spiel ... aus unseren Tagen, 1957. (Ferner ungedr. Bühnenstücke.) RM

Hobohm, Walter, * 5.1.1909 Hamburg; Schriftst. u. Vortragskünstler in Berlin.

Schriften: Die Ferse des Achilles. Heitere Verse, 1941.   RM

Hoboken, Eva van, geb. Hommel, * 28.7.1907 Fiesole/Florenz; seit 1933 verh. mit d. Haydn-Forscher Anthony v. H.; Erzählerin.

Schriften: Paradies der Wünsche. Ein Moderoman aus Paris, 1950; Manda wartet (Erz.) 1956; Die Lanze im Acker (Rom.) 1956; Die Brücke bewegt sich (Ged.) 1959; Der schwermütige Ladekran. Japanische Lyrik unserer Tage (hg. mit H. R. Hilty) 1960.   AS

Hobrecht, Arthur (Heinrich Ludolf Johnson), * 14.8.1824 Kobienreyn b. Danzig, † 7.7.1912 Berlin-Lichterfelde; Sohn e. Gutsbesitzers, studierte in Königsberg, Leipzig u. Halle, bis 1846 im Justizdienst, 1847–49 Landrat in Rybnik u. Grottkau, 1850–60 Regierungsassessor in versch. Orten. 1863 Oberbürgermeister v. Breslau, 1872 v. Berlin, 1878 preuß. Finanzmin., 1879 Mitgl. d. Preuß. Abgeordnetenhauses u. d. Dt. Reichstags. Erzähler.

Schriften: Fritz Kannacher (Hist. Rom.) 2 Bde., 1885.

Nachlaß: Cotta-Archiv im Dt. Lit.arch./Schiller-Nat.museum Marbach.

Literatur: NDB 9,280; Biogr. Jb. 18,29[+]. – E. KAEBER, D. Oberbürgermeister Berlins seit d. Steinschen Städteordnung (in: Jb. d. Ver. f. d. Gesch. Berlins) 1952.   IB

Hobrecht, Max, * 13.12.1827 Rodhan/Westpr., † 1.9.1899 Rathenow; 1848 Emigration n. England, n. s. Rückkehr Kaufmann in Rathenow, Stadtverordnetenvorsteher, 1873–76 im Abgeordnetenhaus.

Schriften: Altpreußische Geschichten von den einen und den andern (mit Arthur H. [s. Bruder]) 1882; Von der Ostgrenze (3 Nov.) 1885; Zwischen Judica und Palmarum (4 Nov.) 1885; Hutten in Rostock, 1886; Neue Novellen, 1890; Luther auf der Koburg 1530, 1892.   RM

Hobrecker, Karl, * 25.12.1876 Westig b. Iserlohn, † 22.6.1949 Hemer; Studium d. Lit. u. Bibliothekswiss., Leiter versch. öffentl. Bibliotheken u. Kinderbuchsammler in Berlin u. andern Orten. Kustos d. Reichsjugendbücherei, Mitarb. u. Hg. d. Union-Bücherei, v. Rütten u. Loenings Jugendklassikern, Bearb. u. Hg. zahlreicher Werke v. Johanna Spyri, Bibliograph (T. Hosemann 1920, O. Speckter 1920, 1930).

Schriften: Alte vergessene Kinderbücher, 1924; Lustiges Bilder ABC, 1924; Rundfunk-Struwwelpeter ,1926; Das Reisegepäck (mit R. Kutscher) 1929; Kinderbuchsammlers Leiden und Freuden. Plauderei, 1932; Technischer Tierfang, 1935.

Herausgebertätigkeit (Ausw.): Das Rapunzelbuch ..., 1925; Der Guckkasten. Kinderglück in Wort und Bild. Für Jung und Alt zusammengestellt, 1925; Sause Kreisel (mit E. Eisgruber) 1926; Vom Gang der Jahreszeiten, laß fröhlich dich begleiten!, 1927; Das goldene Kinderbuch (mit E. Steup) 1939; Die schönsten Märchen der deutschen Jugend (bearb. E. Steup) 1941; Das Rätsel-Bilderbuch ..., 1944; Lieder und Bilder für Kinder ..., 1944.

Literatur: LexKJugLit 1,546.   RM

Ho(h)burg, Christian (Ps. Elias Praetorius, Bernhard Baumann, Christianus Montaltus, Andreas Seuberlich), * 23.7.1607 Lüneburg, † 29.10.1675 Altona; Theol.-Studium in Königsberg, Lehrer u. Prediger in Lauenburg u. Uelzen, dann vertrieben, Hauslehrer in Hamburg, Korrektor d. Sternschen Druckerei in Lüneburg, n. Amtsentlassung 1649–54 Schloßprediger in Cappel/Geldern, Prediger in Latum b. Arnheim, 1672 in Amsterdam, seit 1673 Mennonitenprediger in Altona. Theologe u. Spiritualist.

Schriften: Bussreizender Hertzwecker, 1640; Teutsch-Evangelisches Judenthum ..., 1644 (Neuausg. 1705); Heutiger langwieriger verwirreter teutscher Krieg, 1644; Praxis Davidica, 1644; Medulla Tauleri, 1644; Spiegel der Missbräuche beym Predigt-Ampt im heutigen Christenthumb, 1644; Christ-Fürstlicher Jugend-Spiegel, 1645; Teutsch-Evangelisch ärgerliches Christenthumb, 1645; Heimischer Prüffung Vortrab, 1646 [gg. Christoph Heim]; Purgatio ministerii Lutherani d. i. Lutherischer Pfaffenputzer, 1648; Apologia Praetoriana, 1653; Theologia Mystica oder Geheime Krafft-Theologia der Alten ..., 1650 (3 Tle. 1700); Lebendige Hertzens-Theologia ..., 1661; Emblemata sacra d. i. Göttliche Andachten, Voller Flammender Begierden, einer Buszfertigen ... Seelen ..., 1661; Soliloquia mystica, 1663; Postilla Evangeliorum Mystica, 1663; Regenspurgischer Herold, 1664; Der unbekannte Christus, 1669 [Neuausg. mit e. Biogr. v. s. Sohn Philipp v. Middelburg, 1727]; Drei geistreiche Tractätlein, 1677; Vaterlandes Praeservatif, 1677; Christiani Montalti himmlische Übungen, 1685; Meditationes und Hertzens-Gespräche, 1696; Praxis Arndiana, 1696.

Literatur: Jöcher 2,1668; ADB 12,655; NDB 9,282; RGG [3]3,373; FdF 1,187; 2 79. – M. v. NERLING, ~s Streit mit d. geistl. Ministerie v.

Hamburg, Lübeck u. Lüneburg (Diss. Kiel) 1950. RM

Hoch, Anna Maria, * 24. 9. 1911 Brünn; lebt als Sekretärin in Wien.

Schriften: Träumereien (Lyrik u. Prosa) 1973. AS

Hoch, Christa → Börner, Sophie.

Hoch, (Marie) Constanze → Heisterbergk, Constanze von.

Hoch, Ernst, * 3. 1. 1893 Lübeck, † 11. 1. 1966 Hannover; Rechtsstudium in Göttingen u. München, Dr. iur. 1921, Jurist in Dresden u. Hannover.

Schriften: Die Königin, Gott und die Generäle. Nach den Chroniken eines Zwischenreiches, 1952; Christiane Drenkhoff an der Pforte. Eine Erzählung in Briefen und Aufzeichnungen, 1961. (Ferner jurist. Schriften.) RM

Hoch, Ernst Heinrich (Ps. Ferdinand Surhof), * 31. 5. 1903 Köln; Lektor in Köln. Erzähler.

Schriften: Kleine Novellen und Anderes, 1927. IB

Hoch, Moritz, Anfang 19. Jh., biogr. Einzelheiten unbekannt.

Schriften: Sonette, 1825.
Literatur: Goedeke 12, 369. RM

Hoch, Theodor Hellmuth, * 3. 12. 1911 Paris; lebt in Wien. Übers. u. Lyriker.

Schriften: Der Klangspiegel (Ged.) 1942. IB

Hoch-Fischer, Otto → Fischer, Otto.

Hochberg, (Hans Heinrich XIV.) Bolko von (Ps. J. H. Franz), * 23. 1. 1843 Schloß Fürstenstein/Schles., † 1. 12. 1926 Bad Salzbrunn/Schles.; Diplomat in St. Petersburg, dann Komponist auf Schloß Rohnstock, 1876 Begründer d. Schles. Musikfeste in Görlitz (Protektor bis 1925), 1886 bis 1902 Generalintendant d. Kgl. Schausp. in Berlin.

Schriften: Claudine von Villa bella (Singsp.) 1864; Die Falkensteiner (Oper) 1876 (überarb. als «Der Wärwolf», 1881).

Nachlaß: Briefe in d. Dt. Staatsbibl. Berlin, Hss.-Abt./Lit.-Arch. – Nachlässe DDR III, Nr. 415.

Literatur: NDB 9, 283; MGG 6, 497. – M. KOCH, D. Kgl. Schauspielhaus in Berlin unter ~ (Diss. FU Berlin) 1957. RM

Hochdorf, Max, * 19. 3. 1880 Stettin, † 6. 3. 1948 Brüssel; erst Kaufmann, studierte dann Jus u. wurde schließl. Dr. phil., Reisen führten ihn nach d. Balkan, Belgien, Frankreich, Holland u. in d. Schweiz, 1918 Theaterkritiker am Berliner «Vorwärts» u. später Auslandskorrespondent d. «Berliner Tagbl. Chefred. d. «Neuen Wegs». 1933 Emigration nach Belgien. Übers. (Balzacs, Hugos, Maupassants). Erz. u. Dramatiker.

Schriften: Dunkelheiten (Nov.) 1908; Das Herz des Little Pu (Rom.) 1909; Die Leiden der Simoni (Nov.) 1910; Ju-Hei-Tschu, die Entensauce und der Mops (Gesch.) 1918; Die Erleuchteten (Rom.) 1919; Geschichte der Deutschen Bühnengenossenschaft, 1921; Comte und die Göttin Clotilde, 1922; Baron V ... stirbt (Nov.) 1922; Dominic, Schatten-Symphonie. (Schausp. n. d. rumän. f. d. dt. Bühne bearb.) 1922; Gottfried Keller im europäischen Geiste, 1922; Das Kantbuch. I. Kants Leben und Lehre, 1924; Gottes Fahnenträger, 1924; Ebenbilder Gottes, 1930; Rosa Luxemburg, 1930; August Bebel. Geschichte einer politischen Vernunft, 1932; Charles de Ligne, Altes und Neues Europa (hg.) 1934.

Literatur: Theater-Lex. 1, 805. IB

Hoche, Alfred Erich (Ps. Alfred Erich) * 1. 10. 1865 Wildenhain/Sachsen, † 16. 5. 1943 Baden-Baden; studierte in Heidelberg u. Berlin, habilitierte sich 1890 f. Psychiatrie in Straßburg, 1899 a. o. Prof. ebd., 1902 o. Prof. in Freiburg/Br. Neben zahlreichen wiss. Arbeiten Lyriker, Erz. u. Memoirenschreiber.

Schriften: (ohne fachwiss.) Geisteskrankheit und Kultur, 1910; Krieg und Seelenleben, 1915; Die Psychologie der Neutralität, 1917; Vom Sterben, 1919; Die französische und die deutsche Revolution, 1920; Deutsche Nacht (Ged.) 1920; Narrenspiel. Bilder aus dem neuen Deutschland, 1921; Der Tod der Gottlosen, 1923; Das träumende Ich, 1927; Geistige Wellenbewegungen, 1927; Die Wechseljahre des Mannes, 1927; Schlaf und Traum, 1928; Christus der Jüngling, 1930; Das Rechtsgefühl in Justiz und Politik, 1932; Die Wunder der Therese Neumann von Konnersreuth, 1933; Jahresringe. Innenansicht eines Menschenlebens, 1934; Aus der Werkstatt (Vorträge) 1935; Einer Liebe Weg (Rom.) 1936; Vom Sinn des

Schmerzes, 1936; Tagebuch des Gefangenen, 1938; Die Geisteskranken in der Dichtung, 1939.
Literatur: NDB 9, 284.   IB

Hoche, Eulalia → Merx, Eulalie.

Hoche, Johann Gottfried, * 24.8.1763 Harzungen/Sachsen, † 2.5.1836 Gröningen b. Halberstadt; studierte in Halle Theol. u. Gesch., 1797 Pfarrer in Rödinghausen, 1800 in Gröningen, später Oberprediger, 1804 oder 1805 Superintendent u. Konsistorialrat in Halberstadt. Hg. d. Monatsschr. «Hebe». Erzähler.
Schriften: Vollständige Geschichte der Graffschaft Hohnstein, der Herrschaft Lohre und Klettenberg, u.s.w. 1790; Historische Untersuchung über die Niederländischen Kolonien in Niederteutschland, besonders der Holländer und Fläminger, wie auch derselben Rechte und Gebräuche, 1791; Nachricht von Dr. J.S. Semlers Tod und Leichenfeyerlichkeit nebst einer Trauerrede. Kantate, Gedichten u.s.w. (hg.) 1791; Vertraute Briefe über die jetzige abenteuerliche Lesesucht und über den Einfluß derselben auf die Verminderung des häuslichen und öffentlichen Glücks, 1794; J.P. Grundling, Nachricht von den Commerzien und Manufakturen in der Churmark Brandenburg, den Herzogthümern Magdeburg, Pommern, dem Fürstenthum Halberstadt – in dem Jahre 1712 ... (hg.) 1796; Geschichte der Statthalterschaft in den vereinigten Niederlanden, von ihrem Ursprunge an bis auf die neueste Zeiten (hg.) 1796; Die Amtmannstochter von Lüde, eine Wertheriade für ältere und jüngere Mädchen, 1797; Geschichte der Grafschaft Hohenstein, 1798; Des Pfarrers Tochter von Hoheneich oder Natur besiegt das Vorurtheil (Rom.) 1798; Ruhestunden für Frohsinn und häusliches Glück (gem. m. J.K.C. Nachtigal) 4 Bde., 1798–1802; Adelheid von Wildenstein, oder Die Folgen der mütterlichen Eitelkeit (Rom.) 1798; Reise durch Osnabrück und Niedermünster in das Saterland, Ostfriesland und Gröningen, 1800; Predigt am ersten Nachmittag des neunzehnten Jahrhunderts, gehalten in der St. Martinskirche in Gröningen, 1801; Neue Ruhestunden, u.s.w. 1803; Kurze Geschichte des päbstlichen Jubeljahrs für mancherlei Leser, 1825.
Literatur: ADB 12, 519; Goedeke 6, 422; Meusel-Hamberger 3, 352; 9, 598; 11, 359; 14, 149; 18, 177; 22/2, 777.   IB

Hoche, Karl, * 11.8.1936 Schreckenstein/Böhmen; lebt in München. Satiriker.
Schriften: Schreibmaschinentypen und andere Parodien, 1971; Das Hoche Lied. Satiren und Parodien, 1976; ... über Liebe. Ihr Kinderlein kommet nicht, 1979.   AS

Hocheder, Franz von Paula (Ps. Emmerich Norus) * 23.3.1783 Roßdorf/Obb., † 3.5.1844 München; studierte in Salzburg, Hofmeister, 1811 Gymnasiallehrer in München, 1819 Gymnasialdir. in Würzburg, 1824 in München, 1842 Prof. d. Philol. u. Ästhetik an d. Univ. ebd. Mitarb. am «Morgenblatt», «Eos», an d. «Aurora». Übers. u. Erzähler.
Schriften: Ferienliebe (Rom.) 1812; Des Qu. Horatius Flaccus Buch über die Dichtkunst, oder Brief an die Pisonen, erklärt, 1824; Des Sophocles Oedip auf Kolonos erklärt, 1826; Horatius Episteln, für die Gymnasien. (bearb.) 1830 f.
Literatur: ADB 12, 519; Meusel-Hamberger 22/2, 777; Goedeke 7, 184. – F. STEININGER, Z. Erinn. an ~ (in: Programm d. Maximilian-Gym., München) 1856.   IB

Hochegger, Franz, * 4.10.1815 Innsbruck, † 27.9.1875 Hall b. Innsbruck; studierte in Wien u. Innsbruck, 1851 Gymnasiallehrer in Wien, später in Preßburg, 1854 Privat-Doz. a. d. Univ. Wien, 1856 Prof. d. Philos. in Pavia u. Prag, 1859 Dir. d. Akad. Gymnasiums in Wien. Red. d. «Zs. für d. öst. Gymnasien». Lyriker u. Dramatiker.
Schriften: (außer d. Fachschr.) Suleika (Dr.) 1845; Über die Wahl von Themen zu Aufsätzen in der Muttersprache am Obergymnasium, 1852.
Literatur: ÖBL 2, 343.   IB

Hocheneder-Buchberger, Colette, * 14.2. 1890 Ölmütz/Mähren; lebt in Graz; Lyrikerin (in Anthol.), Erzählerin, Übersetzerin.
Schriften: Frau ohne Schleier (Rom.) 1957; Wundes Herz wird wieder heil ... (Rom.) 1960. AS

Hochfeld(t), Hans → Georgi, (Otto August) Carl.

Hochfeldt, Hans (Ps. Hans Dreger), * 11.9. 1856 Potsdam, † 29.4.1911 Berlin-Wilmersdorf; Oberleutnant, dann Schriftst. in d. Schweiz und seit 1909 in Berlin.

Schriften: Fluch der bösen That (Lsp.) 1895; Kampf der Frau. Sociales Schauspiel in vier Akten und einem Vorspiel, 1896; Gewehr in Ruh' (Lsp.) 1896; La Bohème. Schauspiel unter teilweiser freier Benutzung der gleichnamigen Scenen aus dem Pariser Künstlerleben von H. Murger, 1898; Trilby (Schausp.) 1898; Meta (Dr.) 1898; Psychologisches und Physiologisches aus der deutschen Schweiz, 1898; Ypsilonstrahlen (Schw.) 1898; Sansculottes (Oper) 1900; Feuerseelen (Rom.) 1900; Monsieur Bonaparte (Oper, mit H. Brennert) 1911.

Literatur: Theater-Lex. 1, 352.   RM

Hochgesand, Gertrud (Ps. f. Gertrud Zarniko), * 3.12.1899 Mühlhausen/Elsaß; Erzählerin, wohnte in Berlin.

Schriften: Täfelchen so fein wie Miniatur. Der Weg des Adam Elsheimer. Eine Malernovelle, 1947.   AS

Hochgesang, Heinrich, 1. Hälfte 18. Jh., biogr. Daten unbekannt.

Schriften: Poetischer Lust-Garten, 1717; Sinnbilder und Gedichte, nebst einem kurzen Auszug aller Sonn- und Festtags-Evangelien, 1719.

Literatur: Adelung 2, 2028; Goedeke 4/1, 106.
                                                      RM

Hochglend, Rudolf → Eger, Rudolf.

Hochgreve, Wilhelm, * 9.11.1885 Osterwieck/Harz, † 30.5.1968 Goslar; studierte an versch. Univ. Germ., Gesch., Naturwiss. u. Kunstgesch., freier Schriftst. u. Sprechkünstler in Goslar. Verf. v. Naturschilderungen, Tier- u. Jagdgeschichten.

Schriften: Im Jagdrevier, 2 Bde., 1920–24; Der Moorteufel und andere Jagd- und Naturschilderungen, 1921; Bilder und Klänge aus deutschen Bergwäldern, 1921; Quell des Frohsinns. Ein heiteres Vortragsbuch, 1922; Familie Borstig. Ein Tier- u. Jagdbuch, 1924; Jägerpaprika. Über 300 der besten Jäger- und Fischerwitze von Hamurabi bis Raffke I (ges. u. hg.) 1925; Vom Siebenschläfer bis zum Kronenhirsch. Ein Tier- und Jagdbuch, 1927; Vom Wild und Wald und fröhlichem Jagen, 1929; Vom grünen Harz, 1931; Die verborgene Flinte. Lustiges Buch für Jäger und Fischer, leicht- und schwermütige, 1936; Wundersames Leben im deutschen Wald. Streifzüge durch die Tier- und Pflanzenwelt, 1937; Die Wälder rufen. Jagd- und Naturschil-

derungen, 1937; Da kichert Diana. Neue Spässe aus dem Jäger- und Anglerleben, 1938; Die Lock- oder Reizjagd. Anleitung zu ihrer Erlernung mit natürlichen und künstlichen Mitteln, 1939; Mit Büchse, Hund und Kamera. Jagdschilderungen, 1940; Dorfleute. Dorfgeschichten deutscher Erzähler, 1943; Kleine Wild- und Jagdkunde, 1948; Quer durch's Jagdjahr, 1949; Erlebte und erlauschte Tierwelt, 1950; Der rote Schleicher, 1951; Über Kimme und Korn. Schnurren und Schwänke aus dem Jägerleben, 1952; Wo die Hirsche röhren ... Jagd- und Tiergeschichten, 1956; Der Teufelshirsch, 1957; Wald und Wild und meine Welt, 1958; Auf Wildpfaden in deutschen Jagdgründen, 1961; Unsere Jägersprache, 1963; Ein Leben für Wild und Waiden. Erinnerungen eines alten Jägers, 1963.   IB

Hochgründler, Charlotte (Mädchenname u. Ps. f. Charlotte Hofmann), * 5.12.1909 Berlin; lebte in Fulda, dann in Biedenkopf/Lahn; Erzählerin, Lyrikerin, Übers. aus d. Italien.; Übersetzer ps. Carrara 1970.

Schriften: Das andere Leben (Rom.) 1949; Wipfel des Menschen. Religiöse Gedichte (Übers. mit andern) 1964; A. Z. Magno, Parole d'amore und andere Gedichte (Übers.) 1964; U. Betti, Fünf Erzählungen (Übers.) 1966.   AS

Hochheimer, Albert (Ps. Bert Jorat), * 5.5. 1900 Steinheim/Westf., † 28.9.1976 Crocifisso/ Kt. Tessin; studierte 1922–24 an d. Univ. Köln Volkswirtsch., bis 1934 Warenhauseinkäufer, emigrierte 1938 nach Holland, später Frankreich, seit 1950 als freier Schriftsteller im Tessin. Erzähler, Jugendbuch- u. Hörspielautor.

Schriften: Der kleine Herr Terri (Märchen) 1948; Der Ausreißer (Jgdb.) 1952; Die weiße Kamelstute (Erz.) 1953; Der Mensch und seine innere Welt, 1953; Der kleine Herr Terri und viele andere Märchen und Kindergedichte, 1954; Die Geschichte der großen Ströme, 1954; Abenteuer in der Sahara (Jgdb.) 1955; SOS im Atlantik (Erz.) 1955; Abenteuer im Goldland (Jgdb.) 1956; Gold, die Geißel der Völker, 1956; Im Spiegel (Nov.) 1956; Das Lied der Kameradschaft (Rom.) 1956; Gold für San Franzisco (Jgdb.) 1958; Panne bei Fort Flatters (Jgdb.) 1959; Schatten der Weltgeschichte. Von Abenteurern, Betrügern und seltsamen Menschen, 1959; Abenteuer in aller Welt (Jgdb.) 1959; Das weiße Me-

hari. Abenteuerliche Ferien in der Sahara, 1960;
Bordbuch der Kalypso (Jgdb.) 1960; Und setzet
ihr nicht das Leben ein ... Ein Suworow-Roman,
1960; Hotel zur Krone. Erlebnisse eines Haus-
burschen, 1961; Jorgos und seine Freunde (Jgdb.)
1961; Henri Dunant. Sein Leben und Wirken im
Dienste der Menschheit, 1963; Ritt durch die
Wüste (Jgdb.) 1965; Die Salzkarawane (Jgdb.)
1966; Der Ölgeiser (Jgdb.) 1967; Verraten und
verkauft. Die Geschichte der europäischen Söld-
ner, 1967; Die Reise nach Gold-Kastilien. Eine
historische Erzählung, 1968; Der Schatz des Mon-
tezuma (Jgdb.) 1969; Nacht im Sonnenreich
(Jgdb.) 1970; Die Passagiere der Penelope (Rom.)
1970; Die Belagerung von Tenochtitlan (Jgdb.)
1971; Unruhige Jahre. Episoden aus meinem Leben, 1972; Abschied von den Kolonien. Aufstieg
und Untergang der europäischen Kolonialreiche,
1972; Der kleine Herr Terri. Wundersame Geschichten für große und kleine Kinder, 1972;
Heinrich Gyger, ein Berner Patrizier als Offizier
in napoleonischen Diensten, 1974; Spiel zwischen Hell und Dunkel, 1975; Die Straßen der
Völker. Entdeckung und Abenteuer, 1977.   AS

Hochhuber, Leopold (Ps. Gruber zu Bruck),
* 5.10.1889 St. Florian/Oberöst.; Geistl. Rat in
Wien.

Schriften: Kleines Leben der Heiligen zur täg-
lichen geistlichen Lesung, 1924; Landstraßen
Gottes (Religiöse Streifzüge) 1940; Wunderliche
Dinge, 1945; Kinder in Weiß. Kommunionge-
schichten I 1947, II 1948; Lichter am Weg, 1949;
Der Hauptmann von Riedersdorf, 1950; Herz zur
Sonne. Kommuniongeschichten, den Kindern er-
zählt, 1955.   IB

Hochhuth, Rolf, * 1.4.1931 Eschwege/Nord-
hessen; Vater Schuhfabrikant, mittlere Reife,
1948 Buchhandelslehre, 1950–1955 Gehilfe in
Buchhandlungen u. Antiquariaten in Marburg,
Kassel u. München, zeitweilig Gasthörer an d.
Univ. Heidelberg u. München, lebt seit 1955 als
freier Schriftst. im Kt. Basel; 1963 Berliner Lite-
raturpreis «Junge Generation», 1964 Frederic
Melcher Award. Dramatiker, Erzähler, Essayist,
Herausgeber.

Schriften: Der Stellvertreter (Schausp.) 1963;
Die Berliner Antigone (Nov.) 1965; Soldaten
(Tr.) 1967; Guerillas (Tr.) 1970; Die Hebamme
(Kom.) 1971; Krieg und Klassenkrieg. Studien,
1971; Dramen, 1972; Zwischenspiel in Baden-

Baden (Nov.) 1974; Die Berliner Antigone, Prosa
u. Verse, 1975; Lysistrate und die NATO (Kom.)
1976; Tod eines Jägers, 1976; Tell 38. Dankrede
für den Basler Kunstpreis ..., 1977 (Ausg. mit Anmerkungen und Dokumenten 1979); Eine Liebe
in Deutschland, 1978; Juristen. Drei Akte für
fünf Spieler, 1979.

Literatur: HdG 1,311; Albrecht-Dahlke II,2,
322. – S. MELCHINGER, ~, 1967; R. TAENI, ~,
1977; D. Streit um ~s Stellvertreter, 1963;
Summa iniuria oder Durfte d. Papst schweigen?
(hg. F.J. RADDATZ) 1963; W. ADOLPH, Ver-
fälschte Geschichte. Antwort an ~, 1963; The
Storm over the Deputy, hg. E. BENTLEY, New
York 1964; E. SCHWARZ, ~s The Representative
(in: GR 39) 1964; J. TRAINER, ~s Play D. Stellvertreter (in: Forum f. Mod. Lang. Studies 1)
1965; R. TAENI, D. Stellvertreter, ep. Theater
oder christl. Tragödie? (in: Seminar 2) 1966; G.
COENEN, Polit. Verantwortungsbewußtsein in d.
dt. Nachkriegslit. u. ~s Stellvertreter (in:
Forsch.bericht z. Germanistik 9) 1967; L. HILL,
History and ~s The Deputy (in: Mosaic 1) 1968;
R.C. PERRY, Historical Authenticity and Dra-
matic Form in ~s D. Stellvertreter and Weiss's
Die Ermittlung (in: MLR 64) 1969; T.W. ADOR-
NO, Offener Brief an ~ (in: T.W.A., Z. Dia-
lektik d. Engagements) 1973; J. BERG, Gesch.- u.
Wiss.begriff bei ~ (in: Dokumentarlit. hg. H.L.
ARNOLD) 1973; W. MITTENZWEI, D. vereinsamte
Position e. Erfolgreichen (in: SuF 26) 1974; E.
NEIS, Erläuterungen zu ~ D. Stellvertreter. Sol-
daten, 1974; F.N. MENNEMEIER, E. kleinbür-
gerl.-idealist. Polemiker (in: F.N.M., Mod. dt.
Dr.) 1975; D. BRENNECKE, ~s Nov. Die Berli-
ner Antigone (in: GRM 16) 1976; L. LENZ, E.
moderne Antigone. Zu ~s trag. Nov. (in: Antike
u. Abendland 22) 1976; R. TAËNI, ~, 1977; H.
L. ARNOLD (Hg.), ~, 1978; A. REIF (Hg.), ~. –
Dokumente z. polit. Wirkung, 1979.   HD

Hochkirch, Friedrich, Wende 18./19. Jh.;
Schauspieler bei wandernden Theatergesellschaf-
ten.

Schriften: Capet oder Der Tod Ludwigs XVI.
Königs von Frankreich. Historisches Original-
Schauspiel, 1793; Gustav Adolph oder Der Sieg
bei Lützen (Schausp.) 1797; Die Geisterburg
(Oper) o.J.

Literatur: Theater-Lex. 1,805; Goedeke 5,
370.   RM

Hochlandt, Walter → Gottheiner, Max.

Hochleitner, Josef, * 12.10.1902 St. Peter i.
d. Au/Niederöst., † 18.10.1973 Wien; Dr., Hofrat in Wien; Erzähler.

Schriften: Orchideen (Rom.) 1960.   AS

Hochmann von Hochenau, Ernst Christoph,
* vor 1.3.1670 Lauenburg/Elbe, † Anfang Jan.
1721 Schwarzenau/Eder; Rechtsstudium in Gießen, Halle u.a. Orten, seit 1693 freier Prediger
u. Vorkämpfer e. außerkirchl. Pietismus in Mittel-, Süd- u. West-Dtl., wiederholt gefangengesetzt, lebte seit 1708 meist in Schwarzenau. Verf.
v. 87 meist hs. verbreiteten Briefen u. Sendschreiben.

Schriften: E. C. H. v. H.s Glaubens-Bekäntnüß,
geschrieben aus seinem Arrest ... sammt einer an
die Juden gehaltenen Rede ..., 1702 [sog. «Detmolder Glaubensbekenntnis», textkrit. Ausg. b.
Renkewitz, vgl. Lit.]; Briefe an die Gräflich Lippische Herrschaft, 1703; Sendschreiben, Von den
falschen Anti-Christischen, in blaßer äußerlicher
Kinder-Tauffe, Abendmahl und Kirchen-gehen
bestehenden so genannten Gottesdienste ..., 1707
[geschr. 1702]); Aaronis Sinceri nothwendige
Addresse und Warnung ..., o. J.
Literatur: Adelung 2,2028; ADB 12,523; NDB
9,289; RE 8,162; RGG ³3,382; FdF 1,370. –
H. Renkewitz, ~ (1670–1721). Quellenstud. z.
Gesch. d. Pietismus, 1935 (²1969); D.F. Durnbaugh, European Origins of the Brethren. A
Source Book, 1958.   RM

Ältere Hochmeisterchronik, (Chronica Prutenorum ab anno MCXC usque ad MCCCXC,
Chronicon Samiliarum; Alte Preuß. Chron.; Zamehlsche Chron.), zw. 1433 u. 1440 v. e. Ordensgeistlichen in Preußen in ostmdt. Sprache verf.
Chron. (überl. in über 20 Hss.), die 1190 beginnt u. d. Gesch. d. Dt. Ordens bis 1433 schildert. Quellen f. d. ältere Zeit waren Nikolaus v.
Jeroschin, d. livländ. Reimchron. Hermanns v.
Wartberge u. d. Hochmeisterverz. Johanns v.
Posilge, f. d. neuere Zeit verwendete d. Verf.
Relationen u. Urkunden d. Ordenskanzlei sowie
mündl. Überl. – E. erste Fortsetzung entst. 1455/
58, verf. v. Georg v. Egloffstein, e. entschiedenen
Anhänger d. Ordens, e. zweite, kürzere entst.
nach 1454, ebenfalls v. e. Ordensangehörigen verf.
u. e. dritte datiert v. 1472, verf. v. e. ermländ.
Geistlichen.

Ausgabe: Die Ältere Hochmeisterchronik (hg.,
eingel. u. kommentiert v. M. Toeppen in: Scriptores rerum Prussicarum 3) 1866 (Nachdr. 1965).
Literatur: de Boor-Newald 4/1,156. – E.
Maschke, Quellen u. Darst. in d. Gesch.schreibung d. Preußenlandes, 1931; E. Weise, Georg
v. Egloffstein u. d. erste Fortsetzung d. ~ (in:
FS K. Forstreuter) 1958; G. Keil, Nachtr. z. VL
(in: PBB Tüb. 83) 1961; U. Arnold, Beitr. z.
VL (in: ebd. 88) 1966.   RM

Jüngere Hochmeisterchronik, entst. in d.
90er Jahren d. 15. Jh. in d. Ballei Utrecht, reicht
bis 1466, war weit verbreitet u. diente weiteren
Chron. als Quelle (z. Bsp. Hss. d. Waiblinger
Chron.). D. Darst. reicht über d. Gesch. d. Ordens hinaus u. ist in d. Zusammenhang e. mit
Noah beginnenden Heilsgesch. gestellt.

Ausgabe: Die Jüngere Hochmeisterchronik (in:
Scriptores rerum Prussicarum 5, hg. T. Hirsch,
M. Toeppen u. E. Strehlke) 1874 (Nachdr.
1965).
Literatur: U. Arnold, Beitr. z. VL (in: PBB
Tüb. 88) 1966; ders., Stud. z. preuß. Historiogr.
d. 16. Jh. (Diss. Bonn) 1966.   RM

Hochmut (Hohenmut, Hohermut), Georg
(Jorg), von Werd = Donauwörth, Kaplan in Nördlingen u. Zürich. H. verf. in Briefen Berichte bes.
über histor. Ereignisse d. Jahre 1477–1482.
Literatur: HBLS 4,253. – G. Eis u. G. Keil,
Nachträge z. VL (in: SN 30) 1958.   ES

Hochmuth, Franz Joseph Ferdinand, * 18.2.
1845 Pfaffenthal/Luxemburg, † 16.8.1888 Mertingen b. Donauwörth; 1888 Priesterweihe, dann
in versch. Gem. seiner Heimat Seelsorger, später
in Alexandrien/Ägypten Lehrer, 1881–83 Hausgeistlicher am Cassianeum in Donauwörth, 1882
bis 1883 Red. d. «Raphael», 1883 Hilfspriester in
Mertingen. Dramatiker u. Lyriker.
Schriften: Gedichte, 1869; Sebastian (Schausp.)
1878; Die Kreuzfahrer (hist. Schausp.) 1886.
Literatur: Theater-Lex. 1,805.   IB

Hochmuth, Karl, * 26.10.1919 Würzburg;
Dr. phil., 1950–59 Volksschullehrer in Gerbrunn u. Würzburg, 1959–66 Realschullehrer in
Würzburg, seither Doz. f. Erziehungswiss. an d.
Univ. das.; Erzähler, v.a. Verf. v. Jugendbüchern.

Schriften: Der geheimnisvolle Fund in den Bergen. Eine abenteuerliche Jungengeschichte, 1952; In der Taiga gefangen, 1954 (2. erw. Aufl. 1959); Das Schmugglernest. Ein Jugendroman, 1955; Riml oder von zwei Pferden, die Nurredin und Nathalia hießen, 1956; Der Leutnant und das Mädchen Tatjana, 1957; Ein Spielmann ist aus Franken kommen, 1959; Achtung! Kartoffeln explodieren!, 1959; Arm und reich und überhaupt ... (Rom.) 1960; Cornelius. Vorder- und Hintergründiges um einen Viertelstarken, 1963; Klemens Maria Hofbauer (Biogr.) 1963; Ein Mensch namens Leysentretter (Rom.) 1965; Das grüne Männlein Zwockelbart, 1973; Deine samtenen Nüstern (Anthol., hg. mit H. Pflug-Franken 1976; Conny und seine kleine Welt. Schmunzelgeschichten, 1977.   AS

Hochrainer, Stephan, * 3. 10. 1894 Wien, Erzähler.

Schriften: Stefan Fadinger, 1947; Michael Gaismayer. Roman aus dem Tiroler Bauernkrieg anno 1525, 1947; Der Bauernrebell Stefan Fadinger. Ein Tatsachen-Roman aus dem oberösterreichischen Bauernkrieg, 1953.   IB

Hochstädt, Max → Kempner-Hochstädt, Max.

Hochstädter → Haeßler, Oscar.

Hochstetter, Gustav, * 12. 5. 1873 Mannheim, † 26. 7. 1944 Theresienstadt; Red. d. Berliner «Lustigen Bl.» (bis 1922), Dir. d. Bibliotheksgesellsch., dann freier Schriftst. in Hochstettenshof/Brandenburg. Übers. aus d. Türkischen.

Schriften: Knigge im Rasiersalon und andere heitere Kleinigkeiten, 1904; Prinz Romeo, 1906; Die Tafeln im Walde ..., 1907; Gaudeamus! Feuchtfröhliche Bilder aus dem Studentenleben, 1907; Das Biribi, 1907; Galante Stunden, 1909; Die Guillotine. Schneidige Humoresken, 1909; Mit Höhrrohr und Spritze ... (mit G. Zehden) 1910 (verb. Neuausg. 1921); Mein buntes Berlin (Humoresken) 1911; Das Füßchen der gnädigen Frau und Anderes, 1912; Die Heiratsjagd (humorist. Rom.) 1912; D-Zug-Geschichten, 1913; 100 Frauen, 1913; Wir sind wir. Ernstes und Frohes aus der Weltkriegszeit, 1914; Bismarck, historische Karikaturen, 1915; Eiserner Frühling. Ernstes und Frohes aus der Weltkriegszeit, 1915; Hoch das Herzen! Kriegsgedichte 1914/15, 1915; Das Morse-Alphabet ..., 1915; Feldgraue

Humoresken, 1915; Spiel-Buch fürs Feld ..., 1915; Maruschka Braut gelibbtes! Briefe aus «Debberitz», 2 Bde., 1915 f.; Der feldgraue Büchmann. Geflügelte Kraftworte ..., 1916; Das Buch der Liebe. Liebenswürdiges und Verliebtes von zeitgenössischen Autoren, gesammelt, 1916; Lachende Geschichten, 1917; Venus in Seide ..., 1919; Das lustige Hundebuch ... (gesammelt u. hg.) 1920; Lachendes Blond. Ein Brevier der Lebensfreude, 1921; Der Musen-Kinderwagen. 1000 Vortragsschlager (gesammelt u. hg.) 1922; Lustiges aus dem Hundeleben ..., 1925; Das Reich der Liebe (Rom.) 1928; Der rasende Junggesell (humorist. Rom.) 1928; Ein bißchen Freude. Vorträge für Damen und Herren, 1930; Wir werden alle verrückt. Ein Mädchenroman aus der Billionenzeit, 1930; Leute machen Kleider (Rom.) 1932; Der Nasenprofessor (Schw.) 1932. (Außerdem einige ungedr. Bühnenstücke.)

Literatur: Theater-Lex. 1, 806.   RM

Hochstraten, Jakob von (Jakob von Hoogstraeten, Ps. Philalethes), * um 1460 Hoogstraeten/Brabant, † 21. 1. 1527 Köln; Studium in Löwen, seit 1500 Dominikanerprior in Antwerpen, 1504 Dr. theol. Köln, seit 1510 Prior d. Kölner Konvents u. Inquisitor d. Prov. Mainz, Köln u. Trier. Gegner d. Humanisten, Luthers u. Reuchlins («Reuchlin-Streit»).

Schriften (Ausw.): Justificatorium principum alamanie ..., o. J. [1507]; Protectorium, 1511; Erronee assertiones in oculari speculo J. Reuchlin, 1517; Destructio cabale, 1519; Cum divo Augustino colloquia, 1521/22; Dialogus de veneratione et invocatione sanctorum, 1524; Epitome de fide et operibus, 1525 (Neuausg. d. letzten 3 Schr. durch F. PIJPER in: Bibl. ref. Neerlandica 3, 1905); De purgatorio, 1525.

Bibliographie: J. QUETIF, J. ECHARD in: Scriptores ordinis Praedicatorum 2, Paris 1721; H. HURTER, Nomenclator literarius theologiae catholicae, 5 Bde., ³1903–13 [Bd. 2]. – Goedeke 1, 449; Schottenloher 1, 347; 5, 122.

Literatur: ADB 12, 527; NDB 9, 605; LThK 5, 480; RGG ³3, 387. – N. PAULUS, D. dt. Dominikaner im Kampf gg. Luther, 1903.   RM

Hochwälder, Fritz, * 28. 5. 1911 Wien, erlernte d. Tapeziererberuf s. Vaters, besuchte Abendkurse d. Wiener Volkshochschule, schließlich freier Schriftst., 1938 Flucht in d. Schweiz, erhielt 1956 d. Grillparzer Preis. Lebt als freier Bühnenschriftst. u. öst. Staatsbürger in Zürich.

Schriften: Das heilige Experiment (Schausp.) 1947; Der Flüchtling. Schauspiel nach einem Entwurf von G. Kaiser, 1948 (Neufassg. u. d. T.: Der Flüchtling. Nach Ideen v. G. Kaiser, 1955); Donadieu (Schausp.) 1953; Der öffentliche Ankläger (Schausp.) 1954; Hôtel du Commerce (Kom. n. Maupassants Nov. Boule de suif) 1954; Die Herberge. Dramatische Legende, 1956; Der Unschuldige (Kom.) 1958; Esther, 1960; Der Himbeerpflücker (Kom.) 1965; Lazaretti oder Der Säbeltiger (Schausp.) 1975.

Ausgaben: Dramen, 1959; Dramen 2 Bde., 1975.

Literatur: HdG 1,313; Albrecht-Dahlke II,2, 718; Theater-Lex. 1,806. – R. THIEBERGER, ∼ u. d. Premiere am Burgtheater (in: Neue lit. Welt 5) 1953; C.R. STRANGE, «Donadieu». Gedanken z. jüngsten Werk ∼s (in: Matinée) 1954; R. MEISTER, Relig. Problematik i. d. Dr. ∼s (in: Maske u. Kothurn 2) 1956; H. HUPPERT, Dr. d. Gier u. Angst («D. Herberge») (in: Weltbühne 17) 1957; R. THIEBERGER, Macht u. Recht i. d. Dr. ∼s (in: Dt. Rundschau 83) 1957; H. VOGELSANG, ∼s klassizist. Ideendr. (in: ÖGL 2) 1958; O.M. FONTANA, ∼ z. 50. Geb.tag (in: Wort i. d. Zeit 7) 1961; G.E. WELLWARTH, ∼: The Drama within the self (in: Quarterly Journal of Speech, Columbus/Ohio 49) 1963; K.-F. MÜLLER, Dialogo con el dramaturgo ∼ (in: Boletín de estudios germánicos. Universidad nacional de Cuyo. Mendoza 5) 1964; J.C. LORAM, ∼ (in: Monatshefte 57) 1965; W. GYSSLING, ∼, «D. Himbeerpflücker» (in: Theater d. Zeit 22) 1965; G. FISCHBORN, ∼ «D. Himbeerpflücker» (in: ebd. 23) 1966; E. WALDINGER, ∼s Kom. «D. Himbeerpflücker» (in: Wr. Bücherbriefe 1) 1966; E. THEOBALD, An Austrian Playwright confronts the Past (in: American-German Review 33) 1966; S. MELCHINGER, ∼, 1967; M. FREDE, Konsequente Groteske (in: Theater d. Zeit 23) 1968; E. ALKER, D. Dramatiker ∼ (in: ÖGL 15) 1971; M.P. HOLDMAN, The Concept of Order in the Drama of ∼ (Diss. City Univ. of New York) 1976; D. DOBIJANKA-WIECZAKOWA, Czwartek ∼ (in: Prace hist. 35) 1976; A.J. HARPER, Tradition and Experiment in the Work of ∼ (in: NGS 5) 1977.   IB

Hochweber, Elise → Reinhart, Elise.

Die Hochzeit, mit d. Ged. «Vom Rechte» in d. Überl. (Milstätter Sammelhs.) eng verbundenes Ged., wohl in ungleiche Langzeilenstrophen (F. Maurer) gegliedert, wahrsch. um d. Mitte d. 12. Jh. entst. D. Verf. (od. Überarbeiter e. älteren Ged.?) ist unbekannt, ist aber kaum ident. mit d. Dichter d. Ged. «Vom Rechte». D. kurze Schilderung e. Hochzeit wird zweifach allegorisch ausgedeutet. Bräutigam u. Braut 1.=Hl. Geist u. Mensch 2.=Hl. Geist u. Maria. Die 1. Deutung enthält e. Lebenslehre u. richtet sich an d. Reichen u. Mächtigen; die 2. Deutung ordnet diese Lebenslehre in d. Heilsgesch. ein. Mit Hohe-Lied-Mystik hat d. Ged. nichts zu tun.

Ausgaben: T.G. v. KARAJAN, Deutsche Sprachdenkmale d. 12. Jahrhunderts, 1846; A. WAAG, Kleine deutsche Gedichte d. 11. und 12. Jahrhunderts, 1890; F. MAURER, Die religiösen Dichtungen d. 11. und 12. Jahrhunderts ... 2, 1965.

Literatur: VL 2,470; 5,419; de Boor-Newald 1,87; Ehrismann 2/1,200. – H. LÖBNER, ∼ (Diss. Berlin) 1887; C. v. KRAUS, V. Rechte u. ∼ (in: Sb. d. phil.-hist. Kl. d. kaiserl. Akad. d. Wiss. Wien 123) 1891; A. LEITZMANN, Z. Recht u. ∼ (in: PBB 47) 1923; A.C. DUNSTAN, Sources and Text of the Middle High German Poem ∼ (in: MLR 20 u. 21) 1925 u. 1926; U. PRETZEL, Frühgesch. d. dt. Reims ..., 1958; F. MAURER, Langzeilenstrophen u. fortlaufende Reimpaare (in: DU 11) 1959; DERS. (vgl. Ausg.) 1965; R. BESSLING, D. Denkmäler d. Milstätter Hs. ... (Diss. Hamburg) 1960; W.P. ROHDE, Überlegungen z. Syntaxtheorie mit bes. Berücksichtigung e. alten Textes, 1971; P.F. GANZ, ∼: «fabula» u. «significatio» (in: Stud. z. frühmhd. Lit., Cambridger Colloquium 1971) 1974.   RM

Hock, Alwin → Achsel, Willy.

Hock, Karl Ferdinand (seit 1856 bzw. 1859: Freiherr von), * 18.3.1808 Prag, † 2.1.1869 Wien; Sohn jüd. Eltern, nach d. Konversion z. kathol. Glauben studierte er Theol. in Wien, später Jus, Dr. phil. et Dr. iur., 1830 Zollbeamter in Salzburg, Red. d. Wochenschr. «D. Jugendfreund», 1847 Dir. d. Hauptzollamtes in Wien, Red. d. «Constitutionellen Donauztg.», später im Handels- u. Finanzministerium tätig, seit 1856 Sektionschef, 1867 Mitglied d. Herrenhauses, zuletzt Präs. d. Obersten Rechnungshofes. Erzähler.

Schriften (außer Fachschr.): Cholerodea. Zeit-gemälde, 1830; Novellen und Erzählungen, 1835; Cartesius und seine Gegner. Ein Beitrag zur Charakteristik der philosophischen Bestrebungen unserer Zeit, 1835; Gerbert oder Papst Sylvester II und sein Jahrhundert, 1837; Der Handel Österreichs, 1844.

Literatur: ADB 12, 530; NDB 9, 294; Wurzbach 9, 78; ÖBL 2, 346; Goedeke 12, 373. – E. MANN, D. philosophisch-theolog. Schule A. Günthers. D. Literat, Philosoph u. Nationalökonom ∼ (in: FS Franz Loidl 2) 1970.   IB

Hock, Kurt, * 20. 7. 1937 Mainaschaff; Dr. phil., Geschäftsführer, wohnt in Johannesberg/ Kr. Aschaffenburg.

Schriften: Sokrates der Spatz. Eine Geschichte, 1971; Was mich fröhlich macht. Glaubhafte Geschichten, 1976.   AS

Hock, Stefan, * 9. 1. 1877 Wien, † 19. 5. 1947 London; Sohn e. Augenarztes u. Privatdoz., studierte in Wien u. Berlin, habilitierte sich 1905 in Wien, Dramaturg am Josefstädter Theater unter Max Reinhardt, später Leiter d. Raimundtheaters in Wien. 1938 Emigration nach England, inszenierte in Schottland Festsp. Lit.historiker u. Übersetzer.

Schriften: Die Vampyrsagen und ihre Verwertung in der deutschen Literatur, 1900; Der Traum ein Leben. Eine literarhistorische Untersuchung, 1904; Deutsche Literaturgeschichte für österreichische Mittelschulen, 1911–13; Grillparzers Werke, 16 Tle. in 7 Bden. (hg.) 1911–13; J. Minor, Aus dem alten und neuen Burgtheater (hg.) 1920.

Literatur: ÖBL 2, 347; NDB 9, 295; Theater-Lex. 1, 807.   IB

Hocke, Gustav René (Ps. Julian Ritter), * 1. 3. 1908 Brüssel; Dr. phil., Promot. in Bonn bei E. R. Curtius, lebt seit 1949 in Rom, Korresp. mehrerer dt. Ztg., Publizist u. Schriftst., Forschungen zu Kunst-, Lit.- u. Kulturgesch.; 1961 Internat. Preis d. Stadt Rom.

Schriften (Ausw.): Lukrez in Frankreich von der Renaissance bis zur Revolution (Diss. Bonn) 1934; Das geistige Paris (Ess.) 1937; Der französische Geist. Die Meister des Essays von Montaigne bis zur Gegenwart (Hg.) 1938; Europäische Künstlerbriefe. Bekenntnisse zum Geist (Hg.) 1938; Das verschwundene Gesicht. Ein Abenteuer in

Italien, 1939; Deutsche Satiren des 18. Jahrhunderts (Hg.) 1940; Der tanzende Gott (Rom.) 1948; Manierismus. I. Die Welt als Labyrinth. Manier und Manie in der europäischen Kunst, 1957, II. Manierismus in der Literatur, 1959; Das europäische Tagebuch, 1963; Bummel durch Venedig (mit R. Löbl) 1973; Die Welt eines Surrealisten. Leherb (mit M. van Jole) 1973; Verzweiflung und Zuversicht. Zur Kunst und Literatur am Ende unseres Jahrhunderts, 1974; Malerei der Gegenwart. Der Neo-Manierismus. Vom Surrealismus zur Meditation, 1975; Schriftsteller und Maler Joachim Fernau. Sein malerisches Werk, 1976.   AS

Hocke, Hans Willy (Ps. f. Willy Hocke), * 16. 10. 1901; lebt in Berlin. Erzähler.

Schriften: Der Besuch um Mitternacht (Rom.) 1920; Zweimal verschwunden (Rom.) 1930; Die Frau am Richtertisch (Rom.) 1935; Die Warenhausdetektivin (Rom.) 1935; Ediths Fahrt ins Glück (Rom.) 1935; Das Opfer der Melitta Holm (Rom.) 1936; Das Wunder der Liebe (Rom.) 1939; Zwiespalt des Herzens (Rom.) 1940; «Ich will entsagen», 1950; Die Schönheitskönigin, 1950; Ursula meistert das Leben, 1950.   IB

Hockelius, Gottlieb, 19. Jh., biogr. Einzelheiten unbekannt.

Schriften: Erbauliche Gedanken einer gläubig vollendeten Seele (Neuausg.) 1829; Zwei Zeugnisse von der Krone des Lebens, so den Streitern Jesu Christi beigelegt, 1830.

Literatur: Goedeke 13, 260.   RM

Hockenjos, Fritz, * 26. 3. 1909 Lahr; Forstdir., wohnt in St. Margen; Erzähler. Oberrhein. Kulturpreis 1970.

Schriften: Die Falken vom Hohen Stein, 1953; Wutach-Brevier, 1955; Wäldergeschichten, 1960; Die Wutachschlucht. Wasser-, Wald- und Felsenparadies, 1964 (3. durchges. Aufl. 1977); Unser Wald. Waldkundliche Wanderungen rund um Freiburg, 1967; Wanderführer durch die Tutach- und Gauchachschlucht (Hg.) 1967 (2. verb. Aufl. 1973); Zwischen Feldberg und Kandel. Waldgeschichten, 1969; Wanderungen in Alemannien, 1969; Wandern ein Leben lang, 1977.   AS

Hocker, Jodocus, † 1566 Lemgo, stammte aus Osnabrück; Konrektor in Goslar, dann Lehrer u. später Pastor in Lemgo.

Schriften: Wider den Bannteuffel ..., 1564; Der Teuffel selbs, Das ist: Warhafftiger, bestendiger und wolgegründeter bericht von den Teuffeln ..., 1568; Von beiden Schlüsseln der Kirche ..., 1568.

Literatur: ADB 12, 534; Goedeke 2, 481.   RM

Hocker, Nikolaus (Anton), * 22.3.1822 Neumagen/Mosel, † 21.12.1900 Köln; Offizier, studierte dann Germanistik in Tübingen, 1848 Red. d. «Saar- u. Moselztg.» in Trier, 1857 Dr. phil., Red. d. «Kölner Nachrichten», 1867–98 Kanzler d. öst.-ungar. Generalkonsulats in Köln. Bearbeiter, Erz. u. Lyriker.

Schriften: Gedichte, 1847; Des Mosellandes Geschichten, Sagen und Legenden, 1852; Deutscher Volksglaube in Sang und Sage. Aus dem Munde deutscher Dichter. Als Anhang: Hagen von Throneck und die Nibelungen (hg.) 1853; Frauenbilder im Kranze der Dichtung, 1854; Das Moselthal von Nancy bis Koblenz, Landschaft, Geschichte, Sage, 1855; Engelhart und Engeltrut (Ged.) 1855; Die Stammsagen der Hohenzollern und Welfen. Ein Beitrag zur deutschen Mythologie und Heldensage, 1857; Die Chronik der Stadt Cöln, 1857; Der Rhein von Mainz bis Köln, 1857; Die ethischen deutschen Sagen. Aus dem Munde des Volkes und der Dichtung (Hg.) 1857; Vom deutschen Geiste. Eine Kulturgeschichte in Liedern und Sagen deutscher Dichter, 1858; Eine Eisenbahnfahrt von Köln nach Brüssel, 1859; Der Rhein. Reisehandbuch, 1860; Geschichte des deutschen Krieges im Jahre 1866, Populäre Darstellung der Ereignisse auf dem Kriegsschauplatz in Deutschland und Italien, 1866–67; Das Kaiserthum der Hohenzollern, 1871; Das Buch vom Kaiser Wilhelm und seinem Reichskanzler. Ein Denkmal großer Thaten in Krieg und Frieden, 1871; Geschichte des Krieges Deutschlands gegen Frankreich im Jahre 1870–71. Dem deutschen Volke erzählt, 1871; Das deutsche Vaterland. Patriotische Dichtung, 1875; Karl Simrock. Sein Leben und sein Werk, 1877; Dom-Album. Der Dom zu Köln im Kranze der Dichtung (gem. m. K. Arenz) 1880; Unser heimgegangener geliebter Kaiser Wilhelm I. Blätter zur Erinnerung an den großen Trauertag All-Deutschlands, 1888.

Literatur: Biogr. Jb. 5, 104.   IB

Hocker, (Anton Heinrich) Wilhelm (Andreas), * 28.12.1812 Boitzenberg/Elbe, † 7.7.1850 Hamburg; Küfer in e. Weinhandlung in Berlin

(1835–38), seit 1840 Weinmakler in Hamburg, Gründer u. Eigentümer d. Hamburg. Weinhalle.

Schriften: Poetische Schriften, 1844 (3., verm. u. verb. Aufl. 1844).

Literatur: ∼s Ged. im Anklagestand v. d. Forum d. K. Preuss. Ober-Censur-Gerichts in Berlin ..., 1844; ∼s peinliche Anklage v. d. Niedergerichte in Hamburg, s. Vertheidigung u. endliche Freisprechung ..., 1844.   RM

Hockl, Hans Wolfram, * 10.2.1912 Lenauheim/Banat; war bis 1944 Lehrer am Dt. Knabenlyzeum in Temeschburg/Banat, lebt jetzt in Hörsching/Oberöst.; Erzähler, Lyriker; Lit.preis d. Südostdt. Kulturwerkes 1953, Kulturpreis Baden-Württ. 1972.

Schriften: Lieder einer Landschaft, 1939; Wir Donauschwaben (hg. mit H. Diplich) 1950; Lagermenschen (Schausp.) 1954; De dicksct Schwartlmaa. Schwäbischer Bauernschwank, 1954; Brunnen tief und klar. Lyrik in Mundart und Hochdeutsch, 1956; Mir ware jung un alles war denoh (Ged.) 1957; Disteln rollen in das Meer (Ged.) 1957; Schloß Cumberland (Rom.) 1958; Donauschwäbische Kirchweihsprüche, 1959; Regina Lefort (Rom.) 1960; Was wor, is des vorriwer? Aus der donauschwäbischen Heimat erzählt für jung und alt (mit N. Engelmann) 1960; Heimatbuch der Donauschwaben, 1960; Ungewisse Wanderung. Von Krieg zu Krieg – von Mensch zu Mensch, 1960; Tudor und Maria (Erz.) 1961; Lichter aus dem Dunkel. Nachkriegserzählungen, 1963; Schwabenstreiche. Von Spaßmachern, Spottvögeln und Spitzbuben, 1964; Freunde in Amerika. Eine Vortragsreise zu den Donauschwaben in Uebersee, 1964; Die Schwachen (Rom.) 1967; 200 Jahre Friedenswerk. Geschichte der Gemeinde Lenauheim, 1967; Rumänien, 2000 Jahre zwischen Morgenland und Abendland (mit P. A. Kroehnert) 1968; Deutsche Jugendbewegung im Südosten (mit G. Albrich u. H. Christ) 1969; Warm scheint die Sunn. Rheinische und moselfränkische Klänge in Mundartgedichten aus donauschwäbischem Geist, 1973; In einer Tour mit Amor. Don Janni war größer als Don Juan, 1976.   AS

Hodann, Valerie (geb. Berka, Ps. Hans Daub), * 16.5.1866 Chlewo/Posen; 1884 Lehrerinnenexamen, Heirat mit e. Zolloffizier, lebte dann in versch. Orten, seit 1904 in Landsberg/Warthe.

Schriften: Heldenkämpfe. Erzählungen aus dem nordischen Altertum, 1908; Genie und Liebe. Ein Künstlerroman, 1909; Auf rauhen Pfaden. Schicksale einer deutschen Farmerstochter in Deutsch-Südwest-Afrika, 1910; Schmugglers Bekehrung. Erzählung aus den sechziger Jahren des vorigen Jahrhunderts, 1911; Arme Mädchen. Kleinstadt-Roman aus dem Ende des vorigen Jahrhunderts, 1921.   RM

Hodderssen, Johann, * 1525 Hayenwerf, † 1597 (1594?) Hammelwarden/Kr. Wesermarsch; studierte unter Luther in Wittenberg, Pastor in Hammelwarden u. Büttel. S. niederdt. Übers. d. Lutherbibel ist fraglich.

Schriften: Niederdeutsche Übersetzung der Lutherbibel (in Einzeldrucken) 1523 (ersch. 1533 in Lübeck).

Literatur: ADB 12, 537; NDB 9, 297; Adelung 2, 2033; Schottenloher 1, 347; Ersch-Gruber II, 9, 204.   IB

Hoddis, Jacob van (Ps. f. Hans Davidsohn), * 16. 5. 1887 Berlin, † 1942; Sohn e. Arztes, studierte in München Architektur, später in Jena klass. Philol. u. Philos., gehörte in Berlin zu d. Gründern d. literar. «Neuen Clubs» u. d. «Neopathet. Cabarets». 1912 Beginn e. Geisteskrankheit (Schizophrenie), seit 1914 in Heilbehandlung, einige Jahre in Privatpflege, später in d. Irrenanstalt Eßlingen, 1933 in d. jüd. Heilanstalt Sayn b. Koblenz überführt, am 30. 4. 1942 deportiert, anschließend getötet, genaues Todesdatum nicht ermittelt.

Schriften: Weltende. Gedichte, 1918.

Ausgaben: Weltende. Ges. Dichtungen, hg. P. Pörtner, 1958 (mit Bibliogr.).

Literatur: NDB 9, 297; HdG 1, 313. – E. Loewenson, ~ (in: Weltende, vgl. Ausgaben) 1958; W. Weber, Zeit ohne Zeit, 1959; H. Schneider, ~. E. Beitr. z. Erforsch. d. Expressionismus, 1967; F. Richter, ~ u. s. «Weltende» (in: Jb. d. Schles. Friedr.-Wilh. Univ. zu Breslau 13) 1968; V. Lange, ~ (in: Expressionismus als Lit., hg. W. Rothe) 1969; U. Reiter, ~. Leben u. lyr. Werk, 1970; H. Tramer, ~. E. dt.-jüd. Dichterschicksal (in: Bull. d. Leo-Baeck-Inst. 13) 1974; P. Rühmkorf, Weltende (in: Frankfurter Anthol. 2) 1977.   CLL

Hodenberg, Adolph Friedrich von, * 11. 2. 1755 Winsen, † 5. 10. 1811 Celle; Leutnant in Hanau, seit 1803 pens. Hauptmann in Brake b. Lemgo.

Schriften: En vertruligen Nyjahrs-Breef an eenen nederdüütschen Fründ ..., 1782.

Literatur: Meusel-Hamberger 3, 357; 14, 150; Goedeke 7, 565.   RM

Hoder, Friedrich Josef (Ps. Rhedo, Peter Hausen), * 11. 2. 1900 Schlackenwerth/Böhmen; Dr. med., Bakteriologe, seit 1949 prakt. Arzt in Klagenfurt; Erzähler.

Schriften: Faustrecht (Rom.) 1938; Der Linkser (Rom.) 1938; Der Marder (Krim.rom.) 1938; Der stählerne Pfeil (Krim.rom.) 1938; Gold (Rom.) 1938; John Cook (Rom.) 1939; Der Schrei (Krim.rom.) 1947; Der Tanz um das goldene Kalb (Krim.rom.) 1947; Der unheimliche Richter (Krim.rom.) 1949.   AS

Hodermann, Richard, * 8. 11. 1868 Gotha, † 16. 9. 1897 ebd.; Sohn e. Buchbindermeisters, studierte in Leipzig u. Jena, Dr. phil., bereiste Italien, war lungenkrank u. starb früh. Lit.-, Theater- u. Kulturhistoriker.

Schriften: Bilder aus dem deutschen Leben des 17. Jahrhunderts, 1890; Universitätsvorlesungen in deutscher Sprache um die Wende des 17. Jahrhunderts (Diss. Jena) 1891; Goldener Hochzeitszauber. Epilog zur goldenen Hochzeit des Weimarer Fürstenpaares, 1892; Schloß Friedenstein (1643–1893) 1893; Theatergeschichtliche Erinnerungen, 1893; Geschichte des Gothaischen Hoftheaters 1775–79, 1894; Georg Benda, 1895.

Literatur: ADB 50, 381; Theater-Lex. 1, 807.   IB

Hodin, Josef Paul, * 17. 8. 1905 Prag; Dr. iur., emigrierte 1931 n. Dtl., später n. Frankreich u. Schweden, 1944 n. England, seit 1945 Bibliothekar u. Studiendir. am Inst. of Contemporary Arts, London; Kunstkritiker, Essayist, Erzähler; Dr. phil. h. c., Prof. h. c., 1. intern. Preis f. Kunstkritik Venedig 1954.

Schriften: Edvard Munch. Der Genius des Nordens, Stockholm 1948 (überarb. Ausg. 1963); Bekenntnis zu Kokoschka. Erinnerungen und Deutungen (Hg.) 1963; Oskar Kokoschka. Sein Leben, seine Zeit, 1968; Kafka und Goethe. Zur Problematik unseres Zeitalters, 1968; Die Brühlsche Terrasse. Ein Künstlerroman, 1969; Oskar Kokoschka. Eine Psychographie, 1971; Ludwig Meidner. Seine Kunst, seine Persönlichkeit, seine

Zeit, 1973; Spuren und Wege. Leben und Werk
der Malerin Hilde Goldschmidt, 1974; Paul Ber-
ger-Bergner. Leben und Werk, 1974; Die Leute
von Elverdingen. Eine flämische Erzählung von
Krieg und Frieden, 1974.

Literatur: W. KERN, ~, European Critic (FS)
London 1965.   AS

Hodjak, Franz, * 1944 Hermannstadt (Sibiu);
Studium d. Germanistik in Cluj (Klausenburg),
Lektor f. dt. Lit. beim Dacia-Verlag in Cluj. Ly-
riker, Übers. aus d. Rumänischen u. Ungarischen.
Schriften: Brachland (Ged.) 1970; Spielräume.
Gedichte und Einfälle, 1974; Offene Briefe (Ged.)
1976.   AS

Hodler, Emma, * 20.10.1840 Utzenstorf/Kt.
Bern, † 31.1.1913 Bern; Tochter e. Advokaten,
wurde Lehrerin, zuerst in Kirchberg, dann in
Bern. Erzählerin, Dramatikerin, auch in Dialekt.
Schriften: Das Glück oder Nur ein Schulmeister.
Vaterländisches Schauspiel, 1892; Kleines für
Kleine. Liedchen und Verschen für Schule und
Haus, 1893; Toleranz. Bürgerliches Schauspiel in
vier Akten, 1894; Am Grauholz. Historisches
Zeitbild von 1798. Volksstück in vier Akten,
1897; A Radikalkur. Berndeutsche Bauernscene,
1897; Des Weibes Patriotismus. Eine Landsturm-
scene von anno 1798, 1897; Helenens Patient.
Schwank in einem Aufzug, 1897 (2. Aufl. u. d. T.:
Die Samariterinnen, 1898); Onkel Sebastians Testament. Schwank in drei Akten, 1898; Der oder
Keiner. Schwank in einem Aufzug, 1901; Mit-
freud, Mitleid. Erzählungen und dramatische Spiele für die reifere Jugend, 1902; Die drei Glücks-
jäger. Schwank, 1904; Unter dem Franzosenjoch.
Dramatisches Zeitbild aus der Geschichte Berns
in vier Akten, 1906; Der Widerspenstigen Zäh-
mung. Humoristische Szene, 1908; Es Schelme-
stückli. Berndeutsches Lustspiel mit Gesang in
drei Akten, 1912.
Literatur: HBLS 4,255.   AS

Hoë, Johann Joachim, lebte 1711–1717 in Hamburg; Poeta laureatus u. Operndichter.
Schriften: Henrico Quarto, Re di Castiglia
(Oper) 1711; Achilles, 1716; Die durch Verstel-
lung und Großmut über die Grausamkeit siegende
Liebe oder Julia. Ein Singespiel, 1717; Die großmütige Tomyris (Singsp.) 1717; Trojanus (Singsp.)
1717; Jobates und Bellerophon (Singsp.) 1717.
Literatur: Goedeke 3,336.   RM

Hoë von Hoënegg (Höe von Höenegg), Mat-
thias, * 24.2.1580 Wien, † 4.3.1645 Dresden;
Theol.-Studium in Wittenberg, 1603 Superintendent in Plauen, 1611–13 Dir. d. evangel. Stände
Böhmens in Prag, seit 1613 1. Hofprediger (Oberhofprediger) in Dresden, 1620 Pfalzgraf. Luther.
Theologe, war beteiligt am Zustandekommen d.
Prager Friedens (1635), Verf. v. Streitschr. u. e.
zweibd. Kommentars z. Apokalypse (1610–40).
Schriften (Ausw.): Eine schöne Geistliche,
Geistreiche Comoedi, Von dem H. Joseph … [aus
d. Lat. d. Aegidius Hunnius übers.] 1602; Evan-
gelisches Handbüchlein wider das Papstthum,
1603 (zahlr. Aufl. bis 1846); Thriumphus Calvi-
nisticus, 1614; Prodromus, 1618; Treuherzige
Warnung für die Jubelfests-Predigt …, 1618;
Augenscheinliche Probe, wie die Calvinisten in 99
Punkten mit den Arianern und Türcken übere-in-
stimmen, 1621; Nothwendige Vertheidigung des
Heiligen Römischen Reichs Chur-Fürsten und
Stände Augapfels, nemlich der … Augsburgischen
Confession …, 1628; Manuale Jubilaeum Evange-
licum, 1630.
Bibliographie: E. OTT, Die Schriften des M. H.
v. H., 1898.
Nachlaß: Stadt- u. Univ.bibl. Göttingen; Kö-
nigl. Bibl. Kopenhagen. – Denecke 82; Momm-
sen Nr. 1700.
Literatur: Jöcher 2,1637; ADB 12,541; NDB
9,300; RE 8,172; LThK 5,413; RGG ³3,389. –
H. KNAPP, ~, 1902; E. SCHMIDT, D. Gottes-
dienst in d. evangel. Schloßkirche z. Dresden
(Diss. Halle) 1956; H.-D. HERTRAMPF, ~, sächs.
Oberhofprediger … (in: Herbergen d. Christenheit … 69) 1969.   RM

Höarmeckan, F. → Storck, Friedrich.

Hoeber, Karl, * 8.2.1867 Diez/Hessen-Nassau,
† ca. 1942; studierte in Freiburg/Br., Heidelberg
u. Straßburg, Dr. phil., im höheren Schuldienst
tätig, später Chefred. d. «Köln. Volksztg.», Hg.
d. «Akadem. Monatsbl.» (1891–1923). Publizist,
Literar- u. Kulturhistoriker.
Schriften (Ausw.): F. W. Weber. Leben und
Dichtungen, 1894; E. Hardy. Lebensbild, 1905;
Morgenrot. Eine Feldgabe, 1917; Elisabeth
Gnauck-Kühne. Ein Bild ihres Lebens und Schaffens, 1917; Pro deo et patria! 1921; Religion,
Wissenschaft, Freundschaft, 1923; Görres-Fest-
schrift der Görres-Gesellschaft (hg.) 1926; Lud-

wig Freiherr von Pastor. Der Geschichtsschreiber der Päste, 1929; Dr. Carl Sonnenschein, Studentenführer und Großstadtseelsorger, 1930; Rom von der Antike bis Mussolini, 1934; Der biblische Ursprung alter Wirtshausnamen, 1935; Erwin Hensler. Ein Cicerone der deutschen Kunst, 1936; Franz Xaver Bachem. Ein deutsches Verlegerleben, 1939; Minna Bachem-Sieger und die deutsche Frauenbewegung, 1940.

Literatur: J. HOFMANN, Markante Persönlichkeit aus d. Gesch. d. KV: ~ (in: Akad. Mbl. 66) 1953.   IB

Hoechstetter, Sophie, * 15.8.1878 Pappenheim/Franken, † 4.4.1943 Dachau; Erzählerin.

Schriften: Die Verstoßenen (Sozialer Rom.) 1896; Max Mühlen. Die Geschichte einer Liebe, 1897; Sehnsucht, Schönheit, Dämmerung. Geschichte einer Jugend, 1898 (Neuaufl. u. d. T.: Schön ist die Jugend. Rom. aus d. Wende d. 19. Jahrhunderts); Der Dichter, 1899; Bis die Hand sinkt (Rom.) 1900; Dietrich Lanken. Aus einem stillen Leben, 1902; Der Pfeifer, 1903; Er versprach ihr einst das Paradies (Nov.) 1904; Geduld. Geschichte einer Sehnsucht, 1904; Vielleicht auch Träumen. Verse, 1906; Eine fromme Lüge, 1906; Sechs Sonette, 1906; Kapellendorf, 1908; Gotische Sonette, 1909; Frieda von Bülow (Lebensbild) 1910; Passion, 1911; Das Herz. Arabesken um die Existenz des George Rosenkreutz, 1912; Seele. Philosophische Rhapsodie, 1913; Die Heimat, 1916; Die letzte Flamme, 1917; Mein Freund Rosenkreutz. Fränkische Novellen, 1917; Das Erdgesicht. Ein zeitloser Roman, 1918; Die Freiheit, 1918; Meine Schwester Edith. Roman aus einer kleinen Stadt, 1918; Der Opfertrank. Ein Roman aus der französischen Revolution, 1918; Das Erlebnis (Fränkische Nov.) 1919; Brot und Wein, 1920; Frau Hüttenrauchs Witwenzeit (Rom.) 1921; Maskenball des Herzens (E. Rokokogesch.) 1922; Das Krongut, 1922; Scheinwerfer. Roman aus dem Berliner Revolutionswinter, 1922; August Rettung oder Die Apotheke zum goldenen Einhorn (eine heitere Nov.) 1922; Der Weg nach Sanssouci. Fränkische Novelle aus den Tagen Friedrich des Großen, 1925; Fränkische Novellen (neue Ausg.) 3 Bde., 1925; Das Kind von Europa (Kaspar-Hauser-Roman) 1925; Lord Byrons Jugendtraum, 1925; Königin Luise (Hist. Rom.) 1926; Romantische Novellen, 1926; Die Flucht in den Sommer

(Rom.) 1926; Der kleinliche Wallfahrtsort, 1927; Der wunderschöne Streit, 1928; Königskinder (Hist. Rom.) 1929; Louis Ferdinand Prinz von Preußen. Roman aus der Zeit vor 1806, 1931; Gesammelte Novellen, 1932; Das kleine Hermelinchen. Seltsame Begegnung (2 Nov.) Caroline und Lotte. Roman um Schiller, 1937; Im Tauwind. Roman aus dem Bayreuth um 1813, 1941.

Nachlaß: Arch. d. German. Nationalmus. Nürnberg. – Mommsen Nr. 1701; Denecke 2. Aufl.   IB

Höck, (Johann) Karl, * 2.5.1761 Gaildorf/Württ., † 6.4.1834 ebd.; Oberjustizrat u. Polizeidir. in Ellwangen. Lyriker.

Schriften: Gedichte, 1785; Miscellen, 1815. IB

Hoeck, Theobald (seit 1602: von), * 10.8.1573 Limbech/Rheinpfalz, † nach 1618; Sekretär b. Peter Wok v. Rosenberg im Böhmerwald, Verf. v. weltl. Liedern.

Schriften: Schönes Blumenfeldt, 1601.

Ausgaben: Neudr. 157–59 (hg. M. KOCH) 1899; Schönes Blumenfeld. Kritische Textausgabe (hg. K. HANSON) 1975.

Handschriften u. Nachlässe: Wien Nationalbibl. – Frels 134.

Literatur: Goedeke 3, 28; Albrecht-Dahlke 1, 841. – M.H. JELLINEK, ~s Sprache u. Heimat (in: ZfdPh 33) 1901; A. BECKER, D. Dichter ~, (in: Pfälzer Museum 39) 1924; A. LEITZMANN, Zu ~ (in: PBB 51) 1924; E. SCHRÖDER, ~ (in: ZfdA 62) 1924; A. HÜBSCHER, ~ (in: ZfdPh 52) 1927; M.H. JELLINEK, Beitr. z. Textkritik u. Erlärung d. Schönen Blumenfelds (in: ZfdA 69) 1932; K. FLEISCHMANN, D. geistesgeschichtl. Stellung ~s (Diss. Prag) 1936; DERS., ~ u. d. sprachl. Frühbarock, 1937; W. BRAUER, ~ (in: ZfdPh 63) 1938; K.H. SENGER, ~ (Diss. Hamburg) 1942; B. VETTERS, Stud. z. lyr. Werk ~s (Diss. Wien) 1952; K.D. HANSON, ~: Schönes Blumenfeld (1601) Neue biograph. Materialien sowie krit. Erläuterungen zu Metrik, Reim, Wortbestand ... (Diss. Univ. of Illinois) 1973.   IB

Höck, Wilhelm, * 14.3.1928 Bamberg; Dr. phil., Herstellungsleiter, wohnt in München. Essayist, Hg., Übersetzer.

Schriften: Zerriebene Eitelkeiten. Kritisches zu Problemen der Sprache, 1965; Herr Je, das Nichts ist bodenlos. Unsinn in Poesie und Prosa

(Hg.) 1968; Formen heutiger Lyrik. Verse am Rand des Verstummens, 1969; Weltliche Erzählungen von Gott in der modernen Weltliteratur (Hg.) 1972; Kunst als Suche nach Freiheit. Entwürfe einer aestehtischen Gesellschaft von der Romantik bis zur Moderne, 1973. AS

Höcker, Georg (Ps. Emin Leonhardt), * 14. 12. 1860 Rostock; Schriftst. in Berlin.

Schriften: Des Waldhofbauern Einziger (Rom.) 1887; Vittore Derosa, der kühne Räuberhauptmann, 1894; Der Zuchthausgefangene Albert Ziehten ... (Kriminalrom.) 3 H., 1895 f.; Die Richter von Hintersberg ..., 1896; Der neue Koch (humorist. Erz.) 1897; Aus goldener Jugendzeit. Novellenstrauß für unsere Töchter, 1897; Der Tannhäuser, 1898; Kreuziget ihn! (Kriminalrom.) 1898; Und vergieb uns unsere Schuld! 1899; Pfeilgift, 1899; Der Waldhüter. Das Dorfschulmeisterlein, 1899; Der Einödsee, 1913. RM

Höcker, Gustav, * 28. 9. 1832 Eilenberg/Sachsen, † 11. 10. 1911 Breslau; Bruder v. Oskar H., zuerst Kaufmann, dann freier Schriftst. (v. Stolle u. Gutzkow gefördert). Erzähler.

Schriften (Ausw.): Der beseelte Schatten (Rom.) 2 Bde., 1859; Kaufmännische Karrieren. Wahrheit und Dichtung aus dem Geschäftsleben, 2 Bde., 1862; Dunkles Spiel. Eine Geschichte aus der großen und kleinen Welt, 3 Bde., 1863; Der beseelte Schatten (Rom.) 1865; Sein und Nichtsein (Erz.) 1867; Geld und Frauen (Erz.) 3 Bde., 1867; Eines Andern Frau (Erz.) 1868; Ein schöner Dämon (Rom.) 4 Bde., 1868; Mammon und Marmor (Rom.) 2 Bde., 1870; 1870–1871, zwei Jahre deutschen Heldentums, 1871; Jagdabenteuer in der Wildnis. Geschichten und Schilderungen aus dem Leben wilder und zahmer Tiere, 1888; Die Mongolenschlacht bei Olmütz, 1889; Neithardt von Gneisenau, Vater Blücher's rechte Hand, 1889/90; Die schönsten Märchen aus 1001 Nacht, 1891; Eine Belagerung in der Prärie oder Der Raubzug der Apachen, 1892; Malipucko, der Sohn der Wälder, 1892; Ludwig van Beethoven, der König der Töne, 1898; Joseph von Haydn, der Humorist in Tönen, 1898; W. A. Mozart, Lorber und Dornen eines Künstlerlebens, 1898; Schmuggler und Rothäute (Rom.) 1898; Das große Dreigestirn (Haydn, Mozart, Beethoven in biographischen Erz.) 1898; Die Vorbilder der deut-

schen Schauspielkunst. Schröder, Iffland und L. Devrient (in biogr. Erz.) 1899; Ludwig Devrient, der geniale Meister der Schauspielkunst, 1899; Andreas Hofer und der Tirolerkrieg von 1809, 1899; August Wilhelm Iffland, der Menschendarsteller, Dichter und Bühnenleiter, 1899; Fr. L. Schröder. Lehr- und Meisterjahre eines großen Bühnenkünstlers, 1899; Arnold von Winkelried, der Held von Sempach, 1900; Drei große Tondichter. K. M. v. Weber, Fr. Schubert, F. Mendelssohn-Bartholdy (in biogr. Erz.) 1903; Der Geistersee (Nov.) 1903; Rußland und Japan im Kampf um die Macht in Ostasien (Volksbuch) 2 Bde., 1904; Das Gesellschaftsfräulein – Der eingeschriebene Brief und andere Kriminalgeschichten, 1906; Die Irre von St. Rochus (Kriminalrom.) 1906; Die Belagerung von Breslau, 1907; Jena und Auerstädt. Ein geschichtlicher Rückblick auf Preußens Unglückstage, 1907; Auf verwegener Bahn (Kriminalrom.) 1907; Die Schule des Lebens, 1907–10; Er soll dein Herr sein (Erz.) 1910; Das Geheimnis der Dächer (Kriminalrom.) 1910; Der Scharlatan (Kriminalrom.) 1910; Der geheimnisvolle Ratgeber und andere heitere und ernste Erzählungen, 1911; Das Rätsel im Marmor, 1911; Der Irrenarzt und andere Novellen, 1912; Im Banne alter Schuld, 1922; Steuermann Ready, der neue Robinson oder: Der Schiffbruch des «Pacific» (nach Marryat erz., neu durchgesehen v. K. Hobrecker) 1927; Die Seelöwen oder Die verlorenen Robbenjäger (nach d. Erz. v. Cooper) 1927; Viel Herzeleid (Rom.) 1931.

Literatur: Theater-Lex. 1, 808. IB

Höcker, Karla, * 1. 9. 1909 Berlin; Tochter v. Paul Oskar H., studierte an d. Hochschule f. Musik in Berlin, Bratschistin d. Bruinier-Quartetts, unternahm mit diesem viele Reisen in d. Länder Europas, dann Dramaturgin d. «Berliner Kammerspiele» u. schließl. freie Schriftst. in Berlin. Erzählerin.

Schriften: Clara Schumann (Lebensbild) 1938; Wege zu Schubert, 1940; Der Hochzeitszug (e. romant. Nov.) 1941; Erlebnis in Florenz, 1943; Die Unvergeßlichen. Gestalten und Geschehnisse aus hundert Jahren. Berliner Kultur 1770–1870; Der gefangene Vogel. Ein lyrisches Spiel für Menschen oder Marionetten, 1943; Große Kammermusik (Kom.) 1946; Vom Trost auf Erden (Ess.) 1946; Mehr als ein Leben, 1953; Sinfonische Reise. Konzerte, Gespräche, Fahrten mit Wilhelm Furtwängler und den Berliner Philharmonikern, 1954; Die Begegnung, 1955; Die Mauern standen noch, 1955; Wilhelm Furtwängler. Begegnungen und Gespräche, 1956; Begegnung mit Furtwängler, 1956; Ein Tag im April (Rom.) 1958; Erika Berger. Die singende Botschafterin, 1961; Dieses Mädchen. Ein Quartettroman, 1962; Gespräche mit Berliner Künstlern, 1964; Der 3× verlorene Hund oder: Der Junge, der kein Zwerg sein wollte, 1965; Die letzten und die ersten Tage, 1966; Wilhelm Furtwängler, Dokumente, Berichte und Bilder, Aufzeichnungen, 1968; Hauskonzerte in Berlin, 1970; Das Leben des Wolfgang Amadé Mozart, 1973; Das Leben von Clara Schumann, geb. Wieck, 1975; Ein Kind von damals, 1977; Die nie vergessenen Klänge. Erinnerungen an Wilhelm Furtwängler, 1979.

Literatur: Theater-Lex. 1, 808.   IB

Höcker, Oskar, * 13.6.1840 Eilenburg b. Leipzig, † 8.4.1894 Berlin; Bruder v. Gustav H., studierte in Leipzig Chemie, ging jedoch 1859 in Dresden zur Bühne, Schauspieler in Bremen, Rostock, Reichenberg u. in vielen and. Städten, 1883–86 am Dt. Theater in Berlin, 1887–89 am Königl. Schauspielhaus, u. später am Lessing-Theater ebd. Jgd.schriftst., Erzähler.

Schriften (Ausw.): Soldatenleben im Kriege, 1871; Das große Jahr 1870. Neues vaterländisches Ehrenbuch (gem. m. F. Otto) 1871; Es ist nichts so fein gesponnen, es kommt endlich an die Sonnen (hist. Erz.) 1872; Der arme Hilfslehrer. Eine Erzählung für die Jugend, 1872; Ein treuer Freund ist eine starke Stütze, 1873; Und führe uns nicht in Versuchung (Erz. f. unsere Jgd.) 1873; Aus Moltke's Leben. Unterm Halbmonde. Historische Erzählung aus der Zeit der Wanderjahre eines deutschen Kriegshelden während seines Aufenthaltes im osmanischen Reiche, 1873/1874; Thue Recht und scheue Niemand, 1873; Nun danket Alle Gott. Eine Erzählung aus der Zeit des dreißigjährigen Krieges, 1874; Aus eigener Kraft (Erz.) 1874; Du sollst Deinen Bruder nicht hassen in Deinem Herzen! (3. Mos. 19, 17). Eine schwedische Dorfgeschichte, 1874; General von Werden, der Vertheidiger Süddeutschlands, 1874; Die Furcht vor der Arbeit. Eine alte und doch stets neue Geschichte seinen jungen Freunden zu Nutz und Frommen erzählt, 1875; Wer Geld lieb hat, der bleibt nicht ohne Sünde, 1875;

Ein verkanntes Herz, 1875; «Die Rache ist mein!» (5. Mos. 32, 35). Eine Geschichte aus unserer Zeit, 1875; Ein treuer Diener seines Herrn. Aus den Notizen eines Tagebuches, 1876; Gott verläßt die seinen nicht! (Erz.) 1876; Der Schlehmil. Eine Erzählung aus dem jüdischen Gemeindeleben, 1876; Wie groß ist des Allmächt'gen Güte! Eine Erzählung aus dem siebenjährigen Kriege. Dem Leben Ch. F. Gellert's entlehnt, 1876; Der schwarze Corsar. Eine Seegeschichte (nach Capt. Marryat's «Der Pirat») 1877; Ein verwaistes Herz (nach Ch. Dickens Erz. «Dombey und Sohn») 1877; Der Sündenbock (nach J. Payn's Nov. «Tollkopf Dickie») 1877; Bleibe im Lande und nähre dich redlich, 1877; Des Hauses Ehre. Familiengemälde, 1877; «Komm', Herr Jesus, sei unser Gast!» (Erz.) 1877; Fitzpatrick, der Trapper. Erzählung aus dem Felsengebirge und den Prairien Nordamerikas, 1878; Das Geheimniß der alten Zigeunerin (nach W. Scott's Rom. «Guy Mannering») 1878; Das eiserne Kreuz und seine Wiedergeburt. Ein vaterländisches Erinnerungsblatt für das deutsche Volk an die ruhmreichen Jahre 1813 und 1870, 1878; Lebendig begraben (Ps. 85, 10). Eine wahre Geschichte aus dem Jahre 1857, 1878; Die Lüge ist ein häßlicher Schandfleck, 1878; Aus der Malerakademie (Erz.) 1878; Nacht und Morgen (nach Bulwer's gleichnam. Rom.) 1878; Du sollst Niemand verachten um seines Ansehens willen. Eine moralische Erzählung, 1878; Aus hohem Throne und in der Dachkammer. Eine Erzählung aus den Zeiten Maria Theresia's, 1878; Armuth schändet nicht und Reichthum macht nicht glücklich. Eine elsässische Dorfgeschichte, 1879; Das Ahnenschloß. I Der Erbe des Pfeiferkönigs. Kulturgesch. Erz. aus d. Zeitalter der Reformation, II In heimlichem Bunde. Kulturgesch. Erz. aus dem Jahrhundert des großen Krieges, III Zwei Riesen von der Garde. Kulturgesch. Erz. aus der Zeit des Zopfes und der Wachtparade, IV Deutsche Treue, welsche Tücke. Kulturgesch. Erz. aus der Zeit der großen Revolution, der Knechtschaft und der Befreiung, 1879–84; Durch Güte und Treue wird die Missethat versöhnt, 1879; Onkel Moses. Eine Erzählung aus dem Leben Moses Mendelssohns für die reifere Jugend, 1879; Die Sünde ist geschrieben mit eisernen Griffeln, 1879; Womit man sündigt, damit wird man gestraft, 1879; Volkserzählungen, 3 Bde., 1880; Gott hilft tragen. Eine Dorf- und Stadtgeschichte, 1880; Es giebt kein

Häuslein, es hat sein Kreuzlein! 1880; Im Herzen von London, 1880; Die böse Stiefmutter, 1880; «in allen meinen Thaten laß ich den höchsten rathen» Biographische Erzählung aus dem Leben des frommen Sängers Paul Flemming, 1880; Deutsche Volksbibliothek, 3 Bde., 1880; Gott ist ein Schild Allen, die ihm vertrauen (Ps. 18, 31) 1880; Aus fernen Zonen, 1880/81; Die Fee des Erzgebirges, Erzählung aus dem 16. Jahrhundert, 1881; Gold macht nicht reich, es sei denn reich das Herz zugleich, 1881; Heidelberg. Historische Erzählung aus der Zeit des 30-jährigen Krieges, 1881; Der Herr prüfet die Herzen (Sprichw. 17, 3) 1881; Bei den Husaren, 1881; Harte Köpfe. Eine Schwarzwälder Dorfgeschichte, 1881; Nur ein Kutscher, 1881; Nebel und Sonnenschein, 1881; «Wer Gutes mit Bösem vergilt, von deß Hause wird Böses nicht lassen» (Sprichw. 17, 13) 1881; Der Wille ist des Werkes Seele, 1881; Wohl dem, der den Herrn fürchtet und auf seinen Wegen geht. Eine Geschichte aus Nürnbergs Vorzeit, 1881; Dämonen im Bauernhof. Eine Schwarzwälder Dorfgeschichte, 1882; Der alte Derfflinger, 1882; Der kleine Goethe. Eine Erzählung aus des großen Dichters Jugendzeit, 1882; Keiner wird zu schanden, der des Herrn harret, 1882; Auf dem Ozean des Lebens, 1882; Die zärtlichen Verwandten, 1882; Zettelträgers Töchterlein, 1882; Jesus meine Zuversicht!, 1883; Onkel Neumanns Goldpüppchen 1883; Die Schule des Lebens, 1883; Schulstuben und Schlachtfeld, 1883; Ohne Vater und Mutter, 1883; Der Bauernbaron. Eine Dorfgeschichte aus dem Schwarzwalde, 1883; Um Gold und Ehre, 1884; Preußens Heer – Preußens Ehr'! Militär- und kulturgeschichtliche Bilder aus drei Jahrhunderten, 1883; Der Sieg des Kreuzes (Erz.) 5 Bde., 1884–87; Bilder aus dem Städteleben Augsburgs und Nürnbergs, 1884; Die Kreuzfahrer oder Ritter Kenneth vom schlafenden Leoparden, 1884; Leibeigen. Eine Erzählung aus der Regierungszeit Alexander I von Rußland, 1884; Der Storchenbauer. Eine Dorfgeschichte aus dem badischen Schwarzwald, 1884; Wieland, der wackere Schmied, 1884; Inmitten der Wildnis, oder Daniel Boone, der erste Ansiedler Kentucky's, 1884; Tugend besteht, 1885; Durch Nacht zum Licht!, 1885; Eine alte Firma oder die dunkle That, 1885; Ehrlich und gerade durch, 1885; Deutsche Heldensagen, 1885; Merksteine deutschen Bürgertums (Erz.) 5 Bde., 1886–95; Fried-

rich der Große als Feldherr und Herrscher, 1886; Das Bollwerk am Strande (Hist. Erz. aus dem 13. Jahrhundert) 1886; Lederstrumpf, 1886; Im Felsengebirge oder in Indianerhänden, 1887; Die Erfindung der Buchdruckerkunst, 1888; Ein frohes Herz, gesundes Blut ist besser, als viel Geld und Gut, 1888; Der Kampf um Thron und Erbe. Eine Heidelberger Erzählung aus der Zeit des 30-jährigen Krieges, 1888; Fürs Vaterland!, 1888; Fürst Bismarck der eiserne Kanzler, 1888; Unsere deutsche Flotte (Erz.) 2 Bde., 1889 f.; Die Fährtensucher. Eine Erzählung aus dem Leben der wilden Völkerschaften des westlichen Amerikas, 1889; Die Hexe des Schneebergs, 1889; 's Studentle, 1889; Die letzten Tage von Pompeji (nach Bulwer's gleichnam. Rom. f. d. Jgd. bearb.) 1889; Am Hofe der Medici (4. Aufl.) 1890; Unter fremdem Joch. Eine Erzählung aus den Freiheitskriegen, 1890; Leben und Abenteuer des Robinson Crusoe (4. Aufl.) 1890; Wenn's nötig ist, hilft Gott, 1890; Die Thurmkäthe von Köln (4. Aufl.) 1890; Unter Dornen erblüht oder «Befiehl dem Herrn Deine Wege», 1892; Der Marschall Vorwärts und sein getreuer Piepenmeister, 1892; Im Reiche der Mitte. Eine Chinesen-Geschichte, o. J.; Jederzeit kampfbereit (Erz. gem. m. A. Ludwig) 1893; Lorbeerkranz und Dornenkrone, 1894; Der Nationalkrieg gegen Frankreich. In den Jahren 1870–71 (6. Aufl.) 1895; Sommernachtstraum. Erzählung aus F. Mendelssohns Jugendtagen, 1895; W. Shakespeare und Altengland, 1907.

Literatur: NDB 9, 305; Theater-Lex. 1, 808; LexKJugLit 1, 548. – O. BLUMENTHAL, ~ (in: Neuer Dt. Theater-Almanach 6) 1895; A. LEUSCHKE, D. Familie ~ (in: Bühne u. Welt 13) 1911.   IB

Höcker, Paul Oskar (Ps. Heinz Grevenstett), * 7. 12. 1865 Meiningen, † 5. 5. 1944 Rastatt; Sohn v. Oskar H., studierte an d. Hochschule f. Musik in Berlin, kurze Kapellmeisterlaufbahn, schließl. freier Schriftst. Seit 1905 Hg. v. «Velhagen u. Klasings Monatsh.», Teilnahme am 1. Weltkrieg, Gründer u. Hg. d. «Liller Kriegsztg.». Dramatiker, Memoirenschreiber, vorwiegend Erzähler.

Schriften: Der Wüstenprinz, 1891; Götz von Berlichingen, 1891; Auf fremder Erde, I Die schwarze Majestät, II In den Jagdgründen der Apachen, 1892; Dem Glück nach. Berliner Ro-

man, 1893; Leichtsinniges Volk (Nov.) 1894;
Der Olympier, 1895; Cäsars Glück und Ende,
1894; G. Aimard, Der Fährtensucher (bearb.)
1894; F. J. Cooper, Der rote Freibeuter (bearb.)
1894; König Attila, 1895; Adam Riese und seine
Zeit, 1895; Polnische Wirthschaft (Rom.) 1896;
Geldheiraten, 1897; 's Burgele, 1897; Fräulein
Doktor, 1898; Wir Junggesellen! und andere Humoresken, 1898; Feenhände, 1898; Sekt! (Lustige Gesch.) 1898; Die Weihnachts Ronde
(Schw.) 1898; Argusaugen, 1899; Väterchen,
1900; Vor dem Kriegsgericht (Kriminalrom.)
1900; Zersprungene Saiten (Nov. u. Erz.) 1900;
Seekadett Tielemann. Erzählung aus dem chine-
sisch-japanischen Kriege, 1900; Letzter Flirt.
Wintergeschichte, 1901; Von Mir, von Durchlaut und Anderen. Humoresken, 1901; Weiße
Seele, 1901; Es blasen die Trompeten. Eine Reitergeschichte, 1902; Prinzessin Fee, 2 Bde.,
1903; Frühlingsstürme (Rom.) 1904; Närrische
Käuze. Noveletten und Skizzen, 1904; Schwanen-
gesang (Nov.) 1904; Zur Freiheit (Rom.) 1905;
Dodi (Rom.) 1906; Don Juans Frau (Rom.) 1906;
's Zeller Trautl (Erz.) 1906; «Ich grolle nicht!»
(Rom.) 1908; Paradiesvogel (Rom.) 2 Bde.,
1907; Die verbotene Frucht (Rom.) 1908; Prinz-
gemahl (Rom.) 1909; Musikstudenten, 1910;
Das goldene Schiff (Rom.) 1910; Die Sonne von
St. Moritz, 1910; Lebende Bilder (Rom.) 2 Bde.,
1911; Daheim (Hg. gem. m. H. v. Zobelitz u. J.
Höffner) 1911–15; Die lachende Maske, 1911;
Fasching, 1912; Der Sohn des Soldatenkönigs,
1912; Der ungekrönte König, 1913; Kleine Ma-
ma, 1913; Das flammende Kätchen, 1914; Die
indische Tänzerin (Rom.) 1914; Die Meisterin von
Europa, 1914; An der Spitze meiner Kompagnie.
Drei Monate Kriegserlebnisse, 1914; Der Tauge-
nichts (Erz.) 1914; Das Volk in Waffen, 1915;
Die junge Exzellenz, 1915 (veränderte Neuaufl.
u. d. T.: Zwischen Hochzeit und Heirat, 1937);
Ein Liller Roman, 1916; Zwischen den Zeilen.
Roman in Briefen, 1916; Die Stadt in Ketten. Ein
neuer Liller Roman, 1917; Das glückliche Eiland
(Rom.) 1919; Kinderzeit. Erinnerungen, 1919;
Hans im Glück, 1921; Der Held des Abends,
1921; Heimatluft. Ein Roman aus der alten Potsdamer Geheimratswelt, 1922; Der Mann von der
Straße, 1922; Wie Schorschel Bopfinger auf Ab-
wege geriet (Gesch.) 1922; Die kleine Tütt und
ihr Liebhaber (Rom.) 1923; Die blonde Gefahr,
1923; Thaddäus. Der Roman eines jungen Her-

zens, 1924; Modell Sirene (Rom.) 1925; Dicks
Erziehung zum Gentleman, 1925; Die Frau am
Quell, 1926; Das ungetreue Liebespaar, 1927; Im
Hintergrund der schöne Fritz, 1928; Wirbelsturm
auf Kuba, 1928; Wintersport, 1929; Die Meister-
spionin (Rom.) 1929; Die sieben Stufen (Rom.)
1930; Der Preisgekrönte (Rom.) 1930; Den Dritten heirat' ich einmal, 1931; Dina und der kleine
Herzog, 1932; Bettina auf der Schaukel, 1934;
Die reizendste Frau – außer Johanna, Roman aus
der Zeit Bismarcks, 1935; Die verbotene Liebe,
1935; Die Rose Feuerzauber, 1936; Paris in Baden-Baden, 1936; Zietenhusaren. Roman aus der
Zeit Friedrichs des Großen, 1936; Königin von
Hamburg, 1937; Das kleine Feuerwerk, 1938;
Ich liebe Dich. Ein Grieg-Roman, 1940; Gottge-
sandte Wechselwinde. Lebenserinnerungen eines
75-jährigen, 1940; Schloßmusik auf Favorite,
1943; Der Kapellmeister, 1944.

Nachlässe: Landesbibl. Karlsruhe; Cotta-Arch.
im Dt. Lit.arch./Schiller Nat.mus. Marbach. –
Denecke 82.

Literatur: NDB 9, 305; Theater-Lex. 1, 809.   IB

Hödel, Joachim (Ps. Musa Werschetiensis, die
Ebreichsdorfer Muse), * 31. 7. 1724 Graz, † 24.
2. 1803 Ebreichsdorf/Niederöst.; seit 1740 Jesuit, Missionar in Quito (Peru), ab 1770 wieder
in d. Heimat, nach Aufhebung s. Ordens Pfarrer
in Werschetz (Banat) u. zuletzt in Ebreichsdorf.
Verf. v. lat. Ged. teilweise unter d. Pseudonym.

Schriften: Ungarns Hochgesang an dem feyerlichen Namenstage Ihrer Hoheit Alexandra Pawlowna, 1800; Moralische Sinngedichte eines sie-
benzigjährigen Musenzöglings, 1802.

Literatur: Wurzbach 9, 93.   IB

Hödel, Otto, * 28. 11. 1886 Graz; studierte
ebd., Dr. phil., Red. in Graz. Erzähler.

Schriften: Flatternde Fahnen. Tagebuchblätter
aus der Zeit des größten Kriegs, 1919.   IB

Höfel, Johann, * 24. 6. 1600 Uffenheim, † 8. 12.
1683 Schweinfurt; 1617 Univ. Jena, 1624 Univ.
Straßburg, Dr. iur., Rechtskonsulent versch.
fränk. Herrschaften, zuletzt d. Stadt Schweinfurt.

Schriften: Historisches Gesangbuch ..., 1681.
(Außerdem versch. Gelegenheitsgedichte.)

Literatur: Jöcher 2, 1639; Goedeke 3, 186;
Neumeister-Heiduk 379. – F. BEYSCHLAG, Aus e.
kleinen Reichsstadt (in: Fränk. Monatsh.) 1928.

RM

Hoefer, Albert, * 2. 10. 1812 Greifswald, † 10.
1. 1883 ebd.; Sohn e. Ratsherrn u. Stadtgerichts-
dir., studierte oriental. Sprachen, vergl. Sprachwiss. u. altdt. Philol. in Greifswald, Göttingen u.
Berlin, Reise nach England, 1837 Dr. phil., 1840
a. o. Prof. in Greifswald, 1847 o. Prof. f. orientalische u. vergl. Sprachwiss. ebd. Übers. u. Folklorist.

Schriften: De Prakrita (!) dialecto libri duo,
1836; Urwasi Kalidasa (dt.) 1837; Indische Gedichte. In deutschen Nachbildungen, 2 Bde., 1841
bis 1844; Das Lied von den drei Königskindern
in 15 verschiedenen germanischen Sprachen und
Mundarten, o. J.; Coleridge, der alte Matrose
(Ged., übers.) 1845; Sanskrit-Lesebuch mit Benützung handschriftlicher Quellen (Hg.) 1849;
Denkmäler der niederdeutschen Sprache und Literatur nach alten Drucken und Handschriften, 2
Bde., 1850; Ernst Moritz Arndt und die Universität Greifswald zu Anfang unseres Jahrhunderts.
Ein Stück aus seinem Leben und ihrem Leben mit
einem Anhange aus Arndts Briefen, 1863; Altville
im Sachsenspiegel. Ein Erklärungsversuch, 1870.

Nachlaß: Univ.bibl. Greifswald. – Nachlässe
DDR II, Nr. 290.

Literatur: NDB 9, 307. – J. GILDEMEISTER, D.
falsche Sanscritphilol. an d. Beispiel d. Herrn Dr.
~ in Berlin aufgezeigt, 1840; H.-TH. MICHAELIS,
D. pommersche Gelehrtenfamilie ~ (in: Ostdt.
Fam.kunde 3) 1962–64.   IB

Höfer, Anton, * 13. 11. 1889 Konzell/Nieder-
bayern, † 6. 1. 1969 Nesselwang/Allgäu; Bez.-
oberlehrer in Mindelheim, zuletzt Bez.schulrat.
Erzähler.

Schriften: Der Buckelschneider (3 Erz.: Der
Knecht von Hinterstubb, Petrine Weil) 1924;
Peter Zwiesewind (Dorfrom.) 1927; Fröhliche
Heimatkunde mit den sieben Schwaben. Die
Abenteuer der sieben Schwaben und die Spiegel-
schwaben im Heimat- und Erdkundeunterricht
der schwäbischen Volksschule, 1933; Das Büblein mit der langen Nase (Jgdb.) 1936; Osterhas
hat Ferien, 1937; Die Spatzenfahrt (Jgdb.) 1937;
Der Gsell Rasik. Eine Abenteuergeschichte,
1953.   IB

Höfer, Conrad (Johann), * 27. 7. 1872 Coburg,
† 25. 2. 1947 Eisenach; Vater herzogl. Oberbe-
reiter; Volksschul- u. Seminarlehrer, Oberlehrer
in Coburg u. Weimar; ab 1917 in Eisenach, Studiendirektor, Sekretär d. «Gesellsch. d. Biblio-

philen» in Weimar. H. verfaßte Dichterbiogr.,
Würdigungen, Gedächtnisbände u. pädagog. Arbeiten u. a. über Keller, Goethe, Raabe, Fontane
u. Georg Bleyer. Er schrieb Darstellungen d.
Rudolstädter Festspiele aus d. Jahren 1665–1667
u. d. Coburger Buchkundes im 16. Jh.; Lit.- u.
Kulturhistoriker, Herausgeber.

Schriften: Bibliographia Koesteriana, 1922;
Goethe und die Wartburg, 1930; Wilhelm-
Schäfer-Bibliographie, 1938; Der Sängerkrieg auf
der Wartburg, 1942.

Herausgebertätigkeit: Schiller Werke (Horen-
Ausg.) 1910–1925; Das Puppenspiel von Dr. J.
Faust, 1914; Martin Luthers Geistliche Lieder,
1915; Das Eisenacher Spiel von den zehn Jung-
frauen, 1921; Gesamtregister der Zeitschrift für
Bücherfreunde 1932–1936, 1939 u. a.   MR

Hoefer, Edmund, * 15. 10. 1819 Greifswald,
† 22. 5. 1882 Cannstatt; Bruder v. Albert H., studierte in Greifswald, Heidelberg u. Berlin Gesch.
u. Philol. in Stuttgart Mitarb. am «Morgenbl.»,
bis 1868 Leiter, 1854 Dr. phil. in Jena. Erzähler.

Schriften: Aus dem Volk (Gesch.) 1852; Ge-
dichte ,1853; Aus alter und neuer Zeit (Gesch.)
1854; Erzählungen eines alten Tambours, 1855;
Wie das Volk spricht. 524 sprichwörtliche Re-
densarten, 1855 (in d. Folge zahlreiche Aufl.);
Schwanwieck. Skizzenbuch aus Norddeutschland,
1856; Bewegtes Leben (Gesch.) 1856; Norien.
Erinnerungen einer alten Frau, 2 Bde., 1858; Zur
Feier des Polterabends, 1858; Vergangene Tage:
Fräulein Else, Im Waldschloß, Ein Schrei, 1859;
Eine Geschichte von damals, 1860; Deutsche
Herzen, Skizzen, Studien und Geschichten, 1860;
Auf deutscher Erde (Erz.) 2 Bde., 1860; Die Ho-
noratiorentochter (Erz.) 1861; Aus der weiten
Welt (Gesch.) 2 Bde., 1861; Der große Baron
(Erz.) 2 Bde., 1861; Die Alten von Ruhneck. Eine
Erzählung aus älterer Zeit, 1862; Lorelei. Eine
Schloß- und Waldgeschichte, 1862; Ausgewählte
Gesellschaft. Geschichten und Erinnerungen,
1863; In Sünden (Rom.) 2 Bde. ,1863; Unter der
Fremdherrschaft. Eine Geschichte von 1812 und
1818, 3 Bde., 1863; Tolleneck (Erz.) 3 Bde.,
1864; Altermann Ryke. Eine Geschichte aus dem
Jahre 1806, 4 Bde., 1864; Das alte Fräulein. Eine
stille Geschichte, 1866; In der Irre (Rom.) 4 Bde.,
1867; Neue Geschichten, 2 Bde., 1868; Die gute
alte Zeit, 3 Bde. (Anno dazumal – Mein altes Fenster, Der Freihof – Die Frau von Bossatz) 1867;

Neue Geschichten, 2 Bde., 1868; Ein Findling (Rom.) 4 Bde., 1868; Der verlorene Sohn (Erz.) 1869; Zwei Familien (Erz.) 2 Bde., 1869; In doloribus (Erz. Tagebuchbl. eines Verschollenen) 1869; In der Welt verloren (Erz.) 4 Bde., 1869; Land und See (Nov.) 2 Bde., 1871; Unter fliegenden Fahnen (Rom.) 2 Bde., 1872; Stille Geschichten, 3 Bde.: I Das Haus der Majorin, Weder Glück noch Stern – II Herr Klemens Rothmann – III Die kleine Else, 1872; Der Demagoge (Rom.) Bde., 1872; Zu Olims Zeiten (Erz.) 1872; Kleines Leben (Erz.) 3 Bde., 1873; C'est fini (Erz.) 1874; Treue siegt (Erz.) 1874; Erzählungen aus der Heimat, 2 Bde., 1874; Von ihr und mir (Erz.) 1876; Deutsche Literaturgeschichte für Frauen u. Jungfrauen, 1876; Die Bettelprinzeß (Erz.) 1876; Fünf neue Geschichten, 1877; Haus an Haus (Erz.) 1877; Der Junker (Rom.) 3 Bde., 1878; Dunkle Fenster (Erz.) 1878; Pap Kuhn. 'ne Geschicht' ut de voll plattdütsch Tid, 1878; Goethe und Charlotte von Stein, 1878; Confessionen eines plattdeutschen Autors. An Fr. Labendorf, 1879; Das Pfarrhaus zu Wudnik. Eine altmodische Kriegs- und Liebesgeschichte, zw. 1877 u. 1880; In der letzten Stunde und andere Erzählungen, 2 Bde., 1881.

Ausgaben: Erzählende Schriften, 12 Bde., 1865; Ausgewählte Schriften, 4 Bde., 1882.

Nachlaß: Cotta-Archiv im Dt. Lit.arch./Schiller Nat.museum Marbach.

Literatur: NDB 9,308; Goedeke 2,19. – W. RAABE, ~ (in: Über Land u. Meer 20) 1868; B. SAUER, ~ (Diss. Greifswald) 1922; A. KOEPPEN, ~, d. Poet d. Hanseatik. Mit Bibliogr. (in: Unser Pommerland 10) 1925; B. SAUER, ~ (in: Unser Pommerland 17) 1932; E. GÜLZOW, ~ u. s. Heimat, 1938; B. SAUER, ~ (in: Pommer. Lbb. 3) 1939.					IB

Höfer, Matthias, * 7. 2. 1754 Waizenkirchen/ Oberöst., † 21. 10. 1826 Kematen; Benediktiner d. Stifts Kremsmünster, studierte in Wien, Dr. iur., als Seelsorger in versch. Orten s. Heimat, seit 1812 Pfarrer in d. Stiftspfarre Kematen. Sprachforscher, Erzähler.

Schriften: Exercitatio juridica de origine ac proprietatibus peculiorum apud Romanos, 1780; Über das unglückliche Schicksal der Gelehrten, 1781; Die Volkssprache in Österreich vorzüglich ob der Enns nach ihrer innerlichen Verfassung und in Vergleichung mit andern Sprachen; in gram-

matisch-kritischen Bemerkungen entworfen, 1800; Der blaue Mondag. Anleitung zu einem vernünftigen und vergnügten häuslichen Leben (Scherze u. Erz.) 1808; Etymologisches Wörterbuch der in Oberteutschland, vorzüglich aber in Östreich üblichen Mundart, 3 Bde., 1815.

Literatur: Wurzbach 9,99; ÖBL 2,351; Meusel-Hamberger 9,602; 14,155; 18,179; 22/2, 784. – ~ (Scriptores Ordinis Benedicti qui 1750 bis 1880 fuerunt in Imperio Austriaco Hungarico) 1881; G. GUGITZ, ~ (in: Heimatgaue 14) 1933; B. PITSCHMANN, ~ v. Kremsmünster u. s. etymolog. Wb. (1815) (in: Jb. d. oberöst. Musealvereins 114) 1969; K. KIENESBERGER, ~ v. Kremsmünster. Sprachforscher zw. Aufklärung u. Romantik. Mit e. ungedr. Brief J. Grimms (in: Stud. u. Mitt. z. Gesch. d. Benediktiner-Ordens u. s. Zweige 88) 1977.					IB

Höfer, Paul, * 11. 3. 1845 Kraja/Harz, † 8. 10. 1914 Blankenburg/Harz; Dr. phil., Hauslehrer, dann Gymnasiallehrer in versch. Orten, 1882–86 in Bernburg, seit 1887 in Wernigerode im Ruhestand, 1897 Vorsteher d. Fürst-Otto-Museums, Leiter versch. archäol. Ausgrabungen, lebte seit 1910 in Blankenburg.

Schriften: Armin. Ein nationales Drama, 1875; Die Orgel von Argenteuil (Schausp.) 1881; Der Feldzug des Germanicus im Jahr 16 nach Christus, 1884; Die Varusschlacht, ihr Verlauf und ihr Schauplatz, 1888; Harznovellen, 1902.					RM

Höfer von Feldsturm, Irma (geb. Sölch), * 14. 8. 1865 Schloß Kosatek/Böhmen, † 1. 2. 1919 Wien; Erzählerin.

Schriften: Jugend. Ein Liebes-Roman aus dem österreichischen Offiziersleben, 1907; Schuld. Geschichte einer Liebe, 1908; Frühlingssturm. Roman aus dem österreichischen Offiziersleben, 1908; Am Lido. Eine Ehegeschichte, 1909; «Im Taumel» Geschichte eines Offiziers, 1910; In der engen Gasse (Rom.) 1910; Friedls Liebesmelodie (Rom.) 1912; Offizierstöchter, 1914; Schattentage, 1915; Die Erwartung. Roman aus Österreichs Krisenzeit, 1916; Fanny Elßler. Friedrich v. Gentzens letzter Liebestraum (Rom.) 1921. IB

Höffer, Else (Ps. f. Else Guercke, geb. Kruhöffer), * 1885 Lützelhausen; Tochter e. Oberförsters u. Jagdschriftst., besuchte d. Lehrerinnenseminar, verheiratete sich u. lebte dann in Kolnar. Erzählerin.

Schriften: Die Sünde der Väter (Rom.) 1911; Sieger (Rom.) 1914; Kriegsnovellen (gem. m. anderen) 1916.　　　　　　　　　　　　　IB

Höffer, Karl Heinrich, Geb.datum unbek., † um 1793 Plauen/Vogtland; Kaufmann. Verf. v. Idyllen.

Schriften: Idyllen oder Klagen über die flüchtige Zeit, 1764; Abwechslungen wider die Langeweile, 1765; Empfindungen eines Jünglings von seiner Bestimmung und derselben würdige für die Zukunft gefaßte Entschließungen, 1765; Lob des Landlebens, 1765; Cantate auf die Hohe Anherokunft der Durchl. Churfürstinn, 1769; Idyllen und Erzählungen verehrungswürdigen Freunden gewidmet, 1777; Todten-Opfer, Friedrich dem Großen und Einzigen geweyt, 1786.

Literatur: Meusel-Hamberger 3,361; 9,603; 22/2,784; Goedeke 4/1,101.　　　　　　IB

Hoeffner, Erwin (Ps. Erwin Rainach), * 24.12. 1876 Zwickau; lebte in Dresden, Red. u. Schriftsteller.

Schriften: Im Namen der Liebe (Rom.) 1922.　IB

Höffner, Johannes (Ps. Heinrich Oesterle), * 18. 3.1868 Dramburg/Pommern, † 9.12.1929 Bomsdorf/Kr. Guben. Geistlicher, zuletzt Strafanstaltspfarrer. Erzähler.

Schriften: Evangelische Pastoraltheologie in Beispielen, 1907; Misericordia (Rom.) 1910; Gideon, der Arzt (Rom.) 1911; Die Treu von Pommern (Erz.) 1912; Frau Rat Elisabeth Goethe, geb. Textor, 1912; Goethe und das Weimarer Hoftheater, 1913; Gebt Raum, ihr Völker, unserm Schritt!, 1915; Das Ende des Girolama Minotto (Nov.) 1916; O du Heimatflur (Rom.) 1916; Sei gegrüßt in weiter Ferne (Skizzen) 1917; Feindliche Invasion, 1917; Die Hohenzollern und das Reich, 1918; Deutsche Seele, Ein Buch von Heimat, Wanderschaft und Liebe, 1918; Aus tiefer Not. Ein Roman aus den Tagen der Reformation, 1921; Goethe, 1924; Melodie des Herzens (Nov.) 1924.　　　　　　　　　　　　　AS

Höffner, Klara → Hofer, Klara.

Höfken, Gustav (seit 1867 Ritter von) (Ps. Gustav van Hoven), * 14.6.1811 Hattingen/Ruhr, † 14.7.1889 Wien; volkswirtschaftl. Studien, Offizier in versch. Garnisonen, nach Festungshaft in span. Kriegsdiensten, dann Journalist in Dtl., 1838 aus polit. Gründen verhaftet, seit 1841 wie-

der Journalist, 1848 Habil. f. Sozialökonomie in Heidelberg, im selben Jahr auf Veranlassung Karl v. Brucks Eintritt in d. öst. Staatsdienst (Handels-, später Finanzministerium), Red. d. «Austria», Verf. wiss. u. publizist. Stud. sowie v. Lustspielen.

Schriften (Ausw.): Tirocinium eines deutschen Officiers in Spanien, 4 Bde., 1841 f.; Englands Zustände, Politik und Machtentwicklung, mit besonderer Beziehung auf Deutschland, 2 Tle., 1846; Scherz und Ernst. Dramatische Spiegelbilder modernen Lebens, 1872.

Nachlaß: Öst. Staatsarch. Wien, Abt. Haus-, Hof- u. Staatsarch. – Mommsen Nr. 1705.

Literatur: Wurzbach 9,99; ÖBL 2,352; ADB 50,425; NDB 9,311. – E. März, Öst. Industrieu. Bankpolitik in d. Zeit Franz Josephs I., 1968.
　　　　　　　　　　　　　　　　　　　RM

Hoefler, Albert, * 2.1.1899 Echternach/Luxemburg; Sohn e. Gemeindesekretärs, studierte in Bonn, Privatbeamter u. nach d. 2. Weltkrieg Red. d. «Obermosel-Ztg.», später d. «Letzeburger Journals». Essayist u. Lyriker.

Schriften: Der Wanderer (Ged.) 1937; Dichter unseres Landes 1900–45, 1945; Landschaft im Mittag, 1947; Ausklang. Letzte Gedichte, 1951.
　　　　　　　　　　　　　　　　　　　IB

Höfler, (Karl Adolf) Konstantin Ritter von, * 26. 3.1811 Memmingen, † 29.12.1897 Prag; Sohn e. hohen Richters, studierte in München u. Göttingen (b. Fallmerayer), Reisen n. Italien, 1836 Red. d. «Münchener Ztg.», 1838 Privatdoz., 1839 a.o. u. 1941 o. Prof. d. Gesch. in München, später Archivar in Bamberg, 1851 Prof. in Prag, 1872 Mitglied d. öst. Herrenhauses. Vorkämpfer d. Deutschtums in Böhmen. Dramatiker, Gesch.-schreiber u. Epigrammatiker.

Schriften (Ausw.): Geschichte der englischen Civilliste, 1834; Die deutschen Päpste. Nach handschriftlichen und gedruckten Quellen verfaßt, 2 Bde., 1839; Lehrbuch der allgemeinen Geschichte, 1845 f.; Fränkische Studien, 5 Bde., 1850–53; Bayern, sein Recht und seine Geschichte, 1850; Historische Untersuchungen, 1861; Kaisertum und Papsttum. Ein Beitrag zur Philosophie der Geschichte, 1862; Concilia Pragensia (1353–1413) 1862; Neue Beiträge zu dem carmen occulti autoris, 1868; Aus Avignon, 1868; Abhandlungen aus dem Gebiete der alten Geschichte, 7 Bde., 1870 f.; Abhandlungen aus dem Gebiete der slawischen Geschichte, I–V,

1879–82; Papst Adrian VI. (1522–23) 1880; Leonore von Österreich Königin von Portugal (Dr.) 1888; Don Rodrigo de Borja, 1888; Karls V. erste Liebe, 1888; Kaiser Karl V. Ende (Tr.)1889; Der Anfang vom Ende der Karolinger (Dr.) 1889; Der Hohenzoller Johann, Markgraf von Brandenburg, 1890; Das Ende der Karolinger. Tragödie mit einem Vorspiel Lothars V. von Frankreich Tod, 1890; Die Königsmutter (Dr.) 1891; Die Ära der Bastarden am Schluß des Mittelalters, 1891.

Literatur: NDB 9,313; ADB 50,428; BWG 1, 1193; ÖBL 2,353; LThK 5,425; Biogr. Jb. 2, 209; Theater-Lex. 1,810. – T. v. BORODAJKEWYCZ, Dt. Geist u. Katholizismus im 19. Jh., 1935; J. HEMMERLE, ~ (in: Lbb. aus d. Bayer. Schwaben 2) 1953; DERS., E. bayer. Historiker in Prag. Z. 150. Geb.tag ~ (in: Unser Bayern 10) 1961; F. DRESSLER, ~ (1811–1897) (in: Fränk. Bl. f. Gesch.forsch. u. Heimatpflege 13) 1961; H. JEDIN, Briefe ~ an Augustin Theiner 1841 bis 1845 (in: Hist. Jb. 91) 1971; H. BACHMANN, Briefe ~s an L. Pastor aus d. Jahren 1877–1896 (in: Arch. f. Kirchengesch. v. Böhmen-Mähren-Schlesien 4) 1976.									IB

Höfler, Polly Marie (eigentl. Paula Sofie), * 30. 4. 1907 Metz, † 17. 2. 1952 Frankfurt/Main; Beamtentochter, im kaufmänn. Beruf tätig, später freie Schriftst. in Frankfurt. Erzählerin.

Schriften: Der Weg in die Heimat. Grenzlandroman, 1935; André und Ursula (Rom.) 1937; Roman, 1952; Das dreifache Leben (Rom., aus d. Nachlaß hg.) 1952.

Literatur: Nachruf auf ~ (in: Frankfurter Umschau) 1952.									IB

Hoeflich, Eugen → Ben-Gavriel, Moscheh Yaakov.

Hoeflin, Peter → Gaupp, Fritz.

Höfling, Helmut (Ps. Helmut Siegel), * 17. 2. 1927 Aachen; Rechtsstudium, seit 1952 Dramaturg am Stadttheater Aachen, später als Schriftst. in Köln lebend; Erzähler, v.a. Verf. v. Jugendbüchern u. zahlr. Rundfunk- u. Fernsehsendungen.

Schriften: Die Lebenden und die Toten (Dr.) 1951; Sagenschatz der Westmark, 1953; Todesritt durch Australien, 1954; Verschollen in der Arktis, 1955; Im Faltboot zum Mittelmeer, 1956; Pingo, Pongo und der starke Heinrich, 1960;

Pingo, Pongo und der starke Heinrich in Owambien, 1961; Das dicke Fränzchen, 1961; Der kleine Sandmann fliegt zur Himmelswerkstatt, 1961; Spielen macht Spaß, 1961 (bearb. Neuaufl. 1970); Das dicke Fränzchen unter Rennfahrern, 1962; Pingo, Pongo und der starke Heinrich beim Maharadscha von Inapur, 1962; Prinz Heuschreck, 1962; Der Floh Hupfdiwupf, 1963; Leo, der gähnende Löwe, 1963; Pingo, Pongo und der starke Heinrich in Müggelhausen, 1964; Wo die Erde gefährlich ist (mit B. Panteleimonow) 1964; Ein Extralob für Klaus, 1965; Dackel mit Geld gesucht, 1966; Käptn Rumbuddel. Die unglaublichen Abenteuer des Schiffsjungen Pietje, 1967; Sepp zähmt die Wölfe oder Das entscheidende Fußballspiel, 1967; Verschwiegen wie Winnetou, 1968; Sepp auf Verfolgungsjagd, 1968; Wikiwik in Dinkelwinkel, 1969; Wikiwik und der fliegende Polizist, 1969; Pips – die Maus mit dem Schirm, 1969; Kringel und Schlingel. Erzählung für die Kleinen, 1969; Fünf auf Draht, 1971; Jumbinchen mit dem Ringelschwänzchen, 1971; Der stachlige Kasimir, 1972; Drei Wichtel im grünen Wald, 1974; Drei Wichtel stechen in See, 1974; Drei fröhliche Wichtel, 1974; Gebrüder Schnadderich, 1974; Geschichten vom kleinen Sandmann, 1975; Detektive mit dem Spaten. Rätsel und Abenteuer der Archäologie, 1975; Dem Kosmos auf der Spur. Vom Urknall bis zur Bevölkerungsexplosion, 1976; Minus 69°. Die Arktis-Saga, 1976; Ein buntes Bastelbuch für Jungen, 1976; Die lustige Entenreise, 1976; Eine ganze Bande gegen Sepp, 1977; Sepp zähmt die Bande, 1977; Sepp und seine Freunde, 1977; Sepp auf heißer Spur, 1977; Morde, Spuren, Wissenschaftler. Meilensteine der Kriminalistik, 1977; Menschenzüge – Völkerströme. Das große Buch der Ruhelosen, 1977; Helden gegen das Gesetz. Die großen Räubergestalten von Angelo Duca bis Robin Hood, 1977; Geier über dem Sudan. Khalifen und Derwische unter dem Banner des Mahdi, 1977; Und immer lockt das Abenteuer, 1977; Aufbruch ins Unbekannte, 1978; H. Smith, Das Schatzschiff (Übers. u. Bearb.) 1978.									AS

Höfling, Johann Friedrich Wilhelm, * 30. 12. 1802 Neudrossenfeld b. Bayreuth, † 5. 4. 1853 München; Philol.- u. Theol.-Studium in Erlangen, 1823 Vikar in Würzburg, 1827 Pfarrer in Nürnberg, Dr. phil. (1831), 1833 o. Prof. f. Theol. u. Ephorus in Erlangen, Dr. theol. (1835),

1852 Oberkonsistorialrat u. Dr. iur. h. c. (Erlangen) in München, Mitarb. v. A. v. Harleß' «Zs. f. Protestantismus u. Kirche», Schöpfer d. evangel.-luther. Gottesdienstordnung Bayerns.

Schriften (Ausw.): Über den Geist der protestantischen Kirche, 1835; De symbolorum natura, necessitate, autoritate et usu, 1835; Das Sakrament der Taufe …, 2 Bde., 1846/48; Grundsätze evangelisch-lutherischer Kirchenverfassung …, 1850.

Literatur: ADB 12, 622; NDB 9, 317; RE 8, 176; RGG ³3, 393. – H. Fragerberg, Bekenntnis, Kirche u. Amt in d. dt. konfess. Theol. d. 19. Jh., Uppsala 1952 (mit Bibliogr.); F. W. Kantzenbach, D. Erlanger Theol., 1960.　　RM

Hoeft, Bernhard, * 29. 11. 1863 Filehne/Posen, † 1945; n. Steindruckerlehre Reisender, dann Schreiber d. Ärzte-Ver. u. später Erzieher in Berlin, Lehrer in Kietz u. a. Orten, 1906 Schulleiter u. später Rektor in Berlin, lebte dann in Wilhelmshorst b. Potsdam im Ruhestand, 1932 Dr. phil.

Schriften: Befreite Seelen (Nov.) 1906; Es ging ein Säemann (Rom.) 1906; Väter und Söhne (Rom.) 1909; Der Dorfheiland (Rom.) 1914; Was ich im Osten sah. Eine Kriegsfahrt, 1915; Berühmte Männer und Frauen Berlins und ihre Grabstätten …, 1919; Charlotte von Hagn. Familiengeschichte und Jugendzeit, 1926; Marsilia von Kölln. Roman aus Berlins Vorzeit, 1929; Rankes Stellungnahme zur Französischen Revolution (Diss. Greifswald) 1932; Das Schicksal der Ranke-Bibliothek, 1937 (Neudr. 1965); Rankes Berufung nach München, 1940; Leopold von Ranke, Neue Briefe (ges. u. bearb.; hg. H. Herzfeld) 1949.

Nachlaß: Geh. Staatsarch. Berlin. – Mommsen Nr. 1706, 1365.　　RM

Höger von Högen, Joseph, * 2. 12. 1767 Graz, † nach 1820 Linz a. d. Donau; studierte in Graz u. Wien, Richter in Klagenfurt u. Venedig, 1806 Landrechtsrat in Linz. Lyriker.

Schriften: Gedichte, 2 Bde., 1793.

Literatur: Wurzbach 9, 109; Meusel-Hamberger 3, 36; 22/2, 784; Goedeke 6, 636.　　IB

Högger, Paul, * 2. 9. 1900 Priorei Kr. Hagen/ Westf.; Lehrer in Soest/Westfalen.

Schriften: Die heilige Unschuld der Erfahrung (Ged.) 1932.　　RM

Högger, Robert, * 5. 2. 1869 St. Gallen, † 21. 7. 1931 Berlin; Sohn e. Dekorationsmalers, wurde Musterzeichner in e. Stickereigeschäft, arbeitete bis 1893 in München, lebte dann als selbständiger Dessinateur in St. Gallen. Dramatiker, Lyriker.

Schriften: Junges Leben (Ged.) 1894; Felsenburg (Schausp.) 1897; Um Gold und Ehre (Dr.) 1903; Eine Abrechnung (Schausp.) 1903.　　AS

Höggerl, Adolf, * 30. 5. 1890 Neunkirchen; Betriebsführer in Wiener-Neustadt.

Schriften: Wiener-Neustadt im Wandel der Zeit, 1936; Allzeit getreu! Streiflichter durch die Geschichte Wiener-Neustadts, 1936.　　RM

Högner, Franz, * 30. 6. 1902 Gera, † 9. 10. 1971 Trautenburg über Jena; lebte als Pfarrer das.; Erzähler.

Schriften: Das Krachhaus (Erz.) 1951; An Gottes Hand. Ein Trostbüchlein, 1952; Ins Leben hinaus. Kurzerzählungen und Gedichte (Hg.) 1954; Zwei Wanderer. Kurzgeschichten und Gedichte (Hg.) 1954.　　AS

Hoegner, Wilhelm (Ps. Hans Ritter, Urs Liechti, Bertschi, Engelhardt), * 23. 9. 1887 München; Dr. iur., Advokat in München, 1924–30 Abgeordneter d. SPD im bayer. Landtag, 1930–33 Reichstagsmitgl., 1933 Flucht n. Öst., Parteisekretär in Innsbruck, 1935–1945 Übers. in Zürich, Mitarb. d. «Roten Revue», 1945 bayer. Ministerpräs. u. Senatspräs., 1946 Honorarprof., 1948–50 Generalstaatsanwalt in München, 1950 stellvertr. Ministerpräs. u. Innenminister, 1954 Ministerpräs., 1957–62 Fraktionsvorsitzender, seit 1970 im Ruhestand. Träger versch. Verdienstorden.

Schriften (Ausw.): Der Faschismus und die Intellektuellen, 1934; Wodans Wiederkunft. Ein lustiger Reisebericht aus einer traurigen Zeit, 1936; Politik und Moral, 1937; Das demokratische Deutschland (Mit-Verf.) 1945; Die verratene Republik. Geschichte der deutschen Gegenrevolution, 1958; Der schwierige Außenseiter. Erinnerungen eines Abgeordneten, Emigranten und Ministerpräsidenten, 1959; Flucht vor Hitler. Erinnerungen an die Kapitulation der ersten deutschen Republik 1933, 1977.

Literatur: BWG 1, 1194. – D. Vater d. bayer. Verfassung … (in: Bayerland 69) 1967; P. Kritzer, ~. Polit. Biogr. e. bayer. Sozialdemokraten, 1979.　　RM

Höhe, Friedrich von der → Greiner, Hugo.

Höhl, Leopold, * 12.12.1844 Obererthal/Unterfranken, † 29.2.1896 Ebern/Rhön; Theol.-Studium in Würzburg, 1867 Priesterweihe, Kaplan, dann Gymnasialprof. in Würzburg, seit 1881 Pfarrer in Ebern. Mitgl. versch. hist. Vereine.

Schriften: Führer zum Ammergauer Passionsspiel ..., 1880; Wanderungen durch Vorarlberg, 1880; Rhönspiegel. Kulturgeschichtliche Bilder aus der Rhön, 1891; Rhön-Troubadour. Erinnerungs- und Trostbüchlein für Rhönbesucher, 1892.   RM

Höhle, Thomas, * 10.12.1926 Aue; Dr. phil., Lit.wissenschaftler u. -kritiker, Hg.; studierte in Göttingen u. Leipzig, 1951–56 Lehrer, dann Doz. an d. Hochschule d. Gewerkschaften in Bernau b. Berlin, 1956/57 Lehrauftrag an d. Humboldt-Univ. Berlin, 1960–63 Prof. f. german. Philol. an d. Univ. Warschau, seit 1963 Prof. f. dt. Lit. an d. Univ. Halle. Hauptautor von Bd. 11 der «Gesch. d. dt. Literatur. Von den Anfängen bis zur Ggw.»

Schriften: Franz Mehring. Vom bürgerlichen Demokraten zum proletarischen Revolutionär (Diss. Leipzig) 1954 (2., erw. Aufl. u.d.T.: Franz Mehring. Sein Weg zum Marxismus, 1958); Franz Mehring, Gesammelte Schriften, 15 Bde., 1960–67 (Hg., mit H. Koch u. J. Schleifstein); G. E. Lessing, Werke, 5 Bde. (Hg.) 1961; F. Mehring, Karl Marx. Geschichte seines Lebens, 1964 (Hg.).   AS

Höhler, Matthias (Ps. F. Ernst, M.H. Romhold), * 4.5.1847 Montabaur/Hessen-Nassau, † 9.7.1920 Limburg/Lahn; studierte in Mainz u. Rom, Dr. theol. u. Dr. phil., Sekretär d. Limburg. Bischofs Joseph Peter Blum, mit ihm in d. Verbannung (1876–1883) dann Domkapitular, seit 1915 Generalvikar in Limburg. Übers., Historiker, Erzähler.

Schriften: Kreuz und Schwert. Historische Erzählung aus dem Jahre 1164–1170, 2 Bde., 1877; Peter de Vineis. Historische Erzählung aus den Zeiten des deutschen Kaisers Friedrich II, 1878; Aus sturmbewegter Zeit (Nov.) 1879; Eli. Erzählung aus dem Leben einer Schwergeprüften, 1880; Kaiser Friedrich II. Eine Lebens- und Charakterskizze, zw. 1879 und 1882; Matteo Bonello. Historischer Roman aus den Jahren 1160–1166; 1892; Religionskrieg in Sicht? Ein Wort zum

Frieden ..., 1890; Ist der heilige Rock zu Trier echt?, 1891; Konfessionslose Schule, religionsloses Volk (Nov.) 1892; Gottes Wege. Erinnerungen an die Trierer Wallfahrt, 1893; Das dogmatische Kriterium der Kirchengeschichte, 1893; Fortschrittlicher «Katholizismus» oder katholischer Fortschritt, 1897; Mirjam, 1898; Lavinia, 1899; Der Bethlehemitische Kindermord, 1900; Der Mönch von Lützelburg, 1901; Der Stern von Bethlehem, 1901; Die Makkabäer, 1902; Der Sarazenin heilige Nacht, 1903; Für und Wider in Sachen der katholischen Reformbewegung der Neuzeit, 1903; Roman eines Seminaristen, 1905; Beichtbüchlein für jung und alt, 1907; Geschichte des Bistums Limburg mit besonderer Rücksichtnahme auf das Leben und Wirken des dritten Bischofs Peter Josef Blum, 1908; Aus dem Schulleben der Gegenwart, I Rosa Wantolfs Tagebuch. Irr- und Wirrsale einer Lehrerin, 1911, II Um eine Seele, Aus dem Leben einer Lehrerin, 1912; Goldene Früchte aus blutiger Saat. Dem Andenken unserer Gefallenen gewidmet, 1915; Jesus von Nazareth, 1915; Die Kapelle im Schützengraben, 1915; Aus dem Buch der Bücher. Biblische Erzählungen und Betrachtungen, 1919.

Literatur: Theater-Lex. 1,811.   IB

Höhn, Fritz (Friedrich Albert), * 8.3.1859 Wörth/Rheinpfalz, † 2.2.1934 Pforzheim; lebte nach kaufmänn. Ausbildung als «Kabinettmeister» (Geschäftsführer) e. Gold- u. Silberwarenfabrik in Pforzheim. Mundartdichter.

Schriften: Mei' Pforze (7 Bde.) 1913–29 (Verse u. Prosa).   HB

Hoehne, Edmund, * 16.9.1893 Hamburg; Sohn e. Baumeisters, Zeichenlehrer an höheren Schulen. Erzähler.

Schriften: Der Herzog von Sylt. Ein phantastischer Roman, 1926; Die Reportage Gottes. Ein Roman von heut und morgen, 1928; Marco Polo im Jenseits, 1937; Der Vertilger, 1938; Die Rache durch Gulliver (Rom.) 1941; Die große Stunde der Stadt Tönning (Rom.) 1947; Die Brüder. Novelle aus den Märztagen 1848, 1948; Deutsche, Dänen und Kierkegaard (Rom.) 1948. IB

Höhne, Kläre (geb. Wiedmer), * 7.1.1890 Diehsa/Oberlausitz, † 10.10.1958 Forchheim/Oberfranken (?); Schriftst. in Hirschberg/Riesengebirge u. später in Forchheim.

Schriften: Erlebte Heimat. Wanderbuch ...,
1934; Die Jungfer Herzogin. Kulturgeschichtliche Erzählung aus Alt-Hirschberg, 1937; Hirschberg im Riesengebirge (Heimatbuch, mit A.
Höhne) 1953; Unser täglich Brot. Gedichte vom
Kornfeld, 1954.   RM

Höhne, Reinhard, * 1.2.1913 Leipzig, † um
1978 Cottbus; 1933 im KZ Sachsenburg, Tiefbau-
arbeiter, Stenotypist, 1939–47 Soldat u. Kriegsgefangenschaft, 1947 Kulturred. in Zwickau, später Fachschuldozent.

Schriften: Kurs auf den Sund. Eine historisch-
biographische Erzählung über Jürgen Wullenwe-
ver, 1954; Die Musik der armen Leute. Ein Spiel
in zwei Aufzügen um Julius Mosen, 1955; Mit
Kreide, Pinsel, Stift und Kohle. Eine historisch-
biographische Erzählung über Albrecht Dürer,
1955; Elbfahrt durch Deutschland (Reportage)
1956.   AS/WK

Hoek, Henry, * 17.3.1878; Dr. phil., Schriftst.
in Frankfurt/Main. Verf. v. zahlr. Reisebüchern
u. Ski-Führern.

Schriften (Ausw.): Wege und Weggenossen
(Erz.) 1919; Über Berge und Bergsteigen (3 kritische Aufsätze) 1920; «Dir ...» Ein Band Gedichte, 1923; Wanderungen und Wandlungen,
1924; Wanderbriefe an eine Frau, 1925; Schnee,
Sonne und Ski. Ein Buch über den Frühling im
Hochgebirge, 1926; Wetter, Wolken, Wind. Ein
Buch für jedermann, 1926; Moderne Wintermärchen, 1926; Berg- und Wanderlieder, 1927; Der
denkende Wanderer, 1929; Weg und Umweg
einer Liebe. Neue Wanderbriefe an eine Frau,
1929; Am Hüttenfeuer. Erlebte und erlogene
Abenteuer, 1935; Wetterkunde, 1945; Mit
Schuh und Ski, 1950.   IB

Hölbe, Friedrich Wilhelm, * 11.4.1767 The-
mar/Coburg, Todesdatum u. -ort unbekannt; um
1809 Pfarrer in Dingsleben/Henneberg.

Schriften: Geschichte der Stammbücher, nebst
Vorschlägen zu einer besseren Einrichtung derselben, 1798; Sammlung vermischter Gedichte ..., 1804.

Literatur: Meusel-Hamberger 14, 156; Goedeke 7, 291.   RM

Hölbing, Franz, * 29.4.1932 Kapfenberg, Dr.
phil., Leiter f. Lit. u. Hörsp. beim Öst. Rund-
funk-Fernsehen.

Schriften: Von Kindern und Harlekinen (Erz. u.
Hörsp.) 1965; Da lächelt Thespis. Anekdoten aus
der Theaterwelt (hg.) 1974.   IB

Hölder, Christian Gottlieb, * 20.10.1788 Bebenhausen, † 10.10.1847 Stuttgart; 1805 Prä-
zeptor in Calw, 1818–42 Gymnasialprof. in Stuttgart, seither im Ruhestand.

Schriften: Meine Reise über den Gotthard nach
den Borromäischen Inseln und Mayland ..., 2
Bde., 1802; Dramatische Versuche, 1830; C.
Delavigne, Messenische Lieder (metr. übers.)
1832. (Außerdem Lehr- und Schulbücher.)

Literatur: Meusel-Hamberger 14, 156; 22.2,
784; Goedeke 11/1, 218.   RM

Hoelder, Fritz → Doehler, Gottfried.

Hölder, Luise (Ps. Luise Hold), * Ende 18. Jh.
Fürth/Bayern, Todesdatum u. -ort unbekannt;
Jugendschriftst., lebte in od. bei Nürnberg.

Schriften: Des jüngeren Robinson Rückreise
nach seinem Eilande ..., 1821; Neues Kindertheater zur Unterhaltung und Belehrung durch Beispiele, 2 Bde., 1821 f.; Neue Gesellschaftsspiele
und Unterhaltungen ..., 1823; Die Familie Edmund oder Die Weltgeschichte im Kleinen...,
1823; Leben und Thaten des Don Quixote ...
[nach Tiecks Übers. neu bearb.] 1824; Kleine
Kindergeschichten, Fabeln und Erzählungen ...,
1824; Geschichtlicher Erntekranz ..., 1824; Die
Erziehungs-Schule in anziehenden, munteren und
lehrreichen Unterhaltungen ..., 2 Bde., 1824 f.;
Kurze naturhistorische Fabeln und Erzählungen ..., 1826; Allerlei ... Schauspiele, Erzählungen, Mährchen, Sinnreiche Gespräche und Ge-
dankenspiele, 1832; Kleine Schauspiele zum Nutzen und Vergnügen der Jugend ..., 1835; Dramatisierte Sprüchwörter, zur schauspielmäßigen
Darstellung eingerichtet ..., 1838.

Literatur: Meusel-Hamberger 22.2, 785; Goedeke 10, 505; 11/2, 469.   RM

Hölderich, Ignaz, * 7.7.1787 München, † 23.
4.1854 Reichenhall; 1819 Hofprediger, 1823
bayer. Rat, Lehrer an d. Militärakad. München,
später Stadtpfarrer u. Distriktsschulinspektor in
Reichenhall.

Schriften: Religiöse Betrachtungen nebst einigen
Gedichten sinnverwandten Inhalts ..., 1823. (Ferner Schulschriften.)

Literatur: Meusel-Hamberger 22.2, 786; Goedeke 12, 479.   RM

Hölderlin, (Johann Christian) Friedrich, * 20. 3. 1770 Lauffen a. N., † 7. 6. 1843 Tübingen. D. Familie H.s gehörte seit Generationen zum württemb. evang. Pfarrer- u. Beamtentum. D. Vater (Klosterhofmeister u. geistl. Verwalter) starb 1772, d. Mutter heiratete 1774 d. Schreiber u. späteren Bürgermeister Joh. Chr. Go(c)k. Nach dessen Tod 1779 liegt d. Erziehung in d. Händen d. Mutter, die ihn bis zu ihrem Tode (1828) umsorgt u. sich bemüht, ihm e. Laufbahn als Pfarrer zu sichern. Nach Lateinschule (ab 1776) mit ergänzendem Privatunterricht (seit 1780 auch Klavier u. Flöte) kommt er 1784 in d. Klosterschule Denkendorf, dann ab 1786 nach Maulbronn und 1788 ins Tübinger Stift (gleichzeitig mit Hegel, später auch mit Schelling, den er bereits von d. Lateinschule kennt). Dort 1788 Gründung e. Dichterbunds mit d. Freunden Neuffer u. Magenau nach Klopstocks Ideen. Seit 1789 werden H.s Zweifel, ob die von d. Mutter gewünschte geistl. Laufbahn s. Neigungen entspricht, immer stärker; in diesem Zusammenhang auch Auflösung e. Verlöbnisses mit d. Jugendfreundin Louise Nast (1789); 1790 Magister-Examen; 1792 Bildung e. polit. Klubs im Stift mit Beteiligung Hegels u. H.s, die sich für d. Ideen d. Französ. Revolution begeistern; Auseinandersetzungen mit d. Herzog, der d. Zöglinge d. Stifts durch neue Statuten (ab 1793 in Kraft) diszipliniert; Jahrestag d. Sturms auf d. Bastille 1793 vermutl. von Hegel, H. u. Schelling mit Freiheitsbaum gefeiert; Abschlußexamen Sept. 1793.

Erste Gedichtpubl. in Stäudlins «Poet. Blumenlese f. d. Jahr 1792» u. 1793; seit 1792 Arbeit am «Hyperion».

Seit Ende 1793 auf Empfehlung Stäudlins und Schillers Hauslehrer bei Charlotte v. Kalb, zunächst in Waltershausen, seit Nov. 1794 in Jena, Dez. in Weimar; Lösung d. Anstellung im Januar 1795 wegen Erziehungsschwierigkeiten; in dieser ersten Hauslehrerzeit Beziehung zu Charlottes Gesellschafterin Kirms; starkes Werben um Schiller, der ihn anfangs wohlwollend fördert u. zahlreiche Gedichte H.s in s. Publikationsorganen aufnimmt (Musenalmanach 1796, 1798, 1799; Neue Thalia 1794, Horen 1797) u. auch d. Hyperion an Cotta übermittelt (ersch. 1797 u. 1799); Kontakte mit Fichte (dessen Vorlesungen er hört), Goethe, Herder, Novalis, Sophie Mereau; im Juni 1795 plötzlicher Aufbruch in d. Heimat.

Ende 1795 Annahme e. Hauslehrerstelle im Hause des Frankfurter Bankiers Gontard; Liebe zu dessen Frau Susette, der «Diotima» von H.s Dichtung; nach Auseinandersetzung mit d. Hausherrn 1798 Entlassung, jedoch heiml. Kontakt mit Susette bis Mai 1800 von d. Homburger Wohnung, die ihm d. befreundete Sinclair (Regierungsrat dortselbst) vermittelt; 1799 bis 1801 höchste dichterische Produktivität; Plan e. eignen Zs. («Iduna»), der scheitert, weil sich keine prominenten Beiträger finden; seit 1797 Arbeit am Trauerspiel «Empedokles»; Einzelpubl. in Neuffers «Taschenb. f. Frauenzimmer von Bildung» u. dem «Britischen Damenkalender» sowie in Cottas «Für Herz u. Geist».

Jan. bis April 1801 neue Hauslehrerstelle in Hauptwil (Schweiz); d. Friede v. Lunéville inspiriert ihn zur (erst 1954 veröffentlichten) «Friedensfeier»; Plan einer Gedichtedition (von Cotta 1801 zugesagt); Einzelpubl. in «Aglaia», «Flora» u. Vermehrens «Musen-Almanach».

Anfang 1802 Antritt e. weiteren Hofmeisterstelle in Bordeaux (beim hamburg. Konsul Meyer), Reise dorthin zu Fuß; aus ungeklärten Gründen bereits Mitte Mai Aufbruch z. Rückreise (zu Fuß über Paris); im Juni trifft er erschöpft u. geistig zerrüttet in Stuttgart ein, dann nach Nürtingen; d. Tod Diotimas im Juni erfährt er offenbar erst durch Sinclair. 1804 erscheinen d. «Trauerspiele des Sophokles» (Übersetzung mit Anmerkungen), Einzelpubl. in d. «Vierteljährl. Unterhaltungen» (Cotta), in Wilmans «Taschenb. f. d. Jahr 1805» u. d. «Württemb. Taschenb. a. d. Jahr 1806».

Im Juni 1804 holt ihn Sinclair nach Homburg, wo er seit August pro forma d. von s. Freund finanzierte Stelle e. Hofbibliothekars bekleidet; im Februar 1805 Verhaftung Sinclairs (Hochverratsprozeß); Entlassung im Juli; Ein Jahr später geht Homburg an Hessen-Darmstadt über, die Bibliothekarsstelle wird aufgelöst; Sinclair berichtet d. Mutter davon u. meldet, daß H.s «Wahnsinn eine sehr hohe Stufe» erreicht habe; im Sept. 1806 wird H. gegen s. Widerstand mit Gewalt in die Autenriethsche Klinik in Tübingen gebracht; von dort im Mai 1807 als unheilbarer Fall mit geringer Lebenserwartung d. Schreinermeister Ernst Zimmer in Tübingen zur Pflege anvertraut; seitdem bis zu s. Tode Versorgung von dessen Familie gegen Kostgeld; gelegentliche Berichte an H.s Familie. Von s. Zeitgenossen wurde er während dieser Zeit wenig beachtet (nur bei d. Romantikern Resonanz); 1822 erschien ohne H.s Beteiligung e. zweite Aufl. d. Hyperion, 1826 e. von Uhland u. Schwab betreute Gedichtsammlung (2. Aufl. 1843 mit biogr. Einl.). Nach den wenigen Berichten zeitgenöss. Besucher (u.a. Varnhagen, Kerner, d. erste Biograph Waiblinger, Mörike, Fr.Th. Vischer) wirkte H. meist geistesabwesend u. servil, bezeichnete sich selbst (außer in den Briefen nach Hause) als Scardanelli oder Buonarotti, äußerte sich in formelhaften Wendungen u. lieferte auf Wunsch kleine Proben d. Dichtkunst.

Schriften: Hyperion oder der Eremit in Griechenland, 2 Bde., 1797/1799; 2. Aufl. 1822; Die Trauerspiele des Sophokles (Übers.), 1804; Gedichte (hg. L. Uhland u. G. Schwab) 1826; 2. Aufl. 1843.

Ausgaben: Sämtl. Werke (hg. CHR.TH. SCHWAB), 2 Bde., 1846; Gesammelte Werke hg. v. W. BÖHM, 2. Aufl. 1911; hist.-krit. Ausg. (hg. N. v. HELLINGRATH, F. SEEBASS, L. v. PIGENOT), 6 Bde., 1913–1923; krit.-hist. Ausg. (hg. F. ZINKERNAGEL), 5 Bde., 1913–1926; Sämtl. Werke (hist.-krit. Ausg. d. Werke u. Briefe mit Lesarten, hg. F. BEISSNER, Gr. Stuttgarter Ausg., vollst. bis auf Register-Bd. 8), 7 (untert.) Bde., 1943–1977; Kl. Stuttgarter Ausg. (ohne Lesarten), 6 Bde., 1946 ff.; Werke u. Briefe hg. v. F. BEISSNER u. J. SCHMIDT (mit Erl.) 1969; Sämtl. Werke und Briefe hg. v. G. MIETH, 2- u. 4 bdg., 1970 u. ö.; Sämtl. Gedichte, Studienausg. in 2 Bden., hg. u. komm. v. D. LÜDERS, 1970; Sämtl. Werke (hist.-krit. Ausg. mit Lesarten, hg. D.E. SATTLER, W. GRODDECK, Frankfurter Ausg. in 20 Bden.): Einl.bd. 1975; VI, 1976; III, 1977; II, 1978.

Einzeldrucke (Ausw.): Friedensfeier. Hg. u. erl. v. F. BEISSNER, 1954; Friedensfeier. Lichtdruck der Reinschrift u. ihrer Vorstufen. Hg. v. W. BINDER u. A. KELLETAT, 1959; Stutgard. Originalgetreue Wiedergabe der Londoner Handschrift, 1970; Die Maulbronner Gedichte 1786 bis 1788. Faksimile des «Marbacher Quarthhefttes». Hg. v. W. VOLKE, 1977.

Bibliographien: Goedeke 5, 469; ~-Bibliographie v. F. SEEBASS, 1922; ~-Bibliographie 1938 bis 1950 bearb. v. M. KOHLER u. A. KELLETAT, 1953; fortl. im ~-Jb. 55/56, 60, 61/62, 65/66, 73/74, 75–77 (M. KOHLER).

Handschriften u. Archiv: Vgl. Kat. d. ~-Hss., bearb. v. J. AUTENRIETH u. A. KELLETAT, Veröff.

d. ~-Arch. 3, 1961; fortl. Ber. im ~-Jb.; Slg. Landesbibl. Stuttgart; Dt. Lit.arch./Schiller-Nat.-mus. Marbach. – Denecke 2. Aufl.

Periodicum: ~-Jb. Begründet v. F. BEISSNER u. P. KLUCKHOHN, 1944 ff. (Bd. I: «Iduna»).

Forschungsberichte: A. v. GROLMAN (in DVjs 4) 1926; DERS. (in: JbFDtHochst) 1929; J. HOFFMEISTER (in: DVjs 12) 1934; H.O. BURGER (in: DVjs 18) 1940; A. BECK (in: ~-Jb.) 1944, 1947, 1948/49, 1950, 1952; E. STAIGER (in: Trivium) 1946; H.O. BURGER (in: DVjs 30) 1956; A. PELLEGRINI, ~. S. Bild in d. Forschung, 1965; L. WIESMANN (in: WirkWort 25) 1975.

Literatur: ADB 12, 728; 33, 796; NDB 9, 322. – A. v. ARNIM, Ausflüge mit ~ (in: Berliner Conversationsbl. Nr. 31 ff.) 1828; W. WAIBLINGER, ~s Leben, Dg. u. Wahnsinn, 1831 (neu hg. A. BECK 1951); E. MÖRIKE, Erinnerung an ~ (in: Freya III) 1863; F. NIETZSCHE, Unzeitgem. Betracht., Bd. II, 1873; C.C.TH. LITZMANN, ~s Leben. In Briefen v. u. an ~, 1890; C. MÜLLER-RASTATT, ~. S. Leben u. s. Werke, 1894; R. GROSCH, D. Jugenddg. ~s (Diss. Berlin) 1899; W. BÖHM, Stud. zu ~s Empedokles (Diss. Berlin) 1902; TH. REUSS, Heinse u. ~ (Diss. Tübingen) 1906; F. ZINKERNAGEL, D. Entstehungsgesch. v. ~s Hyperion, 1907; E. BAUER, ~ u. Schiller (Diss. Tübingen) 1908; L. BÖHME, D. Landschaft in d. Werken ~s u. J. Pauls (Diss. Leipzig) 1908; O. BAUMGARTNER, Nietzsche – ~ (Diss. Bern) 1910; N. v. HELLINGRATH, Pindarübertr. v. ~ (Diss. München) 1910; F. GUNDOLF, ~s Archipelagus (Probevorl.) 1911; W. MICHEL, ~ 1912; A. v. GROLMAN, ~s Hyperion. Stilkrit. Studien (Diss. München) 1919; G. MÖNIUS, ~ als Philosoph (Diss. Erlangen) 1919; K. VIETOR, D. Bau d. Gedichte ~s (in: Zs. f. Ästhetik 14) 1919/1920; ST. GEORGE, ~ (in: Bl. f. d. Kunst 11/12) 1919/20; E. TRUMMLER, D. kranke ~. Urkunden u. Dichtungen aus d. Zeit s. Umnachtung z. Buche vereinigt, 1920; N. v. CASSIRER, ~ u. d. dt. Idealismus (in: E.C., Idee u. Gestalt) 1920; N. v. HELLINGRATH, ~. Zwei Vorträge, 1921; K. VIETOR, D. Lyrik ~s. E. analyt. Unters., 1921; E. LEHMANN, ~s Lyrik, 1922; K. PIEPER, ~s späte Hymnen (Diss. Freiburg) 1923; V. ERDMANN, ~s ästhet. Theorie im Zus.hang s. Weltanschauung, 1923; G. HASENKAMP, ~s Anschauung v. Beruf d. Dichters (Diss. Münster) 1923; W. MICHEL, ~s abendländ. Sendung, 1923; DERS., ~ u. d. dt. Geist, 1924; H.

BRANDENBURG, ~. S. Leben u. s. Werk, 1924; R. KERBER, ~s Verhältnis zu Homer, 1924; H. SPIES, D. Charaktere in ~s Hyperion (Diss. Marburg) 1924; L. v. PIGENOT, Grund z. Empedokles, 1924; M. CRAYSSAC, Etudes sur l'Hyperion d'~, 1924; E. LEHMANN, ~s Idylle Emilie vor ihrem Brauttage, 1925; K. J. OBENAUER, ~ – Novalis (in: K. J. O., Ges. Stud.) 1925; R. FAHR-NER, ~s Begegnung mit Goethe, 1925; ST. ZWEIG, D. Kampf mit d. Dämon, 1925; G. V. AMORETTI, ~, 1926; W. SCHMIDT, Beitr. z. Stilistik v. ~s Tod d. Empedokles, 1927; W. BÖHM, ~, I, 1928, II, 1930; E. EMMERT, ~ u. d. griech. Tr. (Diss. Freiburg) 1928; L. KEMP-TER, ~ u. d. Mythologie, 1929; K. WENDT, ~ u. Schiller. E. vgl. Stilbetrachtung, 1929; H. NEUNHEUSER, D. geistige Entwicklung ~s, 1929; E. NÄGELE, E. Besuch bei ~ 1837 (35. Rechensch.ber. des Schwäb. Schillerver.) 1930/1931; J. HOFFMEISTER, ~ u. Hegel, 1931; H. KÜHNAPFEL, Stud. zu ~s später Dg. (Diss. Breslau) 1931; W. F. KÖNITZER, D. Bedeutung d. Schicksals bei ~, 1932; K. SOMMER, D. Bild d. Antike bei ~ (Diss. Münster) 1933; H. W. BER-TALLOT, ~ – Nietzsche. Unters. z. hymn. Stil, 1933; R. HABETIN, D. Lyrik ~s im Verhältnis z. Lyrik Goethes u. Schillers (Diss. Leipzig) 1933; L. STRAUSS, D. Problem d. Gemeinschaft in ~s Hyperion, 1933; C. PETERSEN, D. Seher dt. Volkheit (Kieler Universitätsrede) 1934; J. SCHOTTDORF, D. weltanschaul. Grundlagen in ~s Hyperion (Diss. Würzburg) 1934; W. WIRTH, ~ u. d. myth. Erlebnisform (Diss. Frankfurt) 1934; W. ADT, D. Verhältnis Stefan Georges u. s. Kreises zu ~ (Diss. Frankfurt) 1935; P. BÖCK-MANN, ~ u. s. Götter, 1935; W. BÖHM, ~ u. d. Schweiz, 1935; A. UFFENORDE, D. Weltbild in s. Bedeutung f. ~. s. Zeit (Diss. Münster) 1935; R. TREICHLER, D. seel. Erkrankung ~s in ihren Beziehungen zu s. dicht. Schaffen (Diss. Tübingen) 1936; K. PÖRSCHKE, D. Versgestalt in ~s Menons Klagen um Diotima (Diss. Kiel) 1936; E. LACHMANN, ~s Hymnen in freien Strophen, 1937; G. WAGNER, ~ u. d. Vorsokratiker (Diss. Frankfurt) 1937; D. SECKEL, ~s Sprachrhythmus, 1937; G. KEETMANN, D. Mensch u. d. Natur bei ~, 1937; E. K. FISCHER, ~. S. Leben in Selbstzeugnissen, Briefen u. Berichten, 1938; R. PEACOCK, ~, London 1938; D. SECKEL, ~s Raumgestaltung (in: Dg. u. Volkstum 39) 1938; E. STOELZEL, ~ in Tübingen u. d. Anfänge s.

Hyperion, 1938; W. ALLGÖWER, Vaterland und Staat im Werk ~s, 1939; C. FINEMAN, ~s Philosophy with Particular Reference to Plato (Diss. Ann Arbor) 1939; R. GUARDINI, ~. Weltbild u. Frömmigkeit, 1939; K. HILDEBRANDT, ~. Philos. u. Dg., 1939; E. KALLENBERG, D. Bild d. Menschen im Werke ~s, 1939; A. MEERKATZ, Erläuterungen zu ~: «Hyperion» unter Berücksichtigung v. ~s Gedichten, 1939; F. SIEGMUND-SCHULTZE, D. junge ~. Analyt. Vers. über s. Leben u. Dichten bis z. Schluß d. ersten Tübinger Jahres, 1939; W. STEINKUHL, D. ~sche Mitte. Interpretationen aus d. Schaffen d. Frankfurter u. Homburger Jahre, 1939; W. VORDTRIEDE, ~s Spätstil als Mittel z. Deutung s. Weltbilds (Diss. Cincinnati) 1939; P. WAGMANN, ~s Empedokles-Bruchstücke, 1939 (Nachdr. 1970); M. KOMMERELL, Geist. u Buchstabe d. Dg. Goethe. Kleist. ~, 1940; W. MICHEL, D. Leben ~s, 1940; J. RICHTER, ~s Christusmythus u. d. dt. Ggw., 1941; O. ROSSMANNEK, ~s Lyrik. E. Gestaltbetrachtung (Diss. Münster) 1941; W. BART-SCHER, ~ u. d. dt. Nation. Vers. e. Wirkungsgesch. ~s, 1942; J. HOFFMEISTER, ~ u. d. Philos. (Habil.schr. Bonn) 1941; W. F. OTTO, D. Dichter u. d. alten Götter, 1942; F. F. v. UN-RUH, ~, 1942; ~. Gedenkschr. zu s. 100. Todestag. 7. Juni 1943, hg. P. KLUCKHOHN; R. IBEL, Weltschau d. Dichter. Goethe, Schiller, ~, Kleist, 1943; H. KINDERMANN, ~ u. d. dt. Theater, 1943; W. MICHEL, ~s Wiederkunft, 1943; P. BÖCKMANN, ~. Drei Reden, 1944; T. DRESS, ~s Bild v. d. Gesch. (Diss. Münster) 1944; N. v. HELLINGRATH, ~-Vermächtnis. 2. Aufl. 1944; M. HOHN, ~s Menschenbild im geschichtl. Wandel v. Tag- u. Nachtzeit (Diss. Bonn) 1944; H. MAEDER, ~ u. d. Wort. Z. Problem d. freien Rhythmus in ~s Dg. (in: Trivium 2) 1944; A. MEETZ, ~s Christusmythos im Zus.hang mit s. Weltanschauung u. s. Lebensschicksal (Habil. Schr. Kiel) 1944; E. MÜLLER, ~. Stud. z. Gesch. s. Geistes, 1944; R. SCHNEIDER, D. Dichter vor d. Gesch.: ~. Novalis, 1944; A. STANSFIELD, ~, Manchester 1944; W. STÖBER, Ich u. Welt im Ausdruck d. lyr. Sprachform ~s (Diss. Göttingen) 1944; R. BOTTACCHIARI, ~, Rom 1944; L. KEMPTER, ~ in Hauptwil, 1946; H. KUPRIAN, ~s Gestalt in s. Dg. (Diss. Innsbruck) 1946; I. E. SARRIS, V. schönen Menschen in ~s Dichten u. Denken (Diss. Hamburg) 1946; M. SIEBER, Vers. e. Deutung d. späten Hymnenmotive bei ~ u.

Nietzsche (Diss. Wien) 1946; A. WINKLHOFER, ~ u. Christus, 1946; G. LUKACS, ~s Hyperion (in: G. L., Goethe u. s. Zeit) 1947; A. CHRISTIANSEN, D. Idee d. Goldenen Zeitalters bei ~ (Diss. Tübingen) 1947; P. EMMANUEL, ~ u. d. Gesch., 1947; H. HOCH, Dg. u. Wirklichkeit bei ~ (Diss. Münster) 1947; W. KILLY, Bild u. Mythe in ~s Ged. (Diss. Tübingen) 1947; J. KLEIN, ~ in unserer Zeit, 1947; E. M. MAHOVSKY, Empedokles u. ~ (Diss. Wien) 1947; A. HÄNY, ~s Titanenmythos, 1948; R. LINDEMANN, ~ heute, 1948; M. O. MAUDERLI, ~ als Erzieher (Diss. Philadelphia) 1948; L. WIESMANN, D. Dionysische bei ~ u. in d. dt. Romantik (Diss. Basel) 1948; K. BÄUMER, D. innere Entwicklung d. Jugendlyrik ~s (Diss. Göttingen) 1949; P. DREYKORN, Stud. über ~ u. Kleist v. Problem d. Schuld in ihrem Dr. aus (Diss. Erlangen) 1949; A. FAUST, Dichterberuf u. bürgerl. Beruf in ~s Leben u. Werk (Diss. Tübingen) 1949; H. P. JÄEGER, ~ – Novalis. Grenzen d. Sprache, 1949; W. KIRCHNER, D. Hochverratsprozeß gg. Sinclair, 1949; W. KRANZ, Empedokles. Antike Gestalt u. romant. Neuschöpfung, 1949; F. PÖGGELER, ~ u. Klopstock (Diss. Marburg) 1949; E. PRZYWARA, ~, 1949; H. STOLTE, ~ u. d. soziale Welt, 1949; M. TIJDENS-PLET, ~. D. Problem d. Lebensüberschreitung in s. Werk (Diss. Groningen) 1949; H. WOCKE, ~s christl. Erbe, 1949; J.-L. MARKSCHIES, D. Heilige bei ~ (Diss. Leipzig) 1950; W. REHM, Orpheus. D. Dichter u. d. Toten. Selbstdeutung u. Totenkult bei Novalis – ~ – Rilke, 1950; E. SALIN, ~ im George-Kreis (Vortrag) 1950; L. S. SALZBERGER, ~s Anschauung v. Beruf d. Dichters u. d. Stil s. Dg. (Diss. Oxford) 1950; M. SCHULTES, ~, Christus, Welt. D. Deutungsvers., 1950; E. G. STEINMETZ, ~ u. Homburg (Mitt. d. Ver. f. Gesch. u. Landeskunde zu Bad Homburg 20) 1950; E. TONNELAT, L'Oeuvre poétique et la pensée religieuse de ~, Paris 1950; H. FREY, Dg., Denken u. Sprache bei ~ (Diss. Zürich) 1951; ~. Bilder aus s. Leben, 1951 u. ö.; E. LACHMANN, ~s Christus-Hymnen, Text u. Auslegung, 1951; H. BRENNER, D. Verfahrensweise d. poet. Geistes (Diss. FU Berlin) 1952; O. FÄH, Klopstock u. ~. Grenzen d. Odenstrophe (Diss. Zürich) 1952; R. GUARDINI, Form u. Sinn d. Landschaft in d. Dichtungen ~s, 2. Aufl. 1952; W. HOWEG, Karoline v. Günderrode u. ~ (Diss. Halle) 1952; H. PFEIFFER, Studie über polit. Ethik im Denken Goethes,

Schillers u. ~s (Diss. Würzburg) 1952; W. REHM, Griechentum u. Goethezeit, 3. Aufl. 1952; R. TH. STOLL, ~s Christushymnen, 1952; W. BOERSCH, Rilke u. ~ (Diss. Marburg) 1953; H. BUBECK, ~. E. psychoanalyt. Studie, 1953; W. STROLZ, ~ u. d. Beruf d. Dichters (Diss. Innsbruck) 1953; W. HOF, ~s Stil als Ausdruck s. geistigen Welt, 1954; J. ISBERG, ~ in Homburg 1798–1800 (Diss. Hamburg) 1954; A. H. NIELSEN, D. Begriff d. Eros bei ~ (Diss. Ann Arbor) 1954; R. NIESSEN, D. Phänomen d. Feier in d. Dg. ~s (Diss. München) 1954; B. ALLEMANN, ~s Friedensfeier, 1955; W. BINDER, Dg. u. Zeit in ~s Werk mit e. Einl. über d. Zeit im Denken u. Empfinden d. 18. Jh. (Habil.schr. Tübingen) 1955; D. JÄHNIG, Vorstud. z. Erl. v. ~s Homburger Aufs., (Diss. Tübingen) 1955; B. ALLEMANN, ~ u. Heidegger, 2. Aufl. 1956; W. BINDER, ~s «Friedensfeier» (in: DVjs 30) 1956; U. HÖTZER, D. Gestalt d. Herakles in ~s Dg. Freiheit u. Bindung, 1956; J. HOFFMANN, D. Problem u. d. Bilder d. Lebensbewährung in ~s Dg. (Diss. Hamburg) 1956; K. KANZOG, ~ im Urteil s. Zeit (Diss. Leipzig) 1957; H. KNOSPE, D. Entstehungsweise d. Gedichte ~s (Diss. FU Berlin) 1956; D. LÜDERS, D. Wesen d. Reinheit bei ~ (Diss. Hamburg) 1956; Das ~-haus in Tübingen, 1957; D. Streit um d. Frieden. Beitr. z. Auseinandersetzung um ~s «Friedensfeier», hg. E. LACHMANN, 1957; H. J. SCHRIMPF, ~, Heidegger u. d. Lit.wiss., (in: Euphorion 51) 1957; H. SINGER, Rilke u. ~, 1957; M. CORNELISSEN, ~s Ode «Chiron» (Diss. Tübingen) 1958; R. MICHAELIS, D. Struktur v. ~s Oden. D. Widerstreit zweier Prinzipien als «kalkulables Gesetz» der Oden (Diss. Tübingen) 1958; R. D. MILLER, A Study of ~, Harrogate 1958; J. MÜLLER, Goethes «Faust» u. ~s «Empedokles». Vision u. Utopie in d. Dg. (in: Jb. d. Goethe-Ges., NF 20) 1958; H. RUMPF, D. Deutung d. Christusgestalt bei d. späten ~ (Diss. Frankfurt) 1958; G. SCHMIDLIN, ~s Ode: Dichterberuf. E. Interpretation, 1958; E. W. BACH, Patterns of Syntax in ~s Poems (Diss. Chicago) 1959; B. BÖSCHENSTEIN, ~s Rheinhymne, 1959; M. CORNELISSEN, Orthograph. Tabellen zu Hss. ~s (Veröff. des ~-Archivs 2) 1959; U. HÄUSSERMANN, Friedensfeier. E. Einführung in ~s Christushymnen, 1959; G. SCHNEIDER-HERRMANN, ~s «Friedensfeier» u. d. griech. Genius, 1959; M. DELORME, ~ et la Révolution francaise, Monaco

1959; K. Kroll, Klopstocks Bedeutung f. ∼s Lyrik (Diss. Kiel) 1960; L. Ryan, ∼s Lehre v. Wechsel d. Töne, 1960; W. Schadewaldt, Hellas u. Hesperien. Ges. Schr. z. Antike u. z. modernen Lit., 1960; H.-H. Schottmann, Metapher u. Vergleich in d. Sprache ∼s, 1960; F. Beissner, ∼. Reden u. Aufsätze, 1961; ders., ∼s Übersetzungen aus d. Griechischen, 2. Aufl. 1961; W. de Boer, ∼s Deutung d. Daseins. Z. Normproblem d. Menschen, 1961; ∼. Beitr. zu s. Verständnis in unserm Jh., hg. A. Kelletat (Schr. d. ∼-Ges. 3) 1961; P. Kaspzyk, D. Einwirkung d. Mundart auf ∼s Dichtersprache (Diss. Tübingen) 1961; M. Kohler, Univ.stadt Tübingen. Gesch. d. ∼-Drucke. Ausgaben, Hss., Dokumente. E. Ausstellung d. ∼-Archivs, 1961; B. M. Benn, ∼ and Pindar, Den Haag 1962; U. Gaier, D. gesetzl. Kalkül. ∼s Dichtungslehre, 1962; L. Lohrer, ∼-Ausg. u. ∼-Arch. Entstehung u. Gesch. (in: FS W. Hoffmann) 1962; J. Rosteutscher, ∼, d. Künder d. großen Natur, 1962; J. P. Walser, ∼s Archipelagus, 1962; F. Beissner, ∼ heute. D. lange Weg d. Dichters zu s. Ruhm. E. Vortrag, 1963; G. Brenning, Erl. zu ∼s Hyperion unter Berücksichtigung d. frühen Fassungen, 1963; J. Hoffmeister, ∼s Empedokles. Aus d. Nachlaß hg. R. M. Müller, 1963; H. Nalewsky, ∼. Naturbegriff u. polit. Denken (Diss. Leipzig) 1963; P. Nickel, D. Bedeutung v. Herders Verjüngungsgedanken u. Gesch.philos. f. d. Werke ∼s (Diss. Kiel) 1963; P. Raabe, D. Briefe ∼s. Stud. z. Entwicklung u. Persönlichkeit d. Dichters, 1963; P. Szondi, Der andere Pfeil. Z. Entstehungsgesch. v. ∼s hymn. Spätstil, 1963; B. Böschenstein, Konkordanz zu ∼s Gedichten nach 1800, 1964; G. Brenning, Erl. zu ∼s Gedichten, 1964; E. E. George, ∼s «Ars Poetica» (Diss. Ann Arbor) 1964; J. H. Glenn, ∼s Translation from the Latin (Diss. Austin/Texas) 1964; G. Rockel, D. Haltung d. Dankes u. ihre Bedeutung im Denken u. Dichten ∼s (Diss. Hamburg) 1964; Th. W. Adorno, Parataxis. Z. späten Lyrik ∼s (in: T. W. A., Noten z. Lit. 3) 1965; F. Beissner, Individualität in ∼s Dg. E. Vortrag, 1965; P. Böckmann, Hymn. Dg. im Umkreis ∼s, 1965; I. Hochmuth, D. dichter. Menschenbild u. die ästhet. Problematik in ∼s Tr. «D. Tod. d. Empedokles» (Diss. Jena) 1965; H. Jacobs, Unters. zu Raum u. Landschaft im Frühwerk ∼s (Diss. Kiel 1965; L. Ryan, ∼s «Hyperion». Exzentr. Bahn u. Dichterberuf,

1965; A. Beck, Forsch. u. Deutung, Ausgew. Aufs. z. Lit., hg. U. Fülleborn, 1966; P. Böckmann, Formensprache. Stud. z. Lit.ästhetik und Dichtungsinterpretation, 1966; J. K. Hammer, ∼ in England (Diss. Hamburg) 1966; E. Lachmann, D. Versöhnende. ∼s Christus-Hymnen, 1966; R. A. Watt, ∼s Imagery (Diss. Ann Arbor) 1966; A. Bennholdt-Thomsen, Stern u. Blume. Unters. z. Sprachauffassung ∼s, 1967; U. P. Draenert, D. Gesetz u. d. Gesang bei ∼ (Diss. Tübingen) 1967; W. Kirchner, ∼. Aufs. zu s. Homburger Zeit, hg. A. Kelletat, 1967; Lieder u. Gesänge. Nach Dichtungen v. ∼. Mit Einl. u. Erl. hg. v. K. M. Komma (Schr. d. ∼-Ges. 5) 1967; M. Kommerell, Br. u. Aufzeichnungen 1919–1944 hg. v. I. Jens; ders., ∼s Hymnen in freien Rhythmen (in: Dame Dichterin u. andere Ess., hg. v. A. Henkel) 1967; M. Konrad, ∼s Philos. im Grundriß, 1967; E. Petzold, ∼s Brot u. Wein. E. exeget. Vers., 1967; L. Ryan, ∼, 2. Aufl. 1967; G. Schuhmacher, Gesch. und Möglichkeiten d. Vertonung v. Dichtungen ∼s, 1967; J. Simon, D. Wechsel d. Töne im Drama. Beobachtungen zu ∼s Tr. «D. Tod d. Empedokles» (Diss. Tübingen) 1967; P. Szondi, ∼-Studien, 1967; R. L. Unger, ∼s «Patmos». Song as Interpretation (Diss. Ithaca) 1967; K.-R. Wöhrmann, ∼s Wille z. Tr., 1967; R. Berlinger, ∼s philosoph. Denkart (in: Euphorion 62) 1968; A. Beck, ∼ als Republikaner (in: ∼-Jb. 15) 1967/68; B. Böschenstein, St. z. Dg. d. Absoluten, 1968; K. Petersen, ∼s Theorie d. dichter. Gattungen (Diss. Tübingen) 1968; L. Ryan, ∼ u. d. Französ. Revolution (in: FS K. Ziegler) 1968; J. Schmidt, ∼s Elegie «Brod und Wein». D. Entwicklung d. hymn. Stils in d. eleg. Dg., 1968; C. F. Köpp, D. Begriff d. Schönen in ∼s Dg. u. Theorie d. Dg. (Diss. Greifswald) 1968; I. G. Merkel, ∼s Gesch.konzeption. Quellen u. Entwicklung (Diss. Ann Arbor) 1968; R. Minder, ∼ unter d. Deutschen u. andere Aufs. z. dt. Lit., 1968; D. Lüders, «D. Welt im verringerten Maasstab». ∼-Stud., 1968; E. Radczun, Zu d. Bewältigung d. Wirklichkeit in d. Gestaltung d. Menschheitsperspektive in ∼s Rom. «Hyperion» (Diss. Berlin) 1968; F. Beissner, ∼s Götter. E. Vortrag, 1969; ders., ∼. Reden u. Aufs. 2. Aufl. 1969; P. Bertaux, ∼ u. die Französ. Revolution, 1969; H. Eckert, ∼s Tr. «D. Tod d. Empedokles» in d. Entwicklung s. Fragmente, 1969; Th. Fiedler, Trakl a. ∼. A Study in Influence, St. Louis 1969; W. KIRCHNER, D. Hochverratsprozeß gg. Sinclair. E. Beitr. z. Leben ∼s, 1969; E. KLOEHN, Zeit u. Zeitlichkeit im Werk ∼s, 1969; W. KUDSZUS, Sprachverlust u. Sinnwandel. Z. späten u. spätesten Lyrik ∼s, 1969; E. MEISEL, D. vaterländ. Lyrik ∼s (Diss. Jena) 1969; D. G. MILLER, Schiller and ∼. A Comparative Study (Diss. Washington) 1970; D. RODEWALD, An ∼. Gedichte aus 180 Jahren dt.- u. fremdsprachiger Autoren, 1969; J. SCHMIDT, Dichter über ∼, 1969; W. SILZ, ∼s Hyperion. A Critical Reading, 1969; R. ZUBERBÜHLER, ∼s Erneuerung d. Sprache aus ihren etymolog. Ursprüngen, 1969; A. BECK u. P. RAABE, ∼. E. Chronik in Text u. Bild, 1970; W. BINDER, ∼-Aufsätze, 1970; ∼. Z. 200. Geb.tag, Ausstellungskat. v. W. VOLKE, 1970; Über ∼. Aufs. v. ADORNO, BEISSNER, BENJAMIN u. a., hg. J. SCHMIDT, 1970; W. SCHADEWALDT, Hellas und Hesperien. Ges. Schr. z. Antike u. z. neueren Lit., bes. Bd. 2, 1970; J. SCHMIDT, ∼s letzte Hymnen «Andenken» u. «Mnemosyne», 1970; W. THÜRMER, Z. poet. Verfahrensweise in d. spätesten Lyrik ∼s, 1970; F. ASPETSBERGER, Welteinheit u. ep. Gestaltung. Stud. z. Ichform v. ∼s Rom. «Hyperion», 1971; E. BACH, D. Syntax v. ∼s Gedichten (in: Lit.wiss. u. Linguistik 1) 1971; H.-G. GADAMER, ∼ u. George (in: Stefan George-Koll., hg. H. HEFTRICH) 1971; U. GAIER, ∼ u. d. Mythos (in: U. G., Terror u. Spiel. Probleme d. Mythenrezeption) 1971; H. GRASSL, ∼ u. d. Illuminaten. D. zeitgesch. Hintergründe d. Verschwörermotivs im «Hyperion», 1971; H. HEGEL, Isaak v. Sinclair zw. Fichte, ∼ u. Hegel, 1971; M. HEIDEGGER, Erläuterungen zu ∼s Dg., 4., erw. Aufl. 1971; DERS., D. Wohnen d. Menschen (in: Hesperus, FS G. H. Steinbömer) 1971; D. HENRICH, Hegel u. ∼ (in: D. H., Hegel im Kontext) 1971; H. W. JÄGER, Polit. Metaphorik im Jakobinismus u. im Vormärz, 1971; R. NÄGELE, Formen d. Utopie bei ∼ (Diss. St. Barbara, Calif.) 1971; Nürtingen u. ∼ 1970, hg. v. d. Stadt Nürtingen, 1971; J. ROSTEUTSCHER, Barocke Dramatik u. Emblematik in ∼s Lyrik (in: FS Robert Müller) 1971; J. SCHARFSCHWERDT, D. pietistisch-kleinbürgerl. Interpretation d. Französ. Rev. in ∼s Briefen (in: Schiller-Jb. 15) 1971; H. G. GADAMER, M. MÜLLER, E. STAIGER, Hegel. ∼. Heidegger, 1971; CHR. ULLMANN, Sprachauffassung u. Sprachbehandl. in d. Dg. ∼s (Diss. Vancouver) 1971; G.

BUHR, ∼s Mythenbegriff, 1972; H. GANZER, ∼s Ode «Chiron» (Diss. Berlin) 1972; G. HEMPELMANN, Dg. u. Denkverzicht: ∼ als Tragiker, 1972; Psychiatrie z. Zeit ∼s (Ausstellungskat. v. G. FICHTNER u. M. BRECHT) 1972; ∼. An Early Modern, hg. E. E. GEORGE, 1972; ∼-Colloquium (Jena) (in: WZ d. Friedr. Schiller-Univ., ges.- u. sprachwiss. R. 21) 1972; J. JACOBS, ∼: Hyperion (in: J. J., Wilhelm Meister u. seine Brüder) 1972; U. HÄUSSERMANN, ∼ in Selbstzeugn. u. Bilddokumenten, 1972; G. LEPPER, ∼. Geschichtserfahrung u. Utopie in s. Lyrik, 1972; J. MAHR, Mythos u. Politik in ∼s Rheinhymne, 1972; R. Reschke, Gesch.philos. u. Ästhetik bei ∼ (Diss. Berlin Ost) 1972; G. WOLF, D. arme ∼ (Erz.) 1972; R. M.-E. H. WOOD, D. «Mächtigkeit» d. Dichters. Zu Probl. v. Distanz u. Darstellung bei ∼ (Diss. Ann Arbor) 1972; I. GERLACH, Natur u. Gesch. Studien z. Gesch.auffassung in ∼s «Hyperion» u. «Empedokles», 1973; ∼ ohne Mythos, hg. I. RIEDEL, 1973; W. GILBY, D. Bild d. Feuers bei ∼, 1973; J. SÖRING, D. Dialektik d. Rechtfertigung. Überlegungen zu ∼s Empedokles-Projekt, 1973; Hegel-Tage Villigst 1969. D. älteste Systemprogramm, hg. R. BUBNER, 1973; L. v. D. VELDE, Herrschaft u. Knechtschaft bei ∼, 1973; P. WEISS, ∼. Stück in 2 Akten (Druckfassung) 1973; D. andere ∼. Materialien z. ∼-Stück v. Peter Weiss, hg. v. TH. BECKERMANN u. V. CANARIS, 1972; H. SCHULTZ, «Revolutionäre Verse» bei ∼ u. Weiss (in: Peter Weiss, Text u. Kritik 37) 1973; R. C. SHELTON, The Young ∼, 1973; A. OERTLE, Christus bei ∼. E. Versuch, ∼s Werk theolog.-krit. zu lesen (Diss. Zürich) 1974; K. BARTSCH, D. ∼-Rezeption im dt. Expressionismus, 1974; Bibliogr. F. BEISSNER (in: FS F. Beißner) 1974; CHR. PRIGNITZ, D. Bewältigung der Französ. Rev. in ∼s Hyperion, JbFDtHochst 1975; G. KURZ, Mittelbarkeit u. Vereinigung. Z. Verhältnis v. Poesie, Reflexion und Revolution bei ∼, 1975; J. LAPLANCHE, ∼ u. d. Suche nach d. Vater, 1975; R. B. HARRISON, ∼ and Greek Literature, Oxford 1975; O. HEUSCHELE, ∼s Freundeskreis: e. Essay, 1975; E. C. MASON, ∼ and Goethe, 1975; A. BECK, ∼. Chronik s. Lebens mit ausgew. Bildnissen, 1975; L. KEMPTER, ∼ in Hauptwil (Schr. d. ∼-Ges. 9) 1975; R. UNGER, ∼s Major Poetry. The Dialectics of Unity, 1975; P. HÄRTLING, ∼. E. Roman, 1976; D. LÜDERS, ∼s Aktualität (in: JbFDtHochst) 1976; F. STRACK, Ästhetik u. Freiheit.

~s Idee v. Schönheit, Sittlichkeit u. Gesch. in d. Frühzeit, 1976; W. BINDER, Aufschlüsse, 1976; H. MIEDEL, ~ u. Homburg, 1976; CHR. PRIGNITZ, ~. D. Entwicklung s. polit. Denkens unter d. Einfluß d. Französ. Rev. (Diss. Hamburg) 1976; DERS., D. Gedanke d. Vaterlands im Werk ~s (in: JbFDtHochst) 1976; R. JAKOBSON, ~, Klee, Brecht: Z. Wortkunst dreier Gedichte, 1976; ~. Dokumente s. Lebens. Briefe. Tagebuchblätter. Aufzeichnungen. Hg. H. HESSE u. K. ISENBERG, 1976; D. LÜDERS, ~. Welt im Werk (in: Dt. Lit. z. Zeit d. Klassik, hg. K. O. CONRADY) 1977; W. WITTKOWSKI, ~, Kleist u. d. dt. Klassik (in: ebd.) 1977; W. BENJAMIN, Zwei Gedichte v. ~ (in: W.B., Illuminationen) 1977; J. SCHILLEMEIT, «... dich z. Fürsten d. Festes». Z. Problem d. Auslegung v. ~s Friedensfeier (in: DVjs 51) 1977; A. MALER, «Wo aber Gefahr ist, wächst das Rettende auch». Zu ~s Bibeltopik (in: Euphorion 71) 1977; H. FEHERVARY, ~ and the Left. The Search for a Dialectic of Art and Life, 1977; A. BECK, V. Bordeaux nach Frankfurt? ~s Heimkehr im Sommer 1802, ihre Umstände u. ihre Folgen (in: JbFDtHochst) 1977; D. LÜDERS, E. Brief Martin Heideggers zu s. ~-Erläuterungen (in: ebd.) 1977; A. BECK, ~s Weg zu Dtl. Fragmente u. Thesen (in: JbFDtHochst) 1977; H. BUHR, ~ u. Jesus v. Nazareth, 1977; B. BÖSCHENSTEIN, Leuchttürme: v. ~ zu Celan, 1977; H.-U. HAUSCHILD, D. idealist. Utopie. Unters. z. Entwicklung d. utop. Denkens ~s, 1977; W. HOF, D. Schwierigkeit, sich über ~ zu verständigen: fast e. Streitschr., 1977; W. FIESSER, Christus-Motive in Revolutionsdramen, 1977; J. SCHMIDT, ~s später Widerruf in d. Oden «Chiron», «Blödigkeit» u. «Ganymed», 1978; P. BERTAUX, ~, 1978; G. MIETH, ~ – Dichter d. bürgerl.-demokrat. Revolution, 1978; R .NÄGELE, Lit. u. Utopie. Versuche zu ~, 1978.   HS

Höler, Georg Ignaz (Ps. Naaz Höler), * 27. 7. 1865 Bad Schwalbach; kaufmänn. Lehre, seit 1896 Leiter e. Weinhauses in Bad Kreuznach, 1903 Kaufmann in Johannisberg/Rheingau, 1906 Verlagsleiter in Mainz.

Schriften: Lachste, dann lach herzlich! Eine Sammlung rheinischer Humoresken, 2 Bde., 1908/11; Das gold'ne Mainz und seine Geschichte ..., 2 Bde., 1910f.; Mainz im Bild, 1. H., 1911; Rhein- und Maa-Schnooke. Schnurren aus dem Rhein- und Main-Gebiet, erzählt, 5 Bde.,

1911–13; Rheinlust-Sammlung, 5 Bde., 1925–29.   RM

Höllenfeuer (Höllefeuer, Helleviur), fahrender Dichter u. Sänger in d. Mitte u. 2. Hälfte d. 13. Jh., stammte aus Mitteldtl. – In der Jenaer Liederhs. (Mitte 14. Jh.) sind 7 Strophen mit Melodie überl., welche Tugendlehre, Klagen über d. Situation d. Reiches während d. Interregnums u. Klagen über d. eigenen, harten Lebensbedingungen enthalten.

Ausgaben: HMS 3. – Die Jenaer Liederhandschrift (hg. G. HOLZ, F. SARAN, E. BERNOULLI) 1901 (Neudr. 1966) [Dipl. Druck]; dass. (hg. H. TERVOOREN, U. MÜLLER) 1972 [Facs.].

Literatur: VL 2,479; ADB 12,757; NDB 9, 332; Ehrismann 2 (Schlußbd.) 297. – K. BARTSCH, ~ (in: Germania 25) 1880; DERS., Unters. z. Jenaer Liederhs., 1923; H. TERVOOREN, Einzelstrophe od. Strophenbindung? Unters. z. Lyrik d. Jenaer Hs. (Diss. Bonn) 1967; E. PICKEROTH-UTHLET, D. Jenaer Liederhs. Metr. u. musikal. Unters., 1975.   RM

Höller, Franz, * 10. 12. 1909 Graslitz/Böhmen; studierte in Prag. Lyriker, Erz. u. Dramatiker.

Schriften: Aufbruch (Ged.) 1933; Die Studenten (Rom.) 1934; Der Maler und Zeichner Franz Gruß, 1935; Kameraden der Zeit. Sudetendeutsche Gedichte, 1936; Kantate des Lebens (Ged.) 1937; Schill (Schausp.) 1939; Görtz, Kanzler von Schweden (Tr.) 1941; Spießerkomödie (Kom.) 1943; Herz in Böhmen (Ged.) 1943; Spiel um Liebe, 1943; Böhmisches Wanderbuch. Lieder und Gedichte, 1943; Prager Geschichten, 1956; Unser Dorf soll schöner werden, 1966.

Literatur: Theater-Lex. 1,812.   IB

Höller, Guido, * 19. 12. 1871 Hamburg, † 11. 6. 1953 Bispingen/Kr. Soltau; Sohn e. Küfners, 1891 Volksschullehrer, 1913 Rektor in Hamburg. Übers. (Andersen) sowie Erzähler.

Schriften: H. Ch. Andersen und seine Märchen, 1905; Von losen und einfältigen Leuten (Erz.) 1908; Fünf Englein haben gesungen (gem. m. E. Weber) 1921; Sei willkommen, du lieber Tag! (gem. m. dems.) 1923; Maria Gottes Magd (Sp.) 1928; Jorinde und Joringel (Sp.) 1928.   IB

Höllerer, Walter, * 19. 12. 1922 Sulzbach-Rosenberg; Dr. phil., PD in Frankfurt/M., o. Prof. für Lit. wiss. an d. TU Berlin seit 1959; Dir. d.

«Lit. Colloquium Berlin», Hg. d. Zs. «Sprache im techn. Zeitalter» seit 1961, Mithg. d. «Akzente» seit 1954 (mit H. Bender) u. d. Schriftenreihe «Literatur als Kunst» (mit K. May) 1958–74; Vf. lit.wiss. Schriften, Lyriker, Erzähler. Fontane-Preis 1966, Joh. Heinr. Merck-Preis 1975.

Schriften: Gottfried Kellers «Leute von Seldwyla» als Spiegel einer geistesgeschichtlichen Wende (Diss. Erlangen) 1949; Der andere Gast (Ged.) 1952; Zwischen Klassik und Moderne. Lachen und Weinen in der Dichtung einer Übergangszeit, 1958; Gedichte – Wie entsteht ein Gedicht?, 1964 (mit Bibliogr.); Theorie der modernen Lyrik, 1965; Modernes Theater auf kleinen Bühnen (mit R. v. Mangoldt) 1965; Außerhalb der Saison. Hopfengärten in drei Gedichten und 19 Fotos, 1967; Systeme. Neue Gedichte, 1969; Dramaturgisches. Ein Briefwechsel mit Max Frisch, 1969; Elite und Utopie. Zum 100. Geburtstag Stefan Georges, London 1969; Die Elephantenuhr (Rom.) 1973; Geschichte, die nicht im Geschichtsbuch steht, 1976; Alle Vögel alle. Eine Komödie in zwei Akten samt einem Bericht und Anmerkungen zum Theater, 1978.

Herausgebertätigkeit (Ausw.): Transit. Lyrikbuch der Jahrhundertmitte, 1956; F. Schiller, National-Ausgabe, Bd. 5 (mit H.O. Burger) 1957; Movens. Dokumente und Analysen zur modernen Kunst und Literatur (mit F. Mon u. M.de la Motte) 1959; G. Eich, Ausgewählte Gedichte, 1960; R. Walser, Prosa, 1960; Junge amerikanische Lyrik (mit G. Corso) 1961; Spiele in einem Akt. 35 exemplarische Stücke (hg. mit M. Heyland u. N. Miller)1961; Ein Gedicht und sein Autor. Lyrik und Essay, 1967; Das literarische Profil von Rom (mit G. Bisinger) 1970; R. Walser, Prosa, 1973.

Literatur: HdG 1,314; Albrecht-Dahlke II, 2, 327. – H. E. HOLTHUSEN, Ja und Nein, 1954; P. HÄRTLING, In zeilen zuhaus, 1957; K. LEONHARD, ~ (in: Schriftst. d. Ggw., hg. K. NONNENMANN) 1963; R. E. LORBE, Lyr. Standpunkte, 1968.   AS

Höllering, Franz, * 9.7.1896 Baden b. Wien, † 1968 München; Dr. iur., Hg. d. Zs. «Film u. Volk», bis 1933 Chefred. d. «BZ am Mittag». 1933 Emigration nach Prag, Chefred. d. «Prager Mittag», 1939 in d. USA, nach d. Krieg Rückkehr n. Dtl.; Übers. aus d. Engl. (T. Williams, H. Wouk u.a.).

Schriften: Der Verbrecher. Rede, 1928; Die Verteidiger (Rom.) 1947 (urspr. engl. u. d. T.: The Defenders, Boston 1941).   WK

Höllersberger, Robert (Rudolf), * 6.6.1924 Linz/Donau, † 10.9.1945 Belgrad; Studium d. Kunstgesch. in Wien, 1942 ins Heer eingezogen. Lyriker.

Schriften: Oft von den Inseln des Schweigens … (aus nachgelassenen Ged. ausgew. K. KLEINSCHMIDT) 1953. (Ferner d. ungedr. Drama «Sodom»).

Literatur: ÖBL 2,359.   RM

Höllger, Frank → Hirschner, Fritz.

Höllriegl, Arnold → Bermann, Richard Arnold.

Höllriegl, Franz, * 26.5.1836 Wien, † 14.7. 1907 ebd.; Chefred., Journalist in Wien. Publizist u. Dramatiker.

Schriften: Die Freifrauen (Possensp.) 1896; Schönbrunn. Die Liebesgeschichte der Nixe des schönen Brunnens. Ein Gartenmärchen, 1907.

Literatur: Theater-Lex. 1,812; Biogr. Jb. 12, 38*.   IB

Höllri(e)gl, Kurt, * 27.10.1926 Freyung/Niederbayern; Steuerbevollmächtigter, wohnt in Landshut.

Schriften: Kriminalistische Aphorismen und Erkenntnisse, 1958; Kriminalistische Anekdoten, 1959.   AS

Hölmann, Christian, * 28.12.1677 Breslau, † 28.1.1744 ebd.; besuchte das Magdalenengymn. in Breslau, 1699 stud. in Wittenberg, Dr. phil. et med.; Arztpraxis in Breslau, 1708 als Pestarzt in Rosenberg O/S, 1709 in Fraustadt, Schmiegel u. Lissa, 1714 in Wien; 1715–43 Arzt in Lissa, darauf wieder in Breslau. Enge Freundschaft mit C. G. Burghart.

Schriften: Gedichte in: Herrn von Hoffmannswaldau u. andrer Deutschen … Gedichte, Teil IV–VI, 1704–1709; Ndr. Teil IV, 1975; Galante Gedichte mit C. G. Burgharts Gedichten (hg. F. HEIDUK) 1969.

Literatur: NDB 9,333. – W. DIMTER, Zwei schles. Dichter d. galanten Zeit identifiziert (in: Schles. 14) 1969; A. MENHENNET, Between Baroque and Rococo. The «Galant Style» of ~ (in:

MLR 66) 1971; A.G. DE CAPUA, The Onslaught of Old Age. A Comparison of Poems by Hoffmannswaldau and ∼ (in: FS G. Weydt) 1972.

FH/RM

Hölterhoff, Elise → Ehrenberg, E.

Hölty, Hermann, * 4. 11. 1828 Uelzen, † 15. 8. 1887 Bad Rehburg/Hannover; Großneffe v. L. H. Chr. H., studierte Theol. in Göttingen, Pfarrer in versch Orten, 1863 in Hannover. Dramatiker, Erz. u. Lyriker.

Schriften: Irrwege eines jungen Dichters. Nebst einem Anhang von Gedichten, 1851; Lieder und Balladen, 1856; Ostseebilder und Balladen, 1862; Das Gelübde. Ein Mysterium, 1863; König Saul (Tr.) 1865; Alpenzauber und italienische Gebilde, 1867; Bilder und Balladen, 1872; Aus der deutschen Götterwelt (Ball.) 1877; Gesammte Dichtungen, 1882; Lonoda (Schausp.) 1881; Moritz von Sachsen (Tr.) 1884.

Literatur: Theater-Lex. 1,812.   IB

Hölty, Lud(e)wig Christoph Heinrich, * 21. 12. 1748 Mariensee b. Hannover, † 1. 9. 1776 Hannover; Sohn e. Pfarrers. 1769–1772 Studium d. Theol., daneben d. neueren Sprachen, in Göttingen; dort bis wenige Monate vor s. frühen Tod an d. Schwindsucht als Sprachlehrer u. Übersetzer tätig; Reisen nach Leipzig (1774) u. Hamburg/Wandsbek (1775). Bedeutendstes Mitgl. d. Hainbunds (Bundesname: Haining); Höltys Schicksal u. s. teilweise volkstümlich gewordene Lyrik («Üb immer Treu und Redlichkeit») haben in d. dt. Dichtung v. Hölderlin bis Bobrowski immer wieder e. Echo gefunden.

Schriften/Übersetzungen: Auf den Tod des Herrn ... von Münchhausen, 1770; Der Kenner, eine Wochenschrift, von Town, dem Sittenrichter, 1775; Hurds moralische und politische Dialogen, 2 Bde., 1775; Des Grafen von Shaftesbury philosophische Werke. Bd. 1, 1776; Der Abentheurer. Ein Auszug aus dem Englischen, 1776.

Ausgaben: Höltys sämtlich hinterlaßne Gedichte (...) (hg. A. F. GEISLER) 2 Tle., 1782/83; Gedichte (hg. F. L. zu STOLBERG u. J. H. VOSS) 1783 (²1795; ³1804, neu besorgt u. vermehrt von J. H. Voss); Gedichte (hg. F. VOIGTS) 1857; Gedichte (hg. K. HALM) 1869; Der Göttinger Dichterbund. 2. Tl.: L. H. C. Hölty u. J. M. Miller (hg. A. SAUER, DNL 50, 1) 1893, ²1966; Sämtliche Werke (krit. hg. W. MICHAEL) 2 Bde., 1914,

1918, ²1969; Werke u. Briefe (hg. U. BERGER) 1966; Der Göttinger Hain (hg. A. KELLETAT) 1967.

Briefe: → MICHAEL Bd. 2; Aus dem Nachlaß Charlottens von Einem (hg. J. STEINBERGER) 1923; Fünf Br. H.s an die Brüder (...) Stolberg (hg. A. KELLETAT in: Nerthus 2) 1969.

Nachlaß: Bayer. Staatsbibl. München. - Denecke 2. Aufl.

Literatur: ADB 13,9; NDB 9,336; Goedeke 4/1, 1040. - K. HALM, Über d. voßische Bearb. d. Ged. ∼s, 1868; L. A. RHOADES, ∼s Verhältn. z. engl. Lit., 1892; W. MICHAEL, Überlief. u. Reihenfolge d. Ged. ∼s, 1909, ²1973; E. ALBERT, D. Naturgefühl ∼s u. s. Stellung in d. Entw. d. Naturgefühls innerhalb der dt. Dg. d. 18. Jh., 1910; G. BORMANN, Beitr. z. Wortschatz ∼s (Diss. Greifswald) 1916; TH. SIMON, Stil u. Sprache d. Poesie ∼s (Diss. Münster) 1923; P. MERKER, ∼s «Elegie auf ein Landmädchen» (in: Zs. f. Dt.kde. [=ZDU 40]) 1926; K. A. SCHLEIDEN, D. Dichter d. Göttinger Hains (in: DU 10) 1958; G. BAIONI, Tre poeti del Gruppo di Gottinga (in: Atti del Ist. Veneto di Scienze, Lettere ed Arti 20) 1961/62; TH. OBERLIN-KAISER, ∼, 1964; R. B. FARRELL, Mörike and ∼ (in: Affinities. Gedenkschr. Oswald Wolff) 1971; A. KELLETAT, ∼s Ode «Ihr Freunde, hänget, wann ich gestorben bin» (in: Göttinger Jb. 20) 1972; J. U. FECHNER, Petrarchism - Antipetrarchism 1774. Some Remarks on ∼s «Petrarchische Bettlerode» (in: LessingYb 6) 1974; A. ELSCHENBROICH, ∼ (in: B. v. WIESE, hg., Dt. Dichter d. 18. Jh.) 1977.   H-GD

Hölzel, Maximilian, * 9. 6. 1887 Sarajewo; bis 1945 Südostreferent d. Kulturamtes Wien. Erzähler.

Schriften: Bosnische Wölfe. Selbsterlebtes (Nov.) 1938; Balkan in Flammen. Unter Helden, Göttern und einfältigen Weisen (Rom.) 1939 (Neuaufl. u. d. T.: Unter Helden, Göttern und Toren. Ein Balkan-Roman, 1944).   IB

Hölzer, Max, * 8. 9. 1915 Graz; Dr. iur., Schriftst., lebt in Paris; Lyriker, Essayist, Übers. aus d. Franz. Trakl-Pr. 1970.

Schriften: Entstehung eines Sternbildes. Surrealistische Prosa, 1958; Der Doppelgänger (Ged.) 1959; Nigredo (Ged.) 1962; Gesicht ohne Gesicht (Ged.) 1968; Meditation in Kastilien (Ged.)

1968; Mare occidentis, Das verborgene Licht. Chrysopöe (Ged.) 1976.

Übersetzungs- und Herausgebertätigkeit: Surrealistische Publikationen (mit E. Jené) 1950; Im Labyrinth. Französische Lyrik nach dem Symbolismus, 1959; N. Sarraute, Tropismen, 1959; H. de Montherlant, Über die Frauen, 1960; A. Breton, Nadja, 1960; J. Audiberti, Theaterstücke, 1961; P. Pia, Apollinaire in Selbstzeugnissen und Bilddokumenten, 1961; G. Bataille, Der heilige Eros, 1963; ders., Abbé C (Rom.) 1966.

Literatur: O. BREICHA, ~ (in: Wort in d. Zeit 9) 1963; R. GRIMM, Strukturen, 1963; Amfortiade – ~ (in: LK) 1975.   AS

Hölzke, Hermann, * 14.11.1873 Berlin-Charlottenburg; Studium d. Rechts- u. Staatswiss., später d. Lit., lebte als Schriftst. in Berlin-Charlottenburg.

Schriften: Die Siegerin. Die Drei. Zwei märchenhafte Erzählungen ..., 1900; Das größte Glück. Tragische Geschichte eines armen Narren, 1901; Das Häßliche in der modernen deutschen Literatur (krit. Stud.) 1902; Fremdlinge. Ein deutscher Roman in zwei Büchern, 1904; Kinderseelen (3 Erz.) 1905; Zwanzig Jahre deutsche Literatur. Ästhetische und kritische Würdigungen der schönen Literatur der Jahre 1885–1905, 1905; Meister Belial (Erz.) 1910; Der Hagestolz. Ein Roman von der Insel Sylt, 1911; Brigitte von Brugmann. Leidensgeschichte eines Kindes unserer Zeit (Großstadtrom.) 1917.   RM

Hölzl, Heinrich (Franz), * 11.7.1803 Wien, Todesdatum u. -ort unbekannt; studierte in Landshut Jus., 1825 Dr. iur., Advokat in Kemnath/Oberpfalz. Lyriker u. Dramatiker.

Schriften: Der 4. Januar oder Der Tag der Wiedergenesung Sr. K. H. Karl Ludwig August Kronprinzen von Baiern, 1817; Baierns Huldigung dem Besten der Könige. Eine Sammlung von Gedichten, Volksliedern, Festspielen, etc., 1824; Gedichte, 1828; Die Grafen Orsinski (Tr.) 1837; Hilpolt von Schwangau (Festsp.) 1942; Teutonias Weihegruß, 1842; Die erste teutsche Parade, 1843.

Literatur: Goedeke 12,507; Theater-Lex. 1, 813.   IB

Hölzl, Kathi, * 1874 Obernberg/Inn, † 1938 Salzburg; im Haushalt tätig. Mundartdichterin.

Schriften: Mostbirn'. Lustige Innviertler Gsangln und ötla ernsthafte Reim, 1905.   IB

Hölzl, Peter, * 2. Hälfte d. 18. Jh. Straubing, † 4.10.1835 ebd.; Rektor in Passau, Augsburg, Straubing.

Schriften: Elegie auf den Tod meiner unvergeßlichen Mutter, 1800; Poetische Versuche, 1803; Kirchenlied für Studierende, o. J.; Blumengarten für die Jugend. Auswahl von Gedichten, 1823.

Literatur: Meusel-Hamberger 14, 157; Goedeke 7, 176; 8, 701.   IB

Hölzlhuber, Franz, * 22.9.1826 Grünberg b. Steyr/Oberöst., † 4.2.1898 Wien; kurze Zeit als Zuckerbäcker, später Lehrer u. Schreiber, dann Ausbildung z. Sänger, e. Zeitlang in Wien beim Theater, kam 1858 n. Milwaukee, kehrte 1860 zurück, hierauf Bediensteter b. d. Eisenbahn, zuletzt Dir. d. Eisenbahnmuseums in Wien. Mundartdichter.

Schriften: Gedichte in oberösterreichischer Mundart, 1901.

Literatur: ÖBL 2, 360; Theater-Lex. 1, 813.   IB

Hömberg, Hans (Ps. J. R. George), * 14.12. 1903 Berlin-Charlottenburg; studierte in Berlin, Journalist. Lebt in Wörgl/Tirol. Übers. u. Erzähler.

Schriften: Klassische Detektiv-Geschichten, 1932; Klassische Liebesgeschichten, 1932; Wind um die Nase. Roman eines großen Glückes, 1935; Kirschen für Rom, 1940; Jud Süß (Rom.) 1941; Schnee fällt auf den schwarzen Harnisch, 1947; Die Memoiren des Herkules, 1950; Der alte Hut. Ein fröhlicher Roman, 1951; Constanze und das Hündchen, 1959; Sieben lustige Freunde, 1959; Der Gaukler Unserer Lieben Frau, 1961; Mein Innsbruck lob' ich mir, 1962; Das Roß der fröhlichen Lerche, 1962; Grüß Gott in Tirol, 1964; Spaß am Glas, 1964; 100 Weisen, auf Reisen zu speisen, 1964; Das Geheimnis der alten Briefmarke, 1965; Die Schnapsidee oder, Wenn Sie wollen: Der motorisierte Engel (Kom.) 1965; Der Haifisch soll leben, 1966; Mein liebes München (gem. m. E. Hoferichter) 1966; Zwitscherfibel. Kleines Lexikon für Durstige, 1966; Lukullische Handpostille, 1968; Die Kunst des Genießens, 1977; Prof. H.s mollige Schlürflust. Almanach für Wein- und Feinschmecker, 1977.

Literatur: Theater-Lex. 1, 813.   IB

Höneke, Bartholomäus, 14. Jh., stammte wahrscheinl. aus Osnabrück; Chronist d. Dt. Ordens in Livland, Kaplan dreier livländ. Ordensmeister. – Verf. der d. Jahre 1315–48 umfassenden, in ndt. Versen geschr. sog. Jüngeren Livländ. Reimchron. (entst. nicht vor 1349, Urfass. verloren, erhalten ist e. Prosaauszug d. Chronisten Johannes Renner [vgl. Lit.]). Auf H.s Chron. greifen u. a. Hermann v. Wartburg, Wigand v. Marburg u. d. Große Hochmeisterchron. zurück.

Literatur: VL 2,484; 5,422; ADB 13,70; NDB 9,342. – K. HÖHLBAUM, Johannes Renners «Livländ. Historien» u. d. jüngere livländ. Reimchron. (Diss. Göttingen) 1871/72; DERS., D. jüngere livländ. Reimchron. d. ~ 1315–48, 1872; Joh. Renners «Livländ. Historien» (hg. R. HAUSMANN, K. HÖHLBAUM) 1876; K. HELM, W. ZIESEMER, D. Lit. d. Dt. Ritterordens, 1951; Liivimaa noorem riimkroonika (Die jüngere livländ. Reimchronik) (hg. S. VAHTRE) 1960.   RM

Höng, Franz, * 20.4.1893 Wels, Dr. phil., lebt in Linz als Schriftsteller.

Schriften: Der Spiegel der Seele. Salzkammergut (Ged. 1924–48) 1949.   IB

Hönig, Franz, * 24.10.1867 Ried/Oberöst., † 29.10.1937 Linz; Apothekerssohn, seit 1900 Schmiedemeister in Kremsmünster, später Bürgermeister ebd., Dialektdichter.

Schriften: Unser Leb'n, 1899; Der Bürgertag, 1900; Unsà Ländl. Mundartliche Dichtung, 1901; Dá Mostschädl. Mundartliche Dichtung, 1902; Los'ts má zua. Heitere Schilderungen aus dem oberösterreichischen Volksleben, 1907; Vor'n Feirabnd (aus d. Nachlaß) 1938.

Literatur: ÖBL 2,361.   IB

Hönig, Fritz, * 23.9.1833 Köln, † 2.11.1903 ebd.; Reisen n. Belgien u. Paris, dann Pumpen- u. Feuerspritzenfabrikant in Köln. Vorwiegend Mundartdichter.

Schriften: Troubadour. Tragisch-, dramatisch- und musikalisches Ritter- Trauer- und Leichenspiel ..., 1872; Der Trauring. Parodie zu Schillers «Lied von der Glocke» ..., 1874; «Gschräppels» (Humoresken) 1875 (2. Bd. u. d. T.: Allerhand, 1877; verm. Aufl. u. d. T.: För jeden Jet, 1886; verm. Neuausg. 1891); De Bütze. De Kaväntschaft. Frei nach gegebenen Motiven, 1876; Des Sängers Flooch [n. Uhland]. Lotterbove-

Streich [n. Langbein] (Humoresken) 1876; Der Boorejung em Thiater. Der Lehrjung (Humoresken) 1876; Wörterbuch der Kölner Mundart, 1877 (Neuausg. 1905); Der Raub der Sabinerinne ..., 1882; Kölner Puppentheater, 8 Bde., 1884–97; Sprichwörter und Redensarten in Kölnischer Mundart (ges. u. hg.) 1895. (Außerdem feuerwehrtechn. Schriften.)   RM

Hönig, Hans Otto, * 8.8.1912 Dresden; Dr. phil., Cheflektor in Leipzig.

Schriften: Das Aktuelle in der deutschen Presse. Ein Beitrag zur Erforschung der politischen Publizistik der Gegenwart (Diss. Leipzig) 1938; Jahn. Leben und Werk eines Patrioten. Nach Selbstzeugnissen und zeitgenössischen Schilderungen, 1953; Mademoiselle Fritz (Rom.) 1956.   AS

Hönig, Johannes, * 15.1.1889 Tschiefer b. Freystadt/ehem. Preuß.-Schles., † 19.4.1954; studierte in Breslau, Dr. phil., im 1. Weltkrieg schwer verwundet, später Stud.rat in Liegnitz, n. d. 2. Weltkrieg in Havelberg. Lit.historiker u. Epiker.

Schriften: F. Gregorovius als Dichter, 1914 (2. völlig neugestaltete Aufl. m. d. Untert.: Biographie, 1844); Auszug und Heimkehr (Kriegsged.) 1917; F. Gregorovius, der Geschichtsschreiber der Stadt Rom. Mit Briefen an Cotta, Franz Rühl u. a., 1921; Dichtung und Weltanschauung. Wege und Ziele der deutschen Dichtung mit besonderer Berücksichtigung des katholischen Geisteslebens, 1923; Der Heimweg. Gedicht in acht Gesängen, 1925.

Nachlässe: Cotta-Arch. im Dt. Lit.arch./Schiller-Nat.mus. Marbach.   IB

Hoeniger, Karl Theodor, * 21.10.1881 Wien; Dr. phil., lebt in Meran. Erzähler.

Schriften (Ausw.): Altbozener Bilderbuch. 40 Aufsätze zur Stadtgeschichte, 1933; Südtiroler Weinfibel, 1946; Südtiroler Volksleben, 1951; Peter Mitterhofer aus Partschins. Erfinder der Schreibmaschine (hg. z. 130. Geb.tag d. Erfinders) 1952; Die Weinkellerei Walch im Weinland Südtirol, 1954; Die Sankt-Nikolaus Pfarrkirche in Meran, 1960; Hocheppan, 1962.   IB

Höniger (Honinger) Nikolaus, Schriftst. in d. 2. Hälfte d. 16. Jh.; Übers. u. Herausgeber.

Schriften: Hoffhaltung des Türckhischen Kaisers vnd Othomanischen Reichs beschreibung, ...,

1573; L. Gorecius, J. Lasicius, Walachische Kriegs oder Geschichten warhaffte Beschreibung ..., 1578; Erste Theil der Hoffhaltung des Türckhischen Keysers vnd ..., biss auff diss M. D. LXXVIII jar verzeichnet vnd beschrieben. Der Ander Theil Warhaffte Beschreibung ... vom jar MDXX. biss auff das MDLXXVIII jar, 1578.

Literatur: ADB 13,71; Jöcher 2,1692; Schottenloher 1,348; 4,681 u. 682. – P. ALBERT, ∼ v. Königshofen, e. bad. Pfarrer u. Schriftst. d. 16. Jh. (in: Zs. f. d. Gesch. d. Oberrheins 78) 1926.   IB

Hönigswald, Richard, * 18.7.1875 Ungarisch-Altenburg, † 11.7.1947 New Haven/Conn., USA; 1902 Dr. med. Wien, 1904 Dr. phil. Halle, 1906 Habil., 1916 a.o. und 1919 o. Prof. d. Philos. in Breslau, 1930 Prof. in München, 1938 Internierung in Dachau, 1939 Emigration über d. Schweiz in d. USA.

Schriften (Ausw.): Studien zur Theorie pädagogischer Grundbegriffe, 1913 (Neudr. 1966); Die Skepsis in Philosophie und Wissenschaft, 1914; Grundlagen der Denkpsychologie, 1921 (Neudr. 1965); Immanuel Kant, 1924; Philosophie und Sprache. Problemkritik und System, 1937 (Neudr. 1970); Denker der italienischen Renaissance, 1938.

Ausgabe: Schriften aus dem Nachlaß (hg. im Auftrag d. Hönigswald-Arch. unter Leitung v. H. WAGNER) 10 Bde., 1957–1977.

Nachlaß: Hönigswald-Arch. d. Univ. Bonn.

Literatur: NDB 9,345. – Selbstdarst. in: D. systemat. Philos. (hg. H. SCHWARZ) 1931; G. WOLANDT, Problemgesch., Gegenständlichkeit u. Gliederung. Unters. z. Prinzipientheorie ∼ s ..., 1964; DERS., Idealismus u. Faktizität, 1971; O. E. ORTH, Stud. z. Sprachphilos. E. Husserls u. ∼ s, 1967.   RM

Hönisch, Andreas, * 3.10.1930 Habelschwerdt/Schles.; Pater, Priester, in Pullach/Isartal, Frankfurt/M., dann Darmstadt.

Schriften: Der Junge aus dem anderen Land (Jgdb.) 1956; Das Geheimnis der Ahornallee. Eine Jungengeschichte, 1959; Sie waren nicht allein (Jgdb.) 1960.   AS

Hönn, Georg Paul (Höne auf Ehnes), * 12.6.1662 Nürnberg, † 21.3.1747 Coburg; studierte in Altdorf u. Gröningen, Dr. phil., Advokat, Ar-

chivar, Rats- u. Amtmann in Coburg. Verf. volkstüml. u. satir. Schr. sowie geistl. Lieder.

Schriften: Sachsen-Koburgische Historie oder Chronika, 1700; Betrugs-Lexikon, 2 Bde., 1721 bis 1730 (wiederholt aufgelegt); Lexicon topographicum des fränkischen Kreises, 1747.

Literatur: Jöcher 2,1642; ADB 13,72. – K.-S. KRAMER, Marginalien zu ∼ s Betrugs-Lexikon (in: Schweiz. Archiv f. Volkskde. 68–69) 1972/73; Hans-H. HUELKE, ∼, d. Verf. d. Betrugs-Lexicons (in: Kriminalistik 27) 1973.   IB

Hoenn, Karl, * 25.8.1883 Mannheim, † 1.4. 1956 Konstanz; studierte in Heidelberg klass. Philol., Dr. phil., Prof. an d. Zeppelin-Schule in Konstanz, später Honorar-Prof. in Freiburg/Br., Hg. d. «Bibliothek d. Alten Welt» u. d. «Wissenschaftl. Forschungsber.». Kulturhistoriker.

Schriften (Ausw.): Römische Geschichte von 133 bis Augustus, 1927; Die römische Kaiserzeit und die Germanen, 1927; Augustus und seine Zeit, 1936; Konstantin der Große. Leben einer Zeitenwende, 1940; Die Welt des Augustus, 1940; Kultur am Bodensee, 1941; Adolf Dietrich, 1942; E. E. Schlatter, 1943; Artemis, Gestaltwandel einer Göttin, 1946; Solon, Staatsmann und Weiser, 1948; Das Rom des Horaz, 1951.

Literatur: NDB 9,346. – K. BÜCHNER, ∼ (in: Gnomon 28) 1956.   IB

Hoensbroech, Lothar Graf, * 27.3.1889 Kellenberg, † 8.1.1951 Linnich/Kr. Düren; Land- u. Forstwirt auf Schloß Kellenberg b. Jülich.

Schriften: Wanderjahre eines Jägers, 1935; Jagdtage und Nordlichtnächte. Ein Tagebuch aus Kanada, 1950; Abseits vom Lärm, 1952.   RM

Hoensbroech, Paul von u. zu, * 29.6.1852 Schloß Haag/Kr. Geldern, † 29.8.1923 Groß-Lichterfelde b. Berlin; Jesuitenzögling in Feldkirch, 1869–76 philos. u. jur. Stud. in Stonyhurst, Bonn, Göttingen u. Würzburg, nach Beendigung d. Stud. preuß. Verwaltungsbeamter, 1878–92 Mitglied d. Gesellsch. Jesu, 1886 Priester, 1892 Austritt aus d. Orden, konvertierte z. Protestantismus u. seit 1895 scharfer Gegner d. kathol. Kirche.

Schriften (Ausw.): Geist des heiligen Franz Xaver aus der Gesellschaft Jesu, 1891; Moderner Jesuitismus, 1893; Mein Austritt aus dem Jesuitenorden, 1893; Der Ultramontanismus, sein Wesen und seine Bekämpfung, 1897; Das Papsttum in seiner sozial-kulturellen Wirksamkeit, 2 Bde., 1900–1902; Moderner Staat und römische Kirche, 1906; Vierzehn Jahre Jesuit, 2 Bde., 1909/1910; Das Wesen des Christentums, 1920; Wider das Papsttum, 1921; Der Jesuitenorden. Eine Encyklopädie, 2 Bde., 1926f.

Nachlässe: Bundesarch. Koblenz; (d. größte Teil wurde im Krieg vernichtet); – Mommsen Nr. 1716.

Literatur: NDB 9, 347; Biogr. Jb. 5 (1923) 181; LThK 5, 413; RGG 3, 411. – R. v. Nostitz-Rieneck, ~ Flucht aus d. Kirche u. Orden, 1913; M. Schüli, Aus d. Jesuitenkirche z. Neuprotestantismus. ~s Leben und Werk, 1928. IB

Höntges, Hans Albert, * 17. 11. 1928 Krefeld; Rektor in Aachen.

Schriften: Bilder vom Menschen. Ein Meditationszyklus, 1974; Alles ist Gleichnis. Bildmeditationen, 1976; Lebenserwartungen. Bildmeditationen, 1977. AS

Höpffner, Johann Kaspar, * 1656 Thüringen, † 8. 11. 1729 Ulm; Praeceptor in Esslingen, seit 1704 Kantor in Ulm.

Schriften: Auserlesene Leichen-, Klag-, Trost- und Jesus-Lieder …, 1707.

Literatur: Goedeke 3, 301. RM

Höpfner, Johann Georg Albrecht, * 1759 Bern, † 16. 1. 1813; Sohn e. in Biel eingewanderten Apothekers aus Franken, wurde selbst Apotheker, später Dr. med., spielte z. Zt. d. polit. Umwälzung e. wichtige Rolle im geist. u. wiss. Leben Berns, schrieb d. «Helvet. Mschr.» 1800–1802 u. «Gemeinnützige Helvet. (später: Schweiz.) Nachrichten» 1801–1812.

Schriften: Ankündigung eines allgemeinen Helvetischen Magazins zur Beförderung der innländischen Naturkunde, 1798; Über die Ursachen des Verfalls des Eidsgenössischen Bundes … In Briefen an ein Mitglied der ehemaligen Bernischen Regierung, 1801; Warnungen, Winke, Wünsche, Zweifel und Versuche, die jetzige Staats-Crisis betreffend, 1801; Ideen und Vorschläge zu einem gemeinnützigen Lese-Institut (in Bern) für alle, die nicht allein Unterhaltung, sondern auch Belehrung und Unterricht suchen, 1802.

Literatur: ADB 13, 107; Goedeke 12, 102. – A. Fankhauser, ~. E. bern. Journalist (Diss. Bern) 1920. AS

Höpfner, Karl (Ps. Horst Alm), * 23. 11. 1908 Hildesheim, † 27. 1. 1964 Isernhagen; Journalist u. Red. in Hannover u. Isernhagen. Mitarb. d. «Kriminal-Erdball-Romane».

Schriften: Wer ist Oldenbroek (Kriminalrom.) 1940; Zwischenfall im Hause Dongen (Kriminalrom.) 1959. RM

Höpner, Albert (Ps. Ernst Rasche), * 24. 12. 1902, † 27. 5. 1958 Hamburg; Leiter d. Intimen Bühne Hannover, lebte zuletzt in Hamburg.

Schriften: Das abendländische Buch Gottes, 1940. (Ferner versch. Hörspiele.) RM

Höpp, Ulrich, süddt. Dichter d. 14. Jh., v. ihm stammen die in e. hs. Arzneibuch d. Memminger Stadtbibl. überl. 2 Ged. «Sieg d. Untreue über die Treue» (255 Reimpaarverse) u. «An Kaiser Friedrich» (344 Reimpaarverse, im Auftrag Kaiser Friedrichs III. geschrieben).

Ausgaben: «Sieg der Untreue» und «An Kaiser Friedrich» (in: Archiv 37) 1883; An Kaiser Friedrich (in: Liliencron 2).

Literatur: VL 2, 486; 5, 422; ADB 13, 113. RM

Hoeppener-Flatow, Wilhelm, * 27. 4. 1902; Red. d. «Fridericus», lebte in Berlin-Wannsee. Erzähler.

Schriften: Stoßtrupp Markmann greift ein. Der Kampf eines Frontsoldaten, 1939; Gloria will zum Film, 1939; Der Lotse von Feuerland. Kriegserlebnisse eines Deutschen am Rande des Polarkreises, 1940; An der Westfront keine besonderen Ereignisse. Einem Tatsachenbericht nacherzählt, 1940; Spähtrupp Baumann. Einer wahren Begebenheit nacherzählt, 1940; 300 auf einen Schlag. Die kühne Tat des Sanitätsgefreiten Hupf, 1940; Matrosengefreiter Jesen und sein Sohn. Das Heimaterlebnis eines deutschen Jungen während des Krieges, 1940; Jürgen rettet das Dorf. Abenteuer eines volksdeutschen Jungen in Polen, 1940; Der Kampf mit der Mine. Die Kriegsfahrt zweier Jungen auf der Ostsee, 1940; Kriegsheimkehr aus Fernost. Erlebnisberichten nacherzählt, 1940; Schüsse auf H. F. 122, 1940; Vermißt im Niemandsland. Schütze Echberg das Sorgenkind der Kompanie, 1940; Eine Kompanie marschiert. Infanteristen kämpfen in Frankreich, 1941. IB

Hoeppl, Christian, * 1826 Ansbach, † 1862 im Zürichsee (Selbstmord); studierte Philol. in Erlangen, Göttingen, Halle u. München, Journalist in Mainz, Wiesbaden u. Düsseldorf, Zusammenbruch s. Zs. «Der Rhein», Flucht in d. Schweiz, Lyriker u. Übersetzer.

Schriften: Gedichte, 1851; Sakontola (lyr. Dg.) 1854; Atlantis (Dg.) 1856; Ein weltlich Liederbuch, 1859.

Literatur: H. LANG, V. Leben u. Sterben d. Dichters ~ (in: Jb. d. Hist. Ver. f. Mittelfranken 78) 1959.   IB

Höppner, Gustav, * 22.1.1849 Berlin, Todesdatum u. -ort unbekannt; seit 1870 Schauspieler in Greifswald, Berlin, Göttingen u.a. Orten, 1886 Gründer u. Leiter e. Bühnenschule in Berlin.

Schriften: Ein stilles Haus. Posse mit Gesang, 1885; Hans im Glück (Schw.) 1886; Ein Fuchs im Taubenschlage (Schw.) 1886; Theodora. Original-Posse mit Gesang, 1886; Ein Fähndrich vor der Garde, o.J. (um 1889, später u.d.T.: Ein Soldatenfeind ...); Am Weihnachtsabend (Charakterbild) 1894; Neues Deklamatorium. Eine Sammlung ernster und heiterer Vortragsdichtungen, 1896. (Ferner ungedr. Bühnenstücke.)

Literatur: Theater-Lex. 1, 814.   RM

Hoerburger, Felix, * 9.12.1916 München; Dr. phil., Musikwiss., v.a. musikal. Volks- u. Völkerkunde, a.o. Prof. a.d. Univ. Regensburg. Lyriker u. Erzähler in Mundart.

Schriften (Ausw.): Der Gesellschaftstanz. Wesen und Werden, 1960; Volkstanzkunde, 2 Bde., 1961/64; Volksmusik in Afghanistan, 1969; Studien zur Musik in Nepal, 1975; schnubiglbaierisches poeticum, 1975; Neueste Nachrichten aus der schnubiglputanischen Provinz, 1977.

Literatur: FS ~ zum 60. Geb.tag (hg. P. BAUMANN) 1977.   AS

Hörburger, Hans, † nach 1531; nähere Angaben über s. Leben sind nicht bekannt. Plagiator d. «Narrenschiffs» v. Sebastian Brant u.d.T.: Ain nützlich Büchlin, so Reymsweyß gestellt ..., 1540.

Literatur: ADB 13, 124; Schottenloher 1, 348. IB

Hörig, Ursula, * 1932 Dessau; Arzthelferin u. Verkäuferin.

Schriften: Palermo und die himmelblauen Höschen (Erz.) 1972; Timmes Häuser (Erz.) 1975.
                                                    WK

Hörisch, Ernst, * 1891 Dresden; weitere Lebensdaten unbekannt.

Schriften: Gedichte, 1924; Bildung aus dem Geiste der Werkschaft, 1931.   WK

Hoerle, Eugen (Ps. Friedrich Linden), * 19.4. 1861 Frankfurt/M.; lebte in Frankfurt.

Schriften: Winternacht und Sommerstunden. Eine Auswahl Gedichte, 1894.   RM

Hörler, Hans, * 15.12.1905 Kirchschlag/Niederöst., † 23.5.1969 Krems a.d. Donau/Niederöst.; studierte in Wien, Bez.schulinspektor, später Landesschulinspektor. Hg. d. Schriftenreihe «Beitr. f.d. Unterricht». Übers., Lyriker u. Erzähler.

Schriften: Die Kurve (Ged.) 1932; Es kam die Nacht (Ged.) 1933; Kleine lyrische Versammlung, 1951; Der liebe Augustin, 1954; Jugs abenteuerliche Reise zum Fluß der Flüsse. Eine Erzählung aus der Urzeit der Menschen, 1957; Der Heiligenstein. Vier Laienspiele, 1960; Jugs Abenteuer in Ägypten. Eine Erzählung aus dem vierten Jahrtausend vor Christus, 1961; Du fändest Ruhe dort. Ein Hirtenspiel aus Maria Laach, 1962; Ein Weihnachtsbaum fährt in die Stadt, 1962; vielgeprüftes österreich. Ein Spiel zur österreichischen Zeitgeschichte, 1963; Veronika und der Regenbogen, 1964; Jug auf neuen Pfaden. Eine Erzählung aus den ersten zwei Jahrtausenden vor Christus, 1965.   IB

Hörler, Rolf, * 26.9.1933 Uster/Kt. Zürich; Primarlehrer in Zürich, wohnt in Richterswil. Lyriker; Hg. d. lit. Zs. «Reflexe». C.F. Meyer-Preis 1976.

Schriften: Silvesterkaleidoskop (Nov.) 1962; Gedichte, 1963; Mein Steinbruch (Ged.) 1970; Mein Kerbholz (Ged.) 1970 (Neuaufl. 1976); Meine Wünschelrute. Poetische Texte, 1972; Tagesläufe (Ged.) 1972; Poem à la carte (in: Zeitgenössische Einakter) 1972; Zwischenspurt für Lyriker (Ged.) 1973; Handschriften (Ged.) 1973; Abgekühlt vom Sommer war die Luft. 69 frühe Gedichte, 1977.   AS

Hörlin, Gertrud (Ps. f. Gertrud Kauffmann), * 11.3.1890 Neuenstein, † 7.10.1956 Göppingen; Dr. phil., lebte in Ebersbach a. Fils u. zuletzt in Göppingen.

Schriften: Verena (Rom.) 1937.   AS

Hörmann, Leopold, * 26. 10. 1857 Urfahr b.
Linz, † 19. 6. 1927 Linz; zuerst Bildhauer, 1888
Übersiedlung nach Wien, Beamter, seit 1915 Bibliothekar in Linz, 1891–1922 Red. d. «Wr.
Mitt. lit. Inhalts». Mundartdichter.

Schriften: Schneekaderln und Himmelschlüsseln. Lieder in oberösterreichischer Mundart,
1886; Neue Lieder und Gedichte in oberösterreichischer Mundart, 1887; Gut aufg'legt! Neue
G'schichten und Gedicht'ln, 1895; Biographisch-
kritische Beiträge zur österreichischen Dialektliteratur, 1895; Geht's mit auf d' Rax.Bergfrohe
G'sang'ln und a D'raufgab' lustige Vortragsstück'ln in der Volksmundart, 1904; Hört's zua
a weng! Ernste und heitere Vortragsstücke in der
Volksmundart (Ausw.) 1905; Für an' iad'n was?
Neueste Gedichte in oberösterreichischer Mundart, 1918; Spatobst. Letztmalige Gaben aus mein'n
Hausgart'l, 1919; Mein Weg. Erlebtes und Erlauschtes aus mehr als 50 Jahren (Mundart und
Hochdt.) 1920.

Literatur: ÖBL 2, 365. – W. NAGL, ~ (in: Öst.
Lit.bl. 5) 1896; W. A. HAMMER, ~ z. 60. Geb.-
tag v. s. Freunden, 1917; K. MAYER-FREINBERG,
~. E. Beitr. z. Würdigung s. Persönlichkeit,
1927.   IB

Hörmann, Markus → Basil, Otto.

Hörmann zu Hörbach, Angelika (Emilie) von
(geb. Geiger), * 28. 4. 1843 Innsbruck, † 23. 2.
1921 ebd., Gattin von Ludwig H., Lyrikerin u.
Erzählerin.

Schriften: Die neue Mühle (Erz.) 1866 (2. Aufl.
u. d. T.: Die Trutzmühle, 1896); Grüße aus Tirol
(Ged.) 1869; Aus Tyrol (Erz.) 1872; Die Saligen
Fräulein (erz. Ged.) 1876 (2. Aufl. u. d. T.: Die
Salig-Fräulein. Ein Tirolermärchen in Versen,
1887); Oswald von Wolkenstein (erz. Ged.)
1890; Neue Gedichte, 1892; Auf stillen Wegen.
Neue Gedichte, 1907.

Literatur: ÖBL 2, 366. – A. SONNTAG, ~. Eine
dt. Dichterin in Tirol, 1906; R. STEINEGGER, ~
(Diss. Innsbruck) 1938.   IB

Hörmann zu Hörbach, Ludwig von (Ps. Oswald Heiderich, Raimund Clara), * 12. 10. 1837
Feldkirch/Vorarlberg, † 14. 2. 1924 Innsbruck;
studierte Jus. u. Philos. in Innsbruck, Mittelschullehrer, später Bibliotheksbeamter in Graz,
dann Dir. d. Univ.bibl. in Innsbruck. Folklorist
u. Kulturhistoriker.

Schriften (Ausw.): Der heber gât in litum. Ein
Erklärungsversuch dieses althochdeutschen Gedichtes. Mit einer Beigabe tirolischer Ackerbestellungs- und Ärntegebräuche, 1873; Tiroler
Volkstypen, 1877; Schnaderhüpfeln aus den Alpen, 1881 (3. verb. Aufl. 1894); Die Jahreszeiten
in den Alpen. Bilder aus dem Natur- und Kulturleben mit besonderer Berücksichtigung Tirols,
1889; Grabschriften und Marterln (hg.) 3 Bde.,
1891–96; Volkstümliche Sprichwörter und Redensarten aus den Alpenlanden (gesammelt u. hg.)
1891; Wanderungen in Tirol und Vorarlberg, 2
Bde., 1895–97; Das Tiroler Bauernjahr, 1899;
Haussprüche aus den Alpen (gesammelt u. hg.)
1908; Tiroler Volksleben, 1909.

Nachlässe: Cotta-Arch. im Dt. Lit.arch./Schiller-Nat.mus. Marbach.

Literatur: ÖBL 2, 366. – E. SCHÖNWIESE, H.
SCHUHLADEN, Beitr. z. d. neuaufgetauchten
Volksschauspielzyklus. Aus d. Nachlässen ~ s u.
L. Pirkls (in: Tiroler Volksschausp.) 1976.   IB

Hörmonseder (Hörmannseder), Anselm (Taufname: Franz de Paula), * 2. 4. 1686 Wien, † 15.
4. 1740 Bruck/Leitha; humanist. Studien in Wien,
seit 1707 Augustinereremit, Philos.- u. Theol.-
Doz. in Graz u. Wien, 1721 Dr. theol. Wien,
Novizenmeister u. Studienregens, 1731–33 Leiter
d. öst. Augustinerprov., 1735–40 Prior d. Klosters Bruck.

Schriften (Ausw.): Philosophia universa centum
quaestionibus tum veterum tum recentiorum Philosophorum placita complectens, 1728; Himmlische Eremiten Schaar ..., 1733; Kleine Ethik
oder Sittenlehre ..., 1739.

Literatur: ADB 13, 129; NDB 9, 356. – F. L.
MIKSCH, D. Augustinerorden u. d. Wiener Univ.
(in: Augustiniana 16/17) 1966/67.   RM

Hörnemann, Werner Gerhard, * 15. 9. 1920
Homberg/Ndrh.; studierte Germanistik u. Kunstgesch. in Bonn, Journalist, seit 1949 freier
Schriftst., Jugendbuch-Lektor bei Bertelsmann,
gründete 1969 einen eigenen Verlag in Bonn; Vf.
v. Jugendbüchern u. Jugendhörspielen.

Schriften: Gusti funkt Alarm. Eine heitere Kriminalgeschichte für die Jugend, 1950; Hafenpiraten, 1950; Das Lösegeld des Roten Häuptlings.
Eine Wildwest-Geschichte. O'Henry nacherzählt,
1951 (1954 auch u. d. T.: Eine Wildwest-Geschichte ...); Die gefesselten Gespenster. Eine
ziemlich komische Geschichte um 7 Jungen, 2

Tiere, 1 Auto und ein Spuk, 1952; Ali und die Räuber. Eine fabelhafte Geschichte um einen tapferen Prinzen und ein kluges Mädchen, 1953; Das Geheimnis des Don Mirabilis. Eine aufregende Geschichte um eine seltsame Erfindung, 1954. AS

Hoerner, Herbert von, * 9. 8. 1884 auf d. Gut Ihlen/Kurland, † 9. 5. 1950 Torgau; studierte in München u. Breslau Architektur, Malerei u. Zeichnen, Teilnahme am 1. Weltkrieg, dann Zeichenlehrer in Görlitz, im 2. Weltkrieg Dolmetscher in d. Ukraine, später in Breslau; bei Kriegsende geriet er mit s. Frau in sowjet. Kriegsgefangenschaft. Erzähler.

Schriften: Villa Gudrun. Stücke einer Sammlung, 1922; Des Frosches Auferstehung. Eine Tier- und Tanzfabel, 1927; Der Zauberkreis. Ein Tanzspiel mit begleitenden Versen, 1928; Sechs Gedichte, 1935; Bruder im Felde und andere Erzählungen, 1936; Die Kutscherin des Zaren (Erz.) 1936; Die letzte Kugel (Erz.) 1937; Der große Baum (Erz.) 1938; Der graue Reiter (Rom.) 1940; Landschaften, 1942; Die Welle (Ged.) 1942; Das Plaid, 1947; Die grüne Limonade, 1952.

Übersetzungstätigkeit: S. J. Graf Witte, Erinnerungen, 1923; N. V. Gogol, Die Nase, 1924; A. S. Puškin, Der Sargmacher, 1924; L. Tolstoj, Iwan der Schreckliche. Historischer Roman, 1924; I. S. Turgenev, Mumu, 1924.

Literatur: NDB 9, 357. – ~, Herkunft u. Heimat (in: D. Neue Lit. 43) 1942; S. v. HOERNER-HEINTZE, Dichter u. Maler ~ (in: D. Schlesier 6) 1954; I. MOLZAHN, Andenken an e. Dichter (in: D. Kranich 8) 1966.   IB

Hoerner (geb. Heintze), Susanne von (Ps. Suse von Hoerner-Heintze, Ypsilon), * 24. 1. 1890 Breslau; Gattin von Herbert H.; Erzählerin, lebte in Görlitz, später in Göttingen, dann in Eberbach/Baden.

Schriften: Mädels im Kriegsdienst. Ein Stück Leben, 1935; Ein Mädel in der Front (Erz.) 1938; Die große Kameradin. Lebensroman der Frontschwester Anni Pinter, 1939; Zwischen Frieden und Krieg, 1940; Die Frauen vom Lesachtal (Erz.) 1941; Das Loch im Zaun. Aus den letzten Tagen des Sudetenkampfes, 1941; Weit war der Weg. Wolhyniendeutsches Schicksal, 1942; Die kleine Ursache, 1943; Der wilde Wuwo (Erz.) 1943; Die Schusterkugel. Eine Jakob Böhme-Erzählung, 1954.

Literatur: Freundesgabe d. Arbeitskreise f. Dt. Dg., 1965.   AS

Hoernes, Jenny → Reuß-Hoernes.

Hoernes, Moritz, * 29. 1. 1852 Wien, † 10. 7. 1917 ebd.; Dr. phil. (1878), Reisen n. Bosnien, Herzegowina, Griechenland u. Kleinasien, seit 1885 im naturhist. Hofmuseum in Wien tätig, 1905 Kustos, Leiter archäolog. Ausgrabungen, 1892 Privatdoz. u. 1899 a. o. Prof., 1911 o. Prof. f. Archäol. an d. Wiener Univ. Gründer u. Red. d. «Wiss. Mitt. aus Bosnien u. d. Herzegowina» (13 Bde., 1893–1917).

Schriften (Ausw.): Atlantis. Ein Flug zu den alten Göttern. Mythologisches Märchen, 1884; Dinarische Wanderungen ..., 1888 (verm. Neuausg. 1893); Die Urgeschichte des Menschen nach dem heutigen Stand der Wissenschaft, 1892; Urgeschichte der bildenden Kunst in Europa ..., 1898 (3., durchges. u. erg. Aufl., hg. O. MENGHIN, 1925); Natur- u. Urgeschichte des Menschen, 2 Bde., 1909; Kultur der Urzeit, 3 Bde., 1912 (4., v. F. BEHN bearb. Aufl. 1950).

Literatur: ÖBL 2, 368; NDB 9, 358.   RM

Hörnigk (Hornick), Philipp Wilhelm von, getauft 23. 1. 1640 Frankfurt/M., † 23. 10. 1714 Passau; Rechtsstudium in Ingolstadt, lebte 1665 in Wien, Sekretär d. Bischofs Royas in Hartberg, 1676 Rückkehr n. Wien, diplomat. Tätigkeit in Dtl. (Réunion) u. Italien, 1680 in Diensten d. öst. Gesandten J. P. v. Lamberg in Berlin, 1684 kaiserl. Secretarius, Übersiedlung n. Dresden, 1686 n. Regensburg, 1689 Geh. Rat, 1691 Beisitzer im Hofrat v. Passau, seit 1705 Passau. Gesandter u. Lehenspropst b. Reichstag in Regensburg. Historiker, Merkantilist u. Diplomat.

Schriften (Ausw.): Leben der durchleuchtigsten Ertz Hertzogin ... Margaritae De S. Cruce, 1675; Germaniae antique et novae Contentio singularis ..., 1676; H. G. D. C. Francopolitae. Wahrer Bericht von dem alten Königreich Austrasien, 1682; Dass. ... von dem alten Königreich Lothringen, 1682; Franco-Germania, 1682 [Sammelausg. dieser 3 Schr. u. d. T.: Franco-Germania ..., 1708]; Oesterreich über alles, wann es nur will, 1684 [zahlr. Ausg. bis 1784].

Neuausgabe: Österreich über alles, wenn es nur will (hg. G. OTRUBA) 1964 (mit Biogr. u. Bibliographie).

Literatur: Adelung 2, 2045; ADB 13, 157; NDB 9, 359; BWG 1, 1199. – F. Posch, ~, Werdejahre u. öst.-steir. Beziehungen (in: MIÖG 61) 1953; G. Otruba (vgl. Neuausg.) 1964.   RM

Hoernle, Edwin (Ps. H. Georgi), * 11.12.1883 Bad Cannstadt, † 21.8.1952 Bad Liebenstein; Theol.-Studium, Landvikar, dann Privatlehrer in Berlin, 1910 Eintritt in d. SPD, Mitbegründer d. Spartakusbundes, Gründungsmitgl. d. KPD, 1920 Mitgl. d. Zentralkomitees, 1924–32 Reichstagsabgeordneter, 1933 Emigration über d. Schweiz in d. Sowjetunion, Mitarb. am Internat. Agrarinst., später am Weltwirtschaftsinst. in Moskau, Mitgl. d. Nationalkomitees «Freies Dtl.» (1943 bis 1945), 1945 Rückkehr n. Berlin, Präs. d. Zentralverwaltung f. Land- u. Forstwirtschaft, Prof. u. Dekan d. agrarpolit. Fak.; Leiter d. Zs. «D. proletar. Kind» u. «D. junge Genosse».

Schriften: Aus Krieg und Kerker (Ged.) 1918; Die Oculi-Fabeln, 1920; Arbeiter, Bauern und Spartakus (Bühnensp.) 1921; Die Arbeiterklasse und ihre Kinder ..., 1921; Rote Lieder, 1924; Bauern unterm Joch (Erz.) Moskau 1936; Deutsche Bauern unterm Hakenkreuz, Paris 1939.

Ausgaben: Schulpolitische und pädagogische Schriften (hg. E. Mehnert) 1958 [Teilslg.]; Arbeiter, Bauern und Spartakus (hg. L. Hoffmann, D. Hoffmann-Ostwald in: Dt. Arbeitertheater) 1961; Das Herz muß schlagen. Gedichte und Fabeln (hg. W. Seifert, E. Mehnert) 1963; Rote Lieder (hg. W. Engelmann, E. Mehnert) 1968; Zum Bündnis zwischen Arbeitern und Bauern, 1972 [Ausw. d. agrarpolit. Reden u. Schr. 1928 bis 1951].

Bibliographie: B. Melzwig, Dt. sozialist. Lit. 1918–1945, 1975.

Literatur: ~ – e. Leben f. d. Bauernbefreiung, 1965 [mit Werkauswahl].   RM

Hörschelmann, Emilie von, * 6.9.1844 Oberpahlen/Livland, Todesdatum u. -ort unbekannt; Reisen in Dtl. u. Italien, hielt zahlr. Vorträge über kultur- u. kunstgesch. Themen, lebte teils in Dtl., teils in Italien, seit 1903 in München.

Schriften: Im Banne der Schmach (Rom.) 1885; Dimitar (hist. Rom.) 1886; Kulturgeschichtlicher Cicerone für Italienreisende, 2 Bde., 1886 bis 1888; Die Bluthochzeit des Astorre Baglioni in Perugia ..., 1907 (mit engl. Übersetzung). RM

Hoerschelmann, Fred von, * 16.11.1901 Hapsal/Estland, † 2.6.1976 Tübingen; studierte in Dorpat u. München Kunst- u. Lit.gesch., Theaterwiss. u. Philos., 1927–36 freier Schriftst., Emigration n. Estland, 1939 n. Polen, 1942–45 Soldat, seit 1945 in Tübingen. Dramatiker.

Schriften: Das rote Wams (Kom.) 1935; Die Stadt Tondi, 1950; Die verschlossene Tür, 1958; Das Schiff Esperanza (Hörsp., m. e. Nachwort u. hg. v. P. Dormagen) 1961; Sieben Tage, sieben Nächte, 1963.

Literatur: Theater-Lex. 1, 815. – G. Just, E. imponierender Außenseiter. ~ (in: G.J., Reflexionen) 1972.   IB

Hoerschelmann, Helene von, * 15.2.1874 Dorpat, † 1934; Dr. phil., Journalistin u. Übers. (aus d. Holländ., Russ., Franz.) in Berlin.

Schriften: Vier Jahre in russischen Ketten. Eigene Erlebnisse, 1921 (Ausz., hg. R. Gurland u. d. T.: Deutsche Treue ..., 1921); Versunkenes. Erinnerungen aus Alt-Livland und Alt-Rußland, 1926.   RM

Hörstel, Wilhelm, * 21.3.1865 Hordorf/Braunschweig, † Frühjahr 1945 Insel Usedom (fiel m. s. Frau d. krieger. Ereignissen z. Opfer), Pastor. Folklorist u. Erzähler.

Schriften: Die Riviera, 1892; Aus dem sonnigen Süden. Italienische Märchen, 1904; Die oberitalienischen Seen, 1908; Die Napoleonsinseln Korsika und Elba, 1908; Am blauen Mittelmeer, 1911; Der Gardasee, 1912; Genua und die beiden Rivieren, 1925.   IB

Hoerth, Otto, * 3.6.1879 Mannheim, † 13.8.1966; studierte Ingenieurwiss. in Karlsruhe, dann Kunstgesch. in Erlangen, Straßburg, Heidelberg u. Freiburg/Schweiz. Dr. phil., Lehrer u. Erzieher, seit 1910 in Freiburg/Br., später Privatschulleiter. Lyriker, Erz. u. Essayist.

Schriften: Das Abendmahl des Leonardo da Vinci (Monogr.) 1907; Heimat für die wir kämpfen. Landschaftserlebnis, 1915; Freiburg und die Musik (Ess.) 1923; Miniaturen vom Bodensee, 1924; Der Bodensee (Ess.) 1925; Der Wald. Ein Epilog, 1934; Marionetten um Silvia (Rom. aus Italien) 1940; Einmal kommt der Tag (Rom.) 1949; Musizierende Landschaft. Ein Bodensee-Brevier, 1950.

Literatur: H. E. Busse, Bildnis d. Dichters ~ (in: Ekkhart-Jb.) 1937; P. Schwoerer, ~ (in:

Bad. Heimat 34) 1954; H. SCHWARZWEBER, ~ 3.6.1879–13.8.1966 (in: Ekkhart) 1967.		IB

Hörtingen, Rudolf (eigentl. Rudolf Ritter Pollak von Hörtingen) * 1864 Agram (heutiges Zagreb), † 1934 Hohenberg; studierte in Wien Jus., dann im Staatsdienst tätig. Mundartdichter.

Schriften: Se! da hast's!, 1916.		IB

Hoesch, Lucy (Ps. Lucy Gregor, Lucy Hoesch-Ernst od. Hoesch-Ernest), * 1.10.1864 Düren/ Rhein; Studium d. Psychol. in London, d. Naturwiss. in Freiburg/Br., lebte dann in Godesberg a. Rhein.

Schriften: Sie haben keine Ehre (Erz. u. Skizzen) 1896; Patriotismus und Patriotitis, 1915; Die neue Mission des Weibes, 1921.		RM

Hösl, Hans, * 31.1.1896 München; Polizeirat i. R., wohnt in Fürstenfeldbruck.

Schriften: Die Kindstauf. Eine bayerische Erzählung, 1968.		AS

Hoesli, Rudolf, * 23.12.1888 Haslen/Kt. Glarus, † 11.4.1960 Zürich; Dr. phil., war Lehrer an d. Gewerbeschule in Zürich, Präs. d. Zürcher Schriftst.vereins. Lyriker, Verf. mehrerer Bühnenstücke (meist ungedr.) u. Hörspiele.

Schriften: Die sinnliche Anschauung in der Lyrik. Ästhetische Studie, 1918; Alexander Soldenhoff. Künstler und Werk, 1935; Millionär und Clown (Kom.) 1950; Gedichte, 1950.		AS

Höslin, Konrad, * 11.9.1684 Langenau, † 3.4. 1740 Ennabeuren; Theol.-Studium in Wittenberg, Hofmeister in Schlesien, 1720 Pfarrer in Wippingen u. seit 1734 in Ennabeuren.

Schriften: Geistliche Kinderpflege, 1730 (?) (2., mit erbaulichen Liedern verm. Ausg. 1765). (Außerdem theolog. Schriften.)

Literatur: Goedeke 4/1, 239.		RM

Höss, Dieter, * 9.9.1935 Immenstadt/Allgäu; Maler u. Grafiker, lebt in Köln; Verf. v. Satiren u. Parodien.

Schriften: Ali und der Elefant. Erzählt und gemalt, 1961; An ihren Büchern sollt ihr sie erkennen. 35 Spottlieder für Leser aus Passion, 1966; Schwarz braun rotes Liederbuch. Neue teutsche Volks- und Wunderlieder für jedermann, 1967; An ihren Dramen sollt ihr sie erkennen. 50 starke Stücke, 1967; Binsenweisheiten, 1967; Gespensterkunde. Leicht faßliche Einführung in das Geisterleben von den Anfängen bis zur Gegenwart, 1969; Sexzeiler. Fragen Sie Frau Olga, 1970; Die besten Limericks von Dieter Höss, 1973; Wer einmal in den Fettnapf tritt ... (satir. Ged.) 1973.		AS

Höss, Margit → Heydorn, Ellen.

Hoess-Ude, Adele, * 18.11.1899 Dortmund; Erzählerin, wohnt in Langenwang vor Oberstdorf/ Allgäu.

Schriften: Frau zwischen zwei Welten (Rom.) 1939; Das westfälische Fräulein (Rom.) 1941; Der Urlaub des Hauptmanns Denecke (Rom.) 1943; Tage der Rosen (Rom.) 1961.		AS

Hoeßlin, Julius Konstantin von, * 11.6.1867 Athen; Philos.-Studium in Dtl., dann in d. griech. Armee eingezogen, lebte später als Schriftst. in München u. Berlin.

Schriften: Figeni (Dr.) 1903; Umsonst. Schöpfungen eines Ringenden, 1905; Vaterlandsgefühl und Gottesbewußtsein, 1916; Schöpferische Funktionen des Geistes, 1921; Die Abstufungen der Individualität, 1929; Das Vaterland und der Mensch, 1929.		RM

Höster (Hoester), Christoph Philipp, * 21.1. 1721 Kassel, Todesdatum u. -ort unbekannt; Sohn e. Advokaten, studierte in Marburg Theol., 1743 bis 1747 Rektor d. Stadtschule in Trendelburg, 1747 Dr. phil., erhielt d. Würde e. Kaiserl. Gekrönten Poeten, konvertierte z. kathol. Glauben. Hg. versch. Zss. in Köln.

Schriften: Historische Nachrichten der neuesten merkwürdigen Begebenheiten der Welt, 1749 bis 1750; Historische Nachricht von denen merkwürdigsten Begebenheiten in der gelehrten Welt, 1751; Nützliche Beiträge zur Verbesserung des guten Geschmacks am Niederrhein (Slg. eigener Ged.) 1751.

Handschriften: Bern Stadtbibl., Marburg Staatsarchiv. – Frels 135.		IB

Hösterey, Karl, * 24.6.1902 Barmen; Geschäftsführer d. Landesverbandes Düsseldorf d. Volksbundes f. d. Deutschtum im Ausland.

Schriften: Drei Schmieden (Ged.) 1936; Ewiges Rheinland ... (Mit-Verf.) 1938; Der Führer ruft. Erlebnisbuch über die Umsiedlung (Mit-Verf.) 1941.		RM

Hösterey, Walter → Hammer, Walter.

Höttl, Wilhelm → Hagen, Walter.

Hötzel, Moritz Ferdinand, * 179? Reinsdorf b. Waldheim, † 11.4.1814 bei Mildenburg (im Main ertrunken); studierte in Leipzig, im sächs. Heer Teilnehmer beim Feldzug gg. Frankreich.

Schriften: Freiheitsblüten (Ged.) 1914.

Literatur: Meusel-Hamberger 18,183; 22.2, 791; Goedeke 7,313.   RM

Hötzer, Karl, * 12.6.1892 Balingen/Württ., † 8.6.1969 Gaugenwald; Lehrer u. später Oberlehrer an d. Volksschule in Tübingen.

Schriften: D'r Modellhuet. Schwäbischer Schwank ... nach einer wahren Begebenheit, 1930; D'r Patentfischer. Schwäbischer Schwank aus der Zeit der nationalen Erhebung, 1934; Loable. Gedichte und Geschichten in der Balinger Mundart, 1941; Allerhand Volksweisheit. Balinger Sprüche, 1942; Die Entstehung der Stadt Balingen ..., 1942; Balingen vor 100 Jahren ..., 1949; Vom Stöckle bis zom Aischterberg. Tübinger Bilder, 1955; Balenger Gschichte, 1955; Kohlraisle. Die schwäbischen Gedichte des Mathias Koch (hg.) 1957; Der Elefantenreiter und andere Geschichten, 1961; S goht uf d Loche, 1961; Schwäbische Gedichte, 1962. (Außerdem versch. Hörspiele.)   RM

Hötzl, Joseph, * 19.1.1817 Wien, † 17./18.4. 1869 Linz; 1837 Eintritt in d. Benediktinerorden, 1838 Austritt, Beamter in Wien, 1851 Supplent in Ofen, 1862 Gymnasiallehrer in Triest u. 1864 in Linz.

Schriften: Gedichte, 1864.   RM

Höveln (Hövel), Gotthard von, * 1544 Lübeck, † 16.3.1609 ebd.; 1578 Ratsherr in Lübeck, 1589 Bürgermeister, Gegner d. oppositionellen Bürgerschaft in d. sog. Reiserschen Unruhen (1598–1605). – Verf. e. polem. Chron., die s. Standpunkt darlegt.

Ausgaben: Chronik 1550–99 («Memorial») (in: A. FAHNE, D. Herren u. Frhr. v. H. 3) 1856; Nothwendige und beständige und warhaftige hintertreibung eines ehrenrührigen schandgetichts (1606, in: ebd.).

Literatur: Jöcher 2,1648; ADB 13,213; NDB 9,373. – A. FAHNE (vgl. Ausg.) 3 Bde., 1856; J. ASCH, Rat u. Bürgerschaft in Lübeck 1598–1669, 1967.   RM

Hoewer, Eugen (Ps. Hagen), * 23.4.1878 Koblenz, † 1.1.1961 ebd.; Journalist u. Red. in Koblenz. Übers. aus d. Französischen.

Schriften: Die Sitte der Sonnenwende (und der Sonnenwendefeierbrauch) 1921; Koblenzer Originale, 1951.   RM

Hoewing, Hanns, * 18.4.1909 Gelsenkirchen, † 17.9.1970 Pullach b. München; Hersteller in d. Droemerschen Verlagsanstalt, dann Werbeberater in Pullach.

Schriften: Brennpunkte des Weltgeschehens ..., 1940; Tage mit Dorette (Nov.) 1946; Carl Schurz. Rebell, Kämpfer, Staatsmann. Nach seinen Briefen, Erinnerungen und Veröffentlichungen, 1948; Wissen wir, was morgen ist?(Rom.) 1954; Eine Reise durch Deutschland, 1954. RM

Höwisch, Nikolaus → Decius, Nikolaus.

Hoexter, John, * 2.1.1884 Hannover, † 16.11. 1938 Berlin Grunewald; Graphiker u. Schriftst. in Berlin, 1916 kurze Zeit Soldat, Hg. d. Zs. «D. blutige Ernst» (1919); nahm sich nach d. Kristallnacht d. Leben.

Schriften: So lebten wir, 1929; Apropoésies Bohémiennes (Ged.) o. J.

Literatur: A. BERGMANN, ~. E. Denkstein, 1971.   WK

Hof, Nanny von, * 19.2.1824 Hombressen/Kurhessen, † 26.3.1896 ebd.; anfängl. am Hof ihrer Eltern tätig, später Erzieherin an versch. Orten, seit 1865 f. d. «Innere Mission» tätig. Übers., Dramatikerin u. Erzählerin.

Schriften: Alfred de Vigny Cinq-Mars (übers.) 1869; Krone und Kerker. Erzählung aus dem 16. Jahrhundert, 1887; König Herwigs Brautfahrt (Dr.) 1889.

Literatur: Biogr. Jb. 1,253.   IB

Hofacker, Ludwig, * 25.4.1780 Tübingen, † 21.4.1846 Heslach b. Stuttgart; in Staatsdiensten unter König Friedrich v. Württ. (bis 1816, zuletzt Tribunalsekretär in Esslingen), später Oberjustizprokurator in Tübingen.

Schriften: Waldarich. Vaterländisches Trauerspiel, 1821 (Neuausg. 1831).

Literatur: Meusel-Hamberger 9,607; 22.2, 762; Goedeke 11/I,218.   RM

Hofacker, (Wilhelm) Ludwig (Gustav), * 15.4. 1798 Wildbad/Württ., † 18.11.1828 Rielingshausen b. Backnang; Theol.-Studium in Tübingen, dann Anschluß an d. Pietisten, 1820/21 Vikar in Stetten, später in Plieningen, dann Stadtvikar in Stuttgart u. Prediger d. württ. Erweckungsbewegung, 1825 Pfarrer in Rielingshausen.

Schriften und Ausgaben: Zehn Predigten über evangelische Texte (hg. W. Hofacker) 7 H., 1828 bis 1831; Das große Jenseits nun erschaulich gewiß. Eine freudige Botschaft, 1832 (Neuausg., hg. G. Buchner, 1933); Predigten für alle Sonn- und Festtage, 1835 (50. Aufl. u. d. T.: Wir haben einen Herrn ..., hg., eingel. und neu gestaltet E. Beyreuther, 1964); Christliche Betrachtungen ..., 1840; Ausgewählte Predigten (hg. F. Bemmann) 1892; Erbauungs- und Gebetbuch für alle Tage (hg. G. Klett) ²1893; Wir predigen Christus! 1936; Das Heil in Christus. Betrachtungen, 1953. (Ferner einzelne gedr. Predigten.

Literatur: ADB 12, 553; NDB 9, 375; RE 8, 211; RGG ³3, 412. — A. KNAPP, ~s Leben, 1853 (⁷1923); K. MÜLLER, D. religiöse Erweckungsbewegung in Württ., 1925; J. ROESSLE, ~, 1946; A. PAGEL, ~, 1952; A. HAARBECK, ~ u. d. Frage nach d. erweckl. Predigt, 1961. RM

Hofbauer, Elfriede Adrienne (Ps. Friede Motten, Enne Brückner), * 24. 7. 1909 Wien; Dr. phil., Chefred. u. a. von Unterhaltungsrom.reihen, lebt in Wien. Romanautorin.

Schriften (Ausw.): Frau Johannas Lebenssommer, 1941; Der junge Herr Borkheim, 1941; Herzen in Not, 1941; Die Krähen vom Buchengrund, 1941; Und du, Peter?, 1941; Frau Rechtsanwalt, 1946; Die zu große Liebe, 1952; Die schwarze Afra, 1952; Am Leben vorbeigegangen, 1954; Gabriele und der Vagabund, 1955; Die ewig gleiche Sehnsucht, 1955; Zwei Menschen und jeder allein, 1959; Das Modell des Bildhauers, 1961. AS

Hofbauer, Friedl (Ps. für Friedl Kauer geb. Hofbauer), * 19. 1. 1924 Wien; Jugendbuchautorin, lebt in Wien; Öst. Staatspr. f. Kinderb. 1966, 1969, Kinderb.-Pr. d. Stadt Wien 1966, 1969, 1975, Dt. Jgdb.-Pr. f. Übers. 1975.

Schriften: Hokuspokus. Ein lustiges Märchen (mit W. Pribil) 1949; Mutti ist verreist. Ein Malbuch (mit K. Fischer) 1959; Am End ist's doch nur Phantasie. Ein Raimund-Roman, 1960; Der Schlüsselbund-Bund (Kinder-Rom.) 1962; Eine

Liebe ohne Antwort (Rom.) 1964; Die Wippschaukel (Kinder-Ged.) 1966; Fräulein Holle, 1967; Der Brummkreisel (Kinder-Ged.) 1969; Traumfibel (Ged.) 1969; Die Propellerkinder (mit andern) 1971; Der kurze Heimweg (Rom.) 1971; Die Träumschule, 1972; Zwei Kinder und ein Mondkalb. Eine fast fantastische Geschichte, 1972; Der Benzinsäugling oder die Reise nach Papanien, 1973; Von allerlei Leuten, 1973; Im Lande Schnipitzel. Gedichte und Geschichtengedichte, 1973; Die Kirschkernkette, 1974; Mit einem kleinen Blumenstrauß, 1974; Lochschaufler und Tunnelbauer, 1974; Das goldene Buch der Tiere im Wald und auf der Wiese, 1974; Das Spatzenballett, 1975; Der Meisterdieb, 1975; 99 Minutenmärchen (mit K. Recheis) 1976; Der Herbst ist schön (mit andern) 1976; Tierfamilie (mit S. Kreynhop) 1976; Komm mit nach Blumental im Frühling (mit andern) 1976; Links vom Mond steht ein kleiner Stern. Geschichten und Verse, 1977; Das Land hinter dem Kofferberg. Ferien auf dem Bauernhof, 1977. AS

Hofbauer, Josef, * 20. 1. 1886 Wien, † 23. 9. 1948 Frankfurt/Main; Buchdrucker in Wien, später Red. d. sozialdemokrat. «Freiheit» in Teplitz, später d. «Sozialdemokrat» in Prag, 1938 Emigration n. Schweden (Malmö), 1947/48 Mitarb. an d. «Sozialist. Tribüne» in Stockholm. Lyriker u. Erzähler.

Schriften (Ausw.): Im roten Wien. Eine Studienreise der Arbeiter aus der Tschechoslowakei, 1926; Der Marsch ins Chaos. Ein österreichisches Kriegsbuch von der italienischen Front, 1930; J. Seliger, Lebensbild (gem. m. E. Strauß) 1930; Wien, Stadt der Lieder. Ein Zyklus Gedichte, als Chorwerk eingerichtet, 1934; Dorf in Scherben. Ein Glasarbeiterroman, 1937; Der große alte Mann. Ein Masaryk-Buch, 1938; Paradies und Sündenfall, 1946.

Literatur: ÖBL 2, 371. IB

Hofbaur, Eduard, * 23. 9. 1895 Aistersheim/Oberöst., † 24. 3. 1974 Meggenhofen/Oberöst.; Lehrer. Mundartdichter.

Schriften: Daschaut und dalöbt, 1952; Wia's daherkimmt. Gedichte in oberösterreichischer Mundart, 1971. IB

Hofé, Günter (Ps. Bernd Elberger), * 17. 3. 1914 Berlin; seit 1950 Dir. d. Verlages d. Nation in

Berlin (Ost), 1950–54 Jurastudium; Erzähler, Publizist, auch Filmautor; u.a. Joh.R. Becher-Medaille 1965.

Schriften: Niersteiner Spätlese. Ein westdeutsches ABC (sat. Ess.) 1954; Rivalen am Steuer (Rom.) 1957; Roter Schnee (Rom.) 1962; Monolog in der Hölle (Erz.) 1968; Merci, Kamerad (Rom.) 1970; Schlußakkord (Rom.) 1974.

Literatur: Albrecht-Dahlke II,2,324.   AS

Hofe, Harold von, * 23.4.1912 Plainfield/New Jersey, 1936 B.S., New York University, 1939 Dr. phil. Northwestern University Chicago, danach Lehrtätigkeit an d. Univ. of Southern California in Los Angeles; seit 1945 Geschäftsführer d. Abteilung, ab 1958 Dir. der Humanities Division. Verfasser v. Lehrbüchern, Germanist.

Schriften: Gottfried Kellers Begriff von Demokratie, wie er sich in seinen Charakteren darstellt, 1939; Deutsche Literatur im Exil (Essays) 1944–47; Zwei Kontinente; Amerika-Europa (Anthologie) 1947.   UF

Hofe, Nikolaus von → Decius, Nikolaus.

Hofele, Engelbert, * 15.1.1836 Wissgoldingen/Württ., † 9.9.1902 Ummenhof; Theol.- u. Philol.-Studium in Tübingen, Dr. phil., 1860 Priesterweihe, Vikar in versch. Orten, 1880 Pfarrer in Ummenhof. Red. d. «Rothenburger Pastoralbl.» (1882–84) u. d. «Diözesan-Arch. f. Schwaben» (1884–94); Gründer u. Organisator d. schwäb. Pilgerzüge, 1896 päpstl. Hausprälat.

Schriften: Pilgerreisebilder für die Gegenwart ..., 1879; Bilder aus Schwaben. Land und Leute geschildert, 1881; Die heilige Theresia von Jesus ... Ein Lebens- und Charakterbild für unsere Zeit ..., 1882; Blätter für Zeit und Ewigkeit ..., 4 Lieferungen, 1886f.; Reisebilder aus der Schweiz und Frankreich, 1887; Unsere liebe Frau von Lourdes ..., 1890; Das Leben unseres Heilandes Jesus Christus und seiner jungfräulichen Mutter Maria ..., 18H., 1892–94; Das Kolumbus-Ei ... Eine Naturgesundheits- und Naturheillehre für die heutige Welt, 1893; Missionsbüchlein ..., 1896; Lourdes-Büchlein ..., 1898; Lebensweisheit und Lebenstorheit. Ein Quodlibet, 1898; Immer was Neues und Pikantes. Ein Quodlibet, 1898; Gemeinnütziges Allerlei. Quodlibet aus allen und für alle in Poesie und Prosa ...,

1899; Missionsbüchlein für Unverheiratete ..., 1900; Missionsbüchlein für Verheiratete ..., 1900; Jubiläumsbüchlein für das goldene Jahr 1900–1901 ..., 1901.   RM

Hofer, August, * 7.5.1845 Oberndorf/Niederöst., † 3.1.1915 Wien; 1873 Seminarlehrer in Wien, später Prof. an d. Landesoberreal- u. Maschinenbauschule, seit 1902 im Ruhestand, lebte dann in Baden b. Wien.

Schriften: Touristische Humoresken, 1886; Weihnachtslieder aus Niederösterreich, 1890; Weihnachtsspiele aus Niederösterreich, 1892.

Literatur: ~ (in: Wiener Zs. f. Volkskunde 23) 1928.   RM

Hofer, Cuno, * 9.6.1886 Genua, † 9.1.1931 St. Moritz; Dr. iur., Prof. f. modernes Völkerrecht, lebte auf Schloß Bencsellö/Ungarn u. zuletzt in St. Moritz im Ruhestand.

Schriften: Die Keime des großen Krieges, 1917 (Fortsetzung u.d.T.: Der Ausbruch des großen Krieges, 1919); Das Spiel der Hölle. Legende der modernen Menschheit, 1922; Das Nachspiel der Hölle. Eine Satire, 1923; Meine Geschichte und die meiner Gäste. Aus einem Nachlaß, 1929.   RM

Hofer, Doris, geb. Egli, * 11.5.1921 Sirnach/Thurgau; wohnt in Zürich.

Schriften: Der fröhliche Holunderbaum. Geschichte einer Straße, 1967; Feueralarm. Ein Pechvogel setzt sich durch, 1969; Katrin, wohin? (Erz.) 1969; Das M in meiner Hand (Erz.) 1971; Angenommen, er kommt heute (Erz.) 1972; Sturm im Hause Valentin (Erz.) 1974; Ein Bäumchen für Israel (Erz.) 1976; Zwei reißen aus (Erz.) 1978.   AS

Hofer, Fridolin, * 26.10.1861 Meggen/Kt. Luzern, † 16.3.1940 Römerswil/Luzern; Sohn e. Schneiders u. Uhrmachers, wurde Lehrer, Aufenthalte in Italien u. Frankreich, seit 1888 Hauslehrer in Florenz, 1895 Rückkehr in d. Heimat; lebte auf d. Hof s. Bruders als Bauer. Lyriker.

Schriften: Stimmen aus der Stille (Ged.) 1907; Im Feld- und Firnelicht. Neue Gedichte, 1914; Daheim. Neue Gedichte, 1918; Neue Gedichte, 1924; Festlicher Alltag. Neue Gedichte, 1930; Gedichte (Ausw., hg. F. Bachmann) 1947.

Literatur: HBLS 4,262. – F. BACHMANN, ~. Leben u. Werk e. Luzerner Lyrikers (Diss. Freiburg/Schweiz) 1947.   AS

Hofer, Hans, * 18.8.1810 Oensbach, † 2.8.
1880 Offenburg; Rechtsstudium, Burschenschafter, Advokat in Lahr/Baden, 1848 in Offenbach, Beteiligung am bad. Aufstand, Flucht über d. Schweiz n. Amerika, seit 1862 Anwalt in Offenburg.

Schriften: Gedichte und Lieder eines Achtundvierzigers, 1880.   RM

Hofer, Klara (eigentl. Ps. f. Klara Höffner, geb. Gutsche), * 13.5.1875 Bromberg, † 1.9.1955 Schloß Pilsach bei Neumarkt/Oberpfalz; Tochter e. Schulrats, lebte auf Schloß Pilsach. Erzählerin.

Schriften: Weh dir, daß du ein Enkel bist (Rom.) 1912; Der gleitende Purpur. Die Geschichte einer Liebe, 1913; Alles Leben ist Raub. Der Weg F. Hebbels, 1913; Das Schwert im Osten (Erz.) 1915; Das Spiel mit dem Feuer (Rom.) 1915; Maria im Baum (Nov.) 1915; Friedrich Hebbel und der deutsche Gedanke. Eine Studie, 1916; Bruder Martinus (Nov.) 1917; Friede im Krieg (gem. m. Johannes H.) 1917; Goethes Ehe, 1920; Das Schicksal einer Seele. Geschichte des Kaspar Hauser, 1924; Zur Hochzeit ruft der Tod. Die Geschichte vom Herzen des Novalis, 1925; Sonja Kowalewsky. Geschichte einer geistigen Frau, 1927; Der Büßer (Rom.) 1928; Rückzug von Moskau. Osteuropäisches Schicksal und die Geschichte des Artillerieleutnants L.N. Tolstoi, 1929; Die Mütter. Geschichte der Menschwerdung Goethes, 1931; Frühling eines deutschen Menschen. Die Geschichte des jungen Goethe, 1932; Die hellste Nacht (3 Nov.) 1935; Das letzte Jahr. Roman um Th. Körner, 1936; Das Eichhörnchen. Eine rührende Geschichte, 1952.

Nachlaß: Cotta-Archiv im Dt. Lit.arch./Schiller-Nat.museum Marbach.

Literatur: NDB 9,381. – G. Heine, ∼s Hebbeldg. u.d. Frage d. biogr. Rom. (in: Persönlichkeit 1) 1914; O. Jungmann, Kaspar Hauser, Stoff u. Problem in ihrer lit. Gestaltung (Diss. Frankfurt/Main) 1934.   IB

Hofer, Maria (oder Mariedy), * 8.2.1914 Wien, † 3.9.1977 St. Valentin; 1938–52 Lehrerin in Bayern, dann Volksschuldir. in St. Valentin/Österreich.

Schriften: Die goldene Kugel. Märchen und Legenden für kluge Leute, 1950; Mensch auf der

Flucht (Ged.) 1959; 's Johannifeual. Epos in niederöst. Mundart, 1959; Zwischen gestern und heute (Rom.) 1960; Das steinerne Brot und andere Spiele. Sagen und Legenden, 1963; Ursel und Mariele, 1973.   AS

Hofer-Sternischa, Franz, * 8.7.1876 Wien, † 1934 ebd. (?); Lehrer, dann Journalist u. Schauspieler, seit 1909 Red. d. «Iglauer Volksztg.» in Iglau/Mähren. Dramatiker.

Schriften: Wetterleuchten (Volksst.) 1907; Durch Kaiser's Huld (Volksst., mit B. Kohnstein) 1908; 's Glückskind (Volksst. mit Gesang) 1909.

Literatur: Theater-Lex. 1,817.   RM/IB

Hofere, e. sonst nicht bekannter Verf. e. 18-stroph. Liedes zum Machtkampf zw. den Bürgern u. den Geistlichen Bambergs («Immunitätenstreit» 1431–1439). Er nennt sich «ein Hofere» (Name? oder: einer – der bekannte? – vom Hof?) und bittet um e. Gewand als Lohn für s. Lied; möglicherweise ist er identisch mit e. Hans von Hof, der zw. 1437 u. 1439 (wegen des Liedes?) hingerichtet wurde.

Ausgaben: Vom Bamberger Immunitätenstreit, in: Liliencron (Nr. 71); Hofere, in: Politische Lyrik des deutschen Mittelalters, Texte II, hg. U. Müller, 1974.

Literatur: Liliencron, s. Ausg.; U. Müller, Unters. z. polit. Lyrik des dt. MA, 1974.   ES

Hoferichter, Ernst, * 19.1.1895 München, † 3.11.1966 ebd.; studierte Medizin, Psychiatrie, Psychologie, Philos. u. Lit.gesch. in München u. Freiburg/Br., seit 1918 am Theater, durch M. Halbe u. L. Thoma gefördert. Mitarb. am «Simplicissimus» u. an d. «Jugend». Unternahm zahlreiche Weltreisen. Essayist u. Erzähler.

Schriften: Das mondsüchtige Limonadenfräulein und andere Vorstadtgeschichten, 1924; Die Schmiere, eine heitere Komödianten-Geschichte, 1925; Das bayerische Panoptikum (Satiren) 1935; Krach um die keusche Josephine (Erz.) 1938; Flucht um die Erde (Rom.) 1939; Fünf Erdteile als Erlebnis, 1950; München. Stadt der Lebensfreude, 1958; Bayrischer Jahrmarkt, 1959; 150 Jahre Oktoberfest. 1810–1960. Bilder und G'schichten, 1960; Weißblauer Föhn, 1961; Heimkehr aus fünf Kontinenten, 1963; Jahrmarkt meines Lebens. Zwischen Hinterhöfen und Palästen, 1963; München. Die Stadt und unser Werk

(gem. m. L. Schrott u. E. Diesel) 1963; Der
größte Zwerg der Welt. H. zum 70. Geburtstag,
1965; München, Bilder einer fröhlichen Stadt,
1966; Das wahre Gesicht, 1966; Vom Prinzre-
genten bis Karl Valentin. Altmünchner Erinnerungen, 1966.   IB

Hoff, Annegret → Gummert, Charlotte.

Hoff, Carl (Heinrich), * 8.9.1838 Mannheim,
† 13.5.1890 Karlsruhe; Besuch d. Kunstschulen
in Karlsruhe u. Düsseldorf, 1878 Prof. an d.
Kunstschule in Karlsruhe, Vorstand d. «Malka-
stens».
Schriften: Schein. Skizzenbuch in Versen, 1878;
Künstler und Kunstschreiber. Ein Act der Not-
wehr, 1882.
Literatur: ADB 50,767; Thieme-Becker 7,242.
                                                 RM

Hoff, Heinrich Georg, 18./19. Jh.; in Staatsdiensten tätig, Sekretär d. Kameral-Administration in
Krain u. Friaul, Mitgl. versch. Gesellsch. u. a. in
Brünn u. Mähren.
Schriften (Ausw.): Prosaische und poetische
Beyträge (Wochenschr., hg.) 2 Bde., 1777; Unterhaltendes Allerley ..., 1778; Ermunterung
zum Streit an die Helden Josephs, 1778; Histo-
risch-kritisch-moralische Ergötzungen für Frau-
enzimmer, 1779; Abriß und ausführliche Erklärung aller Künste und Wissenschaften ... (mit M.
C. Hirsch) 1779 (3., verm. u. verb. Aufl. 1782);
Lebensläufe, Geschichte und Erzählungen ..., 3
Bde., 1780; Sehr merkwürdiges Leben des ehemaligen Ritters d'Eon, 1780; Miscellanien (mit
M. C. Hirsch) 2 Tle., 1781–83; Magazin nützlicher und angenehmer Lektüre ..., 2 Tle., 1782;
Hundert auserlesene prosaische Fabeln in dreyer-
ley Sprachen ..., 1782; Kurze Biographien oder
Lebensabrisse merkwürdiger und berühmter Personen neuerer Zeiten von unterschiedlichen Na-
zionen und allerley Ständen ... (mit M. C. Hirsch)
4 Bde., 1783; Historisch-kritische Encyclopädie
über verschiedene Gegenstände, Begebenheiten
und Charaktere berühmter Menschen, 8 Tle.,
1787; Geschichte der Revolutionen oder Empörungen im Königreich Portugal ... aus dem Französischen des Abbé Vertot. Vermehrt mit wichtigen Zusätzen aus der neueren Geschichte, 1788;
Interessante Schilderungen zur Erholung des Geistes, 1789; Neues Taschenbuch ... für wißbegie-
rige Mädchen und sich bildende Jünglinge, 1792;

Gallerie getreu nach der Natur gezeichneter Gemählde aus dem menschlichenLeben, für Denker
und Denkerinnen, 2 Tle., 1793; Biographische
Skizzen von Selbstmördern ..., 1793; Sittliche
und angenehme Unterhaltungen für Teutschlands
schöne Töchter, 1793; Gesammelte sehr merkwürdige Briefe aus dem letzten Jahrzehend ..., 2
Tle., 1794; Allgemein nützliches Hand- und
Volksbuch ..., 1794; Muley, der Sohn des Abd-
alla. Ein Gemählde zur Nachahmung für Krieger
und Helden, 1794; Neues Damen-Journal, allen
Schönen Teutschlands zur angenehmen und lehrreichen Unterhaltung gewidmet, 4 Quartale,
1794f.; Goldene Legende oder Lehr- Hand- und
Anekdotenbuch für den lieben Landmann, auch
für Bürger in den Städten, 2 Tle., 1795; Histo-
risch-statistisch-topographisches Gemahlde vom
Herzogthum Krain und demselben einverleibten
Istrien. Ein Beytrag zur Völker- und Länderkunde,
3 Tle., 1808.
Literatur: Meusel-Hamberger 3,375; 9,607;
18,184; Goedeke 7,14.   RM

Hoff, Hinrich Ewald, * 15.3.1858 Bergenhusen/
Schleswig, † 25.4.1941 Kiel; Schulrektor, lebte
zuletzt in Kiel im Ruhestand.
Schriften (dt., Ausw.): Schleswig-Holsteinische
Heimatgeschichte, 2 Bde., 1910f. (Neuausg., 3
Bde., 1925); Im Kampf um die deutsche Nord-
mark, 1919; Von Lornsen bis Beseler, 1924;
Eifeldor, Wieglesdor, Haithabu. Neue Forschun-
gen zur Frühgeschichte Schleswigs, 1936.   RM

Hoff, Kay (eigentlich Adolf Max Hoff), * 15.8.
1924 Neustadt/Holst.; studierte Germanistik,
Psychol. u. Kunstwiss. in Kiel, Dr. phil., lebte
1950–62 in Düsseldorf, zuerst als Bibliothekar,
dann als freier Journalist u. Schriftst., 1958–67
Red. d. Zs. «Neues Rheinland», 1970–73 Leiter
d. Dt. Kulturzentrums u. d. Hirsch-Bibl. in Tel-
Aviv; lebt jetzt in Amelinghausen. Lyriker, Er-
zähler, Verf. zahlr. Hörsp. u. Funk-Features.
Ernst-Reuter-Pr. 1965.
Schriften: Die Wandlung des dichterischen
Selbstverständnisses in der ersten Hälfte des 18.
Jahrhunderts, dargestellt an der Lyrik dieser Zeit,
1949; In Babel zuhaus (Ged.) 1958; Zeitzeichen
(Ged.) 1962; Die Chance (Hörsp.) 1965; Skep-
tische Psalmen (Ged.) 1965; Bödelstedt oder
Würstchen bürgerlich (Rom.) 1966; Ein ehrli-
cher Mensch (Rom.) 1967; Eine Geschichte,

1968; Netzwerk (Ged.) 1969; Zwischenzeilen (Ged.) 1970; Drei. Anatomie einer Liebesgeschichte, 1970; Wir reisen nach Jerusalem (Rom.) 1976; Bestandsaufnahme (Ged.) 1977.

Literatur: Albrecht/Dahlke II,2,325; Reclams Hörspielführer.   AS

Hoff, Sophie (Mädchenname u. Ps. f. Sophie Szegö), * 31.8.1869 Prag; Tochter e. Rabbiners, Feuill.-Mitarbeiterin versch. öst. Ztg., 1892 Heirat, lebte dann in Szegedin u. Klausenburg/Siebenbürgen.

Schriften: Gut gemeint (Nov.) 1890.   RM

Hoff, Wilhelm (Ps. f. Johann Friedrich Wilhelm Hoffmann), * 28.6.1863 Tammendorf, † 29.6. 1900 Hochheide; Lehrer in versch. Orten, 1896 Mittelschullehrer in Bergen auf Rügen u. 1898 in Hochheide.

Schriften: Für unsere Lieblinge. Kinderlieder, 1888.   RM

Hoffbauer, Jochen, * 10.3.1923 Geppersdorf/ Niederschles., zuerst Inspektor, dann Regulierungsbeauftragter, in Kassel wohnhaft. Mitarbeit an versch. Zs. u. Lit.-Gesch., auch an Anthol. Eichendorff-Lit.preis d. Wangener Kreises, 1963.

Schriften: Winterliche Signatur (Ged.) 1956; Voller Wölfe und Musik (Ged.) 1960; Neue Gedichte, 1963; Unter dem Wort (Ess.) 1963; Abromeit schläft im Grünen (Erz.) 1966.

Herausgebertätigkeit: Die schönsten Sagen aus Schlesien. Neu erzählt für jung und alt, 1964; Schlesisches Weihnachtsbuch (Gesch., Ged. u. Lieder) 1965; Du Land meiner Kindheit. Schlesische Dichter erzählen aus ihrer Kinderzeit, 1966; Schlesische Märchenreise. Alte Volksmärchen aus Schlesien, für unsere Jugend neu erzählt, 1969; Sommer gab es nur in Schlesien, 1972. HB

Hoffbauer, Joseph, * 4.12.1786 Graz, † 24.12. 1843 ebd.; studierte in Graz u. wurde Advokat ebd. Lyriker, Übers. u. Dramatiker.

Schriften: Voltaires Henriade in zehn Gesängen, metrisch übersetzt, 1821; Mozart (dramat. Ged.) 1823; Heimatliebe eines Steiermärkers (E. Slg. vaterländ. Dg.) 1828; Gedanken auf Verkürzung des österreichischen Civlrechtsverfahren, 1829.

Literatur: Wurzbach 9,134; Meusel-Hamberger 22/2,794; Goedeke 11/2,199; 12,254. IB

Hoffelner, Leopold (Ps. Willy Bernert), * 5.11. 1899 Wien; Red. in Wien.

Schriften: Das lustige Trachtenbuch (mit T. Hoffelner) 1937; Schicksale um Schriften, 1938; Ehe und Handschrift, 1948; Eheprobleme von heute ..., 1953.   RM

Hoffenberg → Brier, Daniel.

Hoffensthal, Hans von → Hepperger von Tirschtenberg und Hoffensthal, Hans.

Hoffer, Augustin, 18. Jh., vor 1770 öst. Feldfourier.

Schriften: Die Wahrheitsvolle Muse von merkwürdigsten Tugenden und Begebenheiten Seiner Majestaet Franzens des Ersten ... (4., verm. Aufl.) 1773; Millesium Campidonense oder Das jubilirend- und gottlobende Hochstift Kempten ..., 1777; Aufgeweckte Sinn- und Lehrreiche Grabschrift ..., 1779; Der Österreichische Schäfer ... in einer trochäischen Odee ..., 1779.

Literatur: Goedeke 4/1,209.   RM

Hoffer, Eduard, * 1.10.1876 Graz; studierte in Graz, Dr. iur., im Finanzministerium in Wien, dann Teilnahme am 1. Weltkrieg, Oberfinanzrat in Graz. Essayist u. Erzähler.

Schriften: Merlin. Ein Märchen, 1919; Das Dietrich-Spiel. Ein dramatisches Gedicht, 1924; Unser Erzherzog Johann. Lebens- und Sittenbild aus alter Zeit (Schausp.) 1934.

Literatur: Theater-Lex. 1,818.   IB

Hoffer, Klaus, * 27.12.1942 Graz, Dr. phil., Gymnasiallehrer u. Schriftsteller.

Schriften: Halbwegs. Bei den Bieresch 1, 1979.
                                                                       IB

Hofferichter, Theodor (Alexander Konstantin), * 11.3.1815 Liegnitz, † 17.1.1886 Magdeburg; Theol.-Studium, Hauslehrer, 1843 Rektor und Hilfsprediger in Neumarkt, 1845 Prediger d. christkathol. Gemeinde, dann 1852–84 Vorsteher e. kaufmänn. Geschäfts in Breslau, Stadtverordneter (1865–74 u. seit 1877), 1884 Übersiedlung n. Magdeburg.

Schriften: Deutsche Akkorde auf der Davidischen Harfe, 1845; Predigten, 1. Bd., 1845; Die 21 Artikel des Dr. Ottomar Behnsch beleuchtet, 1847; Die kirchliche Bewegung, 1.–4. H., 1847f.; Das Vaterunser. Im Geiste unserer Zeit erklärt, 1848; Zeitfragen ..., 1. H., 1848; Deutsche Lieder (mit F. Reder) 1848; Die Union der freien Gemeinden des Katholizismus und des Protestantismus ..., 1850; Pharisäer ringsum (6 Vorträge) 1851; Altes und Neues (Ged.) 1. H., 1860; Religionslehre, 3 Bde., 1861–65; Vom Himmel zur Erde, 1871. (Außerdem einzeln gedr. Predigten, Reden u. theol. Fachschriften.)   RM

Hoffinger, Johann Baptist Ritter von, * 30.7. 1825 Wien, † 7.4.1879 ebd.; Benediktinerzögling in Kremsmünster, studierte in Wien, 1845 Dr. phil., 1859 Dr. iur., trat 1847 in d. Staatsdienst, 1863 Sekretär im Polizeiministerium, Publizist. Hg. d. «Allgemeinen Literaturztg.» in Wien (1860–64).

Schriften: Die Bedeutung der Wissenschaft für den Katholiken, 1852; Die Stellung der Katholiken zur Literatur, 1853; Ideen für zeitgemäße Wirksamkeit eines Volksschriften-Vereins, 1859; Merk's Wien, 1861; Trau, schau, wem, 1861; Zur Wahrung der Ehre, 1861; Von der Universität, 2 Bde., 1869f.; Arbeiterfrage in Österreich, 1871.

Literatur: Wurzbach 14, 479; ÖBL 2, 376. – A. Freih. v. HELFERT, ~, 1881.   IB

Hoffinger, Josepha von, * 8.11.1820 Wien, † 25.9.1868 Schloß Altmannsdorf/Niederöst.; 1848–58 Lehrerin in e. Wiener Pensionat. Übers. u. Lyrikerin.

Schriften: Dante Alighieri, Göttliche Komödie (metr. übers.) 3 Bde., 1865; Kronen aus Italiens Dichterwalde. Übersetzungen, mit einem Anhang eigener Dichtungen, 1869; Licht- und Tonwellen. Ein Buch der Frauen und Dichter (aus d. Nachlaß hg. ... J. v. Hoffinger) 1870 (2., verb. u. verm. Aufl. 1871).   RM/IB

Hoffmann, Adalbert, * 19.3.1859 Striegau/ Schles.; Rechtsstudium, Gerichtsbeamter in Schles., seit 1902 Landgerichtsrat in Breslau, Geh. Justizrat, lebte 1928 in Breslau.

Schriften (außer jurist.): Die Einnahme von Striegau (Lsp.) 1895; Der Tag von Hohefriedeberg und Striegau ..., 1895 (2., verm. Aufl. 1905); Helden von Hohefriedeberg (geschichtl. Lsp.) 1895 (2., umgearb. Aufl. 1899); Was errungen die Alten, wir wollen's erhalten (Festsp.) 1895; Deutsche Dichter im schlesischen Gebirge. Neues aus dem Leben von Goethe, Günther und Körner, 1897; Goethe in Breslau und Oberschlesien und seine Werbung um Henriette von Lüttwitz ..., 1898; Schlesiens Geschichte und geschichtliche Sage im Liede, 1897; Karl von Holt-

eis und E. T. A. Hoffmanns Bergreise ..., 1898; Christian Günthers Schulzeit und Liebesfrühling. Ein Beitrag zum Lebensbilde des Dichters, 1908; Johann Christian Günthers Leben auf Grund seines handschriftlichen Nachlasses (mit A. Heyer) 1909; Johann Christian Günther. Auswahl seiner Gedichte in zeitlicher Folge (hg., mit B. Maydorn) 1910; Friedrichs des Großen Gedanken zur Staats- und Weltweisheit, 1911; Unter Friedrichs Fahnen ..., 1912; Christian Günther-Brevier (hg.) 1. H., 1922; Die Schneekoppe in Wort und Bild. Erinnerungen aus drei Jahrhunderten deutschen Schrifttums ..., 1925; Der Kynast in Wort und Bild. Erinnerungen aus zwei Jahrhunderten deutschen Schrifttums ..., 1925; Die Wahrheit über Christian Günthers Leonore ..., 1925; Johann Christian Günther, Bibliographie, 1929 (reprogr. Nachdr. 1965); Johann Christian Günther, Die ersten humoristischen Gedichte ... (hg.) 1929; Christian Günther, 1933.   RM

Hoffmann, Adolph (Ps. als Dramatiker J.F.A. Volkmann), * 22.3.1858 Berlin; im Buchhandel tätig, lebte in Berlin.

Schriften: Die 10 Gebote und die besitzende Klasse, 1893; Die Sozialdemokraten kommen! Vorsicht! Hütet Euch! Eine wahre Dorfgeschichte, 1893 (2. Aufl.); F. Siedersleben, Gendarm Schluck in der Klemme (bearb.) 1894; Kammer-Gericht contra Kammer-Gericht, 1900; Aus dunkler Zeit. Lebende Bilder. Dichtung von C. M. Scävola (gem. m. B. Schröder) 1900; stimm, stimm! des deutschen Michels Wahllied. Parodie, 1901; Der Jubilar. Eine Komödie aus dem Arbeiterleben, 1905; Los von der Kirche. Ein durch drei Ordnungsrufe und Wortentziehung unterbrochene, aber im «Feenpalast» zu Berlin vollendete Landtagsrede ..., 1910 (4. Aufl.); Berlin o. Originalposse, 1910; Mitgefangen, mit – – –! Episoden von der Berliner Straßen-Demonstration in zwei Bildern, 1910; Friede auf Erden. Ein Frauenvortrag, 1918; Die Frau ohne Vergangenheit. Ehetragödie aus dem Weltkrieg, 1918; Lazarett-Baracke 9. Episoden aus dem Weltkrieg 1914–15, 1919; Spätherbstblüten. Gereimte und ungereimte Lebensbilder, 1925.   IB

Hoffmann, Agnes, * 5.3.1860 Krotoschin/Posen, † 3.4.1913 Potsdam (?); Ausbildung in Potsdam, 1880 Lehrerinnenexamen, Privatlehrerin u. Jugendschriftst. in Potsdam.

Schriften: Das Glückskind ..., 1892; Ruth. Erzählung für erwachsene Mädchen, 1893; Lottes Tagebuch. Erzählung für Mädchen, 1894 (6. Aufl. u. d. T.: Ein Jahr aus Lottes Leben, 1909); Elses erste Reise. Eine einfache Geschichte für junge Mädchen, 1895; Wilde Rose ..., 1896; Illustriertes Novellenbuch für junge Mädchen, 1896; Tannhausen ..., 1897 (Neuausg. u. d. T.: Das letzte Jahr im Elternhaus, 1910); Marienthal. Erzählung für junge Mädchen, 1898; Fee und Anderes. Erzählungen für junge Mädchen, 1899; Das Stiftskind ..., 1899; Unser Traudchen ..., 1900; Heideblümchen ..., 1900; «Zu jung». Erzählung für junge Mädchen, 1901; Postliesel ..., 1902; Waldeszauber. Erzählung für junge Mädchen, 1903; Heimchen ..., 1903; Das Finkenhaus ..., 1904; Binchen und Finchen. Zwei fröhliche Kindergeschichten, 1905; Anne und ihre Brüder..., 1905; Das feige Peterle und andere Geschichten, 1906; Doktors Evchen und die wilde Fränzel ..., 1907; Alte liebe Fabeln und Geschichten ... ausgewählt, 1907; Resi Reinwald ..., 1908; Prinzeßchen vom Lindenhof. Erzählung für junge Mädchen, 1910; Die Allerwelts-Gretel. Drei Erzählungen für Kinder ..., 1911; Rosen-Mütterchen ..., 1912; Rosenmütterchens Jugendzeit ..., 1913; Dämmerstündchen bei der Großmutter ..., 1913; Rieger-Nandl ..., 1913; Allerliebste Geschichten für Knaben und Mädchen, 1914. RM

Hoffmann, Agnes → Burg, Emma.

Hoffmann, Arno (Ps. Adalbert St. Phar, Rafael), * 27. 6. 1862 Chemnitz; lebte in Dresden. Verf. v. populärwiss. Schr. u. Romanen.

Schriften: Des Mädchens Wahl. Wahlverwandtschaft und Bestimmungswahl des Weibes. Praktische Anleitung für Mädchen und Frauen aller Stände, 1896; Angst, 1907; Silvester 2999 (Rom. 1907; Die Macht des Weibes, 1908; Hinter den Kulissen. Enthüllungen aus dem Bühnenleben, 1909.						IB

Hoffmann, B. (Ps. f. Berta Krais), * 3.4.1829 Stuttgart, † 6.6.1902 ebd.; Schriftst. in Stuttgart.

Schriften: Silvia Baglione, 1899; Fräulein Schwalbe und andere Frühlingsgeschichten, 1900.						RM

Hoffmann, Bernhard, * 18.10.1951 Völklingen/ Saar; Lehramtskandidat, wohnt in Dudweiler/ Saar.

Schriften: Bilder ohne Worte. 55 Knapp- und Kurzgeschichten, 1974; Jens Mark (Erz.) 1976. AS

Hoffmann, Bertha Wilhelmine (geb. Flügel), * 5. 2. 1816 Prester b. Magdeburg, † 1892 Berlin. Vorwiegend Dramatikerin.

Schriften: Was den Kindern gefällt (Märchen) 1860; Wartburg (Ged.) 1868; Eine böse Sieben (dramat. Märchen) 1870; Der böhmische Mägdekrieg (Dr.) 1871; Kriegs- und Siegeslieder, 1871; Cillis Weg zur Bühne (Schausp.) 1873; Bilderlese (Ged.) 1875; Pantinia (Schw.) 1879; Der Ritter (Schausp.) 1880; Napoleon Bonaparte (Tr.) 1884; Die erbaute Hochzeit (Lustsp.) 1880; In Tilsit (Dr.) 1885; Margarete Minden (Tr.) 1886; Gustav Adolf (Tr.) 1888; Schön Else (Schausp.) 1888; Der Strohkranz (Schausp.) 1889; Ekkehard (Schausp.) 1889; Das zwölfte Paar (Schw.) 1890; Der Corbeille (Schausp.) 1891; Der Galgenvogel (Lustsp.) 1892.

Literatur: Theater-Lex. 1,818.						IB

Hoffmann, Camill, * 31. 10. 1878 Kolin in Böhmen, nach d. 28. 10. 1944 im Lager Auschwitz; Journalist in Wien, Red. d. «Zeit», seit 1911 Feuilleton-Red. d. «Dresdner Neuen Nachrichten», bis ca. 1936 Pressechef d. Botschaft der Tschechoslowakei in Berlin. Übers. (Balzac, Baudelaire u. tschech. Autoren), Lyriker.

Schriften: Adagio stiller Abende (Ged.) 1902; Die Vase. Neue Gedichte, 1910; Deutsche Lyrik aus Österreich seit Grillparzer (Anthol.) 1912; Briefe der Liebe (Ged.) 1913; E. Beneš, Der Aufstand der Nationen. Der Weltkrieg und die tschechoslowakische Revolution (übers.) 1928; Masaryk erzählt sein Leben. Gespräche mit Karel Čapek (aus d. tschech. übers.) 1936.

Literatur: ÖBL 2, 376; NDB 9, 403. – E. HURWICZ, Erinnerungen an ~ (in: Berliner H. 2) 1947.						IB

Hoffmann, Carl Gustav Friedrich, * 25. 5. 1756 Berlin, † 1829 Karlsruhe; Aktuar in Mannheim, 1779 Ferme-Dir. in Zweibrücken, 1797–1803 Sekretär u. Revisor d. Salinen, seit 1811 Rechnungsrat im Finanzministerium in Karlsruhe.

Schriften (außer Fachschr.): Die Hoffnungslosen. Eine Rittergeschichte aus der Zeit des babylonischen Kaiserthums (aus d. Engl. übers.)1791; Leben, Meinungen, Wanderungen und Schicksale eines Flohes, 1803 (auch u. d. T.: Der versteckte

Plaggeist oder Der kleine Überall und Nirgends, 1804); Louise Saalheim, eine ganz einfache Geschichte, 1805; Corva. Ein Gemählde häuslicher Scenen, 1808.

Literatur: Meusel-Hamberger 22.2, 809; Goedeke 5, 522. RM

Hoffmann, Carl Otto, * 24.9.1812 Breslau, † 15.2.1860 Berlin; Studium in Breslau, dann Schriftst. in Berlin, 1838 Red. d. «Berliner Konversationsbl.», dann Leiter d. «Berliner Figaro».

Schriften: Schlesische Lieder (hg., mit W. Viol) 1840; Schwertlilien (Nov. u. Erz.) 1841; E. Scribe, Das Glas Wasser (Lsp., frei n. d. Französ.) 1841; Umrisse und Skizzen (Nov. u. Erz.) 1842; E. Scribe, Eine Fessel (Lsp., übers.) 1842; Die Schweiz ... Historische Skizzen aus den Jahren 1831 bis 1847, 1847; Revolution und Contrerevolution ..., 1849; Der Bruch mit der Reformation und die Wiederherstellung des Katholizismus, 1851; Eine ungehaltene Vorlesung über die Schicksale der Waldenser, 1854. RM

Hoffmann, Christoph, * 2.12.1815 Leonberg/ Württ., † 8.12.1885 Rephaim-Jerusalem; Mitgl. d. Frankfurter Parlaments, pietist. Schwärmer, erließ 1854 u. 1861 Aufrufe z. Auswanderung in d. Hlg. Land, s. Anhänger nannten sich «Dt. Tempel», ließ sich 1868 in Jerusalem nieder. In Palästina gab es bis 1941 einige Ansiedlungen, dann sind jedoch etliche Anhänger nach Dtl. zurückgekehrt, d. andere Teil wurde n. Australien gebracht, 1949 und in d. folgenden Jahren emigrierten dorthin viele, 1850 Gründung d. Tempel-Gesellsch. Australien. Religionsschriftst. u. Memoirenschreiber.

Schriften: Ansichten für die evangelische Kirche Deutschlands in Folge der Beschlüsse der Reichsversammlung in Frankfurt, 1849; Grundriß der Weltgeschichte, 1853; Das Christentum im ersten Jahrhundert, 1853; Die Geschichte des Volkes Gottes als Antwort auf die soziale Frage, 1855; Fortschritt und Rückschritt in den letzten 2 Jahrhunderten geschichtlich nachgewiesen, oder Geschichte des Abfalls, 1864–68; Gedichte und Lieder, 1869; Blicke in die früheste Geschichte des Gelobten Landes, 1870f.; Über die Grundlage eines dauerhaften Friedens, 1870; Occident und Orient, 1875; Mein Weg nach Jerusalem, 2 Bde., 1881–84; Bibelforschungen, 1882–84.

Literatur: ADB 50, 393; NDB 9, 392; RGG ³3, 413; RE 19, 482 (unter Tempel, dt.). – F. LAN-

GE, Gesch. d. Tempels, 1899; H. BRUGGER, D. dt. Siedlungen in Palästina, 1908; J. SEITZ, Erinnerungen u. Erfahrungen, 1919; CH. ROHRER, D. Tempelgesellsch., 1920; R.F. PAULUS, D. Reich Gottes in d. Alterstheol. v. ~ (in: Bl. f. württemberg. Kirchengesch. 68–69) 1968/69. IB

Hoffmann, Claus, * 2.4.1932 Fürstenwalde/ Spree; ev. Pfarrer in Lauchhammer/DDR; Erzähler.

Schriften: Der neue Anfang des Fritz Helfferich, 1973. AS

Hoffmann (Hofmann), Daniel, * um 1538 Halle/ S., † 30.11.1611 Wolfenbüttel; Theol.-Studium in Jena, Konsistorialrat, seit 1576 Philos.- und Theol.-Prof. u. Superintendent in Helmstedt, im sog. Hoffmannschen Streit (seit 1598) Gegner d. Humanisten u. Aristoteliker.

Schriften (Ausw.): De Deo et Christi, 1598; Pro duplici veritate Lutheri ..., 1600; Super questione, num syllogismus rationis locum habeat in requo fidei (hg. J. Olvensted) 1600.

Nachlaß: Herzog-August-Bibl. Wolfenbüttel. – Denecke 83.

Literatur: Jöcher 2, 1655; ADB 12, 628; NDB 9, 404; RE 8, 216; RGG ³3, 413. – B. HÄGGLUND, D. Hl. Schrift in d. Theol. Johann Gerhards, 1951; C.H. RATSCHOW, Luther. Dogmatiker zw. Reformation u. Aufklärung 2, 1966. RM

Hoffmann, Dieter, * 2.8.1934 Dresden; besuchte e. Kunstschule, war in Dresden als Kunstkritiker tätig; lebt seit 1958 in Süddtl., arbeitet jetzt als Red. in Frankfurt/M.; Lyriker. Rom-Preis 1963, Andreas-Gryphius-Förderpreis 1969.

Schriften: Eros im Steinlaub (Ged.) 1961; Ziselierte Blutbahn (Ged. mit H. Antes) 1964; Stierstädter Gartenbuch (Ged.) 1964; Veduten (Ged.) 1969; Lebende Bilder. Gedichte aus einem Jahrzehnt, 1971; Elf Kinder-Gedichte, 1972; Aufzücke deine Sternenhände. Frühe Gedichte, 1972; Oeil de boeuf. 12 Landschaftsgedichte, 1973; Seligenstädter Gedichte. Ein Zyklus, 1973; Il Giardino Italiano. Ein Gedicht, 1975; Norddeutsche Lyra (Ged.) 1975; Villa Palagonia und andere italienische Gedichte, 1976; Sub Rosa. Historische Portraits, 1976; Gedichte aus der Augustäischen DDR, 1977.

Herausgebertätigkeit: R. Goering, Prosa, Dramen, Verse, 1961; Hinweis auf Martin Raschke, 1963; Max Ackermann, Zeichnungen und Bilder,

1965; Personen. Lyrische Porträts von der Jahrhundertwende bis zur Gegenwart, 1966; Wasserringe. Fische im Gedicht, 1972.

Literatur: G. SELVANI, ~ (in: Poesia e Realtà) Bari 1970; Gespräch über Bäume. D. 40-jähr. ~ v. s. Freunden gewidmet (hg. G. E. BAUER-RABÉ) 1974.   AS

Hoffmann, Eckard, * 8.4.1904 Köslin; lebte in Hamburg-Wandsbek. Lyriker.

Schriften: Poetische Skizzen und erste Gedichte, 1922.   IB

Hoffmann, Eduard Johann Christoph, 19. Jh., biogr. Einzelheiten unbekannt, kaum ident. mit d. gleichnamigen Rechnungsrat (1767–1826) aus Rudolstadt. Hg. d. Phönix v. Courtin (1827–29).

Schriften: Almanach dramatischer Spiele zur gesellschaftlichen Unterhaltung, 1822; Dramatische Beyträge, 1827; Margarethe von Düben (Schausp.) 1827.

Literatur: Goedeke 11/1, 301.   RM

Hoffmann, Elisabeth → Langgässer, Elisabeth.

Hoffmann, Erich (Richard), * 12.10.1878 Bottendorf a. d. Unstrut; Studium d. Theol., Philos. u. Lit. in Berlin u. Halle, Besuch d. Predigerseminars in Wittenberg, Gymnasiallehrer in Höxter/Weser, seit 1907 Oberlehrer in Flensburg.

Schriften: Lieder und Balladen, 1907; Der arme Heinrich. Erzählung aus dem Bauernleben in Versen, 1909; Cornelia. Erzählung aus der Zeit der Christenverfolgungen unter Kaiser Nero, 1911.   RM

Hoffmann, Ernst, 19. Jh., Pastor in Tschirma b. Gera.

Schriften: Theodalia. Jahrbuch für häusliche Erbauung (Mit-Hg.) 1826; Wanderlieder, 1827.

Literatur: Meusel-Hamberger 22.2, 798; Goedeke 13, 186.   RM

Hoffmann, Ernst Günther (Ps. Ernst Günther Hoffmann-Xionzer), * 2.3.1908 Posen, Rezitator, lebte in Halle/Saale. Lyriker.

Schriften: Gesang von der Ewigkeit (Ged.) 1935.   IB

Hoffmann, E(rnst) T(heodor) A(madeus) (eigentl. Wilhelm), * 24.1.1776 Königsberg, † 25.6.1822 Berlin; Vater Kriminalrat u. Justizkommissar, Gymnasium Königsberg, 1792–1795 Jurastudium ebd.; 1796 Referendar in Glogau, 1798 Kammergerichtsreferendar in Berlin; 1800 Assessor in Posen, 1802 aufgrund s. Karikaturen nach Plozk/Polen strafversetzt; 1804–1806 Regierungsrat in Warschau, Verbdg. zu Z. Werner, F. A. Morgenroth, 1807 nach französ. Besetzung Amtsverlust, Tätigkeit als Musiker, Zeichner u. Literat, 1808–1813 Theaterkapellmeister in Bamberg, ständiger Mitarbeiter d. «Allg. Musikalischen Ztg.», 1813 Musikdir. bei J. Secondas Schauspieltruppe in Dresden u. Leipzig; ab 1814 am Kammergericht in Berlin tätig, 1816 Regierungsrat, führende Persönlichkeit in Berliner Künstlerkreisen, Verbdg. zu L. Devrient, J. E. Hitzig, Brentano, Chamisso, Fouqué. Erzähler, Librettist, Komponist, Kritiker, Zeichner.

Schriften: Fantasiestücke in Callots Manier, 4 Bde., 1814–1815; Die Vision auf dem Schlachtfelde bei Dresden, 1814; Die Elixiere des Teufels, 2 Bde., 1815–1816; (MV) E. W. Contessa, F. de la Motte Fouqué, E. T. A. H., Kinder-Mährchen, 2 Bde., 1816–1817; Nachtstücke, 2 Tle., 1817; Seltsame Leiden eines Theater-Direktors, 1819; Die Serapions-Brüder, 4 Bde., 1819–1821; Klein Zaches genannt Zinnober, 1819; Lebens-Ansichten des Katers Murr, 2 Bde., 1820–1822; Prinzessin Brambilla, 1821; Meister Floh, 1822; (MV) H. v. d. Hagen, E. T. A. H. u. H. Steffens, Geschichten, Mährchen und Sagen, 1823; Aus Hoffmann's Leben und Nachlaß (hg. J. E. HITZIG) 2 Bde., 1823; Die Doppelgänger, 1825; Die letzten Erzählungen (hg. J. E. HITZIG) 1825; Tagebücher und literarische Entwürfe (hg. H. v. MÜLLER) 1915, Tagebücher (hg. F. SCHNAPP) 1971; Handzeichnungen ~s in Faksimiledruck, 1925 (Nachdr. 1973); Schriften zur Musik. Nachlese (hg. F. SCHNAPP) 1966; Juristische Arbeiten (hg. F. SCHNAPP) 1973.

Kompositionen, Singspiele: Liebe und Eifersucht. Oper, 1807; Trois Canozonettes, 1808; Arlequinn. Ballett, 1811; Undine. Oper von F. de la Motte Fouqué. Musik E. T. A. H., 1812–1814; Arien und Gesänge der Zauber-Oper, genannt: Undine, 1816; Sechs italienische Duettinen, 1819; Musikalische Werke (hg. G. BECKING) 3 Bde., 1922–1927; Die Maske. Ein Singspiel in drei Akten (hg. F. SCHNAPP) 1923.

Briefe: E. T. A. H. Briefwechsel. Gesammelt u. erläutert v. H. v. Müller u. F. Schnapp (hg. F. SCHNAPP) 3 Bde., 1967–1969; F. SCHNAPP, Korrekturen u. nachträgliche Bemerkungen (in:

MHG 17) 1971; S.P. SCHER, Zwei unbekannte Briefe von ~ (in: MHG 20) 1974.

Ausgaben: Sämtliche Werke. Hist.-krit. Ausgabe (hg. C.G. MAASSEN, unvollendet) 1908–1928; Werke in fünfzehn Teilen (hg. G. ELLINGER) 1912; 2., verb. u. verm. Aufl. 8 Bde., 1927; Sämtliche Werke. Serapions-Ausg. (hg. L. HIRSCHBERG) 14 Bde., 1922; Werke in Einzelausgaben: Fantasie- u. Nachtstücke; Die Elixiere des Teufels. Lebens-Ansichten des Katers Murr; Die Serapions-Brüder; Späte Werke (hg. W. MÜLLER-SEIDEL) 1966; Sämtliche Politische Werke (hg. H. GEIGER) 1972.

Gesellschaft: E.T.A.H.-Gesellsch., gegr. 1928 in Bamberg, gibt jährl. die Mitteilungen der Gesellsch. (MHG) heraus.

Nachlaß: Dt. Staatsbibl. Berlin (Hss.-Abt.); Märk. Museum Berlin. – Denecke 2. Aufl.; Nachlässe DDR I, Nr. 445; II, Nr. 211.

Bibliographien und Forschungsberichte: J. VOERSTER, 160 Jahre ~-Forsch. 1805–1965: E. Bibliogr., 1967; K. KANZOG, Grundzüge d. ~-Forsch. seit 1945 (in: MHG 9) 1962; DERS. ~-Lit. 1962–1965 (ebd. 12) 1966; DERS. ~-Lit. 1966–1969 (ebd. 16) 1970; ständige Hinweise in MHG; H. STEINECKE, Zur ~-Forsch. (in: ZfdPh 89) 1970.

Dokumente: J. MARC, Erinnerungen an ~. Mitgeteilt F. Schnapp, 1965; F. SCHNAPP, Aus ~s Bamberger Zeit (in: LitJB 7) 1966; W. KRON, Dreimal ~s Todeskrankheit (in: MHG 14) 1968; ~s Leben u. Werk in Daten u. Bildern (hg. G. WITTKOP-MENARDEAU) 1968; ~ in Aufzeichnungen s. Freunde u. Bekannten (hg. F. SCHNAPP) 1974; U. HELMKE, ~s Lebensbericht mit Bildern u. Dokumenten, 1975; ~. Leben u. Werk in Briefen, Selbstzeugnissen u. Zeitdokumenten (hg. K. GÜNZEL) 1976; E. REINER, ~ u. s. Illustratoren, 1976.

Sonderhefte: ZfdPh 95, 1976; JEGP 75, 1976.

Literatur:

Gesamtdarstellungen: ADB 12,575; NDB 9,407; Goedeke 8,468; 14,352, 1008. – A. SAKHEIM, ~, 1908; G. ELLINGER, ~, 1912; W. HARICH, ~, 2 Bde., 1920; R. v. SCHAUKAL, ~, 1923; G. EGLI, ~, 1927; H. DAHMEN, ~s Weltanschauung, 1929; H. COHN, Realismus u. Transzendenz (Diss. Heidelberg) 1933; W. PFEIFFER-BELLI, Mythos u. Religion bei ~ (in: Euphorion 34) 1933; K. OCHSNER, ~ als Dichter d. Unbewußten, 1936; E. v. SCHENCK, ~.

E. Kampf um d. Bild d. Menschen, 1939; W. BERGENGRUEN, ~, 1939; K. WILLIMCZIK, ~. D. drei Reiche s. Gestaltenwelt, 1939; A. GLOOR, ~. D. Dichter d. entwurzelten Geistigkeit, 1947; J.F. RICCI, ~, Paris 1947; H.W. HEWETT-THAYER, ~: Author of the Tales, Princeton 1948; T. PIANA, ~. E. Lebensbild, 1953; H. MAYER, D. Wirklichkeit ~s (in: H.M., V. Lessing bis Th. Mann) 1959; H.-G. WERNER, ~. Darst. u. Deutung d. Wirklichkeit im dichter. Werk, 1962; R. TAYLOR, ~, London 1963; K. NEGUS, ~s Other World, Philadelphia 1965; L. KÖHN, Vieldeutige Welt, 1966; W. SEGEBRECHT, Autobiogr. u. Dg., 1967; H.S. DAEMMRICH, The Shattered Self, Detroit 1973; H. v. MÜLLER, Ges. Aufs. über ~ (hg. F. SCHNAPP) 1974; S. SCHUMM, Einsicht u. Darstellung, 1974; ~ (hg. H. PRANG) 1976.

Stil, Themen, Motive: W. JOST, Von L. Tieck zu ~, 1921; A. LANGEN, Z. Gesch. d. Spiegelsymbols in d. dt. Dg. (in: GRM 28) 1940; R. JEBSEN, Kunstanschauung u. Wirklichkeitsbezug bei ~ (Diss. Wien) 1952; H. OHL, D. reisende Enthusiast (Diss. Frankfurt) 1955; C. Schütz, Stud. z. Erzählkunst ~ (Diss. Göttingen) 1955; F. MARTINI, D. Märchendichtungen ~s (in: DU 7) 1955; K. ROCKENBACH, Bauformen romant. Kunstmärchen (Diss. Bonn) 1957; G. TRETTER, D. Frage nach d. Wirklichkeit bei ~ (Diss. München) 1961; M. THALMANN, D. Märchen u. d. Moderne, 1961; J. WIRZ, D. Gestaltung d. Künstlers bei ~, 1961; H.G. WERNER, Z. Entwicklung d. Märchendg. ~s (in: WZ Martin-Luther-Univ. 10) 1961; R. MÜHLHER, D. Einheit der Künste u. d. Orphische bei ~ (in: Stoffe, Formen, Strukturen, hg. A. FUCHS u. H. MOTEKAT) 1962; DERS., ~. Beitr. zu e. Motiv-Interpretation (in: LitJb. N.F. 4) 1963; R. MOLLENAUER, The Three Periods of ~s Romanticism (in: Studies in Romanticism 2) 1963; K.G. JUST, D. Blickführung d. Märchennovellen (in: WirkWort 14) 1963/64; W. PREISENDANZ, Eines matt geschliffnen Spiegels dunkler Widerschein (in: FS Jost Trier) 1964; H. MÜLLER. Unters. z. Problem d. Formelhaftigkeit bei ~, 1964; V. TERRAS, ~s polyphonische Erzählkunst (in: GQ 39) 1966; A. LESKY, ~s Julia-Erlebnis (in: A.L., Ges. Schriften) 1966; T. CRAMER, D. Groteske bei ~, 1966; J.D. GRONIN, D. Gestalt d. Geliebten in den poet. Werken ~ (Diss. Bonn) 1967; H.

SCHMERBACH, Stilstud. zu ~, 1929 (Nachdr. 1967); W. SEGEBRECHT, ~s Auffassung v. Richteramt u. v. Dichterberuf (in: SchillerJb. 11) 1967; DERS., ~s Todesdarst. (in: MHG 12) 1966; R. MÜHLHER, Gedanken z. Humor bei ~ (in: FS F. Weinhandel) 1967; DERS., Barocke Vorstufen d. romant. Kunsttheorie ~s (in: AG 3) 1968; K.W. SCHNEIDER, Künstlerliebe u. Philistertum im Werk ~s (in: D. dt. Romantik, hg. H. STEFFEN) 1967; C. SCHAEFER, D. Bedeutung d. Musikalischen u. Akustischen in ~s lit. Schaffen, 1909 (Nachdr. 1968); E. ROTERMUND, Musikal. u. dichter. Arabeske bei ~ (in: Poetica 2) 1968; H.S. DAEMMRICH, Zu ~s Bestimmung ästhet. Fragen (in: WB 14) 1968; DERS., ~s Tragic Heroes (in: GR 45) 1970; DERS., Wirklichkeit als Form (in: CollGerm 4) 1970; DERS., Fragwürdige Utopie (in: JEGP 75) 1976; T. TODOROV, Introduction à la litt. fantastique, Paris 1970; E.F. HOFFMANN, Spiegelbild u. Schatten (in: FS H. Henel) 1970; W. NEHRING, D. Gebärdensprache ~s (in: ZfdPh 89) 1970; P. v. MATT, D. Augen d. Automaten, 1971; DERS., D. gemalte Geliebte (in: GRM 21) 1971; D. RAFF, Ich-Bewußtsein u. Wirklichkeitsauffassung, 1971; H. RÜDIGER, Zw. Staatsraison u. Autonomie d. Kunst (in: FS J.A. PFEFFER) 1972; B. ELLING, Leserintegration im Werk ~s, 1973; H. MOTEKAT, V. Sehen u. Erkennen bei ~ (in: MHG 19) 1973; D.S. PETERS, The Dream as a Bridge in the Works of ~ (in: Oxford German Studies 8) 1973; DIES., ~: The Conciliatory Satirist (in: Monatshefte 66) 1974; S. SCHUMM, Einsicht u. Darstellung (Diss. München) 1974; L.O. FRYE, The Language of Romantic High Feeling (in: DVjs 49) 1975; R. CHAMBERS, Two Theatrical Microcosms (in: CL 27) 1975; CH.-M. BEARDSLEY, ~. D. Gestalt d. Meisters in s. Märchen, 1975; N. MILLER, ~s doppelte Wirklichkeit (FS W. Emrich) 1975; L. PIKULIK, D. Wunderliche bei ~ (in: Euphorion 69) 1975; J. HOLBECHE, Optical Motifs in the Works of ~, 1975; H. WEISS, The Labyrinth of Crime (in: GR 51) 1976; J.M. GLATHERY, D. Himmel hängt ihm voller Geigen (in: GQ 51) 1978.

Zu einzelnen Werken: H. SPIEGELBERG, D. Ritter Gluck (Diss. Marburg) 1973; C. KAROLI, R.G. (in: MHG 14) 1968; A. JAFFE, Bilder u. Symbole aus ~s Märchen D. goldne Topf (in: C.G. JUNG, Gestaltungen d. Unbewußten) 1950;

R. MÜHLHER, Liebestod u. Spiegelmythe in ~s Märchen g. T. (in: ZfdPh 67) 1942; O.F. BOLLNOW, Der g. T. u. d. Naturphilos. d. Romantik (in: O.F.B., Unruhe u. Geborgenheit) 1953; J.M. McGLATHERY, The Suicide Motif in ~s g. T. (in: Monatshefte 58) 1966; L. PIKULIK, Anselmus in d. Flasche (in: Euphorion 63) 1969; E.F. HOFFMANN, Zu ~s Sandmann (in: Monatshefte 54) 1962; S.S. PRAWER, ~s Uncanny Guest (in: GLL 18) 1965; U.D. LAWSON, Pathological Time in ~s D. Sandmann (in: Monatshefte 60) 1968; R. BELGARDT, D. Künstler u. die Puppe (in: GQ 42) 1969; C. HAYES, Phantasie u. Wirklichkeit im Werke ~s (in: Ideologiekrit. Stud., hg. K. PETER) 1972; B. ELLING, D. Zwischenrede d. Autors (in: MHG, 18) 1972; L. WAWRZYN, D. Automaten-Mensch, 1976; J. GIRAUD, ~: D. Abenteuer d. Sylvester-Nacht (in: Rech. germaniques 1) 1971; O. SCHISSEL v. FLESCHENBERG, Nov.-Komposition in ~s Elixieren d. Teufels, 1910; H. KOZIOL, ~s El. u. M.G. Lewis' The Monk (in: GRM 26) 1938; K. NEGUS, The Family Tree in ~s El. (in: PMLA 73) 1958; J.R. WENDEL, ~s El. and its Dependence on M.G. Lewis' The Monk (Diss. Univ. Connecticut) 1967; K. CRAMER, Bewußtseinsspaltung in ~s Rom. El. (in: MHG 16) 1970; H.S. DAEMMRICH, The Devil's Elixiers: Precursor of the Mod. Psych. Novel (in: Papers on Lang. and Lit. 6) 1970; R. MOERING, Musikalität u. Zwielicht (in: Jb. Wiener Goethe-Ver. 75) 1971; H. MEYER, Zitierkunst in ~s Kater Mur (in: H.M., D. Zitat in d. Erzählkunst) 1961; H. SINGER, ~. K.M. (in: Dt. Roman v. Barock bis z. Gegenwart, hg. B. v. WIESE) 1963; H. LOEVENICH, Einheit u. Symbolik des K.M. (in: DU 16) 1964; B. v. WIESE, ~s Doppelroman K.M. (in: B. v. W., V. Lessing bis Grabbe) 1968; U. SPAETH, Gebrochene Identität, 1970; R. ROSEN, ~s K.M. Aufbauformen u. Erzählsituation, 1970; E. LOEB, Bedeutungswandel der Metamorphose bei F. Kafka u. ~ (in: GQ 35) 1962; L.B. JENNINGS, Klein Zaches and his Kin (in: DVjs 44) 1970; J. WALTER, ~s Märchen K.Z. (in: MHG 19) 1973; B. v. WIESE, ~. Rat Krespel (in: B. v. W., Novelle v. Goethe bis Kafka) 1962; J.M. ELLIS, R.K. (in: J.M.E., Narration in the German Novelle) London 1974; G. HEINTZ, Mechanik u. Phantasie (in: Lit. in Wiss. u. Unterricht 7) 1974; D. MÜLLER, Zeit d.

Automate (in: MHG 12) 1966; S. TAUBER, D. Bedeutung d. künstl. Menschenfigur im Werke ~ (Diss. Innsbruck) 1960; U. O. v. PLANTA, ~s Märchen D. fremde Kind, 1958; M. THALMANN, ~s Fräulein v. Scuderi (in: Monatshefte 41) 1949; H. HIMMEL, Schuld u. Sühne der Scuderi (in: MHG 7) 1960; K. KANZOG; ~s Erz. S. (ebd. 11) 1964; J. M. ELLIS, ~s S. (in: MLR 64) 1969; R. MÜHLHER, Prinzessin Brambilla (in: MHG 5) 1958; C. F. KÖPP, Realismus in ~s P. B. (in: WB 12) 1966; J. STAROBINSKI, Ironie at mélancolie (in: Critique 22) 1966; G. ELLINGER, D. Disziplinarverfahren gg. ~ (in: DR 32) 1906; M. VOIGT, Zeherit in ~s Meister Floh (in: GRM 6) 1914; G. FITTBOGEN, ~s Stellung zu d. demogog. Umtrieben (in: Preuß. Jb. 189) 1922; DERS., Zu ~s M. F. (ebd. 193) 1923; W. McCLAIN, ~ as a Psychological Realist (in: Monatshefte 47) 1955.

Beziehungen, Wirkung: W. MAUSOLF, ~s Stellung zu Drama u. Theater, 1920 (Nachdr. 1967); W. KOSCH, ~ u. s. lit. Verwandtschaft, 1924; K. SCHÖNHERR, Die Bedeutung ~s f. d. Entwicklung d. musikal. Gefühls in d. französ. Romantik, 1931; B. PAYR, Th. Gautier u. ~, 1931 (Nachdr. 1967); M. GORLIN, Gogol u. ~ (Slaw. Inst. Univ. Berlin, Veröffentl. 9) 1933; G. J. HALLAMORE, D. Problem d. Zwiespalts in d. Künstlernov. ~s u. Th. Manns (in: Monatshefte 36) 1944; S. BRAAK, Introduction à une étude sur l'influence d' ~ en France (in: Neophil. 23) 1938; C. PASSAGE, The Russian Hoffmannists, Den Haag 1963; M. M. RARATY, ~ and his Theatre (in: Hermathena 98) 1964; N. REBER, Stud. z. Motiv d. Doppelgängers bei Dostoevskij u. ~, 1964; G. M. MAUCHER, D. Problem d. dichter. Wirklichkeit im Prosawerk v. ~ u. E. A. Poe (Diss. Washington Univ.) 1964; Abriß (in: MHG 12) 1966; S. HÖFERT, ~ u. Max Halbe (in: MHG 13) 1967; R. STRUC, Zwei Erzählungen v. ~ u. Kafka (in: Revue d. lang. viv. 34) 1968; J. WALTER, Hoffmanneske Märchenszene. ~ u. Paul Klee (in: Antaios 9) 1967/68; M. FREY, D. Künstler u. s. Werk bei Wackenroder u. ~, 1970; G. WÖLLNER, ~ u. Franz Kafka, 1971; L. DIECKMANN, ~ u. E. A. Poe (in: Dg., Sprache, Gesellsch. Akten d. IV Int. Germanistenkongr.) 1971; H. MEIXNER, Romant. Figuralismus, 1971; E. SCHEYER, Joh. E. Hummel u. d. dt. Dg. (in: Aurora 33) 1973; N. W. INGHAM, ~s Reception in Russia (Diss.

Cambridge) 1974; N. DAMMANN, Antirevolutionärer Roman u. romant. Erzählg., 1975; S. P. SCHER, ~ and Sterne (in: CL 28) 1976; H. EILERT, Theater in d. Erzählkunst, 1977.   HD

Hoffmann, Eugen Ferdinand (Ps. f. Karl Theodor Ferdinand H.), * 6. 10. 1885 Ruhrort/Niederrhein; Arbeitersohn, Autodidakt, Industrie-Kaufmann in versch. dt. Städten, schließl. freier Schriftst. in Görlitz, Erzähler.

Schriften: Über Brücken führt der Weg, 1938; Des Glückes abenteuerlicher Sohn, 1939; Betörung im Herbst, 1940.   IB

Hoffmann, Fernand, * 8. 5. 1929 Düdelingen/Luxemburg; Dr. phil., Prof. an der PH Luxemburg, Präs. d. Internat. Dialekt-Inst. in Wien. Erzähler, Essayist, Verf. zahlr. Mundartstücke (ungedr.) u. Hörspiele.

Schriften: Das Hörspiel. Versuch einer Ästhetik und literarischen Einordnung, 1956; Thomas Mann als politischer und europäischer Denker, 1956; Luxemburg bei Tisch. Ein nahrhaftes Lesebuch, 1963; Geschichte der Luxemburger Mundartdichtung, 2 Bde., 1964/67; Öslinger Geschichten, 1965; Müscheler. Luxemburgisches am Rande vermerkt (Ess.) 1968; Thomas Mann als Philosoph der Krankheit. Versuch einer systematischen Darstellung seiner Wertphilosophie des Bionegativen, 1973; Der Lyriker Willem Enzinck. Singend mit geborstenen Lippen (Ess.) 1974.   AS

Hoffmann, Franz, * 19. 1. 1804 Aschaffenburg, † 22. 10. 1881 Würzburg; studierte 2 Jahre Jus. u. 5 Jahre Philos., Theol. u. Naturwiss. in München, Dr. phil., Schüler d. Philosophen Baader u. Hg. d. «Sämtlichen Werke» Baaders u. d. «Literaturberichte» (1837 f.).

Schriften (Ausw.): Zur katholischen Theologie und Philosophie, 1836; Vorhalle zur speculativen Lehre F. v. Baaders, 1836; Grundzüge einer Geschichte des Begriffs der Logik in Deutschland von Kant bis Baader, 1851; Grundriß der allgemeinen reinen Logik (2. Aufl.) 1855; Biographie F. v. Baaders, 1857; Kirche und Staat, 2 Bde., 1873; Philosophische Schriften, 8 Bde., 1868–82.

Literatur: NDB 9,416. – J. HÄFNER, Leben u. Schaffen des Würzburger Philosophen ~ (Diss. Bonn) 1941; A. MÜLLER, Briefe d. dt. Philosophen ~ an e. Kollegen in Luzern (in: Schweizer. Beitr. zur allgem. Gesch. 10) 1952.   IB

Hoffmann, Franz (Alexander Friedrich), * 21. 2.
1814 Bernburg, † 11.7.1882 Dresden; Buchhan-
delslehrling in Stuttgart, dann Buchhändler in Zürich, Goslar u. in versch. anderen Orten, studierte dann in Halle, Dr. phil., Hg. d. «Taschenbuchs
f. dt. Jgd.» (1844–46) sowie d. «Dt. Jgd.freunds»
(1846–57) u. d. «Neuen Dt. Jgd.freunds» (seit
1858). Verf. v. mehreren hundert Jgd.gesch., d.
weite Verbreitung fanden.

Schriften (Ausw.): Mährchen und Fabeln für
kleine Kinder, 1842; Die Familie Waldmann.
Eine Robinsonade, 1842/43; Jacob Ehrlich,
1843; Mylord Cat, 1843; Geschichtenbuch für
die Kinderstube, 1844; Deutsche Helden der Vorzeit, 1844; Bilder Quodlibet, 1845; Der böse
Geist, 1845; Loango, 1845; Peter Simpel, 1845;
Die Geschichte vom Tell, 1845; Der Vogelhändler, 1845; Deutsche Volks-Mährchen, 1846; Der
verlorene Sohn, 1846; Opfer der Freundschaft,
1846; Die erzählende Mutter, 1846; Das wahre
Glück, 1846; Captal, 1846; Der alte Gott lebt
noch!, 1847; Liebet Eure Feinde, 1847; Unver-
hofft kommt oft, 1848; Reue versöhnt, 1848;
Oheim und Neffe, 1848; Freunde, 1849; Ein
rechtschaffener Knabe, 1849; Natur- und Sittengemälde, 1849; Die Macht des Goldes, 1849;
Prüfungen, 1849; Toby und Maly, 1849; Eigen-
sinn und Buße, 1849; Folgen des Leichtsinns,
1849; Des Herrn Wege sind wunderbar, 1850;
Der treue Wächter. – Der Widerspenstige (2
Erz.) 1850; Die Waisen, 1851; Treue gewinnt,
1851; Kleine dramatische Spiele für die Jugend,
1851; Schilderungen und Begebenheiten, 1859;
Renè, 1851; Mutterliebe, 1851; Der Mensch
denkt und Gott lenkt, 1851; Friedl und Nazi,
1851; Geschwisterliebe, 1851; Kalender-Ge-
schichten, 1852; Ein armer Knabe, 1852; Nichts
ist so fein gesponnen, der Herr bringt's an die
Sonnen, 1852; Der Pachthof, 1852; Die Sand-
grube, 1852; Segen des Wohlthuns, 1852; Die
Banknoten, 1853; Furchtlos und treu, 1853; Kindesliebe, 1853; Wilde Scenen und Geschichten,
1853; Die Ansiedler in der Prairie, 1854; Im
Schnee begraben, 1855; Ein Königssohn, 1856;
Brave Leute, 1856; Die Ansiedler am Strande,
1856; Das große Loos, 1857; Ein Mann, ein
Wort, 1857; Nur immer brav, 1857; Aus eiserner Zeit, 1859; Fritz Heiter, 1859; Hoch im
Norden, 1859; Die Bahn des Lasters, 1860; Das
treue Blut, 1861; Jenseites des Meeres, 1861;
Keine Rückkehr, 1861; Ritter und Bauer, 1862;

Der Silbergroschen, 1862; Aus vergilbten Papie-
ren, 1864; Die Auswanderer, 1864; Die Brüder,
1864; Arbeit und Geld, 1865; Die Gouvernante,
1865; Vergeltung, 1865; Glückswechsel, 1866;
Der Pascherjunge, 1866; Der Eisenkopf, 1868;
Ein Negerleben 1868; Das Pfarrhaus, 1868; Herz-
los und herzensgut, 1869; Auf der Flucht, 1870;
Mozarts Jugendjahre, 1870; Durch Nacht zum
Licht, 1870; Ludwig von Beethoven, 1871; Am
Wachtfeuer, 1871; Ein Spion, 1872; Hirt und
Flüchtling, 1872; Aus dem Grabe, 1873; Der
Herrenhof, 1873; Gute Kameraden, 1874; Gute
Seelen, 1875; Nur immer gerade durch, 1876;
Der Bösen Lohn, 1877; Lebenswege, 1885.

Literatur: ADB 50, 398; LexKJugLit 1, 555.   IB

Hoffmann, Fridolin, * 1828 Koblenz, † 31.8.
1886 Köln; Sohn e. Küfnermeisters, zeitweise in
e. Kloster in Straßburg, Privatlehrer u. Red. d.
«Rhein- u. Moselboten», studierte dann Theol. in
Mainz u. Bonn, seit 1860 Red. d. «Kölner Bl.»,
1870–72 d. «Rhein. Merkurs», 1875–77 d. «Bonner Ztg.», später auch an d. «Basler Nachrichten».
Wurde später Altkatholik. Publizist u. Erzähler.

Schriften: Die Scornati. Römische Familienge-
schichte aus der Gegenwart, 2 Bde., 1870; Die
Töchter des Hauses. Eine Familiengeschichte aus
der englischen Gesellschaft der Lady Charles
Thynne frei nacherzählt, 1870; Bilder römischen
Lebens, 1871; Geschichte der Inquisition. Ein-
richtung und Thätigkeit derselben in Spanien,
Portugal, Italien, den Niederlanden, Frankreich,
Deutschland, Süd-Amerika, Indien und China, 2
Bde., 1878.   IB

Hoffmann, Friedrich, * 29.9.1627 Parchau/
Schles., † 8.3.1673 Elbing; Predigerssohn, studierte in Helmstedt, 1653 Prof. am Gymnasium
in Elbing u. 1668 Rektor, seit 1670 Mitgl. d.
«Pegnitzschäfer». Verf. v. lat. u. dt. Gedichten,
sowie Schuldramen.

Schriften: Friderici Hoffmanni Silesii ... Poeticum Cum Musis Colludium: sive Lusuum Epi-
grammaticorum Centuriae, 1665; ... Gymnasii
Elbingensis quondam Con-Rectoris Lusuum Epi-
grammaticorum Centuriae Accedit Fasciculus
Epigrammatum selectissimorum Joco-Seriorum
Trecentorum, 1703.

Literatur: FdF 155.   IB

Hoffmann, Friedrich (August), * 17.7.1796
Bernburg, † 18.9.1874 Ballenstedt/Harz; Theol.-
Studium in Halle, Lehrer in Bernburg; in Ballen-

stedt 1819 Rektor, 1827 zweiter Prediger, 1828 Hofkaplan u. später Oberhofprediger.

Schriften: Beringer von Anhalt (Dr.) 1825; Das Gelübde. Festspiel zur Einweihung des Schauspielhauses in Bernburg, 1826; Der christliche Kinderfreund ..., 1826 (2., verb. u. verm. Aufl. 1833); Wir bleiben Protestanten! ..., 1826; Kurze biblische Glaubens- und Sittenlehre ..., 1826; Der Protestantismus in seiner geschichtlichen Begründung ..., 1827; Die Burgen und Burgvesten des Harzes ..., 1836; Vollständige Gallerie aller Nationen ..., 1. Bd., 1837; Buch für Leidende, 1837; Einhundert neue Fabeln für die Jugend, 1840; Lebensweisheit in Fabeln für die Jugend, 1840 (auch u. d. T.: Vollständiges Fabelbuch, 1840); Sprüchwörter-Wäldchen. Fabeln, Erzählungen und Gleichnisse über hundert deutsche Sprüchwörter ..., 1840, Neues Mährchenbuch für die Jugend, 1841; Neue Räthsel und Bilder, 1841; Zweites Räthselbuch, 1841; Christgeschenk ..., 1842; Lebensweisheit in Parabeln und Gleichnissen für die reifere Jugend, 1842; Die schönsten Mährchen der Tausend und Einer Nacht, 1842; Lieder aus dem Herzen, 1844; Der Weltspiegel ..., 1844; Amak der Kaffer. Erzählung für die Jugend, 1845; Jakob Marlot ..., Eine Erzählung für das Volk und die reifere Jugend, 1845; Die Belagerung von Ostende. Erzählung für die Jugend, 1846; Der Bürgermeister Ottfried ..., 1846; Die Seeschlacht von Lepanto und die Eroberung von Constantinopel durch die Kreuzfahrer. Zwei Erzählungen für die Jugend, 1846; Die Entdeckung von Amerika ..., 3 Tle., 1846–49; Gedenkbuch deutscher Kraft und Größe. Für die reifere Jugend, 2 Bde., 1848; Die Eroberung von Jerusalem durch die Kreuzfahrer. Eine Erzählung für die Jugend, 1848; Acht Festpredigten, 1848; Neueste Fabeln und Bilder für die Jugend, 1850; Sommerlust auf dem Lande ..., 1850; Bilder aus Geschichte und Menschenleben in Erzählungen für die Jugend, 1852; Die Glaubenslehre der christlichen Kirche, o. J.; Der kleine Catechismus Luthers erläutert, 1865; Lieder und Gedichte, 1873; Der Spion ... Nach J. F. Cooper bearbeitet ..., 1873; Columbus, Cortes und Pizarro. Geschichte der Entdeckung und Eroberung von Amerika ... (bearb. F. Lichterfeld) 1876. (Ferner Schulbücher.)

Literatur: Meusel-Hamberger 22.2.,799; Goedeke 11/1,302.　　　　　　　　　　　　RM

Hoffmann, Friedrich-Wilhelm, * 26.5.1913 Labischin b. Bromberg; Schriftst. in Brake/Oldenburg.

Schriften: Freunde (Nov.) 1946; Der Flamingo (Rom.) 1946; Die rote Cattleya (Rom.) 1948; Und wenn die ganze Erde bebt ... Ein humoriger Roman, 1950.　　　　　　　　　　　RM

Hoffmann, (Karl) Georg, * 21.7.1883 Werder a. d. Havel; Studium d. Lit. u. Philos. in Berlin, lebte dann in Rathenow.

Schriften: Lieder einer jungen Seele, 1902; Hannibal (Tr.) 1903; Lieder und Gedichte, 1908; Tausend klassische Grabschriften. Perlen der Dicht- und Denkkunst aller Zeiten und Völker ... (ges. u. hg.) 1913.　　　　　　　　　　RM

Hoffmann, Gerd, * 6.6.1932 Dt. Eylau; Ausbildung als Red., lebt jetzt als freischaffender Schriftst. in Köln. Verf. experiment. Prosa u. Hörspiele.

Schriften: Chromofehle. Beschreibung, 1967; Chirugame. Beschreibung. Mit einer Zuschreibung von H. Böll, 1969; Bellasten. Beschreibung, 1970; Computer-Steckbrief, 1972; Numerierte Bürger (hg. mit andern) 1975; Computer, Macht und Menschenwürde, 1976.　　　　　　AS

Hoffmann, Gertrud, geb. Baitz (Ps. Maria Baitz), * 26.11.1908 Maros-Portus, Ungarn; wohnt in Aystetten b. Augsburg. Erzählerin.

Schriften: Johanna in England (Rom.) 1949 (1951 bearb. Ausg. u. d. T.: Der leuchtende Ring. Ein Roman um Jeanne d'Arc).　　　AS

Hoffmann, Gottfried, * 5.12.1658 Plagwitz b. Löwenberg/Schles., † 1.10.1712 Zittau; studierte bis 1688 in Leipzig, wurde 1695 Konrektor, später Rektor in Lauban, Zittau. Pädagoge, Erneuerer v. Aufführungen lat. Schuldramen.

Schriften: Der gute Schulmann, 1695; Ausführlicher Bericht von der Methode bei den Lectionibus im Laubanischen Lyceo, 1695; Einleitung in die lateinische Sprache, 1696; Guter Pädagogus, 1696; Ordentlicher und gründlicher Weg zur Komposition der lateinischen Sprache, 1702; Laubanische Kirchen- und Schulgebete, 1704; Auserlesene Kernsprüche der Heiligen Schrift, 1705; Acrarium biblicum oder Tausend Bibelsprüche aufs kürzeste erklärt, 1706; Lebensgeschichte aller evangelischen Pastorum, die in Lauban gelehrt haben, 1707; Das Zitauische Dic cur hic et hoc age, 1709.

Literatur: ADB 12,591; Ersch-Gruber II,9, 268; Jöcher 2,1656; Goedeke 3,293.　IB

Hoffmann, Gottlieb Wilhelm, * 19.12.1771 Ostelsheim b. Calw, † 29.1.1846 Korntal b. Stuttgart; Kaiserl. Notar in Leonberg, Bürgermeister u. Amtsbürgermeister, 1815–26 Mitgl. d. württ. Ständeverslg., 1819 Gründer d. pietist. Brüdergemeinde Korntal, 1825 d. Gemeinde Wilhelmsdorf b. Ravensburg.

Schriften: Geschichte und Veranlassung zu der Bitte des Königlichen Notars und Bürgermeisters G. W. H. ... um Erlaubnis zur Gründung und Anlegung religiöser Gemeinden unabhängig vom Consistorium ..., 1818.

Nachlaß: Arch. d. Evangel. Brüdergemeinde Korntal.

Literatur: ADB 12,593; 50,417; NDB 9,393; LThK 5,415; RGG ³3,414. – C. HOFFMANN, Leben u. Wirken d. Dr. ~, 1878; O. KÜBLER, ~, d. Gründer Korntals u. Wilhelmsdorfs, 1946; F. GRÜNZWEIG, ~ (in: Lbb. aus Schwaben u. Franken 11) 1969; D. Evangel. Brüdergemeinde Korntal gestern u. heute ..., 1969; H. LEHMANN, Pietismus u. weltl. Ordnung in Württ., 1969; J. TRAUTWEIN, D. Theosophie Michael Hahns u. ihre Quellen, 1969.　RM

Hoffmann, Günther (Ps. Günther Hoffmann-Steglitz), * 2.7.1913 Berlin, † 18.6.1940 (gefallen); Schriftst. u. Rundfunkmitarbeiter in Berlin.

Schriften: Gerda kämpft für Großdeutschland. Tagebuchblätter eines BDM-Mädels aus Österreichs Kampfzeit, 1938; Öl ins Feuer von Sumatra (Rom.) 1939.　RM

Hoffmann, Hans, * 27.7.1848 Stettin, † 11.7.1909 Weimar, studierte in Bonn, Berlin u. Halle, 1871 Dr. phil., Lehrer in versch. Orten u.a. in Rom, später freier Schriftst., 1877–79 wieder als Lehrer tätig, hierauf wieder freier Schriftst., 1884 bis 1886 Leiter d. «Dt. Illustrierten Ztg.» in Berlin, später in Freiburg/Br., Bozen, 1890 Potsdam, 1894 Werningerode, seit 1902 Generalsekretär d. Dt. Schillerstiftung in Weimar. Erzähler.

Schriften: Der feige Wandelmar. Ein erzählendes Gedicht in vier Gesängen nach einer altdeutschen Sage, 1883; Der Hexenprediger und andere Novellen, 1883; Im Lande der Phäaken (Nov.) 1884; Brigitta von Wisby. Eine Erzählung aus dem 14. Jahrhundert, 1884; Neue Korfugeschichten, 1887; Iwan der Schreckliche und sein Hund (Rom.) 1889; Von Frühling zu Frühling (Bilder u. Skizzen) 1889; Der eiserne Rittmeister (Rom.) 3 Bde., 1890; Das Gymnasium zu Stolpenburg (Nov.) 1891; Ruhm (Nov.) 1891; Geschichten aus Hinterpommern (4 Nov.) 1891; Landsturm (Erz.) 1892; Vom Lebenswege (Ged.) 1893; Wider den Kurfürsten (Rom.) 3 Bde., 1894; Bozener Märchen und Mären, 1896; Ostseemärchen, 1897; Allerlei Gelehrte, 1897; Aus der Sommerfrische. Kleine Geschichten, 1898; Der Harz. Schilderungen (hg.) 1899; Tante Fritzchen, 1899; Irrende Mutterliebe (2 Nov.) 1900; Spätglück – Sturmwolken (Erz.) 1901; Harzwanderungen, 1902; Tante Fritzchens Testament, 1909; Das Sonnenland und andere Erzählungen (aus dem Nachlaß, hg. C. Schüddekopf) 1911.

Nachlässe und Handschriften: Cotta-Arch. im Dt. Lit.arch./Schiller-Nat.mus. Marbach; Staatsbibl. München u. Berlin; Landesmuseum Dresden; Germ. Museum Nürnberg; Stadtgymnasium Stettin; Goethe-Schiller Archiv Weimar; Hebbelmuseum Wesselburen; Lutherhalle Wittenberg; Zentralbibl. Zürich. – Frels 136.

Literatur: NDB 9,419; Biogr. Jb. 14,38⁺; 15, 248. – L. BERG, ~ zw. zwei Jh., 1896; A. STERN, ~ (in: Stud. z. Lit. d. Ggw., NF) 1904; O. LADENDORF, ~, s. Lebensgang u. s. Werke, 1908; W. ARMINIUS, ~ 1909; W. VULPIUS, ~s letzte fröhliche Fahrt, 1910; W. BAETKE, Zu ~s Tode u. Briefe (in: Progr. Stettin) 1910; F. OST, ~ (in: Progr. Barth) 1912; R. HOFFMANN, ~ (in: Pommersche Lbb. 2) 1936.　IB

Hoffmann, Hans, * 29.9.1922 Sorau/L.; Red., Journalist, Werbefachmann, wohnte in Sinsheim/Elsenz, in Binau/N., in Neckarelz, dann in Frankfurt/Main. Dramatiker, Erzähler.

Schriften: Rettungsstaffel Dharan greift ein (Erz.) 1954; Zwischen Eis und Tod (Erz.) 1954; Die Feuerspringer von Canada (Erz.) 1956; Schwesternschülerin Brigitte, 1957; Ölsucher am Rio Catatumbo, 1958; Das Telegramm. Am Ende des Weges (Erz.) 1958; Der Wasserholer von Kuweit (Erz.) 1958; Die beinah' gestohlene Weihnachtsfreude, 1959; Weihnachten unterwegs, 1959; Flucht über den Rio Grande, 1962; Von Flammen eingeschlossen. Eine Erzählung über den Kampf der Feuerspringer, 1963; Der Zeuge (Laiensp.) 1965.

Literatur: Theater-Lex. 1,819.　AS

Hoffmann, Hans (Ps. Johann Hoffmann-Herre-ros), *22.11.1929 Wissen/Sieg; Stud.dir. u. Lektor f. engl. u. amerikan. Lit. an d. Univ. Köln; wohnt in Windeck; Lyriker, Erzähler, Essayist, Übersetzer.

Schriften: Zeitgenossen. Fünfzehn Pen-Porträts, 1972; Die Schweigerose. Beobachtungen, Fragen, Gebete, 1974; Deine Hand, Gott. Gebete mit Kindern, 1974; Am Abend sind die Lichter heller als am Tag. Texte für die späten Jahre, 1975; Wie Jesus auf die Welt kam (mit J. Grüger) 1975; Auf seinen Wegen. Erlebnisse und Geschichten mit Pastor Dienemann und seinen Kommunionkindern, 1977; Beim ersten Mal gelingt nicht alles. Geschichten aus Icksdorf, 1977.

Herausgebertätigkeit: Spur der Zukunft. Moderne Lyrik als Daseinsdeutung, 1973; Weihnachtsgeschichten, 1975; Stille, 1976; Geborgenheit, 1977; Geschichten von Tod und Auferstehung, 1978.   AS

Hoffmann, Hans → Falzari, Felix.

Hoffmann, Heinrich (gen. Hoffmann-Donner, Ps. Reimerich Kinderlieb, Heinrich Kinderlieb, Peter Struwwel, Heulalius von Heulenburg, Ploykarpus Gastfenger, Zwiebel), *13.6.1809 Frankfurt/M., † 20.9.1894 ebd.; 1829–1833 Medizinstudium in Heidelberg u. Halle, 1833–1834 Stipendiant in Paris, dann Dr. med., Arzt in Frankfurt/M.; 1845–1851 Lehrer d. Anatomie am Senckenbergischen Institut, 1851–1888 Dir. d. städt. Irrenanstalt, 1874 Geh. Sanitätsrat. Psychiater, Lyriker, Humorist, Satiriker.

Schriften: Gedichte, 1842; Die Mondzügler. Komödie der Gegenwart, 1843; Lustige Geschichten und drollige Bilder mit fünfzehn schön kolorierten Tafeln für Kinder von drei bis sechs Jahren, 1845; Im Himmel und auf der Erde. Herzliches und Scherzliches aus der Kinderwelt, 1847; Der Struwwelpeter, 1847; Humoristische Studien, 1847; Handbüchlein für Wühler oder Kurzgefaßte Anleitung in wenigen Tagen ein Volksmann zu werden, 1848; Der Heulerspiegel, 1849; (Hg.) Der wahre und ächte Hinkende Bote für 1850 (1851). 2 Bde., 1850–1851; König Nußknacker und der arme Reinhold. Ein Kindermärchen in Bildern, 1851; Die Physiologie der Sinnes-Hallucinationen, 1851; Das Breviarium der Ehe, 1853; Bastian, der Faulpelz. Bildergeschichte für Kinder, 1854; Allerseelen-Büchlein. Eine humoristische Friedhofsantho-

logie, 1858; Beobachtungen und Erfahrungen über Seelenstörung und Epilepsie in der Irrenanstalt zu Frankfurt am Main, 1859; Der Badeort Salzloch (Sat.) 1861; (Hg. MV) Ein Liederbuch für Naturforscher und Ärzte, 1867; Prinz Grünewald und Perlenfein mit ihrem lieben Eselein. Ein Bildermärchen, 1871; Auf heiteren Pfaden. Gesammelte Gedichte, 1873; Besuch bei Frau Sonne. Neue lustige Geschichten. Aus dem Nachlaß (hg. E. u.W. HESSENBERG) 1924; Allerlei Weisheit und Torheit. Erfahrenes und Erdachtes. (hg. A. NEUMANN) 1924.

Nachlaß: Stadt- u. Univ.bibl. Frankfurt/M. – Denecke 2. Aufl.

Literatur: ADB 50, 402; NDB 9, 423. – ~s Lebenserinnerungen (hg. E. HESSENBERG) 1926; O.G. FOERSTER, D. Struwwelpeter-Hoffmann (in: Münchn. Medizin. Ws. 81) 1934; G.A.E. BOGENG, D. Struwwelpeter u. s. Vater, 1939; A. MEUER, Struwwelpeter feiert Jubliläum. Große S.-Ausstellung z. 150 Geb.tag v. ~ (in: Börsenblatt 10) 1959; G. GRODDECK, Struwwelpeter (in: G.G., Psychoanalyt. Schr. z. Lit. u. Kunst) 1964; F. SCHMIDT, ~ u. A. Schopenhauer (in: Schoenhauer-Jb. 47) 1966; W. ELLWANGER, Zappelphilipp u. d. Wilde Jäger. E. Beitr. z. Psychologie d. Struwwelpeter (in: Psyche 27) 1973; M. L. KÖNNEKER, D. Struwwelpeter als Radikaler (in: Vom Faustus bis Karl Valentin. Das Argument. Sonderbd. 3) 1976; DERS., Dr. H. ~s Struwwelpeter. Unters. z. Entstehungs- u. Funktionsgesch. e. bürgerl. Bilderbuchs, 1977.   HD

Hoffmann, Hermann Ernst Herbert, *12.4.1896 Pillau/Ostpr., † 26.2.1975 Stuttgart; Dr. rer. pol., 1935–45 Syndik. d. holzverarb. Industrie, 1945–46 württ. Landesschlichter; Verleger u. Schriftst.; Dramatiker, Erzähler, Essayist.

Schriften: Ein Mann aus Stahl. Cromwell-Drama in 5 Akten, 1935 (ab 1937 u.d.T.: Republik in England. Cromwell-Drama); Kaiser und Diplomat (Schausp.) 1946; Beim Herzog von Neapel (Kom.) 1946; Professor Schweigart (Rom.) 1946; Der Mensch als Spielball zwischen Gewalt und Recht (mit H.C. Branner) 1952.   AS

Hoffmann, Immanuel, *25.5.1858 Berlin, † 1924 ebd.; Philol.- u. Rechtsstudium, Referendar u. später Justiziar in Trier, Landrat; Regierungsrat in Düsseldorf, Oberverwaltungsgerichtsrat in Berlin.

Schriften (außer jurist.): Gedichte, 1875; Mariä Traum. Ein Gedicht, 1902; Ostern. Ein Gedicht, 1924.   RM

Hoffmann, Isolde → Conta, Isolde von.

Hoffmann, J. (Ps. J. Laokles), * 1845 Belitz/Mecklenb., Todesdatum u. -ort unbekannt; lebte in Güstrow, 1883 Heirat mit d. Pastor H. in Gorlosen.
Schriften: Der musikalische Erbpächter (Erz.) 1876.   RM

Hoffmann, Jakob Daniel, * 26.9.1808 Lübeck, † 29.1.1885 ebd.; studierte Philol. in Jena u. München, privatisierte seit 1831 in versch. Orten Thüringens, später Lehrer in e. Privatinst. d. franz. Schweiz, dann Erzieher in Rußland, Prediger in Persepolis (Brasilien), zuletzt wieder in Lübeck. Erz. (Reiseber.) u. Dramatiker.
Schriften: Tassos Tod (Tr., auch u. d. T.: Torquato Tasso von Goethe, fortgesetzt v. H.) 1834; Die Halbschwester (Dr.) 1835; Reise in Savoyen und Piemont. Reise-Tagebuch im Juli 1836, 1837; Dichtung und Urtheil in zwanglosen Heften (hg.) 1837.
Nachlässe u. Handschriften: Stadtbibl. Lübeck. – Frels 136.
Literatur: Theater-Lex. 1, 820.   IB

Hoffmann, Jakob Josef, * 1845 Neuenburg b. Bruchsal, † 1917 Walldürn; Lehrer in versch. Orten. Mundartdichter, Erzähler.
Schriften: Altgermanische Sagen, 1891; Lustiges aus'm Schwarzwald. Vers und Prosa, 1894; Volkstümliches aus Schapbach in Baden, 1895; Lustige Geschichten aus dem Schwarzwalde, 2 Bde., 1903; In den Ölfeldern Amerikas. Merkwürdige Schicksale Schwarzwälder Auswanderer, 1904; Die Berghauptener Kohlengräber, 1906; Erzählungen aus dem Schwarzwald. Erinnerungen aus vergangenen Tagen, 1910; Der Mord auf der Landeck. Erzählung aus dem Bauernkrieg, 1910.
                                                        IB

Hoffmann, Johann Gottfried (Ps. Aulander vom Hoffnungs-Berge), * 29.11.1641 Freiberg/Sachsen, † 3.4.1690 Tuttendorf b. Freiberg; 1666 Univ. Wittenberg, 1668 Univ. Leipzig, lebte dann in Westpreußen u. Danzig, seit 1681 Pfarrer in Tuttendorf.
Schriften: Der unglückselige Jacob ..., 1666; Gesichte von fünff lustigen Brüdern ..., 1672 (2.

Aufl. u. d. T.: Ungerechte Freude, und Gerechte Traurigkeit, 1731); Hugonis pia desideria in Deutsche Reime gebracht, 1675; Hundert sonderliche Einfälle Vierzeiliger Geist- und Weltlicher Grab-Schriften, 1675; Geistliches Grubenlicht ..., 1676; Bergmännische Gedancken ..., 1676; Vernünfftige Gedancken durch Anschauung und Betrachtung etlicher unvernünfftiger Thiere ..., 1677; Heylsame Gedancken bey Betrachtung der Vier letzten Dinge, 1677 [mit: «Hundert sonderliche Einfälle ...]; Liebliche Rosen-Gedancken und löbliche Rosen-Gespräche bey Anschauung und Betrachtung der wunderschönen Rosen anmuthiger Gestalt und vortrefflicher Nutzbarkeit, mit Rosen-Sinnbildern, 1680.
Literatur: Adelung 2, 2080; Neumeister-Heiduk 381.   RM

Hoffmann, Johann Peter, * 1764 Böhmen, † 14.10.1817 Prag; kathol. Geistlicher, Hg. d. «Neuen Prager Volksfreunds» (gem. m. Büttner und Papst), Jgd.- u. Volksschriftst., Lyriker.
Schriften: Anweisung wie man die Jugend zum Briefschreiben anführen soll, 1776; Versuch in ernsthaften Gedichten, 1795; Feuerbüchlein für die Jugend, 1796; Feuerkatechismus fürs Landvolks, 1798; Neuer Blumenkranz für Kinder beiderlei Geschlechts, bestehend aus Fabeln, Gedichten, Gesprächen, kleinen Erzählungen aus den Jugendjahren vortrefflicher Männer, Sitten- und Klugheitslehren, 1803; Zweites neues Geschenk für artige und fleißige Kinder, bestehend in Fabeln, Erzählungen, wie auch in prächtigen Anweisungen zum Briefeschreiben, 1811; Die gebildete Jungfrau im Gespräch mit Gott. Ein christkatholisches Gebetbuch, 1816; Geistliches Gesangbuch für katholische Christen, 1817; Der Stern von Nepomuk, 1817.
Literatur: Wutzbach 9, 173; ÖBL 2, 377.   IB

Hoffmann, Johanna, * 18.7.1930 Sonneberg/Thür.; Journalistin, wohnt in Erfurt; Verf. kulturhist. Romane. Kulturpr. d. Stadt Erfurt 1976.
Schriften: Das Geheimnis der weißen Erde (mit Josef Hoffmann) 1963; Die verratene Heilige. Roman um Elisabeth von Thüringen, 1966; Spiele fürs Leben. Historischer Roman um Friedrich Fröbel, 1971; Villon, den ganz Paris gekannt. Historischer Roman, 1973; Der rote Kelch. Historischer Roman, 1976.   AS

Hoffmann, Johannes → Elpiander.

Hoffmann, Josef, * 9. 3. 1896 Heinzenbach/Kr. Simmern; Lehrer in Herdorf/Sieg. Erzähler.

Schriften: Land an der Wied. Heimatbuch, 1929; Faustrecht am Rhein. Unter Trikolore, Sternenbanner und Schwarzrotgold. Rheinische Erinnerungen und Bilder aus den Jahren 1918–33. Ein Mosaik, 1934; Grenzlandbauern. Rheinischer Roman aus der Zeit zwischen 1841–71, 1939; Der Haubergwanderer. 25 Wander-Erzählungen aus einer deutschen Landschaft, 1939; Der ewige Bergmann. 4 Bücher vom bergmännischen Leben. Das Leben des deutschen Bergmanns in Vergangenheit und Gegenwart. Untersucht und dargestellt im Spiegel der alten und neuen Dichtung, 4 Bde., 1958; Wildrosen im Hauberg. Naturerzählung aus dem Niederwald, 1959.   IB

Hoffmann, Karl (Heinrich August), * 2. 6. 1802 Bernburg, † 23. 12. 1883 Stuttgart; Begründer d. Hoffmannschen Buchhandlung in Stuttgart (1855). Erzähler.

Schriften: Ritter Raymuns Fahrten, Abentheuer und Schicksale, oder der heilige Bund im Felsthale. Eine Rittergeschichte aus den Zeiten König Artus und der Tafelrunde, 1824; Mangolf von Rottenburg genannt der Schreckensvolle, oder Der Geisterkampf des Schlangenbundes. Romantisches Ritterschauspiel, um 1825; Ulrich von Löwenroda, Freigraf der heiligen Vehme, oder Das Blutbad in der Todtenschlacht. Eine Ritter- und Geistergeschichte aus dem Mittelalter (Rom.) 1825; Dagobert von Greifenstein, oder Der blutige Kampf in Nordlands eisigen Gauen. Ritter- und Räubergeschichte aus dem Mittelalter, 1825; Neues Schatzkästlein für Freunde munterer Laune und heiteren Sinnes, 1825; Unentbehrliches Galanterie-Büchlein für angehende Elegants, 1825.

Literatur: ADB 50,417; Meusel-Hamberger 22/2,810; Goedeke 10,447; 11/1,301.   IB

Hoffmann, (Reinhold Alfred) Karl (Ernst) Emil, * 27. 2. 1874 Darmstadt, † 9. 5. 1957 Basel; wurde b. s. Onkel in Basel erzogen, 1891 Basler Bürger, studierte ebd. u. in Berlin Jus. u. Gesch., Philos. u. Kunstgesch. in Jena u. Straßburg, bereiste Italien, lebte eine Zeitlang in Florenz, St. Gallen, Zürich u. Basel. Lyriker u. Kulturhistoriker.

Schriften: Stimmen. Auswahl erster Gedichte, 1903; Vorgesang (Ged.) 1903; Neue Stimmen (Ged.) 1907; Von Tönen klingt es in mir (Ged.)

1910; Florenz in der Dichtung von Dante bis Goethe, 1911; Jacob Burckhardt als Dichter, 1918; Aus dem Leben des Zürcher Malers Ludwig Vogel, 1921; Briefe Judith Gessners an ihren Sohn Konrad, 1923; Briefe von Betsy Meyer an Elis. Nüscheler (1866–74) 1923; Emma Krons Basler Heimatgedichte (hg.) 1924; Zu Licht und Schönheit (Ged.zyklus) 1925; Jacob Burckhardts Briefwechsel mit der Basler Dichterin Emma Brenner-Kron (hg.) 1925; Der Dichter H. Leuthold als Student an der Universität Basel, 1925; J. Burckhardts Gedichte (hg.) 1926; Basler Dichterstätten, 1934 (2. erw. Aufl. 1947); Spitteler als Schüler und Student in Basel, 1934. Das Leben des Dichters H. Leuthold (Ged., Aufsätze, Aussprüche u. Briefe v. u. über Leuthold) 1,35; Briefwechsel Joh. v. Müller mit Joh. G. Herder und Caroline v. Herder geb. Flachsland 1782–1808 (hg.) 1939; Gesamtausgabe d. Werke von A. Ott, 6 Bde. (hg.) 1945–47.   IB

Hoffmann, Karl Friedrich (Vollrath H.), * 15. 6. 1796 Stargard, † 20. 8. 1842 Stuttgart; studierte in Berlin, später in Hofwyl u. folgte schließl. e. Ruf Cottas n. Stuttgart, Leiter e. geograph. Inst., mit welchem er n. München übersiedelte, gab d. Stelle jedoch auf, kehrte n. Stuttgart zurück, wo er als freier Schriftsteller lebte.

Schriften (Ausw.): Umrisse zur Erd- und Staatenkunde vom Lande der Deutschen, 1824; Hertha. Zs. f. Erd-, Völker- und Staatenkunde, 6 Bde. (gem. m. H. K. W. Berghaus, später m. A. v. Humboldt) 1825; Die Erde und ihre Bewohner, 1825; Jahrbuch der Reisen, 1833; Deutschland und seine Bewohner, 4 Bde., 1834–36; Europa und seine Bewohner, 8 Bde., 1835; Vollständiger Himmels-Atlas für Freunde und Liebhaber der Sternkunde, nach den vorzüglichen Hülfsquellen und eigenen Beobachtungen gezeichnet, 1835 bis 1837; Das Vaterland der Deutschen, beschrieben, 1839; Hertha: Hand- und Hausbuch der Länder-, Völker- und Staatenkunde, 1840. Die Völker der Erde, 1840.

Literatur: ADB 12,606; Meusel-Hamberger 22/2,809.   IB

Hoffmann, Karl Friedrich → Felswagen, Karl.

Hoffmann, Léopold, * 1. 2. 1915 Clerf/Luxemburg; Dr. phil.; Prof. am Athenäum u. Cours Universitaires in Luxemburg. Verf. v. Ess., Satiren, Aphorismen.

Schriften: Kulturpessimismus und seine Überwindung. Essay über Heinrich Bölls Leben und Werk, 1958; Der letzte Romantiker und die Härten der Existenz. Leben und Werke des Dichters Ernst Koch, 1959; Ernst Koch, Prinz Rosa-Stramin (Hg.) 1960; Die Revolte der Schriftsteller gegen die Annullierung des Menschen. Tibor Déry und Marek Hlasko, 1961; Jenseits der Nacht. Ein Versuch über Luise Rinsers Werk, 1964; Heinrich Böll. Einführung in Leben und Werk, 1965 (2. erw. Aufl. 1973); Literatur im Spiegel. Säuerliche Aphorismen, 1966; Reflexe und Reflexionen. Mikro-Geschichten, 1968; Brenn- und Blendpunkte. Aphorismen und Mikro-Geschichten, 1970; Stress und Stille. Aphorismen und Mikrogeschichten, 1974.   AS

Hoffmann, Leopold Alois (eigentl. Franz Leopold, Ps. Berger, Ganz, Hartberg, Michael Hinz, Kleeraube, Knauf, Mann, Neumann, Schwab, Straus u. Wittinger), * 29.1.1760 Niederwittig b. Kratzau/Nordböhmen, † 2.9.1806 Wiener Neustadt/Niederöst.; studierte in Breslau, erste lit. Versuche, Aufnahme in d. Jesuitenorden wurde ihm verweigert, 1775 Prof. d. dt. Sprache in Pest, 1790 in Wien. Aufklärer u. Freimaurer, Hg. versch. Zs. u. Broschüren (meist unter den Ps.), u.a. «Wöchentl. Wahrheiten für u. über d. Prediger in Wien» (1782–84). Dramatiker.

Schriften: Feldgesang eines teutschen Grenadiers in Nordamerika, 1778; Kriegslied für die Nesselrodische Legion, 1778; Der Liebhaber von fünfzehn Jahren, 1778; Alles aus Freundschaft, 1778; Kaiserliches Kürassier- und Grenadier-Lied, 1778 bis 1779; Gedichte, 1778; Die Kinder der Natur (Schausp.) 1778; Die Apotheke (Singsp.) 1778; Alle haben Recht oder Die durch List des Bedienten betrogenen Alten, 1778; Triumph des Friedens (Melodr.) 1779; Über die Juden und deren Duldung, 1781; Seelenbeschreibung der Stadt Wien, 1782; Für Herrn Josef Pochlin, 1782; Mönche und der Teufel, 1782; Willmanns Leben und Reisen (hg.) 1783; Über den Gottesdienst und die Religionen in den österreichischen Staaten, 6 Bde., 1783–85; Der vertraute Mönch in seiner Blöße, 1783; Ist die Ohrenbeichte zur Seligkeit nothwendig?, 1784; Zehn Briefe von der Schlesischen Gränze an den Verfasser der Briefe aus Berlin, 1784; Das Wertherfieber (Lsp.) 1785; Vermischte kleine Schriften, 2 Bde., 1785; Werden wir Katholiken noch 1786 fasten müssen?,

1786; Josephs des II. Reformation der Freimaurer, 2 Stücke, 1786; Wahrheiten für und über die Fraunzimmer in Wien, 2 Bde., 1786; Die Abentheuer des Herzens oder Suchen macht Finden (Lsp.) 1786; Geschichte der Päbste von Petrus bis Urbanus II, 2 Tle., 1791; Briefe eines Biedermanns an einen Biedermann über die Freymaurer in Wien, 1786; Miszellen, 1788; Der Dorfpfarrer (Schausp.) 1789; Für die Patrioten Östreichs bey der Kaiserkrönung Leopolds II, 1790; Ninive, fortgesetzte Fragmente über die dermaligen politischen Angelegenheiten in Ungarn, 1790; Anleitung zur christlichen Beredsamkeit, 1790; Babel, Fragmente über die jetzigen politischen Angelegenheiten in Ungarn, 1790; Vorlesungen über die Philosophie des Lebens, 1791; Höchstwichtige Erinnerungen zur rechten Zeit über einige der allerernsthaftesten Angelegenheiten dieses Zeitalters ..., 2 Bde., 1795; Aktenmäßige Darstellung der Deutschen Union und ihre Verbindung mit dem Illuminaten-, Freimaurer- und Rosenkreutzer-Orden, 1796; Lehrbuch einer christlich aufgeklärten Lebensweisheit für alle Stände, 1797.

Handschriften u. Nachlässe: Staats-Bibl. Berlin. – Frels 137.

Literatur: Wurzbach 9, 161; NDB 9, 433; Meusel-Hamberger 3, 389; 9, 613; 14, 167; Goedeke 4/1, 205; 5, 323; 6, 725; 7, 62; Theater-Lex. 1, 820. – G. GUGITZ, ~ u. d. Wiener Zs. (in: Dt. Arbeit 10) 1911; J. FRIED, ~ 1760–1806 (Diss. Wien) 1930 (mit Bibliogr.).   IB

Hoffmann, Lieselotte → Eltz, Lieselotte von.

Hoffmann, Ludwig, * 12.3.1793 Berlin, Todesdatum u. -ort unbekannt; Dr. phil., 1825 Sekretär d. Polizei-Intendantur in Berlin. Hg. d. «Polizey-Arch. f. Preußen» (1817–26) u. d. «Magazins d. Polizeygesetze» (2 Bde., 1825 f.).

Schriften (Ausw.): Censur und Pressfreyheit, historisch-philosophisch bearbeitet, 1819; Das Pfarrhaus. Ein Gemälde des menschlichen Herzens, 1823; Castaing, der zwiefache Giftmischer, nach französischen Actenstücken bearbeitet, 1824.

Literatur: Meusel-Hamberger 18, 191; 22.2, 811; Goedeke 10, 324.   RM

Hoffmann, Ludwig, * 31.12.1840 Waldersdorf/Oberpfalz, † 12.1.1923 ebd.; Lehrer und Kantor in Waldersdorf. Lyriker, vor allem in oberbayerischer Mundart.

Schriften: Sang und Klang, o. J.; Bloameln und Disteln, o. J.; Klänge von der Kösseine. Reime in südfichtelgeb./nordoberpfälzer Mundart, 1894.

Literatur: F. NIESNER, Z. 30. Todestag d. Heimatdichters ～ (in: Oberpfalz 41) 1953.   IB

Hoffmann, Ludwig, * 25.3.1856 Speyer, † 13.5.1897 München; Dr. iur., seit 1885 Rechtsanwalt in München, Mitbegründer d. «Bayer. Gemeindeztg.» u. d. Zs. «D. Aktiengesellschaft».

Schriften (außer jurist.): Frau Magdalena (Schausp.) 1890.   RM

Hoffmann, (Gottfried Hermann) Ludwig (Ps. Max Ekkehard), * 3.7.1865 Nordhausen, † 18.1.1903 ebd.; Schauspieler in versch. Orten, seit 1891 am Hoftheater in Gera, zuletzt Dir. d. Stadttheaters v. Nordhausen.

Schriften: Unsere Künstler (Schw.) 1889; Der Untergang der letzten Hohenstaufen (Dr.) 1890; Das Branntwein-Monopol (Posse mit Gesang) 1891.

Literatur: Theater-Lex. 1, 820.   RM

Hoffmann, M. Christian, * 1634 Breslau, † 16.4.1674 ebd.; Studium d. Theol. u. Philos. in Leipzig u. Jena, 1667 Magister, Lehrer in Jena, Adjunkt u. Dekan d. philos. Fak., 1670 Gymnasiallehrer in Breslau.

Schriften: De re publica in genere (Disp.) 1665; Umbra in luce … (Diss.) 1667 (Neuausg. 1680); Freud und Leid aus einem Munde, 1670; Mathei Hoffmanni viridiarium Spiritus Sancti (hg.) 1671; Das unsterbliche Breslau, 1671; Anonymi Ars magna et paucis (hg.) 1673; Die Bergprobe Oder Reichsteinischer Göldner Esel, 1674; Christian Hoffmann von Hoffmannswaldau Deutsche Rede-Uebungen nebenst zwey beygefügten Lob-Schrifften, 1695 (Neudr. 1974).

Literatur: Adelung 2, 2054; FdF 1, 334; Neumeister-Heiduk 380. – C. GRÜNHAGEN, ～ (in: Zs. d. Ver. f. Gesch. Schles. V) 1863; M. BRESLAUER, D. dt. Lied, 1908 (Neudr. 1966); F. HEIDUK, D. Dichter d. galanten Lyrik, 1971.   RM

Hoffmann, Marcel, * 1909 Wecker/Luxemburg, † 26.5.1949 Esch; Prof. am Knaben-Lyceum in Esch. Lyriker.

Schriften: Gedichte von M.H., Einführung v. M. Reuland, Luxemburg 1950.   IB

Hoffmann, Marie, * 15.3.1843 Neu Pasua/Ungarn, Todesdatum u. -ort unbekannt; Kindergartenleiterin in Pancsova, lebte später in Leipzig.

Schriften: Gedichte, 1900.   RM

Hoffmann, Max (Ps. Hans Pauli, Spero, Krischan, Frank Heisterbach, Karl Vogelsang, Fritz Frei, Hans Spessmann), * 27.11.1858 Berlin; Privatlehrer u. seit 1884 Lehrer in Berlin, seit 1899 freier Schriftst. u. Theaterkritiker d. «Zeit am Montag».

Schriften: Irdische Lieder, 1891; Morgenstimmen und anderes, 1893; Verse. Sämtliche Gedichte von Guy de Maupassant in deutschen Übertragungen, 1902; Hochzeitsnacht. Geschichten in Moll und Dur, 1903; Das Problem (Rom.) 1906; Dirnenliebe (Rom. v. P. Brulat, übers.) 1906; Was die Liebe kann (Nov.) 1907; Das Heiratshaus (humorist. Rom.) 1908; Der Sohn aus Afrika (Rom.) 1909; Im Korallenmeer, 1910; Des Andern Last (Rom.) 1911; Der Golfstrom (Rom.) 1911; Das Geheimnis der Villa (Rom.) 1913.   RM

Hoffmann, Oskar, * 29.10.1868 Gotha; Volontär in e. Buchhandlung, dann n. lit. u. naturwiss. Studien Schriftst. in Berlin.

Schriften (Ausw.): Kollektion Kosmos. Moderne reich illustrierte Unterhaltungsschriften im Stile à la Jules Verne, 1. Bd.: Mac Milfords Reise ins Universum, I Von der Terra zur Luna (Rom.) 1902; Unter Marsmenschen (Erz.) 1905; Der Goldtrust. Internationaler Finanzroman, 1907; Die Eroberung der Luft. Kulturroman vom Jahr 1940, 1908; Bezwinger der Natur (Phantasierom.) 1908; Vögel ohne Nester. Die Komödie vom grünen Zweig. Eine Zeitglosse in 4 Akten, 1908; Sittenbilder. Raffinierte Tricks galanter Frauen, 1909; Die vierte Dimension. Metaphysischer Phantasieroman, 1909; Kunigunde Siebenhaar. Ein Lebenslauf, 1911; Das Rätsel des Lebens. Geschichte eines Grüblers, 1911.   RM

Hoffmann, Paul Theodor, * 26.1.1891 Putlitz, † 5.7.1952 Hamburg; Dr. phil., Feuill.-Red. d. «Dresdner Neuen Nachrichten», später d. «Hamburger Anzeigers», 1926–33 Stadtarchivar in Altona, dann Leiter d. städt. Amtes f. Wiss., Kunst u. Volksbildung, 1941 Leiter d. theaterwiss. Inst. u. d. Theaterslg., seit 1944 Dozent f. Theaterwiss. in Hamburg. Hg. d. «Hamburger Jb. f. Theater u. Musik» (1941–51).

Schriften: Der indische und der deutsche Geist von Herder bis zur Romantik ... (Diss. Tüb.) 1915; Der mittelalterliche Mensch ..., 1922 (2., verb. Aufl. 1937); Die Entwicklung des Altonaer Stadttheaters, 1926; Die Visionen des Suchenden, 1927; Das Leben von Albrecht Dürer (Erz.) 1928; Neues Altona 1919–1929 ..., 2 Bde., 1929; Die Welt vor Gott, 1936; Die Elbchaussee ..., 1937 (3., erw. u. erg. Aufl. 1949); Die Elbe. Strom deutschen Schicksals und deutscher Kultur, 1939; Theater und Drama im deutschen Geistesschicksal, 1948; Mit dem Zeiger der Weltenuhr. Bilder und Erinnerungen, 1949.

Herausgebertätigkeit (Ausw.): Die Weisheit der Veden, 1925; Die Sonne tönt nach alter Weise ... Dichter- und Denkerstimmen der Welt, 1925; Das Göttliche. Eine Sammlung religiöser Stimmen der Völker und Zeiten, 1925; Blut und Rasse im deutschen Dichter- und Denkertum. Eine Auslese, 1934.

Nachlaß: Staatsarch. Hamburg, Dienststelle Altona. – Mommsen Nr. 1734.

Literatur: Theater-Lex. 1, 821.   RM

Hoffmann, Richard, * 15.5.1892 Wien, † 10.8.1961 ebd.; Dr. iur., in diplomatischen Diensten tätig, dann Schriftst., Übers. u. Herausgeber *Herausgebertätigkeit* (Ausw.): Die Reise zum wonnigen Fisch, 1960; Der Tod des großen Ochsen (Anthol. v. Tiergesch.) 1962.   IB

Hoffmann, Ruth (Ps. f. Ruth Scheye, geb. Hoffmann), * 19.7.1893 Breslau, † 10.5.1974 Berlin; Studium a. d. Kunstakad. Breslau, Malerin, Graphikerin, verh. mit Erich Scheye, der 1943 in Auschwitz umgebracht wurde, 1936–45 Publikationsverbot; lebte in Berlin. Vorw. Erzählerin; Schles. Kulturpr. 1967, Eichendorff-Lit.-Pr. 1967.

Schriften: Pauline aus Kreuzburg (Rom.) 1935 (Neuaufl. 1973); Dunkler Engel (Ged.) 1946; Das goldene Seil (Ged.) 1946; Meine Freunde aus Davids Geschlecht (Erz.) 1947; Franziska Lauterbach (Rom.) 1947; Umgepflanzt in fremde Sommerbeete (Erz.) 1948; Das reiche Tal (Schausp.) 1949; Der verlorene Schuh. Eine Geschichte vom Leben, Sterben und Lieben, 1949; Die Zeitenspindel (Erz.) 1949; Die Schlesische Barmherzigkeit (Rom.) 1950; Abersee oder Die Wunder der Zuflucht (Rom.) 1953; Poosie aus Washington (Jgdb.) 1953; Poosie in Europa (Jgdb.) 1954; Der

Zwillingsweg (Ged. u. Prosa) 1954; Ich kam zu Johnny Giovanni (Rom.) 1954; Zwölf Weihnachtsgeschichten aus Ferne und Nähe (Erz. u. Ged.) 1954; Die tanzende Sonne (Erz.) 1956; Poosie feiert Wiedersehen (Jgdb.) 1956 (ab 1963 u. d. T.: Poosie entdeckt Amerika); Der Wolf und die Trappe (Rom.) 1963; Der Mohr und der Stern (Erz.) 1966; Die Häuser, in denen ich lebte, 1969; Eine Liebende (Rom.) 1971.

Literatur: HdG 1, 315. – H. KRAUSE, ~ Dichterin d. Menschlichkeit (in: D. Schlesier 5) 1953; E. Abend mit d. Schriftst. ~ (in: Schles. Rundschau 5) 1953; H. HARTUNG, Neue Bücher von d. schles. Schriftst. ~ (in: D. Schlesier 6) 1954; J. HOFFBAUER, D. Dichterin ~ (ebd.) 1954; A. M. KODER, ~ u. ihr Werk (in: Schlesien 18) 1973; S. HAERTEL, ~ † (in: ebd. 19) 1974. AS/IB

Hoffmann, Theodor, * 16.2.1851; n. Theol.-Studium Pfarrer in Mechtersheim/Pfalz, 1888 in Speyer, 1895 Dekan, Red. d. «Evangel. Kirchenboten f. d. Pfalz» (seit 1881).

Schriften: Allerlei Gotteswege (Volks-Erz.) o. J.; Johannes Mettenheimer. Erzählung aus dem Jahr 1529, o. J.; Von Weißenburg bis Sedan ..., o. J.; Otto Heinrich der Großmütige, Kurfürst von der Pfalz, 1889; Das Licht auf unserm Wege. Drei Erzählungen für das deutsche Volk und seine Freunde, 1894; Um des Glaubens willen. Kulturhistorischer Roman aus der Zeit der Reformation, 1898 (Neuausg. 1930); Dein Wort mein Licht (Erz.) 1930.   RM

Hoffmann, Valesca, * 21.9.1857 Königsberg/Pr.; Majorsgattin, lebte in Ulm u. seit 1902 in Ludwigsburg.

Schriften: Das vierte Geschlecht. Federzeichnungen, 1901; Der Parasit (Rom.) 1919; Ein ereignisreicher Tag (Rom.) 1919.   RM

Hoffmann, Walter → Kolbenhoff, Walter.

Hoffmann, Werner, * 9.4.1907 Strehlen/Schles.; Studium d. Germanistik u. Romanistik, Dr. phil. 1930; 1934 Auswanderung n. Argentinien, seit 1958 Prof. d. Germanistik an d. Univ. del Salvador in Victoria, 1969–1971 Gastprof. in d. USA, Mitgl. d. Nationalen Forsch.rates f. Argentinien.

Schriften (Ausw.): Die göttliche Landstraße (Ged.) 1934; Himmel ohne Wolken (Ged.) Buenos Aires 1939; Das Spiel vom deutschen Landsknecht Utz Schmidl, ebd. 1941; Der verlorene

Sohn (Leg.sp.) ebd. 1942; Der Traumkönig von Paraguay, ebd. 1943; Am Abend läuten die Glocken, ebd. 1944; Bürger Titan. Ein Schauspiel um Friedrich List, ebd. 1944; Die Fahrt zu den sieben Seen, ebd. 1945; Gottes Reich in Peru. Roman des Pizarro-Zugs, 1946; Fahrt ins Blaue (Rom.) Buenos Aires 1950; Geschichte des Deutschtums in Argentinien (mit K. W. Körner, W. Lütge) ebd. 1955; Die Silberstadt (Rom.) 1961; Clemens Brentano. Leben und Werk, 1966; Franz Kafkas Aphorismen, 1975; Kleine Nachtmusik (Ged.) 1978.   RM

Hoffmann, Werner, * 19. 1. 1931 Frankfurt/M.; 1959 Dr. phil., 1966 Habil., 1971 Prof. f. dt. Philol. in Frankfurt/M., 1973 o. Prof. in Mannheim.

Schriften (Ausw.): Gottfried von Straßburg (mit G. Weber) 1962; Altdeutsche Metrik, 1967; Das Nibelungenlied. Interpretation, 1969; Das Nibelungenlied. Kudrun. Text, Nacherzählung, Wort- u. Begriffserklärung, 1972; Mittelhochdeutsche Heldendichtung, 1974.   RM

Hoffmann, Wilhelm, * 1676 (?) Speldorf b. Mülheim/Ruhr, † 1746 Mülheim/Ruhr; Kandidat d. Theol., Bekehrung z. Pietismus, seit ca. 1705 Leiter v. Konventikeln in Mülheim (seit 1725/27 gemeinsam mit G. Tersteegen, dessen Lehrer er war), 1735 Rücktritt.Mystiker.

Schriften: Der leidende Christ, wie er im Kreuz überwindet, oder Kreuz und Trostbüchlein, o. J.; Inwendige Glaubens- und Liebesübung, 1724; Zeugnis der Wahrheit (mit G. Tersteegen, in dessen «Geistl. u. erbaul. Briefen 1) 1727; Kurze Unterweisung für kleine Kinder, 1816.

Literatur: NDB 9,438. – H. FORSTHOFF, ~, d. geistl. Vater Tersteegens (in: Monatsh. f. rhein. Kirchengesch. 11) 1917; H. RENKEWITZ, Hochmann v. Hochenau (1670–1721) 1935 (²1969). RM

Hoffmann, Wilhelm, * 30. 10. 1806 Leonberg/ Württemberg, † 28. 8. 1873 Berlin; studierte in Tübingen, 1839 Missionsinspektor in Basel, 1850 Prof. in Tübingen. 1852 Hof- u. Domprediger in Berlin, 1853 Generalsuperintendent d. Kurmark. Vertreter d. Einigung zw. Lutheranern u. Reformierten. Publizist.

Schriften: Missionsstunden und Vorträge, 2 Bde., 1847–51; Predigten, 12 Bde., 1854–64; Ein Jahr der Gnade in Jesu Christo. Predigten über die Evangelien auf alle Sonn-, Fest- und Fei-

ertage. Mit kurzen Betrachtungen über die einzelnen Zeiten des Kirchenjahres, 3 Abtlg., 1864; Deutschland einst und jetzt im Lichte des Reiches Gottes, 1868; Deutschland und Europa im Lichte der Weltgeschichte, 1869.

Literatur: ADB 50,417; RGG ³3,414; RE 8, 227.   IB

Hoffmann, Wilhelm → Bleysteiner, Georg.

Hoffmann, Wilhelm Rudolf, * 2. 1. 1833 Wallwischken/Ostpr., † 9. 1. 1882 Thorn; Lehrer in versch. Orten, 1862 in Elbing, 1866 in Marienwerder u. seit 1869 in Thorn.

Schriften: Leseschatz für gute und fleißige Kinder, 1855; Hosianna! Eine Sammlung von Motetten, Arien und Chorälen ..., 1865; Knackmandeln. 260 scherzhafte Räthsel ..., 1870; Goethes Hermann und Dorothea ... erläutert, 1872; Orthodoxe Angriffe auf Goethe. Eine Abwehr, 1872; Großer deutscher Räthselschatz ..., 1874; Wer kann rathen? Neuester Räthselschatz für Jung und Alt, 1874; Pädagogische Lichtblicke, 1876; Der Entwicklungsgang des deutschen Schauspiels. Nach den besten Quellen dargestellt, 1879; Die Sage von der Roßtrappe, 1880. (Ferner Schulbücher u. d. ungedr. Dr. «Psyche»). RM

Hoffmann (genannt) **von Fallersleben,** (August) Heinrich, * 2.4. 1798 Fallersleben b. Lüneburg, † 19. 1. 1874 Corvey/Weser; Vater Kaufmann u. Bürgermeister, 1912–14 Gymnasium Helmstedt u. Braunschweig, ab 1816 Göttingen, Studium d. Theol., dann klass. Philol., Archäologie, 1818 Begegnung mit J. Grimm in Kassel, 1819–21 Univ. Bonn, Reisen in d. Niederlande, 1823 Doktortitel d. Universität Leiden; 1823–39 Kustos d. Univ.bibl. Breslau, 1830 a.o., 1835 o. Prof. f. dt. Sprache u. Lit. in Breslau, ausgedehnte Reisen in Europa, 1842 Amtsenthebung; 1848 rehabilitiert u. Wartegelt ausgestellt, 1854 Weimar, Hg. d. «Weimarischen Jahrbuchs für deutsche Sprache, Litteratur und Kunst» (1854–1857), Bekanntschaft mit Liszt; ab 1860 Bibliothekar d. Herzogs v. Ratibor auf Schloß Corvey b. Höxter/Weser. Lyriker, Germanist, Literaturhistoriker.

Schriften: Elegie auf den Tod des Herzogs von Braunschweig, 1815; Deutsche Lieder, 1815; Bonner Burschenlieder, 1819; Die Schöneberger Nachtigall, 1822; Hymnus theoticus in Sanctum Georgium, 1824; Poema vetustum theotiscum Kazungalii, 1824; Die Schlesische Nachtigall, welche das ganze Jahr hindurch singet, 1825; Allemannische Lieder, 1826; Maikäferiade, 1826; Siebengestirn gevatterlicher Wiegenlieder, 1827; Gedichte, 1827; Kirchhofslieder, 1827; Jägerlieder mit Melodien, 1828; Muckiade, 1828; Weinbüchlein, 1829; (MV) Poesien der dichtenden Mitglieder des Breslauer Künstlervereins, 1830; Horae Belgicae 12 Bde. 1830–62; Fundgruben zur Geschichte deutscher Sprache u. Literatur, 2 Bde., 1830–37. Spanische Romanzen, 1831; Geschichte des deutschen Kirchenliedes bis auf Luthers Zeit, 1832; Gedichte 2 Bde., 1834; Buch der Liebe, 1836; Die deutsche Philologie im Grundriß, 1836; Gedichte. Neue Sammlung, 1837; Unpolitische Lieder, 2 Bde., 1840–42, Nachdr. 1976; Husarenlieder, 1841; Deutsche Lieder aus der Schweiz, 1843, Nachdr. 1975; Deutsche Gassenlieder, 1843, Fünfzig Kinderlieder, 1843; Allemannische Lieder, 1843, Nachdr. 1976; Maitrank, 1844, Deutsche Salonlieder, 1844; Hoffmannsche Tropfen, 1844; Diavolini, 1845; Fünfzig neue Kinderlieder, 1845, Vierzig Kinderlieder, 1847; Schwefeläther, 1847; Hundert Schullieder, 1848; Siebenunddreißig Lieder für das junge Deutschland, 1848; Spitzkugeln. Zeit-Distichen, 1849; Drei Dutzend Zeitlieder, 1849; Heimathklänge, 1851; Liebeslieder, 1851; Rheinleben, 1851; Soldatenlieder, 1851; Soldatenlieder, 1852; Die Kinderwelt in Liedern, 1853; Lieder aus Weimar, 1854; Kinderleben, 1855; Fränzchens Lieder, 1859; Deutschland über alles, 1859; Findlinge. Zur Geschichte deutscher Sprache und Dichtung, 1860, Nachdr. 1968; Die vier Jahreszeiten, 1860; Meiner Ida, 1861; Raudener Maiblumen, 1861; Gedichte. Auswahl von Frauenhand, 1862; Lieder für Schleswig-Holstein 6 Sammlungen, 1863–1864; Gedichte u. Lieder für Schleswig-Holstein, 1863; Lieder der Landsknechte, 1868; Mein Leben, 6 Bde., 1868; Allerneuste Lieder vom Kriegsschauplatz, 1870; Vaterlandslieder, 1871 (mit M. v. Schletterer) 1871; Sreiflichter, 1872; Alte u. neue Kinderlieder, 1873; Kinderlieder, 1877, Nachdr. 1976; Unsere volkstümlichen Lieder (hg. K. H. PRAHL) 1900, Nachdr. 1966; Gedichte u. Lieder (Im Auftraf der H. v. F.-Ges. hg. H. WENDEBOURG u. A. GERBERT) 1974.

Herausgebertätigkeit: Bonner Bruchstücke von Otfried, 1821; Lieder und Romanzen, 1821;

Althochdeutsche Glossen, 1826; Altdeutsches aus wolfenbüttler Handschriften, 1827; Monatsschrift von u. für Schlesien, 2 Bde., 1829; Fundgruben für Geschichte deutscher Sprache und Literatur, 2 Bde., 1830–1837; Holländische Volkslieder. Ges. u. erläutert 12 Bde., 1833–62; Merigarto, 1834; Reineke Vos, 1834; Iter Austriacum. Altdeutsche Gedichte, 1837; Schlesische Volkslieder mit Melodien, 1842; Politische Gedichte aus der deutschen Vorzeit, 1843; Breslauer Namenbüchlein, 1843; Die deutschen Gesellschaftslieder des 16. u. 17. Jhs., 1844; Spenden zur deutschen Literaturgeschichte, 2 Bde., 1844; Niederländische Glossare des 14. u. 15. Jhs., 1845; Texanische Lieder, 1846; Hannoversches Namenbüchlein, 1852; Michael Vehe's Gesangbüchlein vom Jahr 1537, 1853; Weimarisches Jahrbuch für deutsche Sprache (mit O. SCHADE) 6 Bde., 1854–1857; Antwerpener Liederbuch vom Jahr 1544, 1856; Aesopus in niederdeutschen Versen, 1868; Henneke Knecht. Ein altes niederdeutsches Volkslied, 1872.

Briefe: H. v. F. Briefe an meine Freunde (hg. H. GERSTENBERG) 1902; Briefwechsel zwischen H. v. F. u. F. Goedeke (hg. F. BEHREND, in: Euphorion 31) 1930; A. PERLICK, Briefe von J. Roger an H. v. F. (in: D. Oberschlesier 18) 1936; A. DEPREZ, Briefwisseling von J.F. Willems en H. v. F. 1836–1843 (in: Studia Germanica Gandensia 4) 1962.

Ausgaben: Gesammelte Werke (hg. H. GERSTENBERG) 8 Bde., 1890–1893; Ausgewählte Werke (hg. H. BENZMANN) 1905; Ausgewählte Werke (hg. A. WELDLER-STEINBERG) 3 Bde., 1912, Nachdr. in 2 Bdn. 1973.

Nachlaß: Staatsbibl. Preuß. Kulturbesitz Berlin; kleiner Teil in H.-Archiv Fallersleben-Wolfsburg u. Zentralarchiv Potsdam. Sammlungen in Landesbibl. Dortmund, Stadtbibl. Hannover und Univ.bibl. Göttingen. – Denecke 2. Aufl.; Mommsen Nr. 1736; Nachlässe DDR I, Nr. 293; III, Nr. 420.

Literatur: ADB 12,608; NDB 9,421, Goedeke 13,329; 15,828. – J. M. WAGNER, ∼, 1818–68. 50 Jahre dichter. u. gelehrten Wirkens, 1869 (Nachtrag 1870); A. HÜLLBROCK, ∼, 1896; H. GERSTENBERG, Henriette v. Schwachenberg u. ∼, 1904; E. BERNEISEN, ∼ als Vorkämpfer u. Erforscher d. niederländ.-fläm. Lit. (Diss. Münster) 1914; DERS., ∼ als

Vorkämpfer dt. Kultur in Belgien u. Holland, 1915; F. A. Löffler, D. Einfluß d. Volksliedes auf ~ (Diss. Heidelberg) 1919; H. Reuter, ~ (in: Quellen u. Darst. z. Gesch. d. Burschenschaft u. d. dt. Einheitsbewegung 7) 1921; E. R. Jungclaus, Deutschland, Deutschland über alles!, 1924; M. Preitz, ~ u. s. Deutschlandlied (in: JbFDtHochst) 1926; H. Rinnbach, Aus d. Nachlaß v. ~ (in: D. Türmer 32) 1929/1930; W. Deetjen, Z. Entstehung d. Weimar. Jb. (in: Archiv 159) 1931; H. Gerstenberg, Deutschland über alles!, 1933; A. Bömer, ~ (Westfäl. Lbb. 5) 1935; L. Chrobok, Übertr. Rogerscher Lieder v. ~ in d. Breslauer Stadtbibl. (in: Oberschlesier 18) 1936; A. Perlick, D. Vertonung Hoffmannscher Übertr. oberschles. Volkslieder durch H. M. Schletterer (in: ebd, 19) 1937; F. Behrend, ~ (in: F. B., (Dt. Stud. 2) 1937; A. Moll, Deutschland, Deutschland über alles, 1940; E. Hauck, D. Deutschlandlied, 1941; W. Marquardt, ~, 1941; R. A. Moissl, D. Lied d. Deutschen, 1941; W. Schoof, ~ u. d. holländ. Volksliedforsch. (in: Zs f. Volksk. 52) 1955; H. Derwein, ~ u. J. Kapp: Begegnung in Heidelberg, ²1956; R. Müller, D. Ahnen d. Dichters ~ u. ihre Familien, 1957; S. Hafner, ~ und B. Kopitar (in: Welt d. Slawen 2) 1957; F. Andree, Wirkungs- u. Erinnerungsstätten d. Dichters ~ in Wort u. Bild, 1960; R. Müller, D. Geschlecht ~ «von Fallersleben», 1962; G. Seiffert, D. ganze Deutschlandlied ist unsere Nationalhymne: E. klärende Dokumentation d. ~-Gesellsch., 1964; P. Brachin, Les Pays-Bas vus par ~ (in: EG 20) 1965; U. Günther, ... über alles in der Welt?, 1966; W. Mitzka, ~ u. d. Schlesische (in: FS H. de Boor) 1966; G. Hyckel, Rauden, Corvey u. ~ (in: Schlesien 12) 1967; P. H. Nelde, Flandern in der Sicht ~s (Diss. Freiburg/Br.) 1967; F. Gause, D. Entstehung d. Deutschlandliedes (in: Jb. d. Fdr.-Wilh. Univ. Breslau 15) 1970; F. Andree, D. Dichters Leben, Wirken u. Gedenkstätten in Wort u. Bild, ²1972; P. H. Nelde, ~ u. die Niederlande, Amsterdam 1972; ~. Wolken, Wirken, Werke. E. Gedenkschr. z. 100. Todestag, 1974; R. Engelhardt, ~ in Bingerbrück (in: Binger Annalen 8) 1975.　　HD

Hoffmann von Hoffmannswaldau → Hoffmannswaldau, Christian Hoffmann von.

Hoffmann von Wangenheim, Pauline, * 19. 7. 1856 Seyda/Sachsen; lebte in Seyda u. n. ihrer Heirat (1883) in Erfurt.

Schriften: Eine Eisbekanntschaft (Lsp.) 1887. (Außerdem ungedr. «Psychodramen».)　　RM

Hoffmann-Aleith, Eva (Ps. für Eva Hempel), * 26. 10. 1910 Bergfeld/Kr. Bromberg; Dr. theol., Pastorin in Stüdenitz/Mark Brandenb. (DDR). Erzählerin.

Schriften: Amalie Sieveking. Die Mutter der Armen und Kranken, 1940; Thusnelda von Saldern, die erste Oberin des Oberlinhauses, 1940; Wohin sollen wir gehen? Drei Briefe an junge Christen, 1950; Die Frau auf der Kanzel?, 1953; Anna Melanchthon (Rom.) 1954; Zum erstenmal am Tisch des Herrn, 1955; Herr Philippus. Erzählungen um Melanchthon, 1960; Der Freiherr. Aus dem Leben des Freiherrn Carl Hildebrand von Canstein (Rom.) 1960; Taufbüchlein, 1960; Goldene Konfirmation, 1962; Wege zum Lindenhof (Rom.) 1967; Teufelszwirn (Rom.) 1970.　AS

Hoffmann-Aul, Henriette (Katharina), * 17. 1. 1849 Frankfurt/M.; Lehrerin in England u. Italien, lebte dann in Frankfurt u. seit 1909 in Offenbach.

Schriften: Vaterland und Religion (Ged.) 1906.
　　RM

Hoffmann-Courtier(-Kourtier), Willy (Ps. f. Fritz v. Leutersdorff), * 10. 12. 1876 Königswartha/Sachsen; n. abgebrochener militär. Laufbahn seit 1893 Schauspieler in Bautzen.

Schriften: Aus meiner Welt. Novellen aus dem Bühnenleben, 1907; Ein Menschenleben. Grafenschloß und Heidehaus (Nov.) 1908; Der Mörder der Tänzerin (Erz.) 1911; Ich komme wieder! (Rom.) 1912; Wer ist der Schuldige? (Erz.) 1912; Des Freundes Schuld (Rom.) 1914; Die letzten Tage (Rom.) o. J.; Das Lied der Mutter, 1916; Myrons Diskuswerfer. Ein Freundschaftsroman, 1920; Liebeszauber (Nov.) 1925; Karl Stülpner, der kühne Wildschütz des Erzgebirges (Volksrom.) 1928.　　RM

Hoffmann-Guben, Günther → Guben, Günter.

Hoffmann-Hardenberg → Hardenberg, Magda.

Hoffmann-Harnisch, Wolfgang (Ps. Wolfgang Lindroder), * 13. 5. 1893 Frankfurt/Oder, † 7. 1. 1965 Bonn; Studium d. Wirtschafts- u. Sozialwiss. in Frankfurt, 1915 Promotion, Hg. d. «Balt. Bl. f. Theater u. Kunst» (1918), d. «Bielefelder Bl.» (1919–21), Regisseur u. Oberspielleiter in Berlin, dann Chefdramaturg, Leiter d. Abt. Hörspiel beim Sender Freies Berlin. Übersetzer aus versch. Sprachen.

Schriften: Terror und Ochrana, 1932; Manitus Welt versinkt. Rothaut u. Bleichgesicht, wie sie wirklich waren. Roman aus Amerikas Frühgeschichte, 1935; Die große Katharina. Geschichte einer Karriere, 1936; Die Brücke des Schicksals, 1936; Die Lebenden schweigen (Kriminalrom.) 1936; Lord Clive. Abenteuer eines Lebens (Rom.) 1936; Evangeline und der Rauhreiter ... (Rom.) 1937; Brasilien. Bildnis eines tropischen Großreichs, 1938; Wunderland Brasilien ..., 1938; Dollarmillionäre unter sich. Historischer Tatsachenbericht, 1939; Brasilien. Ein tropisches Großreich, 1952; Binde deinen Karren an einen Stern. Lesebuch für Deutsche, 1958 (auch u. d. T.: Lesebuch für Deutsche, 1958); Rufmord. Ein Bubenstück in 11 Bildern, 1959; In dir selber suche den Sklaven, 1961. (Ferner Hörsp., ungedr. Bühnenst. u. Drehbücher.)   RM

Hoffmann-Krayer, Eduard, * 5. 12. 1864 Basel, † 28. 11. 1936 ebd.; Germanist u. Volkskundler, Dr. phil. 1890 Basel, 1891 Habil. Zürich, Privatdoz. ebd., 1895–99 am Schweiz. Idiotikon tätig, seit 1900 in Basel Extraord. f. Phonetik, schweiz. Mundarten u. schweiz. Volkskunde, seit 1909 Ord. f. german. Philol.; gründete 1896 d. «Schweiz. Gesellsch. f. Volkskunde», red. ab 1897 d. «Schweiz. Arch. f. Volkskunde», seit 1911 d. Zs. «Schweizer Volkskunde», seit 1917 die Volkskundl. Bibliogr.»; Mithg. d. «Handwb. d. dt. Aberglaubens».

Schriften (Ausw.): Der mundartliche Vokalismus von Basel-Stadt, 1890; Stärke, Höhe, Länge. Ein Beitrag zur Physiologie der Akzentuation, 1892; Die Volkskunde als Wissenschaft, 1902; Feste und Bräuche des Schweizervolkes, 1913 (Neubearb. v. P. Geiger 1940); Geschichte des deutschen Stils in Einzelbildern, 1926; Kleine Schriften zur Volkskunde (mit Bibliogr. u. Lb. hg. P. Geiger) 1946.

Literatur: NDB 9, 394; HBLS 4, 263. – H. Bächtold-Stäubli, ~. Erinnerungen an meinen Lehrer u. Freund, 1936 (Beilage z. Schweiz. Arch. v. Volksk. 35); H. Trümpy, Aus ~s Briefwechsel (in: Schweiz. Arch. f. Volksk. 60) 1964; H. Bausinger, ~ (in: ZfdPh 85) 1966.   AS

Hoffmann-Kutschke (seit 1898 Doppelname), Gotthelf, * 11. 11. 1844 See b. Liegnitz, † Dez. 1924 Breslau; Sohn e. Volksschullehrers, dichtete als Grenadier 1870 Soldaten- u. Kriegslieder, e. Fassung unter d. Namen «Kutschkelieder». Dann Schreiber, Deklamator, Kirchenrendant in Breslau. Erz. u. Lyriker.

Schriften: Ausgewählte Gedichte. Ein patriotisches Liederbuch für alte und junge Krieger, 1895; Allerlei aus Krieg und Frieden. Ernste und humoristisch-patriotische Erzählungen und Gedichte, 1905; «Trompetenklänge!» Neue eigene gesammelte vaterländische Dichtungen von alten Kriegsbarden, 1914; Lebensskizzen, Erzählungen und Dichtungen, 1914; Heil und Sieg (1914–16, 2. Tl. u. d. T.: Neueste Kriegslieder, 1917) 1916.   IB

Hoffmann-Merian, Theodor, * 5. 3. 1819 Basel, † 29. 2. 1888 ebd.; Sohn e. Kaufmanns, arbeitete 12 Jahre im Geschäft d. Vaters, wurde 1849 Dir. d. eidgen. Zollgebiets, später Betriebschef d. Schweizer Eisenbahnen in St. Gallen u. in Basel, zuletzt Leiter e. Privatgeschäfts. Lyriker.

Schriften: Giuseppe Garibaldi. Ein Liedercyklus, 1886; Gedichte, 1888.

Literatur: A. ALTHERR, ~. E. Lb. nach s. eigenen Aufzeichnungen zus.gestellt, 1889.   AS

Hoffmann(-Nesselbach), Leonhard, * 8. 8. 1845 Nesselbach/Württ., † 30. 5. 1921 Stuttgart; Landwirt, dann Ausbildung z. Tierarzt, seit 1873 Oberamts-Tierarzt von Württ., seit 1886 Prof. in Stuttgart, Leiter d. chirurg. Pferdeklinik (1900 bis 1912), Reichstagsabgeordneter (1898–1903).

Schriften (außer Fachschr.): Die Bevölkerungszunahme ist keine Gefahr! Gegen die Malthusianer, 1892; Der Schwarz' von Orlich. Erzählungen in fränkischer Mundart, 1896 (Neuausg. 1904).

Literatur: NDB 9, 433. – R. REINHARDT, D. Gesch. d. ehem. Tierärztl. Hochschule z. Stuttgart, 1953.   RM

Hoffmann-Ostenhof, Helyett von, * 26. 5. 1898 Klagenfurt/Kärnten; Schriftst. in Wien. Erzählerin.

Schriften: Frau im Föhn (Rom.) 1937.   IB

Hoffmann-Rall, Elle (Ps. Erall), * 23. 11. 1892 Markdorf/Baden, lebt in Stuttgart; gründete die GEDOK (Gesellsch. Dt. u. Öst. Künstlerinnen) in Stuttgart. Erzählerin, Lyrikerin.

Schriften: Ich bin ... Ergo. Lebensbetrachtungen einer Schildkröte, 1960.   AS

Hoffmann-Steglitz, Günther → Hoffmann, Günther.

Hoffmannswaldau, Christian Hoffman von, * 25. 12. 1616 Breslau, † 18. 4. 1679 ebd.; Sohn d. Johann H. v. H., Kaiserl. Rat u. Kammersekretär. Besuchte d. Elisabethgymn. in Breslau, 1636–1638 d. Akadem. Gymn. in Danzig; nähere Bekanntschaft mit M. Opitz. Stud. iur. et phil. in Leiden, auch in Amsterdam; Beginn d. Freundschaft mit A. Gryphius. Reise durch d. Niederlande nach England, halbjähriger Aufenthalt in Paris. Über Lyon, Genua, Pisa, Siena nach Rom; Heimkehr über Florenz, Bologna, Venedig u. Wien 1641. 1643 Heirat; von den zwei Söhnen wird der ältere auch Ratspräses von Breslau; d. Nachkommen d. jüngeren leben heute noch. D. ersten Dichtungen u. Übersetzungen entstehen, sie werden nur handschriftl. verbreitet. Mittelpunkt d. geistig-geselligen Lebens d. schles. Metropole; engere Beziehungen zu M. Apelles v. Löwenstern, C. Köler, H. Mühlpfort, Chr. Gryphius, D. C. v. Lohenstein. Seit 1647 Ratsschöffe, später als Ratsherr Präses Scholarum; Mäzenat. Mehrere Gesandtschaften nach Wien. 1657 Kaiserl. Rat, 1677 Ratspräses. Autorisierte Drucke s. Werke erschienen erst nach seinem Tode; seine Liebesoden eröffnen die Epoche der galanten Dichtung in Deutschland.

Schriften: Kurtz gefaste gegenantwort ... Heinrichs v. Reichell ... 1646; Centuria Epitaphiorum: Sive JOCO-SERIA, das ist: Hundert auserlesene u. sinnreiche Grabschrifften ..., 1662; (Übers.) Des Sinnreichen Ritters Baptistae Guarini Pastor Fido, Oder: Trauer- u. Lust-Spiel, Der getreue Schäfer genannt ..., 1678; C. H. V. H. Deutsche Übersetzungen U. Getichte ..., 1679 (enth.: «An den geneigten Leser» (= Gesamt-Vorrede); Der Getreue Schäfer; Der Sterbende Socrates; Helden-Briefe; C. V. H. Poetische Geschicht-Reden; Hochzeit-Gedichte; Begräbnüß-Gedichte; Geistliche Oden; Vermischte Gedichte; Poetische Grabschrifften; D. C. v. Lohenstein: Lob-Rede; Carmen v. H. Mühlpfort;

C. Gryphius: Das bethränte Breßlau); Herrn Christian von Hofmannswaldau ... Sinnreiche Helden-Briefe, Auch andere Herrliche Gedichte 1680; Gedichte in: Herrn von Hoffmannswaldau u. andrer Deutschen auserlesener u. bißher ungedruckter Gedichte ..., Teil 1–7, 1695–1727; De Curriculo Studiorum vitae civili profuturorum ... 1700; Reisender Cupido, 1703.

Unterschobene Dichtungen: Liebe Zwischen Churfürst Carl Ludwig ... u ... v. Degenfeld ..., 1690; C. H. v. H. Deutsche Rede-Übungen ..., 1695.

Ausgaben xx. Jh.: Auserlesene Ged. 1907 (hg. F. P. GREVE); Ged. 1962 (hg. J. HÜBNER); Sinnreiche Heldenbriefe verliebter Personen 1962 (hg. F. KEMP); Ged. 1964 (hg. M. WINDFUHR); Ged. 1968 (hg. H. HEISSENBÜTTEL); Ausgew. Ged. 1975 (hg. R. QUADFLIEG).

Neudrucke: Herrn v. Hoffmannswaldau u. andrer Deutschen ... Gedichte ... Teil 1–4, 1961–1975; C. H. v. H. Deutsche Rede-Übungen ... 1974.

Handschriften: F. HEIDUK, ~ u. d. Überl. s. Werke (in: JbFDtHochst) 1975.

Bibliographien: Goedeke 3, 268; FdF 1, 325, 342; 2, 132; Neumeister-Heiduk, 381.

Literatur:

Biographien, Würdigungen: ADB 12, 633; NDB 9, 462. – G. SCHÖBEL (in: Germanus Vratislaviae Decor) 1667; J. D. MAJOR, 1668; P. PATER, 1679; E. THOMAS, 1680; J. ETTLINGER, ~ Briefw. mit Harsdörffer (in: Zs. f. vergl. Lit.-Gesch. NF 4) 1891; DERS., ~, 1891; K. FRIEBE, ~ Grabschriften, 1893; DERS., Chronolog. Unters., 1896; K. BROSSMANN, ~, 1900; P. HINTRINGER, Sprach- u. textgeschichtl. Unters., 1908; S. FILIPPON, L'imitatione di G. B. Marino in ~, 1908; K. FRIEBE, Über d. Entstehungszeit d. Liebesged. ~s, 1911; W. SCHUSTER, Metr. Unters., 1913; F. MAYER, ~ u. d. französ. Lit., 1923; A. HÜBSCHER, Ungedr. Ged. ~s (in: Euphorion 26) 1925; DERS., Neue Unters. z. Chronologie (in: Euphorion 26) 1925; R. IBEL, ~, 1928 (Ndr. 1967); H. HECKEL, ~, (in: Schles. Lbb. 3) 1928; F. CURRIER, Native and Foreign Influences, 1936; H. GEIBEL, D. Einfluß Marinos, 1938; P. STÖCKLEIN, ~ u. Goethe (in: P. S., Wege z. späten Goethe) 1960; F. RYDER, The Design of ~'s «Vergänglichkeit d. Schönheit» (in: Monatshefte 51) 1959; E. ROTERMUND, ~, 1963; K. G. JUST, Zwischen Poetik u. Lit.-Gesch. (in: Poetica 2) 1968; F. HEIDUK, D. Geschlecht der ∼ (in: Schlesien 13) 1968; DERS., D. Geburtsdatum ∼s (in: Schles. Stud., hg. A. HAYDUK) 1970; P. RUSTERHOLZ, Theatrum vitae humanae, 1970; R. B. WEBER, Love in the Secular Lyrics of ∼, 1970; E. MANNACK, ∼ u. d. Auflösung d. Tradition (in: Jb 15) 1971; R. L. BEARE, ∼ and the Problem of Bibliographical Evidence (in: MLN 86) 1971; C. N. MOORE, The Secularization of Religious Language in the Love Poetry of ∼, 1971; W. RASCH, Lust u. Tugend (in: FS G. Weydt) 1972; A. G. DE CAPUA, The Onslaught of Old Age (in: ebd.) 1972; E. ROTERMUND, Affekt u. Artistik, 1972; C. N. MOORE, The Lover and the Beloved in ∼ 'sPoetry (in: Daphnis 1) 1972; P. RUSTERHOLZ, Der Liebe u. des Staates Schiff (in: Dt. Barocklyrik, hg M. BIRCHER u. A. M. HAAS) 1973; W. HOLZINGER, Irony and Convention (in: Monatshefte 68) 1976; F. HEIDUK, Unbekannte Ged. ∼s (in: Daphnis 8) 1979.

Übersetzungen: K. FRIEBE, Über ∼ u. d. Umarbeitung s. Getreuen Schäfers, 1886; L. OLSCHKI, G. B. Guarinis Pastor Fido in Dtl., 1908; A. SCHWARZ, «Der teutsch-redende treue Schäfer», 1972; E. M. SZAROTA, Dt. «Pastor-Fido»-Übersetzungen u. europäische Tradition (in: Europäische Tradition u. dt. Lit. barock, hg. G. HOFFMEISTER) 1973.

Helden-Briefe: M. JELLINEK, ∼s Heldenbriefe (in: Zs. f. vergl. Lit.-Gesch. 4) 1891; G. P. ERNST, D. Heroide in d. dt. Lit., 1901; K. FRANCKE, The Historical Significance of ∼ «Heldenbriefe» (in: PQ 2) 1923; H. DÖRRIE, D. heroische Brief, 1968; F. G. SIEVEKE, ∼ «Helden-Briefe» (in: FS G. Weydt) 1972; H. E. HÜLSBERGEN, Michael Draytons «Englands Heroical Epistels» u. ∼s «Helden-Briefe» (in: Europäische Tradition u. dt. Lit. barock, hg. G. HOFFMEISTER) 1973.

Neukirchsche Sammlung: A. HÜBSCHER, D. Dichter der Neukirch'schen Slg. (in: Euphorion 24) 1922; DERS., Nachtrag zu «D. Dichter d. Neukirch'schen Slg.» (in: Euphorion 26) 1925; C. GRANT LOOMIS, A Variant of the ∼ Anthology (in: MLQ 4) 1943; DERS., A Note Concerning the Editions of the First Volume of the ∼ Anthology (in: MLQ 5) 1944; A. G. DE CAPUA u. E. A. PHILIPPSON, ∼s u. andrer Deutschen … Ged. (in: Monatshefte 48) 1956; R. L. BEARE, The So-Called «Neukirch-Sammlung» (in: MLN 77) 1962; DERS., The «Neukirch-Slg.» (in: MLN 78)

1963; A. G. DE CAPUA u. E. A. PHILIPPSON, The So-Called «Neukirch-Slg.». Some Facts (in: MLN 79) 1964; R. L. BEARE, The «∼ Miscellanies, Order of Confusion» (in: MLN 79) 1964; F. HEIDUK, D. Dichter d. galanten Lyrik, 1971. FH

Hoffmeister, Eduard (K. L.) von, * 7. 7. 1852 Karlsruhe, † 20. 5. 1920 Heidelberg; Preuß. General besiegte d. Chinesen b. Kuangtschang 1901.

Schriften: Meine Erlebnisse in China, 1903; Aus Ost und Süd. Wanderungen und Erinnerungen, 1907; Kairo-Bagdad Konstantinopel. Wanderungen und Stimmungen, 1910; Durch Armenien, eine Wanderung und der Zug Xenophons bis zum schwarzen Meere, eine militär-geographische Studie, 1911.   IB

Hoffmeister, Gerhart, * 17. 12. 1936 Gießen; Sohn v. Johannes H., Studium an d. Univ. of Maryland, College Park, Dr. phil. 1970, 1966–70 Prof. an d. Univ. of Wisconsin, Milwaukee, 1970 an d. Wayne State Univ. Detroit, seit 1975 an d. Univ. of California, Santa Barbara.

Schriften: Die spanische Diana in Deutschland, 1972; Petrarkische Lyrik, 1973; Europäische Tradition und deutscher Literaturbarock (Hg.) 1973; Spanien und Deutschland, 1976; Kuffstein, Gefängnis der Liebe (Hg.) 1976; The Renaissance and Reformation in Germany, New York 1977; Deutsche und europäische Romantik, 1978. RM

Hoffmeister, Hermann (Wilhelm), * 21. 10. 1839 Osterwieck a. Harz, † 5. 6. 1916 ebd.; Tischlerlehre, dann Lehrer in versch. Orten, seit 1867 in Berlin, lebte seit 1890 als Schriftst. in Goslar.

Schriften: Neuestes preußisches Helden-Denkmal …, 1867; Vom Christbaum ins Osterherz …, 1869; Das Königs-Bilderbuch. Mit Reimversen, 1870; Gustav Adolf … (Heldenged.) 1871; Charakter-Bilder klassischer Frauengestalten, 1871; Deutschlands Freiheitslieder 1870, 1871; Der Schmiedehans. Erzählung aus Niedersachsen, 1873; Deutsche Volksbilder, 3 Bde., 1874; Das National-Siegesdenkmal … Ein Gedenkbuch für das deutsche Volk, 1875; Examen-Catechismus, 7 H., 1876–81; Comenius und Pestalozzi …, 1877 (2., verb. Aufl. 1896); Das Kaiser-Bilderbuch, 1877; Die Hohenzollern …, 1877 (Neuausg. 1885); Deutschlands Kulturgeschichte, 1880; Deutsche Bildungswarte …, 3 Bde.,

1881 f.; Der Glaube unserer Väter ..., 10 Lieferungen, 1882 f.; Luther und Bismarck ..., 1884; Das patriotische Vermächtnis der vier großen deutschen Seher Jahn, Arndt, Fichte, Stein an die deutsche Nation, 1. Bd., 1884; Der eiserne Siegfried. Eine neuzeitliche Nibelungenmär, 1885 (2., verb. Aufl. 1888); Wilhelm der Einzige. Ein Sang auf Deutschlands ersten Kaiser, 1886; Ikarosflüge. Ein humoristisches Kulturbild der letzten fünfzig Jahre, 1888; Am Kaiserhofe zu Goslar (hist. Nov.) 1889 (Neuausg. 1936); Weihnachtskerzen. Christfesterzählung für Mädchen, 1889; Wildefüer. Historische Erzählung aus dem 16. Jahrhundert, 1891; Pestalozzi (hist. Volksschausp.) 1894; Ewiger Jude und deutscher Michel. Eine zeitgemäße Parallele, 1. Tl., 1895; Die Deutschreformation unseres Judenchristentums ..., 1896; Die jüdische Erziehung der christlichen Jugend ..., 1897; Die Bismarck-Parole «Bienen und Drohnen» ..., 1898; Der getreue Eckart. Ein historisch-romantisches Wartburgschauspiel mit Gesang ..., 1896; Die Magdeburger Bluthochzeit. Ein psychodramatisches Charakterbild des Schwedenkönigs Gustav Adolf, 1902; Himmelspforten. Eine Klostergeschichte aus den Harzbergen ..., 1904; Hie Welf, hie Zoller! Ober-Harzischer Bergroman, 1908. (Außerdem ungedr. Bühnenstücke.)

Literatur: Theater-Lex. 1, 822.   RM

Hoffmeister, Johannes, * 1509/10 Oberndorf/Württ., † 21. 8. 1547 Günzburg; Augustiner-Eremit, 1533 Prior in Colmar, 1543 Provinzial d. rhein.-schwäb. Ordensprovinz, Generalvikar f. Dtl., Disputator auf Reichstagen u. Religionskonferenzen, um d. Versöhnung d. kirchl. Gegensätze bemüht.

Schriften: Dialogorum libri ..., 1538; Widerlegung deren Artickel, die M. Luther auff d. Concilium zu schicken ... furgenommen, 1539 (Neuausg. v. H. Volz, 1932); Canones sive Claves ad interpretandum sacras Bibliorum scripturas, 1545; Verbum Dei carnem factum ... Ecclesiae ... perpetuum esse sacrificium, 1545; Loci communes Rerum theologicarum, 1547; Homiliae in Evangelia, 2 Bde., 1547; Commentaria in Marcum et Lucam Evangelistas, 1562.

Literatur: ADB 12, 617; NDB 9, 441; RE 8, 229; RGG ³3, 415; LThK 5, 415; Schottenloher 1, 349; 7, 96. – N. PAULUS, D. Augustinermönch ∼. E. Lb. aus d. Reformationszeit, 1891.   IB

Hoffmeister, Johannes, * 17. 12. 1907 Heldrungen/Thür., † 19. 10. 1955 Bonn; 1932 Dr. phil. Heidelberg, seit 1948 Prof. f. neuere dt. Sprache u. Lit. in Bonn. Mit-Hg. e. krit. Ausg. v. Hegels «Sämtl. Werken» (1952 ff.) u. d. «Briefe von u. an Hegel» (4 Bde., 1952–60), auch Hg. v. Goethe, Droste-Hülshoff, G. Keller, Kleist u. andern.

Schriften (Ausw.): Kaspar von Barths Leben, Werke und sein Deutscher Phönix, 1931; Hölderlin und Hegel, 1931; Goethe und der deutsche Idealismus ..., 1932; Die Heimkehr des Geistes ..., 1946; Der Abschied. Eine dichtungskundliche Studie, 1949; Hölderlins Empedokles (aus d. Nachl. hg. R. M. MÜLLER) 1963.

Literatur: ∼ z. Gedächtnis (hg. F. NICOLIN, O. PÖGGELER) 1956 (mit Bibliogr.).   RM

Hoffmeister, Karl, * 15. 8. 1796 Billigheim b. Bergzabern/Pfalz, † 14. 7. 1844 Köln; studierte Theol., Philos. u. Philol. in Straßburg, Heidelberg u. Jena, Dr. phil., Hauslehrer, später Rektor u. 1834 Dir. d. Gymnasiums in Bad Kreuznach. Nach e. Krankheitsurlaub in Südfrankreich und Italien 1841 Dir. d. Friedrich-Wilhelm-Gymnasium in Köln. Lit.historiker.

Schriften (Ausw.): Beschreibung des Festes auf der Wartburg, Ein Sendschreiben an die Gutgesinnten, 1818; Beiträge zur wissenschaftlichen Kenntniß des Geistes der Alten (1. Bd. auch u. d. T.: Weltanschauung des Tacitus, 2. Bd. auch u. d. T.: Sittlich-religiöse Lebensansicht des Herodots) 1832; Romeo, oder Erziehung und Gemeinschaft aus den Papieren eines nach Amerika ausgewanderten Lehrers, 1831–34; Schillers Leben, Geistesentwicklung und Werke im Zusammenhang, 5 Bde., 1838–42; Supplement zu Schillers Werken, 4 Bde., 1840 f.; Schillers Leben für den weiteren Kreis seiner Leser, 3 Bde., (kleine Aus.) 1846.

Literatur: ADB 12, 617; NDB 9, 441.   IB

Hoffnaaß, Franziska von (Ps. f. Franziska Rheinberger, geb. Jägerhuber), * 18. 10. 1832 (n. a.: 1831) Schloß Maxlrain/Bayern, † 31. 12. 1882 München; lebte n. d. Heirat mit d. Hofkapellmeister Joseph R. in München.

Schriften: Die sieben Schmerzen Mariae (Ged.) 1877; Dichtungen, 1882; Jenseits des Brenners ..., 1883; Maria Felicia Orsini ... Ein Lebensbild, 1888; Am Quell der Wahrheit und des Lebens (Sonette) 1891.   RM

Hoffner, Wilhelm → Dilthey, Wilhelm.

Hoffnerus, Erasmus Sabinus → Fabronius, Hermann.

Hoffot, Heinrich, 16. Jh.; Rechenmeister in Nürnberg. Verf. d. 1551 gedr. Sp. v. «Edlen Ritter Ponto» in 10 Akten.
Literatur: W. CREIZENACH, Gesch. d. neueren Dr. 3, 1903.   RM

Hoffs, Friedrich van, * 13.6.1843 Geldern, Todesdatum u. -ort unbekannt; 1866 Dr. phil. Münster, Lehrer in Düren u. Essen, 1877 Oberlehrer in Emmerich u. 1883 in Trier, seit 1896 Gymnasialprof. in Koblenz, lebte seit 1906 in Wiesbaden im Ruhestand.
Schriften: Gedichte, 1883; Palestrinische Madrigale, 1887; Die Säcularnachtwächter von Berncastel (Festsp.) 1891; Friedrich von Spee von Langenfeld ..., 1893; Der ungarische Volksdichter Alexander Petöfi ..., 1895; Bunte Schmetterlinge. Lieder und Schwänke, 1900; Herbstblumen (ges. Ged.) 1909; Kriegsklänge 1914/15, 1915. RM

Hoffschild, Wilhelm (Franz) (Ps. Wilhelm Franz), * 22.6.1869 Stettin, † 1922 od. 1923 wahrsch. Berlin; Kaufmann in Stettin u. seit 1890 in Berlin.
Schriften: Aus Dämmerstunden. Gedichte und Lieder, 1894; Mimosen (Ged.) 1900.   RM

Hoffschulte, Konrad, * 21.8.1870 Münster/Westfalen, Kriegsgerichtsrat. Erz. u. Lyriker.
Schriften: Von weißen Wolken träumt das stille Land (Ged.) 1911; Studentenliebe. – Eine moderne Lorelei, 1913; Der Graf aus Rumänien. Referendarstreiche und andere Geschichten, 1916; Lied und Leben (Ged.) 1919; Mein altes Münster (Jgd.erinnerungen) 1920; Der Glocken Tod und Auferstehung, 1921.   IB

Hoffstetter, Matthäus, zu Beginn d. 17. Jh. Prof. in Gießen.
Schriften: Der edele Sonnenritter, welcher mit sonderlicher Kriegßkunst gar artlich vorbildet die Wanderschafft deß Menschenlebens ... an jetzo aber in Teutsche Sprach vertirt ..., 1611; Nouum Theatrum vitae humanae, das ist, ein newer vnd lustige Schauplatz Menschlichen Lebens, in welchem Historienweiß ein Edler Sonnenritter eingeführet, ... verteutscht, 1615.
Literatur: Goedeke 2, 576.   IB

Hoffweiler, G. F. von → Hertling, Georg.

Hofheinz-Gysin, Anna, * 18.3.1881 Hornberg/Schwaben, † 14.11.1928 Oberprechtal/Baden.
Schriften: Das schönste an Weihnachten! Ein Kinder-Weihnachtsspiel für Kirche und Haus, 1912; Weihnacht im Krieg. Christfeier für Kindergottesdienst und Schule, 1916; Zuem heilige Owe. Weihnachtsgedichte und -sprüche in Schwarzwälder Mundart ..., 1932.   RM

Hofinger, Hildegard, * 18.2.1906; Schriftstellerin, wohnt in Frauenchiemsee.
Schriften: Im Sonnwendlicht (Ged.) 1976.   AS

Hofmann, Albert von, * 30.9.1867 Berlin, † 11.3.1940 Stuttgart; 1924 Honorarprof. d. Gesch. in Marburg.
Schriften: Historischer Reisebegleiter für Deutschland, 4 Bde., 1904–08; Die Grundlagen bewußter Stilempfindung, 1907; Das deutsche Land und die deutsche Geschichte, 3 Bde., 1920; Das Land Italien und seine Geschichte, 1921; Politische Geschichte der Deutschen, 5 Bde., 1921 bis 1927; Historische Stadtbilder: Die Stadt Konstanz, 1922; Die Stadt Regensburg, 1922; Die Stadt Ulm, 1923; Die Stadt Nürnberg, 1924; Stil und Behaglichkeit. Gedanken und Vorschläge zur Wohnungskultur, 1930; Die Wege der deutschen Geschichte (hg. v. G. Vollmar) 1930; Das bayerische Land und seine Geschichte, 1936; Westfalenland. Geschichtliche Heimatkunde, 1938.   IB

Hofmann, Aloys, von, * 8.12.1759 Burglengenfeld/Oberpfalz, † 22.12.1832 München; Sohn e. Hofrats, studierte in Heidelberg u. Ingolstadt Jus., war dann Schauspieler u. Theaterdir. in Prag u. Karlsbad, zuletzt freier Schriftst. in München. Lyriker u. Dramatiker.
Schriften: Die Feier der Hirten. Schäferspiel, 1793; Wiederseh'n nach der Drey-Kaiser-Schlacht bey Austerlitz. Eine Triumph-Scene für Napoleon den Großen und Seine Krieger, 1806; Der Krönungstag, 1807; Bedürfniß und Wohltat der Reformation für Germanien. Lyrisches Denkmal, 1808; Die Herberge bei dem Dorfe Puch oder Die Götterzusammenkunft auf der Reise durch Bayern. Patriotische Scene, 1809; Erlebnisse ein (!) Baiern am Abend des Karolinen-Festes 1810, 1810; Epistel eines Bayers an einen Freund am Abend des Karolinen-Festes 1810,

1810; Bavariens festlicher Morgen am Verlobungs-Tage Seiner Königlichen Hoheit Kronprinz Carl Ludwig August, 1810; Prophezeihung aus Rußland (Nov.) 1813; Erkenntnis meiner vorigen Blindheit. Huldigungs-Ode geweiht Alexander dem Kaiser aller Reußen, die Lust und Liebe der Völker, 1814; Baierns Herman (Ged.) 1814; Johannes auf der Insel Patmos. Rhapsodie, 1815; Beytrag zur Verehrung der Jungfrau und Jesus Mutter Maria, 1817; Sendschreiben der Baiern an die K. österreich'sche Residenz-Stadt Wien, als Se. Maj. der Kg. Max Joseph und die Maj. die Kgin. Karoline, mit deren Kgl. Prinzen und Prinzeßinnen von Baiern, die Kaiserin und Kgin. Charlotte Auguste, besuchten, 1817; Glaubenskraft und Gebetserhörung. Dramatische Scene aus dem Feldzuge 1814 nach einer wahren Begebenheit, 1818; Die Theuerung. Dramatische Scene nach biblischer Aufbewahrung, 1818; Weihe der Kraft des göttlichen Geistes oder Die ersten Christen zu Nyßa (dramat. Scenen) 1819; Marianische Betrachtung für die Charwoche, 1820; Dachau oder: Der Opferhügel. Ein vaterländisches allegorisches Bardiet, 1821; Legende des heiligen Onuphrius, 1821; Vaterländische Miscellen, 1821; Rebecca oder Brautwerbung für Isaak (dramat. Scene) 1822; Die Lampe in der dunklen labyrinthischen Halle 1824 u. 1827; Heute vor 25 Jahren. Eine patriotische Seelen-Erhebung am 16. Hornung 1824, 1824; Elegie auf den Tod des Herzogs von Leuchtenberg, 1824; Werkgesang gewidmet der feierlichen Erhebung ... des Hrn. Ignaz Albert Riegg zu Bischof von Augsburg, 1824; Die letzten Stunden Christi, 1829; Betrachtungsblätter für die Fastenzeit. Eine Scenen Reihe aus den Leidens-Stunden des Erlösers, 1830; Lilienblätter. Ein Christ- und Neujahrs-Geschenk, 1832; Die Wallfahrt zur Insel Hygia. Ein allegorisches Festspiel, 1833.

Literatur: Goedeke 12,498; Theater-Lex. 1, 822. IB

Hofmann, Andreas Joseph, * 14.7.1752 Zell b. Würzburg, † 6.9.1849 Winkel/Rheingau; n. Philos.-Studium Publizist in Wien, Hofrat, 1784 Prof. d. Philos. u. Gesch. u. seit 1791 auch d. Naturrechts in Mainz, Präs. d. rhein.-dt. Nationalkonvents, 1793 Flucht n. Frankreich, Agent d. Pariser Revolutionsregierung in England, Beamter d. Polizeidepartements in Paris, 1798–1803 General-Einnehmer d. französ. Departements Donnersberg. Hg. d. Wochenschr. «D. fränk. Republikaner» (1792–93).

Schriften: Über das Studium der philosophischen Geschichte, 1779; Sätze aus der Philosophie, 1782; Sätze aus der Staatsklugheit, 1786; Über Fürstenregiment und Landstände, 1792; Der Aristokraten-Katechismus, 1792; Sur les nouvelles limites de la république française, 1795.

Literatur: ADB 12,625; NDB 9,446. – K. REUTER, Erinn. an ∼, 1884; F. OTTER, ∼, s. Sendung n. England ... nebst einigen andern Nachr. über s. Leben (in: Nassau. Ann. 29) 1897. RM

Hofmann, Anton Adalbert, * 30.10.1881 Braunau/Böhmen, † 2.4.1932 Graz; Dr. iur., Red. d. «Heimgartens». Erz., Dramatiker u. Lyriker.

Schriften: Spiritus saeculi. Eine anachronistische Tragikkomödie, 1921; Der schwarze Jobst. Roman aus der deutschen Vergangenheit, 1926; Der Freiheit eine Gasse (Rom.) 1928; Der Hexenrichter. Im Namen des Gekreuzigten (Dr.) 1930; Der Kriegsgewinner (Schw.) 1931.

Literatur: ÖBL 2,380; Theater-Lex. 1,822. IB

Hofmann, Bernhard, * 13.5.1834 Ansbach, † Ende Okt. 1915 München; studierte in München Jus., Teilnahme an d. Poetischen Abenden d. Münchner Dichtergesellsch. «Krokodil» (Leitg. P. Heyse) praktizierte einige Jahre am Gericht, 1866 Richter in München, 1890 Oberlandesgerichtsrat. Vorwiegend Dramatiker.

Schriften: Der Bürgermeister von Rothenburg (Tr.) 1894; Dichter und Markgraf (Lustsp.) 1896; Neues und Altes. Ausgewählte Gedichte, 1901.

Nachlaß: Cotta-Archiv, Marbach.

Literatur: Theater-Lex. 1,823. IB

Hofmann, Brünnhilde (Ps. Herrmann), * 5.12. 1889 Wandsbek b. Hamburg; lebte ebd., Erzählerin.

Schriften: Faß' ihn, Pit! (Rom.) 1928; Jagd nach Garcia, 1932; Das Bordbuch der Svenska, 1933; Der Ring des Abuk-Khan, 1935; Die Spur zurück (Abenteuerrom.) 1937; Diese Mädchen von gestern (Frauen-Rom.) 1939; Die Chronik von Amstelkroog (Kriminalrom.) 1939; Die Frau im Antilopenmantel (Rom.) 1940; Das Lied vom Tode (Kriminalrom.) 1940; Der Porzellanhund (Kriminalrom.) 1940; Schicksal in der Drehtür, 1943; Die Rivalin (Rom.) 1949; Die goldene Geige (Rom.) 1957. IB

Hofmann, Charlotte (Ps. Charlotte Hofmann-Hege), * 30. 6. 1920 Stuttgart; lebte in Bonfeld/Kr. Heilbronn, jetzt in Bad Rappenau. Erzählerin.

Schriften: So ist kein Ding vergessen. Fünf Erzählungen, 1956; Die Besiegten, 1957; Das goldene Kreuz (Erz.) 1957; Mutter. Geschichte eines Lebens, 1962; Wie in einer Hängeschaukel. Geschichte einer jungen Ehe, 1965; Der Engel. Zwei Erzählungen, 1967; Die Berliner Reise (Erz.) 1968; Spielt dem Regentag ein Lied. Von Dorli und ihrer Familie (Erz.) 1970; Das Tuch aus Tariverde (Erz.) 1972.   AS

Hofmann, Charlotte → Hochgründler, Charlotte.

Hofmann, Egon, * 13.9.1884 Kleinmünchen b. Linz/Oberöst., studierte in München, Wien und Innsbruck, Dr. iur., Besuch d. Kunstakad. in Stuttgart u. Dresden, graphischer Künstler in Linz, seit 1934 in d. Ind. tätig. Essayist, Lyriker.

Schriften: Aus einer alten Monarchie (Satiren) 1919; Die Ausrüstung für Hochtouren, 1924; Wetterstein und Karwendel in Wort und Bild, 1924; Kreise (Ged.) 1925; Berge und Bilder. Neue Gedichte, 1930; Schau und Gesichte. Neue Gedichte, 1936; E. H. Mit Beiträgen v. W. Kasten u. H. Friedl sowie e. Selbstbiographie des Künstlers (Teilslg.) 1956.

Literatur: W. SCHMIED, E. Maler u. s. Kritiker (in: D. Furche 12) 1956.   IB

Hofmann, Else (Elsa, Elisabeth), * 21.10.1862 Leipzig, † um 1929; Tochter d. Dichters Friedrich H., Lehrerinnenausbildung in Gotha, n. Frankreich-Aufenthalt Schriftst. u. Mitarb. v. Jugendzs. in Leipzig, lebte dann in Schmiedefeld/Thüringen.

Schriften: Aschenbrödel. Aus dem Pensionsleben. Erzählungen für erwachsene Mädchen, 1893; Müller-Liesel. Erzählungen für erwachsene Mädchen, 1895; 's Annebärbele. Eine Erzählung für junge Mädchen, 1895; Die böse Sieben ..., 1896; Carry. Sein Tod, seine Sühne (2 Erz.) 1898; Yvonne. Pensionsgeschichten für die Jugend, 1898; Erlauschtes und Erträumtes (ges. Nov.) 1898; Der Weg gen Golgatha (Rom.) 1900; Im Waldpensionat ..., 1900; Elli. Erzählung für junge Mädchen, 1901; Vierblatt ..., 1901; Kitty ..., 1903; Dorfprinzeßchen. Eine Erzählung für junge Mädchen, 1903; Karin ..., 1904; Das siebente

Gebot und andere Erzählungen für die Jugend, 1907; Daheim und Draußen ..., 1908; Aus jungen Tagen, 1909; Errungenes Glück (Rom.) um 1909; Zu spät. Unterm Christbaum (2 Erz.) um 1909; Baroneß Steffi (Rom.) 1910; Lida von Lenor. Erzählung für junge Mädchen, 1910; Muschi (Rom.) 1911; Von anderer Art (Nov.) 1911; 's Wiener Komtesserl (Rom.) 1912; Neue Schulmädelgeschichten, 1917; Aus goldener Mädchenzeit (Erz.) 1918; «Wenn du noch eine Mutter hast ...» und andere Erzählungen für junge Mädchen, 1918; Die Rasselbande von Wiesenau, 1919; Diese Zwei!, 1919; Marie von Nathusius. Elisabeth (frei bearb.) 1920; Friederlene und ihre Freundinnen ..., 1920; Auf eigenen Füßen. Ein deutsches Mädchenbuch, 1920; Aus Lotte's Tagebuch, 1920; Mädel von heute, 1920; Märchen, 1920; Mutters Einzige, 1920; Mutters Sonnenschein ..., 1920; Zinna. Eine romantische Erzählung aus der Ritterzeit, 1920; Hannelore (Erz.) 1921; Die Dörte ..., 1924; Deutsche Mädel in großer Zeit ..., 1926; Lilo. Erzählung für Mädchen, 1929; Odas Beruf, 1930; Mucki ..., 1930; Bedrohtes Glück, 1931.   RM

Hofmann, Else (geb. Gernet), * 7.12.1866 Mannheim; lebte in Karlsruhe. Erzählerin.

Schriften: Dora an der Universität. Erzählung für die weibliche Jugend, 1904.   IB

Hofmann, Emil, * 13.4.1864 Preßburg/Slowakei, † 27.5.1927 Wien; Mittelschulprof. in Wien. Erz., Lyriker, Essayist.

Schriften: Der Lehrer als Dichter (Anthol.) (gem. m. H. C. Kosel) 1901; Legenden und Sagen vom Stephansdom, 1904; Alt-Wien. Sagen und Geschichten, 3 Bde., 1908; Im Siegeszeichen. Geschichten aus deutscher Vorzeit, 1908; Kleine Heimatkunde von Wien, 1908; Erzählungen und Bilder aus der Geschichte, 3 Bde., 1909–10; Die Donau mit ihren Burgen und Schlössern, 1910; Lieder, die ich meiner Puppe singe. Ein neues Bilderbuch, 1913; Mären vom Donaustrand, 1913; Neue Mären, 1913; Meine liebe kleine Puppe. Bilderbuch. 1913; Wiener Wahrzeichen. Ein Beitrag zur Sage und Geschichte der Kaiserstadt am Donaustrand, 1914; Österreichs Völkertor. Gedichte aus Hainburgs Vorzeit, 1918; Alt-Wien. Geschichten und Sagen, 1919; Bilder aus Carnuntum, 1921; Geschichten aus vier Jahrhunderten, 1921; Kinderlieder, 1922; Der Pfaffe vom Kahlenberger. Seine Schwänke und Streiche, 1922; Die Zerstörung von Carnuntum (Rom.) 1922; Geschichten aus deutscher Vorzeit, 1923; Heimatlieder. Verse und Weisen, 1923; Neue Altwienerlieder, 1924; Donauballaden, 1924; Kasperls Leid und Freud. Eine Geschichte für kleines Volk, 1924; Das Heidentor von Petronell. Erzählung aus der Zeit Carnuntums, 1924; Von anderer Art (Nov.) 1925; Florian Werner. Erzählung aus Hainburgs Türkenzeit, 1926.

Literatur: ÖBL 2,380.   IB

Hofmann, Erna Hedwig, * 3.11.1913 Dresden; Sekretärin, Sozialreferentin, kirchl. Mitarbeiterin, wohnt in Dresden.

Schriften: Capella sanctae crucis. Der Dresdner Kreuzchor in Geschichte und Gegenwart, 1956; Alle Künste rühmen den Herrn. Die Kreuzkapelle zu Mauersberg (Hg.) 1957 (3. veränd. u. erg. Aufl. u.d.T.: Die Kreuzkapelle in Mauersberg und ihr Stifter, 1976); Der Dresdner Kreuzchor, 1962; Begegnungen mit Rudolf Mauersberger. Dankesgabe eines Freundeskreises (mit J. Zimmermann) 1963; Kreuzchor Anno 45. Ein Roman um den Kantor und seine Kruzianer, 1967.

Literatur: Fahndungen. 22 Autoren über sich selbst, 1975.   AS

Hofmann, Eva → Duncker-Hofmann, Eva.

Hofmann, Franz → Falkland, Heinrich.

Hofmann, Friedrich, * 18.4.1813 Coburg, † 14.8.1888 Ilmenau; studierte in Jena, arbeitete dann in Hildburghausen, dann in Leipzig an Meyers «Großem Konversations-Lexikon», gräfl. Hofmeister in Italien u. Steiermark, 1842–66 Hg. d. «Weihnachtsbaums f. arme Kinder», seit 1861 ständiger Mitarb. u. 1883–86 Red. d. «Gartenlaube», 1864–66 Red. d. «Illustrierten Dorfbarbiers». Dramatiker u. Lyriker.

Schriften: Die Schlacht bei Focksan (Schausp.) 1838; Kinderfeste (Dg.) 4 H., 1853–75; Deutschlands Erniedrigung und Erhebung. Ein Stück Geschichte in Wort und Lied für deutsche Sängerbünde, 1863; Die Harfe im Sturm. Erinnerungen, 1872; Drei Kämpfer (Festsp.) 1873; Der Kinder Wundergarten. Märchen aus aller Welt, 1874; Das Vaterlandsfest. Dichtung in 2 Tlen.: I Der Krieg um den Rhein, II Der Krieg um Paris, 1875; Dichterweihe, 1875; Nach fünfundfünfzig Jahren. Ausgewählte Gedichte, 1886.

Literatur: Theater-Lex. 1,823.   IB

Hofmann, Georg (Gotthard Josef) Edler von, * 29.10.1769 Wien, † 7.5.1845 ebd.; Sekretär d. Kärntnertortheaters in Wien. Dramatiker, schrieb u.a. auch Texte f. Franz Schubert.

Schriften: Ludwig und Louise, oder: Der 9. Thermidor (Schausp.) 1815; Helene (Oper) 1816; Landleben (Lustsp.) 1817; Das Rosenhütchen (Gr. Zauberoper) 1819; Das Jagdschloß (Lustsp.) 1919; Die Pagen des Herzogs von Vendôme (Oper) 1820; Die Zwillingsbrüder (Posse) 1820; Die Zauberharfe (Zaubersp. m. Musik v. F. Schubert) 1820; Der Zauberspruch (Oper n. Gozzis «Raben») 1822; Die Ochsenmenuette (Singsp.) 1823; Die Prise Tabak, oder: Die Vettern als Nebenbuhler (Singsp.) 1825; Der Haushofmeister (Singsp.) 1825; Sonderbare Laune, oder: Sie sind doch verheiratet (Singsp.) 1825; Ja! (Lustsp.) 1825; Olympia (Oper) 1825; Der blinde Harfner (Oper) 1828; Die Räuber und der Sänger (Operette) 1830; Sylva, oder: Die Macht des Gesanges (Oper) 1830; Semiramis (Oper) 1833; Der Taucher (Romantische Oper) 1834; Die Ballnacht (große Oper) 1835; Die Jüdin (große Oper) 1836.

Literatur: Wurzbach 9,169; Goedeke 11/2, 199.   IB

Hofmann, Gert, * 29.1.1931 Limbach/Sachsen; studierte in Leipzig u. Freiburg neuere Sprachen u. Philos., war Doz. f. Germanistik in Bristol u. Edinburgh, 1965 Harkness-Preis u. zweijährige Lehrtätigkeit in d. USA, 1967 Rückkehr nach England; lebt jetzt in Klagenfurt. Dramatiker, Hör- u. Fernsehspielautor, Erzähler. Ingeborg-Bachmann-Preis 1979.

Schriften: Der Bürgermeister (Schausp.) 1963; Der Sohn. Stück in zwei Akten, 1965; Kündigungen. Zwei Einakter (Unser Mann in Madras. Tod in Miami) 1969; Bericht über die Pest in London, erstattet von Bürgern der Stadt, die im Jahre 1665, zwischen Mai und November, daran zugrunde gingen (Hörsp.) 1969; Advokat Patelin. Die Hammelkomödie neu, 1976; Die Denunziation (Nov.) 1979; außerdem zahlr. Hörsp. ungedr.

Literatur: Albrecht/Dahlke II,2,325; Reclams Hörspielführer.   AS

Hofmann, Hella, * 20.12.1900 Wien; studierte ebd.; Dr. phil., Redak.; Erzählerin.

Schriften: Blonde Komtesse. Biedermeiergeschichte, 1921; Das Liebesthermometer (Rom.) 1923; Am Ende der Welt. Humoreske, 1924. IB

Hofmann, Ida, * 14.7.1854 Mainz; lebte in Mainz u. seit 1889 in Berlin.

Schriften: Aus dem Reiche des Herzens. Skizzen und Erzählungen, 1887.　　　　　　　　RM

Hofmann, Johann Christian, * 1650 Bischhausen b. Waldkappel/Hessen, † 1682 Heckershausen b. Kassel; 1672 v. d. Ostind. Kompagnie in Amsterdam n. Mauritius geschickt, blieb dort bis 1675, dann in Batavia, kehrte 1676 als Schiffsgeistlicher n. Europa zurück, ab 1878 Prediger in Heckershausen. Reiseschriftsteller.

Schriften: Ost-Indianische Voyage oder eigentliches Verzeichnüs, worin nicht nur einige merkwürdige Vorfälle, die sich Theils auf einer Indischen See-Reise, Theils in India selbst begeben und zugetragen Sondern auch unterschiedliche Länder, frembde Völker, seltsame Thiere und artige Gewächse etc. der Örter kurz und deutlich angewiesen werden, 1680.

Literatur: ADB 12,630; Adelung 2,2078.　IB

Hofmann, Johann Christian Konrad (seit 1855: von), * 21.12.1810 Nürnberg, † 20.12.1877 Erlangen; Theol.-Studium in Erlangen u. Berlin, 1833 Gymnasiallehrer in Erlangen, 1835 Repetent u. Privatdoz., 1841 a.o. Prof., 1842 o. Theol.-Prof. in Rostock u. seit 1845 in Erlangen. Hauptvertreter d. «Erlanger Schule», 1863–69 Landtagsabgeordneter in München.

Schriften (Ausw.): Geschichte des Aufruhrs in den Cevennen unter Ludwig XIV., nach den Quellen erzählt, 1837; Weissagung und Erfüllung im Alten und Neuen Testament, 2 Bde., 1841/44; Der Schriftbeweis, 2 Bde., 1852–55; Die heilige Schrift Neuen Testaments, zusammenhängend untersucht, 11 Bde., 1862–86 (Bd. 9–11 hg. W. Volk); Theologische Ethik, 1878; Biblische Hermeneutik (hg. W. Volk) 1880; Theologische Briefe der Professoren Delitzsch u. ~ (hg. ders.) 1891.

Nachlaß: Univ.bibl. Erlangen. – Denecke 84.

Literatur: ADB 12,631; NDB 9,454; RE 8, 234; LThK 5,426; RGG ³3,420. – P. WAPLER, ~, 1914 (mit Bibliogr.); M. SCHELLBACH, Theol. u. Philos. bei ~ (Diss. Halle) 1935; E. HÜBNER, Schrift u. Theol., e. Unters. z. Theol. ~s, 1956; F. W. KANTZENBACH, D. Erlanger Theol. ..., 1960; A. BAUMANN, ~ (in: Darst. u. Quellen z. Gesch. d. dt. Einheitsbewegung im 19. u. 20. Jh. 6) 1965 (mit Bibliogr.).　　　　　RM

Hofmann, Johann Michael, * 1741 Frankfurt/ Main, † 13.1.1799 ebd.; Solms-Rödelsheimscher Leibarzt u. Hofrat. Dramatiker.

Schriften: Der verführte und wieder gebesserte Student; oder Triumph der Tugend über das Laster (Lustsp.) 1770; Die Conföderierten und Dissidenten (Tr.) 1771; Sonderbare Nachrichten von einigen Schauspielergesellschaften am Mayn, Ober- und Niederrhein, 1771; Allgemein nützliches Wochenblatt, besonders zur Erhaltung der unschätzbaren Gesundheit und Heiterkeit des Gemüths, zum Besten der Hausarmen, die zum Betteln zu schaamhaft sind; für Vornehme und Reiche, die Edelmuth genung besitzen, sich selbstleidender Menschen zu erbarmen, 1787; Abhandlung über die Unsterblichkeit der Seele, aus ihrem Wesen, den Eigenschaften Gottes und dem Urtheile des weisesten und edelsten Menschen erwiesen, 1788; Abhandlung von allen angenehmen und unangenehmen Leidenschaften der Menschen und ihren Wirkungen auf die Zufriedenheit und Gesundheit, 1788.

Handschriften: Frels 138.

Literatur: Meusel-Hamberger 3,395; 9,615; 12,343; Goedeke 5,372; Ersch-Gruber II,9, 271; Theater-Lex. 1,823.　　　　　IB

Hofmann, Josef, * 19.3.1858 Karlsbad/Böhmen; † 21.6.1943 ebd.; Sohn e. Rechnungsführers, Lehrer in Karlsbad, später Fachlehrer und Bürgerschuldir., 1890–1919 Stadtverordneter. Mundartdichter, Folklorist, Erz. u. Dramatiker.

Schriften: Lausa Dinga. Ernste und heitere Gedichte und dramatische Scherze in Egerländer Mundart, 1892; Histörchen in Egerländer Mundart, 1892; Hausbachens Braut. Ernste und heitere Gedichte, Lieder, 1914; 1400 deutsche Hausinschriften, 1918; A. Lediezerl. Achalanader Gadichtla und Geschichtla, Schwank und Schnurre, Eugnbau und Gehamsterts, 1920; Egerländer Volkslieder, 1920; Alls as Löib! Ein Lebensbild aus dem Jahre 1919, 1920; 's äiascht Gwitta am Äihhimmel, 1920; Wieda zamgfunna (Lsp.) 1920; Da Haimkäihra. Ein Bild aus der Nachkriegszeit, 1920; Einag'falln oder: Wilderer und Förster (Schw.) 1921; Alta Feinschaft, gunga Löi(b) (Schausp.) 1921; Da Jungbrunna, 1921; A goldichs tapfas Mondaherz (Lsp. in Egerländer Mundart) 1921; Am St. Niklasabend oder: Wer föihat d' Braut haim (Lsp. in Egerländer Mda.) 1921; Nationaler Volksbrauch. 's alt' n's neu' Gauha.

Alter deutscher Volksbrauch, in Egerländer Verse gebracht, 1921; Wintar' u Summa. Ein alter Volksbrauch, 1921; Die Volkswehr in Westböhmen. Ein dramatischer Scherz in der Sprache der besseren Stadtbevölkerung der betreffenden Zeit, 1921; Die Volkstracht und ländliche Bauweise des ehemaligen Herrschaftsgebietes von Chotieschau und eines Teils des Kladrauer Herrschaftsgebietes im neunzehnten Jahrhundert, 1923; Die westböhmischen Hochzeitsbräuche dramatisch dargestellt, 1924; Hamster- und frohe Wanderfahrten (2. Aufl.) 1925; Egerländer Histörchen, 1926; Schach den Schlicken. Geschichten aus der Vergangenheit Elbogens und Karlsbad (1471–1506) 1926; Weiwazlist gäiht üwa Teufelslist (Schw.) 1928; Die Hansheilingsage (Dr.) 1928; Die ländliche Bauweise, Einrichtung und Volkskunst des 18. und 19. Jahrhunderts der Karlsbader Landschaft, 1928; Deutsche Volkstrachten und Volksbräuche Westböhmens, 1932; Die Egerländer Mundartdichter. Mit einem Anhang über Egerländer Tondichter und Liedersammler (Anthol.) 1935; H.-Volksbuch. Veröffentlichtes und Unveröffentlichtes aus seinem Gesamtschrifttum (hg. v. O. Zerlik) 1138; Egerland, mein Heimatland. H.s Art und Erbe (hg. v. O. Zerlik) 1955; Egerländer Histörchen. Schildbürgerstückchen aus Westböhmen (hg. v. O. Zerlik) 1960.

Literatur: ÖBL 2,381; Theater-Lex. 1,824. – M. Wilfling, Erinnerungen an ∼ (in: D. Egerländer 2) 1951; K.F. Leppa, ∼ (in: ebd. 4) 1953.   IB

Hofmann, Karl, * 7.5.1867 Boxberg, † 20.2. 1966 Heidelberg; Dr. phil., Gymnasialprof. in Karlsruhe, seit 1933 Prof. in Heidelberg. Hg. d. «Fränk. Bl.» (1918–30).

Schriften (Ausw.): Der Bauernaufstand im badischen Bauland und Taubergrund 1525, 1900; 2 Gedichte zur Heimatkunde Badens, 1903; Lieder u. Mären aus dem Frankenland, 1920; Die Sagen des badischen Frankenlandes ..., 1911; Die Unruhen der Jahre 1848 u. 1849 im badischen Frankenland, 1911; Baden im deutschen Freiheitskrieg 1813 bis 1814, 1913; Aus badischen Landen. Beiträge zur Heimatgeschichte, 1917; Den Alemannen, Pfälzern und Franken zum Heimatsonntag ..., 1924; Luginsland. Fränkische Lieder und Balladen, 1927; Frankenland ...! Lieder und Balladen, 1932; Badisches Balladenbuch (hg.) 1934; Drum grüß ich dich, mein Badnerland. Badische Balla-

den, 1937; Die germanische Besiedelung Nordbadens, 1937; Dehaam is dehaam. Gedichte in der ostfränkischen Mundart der Umpferlande, 1938; Sonnige Jugend im Frankenland (Erinn.) 1939; Mein Umpferland. Ein Heimatbuch, 1940; Vom Frühlicht bis zum Abendschein. Bilder und Balladen, 1942; Fränkische Heimat in Liedern,²1950. (Außerdem weitere heimatkundl. Werke, topograph. Schr. u. Schulbücher.)

Literatur: ∼, d. Dichter u. Gesch.schreiber d. Frankenlandes, 1946.   RM

Hofmann, Karl Gustav, * 25.5.1756 Berlin, Todesdatum unbekannt; 1780 Aktuar b. d. Baudirektion in Mannheim, dann Kammerrevisor ebd., hierauf in Wertheim u. seit 1811 Rechnungsrat in Karlsruhe. Erzähler.

Schriften: Die Hoffnungslosen. Rittergeschichte, 1791; Leben, Meinungen und Schicksale eines Flohes, 1803 (auch u. d. T.: Der versteckte Plagegeist oder Der kleine Überall, 1804); Louise Saalheim oder Liebe und Leidenschaft, 1808; Corva. Gemälde häuslicher Szenen, 1808.   IB

Hofmann, Katharina, * 15.10.1858 Fellbach/ Württ., † 29.7.1925 Stuttgart. Übers. u. Erzählerin.

Schriften: Der Lindenmüller, 1907; Das Erbe der Helfensteiner, 1909; Pfalzgraf Hugo von Tilbingen, 1915; Der reichste Fürst, 1924.   IB

Hofmann, Kitty (geb. von Blei), 19. Jh., lebte in Posen.

Schriften: Theater für Kinder, 1824.

Literatur: Meusel-Hamberger 22.2,815; Goedeke 11/2,470; 12,414.   RM

Hofmann, Konrad, * 14.11.1819 Banz b. Bamberg, † 30.9.1890 Waging b. Traunstein; studierte Medizin in München, später Philol., Sanskrit, Neupersisch in Erlangen, Leipzig, Berlin u. schließl. 1848 Dr. phil., arbeitete an franz. Handschriften in Paris, 1853 a.o. Prof. (Nachfolger Schmellers) in München u. 1856 o. Prof. f. altdt. u. altroman. Philol. ebd. Fachwerke.

Schriften (Ausw.): Das Hildebrandslied (hg. gem. m. A. Vollmer) 1850; Über ein Fragment des Guillaume d'Orenge, 1851–52; Das Rolandslied (hg.) 1868; Joufrois Altfranzösisches Rittergedicht (hg. gem. u. F. Muncker) 1880; Altburgundische Übersetzungen der Bedigten Gregors über Ezechiel, aus der Berner Handschrift, (hg.) 1881; J.A. Schmeller, eine Denkrede, 1885.

Nachlässe: Bayer. Staatsbibl. München. – Denecke 84.

Literatur: ADB 50,436. – W. Hertz, Gedächt-
nißrede auf ∼, 1892.   IB

Hofmann, M. Christian, * um 1625 Freiberg/
Sachsen, Todesdatum u. -ort unbekannt; Besuch
d. Kreuzgymnasiums Dresden u. 1645 d. Univ.
Wittenberg, 1650 Gräfl. Stolberg. Praeceptor.

Schriften: Pfingsten, 1647.

Literatur: Neumeister-Heiduk 380.   RM

Hofmann, Maria → Gleit, Maria.

Hofmann, Martha (Ps. Melitta Holl), * 29.8.
1895 Wien, † 9.11.1975 ebd.; studierte klass.
Philol. u. Archäol., Dr. phil., lebte 1938–49 in
Emigration in London, Palästina u. Genf, arbeitete als Journalistin u. Dolmetscherin, dann Mittelschulprof. in Wien. Vorw. Lyrikerin, Essayistin,
Übers.; Trakl-Preis 1954, Körner-Pr. 1963.

Schriften: Das blaue Zelt (Ged.) 1934; Theodor
Herzl (Ess.) Jerusalem 1940; Dinah und der Dich-
ter (Nov.) Tel-Aviv 1943; Die Sternenspur. Neue
Gedichte, 1948; Persephone und sieben Kapitel
vom Sterben der Kreatur, 1950; Wandelsterne
(Ged.) 1954; Nomadenzüge. Zyklische Dichtun-
gen, 1957; Das Morgenland liegt gegen Abend.
Neue Gedichte, 1962; Theodor Herzl. Werden
und Weg, 1966; Konstellationen. Ausgewählte
Essays 1945–65, 1966; Begegnungen, helldunkel.
Neue Verse, 1969.   AS

Hofmann, Martin, * 1544 Prichsenstadt/Kr.
Gerolzhofen, † 1599 Bamberg; 1566 an d. Univ.
Ingolstadt, 1569 in Marburg, 1572 Prokurator in
Bamberg, 1583–86 Richter d. Benediktinerklo-
sters Michelsberg, später wieder Rechtsanwalt.
Poeta laureatus, Späthumanist u. Chronist, Verf.
d. bis 1440 reichenden, unvoll. «Ann. Bamber-
genses».

Schriften: Carmen de lamentabili passione et
morte Christi, 1572; Urbs Bamberga et abbates
Montis Monachorum, 1595.

Literatur: NDB 9,459.   RM

Hofmann, Max, * 27.7.1861 Mering/Obb.; Besuch d. Seminars Freising, Hilfslehrer, seit 1883
Lehrer in München.

Schriften: «Wia der Schnabi g'wachsen is»,
1898; Dem Feind zum Trotz! Kriegslieder und
Kriegsgedichte 1914–1917, 1917.   RM

Hofmann, Max, * 20.8.1867 Wermsdorf b.
Leipzig; Kaufmann, seit 1893 Fabrikant in Dresden, lebte seit 1909 in Gommern b. Dresden u.
seit 1911 in Groß-Lichterfelde b. Berlin.

Schriften: Ich liebe meine Einsamkeit (Ged.)
1905; Dem Faust einen Tempel! Ein Appell an
die Gebildeten Deutschlands, 1907; Lieben ist
Leiden! (Schausp.) 1907; Der Erde Weh – der
Erde Glück. Neue Gedichte, 1909; Dichter-
traum, 1909. (Ferner Fachschriften.)   RM

Hof(f)mann, Melchior, * vor 1500 Schwäbisch
Hall, † 1543 Straßburg; Kürschner, seit 1523 in
Livland als Laienprediger, erregte Aufsehen, 1525
als Ketzer vertrieben, 1526/27 predigte er in
Stockholm, jedoch auch Streit, schließl. Hilfsprediger in Kiel, ging dann n. Straßburg, wo er mit
d. Wiedertäufern in Berührung kam, wurde Wiedertäufer u. verbreitete ihre Lehre in Amsterdam
1530/31. Nach s. Rückkehr n. Straßburg, wurde
er 1533 eingekerkert u. verblieb im Gefängnis bis
zu s. Tode. Von s. ca. 40 Schr. sind ungefähr d.
Hälfte, z. T. fragmentarisch erhalten.

Schriften: Privatschreiben an die zu Dörpt von
Riga, 1523; Antwort auf die erste Ambsdorfische
Schrift, 1526; Das erste Cap. des Evang. Matthäus,
gepredigt und ausgelegt zu Kiel, 1528; 1. Apologie der Auslegung des XII. Cap. Danielis, 1528;
Beweis, daß Marquard Schuldorp in seinem Inhalt
von Sacrament und Testament Christi ketzerisch
und verführerisch geschrieben, 1528; Dialogus
und gründliche Berichtigung gehaltener Disputation, im Lande zu Holstein, 1529; De Ordinnantie
Godes … (Amsterdam, nur in holl. Übers. bekannt, 1611) 1530; Weissagung aus heil.göttl.
Schrift, von der Zukunft des türkischen Tyrannen
u. s. ganzen Anhangs, 1530; Auslegung der himmlischen Offenbarung Johannis, 1530; Prophezey-
ung uß der heiligen Schrift, von allen Zeichen und
Wundern bis zu Zukunft Christi am jüngsten Tag,
1530.

Bibliographien: W.J. Leendertz, 1883; F.O.
zur Linden, 1885.

Literatur: ADB 12,636; NDB 9,389; Ersch-
Gruber II,9,305; Jöcher 2,1663; RGG ³3,422;
RE 8,222; LThK 5,426; Schottenloher 1,350;
7,96. – P. Kawerau, ∼ als relig. Denker, 1954;
J.M. Stayer, ∼ and the Sword (in: Mennonite
Quarterly Review 45) 1971; K. Deppermann,
∼s letzte Schr. aus d. Jahre 1534 (in: Archiv f.
Reformationsgesch. 63) 1972; ders., ∼s Weg v.

Luther zu d. Täufern (in: Umstrittenes Täufertum 1525–1575. Neue Forschungen, hg. H.-J. GOERTZ) 1975.   IB

Hofmann, Robert, * 24.1.1906 Wien; Arbeiterssohn, Schlosserlehrling, dann Hilfsarbeiter, unter schwierigsten Verhältnissen Ausbildung zum Besuch d. Universität, studierte Jus., Dr. iur., Kriegsteilnahme, dann Beamter in Wien. 1962 Lenau-Preis d. Stadt Stockerau. Mitarb. an zahlr. Büchern über Öst.; Lyriker u. Erzähler.

Schriften: Ewigkeit und Menschentat (Ged.) 1939; Agrippina. Ein altrömisches Frauenleben, 1947; Dichter, Tor und Tod. Christian Dietrich Grabbes Liebesroman, 1947.   IB

Hofmann, Walter, * 24.3.1879 Dresden, † 24.4.1952 Leipzig; Ausbildung als Graveur, dann freier Schriftst. u. Kunstkritiker, Bibliothekar. Seit 1913 Aufbau d. städt. Volksbüchereien Leipzig, 1925 Gründung d. «Inst. f. Leser- u. Schrifttumskunde» in Leipzig, 1931 Dr. h. c. Leipzig. 1937 zwangspensioniert.

Schriften: Mit Grabstichel und Feder. Geschichte einer Jugend, 1948; Der Wille zum Werk. Erinnerungen eines Volksbibliothekars, 1967.

Literatur: W. HOFMANN, ~. 1879–1952, 1976; E. HOFMANN-BOSSE, Erinn. als Beitr. z. Gesch. Leipzigs ... v. 1880 bis 1950 (in: Buch u. Bibl. 31) 1979.   CLL

Hofmann von Hofmannswaldau → Hoffmannswaldau, Christian Hoffmann von.

Hofmann von Nauborn, Konrad, * 21.7.1829 Nauborn/Kr. Wetzlar, † 7.12.1874 Koblenz; bis 1852 Hauslehrer, dann Beamter in Paderborn u. Koblenz.

Schriften: Ehrenkönigslieder. Die christlichen Feste im Schmucke deutscher Poesie ..., 2 Bde., 1861 (2., verm. Aufl. 1865); Christliche Festkränze, 1865; Sonntagsbilder, 1870; Ritter Konrad Bayer von Boppard. Eine rheinische Minnedichtung in zehn Gesängen, 1874.   RM

Hofmann von Schönholtz, Ernst (Ps. f. Ernst Hofmann), * 7.12.1890 Breslau, † 27.4.1945; n. militär. Laufbahn Schriftst. u. Schauspieler in Berlin.

Schriften: Täter entflohen (Kriminalrom.) 1933; Im Urwald verschollen. Das Schicksal einer

Expedition, 1935; Orchestersessel 13. B., 1936; Erbschaft aus Übersee, 1936; Die Nacht der Verwirrung. Roman aus dem Potsdam des Jahres 1912, 1937; Generalprobe (Kriminalst.) 1937; Revolte auf Forgotten Hell (Rom.) 1937; Die andere Frau, 1940; Geheimnis um Holmslinden, 1940; Zwischen Gestern und Heute (Kriminalrom.) 1941; Das schweigende Heer. Die Geschichte einer Liebe, 1942; Wiederaufnahme Fall Lerna (Rom.) 1942. (Ferner ungedr. Hörsp. u. Drehbücher.)   RM

Hofmann von Wellenhof, Otto, * 14.3.1909 Graz, studierte Rechts- u. Staatswiss., Privatsekretär, Teilnahme am 2. Weltkrieg, dann Journalist in Graz, wo er heute lebt. Hg.tätigkeit u. Erzähler.

Schriften: Die Schicksalsschaukel (Rom.) 1941; Tragische Schwammerln und andere Erzählungen, 1942 od. 43; Lächelnder Alltag (Humoresken) 1946; Frauen sagen Adieu und andere Episoden, 1946; Liebe laut Vorlage (Kurzgesch.) 1947; Eine Woche vor der Hochzeit (Erz.) 1947; Acht Tage vorher ..., 1948; Steirischer Dichter-Almanach. Dichtung der Gegenwart in der Steiermark, 1952; Tendenz vorwiegend heiter, 1959; Gegen den Wind gesprochen, 1979.   IB

Hofmann-Montanus, Hans, * 12.7.1889 Wien, † 24.5.1954 Salzburg; studierte in Wien, 1921–25 Generalsekretär d. Landesverbandes f. Fremdenverkehr in Wien u. Niederöst., Geschäftsführer d. öst. Verkehrsverbandes in Wien. 1925 Landesverkehrsdir. in Salzburg, während d. 2. Weltkrieges Schwierigkeiten, dann Hofrat. Erzähler.

Schriften: Salzburg. Stadt und Land (gem. m. M. Eisler) 1930; Mensch an der Sonne. Buch einer österreichischen Liebe zum ςalkan, 1947; Berge einer Jugend. Bergnovellen, 1948; Die Welt ohne Licht. Höhlenforscher und Höhlengänger in Tragödien und Abenteuern (gem. m. E. F. Petritsch) 1952.

Literatur: E.H., Hofrat ~ gestorben (in: D. Höhle 5) 1954.   IB

Hofmann-Ryser, Thamar, * 18.11.1899 Bern; Tochter e. Pfarrers, studierte in Bern Naturwiss., war bis zu ihrer Heirat Lehrerin an versch. Dorfschulen, betreute dann mit ihrem Gatten e. Anstalt f. schwererziehbare Kinder, später wieder an versch. Dorfschulen. Erzählerin.

Schriften: Christen Aplanalp (Rom.) 1943; Greti Brunner. Die Geschichte einer Jugend, 1947; Köbi Brand (Erz.) 1957; Der Hubelbuur. Die Geschichte einer Landflucht. Dialektvolksstück in vier Aufzügen, 1962; Fritzli. Eine Kindergeschichte, 1965; Schatten auf der Sonnhalde. Erzählung aus den Bergen, 1967.   AS

Hofmannstal, Elisabeth (Ps. für Dietrich, geb. Hofmann, Marie Elisabeth), * 22.5.1900 Gera; lebte ebd., dann in Halle/Saale.

Schriften: Am Wegesrand (Ged.) 1945.   AS

Hofmannsthal, Hugo von (eigentl. Hofmann Edler von Hofmannsthal, Ps. Loris, Theophil Morren, Loris Melikow), * 1.2.1874 Wien, † 15.7.1929 Rodaun/Wien; Vater Jurist u. Bankdir.; Gymnasium Wien, 1892–1894 Jurastudium, 1895 Romanistik, 1899 Dr. phil.; ab 1901 als freier Schriftst. in Rodaun, ausgedehnte Europareisen; 1914 Reserveoffizier im Istiren, dann im Kriegsarch. u. Pressehauptquartier in Wien, 1916 polit. Mission nach Skandinavien u. in d. Schweiz; Mithg. d. Zs. «Der Morgen», Begr. u. Hg. d. «Öst. Bibl.», Verbindung zu führenden Persönlichkeiten d. Zeit, u. a. St. George, R. Strauss, M. Reinhardt, C. J. Burckhardt. Lyriker, Dramatiker, Erzähler, Essayist, Herausgeber.

Schriften: Gestern. Studie in einem Akt, 1891; Theater in Versen, 1899; Der Kaiser und die Hexe (Dr.) 1900; Der Thor und der Tod (dr. Ged.) 1900; Studie über die Entwickelung des Dichters Victor Hugo (Habilitationsschrift) 1901; Der Tod des Tizian (Dr. Fragm.) 1901; Der Schüler (Pantomime) 1902; Ausgewählte Gedichte, 1903; Das kleine Welttheater oder Die Glücklichen (dr. Dg.) 1903; Elektra (Tr. nach Sophokles) 1904; Victor Hugo, 1904; Unterhaltungen über literarische Gegenstände (Dialoge) 1904; Das Märchen der 672. Nacht und andere Erzählungen, 1905; Das gerettete Venedig (Tr. nach T. Otway) 1905; Kleine Dramen, 1906; Ödipus und die Sphinx (Tr.) 1906; Kleine Dramen, 2 Bde., 1907; Der weiße Fächer. Ein Zwischenspiel, 1907; Die gesammelten Gedichte, 1907; Die prosaischen Schriften, 3 Bde., 1907/17; Elektra (Operntextbuch) 1908; Vorspiele, 1908; Der Abenteurer und die Sängerin oder Die Geschenke des Lebens (Dr. Ged.) 1909; Die Frau im Fenster (Ged.) 1909; Die Hochzeit der Sobeide (Dr. Ged.) 1909; Christinas Heimreise (Kom.) 1910;

Der Rosenkavalier (Kom. für Musik) 1910; König Ödipus (Tr. nach Sophokles) 1910; Alkestis (Tr. nach Euripides) 1911; Die Gedichte und kleinen Dramen, 1911; Jedermann. Das Spiel vom Sterben des reichen Mannes, 1911; Grete Wiesenthal in «Amor und Psyche» und «Das fremde Mädchen», 1911; Ariadne auf Naxos (Oper) 1912; Die Wege und die Begegnungen (Prosa) 1913; Josephslegende (Ballett, mit H. Graf Kessler) 1914; Prinz Eugen der edle Ritter (Biogr.) 1915; Ariadne auf Naxos. Oper in einem Aufzug nebst Vorspiel, 1916; Die Frau ohne Schatten (Oper) 1916; (Bearb.) Molière, Der Bürger als Edelmann, 1918; Das Gespräch über Gedichte (Dialog) 1918; Rodauner Nachträge, 3 Bde., 1918; Die Frau ohne Schatten (Erz.) 1919; (Bearb.) Calderon, Dame Kobold, 1920; Reitergeschichte (Erz.) 1920; Der Schwierige (Lsp.) 1921; Buch der Freunde (Prosa) 1922; Gedichte, 1922; Das Salzburger große Welttheater (Dr.) 1922; Alkestis (Oper) 1923; Florindo (Kom.) 1923; Augenblicke in Griechenland (Prosa) 1924; Ein Brief (Prosa) 1925; Lucidor. Figuren zu einer ungeschriebenen Komödie (Prosa) 1925; Der Turm (Tr.) 1925; Szenischer Prolog zur Neueröffnung des Josefstädter Theaters, 1926; Früheste Prosastücke, 1926; Über Charaktere im Roman und im Drama (Dialog) 1927; Drei Erzählungen, 1927; Das Schrifttum als geistiger Raum der Nation (Vortrag) 1927; Der Turm (Tr., verän. Neuaufl.) 1927; Die ägyptische Helena (Oper) 1928; Loris, Die Prosa des jungen H. v. H., 1930; Die Berührung der Sphären. Reden und Betrachtungen aus dem Nachlaß, 1931; Andreas oder Die Vereinigten. Fragmente eines Romans, 1932; Arabella (lyrische Kom.) 1933; Das Bergwerk zu Falun (Tr.) 1933; Semiramis (dr. Entwürfe) 1933; Nachlese der Gedichte, 1934; Dramatische Entwürfe aus dem Nachlaß, 1936; Beethoven (Vortrag) 1938; Das Theater des Neuen (Ankündigung) 1947; Danae oder Die Vernunftheirat (Entwürfe hg. W. SCHUH) 1952; Sylvia im «Stern» (Kom. hg. M. STERN) 1959.

Herausgebertätigkeit: Morgen. Wochenschr. für dt. Kultur (mit W. Sombart, G. Brandes, R. Muther) 1907/08; Hesperus. Ein Jahrbuch (mit R. A. Schröder, R. Borchardt) 1909; Deutsche Erzähler, 4 Bde., 1912; Österreichischer Almanach auf das Jahr 1916; 1915; Österreichische Bibliothek (Mithg.) 26 Bde., 1915/17; Grillparzers politisches Vermächtnis, 1915; Theater und Kultur (mit H. Bahr, hg. R. Smekal, M. Pirker) 9 Bde., 1920/23, NF 1 Bd., 1924; Neue deutsche Beiträge (Mithg.) 2 Folgen, 1922/27; Deutsches Lesebuch, 2 Bde., 1922/23; Deutsche Epigramme, 1923; L. van Beethoven, Die Ruinen von Athen (mit R. Strauss) 1925; F. v. Schiller, Selbstcharakteristik aus seinen Schriften, 1926; Wert und Ehre deutscher Sprache, 1927.

Briefe: R. Strauss, Briefwechsel mit H. v. H., 1926; Briefe 1890–1901, 1935; Briefe 1900–09, 1937; Briefwechsel zwischen George und H. (hg. R. BOEHRINGER) 1938, 2. erg. Aufl. 1953; Hermann Bahr und H. v. H. (in: Meister u. Meisterbriefe um H. B., hg. J. GREGOR) 1947; Briefwechsel R. Strauss – H. v. H. (hg. F. u. A. STRAUSS, bearb. von W. SCHUH) 1952, 4. erg. Aufl. 1970; H. v. H., Briefe der Freundschaft, E. v. Bodenhausen, 1953; H. v. H. – R. Borchardt Briefwechsel (hg. M. L. BORCHARDT u. H. STEINER) 1954; H. v. H. – C. J. Burckhardt Briefwechsel (hg. C. J. BURCKHARDT) 1956; H. vH. – H. Carossa Briefwechsel 1907–1929 (in: NR 71) 1960; H. v. H., Briefe an W. Wiegand u. die Bremer Presse (hg. W. VOLKE in: Schiller-Jb. 7) 1963; H. v. H., A. Schnitzler, Briefwechsel (hg. T. NICKL u. H. SCHNITZLER) 1964; H. v. H., H. v. Nostiz, Briefwechsel (hg. O. v. NOSTITZ) 1965; H. v. H., E. Karg v. Bebenberg, Briefwechsel (hg. M. E. GILBERT) 1966; H. v. H., Briefe an I. u. P. Hellmann (hg. W. VOLKE in: Schiller-Jb. 11) 1967; H. v. H., Briefe an Marie Herzfeld (hg. H. WEBER) 1967; H. v. H., L. v. Andrian, Briefwechsel (hg. W. PERL) 1968; H. v. H., H. Graf Kessler, Briefwechsel 1898–1929 (hg. H. BURGER) 1968; H. v. H., J. Redlich, Briefwechsel (hg. H. FUSSGÄNGER) 1971; Der Briefwechsel H. – Wildgans (hg. J. A. v. BRADISH) 1935, Neuausg. (hg. N. ALTENHOFER) 1971; H. v. H. O. Gräfin Degenfeld, Briefwechsel (hg. M. T. MILLER-DEGNEFELD mit E. WEBER) 1974; H. v. H., Ria Schmujlow-Claassen, Briefwechsel 1896–1920 (hg. C. ABRECHT) 1979.

Ausgaben: Ges. Werke, 6 Bde., 1924; Ges. Werke, 3 Bde., 1934; Ges. Werke in Einzelausgaben, 15 Bde. (hg. H. STEINER) 1945/59; Ausgew. Werke, 2 Bde. (hg. R. HIRSCH) 1957; Sämtl. Werke. Krit. Ausg., 38 Bde. (hg. H. O. BURGER, R. HIRSCH, D. LÜDERS, H. RÖLLECKE, E. ZINN) 1975 ff.

Nachlaß: Harvard Univ. Library; Teilnachlaß im Freien Dt. Hochstift, Frankfurt; Slg. Dt. Lit.-arch./Schiller-Nationalmus. Marbach; Bayer. Staatsbibl. München. – Denecke 84.

Periodicum: Hofmannsthal-Blätter. Veröffentlichungen der ~-Ges., Frankfurt/M. H. 1 ff. 1968 ff.

Bibliographien: K. JACOBY, ~-Bibliogr., 1936; H. WEBER, ~. Bibliogr. d. Schrifttums 1892 bis 1963, 1966; DERS., ~. Bibliogr. Werke, Briefe, Gespräche, Übersetzungen, Vertonungen, 1972; H.-A. KOCH, U. KOCH, ~. Bibliogr. 1964–76; Laufende Bibliogr. von N. ALTENHOFER (in: H.-Bl. 1–6, 8–11) 1968/74, von H.-A. KOCH (in: H.-Bl. 12 ff.) 1974 ff.

Gesamtdarstellungen u. Würdigungen: NDB 9, 464; HdG 1, 316. – K. NAEF, ~s Wesen u. Werk, 1938; H. BROCH, ~ u. s. Zeit (in: H.B., Essays 1, Ges. Werke 4) 1955; R. ALEWYN, ~ (in: D. großen Dt., 4) 1955; H. HAMMELMANN, ~. London, 1957; P. REQUADT, ~ (in: Dt. Lit. im 20. Jh. hg. H. FRIEDMANN, O. MANN) (5., erw. Aufl., hg. O. MANN u. W. ROTHE 1967), 1959; E. HEDERER, ~, 1960; B. KEITH-SMITH, ~ (in: German Men of Letters 1) 1961; G. ERKEN, ~ (in: Dt. Dichter d. Moderne hg. B. v. WIESE) 1964; W. HAAS, ~, 1964; O. HEUSCHELE, ~. Bildnis d. Dichters, 1965; W. VOLKE, ~ in Selbstzeugnissen u. Bilddokumenten, 1967; W. NAUMANN, ~, d. jüngste dt. Klassiker, 1967; S. BAUER (Hg.), ~, 1968; F. RITTER, ~ u. Öst., 1967; E. KOBEL, ~, 1970; R. TAROT, ~. Daseinsformen u. dichter. Strukturen, 1970; M. KESTING, ~s Krise (in: M. K., Entdeckung u. Destruktion) 1970; R. MÜHLHER, ~ (in: R.M., Öst. Dichter seit Grillparzer) 1973; C. J. BURCKHARDT, Zu ~, 1974.

Welt- u. Kunstanschauung: J. NADLER, ~ u. d. Sozialproblem (in: NR 40) 1929; J. J. ANSTETT, Les idées sociales de ~ (in: Revue Germanique 22) 1931; W. NAUMANN, ~s Auffassung v. s. Sendung als Dichter (in: Monatshefte 39) 1947; A. FUCHS, ~. Thèmes et horizons spirituels (in: EG 3) 1948; O. F. BOLLNOW, Z. Lebensbegriff d. jungen ~ (in: Arch. für Lit. u. Volksbildung 1) 1949; A. O. JASZI, D. Idee d. Lebens in ~s Jugendwerk 1890–1900 (in: GR 24) 1949; A. BERGSTRAESSER, ~ u. d. europ. Gedanke, 1951; J. LAUBACH, ~s Weg v. d. Magie zur Mystik (in: WirkWort 4) 1953/54; W. WARNACH, ~. S. Weg v. Mythos u. Magie z. Wirklichkeit d. Gesch. (in: Wort u. Wahrheit 9) 1954; R. FAHRNER, Dichter. Visionen menschl. Urbilder in ~s

Werk, Ankara 1956; W. METZLER, Ursprung u. Krise v. ~s Mystik, 1956; M. VANHELLEPUTTE, Le patriotisme autrichien de ~ et la première guerre mondiale (in: Revue de philol. et d'hist. 35) 1957; P. PAWLOWSKY, D. Idee Österreichs bei ~ (in: ÖGL 7) 1963; R.T. LLEWELLYN, ~s Nihilism (in: MLR 61) 1966; P.C. KERN, Z. Gedankenwelt d. späten ~s. D. Idee e. schöpfer. Restauration, 1969; H. RUDOLPH, Kulturkritik u. konservative Revolution. Z. kulturell-polit. Denken ~s u. s. problemgesch. Kontext, 1971; R. BREUGELMANS, ~ im Platonismus d. Jh.wende (in: H.-Forschungen 1) 1971; F. MISTRY, On the Notion of Inherited Memory in ~ (in: Germano-Slavica) 1975; C. BRAEGGER, D. Visuelle u. d. Plastische. ~ u. d. bildende Kunst, 1979.

Themen, Bilder, Motive: W. VORDTRIEDE, D. Tod als ewiger Augenblick. E. wiederkehrendes Symbol bei A. v. Droste-Hülshoff u. ~ (in: MLN 63) 1948; G. SCHOOLFIELD, The Pool, the Bath, and the Dive. The Water Image in ~ (in: Monatshefte 45) 1953; E. GRETHER, D. Abenteurergestalt bei ~ (in: Euphorion 48) 1954; W.H. REY, D. Drohung d. Zeit in ~s Frühwerk (ebd.) 1954; DERS., Dichter u. Abenteurer bei ~ (ebd.) 1955; H. WYSS, D. Frau in d. Dg. ~s, 1954; P. REQUADT, Sprachverleugnung u. Mantelsymbolik im Werk ~s (in: DVjs 29) 1955; K. TOBER, D. Begriff d. Zeit im Werk ~s (in: Germanist. Abh.) 1955; J.B. BEDNALL, The Slav Symbol in ~s Post-War Comedies (in: GLL 14) 1960/61; R. BRINKMANN, ~ u. d. Sprache (in: DVjs 35) 1961; W. MAUSER, Bild u. Gebärde in d. Sprache ~s, 1961; P. REQUADT, Venedig im Symbolgeflecht d. ~schen Dg. (in: P.R., D. Bildersprache d. dt. Italiendg. v. Goethe bis Benn) 1962; K. MOMMSEN, Treue u. Untreue in ~s Frühwerk (in: GRM NF 13) 1963; G. WUNBERG, D. frühe ~. Schizophrenie als dichter. Struktur, 1965; L. WITTMANN, Sprachthematik u. dramat. Form im Werke ~s, 1966; M. HOPPE, Literatentum, Magie u. Mystik im Frühwerk ~s, 1968; M.E. SCHMID, Symbol u. Funktion im Werk ~s, 1968; E. SCHWARZ, ~s Kampf um d. Wirklichkeit (in: Lit. u. Krit.) 1969; J.D. WORKMAN, ~s Use of Paradox (in: GQ 42) 1969; K.G. ESSELBORN, ~ u. d. antike Mythos, 1969; J. RYAN, D. «allomatische Lösung». Gespaltene Persönlichkeit u. Konfiguration bei ~ (in: DVjs 44) 1970; J. SCHWALBE, Sprache u. Gebärde im Werk ~s, 1972; G. INACKER, Antinom. Strukturen im

Werk ~s, 1973; L.M. DORMER, ~. D. Problem d. Ehe u. s. Bedeutung in d. frühen Dr., 1975.

Lyrik: W. PERL, D. lyr. Jugendwerk ~s, 1936, Nachdr. 1967; H. COHN, ~s Gedichte f. Schauspieler (in: Monatshefte 46) 1954; W. DE-RUNGS, Form u. Weltbild d. Ged. ~s in ihrer Entwicklung, 1960; A. SCHMIDT, The Limited Speaker in ~s Poetry (in: GR 37) 1962; P. SZONDI, Lyrik u. lyr. Dramatik in ~s Frühwerk (in: P.S., Satz u. Gegensatz) 1964; E.M. WEBER, A Chronology of ~s Poems (in: Euphorion 63) 1969; W. FRANKE, ~. Ballade des äußeren Lebens (in: Wege zum Ged., hg. R. HIRSCHENAUER, A. WEBER) 1956; F.N. MENNEMEIER, ~. Ballade ... (in: Die dt. Lyrik II, hg. B. v. WIESE) 1956; A.O. JASZI, Ausdruck u. Leben in ~s Die Beiden (in: S. BAUER, Hg., ~) 1968; M. POR-TER, Elements of ~s Lyric Style. Erlebnis and Vor Tag (in: Modern Austrian Lit. 7) 1974; F. MISTRY, D. Kaiser v. China spricht (in: MLR 71) 1976; P.G. KLUSSMANN, ~s Lebenslied (in: ZfdPh 82) 1963; R. EXNER, ~s Lebenslied, 1964; W. RASCH, Adler, Lamm u. Pfau. Z. Deutung v. ~s Lebenslied (in: W.R., Zur dt. Lit. seit d. Jh.wende) 1967; R. EXNER, Zu ~s Lebenslied. Einige Addenda u. Hinweise z. Verständnis des Gedichts (in: H.-Bl., H. 12) 1974; A. DORNHEIM, D. «Reiselied» ~s. E. hyperboreische «Mignonlandschaft» (in: Euphorion 49) 1955; W. KOHLSCHMIDT, ~s «E. Traum v. großer Magie» u. Rilkes «D. Magier» (in: W.K., Entzweite Welt) 1953; M. STERN, Zu e. Ged. v. ~: E. Traum ... (in: FS G. Weber) 1967; H. STEFFEN, Das sich selbst erlebende Ich. ~s E. Traum ... (in: Schiller-Jb. 18) 1974; F.N. MEN-NEMEIER, ~ «Vor Tag» (in: D. dt. Lyrik 2, hg. B. v. WIESE) 1956; A. GOES, ~, «Wir gingen einen Weg» (in: A.G., Freude am Ged.) 1952.

Zu den Aufsätzen u. Aufzeichnungen: H. BROCH, ~s Prosaschr. (in: H.B., Ges. Werke 6) 1955; H. COHN, «Loris» – d. frühen Essays d. jungen ~ (in: PMLA 63) 1948; E. PULVER, ~s Schr. z. Lit., 1956; R. EXNER, Z. Essayistik ~s (in: Schweiz. Monatsh. 41) 1961/62; M.E. GILBERT, ~s Essays 1900–1908. A Poet in Transition (in: H.-Studies in Commemorltion, hg. F. NORMAN) London 1963; W. HÖCK, Berührung d. Sphären im Gespräch. D. Dichter ~ als Kritiker u. Essayist (in: DR 90) 1964; H. WEISCHEDEL, Autor u. Publikum. Bemerkungen zu ~s essayist. Prosa (in: FS K. Ziegler) 1968; E.-O. GERKE, D. Ess. als Kunstform bei ∿, 1970; W. BRECHT, ∿s Ad me ipsum u. s. Bedeutung (in: JbdFDHochst) 1930; W. NAUMANN, D. Visuelle u. d. Plastische bei ∿. E. Deutung zu ∿s Ad me ipsum (in: Monatshefte 37) 1945; P. SZONDI, ∿ : Ad me ipsum (in: P.S., D. lyr. Dr. des Fin de siècle) 1975; H. WOCKE, ∿s Augenblicke in Griechenland. Bemerkungen z. Kunst dichter. Darst. (in: Muttersprache) 1950; H.S. SCHULTZ, ∿ and Bacon. The Sources of the Chandos Letter (in: CL 13) 1961; G. WUNBERG, Francis Bacon, d. Empfänger d. Lord Chandos Briefs v. ∿ (in: GLL 15) 1961/62; S. C. SCHABER, The Lord Chandos Letter in the Light of ∿s Lyric Decade (in: GR 45) 1970; B. BENNETT, Chandos and His Neighbors (in: DVjs 49) 1975; DERS., ∿s Return (in: GR 51) 1976; A. BEISS, D. Glück am Weg v. ∿ (in: Germanist. Stud. 2) 1970; H. KUNISCH, ∿s polit. Vermächtnis (in: Jb. d. Grillparzer-Ge-. 12) 1976.

Dramen: W. H. REY, Eros u. Ethos in ∿s Lsp. (in: DVjs 30) 1956; B. COGHLAN, ∿s Festival Dramas. Jedermann, D. Salzburger große Welttheater, Der Turm. Cambridge, Engl. 1963; E. RÖSCH, D. Kom. ∿s. D. Entfaltung ihrer Sinnstruktur aus d. Thema d. Daseinsstufen, 1963; W. NEHRING, D. Tat bei ∿. E. Unters. zu ∿s großen Dr., 1966; G. ERKEN, ∿s dramat. Stil. Unters. z. Symbolik u. Dramaturgie, 1967; G. PICKERODT, ∿s Dr., Kritik ihres histor. Gehalts, 1968; D. KIMPEL, ∿. Dramaturgie u. Gesch.verständnis. Mit e. Ausblick auf K. Kraus (in: Dt. Dramentheorien, hg. R. GRIMM) 1971; B. RECH, ∿s Komödie. Verwirklichte Konfiguration, 1971; G. BAUMANN, ∿ : Andreas, Elektra, D. kleine Welttheater (in: G.B., Vereinigungen) 1972; L. M. DORMER, D. Problem d. Ehe u. s. Bedeutung in d. frühen Dr., 1975; P. SZONDI, D. junge ∿. Lyrik u. lyr. Dramatik (in: P.S., D. lyr. Dr. d. Fin de siècle) 1975; K. MOMMSEN, ∿s Komödiendg. (in: D. Dt. Kom. im 20. Jh., hg. W. PAULSEN) 1976.

Zu den einzelnen Dramen: E.-M. MICHTERN, ∿s Alkestis, 1968; O. KUHN, Mythos, Neuplatonismus, Mystik. Stud. z. Gestaltung d. Alkestisstoffes bei ∿, T.S. Eliot u. T. Wilder, 1972; W. SCHMIDT-DENGLER, Dg. u. Philos. Zu ∿s A. (in: Lit.Jb 15) 1974; W. BRECHT, Über ∿s Bergwerk zu Falun (in: Corona 3) 1932; C. v. FABER DU FAUR, D. Abstieg in d. Berg (in: Monatshefte 43) 1951; M. JACOBS, ∿. D. B. z. F. (in: Studies

in Commemoration, hg. F. NORMAN) 1963; G. WUNBERG, Bemerkungen zu ∿s Vorspiel D. B. z. F. (in: Neue Sammlung 5) 1965; R. ALEWYN, ∿s erste Kom. (Christinas Heimreise) (in: R.A., Über ∿) ³1963; P. GOFF, ∿s Dame Kobold (in: Modern Austrian Lit. 7) 1974; M. STERN, ∿s Verbergendes Enthüllen. S. Schaffensweise in d. vier Fassungen der Florindo/Christine-Kom. (in: DVjs 33) 1959; H. MEYER-BENFEY, D. Elektra d. Sophokles u. ihre Erneuerung durch ∿ (in: H. M.-B., Welt der Dg.) 1962; H.S. SCHULTZ, Some Notes on ∿s Die Frau im Fenster (in: Modern Austrian Lit. 7) 1974; F. WINTER, D. gerettete Venedig. E. vergl. Studie, Berkeley 1914; M. VANHELLEPUTTE, ∿ u. T. Otway. Z. Struktur d. G. V. (in: Revue Belge 42) 1964; R. ALEWYN, ∿s Anfang: «Gestern» (in: R.A., Über ∿) ³1963; G. SCHAEDER, ∿s Hochzeit d. Sobeide (in: NSR 23) 1930; T. TRYTI, ∿ s D. H. d. S. E. Interpretation (in: Studia Germanica Gandensia 13) 1971/1972; F. W. WENTZLAFF-EGGEBERT, ∿s Jedermann als allegor. Sp. f. d. «Lebendige Bühne». Zu e. unbekannten Brief ∿s (in: H.-Bl. H. 6) 1971; Jedermann ... Max Reinhardts Inszenierungen, Dokumente, Bilder. Vorgelegt von E. LEISLER u. G. PROSSNITZ, 1973; P. MICHELSEN, Zu ∿s D. Kaiser u. d. Hexe (in: ZfdPh 83) 1964; H. ZELINSKY, Brahmann u. Basilisk. ∿s poet. System u. s. lyr. Dr. Der Kaiser u. d. Hexe, 1974; G. BAUMANN, ∿, D. kleine Welttheater (in: GRM 38) 1957; B. v. WIESE, ∿, D. k. W. (in: B. v. W. Hg., D. dt. Dr. 2) 1958; N. ALTENHOFER, «Frei nach Molière». Zu ∿s Ges.kom. Die Lästigen (in: FS B. Blume) 1958; K. SCHRÖGENDÖRFER, Ödipus u. d. Sphinx bei Peladan u. ∿ (in: FS E. Castle) 1955; H. STEFFEN, D. Paradoxie v. Selbstbehauptung u. Selbsthingabe in Ö. u. d. S. von ∿ (in: EG 29) 1974; W. NEHRING, Zwei Fassungen v. ∿s Ö. u. d. S. (in: Modern Austrian Lit. 7) 1974; J. J. WHITE, A Reappraisal of the Treatment of Aestheticism in ∿s Der Tod des Tizian (in: New German Studies 2) 1974; J. SOFER, D. Welttheater ∿s u. ihre Voraussetzungen bei Heraklit u. Calderon, 1934; DERS., Idee u. Gestaltung d. Welttheaters (in: ÖGL 7) 1963; M. STERN, In illo tempore. Über Notizen u. Varianten zu ∿s Lsp. D. Schwierige (in: WirkWort 8) 1957/58; W. EMRICH, ∿s Lsp. D.S. (in: W. E., Protest u. Verheißung) ²1963; R. C. NORTON, The Inception of ∿s D.S. (in: PMLA 79) 1964; E. ERNST, ∿ u. d. «Begriff Asien». Semiramis u. D. beiden Götter (in: WirkWort 16) 1966; M. STERN, ~s erstes Lsp.fragment (Sylvia im ‹Stern›) (in: NR 70) 1959; A. FUCHS, ~ : D. Tod des Tizian. Interpretation. Problèmes de la forme (in: Recherches germaniques 3) 1973; E. FEISE, Gestalt u. Problem d. Toren in ~s Werk (in: GR 3) 1928; R. ALEWYN, D. Tod d. Ästheten (in: R. A., Über ~) ³1963; H. C. SEEBA, Kritik d. ästhet. Menschen. Hermeneutik u. Moral in ~s D. Tod u. d. Tor, 1970; G. SCHAEDER, ~s Weg z. Tragödie. D. drei Stufen d. Turm-Dg. (in: DVjs 23) 1949; W. H. REY, Selbstopfer d. Geistes. Fluch u. Verheißung in ~s D.T. u. T. Manns Doktor Faustus (in: Monatshefte 52) 1960; B. PESCHKEN, Z. Entwicklungsgesch. v. ~s T., mit ideologie-krit. Absicht (in: GRM 19) 1969; W. G. CUNLIFFE, ~s D. T. and World War I (in: Monatshefte 67) 1975; P. STERNBERG, ~ u. Sigismund. The Movement from the Tower (ebd.); R. ALEWYN, D. Unbestechliche (in: R. A., Über ~) ³1963; P. REQUADT, ~s Lsp. D. U. (in: WirkWort 13) 1963; N. ALTENHOFER, ~s Lsp. D. U., 1967; P. SZONDI, ~s Weißer Fächer (in: NR 75) 1964.

Libretti: H. COHN, ~s Libretti (in: GQ 35) 1962; W. SCHUH, ~ u. d. Oper (in: W. S., Über Opern v. R. Strauss) 1947.

Zu den einzelnen Libretti: E.-M. LENZ, ~s mytholog. Oper D. ägypt. Helena, 1972; L. M. DORMER, Schwester d. Hoffnung. D. Ä. H. als poet.-polit. Vermächtnis ~s (in: Modern Austrian Lit. 7) 1974; R. H. SCHÄFER, ~s Arabella 1967; W. SCHUH, Zu ~s Ariadne Szenarium u. Notizen (in: NR 71) 1960; B. KÖNNEKER, D. Funktion des Vorspiels in ~s Ariadne auf Naxos (in: GRM NF 22) 1972; D. DAVIAU, G. BUELOW, The A. a. N. of ~ and R. Strauss. Chapel Hill, N. C., 1975; J. KNAUS, ~s Weg z. Oper D. Frau ohne Schatten. Rücksichten u. Einflüsse auf d. Musik, 1971; L. M. FIEDLER, ~s Ballettpantomime D. grüne Flöte (in: H.-Bl. H. 8/9) 1972; E. STAIGER, D. Rosenkavalier als Dg. (in: Universitas 5) 1960; W. SCHUH, D. Entstehung d. R. (in: Trivium 9) 1951; DERS. (Hg.), ~, R. Strauss, D. R. Fassungen, Filmszenarium, Briefe, 1971.

Erzählungen: W. HUBER, D. erzählenden Werke ~s, 1947; D. SCHÄFER, D. Leserkontakt in den Erz. ~s, 1962; M. SCHUHNICHT, D. frühen Erz. ~s (in: GRM NF 15) 1965.

Zu den einzelnen Erzählungen: F. MARTINI, ~. Andreas oder Die Vereinigten (in: F. M., D.

Wagnis der Sprache) ²1956; K. GAUTSCHI, ~s Romanfragment A., 1965; D. H. MILES, ~s Novel A. Memory and Self. Princeton, N. J. 1977; W. KRAFT, V. Bassompierre zu ~. Z. Gesch. e. Novellenmotivs (in: W. K., Wort u. Gedanke) 1959; R. ALEWYN, Zwei Novellen (in: R. A., Über ~) ³1963; M. E. GILBERT, ~s Reitergesch. (in: D. dt. Novelle, hg. B. v. WIESE) 1956; V. O. DÜRR, D. Tod d. Wachtmeisters Anton Lerch u. d. Revolution v. 1848. Zur R. ~s (in: GQ 45) 1972; T. FIEDLER, ~s R. u. ihre Leser. Z. Politik d. Ironie (in: GRM 26) 1976; B. CAKMUR, ~s Erzählung D. Frau ohne Schatten, Ankara 1952; M. BRION, Essai d'interpretation des symboles dans le Märchen de 672. Nacht de ~ (in: Dauer im Wandel, hg. H. RINN, M. RYCHNER) 1961; J. D. WORKMAN, ~s M. d. 672. N. (in: Monatshefte 53) 1961; H. J. SCHINGS, Allegorie d. Lebens. Z. Formproblem v. ~s M. d. 672. N. (in: ZfdPh 86) 1967; K. CSURI, Struktur u. Bedeutung v. ~s D. M. d. 672. N. (in: Acta Germanica et Romanica 4) 1969.

Beziehungen und Wirkung: K. J. KRÜGER, u. R. Strauss, 1935; W. JENS, ~ u. d. Griechen, 1955; M. PROSKE, Shakespeares Nachwirkung auf d. dramat. Schaffen ~s (in: Shakespeare-Jb. 95) 1959; G. BAUM, R. Strauss u. ~, 1962; E. SCHWARZ, ~ u. Calderon, Cambridge, Mass., 1962; W. MAUSER, ~ u. Molière, 1964; F. RITTER, ~ u. Öst., 1967; H. ARNTZEN, K. Kraus u. ~ (in: Sprache im techn. Zeitalter, H. 26) 1968; C. DAVID, ~s Frankreich-Bild (in: Arcadia 5) 1970; J. HAUPT, Konstellationen ~s, 1970; M. STERN, u. Böhmen (in: H.-Bll., H. 4) 1970; H.-Forschungen 1971; R. DEPAS, ~ u. d. engl. Lit. d. 19. Jh., (Diss. Saarbrücken) 1972; W. KÖHLER, ~ u. «Tausend und eine Nacht». Unters. z. Rezeption d. Orients …, 1972; G. WUNBERG (Hg.), ~ im Urteil s. Kritiker. Dokumente z. Wirkungsgeschichte ~s in Dtl., 1972; J. PROHL, ~ u. R. Borchardt, 1973; H. MEYER-WENDT, D. frühe ~ u. d. Gedankenwelt Nietzsches, 1973; L. FIEDLER, ~s Molière-Bearbeitungen, 1974; M. MARX-WEBER, ~s Beethovenbild (in: Lit.-wiss. Jb. 15) 1974; G. AUSTIN, ~, 1974. S. Verhältnis z. dt. Bühne d. Ggw. (in: Lit. u. Kritik) 1975; B. BÖSCHENSTEIN, ~, George u. d. franz. Symbolisten (in: Arcadia 10) 1975; W. NEHRING, ~ u. d. Wiener Impressionismus (in: ZfdPh 94) 1975.   PG

Hofmannswaldau → Hoffmannswaldau, Christian Hoffmann von.

Hofmeier, Ludwig, * 7.6.1891 Regensburg; Volksschullehrer in Hochdorf b. Waiblingen.

Schriften: Hoheit Schnuffke (Schw.) 1925; Der Kampf um das Los (Schw.) 1926; Der Maharadscha. Ein lustiger Spitzbubenschwank, 1926; Ein vorsichtiger Mann (Schw.) 1926; Weihnachten siegt (Schausp.) 1927; Um ihn?!, 1928; Wer andern eine Grube gräbt ... Spiel aus der Kampfzeit, 1933.   IB

Hofmeister, (Georg Xaver) Adolph (Ps. Wilhelm v. Rosenau, Wladimir), * 9.6.1818 Göttingen, † 1894; Studium d. Staatswiss. u. Kameralistik in Göttingen, Mitarb. v. Pierers Universal-Lex. in Altenburg, Begründer d. Zs. «D. Unterhaltungssaal» (Red. 1843–74), später Red., Hg. u. Mitarb. versch. Zs., lebte in Gera u. seit 1863 vorwiegend auf Reisen. Hg. e. «Handbuches d. musikal. Lit.» u. d. «Musikal.-Lit. Monatsberichte».

Schriften (Ausw.): Der Liebe Wonn' und Weh'. Sagen, Novellen und Skizzen, 1840; Phantasie u. Wirklichkeit in Novellen und Erzählungen, 1842; Abdelmelik, König von Granada ..., 1842; Hannover und Altenburg ..., 1843; Der Heinrichstag ... (Ged.) 1846; Ein Steckbrief ..., 1865; Für Schloß Osterstein ... Culturhistorische Beiträge zur Charakteristik der Gegenwart nebst ... Antwort für Freund und Feind auf fortgesetzte öffentliche Verfolgung, 1866.   RM

Hofmeister, Clementine (Mädchenname u. Ps. f. Clementine Abel, weiteres Ps.: Clelie Betemann), * 15.1.1826 Leipzig, † 30.11.1905 ebd.; Schriftst. in Leipzig.

Schriften: Meine Sonntage. Rückblicke und Erinnerungen, 1882; An der Mutter Hand, 1883; Sprüche, Strophen und Stimmungsbilder. Lyrisches und Didaktisches, 1889.   RM

Hofmiller, geb. Eggart, Hulda (Ps. Hulda Eggart, Jacoba von Stettendorf), * 22.2.1890 Memmingen; Gattin von Josef H., Hg. s. Werke; Lyrikerin, Erzählerin, lebt in Memmingen.

Schriften: Annette von Droste-Hülshoff, ein Dichterleben, 1934; Marschallin, es ist Abend ... Aufzeichnungen der Fürstin Werdenberg nach dem Abschied Octavians, 1956; Taube der Liebe (Ged.) 1967; Perle der Mitte. Ein Zeitgedicht, 1968.   AS

Hofmiller, Josef, * 26.4.1872 Kranzegg/Allgäu, † 11.10.1933 Rosenheim/Obb.; Vater Volksschullehrer, 1892 Studium d. Philol. in München, 1901 Dr. phil., 1894–1925 Lehrtätigkeit in München u. Freising, ab 1925 Oberstudienrat, dann Konrektor am Gymnasium Rosenheim; 1903 Mithg. d. «Südd. Monatsh.», bis 1917 Theater- u. Musikkritiker der «Allg. Ztg.», Mitarbeit an «Kunstwart», «Corona», der «Dt. Zs.». Übersetzer, Herausgeber, Essayist, Kritiker.

Schriften: Die ersten sechs Masken Ben Jonsons in ihrem Verhältnis zur antiken Literatur (Diss. München) 1901; Zwölf Artikel über den Ausbau der bayer. Realschule, 1905; Versuche, 1909; Zeitgenossen, 1910; Vom alten Gymnasium, 1917; Der Meier Helmbrecht, 1925; Über den Umgang mit Büchern, 1927; Franzosen, 1928; Wanderungen in Bayern u. Tirol, 1928; Pilgerfahrten, 1932; Letzte Versuche (hg. H. HOFMILLER u. H. STEINER) 1935.

Herausgebertätigkeit: Chansons d'Amour, 1921; Ur-Goethe, 1924; Viktor Hehns Italienische Reise, 1924; Hillebrands Abendländische Bildung, 1924; Taines schönste Essays, 1924; Erzählungen Adalbert Stifters, 1924; Wagners Prosaschriften, 1925; Macaulays Mächte der Geschichte, 1925; Erzählungen von Luise v. François, 1925; Goethes Sprüche in Prosa, 1926; Erzählungen von E. T. A. Hoffmann, 1927; Erzählungen Ludwig Steubs, 1927; Goethes Lebensweisheit, 1927; Das deutsche Antlitz, Ludwig Thomas Ausgew. Briefe, 1927; Prévosts Manon Lescaut, deutsch 1928; Fontanes Lebenskunst, 1929; Ballads and Songs of Love, 1930; Ludwig Thoma für die Jugend, 1930; Das deutsche Wanderbuch, 1931; Nordische Märchen (Aus dem Nachlaß) 1933.

Briefe: Briefe an Owlglaß (in: D. Bücherwurm 10) 1939; R. BORCHARDT, Briefe an ∼ (in: NDH 3) 1956/57; Briefe an R. Borchardt (ebd. 5) 1958/59.

Ausgaben: Schriften (hg. H. HOFMILLER) 9 Bde., 1946 ff., Ausgewählte Werke, 1975.

Nachlaß: Dt. Lit.arch./Schiller-Nat.mus. Marbach; Stadtbibl. München. – Denecke 2. Aufl.

Literatur: NDB 9,471; HdG 1,323. – W. MATTHIESSEN, ∼ (in: Hochland 16) 1918/19; ∼. Aus Briefen an Max Rychner (in: D. Innere Reich 2) 1935/36; M. STEFL, Erinnerung an ∼ (in: Dt. Volkstum 20) 1938; F. KREZDORN, ∼ als Publizist (Diss. München) 1940; B. v. HEISELER, ∼ (in: Eckart 6–7) 1941; M. RYCHNER, Zu d. Briefen ～s, 1943; H. UHDE-BERNAYS, ～s Briefe (in: H.U.-B., Mittler u. Meister) 1948; ～s Notizbücher (in: Zwiebelturm 13) 1958; J. PFEIFFER, ～s Dienst an d. Dg. (in: J.P., D. dichter. Wirklichkeit) 1962; B. v. HEISELER, Ges. Essays, 1966. PG

Hofmüller, Josef, Lebensdaten unbekannt; seit 1801 Beamter im Kameraltaxamt in Wien.

Schriften: Dramatische Versuche, 1802; Kapitlansky oder Rache für verschmähte Liebe (Rittersp.) 1805; Die Weiber von Bopfingen (Lsp.) 1806; Der Zauberkuß. Große heroisch-komische Zauber-Oper ..., 1807; Die Bewohner der Türkenschanze (romant. Oper) o. J.

Literatur: Theater-Lex. 1,826; Goedeke 5, 340. RM

Hofstäter, Felix Franz, * 4.10.1741 Wien, † 22.8.1814 ebd.; Jesuit, studierte in Wien, nach Aufhebung d. Ordens Prof. am Theresianum, Hofmeister d. Fürsten Liechtenstein, begleitete ihn auf Reisen, 1803 Hofbibl.kustos in Wien, seit 1806 Pfarrer in Großtajax/Mähren. Kunsthistosriker u. Lyriker.

Schriften: Von der Übereinstimmung der Werke der Dichter mit den Werken der Künstler; nach dem Englischen des Herrn Spence, 2 Tle., 1776; Nachrichten von Kunstsachen in Italien, 2 Bde., 1793; Annalen für Kunst und Literatur (Hg.) 1793–96; Altdeutsche Gedichte aus den Zeiten der Tafelrunde. Aus Handschriften der k. k. Hofbibliothek, in die heutige Sprache übertragen, 2 Bde., 1811.

Literatur: Wurzbach 9,181; Meusel-Hamberger 3,399 (unter Anton); 14,172; 18,195; Goedeke 7,806. IB

Hofstätter, Jakob, * 5.9.1825 Luterbach/Kt. Solothurn, † 6.1.1871 Le Sentier/Kt. Waadt; studierte Medizin in Bern, wirkte als Landarzt im Kt. Solothurn, dann im Waadtland. Erzähler, in Mundart.

Schriften: Die Bäder und Heilquellen der Schweiz, nebst den bekanntesten Molken-, Kräuter- und Kaltwasseranstalten, oder: Kurzgefaßtes schweizerisches Heilquellenlexicon, 1857; Aus Berg und Thal. Blätter aus dem Volke für das Volk, 2 Bde., 1863/64 (2., verm. u. durchges. Aufl. 1865); 'S Wydebüsseli ... Sechs Dorfgeschichten im Kriegstetterdialekt, 1903; Der erste Uhrmacher im Jouxtal – s' Storchenest. Zwei Erzählungen nebst drei Skizzen, 1911. AS

Hofstetter, Willy, * 30.11.1879 Ermatingen/Kt. Thurgau, † 1.3.1970; Berufslehrer, dann Zugführer bei d. SBB; lebte in Meiringen/Kt. Bern, dann in Erlenbach/Kt. Zürich. Lyriker, Erzähler.

Schriften: Aus Dorf und Dienst. Schweizer Geschichten, 1920; Wenn die Räder ruhen ... Gedichte eines Eisenbahners, 1920. AS

Hogrebe, Johannes K., * 15.4.1906 Bielefeld; Versicherungsberater, wohnt in St. Catharines/Ontario/Canada.

Schriften: Der Trapper vom Ghostriver. Ein Leben im kanadischen Paradies der Jäger und Fischer, 1969; Abenteuer der Wildnis. Waidwerk und Fischwaid im kanadischen Busch, 1970; Im Paradies der Jäger und Fischer. Erfahrungen und Erlebnisse in den Weiten Kanadas, 1971; In urigen Wäldern und auf einsamen Seen. Jagdfahrten in kanadischen Revieren, 1972; Auf Fahrten und Fährten. Jagd in Ostkanadas Wildnis, 1973. AS